Ito Makoto

伊藤 眞

破産法・民事再生法
［第5版］

有斐閣

第 5 版はしがき

　ヒマラヤ山脈の一座マナスルは，標高 8163 米，世界 8 位の高峰である。本邦で広く知られるようになったのは，昭和 31 年（1956 年），槇有恒氏率いる日本隊が初登頂に成功し，記念切手が発売されるほどの社会的反響を呼んだときからであろう。終戦後いまだ 10 年を経たにすぎず，登山装備はもちろん，物資自体も乏しかった時代の快挙は，まさに偉業と呼ぶに相応しい。そのことは，半世紀以上の刻が流れ，装備や用具も飛躍的に進歩した平成 24 年（2012 年），雪崩によって登山隊に 11 人の死者と行方不明者を出す大惨事が起きたことを想えば，頷かれよう。

　菲才に重ね，加齢による衰えを自覚せざるをえない身にとって，改訂の筆を起こすとき，瞼に浮かぶのは，首都カトマンズから遠望したマナスルの白嶺である。関連法規の改正，最高裁の新判例や下級審の裁判例，基礎理論に関わる学説や実務運用の変化を説く論考などを点検しつつ，それらを体系の中に位置づける遅々たる歩みに苛立ち，頂はおろか，麓にすら辿り着けないのではと危惧する日々であった。

　公刊された最高裁判例に限っても，最判平成 30 年 12 月 7 日民集 72 巻 6 号 1044 頁（集合動産譲渡担保と所有権留保の優劣。本書 498 頁），最判令和 2 年 7 月 2 日民集 74 巻 4 号 1030 頁（過払金債権と法人税確定申告の更正請求。本書 6 頁，353 頁），最判令和 2 年 9 月 8 日民集 74 巻 6 号 1643 頁（請負契約解除にもとづく違約金債権を自働債権とする相殺。本書 551 頁），最決令和 3 年 6 月 21 日裁判所ウェブサイト（破産免責の効果。本書 807 頁），最決令和 3 年 12 月 22 日裁判所ウェブサイト（再生計画不認可決定事由である決議の不正の方法。本書 1112 頁）など，重要な判例が現れている。

　文献についていえば，凡例に加えたものに限っても，『倒産手続の課題と期

待　多比羅誠弁護士喜寿記念論文集』（2019 年，商事法務），『現代民事手続法の課題　春日偉知郎先生古稀祝賀』（2019 年，信山社），『許可抗告事件の実情』（2019 年，判例時報社），『民事裁判の法理と実践　加藤新太郎先生古稀祝賀論文集』（2020 年，弘文堂），『民事手続法の発展　加藤哲夫先生古稀祝賀論文集』（2020 年，成文堂），『民事特別法の諸問題　第六巻　関西法律特許事務所開設五十五周年記念論文集』（2020 年，弁護士法人関西法律特許事務所），論究ジュリスト 35 号「倒産・事業再生の実務と理論」（2020 年），伊藤眞『会社更生法・特別清算法』（2020 年，有斐閣），伊藤眞『倒産法入門――再生への扉』（2021 年，岩波書店），伊藤眞『民事司法の地平に向かって――伊藤眞　古稀後著作集』（2021 年，商事法務）などを加え，民法や会社法に関する書物や実務運用に関する解説を最新のものに改めた。

　そもそも体系書は何のためにあるか。各種のデータベースが充実している今日，教科書，入門書，実務運用にかかる解説書を基礎とし，必要に応じて最新の情報を補充すれば十分との考え方もあろう。そうだとすれば，体系書などは，老生が愛用している「ガラケー」（折りたたみ式携帯電話機）と同じく，旧石器時代の遺物と化しているというべきかもしれない。

　しかし，体系書とは，「ある分野における法規定群を基本原理や基礎理念に照らして体系として整理し，新たに生起する問題への解決のあり方を裁判所などに対して提示する役割を担う書物」であり[1]，それと対比して，教科書とは，「法曹養成教育の中で，各法分野についての知識や思考方法を修得させるためのもの」と述べたことがある[2]。

　もちろん，ある書物が体系書であり，かつ，教科書としての役割を果たすことも少なくないが，基本姿勢の違いは，判例や学説，そして新たに生起する問題への対応に現れる。判例を分析し，それが一般法理として受け入れられるかどうかを検証し，時に批判を加え，学説についても，できる限り沁く渉猟し，自らの研究論文を基礎として，その採否を明らかにし，新たな問題の解決方向

---

1) 伊藤眞・千曲川の岸辺 94 頁（2014 年）。
2) 伊藤眞・続・千曲川の岸辺 51 頁（2016 年）。

を示すのが体系書であり，判例や通説の内容を平明に説くのが教科書であると信じている。

しかし，時の流れであろうか，わかりやすさや読みやすさを競う書物の勢いの前に，体系書の存在は翳(かす)みがちである。そのような寂しさを誌したところ[3]，日頃より親しくお付き合いいただいている実務家の方々より，体系書に求められる役割につき，様々な御指摘を給わった。

長老と申し上げるべき方からは，いまだ十分な検討が尽くされていない新たな事象への積極的取組みが求められるとの要望をいただき，実務界を双肩に担っていらっしゃる方からは，海図あるいは羅針盤の役割が期待されるとの叱咤を受け，新進気鋭の方は，「体系書が少なくなっていることは，新しい問題に挑戦し続ける実務家の憂いであり，そうした法分野における議論の水準が低下する予感がする」との言葉を寄せてくださった。

これらの声に本書が応え切れているかどうか，顧みていささか忸怩たる思いもあるが，少なくとも姿勢としては，第1に，関連法規の改正などの意義を明らかにする，第2に，新判例などの法理としての位置づけを試み，その妥当性を検証する，第3に，実務上の新たな問題についての愚見を示す，第4に，学説の議論についての自らの旗幟を鮮明にするという，いわば体系書としての4条件を満たすべく努力を続けたつもりであるが，それがどの程度達せられたかの評価は，江湖[4]の読者に委ねざるをえない。

体系書上梓と改訂の機会に恵まれるのは，研究者にとって至上の幸であるが，同時に絶え間ない緊張感に晒され，自己規律を求められることを意味する。恩師にあたる世代でいえば，金子宏先生の『租税法』〈第24版〉(2021年，弘文堂)，新堂幸司先生の『新民事訴訟法』〈第6版〉(2019年，弘文堂)，同世代でいえば，菅野和夫さんの『労働法』〈第12版〉(2019年，弘文堂)，江頭憲治郎

---

[3] 伊藤眞・会社更生法・特別清算法「はしがき」5頁(2020年)。
[4] 江湖とは，荘子・内篇・逍遥遊 第一 第四章 にみられる修辞であり(池田知久訳・中国の古典5 荘子 上 49頁(1983年，学習研究社))，大きな江(かわ)と湖との字義から転じて，広く世間を指す。

さんの『株式会社法』〈第8版〉（2021年，有斐閣），『商取引法』〈第8版〉（2018年，弘文堂），中山信弘さんの『特許法』〈第4版〉（2019年，弘文堂），『著作権法』〈第3版〉（2020年，有斐閣），続く世代としては，中田裕康さんの『債権総論』〈第4版〉（2020年，岩波書店），『契約法』〈新版〉（2021年，有斐閣），潮見佳男さんの『新債権各論Ⅰ Ⅱ』（2021年，信山社）などが知られた名著であるが，著者の方々の弛まざる努力に倣わなければと誓っている。

令和元年度末をもって教壇を離れた私にとって，長島・大野・常松法律事務所において整った研究と執筆環境を提供されていることは，身に過ぎたものというべきであろう。弁護士諸兄姉との意見交換に啓発され，秘書の方々の万般にわたる支援をいただいていることに対し，容易に感謝の言葉を見出しがたい。34階の窓外に秩父の連山を遠望しつつ，その気持ちを新たにし，自らの責務を果たさねばと誓っている。

体系書の公刊と改訂は，一本宛雑草を抜き，鍬を振り下ろして地を耕し，種を播き，水分と肥料を補給し，育てる作業に似ている。収穫の喜びはあるものの，終われば，休まず次に備えなければならない。土にまみれて畝を作る隣家の農夫・農婦を遠望するとき，その確信を深める日々である[5]。

しかし，喜寿を指呼の間に望み，研究者として最晩年にあるためであろう，作業の終わりが見通せる段階にさしかかったとき，新たな重要判例や大部の書物に接すると，心が挫けそうになる。ゲーテの辞（ことば）と伝えられる

Die Schwierighkeiten wachsen, je näher man dem Ziele kommt.
（頂上直下に到って，この難場とは！）（拙訳）

との一節が胸に迫る宵も少なからず，そのような折には傍らの鍵盤に向かい，末尾に誌した「思秋期」の旋律を奏でるとともに，「私たちがどんな災難にあってとほうに暮れている時でも，希望だけは決して私たちを見棄てない」との

---

[5] 伊藤・前掲書（注2）44頁。

パンドラの寓話[6]を想い起こすこととしていた。

　自らに誇れるものがあるとすれば，駑馬としての忍耐力と健康のみであることに想いを致し，執筆協力者，行川雄一郎判事（大分地裁・早稲田大学大学院法務研究科修了生），大川剛平弁護士（長島・大野・常松法律事務所），大川友宏弁護士（長島・大野・常松法律事務所）からの御教示をえて，目的地まで到達できたことに謝意を表したい。

　御三方は，それぞれ裁判所と法律事務所において枢要な職務を担い，多忙を極めていらっしゃる中，貴重な休息の刻を拙著のために割いていただいたこと，まさに学恩というべきである。顧みれば，〈第4版〉に至るまでの木村真也弁護士（木村総合法律事務所）の御尽力に対し，改めて御礼申し上げたい。それにもかかわらず，不正確な記述等が残っているとすれば，それらはすべて私の責に帰せられるべきことは云うまでもない。

　なお，三氏の御指摘を取り込む作業は，机上に2台のパソコンを置き，1台に第1次原稿を，他の1台に各氏のコメントを映出し，両者を比較する形で行ったが，2台目は，令和2年師走，日本学士院会員に任ぜられたことへの祝意として，長島・大野・常松法律事務所の方々より頂戴したものである。自らの研究活動が周囲の御厚意に支えられていることを改めて心に刻んでいる。

　改訂作業は，拙著『会社更生法・特別清算法』（2020年，有斐閣），『民事訴訟法』〈第7版〉（2020年，有斐閣），『消費者裁判手続特例法』〈第2版〉（2020年，商事法務），『倒産法入門——再生への扉』（2021年，岩波書店），『民事司法の地平に向かって——伊藤眞　古稀後著作集』（2021年，商事法務）の執筆や校正作業と雁行して進めたが，そのほぼ全期間がCOVID-19（新型コロナウイルス感染症）の流行期と重なっている。

　自らの生命を賭して治療や防疫の職務を果たされる方々の姿に想いを致すとき，刻々に報じられる新規感染者数やワクチン接種状況に一喜一憂するのではなく，平常心を保ち，己に課された使命を果たさねばと自らを戒め続けたが，

---

[6]　ブルフィンチ作・野上弥生子訳・ギリシャ・ローマ神話33頁（1978年，岩波文庫）。

それを支えたのは，妻・順子，母・千谷子をはじめとする家族の愛情である。

　最後になるが，昨年の『会社更生法・特別清算法』に引き続き，編集と校正作業に尽力いただいた有斐閣法律編集局の佐藤文子，島袋愛未両氏に対する謝意を誌したい。原著『破産法〈初版〉』（1988年）公刊以来30余年，書名を『破産法・民事再生法』〈初版〉（2007年）と改めてから数えても15年に迫り，9次の改訂を経て，ダイダロスの迷宮と化した記述を整理し，上梓の日を迎えられたのは，アリアドネの糸毬[7]（いとまり）というべきお二人の手助けによるとの想いが深い。

　　2021年霜月
　　　　心鬱結（むすぼ）れる夕まぐれ，「無邪気な春の語らいや　はなやぐ夏のいたずらや
　　　　笑いころげたあれこれ　思う秋の日」の詞を乗せた「思秋期」
　　　　（作詞　阿久悠，作曲　三木たかし）の旋律を奏でつつ

伊　藤　　眞

---

[7]　ブルフィンチ作・野上弥生子訳・前掲書206頁。

第 4 版はしがき

　第3版を公刊した平成26年（2014年）より玉響のごとき4年の歳月が流れた。その間に成立した「民法の一部を改正する法律」（平成29年法律44号），「民法の一部を改正する法律の施行に伴う関係法律の整備等に関する法律」（平成29年法律45号），公表された最高裁判所判例や下級審裁判例，凡例に追加した20数冊の出版物，数多くの雑誌論文などを前にしたとき，実務の変化と理論の進展に取り残されないために，また，自らの気力と体力が保持できている間に着手しないまま，さらに刻が過ぎてしまえば，永遠に機会が去ってしまうであろうことを予感したところ，幸い，数年来の懸案であった「消費者裁判手続特例法」（2016年，商事法務）および「民事訴訟法〔第5版〕」（2016年，有斐閣）公刊の目途が立ったため，改訂作業に着手したのが平成27年（2015年）10月であった。

　爾来3年，法改正を別としても，新たな最高裁判例や下級審裁判例は相当数にのぼり，最高裁のみをみても，最判平成26年10月28日民集68巻8号1325頁（不法原因給付と破産管財人の地位。本書220頁），最判平成28年4月28日民集70巻4号1099頁（死亡保険金請求権の破産財団帰属性。本書255頁），最判平成28年7月8日民集70巻6号1611頁（関連会社の債権を自働債権とする相殺の許否。本書501頁），最決平成29年5月10日民集71巻5号789頁（別除権の基礎たる譲渡担保権の設定と占有改定。本書468, 491頁），最決平成29年9月12日民集71巻7号1073頁（手続開始時現存額主義と超過配当。本書309頁ほか），最決平成29年10月5日民集71巻8号1441頁（弁護士法25条違反の訴訟行為であることを主張する破産管財人の利益。本書354頁），最判平成29年11月16日民集71巻9号1745頁（無償否認の要件。本書581頁），最判平成29年12月7日民集71巻10号1925頁（信販会社が自動車の留保所有権を別除権として主張するための要件。本書358頁ほか），最判平成29年12月19日判時2370号28頁（差押命令を受けた第三債務者による弁済と偏頗行為否認の成否。本書549頁ほか），最決平成29年12月19日民集71巻10号2632頁（小規模個人再生における再生計画不認可事由。本書1088頁），最判平成30年2月23日民集72巻1号1頁（被担保債権の

免責と抵当権の消滅時効。本書787頁），最決平成30年4月18日民集72巻2号68頁（株券未発行株式に対する強制執行の終了時期と破産手続開始決定。本書449頁）など，倒産法理の骨格にかかわる重要な判例が相次いでいる。

　顧みると，原著たる「破産法〔初版〕」(1988年) を上梓して以来，30年を超える刻(とき)が過ぎ，この間，「破産法」として5次，「破産法・民事再生法」として3次，通算すれば，8次の改訂作業を行ってきた。しかし，「霜鬢明朝(そうびんみょうちょう)又た一年」との七言絶句[1]に思いを致せば，研究活動可能年齢の最上限を85歳とみても，残すところ10年余り，4冊の体系書である，「民事訴訟法」，「破産法・民事再生法」，「会社更生法」，「消費者裁判手続特例法」のそれぞれについて，立法，判例，学説を追う，いわば受動的改訂に甘んじることなく，自らの論文執筆と雁行して行う，能動的改訂作業が2年ないし3年程度を要することに，古稀を過ぎ，情報量の増大に反比例して，急坂を転がるように各種の能力が低下しつつあることを考えあわせると，50代，60代にはなかった焦燥と憂鬱に囚われることもしばしばである。

　もっとも，このような試練が与えられること自体，読者諸賢の御厚意，妻・順子，母・千谷子をはじめとする家族の配慮と心身の健康に恵まれた結果であることを想えば，憂鬱などとは，不遜の響きを免れまい。

　原著・破産法〔初版〕「はしがき」において，故 Frank R. Kennedy 先生（元ミシガン大学ロー・スクール教授）の学恩に言及した。先生の事績は，「今中利昭先生傘寿のお祝いに寄せて——私の倒産法学と6人の方々」に誌したところである[2]。アナバのキャンパスにて先生の講筵に列したのは，40年前になるが，個人にせよ，企業にせよ，蹉跌はときに不可避であり，立ち直りの手を差し伸べることの大切さ，そのための制度のあるべき姿を説かれた姿は，昨日のことのように瞼に残っている。

　原著初版刊行以来の30年といえば，昭和と平成の二代に跨り，さらに新元号への改元を眼前にし，生誕した赤児が社会経済の最前線で活躍するに至るまでの長期

---

1) 井波律子・中国名詩集72頁 (2010年，岩波書店)。
2) 初出は，今中利昭先生傘寿記念・会社法・倒産法の現代的展開 (2015年，民事法研究会) 774頁，その後，拙著「続・千曲川の岸辺」65頁 (2016年，有斐閣) に所収。

である。担う重みが増すにつれ，体系書は何のためにあるか，簡にして要をえた入門書や概説書と実務運用に関する解説があれば十分ではないかなどと，筆を進めることができぬままに煩悶を繰り返した宵も稀ではない。

しかし，「体系書とは，ある分野における法規定群を基本原理や基礎理念に照らして体系として整序し，新たに生起する問題への解決のあり方を裁判所などに提示する役割を担うべき書物」[3]と信じ，不世出のアルピニスト加藤文太郎が風雪の北鎌尾根を攀る姿に思いを致し[4]，改正民法や整備法が設けた新たな規律の趣旨，最高裁判例の法理や下級審裁判例の意義を明らかにし，同学の士と自らの研究論文の内容を記述に反映させるべく，忍耐力を杖として，ひたすらに駑馬の歩みを続け，山路を越えてきた。

権力，名利，顕職，致富，栄爵のいずれからも遠く，栄耀栄華の対極に位置し，華美な生活とは無縁であるが，執筆のために費やす時間に恵まれていることを思えば，体系書の公刊は，研究者の地位を保障された者の特権といってよい。人の一生にとって，もっともかけがえのない価値であり，決して針（アーム）の進みを弛めたり，逆行させえないのが時間であることを考えれば，この特権の稀少さが理解されよう。それを行使するかどうかは，各々（おのおの）の判断に委ねられているが，ひとたび踏み出せば，Luftspiegelung（蜃気楼）のごとき目標に向かって荊棘（けいきょく）に満ちた路を進まなければならない。

Johann Wolfgang von Geothe（ゲーテ）によるFaust（ファウスト）の一節

「Es irrt der Mensch, solang er strebt.──努めるほどに，なお彷徨（さまよ）う」〈拙訳〉とは，無謀な決断をした者の運命であろう。

本書〔第3版〕の「はしがき」には，幼時に垣間見た戦災孤児の姿に触れ，環境に恵まれ，成長できた者は，それぞれの立場に応じて社会に対する責任を果すべきであると述べている。そして小学校低学年の夏，星空の校庭に映された「ひめゆり

3）「体系書執筆者の三憂一歓」書斎の窓623号3頁（2013年），拙著「千曲川の岸辺」93頁（2014年，有斐閣）に所収。
4）「体系書執筆30年」自由と正義66巻4号5頁（2015年），続・千曲川の岸辺49頁に所収。

の塔」[5]に涙した記憶もあり，南方島嶼の激戦や本土の空襲によって未来を奪われた方々を想うとき，使命を全うするために，残された日々を論文執筆と体系書改訂とに集中し，学界から引退の期(とき)を自覚させられるまで[6]，研究生活の黄昏(たそがれ)を過ごさなければと心に誓っている。

　改訂原稿執筆中の平成28年（2016年）2月19日，田原睦夫さん（弁護士・元最高裁判所判事）の訃報に接し，同年11月7日には，須藤正彦さん（弁護士・元最高裁判所判事）逝去の知らせを受けた。私と同世代に属するお二人からは，倒産や事業再生の分野にて多くの御教示をいただいており，田原さんについては，追悼の拙文を公にし[7]，須藤さんへも，偲ぶ想いを綴っている[8]。本書の記述内容との関係では，不良債権処理に関する21頁注30，支払停止概念に関する最判平成24・10・19判時2169号9頁に付された補足意見（本書118頁注78），無委託保証人の相殺権に関する最判平成24・5・28民集66巻7号3123頁（本書529注146）などが特に想い出深い。お二人からの学恩に応えるためには，本書の改訂を続ける以外にないが，担う力を超えた重みに挫けそうになる。

　そして再校に入ろうとする平成30年葉月，高木新二郎博士急逝を伝えられ，その衝撃は今も消えるところがない。先生は，弁護士として，裁判官として，理論研究者として，さらに私的整理を中心とする制度設計者（本書47頁）として，永きに渉って第一線で活躍され，受けた御教示は限りがない。感謝の気持ちの一端は「全力疾走の人――高木新二郎博士の急逝を悼む」[9] (at full throttle all the way)に誌しているが，生涯の学恩を心に刻んでいる。

---

5) 沖縄戦末期，地下壕に設置された陸軍野戦病院に従軍看護婦として服務した「ひめゆり学徒隊」（沖縄第一高女ほか）の悲劇を描いたフィルムであり，幾たびか制作されているが，年代からみて，今井正監督・津島恵子，香川京子ら主演「ひめゆりの塔」（1953年，東映）ではなかったかと思われる。また，NHKラジオ深夜便『"生かされた命"で語り継ぐ』ひめゆり平和祈念資料館館長…島袋淑子」（2017年6月21日午前4時5分）では，体験者の言葉として，悲劇の実情が語られている。
6) 加藤一二三「私の棋士人生」學士會会報928号30頁（2018年）に，同九段が77歳にて現役を引退した件(くだり)が誌されている。
7) 「田原睦夫さん（弁護士・元最高裁判所判事）を偲ぶ」続・千曲川の岸辺46頁。また，中井康之弁護士による「追悼の辞　田原睦夫先生を偲んで」月刊大阪弁護士会2016年9月号73頁でも，拙文を引用して頂いている。
8) 伊藤眞「須藤正彦さん（弁護士・元最高裁判所判事）を偲ぶ」NBL1087号4頁（2016年）。
9) NBL1133号28頁（2018年）。

そのような状況の中，本書〔第3版〕および「会社更生法」についても同様であるが，木村真也弁護士（大阪弁護士会・木村総合法律事務所）と行川雄一郎判事補（東京地裁・早稲田大学大学院法務研究科修了生）のお二人には，改訂原稿のすべてに目を通していただき，不正確な記述を正し，見過ごしていた問題点などを指摘賜った。

　さらに，今次の改訂作業には，大川剛平弁護士（東京弁護士会，長島・大野・常松法律事務所）にも協力をお願いすることができた。同弁護士は，現在，米国留学中 (Duke University School of Law LL. M. 修了・Axinn, Veltrop & Harkrider LLP (Washington, D.C.) にて研修中）であるが，勉学の寸暇を割いて，幾多の貴重な意見を寄せていただいた。孤独な執筆者にとって，俊秀お三方に伴走者としての役割をお願いできたことほど忝く，かつ，悦ばしい想いはない。もちろん，本書の記述になお遺漏や瑕瑾があるとすれば，すべて筆者が責任を負うべきことはいうまでもない。

　また，本書〔第3版〕中国語版の翻訳者たる劉穎准教授（北京航空航天大学法学院・中央大学法学博士）からは，翻訳の過程で気付かれた50数ヵ所の不正確な記述について指摘を賜った。同じく本書〔第3版〕韓国語版の翻訳者たる呉守根教授（梨花女子大法学専門大学院）からの御教示も枚挙にいとまがなく，十数年前のソウル留学時以来の御厚誼に対し，改めて深謝したい。林治龍元判事（現 KIM & CHANG 法律事務所弁護士）とともに，「金曜日の愉快な仲間達――ソウル中央地方法院破産部の勉強会」[10]を組織してくださった呉教授との交友は，本書〔第4版〕に向けた改訂作業を進める上で大きな力であった。

　加えて，顧問として活動の場を与えられている長島・大野・常松法律事務所に対しても，所属弁護士諸兄姉との意見交換，秘書の方々による支援などがなかったとすれば，改訂の実現は不可能であったに相違なく，感謝の気持ちを新たにしている。加筆部分のみを取り上げても，仮想通貨の破産財団帰属性（本書254, 456頁），留保所有権と集合動産譲渡担保との優劣（本書485頁），TLAC債と無償行為否認の関係（本書581頁）などは，折々の意見交換や所内の勉強会における議論を基礎として，研究者としての愚考の結果をまとめたものである。

　最後になるが，9次の改訂を通じ，万般にわたり尽力いただいた有斐閣法律編集

---

10) 千曲川の岸辺69頁。

局書籍編集部の歴代担当者各位，今般は，佐藤文子，島袋愛未 両氏に対し深甚なる謝意を表したい。上梓の 暁(あかつき) には，綿密な編集と校正作業の跡は不可視のものとなるが，お二人の役割は，体系書という 竃(かまど) の 炎(ひ) を保ち続けるヘスティア[11]に比すべきものといえよう。

　平成30年長月
　　　　　Schatten der Bäume に Brize 流れる 蓼科にて，
　　　　　　　　　　　　　　　　　　　　　　緑陰　　そよかぜ
　　　　Wolfgang Amadeus Mozart 作曲『Rondo Alla Turca』を奏でつつ
　　　　　　　　　　　モーツァルト　　　　　トルコ行進曲

　　　　　　　　　　　　　　　　　　　　　　伊　藤　　眞

---

[11] ブルフィンチ作・野上弥生子訳・ギリシャ・ローマ神話29頁（1988年・岩波文庫）。

第 3 版はしがき

　昭和 63 年（1988 年），本書のもととなる「破産法」を公刊してから 4 半世紀が過ぎた。その間，幾度かの改訂を経て，「破産法・民事再生法」を世に問うたのが平成 19 年（2007 年），その内容を新たにし，平成 21 年（2009 年）6 月に本書第 2 版を上梓した後，早くも 5 年を超える歳月が流れた。この間に現れた最高裁判例および下級審裁判例は相当数に上がり，実務の運用にかかわる書物も，破産事件および民事再生事件を専門的に取り扱う東京地方裁判所民事第 20 部および大阪地方裁判所第 6 民事部所属の裁判官が中心となって刊行された解説書や，全国倒産処理弁護士ネットワークに代表される，弁護士の経験と知見を集積した公刊物，さらに倒産実務の動向について理論的考察を加えた注釈書，論文集，雑誌論文など，枚挙に暇がない。そのすべてに言及し，愚見を示すことは，馬歯を重ね，古稀を迎えようとする自らの能力を超えるのではないかと感じざるをえず，現に学界を担う方々に委ねるべきではないかとの想いも，一再ならず心を過ったところである。

　それにもかかわらず，無謀ともいうべき挑戦を敢えて続けたのは，悲惨な戦争の末期に生を受け，戦後の街角に立つ傷痍軍人，上野駅の地下道に折り重なって眠る戦災孤児の姿を目の当たりにしながら，復興の過程のなかで成長期を送ることができた者にとって，先学の築き上げた成果を受け継ぎ，これに自己の評価を加え，次の世代に法燈を手渡すことが責務であると考えたからに他ならない。

　千曲川の対岸に横たわる小牧山の頂にかかる雲の峰を眺め，何時か其処に辿り着けるかと夢見た幼年時代の記憶があり[1]，改訂作業の出発点に立ったときの想いは，それに通じるものがあった。着手したのは，拙著・会社更生法（2012 年，有斐閣）刊行の目途が立った平成 24 年（2012 年）夏のことであるが，検討の対象とすべき資料の量を認識するにつれ，いささか暗然とし，実務のあり方を検証し，今後の解

---

1) 伊藤眞・千曲川の岸辺（2014 年，有斐閣）はしがき参照。

釈と運用の指針を示すという，体系書の使命[2]を全うするに足る内容を加えることができるかどうか，日暮途窮と感じた次第である。近時出版された注釈書の逐条解説や論文集所収の諸論攷をようやく読了し，それらについての引用を終えるころに，また新たな論文集に接し，瞬時の解放感を味わうことも許されない自らの状況に，ペネロペの織物[3]に似たものを感じざるをえず，菲才を自覚し，筆を擱くべきかと迷った夜も少なくはない。

そのような中で，少年時代からの愛読書・キュリー夫人伝の一節

「わたしは，疑ひもなく，何物かがわたしを強制したので，そこで，ちやうど蚕がその繭を作ることを強制されるやうに，仕事に励みました。……わたし達は銘々自分の繭を紡ぎませう，なぜとかどういふ目的でとか質ねないで。」[4]を心に刻みつつ，蝸牛のごとき歩みを進める中で，多くの方々の御厚意溢れる協力の申し出に接することができた。

まず，第1章に新たに収録した平成20年代の企業破産の設例については，服部明人弁護士（第一東京弁護士会・服部明人法律事務所）と高木洋平弁護士（第一東京弁護士会・LM法律事務所）から，同じく平成20年代の消費者破産の設例については，木村真也弁護士（大阪弁護士会・はばたき綜合法律事務所）より貴重な資料の提供を受けた。また，私が所属する第一東京弁護士会「総合法律研究所 倒産法研究部会（岡 伸浩 部会長）」の会員各位，顧問を務める長島・大野・常松法律事務所の諸兄姉からは，実務上の問題の所在，その解決の方向などについて多くの示唆を頂き，その内容を本書の記述に生かすべく，愚公山を移すための毎日を過ごすことができた。

そして，これも拙著・会社更生法のときと同様に，木村真也弁護士と行川雄一郎参事（衆議院法制局・早稲田大学大学院法務研究科修了生）には，改訂の原稿段階から校

---

[2] 伊藤・前掲書収録の「体系書執筆者の三憂一歓」参照。
[3] ブルフィンチ作・野上弥生子訳・ギリシア・ローマ神話244頁（1978年，岩波文庫）に，オデュセウスの妻ペネロペの織物が，「たえずしてはいるが，決して出来上がらないものに対する諺」として記述されている。
[4] エーヴ・キュリー（川口篤ほか訳）・キュリー夫人伝459頁（1940年，白水社）。なお，旧漢字は常用漢字に直し，あわせてルビを振っている。

正刷を経て完成に至るまで，詳細な内容の検討をお願いし，不正確な記述についての指摘はいうまでもなく，理論および実務の両面から必須と思われる問題に関する検討，全体の統一など，すべての点に渉って御教示を受けた。本書が多少なりとも斯学の発展に裨益するものとなるとすれば，飛耳長目の形容に相応しいお二人の力によるところが大きいことを痛感し，感謝の言葉を見出すのに困難を覚えるほどである。もちろん，本書の内容になお改めるべき点があるとすれば，それについては，あげて私の責任に帰せられるべきものである。

また，「破産手続の概要」，「民事再生手続（通常）の概要」および「個人再生手続の概要」を巻末資料として収録したことについても，御了解たまわった関係者各位に対し深甚の謝意を表したい。

思えば，平成19年（2007年）4月の着任以来，教育と研究に専心できる環境を与えて下さっている早稲田大学に対して心より感謝の意を表したい。行川雄一郎氏との出会いも，早稲田大学大学院法務研究科の教室から始まっている。

最後になるが，有斐閣書籍編集第一部の佐藤文子，吉田小百合両氏には，改訂作業の全段階を通じて，献身的な努力をいただいた。記してお礼申し上げる。

机上に一冊の新約聖書（1950年，日本聖書協会）がある。六十余年前，祖母・琴の膝下より通った常田幼稚園（長野県上田市常田　上田メソジスト教会開設）の卒園記念品としていただいたものであるが，人口に膾炙したその一節，「誰も新しき葡萄酒を，ふるき革嚢に入るることは為じ。もし然せば，葡萄酒は嚢をはりさきて，葡萄酒も嚢も廃らん。新しき葡萄酒は，新しき革嚢に入るるなり」[5]に照らしたとき，本第3版が新しき革嚢となりえていることを願い，また，近く実現するであろう民法（債権関係）改正などを踏まえた改訂の機会に恵まれるよう，読者諸賢の御叱正を乞う。

---

[5]　マルコ伝第2章第22節。なお，旧漢字は常用漢字に直し，あわせてルビを振っている。

2014 年初夏
「葉洩りの日かげ散斑(はらふ)なる」6) 白樺の木立を望み,
オスカー・ピーターソン奏でるマイ・フェア・レディ
(プリアンプ：クリスキット Mark 8 D, パワーアンプ：出力管 KT 88)
に耳を欹てつつ

伊 藤 　眞

---

6)　薄田泣菫・望郷の歌（吉田精一・日本近代詩鑑賞－明治篇－（1953 年，新潮社）102 頁所収）第二連より。

第 2 版はしがき

　2007 年 11 月に初版を上梓した後，瞬く間に 1 年余りの歳月が流れた。光陰人を待たずの想いを深くするが，体系書の内容を改めるには，あまりにも短い期間のように思われる。しかし，この間に現れた最高裁判例，下級審裁判例，実務上の論点についての研究などは相当量に達し，また，昨年来の経済情勢を反映して，新たな法律問題も多く浮上している。本書の内容について，厳しい批判を含め，学界および実務界から多少の評価を頂いたと思うのは，貪夫の妄念であると憫笑を買うことを覚悟しつつ，第 2 版を江湖に問う次第である。

　主たる加筆，訂正箇所は，委託者の破産における信託契約の解除可能性，再生手続開始申立てを理由とする解除特約の効力を否定した最判平成 20・12・16 金商 1308 号 40 頁関連，破産債権の地位，いわゆる手続開始時現存額主義についての大阪高判平成 20・5・30 判タ 1269 号 103 頁関連，租税債権などについて代位弁済をした者の財団債権行使，破産管財人の源泉徴収義務についての大阪高判平成 20・4・25 金法 1840 号 36 頁関連，市場の相場がある商品の取引に係る契約終了にともなう損害賠償算定の基準時，保険金受取人の指定変更行為に対する詐害行為否認，再生手続開始の条件たる申立ての誠実性，賃貸人の再生手続における敷金返還請求権の取扱い，集合物譲渡担保の再生手続開始後取得財産に対する効力，再生計画における過払金返還請求権の取扱いである。

　これらを中心とした改訂に際しては，近時の判例，下級審裁判例および雑誌論文等を参照した。ただ，大コンメンタール破産法（2007 年，青林書院），新破産法の理論と実務（2008 年，判例タイムズ社），条解民事再生法〈第 2 版〉（2007 年，弘文堂），破産・民事再生の実務（上）（中）（下）〈新版〉（2008 年，きんざい）など，理論を検証し，実務の動向を知る上で必読の文献と思われるものについては，未だ目を通していない。自らの駑馬たるを恥じ，老いの将に至らんとするを知らずの心構えを持ち続けたい。読者諸賢の御叱正を乞う。

　最後になるが，新第 62 期司法修習生行川雄一郎氏からは，改訂箇所を中心として，有益な指摘を数多く頂いた。御厚意に対し心より謝意を表したい。もちろん，

叙述の内容等についてなお不正確な点があるとすれば，それはすべて筆者の責任に帰されるべきものである。また，有斐閣書籍編集第1部の佐藤文子および栁澤雅俊両氏には，初版刊行時と同様に，編集や校正の面で献身的な作業をお願いした。記してお礼申し上げる。

  2009年2月
    如月の清水谷公園を望み，
      ディートリッヒ・フィッシャー・ディースカウ謳う
        大地の歌に耳を欹てつつ

            伊　藤　　眞

初版はしがき

　清算と再生は，倒産処理法制の両輪である。清算型手続による支えなしに再生型手続が適正に機能することは期待できないし，逆に，再生型手続と連携のない清算型手続は，不毛の荒野と呼ばれてもやむを得ない。このような視点からすると，倒産処理法制に関する体系書は，清算型手続としての破産および特別清算，再生型手続としての民事再生および会社更生を網羅することが望まれる。先学の著作としても，谷口安平先生の「倒産処理法」や霜島甲一先生の「倒産法体系」は，このような内容を持つものである。また，最近では，山本和彦氏他による「倒産法概説」という良書も現れている。

　しかし，近時における立法，判例，学説および実務の発展は目覚ましく，倒産処理法制全体を対象とする体系書を著すことは，筆者の力量を超えるものとして，断念せざるをえず，中田淳一先生の「破産法・和議法」や石原辰次郎判事の「破産法和議法実務総攬」にならって，旧著「破産法〈第4版補訂版〉」を基礎として，清算型手続の一般法である破産法と再生型手続の一般法である民事再生法を対象とすることとした。会社更生法については，筆者に残された時間の中で他日を期している。

　もっとも，破産法と民事再生法との間には，否認や相殺禁止など，いわゆる倒産実体法の規律を中心として，共通する部分が多いとはいえ，民事再生法には，再生計画など再生型手続固有の制度で，かつ，会社法などの組織法と深く結びついているものがあり，さらに，個人再生にみられるように，準用や適用排除規定が複雑に組み合わされている部分もあり，到底，破産法の延長として執筆できるようなものではないことを痛感させられた。徹宵思い悩んでも解決の糸口を見いだせない問題に遭遇し，同学の士や立案に関与された方々の意見を求めたことも，一再ならず存在する。もちろん，法制定当時の信頼できる解説書である「民事再生法要説」や「民事再生法逐条研究」，そして近時相次いで刊行された，「新注釈民事再生法（上）（下）」や「詳解民事再生法」などの注釈書等から多くの示唆を受けたことは，いうまでもない。

また，体系書の上梓にとって原稿の完成は，第1歩を踏み出したにすぎない。その後には，法や規則の条文との照合や不正確な表現の修正など，生来粗放な筆者にとって不得手な，多くの作業が残されている。幸い，今般は，これらの作業について，東京大学大学院法学政治学研究科法曹養成専攻（いわゆる法科大学院）学生である，石川耕，小森純子，佐藤安紘，辰野嘉則，原琢磨5氏の協力をうることができた。5氏には，多忙な勉学の時間を割いて，筆者の原稿を丹念に読み，総計600箇所を超える指摘をいただいた。加えて，2007年度春学期の早稲田大学大学院法務研究科（いわゆる法科大学院）における「倒産法」の受講生であった行川雄一郎氏からも，破産法部分を中心として，表現等に関して数百箇所の注意を受けた。本書が，体系書としての水準に近づくことができたとすれば，これらの諸氏の協力によるところが大きい。もちろん，本書の内容になお不正確な表現等があるとすれば，それはすべて筆者の責任に帰されるべきものである。

　しかし，いったん出来上がった体系書であっても，それに安住すれば，不耕貪食の批判を免れない。自らの努力はもちろんであるが，読者からの指摘を待って，よりよい内容のものとしたいと念じている。御叱正を乞いたい。

　なお，「一般社団法人及び一般財団法人に関する法律」（平成18年法48号）のように，本書刊行の時には未施行であっても，近い将来における施行が確実に予定されるものについては，現行法と同様に扱うこととしている。

　最後になるが，有斐閣書籍編集第1部の佐藤文子氏には，「破産法〈第4版補訂版〉」から引き続き，また，栁澤雅俊氏には，新たに，編集や校正等の面で献身的な作業をお願いした。記してお礼申し上げる。

　妻順子，そして心の通い合った友人に本書を捧げる。

　2007年7月

　　　　　　　　　残照の大隈講堂を望み，キース・ジャレットの
　　　　　　　　　　　　ケルン・コンサートに耳を傾けつつ

　　　　　　　　　　　　　　　　　　　　伊　藤　　眞

はしがき
(旧著「破産法」初版)

　本書は，現行破産法に規定される倒産処理手続，すなわち破産手続と強制和議手続とについての概説書である。当初の予定では，和議法をも扱うことを考えていたが，それを断念したのは，次のような理由による。第1に，伝統的に和議手続は，破産法の体系書のなかで説明されることが多かったが，再建型手続としての性格および和議手続利用の実情を考えると，むしろ会社更生手続とともに扱うのが適していることである。第2に，巻末の統計資料の中でも示したように，和議の事件数は，近年増加しつつあり，それにともなって実務上の論点も多発しているので，破産手続に付随した説明で済ますのが困難になっていることである。第3に，本書の頁数からして，和議を含めると，やや頁数が多くなりすぎることである。以上の理由から，本書では，破産法上の強制和議についてのみ第六章四 (3) で簡単に説明するにとどめ，和議法上の和議については，後日の機会に譲ることとした。

　本書の執筆にあたって，著者としては，現在の破産法学および破産実務の達した水準，あるいはその中の問題点を客観的に叙述し，それについて著者自身の見解を述べるという方法をとったつもりである。それとともに，読者の中のかなりの方は，破産法を初めて学習する学生であるという点も念頭において，叙述の仕方についても，著者なりに工夫してみた。序論において「破産法への招待」という風変わりな章を設けたこと，また随所に設問を提示したことは，その工夫のあらわれである。この点に関しては，異なった分野の書物であるが，R. LEMPERT & S. SALTZBURG, A MODERN APPROACH TO EVIDENCE (1977) が参考になった。設問は，講義の際の教材として用いることもできようし，読者が自分自身で考える材料にもなろう。かなりの設問は，本書の説明を基礎として考えることによって一応の解答が与えられるものであるが，中には，まだ破産法学の中でも十分に検討されていない難問も含まれている。

　破産法については，すでに多くの体系書が公刊されている。本書でもしばしば参照した加藤正治博士の『破産法要論』という名著を始めとして，第二次世界大戦後のものに限定しても，優れた著作がいくつか存在する。特に，山木戸博士の体

系書は，それぞれの問題点について簡潔，かつ，平明な説明を加えているという点で，本書の執筆の基礎とさせて頂いたところが多い。しかし，近年における破産実務の発展は，眼をみはるものがあり，破産法学の対応が追いついていない部分も決して少なくない。先人の業績を前にしながら，著者があえて本書の執筆を思い立った動機もそこにある。執筆の際には，最近相次いで刊行された注釈書，たとえば『注解破産法』や『注解和議法』によって助けられることが多かった。これらの注釈書が存在しなかったとすれば，本書の刊行は，不可能ではなかったにせよ，著しく困難になったと思われる。もちろん，著者にとっては，こうした著作によって与えられる知識とともに，裁判官や弁護士など実務家の方からの御教示によってうるものも大きかった。特に，本書執筆の途中から高木新二郎および今中利昭両弁護士を代表とする「東西倒産実務研究会」に出席する機会を与えられたことは，望外の喜びであった。

　本書の基礎には，1984年4月から1986年3月まで隔月に月刊法学教室に連載させて頂いた『破産法講義』がある。あらためて読み直してみると，不十分な説明や著者の誤解が目立って，読者には御迷惑をかけたことを御詫びしたい。しかし，この連載の機会が与えられなければ，やはり本書の執筆は困難であったと思われる。連載について紹介の労をとって頂いた新堂幸司教授に改めて御礼申しあげたい。

　著者と破産法との関わりは，司法試験の科目として破産法を選択し，口述試験で故吉川大二郎博士の謦咳に接する機会を得たことから始まる。それ以来，研究者としては，三ケ月章博士，新堂教授，青山善充教授，松浦馨教授，竹下守夫教授，FRANK R. KENNEDY 博士などから御指導をえてきた。これらの先生方は，それぞれ異なった方面から著者に学問的刺激を与えて下さった。著者にとって最初の体系書である本書を刊行するに際して，先生方に心から感謝したい。

　また，本書の執筆にあたっては，立教大学法学部助教授・高田裕成氏と大阪地裁判事補・長谷川恭弘氏の御二人から協力を頂いた。両氏は，著者の草稿に丁寧に目を通して下さり，著者の誤解や不明瞭な表現について数多くの指摘をして下さった。多忙な公務のかたわら両氏が貴重な時間を割いて下さったことについては，感謝の言葉もない。もちろん，本書の内容についての責任は，著者にのみある。なお，本書が刊行されるに際しては，原稿の整理あるいは校正などについて，有斐閣法学教室編集部の奥貫清氏に御世話を頂いた。厚く御礼申しあげたい。

体系書を執筆するということは，事前に予想していたよりはるかに困難な仕事であった。その仕事の期間中著者にとって精神的な支えとなってくれた著者の家族，順子，佑，さやかの3人に本書を捧げたい。

　1987年12月

　　　　　　　　　　　　　　　　　　　　　　　　　伊　藤　　眞

目　次

第1部　破　産　法 ……………………………………… 1

　序　論　倒産処理法への招待　*1*
　第1章　破産手続の開始　*86*
　第2章　破産手続の機関および利害関係人　*205*
　第3章　破産財団と破産債権等　*256*
　第4章　破産財団をめぐる財産関係の整理　*360*
　第5章　破産財団の法律的変動　*465*
　第6章　破産手続の進行　*669*
　第7章　免責および復権　*781*
　第8章　破　産　犯　罪　*822*

第2部　民事再生法 ……………………………………… *837*

　第1章　再生手続の理念等　*837*
　第2章　再生手続の開始　*841*
　第3章　再生手続の機関および利害関係人　*881*
　第4章　再生債務者財産と再生債権等　*929*
　第5章　再生債務者をめぐる財産関係の整理　*958*
　第6章　再生債務者財産の法律的変動　*986*
　第7章　再生手続の進行　*1031*
　第8章　再　生　計　画　*1076*
　第9章　再生手続の終了　*1165*
　第10章　簡易再生および同意再生　*1180*
　第11章　個　人　再　生　*1191*
　第12章　再　生　犯　罪　*1234*

第3部　倒産処理手続相互の関係 ……………………… *1240*

　資　料　*1257*　　判例索引　*1271*　　事項索引　*1285*

細 目 次

第1部 破 産 法

序論 倒産処理法への招待 …………………………………… *1*

第1節 問題の所在　*1*

第1項 企業破産および民事再生の事例　*2*
1　ある株式会社の破産（昭和60年代）　*2*
2　ある事業者向け金融業者の民事再生と破産への移行（平成20年代）　*5*
　(1) 再生手続開始から再生手続廃止まで　*6*　(2) 破産手続開始と破産手続の遂行　*7*　(3) 各種の訴訟等　*7*

第2項 消費者破産の二事例　*9*
1　昭和50年代半ばの消費者破産事件　*9*
2　平成20年代前半の消費者破産事件　*13*
3　企業破綻および消費者の経済破綻における破産手続の機能　*16*

第2節 倒産処理の必要性と理念　*18*

第1項 法的倒産処理制度の必要性　*18*
1　債権者の個別的権利行使制限の必要性　*20*
2　債務者の詐害行為および偏頗行為の防止ならびに原状回復　*20*
3　手続遂行主体の中立性と適正な職務遂行の確保　*21*
4　大規模倒産の公平な処理　*21*
5　合意によらない権利調整の可能性　*21*
6　不良債権整理の必要性　*22*

第2項 倒産処理の指導理念　*22*
1　公平・平等・衡平の理念　*22*
2　手続保障の理念　*26*

第3節 倒産処理手続の全体構造　*28*

第1項 複数手続型と単一手続型　*28*

第2項　清算型手続と再生型手続　*30*

第3項　清算型手続の特徴　*33*
 1　破　　産　*33*
 2　特 別 清 算　*36*

第4項　再生型手続の特徴　*40*
 1　民 事 再 生　*40*
 2　会 社 更 生　*43*

第5項　特 定 調 停　*47*

第6項　私 的 整 理　*48*
 1　事業再生のための私的整理　*49*
  (1) 私的整理の意義と制度化された私的整理　*49*　(2) 私的整理の機関　*51*　(3) 一時停止の要請行為（通知）の法的性質とその効果　*54*
 2　消費者の経済生活再生のための私的整理　*61*

第4節　倒産処理法の法源　*63*

第1項　破産法等の沿革　*63*
 1　明治初期までの破産制度　*64*
 2　旧商法破産編および家資分散法　*65*
 3　旧破産法の制定過程　*66*
 4　その後の立法の発展　*68*

第2項　倒産処理法制改革と現行破産法制定　*69*
 1　民事再生法および民事再生規則の成立　*70*
 2　小規模個人再生等の新設　*70*
 3　新会社更生法および会社更生規則の成立　*71*
 4　新破産法および破産規則の成立および概要　*72*
  (1) 破産法の構成および概要　*72*　(2) 破産規則の構成および特色　*75*
 5　会社法の成立と特別清算の改正　*75*
 6　近時の改正　*77*
  (1) 外国租税債権の取扱い　*77*　(2) 平成26年会社法改正にともなう民事再生法の改正と民事再生法施行規則の制定　*79*　(3) 平成29年民法改正にともなう破産法および民事再生法の改正　*80*　(4) 令和元年民事執行法改正にともなう破産法および民事再生法の改正　*80*　(5) 令和3年民法改正にともなう破産法の改正　*81*

第3項　今後の立法課題　*81*

1 倒産法制全体の構成にかかわる事項　*81*
  2 倒産手続の機関にかかわる事項　*82*
  3 利害関係人に対する情報開示と手続参加にかかわる事項　*83*
  4 事業価値の維持にかかわる事項　*83*
  5 利害関係人の権利に関する調整原理にかかわる事項　*83*
  6 各種債権の取扱いにかかわる事項　*84*
  7 手続進行の迅速化と合理化にかかわる事項　*84*
  8 再生計画または更生計画による権利変更にかかわる事項　*84*
  9 個人破産や個人再生にかかわる事項　*84*
  10 担保法改正の影響　*84*

第1章　破産手続の開始 …………………………………………… *86*

第1節　破産能力・破産手続開始原因・破産障害事由　*86*

第1項　破産能力　*88*

  1 個　人　*89*
  2 法　人　*90*
  3 相続財産　*93*
    (1) 相続財産破産の機能　*93*　(2) 相続財産破産の法律構成　*94*　(3) 相続財産破産の手続　*95*　(4) 相続財産破産における破産債権者　*98*　(5) 相続開始の時期と相続財産破産　*99*
  4 相続人の破産　*100*
    (1) 相続人による放棄または承認の効力　*100*　(2) 相続人破産における破産債権者　*104*
  5 信託財産　*105*
    (1) 信託財産破産の機能　*106*　(2) 信託財産破産の法律構成　*107*　(3) 信託財産破産の手続　*108*
  6 受託者の破産　*112*
    (1) 受託者破産における破産財団　*113*　(2) 受託者破産における破産債権者　*114*
  7 委託者の破産　*115*
  8 法人でない社団または財団　*115*
  9 民法上の組合　*116*

第2項　破産手続開始原因等　*117*

  1 支払不能　*117*
  2 支払停止　*121*

3　債務超過　*125*

　第3項　破産手続開始の条件　*129*

　第4項　破産障害事由　*130*

　　1　破産と民事再生　*130*

　　2　破産と会社更生　*131*

　　3　破産と特別清算　*133*

第2節　破産手続開始手続　*134*

　第1項　破産手続開始申立権者　*134*

　　1　債　権　者　*134*

　　2　債　務　者　*137*

　　3　法人の理事等　*139*

　　4　相続財産に対する申立権者　*140*

　　5　信託財産に対する申立権者　*141*

　　6　監　督　官　庁　*141*

　第2項　破産手続開始申立ての手続　*142*

　第3項　予　納　金　*146*

　　1　予納金額および予納の手続　*147*

　　2　自己破産手続開始申立てと予納金および国庫仮支弁　*148*

　第4項　破産手続開始申立ての取下げ　*150*

　第5項　破産手続開始原因の審理　*151*

　第6項　破産手続開始決定前の中止命令および保全処分　*152*

　　1　人的保全処分　*153*

　　2　財産保全処分　*154*

　　3　債権者の権利行使に対する中止命令等　*159*

　　　　(1) 各種の他の手続に対する中止命令　*160*　(2) 包括的禁止命令　*165*

　　4　否認権のための保全処分　*171*

　　5　破産手続開始前の役員の財産に対する保全処分　*174*

　　6　保全管理命令　*175*

　第7項　破産手続開始決定　*181*

　　1　同　時　処　分　*183*

　　2　付　随　処　分　*185*

　　　　(1) 公告および通知　*185*　(2) 登記の嘱託等　*187*

第8項　破産手続開始の効果　*189*
　　1　説明義務および重要財産開示義務　*190*
　　2　法人に対する破産手続開始の効果　*191*
　　3　個人に対する破産手続開始の効果　*193*
　　　　(1) 居住制限　*193*　(2) 引　致　*193*　(3) 通信の秘密制限　*194*
　　　　(4) 資格制限　*194*
　第9項　同時破産手続廃止　*196*
　第10項　破産手続開始申立てについての裁判に対する不服申立て　*200*
　第11項　抗告審の審理および裁判　*202*

第2章　破産手続の機関および利害関係人 …………*205*

　第1節　破産手続の機関　*207*
　　第1項　破産管財人　*210*
　　　1　破産管財人の職務　*211*
　　　2　費用および報酬　*217*
　　　3　任務終了　*218*
　　　4　破産管財人の法律上の地位　*221*
　　　　(1) 職務説　*222*　(2) 破産債権者代理説または破産者代理説　*223*　(3) 破産財団代表説　*223*　(4) 破産団体代表説　*224*　(5) 受託者説　*224*
　　　　(6) 管理機構人格説　*224*
　　第2項　保全管理人　*226*
　　第3項　裁判所　*227*
　　　1　土地管轄　*228*
　　　　(1) 原則的土地管轄　*229*　(2) 補充的土地管轄　*229*　(3) 親子会社等についての関連土地管轄　*229*　(4) 大規模破産事件についての土地管轄の特則　*231*　(5) 移　送　*232*　(6) 相続財産に関する破産事件の管轄　*233*　(7) 信託財産に関する破産事件の管轄　*234*
　　　2　国際破産管轄　*234*
　　　3　裁判所書記官　*236*
　　第4項　債権者集会　*236*
　　　1　債権者集会の法的性質　*238*
　　　2　債権者集会の権限　*239*

3 招集および議事 *240*

4 決　議 *242*

第5項　債権者委員会 *244*

第2節　破産手続の利害関係人 *246*

第1項　破産債権者 *248*

第2項　破　産　者 *249*

第3項　別除権者・相殺権者・取戻権者 *250*

第4項　財団債権者 *252*

第3節　破産事件に関する文書の閲覧等 *252*

第3章　破産財団と破産債権等 …………………………………*256*

第1節　破産財団の意義と範囲 *256*

第1項　破産財団の意義および性質 *256*

第2項　破産財団の範囲 *258*

1 破産財団の時的限界——固定主義 *259*

2 破産者が有する財産 *261*

（1）将来の請求権 *262*　　（2）自由財産の意義 *265*　　（3）破産者の承諾にもとづく自由財産の破産財団への組入れ *270*　　（4）法人における自由財産 *271*

3 国際破産における破産財団の範囲 *272*

（1）国内破産の外国財産に対する対外的効力 *274*　　（2）外国破産の国内財産に対する効力 *278*

第2節　破　産　債　権 *283*

第1項　破産債権の意義 *283*

1 破産債権の基本的成立要件 *284*

（1）財産上の請求権 *284*　　（2）人的請求権 *285*　　（3）執行可能性 *286*　　（4）破産手続開始前の原因 *287*

2 特別の規定によって破産債権とされるもの *289*

3 破産手続開始前の原因にもとづく請求権で破産債権とされないもの *290*

第2項　破産債権の金額 *290*

         1 金額の確定されている金銭債権 *292*
         2 金額不確定の金銭債権および財産上の請求権 *292*
            (1) 不確定金銭債権（破 103 Ⅱ ①ロ） *293*　(2) 外国通貨金銭債権（破 103 Ⅱ ①ロ） *294*　(3) 非金銭債権（破 103 Ⅱ ①イ） *294*
         3 定期金債権（破 103 Ⅱ ①ハ） *295*
         4 条件付債権および将来の請求権 *295*
      第 3 項　破産債権の地位 *297*
         1 破産手続によらない破産債権の行使の意義 *297*
         2 自由財産に対する破産債権者の権利行使 *299*
         3 租税等の請求権に関する特例 *299*
            (1) 破産手続開始の時に破産財団に属する財産に対して既にされている国税滞納処分 *299*　(2) 徴収の権限を有する者による還付金または過誤納金の充当 *300*
         4 給料の請求権等の弁済の許可 *301*
      第 4 項　破産債権の順位 *302*
         1 優先的破産債権 *303*
            (1) 優先的破産債権の範囲 *303*　(2) 優先的破産債権相互の順位 *305*
         2 劣後的破産債権 *306*
            (1) 劣後的破産債権制度の趣旨 *306*　(2) 破産手続開始後の利息の請求権（破 99 Ⅰ ①・97①③） *307*　(3) 破産手続開始後の不履行による損害賠償または違約金の請求権（破 99 Ⅰ ①・97②） *308*　(4) 租税等の請求権で，破産財団に関して破産手続開始後の原因にもとづいて生じるもの（破 99 Ⅰ ①・97④） *308*　(5) 罰金等の請求権（破 99 Ⅰ ①・97⑤⑥） *309*　(6) 破産手続参加の費用の請求権（破 99 Ⅰ ①・97⑦） *309*　(7) 無利息の確定期限付債権の破産手続開始から期限までの中間利息相当分（破 99 Ⅰ ②） *310*　(8) 不確定期限付無利息債権の債権額と評価額との差額（破 99 Ⅰ ③） *310*　(9) 金額および存続期間が確定している定期金債権の中間利息相当額（破 99 Ⅰ ④） *310*
         3 約定劣後破産債権 *311*
         4 解釈による劣後化 *311*
      第 5 項　多数債務者関係と破産債権 *312*
         1 数人の全部義務者の破産 *313*
         2 求償義務者の破産 *320*
         3 保証人の破産 *322*
         4 数人の全部保証人の破産 *323*
            (1) 分別の利益をもたない数人の全部保証人 *323*　(2) 分別の利益をもつ数人の全部保証人 *324*

5　1人の一部保証人の破産　*324*
        6　数人の一部保証人の破産　*326*
        7　法人またはその社員の破産　*326*
        8　組合員の破産　*328*
        9　結合企業の破産　*328*

   第3節　財　団　債　権　*330*
      第1項　一般の財団債権　*333*
        1　破産債権者の共同の利益のためにする裁判上の費用の請求権（破148Ⅰ①）　*333*
        2　破産財団の管理・換価および配当に関する費用の請求権（破148Ⅰ②）　*334*
        3　破産手続開始前の原因にもとづいて生じた租税等の請求権，すなわち国税徴収法または国税徴収の例によって徴収することができる請求権（破97④）であって，破産手続開始当時，まだ納期限の到来していないもの，または納期限から1年を経過していないもの（破148Ⅰ③）　*334*
        4　破産財団に関し破産管財人がした行為によって生じた請求権（破148Ⅰ④）および債務者の財産に関し保全管理人が権限にもとづいてした行為によって生じた請求権（同Ⅳ）　*336*
        5　事務管理または不当利得により破産手続開始後に破産財団に対して生じた請求権（破148Ⅰ⑤）　*337*
        6　委任の終了または代理権の消滅後に急迫の事情があるためにした行為によって破産手続開始後に破産財団に対して生じた請求権（破148Ⅰ⑥）　*337*
        7　法53条1項の規定により破産管財人が債務の履行をする場合において相手方が有する請求権（破148Ⅰ⑦）　*338*
        8　破産手続の開始によって双務契約の解約の申入れがなされた場合において，破産手続開始後その契約の終了に至るまでの間に生じた請求権（破148Ⅰ⑧）　*338*
      第2項　特別の財団債権　*339*
        1　破産管財人が負担付遺贈の履行を受けた場合の負担受益者の請求権（破148Ⅱ）　*339*
        2　破産管財人が双方未履行の双務契約を解除した場合の相手方の反対給付価額償還請求権（破54Ⅱ後段）　*339*
        3　使用人の給料等（破149）　*340*
        4　社債管理者等の費用および報酬　*341*

　　　　5　その他の破産法上の財団債権　342
　　　　6　先行手続の費用等　343
　　第3項　財団債権の債務者　343
　　　　1　破　産　者　説　343
　　　　2　破産債権者団体説　344
　　　　3　破産財団説　344
　　　　4　管理機構としての破産管財人説　344
　　第4項　財団債権の弁済　346
　　第5項　財団債権をめぐる訴訟　347
　　第6項　財団債権にもとづく強制執行　348
　　第7項　租税等の請求権にもとづく滞納処分　348
　　第8項　財団不足の場合の順位　349
　第4節　破産と租税　350
　　第1項　破産手続開始後の原因にもとづく租税等の請求権で財団債権
　　　　　（破148Ⅰ②）とされるもの　351
　　　　1　個人破産における租税等の請求権　351
　　　　2　法　人　税　352
　　　　3　予納法人税——平成22年度税制改正前　353
　　　　4　土地重課税　355
　　第2項　破産管財人の源泉徴収義務　357

第4章　破産財団をめぐる財産関係の整理　……………360

　第1節　破産管財人の実体法上の地位　360
　　第1項　破産管財人の法的地位をめぐる3つの基準　361
　　第2項　破産手続開始前に破産者が行った法律行為の破産管財人に対
　　　　　する効力　366
　　　　1　物権変動等の対抗要件と破産管財人の地位　367
　　　　2　破産手続開始決定に先行する差押えの効力の援用　369
　　　　3　第三者保護規定と破産管財人の地位　370
　　　　　（1）虚偽表示における善意の第三者と破産管財人　370　　（2）詐欺・強迫に
　　　　　よる取消しと破産管財人　371　　（3）錯誤取消しと破産管財人　372

　　　　(4) 解除の効果と破産管財人　372
　第3項　破産手続開始後に破産者が行った法律行為の破産管財人に対する効力　374
　第4項　破産者の行為によらない破産手続開始後の権利取得　375
　第5項　善意取引の保護　378
　　1　破産手続開始後の登記・登録　378
　　　　(1) 善意の登記権利者の保護　379　(2) 不動産登記法105条2号の仮登記　380　(3) 破産手続開始前の1号仮登記を前提とする本登記　380　(4) 破産手続開始前の2号仮登記を前提とする本登記　381
　　2　破産手続開始後の破産者に対する弁済　382
　　3　破産手続開始後の手形の引受け・支払　383
　第6項　保全管理人の実体法上の地位　385
第2節　契約関係の整理　386
　第1項　未履行契約の取扱い　386
　　1　一方のみ未履行の双務契約関係　386
　　2　双方未履行の双務契約関係　388
　　3　相手方からの契約解除　395
　第2項　各種の未履行双務契約の取扱い　398
　　1　売買契約および継続的給付を目的とする双務契約　399
　　2　賃貸借契約　402
　　　　(1) 賃借人の破産　402　(2) 賃貸人の破産　406
　　3　ライセンス契約　411
　　4　ファイナンス・リース契約　413
　　5　請負契約　417
　　　　(1) 注文者の破産　417　(2) 請負人の破産　420
　　6　その他の契約関係　424
　　　　(1) 保険契約　424　(2) 市場の相場がある商品の取引に係る契約　425　(3) 交互計算　427　(4) スワップ・デリバティブ契約　428　(5) 組合契約　429　(6) 消費貸借の予約（諾成的消費貸借契約）　431　(7) 委任契約　431　(8) 代理受領　434　(9) 共有関係　435　(10) 配偶者・親権者の財産管理権　435
　第3項　破産と労働関係　436
　　1　労働者の破産　436
　　2　使用者の破産　437
　　　　(1) 破産管財人による雇用契約の解約　439　(2) 給料債権・退職手当債権

細 目 次 35

の取扱い　*439*　　（3）破産管財人による履行の選択　*441*　　（4）使用者としての破産管財人　*443*

第3節　係属中の手続関係の整理　*444*

第1項　係属中の訴訟手続　*445*

1　破産財団に属する財産に関する訴訟　*448*
2　財団債権に関する訴訟　*449*
3　破産債権に関する訴訟　*450*
4　詐害行為取消訴訟（債権者取消訴訟）および債権者代位訴訟　*451*
5　株主代表訴訟　*456*
6　行政手続　*456*

第2項　係属中の強制執行等　*457*

1　破産債権にもとづく強制執行等　*457*
2　担保権の実行　*462*
3　国税滞納処分　*462*

第5章　破産財団の法律的変動 …………………………… *465*

第1節　取　戻　権　*465*

第1項　一般の取戻権　*465*

1　取戻権の基礎となる権利　*466*
　　（1）所有権　*466*　　（2）その他の物権　*467*　　（3）債　権　*468*　　（4）信託関係上の権利　*469*　　（5）問屋の委託者の権利　*470*　　（6）財産分与請求権　*471*
2　取戻権の行使　*472*

第2項　特別の取戻権　*472*

1　売主の取戻権　*473*
　　（1）取戻権の要件　*473*　　（2）法53条との関係　*474*　　（3）取戻権の法的性質　*475*
2　問屋の取戻権　*475*

第3項　代償的取戻権　*476*

1　反対給付が未履行の場合　*476*
2　反対給付が既履行の場合　*477*
3　第三者の権利との関係　*478*
4　特別の取戻権と代償的取戻権　*479*

第2節 別除権　479

第1項　別除権の要件と内容　482
1　別除権の行使　484
2　別除権者の破産債権行使　486

第2項　準別除権　489

第3項　各種の担保権と別除権　490
1　根抵当権　490
2　動産売買先取特権　491
　(1) 破産財団中の目的物についての別除権行使　492　(2) 物上代位権にもとづく別除権行使　494
3　所有権留保　496
　(1) 別除権としての留保所有権　496　(2) 所有権留保売買と双方未履行双務契約　498　(3) 別除権行使の方法　499
4　仮登記担保　500
5　譲渡担保　502
　(1) 譲渡担保権者の破産　502　(2) 譲渡担保設定者の破産　503
6　売渡担保　505
7　手形の譲渡担保　505
8　集合物譲渡担保　507
　(1) 集合動産譲渡担保　508　(2) 集合債権譲渡担保　511

第3節　相殺権　512

第1項　相殺権に関する規定の適用範囲　515
1　破産財団所属債権を自働債権，破産債権を受働債権とする相殺　515
2　非破産債権と自由財産所属の債権との相殺　517
3　非破産債権と破産財団所属の債権との相殺　517
4　破産債権と自由財産所属の債権との相殺　517
5　財団債権と破産財団所属の債権との相殺　518
6　財団債権と自由財産所属の債権との相殺　518
7　債務者の債権譲受人に対する債務を受働債権，債務者の債権譲渡人（破産者）に対する債権を自働債権とする相殺　519

第2項　相殺権の範囲の拡張　521
1　自働債権についての要件　521
　(1) 自働債権が期限付の場合　521　(2) 自働債権が解除条件付の場合　522　(3) 自働債権が停止条件付の場合　523　(4) 自働債権が非金銭債

　　　　　権などの場合　*524*
　　2　受働債権についての要件　*524*
　　3　破産手続開始後の賃料債務等との相殺　*526*
　第3項　相殺権の範囲の制限　*527*
　　1　受働債権たる債務負担の時期による相殺の禁止　*529*
　　　（1）破産債権者が破産手続開始後に破産財団に対して債務を負担したとき（破71 I ①）　*530*　（2）支払不能になった後に契約によって負担する債務をもっぱら破産債権をもってする相殺に供する目的で破産者の財産の処分を内容とする契約を破産者との間で締結し，または破産者に対して債務を負担する者の債務を引き受けることを内容とする契約を締結することにより破産者に対して債務を負担した場合であって，当該契約の締結の当時，支払不能であったことを知っていたとき（破71 I ②）　*532*　（3）支払停止後に破産債権者が支払停止を知って破産者に対して債務を負担したとき（破71 I ③）　*535*　（4）破産手続開始申立て後に破産債権者が破産手続開始申立てがあったことを知って破産者に対して債務を負担したとき（破71 I ④）　*537*　（5）3つの例外　*538*
　　2　自働債権たる破産債権取得の時期による相殺の禁止　*541*
　　　（1）破産者の債務者が破産手続開始後に他人の破産債権を取得したとき（破72 I ①）　*541*　（2）破産者の債務者が，破産者が支払不能になった後にそれについて悪意で破産債権を取得したとき（破72 I ②）　*548*　（3）破産者の債務者が，支払停止があった後にそれについて悪意で破産債権を取得したとき（破72 I ③）　*549*　（4）破産者の債務者が，破産手続開始申立てがあった後にそれについて悪意で破産債権を取得したとき（破72 I ④）　*550*　（5）4つの例外　*550*
　　3　法71条および法72条以外の根拠にもとづく相殺権の制限　*553*
　　　（1）相殺権の濫用　*553*　（2）相殺の否認　*554*

　第4項　相殺権の実行　*556*

第4節　否　認　権　*558*
　第1項　否認権の意義と機能　*558*
　　1　否認権と詐害行為取消権　*559*
　　2　否認権行使をめぐる利害関係人　*561*
　第2項　否認の一般的要件　*562*
　　1　有　害　性　*563*
　　2　不　当　性　*566*
　　3　破産者の行為　*567*
　　4　破産者の組織法上の行為――会社分割の否認可能性　*570*
　　　（1）事業譲渡　*570*　（2）会社分割　*572*

第3項　否認の個別的要件　577
1　詐害行為否認　577
(1) 詐害行為否認の共通要件——詐害行為　578　(2) 詐害行為否認の第1類型固有の要件——詐害意思および受益者の悪意　580　(3) 詐害行為否認の第2類型固有の要件——形式的危機時期および受益者の悪意　582　(4) 相当の対価をえてした財産の処分行為の否認　583
2　偏頗行為否認　586
(1) 偏頗行為否認の基本要件　587　(2) 支払不能前30日以内の非義務偏頗行為　594　(3) 集合物譲渡担保の否認　595
3　無償行為否認　597

第4項　否認に関する特別の要件　600
1　手形支払に関する否認の制限　600
(1) 意義と適用範囲　600　(2) 手形の買戻し　601　(3) 否認が制限される場合の措置　602
2　対抗要件の否認　603
(1) 対抗要件の否認の性質　605　(2) 支払停止等後の対抗要件具備行為　607　(3) 権利の設定等の日から15日の経過　608　(4) 支払停止等についての悪意　611　(5) 仮登記または仮登録後の本登記または本登録　612　(6) 対抗要件具備行為の詐害行為否認および偏頗行為否認の可能性　612　(7) 否認の効果　622　(8) 権利取得要件としての登録への準用　623
3　執行行為の否認　623
(1) 否認しようとする行為について執行力ある債務名義があるとき（破165前半部分）　624　(2) 否認しようとする行為が執行行為にもとづくとき（破165後半部分）　625　(3) 破産者の行為の要否　627
4　支払停止を要件とする否認の制限　627
5　転得者に対する否認　628
(1) 転得者に対する否認の要件　630　(2) 転得者に対する否認の効果　632

第5項　否認権の行使とその効果　632
1　否認権の行使　633
(1) 否認権の性質　633　(2) 否認権の行使主体　634　(3) 否認権の行使方法　635　(4) 訴えによる行使　636　(5) 抗弁による行使　638　(6) 否認の請求による行使　638　(7) 否認権の裁判外行使　642
2　否認権の消滅　643
3　否認権行使の効果　644
(1) 金銭給付の返還　645　(2) 物または権利の返還　646　(3) 無償否認の例外　649　(4) 価額償還請求権　650
4　相手方の地位　653

(1) 反対給付の返還　654　　(2) 相手方の債権の復活　657
       第 6 項　相続財産破産および信託財産破産における否認　659
          1　相続財産破産における否認　659
          2　信託財産破産における否認　661
    第 5 節　法人の役員の責任の追及等　662
       1　役員の財産に対する保全処分　662
       2　役員の責任の査定手続　664
       3　役員責任査定決定に対する異議の訴え　666

第 6 章　破産手続の進行　……………………………………669
  第 1 節　破産債権の届出・調査・確定　669
    第 1 項　破産債権の届出　670
       1　届出の手続　671
          (1) 届出の方式　672　　(2) 債権届出期間　675　　(3) 届出事項の変更と取下げ　677　　(4) 租税等の請求権等の届出　679
       2　破産債権者表の作成　680
    第 2 項　破産債権の調査　681
       1　債権調査期間　682
          (1) 一般調査期間における調査　683　　(2) 特別調査期間における調査　685
       2　債権調査期日　686
          (1) 一般調査期日における調査　687　　(2) 特別調査期日における調査　688
       3　戦略的異議　689
       4　調査による債権の確定　690
       5　破産債権者表の記載に対する不服申立て　691
       6　破産者に対する破産債権者表の効力　692
    第 3 項　破産債権の確定　694
       1　破産債権査定決定　695
       2　破産債権査定申立てについての決定に対する異議の訴え　696
       3　異議等のある破産債権に関する訴訟の受継　698
       4　主張の制限　700

		5　有名義破産債権に関する特則　*702*

			(1) 執行力ある債務名義のある破産債権　*702*　　(2) 終局判決のある破産債権　*703*　　(3) 異議者等が開始すべき手続　*704*　　(4) 破産手続終了と破産債権確定手続　*705*

		6　仲　裁　手　続　*707*

		7　破産債権の確定に関する訴訟の判決等の効力　*708*

	第4項　租税等の請求権等についての特例　*710*

第2節　破産財団の管理および換価　*711*

	第1項　破産財団の管理　*712*

		1　財産管理のための措置　*713*

			(1) 帳簿の閉鎖　*713*　　(2) 郵便物等の管理　*714*　　(3) 破産管財人による調査等　*715*　　(4) 裁判所および債権者集会への財産状況等の報告　*716*　　(5) 破産管財人の職務の執行の確保　*717*

		2　財産の管理方法　*717*

		3　財産の評価・財産目録の作成　*718*

		4　破産管財人の管理行為についての制限（裁判所の許可）　*719*

	第2項　破産財団の換価　*724*

		1　換価に関する制限　*724*

		2　換価の方法，別除権の目的物の換価　*724*

		3　債権等の回収　*728*

		4　担保権消滅許可制度　*729*

			(1) 類似の諸制度との比較　*730*　　(2) 担保権消滅許可の手続　*734*

		5　商事留置権の消滅請求　*746*

			(1) 担保権消滅許可との関係　*747*　　(2) 商事留置権消滅請求の要件および手続　*747*

第3節　配　　　当　*749*

	第1項　配当に関する通則　*750*

	第2項　中　間　配　当　*751*

		1　配当に加えられる破産債権　*752*

		2　配当表の作成　*754*

		3　配当表の更正　*755*

		4　配当表に対する異議　*756*

		5　配当の実施　*757*

6　配当金の交付　*758*

　　第3項　最後配当　*758*

　　　1　配当に加えられる破産債権　*759*

　　　2　配　当　表　*761*

　　　3　配当の実施　*762*

　　第4項　簡易配当　*763*

　　第5項　同意配当　*765*

　　第6項　追加配当　*766*

　　　1　追加配当に充てられるべき財産　*766*

　　　2　追加配当の手続　*768*

　　第7項　配当による破産手続終結　*768*

　　　1　破産管財人による計算報告　*768*

　　　2　破産手続終結決定　*769*

　　　3　破産手続終結と消滅時効との関係　*770*

　第4節　配当終結以外の破産手続終了原因　*772*

　　第1項　同意破産手続廃止　*773*

　　　1　廃止の手続　*774*

　　　2　破産手続廃止決定確定の効力　*775*

　　第2項　財団不足による廃止　*776*

第7章　免責および復権 ……………………………… *781*

　第1節　免　責　*781*

　　第1項　免責の理念　*783*

　　第2項　免責手続の合憲性　*785*

　　第3項　免責審理の手続　*785*

　　　1　免責許可の申立て　*786*

　　　2　一部免責許可の申立て　*789*

　　　3　免責の審理　*791*

　　　4　免責についての裁判および不服申立て　*792*

　　第4項　免責不許可事由　*794*

    1　不当な破産財団価値減少行為（破252Ⅰ①）　*795*
    2　不当な債務負担行為（破252Ⅰ②）　*796*
    3　不当な偏頗行為（破252Ⅰ③）　*796*
    4　浪費または賭博その他の射幸行為（破252Ⅰ④）　*797*
    5　詐術による信用取引（破252Ⅰ⑤）　*798*
    6　帳簿隠滅等の行為（破252Ⅰ⑥）　*799*
    7　虚偽の債権者名簿提出行為（破252Ⅰ⑦）　*799*
    8　調査協力義務違反行為（破252Ⅰ⑧）　*799*
    9　管財業務妨害行為（破252Ⅰ⑨）　*800*
    10　破産法上の義務違反行為（破252Ⅰ⑪）　*800*
    11　7年以内の免責取得など（破252Ⅰ⑩）　*801*
    12　裁　量　免　責（破252Ⅱ）　*802*

   第5項　免責審理期間中の強制執行の禁止および中止　*803*
   第6項　免責の効果　*806*
    1　債務の消滅　*806*
    2　非免責債権　*809*
    3　保証人等に対する免責の効果　*813*
    4　免責の国際的効力　*814*

   第7項　免責の取消し　*815*

 第2節　復　権　*818*
   第1項　当　然　復　権　*818*
    1　免責許可決定の確定（破255Ⅰ①）　*818*
    2　同意破産手続廃止決定の確定（破255Ⅰ②）　*819*
    3　再生計画認可決定の確定（破255Ⅰ③）　*819*
    4　破産手続開始後10年の経過（破255Ⅰ④）　*819*
   第2項　申立てによる復権　*819*
    1　復権の原因　*820*
    2　復権の手続　*820*

第8章　破　産　犯　罪　…………………………………………*822*

 第1節　破産犯罪の種類および保護法益　*822*

第2節　各種の破産犯罪　*823*
　第1項　詐欺破産罪　*825*
　　1　行為の主体　*825*
　　2　故意および行為の目的　*825*
　　3　行為の時期　*826*
　　4　行為の類型　*826*
　　5　客観的処罰条件　*829*
　第2項　特定の債権者に対する担保供与等の罪　*829*
　第3項　破産管財人等の特別背任罪　*831*
　第4項　情報収集を阻害する罪　*832*
　第5項　破産管財人等に対する職務妨害の罪　*834*
　第6項　贈収賄罪　*834*
　第7項　破産者等に対する面会強請等の罪　*835*

第2部　民事再生法

第1章　再生手続の理念等 ……………………… *837*
　第1節　再生手続の理念および基本構造　*837*
　第2節　民事再生法および民事再生規則の制定過程　*839*

第2章　再生手続の開始 ……………………… *841*
　第1節　再　生　能　力　*841*
　　第1項　個　　　人　*842*
　　第2項　法　　　人　*842*
　　第3項　法人でない社団または財団　*843*
　第2節　再生手続開始原因　*843*
　　第1項　破産原因前兆事実　*844*
　　第2項　事業継続危殆事実　*845*

第3項　外国倒産処理手続がある場合　*846*
　第3節　再生手続開始の条件　*847*
　第4節　再生手続開始手続　*851*
　　第1項　再生手続開始申立権者　*851*
　　　1　債　務　者　*851*
　　　2　債　権　者　*852*
　　　3　その他の申立権者　*853*
　　第2項　再生手続開始申立ての手続　*853*
　　　1　費用の予納　*854*
　　　2　事　前　相　談　*856*
　　　3　労働組合等の意見聴取　*856*
　　　4　再生手続開始申立ての取下げ　*857*
　　第3項　再生手続開始決定前の中止命令および保全処分　*858*
　　　1　中止命令および包括的禁止命令（民再26・27～29）　*858*
　　　　（1）他の手続の中止命令等（民再26）　*859*　　（2）再生債権にもとづく強制執行等の包括的禁止命令（民再27）　*862*
　　　2　仮差押え，仮処分その他の保全処分（民再30）　*866*
　　　　（1）保全処分の内容および発令手続　*866*　　（2）弁済禁止保全処分に反する弁済等の効力（民再30Ⅵ）　*869*
　　　3　担保権の実行手続の中止命令（民再31）　*869*
　　　　（1）中止命令の要件　*870*　　（2）中止命令の手続　*871*　　（3）中止命令の効力　*871*　　（4）競売手続以外の担保権実行手続に対する適用または類推適用可能性　*872*
　　第4項　再生手続開始決定　*874*
　　　1　同時処分事項　*875*
　　　2　付随処分事項　*876*
　　第5項　再生手続開始申立てについての裁判に対する不服申立て　*878*
　　　1　即時抗告権者　*879*
　　　2　抗告審の審判　*879*

第3章　再生手続の機関および利害関係人 ……………881

第1節　再生債務者および再生債務者代理人　*881*

第1項　再生債務者の職務　*884*
第2項　再生債務者に対する監督　*884*
第3項　再生債務者の任務終了　*886*
第4項　再生債務者の法律上の地位　*886*

第2節　管　財　人　*887*

第1項　管理命令および管財人の選任　*888*
第2項　管財人の職務　*890*
1　再生債務者財産の管理処分　*891*
2　管財人の業務執行権と組織上の権限　*891*
第3項　管財人に対する監督　*893*
第4項　管財人の法律上の地位　*895*
第5項　管財人の任務終了　*895*

第3節　保全管理人　*896*

第1項　保全管理命令および保全管理人の選任　*897*
第2項　保全管理人の職務，保全管理人に対する監督，保全管理人の法的地位　*898*
第3項　保全管理人の任務終了　*899*

第4節　裁　判　所　*899*

第1項　土　地　管　轄　*901*
1　原則的土地管轄　*901*
2　補充的土地管轄　*901*
3　親子会社等についての関連土地管轄　*901*
4　大規模事件についての土地管轄の特則　*902*
5　移　　送　*902*
第2項　国際再生管轄　*903*
第3項　裁判所書記官　*904*

第5節 監督委員　*904*

　第1項　監督命令および監督委員の選任　*905*

　第2項　監督委員の職務，監督委員に対する監督，監督委員の法的地位　*906*

　第3項　監督委員の任務終了　*907*

第6節 調査委員　*908*

　第1項　調査命令および調査委員の選任　*908*

　第2項　調査委員の職務，調査委員に対する監督，調査委員の法的地位　*909*

　第3項　調査委員の任務終了　*909*

第7節　債権者集会および債権者委員会　*910*

　第1項　債権者集会　*910*

　　1　債権者集会の招集　*911*

　　2　債権者集会の議事および議決権　*912*

　　3　議決権の行使　*915*

　第2項　債権者委員会　*916*

　　1　債権者委員会の手続関与　*916*

　　2　債権者委員会の権限および活動　*917*

　第3項　代理委員　*918*

　　1　代理委員の選任等　*919*

　　2　代理委員の権限および地位　*920*

第8節　再生手続の利害関係人　*921*

　第1項　再生債権者　*921*

　第2項　一般優先債権者・開始後債権者・別除権者・相殺権者・取戻権者　*922*

　第3項　共益債権者　*923*

　第4項　株　　主　*923*

　第5項　労 働 組 合　*924*

第9節　再生事件に関する文書の閲覧等　*925*

第1項　閲覧請求権者および閲覧請求対象となる文書等　*925*

第2項　閲覧請求に対する制限　*927*

第4章　再生債務者財産と再生債権等 …………………*929*

第1節　再生債務者財産の意義と範囲　*929*

第1項　再生債務者財産の範囲　*930*

第2項　再生債務者財産の国際的範囲——国際民事再生　*931*

　　1　国内再生の外国財産に対する対外的効力　*931*

　　2　外国倒産処理手続の国内財産に対する対内的効力　*934*

第2節　再　生　債　権　*934*

第1項　再生債権の意義　*935*

第2項　再生債権の地位　*936*

　　1　再生債権の基本的地位　*936*

　　2　例外的取扱い——商取引債権等に対する再生計画認可決定前弁済　*937*

　　　(1) 中小企業者の債権の再生計画認可決定前弁済（民再85Ⅱ）　*938*　(2) 再生手続を円滑に進行するための少額再生債権の再生計画認可決定前弁済（民再85Ⅴ前半部分）　*940*　(3) 再生債務者の事業の継続に著しい支障を生じることを避けるための少額再生債権の再生計画認可決定前弁済（民再85Ⅴ後半部分）　*941*

第3項　再生債権の順位　*943*

　　1　劣後的取扱いを受ける再生債権　*944*

　　2　約定劣後再生債権　*944*

第3節　一般優先債権　*945*

第4節　開始後債権　*946*

第5節　多数債務者関係と再生債権　*948*

第1項　数人の全部義務者の再生　*948*

第2項　保証人の再生　*948*

第3項　求償義務者の再生　*949*

第4項　法人またはその社員の再生　*949*

　第6節　共　益　債　権　*950*

　　第1項　一般の共益債権　*951*

　　　1　再生債権者の共同の利益のためにする裁判上の費用の請求権（民再119①）　*951*

　　　2　再生手続開始後の再生債務者の業務，生活ならびに財産の管理および処分に関する費用の請求権（民再119②）　*951*

　　　3　再生計画の遂行に関する費用の請求権（再生手続終了後に生じたものを除く）（民再119③）　*951*

　　　4　各種の手続機関等の費用，報酬および報償金の請求権（民再119④）　*952*

　　　5　再生債務者財産に関し再生債務者等が再生手続開始後にした資金の借入れその他の行為によって生じた請求権（民再119⑤）　*952*

　　　6　事務管理または不当利得により再生手続開始後に再生債務者に対して生じた請求権（民再119⑥）　*952*

　　　7　再生債務者のために支出すべきやむを得ない費用の請求権で，再生手続開始後に生じたもの（前各号に掲げるものを除く）（民再119⑦）　*952*

　　第2項　特別の共益債権　*953*

　　　1　相手方との公平の見地から共益債権とされたもの　*953*

　　　2　再生債権者が共同で負担すべき費用としての性質から共益債権とされたもの　*954*

　　第3項　共益債権の地位　*954*

　　　1　共益債権の地位をめぐる訴訟　*955*

　　　2　共益債権にもとづく強制執行等　*956*

　　　3　再生債務者財産不足の場合の弁済方法等　*956*

　第7節　再生と租税　*957*

第5章　再生債務者をめぐる財産関係の整理 ……………*958*

　第1節　再生債務者等の実体法上の地位　*958*

　　第1項　再生手続開始前に再生債務者が行った法律行為の再生債務者等に対する効力　*959*

　　第2項　再生手続開始後に再生債務者が行った法律行為の効力　*960*

第 3 項　再生債務者の行為によらない再生手続開始後の権利取得
　　　　　961

　　　第 4 項　善意取引の保護　961
　　　　1　再生手続開始後の登記・登録　962
　　　　2　再生手続開始後の手形の引受け・支払　962
　　　　3　管理命令発令後の再生債務者に対する弁済　962

　　　第 5 項　保全管理人の実体法上の地位　963

　第 2 節　契約関係の整理　964
　　第 1 項　双方未履行の双務契約関係　964
　　第 2 項　各種の双方未履行双務契約の取扱い　966
　　　　1　継続的給付を目的とする双務契約　966
　　　　2　賃貸借契約　966
　　　　　　(1) 賃借人の再生　967　　(2) 賃貸人の再生　967
　　　　3　ファイナンス・リース契約　970
　　　　4　請負契約　970
　　　　　　(1) 注文者の再生　970　　(2) 請負人の再生　971
　　　　5　保険契約　971
　　　　　　(1) 保険者の再生　972　　(2) 保険契約者の再生　972
　　　　6　市場の相場がある商品の取引に係る契約および交互計算　972
　　　　7　その他の契約　972

　第 3 節　再生と労働関係　973
　　第 1 項　労働者の再生　973
　　第 2 項　使用者の再生　973

　第 4 節　係属中の手続関係の整理　976
　　第 1 項　係属中の訴訟手続等　976
　　　　1　管理命令がない場合　976
　　　　　　(1) 再生債務者財産に関する訴訟　977　　(2) 再生債権に関する訴訟　977
　　　　　　(3) 債権者代位訴訟および詐害行為取消訴訟（債権者取消訴訟）等　978
　　　　2　管理命令がある場合　980
　　　　　　(1) 再生債務者財産に関する訴訟　980　　(2) 再生債権に関する訴訟　981
　　　　　　(3) 債権者代位訴訟および詐害行為取消訴訟（債権者取消訴訟）等　982

　　第 2 項　係属中の強制執行等　984

第6章　再生債務者財産の法律的変動 ……………………986

第1節　取　戻　権　986

第1項　一般の取戻権　986

1　取戻権の基礎となる権利　987

2　取戻権の行使　987

第2項　特別の取戻権　987

第3項　代償的取戻権　988

第2節　別　除　権　988

第1項　別除権の要件と内容　989

1　別除権の行使　990

2　別除権者の再生債権行使　991

第2項　根抵当権の特則　995

第3項　各種の担保権と別除権　996

第3節　相　殺　権　998

第1項　再生債権を自働債権とする場合以外の相殺　998

第2項　再生債権を自働債権とする相殺　999

1　相殺権行使の時期　1001

2　相殺権の範囲の制限　1003

（1）受働債権たる債務負担の時期による相殺の禁止　1003　（2）自働債権たる再生債権取得の時期による相殺の禁止　1006　（3）法93条および93条の2以外の根拠にもとづく相殺の制限　1007

3　相殺権の実行　1007

第4節　否　認　権　1008

第1項　否認権の意義と機能　1008

第2項　否認の一般的要件　1009

第3項　否認の個別的要件　1009

1　詐害行為否認　1009

2　偏頗行為否認　1010

（1）偏頗行為否認の基本要件　1011　（2）支払不能前30日以内の非義務偏頗行為　1011　（3）集合動産・集合債権譲渡担保の否認　1012

3　無償行為否認　*1012*

　　第4項　否認に関する特別の要件　*1012*

　　　1　手形支払に関する否認の制限　*1012*

　　　2　対抗要件具備行為の否認　*1013*

　　　3　執行行為の否認　*1014*

　　　4　支払停止を要件とする否認の制限　*1014*

　　　5　転得者に対する否認　*1014*

　　第5項　否認権の行使　*1015*

　　　1　否認権の行使主体　*1015*

　　　2　否認権の行使方法　*1017*

　　　　(1) 訴えによる行使　*1017*　　(2) 抗弁による行使　*1018*　　(3) 訴訟参加による行使　*1018*　　(4) 否認の請求による行使　*1020*　　(5) 否認訴訟等の中断・終了等　*1020*　　(6) 否認権の裁判外行使　*1022*

　　第6項　否認権の消滅　*1022*

　　第7項　否認権行使の効果　*1022*

　　　1　金銭給付の返還　*1022*

　　　2　物または権利の返還　*1023*

　　　3　無償否認の例外　*1024*

　　　4　価額償還請求権　*1024*

　　　5　相手方の地位　*1024*

　　　　(1) 反対給付の返還　*1025*　　(2) 相手方の債権の復活　*1025*

　第5節　法人の役員の責任の追及等　*1026*

　　第1項　役員の財産に対する保全処分　*1026*

　　第2項　役員の責任の査定手続　*1027*

　　第3項　査定の裁判に対する異議の訴え　*1028*

第7章　再生手続の進行　　*1031*

　第1節　再生債権の届出・調査・確定　*1031*

　　第1項　再生債権の届出　*1031*

　　　1　届出の手続　*1033*

　　　　(1) 届出の方式　*1033*　　(2) 債権届出期間　*1034*　　(3) 届出事項の変更と取下げ　*1035*

2　再生債権者表の作成　*1036*

　第2項　再生債権の調査　*1037*

　　　1　再生債務者等の認否および自認　*1037*
　　　　　（1）再生債務者等による認否　*1038*　　（2）再生債務者等による自認　*1039*
　　　2　債権調査期間における異議　*1041*
　　　　　（1）一般調査期間　*1041*　　（2）特別調査期間　*1042*　　（3）異議の撤回　*1043*

　第3項　再生債権の確定　*1043*

　　　1　再生債権者表の記載に対する不服申立て　*1044*
　　　2　再生債務者に対する再生債権者表の効力　*1044*
　　　3　異議等のある再生債権の確定手続　*1044*
　　　　　（1）再生債権の査定の裁判　*1045*　　（2）査定の裁判に対する異議の訴え　*1046*　　（3）異議等のある再生債権に関する訴訟の受継　*1047*　　（4）有名義再生債権に関する特則　*1047*　　（5）再生債権の確定に関する訴訟の判決等の効力　*1048*　　（6）再生手続終了の場合における取扱い　*1049*

　第4項　罰金等および共助対象外国租税の請求権についての特例　*1049*

第2節　再生債務者財産の管理と業務の遂行　*1050*

　第1項　再生債務者財産の管理　*1050*

　　　1　財産管理のための措置　*1050*
　　　　　（1）価額評定の意義と基準　*1050*　　（2）評定の方法と結果　*1053*　　（3）裁判所への報告　*1054*　　（4）再生債権者に対する情報開示　*1055*　　（5）財産の保管方法　*1056*
　　　2　営業等の譲渡　*1056*
　　　　　（1）再生計画による営業等の譲渡　*1057*　　（2）再生計画によらない営業等の譲渡　*1058*　　（3）裁判所の許可の要件　*1060*　　（4）裁判所の許可の手続　*1060*　　（5）株主総会の特別決議に代わる許可　*1061*

　第2項　担保権消滅許可制度　*1063*

　　　1　担保権消滅許可の申立て　*1064*
　　　　　（1）消滅許可申立ての対象となりうる担保権　*1065*　　（2）事業継続にとっての不可欠性　*1066*　　（3）許可申立書の記載事項等　*1067*
　　　2　許否決定の手続　*1068*
　　　3　価額決定の請求手続　*1069*
　　　　　（1）価額決定の請求　*1069*　　（2）財産の評価　*1070*　　（3）価額決定の手続　*1071*　　（4）価額決定請求手続の費用の負担　*1072*
　　　4　価額に相当する金銭の納付等　*1073*
　　　5　配当等の実施　*1074*

細目次 53

第8章 再生計画 …………………………………………………… 1076

第1節 再生計画の条項 *1076*

第1項 絶対的必要的記載事項 *1076*

1 全部または一部の再生債権者の権利の変更 *1076*

（1）権利の変更に関する平等原則 *1078* （2）約定劣後再生債権の取扱い *1082* （3）債務の期限 *1082* （4）権利変更をすることができない債権 *1082* （5）敷金返還請求権に関する権利変更の態様 *1083*

2 共益債権および一般優先債権の弁済 *1084*

3 知れている開始後債権の内容 *1084*

第2項 相対的必要的記載事項 *1084*

1 債権者委員会の費用負担 *1084*

2 未確定の再生債権者の権利 *1085*

3 別除権者の権利に関する定め *1085*

4 債務の負担および担保の提供に関する定め *1086*

5 再生計画によって影響を受けない権利の明示 *1086*

第3項 任意的記載事項 *1087*

1 資本金の額の減少等に関する条項 *1087*

（1）資本金の額の減少等に関する事項を定める再生計画案の提出 *1087* （2）資本金の額の減少等に関する事項を定める再生計画の条項 *1088*

2 募集株式を引き受ける者の募集に関する定め *1090*

3 根抵当権の極度額超過額の仮払いに関する定め *1092*

第2節 再生計画案の提出および決議 *1093*

第1項 再生計画案の提出 *1093*

1 提出時期等 *1094*

2 再生計画案の事前提出 *1095*

3 再生計画案の修正 *1097*

4 労働組合等の意見聴取 *1098*

第2項 再生計画案の決議 *1098*

1 決議の議決権者 *1098*

（1）議決権の確定 *1099* （2）基準日による議決権者の確定 *1099*

2 議決権の行使 *1100*

（1）議決権の不統一行使 *1100* （2）社債権者等の議決権の行使に関する制限 *1101*

3 再生計画案の付議　*1102*
　　（1）付議決定がなされない場合　*1103*　　（2）付議決定の内容および付随措置　*1104*　　（3）付議決定の取消し　*1105*
4 再生計画案の決議　*1107*
　　（1）再生計画案の可決要件　*1107*　　（2）約定劣後再生債権の届出がある場合　*1108*　　（3）議決権の不統一行使の場合の可決要件　*1108*　　（4）債権者集会における再生計画案の変更　*1109*　　（5）債権者集会の期日の続行　*1109*
5 再生計画案が可決された場合の法人の継続　*1110*

第3節　再生計画の認可および確定　*1111*

第1項　認可または不認可の決定　*1111*

1 再生計画不認可事由　*1112*
　　（1）再生手続または再生計画が法律の規定に違反し，かつ，その不備を補正することができないものであるとき（民再174Ⅱ①）　*1112*　　（2）再生計画が遂行される見込みがないとき（民再174Ⅱ②）　*1112*　　（3）再生計画の決議が不正の方法によって成立するに至ったとき（民再174Ⅱ③）　*1113*　　（4）再生計画の決議が再生債権者の一般の利益に反するとき（民再174Ⅱ④）　*1114*

2 再生計画の審理手続　*1116*
3 約定劣後再生債権の届出がある場合における認可等の特則　*1116*
　　（1）権利保護条項の定めを内容とする再生計画案の変更および再生計画の認可　*1117*　　（2）権利保護条項を定めた再生計画案についての議決権　*1118*

第2項　不服申立て　*1118*

1 再生債権者　*1119*
2 再生債務者等　*1119*
3 その他の者　*1120*

第4節　再生計画の効力　*1120*

第1項　再生計画の効力発生の時期　*1120*

第2項　再生計画の効力の内容　*1121*

1 再生債権の免責　*1121*
　　（1）免責の対象となる債権　*1122*　　（2）免責の対象とならない債権　*1122*
2 届出再生債権者等の権利の変更　*1124*
　　（1）再生計画の条項の再生債権者表への記載等　*1125*　　（2）株式の取得等に関する再生計画の条項の効力　*1127*　　（3）募集株式を引き受ける者の募集に関する再生計画の条項の効力　*1128*
3 中止した手続の失効　*1129*

4 再生計画の効力の主観的範囲　*1130*
                (1) 再生計画の効力の及ぶ者　*1130*　(2) 再生計画の効力が及ばない者　*1130*

   第5節　再生計画不認可の決定の確定　*1132*
   第6節　再生計画認可後の手続　*1133*
        第1項　再生計画遂行の主体　*1133*
        第2項　再生計画遂行の監督の主体　*1134*
        第3項　担保提供命令　*1135*
        第4項　再生計画の変更　*1136*
            1 変更の要件　*1136*
            2 変更の内容　*1137*
            3 変更の手続　*1138*
   第7節　住宅資金貸付債権に関する特則　*1139*
        第1項　住宅資金貸付債権に関する特別手続の構造　*1140*
            1 住宅資金貸付債権に関する特別手続の適用対象　*1140*
            2 住宅資金貸付債権の意義　*1141*
            3 住宅資金特別条項の意義　*1142*
        第2項　抵当権の実行手続の中止命令等　*1142*
            1 競売手続の中止命令　*1143*
                (1) 中止命令発令の要件　*1143*　(2) 中止命令の手続　*1144*　(3) 中止命令の効果　*1144*
            2 住宅資金貸付債権に対する弁済許可　*1144*
        第3項　住宅資金特別条項の対象となる権利　*1145*
            1 法定代位による住宅資金貸付債権の行使の場合（民再198Ⅰ第1かっこ書）　*1145*
            2 住宅資金抵当権以外の抵当権が住宅に設定されている場合（民再198Ⅰ但書前半部分）　*1146*
            3 住宅以外の不動産にも住宅資金抵当権が設定されている場合においてその不動産の上に住宅資金抵当権に後れる担保権が存するとき（民再198Ⅰ但書後半部分）　*1147*
            4 住宅資金貸付債権者が数人あるとき（民再198Ⅲ）　*1147*
        第4項　住宅資金特別条項の内容　*1148*

1　原則型①——期限の利益回復型（民再199Ⅰ）　*1148*
 　　（1）再生計画認可決定確定時までに弁済期が到来した元本等の弁済　*1149*
 　　（2）再生計画認可決定確定時までに弁済期が到来しない元本等　*1149*
 2　原則型②——正常返済型（民再199Ⅰ）　*1150*
 3　リスケジュール型（民再199Ⅱ）　*1150*
 　　（1）支払の対象となる債権　*1150*　（2）弁済期間の延長　*1150*　（3）弁済の態様　*1151*
 4　元本猶予期間併用型（民再199Ⅲ）　*1151*
 5　同意型（民再199Ⅳ）　*1152*

　第5項　住宅資金特別条項を定めた再生計画の成立および認可　*1152*
 1　住宅資金貸付債権についての調査および確定　*1153*
 　　（1）住宅資金貸付債権に対する異議　*1153*　（2）住宅資金貸付債権者による異議　*1154*
 2　住宅資金特別条項を定めた再生計画案の決議　*1155*
 3　住宅資金特別条項を定めた再生計画の認可または不認可　*1156*
 　　（1）再生計画の不認可事由　*1156*　（2）認可または不認可決定の手続　*1157*

　第6項　住宅資金特別条項を定めた再生計画の効力　*1157*
 1　住宅等にかかる抵当権，保証または物上保証に対する効力　*1158*
 　　（1）住宅およびその敷地の上の抵当権（民再203Ⅰ前段前半部分）　*1158*
 　　（2）保証人および連帯債務者に対する効力（民再203Ⅰ前段後半部分）　*1158*
 2　住宅資金貸付契約内容の移入　*1159*
 3　開始後債権等の弁済時期　*1159*
 4　履行済の保証債務に対する効力　*1160*
 　　（1）保証債務履行前の法律関係への巻戻し（民再204Ⅰ）　*1160*　（2）求償債権の一部弁済に対する効力　*1162*
 5　未確定の住宅資金貸付債権に対する効力　*1162*

　第7項　住宅資金特別条項を定めた再生計画の取消し　*1163*
 1　住宅資金貸付債権者の取消申立権の否定　*1163*
 2　取消申立権者の資格　*1163*
 3　住宅資金特別条項を定めた再生計画の取消しの効果　*1164*

第9章　再生手続の終了 …………………………………… *1165*

第1節　再生手続の終結　*1165*

第1項　再生手続終結決定の時期　*1165*

1　再生債務者が遂行機関であり，監督委員が選任されていないとき　*1165*
2　再生債務者が遂行機関であり，監督委員が選任されているとき　*1166*
3　管財人が遂行機関であるとき　*1167*

第2項　再生手続終結決定の効果　*1167*

第2節　再生計画の取消し　*1168*

第1項　再生計画の取消事由　*1169*

1　再生計画が不正の方法によって成立したこと（民再189Ⅰ①）　*1169*
2　再生債務者等が再生計画の履行を怠ったこと（民再189Ⅰ②）　*1169*
3　再生債務者が許可や同意をえずに要許可・要同意事項に該当する行為を行ったこと（民再189Ⅰ③）　*1170*

第2項　再生計画取消しの手続　*1170*

1　再生計画が不正の方法によって成立したこと（民再189Ⅰ①）を理由とする場合　*1170*
2　再生債務者等が再生計画の履行を怠ったこと（民再189Ⅰ②）を理由とする場合　*1171*
3　取消申立手続　*1171*
4　再生計画取消決定の効果　*1172*
　(1) 手続的効果　*1172*　(2) 実体的効果　*1172*

第3節　再生手続の廃止　*1173*

第1項　再生計画認可前の手続廃止　*1173*

1　再生計画が成立しなかった場合　*1173*
2　再生手続開始申立て事由のないことが明らかになった場合　*1174*

第2項　再生計画認可後の手続廃止　*1175*

第3項　再生債務者の義務違反による手続廃止　*1176*

1　保全処分の違反（民再193Ⅰ①）　*1176*
2　要許可行為または要同意行為の違反（民再193Ⅰ②）　*1177*
3　再生債権についての認否書提出義務の懈怠（民再193Ⅰ③）　*1177*

第4項　再生手続廃止決定等　*1177*

第5項　再生手続廃止決定の効果　*1178*

1　手続的効果　*1178*

2　実体的効果　*1178*

第10章　簡易再生および同意再生 ……………………*1180*

第1節　簡　易　再　生　*1180*

第1項　簡易再生の決定　*1180*
　　1　簡易再生の申立て　*1181*
　　2　簡易再生の決定　*1181*
　　3　簡易再生の決定に対する不服申立て　*1183*

第2項　債権者集会における決議　*1184*

第3項　再生計画の効力　*1184*

第2節　同　意　再　生　*1186*

第1項　同意再生の決定　*1186*
　　1　同意再生の申立て　*1186*
　　2　同意再生の決定　*1187*
　　3　同意再生の決定に対する不服申立て　*1188*

第2項　同意再生の決定確定の効力　*1189*

第11章　個　人　再　生 …………………………………*1191*

第1節　小規模個人再生　*1192*

第1項　小規模個人再生の開始要件　*1192*
　　1　将来における継続的または反復的収入をうる見込み　*1193*
　　2　住宅資金貸付債権などを除いた再生債権総額が5000万円を超えないこと　*1193*

第2項　小規模個人再生の開始手続　*1194*
　　1　小規模個人再生の申述と通常の再生手続との関係　*1194*
　　2　小規模個人再生の開始決定　*1195*

第3項　小規模個人再生の機関——個人再生委員　*1196*
　　1　個人再生委員の職務　*1197*
　　2　個人再生委員に関するその他の事項　*1198*

第4項　再生債権の届出および調査　*1198*

1　再生債権の届出　　*1199*
　　　2　届出再生債権に対する異議　　*1200*
　　　　　（1）異議権者および異議の方式　*1200*　（2）異議に関する判断資料　*1201*
　　　　　（3）異議の撤回　*1202*　（4）異議の有無の効果　*1202*
　　　3　再生債権の評価　　*1202*
　　　　　（1）評価の申立て　*1202*　（2）評価の審理および裁判　*1203*
　第5項　再生債務者の財産の調査と確保　　*1203*
　　　1　貸借対照表の作成の免除等　　*1203*
　　　2　否認規定の適用排除　　*1204*
　第6項　再　生　計　画　　*1204*
　　　1　再生計画の条項　　*1205*
　　　　　（1）権利変更の態様　*1205*　（2）平等原則の徹底　*1205*　（3）債務の期限の猶予期間に関する制限　*1206*　（4）担保や保証の排除　*1206*　（5）非減免債権の拡大　*1207*
　　　2　再生計画案の決議　　*1207*
　　　　　（1）再生計画案の付議の時期および要件　*1207*　（2）再生計画案の付議決定　*1208*　（3）再生計画案の決議　*1209*
　　　3　再生計画の認可または不認可　　*1210*
　　　　　（1）再生債務者が将来において継続的にまたは反復して収入をうる見込みがないとき（民再231Ⅰ①）　*1210*　（2）無異議債権（民再230Ⅷ第1かっこ書）の額および評価済債権（同Ⅷ第2かっこ書）の額の総額が5000万円を超えているとき（民再231Ⅱ②）　*1210*　（3）計画弁済総額が最低弁済基準額を下回るとき（民再231Ⅱ③④）　*1211*　（4）債権者一覧表の記載に反して再生計画に住宅資金特別条項の定めがないとき（民再231Ⅴ）　*1214*
　　　4　再生計画の効力等　　*1214*
　　　　　（1）債権の現在化および金銭化（民再232Ⅰ）　*1214*　（2）一般的基準にもとづく権利変更（民再232Ⅱ）　*1214*　（3）無異議債権および評価済債権（無異議債権等）以外の再生債権に関する劣後的取扱い、（民再232Ⅲ）　*1215*　（4）非減免再生債権の取扱い、（民再232ⅣⅤ）　*1216*
　第7項　再生手続の終了　　*1216*
　　　1　再生手続の終結　　*1217*
　　　2　再生手続の廃止　　*1217*
　第8項　再生計画認可後の手続　　*1218*
　　　1　再生計画の取消し　　*1218*
　　　2　再生計画の変更　　*1219*
　　　　　（1）再生計画の変更の要件　*1220*　（2）変更の内容　*1220*　（3）変更の手続　*1221*

3　計画遂行が極めて困難になった場合の免責（ハードシップ免責）
　　　　　1221
　　　　　(1) ハードシップ免責の要件　1221　　(2) ハードシップ免責の手続　1222
　　　　　(3) ハードシップ免責の効果　1222

第2節　給与所得者等再生　　1223

第1項　給与所得者等再生の開始要件　　1224

　　1　給与またはこれに類する定期的な収入をうる見込み（民再239Ⅰ）
　　　　1224
　　2　収入の額の変動の幅が小さいと見込まれるもの（民再239Ⅰ）　1225

第2項　給与所得者等再生の開始手続　　1225

　　1　給与所得者等再生の申述と小規模個人再生または通常の再生手続との関係　　1225
　　2　給与所得者等再生の開始決定　　1227

第3項　給与所得者等再生の機関——個人再生委員　　1227

第4項　再生債権の届出および調査　　1227

第5項　再生債務者の財産の調査と確保　　1227

第6項　再　生　計　画　　1227

　　1　再生計画案についての意見聴取　　1228
　　　　(1) 意見聴取の決定　1228　　(2) 意見聴取の手続　1229
　　2　再生計画の認可または不認可　　1229
　　　　(1) 再生債務者が，給与またはこれに類する定期的な収入をえている者に該当しないか，またはその額の変動の幅が小さいと見込まれる者に該当しないとき（民再241Ⅱ④）　1230　　(2) 給与所得者等再生またはこれに類似する手続の利用から7年以内に給与所得者等再生の申述がなされていること（民再241Ⅱ⑥・239Ⅴ②）　1230　　(3) 計画弁済総額が，以下の区分に応じて，平均年収額から再生債務者およびその扶養を受けるべき者の最低限度の生活を維持するために必要な1年分の費用の額（必要生計費と呼ぶ）を控除した額（可処分所得と呼ぶ）に2を乗じた額以上の額であると認めることができないとき（民再241Ⅱ⑦柱書）　1230
　　3　再生計画の効力等　　1232

第7項　再生手続の終了　　1232

第8項　再生手続認可後の手続　　1232

　　1　再生計画の取消し　　1233
　　2　再生計画の変更　　1233

3　計画遂行が極めて困難になった場合の免責（ハードシップ免責）　*1233*

第12章　再生犯罪 …………………………………… *1234*

第1節　再生犯罪の種類および保護法益　*1234*

第2節　各種の再生犯罪　*1234*

 第1項　詐欺再生罪　*1235*
  1　行為の主体　*1235*
  2　故意および行為の目的　*1235*
  3　行為の時期　*1235*
  4　行為の態様　*1235*
  5　客観的処罰条件　*1236*
 第2項　特定の債権者に対する担保供与等の罪　*1236*
 第3項　監督委員等の特別背任罪　*1237*
 第4項　情報収集を阻害する罪　*1237*
 第5項　監督委員等に対する職務妨害の罪　*1238*
 第6項　贈収賄罪　*1238*
 第7項　再生債務者等に対する面会強請等の罪　*1239*

第3部　倒産処理手続相互の関係

第1節　倒産処理手続相互間の優先劣後関係　*1241*

第2節　再生手続または更生手続から破産手続への移行　*1243*

 第1項　再生手続または更生手続終了後の職権にもとづく牽連破産　*1243*
 第2項　再生手続または更生手続終了前の破産手続開始申立てにもとづく牽連破産　*1244*
 第3項　再生手続開始決定があった場合の破産事件の移送　*1245*

第3節　先行手続と後行手続との一体性の確保　*1246*

第1項　財団債権の共益債権化および共益債権の財団債権化等　*1246*

第2項　否認および相殺禁止の基準時等　*1247*

第3項　債権届出の再利用　*1249*

第4項　再生手続における裁判手続の破産手続における帰趨等　*1251*

  1　否認権行使のための裁判手続の帰趨　*1251*
  2　役員の責任にもとづく損害賠償請求権に関する裁判手続の帰趨　*1252*
  3　再生債権の確定のための裁判手続の帰趨　*1252*

第5項　配　当　調　整　*1254*

資　料
 1　破産・免責事件数／再生事件数　*1258*
 2　各手続の概要　*1268*
判 例 索 引　*1271*
事 項 索 引　*1285*

本書のコピー，スキャン，デジタル化等の無断複製は著作権法上での例外を除き禁じられています。本書を代行業者等の第三者に依頼してスキャンやデジタル化することは，たとえ個人や家庭内での利用でも著作権法違反です。

凡　例

1　法令名の略語
　有斐閣六法の法令名略語を用いることを原則とした。
　　例）破 143 I ②；破産法第 143 条第 1 項第 2 号
　　　　破規 13 I ①；破産規則第 13 条第 1 項第 1 号
　　　　民再 64 I；民事再生法第 64 条第 1 項
　　　　民再規 23 I；民事再生規則 23 条 1 項
　　　　会更 168 I；会社更生法第 168 条第 1 項
　　　　旧破 290；旧破産法第 290 条
　　　　旧和 1；旧和議法 1 条

2　判例引用の略語
　　　大　判(決)　　大審院判決(決定)
　　　大連判　　　　大審院連合部判決
　　　最　判(決)　　最高裁判所判決(決定)
　　　最大判(決)　　最高裁判所大法廷判決(決定)
　　　控　判　　　　控訴院判決
　　　高　判(決)　　高等裁判所判決(決定)
　　　地　判(決)　　地方裁判所判決(決定)
　　　支　判(決)　　支部判決(決定)
　　　簡　判　　　　簡易裁判所判決

　　　民　録　　　　大審院民事判決録
　　　民　集　　　　最高裁判所(大審院)民事判例集
　　　刑　集　　　　最高裁判所(大審院)刑事判例集
　　　裁判集民　　　最高裁判所裁判集　民事
　　　高　民　　　　高等裁判所民事判例集
　　　高　刑　　　　高等裁判所刑事判例集
　　　東高民時報　　東京高等裁判所民事判決時報
　　　下　民　　　　下級裁判所民事裁判例集
　　　労　民　　　　労働関係民事裁判例集
　　　家　月　　　　家庭裁判月報
　　　実　情　　　　判例時報編集部編・許可抗告事件の実情　平成 10～29 年度（2019 年，判例時報社）
　　　訟　月　　　　訟務月報
　　　新　聞　　　　法律新聞
　　　法　学　　　　法学(東北帝国大学法学会)

3 文献引用の略語
　　金　商　　　　金融・商事判例
　　金　法　　　　金融法務事情
　　自　正　　　　自由と正義
　　ジュリ　　　　ジュリスト
　　商事法務　　　旬刊商事法務
　　上智法学　　　上智法学論集
　　曹　時　　　　法曹時報
　　早　法　　　　早稲田法学
　　判　時　　　　判例時報
　　判　タ　　　　判例タイムズ
　　法　協　　　　法学協会雑誌
　　法　時　　　　法律時報
　　民　商　　　　民商法雑誌
　　民訴雑誌　　　民事訴訟雑誌
　　論究ジュリ　　論究ジュリスト

青木・実体規定	青木徹二・破産法説明（実体規定）（1923年，巌松堂）
青山ほか	青山善充＝伊藤眞＝井上治典＝福永有利・破産法概説〈新版増補2版〉（2001年，有斐閣）
青山古稀	青山善充先生古稀祝賀論文集・民事手続法学の新たな地平（2009年，有斐閣）
新しい国際倒産法制	深山卓也編著・新しい国際倒産法制——外国倒産承認援助法等の逐条解説＆一問一答（2001年，金融財政事情研究会）
石川古稀	石川明先生古稀祝賀・現代社会における民事手続法の展開（上巻）（下巻）（2002年，商事法務）
石原	石原辰次郎・破産法和議法実務総攬〈第3版〉（1983年，酒井書店）
一問一答	小川秀樹編著・一問一答 新しい破産法（2004年，商事法務）
一問一答新会社更生法	深山卓也編著・一問一答 新会社更生法（2003年，商事法務）
一問一答民法（債権関係）改正	筒井健夫＝村松秀樹編著・一問一答民法（債権関係）改正（2018年，商事法務）
伊藤・会更法・特清法	伊藤眞・会社更生法・特別清算法（2020年，有斐閣）
伊藤・研究	伊藤眞・債務者更生手続の研究（1984年，西神田編集室）
伊藤古稀	伊藤眞先生古稀祝賀論文集・民事手続の現代的使命（2015年，有斐閣）

伊藤・古稀後著作集	伊藤眞・民事司法の地平に向かって——伊藤眞古稀後著作集（2021年，商事法務）
伊藤・入門	伊藤眞・倒産法入門——再生への扉（2021，岩波書店）
伊藤・破産法	伊藤眞・破産法〈初版〉(1988年)，〈新版〉(1991年)，〈全訂第3版〉(2000年)，〈全訂第3版補訂版〉(2001年)，〈第4版〉(2005年)，〈第4版補訂版〉(2006年)（有斐閣）
伊藤・破滅か更生か	伊藤眞・破産——破滅か更生か（1989年，有斐閣）
伊藤・民訴法	伊藤眞・民事訴訟法〈第7版〉（2020年，有斐閣）
伊藤ほか・座談会	伊藤眞＝遠藤賢治＝松山恒昭＝大内捷司「〈座談会〉東京地裁・大阪地裁・名古屋地裁における倒産事件処理（上）（中）（下）」判例タイムズ944号4頁，950号4頁，951号4頁（1997年）〔（下）では門口正人が加わる〕
井上追悼	井上治典先生追悼論文集・民事紛争と手続理論の現在（2008年，法律文化社）
今中古稀	今中利昭先生古稀記念・最新倒産法・会社法をめぐる実務上の諸問題（2005年，民事法研究会）
今中傘寿	今中利昭先生傘寿記念・会社法・倒産法の現代的展開（2015年，民事法研究会）
上野古稀	上野泰男先生古稀祝賀論文集・現代民事手続の法理（2017年，弘文堂）
梅	梅謙次郎・破産法案概説（1903年，法学協会）
運用指針	舘内比佐志＝永谷典雄＝堀田次郎＝上拂大作編・民事再生の運用指針（2018年，金融財政事情研究会）
運用と書式	川畑正文＝福田修久＝小松陽一郎編・破産管財手続の運用と書式〈第3版〉（2019年，新日本法規出版）
江頭	江頭憲治郎・株式会社法〈第8版〉（2021年，有斐閣）
演習破産法	斎藤秀夫＝伊東乾編・演習破産法（1973年，青林書院新社）
岡・理論研究	岡伸浩・倒産法実務の理論研究（2015年，慶應義塾大学出版会）
奥田・債権総論	奥田昌道・債権総論〈増補版〉（1992年，悠々社）
奥田・佐々木・債権総論	奥田昌道＝佐々木茂美・新版 債権総論（上）（中）（2020・2021年，判例タイムズ社）
会社更生の実務	東京地裁会社更生実務研究会編著・会社更生の実務〈新版〉（上）（下）（2014年，金融財政事情研究会）
会社法コンメンタール	会社法コンメンタール(1)〜(22)（2008〜21年，商事

	法務)
改正債権法コンメ	松岡久和＝松本恒雄＝鹿野菜穂子＝中井康之編・改正債権法コンメンタール（2020年，法律文化社）
改正破産法理由書	司法省編・改正破産法理由書（1911年，中央社）
概説	山本和彦＝中西正＝笠井正俊＝沖野眞已＝水元宏典・倒産法概説〈第2版補訂版〉（2015年，弘文堂）
春日古稀	春日偉知郎先生古稀祝賀・現代民事手続法の課題（2019年，信山社出版）
加藤・研究	加藤正治・破産法研究1巻〜10巻（1912〜43年，有斐閣）
加藤・要論	加藤正治・破産法要論〈第16版〉（1952年，有斐閣）
加藤新太郎古稀	加藤新太郎先生古稀祝賀論文集・民事裁判の法理と実践（2020年，弘文堂）
加藤哲夫	加藤哲夫・破産法〈第6版〉（2012年，弘文堂）
加藤哲夫・諸相	加藤哲夫・企業倒産処理法制における基本的諸相（2007年，成文堂）
加藤哲夫古稀	加藤哲夫先生古稀祝賀論文集・民事手続法の発展（2020年，成文堂）
兼子・研究	兼子一・民事法研究1巻〜3巻（1953〜69年），〈増補〉（1976年，酒井書店）
河合古稀	河合伸一判事退官・古稀記念・会社法・金融取引法の理論と実務（2002年，商事法務）
神田	神田秀樹・会社法〈第23版〉（2021年，弘文堂）
木内古稀	木内道祥先生古稀・最高裁判事退官記念論文集・家族と倒産の未来を拓く（2018年，金融財政事情研究会）
基礎	宮脇幸彦＝竹下守夫編・破産・和議法の基礎〔実用編〕〈新版〉（1982年，青林書院新社）
基本構造	伊藤眞＝松下淳一＝山本和彦編・新破産法の基本構造と実務（ジュリスト増刊）（2007年，有斐閣）
基本法	基本法コンメンタール・破産法〈第2版〉（1997年，日本評論社）
銀行取引法講座(中)	加藤一郎＝林良平＝河本一郎編・銀行取引法講座 中巻（1977年，金融財政事情研究会）
金融担保法講座	米倉明＝清水湛＝岩城謙二＝米津稜威雄＝谷口安平編・金融担保法講座Ｉ〜Ⅳ（1985・86年，筑摩書房）
現代契約法大系	遠藤浩＝林良平＝水本浩監修，淡路剛久＝澤木敬郎＝高木多喜男＝谷川久＝野村豊弘＝前田達明＝前田庸編・現代契約法大系1巻〜9巻（1983〜85年，有斐

	閣)
検討事項	法務省民事局参事官室「倒産法制に関する改正検討事項」同編『倒産法制に関する改正検討課題』別冊 NBL 46 号所収（1998 年，商事法務研究会）
講座(2)～(4)	髙木新二郎＝伊藤眞編集代表・講座 倒産の法システム 2 巻～4 巻（2010 年〔4 巻は 2006 年〕，日本評論社）
国際私法講座 3 巻	国際法学会編・国際私法講座 3 巻（1964 年，有斐閣）
小島古稀	小島武司先生古稀祝賀・民事司法の法理と政策（上）（下）（2008 年，商事法務）
個人再生の実務 Q&A 120 問	全国倒産処理弁護士ネットワーク編・個人再生の実務 Q&A 120 問（2018 年，金融財政事情研究会）
個人再生の手引	鹿子木康＝島岡大雄＝舘内比佐志＝堀田次郎編・個人再生の手引〈第 2 版〉（2017 年，判例タイムズ社）
債権調査・配当	岡伸浩ほか・破産管財人の債権調査・配当（2017 年，商事法務）
財産換価	岡伸浩ほか編・破産管財人の財産換価〔第 2 版〕（2019 年，商事法務）
最新実務会社更生	東京地裁会社更生実務研究会編・最新実務会社更生（2011 年，金融財政事情研究会）
裁判実務大系(3)(6)	竹下守夫＝藤田耕三編・裁判実務大系 3 会社訴訟・会社更生法〈改訂版〉（1994 年，青林書院）
	道下徹＝高橋欣一編・裁判実務大系 6 破産訴訟法（1985 年，青林書院）
櫻井古稀	櫻井孝一先生古稀祝賀・倒産法学の軌跡と展望（2001 年，成文堂）
潮見・概要	潮見佳男・民法（債権関係）改正法の概要（2017 年，きんざい）
潮見・債権総論Ⅱ	潮見佳男・債権総論Ⅱ〈第 3 版〉（2005 年，信山社出版）
潮見・新債権総論ⅠⅡ	潮見佳男・新債権総論ⅠⅡ（2017 年，信山社出版）
潮見・新契約各論Ⅰ・Ⅱ	潮見佳男・新契約各論Ⅰ・Ⅱ（2021 年，信山社出版）
事業再生・倒産実務全書	松下淳一・相澤光江編集代表・事業再生・倒産実務全書（2020 年，金融財政事情研究会）
始関	始関正光編著・一問一答個人再生手続（2001 年，商事法務研究会）
執行百選	竹下守夫＝伊藤眞編・民事執行法判例百選（1994 年，有斐閣）
執行・保全百選	上原敏夫＝長谷部由起子＝山本和彦編・民事執行・保全判例百選〈第 3 版〉（2020 年，有斐閣）

実践マニュアル	野村剛司＝石川貴康＝新宅正人・破産管財実践マニュアル〈第2版〉（2013年，青林書院）
実務上の諸問題	司法研修所編・破産事件の処理に関する実務上の諸問題（1985年，法曹会）
実務と理論	石川明＝田中康久＝山内八郎編・破産・和議の実務と理論（判例タイムズ臨時増刊830号）（1994年，判例タイムズ社）
私的整理140問	全国倒産処理弁護士ネットワーク編・私的整理の実務Q&A100問（2016年，金融財政事情研究会）
霜島	霜島甲一・倒産法体系（1990年，勁草書房）
条解会更法	兼子一監修，三ケ月章＝竹下守夫＝霜島甲一＝前田庸＝田村諄之輔＝青山善充・条解会社更生法（上）（中）（下）（1973・74年，2001年第4次補訂，弘文堂）
条解破産規則	条解破産規則——付　民事再生規則等の一部を改正する規則（2005年，法曹会）
条解破産法	伊藤眞＝岡正晶＝田原睦夫＝中井康之＝林道晴＝松下淳一＝森宏司・条解破産法〈第3版〉（2020年，弘文堂）
条解民事再生規則	最高裁判所事務総局民事局監修・条解民事再生規則〈新版〉（2005年，法曹会）
詳解民事再生法	福永有利監修，四宮章夫＝高田裕成＝森宏司＝山本克己編・詳解民事再生法——理論と実務の交錯〈第2版〉（2009年，民事法研究会）
条解民事再生法	園尾隆司＝小林秀之編・条解民事再生法〈第3版〉（2013年，弘文堂）
条解民訴法	兼子一原著・松浦馨＝新堂幸司＝竹下守夫＝高橋宏志＝加藤新太郎＝上原敏夫＝高田裕成・条解民事訴訟法〈第2版〉（2011年，弘文堂）
詳説倒産と労働	「倒産と労働」実務研究会編・詳説倒産と労働（2013年，商事法務）
諸問題	倒産実務交流会編・争点　倒産実務の諸問題（2012年，青林書院）
新会社更生法の基本構造	伊藤眞＝松下淳一＝山本和彦編・新会社更生法の基本構造と平成16年改正（ジュリスト増刊）（2005年，有斐閣）
新・実務民事訴訟講座	鈴木忠一＝三ケ月章監修・新・実務民事訴訟法講座1巻～14巻（1981～84年，日本評論社）
新注釈民事再生法	才口千晴＝伊藤眞監修，全国倒産処理弁護士ネットワーク編・新注釈民事再生法（上）（下）〈第2版〉

	(2010年, 金融財政事情研究会)
新堂古稀	新堂幸司先生古稀祝賀・民事訴訟法理論の新たな構築(上)(下)(2001年, 有斐閣)
新倒産百選	新堂幸司=霜島甲一=青山善充編・新倒産判例百選(1990年, 有斐閣)
新破産法の理論と実務	山本克己=山本和彦=瀬戸英雄編・新破産法の理論と実務(2008年, 判例タイムズ社)
新版再生計画事例集	事業再生研究機構編・再生計画事例集〈新版〉(2006年, 商事法務)
新版注釈会社法	上柳克郎=鴻常夫=竹内昭夫編集代表・新版注釈会社法(1)〜(15), 補巻〜第3補巻(1985〜90・92・96・97年, 有斐閣)
新版破産法	園尾隆司=西謙二=中島肇=中山孝雄=多比羅誠編・新・裁判実務大系28 新版破産法(2007年, 青林書院)
スポンサー選定のあり方	山本和彦=事業再生研究機構編・事業再生におけるスポンサー選定のあり方(2016年, 商事法務)
宗田	宗田親彦・破産法概説〈新訂第4版〉(2008年, 慶應義塾大学出版会)
宗田・研究	宗田親彦・破産法研究(1995年, 慶應通信)
続・争点	倒産実務交流会編・続・争点 倒産実務の諸問題(2019年, 青林書院)
ソリューション	岡正晶=林道晴=松下淳一監修・倒産法の最新論点ソリューション(2013年, 弘文堂)
大コンメンタール	竹下守夫編集代表・大コンメンタール破産法(2007年, 青林書院)
髙木	髙木新二郎・アメリカ連邦倒産法(1996年, 商事法務研究会)
竹内	竹内康二・国際倒産法の構築と展望(1994年, 成文堂)
竹下古稀	竹下守夫先生古稀祝賀・権利実現過程の基本構造(2002年, 有斐閣)
竹下編・国際倒産法	竹下守夫編・国際倒産法——企業の国際化と主要国の倒産法(1991年, 商事法務研究会)
棚瀬=伊藤	棚瀬孝雄=伊藤眞・企業倒産の法理と運用(1979年, 有斐閣)
谷口	谷口安平・倒産処理法〈第2版〉(1980年, 筑摩書房)
谷口・演習	谷口安平・演習破産法(1984年, 有斐閣)
谷口古稀	谷口安平先生古稀祝賀・現代民事司法の諸相(2005

	年，成文堂）
田原古稀	田原睦夫先生古稀・最高裁判事退官記念論文集・現代民事法の実務と理論（上）（下）（2013年，金融財政事情研究会）
多様化する事業再生	野村剛司ほか編・多様化する事業再生（2017年，商事法務）
注解会更法	宮脇幸彦＝井関浩＝山口和男編・注解会社更生法（1986年，青林書院）
注解破産法	斎藤秀夫＝麻上正信＝林屋礼二編・注解破産法〈第3版〉（上）（下）（1998・99年，青林書院）
中間試案補足説明	法務省民事局参事官室「破産法等の見直しに関する中間試案補足説明」『破産法等の見直しに関する中間試案と解説』別冊NBL74号所収（2002年）
注釈特別刑法5巻I	伊藤榮樹＝小野慶二＝荘子邦雄編・注釈特別刑法5巻1経済法編I（1986年，立花書房）
注釈破産法	田原睦夫＝山本和彦監修・注釈破産法（上）（下）（2015年，金融財政事情研究会）
注釈民再法	伊藤眞＝才口千晴＝瀬戸英雄＝田原睦夫＝桃尾重明＝山本克己編著・注釈民事再生法〈新版〉（上）（下）（2002年，金融財政事情研究会）
注釈民法	中川善之助ほか編集代表・注釈民法(1)～(26)（1964～87年，有斐閣）
注釈民法〈新版〉	谷口知平ほか編集代表・新版注釈民法(1)改訂版(2)(3)(6)補訂版(7)(9)(10-1)(10-2)(13)補訂版(14)(15)増補版(16)～(18)(21)～(24)(25)改訂版(26)(27)(28)補訂版（1988～2011年，有斐閣）
道垣内	道垣内弘人・信託法（2017年，有斐閣）
東西	東西倒産実務研究会編・破産・特別清算（1989年，商事法務研究会）
倒産・再生訴訟	松嶋英機＝伊藤眞＝園尾隆司編・倒産・再生訴訟（2014年，民事法研究会）
倒産・再生の実務	松嶋一重＝粟澤方智編著・金融機関のための倒産・再生の実務（2013年，金融財政事情研究会）
倒産実体法の研究	倒産実体法研究会「倒産実体法の立法論的研究(1)～(7)」民商112巻4＝5号829頁，112巻6号967頁，114巻4＝5号864頁，114巻6号1034頁，115巻3号448頁，115巻4＝5号762頁，117巻1号144頁（1995～97年）
倒産実務講義案	裁判所書記官研修所・倒産実務講義案（2002年，司法協会）

倒産処理と弁護士倫理	日本弁護士連合会倒産法制等検討委員会編・倒産処理と弁護士倫理――破産・再生事件における倫理の遵守と弁護過誤の防止（2013年，金融財政事情研究会）
倒産と金融	「倒産と金融」実務研究会編・倒産と金融（2013年，商事法務）
倒産と訴訟	島岡大雄＝住友隆行＝岡伸浩＝小畑英一編・倒産と訴訟（2013年，商事法務）
倒産百選	松下淳一＝菱田雄郷編・倒産判例百選〈第6版〉（2021年，有斐閣）（〈初版〉（1976年），〈第3版〉（2002年），〈第4版〉（2006年）〈第5版〉（2013年）〔初版は新堂幸司＝霜島甲一＝青山善充編，第3版・第4版は青山善充＝伊藤眞＝松下淳一編，第5版は伊藤眞＝松下淳一編]）
倒産法改正展望	東京弁護士会倒産法部編・倒産法改正展望（2012年，商事法務）
倒産法の実践	伊藤眞＝園尾隆司＝多比羅誠編集代表・倒産法の実践（2016年，有斐閣）
徳田古稀	徳田和幸先生古稀祝賀論文集・民事手続法の現代的課題と理論的解明（2017年，弘文堂）
中島Ⅰ	中島弘雅・体系倒産法Ⅰ 破産・特別清算（2007年，中央経済社）
中田	中田淳一・破産法・和議法（1959年，有斐閣）
中田・契約法	中田裕康・契約法〈新版〉（2021年，有斐閣）
中田・債権総論	中田裕康・債権総論〈第4版〉（2020年，岩波書店）
中野・研究	中野貞一郎・強制執行・破産の研究（1971年，有斐閣）
中野・民執法	中野貞一郎・民事執行法〈増補新訂6版〉（2010年，青林書院）
200問	全国倒産処理弁護士ネットワーク編・破産実務Q＆A 200問――全倒ネットメーリングリストの質疑から（2012年，金融財政事情研究会）
220問	全国倒産処理弁護士ネットワーク編・破産実務Q＆A 220問（2019年，金融財政事情研究会）
日本立法資料全集	杉村章三郎ほか監修・日本立法資料全集（1990年～，信山社出版）
ニューホライズン	長島・大野・常松法律事務所編・ニューホライズン事業再生と金融（2016年，商事法務）
はい6民です	川畑正文＝千賀卓郎＝尾河吉久＝岩佐圭祐＝藤田晃弘＝壇上信介＝大畑拓也＝吉川慶編・はい6民です

	お答えします 倒産実務Q&A〈第2版〉(2018年，大阪弁護士協同組合)
萩本ほか	萩本修編，菅家忠行＝世森亮次著・逐条解説　新しい特別清算 (2006年，商事法務)
破産管財の実務	第一東京弁護士会総合法律研究所倒産法研究部会編・破産管財の実務〈第3版〉(2019年，金融財政事情研究会)
破産管財の手引	中山孝雄＝金澤秀樹編・破産管財の手引〈第2版〉(2015年，金融財政事情研究会)
破産実務の基礎	永谷典雄＝上拂大作編著・破産実務の基礎 (2019年，商事法務)
破産法大系ⅠⅡⅢ	竹下守夫＝藤田耕三編集代表・破産法大系ⅠⅡⅢ (2014・2015年，青林書院)
破産・民事再生の実務［破産編］	永谷典雄＝谷口安史＝上拂大作＝菊池浩也編・破産・民事再生の実務〈第4版〉［破産編］(2020年，金融財政事情研究会)
破産・民事再生の実務［再生編］	永谷典雄＝谷口安史＝上拂大作＝菊池浩也編・破産・民事再生の実務〈第4版〉［民事再生・個人再生編］(2020年，金融財政事情研究会)
破産・和議の実務	東京地裁破産・和議実務研究会編・破産・和議の実務（上）（下）(1998年，民事法情報センター)
花村	花村良一・民事再生法要説 (2000年，商事法務研究会)
判例・実務・改正提言	園尾隆司＝多比羅誠編・倒産法の判例・実務・改正提言 (2014年，弘文堂)
150問	全国倒産処理弁護士ネットワーク編・通常再生の実務Q&A 150問 (2021年，金融財政事情研究会)
平井・債権総論	平井宜雄・債権総論〈第2版〉(1994年，1996年第4刷部分補正，弘文堂)
福永・研究	福永有利・倒産法研究 (2004年，信山社出版)
福永古稀	福永有利先生古稀記念・企業紛争と民事手続法理論 (2005年，商事法務)
不動産登記講座Ⅱ	幾代通＝宮脇幸彦＝賀集唱＝枇杷田泰助＝吉野衛＝浦野雄幸編・不動産登記講座Ⅱ（総論(2)）(1977年，日本評論社)
法協百周年記念論文集(3)	法学協会・法学協会百周年記念論文集3巻 (1983年，有斐閣)
法人破産申立て実践マニュアル	野村剛司編著・法人破産申立て実践マニュアル〈第2版〉(2020年，青林書院)
松浦＝伊藤	松浦馨＝伊藤眞編・倒産手続と保全処分 (1999年，

松下・入門	松下淳一・民事再生法入門〈第2版〉(2014年, 有斐閣)
松嶋古稀	松嶋英機弁護士古稀記念論文集・時代をリードする再生論 (2013年, 商事法務)
松田	松田二郎・会社更生法〈新版〉(1976年, 有斐閣)
宮川・総論	宮川知法・倒産法新世紀への憧憬と道標——債務者更生法構想・総論 (1994年, 信山社出版)
宮川・各論Ⅰ	宮川知法・消費者更生の法理論——債務者更生法構想・各論Ⅰ (1997年, 信山社出版)
宮脇＝時岡	宮脇幸彦＝時岡泰・改正会社更生法の解説 (1969年, 法曹会)
民事再生の実務	森純子＝川畑正文編著・民事再生の実務 (2017年, 商事法務)
民事再生の実務と理論	事業再生研究機構編・民事再生の実務と理論 (2010年, 商事法務)
民事再生の手引	鹿子木康編著・民事再生の手引〈第2版〉(2017年, 商事法務)
民事再生法逐条研究	伊藤眞編集代表・民事再生法逐条研究——解釈と運用 (ジュリスト増刊) (2002年, 有斐閣)
民事再生法の理論と実務	才口千晴＝田原睦夫＝園尾隆司＝小澤一郎＝加藤哲夫＝松下淳一編・民事再生法の理論と実務 (上) (下) (2000年, ぎょうせい)
民事手続法	新堂幸司＝山本和彦編・民事手続法と商事法務 (2006年, 商事法務)
民事特別法の諸問題6巻	関西法律特許事務所開設五十五周年記念論文集・民事特別法の諸問題6巻 (2020年, 弁護士法人関西法律特許事務所)
民事法の諸問題Ⅱ	近藤完爾＝浅沼武編・民事法の諸問題 (実務的研究) Ⅱ巻 (1968年, 判例タイムズ社)
民法講座	星野英一編集代表・泉久雄＝奥田昌道＝椿寿夫＝徳本鎮＝平井宜雄＝米倉明編・民法講座1巻〜7巻・別巻1・別巻2 (1984・85, 90年, 有斐閣)
申立マニュアル	東京弁護士会倒産法部会編・破産申立マニュアル〈第2版〉(2015年, 商事法務)
森田・債権回収法	森田修・債権回収法講義〈第2版〉(2011年, 有斐閣)
門口退官	門口正人判事退官記念・新しい時代の民事司法 (2011年, 商事法務)
山木戸	山木戸克己・破産法 (1974年, 青林書院新社)

山本・国際倒産法制	山本和彦・国際倒産法制（2002年，商事法務）
吉田＝野村	吉田清弘＝野村剛司・未払賃金立替払制度実務ハンドブック（2013年，金融財政事情研究会）
理論と実務	山本克己＝山本和彦＝瀬戸英雄編・新会社更生法の理論と実務（判例タイムズ臨時増刊1132号）（2003年，判例タイムズ社）
論究ジュリ35号	「特集2　倒産・事業再生の実務と理論」論究ジュリスト35号（2020年，有斐閣）
論点解説新破産法	全国倒産処理弁護士ネットワーク編・論点解説新破産法（上）（下）（2005年，金融財政事情研究会）
我妻＝有泉・コンメンタール	我妻榮＝有泉亨＝清水誠＝田山輝明・我妻・有泉コンメンタール民法——総則・物権・債権〈第7版〉（2021年，日本評論社）
我妻・債権総論	我妻榮・債権総論〈新訂版〉（1964年，岩波書店）

*　文献・論文は，原則として，2021年12月末時点までに刊行されているものを参照した。

*　本文中で［書式○］とある場合には，破産編では，中山＝金澤編『破産管財の手引』に掲載されている書式を，民事再生編では，鹿子木編著『民事再生の手引』に掲載されている書式を指す。

第1部　破　産　法

序　論　倒産処理法への招待

第1節　問題の所在

　企業や消費者が，それぞれの責任において経済活動を行う社会においては，何らかの事情によって従来のままの経済活動を継続することが困難または不可能になることがある。このような事態は，当事者やその関係人からみれば，不幸なことと思われる。しかし，社会全体の視点からみると，この事態を契機として，当事者に対しては，不健全な経済活動を続けることを止めさせて，健全な形での再出発を促し，また関係人については，破綻による損害を公平[1]に分担させる制度が必要になる。倒産処理制度が，経済社会の健全性を維持する上でなくてはならないものとされるのも，こうした意味を含んでいる[2]。このよ

---

1) 本書では，一般化的正義として「公平」の用語を，個別化的正義として「衡平」の用語を用いる（団藤重光・法学の基礎〔第2版〕226, 227頁（2007年）参照）。
2) 松嶋英機編著・ゼロからわかる事業再生19頁（2013年）では，経済社会における新陳代謝を促す手段としての倒産と事業再生の意義を強調する。
　また，伝統的には，破産がありえないとされた社会主義国家においても，経済体制の変革を反映して，経済の健全性を維持する不可欠の手段として破産制度が導入されている。伊藤・破滅か更生か2頁以下，島村博「社会主義の国家企業の破産制度について（上）（下）」国際商事法務16巻12号1049頁, 17巻1号62頁（1988・89年），季衛東「中国における企業破産制度」神戸法学年報6号181頁（1990年），岩城成幸「ロシア『新破産法』施行」ジュリ1132号100頁（1998年），松嶋希成・ロシア・ビジネスとロシア法57頁（2017年），金春・中国の倒産制度における労働者の地位・処遇（2007年），同「倒産をめぐる裁判例」NBL 880号46頁（2008年），趙軍「中国企業破産手続の流れと構造（上）（下）」国際商事法務36巻2号215頁, 3号359頁（2008年），福岡真之介＝金春・中国倒産法の概要と実務（2011年），落合孝文＝孫彦「事例からみる中国における破産手続」NBL 958号102頁（2011年），劉穎「中国倒産管財人制度に関する一考察」中央大学大学院研究年報42号〔法学研究科篇〕67頁（2012年），柴原多ほか「〈特集〉アジア4か国（中国・韓国・シンガポール・インドネシア）における事業再生・倒産手続の近時の動

うな視点から，現在の社会において倒産処理がいかなる形でなされているかを，企業および消費者の両者についてみてみよう。

第1項　企業破産および民事再生の事例

　企業倒産にかかわる法制は，序論第4節第2項（本書69頁以下）でみるように，旧破産法，和議法および旧会社更生法の時代から，平成12年以降の倒産処理法制改革の中での民事再生法，現行会社更生法および現行破産法の時代へと大きな変化を遂げ，また，その下での実務運用にも劇的な変容がみられる。その具体像として，以下では，昭和60年代と平成20年代の事件を素材とした事例を示すこととする。

1　ある株式会社の破産（昭和60年代）

　ある株式会社（以下，債務者または会社と呼ぶ）は，「純金ファミリー契約証券取引」を中心とした事業を展開し，急成長を遂げた。この取引は，金地金の購入を顧客に勧め，購入された金を会社が保管し，その対価として，顧客に対して賃借料を払うことを約束するものである。顧客としては，金地金について値上り益を期待できるとともに，賃借料の支払によって一層の投資効果を狙うことができる。もちろん，健全な常識からすれば，このような事業が継続的に維持できるものかどうか疑問をもたれるであろう。しかし，投資についての判断力の乏しい老人などを主たる顧客層として開拓することによって，会社の事業は急速に拡大された。もっとも，その拡大は，強引なセールスに対して高額の報償金を支払うことによって成り立っていたので，経費の中では，販売費や一般管理費の比重が異常に高く，会社の経営を圧迫した。また，金地金の購入代金として顧客から払い込まれた金員は，実際には，金地金購入のために使われることは少なく，そのほとんどが各種の投機資金として経営者によって使用され，回収不能となった。このような理由から，会社の経営は，いわゆる自転車操業を続け，経営者にまつわる不祥事などを直接の契機として，ついに実質的倒産状態に立ち至った。

向」事業再生と債権管理158号126頁（2017年）参照。
　さらに，EU域内各国の倒産手続統一の動きについては，金子寿太郎「EU倒産手続等収斂プロジェクトの現状と展望」金法2072号73頁（2017年），阿部信一郎「ヨーロッパにおける倒産制度」加藤哲夫古稀731頁が詳しい。

昭和60年6月20日，金地金購入代金の返還を求める顧客らが，債権者として，旧破産法132条1項（現破18 I）にもとづいて破産の申立てを行った。これを受けて，大阪地方裁判所は7月1日午後1時，旧破産法127条1項（現破16 I）にいう破産原因，すなわち債務超過が認められるとして，債務者に対して破産宣告（現破産手続開始決定）を行った。宣告と同時に，裁判所は，3人の弁護士を破産管財人に選任し，債務者についての倒産処理にあたらせることになった[3]。

　この事件において債権者が自らの債権を回収することのみを目的とするのであれば，保全執行や強制執行などの手段も考えられる。それらの可能性の中で，債権者が破産申立てを選んだ理由としては，債務者の事業活動自体を停止させ，債務者を解散に追い込む目的があったと考えられる[4]。破産制度の目的は，後に述べるように，債務者の財産の公平な分配と債務者の経済的更生にあるとみられるが，法人の場合には，破産によってその法人を解散させ（一般法人法148⑥・202 I ⑤，会社471⑤・641⑥など），社会にとって有害な活動を封じる役割を果たすこともある。ただ，破産清算遂行の中心となるのは，破産管財人であり，裁判所はその監督を行う（旧破161，現破75）にすぎない。破産管財人は，国家から給与の支払を受けるわけではなく，もっぱら破産財団からその費用および報酬の支払を受ける（旧破166・47③，現破87 I ・148 I ②）。いいかえれば，破産管財人の活動経費を負担するのは，破産債権者である。そのことを前提とすると，債務者の事業活動が環境汚染などの社会的損失を生じさせており，また将来にわたって生じさせることが予想されるときに，破産債権者の利益実現のために裁判所によって選任された破産管財人が（旧破157，現破74 I），破産債権

---

[3] この事例は，いわゆる豊田商事事件を材料としたものである。大阪地判平成元・9・14判時1348号100頁，大阪地判平成5・10・6判時1512号44頁など参照。なお，類似の事案についての分析として，新版破産法311頁〔中藤力〕，332頁〔永沢徹〕，347頁〔北原潤一〕，364頁〔川瀬庸爾〕がある。

[4] 伊藤・入門44頁。同様の目的が窺える破産事件としては，東京地決平成3・10・29判時1402号32頁〔倒産百選〈第5版〉5事件。茨城カントリークラブ破産宣告〕，東京地決平成8・3・28判時1558号3頁〔オウム真理教破産宣告〕などがある。また，久永眞「債権者破産申立──過払金紛争の顚末」NBL 891号43頁（2008年），同「続・債権者破産申立──過払金紛争の顚末（1）」NBL 895号58頁（2008年）も同種の事案を扱っている。債権者による破産手続開始申立てにこのような機能が認められ，それを予納金に関する判断（本書147頁）や国庫仮支弁制度の運用（本書149頁）に反映させるべきことを説くものとして，破産法大系 I 11頁〔伊藤眞〕がある。

者への配当を犠牲にしても社会的損失の除去や防止をしなければならないかどうかは，破産制度の根幹にかかわる問題である[5]。

破産管財人は，破産債権者の利益を代表して，総債権者に公平な配当をするものであるが，その目的を実現するために，破産者に帰属する財産について破産者に代わって管理処分権を行使する（旧破7，現破78Ⅰ）。民事訴訟において破産管財人が法定訴訟担当者であるとされているのは（旧破162，現破80参照），これを前提としたものである。破産管財人がこのような性格をもっていることから，第三者が破産者に対してなしうる法律上の主張を破産管財人に対しても主張できるかという問題が生じる[6]。

さて，この事件における破産管財人がその仕事を進めたところ，以下のような事実が明らかになった。破産者の財産，すなわち破産管財人の管理の下に入るべき財産は，帳簿上は700億円余り存在するが，回収不能の債権あるいは換価価値の低い動産や不動産などが多く，実際には30億円程度と見積もられた。他方，破産者に対して弁済を要求している債権者の債権額は，純金ファミリー契約証券をもつ債権者について1000億円，従業員の賃金・退職金債権10億円，貸付金などの一般債権20億円，破産者の財産について抵当権などの担保を設定していた債権15億円，源泉徴収義務にもとづく国税債権6億円である。これらの負債と資産とを比較すればわかるように，この資産をもっては，とうて

---

5) これを象徴するのが，債務者の財産の中に環境汚染を生じさせる物が含まれているときに，破産管財人が破産財団の負担において汚染防止や除去措置を執らなければならないか，それともいわゆる破産財団からの放棄（旧破197⑫，現破78Ⅱ⑫。本書722頁）をして，後は債務者や行政の措置に委ねれば足りるかという問題である。伊藤ほか・座談会（上）38頁における松山発言，伊藤眞「破産管財人の職務再考——破産清算による社会正義の実現を求めて」判タ1183号35頁（2005年）。新版破産法406頁，破産法大系Ⅰ15頁〔伊藤眞〕，平岩みゆきほか「破産事件における管理・換価困難案件の処理をめぐる諸問題」事業再生と債権管理151号41頁（2016年）。場合によっては，汚染原因物質の放置が不法行為を構成し，財団債権（旧破47④，現破148Ⅰ④）を生じさせることがある。

6) 豊田商事事件において破産管財人は，高額の歩合報酬が公序良俗に違反して無効であると主張し，従業員に対して報酬の返還を求める訴えを提起した。これに対して，被告たる従業員は，たとえ歩合報酬契約が無効であるとしても，民法708条が適用されるから，会社は従業員に対して報酬の返還を求めることはできず，財産の管理処分権を会社から引き継いだ破産管財人も，同様に返還を求めえないと主張した。裁判所は，破産管財人が破産者の権利承継人ではなく，総債権者に公平な満足を与えることを目的としてその職務を行う，独立の法主体であることを理由として，被告の主張を排斥している（大阪地判昭和62・4・30判時1246号36頁〔倒産百選〈第4版〉93事件〕）。伊藤・破滅か更生か168頁以下，最判平成26・10・28民集68巻8号1325頁，本書363頁参照。

い，すべての債権者の債権を完全に満足させることはできない。そこで，これらの債権者を平等に扱うか，すなわち債権額に比例した按分配当を行うか，それとも何らかの差を設けるかが問題となる。

しかし，これらの債権のうち，あるものについては実体法上の優先権が認められている。すなわち従業員の給料債権等については，一般の先取特権が与えられているし（民306②，商旧295），抵当権者については，目的物について優先弁済権が認められている（民369 I）。また，国税債権についても優先権が付与される（税徴8）。これに対して，貸付債権者やファミリー契約証券所持者は，一般債権者であり，何らの実体法上の優先弁済権をもつわけではない。それにもかかわらず，すべての債権者を平等に扱うとすれば，破産手続において実体法秩序が無視される結果となろう。しかし，実質を考えれば，詐欺的商法の被害者の債権が加害者ともいえる従業員の債権に劣後することは，正義に反するとの判断も成り立とう[7]。

もっとも，たとえ優先的な取扱いを受けたとしても，ファミリー契約証券所持者などの一般債権者に対して，完全な満足が与えられることは期待できない。かりに一般債権者に対して債権額の10％に相当する配当が与えられたとすると，未払部分は，それが債権者によって放棄されない限り，破産手続終了後も残ることになる。しかし，法人は破産によって解散し，法人格を失うことが予定されているので，90％部分の残債権は消滅せざるをえない。一方で，破産者の財産が破産管財人によって換価され，債権者に配当されることによって資産が消滅し，他方で，配当によって満足を受けられなかった債権も消滅する結果となるから，これによって資産と負債の清算が完了する[8]。

2　ある事業者向け金融業者の民事再生と破産への移行（平成20年代）[9]

ある株式会社は，貸金業を主たる業務として昭和50年代前半に設立され，中小企業者向けの金融業者として急成長を遂げたが，貸付金の取立方法や過剰融資が社会的な問題となり，監督行政庁から業務停止処分を受け，また，最高裁判所判例[10]の影響による過払金返還債務の急増，貸金業法や出資法の改正に

---

[7]　実際には，破産管財人の元従業員に対する報酬返還請求が不当利得として認められている（前掲大阪地判昭和62・4・30（注6））。
[8]　兼子・研究2巻138頁参照。
[9]　実践マニュアル19頁以下にも近時の法人破産配当事案の物語がある。
[10]　最判平成18・1・13民集60巻1号1頁によって，旧貸金業規制法43条にもとづくみ

よる収益の激減などの諸要因のため財務状況が急激に悪化し，さらに平成19年夏以後の金融危機によって金融機関からの資金調達が困難となり，加えて貸付先のうち倒産するものが続出し，資金繰りに窮した結果，公租公課の滞納なども発生し，ついに平成20年10月末には，支払不能の状態に陥った。このような状況の中で，後に問題となる貸付金債権の二重譲渡や関係会社への資産移転などの不正行為が行われている。

(1) 再生手続開始から再生手続廃止まで

しかし，同社の経営者は，なお事業の継続を断念せず，経営権の保持が可能である民事再生手続（民再38Ⅰ。本書881頁参照）による再生を図るために，平成21年2月23日，東京地方裁判所（民事第20部）に再生手続開始申立てをなし，翌24日に再生手続開始決定（民再33。本書874頁参照）を受けた。しかし，すでに資産の大部分が関係会社に移転していること，預金口座に対して国税および地方税にもとづく滞納処分がなされたこと，貸付金債権の二重譲渡が発覚し，東京都から貸金業登録の取消処分を受けるのが必至となったことなどから，同社の事業は完全に行き詰まった。そこで，裁判所は，「決議に付するに足りる再生計画案の作成の見込みがないことが明らかになったとき」（民再191①。本書1173頁参照）に該当するとして，平成21年3月24日，再生手続を廃止する決定をなし，同時に，同社の財産を保全するために保全管理命令を発令し（民再251Ⅰ①。本書1243頁参照），A弁護士を保全管理人（民再251，破91Ⅱ。本書177頁参照）に選任し，A弁護士は，裁判所の許可をえて11名の弁護士を保全管理人代理（破95）に選任した。保全管理人団は，同社の資産内容の把握と

なし弁済規定が事実上死文化し，貸金業者が資産として認識していた貸付金債権の相当部分が過払金返還債務に変質してしまい，最判平成21・1・22民集63巻1号247頁などによって，この流れが加速されたこと（井上聡「過払金に関する最高裁判決のインパクトの拡がり」金法1886号6頁（2009年）参照）などを意味する。また，2006年の貸金業規制法（貸金業法），出資法および利息制限法の改正については，宇都宮健児・多重債務被害救済の実務〈第2版〉2頁（2010年）参照。

なお，関連する裁判例として，過払債権が破産債権として確定したこと（本書690頁参照）を前提として，破産会社が過去に行ってきた法人税の確定申告について，国税通則法23条2項1号所定の後発的事由が生じたとして破産管財人が更正の請求（税通23Ⅰ①）を行い，それを否定した税務署長の通知処分の取消し等を求めた事案において，当該更正の請求が同法23条1項1号所定の要件を満たさないとした最判令和2・7・2民集74巻4号1030頁がある。破棄された原判決について川田剛「租税判例研究」ジュリ1532号111頁（2019年）参照。

保全，引直し計算による過払金債権者の確定，係属する訴訟等の内容，否認該当行為の調査や二重譲渡問題の解明等の作業を行う一方で，破産手続遂行に必要な人員を除く従業員の解雇や全国に所在する支店の閉鎖を行った。

(2) 破産手続開始と破産手続の遂行

引き続いて東京地方裁判所は，平成21年4月21日，同社に対して破産手続開始決定を行い（民再250 I），保全管理人であったA弁護士を破産管財人（破31 I 柱書・74。本書210頁）に選任した。そして，破産管財人は，保全管理人代理であった11名の弁護士を破産管財人代理（破77。本書216頁）に選任した。また，破産管財業務が多岐にわたると考えられたことから，2名の破産管財人代理を追加選任した。さらに，膨大な管財事務の遂行のために，同社の元従業員の中から35名を破産管財人補助者（本書216頁）として雇用し，開設した破産管財人事務所において執務させることとなった。

破産財団の状況として破産管財人団が当初に把握していたのは，資産37億円余り，負債のうち財団債権となる公租公課や労働債権（破148 I ③・149。本書334, 340頁参照）17億円余り，破産債権（破2 V。本書283頁参照）となる過払金債権408億円余り，金融債権3兆円余りであったが，その後の破産管財人団の活動によって資産は，298億円余りまで増加し，破産債権は，債権届出と調査・確定手続を経て，重複する損害の届出について，届出主体や法律構成を整理した結果，3539億円余りであることが判明した。こうした過程の中で破産管財人団は，財団債権については随時に弁済し，破産債権については，すでに破産手続開始から2年程度の期間が経過していることを考慮し，債権額の2％程度の中間配当（破209。本書751頁参照）を行うこととし，平成23年4月22日に裁判所の許可をえて，平成23年6月頃から第1回の中間配当の実施に着手した。その結果，2万3000名余りの破産債権者に対して合計62億円余りの配当が終了している。さらに，財団債権の弁済や破産債権の確定が進んだことから，平成24年6月頃には，第2回の中間配当を実施することとされ，その後，以下に述べる訴訟などの決着がつき次第，最後配当（破195。本書758頁参照）を実施し，破産手続終結決定（破220。本書769頁参照）によって破産手続を終了することが予定されている。

(3) 各種の訴訟等

本件を巡り，破産管財人が原告または被告となった訴訟等の係争事件は，破

産手続開始前から係属していたものを含めて数百件に上ったが，その中では，関連会社が同社の財産の譲渡や譲渡担保の設定を受けたことに対して破産管財人が否認の請求（破160・162・173・174。本書638頁参照）をなし，裁判所が否認の請求を認容する決定をしたところ，関連会社の側がこれを不服として，異議の訴え（破175Ⅰ。本書640頁参照）を提起した事件が多くを占めている。それらの事件の中の相当数は和解によって終了しているが，なお係争中の事件も残っている。

関連会社以外の第三者との間の係争では，以下の2例が破産法上の重要な法律問題を含んでいる。

　　ア　納税保証の否認訴訟事件等

同社は，再生手続開始前に関連会社の滞納国税について納税保証（税通50⑥）を行っているが，破産管財人は，これを無償行為として否認し（破160Ⅲ），税務当局が同社に対する還付金を保証債務に充当する処分をしたことに対して，還付金充当処分の取り消しを求める訴えを提起している。この訴訟においては，①納税保証が無償行為といえるか（本書598頁参照），②納税保証が否認されることが行政処分たる還付金充当処分の違法性を導くか，③租税等の請求権に対する担保提供などを偏頗行為否認の対象としないという規定（破163Ⅲ。本書589頁参照）が，本件の事案についても類推適用されるかなどが争われているが，それについての控訴審判決として東京高判平成25・7・18判時2202号3頁がある。

なお，類似のものとして，同社が関連会社の滞納国税を立替払いした行為について破産管財人が無償行為否認を主張し，立替金を不当利得として返還を求める訴訟も提起された。

　　イ　取立委任手形の取立金返還債務を受働債権とする相殺および取立金の
　　　　弁済充当をめぐる不当利得返還請求事件

同社は，再生手続開始前にその受取手形の取立をB銀行に委任した。B銀行は，同社についての再生手続開始後その手形を取り立て，取立金を保管中であったが，破産管財人がその返還を求めても，これに応じないので，破産管財人は，取立金を不当利得として返還を求める訴えを提起した。

この訴訟における法律上の争点としては，①取立金返還債務は，取立てを停止条件とするB銀行の同社に対する債務とみられるが，破産債権者の負担す

る債務が停止条件付である場合にも相殺が許される規定を設ける破産法（破67Ⅱ後段）と異なって，これに対応する規定が存在しない再生手続においては（民再92Ⅰ後段参照），民事再生法93条1項1号によって相殺が禁止されるか（本書1003頁参照），②かりに相殺が禁止されるとした場合には，同社の手続が破産手続に移行したときであっても，相殺禁止の効果が存続するか（本書1248頁参照），③取立委任手形についてB銀行の商事留置権が成立するときに，B銀行は，取立金についても留置権能を主張し，破産管財人に対する返還を拒絶することができるか，さらに，銀行取引約定にしたがって，取立金を同社に対する破産債権に充当することができるか（483頁参照）などが重要である。

第1審裁判所は，①および②について判断し，再生手続においては，手続開始後の停止条件成就を理由とする債務負担を受働債権とする相殺は禁止される，相殺禁止の効果は，その後の破産手続においても存続するとの理由から，破産管財人による不当利得返還請求を認容した[11]。これに対して控訴審裁判所は，この間に③の問題について手形取立金に留置権能が及び，加えて「別除権の行使に付随する合意」にもとづく権能として，弁済充当権を認めた最高裁判所判決[12]が現れたことを踏まえ，B銀行による弁済充当が認められるとの理由から，第1審判決を取り消し，破産管財人の請求を棄却する判決を言い渡し[13]，破産管財人が上告を断念したために，控訴審判決が確定した。

第2項　消費者破産の二事例

ここでは，旧破産法の下で破産免責が利用され始めた昭和50年代半ばのものと現行破産法の下での消費者破産の2つの設例に即して，破産事件の大部分を占める消費者破産事件において破産手続と免責手続がどのように進行するか，自由財産や免責不許可事由など本書で取り上げる法的諸概念がそれらの手続の中でどのように機能するかを説明する。

1　昭和50年代半ばの消費者破産事件

債務者は，昭和16年1月25日生まれで，破産手続開始申立て当時37歳で

---

11) 東京地判平成23・8・8金法1930号117頁参照。
12) 最判平成23・12・15民集65巻9号3511頁〔民事再生〕〔倒産百選54事件〕。本書990頁参照。
13) 東京高判平成24・3・14金法1943号119頁参照。

あった。彼は，名古屋市内で生まれ，中学校を卒業後，直ちに繊維製品卸売商店に就職し，その後独立して卸売業を始めた。その間に結婚して，破産手続開始当時2人の子供がいる。彼が始めた事業は，昭和49年にオイル・ショックの影響で倒産し，その後，英語教材のセールスマンとして働いている。

彼が自ら破産手続開始申立てをなすことを余儀なくされたのは，以下のような事情による。すなわち，昭和49年の個人事業の倒産に際して，400万円ほどの負債が残り，その後の収入の中からこれを返済することとなり，生活費を圧迫した。加えて，セールスマンの給与が歩合制であり安定しないために，金融業者からの借入れを繰り返し，次第に負債額が増大した。それでも，妻の収入が存在するうちは家計の破綻を免れていたが，妻が病気となりその収入が途絶えたことによって，一挙に破綻に陥った。なお，破綻の直前に債務者は，負債を返済する資金をえようとして，金融業者から借り入れた資金の一部をパチンコや競馬に注ぎ込んでいる。このことが，後に免責手続の中で問題となる。また，債務者は，破産手続開始申立て直前に妻と離婚し，妻に対して，財産分与，慰謝料および子の養育費支払などの義務を負っている。金融業者らの厳しい取立てに耐えかねた債務者は，昭和54年12月20日に破産の申立てをなし，予納金30万円を納めたところ[14]，同55年1月14日午後1時に，B地方裁判所は，債務者が支払不能の状態にあるとして破産宣告（現破産手続開始決定）をなし，この時から債務者は破産者となった。

経済的破綻状態にあり，債権者からの追及に直面している債務者がとりうる手段としては，民間団体の行うカウンセリング・サービスなどのほかに，裁判所における手続として民事調停，特に特定調停がある。現に，地方裁判所および簡易裁判所において行われる調停事件のうち，貸金業関係や信販関係を主たる内容とする金銭債務に係る特定調停事件は，全体の1割程度を占めている。したがって，民事調停，特に特定調停は，破綻債務者にとって倒産処理手続として機能しており，今後もこの状況が急激に変化するとは思われない[15]。ただ

---

14) 旧法下の実務においては，財産が乏しく，同時破産手続廃止（破216Ⅰ）が予想される事件では，予納金額は1万4000円から2万円程度，小規模の破産管財人選任事件では，50万円程度であった。園尾隆司ほか編・少額管財手続の理論と実務334頁（2001年）参照。現行法下では，少額管財事件の最低予納金が20万円とされている。破産管財の手引〈第2版〉3，33頁。

15) 小島武司＝伊藤眞編・裁判外紛争処理法235頁〔太田壽郎〕（1998年），久保田衛「平

し，調停には，合意を拒絶する債権者に対しては，債務免除などを強制する効力をもたないことや，債権者と債務者との個別的合意形成を目的とする手続であり，総債権者を手続に組み込むことが保障されていないことなどの問題がある。したがって，総債権者に対する関係で清算を行い，その後に債権者の意思を問わず残債務を免責するという，破産およびこれにもとづく免責手続に完全に代替するものではない。しかし，逆に債務者は，破産宣告（現破産手続開始決定）を受けることによって法律上の資格制限など，一定の不利益を受ける可能性があり[16]，このことを考えると，調停などの他の手続を選択する利益も認められる[17]。

さて，債務者に対する破産宣告（現破産手続開始決定）と同時に破産管財人が選任され，資産および負債の調査が開始された。破産債権者としては，金融業者のほかに，所有権留保付で破産者に自動車を売った自動車ディーラー，慰謝料および養育費債権をもつ前配偶者などがおり，破産債権総額は2000万円程度である。他方，資産としては，家財道具5万円，銀行預金5万円などがある

成一五年における特定調停事件の動向」民事法情報210号2，4頁（2004年）参照。また，貸金業法（昭和58年法律32号）や割賦販売法との関係で，債権者の取立行為に対して規制が加えられる点でも，調停申立ては，破産手続開始申立てと同様の効果をもっている。森泉章編著・新・貸金業規制法148頁（2003年），通商産業省産業政策局消費経済課編・最新割賦販売法の解説533頁（1986年）参照。旧貸金業規制法と旧破産法の下における破産手続の運用については，黒木和彰「自然人の破産手続とその運用」田原古稀（下）362頁以下に詳しい。

16) 法律上の資格制限については，本書194頁，退職勧告など事実上の不利益に関しては，宮川・各論Ⅰ66，92頁以下参照。論者は，法律上の資格制限について，人格不信型，資力不足型，複合型の3つの類型に分け，いずれについても全面的に見直すべきであるとする。著者もこれに賛成したい。

いずれにしても，経済的破綻に陥った消費者のうち，破産を申し立てるのは一部であり，多重債務者の数は150万人に達するといわれた（宇都宮健児「消費者破産の現状と問題点」金法1475号61，62頁（1997年））。平成29年についてみると，個人の破産新受事件は，68,792件で，個人再生新受事件および特定調停新受事件を合わせると，それを相当上廻るものとなる。以上は，平成29年度司法統計年報の記載を基礎としたものであるが，令和元年では，個人の破産新受事件は，73,292件で，個人再生新受事件13,594件，特定調停新受事件2,992件を合わせると，9万件に近い（最高裁判所「裁判所データブック2020」裁判所ウェブサイトによる）。

17) いわゆる特定調停法（特定債務等の調整の促進のための特定調停に関する法律。平成11年法律158号）が制定されたのは，このような利益を尊重するためである。詳細については，林道晴「いわゆる特定調停法・同規則の制定とその運用について」判タ1017号26頁（2000年），特定調停手続の概要および現状については，本書47頁参照。

が，そのほかに，将来の退職金債権，簡易生命保険契約を解約した場合の還付金請求権などがある。破産管財人が管財業務を行うにあたっては，次の点が検討の対象となる。

まず，破産債権者の取扱いに関しては，所有権留保売主は，目的物について所有権を持つとすれば，破産債権の行使とは別に，目的物を破産管財人から取り戻す権能が認められるし（旧破87，現破62。本書467頁），その権利を担保権と構成しても，目的物から優先弁済を受ける権能が認められる（旧破92・95，現破2Ⅸ・65。本書496頁）。これに対して配偶者の破産債権については，実体法上特別の優先権が認められていないので，金融業者の債権などと平等に取り扱わざるをえないが（旧破40，現破194Ⅱ。本書23頁）[18]，権利の実質を考えると問題が残る。

次に，財産の換価に関して，退職金を債権者への配当財源とするためには，破産者が退職して破産管財人が雇主から退職金を受け取る必要があるが，このことは破産者の経済的再出発という視点からみると，問題が残る[19]。同様の問題は，簡易生命保険の還付金についても生じる[20]。

この事件では，破産者が退職や簡易生命保険の解約を免れるために，親類縁者から援助を受けて，退職金および還付金に相当する金銭を破産管財人に提供し，破産管財人が裁判所の許可をえて，退職金債権や還付金請求権を破産者のために破産財団から放棄した（旧破197⑫・198，現破78Ⅱ⑫）。その結果，配当

---

18) 配偶者の財産分与請求権は破産債権であって，破産者の財産について取戻権を行使することができないとする判例として，最判平成2・9・27家月43巻3号64頁〔倒産百選51事件〕がある。これに対して，宮川・各論Ⅰ186頁は，少なくとも分与金請求権の一部については，先取特権が認められ，優先的取扱いがなされるべきであるとする。また，分与金請求権を旧破産法47条9号にいう「破産者ニ扶養セラルル者ノ扶助料」に類するものとして考えれば，裁判所の許可または債権者集会の決議を経て（旧破192Ⅰ・194），これを財団債権とすることも考えられたが（内山衛次「判例解説」ジュリ980号128，130頁（1991年）），この類型の財団債権は現行法では廃止された。以上について，本書471頁参照。

19) 具体的取扱いの方法については，本書263頁参照。宮川・各論Ⅰ109頁は，破産者の退職しない自由を根拠として，そもそも退職金債権を破産財団に含ませるべきではないとする。

20) かつては，還付金が差押禁止とされていたために（旧簡保81参照），破産管財人がこれを債権者への配当財源とすることはできなかったが，現在では，差押え可能なものとなっているので，破産財団に所属する財産といえる。本書264頁参照。ただし，退職金債権と同様に，一定金額以下の請求権である場合には，自由財産として，破産管財人の管理処分権から解放される可能性がある（破34ⅢⅣ。本書269頁）。

財源としては，40万円程度が確保できた。そこで，破産手続は配当率2%で終結することとなったが，破産者は，その残債務を免れるために，免責の申立てをなした（旧破366ノ2Ⅰ，現破248ⅠⅣ。本書786頁）。免責審理の中では，破産者が，破産手続開始申立て直前にギャンブルのために金融業者から借入れを行ったことが問題とされ，一部の債権者から免責付与に対する異議が提出された。免責不許可の事由は，破産法252条1項（旧破366ノ9）によって規定されており，上の事実は，同項4号または5号（旧破375①または②。本書797頁）の事由に該当すると思われるが，裁判所には裁量的判断の余地が認められている（旧破366ノ9柱書，現破252Ⅱ。本書802頁）。そこで裁判所としては，ギャンブルに費消した金額，反省の有無，および免責を否定した場合の結果などを総合考慮して，免責の可否を決することになったが，裁判所は，債務者が経済的破綻に陥った根本的な原因が妻の疾病にあり，ギャンブルは付随的な原因に過ぎないこと，債権者に対して一定の配当が実施できたことなどを考慮して，破産免責許可決定を言渡し，その確定によって，破産者は債務の責任から解放されることになった（旧破366ノ11・366ノ12柱書本文，現破253Ⅰ柱書本文。本書806頁）。

2 平成20年代前半の消費者破産事件[21]

債務者は，昭和37年8月31日生まれで，破産手続開始申立て当時48歳であった。彼は，京都市内で生まれ，4年制大学を卒業後，直ちに，ある市役所に就職したが，学生時代からギャンブルに手を染め，就職後は競馬やパチンコに給料の半分近くを使い，不足する生活費を消費者金融から借り入れるという生活を送っていた。そして，借入れがかさみ，返済が困難となると，両親が代わりに返済をするような状態であった。本人もこうした生活態度を反省し，平成8年に結婚し，自らの家庭を持ったが，配偶者との不和によるストレスなどから，一旦やめていたギャンブルを再開し，以前と同様に，消費者金融からの借入れを繰り返すようになったため，遂に，その返済が困難となり，平成13年に弁護士に依頼し，一度目の任意整理を行った。その際には，一部減額された借入金については，分割払いを内容とする支払計画に従い弁済を完了している。

---

[21] 実践マニュアル3頁以下にも近時の個人破産異時廃止事案の物語がある。

しかし，その後も債務者の生活態度は改まらず，給料の相当部分をギャンブルにつぎ込み，不足する生活費の捻出のため，消費者金融からの借入れを行った結果，平成19年ころには，借入総額が230万円程度に達し，苦境を打開するために二度目の任意整理を試みた。しかし，問題の根本的解決には遠く，知人等からの借入金を生活費に充てていたが，再びその返済が困難となったため，平成21年12月に三度目の任意整理のために弁護士に相談したが，債権者との間の交渉が成立する見込みが立たないままに，困窮のあまり職場での預り金を使い込んでしまい，その事実が発覚するに至った。

　幸いなことに，母親からの援助によって使い込んだ金銭の全部を返済したために，刑事事件になることは免れたが，結局，平成22年11月16日に勤務してきた市役所を退職することを余儀なくされた。そして，従来の債務の重圧から自らを解放し，新たな人生の出発のために破産手続開始の申立てをすることを決意し，手元に残された退職金などを用意して，A弁護士の事務所を訪れ，その手続を依頼した。報酬30万円で事件を受任したA弁護士は，債権者数，債権額，債務者の支払能力などを調査し，債務者が支払不能（破2ⅩⅠ。本書117頁参照）の状態にあることを確認した上で，貸金業者である債権者に取立行為の中止を求め，後の過払金請求のための資料を用意させ，さらに破産手続開始後の否認権の行使に備えて債務者の支払不能状態を債権者に知らせるために（破162Ⅰ①イ。本書592頁参照），平成22年11月22日以降，判明している債権者に対して順次受任通知を送った後（申立前の受任通知の送付については，事案に応じた取扱いが求められる），同年12月27日付けで，大阪地方裁判所に債務者の支払不能を理由として破産手続開始申立てを行った（破15Ⅰ。本書142頁参照）。申立てをする際にA弁護士は，同時破産廃止（破216Ⅰ。本書196頁参照）を求めるか[22]，それとも破産管財人の選任を求めて，破産手続を進めることを希望すべきかを検討したが，貸金業者から返還を求めることができる過払金が相当額存在すること，支払不能に陥った原因がギャンブルにあり，免責許可を

---

[22]　債務者は，この時点で相当額の現金を保有しているが，大阪地方裁判所の運用では，破産手続開始前に債権者に対して按分弁済をすることによって，同時破産廃止を認める運用がなされていたが（日本弁護士連合会倒産法制等検討委員会編・個人の破産・再生手続59頁（2011年）），適正な按分弁済がなされないと，かえって問題を生じることなどを理由として，この運用は廃止された模様である。はい6民です〈第2版〉2頁。東京地裁の運用については，破産管財の手引〈第2版〉33頁参照。

うるのが必ずしも容易ではないこと（破252Ⅰ④・Ⅱ。本書797頁参照）などを考慮して，予納金（破22Ⅰ。本書147頁参照）20万円余りを準備して[23]，管財事件として破産手続を開始することを求めた。

申立てを受理した大阪地方裁判所第6民事部は，平成23年1月25日午後5時，債務者が支払不能の状態にあると認め，破産手続開始決定（破30Ⅰ。本書181頁参照）をなし，同時に，B弁護士を破産管財人に選任した（本書183頁参照）。債務者は，この時点から破産者と呼ばれることとなった（破2Ⅳ）。そして，破産者に関する資料を申立代理人であるA弁護士から引き継いだ破産管財人B弁護士は，直ちに破産手続開始時の破産者の財産，すなわち破産財団（破2ⅩⅣ・34Ⅰ。本書256頁参照）と破産債権（破2Ⅴ）の調査に着手したところ，貸金業者については，利息制限法制限超過支払利息を元本の弁済に充当したものとして引き直し計算すると，破産債権者たるべきものは数社にとどまること，その他の破産債権者としては，債務者の知人数名が存在することが判明した。これに対して，資産としては，貸金業者1社に対する過払金債権30万円余り，市職員互助会からの退会慰労金7万円余り，すでに受領していた退職金のうち破産財団に組み込まれる部分279万円余りであった[24]。その他に，申立代理人による受任通知後に市職員互助会に対する借入金債務の弁済として債務者の給料から2万円余りの控除がなされていたことが判明したので，破産管財人がこれを否認対象行為（破162Ⅰ①イ）として返還を求めたところ，互助会からの返還がなされたので，これも破産財団に組み入れられることとなった。

そして，平成23年4月25日午後3時に大阪地方裁判所第6民事部において財産状況報告のための債権者集会（破158）が開催され，破産管財人は，破産手続開始に至った事情，破産財団の経過や現状など，上記の内容を出席破産債

[23) より具体的には，大阪地裁の運用では，原則的な手続では，①管財人への引継ぎ予納金20万5000円（うち5000円は郵便費用），②裁判所へ納める予納金1万5000円程度，合計22万円程度になる。運用と書式19，350頁参照。

[24) 退職金額は約450万円であり，破産手続開始時にそれが退職金債権として現存していれば，その4分の3が差押禁止財産として自由財産となるが（破34Ⅲ②，民執152Ⅱ。本書265頁参照），本件では，破産手続開始前に退職金を受領していたために，この規定の適用対象とならない。そこで，破産管財人は，大阪地裁の運用方針（はい6民です〈全訂新版〉140頁，現在の運用については，はい6民です〈第2版〉169頁）にしたがって，破産者がすでに生活費として費消した20万円，A弁護士に支払った申立報酬30万円，申立費用や破産管財人に引き継がれた予納金約22万円，自由財産の拡張額99万円（本書265頁参照）を控除して，279万円余りを破産財団に組み入れている。

権者に対して報告した。その後，届出破産債権の調査，確定の手続を経て，確定債権者数は10名，確定債権額は約630万円となったので，破産管財人は，上記合計318万円余りの金銭に予納金20万円を加えた338万円余りの破産財団所属財産から，破産管財人の報酬95万円など財団債権（破148。本書333頁参照）となる額を控除した約240万円を配当財源とし，配当表にもとづいて簡易配当（破204。本書763頁参照）を実施した。配当率は約38％であった。

次に破産免責について説明する。この事件は，個人債務者による破産手続開始申立てであるところから，免責許可の申立てがあったものとみなされて（破248Ⅳ本文。本書788頁参照），免責手続が破産手続と並行して行われることとなった。破産管財人は，平成23年4月18日に意見書（破250Ⅰ。本書792頁参照）を提出した。その内容は，以下のようなものである。

上記の通り，破産者が支払不能に陥った原因は，ギャンブルにのめり込んだことにあり，この点からみると，破産法252条1項4号の免責不許可事由の存在が認められる。しかし，その場合であっても，なお裁判所の裁量による免責許可の可能性があり（破252Ⅱ），破産管財人としては，①受領した退職金のうち自由財産となる部分以外を破産財団に提供するなど，破産管財人の破産財団形成に積極的に協力し，その結果，破産債権者に対して高率の配当実施が見込まれること，②前二回の任意整理の際には，弁済計画にしたがった弁済を継続してきたこと，③離婚後の養育費[25]の弁済を怠っていないこと，④今回の事態を招いた自らの責任を深く反省し，破産管財人に対して家計の報告をしていること，⑤現実に債権者のいずれからも免責についての特段の意見が述べられていないこと（破251Ⅰ。本書792頁参照）などをあげ，免責許可決定をすることが相当であるとの意見を述べている。

そして，裁判所は，こうした要素を総合的に考慮して，免責許可決定をなし，その確定によって破産者は，配当後の残債務についての責任を免れ（破253Ⅰ柱書本文），再出発することとなった。

3　企業破綻および消費者の経済破綻における破産手続の機能

企業破産と消費者破産に関する4つの事例を前提として，破産手続の理念および社会的機能について，以下のようにいうことができる。破産財団すなわち

---

[25]　なお，養育費は，破産免責の対象とならない非免責債権である（破253Ⅰ④ハ。本書812頁参照）。

破産者の責任財産をもってすべての利害関係人の権利を完全に満足させることが期待されない以上，破産手続においては，利害関係人に対して何らかの不利益を強いざるをえない。問題は，その不利益が利害関係人の目からみて，公平なものとみなされるかどうかである。単に，すべての利害関係人を平等に扱えば公平に合致するかといえば，そうはいえない。担保権者と一般債権者とでは，実体法上の地位が異なるし，また債権者全体が共同で負担しなければならない費用としての性質をもつ債権には，特別の保護が与えられなければならない。公平とは，これらの権利の特質を尊重しつつ，それに応じた地位を認めることにほかならない。さらに，個別化的正義としての衡平の原理から，公平にもとづく取扱いに修正を加えることも考えられる。不法行為にもとづく損害賠償債権者や養育費債権者のように，実体法上では，一般債権者にすぎないが，債権の発生原因を考えると，金融債権者や商取引による債権者より手厚い保護を検討しなければならない場合などがそれにあたるし（本書305頁），逆に，いわゆる内部者のように，破綻について責任を負う立場にある債権者に対しては，その権利を一般債権者より劣後させるとの考え方（本書312頁）も，衡平による修正である。

　また，破産法は，債権者の利益のためにのみあるのではない。消費者破産において典型的にみられるように，債務者を経済的に再生させることも破産法の理念の1つである。その理念に照らせば，債務者の財産のすべてを債権者への配当財源とするのは適当でなく，債務者が健全な経済生活へと再出発できるようにするための財産は，その手元に残すべきだといえよう。一方で債権者の実体法上の権利の性質を尊重しつつ，債権者相互間の権利の調整を図り，他方で債務者の経済的再生の理念に照らして，債権者の権利行使の範囲を制限するという，複雑な性格を破産法はもっており，このような意味で，破産法は，実体法と手続法の交錯の場であるといわれる。法1条が目的として，「支払不能又は債務超過にある債務者の財産等の清算に関する手続を定めること等により，債権者その他の利害関係人の利害及び債務者と債権者との間の権利関係を適切に調整し，もって債務者の財産等の適正かつ公平な清算を図るとともに，債務者について経済生活の再生の機会の確保を図ることを目的とする。」と規定す

るのは，このような趣旨を表現したものである[26]。

第2節　倒産処理の必要性と理念

　倒産現象自体は，個人や団体を自立した経済主体として取り扱う現在の社会に必然的に生じるものであるが，その処理のための手続を法制度として設ける必要性および手続の指導理念について検討する。

第1項　法的倒産処理制度の必要性

　倒産現象が社会に必然的なものである以上，その中で生じる利害関係人の権利調整の仕組みも，社会に自然に備わっているといってよい。利害関係人の合意によって権利調整を図る，いわゆる私的整理がこれにあたる。現在でも，企業破産，消費者破産を問わず，多くの倒産事件が私的整理によって扱われている。また，事業再生実務家協会，株式会社地域経済活性化支援機構（旧株式会社企業再生支援機構），中小企業再生支援協議会などにみられるように，手続の性質は私的整理であるにもかかわらず，その遂行主体に特別の法的地位が認められている場合もある（本書50頁参照）。それにもかかわらず，法的手続として破産や民事再生などの制度を設ける必要性が生じるのは，債権者や債務者を含むすべての利害関係人の権利を公平，かつ，公正に調整する点で，私的整理には，限界があるからにほかならない。

　たとえば倒産直前に，一部の債権者がその債権について弁済を受け，または担保の設定を受けた事実があったとする。これを放置すれば，その債権者だけが他の債権者の犠牲において独占的な満足をうることになるが，債権者代位権や詐害行為取消権などの民法上の手段によって，そのような事態に有効に対処することができるかどうかは疑わしい。また，債権者の1人が，私的整理に協力せず，債務者の財産に対して仮差押えを行ったり，あるいは差し押さえて，満足をえた場合には，私的整理によってその結果を覆すことは困難である。

　もっとも，かつてのように，反社会的勢力と関係がある整理屋が私的整理を主導し，債権者の犠牲において不当な利益を貪るという現象こそみられなくな

---

26)　民事再生法1条の目的との比較については，基本構造17頁参照。

ったものの[27]，現在の私的整理においても，個別的権利行使を抑止し，債務者による詐害行為や偏頗行為の効力を覆し，中立かつ公正な第三者が総債権者の利益を実現するための活動を行うことが保障されているわけではない。いいかえれば，法的手続による倒産処理（以下，法的整理と呼ぶ）は，こうした機会を制度的に保障し，債権者の多数決および裁判所の決定によって，個々の債権者の同意の有無にかかわらず，権利の調整を可能にするところに，その存在意義が認められる[28]。したがって，法的整理の必要性は，以下のように要約できる。

27) かつての私的整理をめぐる実態については，森高計重・ドキュメント私的整理（1983年），東京弁護士会民事介入暴力対策特別委員会編・民事介入暴力対策マニュアル〈第4版〉（2009年），本書48頁記載の文献などが詳しい。また，私的整理の長所と短所を指摘して，その適正な運用のあり方を示すものとして，髙木新二郎＝中村清・私的整理の実務57頁以下（1998年），ニューホライゾン406頁がある。
28) 法と経済学の視点から問題を分析したものとして，山本慶子「再建型倒産手続に関する一考察——『法と経済学』の視点から」金融研究第24巻法律特集号207頁（2005年）がある。
　もっとも，近時は，参加者を金融機関に限定した上で，多数決による私的整理を成立させる必要が説かれ，具体的には，社債権者集会決議の認可（会社732以下）を参考に，制度化された私的整理（本書49頁参照）における再生計画案の決議を裁判所が認可するなどの立法論がなされている（山本和彦「多数決による事業再生ADR」NBL1059号33頁（2015年），同「事業再生の最近の潮流」金法2045号8頁（2016年），須藤英章「事業再生手続の迅速化を目指して」商事法務2078号63頁（2015年），小林信明「私的整理から法的整理への移行——総論」事業再生・倒産実務全書5頁）。
　傾聴すべき提言であるが，議決権の算定を含む多数決の要件をどのように設定するか，反対する少数の債権者の主張が合理性を欠くものかどうかの判断を裁判所が適切に行えるか，商取引債権者を権利変更の対象から常に除外することが妥当かなど，様々な課題があり（濱田芳貴「私的整理と多数決原理に関する論点整理」事業再生と債権管理144号20頁（2014年）参照），まず，法的整理の運用や改革を検討すべきであろう。
　ただし，産業競争力強化法の平成30年改正は，事業再生ADRなどの制度化された私的整理（本書49頁）において手続実施主体である特定認証紛争解決事業者の確認を経た場合には，再生手続において少額の商取引債権を弁済禁止保全処分の対象から除外するか（本書867頁），早期弁済の対象とするか（本書940頁），再生計画において権利変更に関する差を設けることが是認されるかどうかの判断にあたって，裁判所が確認の事実を考慮して判断すべきものとされている（産業競争力59～62）。更生手続に関しても同様である（同59・63～65）。あくまで考慮要素にとどまるが，制度化された私的整理の手続実施主体の判断が合理的と認められる場合には，再生手続および更生手続においてもそれを尊重するとの考え方にもとづくものといえよう。改正内容については，越智晋平ほか「産業競争力強化法等平成30年改正の概要」NBL1127号29頁（2018年）参照。
　さらに，同法令和3年改正は，先行する私的整理（事業再生ADR）から再生手続や更生手続に移行した場合の監督委員の選任について，手続実施者の活動を考慮すること（産業競争力49・50），先行する私的整理において全員の同意がえられず，簡易再生手続に移行する場合においても，債権の減額について大多数（5分の3以上）の債権者が同意して

1 債権者の個別的権利行使制限の必要性

債権者による個別的権利行使としては，自力救済による商品引揚げのような違法性の強いものから，債務名義にもとづく強制執行のように適法な権利行使とみられるものまでが含まれる。これらは，行為の性質としては必ずしも同一ではないが，総債権者の満足を最大化し，その権利を公平に実現する視点からは，ともに制限すべきものとみなされる。基本理念である債権者平等を確保する上でも，個別的権利行使を制限する必要性が認められる。

2 債務者の詐害行為および偏頗行為の防止ならびに原状回復

債務者が善良，かつ，誠実であって，倒産に瀕してもその財産を保全し，債権者への弁済に提供しようとする姿勢をもつのであれば，事件を私的整理に委ねても差し支えない。しかし，倒産に瀕した債務者は，往々にしてその財産を隠匿するなどの手段によって責任財産を減少させたり（詐害行為），自分と特別な関係にある特定の債権者に対してのみ優先的な満足を与えるなどの債権者平等に反する行為（偏頗行為）に走ることがある。これを防止し，また，いったんなされた詐害行為などの結果を覆したりすることは，私的整理によっては困難である。ここに，法的整理の第2の存在意義が認められる。第1の意義である，債権者の個別的権利行使に対する制限とは，総債権者の満足の最大化とその公平な実現という点で共通性がある[29]。

いることを前提として，債権の減額が当該事業者の事業再生に欠くことができないものとしての確認がなされていれば，簡易再生の申立て（民再211Ⅰ）がなされたときに，裁判所がその確認を考慮した上で，再生計画案不認可事由（民再174Ⅱ④）に関する判断（民再211Ⅲ）をすることなどを規定している（産業競争力65の3・65の4）。いずれも，先行する私的整理において債権者全員の同意がえられなかったときに，法的整理（再生手続・更生手続）に円滑に移行することを可能にするための規定と理解する。また，資金の借入れや債権の確認に関する規定の改正（産業競争力56Ⅲ・58の2・59Ⅲなど）も，同様の目的に資するためのものである。

29) 水元宏典・倒産法における一般実体法の規制原理39頁以下（2002年）参照。さらに，筆者がいう「倒産法的再構成」，すなわち実体法上の法律関係や権利義務について倒産手続の目的を実現するために合理的範囲で変容する原理，たとえば，双方未履行双務契約などに関する破産解除条項の効力の否定（本書398頁），リース売主の権利の担保的取扱い（本書415頁），取戻権に関する真正譲渡性の否定（本書466頁）も，考え方において共通性がある。伊藤眞「証券化と倒産法理——破産隔離と倒産法的再構成の意義と限界（上）（下）」金法1657号6頁，1658号82頁（2002年）参照。山本和彦「倒産手続における法律行為の効果の変容」伊藤古稀1190頁は，倒産法的再構成の法的根拠を倒産法の公序に求め，その前提として，実体法的再構成との境界線を明らかにすることを提言している。また，破産法大系Ⅲ289頁〔林康司〕も，倒産法的再構成の考え方を支持しつつ，関連す

3　手続遂行主体の中立性と適正な職務遂行の確保

かつての私的整理と異なって，現在の制度化された私的整理（本書49頁）においては，手続を実施する主体，すなわち私的整理の機関たるべき者の資格が法令に根拠を有するので，債権者の利益が害されるおそれは少ないといってよい。しかし，私的整理が開始された後も，財産の管理処分権は債務者に帰属し，私的整理の機関がこれに代わるものではなく，また，債務者に対する監督も完全なものとはいえない。したがって，債務者の財産管理処分権や事業遂行権を剥奪し，またはそれらの権利の行使に対する監督を十全なものとしようとするときには，法的整理による以外にない。法的整理において裁判所が選任した管財人が手続を進め（破74Ⅰ，民再64Ⅰ，会更67Ⅰ），または手続遂行にあたる者に特別の責務が課されるのは（民再38Ⅱ，会社523），このことを示すものである。

4　大規模倒産の公平な処理

関係人の数が多く，また財産関係が複雑な事件では，単に現存する財産を換価して債権者に対する配当を行うだけではなく，債権者をその債権の発生原因や優先権の有無にしたがって区別するとか，債務者が一方当事者となっている契約関係を整理するとか，あるいはいったん逸出した財産を回復することなどが，公平な倒産処理のために不可欠となる。これらを私的整理によって行うことには，手続遂行主体の法律上の権能に制約があり，また債権者を始めとする多数の関係人間の合意形成が困難であるなどの問題がある。

5　合意によらない権利調整の可能性

制度化された私的整理においては，権利変更の対象とすべき債権者を金融債権者に限定し，商取引債権者を除外することによって，合意の成立が容易になっているが，事案によっては，金融債権者との間でも合意形成が困難な場合があり，またリース債権者の取扱いなどをめぐって私的整理が挫折するおそれも

る各種の法律関係の特質に即した分析を倒産法的公序の視点から進めるべきことを提言する。もっとも，倒産法的再構成を含む倒産法規範の解釈や運用も，経済法や環境法などの他の法体系との調和を考慮して検討しなければならないことを指摘するものとして，佐藤鉄男「倒産法と他分野の交錯」中央ロー・ジャーナル14巻1号29，44頁（2017年）がある。

これに対し，東畠敏明「民事実体法と倒産実体法の関係」銀行法務21　873号30頁（2021年）は，解釈による法体系と基礎法理の変更を生じさせる結果になるという理由から，上記の再構成や公序による修正に疑問を呈する。

ある。後に述べるように（本書53頁），社債権者が多数存在する事案でも，その権利変更の可能性が問題となる。このような状況を考えたときには，法的整理の開始の機会を保障する必要がある。

6 不良債権整理の必要性

債権者たる企業にとって，回収の見込みの立たない債権，いわゆる不良債権を資産として計上し続けることは，その財務内容を不健全なものとする。したがって，不良債権については，回収可能な部分を早期に現金化し，回収不可能な部分を損失として計上することが望ましい。私的整理と異なって，法的整理においては，回収可能な部分と不可能な部分とが公の手続によって区分されるので，このような目的のために役立てることができる[30]。債権者たる企業にとっては，その債権について公平な分配を受けることとともに，不良債権を整理し，財務内容の健全性を回復することも，法的整理の役割といえよう。

以上に述べたいくつかの理由から，企業倒産についても，また消費者倒産についても，法的整理の手続を整備する必要がある。破産法，民事再生法および会社更生法などによって法的整理の手続が設けられているのは，この必要を満たすものである。そこで，次に法的整理全体に妥当する倒産処理の指導理念を説明する。

第2項　倒産処理の指導理念

倒産処理の目的は，総債権者の満足の最大化，利害関係人の権利の公平な実現および債務者の経済的再生に集約されるが，この目的を実現するための手続，すなわち各種の倒産処理手続に共通する指導理念として以下のようなものが考えられる。

1　公平・平等・衡平の理念

第1は，公平の理念である。この理念の適用場面は，債権者間とそれ以外の

---

[30] 不良債権処理の意義については，須藤正彦・精説不良債権処理50, 106頁（2004年）参照。不良債権としてオフバランス化するための手段としては，法的整理の他に，整理回収機構への譲渡，地域経済活性化支援機構への譲渡，あるいは私的整理ガイドラインによる債権放棄などがある。なお，破産手続開始申立てがあった場合の破産債権者の側の間接償却や直接償却などの税務処理については，220問460頁〔山谷耕平〕参照。

もっとも，制度化された私的整理においては，法的整理に準じた税務処理が許されるので（濱田芳貴・私的整理88講による道案内178頁（2013年）），この面での法的整理と私的整理との違いは少なくなっているといえよう。

利害関係人の間とに区別される。まず，債権者間の公平について述べる。すでに触れたように，債権者の権利には，その実体法上の性質を反映して様々のものがある。債務者の一般財産からの弁済を期待する一般債権者もあるし，同じく一般財産を対象としつつも，優先的満足を期待する一般の先取特権者（民306）のような存在もある。さらに，債務者の特定財産上に担保権をもつ特別の先取特権者（民311・325），質権者（民342），抵当権者（民369），あるいは非典型担保権者などがいる。また，法的には担保権と区別されるが，相殺権者のように，機能として優先的満足を保障された存在もある。そのほかに，実体法上は特別な扱いがなされていないが，下請債権者や不法行為にもとづく損害賠償債権者のように，社会的保護の必要という点で一般の取引債権者と区別される者もある。倒産処理においては，限られた弁済財源の中からこれらの債権者の取り分を決定しなければならないが，その際に働くのが公平の理念である。

　原則としては，実体法上同じ性質をもつ債権者に対しては，手続上でも平等な取扱いを，そして異なる性質をもつ債権者に対しては，その差異に応じた取扱いをなすのが，公平に合致する。実体法が権利の性質に違いを設けて，それぞれの間に順位を設定しているのは，社会的公平や取引当事者の意思などを考慮したものであり，倒産処理手続の中でそれを無視することは適当でないからである。実体法上同じ性質の権利について不平等な取扱いをすることは，実体法秩序を無視することになるし，また，債権者の合理的期待にも反する[31]。こ

---

31)　平等原則は，民事再生（民再155Ⅰ本文），会社更生（会更168Ⅰ本文）および特別清算（会社565本文）についても妥当する。もっとも，実体法上の平等原則そのものに疑問を投げかけ，倒産手続においては，個別的事案の性質に応じた優先または劣後の取扱いをすべきことを提案するものとして，井上治典「債権者平等について」九州大学法政研究59巻3・4号73，78頁（1993年）がある。

　倒産手続において合理的理由にもとづいて平等原則が修正されるべきことについては，異論の余地はないが，債権者にとっての予測可能性を考えれば，修正の根拠となる合理的理由は，単に個別事案の性質だけではなく，法の趣旨や条理からみて相当と評価されるものでなければならない（新版破産法28頁〔中島肇〕，高橋宏志「債権者の平等と衡平」ジュリ1111号156頁（1997年），畑宏樹「倒産債権の劣後的処遇の局面における債権者間の実質的平等」上智法学42巻2号301，312頁（1998年），中田裕康「債権者平等の原則の意義」曹時54巻5号1，3頁（2002年），倒産・再生訴訟396頁〔杉本純子〕，藤本利一「倒産法における債権者平等原則の意義」木内古稀612頁，長谷部由起子「倒産手続における『債権者平等原則』の意義」加藤哲夫古稀565頁，杉本和士「倒産法における債権の優先順位」論究ジュリ35号79頁，中田・債権総論242頁）。これに対して，中西正「破産法における『債権者平等原則』の検討」伊藤古稀990頁は，破産手続の機能を維持するために実体法にもとづく優先権を排除するという意味で，債権者平等を破産手続固有

の意味で，平等原則は公平原則の一部をなす。

　ただし，実体法上は同じ性質の権利であっても，債権の発生原因などの個別・具体的事情を考慮して，取扱いに差を設けることが衡平に合致することもある。このような配慮をもっとも徹底しているのは，会社更生手続である。会社更生法168条1項柱書但書・同条3項は，実体法上の性質に違いがある権利に関しては，更生手続上でも差等を設け，それ以外の場合には平等に取り扱うのを原則としつつも，衡平の理念に照らして合理的と認められる範囲で，実体法上同一の性質の権利間に差を設けることも許している。平等原則を衡平の見地から修正することが認められるのは，理論的には，平等原則が公平原則に内包され，一般化的正義としての公平が個別化的正義としての衡平によって修正されるものであることを前提とするし，実質的には，倒産の原因，権利の発生原因，あるいは倒産処理の迅速な実施など，実体法があらかじめ想定することが困難な個別・具体的事情にもとづく判断の余地を裁判所に認める必要があることを根拠としている。

　同じく再生型手続である民事再生においても，対象となる債権者の範囲に違いはあるが，少額の再生債権などを衡平の見地から優先的に取り扱う可能性が認められている（民再155Ⅰ但書。本書1079頁参照）。その他，少額債権の弁済許可（民再85Ⅴ，会更47Ⅴ。本書939頁参照），中小企業者の債権に対する弁済許可（民再85ⅡⅢ，会更47ⅡⅢ。本書938頁参照），弁済禁止保全処分や保全管理命令の弾力的運用（民再30ⅠⅡ・79Ⅰ，会更28ⅠⅡ・30Ⅰ参照）なども，衡平の理念の発現と考えられる[32]。

　　の原則とする。また，河崎祐子「『債権者平等原則』の法的性質」春日古稀545頁は，債権者平等が破産財団の分配にかかわる規律であった時代から，否認や相殺禁止の範囲を画する理念に成長した過程を分析する。

[32]　なお，近時，事業価値の毀損を防ぐために，商取引債権者について金融債権者より優先的な取扱いをする合理性があるとの認識に立って，これらの規定の積極的活用を主張する考え方が有力になっている。腰塚和男ほか「会社更生における商取引債権100パーセント弁済について」NBL890号28頁（2008年）など参照。これについて理論的検討を加えたものとして，杉本純子「事業再生とプライオリティ修正の試み」同志社法学60巻4号151頁（2008年）がある。詳細については，伊藤・会更法・特清法192頁以下参照。

　　また，杉本和士「倒産手続における債権の処遇に関する静態的契機と動態的契機」多比羅喜寿315頁，同「倒産法における債権の優先順位」論究ジュリ35号78頁は，債権者平等との関係で，法によって定型的に優先または劣後が規定されている例外を静態的契機と呼び，少額弁済許可（本書940頁）や劣後化（本書311頁）などのように，裁判所の判断による例外を動態的契機と呼び，後者は再生型手続において重要性をもつものとして位置

破産手続も，基本的には同じ考え方に立っている。一般債権者は，破産手続においては，破産財団から平等弁済を受ける破産債権者とされるが（破100Ⅰ・194Ⅱ），一般財産について優先権をもつ債権者は，優先的破産債権者とされ（破98Ⅰ），また，特定財産についての担保権者には，別除権者として特別の地位が与えられる（破2ⅨⅩ・65）。これに対して，平等原則を衡平の見地から修正することについては，民事再生法や会社更生法と比較すると，破産法では，正面からは認められていない（破194参照）[33]。ただし，悪意の不法行為にもとづく損害賠償債権や扶養料債権などを非免責債権としている法253条1項2号から5号までの規定は，衡平の理念が背景となっているものと思われる。

これに対して，旧破産法が破産手続開始前の原因にもとづく租税債権を一律に財団債権としていたこと（旧破47②本文）については，それが公平の理念に合致するかどうか疑問が呈されていた。現行法は，このような疑問に応えるために，財団債権となる租税債権の範囲を一定の範囲に限定し（破148Ⅰ③），それ以外の部分は優先的破産債権とし（破98Ⅰ），手続上で若干の特例を認めるにとどめている（破134）[34]。

また，公平の理念は，債権者以外の利害関係人と破産手続との関係を考える上でも，重要な役割を果たす。たとえば，破産者に対して契約関係上の債務を負う者の地位を考える際に，破産手続の開始によってその者に不測の損害を与えないか注意する必要があるが，これも広義の公平の問題に属する。双方未履

づけられる。
[33] 実例に即して問題の所在を指摘するものとして，破産法大系Ⅲ474頁〔野村剛司〕がある。立法論としては，少額債権を優遇し，また，親会社や内部者の債権を劣後化することが検討されたが（検討事項第4部第2 2（3）イ・エ），制度としては実現しなかった。もっとも，給料の請求権等の弁済の許可（破101）の背後には，衡平の理念があるし，また，法人の役員の責任の追及等（破177以下）の制度も，衡平を実現する機能をもつ。弁済禁止保全処分の弾力的運用（破28Ⅰ Ⅱ参照）の余地があることも，再生手続や更生手続と同様である。

もちろん，平等原則は債権者相互間の関係を規律するものであるから，不利益を受ける破産債権者の同意があれば，現行法の下でも平等原則を修正することが許される。本書311頁。これに対して，約定劣後破産債権の制度（破99Ⅱ・194Ⅰ④）は，破産手続開始前の当事者間の合意の効力を破産手続上で尊重しようとする趣旨であるから，ここでいう衡平の問題とは区別される。

[34] 財団債権性を立法論として再検討することを提案したものとして，倒産実体法の研究（4）1034頁以下〔伊藤眞〕，中西正「租税債権の取扱い」ジュリ1111号149，152頁（1997年），検討事項第4部第2 2（1）がある。

行双務契約について破産管財人が履行を選択した場合の相手方の破産者に対する権利が財団債権とされるのは（破148Ⅰ⑦），これを示すものである。あるいは，破産財団から特定の財産を取り戻すことができる者，すなわち取戻権者の範囲を考えるについても，相手方が破産手続開始前にもっていた権利を制限することが公平を害する結果にならないかどうかを考慮しなければならない[35]。

2 手続保障の理念

倒産処理手続も広義の民事訴訟手続に属する。判決手続においては，既判力などの判決効によって拘束を受ける当事者に対して，裁判資料提出のために攻撃防御の機会を保障する意味で，手続保障の理念が妥当する。倒産処理手続は，当事者間の権利義務の確定を目的とするものではなく，債務者の財産の公平な分配と債務者の経済的再生とを目的とするものであるが，その目的実現のために，破産管財人が財産の管理処分権を取得したり，手続中の破産債権者の権利行使を制限したり，さらには免責の付与によって債務についての責任を免除したりするなど，債務者や債権者の権利に対して様々な制限や変更を加える。このような制限や変更は，債務者や債権者の意思にかかわりなく，手続内で行われる裁判の効果として生じるものである。そこで，判決手続の場合と同様に，裁判によって不利益を受ける者について，それを正当化するに足る主張や立証の機会を保障する必要がある。この意味で，倒産処理手続においても手続保障の理念が妥当する。

もっとも，いかなる形で手続保障を与えるかについては，手続の種類を問わない場合と手続の種類に応じて異なる場合とがある。たとえば，手続開始に関する裁判について，債務者をはじめとする利害関係人に不服申立ての機会を与えることについては，いずれの手続であっても同様である（破33Ⅰ，民再36Ⅰ，会更44Ⅰなど）。これと比較して，権利変更のための手続に関与する形態に関しては，それぞれの手続の特徴を考慮して，法が一定の差を設けている。たとえ

---

35) 甲と乙との間で特定動産の売買契約が締結され，乙が甲に対して目的物を引き渡したが，代金の弁済期がきても，買主甲がその支払をなさないままに，甲に対して破産手続が開始された。売主乙が破産手続開始前にすでに解除権を取得していたとすれば，その解除権の主張を認め，原状回復として破産管財人に対して取戻権の行使を許すこと（民545Ⅰ本文，破62）が公平に合致する。もっとも，解除の効果の主張が第三者に対して制限されること（民545Ⅰ但書），破産債権者も第三者に含まれることを考えれば，乙に取戻権の行使を認めるのは，かえって公平を害する結果となる。

ば，会社更生においては，将来収益を本体とする継続事業価値をどのように算定するか，事業収入のうちどの程度の部分を債権者などの利害関係人に配分するかなどについて判断が分かれる余地があり，また，担保権などの優先権を継続事業価値配分の基準にどの程度反映させるかなどについても，それぞれの利害関係人の地位を前提とすれば，相異なった考え方が成り立ちうる。会社更生手続において，更生計画案の作成および決議のために権利の性質を考慮した組分けがなされ（会更 196 I II），計画可決の多数決要件も組ごとに区別されているのは（同 V），このような手続の基本的性質にもとづくものである。民事再生でも，権利の性質による組分けこそなされないが，再生債権者の多数決によって継続事業価値の配分が決定される点は共通である（民再 172 の 3）。

これに対して破産手続においては，破産管財人が財団所属の財産を迅速に換価し，それを債権者に配当することが手続目的であり，権利の変更を予定しないために，債権者に対して必ず意思決定の機会を与えなければならない理由は見いだしがたい。すなわち，清算価値の最大化，およびその迅速な配分を実現するためには，裁判所の監督の下に破産管財人が適正に管財業務を遂行することが重要であり，その配分自体について債権者の意思決定を求める必要は少ないと思われる。後に述べるように，旧法が監査委員あるいは債権者集会などの制度を用意し，債権者自身による意思決定の機会を保障しているにもかかわらず，これらの制度が十分に機能せず，現行法が監査委員の制度を廃止し，また，債権者集会の必要的決議事項を廃止したのは，このような理由によるものである[36]。

確かに，事業の再生を目的とし，取引の継続による利益が期待される民事再生や会社更生と比較すると，清算を目的とする破産手続における債権者は，清算価値の配分を受領するという受動的立場に立つから，手続参加の意欲が低いことは否定できず，また権利の変更を予定しないところから，手続保障の形態

---

[36] 旧法 170 条，194 条，198 条 2 項などは，監査委員の設置，扶助料の給与，営業の廃止，重要な財産の処分などに関して，債権者集会の必要的決議事項を定めていた。しかし，現行法は，一方で監査委員の制度そのものの廃止などの理由から，他方では，裁判所の許可をもって機動的に対処するとの理由から，これらの必要的決議事項を廃止した。これによって，債権者集会の性質は，破産手続上の重要な事項に関する債権者の意思決定機関から，管財人から債権者への情報提供やそれにもとづく債権者の管財人に対する意思伝達機関へと変化した。

も再生型手続と同一である必要はない。しかし、破産においても、特に大規模な事件においては、清算の基本的方向や財産換価の方針などについて債権者の参加意欲が強い場合もあり、監査委員などの制度が廃止された現行法の下においても、管財業務についての情報を適時に債権者に対して開示し、必要な場合には、債権者集会（破135以下）や債権者委員会（破144以下）を通じて、債権者から破産管財人や裁判所に対してその意見を述べる機会を与えるなどの形で、手続保障を図る必要がある[37]。

第3節　倒産処理手続の全体構造

　倒産処理手続には、その目的または手続構造などに応じて、いくつかの種類が分けられる。手続の開始が裁判所の職権によってなされるのは例外的な場合であり、通常は、債権者および債務者などの利害関係人に開始申立権が与えられていることを考えると、それぞれの手続の特徴は、関係人が選択をなすにあたって、重要な意味をもっている[38]。また、制度を運営している国の立場にとっても、それぞれの手続間の機能分担が適切になされ、かつ、それが関係人に正しく認識されることは、限られた司法資源を有効に活用するために必要である。たとえば、本来破産手続に適する債務者であるにもかかわらず、その者が民事再生や会社更生の申立てをなすことは、申立人自身、債権者、そして倒産処理によって様々な影響を受ける社会、あるいは制度の運営者である国のいずれにとっても不利益となる。

　このような点を考えるとき、そもそも目的や構造に応じて複数の手続を設けること自体が合理的か否かを検討する必要が生じるし、また、複数の手続を設けるとしても、その手続相互間の関係をどのようなものとするかについても考慮する必要がある。

第1項　複数手続型と単一手続型

　以下に述べるように、わが国の倒産処理法制の下では、清算か再生かという

---

37) 旧法に関するものとして、棚瀬＝伊藤130頁以下、伊藤ほか・座談会（上）25頁以下がある。
38) 申立代理人の立場からみた手続選択の判断基準について、申立マニュアル60頁参照。

手続の目的，債務者が株式会社などの特別の種類の法人か，それ以外の者かという債務者の属性，および手続開始後に債務者の管理処分権を存続させるか否かという手続の構造に応じて，4つの異なった手続を設け，原則として債務者などの申立人にそのいずれかを選択させる。これを複数手続型と呼ぶとすると，それに対立するものとして，目的などを問わず一本化した手続を設け，手続開始後に裁判所または利害関係人が再生か清算か，あるいは債務者の管理処分権を認めるか（後見型またはDIP型と呼ばれる）[39]，それとも管財人を選任するか（管理型または管財人型と呼ばれる）などを決定する単一手続型が考えられる。わが国の法制は，倒産法改革前後を通じて，アメリカなどとともに複数手続型に属するが，単一手続型をとる法制もあり[40]，わが国におけるその採用を主張する有力な見解があった[41]。

単一手続型の長所としては，①申立人の選択に拘束されず，裁判所が当該事案にもっとも適切な手続を選択できる，②債務者が破産の汚名をおそれることなく，早期の申立てが期待できる，③手続間の移行措置が不要になり，手続の簡素化が図れることなどが主張される。これに対しては，①市場経済の下では清算か再生かの選択権は申立人に与えられるべきである，②再生を期待する債

---

39) 管理処分権をもつ債務者を裁判所や監督委員などの機関が後見的に監督する趣旨である。また，アメリカ破産法第11章における債務者（debtor in possession）がこのような性質のものであることを参考として，DIP型と呼ばれることもある。現在の法制では，民事再生がDIP型を原則としている（民再38 I。本書881頁）。ただし，これは，会社についていえば，会社法の手続にしたがって選任された者が再生債務者としての管理処分権や業務遂行権をもつことを意味するのであって，従来の経営者自身が経営権を保持し続けることを意味するわけではない。150問87頁〔縣俊介〕，株主総会について同89頁〔関端広輝〕参照。

　管財人型である会社更生においても，当該会社の経営者を管財人に選任するDIP型会社更生と呼ばれる事例がみられる。伊藤・会更法・特清法2，114頁参照。さらに，債務者による破産手続の積極的利用を促すという目的のために，適切な場合において破産者代理人（破産手続開始申立代理人）を破産管財人に選任するDIP型破産を提言するものとして，伊藤眞「破産者代理人（破産手続開始申立代理人）の地位と責任──『破産管財人に対する不法行為』とは何か。補論としてのDIP型破産手続」事業再生と債権管理155号15頁（2017年）参照。特別清算能力（伊藤・会更法・特清法813頁）の拡張を含め，より一般的にDIP型清算制度の運用を提言するものとして，山形康郎「DIP型清算手続の意義とその充実化・法制化の提言」多比羅喜寿112頁がある。

40) フランス倒産法やドイツ新倒産法がこれに属する。伊藤眞「倒産処理制度の理念と発展」民事訴訟法学会編・民事訴訟法・倒産法の現代的潮流224，230頁（1998年）参照。
　単一手続型と複数手続型は，法典が単一か複数かとは区別される。伊藤・入門22頁参照。

41) 宮川・総論341頁以下でいわれる，倒産法「百貨店」構想が代表的なものである。

務者が裁判所の選択による清算の可能性をおそれるあまりかえって申立てが遅れる，③単一手続の中でまず再生が試みられる傾向を生じ，破綻企業の早期清算が妨げられ，利害関係人に損害を与えるなどの批判が，複数手続型を擁護する立場からなされる[42]。上記の批判には相当の理由があり，また法制度の連続性からみても，わが国が単一手続型に転換することは困難と思われるが，再生と清算という目的をそれぞれの手続内で柔軟に実現すること，1つの手続内でも後見型から管理型に移行する余地を認めること，手続の利用資格についての制限をできる限り緩和することなどによって，複数手続型を基本としながら単一手続型の長所を取り入れることが可能になる。

第2項　清算型手続と再生型手続

伝統的に倒産処理手続は，その目的に着目して，清算型と再生型[43]とに分けられてきた。そこでいう清算型手続とは，債務者の総財産を金銭化し，同じく金銭化された総債務を弁済することを目的とする。経済学的にみれば，清算型は，人的および物的資源から構成される債務者の総財産を解体し，それらをより有効に利用できる第三者に譲渡し，その清算価値を債権者に配分するとともに，債務者の経済活動に終止符を打つ手続である。現行手続の中では，破産および特別清算がこれに属する。これに対して再生型手続とは，収益を生み出す基礎となる債務者の財産を一体として維持し，債務者自身またはそれに代わる第三者がその財産を基礎として経済活動を継続し，収益をあげる手続を意味する。債権者に対しては，その財産を基礎とする将来の事業活動によって実現される収益，すなわち継続事業価値が，金銭または持分の形で配分される。現行手続の中では，民事再生および会社更生がこれに属する。

ただし，このような清算型と再生型の区別は，債務者を経済活動の主体としてのみ位置づけたものである。したがって，法人，特に株式会社などの営利法

---

[42]　福永有利「倒産法一本化の是非と問題点」ジュリ1111号29頁以下（1997年），伊藤・前掲論文（注40）230頁など参照。また，制度化されたまたは準則型私的整理が広く行われる現在（本書49頁），私的整理から法的整理への移行に関する問題もある。多様化する事業再生222頁〔内藤滋〕参照。

[43]　伝統的には，「再建型」という表現が一般的であり，筆者も従来この表現を用いてきた。しかし，民事再生手続の普及に伴い，「再生」という表現が一般に受け入れられるようになっているので，再建から再生に表現を改める。

人の場合には，この区別がそのまま妥当するが，個人の場合には，両者の区別は不鮮明にならざるをえない。なぜならば，個人は経済活動の主体であると同時に，生活の主体でもあり，たとえ経済活動が破綻した場合であっても，その生命，自由，幸福追求に対する権利は保障されなければならないからである（憲13・18・25など）。

個人については，その財産を破産手続による清算に委ねる場合であっても，手続開始時における財産の一部を自由財産とし，また，免責制度によって清算終了後の残債務から破産者を解放するなどの措置を講じることを通じて，手続終了時における経済的再出発を破産者に保障し，破産者を社会の健全な構成員として復帰させなければならない。もちろん，個人の場合にも，その手続開始時における資産と負債を清算せず，その後の収入をもって債務の全部または一部を返済させるという，再生型手続も考えられ，民事再生やその特則である小規模個人再生等がこれにあたる。しかし，いずれの手段をとるかは，個人の場合には，法人と異なって，方法の相違にすぎず，最終的な目的は債務者の経済生活の再生以外にない[44]。

もっとも，清算型と再生型の区別自体も，その限界は相互に流動的なものである[45]。たとえば，清算型を代表する破産においても，法36条によって事業

---

44) 資格制限，保持し続けたい資産，免責不許可事由（破252 I 各号）の有無などの見地から，破産手続や任意整理と個人再生を比較し，その長短を明らかにしているものとして，個人再生の手引46頁がある。
45) 伊藤・入門17頁。水元宏典「産業再生と倒産法」ジュリ1265号8，11頁（2004年）は，清算型と再生型を通じた倒産法の事業再生に対する関係として，生産要素移行機能，資金調達安定化機能，セイフティ・ネット機能の3つを説く。また，事業再生手段としての破産手続の活用を説くものとして，新版破産法32頁〔多比羅誠〕，宮川勝之＝永野剛志「破産手続における営業譲渡」講座(2) 101頁，判例・実務・改正提言9頁〔小林信明〕，破産法大系 I 29頁〔多比羅誠〕などがあり，近時に，破産手続開始申立代理人，破産管財人予定者および事業譲受会社代理人が事前に裁判所と協議し，破産手続開始申立てと同日に裁判所が開始決定をなした上で，破産管財人の申請にもとづいて事業譲渡許可決定を行って，直後に事業譲渡がなされた例があると仄聞する。
　破産手続開始前後における事業譲渡の実務については，220問60頁〔浅沼雅人〕，申立マニュアル167頁，多様化する事業再生128頁〔田川淳一ほか〕，139頁〔髙橋直人ほか〕，工藤敏隆「事業譲渡による事業再生」論究ジュリ35号124頁参照。なお，木内道祥「倒産手続における事業譲渡と株主総会決議の要否」田原古稀（下）101頁は，株主総会の特別決議（会社467 I ①②）が不要とされる根拠を，特別清算に関する会社法536条3項を典拠としつつ，株主が破産手続の利害関係人ではないこと，破産手続が清算を目的としており，事業譲渡は，清算価値実現のための手段であることに求める。

継続の余地が認められており，破産管財人としては，財団管理の方法として事業を継続し，財団を増殖した上でそれを第三者に営業または事業を譲渡することも（破78Ⅱ③），考えるべき1つの選択肢となる。この場合には，破産手続によって継続事業価値の全部または一部の保全が行われたとみられる。逆に，再生型の一般手続である民事再生においても，特別の規定はないが，実質的に清算を内容とする再生計画も適法であると解されている[46]。また，会社更生においては，清算を内容とする更生計画が明文の規定によって認められている。すなわち，会社更生法185条および196条5項は，事業の継続を内容とする更生計画案の作成が困難なときには，手続を廃止して破産に移行するまでもなく，更生手続の内部で清算を行うことを認めている[47]。

なお，特に企業倒産について，雇用や取引関係の維持の視点から清算に対する再生の一般的優位性を説く考え方がある。すなわち，企業組織が再生によって維持されれば，下請けなどの取引関係や，雇用が維持されることになるから，社会経済の視点からみても再生を清算に優先させるべきであるというのである。また，この考え方は，すでに手続構造について述べた単一手続型の理念として説かれることが多い。すなわち，すべての倒産企業について再生の可能性を判断した上で，それが不可能または困難と認められる場合にのみ，清算を実行すべきであるというものである。

しかし，市場経済の下では，倒産企業の人的および物的資源は，当該企業であれ，また他の企業であれ，それらをもっとも有効に活用しうる経済主体によって利用されるべきものであり，倒産企業の組織を維持することが一般に望ましいとはいえない。もちろん，地域社会の必要などから利害関係人全員が再生に合意する場合は別であるが，多数決によって，また裁判所の認可によって，一部の利害関係人の意思に反しても再生の道を選択することが正当化されるのは，継続事業価値が清算価値を上回る場合，すなわち倒産企業の組織を生かして人的および物的資源を運用するほうが，それらの資源を他の企業組織に利用

---

46) 民事再生法逐条研究164頁，150問13頁〔長島良成〕参照。
47) 旧法と比較すると，手続開始要件が緩和されたこと（会更41Ⅰ③参照）からも，事業廃止計画案の増加が考えられる。また，事業廃止計画案についての可決要件が緩和されたことも（会更196Ⅴ①②ハ），事業廃止計画案に対する立法者の評価を示している。中島健仁「事業の全部廃止を内容とする更生計画」理論と実務226頁，伊藤・会更法・特清法644頁。

させる場合に比較して，より多くの価値を生み出すことが予想される場合に限られる[48]。

第3項　清算型手続の特徴

清算型と再生型の境界は，互いに入り組んでおり，また，個人の場合には，債務者を経済的に再生させる手段の差異にすぎないことを前提とした上で，以下，清算型に属する破産，特別清算のそれぞれについての手続的特徴を説明する。

1　破　　産

清算型手続を代表する破産の特徴は，第1に，その適用対象たる債務者に限定がなく個人および法人のすべてを含むことである（破2Ⅳ。本書88頁）。

第2の特徴は，その手続開始原因に示される。法15条1項および16条1項が定める，支払不能および債務超過という破産原因はいずれも，債務者がその総債権者に対する債務を完全には履行しえなくなった状態を示している（本書117，125頁）。これらを破産手続の開始原因としている趣旨は，債務者の弁済資力が不足し，通常の清算によってはもはや総債権者に対する公平な弁済を行いえない状態になったときに，破産手続による清算型倒産処理を行う点にある。

---

[48]　池尾和人＝瀬下博之「日本における企業破綻処理の制度的枠組み」三輪芳郎＝神田秀樹・会社法の経済学253，263頁（1998年），伊藤・会更法・特清法9頁以下，破産・民事再生の実務［再編編］28頁参照。

　もっとも，COVID-19（新型コロナウイルス感染症）の影響によって事業の継続が困難になっているときには，それが一時的とはいえず，相当期間継続が予測されるようなときであっても，社会経済の維持を考えれば，各種の融資，助成金，債務の返済猶予などによって事業再開の見込みがないことが明らかとまではいえない場合には，債務者の事業組織の下であれ，事業譲渡などによる第三者の事業組織の下であれ，まず再生可能性を検討すべきである。コロナ禍の倒産実務研究会「新型コロナウイルス感染症（COVID-19）の感染拡大下における事業再生手続についての提言（上）」銀行法務21　862号6頁（2020年），髙井章光「コロナ禍からの事業再生と廃業」事業再生と債権管理172号11頁（2021年）参照。

　実務上では，経営者の再生意欲，事業収益，資金繰りなどが再生型を選択できるかどうかの判断要素となる。150問2頁〔小林信明＝大石健太郎〕，15頁〔村松謙一〕参照。なお，仮想通貨（暗号資産）が債務者の主要な資産を占める特殊な事案に関するものではあるが，事業の再生そのものは予定しないものの，再生計画による配分が破産清算によるよりも利害関係人の権利の公平な取扱いに資すると認められる場合も，これにあたる。山本和彦「仮想通貨交換業者の倒産手続に関する若干の法律問題」民事特別法の諸問題6巻360頁参照。

第3の特徴は，破産管財人が選任されることにある（破74Ⅰ。本書210頁）。破産管財人は，法78条1項によって債務者の財産について管理処分権を与えられ，清算を遂行する。立法政策としては，債務者自身に清算を委ね，裁判所や裁判所の選任する第三者がそれを監督することも考えられるが，現行法は，旧法と同様に清算事務が適正に行われ，破産債権者間の公平な満足が実現されるように配慮して，破産管財人の選任を必要的としている[49]。

　第4の特徴は，法100条1項によって，権利を行使するすべての破産債権者が手続に参加することを要求され，原則として平等な配当に服することである（本書297頁）。ここに，同じく債権者の権利実現の方法でありながら，強制執行と破産との区別がある。わが国の強制執行は，民事執行法が基本原則として平等主義をとっているので，破産との距離が近いといわれる[50]。しかし，強制執行における平等配当は，法定の資格，すなわち債務名義などをもつ個々の債権者の自発的な手続参加を前提としているのに対して，破産においては，手続の開始によって個別的権利行使が禁止され，権利の実現を求めるすべての破産債権者の参加が強制されるところに，大きな違いが見いだせる。いわば，強制執行では，手続に参加する債権者限りでの平等弁済が実現されるのに対して，破産においては，総債権者に対する平等弁済実現が手続の目的となっていることが特徴である。法1条に定める破産手続の目的も，このことを表現したものである。

---

[49]　沿革的には，清算において破産債権者の利益が守られるよう，その代表者として破産管財人が債権者によって選任されたことから始まっている。加藤・研究2巻146頁以下。高田賢治・破産管財人制度論3頁（2012年）では，債権者自治型管財人制度と裁判所管理型管財人の2つの概念を立て，日本法の沿革および比較法的検討を行っている。アメリカ法では，今日でも債権者によって破産管財人が選任されるのが原則である。髙木306頁参照。

　　ただし，破産管財人の選任は，その報酬等のために費用の支出をともなうので，個人の破産事件で，財団の規模が小さいような場合には，破産管財人を選任せず，破産者自身に清算を行わせることも立法論として考えられたが（検討事項第2部第2 2 (2)），破産手続の適正な遂行の必要性などの理由から採用されなかった。

[50]　強制執行における平等主義と破産との関係については，宮脇幸彦・強制執行法（各論）38頁（1978年）が詳しい。なお，竹下守夫・民事執行法の論点28頁（1985年）は，債務者像の共通性を前提とした上で，強制執行と破産との機能的役割分担を説く。もっとも，民事執行法によって配当要求の資格が限定されたので（民執51Ⅰ・105Ⅰ・133・154Ⅰ），強制執行と破産との距離は広がったと考えられる。園尾隆司・民事訴訟・執行・破産の近現代史294頁（2009年）参照。

第5の特徴は，特定財産上の担保権者が原則として手続に拘束されず，自由な権利行使を認められることである。抵当権などの典型担保権が別除権とされ，破産手続外で換価権を行使し，優先弁済を受けられることは，法2条9項および10項ならびに65条の規定するところであるし，非典型担保権についてもこれに準じる取扱いをする解釈論が有力である（本書496頁）。

　担保的機能をもつ相殺権に関しても，法67条1項は，民事再生法92条1項や会社更生法48条1項と異なって，相殺権行使時期について制限を加えず，かえって破産債権の現在化や金銭化の効果として，相殺権行使の範囲を拡張している（本書521頁）。担保権および相殺権についてのこのような取扱いは，破産手続の目的が清算にある以上，目的物について優先弁済権を認められている担保権者などには，手続外の権利行使を認め，残額のみを破産財団に組み入れれば足り，また，それが管財事務の軽減につながるとの判断がある。ただし，相殺権についても，その基礎たる相殺期待の取得が債権者平等に反すると認められるときには，相殺権行使が許されない（破71Ⅰ・72Ⅰ。本書527頁）。

　別除権たる担保権についても，適正な価額での換価がなされるかどうかは，破産財団への組入額にも影響し，また，担保権者などの破産債権額にも影響するから（破108Ⅰ本文），一定の場合には，破産管財人が担保目的物の換価に介入する余地が認められる（破78Ⅱ⑭・154・184Ⅱ・185。本書726頁）。さらに進んで現行法は，破産債権者一般の利益に適合する場合には，破産管財人が担保権を消滅させて目的物を任意売却し，その代金の一部を破産財団に組み入れたり（破186以下。本書729頁），商事留置権者に対して目的物の価額相当額を弁済して，留置権を消滅させることを認める（破192。本書746頁）。これらは，いずれも目的物について別除権者の持つ優先弁済権と破産債権者の利益との調和を図ろうとするものである。

　第6の特徴は，免責手続が設けられていることである（本書781頁）。したがって，破産は，債権者の利益実現を目的とするだけでなく，個人債務者を経済的に再生させるための制度たる性質を併有する。法1条が破産法の目的の1つとして，「債務者について経済生活の再生の機会の確保」を挙げるのは，これを表したものである。沿革的には，免責手続導入前の破産手続においては，手続が配当等によって終結した後になっても，破産債権者は，満足を受けられなかった債権残額の弁済をなお追及することができた。ところが，旧法の昭和

27年改正に際して免責制度が導入されることによって，債務者は手続終結後の追及を免れることができ，破産手続を経済的再生のきっかけとして利用できるようになった。1980年代以降における消費者債務者による自己破産申立て急増の原因となっている制度的基盤もここにある。

民事再生や会社更生においても，免責概念そのものは存在するが，破産免責の場合には，手続開始時における資産と負債の清算の効果として，免責が付与されるところに特徴がある[51]。現行法は，個人債務者の破産手続開始申立てについて免責申立てを擬制することや（破248Ⅳ本文），免責審理期間中の強制執行を禁止すること（破249）などによって，個人債務者再生の手段としての免責制度の機能をさらに強化している。

2 特別清算

特別清算は，会社法510条から574条までおよび879条から902条までにもとづく手続であるが[52]，すでに解散決議などを経て，清算手続に入っている株式会社など[53]を対象としている点が第1の特徴である（会社471・475・510）。清算を目的にしている点で破産と共通であり，そのことは，対象が清算株式会社に限定され，手続開始原因が清算の遂行に著しい支障を来すべき事情がある

---

51) 会社更生では，継続事業価値の分配を定める更生計画に関する関係人集会の決議および裁判所の認可が前提となり（会更196・199等），その上で免責の効果が発生するし（会更204），民事再生でも，債権者への弁済を定める再生計画について債権者集会における可決および裁判所の認可が確定して（民再172の3・174等），はじめて条件にしたがった免責の効果が生じる（民再178Ⅰ）。本書1121頁，伊藤・会更法・特清法683頁。これに対して，破産免責は，手続開始時における資産および負債の清算を前提とする，裁判所の免責許可決定の確定によって当然にその効果を生じ，開始後の弁済資力を問題としないし，また，債権者等の意思も問わないところに，その特徴がある。

52) その他，手続の細目的事項を定める平成18年最高裁判所規則第1号が制定されている（会社535Ⅱ①・876参照）。なお，特別清算についての詳細は，伊藤・会更法・特清法第2部参照。

53) 株式会社以外にも，特別清算の規定が準用される場合がある（保険業184，資産流動化180Ⅳ，投信164Ⅳ）。また，法制審議会倒産法部会における審議においては，株式会社以外の法人一般に適用対象を拡大するという考え方，および清算手続に入る前の存立中の株式会社についても特別清算能力を認めるという考え方が検討された。しかし，前者については，種々の法人についての通常清算手続に関する統一的規律が存在しないこと，後者については，破産との関係を明らかにすることが必要であり，特別清算を簡易破産として制度化することについて消極の意見が強かったことなどから，いずれの考え方も採用されなかった。松下淳一「特別清算」ジュリ1295号101頁（2005年），萩本ほか17頁，基本構造571頁参照。

こと（会社510①），または債務超過の疑いがあること（同②）として規定されていることに現れている[54]。そして債権者に対して会社財産の公平な配分を行うために，相殺禁止などの実体的規律や，財産保全のための手続的規律が設けられているところに，通常の清算との違いがある。したがって，特別清算の実際的機能としては，債務超過状態にある株式会社の適正，かつ，簡易な清算手続ということができる[55]。

ただし，清算株式会社自身の特別清算申立権が否定されていることからすると（会社511Ⅰ参照）[56]，制度の性質としては，特別清算はあくまで清算手続の延長であり，これと独立の簡易破産としての性質を持つものではない。もちろん，破産手続に適するにもかかわらず，特別清算を実施することは適当ではなく，そのことは，手続開始の条件の1つとして，「債権者の一般の利益に反することが明らかであるとき」が規定されていることに現れている（会社514③）。

第2の特徴は，清算人の地位である。破産管財人のように手続開始にあたって裁判所から選任された者が財産の管理処分権を取得して，清算業務を行うのではなく，原則として取締役などの清算人（会社478Ⅰ）が特別の義務を課された上で，清算業務を遂行する（会社523）。この清算人は，慣行上特別清算人と呼ばれることがあり，清算株式会社の機関であると同時に，倒産処理手続の一種としての特別清算手続の機関としての性質を併有する。会社法523条が規定

---

[54] 支払不能が手続開始原因とされず，また「債務超過のおそれ」ではなく，「債務超過の疑い」が手続開始原因とされているのは，会社がすでに清算手続に入っていることによる。松下・前掲論文（注53）104頁参照。

[55] 新版注釈会社法（13）404頁〔青山善充〕，才口千晴＝多比羅誠・特別清算手続の実務28頁以下（1988年），破産法大系Ⅰ25頁〔多比羅誠〕参照。また，より簡易な清算手続である私的整理による処理が可能である場合にも特別清算が利用されることがある。これは，債権者の側が貸倒れとして損金算入が認められるという，税務上の利益を目的としたものである。山口和男・特別清算の理論と裁判実務18頁（1992年）参照。
　　また，会社法では，商法の旧規定の下におけるのと異なって，通常の清算に対する裁判所の監督制度が廃止されたことから，適正な清算手続としての特別清算の特質がより鮮明になったといえる。萩本ほか15頁。
　　なお，特別清算に関する会社法の規定は，破産法ほど詳細ではないので，破産法の規定を類推適用できるかどうかという問題が生じる。破産法67条2項後段や70条に関して，伊藤眞「特別清算における賃貸用不動産の管理」民事手続法231頁参照。

[56] 清算株式会社の申立権が否定された理由として，清算人の申立権との関係などが挙げられる。ただし，清算株式会社には，特別清算開始命令に対する即時抗告権は認められる（会社890Ⅳ）。基本構造574頁参照。

する清算人の公平誠実義務はそれを表すものである[57]。また，民事再生における再生管財人と同様に，特別清算人は，裁判所や監督委員による監督を受ける（会社519・527Ⅰ・535・536・537Ⅱなど）。

　第3の特徴は，債権者が手続に参加することを強制され，清算株式会社の財産の配分をするための協定に参加しなければならないことである。手続参加を強制される債権は，協定債権と呼ばれる（会社515Ⅲかっこ書）。手続参加の強制については，破産法100条1項のような直接の規定はないが，債権者による個別執行の禁止（会社515Ⅰ）や会社による債務弁済の制限（会社537）を前提とすれば，そのように解される。また，平等および衡平原則については，会社法537条および565条がこれを定める。

　もっとも，個別的権利行使を禁止し，債権者が手続内で満足を受けることを強制する以上，清算株式会社の財産を保全し，機関たる特別清算人がそれを増殖する手段を認める必要がある。申立てから特別清算開始までの期間における他の手続の中止命令（会社512），特別清算開始による他の手続の中止等（会社515），相殺の禁止（会社517・518），会社の財産保全処分（会社540），役員等の財産保全処分（会社542），役員等の責任の免除の禁止（会社543），役員等の責任の免除の取消し（会社544）などがそのための手段である[58]。

　ただし，一般の先取特権その他一般の優先権がある債権，および特別清算手

---

[57] 新版注釈会社法（13）404頁〔青山善充〕，谷口43頁参照。したがって，機関たる清算人は，民事再生における再生債務者に近い性質を持ち（民再38ⅠⅡ参照），特別清算は，いわゆるDIP型手続に属する。もっとも，担保権設定などの物権変動の効力を清算人に対して主張するについて，破産管財人の場合と同様に対抗要件の具備を必要とするかどうかについては，考え方の対立があり（松嶋英機「特別清算実務の現状と問題点」金法1475号95,99頁（1997年）），本書旧版では破産管財人と区別すべきであるとしていたが，伊藤・会更法・特清法905頁にしたがって清算株式会社に破産管財人と同一の地位を認め，清算人が第三者としての地位を主張できるとの考え方に改める。

[58] 役員の責任免除の取消しについては，商法の旧規定（454Ⅰ④）などと異なって，会社に与えられる実体法上の取消権であり，訴えまたは抗弁によって行使すべきものであることが明らかにされた（会社544・857，萩本ほか173頁，基本構造581頁参照）。なお，会社財産を増殖するための手段として，否認権も考えられるが，特別清算の手続を簡素なものとし，否認対象行為が想定される事案は，破産に移行させる（会社574ⅠⅡ参照）べきであるとの理由から，否認権の規定は設けられなかった。

　包括的禁止命令や保全管理命令についても，同様の理由から規定が設けられていない。松下・前掲論文（注53）106頁，萩本ほか95頁，基本構造579頁参照。なお，否認が存在せず，相殺禁止のみが存在する制度としては，他に，小規模個人再生および給与所得者等再生がある（本書1191頁参照）。

続の費用としての性質を持つ債権については，個別的権利行使が禁止されない（会社515ⅠⅢ）。一般の優先権がある債権が除外されているのは，これを協定債権とすると，決議に際しての組分けなどが必要となり，手続が複雑になるためである[59]。

　第4の特徴は，担保権者の取扱いである。破産においては，特定財産上の担保権が別除権として扱われ，原則として手続に拘束されない権利行使が認められているのと比較すると，特別清算においては，やや異なった取扱いがなされている。原則としては，特別清算においても，担保権者には自由な権利行使の機会が与えられるが，裁判所は，特別清算開始の命令があった場合において，債権者の一般の利益に適合し，かつ，担保権実行手続の申立人に不当な損害を及ぼすおそれがないものと認めるときは，清算人等の申立てによりまたは職権で，相当の期間を定めて，担保権の実行の手続等の中止を命じることができる（会社516）。

　後にみるように，再生型手続では，担保権の実行を制限することが一般的であるが，同じく清算型手続である破産と特別清算との間に担保権の取扱いについてこのような差を設ける理由に乏しい。たとえば，担保権者が競売手続を開始している場合であっても，清算人や破産管財人が一般債権者にとってより有利で，かつ，担保権者に不当な損害を与えるおそれのない換価を試みる可能性を否定する理由はない。立法論としては，むしろ破産においても，特別清算と同様に，担保競売の中止可能性を認めるべきものと思われる[60]が，現行破産法でもその可能性は否定されている。

　第5の特徴は，債権者に対する弁済が，破産配当とは異なって，清算人作成の協定案に関する債権者集会の特別多数決および裁判所の認可にもとづいてなされる点である（会社567・569）。特別多数決としては，出席議決権者の過半数で，議決権総額の3分の2以上の同意が要求される（会社567Ⅰ①②）[61]。裁判

---

[59] 立案の経緯については，基本構造578頁参照。
[60] 検討事項第1部第1章第1 13 (2) イaでは，債権者の一般の利益に適合し，かつ，担保権者に不当な損害を及ぼすおそれがないと認める場合には，裁判所が相当な期間を定めて，担保競売の中止を命ずることが課題として掲げられていた。競売手続の中止が，債権者の一般の利益に適合する場合として考えられる具体例については，福永有利「倒産法と抵当権」金融担保法講座Ⅰ349, 360頁（1985年）参照。
[61] 旧法では，議決権総額の4分の3以上の同意が要求されていたが（商旧450Ⅰ），会社法は，これを3分の2以上に緩和したものである。基本構造583頁参照。

所の認可については，協定の遂行可能性の不存在などの不認可要件が法定されている（会社569Ⅱ各号）[62]。協定案の内容には，平等原則が妥当するが，衡平の見地から差等を設けることが許されている（会社565）。また，担保権者は手続に参加することを強制されないが，必要があれば，清算株式会社は，担保権者の参加を求めることができる（会社566）。

第4項　再生型手続の特徴

　清算型と比較すると，再生型においては，手続構造はより複雑なものとなる。清算型においては，資産および負債の確定，財産の換価，ならびに配当が主たる業務となるのに比較して，再生型においては，継続事業価値を維持または保全するために，手続開始前後の段階で資産に対する担保権の実行を中止させたり，再生見込みの有無を調査したり，開始後においては，継続事業価値の評価を前提として利害関係人に対するその配分案，すなわち再生計画案や更生計画案を策定したり，それらについて利害関係人の賛否を問う業務が必要になる。継続事業価値の保全等は，事業の継続を前提とするものであるから，この業務は事業経営を含むものであるが，同時に，継続事業価値の適正な配分のためには，その評価や利害関係人の権利確定など，法律上の業務も含まれざるをえない。以下，民事再生および会社更生のそれぞれについて手続構造の特徴を説明する[63]。

　なお，従来は，これらの手続と並んで，商法上の会社整理が再生型手続の1つの柱となっていたが，民事再生法の制定および会社更生法の全部改正によって再生型手続が整備されたことを理由として，会社法の制定にともなって，会社整理は廃止された。

1　民事再生

　民事再生の特徴は，第1に，手続開始原因である。民事再生法21条1項が「破産手続開始の原因となる事実の生ずるおそれがあるとき」（前段）や「事業

---

[62]　旧法では，不認可要件について明文の規定が設けられていなかったことに対する批判にもとづいて新たに規定されたものである。松下・前掲論文（注53）109頁，基本構造584頁参照。

[63]　対象が株式会社であるときには，民事再生と会社更生の2つの可能性があるが，それぞれの特質を考慮して，いずれを選択すべきかについては，腰塚和男＝成田敏「会社更生と民事再生との選択」講座(3) 3頁，150問6頁〔小林信明＝富岡武彦〕参照。

の継続に著しい支障を来すことなく弁済期にある債務を弁済することができないとき」（後段）に債務者などの開始申立権を認めるのは，経済的破綻が確定的段階になる前に手続を開始しようとする再生型手続の特質を表したものである（本書844頁）。ただし，これらの手続開始原因が認められても，一定の事実が存在する場合には，裁判所は開始申立てを棄却しなければならない（民再25）。これが手続開始の条件と呼ばれる。その中で特に重要なものは，「再生計画案の作成若しくは可決の見込み又は再生計画の認可の見込みがないことが明らかであるとき。」である（民再25③）。これは，民事再生が利害関係人の権利に対して重大な拘束を課すものであることを考慮し，手続開始段階で，再生計画の認可まで至る見込みの不存在が明白である場合に，手続の開始を避けるための措置である（本書848頁）。

第2の特徴は，手続遂行主体が債務者とされ，債務者が財産管理処分権や業務遂行権（以下，財産管理処分権等と呼ぶ）を保持することである（民再38Ⅰ）。同じく再生型手続であっても，会社更生においては管財人（更生管財人と呼ぶ）が必置とされ，財産管理処分権等が更生管財人に専属するが（会更72Ⅰ），民事再生においては，原則として債務者自身が手続遂行の機関とされ，財産管理処分権等をもつ。これが再生債務者と呼ばれる（民再2①・38ⅠⅡ）。事業の再生のために特に必要があると認められる場合には，法人である再生債務者に限って管財人（再生管財人と呼ぶ）が選任されるが（民再64Ⅰ），広く手続利用の機会を保障するために立法者は，再生債務者が財産の管理および事業の遂行をすることを原則としたものである（本書881頁）。ただし，再生債務者は，実体法の債務者とは区別される，手続機関としての地位を意味し，債権者に対する公平誠実義務（民再38Ⅱ）は，それを表したものである[64]。

第3の特徴は，債権者を中心とする利害関係人の取扱いである。一般債権者は，その権利の満足をえようとする場合には，再生債権者として手続への参加を義務づけられるが（民再84・85Ⅰなど），一般の優先権ある債権者は，手続外で満足を受けることが認められるし（民再122ⅠⅡ），特定財産上の担保権者は，別除権者とされ，同じく手続外での満足を保障される（民再53ⅠⅡ）。また，株主も利害関係人として手続に参加することはない。これは，一般債権者のみを

---

[64] 詳細については，伊藤眞「再生債務者の地位と責務（上）（中）（下）」金法1685号12頁，1686号113頁，1687号36頁（2003年）参照。

対象として再生計画による権利変更を行うことによって，手続を簡素化し，迅速に進めることを目的としたものである（本書988頁）[65]。

　第4の特徴は，担保権の取扱いなどである。清算型手続において担保権の実行を制限する必要があるのは，もっぱら適正な交換価値を実現するためであるが，再生型手続においては，事業を継続し，継続事業価値を保全するために，担保権実行の制限が求められる。しかし，民事再生においては，手続を簡素化するために，担保権を別除権とし，その実行については法律上の制限を加えないこととし（民再53Ⅰ Ⅱ），実行の制限や被担保債権についての変更は，別除権協定と呼ばれる再生債務者と担保権者との間の合意に委ねている（本書991頁）。

　ただし，このことは，担保権者などがその権利行使について何らの手続的制約を受けないことを意味するものではない。再生債務者の事業を再生するためには，事業用資産に対する担保権の実行を中止させたり，また，担保権そのものの負担を消滅させたりする必要が生じる場合もある。あるいは，新たな事業資金を導入するために株主の持分を消滅させ，新たに増資の形で資金の導入を図ることが必要になる場合もある。担保権実行手続の中止命令（民再31。本書869頁），担保権消滅許可制度（民再148以下。本書1063頁），債務超過の場合における再生債務者の株式の取得等の手続（民再154Ⅲ・166。本書1087頁）などの制度は，このような必要を満たすために，権利そのものの実質を侵害することなく，権利の行使を制限したり，権利を消滅させたりするために設けられた制度である。

　第5に，権利変更の方式に関する特徴が挙げられる。再生型手続において債務者の経済的再生を図るためには，一方で事業の収益力を回復させるとともに，他方で，債務負担を軽減し，収入を事業資金などに用いる必要がある。この目的を達するために，手続内で債務の免除や期限の猶予，あるいは債権の株式への振替など，利害関係人の権利を変更する必要がある。権利変更の方式に関す

---

[65] ただし，民事再生法制定後の改正によって，現行法では，約定劣後再生債権者が手続に参加し（本書944頁），また株主の権利の変更に関する事項も再生計画の内容とされうるから（本書1087頁），利害関係人の権利も多様なものとなっている。田中亘「民事再生法の実証的研究 第14回 再生手続における株主と役員」NBL 1006号63頁（2013年）。このことを1つの根拠として，公正・衡平の理念の適用可能性を説くものとして，山本慶子「再建型倒産手続における利害関係人の間の『公正・衡平』な権利分配のあり方」金融研究27巻法律特集号134頁（2008年）がある。

る民事再生の特徴は，債務者の特性や債権者の選択に応じて複数の方式を認めるところにある。原則的な方式としては，会社更生と同様のものであり（本書1076頁），債権の調査および確定をした上（民再99以下），再生計画案において権利変更に関する一般条項を設け（民再156），個別的権利に関する変更内容を定めた上で（民再157Ⅰ本文），債権者集会の議決および裁判所の認可決定の確定によって変更の効力が生じる（民再176）。

これに対して手続の簡略化のために債権の調査および確定手続が省略される簡易再生（本書1180頁）および同意再生（本書1186頁）においては，かつての和議と同様に，再生計画における一般的基準にしたがった権利変更がなされるのみで，個別的権利に関する権利変更の内容は確定されない（民再215・219Ⅱ）。さらに，小規模個人再生（本書1191頁）の場合には，決議の成立を容易にするために，特別の議決方法が採用されるし（民再230Ⅵ），給与所得者等再生（本書1223頁）においては，議決そのものを不要とし，裁判所の再生計画認可によって権利変更の効力が発生する（民再240・241）。

2　会 社 更 生

民事再生が個人および法人一般に適用されうる再生型手続であるのと比較すると，会社更生は，その適用対象が株式会社に限られる特別手続としての性質をもつ（会更1）[66]。

会社更生の第1の特徴は，手続開始原因である。会社更生法17条1項は，「破産手続開始の原因となる事実が生ずるおそれがある場合」（1号）または「弁済期にある債務を弁済することとすれば，その事業の継続に著しい支障を来すおそれがある場合」（2号）に債務者などに手続開始の申立てを認める。これは，民事再生の開始原因と同様のものであり，再生型手続としての特質を表したものである（伊藤・会更法・特清法43頁）。もっとも，会社更生は，担保権者を含む利害関係人の権利変更など，関係人の権利に対して強力な制限を加えるものであるので，事業の再生に名を借りて，関係人の利益を不当に害することのないように注意する必要がある。民事再生と同様に，会社更生法41条1

---

[66]　以下についての詳細は，伊藤・会更法・特清法41頁以下参照。ただし，金融機関等の更生手続の特例等に関する法律（平成8年法律95号）によって，株式会社である銀行について特別の規定が設けられ，また，信用組合など，株式会社にあたらない協同組織金融機関について会社更生手続に準じた更生手続が設けられている。内堀宏達＝川畑正文「金融機関の更生手続等の概説（上）（下）」NBL612号22頁，613号19頁（1997年）参照。

項が手続開始の条件を規定しているのも，このためである。その中で特に重要性をもつのが，同項3号であることも民事再生の場合と同様である。

第2の特徴として，会社更生では，破産と同じく，債務者たる会社財産の管理処分権が手続遂行機関である更生管財人に専属する（伊藤・会更法・特清法113頁)[67]。もっとも，事業の再生を目的とする以上，更生管財人の職務は単に財産の管理処分にとどまらず，継続事業価値の維持および増殖にも及び，そのために会社更生法72条1項は，事業の経営権も管財人に与えている。したがって，大規模な更生事件では，財産管理や更生計画案策定を主たる職務とする法律管財人と事業経営を職務とする事業（経営）管財人の2種類の管財人が置かれることがある。このことは，管財人の地位に関する理論にも影響を与える。破産管財人については，破産者とは独立した破産財団の管理機構であり，実体法上も対抗要件などとの関係で第三者とみなされるのに対して，更生管財人に関しては，債務者たる更生会社の代表者としての側面をもたざるをえないところから，破産管財人とは区別して，その実体法上の地位を考えようとする議論も有力である。この点は，第1部第4章第1節（本書360頁以下）で論じる。

第3の特徴として，会社更生においては，会社更生法47条1項，50条1項および135条1項によって，権利の満足を求めようとする更生債権者等が手続に参加することを強制される（伊藤・会更法・特清法182頁）。ここでいう更生債権者等には，手続開始前の原因にもとづいて生じた一般債権を基礎とする更生債権者だけではなく，特定財産上の担保権を基礎とする更生担保権者も含まれる（会更2Ⅷ～XIII）。会社の側から手続外で弁済をなすことも許されないし，債権者の側から会社財産に対して強制執行や担保権実行をなすことも認められない。民事再生においては，担保権が別除権とされるほか，一般の優先権ある債権も一般優先債権とされ，再生債権に対する手続的拘束（民再85Ⅰなど）に服さないことと比較すると，すべての利害関係人の利害を適切に調整することを

---

[67] このことは，会社財産の管理処分権や事業の経営権が裁判所によって選任される管財人という機関に専属することを意味するのであり，場合によっては，裁判所が，従来の経営者を管財人に選任することが許されないわけではない。裁判所としては，手続開始までの経緯，その者の資質，主要債権者の意向などを考慮して，適切な事案であれば，従来の経営者を管財人に選任することも許される。近時は，事業再生手段としての会社更生の機能を高めるという見地から，これをDIP型会社更生と呼び，その利点が指摘されている。伊藤・会更法・特清法114頁。

通じて（会更1），事業の維持更生を図る会社更生の特色といえる。

特に，特定財産上の担保権は，その実行が許されず，更生手続中いわば休眠状態になるだけではなく，更生担保権として継続事業価値の配分に係る決定に参加することを強制され（会更196。伊藤・会更法・特清法203頁），更生債権などに対する優先性こそ保障されているものの，その権利の変更を受ける可能性があり（会更168・203），さらに更生担保権の基礎となっている担保権そのものについても消滅させられる可能性がある（会更204Ⅰ柱書）。このような制限が行われることは，その意思にかかわらず担保権者に対して最低限保障しなければならないのは目的物の処分価値であり，それを超える継続事業価値部分の配分については，一般債権者に対する相対的優先性さえ確保されていれば，事業再生のために多数決による制限を加えることも許されるとの考え方にもとづいている[68]。

第4の特徴は，関係人の権利変更の方法である。破産においては，配当財団，すなわち配当すべき金銭が権利の順位にしたがって配分され，特別の場合を除いて配分について利害関係人の意思を問うことが予定されていない。これに対して会社更生では，予想収益のうち利害関係人に対する配分部分および配分方法などについて更生管財人が更生計画案を作成し，それについて，権利の性質ごとに分けられた利害関係人集会において可否が問われる（会更189～198。伊藤・会更法・特清法639頁）。破産と異なって会社更生では，配分の対象となるのが，会社財産の清算価値ではなく，継続事業価値すなわち事業の将来収益であるから，その収益の中からどの程度を関係人へ配分するか，また配分の方法として金銭によるか，持分たる株式によるかなどについては，事業経営の将来見通しなどとの関係で判断の分かれる余地があり，債権者などの利害関係人の

---

[68] このような考え方を清算価値保障原則（本書1114頁参照）と呼ぶ。中西正「更生計画の条項」理論と実務218頁，高田賢治「清算価値保障原則の再構成」伊藤古稀896頁。民事再生法と異なって（民再174Ⅱ④参照），会社更生ではこの原則が明示的な形で規定されていないが，再生型手続としての性質上，当然の前提といえる。須藤英章「更生計画による権利変更の基準」理論と実務222頁。

　更生計画案に対して更生担保権者の組が不同意であっても，裁判所は，交換価値を更生担保権者に保障する条項を定めて，更生計画を認可することができるという，いわゆる権利保護条項（会更200）も，清算価値保障原則を前提とするものである。松下淳一「一部の組の不同意と権利保護条項」理論と実務241頁参照。会社更生手続の合憲性の根拠もこの点に求められる。最大決昭和45・12・16民集24巻13号2099頁〔倒産百選2事件〕，条解会更法（下）635頁，注解会更法858頁〔山口和男〕参照。

意思を問わなければならない。関係人集会における更生計画案の議決は，このような意味をもつ[69]。

　会社更生は，以上に述べた特徴のほか，資本構成や会社組織の変更を手続内で行うことが予定されるとか（会更45・167Ⅱ。伊藤・会更法・特清法608頁），更生計画の遂行などの事由によって手続が終結するまで，更生管財人が裁判所の監督の下にその職務を行うなどの特徴をもち（会更239。伊藤・会更法・特清法697頁），破綻に瀕した事業の再生方法としては完備した手続といえるが[70]，逆に申立人たる会社の経営者の側からすると，経営権がすべて更生管財人に移転し，しかも旧法以来の一般的傾向であるいわゆる100％減資と募集株式の発行によって旧株主の権利も消滅することから，申立てをためらう傾向がある。その他にも旧法下においては，財産評定や更生担保権額の確定などに長時間を要する，利害関係人の権利に対する制約が大きいために，再生について社会的合意がえられる事件，すなわち事業規模が一定以上で，かつ，再生の見込みが相当程度存在する事件に限って裁判所が申立てを受理する傾向がみられ，これらの要因が相まって，倒産事件を会社更生手続から遠ざけるという現象を生み出していた。

　しかし，現行法の下では，手続開始の条件を緩和し，また手続の迅速化や合理化のための多くの規定が設けられたので，旧法下にみられたような会社更生の開始申立てをためらわせる要因は存在しないといってよい[71]。したがって，

---

[69]　現在の清算価値と異なって，将来の事業収益は期待的利益にすぎず，その配分を選択するか，またいかなる形での配分を求めるかなどについては，利害関係人自身の判断を基礎とする以外にない。たとえば，劣後的出資者である株主の存在がなければ，企業の経営は極めて不安定なものとならざるをえず，更生計画の遂行可能性（会更199Ⅱ③）に問題を生じるが，金銭による弁済に代えて，持分の配分を受けるか，それとも新たに第三者からの出資を求めるかなどについても，利害関係人自身による意思決定が必要である。伊藤・会更法・特清法647頁。

[70]　民事再生の場合には，監督委員または管財人が選任されていない場合には，再生計画認可決定の確定とともに手続が終結し（民再188Ⅰ），その後の計画の遂行は再生債務者に委ねられる。監督委員または管財人が選任されている場合については，再生計画が遂行されたか，認可決定確定後3年を経過したか，再生計画の遂行が確実である認められるときに，手続が終結する（同ⅡⅢ。本書1166頁）。

[71]　深山卓也「新会社更生法の特徴」理論と実務14頁，花村良一「会社更生規則の特徴」理論と実務18頁参照。会社更生実務を担う裁判所の立場でも，こうした特徴を生かして，積極的な運用が目指されている。西岡清一郎「東京地裁における新たな会社更生実務」理論と実務20頁，伊藤・会更法・特清法25頁参照。

事業の再生を目指す事件について民事再生を申し立てるか，それとも会社更生を選択するかは，担保権の行使や内容を手続の効果として制限する必要があるか，債務者自身の経営組織に手続の遂行を委ねられるか，管財人による手続遂行が求められるか，資本構成や組織の変更を手続内で行う必要があるか，手続外でも可能かなどの要素を考慮して，申立人が判断すべきものである[72]。

第5項　特 定 調 停

　民事調停手続は，民事紛争について，当事者の互譲により，条理にかない実情に即した解決を図ることを目的とする（民調1）。したがって，経済的破綻に陥った債務者についても，債権者と債務者間あるいは債権者相互間において債権の存否や内容について争いが存在することを前提とすれば，調停手続によって債権の内容を定め，かつ，債務者の支払能力を勘案して，支払の時期や方法についても合理的な解決を定めることが可能である。調停が成立すると，調停調書の記載には確定判決と同一の効力が認められるので（民調16，民訴267），合意された弁済計画について履行確保の手段も備わっている。

　もっとも，現在の調停手続が原則的には二当事者間の紛争解決を目的としていることから，債務者と多数債権者との間の債務調整を行う手段としては，いくつかの問題を含んでいる。

　第1は，管轄が相手方の住所等を基準として定められること（民調3）との関係で，1つの調停事件の中で多数債権者を相手方とすることが容易でない点である。第2は，正当な理由がなく合意を拒否する債権者については，調停の成立を断念せざるをえない点である。第1の点については，いわゆる自庁処理（民調4Ⅰ但書）を柔軟に運用するとか，第2の点については，調停に代わる決定（民調17）を活用するなどの工夫が考えられるが，これらの問題について立法的解決を図り，多重債務者事件についての民事調停手続の特則を定めるのが，いわゆる特定調停法である（「特定債務等の調整の促進のための特定調停に関する法律」平成11年法律158号）。

---

[72]　ただし実務においては，申立人による適切な選択を促し，また申立て段階での混乱を回避するために，裁判所による事前相談という慣行が行われている。旧法下の実務については，森邦明「裁判所による会社更生の受付相談および事前の審査」判タ866号51頁（1995年），現行法下の実務については，西岡・前掲論文（注71）20頁，伊藤・会更法・特清法58頁，破産法大系Ⅰ63頁〔林圭介〕参照。

特定調停法においては，移送等の弾力化（特定調停4）や手続の併合（特定調停6）の規定によって，多重債務の集団的処理を実現し，民事執行手続の停止（特定調停7）によって，債権者の個別的権利行使を抑止し，専門的知見を有する民事調停委員の指定（特定調停8），関係権利者の参加（特定調停9），債務の内容等の開示に関する当事者の責務（特定調停10），文書提出義務（特定調停12），および官庁等からの意見聴取（特定調停14）などの規定によって，調整の対象となる多重債務の内容を的確，かつ，迅速に把握し，それを基礎として，調停委員会が提示する調停条項案（特定調停15），調停条項案の書面による受諾（特定調停16），および調停委員会が定める調停条項（特定調停17）などの規定によって，債務者の経済的再生に資するための「公正かつ妥当で経済的合理性を有する」（特定調停15・17Ⅱ・18Ⅰ）解決を実現することを目的としている。これらの措置にもとづいて特定調停は，多重債務者の経済的再生のための制度として大きな役割を果たしており，民事調停事件の相当部分が特定調停事件によって占められているのが現状である[73]。

第6項　私的整理

　私的整理は，その目的に応じ清算型と再生型とに分けられるが，かつて一般的であった事業清算型私的整理は，大きく減少し[74]，現在は，事業再生型私的

---

[73]　特定調停事件の概要と特色については，田中信義ほか「〈座談会〉東京・大阪における民事調停の現状」判タ1152号4，22頁（2004年），破産法大系Ⅲ12頁〔小松陽一郎〕，濱田芳貴編著・特定調停法逐条的概説（2021年）参照。また，近時は，事業再生の手段として，後に述べる私的整理ガイドラインや特定認証ADR手続などによる合意が成立しなかった案件について，特定調停が利用される事例が増えている。鹿子木康「東京地裁民事第8部における特定調停の運用状況」事業再生と債権管理119号65頁（2008年），「裁判外事業再生」実務研究会編・裁判外事業再生の実務25頁〔多比羅誠〕（2009年），江原健志ほか「東京地方裁判所における企業の私的整理に関する特定調停の新たな運用について」NBL1166号32頁（2020年）など参照。

[74]　かつての私的整理の実情や法律構成については，田原睦夫「整理屋の時代と弁護士の倒産実務——事業再生に活躍する弁護士の礎のために」松嶋古稀271頁以下，本書〈第2版〉36頁以下参照。もっとも，今日でも，弁護士などの専門家が実質的な手続主宰者となる清算型私的整理が行われることがあり，破産清算と比較して，買掛金である商取引債権者に対する弁済を行うことで，逆に売掛金債権の回収率を高め，在庫商品の売却を円滑に行い，私的整理の参加者である金融機関などに対する弁済率を向上させるなどの利点が説かれる。四宮章夫「私的整理における商取引債権の保護」今中傘寿712頁参照。私的整理と法的整理を比較し，上場維持などの前者のメリット，過剰債務温存などのデメリットを明らかにするものとして，相澤光江「倒産・事業再生におけるM&A」民事特別法の諸

整理と消費者の経済生活再生のための私的整理が広く行われている。

1 事業再生のための私的整理

事業再生のための私的整理とは，債務者が債権者の全部または一部と交渉し，債務の期限延長や一部免除の合意をうることによって，または債務者と債権者から委任を受けた第三者（私的整理の機関）が両者の間の権利義務を調整し，債務の期限延長や一部免除の合意成立を実現することによって，債務者の事業の再生を実現しようとする手続をいう[75]。

(1) 私的整理の意義と制度化された私的整理

この意味では，私的整理とは，対置される法的整理と異なって，その内容が一様ではなく，債務者と債権者団との相対交渉（以下，相対交渉型という）から第三者たる私的整理の機関が介在する手続（以下，機関介在型という）までを含むが，整理という概念との関係から，合意を基礎として債務の内容について何らかの変更を加えることを目的とする点が私的整理の本質的要素といえよう。

手続の準則や第三者の属性としては，特別の制限はないが，効果なども含めて何らかの意味で法的根拠を持ち，また，近年の利用が目立つものとして，私的整理ガイドラインにもとづく手続や，事業再生実務家協会，株式会社地域経済活性化支援機構（旧株式会社企業再生支援機構），中小企業再生支援協議会など，いわゆる制度化された私的整理の手続実施主体がある（以下，これらを私的整理の機関と呼ぶ）[76]。

問題 6 巻 475 頁がある。

[75] 以下の叙述は，伊藤眞「『私的整理の法理』再考——事業再生の透明性と信頼性の確保を目指して」金法 1982 号 30 頁（2013 年）を要約したものである。また，背景となる債権者の行動様式については，園尾隆司「今治海事クラスターにみる村上水軍の系譜（下）」金法 2079 号 35 頁（2017 年）参照。

[76] 全体像と発展の歴史および法的整理との関係などについては，現代型契約と倒産法 14 頁〔園尾隆司〕，私的整理 140 問 2，5 頁以下〔須藤英章〕，河崎祐子「事業再生 ADR の法的位置づけ」今中傘寿 648 頁，中島弘雅「倒産 ADR の現状と課題」上野古稀 581 頁，同「倒産 ADR の現状と課題」続・争点 30 頁，多比羅誠編著・進め方がよくわかる私的整理手続と実務（2017 年），上田裕康「事業再生手法としての事業再生 ADR 手続の積極的活用」民事特別法の諸問題 6 巻 569 頁，150 問 9 頁〔加々美博久＝三枝知央〕，富永浩明ほか「〈シンポジウム報告〉事業再生 ADR 手続の最新の運用状況」NBL 1197 号 56 頁（2021 年），小林信明ほか「〈シンポジウム報告〉グループ会社（グローバル企業を含む）の事業再生 ADR の特徴」NBL 1198 号 53 頁（2021 年）参照。ここで制度化された私的整理とは，手続実施主体の資格，手続準則あるいはその効果の全部または一部について法的根拠が設けられているものを指す。事業再生 ADR については，産業競争力強化法（平成 25 年法 98 号）51 条〜60 条，経済産業省関係産業競争力強化法施行規則 29 条 2 項の規定

私的整理の目的は，合意にもとづく債務の内容の全部または一部の変更（以下，権利変更という）を通じて債務の返済負担を軽減し，事業の再生を実現するところにあり，債務者と債権者との間の集団的合意がその法的基礎となる。これは，相対交渉型であっても，機関介在型であっても同様であり，したがって，私的整理の法律効果は，この集団的合意に集約される。もっとも，集団的合意の成立に至るためには，いくつかの前提条件を満たさなければならない。

第1は，権利変更の対象となる債権者が個別的権利行使に着手しないことである。第2は，債務者がその資産を保全することである。第3は，債務者がそ

に基づき認証紛争解決事業者が手続実施者に確認を求める事項などが，その法的根拠となる。事業再生 ADR のすべて 26 頁〔多比羅誠〕，山本研「私的整理と法的倒産手続との新たな関係」加藤哲夫古稀 695 頁参照。

中小企業再生支援協議会や地域経済活性化支援機構（旧企業再生支援機構）などについては，私的整理140問152頁〔西村賢〕，254頁〔富岡武彦＝森直樹〕，西村あさひ法律事務所＝フロンティア・マネジメント（株）編・私的整理計画策定の実務 70 頁（2011 年），藤原敬三「中小企業における私的整理手続の現状と課題」松嶋古稀 299 頁，倒産・再生の実務 3 頁，守屋貴之ほか「株式会社企業再生支援機構法の一部を改正する法律および関係政令等の概要」金法 1968 号 40 頁（2013 年），多比羅編著・前掲書（注 76）58 頁，山形康郎「行政型 ADR 手続（再生支援協議会手続）についての意義と課題」続・争点 58 頁，河本茂行ほか「地域経済活性化支援機構の実務・再生事業について」続・争点 71 頁，中西正ほか「準則型私的整理の現状と弁護士の役割」事業再生と債権管理 168 号 60 頁（2020 年），法人破産申立て実践マニュアル 88 頁〔小西宏＝冨田信雄〕参照。また，金融債権者を対象とした韓国における同種の手続を紹介するものとして，呉守根「韓国における企業構造調整促進法」伊藤古稀 731 頁がある。

これに対して，第三者たる公的機関が関与せず，債務者から委任を受けた弁護士などの専門家が中心となって行う私的整理を純粋私的整理と呼ぶことがある（私的整理140問 8 頁〔江木晋〕）。私的整理である以上，関係人間の合意にもとづいて成立すること，法的整理に移行したときの否認や相殺禁止などの視点から，一時停止の申入れと支払停止との関係が問題となることなどは，制度化された私的整理の場合と共通する。軸丸欣哉「純粋私的整理手続の実務」今中傘寿 685 頁参照。また，弁護士による私的整理の職務遂行と弁護士倫理との関係については，四宮章夫「私的整理における弁護士懲戒処分の研究」民事特別法の諸問題 6 巻 437 頁が詳しい。

さらに，制度化された私的整理の盛行によって法的整理，特に民事再生手続などの再生型手続の比較優位が失われ，その事件数が減少していることを指摘し，両者の長短を比較するものとして，中井康之ほか「〈特集〉事業再生と倒産手続の現在と将来」法時 89 巻 12 号 4 頁以下（2017 年），菅野博之「経済再生と法律家の役割」金法 2080 号 1 頁（2017 年），中西正「準則型私的整理の現状と将来」論究ジュリ 35 号 135 頁があり，それを前提として，法的整理の活性化のための方策として，債務者自身の開始申立ての場合の手続開始原因の審査を緩和または廃止すべきことを説くものとして，伊藤眞「法的倒産手続の利用を促すために——nahtlos（継ぎ目のない）手続の実現を目指して」金法 2069 号 36 頁（2017 年）がある。ただし，参加債権者全員の合意に至らず，法的整理に移行する場面も想定され，その場合の留意点を指摘するものとして，150問 49 頁〔多比羅誠〕がある。

の事業を継続することである。第4は，債務者の資産保全や事業の継続が適正に行われることについて，第三者が監督することである。第5は，権利変更の合意形成のために第三者が適切な調整を行うことである。ただし，第4および第5は，機関介在型に特有のものである。

　私的整理の場合には，司法権の行使という契機が介在しないところから，第1の条件は，債務者自身または債務者が私的整理の機関と協働して行う権利行使に対する停止要請（以下，一時停止の要請と呼ぶ）を債権者が受け入れることによって，第2の条件は，債務者がその資産を適正に管理することを金融機関債権者団や私的整理の機関に対して誓約し，また，債務者代理人たる弁護士が，債務者がその誓約から逸脱する行動をとらないように監視することによって，第3の条件は，債務者が引き続き事業経営を継続し，また，私的整理の対象債権者を金融債権者にかぎり，商取引債権者を除くことによって，第4の条件は，私的整理の機関が債務者を監督することによって，第5の条件は，私的整理の機関が債務者と金融債権者の間の利害を調整し，合意形成に向けた活動をすることによって実現される。

（2）　私的整理の機関

　私的整理の手続は，大別すれば，相対交渉型にとどまる場合と機関介在型の場合の2つに分けられ，私的整理の機関が登場するのは，後者の場合である。

　　ア　相対交渉段階

　私的整理の開始を求めるにあたって債務者としては，まず，自らの事業および財務の内容を正確に把握することが求められる。窮境に陥っている債務者には，しばしば不適切な会計処理などの事象がみられるので，改めて資産や負債，直近の収益などを調査し直す作業が不可欠であり，特に債務者代理人としては，受任者としての義務を果たすためにも，必要な調査とその結果を財務諸表上に反映することを債務者に求めることになる。その結果を踏まえて，債務者は，事業再生計画案の原案を作成し，期限の変更や金額の減免などの債務内容の変更を求める相手方である金融債権者に対してその内容を説明し，同意を求めることになる[77]。

---

[77]　いいかえれば，私的整理の特質は，商取引債権者の権利には変更を加えることなく，金融債権者と債務者との間での合意形成を図るところにあるといえよう。松下淳一＝中井康之「これからの倒産・事業再生実務」ジュリ1500号79頁（2016年）。金融債権者との

その結果として金融債権者との間で合意が成立し、債務者の事業再生の見込みが立てられれば、私的整理の手続はいったん終了することになる。これを私的整理の相対交渉段階と呼び、この局面では、債務者と債権者団という、利害関係人の間の交渉および合意によって私的整理が完結するということができる。いいかえれば、この段階における私的整理の手続実施主体は、あくまで債務者のみであり、金融債権者との間の合意が成立すれば、手続が終了する。

イ　機関介在段階

しかし、事案によっては、第1段階の私的整理において金融債権者との合意が形成されるに至らず、私的整理の機関の関与が求められる。その理由としては、債務者の財務状況や事業再生計画案の内容の合理性、新たな資金提供者の確保などに関する説明が金融債権者を完全に納得させるに至らなかったことなどが考えられ、また、いいかえれば、私的整理の機関には、このような点について金融債権者を納得させる判断材料の提供が求められるといってよい。事業再生ADRについていえば、その申請後に事業再生実務家協会の審査会が行う審査、および手続実施者選任予定者が行う調査と確認は、参加債権者に対する上記の責任を果たすためのものであり、債務者との関係では、申請やそれを仮受理することによって受任者たる事業再生実務家協会の側に審査、調査および確認の義務が生じるといってよい。そして、こうした審査等を経て、事業再生計画案の概要の内容に経済合理性等が認められることを確認し、それを手続に参加することが予定される金融債権者全体に対して公証するのが、正式受理および債務者と連名で行う一時停止の要請行為の法的性質である。

しかし、この場合でも、一時停止の要請行為の主体自体は、債務者であり[78]、私的整理の機関が債務者と連名で要請を行うのは、債務者の要請が合理的な内容のものであることを金融債権者に対して公証するものと理解すべきである[79]。

もっとも、私的整理の機関の役割は、公証にとどまらず、債務者と金融債権

交渉の実務については、村松謙一編集代表・光麗法律事務所流 私的再建 成功への手順 47頁（2021年）、また外国銀行の取扱いについては、小林ほか・前掲シンポジウム報告（注76）56頁参照。

78)　私的整理140問25頁〔本山正人〕では、「事業再生ADRにおいても、再建計画への同意の取付けは債務者自身の役割であり、債務者代理人は……債権者の同意取付けに力を尽くすことになります」と説く。

79)　私的整理140問339頁〔山宮慎一郎〕。具体的な事業再生計画案の審査については、事業再生ADRのすべて284頁〔多比羅誠〕参照。

者との間の和解の仲介，すなわち事業再生のための権利関係の調整にまで及ぶことになる（産強51参照）。事業再生 ADR についていえば，手続実施者選任予定者を手続実施者に選任する決定が第1回債権者会議に委ねられていることは（省令（本章注76）22Ⅱ②），第1回債権者会議までは，公証作用が事業再生実務家協会の果たすべき役割の中心であるのに対して，それ以降は，むしろ，手続実施者という公正かつ中立の主体が債務者と金融債権者との間の利益調整を行い，手続の中心となることを意味している。この意味で，第1段階の私的整理における手続実施主体は，債務者であるのに対して，第2段階の私的整理における手続実施主体は，私的整理の機関である手続実施者であり，第1回債権者会議において手続実施者選任予定者が債権者の過半数の同意（事業再生実務家協会事業再生手続規則26Ⅸ）によって手続実施者に選任されることによって，その者が債務者と債権者の双方に対し，両者の利益を調整し，事業再生計画案についての合意を成立させるための活動を行うべき義務を負うことになる[80]。

すなわち，第2段階の私的整理においても，さらに2つの段階が分けられ，前半部分は，審査会や手続実施者選任予定者という事業再生実務家協会の組織による公証作業を内容とするが，それは，正式受理と一時停止の要請通知発出によって終わり，後半部分は，第1回債権者会議によって選任された手続実施者という独立の主体による調整作業を内容とするものといえよう。もっとも，第2回債権者会議（協議集会）において手続実施者から調査報告書の提出および意見が述べられることを考えれば[81]，手続実施者の役割にも公証作業が含まれるようにもみえるが，この段階での調査報告は，債務者から提出された事業再生計画案の経済的合理性等の検証を内容とするものであり，むしろ，調整作

---

[80] 私的整理140問348頁〔長沢美智子〕。社債権者の権利の変更を多数決によって行うことの可否が議論されるが，それが会社法706条1項1号にいう和解にあたるか，また決議の不認可事由（会社733④）に該当するかどうかの判断に際しても（倒産と金融286頁参照），本文に述べた手続実施者の職務を考慮すべきである。産業競争力強化法（平成25年法律98号）では，このような議論を踏まえて，社債権者集会の決議にもとづいて償還すべき社債金額の減額を図ろうとする事業者は，事業再生 ADR などの特定認証紛争解決事業者に対し，その減額が事業再生に不可欠であるものとして関係省令などで定める基準に適合することの確認を求めることができ（法56Ⅰ），社債権者集会の決議の認可申立てを受けた裁判所は，その確認を考慮して，不認可事由（会社733④）についての判断をするものとされている（法57Ⅰ）。詳細については，ニューホライズン183頁以下参照。

[81] 私的整理140問348頁〔長沢美智子〕。

業の前提となる債権者の判断材料の提出という性質を有する[82]。

(3) 一時停止の要請行為（通知）の法的性質とその効果

制度化された私的整理に関してよく議論されるものとして，債務者または債務者と私的整理の機関が連名で行う一時停止の要請行為の法的性質とその効果がある。一時停止の要請とは，債務者が主要な債権者に対して，弁済期の到来する債務を支払うことができない旨を表明し，個別的債権回収行為またはそのための準備行為をすることを自制し，さらに進んで，債務について猶予や一部免除を求めるなどの行為を意味するが，まず，これが支払停止，すなわち「弁済能力の欠乏のために弁済期の到来した債務を一般的，かつ，継続的に弁済することができない旨を外部に表示する債務者の行為」（本書121頁）に該当するかどうかが問題となる。

本書では，主要な債権者が債務者の要請を受け入れる合理的な見込みをともなうものであれば，一時停止の要請行為が支払停止にあたらないとする考え方を示し，近時はこれが有力になっているが（本書121頁），先に述べた私的整理の段階構造と私的整理の機関の役割を踏まえると，より立ち入った考察が必要になる。

すなわち，債務者と私的整理の機関の連名による一時停止の要請通知が発出されるに先だって，いわばその準備行為として，債務者とメインバンクとの協議やバンクミーティングにおける債務者からの一時停止の要請行為があった場合には，かりに連名での一時停止の要請通知が支払停止に該当しないとしても，債務者自身による一時停止の要請行為も同様に扱われるべきかどうかを検討しなければならない。もっとも，このうち，メインバンクとの協議における要請についていえば，それが外部に表示する行為に該当するかどうかという疑問があり，メインバンクとの信頼関係にもとづいた相対の意思表示にとどまるとすれば，外部に表示する行為と解すべきではないと考えられる。これに対して，バンクミーティングは，それが公開されるものではないことを前提としても，主要な債権者である取引金融機関が参加していることを考えれば，そこにおけ

---

[82] この点に関連する問題として，私的整理から法的整理に移行したときに，私的整理の機関たる手続実施者が，再生手続の監督委員などに就任することの当否が議論される。しかし，私的整理の挫折について手続実施者の責任が問題となるような例外的な場合を除けば，手続実施者としての職務と監督委員などの職責との間に矛盾が生じることはない。倒産と金融358頁参照。

る一時停止の要請行為は，自らの弁済能力の欠乏を外部に表示する行為にあたると考えるべきである。

　ア　評価障害事実としての一時停止の要請の受容

　しかし，この段階の一時停止の要請行為であっても，それが相手方である金融債権者からみても相当の合理性を有するものであり，少なくとも当面の間は期限の利益喪失請求を含む債権回収またはその準備行動をとらないという対応を引き出したものであれば，上に述べた理由から，支払停止該当性を否定すべきである[83]。相殺禁止や否認の法律要件事実の関係でみれば，一時停止の要請行為は，それ自体を取り上げれば，支払停止に該当する事実であるが，主要債権者がそれを受容する意向（以下，主要債権者による受容の意向と呼ぶ）を明らかにしたことによって，資力回復の合理的な見込みをともなうものと評価され，支払停止に該当するとの評価が妨げられるといえよう。

　もっとも，評価障害事実としての主要債権者による受容の意向の形態には，様々なものが考えられ，私的整理の機関に対する申請またはその受理がなされるまでという期限付のものもありうるし，その場合には，期限が到来すれば，既往の評価障害事実が消滅するから，新たな評価障害事実が発生しない限り，その時点以降，以前から維持されている一時停止の要請行為は，支払停止に該当するとの評価を受けることになる。

　イ　一時停止の要請後に担保を徴求した金融機関の取扱い

　まず，バンクミーティングの段階を含め，一時停止の要請を受容した金融機関が秘密裏に債務者から担保を徴求した場合を検討する。このような行為は，担保を徴求した金融機関についても，また，それに応じた債務者についても，他の債権者や連名で一時停止の要請通知を発した私的整理の機関に対する背信的行為であり[84]，当該金融機関は，信義則上，評価障害事実としての一時停止の要請の合理性を主張することはできず，その担保設定は，支払停止後のもの

---

83)　私的整理140問339頁〔山宮慎一郎〕参照。利息や遅延損害金の取扱いについても，同340頁〔山宮慎一郎〕参照。
84)　井上聡「私的整理と支払停止」金法1962号5頁（2013年）は，一時停止の要請を行った債務者が一部債権者に対する弁済や担保供与などの偏頗行為をすることは，一時停止の要請に「他の金融機関等に対する元本債務について弁済等をしない旨の黙示の約束が含まれていると解すべきである」とし，他の債権者に対する信義則上の義務違反になるという。倒産・再生の実務144頁も同様の指摘をする。

として，否認の対象となりうると解すべきである。

これに対して，バンクミーティングや私的整理の機関に対する申請後において一時停止の要請に対する意向を明らかにしないままに担保を徴求した金融機関が，それ以前の一時停止の要請が支払停止に該当しないことを理由として否認を免れるとすることは，当該債権者についてみれば，一貫して私的整理に対して消極的な態度をとり続けているのであるから，その行為を信義則違反とする理由はないようにみえる。しかし，担保の設定については，債務者の協力が不可欠であり，債務者による一時停止の要請行為の内容には，債権者に対する債権回収または回収準備行為の自制要請とともに，債務者自らが詐害行為や偏頗行為をしないことの約束も含まれており，秘密裏の担保設定行為は，債務者自らがこの約束を破ったものと評価されてもやむをえない[85]。

かりにこの事実が他の金融債権者に明らかになれば，既に一時停止の要請について受容の意思を表明している金融債権者といえども，それを撤回するであろう。このように債務者の背信的行為を利用して担保を徴求した金融機関は，一時停止の要請を受容した債権者とは別の意味であるが，後に私的整理が頓挫し，他の金融債権者が受容の意向を表明したという評価障害事実を援用して，当初の債務免除等要請行為が支払停止に該当しないと主張することを信義則上妨げられると解すべきである。

さらに，バンクミーティングにおいて債務者の提示した財務情報，事業再生の見込みや方向性に疑問を持ち，一時停止の要請を受け入れない旨を明らかにした金融機関については，それが主要金融債権者であり，その賛成をえられない限り事業再生の見込みが立てられないような事案であれば，主要債権者による受容の意向の事実自体が認められないこととなるから，評価障害事実自体が存在せず，一時停止の要請行為が支払停止に該当することとなり，支払停止または支払不能を要件とする否認の対象となりうると解すべきである。

　　ウ　一時停止の要請後に登記留保担保権について対抗要件を具備した金融
　　　　債権者の扱い

抵当権の場合であれ，また譲渡担保の場合であれ，対抗要件具備に必要な書類一切を債務者から交付されているときには，改めて債務者の行為を要せず，

---

85)　井上・前掲論文（注84）5頁参照。

担保権者が自らの行為によって対抗要件を具備することがありうる[86]。一時停止の趣旨等を考えれば，一時停止の要請後の対抗要件具備についてはこれを控えることが好ましいものの，自らの担保権について対抗要件を備えた債権者は，イで述べたのと同様に，一時停止の要請を受容した者としなかった者とに分けられる。

　まず，前者については，私的整理の準則として，対抗要件を具備しない担保権者であっても，いわゆる登記留保など，債務者の協力を要せず，何時にても自ら対抗要件を具備できる地位にある担保権者は，その権利が保全債権として扱われることからみれば[87]，この場合の対抗要件具備は，私的整理の準則を逸脱したものではなく，他の参加債権者に対して不利益を与えたり，その信頼を裏切るものではなく，信義則に違反するとの評価を与えるべき理由はない。したがって，この種の債権者は，後に手続が法的整理に移行した場合も，債務者による一時停止の要請が支払停止に該当しないとの主張を信義則上遮断されることはなく，対抗要件具備に対する否認を免れうる[88]。

　また，一時停止の要請を受容しなかった金融債権者についても同様に考えられる。すでに担保権者としての地位をえている金融機関が自らの行為によって対抗要件を具備したとしても，そこには，私的整理の準則を逸脱するという債務者の行動がみられず，したがって，それを利用したことを理由とする信義則違反という評価も成立しえない。その結果として，この種の債権者も，対抗要件具備行為を後に否認されることはない[89]。

---

[86] 登記留保がなされる理由と他の債権者に対する有害性について，中井康之「対抗要件否認の行方」田原古稀（下）322頁参照。もっとも，登記留保については，司法書士の本人確認義務との関係で，以前ほど容易ではないとの指摘がある。三上徹「登記留保と本人確認」登記情報564号1頁（2008年）参照。

[87] 腰塚和男ほか「事業再生ADRから会社更生への手続移行に際しての問題点と課題(2)――日本航空，ウィルコム，林原の事件を参考にして」NBL954号62頁（2011年）。松嶋英機「事業再生ADRから法的整理への移行に伴う諸問題」倒産法改正展望83頁，ニューホライズン410頁。

[88] 倒産と金融367頁は，有害性の欠缺の理由から対抗要件の否認可能性を否定する。倒産・再生の実務21頁も同様の考え方をとる。ただし，対抗要件を具備しないままに法的整理手続が開始したときには，当該担保権者を別除権者または更生担保権者として扱うことは困難であろう。私的整理140問387頁〔三村藤明〕参照。さらに，否認を排除する方向での立法論として，判例・実務・改正提言45頁〔多比羅誠＝高橋優〕がある。

[89] 難波孝一「事業再生ADRから会社更生手続に移行した場合の諸問題」松嶋古稀249頁。

エ 事業継続のためのメインバンクへの資金移動と相殺禁止規定の適用可能性

　一時停止の要請がなされ，メインバンクをはじめとする金融機関団からそれが受容された後に，事業継続資金を確保するために，メインバンクであるＡ銀行に取引先からの入金が集約され，また，その状態が，私的整理の機関による申請が受理され，さらに私的整理が頓挫し，再生手続や更生手続の申立てに至るまで継続しているときに，Ａ銀行は，この期間に受け入れた債務者の預金債権を受働債権として，債務者に対する貸付金債権を自働債権とする相殺を主張できるかどうかがここでの問題である。

　受働債権の負担時期を基準とする民事再生法や会社更生法などの相殺禁止規定（民再93Ⅰ②③，会更49Ⅰ②③）は，手続開始申立てからさらにそれを遡らせるときであっても，支払不能または支払停止の発生時が限界となるから，かりに一時停止の要請が支払停止に該当しないとすれば，後に手続が再生手続または更生手続に移行したときであっても，Ａ銀行は，相殺を禁止されないことになる。しかし，この期間におけるＡ銀行の債務者口座への入金は，参加金融機関が協働して債務者の事業再生に協力することを前提とした措置であり，Ａ銀行の独占的満足にあてるべき財産ではない。

　一時停止の要請を受け入れ，加えて，私的整理において主導的な役割を果たしたＡ銀行の債務者口座に集約された預金は，債務者の事業遂行のために必要な資金を集中し，取引先などに対する債務の支払に充てることを予定するものであり，かつ，私的整理に参加する全金融機関の了解の下にそのような措置がとられていることを考えれば，同じく債務者の財産としてＡ銀行に消費寄託されているものとはいえ，通常の銀行取引の過程でＡ銀行自身の貸付金債権を保全する役割を果たす預金債権とは区別されるべきものである。それを私的整理のためにＡ銀行に預託された財産とまでいえるかはともかく，Ａ銀行がそれを自らの債権の優先回収のために用いることについては，少なくとも相殺権の濫用の規律（本書553頁）が適用されるべきものといえよう[90]。

---

[90] 私的整理140問382頁〔小林信明〕，倒産・再生の実務22頁。相殺権の濫用法理をめぐる近時の議論の状況については，大コンメンタール296頁〔山本克己〕，条解破産法〈第3版〉558頁，伊藤・会更法・特清法390頁，ニューホライズン415頁参照。相殺を禁止する方向での立法論として，判例・実務・改正提言49頁〔多比羅誠＝高橋優〕がある。

オ　私的整理中の債務者による資金移動

　公証作用や調整作用をもつ私的整理の機関が介入する段階においては，実施主体の役割を分担し，それ以前のバンクミーティングの段階では，実施主体である債務者は，対象債権者に対し，「公平かつ誠実に」私的整理を追行する義務を負い（民再38Ⅱ参照），代理人である弁護士は，債務者がその義務違反を犯さないよう指導監督しなければならない（弁護士職務基本規程21条参照）。また，私的整理の機関としては，債務者との連名による一時停止要請通知発出によって債務者の事業再生計画案の概要の内容に経済合理性等が認められること等を検証し，加えて，債権者会議の決議によって参加金融債権者全員からの委託を受けて調整に入っている以上，債務者の義務違反によって手続が挫折することのないよう，十分な注意を払う責務を負っているといってよい。しかし，それにもかかわらず，債務者によって，債権者団の了解をえないままに，いわば背信的な資金移動がなされる可能性も完全に排除することはできず，その場合には，その時点で，評価障害事実が消滅し，維持されている一時停止の要請行為が支払停止と評価される[91]。

　このような事実が明らかになったときは，それをそのまま放置すれば，混乱が生じ，また，金融債権者も個別的債権回収行為をとらざるをえないこととなるから，私的整理の手続を打ち切るべきである[92]。もちろん，後に法的整理が開始されたときには，この時点以後になされた債務消滅行為や担保の供与行為は，偏頗行為否認の対象となる可能性がある。

　また，このような債務者の行為は，後にそれが倒産犯罪（破265Ⅰ①，民再255Ⅰ①，会更266Ⅰ①）となることも考えられる。もちろん，通常の場合の資金移動は，財産の隠匿に該当しないことは明らかであるが，参加債権者や私的整理の機関に対して無断の資金移動をしないことを誓約しているにもかかわらず[93]，あえてそれを行うことは，債権者を害する目的で，財産の発見を，事実

---

91) こうした事態が生じたときに，当初の一時停止の要請が支払停止に該当することになるというのでは，法的安定性を害することになるが（井上・前掲論文（注84）5頁参照），愚見では，一時停止の要請自体は，継続的な行為であり，ただ，債務者による背信的行為がなされた時点で，評価障害事実が消滅し，その時点から一時停止の要請が支払停止に該当するものとなる。

92) もっとも，実際上の取扱いとしては，資金移動の事実を参加債権者に開示し，参加債権者がなお私的整理の続行を望むかどうかの意思確認をすることもあろう。

93) 私的整理140問45頁〔綾克己〕参照。

上または法律上，不能または困難にする行為[94]と評価されてもやむをえない。
　カ　再生手続または更生手続開始申立ての誠実性（民再25④，会更41 I ④）
　　　との関係

　同じく私的整理であっても，相対交渉段階を脱し，私的整理の機関が介在することによって，手続が順調に進行しているにもかかわらず，それに不満を持つ債権者が法的整理の開始申立てをなすことが考えられる。もっとも，債権者のうち商取引債権者については，その弁済がなされていることを前提とすれば，法的整理の開始申立てをすることは想定しにくいし，また，かりに開始申立てがなされたとしても，その者の債権を弁済すれば足りることから，その申立てにもとづいて法的整理が開始される可能性は少ないといってよい。これに対して，金融債権者については，その者が一時停止の要請を受け入れている場合と受け入れていない場合の2つが考えられる。

　前者，すなわち一時停止の要請を受け入れているにもかかわらず，その者が法的整理の申立てをなすときには，そもそも，破産手続開始の原因となる事実が発生するおそれ，すなわち支払不能や債務超過の事実が発生するおそれ（民再21 I・Ⅱ，会更17 I ①・Ⅱ）が認められるかどうかが問題となるが，これを肯定するとしても，一方で私的整理に参加しながら，他方で法的整理の申立てをすることは，両者が両立しえない関係にあることを考えると，矛盾挙動の禁止という意味での信義則に反し，手続開始の条件としての誠実性（民再25④，会更41 I ④）に欠ける場合があると思われる[95]。

94）　条解破産法〈第3版〉1849頁。関連する裁判例として，大阪地判昭和43・3・19判時517号88頁がある。

95）　大阪高決平成23・12・27金法1942号97頁では，事業再生債権を有する者の更生手続開始申立てにもとづいて保全管理命令を発すべきかどうかの判断に際して，「事業再生ADRは，会社更生法41条1項2号の手続には該当しないし，現時点において，多くの取引先金融機関の同意が得られるような再生計画が示されているような状況にはなく，事業再生ADRによって再建が可能かどうかは不明であるといわざるを得ないこと，抗告人は，すでに一度私的整理をしたが奏功しておらず，法的整理ではない事業再生ADR等では，取引先金融機関の理解を得ることが容易ではない可能性も否定できないこと，取引先金融機関において，法的手続を希望していないとまでは認め難いこと等に照らせば，現時点において，事業再生ADRにより，早期かつ弁済率の高い再生計画案の策定と確実な再建ができ，債権者一般の利益に適合することになるとの評価をするには足りず，更生手続開始の阻害事由となるものとはいえない」と判示する。
　当該事案に関する判断としてはともかく，一般論としては，私的整理の進行状況との関係で，更生手続申立ての誠実性について慎重な考慮が要求されよう。伊藤・会更法・特清

もっとも，実際には，いったんは一時停止の要請を受け入れた金融債権者が，その進行に不満を持ち，その受入を撤回して，法的整理の申立てをなすことが通例と思われる。私的整理が参加債権者の全員一致を前提とする限り，このような債権者が現れれば，債務者からの要請に応えて債権者全員の合意が成立する見込みがないことが明らかになり，また，当該手続開始申立てについてその不誠実性を問題とする余地もないと思われるから，法的整理手続を開始すべきであるといえよう。ただし，支払停止の時期については，いったん一時停止の要請が受け入れられている以上，その撤回が明らかにされた時点以降，評価障害事実が消滅したものとして，維持されている一時停止の要請が支払停止行為に該当すると評価されることとなる。

　後者の場合，すなわち何らかの理由によって一時停止の要請を受け入れていない債権者が法的整理の申立てをなすときには，特段の事情が認められない限り，これを制限すべき理由がない。しかし，私的整理が順調に推移する見込みが認められ，しかも，否認対象行為の存在など，法的整理によらざるをえない事情が存在せず，加えて，時間と費用とを勘案して，私的整理による方が法的整理に入るよりも債権者に多くの満足を与えられると判断されるときには，裁判所が，民事再生法25条2号や会社更生法41条1項2号の趣旨に照らして，申立ての利益を欠くものとする余地を認めるべきであろう。

　以上は，債権者による法的整理開始申立てを想定したものであるが，債務者による申立てについても検討しなければならない。一方で一時停止の要請を維持して，他方で法的整理の開始申立てをすることは，申立ての誠実性を欠くともいえるが，もはや債務者が私的整理を遂行する意思を失ったとみられるときには，法的整理の開始を認めざるをえないであろう。

2　消費者の経済生活再生のための私的整理

　消費者についても，その経済生活が破綻に瀕したときに，簡易かつ迅速にその再生を図り，破産などの法的整理を避けるために，債権者，特に消費者金融業者との和解，すなわち合意成立を目的として，債務者から債務整理を受任した弁護士による私的整理が試みられることが多い。この場合には，事業再生のための私的整理における一時停止の要請に対応する弁護士の債務整理受任通知

法52頁参照。

が支払停止に該当するかが問題となるが，一時停止の要請がそれ自体は支払停止に該当するとの本書の立場（55頁）を前提とすれば，その評価を阻害する事実が考えられるかどうかが検討されるべきである。

　事業者の場合には，事業再生計画案の概要等の一定の内容が示され，それを前提として，金融債権者団が一時停止の要請を受け入れる意向が示されることが評価障害事実となるが，消費者の場合にも，収入回復の見込みの根拠となる事実が示され，債権者がそれを前提として債務免除等の和解に応じる意向を示せば，それが支払停止に関する評価障害事実となろう。しかし，そのような評価障害事実が提示されないかぎり，債権者に対して取立行為の自制を求める弁護士の債務整理受任通知は，支払停止とされ[96]，それ以降の弁済は，偏頗行為否認の対象となりうる。債権者としては，債務整理の通知を受けた以上，原則として，個別的取立行為を自制すべきであって[97]，かりに債務者から弁済を受けても，後に破産手続などが開始されれば，それが否認される可能性がある。

　また，事業再生における制度化された私的整理と同様に，消費者についても，何らかの意味で法令上の根拠を有する私的整理の機関が以前から存在し，近時もその活動領域が拡大する傾向にある[98]。

---

[96] 最判平成24・10・19判時2169号9頁〔倒産百選28②事件〕が「A（債務者——筆者注）が単なる給与所得者であり広く事業を営む者ではないという本件の事情を考慮すると，上記各記載のある本件通知には，Aが自己破産を予定している旨が明示されていなくても，Aが支払能力を欠くために一般的かつ継続的に債務の支払をすることができないことが，少なくとも黙示的に外部に表示されているとみるのが相当である」旨を判示し，同判決に付された須藤正彦裁判官の補足意見においても，支払停止の認定に関する個人と一定規模以上の事業者との区別が説かれている。

[97] 旧貸金業の規制等に関する法律21条1項を前提として，昭和58・9・30蔵銀第2602号銀行局長通達「貸金業者の業務運営に関する基本事項について」は，弁護士が債務の整理を受任した後の取立行為を規制し，整理への協力義務を定める。割賦販売法に関する，昭和59・11・26五九産局834号8も同旨のものである。債権者がこの義務に違反したことによる不法行為責任を認めたものとして，東京高判平成9・6・10高民50巻2号231頁がある。
　また，東京地判平成13・6・11判タ1087号212頁，東京高判平成14・3・26判時1780号98頁は，「弁護士の手で公共の立場に立って行われる債務の整理に協力せず，取引経過の開示を拒むのは，」社会的相当性を欠いた違法な行為であるとして，私的整理に協力しなかった金融業者の損害賠償責任を認め，現貸金法21条1項は，取立行為についてさらに詳細な制限を設けている。なお，債務整理の通知後の債務者代理人たる弁護士の責任について，最判平成25・4・16民集67巻4号1049頁参照。

[98] 伊藤眞「クレジット・カウンセリングの意義と限界（1）～（4）」月刊クレジット348号10頁，349号14頁，351号28頁，353号10頁（1986年）参照。この理念にもとづく

第4節　倒産処理法の法源

　破産手続を規律する法を破産法と呼び，それを定める法規を破産法の法源と呼ぶ。現在における破産法の主たる法源は，破産法（平成16年法律75号）および破産規則（平成16年最高裁判所規則14号）であるが，現行法の成立に至るまでの破産法の法源の歴史については，以下の通りである。

第1項　破産法等の沿革

　近代以前の社会においても，何らかの形での信用取引が行われる限り，債務者が支払不能の状態に陥ることはありえたし，その場合には，競合する債権者の権利を公平に取り扱う手続が必要とされた。この意味での手続を広義の破産手続と呼ぶのであれば，すでにローマ時代から破産手続の萌芽がみられ，それを継受したヨーロッパ各国の法制度において，破産手続が発展した。その発展

機関として，1987年に発足した日本クレジットカウンセリング協会がある。その活動状況について，小島＝伊藤編・前掲書（注15）149頁〔坂本佶三〕参照。
　また，近時の個人版私的整理ガイドラインについては，小林信明「個人債務者の私的整理に関するガイドラインの概要」金法1930号29頁（2011年），吉田桂公「個人債務者の私的整理に関するガイドラインの概要と実務上の留意点」銀行実務628号20頁（2011年），山本眞樹「個人版私的整理ガイドライン運営委員会の業務実施状況——運用開始後1年余りを経過して」金融787号20頁（2012年），石毛和夫「『個人債務者の私的整理に関するガイドライン』の現在」銀行法務21 746号4頁（2012年）など参照。
　債務者が消費者や個人事業者であるという特質はあるものの，債務者から債権者に対する債務整理についての協議申出から始まり，一時停止の要請通知を経て，弁済計画案の作成と提示，全債権者の同意にもとづく弁済計画の成立と履行という，手続の基本構造は，事業再生のための私的整理との間に大きな違いはなく，その手続の中において，個人版私的整理ガイドライン運営委員会という第三者機関が弁済計画案の合理性を検証し，債権者との間の調整活動を行う点でも，事業再生のための私的整理との共通性がみられる。
　さらに，関連する近時の動きとして「経営者保証に関するガイドライン」がある。小林信明『『経営者保証に関するガイドライン』の概要」金法1986号44頁（2014年），同「経営者保証ガイドラインの活用状況と今後の課題」多比羅喜寿537頁，ニューホライズン42頁，法人破産申立て実践マニュアル293頁〔西村雄大ほか〕参照。なお，保証債務の履行基準としての経済合理性を判断する際に，破産手続による配当よりも多くの回収をえられる見込みがいわれるが，破産配当が見込まれないような事案では，この基準についても柔軟に適用すべきであろう。また，経営者保証を徴求する金融機関側の必要性と経営者の個人責任の顕在化防止の双方に配慮した方策として，計算書類の正確性を前提とした停止条件付連帯保証契約が提案されている。中井康之「中小企業の早期事業再生のために必要なこと」多比羅喜寿99頁参照。

の中で，債権者の権利をいかに公平に扱うかという視点とともに，支払不能に陥り債権者からの追及を受けている債務者をいかに立ち直らせるかという問題意識が次第に強くなってきたことが注目される[99]。これは，経済の発展にともなって信用取引が増加するとともに，不幸にして破綻に陥る債務者の数も増大し，破産の事態が決して例外的な現象ではなく，また，債務者の個人的怠慢や責任感の欠如にのみ帰せしめられるものではないとする認識が社会の中に形成されたことによるものと思われる。

1 明治初期までの破産制度

わが国において近代的な法典が整備されたのは，明治期になってからであるが，それ以前の時期においても，広義の破産手続は存在した。もっとも，それが制定法の形をとったのは，徳川中期における御定書百箇条が最初であるといわれている。同法によれば，支払不能に陥った債務者に関する手続として2種類のものが用意されていた。第1は，債権者の申立てにもとづく身代限の手続であり，第2は，債務者の申立てにもとづく分散の手続である。身代限では，個別の債権者が，その債権の支払を求めて裁判所に出訴し，裁判所は，一定の期限を定めてその弁済を命じ，弁済がなければ債務者に対して身代限を宣告する。

身代限の手続においては，債務者の財産が売却され，債権債務の清算がなされる。この手続の性質に関しては，今日の個別執行に近似するという見解が一般的であるが，債権者申立ての破産手続としての性格も併せもっていたとみられる[100]。これに対して分散の手続は，債務者の申立てによって開始され，基本的には債務者と総債権者との間の合意にもとづいて手続が進められる。裁判所はこれに関与しないが，町村役人が債権者の招集や財産の売却および分配に

---

99) ヨーロッパ諸国における破産手続の発展に関しては，加藤・研究1巻7頁，谷口13頁など参照。また，理念の変遷に関しては，英米法を中心としたものであるが，宮川・総論6頁以下参照。

100) 個別執行とするのは，細川亀市「明治前期の破産法 (1)」法学志林38巻9号60，64頁 (1936年)，石井良助・近世民事訴訟法史196頁 (1984年)。これに反対するのは，小早川欣吾「近世に於ける身代限り及分散について」法学論叢43巻5号262頁 (1940年)。後者によると，身代限が申し付けられる理由としては，債務者の支払不能が要求されたというが，そうであれば，身代限は，破産手続としての性格が強くなる。ただし，総債権者の満足実現を目的としていない点を捉えれば，個別執行に近い（破産管財の実務3頁〔瀬戸英雄〕）。

関与する。こうした特徴からみると，分散は今日の私的整理と自己破産の双方の性格をもっていたと考えられる。なお注目すべきことは，分散の効果として，債務者の免責が認められていた点である[101]。

もっとも，これらの2つの手続は，あくまで理念型であって，実際の手続は慣習法にもとづいて行われることが多く，その際には，身代限と分散の区別はあいまいになり，時には「身代分散」として両者が融合していたと説かれる。このことは，明治初期に行われた慣習法の調査においても，負債がかさんだ場合の手続として身代分散が説明されていることからも窺われる[102]。いずれにしても，明治初期には，従来の徳川幕府法および慣習法にもとづいて，広義の破産手続が行われていたことが理解される。

そして，明治政府も，当初は従来の法制度を継承し，ただ，フランスなどの外国法を参照して，これに多少の変更を加える立法を行った。それが，明治5年（1872年）に制定された華士族平民身代限規則を中心とする立法である。ここでは，差押禁止物の規定などに外国法の影響がみられる[103]。しかし，これらの立法は，破産手続に関連する個別事項に関する規律であって，統一的な破産法典と呼べるものではなかった。

2 旧商法破産編および家資分散法

他の法典とならんで，統一的破産法典を制定する必要を感じた明治政府は，商法典の一部としてドイツ人ヘルマン・ロエスレルにその立案を委嘱した。その時点で参照できる外国法典としては，イギリス法，アメリカ法，ドイツ法な

---

101) 分散の手続および効果に関しては，小早川欣吾「近世に於ける身代限り及分散続考（3・完）」法学論叢44巻4号619頁以下（1941年），金田平一郎「徳川時代の大坂分散法註解」国家学会雑誌48巻9号1231頁以下（1934年）参照。後者によると，分散手続に参加しうる債権者の範囲，債権額算定の基準，あるいは財団の範囲などに関して，詳細な規定が設けられていたことがわかり，興味深い。また，分散の比較法的位置付けに関しては，園尾隆司「破産者への制裁の歴史と倒産法制の将来」民訴雑誌61号65頁（2015年）参照。
102) 明治10年（1877年）に司法省から公刊された全国民事慣例類集による。なお，この資料は，吉野作造編・明治文化全集8巻〔法律篇〕327頁以下（1924年）によっている。地方慣習法については，山内八郎「倒産処理手続としての『仕法』の慣例について」判タ641号50頁（1987年）が参考になる。また，園尾・前掲書（注50）28頁以下は，江戸時代から明治初期における身代限および分散の手続構造を子細に分析している。
103) 櫻井孝一「破産制度の近代化と外国法の影響」比較法学2巻2号91，101頁（1966年），細川・前掲論文（注100）65頁など参照。同規則の内容については，園尾・前掲書（注50）192頁以下に詳しい。

どがあったが，特に1877年に制定されたドイツ破産法典を模範とせず，フランス商法典を参照したのは，商法典全体についてフランス法を模範としたという理由のほかに，破産法固有の理由として次のような点が挙げられている。すなわち，英米独などの立法は，破産者に対する裁判所の監督が弱く，また，破産者に対する懲戒も十分にはなされない。

こうした立法の下では，破産は通常の清算と変わりがないことになり，詐害的な倒産の続発を招くことになる。そこで，やや古い立法になるが，懲戒主義および膨張主義をとり，かつ，裁判所が破産手続の進行について直接の責任を負うフランス法を採用したというのである[104]。また，商人についてのみ破産能力を認めるいわゆる商人破産主義もフランス法にならったものであるが，その根拠は，破産原因などについて商人と非商人との間に差異があることに求められている。しかし，その結果として，非商人に関しては別の破産手続，すなわち家資分散法（明治23年法律69号）が定められることとなった。

このようにして明治23年（1890年），旧商法破産編および家資分散法が公布されたが，同破産編の特徴は以下のように要約できる。第1は，破産能力に関する商人破産主義である。第2は，破産原因について，これもフランス法にならって支払停止を定めたことである。第3は，破産財団の範囲に関して膨張主義を採用したことである。第4は，手続の進行に関して，管理換価について直接の責任を負うのは破産管財人であるが，それを指揮監督するものとして破産主任官が選任されることである。主任官は，裁判官の中から選ばれる。第5は，破産手続終了後の免責を認めないことである。第6は，破産者についての資格制限を設ける懲戒主義を採用したことである[105]。

3 旧破産法の制定過程

旧商法破産編の制定によって，商人に関する限りは，わが国が統一的な法典

---

[104] ロエスレル・商法草案4巻3篇3頁以下（1884年）参照。園尾・前掲書（注50）248頁は，フランス法を主として，決定の形式による破産宣告などにドイツ法の影響が見られると指摘する。

[105] 商人破産主義および破産原因については，旧商法破産編978条1項が，膨張主義については，同985条1項が，破産主任官については，同980条1項2号・983条・1013条が，非免責主義については，同1049条が，懲戒主義については，同1054条が，それぞれ規定する。商人破産主義が採用された理由などについては，加藤哲夫・諸相262頁が詳しい。なお，身代限規則，家資分散法，および旧商法破産編は，旧破産法附則386条から388条までにその痕跡を残していた。

をもつことができたが，その内容たる上記の諸原則に対しては批判が多く，また法典の中に財団債権，否認権，および取戻権などについての明確な規定を欠いていたことも批判の対象となった。そこで，旧法の制定後長年月を経ることなく，法典調査会は破産法の改正作業に着手し，明治35年（1902年）に旧破産法草案が公表された。その特徴は以下のような点であるが[106]，ドイツ破産法から多くの影響を受けたものと推測される。

　第1は，非商人でも信用取引をする可能性があることから，商人破産主義を止め，一般破産主義へ転換したことである。第2は，法典の体裁として破産手続の進行に関する手続規定と，関係人の権利の処遇に関する実体規定とを区分したことである。第3に，別除権，破産債権，財団債権，否認権などに関する規定を整備したことである。第4に，破産原因について，支払停止に代えて支払不能の概念を採用したことである。第5に，破産主任官の制度を廃止し，これに代えて監査委員の制度を設け，破産管財人に対する監督を債権者の利益代表たる監査委員に行わせることとした点である。第6に，懲戒主義を緩和したことである。第7に，旧商法の協議契約に代えて強制和議の制度を採用したことである。第8に，膨張主義を維持したことである。次に述べるように，これらの特徴は，膨張主義を除けば，ほとんど旧破産法に引き継がれているので，法典調査会草案は旧破産法の基礎となったものと評価できる。

　この法典調査会草案について，多方面からの意見が寄せられ，それらを基礎として司法省法律取調委員会が改めて改正案の起草を行い，大正10年（1921年）に破産法草案が完成し，同11年（1922年）法律第71号として公布，同12年（1923年）に施行されたのが，旧破産法である。旧破産法は，法典調査会草案の基本原則の多くを引き継ぎ，ただ，以下の点に関してのみ原則の修正を行っている[107]。すなわち，破産財団の範囲について膨張主義を捨て，固定主義を採用したことと，財団が少額の場合について小破産の手続を設けたことなどである。前者については，破産者の再生目的が強調され，後者については，財団の規模に応じた簡易・迅速な手続処理が強調されている。

---

106)　梅2頁以下，および加藤正治・破産法講義（1914年）による。
107)　加藤・研究5巻399頁以下参照。もちろん，個別的な規定の修正，加除は数多く存在する。また，この立案過程で中心的な役割を果たしたのが加藤正治博士であり，したがって，同博士の見解は立法者の意思に近いとみてよい（竹下守夫「加藤正治先生と『破産法』の改正」加藤正隆編・法学博士加藤正治の記録150頁以下（1998年）参照）。

4 その後の立法の発展

旧破産法制定後の発展としては，第1に，旧破産法以外の倒産処理法の制定と，第2に，旧破産法自体の改正とが挙げられる。まず，第1に属するものとしては，旧破産法と同年に施行された旧和議法（大正11年法律72号）が挙げられる。同法の立案に際しては，当時として最新の立法であったオーストリア和議法が参照された[108]。次に，昭和13年（1938年）の商法改正にともなって，株式会社に関する倒産処理手続として会社整理および特別清算の制度が新設されたことが注目される。このうち会社整理は，イギリス法などからの示唆を受けつつ，私的整理に裁判所の監督を導入する方法で株式会社の再生を図ろうとしたものである。また，特別清算は，清算目的の制度であるが，同じくイギリス法などの考え方を参考にしている[109]。

さらに戦後になると，アメリカ法からの影響を強く受けた旧会社更生法が昭和27年（1952年）法律第172号として制定された[110]。これは，旧会社整理と同じく，株式会社の事業再生を目的とする制度であるが，担保権者を含む利害関係人の権利に対する制約が徹底したものとなり，かつ，それを実現するために詳細な手続が定められたという点で，倒産処理制度の歴史に新しい時代を開くものであった。

第2に，旧破産法自体の改正としては，旧会社更生法の制定と同じく昭和27年（1952年）に導入された破産免責制度が挙げられる。この制度の導入によって個人の破産は，破産者の経済生活再生のための制度という性格を与えられた。

その他，旧破産法時代に制定され，現在でも存続する破産法の法源としては，「金融機関等の更生手続の特例等に関する法律」（平成8年法律95号）第6章などが重要である。また，破産法人の財産に関する不当利得の証明責任の特則や，詐害行為否認における詐害意思の証明責任に関する特則などを定める「特定破

---

108) 加藤・研究5巻487頁以下。オーストリア和議法自体に関する研究としては，加藤・研究3巻135頁以下がある。立法の経緯をみると，破産法の場合と同様に，加藤博士の見解を立法者の意思に近いとみることができる。また，この前後における経済情勢と立法との対応については，加藤哲夫・諸相241頁が詳しい。

109) 会社整理および特別清算の立法趣旨については，新版注釈会社法（12）114頁〔青山善充〕，同（13）379頁〔青山善充〕参照。

110) 立案関係資料は，位野木益雄編著・会社更生法〔昭和27年〕（1）（2）（日本立法資料全集47，48巻）（1994・95年）にまとめられている。

産法人の破産財団に属すべき財産の回復に関する特別措置法」(平成11年法律148号。平成29年法律45号による改正)もある。

第2項　倒産処理法制改革と現行破産法制定

旧破産法の制定後70年以上の年月がたち，この間に，免責制度の導入という大改正があり，また，会社更生など他の倒産処理手続が新設されたという変化はあったが，わが国の経済構造などの変化に対応して，倒産法制全体を見直し，その一環として破産法についても，その内容および形式両面にわたる全面改正を求める声が高まった。諸外国においても，経済構造の変化を踏まえて相次いで破産法の全面改正が実現されている[111]。わが国においても，平成8年

111) アメリカにおいては，1978年に清算・再生手続を含む破産法典の全面改正が行われ，その後も何度かの部分改正が行われた後(髙木11頁以下)，大幅な改正がなされた(松下淳一『全国破産法調査委員会報告書』の概要と『議会への勧告』の全訳(上)(下)」ジュリ1137号80頁，1138号93頁(1998年)。なお，邦文による最新の解説として，福岡真之介・アメリカ連邦倒産法概説〈第2版〉(2017年)がある)。また，破産裁判所の連邦憲法上の位置づけについては，浅香吉幹「アメリカ破産法の憲法問題」伊藤古稀721頁，藤本利一「アメリカの倒産手続と裁判所」プレーヤー324頁参照。
イギリスにおいても，1986年に新破産法が制定され(後藤雅一ほか「新しい英国倒産法の概要(1)〜(3)」NBL 431号12頁，432号30頁，433号26頁(1989年))，その後改正作業が始まっている(中島弘雅「イギリスの再建型企業倒産手続(1)〜(3・完)」民商118巻4・5号123頁，118巻6号1頁，119巻1号1頁(1998年)，中島弘雅「イギリスの事業再生手法としての『会社整理計画』」伊藤古稀947頁，林治龍「イギリスサッカークラブの倒産」伊藤古稀1236頁，カナダについては，神吉康二「カナダ倒産法制の概要」NBL 1004号44頁(2013年)，オーストラリアについては，金春「オーストラリアにおける個人倒産手続の枠組みと近時の改正の動向について」徳田古稀829頁)。
フランスにおいても，1986年に新倒産法が制定され(佐藤鉄男＝町村泰貴「一九八五年のフランス倒産法に関する法文の翻訳(1)〜(4)」北大法学論集38巻3号578頁，38巻4号1024頁，39巻1号248頁，39巻3号820頁(1988年))，その後大改正が行われている(西澤宗英「1994年フランス倒産法改正について」青山法学論集36巻2・3号189頁(1995年)，マリー＝エレーヌ・ルノー(小梁吉章訳)「フランス倒産法の歴史──債務者の清算と制裁から債務者を犠牲にした再生へ」広島法学27巻3号166頁(2004年))。
ドイツにおいても，長年の立案作業を経て，1994年に新倒産法典が公布され，1999年より施行された(木川裕一郎・ドイツ倒産法研究序説1頁以下(1999年)，三上威彦「ドイツ倒産法における消費者倒産規定の改正の近時の動向──改正政府草案を参考にして」法学研究83巻1号247頁(2010年))。また，近時は，企業の再生，個人の免責，結合企業の倒産処理などに関する改正が実現している。松村和徳ほか「ドイツ倒産法制の改正動向(1)〜(3)」比較法学108号267頁(2015年)，109号228頁，110号167頁(2016年)，水元宏典「ESUGによるドイツ倒産法の改正とドイツ法からみた私的整理の多数決化」徳田古稀851頁。
アジアにおいても各国で破産法改革が進められている。金祥洙「韓国の改正破産法・和

10月から法務省法制審議会倒産法部会において倒産法制の見直し作業が開始され，平成9年12月に中間的な検討結果のとりまとめとして，「倒産法制に関する改正検討事項」が公表され，これについての意見照会の結果を踏まえて，倒産法部会において立案作業が進められた。

1 民事再生法および民事再生規則の成立

まず，経済情勢などから，和議に代わる再生型の一般手続としての「新再建型手続」の立案作業が先行し，これにもとづいて平成11年8月26日に「民事再生手続（仮称）に関する要綱」が法制審議会総会において決定され，その後「民事再生法案」が第146（臨時）国会に提出され，平成11年法律第225号として民事再生法が成立し，民事再生規則（平成12年最高裁判所規則3号）とともに，平成12年4月1日から施行された。これに伴って，旧和議法は廃止された（民再附2参照）。

2 小規模個人再生等の新設

引き続いて，平成12年11月21日には，3000万円を超えない負債額で，継続的または反復的に収入をうる見込みがある個人債務者について手続を簡素化した小規模個人再生（民再221以下），その種の個人債務者のうち給与所得者等についてさらに手続を簡素化した給与所得者等再生（民再239以下），個人債務者に対する住宅資金貸付債権に関する特則（民再196以下）を主たる内容とする，民事再生法等の一部を改正する法律（平成12年法律128号），および国際倒産の対内的効力に関する外国倒産処理手続の承認援助に関する法律（同年法律129号）が成立・公布され，これにともなって国際破産管轄や国際倒産の対外的効力および対内的効力などに関する破産法などの関連規定の改正がなされた。また，これらの手続の細目等に関する最高裁判所規則（民事再生規則の一部を改正する規則（平成12年最高裁判所規則16号），外国倒産処理手続の承認援助に関する規則（同年最高裁判所規則17号），外国倒産処理手続がある場合の破産手続

議法」国際商事法務28巻4号427頁（2000年），ヒクマハント・ジュワナ（小塚荘一郎訳）「インドネシアの倒産法改革」民商131巻1号1頁（2005年），川中啓由「迅速な事業再生の手法に関する一考察――ソウル中央地方法院破産部の新しい試みを素材として」比較法学47巻3号89頁（2014年），藤本利一「事業再生に対する裁判所の機能強化と専門性の獲得」阪大法学67巻1号176頁（2017年），佐藤鉄男「在外研究の記憶を刻む――台湾倒産法制の現況」中央ロー・ジャーナル17巻1号79頁（2020年）など参照。そのほか，破産管財人などの倒産手続の担い手の視点から各国の制度および運用を概観するものとして，佐藤鉄男「プレーヤーをめぐる各国の特徴」プレーヤー306頁以下がある。

及び更生手続に関する臨時措置規則（同年最高裁判所規則18号））も同年12月27日に公布され，これらの法律および規則は，平成13年4月1日から施行されている。

なお，主として商店主や農家などの個人事業主を適用対象として想定する小規模個人再生手続の特徴は，第1に，債権調査確定手続の簡素化，すなわち争いある債権の存否および額を個人再生委員による調査にもとづく裁判所の評価によって，手続内でのみ確定すること（民再226・227），第2に，再生計画可決要件の緩和，すなわち再生計画に同意しない意思を通知した債権者が半分に満たない限り，再生計画への多数の賛成があったものとみなすこと（民再230Ⅵ），第3に，機関の簡素化，すなわち監督委員や調査委員に代えて個人再生委員が選任されること（民再223Ⅰ），第4に，再生債権者の利益保護のための最低弁済額の法定，すなわち無担保の再生債権総額の5分の1または100万円のいずれか多い額以上でなければならないことなどである（民再231Ⅱ④）。

また，主として給与所得者を適用対象として想定する給与所得者等再生手続の特徴は，小規模個人再生手続を前提として，第1に，手続のいっそうの簡素化，すなわち再生計画成立の前提となる再生債権者の決議を不要とすること（民再240参照），第2に，再生債権者の利益保護のための可処分所得基準，すなわち可処分所得の2年分以上の額を弁済原資に充てなければならないこと（民再241Ⅱ⑦）などが挙げられる。なお，可処分所得の具体的算定基準に関する事項は政令で定められる（民再241Ⅲ）[112]。

住宅資金貸付債権に関する特則の内容は，第1に，住宅資金貸付債権（民再196③）について弁済の繰延べを内容とする再生計画案が定められること（民再198・199），第2に，再生計画認可の効力が住宅上の抵当権等に及ぶこと（民再203Ⅰ），第3に，すでに保証会社が保証債務を履行していたときであっても，再生計画認可の効力によって保証債務の履行がなかったものとみなされること（民再204Ⅰ本文）などである。なお，これらを内容とする特則は，小規模個人再生および給与所得者等再生だけでなく，民事再生手続一般にも適用される。

3 新会社更生法および会社更生規則の成立

引き続いて，新会社更生法および会社更生規則の制定および施行がなされた。

---

[112] 政令については，髙山崇彦「『民事再生法第241条第3項の額を定める政令』の概説」金法1606号39頁（2001年）参照。

法制審議会倒産法部会では，平成13年3月から会社更生法の見直しに関する審議を開始し，平成14年2月に「会社更生法改正要綱試案」，同年7月に「会社更生法改正要綱案」を決定し，さらに「会社更生法改正要綱」が同年9月に法制審議会総会において決定され，これにもとづいて会社更生法案が平成14年12月に国会を通過し，平成14年法律第154号として公布され，平成15年4月1日から，新たに平成15年最高裁判所規則第2号として公布された会社更生規則とともに施行されている。新会社更生法の特徴は，第1に更生手続の迅速化，第2に更生手続の合理化，そして第3に再建手法の強化とされている[113]。

4 新破産法および破産規則の成立および概要

さらに，新破産法および破産規則の制定および施行がなされた。法制審議会倒産法部会では，平成14年10月に「破産法等の見直しに関する中間試案」を公表し，これに対して寄せられた各界の意見を踏まえて，平成15年7月に「破産法等の見直しに関する要綱案」を決定し，これにもとづいて同年9月に法制審議会（総会）において，「破産法等の見直しに関する要綱」が決定され，法務大臣に答申がなされた。その後，同要綱にもとづく立案作業が進められ，法案が平成16年第159回国会（通常国会）に提出され，参議院および衆議院において全会一致で可決された結果，同年6月2日に平成16年法律第75号として公布された。新破産法は，法案の立案作業と並行して立案作業が進められ，平成16年最高裁判所規則第14号として公布された破産規則とともに，平成17年1月1日から施行されている[114]。

現行破産法は，旧破産法の形式および実質を全面的に見直したものであり，また，破産規則は，現行破産法の制定にともなって，手続の細目的事項に関する規律を内容として，新たに最高裁判所規則として制定されたものである。以下，その構成と概要を説明する。

(1) 破産法の構成および概要

まず，構成面から見ると，旧破産法は，実体規定（第1編），手続規定（第2編），免責および復権（第3編），罰則（第4編）の4編から構成されていた。免責および復権と罰則は別として，第1編と第2編とを分けることは，規律の性

---

113) 深山・前掲論文（注71）14頁。
114) 立案作業の経緯等については，一問一答3頁以下，基本構造5頁以下参照。

質について，関係人の権利の取扱いにかかる規定群を実体規定とし，破産手続の進行にかかる規定群を手続規定とする考え方にもとづいている。これは，旧破産法の立案に際して参照された旧ドイツ破産法にならうものであり，理論的な区分としては優れているといえるが，手続の進行と実体規定とが切り離されているために，全体としての明晰さに欠けるという問題が指摘されていた[115]。

ア　破産法の構成

これと比較して，会社更生法は，旧会社更生法以来，手続の進行にあわせて手続規定と実体規定とを組み合わせる方式をとっており，民事再生法もこれにならっている。現行破産法の立法者も，このような考え方に沿って，旧破産法の構成を改めている[116]。

現行法の章別構成は，第1章総則から第14章罰則まで14章構成をとり，そのうち，第2章から第9章までが破産手続の通則，第10章から第11章までが，相続財産の破産等に関する特則（第10章），信託財産の破産に関する特則（第10章の2），外国倒産処理手続がある場合の特則（第11章）という特則群，さらに第12章が免責手続及び復権，第13章が雑則，そして第14章が罰則という，破産手続に付随する規律を内容とする3章を置いている。

このうち，破産手続に関する通則である第2章から第9章までは，破産手続の進行にしたがって手続的規律と実体的規律を配列する形式をとっている。たとえば，第2章では，破産手続開始の申立て（第1節），破産手続開始の決定（第2節）に関する手続的規律を受けて，破産手続開始の効果（第3節）として，通則（第1款），破産手続開始の効果（第2款），取戻権（第3款），別除権（第4款），相殺権（第5款）という，主として手続開始にともなう実体的規律が置かれている。同様に，第6章破産財団の管理においても，破産者の財産状況の調査（第1節）に引き続いて，破産財団の増殖のための実体的規律を主たる内容とする，否認権（第2節）および法人の役員の責任の追及等（第3節）が設けられている。

---

115) 小川秀樹「新破産法の特徴」新破産法の理論と実務7頁参照。
116) 旧破産法では，編別構成を基本としているが，現行破産法は，章別構成を採用している。これは，編別構成が民法や民事訴訟法のような基本的大法典に限られるとの考え方によるものと思われる。大コンメンタール11頁〔小川秀樹〕参照。

イ 破産手続の概要

次に，破産手続の概要についてみる。破産手続は，債務者等または債権者によって破産手続開始の申立てがなされ，それを受けて，裁判所が，破産手続開始原因事実の存否などの審理を行った後に，破産手続開始決定によって開始されるのが原則である。ただし，いわゆる牽連破産の場合のように，裁判所の職権によって手続を開始することもありうる。

破産者の財産管理処分権や債権者の権利行使に対する制限は，破産手続開始にともなって生じるのが本則であるが，法は，広い意味での保全措置として，破産手続開始の申立てを受けて，裁判所が各種の保全処分や中止命令を発する可能性を認めている（第2章第1節・第3章第2節）。

裁判所によって破産手続開始の決定がなされると，破産管財人が中心となって，開始時の破産者の財産を内容とする破産財団を，開始前の原因にもとづく財産上の請求権，すなわち破産債権の満足に充てるための手続が開始される。破産債権者や利害関係人の側からは，取戻権，別除権，相殺権などの権能を行使し（第2章第3節），また破産管財人の側からは，否認権などの権能を行使することによって（第6章第2節・第3節），破産財団がそのあるべき姿に整序されるとともに，破産管財人は，破産財団の分配の対象となる破産債権を調査・確定する（第4章）。加えて，破産管財人は，破産手続遂行のための共益的費用などを中心とする財団債権（第5章）に対する弁済を行う。

そして，破産管財人は，破産財団を金銭化，すなわち換価し（第7章），手続の最終段階たる配当を実施する（第8章）。もっとも，破産手続が常に配当によって終結するとは限らず，手続開始時に破産財団をもって破産手続の費用を支弁するのに不足と認める場合の同時破産手続廃止（破216），手続開始後に同様の事態が明らかになった場合の異時破産手続廃止（破217），また破産債権者の同意による破産手続廃止（破218）という終了原因も存在する。

その他，破産手続そのものとは区別されるが（破2Ⅰかっこ書参照），破産手続に付随する手続として，免責手続がある。これは，破産手続が終了しても，なお破産者が破産債権残額について弁済の責任を負うのでは，「債務者について経済生活の再生の機会」（破1）が確保されないとの考え方にもとづいて，個人である破産者を破産債権の責任から解放することを目的とするものである（破253Ⅰ柱書本文参照）。

(2) 破産規則の構成および特色

　破産規則は，破産手続の細目的事項を定めるものであるために，その章別は，ほぼ破産法のそれに対応している。すなわち，手続全体にかかわる規定を第1章総則にまとめ，以下，破産手続の開始（第2章）から始まり，破産手続の終了（第9章）まで，手続の進行に沿って，細目的事項が定められている。第10章外国倒産処理手続がある場合の特則，第11章免責手続及び復権，第12章雑則についても同様である。

　破産規則の概要としては，①手続の円滑な進行の実現に資するための規定，②柔軟な運用の実現のための規定，③利害関係人に対する情報開示の充実を図るための規定，④利害関係人等の手続関与を促進し，もって，破産手続を適正迅速に進めるための規定からなっている[117]。①には，申立て等の方式（破規1），破産管財人による通知事務等の取扱い（破規7），進行協議（破規26Ⅰ）などが含まれ，②には，申立書の記載事項や添付書類（破規13・14・15），その他の情報の提供や書類等の提出（破規31・32Ⅴ），③には，財産状況の関係者への報告（破規54Ⅰ Ⅲ），任意売却等に関する担保権者への通知（破規56）などが含まれ，④には，破産管財人による手続開始申立人に対する情報提供その他の協力の求め（破規26Ⅱ），財団債権を有する旨の申出（破規50），異時破産手続廃止や免責についての債権者の意見陳述に関する理由申述義務（破規71Ⅱ・76Ⅱ）などが含まれる。

　なお，新破産法の制定は，否認や相殺禁止をはじめとするいわゆる倒産実体法などに関する新たな規律を含むものであり，その内容は，民事再生法や新会社更生法の対応規定にも影響を与えることになった。「破産法の施行に伴う関係法律の整備等に関する法律」（平成16年法律76号）は，これに応じて，民事再生法や会社更生法に所要の改正を加えたものである。民事再生規則等についても所要の改正がなされている。また，旧破産法上の強制和議（旧破290以下）は，再生型手続の整備にともなってその意義を失ったものとして廃止された。

5　会社法の成立と特別清算の改正

　倒産法改正作業の締めくくりとなったものが，商法上の特別清算の改正である。すでに新破産法立案作業の中で，特別清算については，2つの改正の方向

---

117)　花村良一「破産規則の特徴」新破産法の理論と実務11頁による。

が議論されていた。

　第1は，特別清算を破産手続の特則として位置づけ，民事再生における同意再生と同様に，協定破産としての性格づけをしようとするものである。この場合には，清算中の株式会社という従来の特別清算能力の考え方は変更され，少なくとも法人一般について特別清算すなわち協定破産能力が認められることになる。第2は，破産手続とは切り離し，債務超過の疑いがある法人一般についての特別の清算手続として特別清算手続を拡充する考え方である。

　しかし，第1の考え方に対しては，破産手続の特則とすることがかえって特別清算の利用可能性を狭めるのではないかとの懸念が表明され，また，第2の考え方に対しては，民法上の法人，株式会社などの営利法人およびその他の法人のすべてを通じた統一的通常清算手続を前提として，はじめて法人一般についての特別清算手続が正当性を認められるところであるが，このような統一的通常清算手続を整備することが容易ではないとの問題が指摘された。このような議論の経緯から，すでに述べたように，株式会社を原則的適用対象としつつ，かつ，手続の内容を合理化する方向での立案作業が進められ，会社法（平成17年法律86号）第2編第9章第2節（実体規定），第7編第2章第4節（特別清算に関する訴え）および第3章第3節（手続規定）に関連規定が設けられた。

　なお，会社整理については，民事再生法の制定や新会社更生法の制定によって再生型手続が整備され，その存在意義が失われたとの理由から廃止された[118]。なお，会社法の制定にともなって，破産法をはじめとする倒産諸法の関連規定に若干の修正が加えられた[119]。

　倒産法改革以前には，清算型手続としての破産および特別清算，再生型手続としての和議，会社更生および会社整理をあわせて，倒産5法と通称されたが，特別清算の改正および会社整理の廃止をもって完成をみた新たな倒産処理制度では，清算型手続としての破産および特別清算，再生型手続としての民事再生および会社更生が併立する。倒産法制のあり方として，単一手続型と複数手続型とが考えられることはすでに述べたところであるが，新たな制度においても，それぞれの手続の内容こそ抜本的に改められたものの，複数手続型は維持され

---

118)　相澤哲・一問一答 新・会社法〈改訂版〉169頁（2009年）参照。
119)　村松秀樹＝世森亮次「会社法の施行に伴う破産法・民事再生法・会社更生法の改正の概要」NBL 819号28頁（2005年）参照。

た。立法者は，それを前提として，民事再生手続から会社更生手続への移行，破産手続から民事再生手続や会社更生手続への移行，民事再生手続や会社更生手続から破産手続への移行などの場合に関する規定を整備し（民再第14章，会更第11章），複数手続型に内在する問題を解決しようとしている。

また，裁判所も再生型手続の積極的な運用に取り組んでおり，わが国の倒産処理制度は，旧法時代からみるとその面目を一新したといってよい。もちろん，それぞれの手続の運用に係る法解釈問題は今後も次々と発生することが予想され，その解決を示すことが倒産法学の課題となる。また，特に再生型手続としての民事再生と会社更生との併立が維持されるべきものかどうかについては，将来その検討を行わなければならない時期が到来するものと思われる。

6　近時の改正

さらに，近時の改正として，信託法（平成18年法律108号）の制定にともなって，同法中に破産手続，再生手続および更生手続に関連する規定が置かれ（信託12・25・56・163・179など），また，破産法第10章の2として，信託財産の破産に関する特則が置かれた。破産規則にも所要の改正が加えられている[120]。これによって，懸案であった信託財産に関する倒産処理法制が整備されたといえる。

(1)　外国租税債権の取扱い

また，わが国が「租税に関する相互行政支援に関する条約」に加入したこと（平成23年11月）にともなって，「租税特別措置法等の一部を改正する法律」（平成24年法律16号）により「租税条約等の実施に伴う所得税法，法人税法及び地方税法の特例等に関する法律」（昭和44年法律46号）が改正され，破産法103条5項および253条4項との関係で，改正後の法律を租税条約等実施特例法と略称することになった（破24Ⅰ⑥参照）。この特例法によって，わが国の税務当局の共助によって執行可能となる外国の租税（共助対象外国租税という）の債権で，破産債権，再生債権，更生債権または協定債権となるべきものの破産手続，再生手続，更生手続および特別清算手続における地位を定めることとなり，破産法などに所要の改正が加えられた。

基本的な考え方は，共助対象外国租税の請求権について，破産手続等におけ

---

[120]　花村良一「信託非訟事件及び信託破産事件に関する最高裁判所規則の概要」判タ1239号4頁（2007年）参照。

る権利行使を認めるが、わが国の租税債権について認められているような一般的優先権（国徴8）を付与せず、一般破産債権、再生債権または一般更生債権として扱い、各種の手続的規律の対象としている[121]。

具体的には、破産手続についていえば、優先権を背景とした租税債権に認められる特別の地位を排除しながら（破43Ⅰかっこ書・100Ⅱ柱書かっこ書・148Ⅰ③第1かっこ書・163Ⅲかっこ書・253Ⅰ①かっこ書）、共助実施決定を前提とした破産債権としての手続参加を認め（破97③⑤・103Ⅴ・114柱書・134Ⅱ第2かっこ書）、他方、免責手続を含めて、権利行使に対する制約を加える（破24Ⅰ⑥・Ⅲ・25ⅠⅢⅤ・42ⅠⅡ・249ⅠⅡ）。また、共助対象外国租税の請求権に対する免責の効力が共助との関係に限定されるのは（破253Ⅳ）、外国租税債権の本質的効力をわが国の免責に手続によって変更することを避けるためである。

再生手続についてもほぼ同様であり、共助実施決定を前提とした再生債権としての手続参加を認め（民再86Ⅲ・87Ⅱ・97②・113ⅠⅡ）、他方、権利行使に対する制約を加える（民再26Ⅰ⑤・Ⅲ・27ⅠⅡⅣ・29Ⅰ・39ⅠⅡ・184）。ただし、共助対象外国租税の請求権については、上述の通り、わが国の租税債権とは異なって、優先権を認めないために、一般優先債権（民再122）には含まれない。

これに対して、共助対象外国租税の請求権も共益債権（民再119）または開始後債権（民再123）となりうることは前提とされており、共益債権である共助対象外国租税の請求権にもとづく国税滞納処分の例によってする処分の中止または取り消しの規定（民再121Ⅲ後段）および開始後債権である共助対象外国租税の請求権にもとづく国税滞納処分の例によってする処分の制限の規定（民再123Ⅲ後段）が置かれている。さらに、共助対象外国租税の請求権に対する再生計画による権利変更の手続について特則を定め（民再155Ⅴ）、再生債権の免責および届出再生債権者等の権利の変更の効力が共助との関係に限定されるのは（民再178Ⅱ・179Ⅲ・215Ⅳ・232Ⅷ・235Ⅸ）、外国租税債権の本質的効力をわが国の再生手続によって変更することを避けるためである。その他、破産手続か

---

[121] 外国の公法上の債権の倒産手続参加に関する従来の通念については、事業再生迅速化研究会〔第2期〕「倒産実務の国際的側面に関する諸問題（上）」NBL994号81頁（2013年）、新法については、松下淳一「外国租税債権の徴収共助と倒産法制の整備」金法1941号100頁（2012年）、村松秀樹ほか「外国租税債権の徴収共助制度の創設と執行法制・倒産法制の整備（上）（下）」NBL999号21頁、1001号46頁（2013年）参照。租税債権以外の外国国家の債権の取扱いについては、150問359頁〔大澤加奈子〕参照。

ら再生手続への移行および再生手続から破産手続への移行における債権届出の再利用（本書1251頁）についても，その届出についての特則（民再97②，破114）を反映した除外規定が設けられている（民再247Ⅰかっこ書・253Ⅰ第2かっこ書）。

(2) 平成26年会社法改正にともなう民事再生法の改正と民事再生法施行規則の制定

平成26年6月に「会社法の一部を改正する法律」（平成26年法律90号）および「会社法の一部を改正する法律の施行に伴う関係法律の整備等に関する法律」（平成26年法律91号。整備法という）が制定され，平成27年5月1日から施行された。そして，整備法によって，会社法の改正を反映した民事再生法の規定の改正がなされ，あわせて民事再生法施行規則（平成27年法務省令13号）が制定された。その概要は，以下のようなものである[122]。

第1は，再生債務者等が裁判所の許可を要する営業等の譲渡行為の内容として，再生債務者の子会社等の株式または持分の譲渡であって，一定の要件を満たすものを追加したことである（民再42Ⅰ②。本書885頁）。これは，一定の要件を満たす子会社の株式等の譲渡が事業譲渡と実質を同じくするとみられるために，株式会社の特別決議事項とされたこと（会社467Ⅰ②の2・309Ⅱ⑪）を反映したものである。施行規則は，一定の要件のうち，譲渡の対象となる株式または持分の帳簿価額が再生債務者の総資産額の5分の1を超えるときに関し，総資産額の算定方法を定めるものである（会社則134参照）。

第2は，債務超過の状態にある株式会社である再生債務者が上記の行為をする場合に，株主総会の決議による承認に代わる裁判所の許可を定めたことである（民再43Ⅰ。本書1061頁）。

第3は，端株となる株式についての反対株主による買取請求およびそれを前提とする株式の価格の決定等の手続を定める規定（会社182の4・182の5）の適用排除である（民再183Ⅱ後段）。従来から再生計画の定めによって株式の併合をする場合においては，反対株主の株式買取請求（会社116・117）が排除されていたが（改正前民再183Ⅱ後段。本書1089頁），それに加えて，同様の理由から，新たに会社法に加えられた端株となる株式についての反対株主の買取請求など

---

[122] 内野宗揮＝近江弘行「平成26年会社法改正に伴う民事再生法の整備と民事再生法施行規則の制定」NBL1049号21頁以下（2015年）を参照している。

に関する規定の適用を排除するものである。

　第4は，募集株式が譲渡制限株式であり，それを引き受けようとする者がその総数の引受けを行う契約を締結する場合において，原則として株主総会決議を要するとする規定（会社205Ⅱ）の適用排除である（民再183の2Ⅰ）。従来から再生計画の定めによって募集株式を引き受ける者の募集を再生計画の定めによって行う場合には，一定の要件の下に，株主総会決議が不要とされていたが（改正前民再183の2Ⅰ後段。本書1090頁），それに加えて，同様の理由から，新たに加えられた会社法205条2項の適用を排除するものである。

　(3)　平成29年民法改正にともなう破産法および民事再生法の改正

　「民法の一部を改正する法律」（平成29年法律44号）とともに，「民法の一部を改正する法律の施行に伴う関係法律の整備等に関する法律」（平成29年法律45号）が成立し，破産法，民事再生法，会社更生法の規定の一部が改正され，令和2年4月1日より施行された。改正の中心は，詐害行為取消権に関する民法の規定が改められたことにともない（民424以下），破産法170条以下，民事再生法134条以下，会社更生法93条以下の転得者に対する否認権の規定が改正されたことである（本書628，1014頁参照）。本書では，平成29年民法改正後の規定を民法○○条と呼び，改正前の規定を引用する必要がある場合には，民法旧○○条と呼ぶ。また，整備法にもとづく破産法および民事再生法の改正を整備法による改正○○条と呼ぶ。

　(4)　令和元年民事執行法改正にともなう破産法および民事再生法の改正

　さらに，「民事執行法及び国際的な子の奪取の民事上の側面に関する条約の実施に関する法律の一部を改正する法律」（令和元年法律2号）が成立し，破産法，民事再生法，会社更生法，会社法等の一部が改正されたことがあげられる。改正法は，令和2年4月1日から施行された。民事執行法自体の改正は多岐にわたるが，それにともなう破産法などの改正は，第三者からの情報取得手続（民執204以下）の新設に関連するものが中心である。この制度は，強制執行の実施の準備として，債権者の申立てにもとづいて，裁判所が，債務者の不動産や債権などについて登記所，給与支払機関，金融機関などが保有する情報の提供を命じるものであるが，破産手続や再生手続が開始したときには，これらの情報の取得は，手続機関たる破産管財人などに委ねられるために，債権者による第三者からの情報取得手続の申立ての禁止，中止，失効を定める改正がなさ

れている（破42Ⅵ，民再39Ⅰなど）。

(5) 令和3年民法改正にともなう破産法の改正

これは，所有者不明土地問題にかかる「民法等の一部を改正する法律」（令和3年法律24号）が制定され，破産法の関連規定が改められたものである。内容は，相続財産管理人（法文上では，相続財産の管理人。改正前民936・952等）に代えて，相続財産清算人（法文上では，相続財産の清算人。民936・952）の概念が新設されたことを反映して，相続財産破産の開始申立権者に相続財産清算人が加えられたこと（破224）などである。

第3項　今後の立法課題

倒産法制の見直し作業が開始された平成8年から20年近く，そして改革の嚆矢となった民事再生法および民事再生規則の施行（平成12年4月1日）より15年近くの歳月が流れ，その間に施行された新会社更生法および会社更生規則，新破産法および破産規則を基礎とした実務の運用も，相対的安定期に入ったかに見える。しかし，解釈論や運用の工夫では適切な解決基準を見いだせない問題も山積しつつあり，また，民法平成29年改正などとの関係でも，第2次の倒産法改正の必要が指摘されている。以下は，その大要である[123]。

1　倒産法制全体の構成にかかわる事項

現行法制は，清算型手続としての破産手続および特別清算手続，再生型手続としての再生手続および更生手続とを並立させ，基本的には，そのいずれを開始するかについての第1次的選択を利害関係人に委ね，ある手続から他の手続への移行や手続相互間の調整の規定を置くにとどめている（本書29頁）。しかし，管理型民事再生（本書887頁）やDIP型会社更生[124]，あるいは再生手続や更生手続における事業譲渡にみられるように，手続間の差異は相対的なものに

---

[123]　以下の内容は，主として，山本和彦＝事業再生研究機構編・債権法改正と事業再生（2011年），山本和彦「債権法改正と民事手続法」門口退官665頁，東京弁護士会倒産法部編・倒産法改正展望（2012年），倒産法改正研究会編・提言倒産法改正（2012年），倒産実務研究会編・倒産法改正への30講（2013年），中島弘雅「倒産法再改正の論点について」法の支配170号26頁（2013年）によっている。また，現行破産法，民事再生法，会社更生法，会社法（特別清算）制定後の改正，実務運用の変化および今後の課題を通観するものとして，多比羅誠ほか「大改正以降の倒産法制の歩み（1）～（5・終）」事業再生と債権管理145～149号（2014年，2015年）がある。

[124]　伊藤・会更法・特清法114頁参照。

すぎず，むしろ基本的には一本の手続として開始し，その中で事件の特質に応じて事業の継続か清算か，外部の第三者に財産管理処分権や事業経営権を与えるか債務者企業の経営者の権限を存続させ，それに対する監督を行うかという方式を検討する必要があるといわれる[125]。

また，裁判外の事業再生型 ADR 手続と再生手続や更生手続との関係，特に再生手続等の開始申立前になされたいわゆるプレ DIP ファイナンスにもとづく債権に対して，再生手続等の上で共益債権などの形で優先的取扱いをすることについての法的根拠の検討も，広い意味では倒産法制全体の構成にかかわる事項といえよう[126]。

さらに，私的整理から再生手続や更生手続への移行事例にみられるように，商取引債権者に対する保護をどのように継続するか，事業再生型の手続において事前の ADR などにおいて内容が固まった計画案をどのように再生計画や更生計画として取り込むか，その際に事業価値の毀損を避け，かつ，利害関係人間の公平を確保するためにどのような手続を設けるかという，いわゆるプレパッケージ型再生や更生もこれに関連する事項である。

2 倒産手続の機関にかかわる事項

これに属するものとしては，事件の迅速かつ円滑な進行を図り，また，専門的知見が蓄積された東京地方裁判所や大阪地方裁判所の機能を発揮させるために，管轄に関する規定の弾力化，関連管轄の拡大あるいはいわゆる自庁処理，すなわち補充的土地管轄を有する裁判所による事件の取扱いを認めるべきことなどが説かれる[127]。また，再生手続や更生手続における監督委員の権限の拡

---

[125] これに対して，管財人の選任に適する事件や担保権の取扱いを区別すべき合理的理由などの視点から，再生手続と更生手続との区別を維持すべきことを説くものとして，園尾隆司「倒産法改正の見通しとその基本構想」金法 1974 号 19 頁（2013 年），同「再生手続における担保権の処遇」松嶋古稀 138 頁，同・前掲論文（注 101）77 頁がある。

[126] 倒産と金融 74 頁以下，運用指針 127 頁参照。特に，既存担保に優先する担保権の地位（プライミング・リーエン）や最優先の共益債権（財団債権）の地位（スーパープライオリティ）などの検討の必要性が説かれる（本書 953 頁，判例・実務・改正提言 66 頁〔進士肇＝横山兼太郎〕）。

さらに近時は，制度化された私的整理または準則型私的整理の存在が民事再生や会社更生という再生型法的整理の申立事件数を減少せしめているという問題も指摘される。園尾隆司「法的整理と私的整理は今後どこに向かうのか——倒産事件減少の背景と将来の展望」金法 2050 号 6 頁（2016 年），本書 49 頁参照。

[127] 破産管財の実務 11 頁〔小畑英一〕参照。

大や債権者委員会の役割強化などを求める提言もこの事項に属する。

3 利害関係人に対する情報開示と手続参加にかかわる事項

文書の閲覧や謄写を通じての利害関係人への情報開示や債権者委員会などを通じた利害関係人の手続参加については，現行法や現行規則も一定の配慮をしているところであるが（本書244, 252, 925頁），特に，再生手続や更生手続という再生型手続に関しては，事業価値の算定や事業の譲受人の選定などをめぐって，手続の進行についての利害関係人の関心が高いにもかかわらず，利害関係人の合意によって再生を目指す私的整理（本書48頁）と比較して，裁判上の手続における情報開示が不十分であるとの批判がある。こうした批判にもとづいて，開示すべき情報の範囲を拡大するとか，開示の方法を拡充するとか，債権者委員会の組成と運営を容易にするとか，手続の進行にかかる裁判所の許可に対する不服申立ての機会を設けるとか，目的外利用を規制すべきであるなどの提案がなされている[128]。

4 事業価値の維持にかかわる事項

これに属するものとしては，各種手続における担保権実行に対する中止命令，包括的禁止命令制度の強化，担保権消滅許可制度の見直し[129]，商取引債権の保護[130]，事業譲渡のための手続の迅速化，整理解雇の許容基準など人員整理の準則の明確化などがあげられる。

5 利害関係人の権利に関する調整原理にかかわる事項

倒産手続においては，契約の相手方，担保権者，相殺権者，債務者からの財産の譲受人など，様々な外部の利害関係人の権利についての調整が必要になる。その原理としては，双方未履行双務契約の解除や履行請求，倒産解除条項の効力，代位弁済者による財団債権や共益債権の行使，別除権や更生担保権の基礎となる担保権の効力範囲，担保権消滅許可，相殺禁止，否認などの諸制度があるが，これらに関して現在までにいくつかの問題が浮上している。

---

128) 倒産と金融2頁以下（第1章「債権者への情報開示のあり方」），判例・実務・改正提言130頁〔粟田口太郎〕，146頁〔蓑毛良和=志甫治宣〕，破産管財の実務12頁〔小畑英一〕に詳しい。

129) 動産および債権担保権実行に対する規律の強化，破産手続と再生手続における担保権消滅許可の要件の統一を説くものとして，園尾・前掲論文（注125）松嶋古稀141, 144頁，判例・実務・改正提言342頁〔三枝知央=清水靖博〕がある。

130) 判例・実務・改正提言201頁〔縣俊介=朝田規与至〕参照。

6 各種債権の取扱いにかかわる事項

租税債権や労働債権を中心とした財団債権や共益債権[131]，あるいは開始後債権の見直し，債権の調査確定にかかわる手続の再検討，再生手続における自認制度の合理化などがこれに属する。

7 手続進行の迅速化と合理化にかかわる事項

倒産手続の中では，破産債権，再生債権，更生債権だけではなく，財団債権や共益債権をめぐる紛争が多発する。そして，この種の紛争をいかに適正かつ迅速に解決するかが，倒産手続全体の進行を左右するといっても過言ではない。このような視点から，各種債権の調査や確定手続の見直しや，財団債権を簡易かつ迅速に確定するための手続の創設が求められている。手続のIT化もこれに属する[132]。また，各種の倒産手続上の裁判に対する即時抗告について，統一的な執行停止効不存在の規定を設けるべきであるとの議論も有力である[133]。

8 再生計画または更生計画による権利変更にかかわる事項

これに属するのは，更生会社財産中に含まれる担保目的不動産の処分と当該更生担保権の権利変更に関する処分連動方式の適法性の明確化，再生計画案や更生計画案の可決要件や決議手続の見直し，権利保護条項のあり方などである。

9 個人破産や個人再生にかかわる事項

個人破産にかかわる事項に属するのは，自由財産制度の見直しまたは弾力化，免責制度の再検討などであり，個人再生にかかわるものとしては，住宅資金特別条項の利用可能性を住宅ローンの実情にあわせて拡大することなどの検討が求められている。

10 担保法改正の影響

事業用資産を中心とする担保法改正の動きが始まっている。その大要は，集合動産や集合債権を担保目的物とする場合の要件である特定性について一定の指標を設け，公示の手段を整備し，さらに，事業用資産全体を目的物とする担保権の創設を検討するものである。それが立法として実現すれば，別除権たる

---

131) 判例・実務・改正提言 226 頁〔富永浩明＝南勇成〕参照。
132) 判例・実務・改正提言 239，248，259 頁〔長島良成〕，破産管財の実務 13 頁以下〔小畑英一〕参照。
133) 園尾隆司「倒産法における即時抗告と執行停止効」多比羅喜寿 40 頁。即時抗告の効果としての執行停止効を否定し，裁判所の判断による執行停止に代えるべきとの提言である。

担保権の内容（本書507頁），担保権実行に対する制約など（本書729，869，1063頁）はもちろん，破産，民事再生全体の役割に影響を及ぼす可能性がある[134]。

---

134) 詳細については，杉本和士ほか「『動産・債権等を目的とする担保権』に関する改正論議の概要」東京弁護士会倒産法部編・担保法と倒産・金融の実務と理論（別冊NBL178号408頁（2021年）参照。
　特に，事業用資産全体を目的物とする担保権の創設に対する批判として，伊藤眞「事業価値担保（事業成長担保）は事業再生を促進するか」東京弁護士会倒産法部編・前掲書6頁以下参照。

第1章　破産手続の開始

　破産手続は，原則として債権者または債務者などの手続開始の申立てを受けた裁判所[1]が破産手続開始決定[2]の裁判をなすことによって開始する（破15 I・18 I など）[3]。裁判所は，まず，申立てが適法であるか否かを判断した上で，当該債務者について破産手続を開始すべきかどうかを判断する。申立ての適法性は，申立権の存在，申立債権などの疎明，あるいは予納金の納付など申立人にかかわる事項と，破産能力の存在という，債務者にかかわる事項とに分けられる。これらの手続的要件が満たされている場合には，裁判所は，破産手続開始原因および破産障害事由という実体的要件について判断する。第1節では，破産者にかかわる事項を総括して，手続的要件に属する破産能力と，実体的要件に属する破産手続開始原因および破産障害事由について説明し，第2節では，申立人にかかわる手続的要件に属する申立権などについて説明する。

第1節　破産能力・破産手続開始原因・破産障害事由

　破産手続は，債権者の個別的権利行使を抑止しつつ，破産者の総財産を換価し，債権者に対して公平な配当を行うことを目的とする。また，破産者が法人である場合には，清算の終了によって法人格が消滅するという実体法上の効果をともなう。
　したがって，第1に，破産手続に適するのは，債権債務の帰属主体としてそ

---

1) 法文上単に裁判所というときは，現に破産事件の審理にあたる裁判体を指し，破産裁判所というときは，破産事件が係属する地方裁判所を指す（破2Ⅲ）。両者の区別は，たとえば，否認の訴えや否認の請求の管轄が破産裁判所とされ（破173Ⅱ），現に破産事件の審理にあたっている裁判体とは区別されることなどに現れる。なお，破産事件を担当する裁判所の職分管轄，土地管轄および裁判所内部の事務分配については，本書227頁参照。
2) 破産手続を開始する裁判は，旧法では破産宣告と呼ばれたが（旧破126 I），この用語が必要以上に懲戒的色彩を持つところから，破産手続開始決定という中立的用語に改められた。伊藤・入門29頁。
3) 債務者の申立ての場合には，申立てによって当然に手続が開始されるという，アメリカのような法制も存在するが（髙木31頁），わが国では，破産手続開始決定という裁判の効力によって手続が開始され，かつ，進行する法制をとっている。伊藤・入門23頁。

の者に関する限りで清算が予定される場合であり，しかも法人についていえば，清算による法人格の消滅が法秩序上肯定されうる場合に限定される。この要件を満たさない者を債務者として破産手続開始申立てがなされても，本案の判断として破産手続開始原因が存在するか否かにかかわらず，裁判所は破産手続開始決定をなすべきではない。これが，開始要件として破産能力が要求される趣旨である。

　第2に，破産手続の開始は，債権者にとってもまた債務者にとっても一定の不利益をもたらす。債権者にとっては，本来自由であるべき個別的な権利行使を制限されるし，債務者にとっては，その総財産の管理処分権を失い，破産管財人による強制的な財産換価とその代金の債権者への配当を受忍しなければならない。債権者および債務者に対してこうした不利益を課するについては，そこに合理的な理由がなければならない。その理由とは，債務者の資力が十分でなく，破産手続によらなければ総債権者に対する公平な弁済が不可能である点に求められる[4]。支払不能または債務超過という破産手続開始原因の存在が開始要件とされているのは，このためである。

　その者について破産手続を開始しうるかどうかにかかわる手続的要件としての破産能力，およびその者について破産手続を開始すべきかどうかにかかわる実体的要件としての破産手続開始原因という2つの要件を満たすときには，一応破産手続の開始を正当化できるが，さらに破産障害事由の不存在が問題となる。すでに序論において述べたように，倒産処理のために法が用意している手続には，様々な性格のものがある。債務者の資産と負債の状況によっては，清算でなく再生型手続の利用が可能な場合があるし，債権者および債務者の利益に照らして，破産清算よりも民事再生や会社更生による再生が適していると判断されれば，これらの手続を優先させるべきであり，破産手続開始決定をなすべきではない。こうした手続への適合性，特に再生型手続への適合性の視点か

---

[4]　債権者が1人しか存在しないことが明らかな場合に，破産手続を開始することが許されるかどうかは，1人破産の問題として議論される。通説は，債権者の数は，債権調査を経てはじめて確定されること，かりに債権者が1人であることを理由としてその者の破産手続開始申立てを排斥しても，債権の分割譲渡によって作為的に複数債権者をつくるのは容易なことなどを挙げて，複数債権者の存在は開始の要件でないとする（加藤・要論269頁，中田45頁，山木戸43頁，谷口79頁，条解破産法〈第3版〉255頁など）。ここでも通説を支持する。また，債務者の申立てにもとづく自己破産の場合には，かりに，債権者が1人だけであるとしても，破産手続後に債務者が免責をうる利益が認められる。

ら，当該債務者に対する破産手続の開始を排除するのが，破産障害事由である。

破産能力，破産手続開始原因，および破産障害事由の理論的関係は以上のように整理されるが，破産手続開始手続との関係では，破産手続開始原因の存在および破産障害事由の不存在が破産手続開始決定という本案の裁判をなすための実体的要件であり，破産能力は，申立ての適法性とならんで，本案の裁判の前提となる手続的要件に属する。

第1項 破産能力

破産能力とは，その者について破産手続開始決定をなしうる資格，すなわち債務者が破産者たりうる資格を意味する。特定事件との関係ではなく，一般的資格として定められるものである点で，民事訴訟手続上の当事者能力と共通する。破産能力が認められる債務者については，裁判所が開始決定によって破産手続を開始し，債務者に対して破産者という破産法律関係上の地位が付与される（破2Ⅳ）。

破産能力をいかなる者に認めるかについては，明文の規定がなく，一般には，民事訴訟法の当事者能力に関する規定にしたがって，個人，法人，および法人でない社団等に破産能力が認められる（破13，民訴28・29）。さらに，破産法上特別に破産能力を認められるものとして，相続財産および信託財産がある。この中で，法人，相続財産，信託財産および法人でない社団等の破産能力については考え方が分かれるところがあるが，破産能力を認めるべきか否かに関する実質的考慮要素としては，次の2つの点を考える必要がある。

第1は，破産手続の目的ないし効果との関係である。その者を独立の主体として資産および負債の清算をなす必要のない者に関しては，破産能力を認める必要はないし，いかなる財産状態になろうとも人格を存続させなければならない法人についても，破産能力を肯定できない。第2は，立法政策の問題である。たとえば商人破産主義の下では，破産能力を政策的に商人に限定する[5]。また，

---

5) 同じく資産と負債を清算する場合であっても，商人と非商人を分け，前者には破産能力を認めるが，後者についてはそれを否定し，他に特別の清算手続を用意する。商人破産主義は，かつてフランス法でとられていたが（加藤・研究1巻89頁以下），現在ではかなり変容され，企業破産と消費者破産が手続上別個のものとされるにすぎない（西澤宗英「フランスの消費者倒産立法について」杏林社会科学研究9巻1号1，2頁（1992年），山本和彦・フランスの司法88，211頁（1995年），マリー＝エレーヌ・ルノー（小梁吉章訳）

金融機関や保険会社，あるいは自治体など各種の法人について，その性質に応じた特別の清算手続を設け，破産能力を否定する法制も存在する[6]。ただし，現行法は，政策的理由にもとづく破産能力制限の考え方を採用せず，第 1 の根拠から破産能力が肯定されるものであれば，個人や法人等に広く破産能力を認めている[7]。

1　個　人

個人には，等しく破産能力が認められる。いったん破産手続開始決定を受けた個人が手続中に死亡したときには，法 227 条にもとづいて相続財産に対する破産手続が続行される。

旧法下では，外国人の破産能力が問題とされ，日本の裁判権に服する外国人について破産手続開始申立てがなされたとき，旧法 2 条但書[8]にいう相互主義が適用されるとすれば，当該外国人の本国破産法の下で対応する地位にある日本人に破産能力が認められるときに限って，日本の裁判所がその外国人に対して破産手続を開始できるとされた。したがって，商人破産主義をとる本国破産法をもつ非商人たる外国人については，日本での破産能力を否定する。このような考え方を，破産能力に関して日本法と外国法の実質的同一性を要求する趣旨で，実質的相互主義と呼ぶ。

しかし，破産制度の趣旨からみて，このような結論が合理性を欠くことが明らかであるので，それを修正するものとして，外国人の本国法において日本人が外国人と比較して不利益な取扱いをされていない限り，日本法においても，日本人と同様の破産能力を外国人についても認める形式的相互主義が有力にな

「フランス倒産法の歴史――債務者の清算と制裁から債権者を犠牲にした再生へ」広島法学 27 巻 3 号 166 頁（2004 年）参照）。

6)　伊藤眞「倒産処理制度の理念と発展」民事訴訟法学会編・民事訴訟法・倒産法の現代的潮流 224, 234 頁（1998 年）。アメリカについて，福岡 26 頁参照。

7)　民事再生能力についても，再生のための一般手続としての性質上，特別の制限は置かれていない（民再 1・2①。本書 841 頁参照）。これに対して，特別清算能力（会社 510）および会社更生能力（会更 1）は，いずれも株式会社など一定範囲の法人に限定されている。大規模な企業の再建手段という見地から，会社更生能力を株式会社などに限定することには一応の合理性が認められるが（伊藤・会更法・特清法 40 頁），特別清算能力が株式会社などに限られていることについては，立法の経緯がある（本書 76 頁参照）。

8)　平成 12 年改正前旧破産法 2 条は，「外国人又ハ外国法人ハ破産ニ関シ日本人又ハ日本法人ト同一ノ地位ヲ有ス但シ其ノ本国法ニ依リ日本人又ハ日本法人カ同一ノ地位ヲ有スルトキニ限ル」と規定していた。その意義については，条解破産法〈第 3 版〉47 頁参照。

り、さらに、破産はわが国における経済秩序維持のための公序であるから、わが国の裁判権に服し、かつ、破産手続開始原因が認められれば、破産能力に関して相互主義を排除し、内外人を平等に扱うべきだとする考え方が現れた。旧破産法の平成12年改正における国際倒産関係規定の整備においては、これらの考え方や、すでに内外人完全平等主義を採用した旧会社更生法3条や民事再生法3条を参考として、旧法2条但書が削除され、内外人平等主義が法文上明らかにされた[9]。現行法3条はこれを引き継ぎ、狭義の破産能力だけではなく、免責能力等についても内外人完全平等主義を規定したものである。

2 法　人

伝統的な考え方は、法人の中で私法人と公法人[10]とを区別し、前者については、公益法人であろうと営利法人であろうと、一般に破産能力を肯定する一方、後者については、法人の事業の公益性を基準として、公益性の低いものについて破産能力を肯定し、高いものについて否定する。しかし、公法人の事業がいかに公益的であっても、支払不能や債務超過に陥り、清算の必要があるときには、破産手続の開始を認めるのが合理的である。

いわゆる本源的統治団体と呼ばれる国家や地方自治体などについては、その活動の基礎となっている財産を破産手続によって解体清算し、その結果として法人格が消滅することを法秩序上是認しえないから、破産能力を否定すべきであるが[11]、それ以外の公法人については、破産能力を肯定できないものは、そ

---

9) 新しい国際倒産法制364頁参照。
10) 公法人は法律上の概念であり（商2）、国家のもとに特定の国家的・公共的事業を行うために設立された法人と定義されるが（注釈民法〈新版〉(2) 15頁〔林良平〕）、いかなる法人がこれにあたるかは必ずしも明らかではない。なお、法人税の納税義務を免除される法人として公共法人があるが（法税2⑤・4Ⅱ・別表第1）、これが当然に公法人と一致するものではない。条解破産法〈第3版〉242頁参照。
11) 中田33頁、山木戸38頁、谷口70頁、条解破産法〈第3版〉238頁、注釈破産法（上）200頁〔富永浩明〕など。ただし、地方財政再建促進特別措置法（昭和30年法律195号）やそれに代わる地方公共団体の財政の健全化に関する法律（平成19年法律94号）による地方自治体の財政健全化計画または財政再生計画は、実質的には、再生型倒産処理手続としての性質をもつ（三橋一彦「地方公共団体の財政の健全化に関する法律」ジュリ1341号61頁（2007年）参照）。最近の自治体財政の状況を踏まえ、立法論にかかわる検討を行ったものとして、中島弘雅「地方自治体の法的倒産処理手続をめぐる論点」Business & Economic Review 2008年12月号58頁がある。

なお、関連する問題を扱ったものとして、伊藤眞「第三セクターの破綻と損失補償契約の取扱い」金法1947号31頁（2012年）がある。

の法人限りで資産と負債の清算をする必要のないものだけである。もちろん，立法政策の問題として特別の清算手続を設け，破産能力を否定することはありうるが，それは法に特別の規定がある場合に限られ，それ以外の場合には，破産能力を肯定すべきである[12]。

たとえば，健康保険組合は法人とされるが（健保9Ⅰ），解散の場合には，健康保険法26条4項によって権利義務が包括的に全国健康保険協会に承継される。したがって，たとえある健康保険組合が債務超過に陥り，事業の遂行が困難となったとしても，組合を解散して（健保26Ⅰ），権利義務を全国健康保険協会に承継させれば足り，破産手続によって清算を図る必要は生じない。これに対して各種の公団・公庫などの公共事業体については，予算および決算に関して行政庁の監督を受け，あるいは必要な場合における国庫からの借入れの可能性も認められている。

しかし，いかに厳格な監督をしたとしても，債務超過や支払不能に陥る可能性自体は否定できないし，その場合に当然に債務が政府によって承継されるわけではない。しかも，破産能力を否定する通説でも，強制執行の執行債務者能力は肯定するから，強制執行を受けることによって法人の運営が窮地に陥り，また債権者平等の実現が求められることは十分ありうる。したがって，破産能力を否定する特別の規定がない限り，これらの公法人については，破産能力を肯定すべきである。融資や保証などの形による国庫からの資金援助の可能性は，破産手続開始原因の判断にあたって考慮すれば足りる[13]。土地改良区や土地区画整理組合についても，同様である。

---

[12] 西澤宗英「いわゆる『公法人』の破産能力について」判タ499号33頁（1983年），基本法192頁〔河野正憲〕，霜島96頁，中島Ⅰ38頁など参照。したがって，財産区について公法人であることを理由として破産能力を否定した判例（大決昭和12・10・23民集16巻1544頁〔倒産百選〈第5版〉3事件〕）には，疑問がある。この点について条解破産法〈第3版〉238頁は，実質が地方公共団体である財産区と法人格のない社団に相当する入会団体である財産区とに分け，後者については，破産能力を認めてもよいとする。その他の公法人についても，同書239頁参照。

[13] 青山ほか39頁，加藤哲夫53頁。農業協同組合（農協64Ⅰ③）等，明文の規定によって破産が解散事由とされている公益法人も少なくない。基本法192頁〔河野正憲〕参照。なお，公法人についての破産能力を明らかにすることは立法論としても検討されたが（深山卓也ほか「『倒産法制に関する改正検討事項』に対する各界意見の概要（1）」NBL 647号8，10頁（1998年）），公法人の一義的定義が困難であるなどの理由から立法が断念された。

政策的理由にもとづいて特別の法人について破産能力を否定している例は，現行法制の下ではみあたらない。比較法的にみると，金融機関や保険会社に対して，特別の清算手続を用意して，破産能力を否定する制度も考えられるが，わが国では，その種の制度は設けられていない。しかし，近年，金融機関などについて，その債権者の特質などを考慮して，破産手続の特則を定める立法が現れている。その背後にある考え方は，利害関係人の権利を適正な手続によって確定し，かつ，公平の基準にしたがって満足を与えるためには，行政手続によるよりも司法手続によることが適切であること，したがって，破産能力を前提として，それぞれの事業の特質に応じた特則を置けば足りるというものである[14]。

---

14) 破産手続に関する特則の例としては，金融機関等の更生手続の特例等に関する法律第6章の金融機関等の破産手続の特例がある。そこでは，適時に破産手続を開始するために監督庁に破産手続開始申立権を認め（金融更生特490），資産保全等のために保全処分申立権を認め（金融更生特494），債権調査や配当を迅速に行うために預金保険機構または投資者保護基金に預金者表または顧客表の作成・提出義務を課し（金融更生特503・504・520・521），提出にもとづいて債権届出の効果を擬制し（金融更生特505・522），また預金保険機構や投資者保護基金が債権者の法定代理人となることを認める（金融更生特507・508・524・525）などの規定が設けられている（詳細については，内堀宏達＝川畑正文「金融機関の更生手続の特例等に関する法律に基づく更生手続等の概要（上）」金法1478号14頁以下（1997年），茶谷栄治「金融システム改革のための関係法律の整備等に関する法律の概要（下）」NBL 650号21, 25頁（1998年）参照）。

　保険会社について，特別の倒産手続を提唱するものとして，保険会社の倒産手続に関する研究会「保険会社倒産手続立法のあり方」ジュリ1080号43頁以下（1995年）があり，破綻保険会社に対する保険契約者保護のための制度として，保険契約者保護機構（保険259以下）が設けられているが，保険会社の破産能力自体を否定する考え方はとられていない。これらの特殊倒産手続と破産手続との関係に関する基本的考え方については，伊藤・前掲論文（注6）234頁以下参照。また，金融再生法を含む金融機関倒産法制全般を分析するものとして，吉戒修一「金融機関破綻関連法の法的検討（Ⅱ）」商事法務1532号14頁（1999年），髙木新二郎「更生特例法による保険会社・銀行等の処理」竹下古稀613頁，伊藤眞「金融機関の倒産処理法制」講座（4）253頁，那須克己「生命保険会社倒産」同303頁，破産法大系Ⅲ410頁〔三森仁〕, 433頁〔深山雅也〕があり，実例を紹介するものとして，遠藤伸子ほか「日本振興銀行の破綻処理（1）～（4）」金法1957号54頁，1958号40頁，1959号68頁，1960号80頁（2012年），中央銀行の役割を分析するものとして，木下智博・金融危機と対峙する「最後の貸し手」中央銀行369頁（2018年）がある。

　さらに，近年の金融商品取引法等の一部を改正する法律（平成25年法律45号）を構成する預金保険法等の一部改正によって，金融機関等の資産・負債の秩序ある処理の枠組みとして，預金保険機構（保険会社などについての機構代理を含む）による経営権・財産管理処分権の行使，流動性供給，受皿金融機関・ブリッジ金融機関に対する事業譲渡等，預金保険機構による回収等停止要請などが予定されているが，当該金融機関について破産手続などの倒産手続を開始すること自体が否定されるわけではない。梅村元史「金融機関の

3 相続財産

　破産法は，相続人および相続財産法人についての破産と区別して相続財産自体についての破産を認める（破第10章）。相続財産は，権利義務の帰属主体である個人または法人のいずれにもあたらないが，それについて破産能力を認める趣旨は，以下のように考えられる。

(1) 相続財産破産の機能

　相続財産に対する破産手続開始決定は，相続財産が被相続人に対する債権者，すなわち相続債権者などへの完済に足りないときに行われる（破223）。その機能は，被相続人の資産と負債を相続財産の限度で清算することによって，相続財産を相続債権者への優先的満足に充てることにある[15]。類似の機能をもつ制度として，民法上の限定承認や財産分離があるが，限定承認は，相続人の意思にもとづいて相続債権者のための責任財産を相続財産に限定する役割をもつ（民922）。また，財産分離は，相続債権者または相続人の債権者（相続人債権者）の意思にもとづいて相続財産と相続人の固有財産を分離し（民941 I・950 I），相続財産については相続債権者の優先弁済権を，固有財産については相続人債権者の優先弁済権を認めるものである（民942・948・950 II）。さらに，民法は，限定承認や財産分離の請求が，相続財産が債務超過に陥っているか，そのおそれがあると判断される場合になされるであろうことを考慮して[16]，限定承認者や相続人に対して債権者に公平な弁済をなすべき義務を課する（民929・947 II・950 II）。

　制度の趣旨から考えれば，限定承認および財産分離は，相続債権者や相続人債権者に対する関係で責任財産の範囲を限定し，また責任財産について優先劣後の関係を定める実体法上の規律であり，民法929条などの規定は，平等弁済をなすべき特別の実体法上の義務を相続人に対して定めたものである。しかし，実際の機能としては，相続財産が債務超過状態にある場合には，限定承認者な

　　秩序ある処理の枠組み（上）（下）」商事法務2009号22頁，2010号32頁（2013年）参照。
15) 相続財産破産においては，相続人の債権者は破産債権者たりえない（破233）。他方，相続債権者は，限定承認がなされないかぎり，相続人の固有財産に対する権利行使を許される。相続人は，相続財産破産の破産者でないために，法100条1項が働かないためである。
16) 限定承認について，注釈民法〈新版〉(27) 500頁〔小室直人〕，財産分離について，同書606頁〔塙陽子〕参照。

どの公平な清算義務と相続財産破産とが競合する関係に立つ[17]。

旧破産法が両者の関係について，限定承認または財産分離がなされ，相続財産が債務超過の状態にあることが発見された場合には，相続人に相続財産破産申立ての義務を課し（旧破136Ⅱ），他方，相続財産破産が終結するまで限定承認等の手続を中止することを定めたのは（旧破5但書），相続財産破産の優先性を認めたものである[18]。

しかし，実際には債務超過状態にある相続財産について相続人による破産申立てがなされることは稀であり，相続人による平等弁済をもって処理が終了することが多く，否認権の行使など破産手続によらなければならない理由が存在しないにもかかわらず，相続人に破産申立義務を課し，相続財産破産の優先性を確保しなければならないかどうかについては疑問があり[19]，現行法は，破産申立義務を廃止することによって，この優先性を修正した。

(2) 相続財産破産の法律構成

相続財産破産の法律構成に関しては，相続人を破産者とするか，被相続人を破産者とするか，あるいは相続財産自体を破産者とするかに関して考え方の対立がある。かつては，相続人を破産者とする説も有力であったが，相続人の破産と相続財産の破産とが区別されていること，法224条1項が特に相続人の破産手続開始申立権を規定していること，法232条によって相続人に破産債権者としての地位が認められていることなどを根拠として，相続人破産者説に対する批判が加えられ，旧法以来，相続財産そのものを破産者とみる考え方にほぼ統一されている[20]。本書もこれを採用するが，以下の点に注意する必要がある。

---

[17] 条解破産法〈第3版〉1530頁では，第1に，破産管財人のような公正中立な機関によって平等な弁済がなされること，第2に，否認や相殺制限の制度が存在し，分配の原資たる相続財産の増殖が図られることに相続財産破産の優位性の根拠を求める。

[18] 梅34頁，基本法34頁〔中島弘雅〕，注解破産法（上）170頁〔菅野國夫〕，基本構造555頁参照。

[19] 加藤和夫「限定承認と相殺の禁止」民事法の諸問題Ⅱ137，158頁，条解破産法〈第3版〉1531頁参照。旧法の下では，場合によっては申立てを怠った相続人に損害賠償責任が発生する（栗田隆「限定承認された相続財産の清算」金法1312号4，5頁（1992年），基本法208頁〔林泰民〕）。相続財産破産の例としては，大阪高判昭和63・7・29高民41巻2号86頁〔倒産百選A9事件，倒産百選〈第5版〉46事件〕がある。立法論としては，早くから相続人等の申立義務を廃止することが検討され（検討事項第2部第2 3 (2)，中間試案補足説明105頁，山本和彦「相続財産破産に関する立法論的検討」法学雑誌45巻3・4号153，165頁（1999年）），これが現行法となった。一問一答310頁，条解破産法〈第3版〉1543頁参照。

個人または法人が破産者とされる場合には，破産財団を構成するのは，それらの法主体に帰属する財産であり，また，それらの法主体を債務者とする債権によって破産債権が構成される。しかし，相続財産破産の場合には，相続財産の帰属主体および相続債権の債務者は，たとえ限定承認の意思表示や財産分離の請求がなされている場合であっても，相続人以外にはありえない。したがって，破産清算の対象となるのは，第三者たる相続人に帰属する相続財産および相続人を債務者とする相続債権である。実体法上の権利能力のない相続財産に破産能力が認められる結果として，破産管財人は，相続人などに代わって（民918 I など参照），相続人に帰属する相続財産について管理処分権を行使し，相続人を債務者とする相続債権との清算を行う[21]。

(3)　相続財産破産の手続

　相続財産破産は，相続財産を相続人の固有財産から区別して，清算の対象とするものであるから，2つの種類の財産が混合してしまっていないことが前提となる。法225条が，民法941条にもとづく財産分離の請求が許される期間，または限定承認もしくは財産分離の手続が進行中の期間に限って，相続財産破

---

[20]　加藤・要論59頁，中田35頁，山木戸39頁，谷口71頁，宗田518頁，基本法200頁〔河野正憲〕，注解破産法（下）150頁〔林屋礼二＝宮川知法〕，大コンメンタール952頁〔中島弘雅〕，条解破産法〈第3版〉1533頁など。ただし，大審院判例は相続人破産者説をとった上で，破産宣告にともなう人的効果は相続人に及ばないとしている（大決昭和6・12・12民集10巻1225頁）。

　これに対して高松高決平成8・5・15判時1586号79頁〔倒産百選〈第3版〉A52事件〕は，相続財産破産者説に沿って，「破産者の相続人を右破産手続の承継人とみることはできず，相続財産自体を右破産手続の当事者（破産者）とみ，法人格なき財団に破産能力を認めるのを相当とする。」として，相続人の免責許可申立て資格を否定している（本書786頁参照）。

　なお，相続財産破産者説を前提とすると，破産手続開始決定などにおける破産者の表示は，「被相続人〇〇〇〇の相続財産」（石原855頁），破産手続開始決定の主文は，「被相続人〇〇〇〇の相続財産について破産手続を開始する」（条解破産法〈第3版〉1534頁）となる。

[21]　破産財団の範囲に関する法34条1項や破産債権の意義に関する法2条5項にいう破産者は，相続財産破産に関する限り，相続人と読み替えざるをえない。法229条1項，法231条1項および法233条は，それを前提として，破産財団の範囲や破産債権者の範囲についての特則を定めるものである。なお，相続財産破産者説をとる場合に，相続財産を法人格なき財団（民訴29）とみなすかとの議論があるが（詳細については，注解破産法（下）150頁〔林屋礼二＝宮川知法〕，大コンメンタール951頁〔中島弘雅〕，条解破産法〈第3版〉1532頁），法人格なき財団に実体法上の権利能力を認めない限り，問題は消滅しない。

産開始の申立てを認めているのは，この趣旨である[22]。

なお，相続財産破産の国際破産管轄および国内土地管轄については，法222条が特別の定めを設けている（本書233，235頁参照）。

相続財産破産の申立権者は，相続債権者または受遺者のほか，相続人，相続財産管理人，相続財産清算人または遺言執行者（相続財産の管理に必要な行為をする権利を有する遺言執行者に限る）である（破224Ⅰ）。このうち相続債権者または受遺者の申立権は，相続財産破産における破産債権者としての資格（破231Ⅰ）にもとづくものである。相続人[23]，相続財産管理人，相続財産清算人または遺言執行者の申立権は，相続財産についての管理権者としての資格にもとづくものであり，法人の理事や株式会社の取締役等の申立権（破19Ⅰ）に類似する。これに対して相続人の債権者は，相続財産破産における権利行使ができないので（破233），破産手続開始申立権を認められない。

破産財団には，外国財産も含め，破産手続開始時における相続財産のすべてが属する（破229Ⅰ）[24]。ただし，相続開始から破産手続開始までの期間に相続

---

22) 限定承認の期間（民915Ⅰ）や第2種財産分離請求の期間（民950Ⅰ）が基準とされなかったのは，相続人の認識という起算点の不確定性のためであるといわれる。また，法225条但書に関しては，財産分離がなされれば，相続財産と相続人固有財産が分離されているから，同条本文の趣旨からしても破産手続開始申立ては可能であり，但書は不要であるとの議論もある。しかし，同条本文は，財産分離請求がなされていない場合を規定している以上，財産分離などがすでになされている場合について破産手続開始申立てを許すための規定として，但書の意義がある。以上については，注解破産法（下）170頁〔林屋礼二＝宮川知法〕，大コンメンタール962頁〔中島弘雅〕，条解破産法〈第3版〉1548頁，破産法大系Ⅲ230頁〔村松秀樹〕参照。ただし，立法論としては，3カ月の期間（民941Ⅰ）が短すぎるという批判がある（山本・前掲論文（注19）160頁）。

また，旧法131条と異なって，法225条但書による限定承認等は，同条本文による破産手続開始申立可能期間内のものである必要はない。一問一答308頁，大コンメンタール962頁〔中島弘雅〕，条解破産法〈第3版〉1548頁参照。

23) 相続開始前に相続人が破産した場合には，相続財産は自由財産となるから（破34Ⅰ参照），破産者は，自由財産としての相続財産について破産手続開始申立権を有する。これに対して，相続開始後に相続人が破産した場合には，破産財団に含まれる固有財産と相続財産とが区別して清算されるから（破238Ⅰ・240・242，本書259頁参照），相続人の破産管財人に相続財産破産の開始申立権を認める意義はない。しかしながら，相続人が複数存在する場合には，債務超過の状態にある相続財産を一体として清算するために，各相続人の破産管財人に開始申立権を認めるべきである。以上について，条解破産法〈第3版〉1544頁参照。

24) 旧法の下では，平成12年改正前旧法3条1項の属地主義の関係から，相続財産についても国内財産に限るとの解釈が有力であったが，平成12年改正によって属地主義が廃棄され，現行法もこれを受け継いだことにともない，外国相続財産も破産財団の範囲に含ま

人が相続財産を処分した場合には，反対給付について相続人が有する権利が破産財団に帰属し（同Ⅱ），すでに受領した反対給付については，原則として破産管財人に引き渡さなければならない（同Ⅲ本文）。もっとも，相続人が当該反対給付を受けた当時，破産手続開始の原因となる事実または破産手続開始の申立てがあったことを知らなかったときは，現存利益を返還すれば足りる（同Ⅲ但書）。相続人に不測の負担を課さないためである[25]。

　被相続人が相続人に対して有していた権利および相続人が被相続人に対して有していた権利は，相続にともなって包括承継が生じたことを前提とすれば，混同の原則（民179ⅠⅡ・520本文）により，消滅することとなる。しかし，相続財産破産が相続財産を単位として資産および負債を清算する制度であることを考慮して，それらの権利は消滅しないものとみなされる（破229Ⅰ後段・232Ⅰ前段）。したがって，被相続人が相続人に対して有していた債権や物権などは，破産財団所属の財産になるし，逆に，相続人が被相続人に対して有していた債権は，相続債権者と同様に，破産債権となり，物権は取戻権（破62）や別除権（破65）となる（破232Ⅰ後段）。相続人が相続債権者に対して自己の固有財産をもって弁済その他の債務を消滅させる行為をしたときは，相続人は，その出えんの額の範囲内において，当該相続債権者が被相続人に対して有していた権利を行使することができる（同Ⅱ）。相続人による弁済などを第三者弁済（民474）と同様に取り扱うものであり，混同の原則の排除と趣旨を同じくする。

　その他，相続財産破産に関する特則として，破産管財人などの請求に応じて相続人や相続財産管理人，相続財産清算人が破産に関して必要な説明をする義

　　れることが明らかにされた。
　　また，法229条1項は，相続財産に属する一切の財産をもって破産財団とするが，相続財産自体を破産者とすると，破産者が破産手続開始の時において有する一切の財産（破34Ⅰ）といえないために，特別の規定を設けたものと解される（条解破産法〈第3版〉1557頁参照）。ただし，法229条1項の文言が破産手続開始時を明言していないところから，すでに相続財産から逸出した財産も破産財団に含まれるとする有力説がある。しかし，法229条2項との関係が問題となろう。
25）　被相続人に対する破産手続開始申立て，相続開始，相続人による財産処分および反対給付の受領，相続財産についての破産手続の続行（破226Ⅰ）という順序で進行した場合において，相続人が破産手続開始の原因となる事実または破産手続開始申立ての事実を知らなかったときには，法226条1項の破産手続の続行決定が相続財産についての破産手続開始決定（破229Ⅱ）そのものといえないとすれば，法229条3項は適用できないが，類推適用を説くものとして，条解破産法〈第3版〉1559頁がある。

務（破230ⅠⅡ），相続人などに対する居住制限や引致（同Ⅲ・37・38），同意破産手続廃止の申立資格が相続人に認められること（破237）などがある。

(4) 相続財産破産における破産債権者

破産債権者は，相続人（破232Ⅰ後段）を除けば，相続債権者および受遺者であって（破231Ⅰ参照），相続人の債権者は，法233条によって排除される。ただし，相続債権者の債権は，受遺者の債権に優先する（破231Ⅱ）[26]。また，相続債権者および受遺者は，限定承認がなされていないかぎり，破産手続によらない相続人の固有財産に対する権利行使，および破産終了後に相続人の固有財産に対する権利行使は妨げられない[27]。したがって，相続人やその債権者としては，それを防ぐためにも，それぞれ限定承認や民法950条にもとづく第2種財産分離などを求めることができる（破228本文）。限定承認および財産分離については，期間制限があるので（民915Ⅰ・950Ⅰ），相続財産破産の終了を待つわけにいかないからである。ただし，限定承認などにともなう相続財産の清算は，相続財産破産と重複するので中止する（破228但書）[28]。

なお，相続財産破産と相続人破産が並行するときであっても，相続債権者および受遺者は，各破産手続開始時における債権の全額についてそれぞれの破産手続に参加することができる（破231Ⅰ）[29]。

---

26) 相続人の債権者は，相続財産破産手続終了後に残余相続財産に対して権利行使する以外にない。また，特定物遺贈についての物権的効果（大判大正5・11・8民録22輯2078頁）を前提とすれば，当該財産は，破産財団に属しないことになるが，受遺者がその地位を主張するためには，対抗要件の具備が必要である（最判昭和39・3・6民集18巻3号437頁。本書367頁参照）。

27) 前掲大阪高判昭和63・7・29（注19）。これに対して有力説（中島弘雅「相続財産破産をめぐる近時の問題」法学雑誌45巻3・4号125，137頁（1999年）など）は，相続財産破産手続終了にともなって限定承認と同様の効果が生じるとする。実質的には合理的な結論であり，立法論としての解決が望ましいが（山本・前掲論文（注19）183頁），破産法の改正によってこれを実現することは困難であり，限定承認制度そのものの検討が必要であるとの理由から，立法が見送られた（中間試案補足説明106頁，基本構造556頁）。

　さらに，相続人による免責申立ての可否も争われるが（相続財産破産の破産者を根拠として（本書786頁参照）否定する裁判例として，前掲高松高決平成8・5・15（注20），学説として中島・前掲論文149頁，大コンメンタール971頁〔中島弘雅〕，肯定する学説として，注解破産法（下）154頁〔林屋礼二＝宮川知法〕などがある，現行法下では限定承認によって解決すべきものである。

28) 限定承認や財産分離の中止が解除され，進行を開始するのは，破産手続開始決定の取消決定の確定，同時廃止決定，異時廃止決定の確定，同意廃止決定の確定，破産手続終結決定の時からである。条解破産法〈第3版〉1556頁。

(5) 相続開始の時期と相続財産破産

すでに相続が開始されているときには，破産手続開始原因たる債務超過の事実が存在すれば（破223），相続債権者や相続人などの申立てにもとづいて相続財産破産手続が開始される（破224 I）。また，被相続人に対する破産手続開始後に相続が開始されたときには，相続財産を破産者として手続を続行する（破227)[30]。さらに，破産手続開始手続中で開始決定前に相続が開始したときには，相続債権者や相続人などの申立てにもとづいて裁判所は，相続財産について手続を続行する旨の決定をすることができる（破226 I）。申立ては，相続開始後1月以内にしなければならない（同 II）。

破産手続開始後が当然続行とされているのは，すでに破産手続開始決定の効力が生じ（破30 II），破産管財人がその職務を遂行している以上，利害関係人の意思を問わず，相続財産について清算を続行することが適当であるとの判断にもとづく。これに対して，破産手続開始前は，相続財産破産を開始するか否かを利害関係人の意思に委ねるのが適当であると判断されるところから，申立てにより続行するものとされたのである[31]。なお，1月の期間内に相続債権者

---

[29] 相続債権者および受遺者が相続財産および相続人の固有財産の双方から満足を受けることを前提とした規定であり，一方の破産手続開始時の破産債権について，他方の破産手続において配当を受けても，破産債権額が減少することはない。条解破産法〈第3版〉1562頁参照。ただし，法104条の場合（本書314頁参照）と異なって，相続人による任意弁済は，相続財産破産における相続債権者等の破産債権額を減少させると解すべきであろう。

[30] 破産手続開始決定後の相続にもとづいて相続財産破産が開始される場合の破産財団の範囲は，破産手続開始決定から相続開始までの新得財産を含まず，破産手続開始決定時の被相続人の財産に限定される（破34 I）。固定主義を適用するとこのような結論になるが，その結果としては，第2の相続財産破産が開始される可能性を否定できない。注解破産法（下）163頁〔林屋礼二＝宮川知法〕，大コンメンタール967頁〔中島弘雅〕，条解破産法〈第3版〉1553頁参照。

なお，破産手続開始決定に対して即時抗告がなされ（破33 I 参照），即時抗告審係属中に破産者について相続が開始した場合の取扱いについて，抗告審手続が中断し，相続財産が受継するとの有力説（注解破産法（下）162頁〔林屋礼二＝宮川知法〕）がある。しかし，即時抗告を申し立てた者が破産者であったとしても，相続財産が抗告手続を受継することは適当ではなく，抗告手続は当然に終了し，法227条にしたがって相続財産破産を続行すべきであろう。条解破産法〈第3版〉1553頁参照。

被相続人の破産手続に付随する免責手続は，当然に終了するから，相続債権者に対する責任を免れようとする相続人は，別途，限定承認や相続放棄の手続をとることを求められる。注釈破産法（下）521頁。

[31] 旧法下では，解釈論としてこのような考え方が説かれていた。大決明治38・2・25民

などによる続行申立てがなければ、破産手続開始手続は終了するし、続行申立てが却下され[32]、その裁判が確定したときにも、手続は終了する（破226Ⅲ）。

4 相続人の破産

相続人は個人であり、したがって、相続人の破産については、破産能力に関する問題はないが、現行法は、第10章「相続財産の破産等に関する特則」中に、相続財産の破産と並んで、相続人の破産における破産財団および破産債権に関する特有の規律を設けているので、本書でも、相続人の破産に関する特則をここで説明する。なお、破産手続開始後に破産者が他人の財産を相続により取得した場合には、相続財産のうち積極財産は、固定主義の原則により相続人たる破産者の自由財産となり（破34Ⅰ。本書259頁参照）、消極財産たる相続債権は、破産債権（破2Ⅴ）とならないので、相続は、破産手続に影響を与えない。

(1) 相続人による放棄または承認の効力

相続が開始された後に（民882）、相続人に破産手続が開始された場合には、破産債権者としては、破産者たる相続人が単純承認をなすか、限定承認をなすか、または相続放棄をなすか（民915Ⅰ本文）について関心をもたざるをえない。相続財産が債務超過の状態にあれば、単純承認がなされることによって、資産の増加に比べ破産債権の増加が大きく（民920参照）、相続人固有の破産債権者としては、配当が減少する。逆に、相続財産が資産超過の状態にあれば、相続

録11輯268頁、石原344頁、基本法201頁〔河野正憲〕、注解破産法（下）158頁〔林屋礼二＝宮川知法〕参照。現行法の考え方については、一問一答311頁、基本構造555頁、大コンメンタール964頁〔中島弘雅〕、条解破産法〈第3版〉1549頁、注解破産法（下）517頁〔渡辺裕介〕参照。また、実務上は、相続関係が明らかにならないままに続行決定をしても、手続が進まないことから、手続受継者が明らかになるまでは、続行決定を留保する取扱いがなされているという。園尾隆司「債務者の死亡と倒産手続」田原古稀（下）479頁。

32) 却下の事由として考えられるのは、①破産手続開始申立て後、開始決定前の相続にあたらないことや、②申立人が相続財産破産開始申立権者でない場合などである。これに対して、相続財産破産の開始原因である債務超過が認められないときには、申立てを棄却する。

なお、続行申立てを却下する裁判に対しては、即時抗告が認められるが（破226Ⅳ。抗告期間は却下決定の告知の日から1週間。破13、民訴332）、抗告権者は、①の場合には、他の続行申立権者を含み、②の場合には、当該続行申立てをした者に限られる。条解破産法〈第3版〉1551頁は、いずれの場合にも申立てをした者に限るとする。実務上は、法226条の趣旨を尊重し、手続の遅延を避けるために、抗告権者を申立人に限るとしている。園尾・前掲論文（注31）483頁。

人が放棄をなすと，破産債権者としては，財団の増加についての期待が裏切られることになる（民939参照）。

このように，承認や放棄は破産債権者の利害に密接に関係するが，他方，いずれを選択するかは相続人自身の固有の権利であるので，破産債権者が合理的範囲を超えて，これに干渉することを認めるべきものではない。したがって，破産手続開始前に承認や放棄がなされた場合には，破産債権者がその効果を覆すことは認められない。たとえ単純承認や放棄が破産債権者の利益を害する場合であっても，否認の対象とならない趣旨である[33]。その結果として，単純承認がなされたときには，相続財産が破産財団の一部を構成し，他方相続債権者も破産債権者になる[34]。相続放棄がなされたときには，相続財産は破産財団からはずれ，また相続債権者は破産債権者とならない。限定承認がなされたときには，破産債権者となる相続債権者に対しては，破産財団のうち相続財産のみが配当に充てられる（破240Ⅳ）。

次に，破産手続開始前の相続にもとづいて開始後に破産者による承認や放棄がなされる場合について検討する。相続財産は破産財団を構成するものとなっているが，承認などの行為が破産手続開始後の破産者の行為として破産債権者に対抗できないとすることは（破47Ⅰ），法が承認や放棄の選択を相続人に認めた趣旨に反する。したがって，破産手続開始後であっても，破産者の選択権行使を認めざるをえないが，その効果に何らの制限を加えないことは，先に述べたような理由から破産債権者の利益を害する結果となる。

そこで法は，単純承認[35]について限定承認の効力を認め[36]，また，放棄につ

---

33) 立法政策としては，否認を認めることも考えられる。事実，旧破産法草案はそのような考え方をとっていた。加藤正治・破産法講義249頁（1914年）。もちろん，現行法の下でも，相続人の債権者が民法950条にもとづく財産分離などの手段によってその利益を守る可能性は残されている。

34) 破産者が共同相続人の1人である場合にも，熟慮期間は共同相続人各別に進行するから（最判昭和51・7・1家月29巻2号91頁），破産者にとっての熟慮期間が破産手続開始前に経過したときには，破産手続開始前に単純承認がなされたものとみなされる（民921②）。ただし，共同相続人たることを最後に知った者にとっての熟慮期間が経過する前であれば，破産者は他の共同相続人とともに限定承認をなしうる（民923参照）。条解破産法〈第3版〉1577頁。

35) 単純承認は，意思表示としての単純承認と黙示の意思表示としての法定単純承認（民921）とを含む（注解破産法（上）86頁〔小室直人＝高階貞男〕），大コンメンタール996頁〔山野目章夫〕，条解破産法〈第3版〉1579頁。

36) もっとも，破産者の他に共同相続人が存在するときには，遺産分割協議によって具体

いても同様の取扱いをする（破238Ⅰ）[37]。限定承認であれば，破産管財人は，相続財産を破産財団所属財産として分別管理し，相続債権者については相続財産から，相続人債権者については固有財産から配当を行う（破242ⅠⅢ・240Ⅳ）。なお，相続財産についてその後になお残余財産があれば，当該相続人に帰属すべき部分は相続人固有の財産とみなされ，破産財団のうち固有財産部分の財産目録等を補充する（破242Ⅱ）[38]。

ただし，放棄に関しては，破産管財人は，それを承認することもできる（破238Ⅱ前段）。相続財産の債務超過が明白な場合に，破産管財人の負担を軽減す

的な相続財産を確定する必要がある。破産管財人がどのような資格で協議に参加すべきかについては，考え方の対立がみられるが，破産者たる相続人の一身専属的資格としての側面を重視すれば，破産者が当事者となり，破産管財人は，利害関係人として参加することも考えられるが，むしろ，遺産持分の破産財団帰属性を重視して，破産管財人が当事者となると解すべきであろう（家事事件手続法198条の立法の経緯を含め，注釈破産法（下）544頁，条解破産法〈第3版〉1581頁参照）。

相続放棄が限定承認とみなされる場合も同様である。登記実務もこの考え方に沿って運用されている模様である。法務省民二第2078号通知（平成22年8月24日）参照。破産者は，当事者でなく，利害関係人として手続に参加する。遺産分割審判手続係属中に破産手続が開始したときは，破産管財人が手続を受け継がなければならない（家事44Ⅰ参照）。

なお，被相続人の預貯金債権が遺産分割の対象となるとした最大決平成28・12・19民集70巻8号2121頁があり，破産者が相続人の一人である場合の取扱いに影響する。

37) 相続放棄の結果として相続財産清算人選任の可能性が生じるが，破産管財人が相続財産を管理するので，相続財産清算人選任の余地はない。条解破産法〈第3版〉1582頁参照。

ただし，単純承認の場合であれ，相続放棄の場合であれ，限定承認の擬制は，破産財団に対する関係でのみ生じるから，相続人たる破産者自身について単純承認の効力は残る。したがって破産者は，免責をえない限り，相続債権者に対して自由財産による責任を免れない。放棄の場合にも，破産者自身は相続債権者に対する責任を負わず，したがって，相続債権者による債権届出に対する異議権（破221Ⅱ）も否定される。以上について，基本法43頁〔中島弘雅〕参照。

また，他に共同相続人がいるときには，破産者が相続放棄をしても，他の共同相続人は，破産者を除外して（民939参照），限定承認の申述をすることができ，逆に，破産者が単純承認をしたときには，他の共同相続人が限定承認の申述をするためには，破産者と共同して行わなければならない（民923）。条解破産法〈第3版〉1580頁参照。

38) 逆に固有財産について残余を生じたときに，相続財産に関する財産目録等の補充が必要かという問題がある。法242条2項を類推してこれを肯定する有力説があるが（注解破産法（下）475頁〔宮川知法〕），固有財産の残余を相続財産とみなすべき理由はないから，このような類推の合理性はない。

なお，相続債権者には相続人が含まれ，相続財産には相続人に対する権利が含まれるので（民925参照），破産管財人が利益相反の立場に置かれる可能性があり，複数の破産管財人を選任し，職務を分掌すべき場合もあろう。条解破産法〈第3版〉1584頁，注釈破産法（下）548頁。

るためである。放棄の承認については，裁判所の許可をえなければならない（破78Ⅱ⑥）。この場合においては，相続の放棄があったことを知った時から3月以内に，その旨を家庭裁判所に申述しなければならない（破238Ⅱ後段，家事242Ⅰ③）。

なお，放棄の効力が生じないかぎり，相続財産は破産財団に属するものとして破産管財人が清算することになるが，その場合にも，相続人たる破産者や他の相続人が限定承認または財産分離をすることは妨げられず，すでにした財産分離の効力も影響を受けない（破239本文）。この場合に，破産者たる相続人のみが相続財産について債務の弁済に必要な行為をする権限を有するときは，破産手続終了まで限定承認または財産分離の手続は，中止する（同但書）。固有財産と相続財産についての破産清算がなされるから，限定承認などの手続を進めることは意味がないからである。しかし，他の相続人が相続財産管理人または相続財産清算人として債務の弁済に必要な行為をする権限を有するときには，相続財産の清算をそれに委ねることが合理的であるので，限定承認などの手続が進められる[39]。

破産者が包括受遺者である場合には，相続人と同じ地位に立つので（民990）[40]，上に述べた取扱いがそのまま妥当する（破243）。これに対して，破産者が特定遺贈を受けている場合には，受遺者たる破産者の権利は，通常の財産的権利とみられるので，破産手続開始前に遺贈の効力が発生していれば，当然に破産財団に組み込まれ，破産者が破産手続開始までに承認または放棄の意思表示をしていないときには，破産者に代わって破産管財人が承認または放棄（民986）の意思表示をすることが許される（破244Ⅰ）。放棄の意思表示については，裁判所の許可を要する（破78Ⅱ⑥）。遺贈義務者その他の利害関係人は，民法987条の規定にしたがって，破産管財人に対して承認または放棄の催告を

---

[39] この点に関しては，旧法以来の立法の経緯があるが，現行法の基本的考え方は，相続人の破産管財人が他の共同相続人の限定承認などにもとづく清算権限を制約することを認めず，ただ，破産者たる相続人のみが相続財産について債務の弁済に必要な行為をする権限を有するときに限って破産管財人による清算を優先させることにしている。詳細については，条解破産法〈第3版〉1580頁参照。

[40] ただし，法人も包括受遺者になりうること，包括受遺者には遺留分侵害額請求権が観念しえないこと，相続人や他の包括受遺者による相続または遺贈の放棄の効果が及ばないこと，第三者への譲渡について民法905条の規律が及ばないことという違いがある。条解破産法〈第3版〉1601頁参照。

することができる(破244Ⅱ)。なお,遺贈が負担付であり,破産管財人が遺贈の履行を受けたときは[41],その負担に対応する相手方の請求権は,遺贈の目的の価額を超えない限度で財団債権とする(破148Ⅱ)。相手方との公平を図る趣旨である(本書339頁参照)。

(2) 相続人破産における破産債権者

破産債権者としては,相続人の債権者の他に,相続債権者および受遺者が存在する。相続債権者および受遺者は,財産分離や相続財産破産の開始と関わりなく,その債権全額について破産手続に参加できる(破240Ⅰ)。相続債権者等が相続財産と相続人の固有財産の双方を引当てにできることを前提とした規定であり,法104条などと同様の趣旨にもとづく[42]。ただし,破産手続開始前に相続人が相続放棄をした場合には,相続債権者等は,相続人の破産手続に参加することはできず,相続財産破産などの手続によってのみ相続財産から満足を受けることができる。限定承認がなされた場合または限定承認がなされたとみなされる場合には,破産財団のうち相続人固有財産部分については破産債権の行使が許されない(破240Ⅳ)[43]。

また,相続人破産と相続財産破産が競合した場合には,相続人債権者の権利は,相続人の破産財団については,相続債権者や受遺者の権利に優先する(破240Ⅱ)。相続人の財産のみを引当てにできる相続人債権者を保護する趣旨である。

さらに,相続財産破産手続開始申立期間(破225)内に相続人に対する破産手続開始申立てがなされ,破産手続が開始されたときは,固有財産部分については,相続人債権者が相続債権者および受遺者に優先し,相続財産部分については,相続債権者および受遺者の債権が相続人債権者に優先する(破240Ⅲ)。これは,相続財産破産手続開始申立期間内に申し立てられた相続人破産が,実質において相続財産破産と相続人破産の2つの性質を持つことを前提として,財産分離がなされた場合と同様に,責任財産の性質に応じて,相続人債権者と

---

41) 破産管財人が遺贈の履行を受けたこと,すなわち遺贈の目的物が現有財団として破産管財人の管理下に置かれたことが,相手方による財団債権行使の要件である。条解破産法〈第3版〉1048頁。

42) 相続財産破産に関する法231条1項に対応する。

43) したがって,破産手続が終結してなお固有財産の全部または一部が残っているときには,それは破産者たる相続人に交付する。条解破産法〈第3版〉1591頁。

相続債権者等のそれぞれの優先権を認めるものである[44]。

　相続債権者または受遺者は，相続人についての破産手続開始決定後に限定承認または財産分離の手続によってその破産債権について弁済を受けた場合であっても（破239本文参照），弁済を受ける前の債権額によって破産手続に参加することができる（破241 I 前段）[45]。相続人債権者が財産分離の手続において弁済を受けた場合にも，同様である（同後段）。ただし，これらの債権者は，他の同順位の破産債権者が自己の受けた弁済と同一の割合の配当を受けるまでは，配当を受けられない（同 II）。ただし，相続人が数人ある場合には，相続債権者が破産者以外の相続人から弁済を受けるが，ここで自己の受けた弁済とみなされるのは，破産者の相続分に応じた部分に限る（同かっこ書）。また，財産分離などによって弁済を受けた債権額については，議決権の行使が認められない（同 III）。

　これらの規律は，破産債権者が外国財産から弁済を受けた場合の規律（破109・142 II・201 IV。本書275頁参照）と同様のものであり，一方で破産手続開始時における債権全額を破産債権として行使することを認めつつ，他方で，相続財産および相続人固有財産が同じく相続人の財産であることを踏まえ，これらの債権者と他の破産債権者との公平を図ろうとするものである。

5　信　託　財　産

　破産法は，新たな信託法（平成18年法律108号）の制定にともなって，信託財産の破産に関する特則を設けるに至った（破第10章の2）[46]。信託財産は，信

---

44) この場合にも破産管財人による財産の分別管理が必要になる（破242 III）。
45) ただし，限定承認の効果が生じているときには，相続債権者等は相続人の固有財産に対する権利行使を許されないから，ここで想定されるのは，例外的に相続人が固有財産をもって責任を負う場合（民937）や，限定承認が取り消された場合（民919）に限られる。条解破産法〈第3版〉1593頁，注釈破産法（下）556頁参照。
46) これに対して，信託の再生については，その必要が明らかでないなどの理由から立法がなされなかった。深山雅也「信託と倒産」金商1261号122頁（2007年），大コンメンタール1016頁〔村松秀樹〕，条解破産法〈第3版〉1608頁，注釈破産法（下）567頁，信託法セミナー4　148頁，道垣内406頁参照。
　信託財産破産の対象となる信託の種類について限定を設けず，事業に関しない信託や信託債権が受託者の固有財産をも引当としている信託も含まれることについて，大コンメンタール1015頁〔村松秀樹〕，条解破産法〈第3版〉1607頁，注釈破産法（下）567頁，信託法セミナー4　145頁参照。なお，以下の記述は，委託者と受託者との間の信託契約に信託の成立（信託3①）を想定しているが，信託宣言にもとづく自己信託（同③。道垣内66頁）についても，基本的には変わるところはない。

託目的（信託2Ⅰ）を実現するために，受託者に属する財産であって，受託者が管理または処分をすべき一切の財産であり（同Ⅲ），財産の集合体であるという点で，相続財産と類似するところが多い。そのことを反映して，両者の破産に関する規律の間には，相当の類似性がみられる。もっとも，信託財産関係と相続財産関係には，それぞれの特質にもとづいた差異があり，信託財産破産の法律構成や個別的な規律の内容には，相続財産破産と比較すると，かなりの違いが認められる。

なお，委託者がその債権者を害する目的のために信託を利用することがあり，これが詐害信託と呼ばれる。詐害信託については，民法424条にもとづく詐害行為取消権の特則として，受託者の善意・悪意を問わず，その取消しを裁判所に請求することができる（信託11Ⅰ本文）[47]。さらに，委託者の破産において，詐害信託が詐害行為否認（破160Ⅰ）の対象となりうることは，当然であるが，否認の要件である「これによって利益を受けた者」（破160Ⅰ①②）の悪意は，受益者の全部または一部の者の悪意とされる（信託12Ⅰ）。また，信託行為に対する否認と並んで，破産者が破産債権者を害することを知って委託者として信託をした場合には，破産管財人は，受益者を被告として，その受益権を破産財団に返還することを訴えをもって請求することができる（信託12Ⅱ）[48]。

(1) 信託財産破産の機能

信託財産は，信託の目的を実現するために受託者が運用するものであるが，支払不能または債務超過（受託者が信託財産に属する財産をもって履行する責任を負う債務，すなわち信託財産責任負担債務について信託財産に属する財産をもって完済することができない状態）という，破産原因が生じたときは（破244の3），受託者

　　また，以下に取り上げる信託財産の破産，受託者の破産および委託者の破産の他に，信託に関係する主体の破産として，受益者の破産がある。受益権が破産財団に属することが基本であるが，関連するものとして信託終了命令（信託165Ⅰ）がある。破産法大系Ⅲ261頁〔山本和彦〕。

[47] この詐害信託取消しの訴えの性質は，詐害行為取消しの訴え（民424）と同一のものであるから，訴えの係属中に委託者について破産手続が開始されたときには，訴訟手続が中断し（破45Ⅰ類推），破産管財人が否認訴訟としてこれを受継する。受継後の訴訟については，信託法12条の規定が適用される。条解破産法〔第3版〕386頁。

[48] 委託者の民事再生および会社更生においても，同様に，信託行為の否認および受益権の返還請求が認められる（信託12Ⅲ～Ⅴ）。道垣内133頁。受益権の返還請求は，信託自体の否認が成立しない場合であっても，逸出した財産の実質を取り戻すために認められたものである。福田政之ほか・詳解新信託法120頁（2007年）。

の固有財産（信託2Ⅷ）と区別して，信託財産限りでの清算を実施することが公平に合致する[49]。信託財産破産は，そのための制度である。

(2) 信託財産破産の法律構成

信託財産破産の法律構成に関しては，相続財産破産と同様に，破産者を受託者とするか，それとも信託財産とするかの考え方が分かれうる。信託財産の帰属主体が受託者であることをみれば，受託者を破産者とすることが考えられるが，受託者の破産と信託財産の破産とが区別されること，法244条の4第1項が特に受託者の破産手続開始申立権を規定していること，法244条の8によって受託者に破産債権者としての地位が認められることなどを考えると，信託財産そのものを破産者とみなすべきである[50]。もっとも，信託財産が受託者に帰属し，かつ，破産債権である信託債権（信託21Ⅱ②）および受益債権（信託2Ⅷ）の債務者が受託者であることを考えれば，破産清算の対象となるのは，第三者たる受託者に帰属する信託財産と受託者を債務者とする信託債権および受益債権である。実体法上の権利能力のない信託財産に破産能力が認められる結果として，破産管財人は，受託者に代わって，受託者に帰属する信託財産につ

---

49) 信託財産の独立性について，寺本昌広・逐条解説新しい信託法97頁（2007年），道垣内110頁参照。ただし，実際には，受託者の破産手続と信託財産の破産手続の双方が平行して行われる可能性があり，手続開始前になされた偏頗行為などをいずれの破産管財人が否認するかなどの問題が生じる。田頭章一「新信託法の下での受託者の破産」民訴雑誌54号16頁（2008年）参照。

  なお，債務超過の判断基準としての信託財産の評価については，事業信託の場合には，継続事業価値と清算価値のいずれか高い額，信託財産責任負担債務のうち受益債権については，信託の清算終了後の残余財産を引当とするもの（信託177③かっこ書・182Ⅰ①参照）を考慮すべきでないこと，また，破産手続開始の時点でその発生が不確実なものは，その評価を要することなどが説かれる。大コンメンタール1021頁〔村松秀樹〕，条解破産法〈第3版〉1616頁，注解破産法（上）576頁，破産法大系Ⅰ147頁〔花村良一〕，同Ⅲ269頁〔山本和彦〕，沖野眞已「信託財産破産をめぐる諸問題」ジュリ1450号43頁（2013年）。

  ただし，破産手続開始決定によって信託が終了しても（信託163⑦），破産手続が終了したにもかかわらず信託財産が残存している場合には（信託175参照），信託の清算の手続をとる必要がある。信託法セミナー4 141頁，道垣内407頁参照。

50) 条解破産法〈第3版〉1609頁によれば，この考え方にもとづいた債務者や破産者の表示（破規13Ⅰ②・19Ⅰ，民訴122・253Ⅰ⑤）としては，受託者の氏名または名称および住所，信託目的および信託財産を特定するにたる情報が必要であるという。

  ただし，本文に述べたことは理論的考察であり，破産財団たる財産の範囲について，立法者は，法34条1項の通則とは別に法244条の5を設けて，破産財団に属すべき信託財産の範囲を規定している。

いて管理処分権を行使し[51]，受託者を債務者とする信託債権や受益債権との清算を行う。

(3) 信託財産破産の手続

信託財産破産は，信託財産を独立に清算の対象とするものであるから，信託が終了する（信託163・164）までは，信託債権者（信託21Ⅱ④），受益者（信託2Ⅵ），受託者（同Ⅴ），信託財産管理者（信託63Ⅰ），信託財産法人管理人（信託74Ⅱ），信託財産に関する保全処分にもとづく管理人（信託170Ⅰ）は，破産手続開始の申立てをすることができる（破244の4Ⅰ）。この中で，信託債権者および受益者[52]は，信託財産に対する権利行使を認められることから申立権を，受託者，信託財産管理者，信託財産法人管理人または信託財産に関する保全処分にもとづく管理人（受託者等と総称する）[53]は，信託財産の管理処分を職務とすることから申立権を認められる。

したがって，前者は，債権者が破産手続開始申立てをする場合（破18Ⅱ）と同様に，当該信託財産の破産手続開始原因事実の疎明の他に，その有する信託債権または受益債権の存在の疎明を求められる（破244の4Ⅱ①）のに対して，後者による申立ては，破産手続開始原因事実の疎明のみで足りる（同Ⅱ②）。さらに，受託者等が一人であるとき，または受託者等が数人ある場合において受

---

51) 信託財産破産開始後も，信託財産に属する財産の管理処分権と関係のない権利（信託の変更，併合等への合意に関する権利（信託149・151），信託の変更を命じる裁判の申立権（信託150）など）は受託者に残るという見解（大コンメンタール1016頁〔村松秀樹〕）と，これらの権利も破産管財人の管理処分権に関わるとする考え方（条解破産法〈第3版〉1610頁）とがある。法人の破産における組織法上の事項に関して述べたのと同様の理由（本書272頁）から，後者に賛成する。

52) 受益者代理人を含む（信託139Ⅰ本文参照）。大コンメンタール1022頁〔村松秀樹〕，条解破産法〈第3版〉1620頁，注釈破産法〈下〉580頁。もっとも，受益者や受益者代理人であっても，受益債権が未発生のときには，法244条の4第2項1号の疎明ができないために，破産手続開始申立てが不適法となる。条解破産法〈第3版〉1620頁，信託法セミナー4 154頁，道垣内407頁参照。

53) ただし，信託法66条4項を理由として，信託財産管理者および信託財産に関する保全処分にもとづく管理人の申立てについては，裁判所の許可を要するとの有力説（条解破産法〈第3版〉1621頁，注釈破産法〈下〉580頁）がある。

これに対して信託管理人（信託123）や信託監督人（信託131）には，破産手続開始申立権が認められない。両者は，いずれも受益者の権利保護をその職務とする機関であるが（信託125Ⅰ・132Ⅰ参照），前者は，受益者の受益債権が確定的に発生していないため，後者は，破産手続開始申立てがその権限に含まれないため（同132Ⅰ），申立権を認められない。条解破産法〈第3版〉1620頁参照。

託者等の全員が破産手続開始の申立てをしたときには，破産手続開始原因事実の疎明も不要である（同Ⅲ）。これは，申立てが信託財産の管理処分権を有する者の一致した意思にもとづくものとみなされるために，疎明を不要とする趣旨である（破19Ⅲ参照）。

信託が終了した後であっても，残余財産の給付（信託177④）が終了するまでの間は，破産手続開始の申立てをすることができる（破244の4Ⅳ）[54]。その場合には，破産管財人は，清算受託者（信託177柱書）がすでに信託財産責任負担債務にかかる債権を有する債権者に支払ったものがあるときは，それを取り戻すことができる（信託179Ⅱ）。

なお，信託財産破産の国際破産管轄および国内土地管轄については，法244条の2が特別の定めを設けている（本書234，235頁参照）。

信託財産について破産手続が開始されると，信託は終了し（信託163⑦），破産財団には，外国財産も含め，破産手続開始時における信託財産[55]のすべてが属する（破244の5）。

破産債権としては，破産手続開始前の原因にもとづく受託者に対する財産上の請求権（破2Ⅴ）という意味では，信託債権（信託21Ⅱ②），受益債権（信託2Ⅶ）および固有財産等責任負担債務（信託22Ⅰ柱書）にかかる債権の3種類が考えられるが，最後のものは，固有財産等が責任財産となるものであるから，信託財産破産においては，破産債権者としてその権利を行使することができない（破244の9）。したがって，信託財産破産における破産債権者は，信託債権者（信託21Ⅱ④）および受益者（信託2Ⅶ）である。これは，信託財産の独立性

---

[54] 債務超過を発見した清算受託者には，破産手続開始申立義務が課される（信託179Ⅰ）。債務超過を理由とする破産手続開始申立義務の趣旨については，本書127頁参照。

[55] 信託財産の範囲については，信託法2条3項，16条，17条ないし19条などによるものが含まれる。なお，信託財産を構成すべき不動産の登記が委託者名義になっている場合には，破産管財人は，受託者の委託者に対する信託の登記手続請求権にもとづいて，受託者の委託者に対する所有権移転登記手続請求権を代位行使し，また，受託者名義になっている場合には，受託者との関係では，信託の登記なくして，破産管財人は当該財産が信託財産に属することを主張できる。条解破産法〈第3版〉1624頁，注釈破産法（下）584頁参照。

また，信託財産は受託者に帰属するものであるが，受託者の固有財産とは区別されるところから，受託者の固有財産に帰属する財産上の用益物権や担保物権も，混同によって消滅することなく（信託20Ⅰ），信託財産を構成する。条解破産法〈第3版〉1625頁，注釈破産法（下）584頁参照。

を反映したものである。ただし，受託者が有する費用等の償還に関する権利（信託48Ⅰ）または費用の前払いを受ける権利（同Ⅱ）は，信託財産に属する金銭を固有財産に帰属させる形での権利行使が認められるが（信託49Ⅰ），信託財産破産の手続においては，この権利が金銭債権化され，破産債権としての権利行使が認められる（破244の8)[56]。

これらの破産債権の中で，信託債権は，信託財産を維持運用するための費用としての性質を持つために，受益債権に優先し（破244の7Ⅱ），また，受益債権と約定劣後破産債権とは，同順位が原則であるが（同Ⅲ本文），信託行為の定めにより，約定劣後破産債権が受益債権に優先するものとすることができる（同但書)[57]。

なお，信託財産破産と受託者の破産が並行するときには，信託債権者および受益者は，受託者の破産における配当と関わりなく，信託財産破産の開始時における債権の全額について破産手続に参加することができる（破244の7Ⅰ）。数人の全部義務者の破産の場合（破104Ⅰ）と同様に，信託債権者などが信託財産および受託者の固有財産から重畳的に満足を受ける利益を保障するためである[58]。

---

56) 金銭化されるのは，この権利の本来的性質が形成権とされているためである。深山・前掲論文（注46）123頁。すなわち，信託財産も固有財産も受託者に属する財産であるために，この権利を信託財産に対する受託者の権利として法律構成することはできないが，この権利が行使されると，信託財産に属する財産の一部が固有財産に帰属する意味での形成的効果が生じ，実質的には，信託財産を責任財産とする金銭債権としての性質を有するので，これを金銭化して，信託財産破産における破産債権として扱う趣旨である。金銭化した債権に関する優先権については，注釈破産法（下）593頁，信託法セミナー4 162頁参照。また，受託者たる信託銀行が固有財産から信託財産への貸付けを行った場合（銀信ローン取引と呼ばれる）に，両財産の独立性を重視し（沖野・前掲論文（注49）40頁参照），費用等の償還に関する権利と同様に金銭債権として破産債権行使を認めるべきかについては，考え方が分かれる（問題の指摘として，後藤出「固有財産と信託財産との取引に係る一考察」信託フォーラム7号91頁（2017年）がある）。信託法31条2項の要件を満たし，別異の法主体間の合意と同視される方式がとられていることを前提とすれば，金銭債権として扱い，破産債権の行使を認めて差し支えない。

なお，信託債権の受益債権に対する優先性（破244の7Ⅱ）に関しては，特に弁済期到来済みの受益債権については，修正の余地が指摘される。浅田隆ほか「〈座談会〉銀行から見た新たな信託法制」金法1810号21頁（2007年）参照。

57) 信託行為による以外の合意にもとづく優先順位の変更，たとえば，一部の信託債権を約定劣後破産債権とする旨を当該信託債権者と受託者との間で合意することによって，受益債権と同順位とすることも可能である。条解破産法〈第3版〉1632頁，注釈破産法（下）591頁。

その他，信託財産破産に関する特則として，破産管財人などの請求に応じて受託者等（破244の4Ⅰ第2かっこ書）や会計監査人などが破産に関し必要な説明をする義務（破244の6ⅠⅡ）[59]，個人である受託者等に対する居住制限や引致（同Ⅲ・37・38），受託者等の重要財産開示義務（破244の6Ⅳ・41），同意破産手続廃止の申立資格が受託者等に認められること（破244の13）などがある。

　否認権に関する規定の特則として，受託者等が信託財産に関してした行為を破産者がした行為とみなすこと（破244の10Ⅰ），相当の対価を得てした財産の処分行為の否認（破161Ⅰ）に際して，当該行為の相手方が受託者等または会計監査人であるときは，受託者等の隠匿等の処分意思に関する相手方の悪意を推定すること（破244の10Ⅱ），偏頗行為の否認（破162Ⅰ①）に際して，債権者が受託者等または会計監査人であるときは，債権者の支払不能および支払停止に関する悪意，または破産手続開始申立てに関する悪意を推定すること（破244の10Ⅲ），相当の対価を得てした財産の処分行為の否認の相手方の権利（破168Ⅱ）に関して，当該行為の相手方が受託者等または会計監査人であるときは，受託者等の隠匿等の処分意思に関する相手方の悪意を推定すること（破244の10Ⅳ）は，いずれも受託者等が信託財産についての管理処分を行い，会計監査人がそれを監視する責任を行うという，信託の特質を反映したものである。

　信託財産破産における破産管財人の特別の権限としては，信託財産の保全に

58) 条解破産法〈第3版〉1629頁，注釈破産法（下）569頁，大コンメンタール1028頁〔村松秀樹〕。もちろん，限定責任信託において，受託者が信託財産のみをもって信託財産責任負担債務について責任を負う場合には（信託216Ⅰ），受託者破産に対して信託債権者が破産債権を行使することはありえない。また，受益債権については，信託財産のみが責任財産であることが法定されている（信託100）が，元本補塡特約によって受託者がその固有財産をもって受益債権に対して責任を負う場合には，受益者が，信託財産破産および受託者の破産のいずれにおいても破産債権を行使することがありうる。
　また，信託財産破産の開始後に受託者が信託債権者等に対して弁済をしたときには，その額に対応して信託債権者等の破産債権額が減少し，これに代わって，受託者が費用等の償還請求権（信託48Ⅰ）および代位取得する信託財産責任負担債務にかかる債権を破産債権として行使できるとするのが有力説である（条解破産法〈第3版〉1630頁）。しかし，信託財産と受託者の関係を主債務者と保証人に類似するものと考えれば，法104条2項ないし4項と同様に，信託債権者が信託破産において全額の満足を受けるまでは，受託者がその権利を行使できないとする考え方がありえよう。信託法セミナー4　179頁，沖野・前掲論文（注49）43頁参照。
59) これは，破産者等の説明義務に関する法40条の特則にあたり，この義務に違反すると処罰の対象となりうる（破268ⅠⅡ）。

関する一連の権限，すなわち受託者の権限違反行為の取消し（信託27ⅠⅡ），利益相反行為の追認（信託31Ⅴ），利益相反行為の取消し（同ⅥⅦ），競合行為禁止違反行為に対する介入権の行使（信託32Ⅳ），受託者の損失てん補責任等の追及および免除（信託40・41・42），受益者に対する信託財産にかかる給付に関する受託者の責任の追及（信託226Ⅰ），欠損が生じた場合の受託者の責任の追及（信託228Ⅰ），会計監査人の損失てん補責任の追及および免除（信託254ⅠⅢ）が認められる（破244の11Ⅰ）。保全管理人についても，同様である（同Ⅱ）。

　また，信託財産の管理処分を職務とする受託者等またはそれについての監督を職務とする会計監査人の責任（信託40・69・74Ⅵ・170Ⅳ・226Ⅰ①・228Ⅰ①・254Ⅰ）を破産管財人が追及することを容易にするために，役員の財産に対する保全処分の規定（破177。本書662頁参照）を受託者等または会計監査人の財産に対する保全処分について準用し[60]，役員の責任の査定の申立て等の規定（破178～181。本書664頁参照）を受託者等または会計監査人の責任にもとづく損失のてん補または原状の回復の請求権の査定について準用する（破244の11Ⅲ）。

　さらに，清算手続が開始された後に，信託財産について破産手続が開始された場合には，すでに清算受託者（信託177柱書）が信託財産責任負担債務（信託2Ⅸ）にかかる債権を有する債権者に支払ったものがあるときは，破産管財人は，これを取り戻すことができる（信託179Ⅱ）。破産原因のある信託財産の公平な清算のために，清算受託者が行った債務の弁済の効力を覆す，特別の権利を破産管財人に付与したものである。

6　受託者の破産

　受託者は，個人または法人であるから（信託7・41参照），その破産能力が肯定されるが，信託法の中に破産財団および破産債権に関する若干の特則が設けられている。

---

[60]　破産手続開始後の保全処分（破177Ⅰ）と異なって，破産手続開始申立てから開始決定までの期間の保全処分（同Ⅱ）については，債務者に該当する者が存在しないために，保全管理人が選任されている場合（破244の12）を除いて，これを許さないとする見解（大コンメンタール1038頁〔村松秀樹〕）と受託者等を債務者とみなして，保全処分の申立権を認めるべきであるとする立場（条解破産法〈第3版〉1640頁）とがある。実質的必要性を考え，後者を支持する。

(1) 受託者破産における破産財団

　信託財産は，受託者に属するものであり，受託者について破産手続が開始された場合には，開始時の一切の財産を破産財団とする原則（破34 I）からすれば，信託財産も受託者の破産財団に属することとなる。それにもかかわらず，法が，「信託財産に属する財産は，破産財団に属しない」と規定するのは（信託25 I），信託財産が，信託の目的を実現するための基礎となる財産の集合体であり，受託者の責任財産からの独立性を保障しているためである（信託22 I 本文・23 I・75等参照）[61]。したがって，信託は，受託者について破産手続が開始されても，当然には終了するものではない（信託163・164参照）。もっとも，受託者の破産は，原則としてその任務終了事由とされているので（信託56 I ③④），新受託者が選任されることとなる（信託62 I）[62]。ただし，信託行為に別

---

[61]　信託財産が破産財団に属しないことについては，最判平成14・1・17民集56巻1号20頁〔倒産百選52事件〕がある（事案は建設工事の前払金に関するものであり，受託者である建設会社の破産管財人のとるべき措置などについて，新宅正人「公共工事請負人の破産——前払金の帰趨」銀行法務21 691号25頁（2008年）参照。明示的な信託契約などが存在しない場合でも，黙示的な信託としての信託財産と認められるための特定や分別については，林康司ほか「〈座談会〉倒産と信託（上）（下）」NBL 886号20頁，888号60頁（2008年），破産法大系Ⅲ304頁〔林康司〕，ニューホライズン377頁参照）。受託者の再生手続または更生手続の場合にも，信託財産は，再生債務者財産または更生会社財産とならない（信託25Ⅳ Ⅶ。150問160頁〔溝渕雅男〕）。また，受託者破産時における信託財産の取扱いを再検討するものとして，加毛明「受託者破産時における信託財産の処遇（1）」法協124巻2号394頁（2007年）がある。
　したがって，破産にともなって，受託者の任務が終了する場合には（信託56 I ③④），新受託者は，信託財産について前受託者の破産管財人に対する取戻権（破62）を行使しうる。道垣内274頁。

[62]　これに対して，再生手続または更生手続の開始は，信託行為に別段の定めがない限り，受託者の任務の終了事由にならない（信託56Ⅶ）。また，破産によって新受託者が選任される場合でも，破産管財人は，新受託者等が信託事務を処理することができるに至るまで，信託財産に属する財産の保管をし，かつ，信託財産の引継ぎに必要な行為をしなければならない（信託60Ⅳ）。破産管財人は，その費用等の償還を新受託者等に対して求めることができ（同Ⅵ），費用等の償還請求権には，他の債権者に対する優先権が認められる（同Ⅶ・49Ⅵ Ⅶ）。他方，破産管財人が信託財産に属する財産の処分をしようとするときは，受益者は，それに対する差止請求権を行使することができる（信託60Ⅴ本文。訴訟追行の費用に関し信託61）。破産管財人の行為によって受益者の利益が損なわれることを防ぐためである。
　したがって，新受託者等が信託事務の処理をすることができるに至った後は，受益者の差止請求権は認められない（信託60Ⅴ但書）。さらに，新受託者が就任した場合には，信託事務に関する計算を行い，受益者の承認を求める義務や信託事務の新受託者への引継義務などが破産管財人に課される（信託78・77 I。計算承認にもとづく責任免除の効果等

段の定めがあれば，受託者の任務が終了せず，その職務は，破産者が行う（信託56Ⅰ柱書但書・Ⅳ）[63]。

(2) 受託者破産における破産債権者

破産手続開始前の原因にもとづく財産上の請求権を破産債権とする原則（破2Ⅴ）からすれば，信託の受益債権や信託債権も，受託者破産における破産債権となりうるが，受益債権は，もっぱら信託財産の運用にかかる給付を目的とするものであり（信託2Ⅶ），信託財産以外の受託者の財産を引き当てとするものではないので，破産債権とならない（信託25Ⅱ前段。再生手続および更生手続に

について，信託78・77ⅡⅢ）。

その他，破産によって受託者の任務が終了する場合については，前受託者の受益者に対する通知義務（信託59Ⅰ本文）や破産管財人に対する通知義務（同Ⅱ）が定められている。その趣旨については，深山・前掲論文（注46）119頁参照。実務上の取扱いについては，稲生隆浩「自己信託を活用した（プレ）DIPファイナンスの活用と諸問題」加藤哲夫古稀366頁参照。

なお，自己信託（信託3③）の場合には，破産管財人，再生債務者等，更生管財人が委託者と受託者の財産管理処分権などを行使することになるので，利益相反の問題発生が考えられる。林ほか・前掲座談会（注61）（下）67頁。受託者としての任務が終了しない再生債務者等や更生手続の管財人，および新受託者等が選任されるまでの破産管財人は，一方で，それぞれの職務にしたがって，再生債務者財産，更生会社財産，破産財団所属財産を管理処分し，計画による弁済や破産配当を行うことになるが，他方で，再生債務者財産等に属しない信託財産（信託25Ⅰ・ⅣⅦ）を受益者の利益のために管理し，受益権に対する支払いなどを行う。

[63] もっとも，法人の受託者は，破産によって解散するので，この規定の適用対象は個人の受託者に限られる（信託56Ⅰ③かっこ書）。また，受託者について再生手続や更生手続が開始されたときは，受託者としての任務は継続するので，再生債務者や管財人が信託契約を双方未履行の双務契約として解除することができるかどうかが問題となりうるが（民再49Ⅰ，会更61Ⅰ参照），信託財産が再生債務者財産や更生会社財産にならないため（信託25ⅣⅦ），解除の対象とならないと解されている（寺本昌広・逐条解説 新しい信託法〈補訂版〉101頁（2008年）参照）。

しかし，事業信託において，受託事業が不採算事業とみなされ，その存続が受託者の負担を増加させる場合にも，このような結論でよいかどうか，検討の余地がある。後藤出「事業の信託」田中和明編著・新類型の信託ハンドブック194頁（2017年）参照。「商事信託法研究会報告（平成27年度）」信託270号20頁（2017年）では，双方未履行双務契約への該当可能性を肯定するが，信託財産が再生債務者財産や更生会社財産そのものと分別されるとしても，受託者としての任務遂行が再生債務者等や更生手続の管財人の職務に含まれ，かつ，報酬支払請求権などが再生債務者財産や更生会社財産に帰属することをもって，受託者としての地位を再生債務者等などの管理処分権の対象とし，双方未履行双務契約法理の適用根拠とすべきであろう。

なお，委託者の倒産においても同様の問題がある。以上について，水野大「新信託法・改正信託業法が証券化・流動化取引に及ぼす影響と実務対応」Lexis企業法務20号44頁（2007年）参照。

ついて，同Ⅴ前段・Ⅶ）。信託債権についても，信託財産のみならず，受託者の固有財産をもって責任を負うものは，破産債権となるが，信託財産のみが責任財産となるもの（信託21Ⅱ②～④）は，破産債権とならない（信託25Ⅱ後段。再生手続および更生手続について，同Ⅴ後段・Ⅶ）。また，破産債権となる信託債権でも，それについての免責許可決定にもとづく債務の免責は，信託財産との関係においては，その効力を生じない（同Ⅲ。再生手続および更生手続について，同ⅥⅦ）。したがって，信託債権者は，免責許可決定にもかかわらず，信託財産に対してその権利を行使することが許される。

7 委託者の破産

委託者について破産手続が開始されても，当然には信託関係についての影響はない。ただ，信託契約が双方未履行双務契約に当たる場合には，破産管財人によって信託契約が解除されれば（破53Ⅰ），信託は終了する（信託163⑧。民再49Ⅰまたは会更61Ⅰによる解除の場合も同様である）[64]。その他，信託が詐害信託に当たるとして，否認の対象等となりうること（信託12ⅠⅡ）は，前述の通りである。

8 法人でない社団または財団

法人でない社団等（社団または財団）については，法13条にもとづいて民事訴訟法29条が準用されることによって破産能力が認められる。ただし，たとえ当事者能力や破産能力が認められても，法人でない社団等には実体法上の権利能力が認められないことから[65]，破産財団に所属する財産は，破産者たる社団等の財産ではなく，その構成員など第三者に帰属するものとなる。また，破

---

[64] もっとも，信託契約の内容によっては，当然にこのような結論になるとは限らない。一例として，委託者保有の資産について流動化目的で自益信託が設定され，委託者兼受益者であるオリジネーターが受益権を投資家に売却しているような事案において，委託者の信託報酬支払義務と受託者の信託事務遂行義務が双方未履行であることに着目して，委託者の破産管財人が信託契約の解除（破53Ⅰ）を主張する可能性がある（本書432頁，道垣内408頁参照）。

これに対して，最判平成12・2・29民集54巻2号553頁〔倒産百選81①事件〕によって確立された法理（本書394頁）などに依拠しつつ，破産管財人による解除権を否定すべきことを説くものとして，小野傑「委託者破産の場合の破産管財人による信託契約に対する破産法53条1項に基づく解除権行使の可否」西村利郎先生追悼論文集・グローバリゼーションの中の日本法133頁（2008年）がある。

[65] この点に関しては争いがあるが，判例（最判昭和55・2・8判時961号69頁）にしたがって，以下の議論を進める。詳細については，伊藤・民訴法128頁参照。

産債権についても，社団等ではなく，構成員など第三者を債務者とする債権がその内容となる[66]。この点についての考え方は，すでに相続財産および信託財産について述べたところと同様である。

法人でない社団等とされるためには，代表者または管理人が定められている必要があるが（民訴29），破産管財人は，これらの者に代わって管理処分権を行使する。

9 民法上の組合

民法上の組合のうち，法人格のない社団として認められるものについては，上記のような取扱いをすることができるが，それ以外の組合については，破産能力を否定するのが通説である。しかし，民法685条以下の規定は，組合を単位として資産および負債を清算することを予定しており[67]，また，清算人の職務権限については，法人清算人と同様の規定が設けられている（民688Ⅰ，一般法人212）。債権者が破産手続開始申立てをするにあたって，組合が法人格のない社団にあたるかどうかについて判断の責任を負わせることも合理性に欠ける。したがって，民法上の組合一般に破産能力を認めるべきである。かりに，実定法上の根拠を欠くことが解釈論上の障害になるのであれば，法人格のない社団としての要件を弾力的に運用することによって組合にも広く破産能力を認めるべきである[68]。

ただし，組合の債務に対して組合員が責任を負うのであるから（民675），組合の破産手続開始原因については，合名会社および合資会社の場合と同様に，債務超過は破産手続開始原因とせず（破16Ⅱ類推），支払不能のみをもって破産手続開始原因とすべきである[69]。また破産財団および破産債権の範囲に関して

---

66) もっとも，破産債権の範囲を決するためには，構成員などの債務のうち，社団等に関する債務としての実質をもつものとそうでないものとを分ける必要がある（谷口71頁）。
67) 民法議事速記録38巻94丁（学術振興会版）〔法典調査会議事速記録（商事法務版）5巻17頁（1984年）〕における富井政章博士の発言，梅謙次郎・民法要義3巻816頁（1899年），注釈民法〈新版〉(17) 186頁〔菅原菊志〕。
68) 組合について破産能力を認めるべきとする点で本書と共通の考え方をとるものとして，基本法193頁〔河野正憲〕，注解破産法（下）106頁〔谷合克行〕，中島Ⅰ39頁，条解破産法〈第3版〉242頁がある。
69) 注釈破産法（上）99頁。ただし，有限責任事業組合契約に関する法律（平成17年法律40号）にもとづく有限責任事業組合などの場合には，組合員が組合債務について出資額を超えて責任を負うことはないから（有限組合15），債務超過も破産原因に含ませるべきである。

は，相続財産および信託財産について述べたのと同様の考え方が妥当する。

第2項　破産手続開始原因等

　破産手続開始原因の定めに関する立法例としては，個別的な債務者の行為を列挙する列挙主義と，債務者の資力不足を示す一般的指標を採用する概括主義があるが，わが破産法は，母法たるドイツ法にならって，旧法以来，概括主義をとっている[70]。そして法は，すべての債務者に共通する破産手続開始原因として，法15条1項で支払不能を挙げ，同条2項で，それを推定するための事実として支払停止を規定している。さらに，存立中の合名会社および合資会社を除く法人について，法16条は，付加的な原因として債務超過を挙げ，最後に法223条は，相続財産に関する唯一の原因として債務超過を規定する。また，信託財産については，支払不能および債務超過が破産原因である（破244の3。本書106頁参照）。以下，これらの原因のそれぞれについて説明する。

1　支払不能

　すべての債務者に共通する破産手続開始原因である支払不能は，弁済能力の欠乏のために債務者が弁済期の到来した債務を一般的，かつ，継続的に弁済することができないと判断される客観的状態と定義される（破2XI）[71]。

---

[70]　もっとも，かつて列挙主義をとっていたアメリカ法は，1978年の改正によって列挙主義を廃止し，さらに債務者の自己申立てについては，破産手続開始原因そのものを不要としている。髙木47頁，宮川・総論86頁以下参照。また，イギリス法も概括主義を採用するに至ったので（後藤雅一ほか「新しい英国倒産法の概要（2）（3）」NBL 432号30，31頁（1989年），433号26，28頁（1989年）），英米法の特色とされた列挙主義は過去のものとなった。
　　さらに，立法論として，債務者自身による申立て（自己破産申立て）については，破産手続開始原因の存在を不要とすべきことを主張する，伊藤眞「法的倒産手続の利用を促すために──nahtlos（継ぎ目のない）手続の実現を目指して」金法2069号40頁（2017年）がある。

[71]　旧法と異なって，支払不能は，破産手続開始原因であるのみならず，否認や相殺制限の要件ともなっている（破71 I ②・162 I ①など）。両者を統一的に理解すべきことについて，基本構造21頁参照。ただし，中西正「破産法における『支払不能』概念の検討」高橋古稀1285頁は，前者が債務者と債権者全体の利益を調整する機能を，後者が個々の債権者と債権者全体の利益を調整する機能を持つと指摘する。
　　なお，支払不能の認定例として，最決平成25・10・1実情715頁が是認した原決定，東京地判平成19・3・29金商1279号48頁〔倒産百選26事件〕があり，これについて検討を加えるものとして，三上徹「新破産法と支払不能・支払停止，相殺禁止の時期」金法1820号8頁（2007年）がある。偏頗行為の詐害行為取消権の行使要件として規定される

これを分説すると，第1に，弁済能力の欠乏は，財産，信用，あるいは労務による収入のいずれをとっても，弁済期が到来した債務を支払う資力がないことを意味する[72]。たとえ財産があっても，その換価が困難であれば，支払不能とされるし[73]，逆に財産がなくとも，信用や収入にもとづく弁済能力があれば，支払不能とはされない。この点で，支払不能は債務超過と区別される。

第2に，弁済能力の欠乏は，一般的，かつ，継続的でなければならない。一般的とは，総債務の弁済について債務者の資力が不足しているという意味であって，特定の債務の弁済ができなくとも，それが全体的資力不足によるものと判断されなければ，支払不能にあたらない[74]。逆に，特定の債務についてのみ弁済を行っていても，総債務についての弁済能力が欠ければ，支払不能にあたる。また，継続的とは，一時的な手元不如意を排除する趣旨である。突発的な出来事による資金不足などがその例になる。逆に，返済の見込みの立たない借入れなどによって弁済能力があるようにみえても，客観的に資力が不足しているとみられれば，支払不能と判断される。

第3に，支払不能は，客観的状態を意味する。債務者が，主観的に弁済不可能などと判断することは，支払停止との関係はともかく，支払不能とは関係がない。いいかえれば，支払停止に該当する債務者の行為が存在しないときであっても，弁済期の到来した債務全体との関係で債務者の弁済能力が不足する状

支払不能（民 424 の 3 I ①）も，破産法にいう支払不能と同義である。潮見・新債権総論 I 786 頁

[72] 東京高決昭和 33・7・5 金法 182 号 3 頁〔倒産百選 3 事件〕。また，分割弁済の合意にもとづく分割金の弁済が十分可能であることなどを理由として支払不能を否定した原審の判断を是認した最決平成 12・8・18 実情 53 頁，最決平成 14・11・8 実情 119 頁がある。なお，国際的事業活動をしている企業について，支払不能をどの範囲で判断するかという問題がある（高桑昭「渉外的破産事件における破産原因」ジュリ 975 号 97 頁（1991 年））。夫婦別産制を前提としても，家計を共同にする夫婦のそれぞれについて支払不能の有無を判断する際には，特段の事情が認められない限り，家計をもとにして統一的に判断がなされるべきである。北澤純一「夫婦の倒産事件における支払不能とそのおそれについて」判タ 1280 号 5 頁（2008 年）参照。

また，ここでいう債務が金銭債務に限られるかどうかという問題があるが，不履行によって金銭債務に転化しうる財産上の債務であれば，金銭債務に限られない（中田 39 頁，山木戸 46 頁，基本法 196 頁〔河野正憲〕，注解破産法（下）115 頁〔谷合克行〕）。

[73] 福岡高決昭和 52・10・12 下民 28 巻 9〜12 号 1072 頁〔倒産百選 4 事件〕，名古屋高決平成 7・9・6 判タ 905 号 242 頁。

[74] これは，数個の債務のうちの特定の債務をいうものであるから，唯一の債務が弁済できないときに支払不能が否定されるわけではない。最決平成 17・4・7 実情 252 頁参照。

態に陥っていると認められれば，支払不能状態の発生が認められる[75]。

次に，支払不能に関する解釈上の概念として，支払不能と同視される状態が考えられる[76]。これは，主として事業者に関するものであるが，事業の継続を

---

75)　「新破産法において否認権および相殺禁止規定に導入された『支払不能』基準の検証事項について（全国銀行協会平16・12・6全業会78号）」（金法1728号50頁（2005年））参照。他面，将来の債務不履行が確実に予測されても，それが現在の弁済能力の一般的欠乏と同視すべきものでないかぎり，支払不能とはみなされない。川川悦男「全銀協通達『新破産法において否認権および相殺禁止規定に導入された「支払不能」基準の検証事項について』の概要」金法1728号36，37頁（2005年），新版破産法110頁〔中山孝雄〕，ニューホライズン267頁参照。

山本和彦「支払不能の概念について」民事手続法168頁は，これを一歩進め，将来の債務不履行が確実に予測される事態になれば，現在の弁済能力の欠乏を認めてもよいとする。中西・前掲論文（注71）1298頁も，支払不能概念の機能を重視し，同様の考え方をとる。また，倒産・再生訴訟276，285頁〔杉本和士〕は，否認や相殺禁止の要件としての支払不能は，破産手続開始原因たる支払不能と比較して，より実質的な判断にもとづいてなされるべきであるとする。

さらに，中西・前掲論文（注71）1309頁は，私的整理に参加する債権者が債務者による一時停止の要請を受け入れることにより（本書60頁参照），支払不能は解消されるが，その間になされた偏頗行為などの「瑕疵」は治癒されず，後に破産手続が開始すれば，否認の対象となるとする。

債務者は，弁済期の到来した債務の存在を争っていたが，判決や仲裁判断によってその存在が確定され，遡って支払不能の状態にあったとされたときに，その間になされた弁済が偏頗行為否認（破162）の対象となるかという問題もある。債権者に関する主観的要件（同Ⅰ①柱書但書・②但書・Ⅱ）にかかることになろう。否認に関して本書592頁参照。

76)　条解破産法〈第3版〉43頁参照。増田勝久「偏頗行為否認に関する近時の問題点」田原古稀（下）284頁は，弁済期の到来した債務の支払いが，以後の弁済能力の一般的かつ継続的欠乏につながるときには，支払不能を肯定する。これに対し，松下淳一「偏頗行為否認の諸問題」田原古稀（下）249頁は，破産法2条11項の文言との関係や取引の安全を害するおそれという理由から，これに反対する。粟田口太郎「詐害行為取消権・否認権における『支払不能』とは何か」武蔵野法学9号28頁（2018年）も，これに加え，非義務行為（期限前弁済）の否認（破162Ⅰ②）との関係などの視点から，同様の立場をとる。

東京地判平成22・7・8金商1350号36頁（詐害行為取消訴訟が債務者の破産によって中断し（破45Ⅰ），受益者について再生手続が開始されたことにより，否認（破162Ⅰ）によって復活したとする債権を破産管財人が再生債権として届け出，否認を争う再生債務者の認めない旨の認否を受けて，破産管財人が詐害行為取消訴訟を再生債権確定訴訟として受継した事案）も，同様の理由から支払不能概念の拡張を否定する。

他方，高松高判平成26・5・23判時2275号49頁〔倒産百選27事件〕は，欺罔によって融資を受けるなど無理算段をして支払いを続ける状態にあったことをもって支払不能と判断し，偏頗行為否認（破162Ⅰ①）を認めている（藤井友弘「メインバンクが融資先から受けた弁済が支払不能後になされたものとして否認された事例」金法2062号36頁（2017年）参照）。名古屋地岡崎支判平成27・7・15金法2058号81頁や広島高判平成29・3・15金商1516号31頁は，返済の見込みのない借入れによって期限の到来した債務を弁済し，事業を継続している状態にあったことをもって支払不能と判断し，偏頗行為否

不可能または困難にするような条件での借入れや資産の処分によって資金を調達し，弁済能力の外観を維持しているとみられるときには，いわば糊塗された弁済能力として，そのような借入れや資産の処分をせざるをえなくなった時点で弁済能力を喪失したものとみて，支払不能と同視する。また，弁済期の到来についても，財務に関する重要な情報を偽って，金融機関から期限の猶予をえたり，期限の利益喪失請求を回避したなどの場合には，そのような行為がなければ，本来の弁済期が到来し，または期限の利益を喪失して弁済期が到来したはずであり，いわば弁済期の未到来を作出したにすぎないものとして，本来の弁済期が到来した時点または金融機関が期限の利益喪失請求をしたであろう時点をもって弁済期が到来したものとして，支払不能と同視される状態が発生したと考えることができよう。

　もっとも，支払不能概念をこのような形で拡張することは，それが破産手続開始原因事実にとどまらず，相殺禁止（破71Ⅰ②・72Ⅰ②。本書532，548頁参照）や否認（破162Ⅰ①。本書591頁参照）の法律要件事実であるところから，相手方との法律関係を不安定にしないかとの懸念を生じうる。しかし，相殺の禁止または行為の否認が問題となる場合には，いずれも支払不能状態についての相手方の悪意が要件とされており，相手方が弁済能力の糊塗や弁済期未到来の作出にかかる事実を知っているときにかぎり，相殺が禁止され，また否認が成立しうるのであるから，悪意についての立証責任が転換される場合（破162Ⅱ）を考慮しても，このような懸念よりは法定財団の回復や債権者間の平等という破産手続の目的実現を優先すべきである。

　なお，支払不能かどうかは，破産手続開始決定をなすべきか否かの裁判の時を基準時として決定する[77]。

　　認を認めている。
　いずれも，本文中にいう糊塗された弁済能力の例である。松下淳一「支払不能の意義およびその具体的認定──高松高判平26・5・23を素材として」金法2027号11頁（2015年），破産実務の基礎265頁，竹内努「弁済および担保権設定行為に対する否認権行使の可否」金法2157号40頁（2021年）参照。これに対し，札幌地判平成28・10・19裁判所ウェブサイトは，糊塗された支払能力の判断枠組を認めつつ，当該事案における支払不能を否定する。このような状況を前提とした金融債権者の対応については，多様化する事業再生352頁〔上田純〕参照。

77) 第1審において支払不能と認められても，破産手続開始決定に対する抗告審の段階で弁済能力が回復されれば，破産手続開始決定は取り消される（大決大正15・5・1民集5巻358頁〔倒産百選〈初版〉11事件〕，福岡高決平成9・4・22判タ956号291頁）。

2 支払停止

　支払停止は，それ自体が破産手続開始原因ではないが，支払不能を推定させる事実である（破15Ⅱ）。裁判所は，破産手続開始申立人によって支払停止が証明されれば，債務者などが支払不能の不存在を証明しない限り，破産手続開始原因の存在を認めなければならない。特に債権者が破産手続開始申立人であるときには，債務者について支払不能，すなわち客観的な弁済能力の不足を立証するのは必ずしも容易ではない。そこで，支払停止にもとづく法律上の推定を設けることによって破産手続開始原因の証明を容易にしようとするものである。

　ここでいう支払停止とは，弁済能力の欠乏のために弁済期の到来した債務を一般的，かつ，継続的に弁済することができない旨を外部に表示する債務者の行為をいう。企業の場合には，手形による取引を行っていることが多いので，手形取引の停止が直ちに資金繰りの破綻を意味する。したがって，銀行取引停止処分の前提となる不渡手形を生じさせることが，代表的な支払停止行為とされている[78]。その他，債務者の行為には，債務を一般的に支払えない旨の明示

---

[78] 手形交換所規則によれば，1回目の手形不渡りから6カ月以内に2回目の不渡りが発生したときに銀行取引停止処分がなされる。取引停止処分を受けることは，債務一般を弁済できない旨の表示であるとして，通常は2回目の不渡りをもって支払停止とするが，不渡り前後の事情などを考慮して1回目の不渡りが支払停止とされることもある（霜島323頁，破産・民事再生の実務［破産編］74頁，川田・前掲論文（注75）40頁，大阪地判平成28・9・21金商1503号30頁）。旧法104条2号（現破71Ⅰ③）との関係ではあるが，1回目の不渡りをもって支払停止とした判例として，最判平成6・2・10裁判集民171号445頁がある。また，旧和議申立（現民事再生申立て）もその前後の事情によっては，支払停止とみなされることがある（静岡地判平成4・12・4判時1483号130頁）。
　手形に代わって利用が盛んになっている電子記録債権については，でんさいネットによる支払不能処分，またはそれに引き続く取引停止処分が支払停止と評価される。ニューホライズン331頁参照。
　債務者が債権者に対して債務免除等を要請する行為は，資力回復の合理的見込みをともなうものであるかぎり，支払停止とみなされない（伊藤眞「債務免除等要請行為と支払停止概念」NBL670号15頁（1999年），同「第3極としての事業再生ADR——事業価値の再構築と利害関係人の権利保全の調和を求めて」金法1874号44頁（2009年）），清水祐介「支払不能と支払停止をめぐる考察」ソリューション183頁，笠井正俊「事業再生ADR手続の申請に向けた支払猶予の申入れ等の後にされた対抗要件具備行為に対する会社更生法に基づく対抗要件否認と詐害行為否認の可否」事業再生と債権管理138号15頁（2012年）。東京地決平成23・8・15判タ1382号351頁〔会社更生〕，東京地決平成23・8・15判タ1382号357頁〔会社更生〕，東京地決平成23・11・24金法1940号148頁〔会社更生〕がある。これに対して大阪高決平成23・12・27金法1942号97頁では，事業再

的な表示として債権者に対する通知など,黙示的な表示として夜逃げなどが含まれる[79]。また,支払停止は,一般的,かつ,継続的な資力欠乏を表示するの

生ADRの申請を支払停止とみなす旨の判示をするが,疑問がある。詳細については,倒産・再生訴訟262頁〔伊藤眞〕,事業再生ADRのすべて120頁〔山宮慎一郎〕参照。
　また,外国親会社の倒産手続開始申立てを前提として,わが国の子会社が積極的に支払が可能であることを表明しなかったことが支払停止と評価されるべきかどうかという問題について,東京地判平成21・11・10判タ1320号275頁〔倒産百選68事件〕は,これを否定する。事実関係の認定に関わることであるが,経済的経験則から子会社が支払不能に陥ったとみられることが必然であるような事案においては,支払可能であることを表明しないことが支払停止と評価されるべきこともありえよう。
　なお,現行民法における詐害行為取消権に関して,支払不能を推定する事実としての支払停止についての規定は置かれていないが,解釈論としては,破産法の場合と同様に考えられよう。潮見・新債権総論Ⅰ787頁参照。

79) 消費者破産の場合に,債務整理のために退職金をえようとする目的で退職願を出したことが,黙示的支払停止とされた例がある(大阪高判昭和57・7・27判タ487号166頁)。もっとも,たとえ黙示の表示であっても,外部に対するものでなければならず,債務者が内部的に支払停止の方針を決定したとしても,それが直ちに支払停止行為とみなされるものではない(最判昭和60・2・14判時1149号159頁〔倒産百選28①事件〕)。
　特に,個人の事件については,債務者から債務の整理や破産手続開始申立てについて委任を受けた弁護士が債権者に対してその旨を通知する行為,いわゆる介入通知が典型的な支払停止行為とされている。破産管財の手引〈第2版〉45,227頁,破産・民事再生の実務〔破産編〕74頁参照。消費者破産に関する最判平成24・10・19判時2169号9頁〔倒産百選28②事件〕も,債務整理の委任を受けた弁護士が債権者一般に対して発した債務整理開始通知が,一般的かつ継続的に債務の支払能力を欠く旨を黙示的に外部に表示する行為として,支払停止にあたるとするが,同判決に付された須藤正彦裁判官の補足意見は,本章注78に述べたところとの関係で,事業者がその事業の再建のために債権者に対して発する一時停止の要請通知が支払停止に該当するかどうかについては,その内容の合理性などを考慮して,慎重に判断しなければならないとする。更生手続に関する東京地決平成23・11・24金法1940号148頁(伊藤・会更法・特清法44頁注11参照)の考え方は,再生手続にも妥当しよう。
　結局,支払停止は評価概念としての側面を持ち,債務者が債権者一般に対して単純な債務免除等を要請すれば,それが支払停止とみなされるが,事業再生ADRにおける一時停止の要請通知にみられるように,それが合理的内容の事業再生計画案を基礎とするか,またはその策定を予定し,主要な債権者がそれを受け入れる相当程度の蓋然性をともなうものであれば,支払停止に該当するとの評価を妨げることになる。ただし,その後に主要な債権者がそれを受け入れない意思を明らかにすれば,その時点で上記の蓋然性が消滅したこととなるために,債務免除等要請行為が支払停止とされることになる。したがって,その後の債務者の債務消滅行為や担保供与行為は,支払停止によって推定される支払不能状態のものとして偏頗行為否認(破162)の対象となりうるし(本書591頁),また,事業再生ADRなどの私的整理の申請後の債務負担を理由とする相殺禁止(破71Ⅰ③)も働くことになる(本書536頁)。多様化する事業再生215頁〔内藤滋〕も,再生計画案の経済的合理性や実行可能性が認証紛争解決事業者により確認されていることなどを理由として,支払停止該当性を否定する。
　これに対して,松下・前掲論文(注76)田原古稀(下)255頁,破産法大系Ⅱ253頁

であるから，一時的手元不如意を表明しても，これにあたらないし，逆に，不渡手形を出した後に散発的な支払を行っても，支払停止の事実が否定されるわけではない[80]。

支払停止は，破産手続開始前の一定時点における債務者の行為であるから，持続性または継続性をもったものである必要はない。これに対して，通説は，停止状態の持続性を要求し，支払停止の事実が破産手続開始の裁判当時まで持

〔松下淳一〕は，債務者の行為について事業再生計画の合理性などの規範的判断を持ち込むのが適切でないなどの理由から，このような考え方を批判し，一時停止の要請自体は支払停止に該当するとし，ただ，計画についての合意がえられれば，その時点で支払不能状態を脱することになるから，後に結局，法的整理が開始されたとしても，一時停止の要請と法的整理との間に因果関係がないという理由から，支払停止後の弁済や担保提供は支払停止後の行為であることを根拠とする否認の対象にならないとする。岡正晶「対抗要件否認」ジュリ1458号67頁（2013年），金春「私的整理における一時停止の制度についての考察」今中傘寿550頁，倒産・再生訴訟505頁〔島岡大雄〕もこれに賛成し，増田・前掲論文（注76）288頁も，再生計画の内容たる事業再生計画の合理性と支払停止とは無関係であるとする。また，岡伸浩「支払停止概念の再構成と判断構造」伊藤古稀773頁は，支払停止を行為性と継続性を持つ複合概念と捉える立場から，弁護士による債務整理通知については，いったん債務免除等要請行為を支払停止に該当するとしつつ，主要債権者との間で合意を取り付けた場合には，かかる事実を支払停止の継続性を否定する評価障害事実として位置付け，合理的な再建案の策定・提示，再生計画案の提示および受容によって，支払停止の継続性が消滅するし，当該時点で支払停止が解消するかの考え方を提示する。

しかし，通常の事案で，私的整理における合意の成立が困難と判断されるために法的整理に移行したときに，商取引債権者も含め，弁済や担保提供を一律に支払停止後の行為とみなすことに疑問があり，このような考え方はとりえない。問題の解決のために，松下淳一「一時停止通知と『支払停止』」伊藤古稀1061頁以下は，商取引債権についての弁済許可（民再85Ⅴ後半部分。本書940頁）の趣旨を考慮して，偏頗行為否認を否定するなどの考え方を提示するが，事業再生のための私的整理の安定した運用が実現できるか，検討の必要があろう。対抗要件否認の要件たる支払停止については，支払不能でなかったことの証明によって否認の成立が阻却されるかという問題もある。

また，支払停止の認定に関する裁判例として，大阪地判平成21・4・16金法1880号41頁は，弁済期が近日中に到来する債務を支払うことができない旨を予め表示する行為も支払停止に含まれること，特定の債権者に対する表示であっても，主要な債権者であるときには，支払停止に該当することを判示し，高松高判平成22・9・28金法1941号158頁は，会社代表者の金融機関に対する発言を「個人的な弱音を吐いた域を超えるものとまでは認められ」ないとして，支払停止該当性を否定している。松下・前掲論文（注76）田原古稀（下）252頁は，外部への表示について，一定人数以上の者が知りうる状態になることを要するという。ただし，増田・前掲論文（注76）287頁は反対。特定の債権者に対する表示であっても，上記の大阪地裁判決のような事案では，支払停止を肯定すべきである。一般論としては，支払停止は，弁済期の到来した債務についての表明であることを原則とするが，近接して弁済期が到来すべきものについての表明も，それが悲観や弱気の吐露にすぎないような場合は別として，支払停止とみなされる可能性がある。

80) 前掲福岡高決昭和52・10・12（注73）。

続していなければならないとする。そして，いったん支払停止の事実が発生しても，その後に債務者が債務の免除や弁済の猶予を受けて一般的に支払を再開したときには，支払不能を推定することは許されないと説く[81]。しかし，支払停止の事実は，あくまで一定時点における債務者の行為と解すべきであり，これに持続性を要求することは不当である。通説がいうような事情は，推定を破るための間接事実と解すべきである。すなわち，支払停止にもとづいていったん支払不能が推定されても，その後に支払を一般的に再開した事情が存在するときには，支払不能の不存在が立証されたものとして，推定が破られ，破産手続開始決定をなしえない[82]。

支払停止に関するもう1つの問題は，破産手続開始原因推定事実としての支払停止と，法160条1項2号などにもとづく否認の要件としての支払停止，および法71条1項3号などにもとづく相殺禁止の要件としての支払停止とが，同一の内容のものかどうかである。従来は，この両者は，同一の内容のものと考えられてきたが，有力説は，両者を区別し，破産手続開始原因推定事実としての支払停止は，上に述べたように，一定時点における債務者の行為であるが，否認や相殺禁止の要件としての支払停止は，破産手続開始まで継続する客観的支払不能を意味するという。したがって，この議論の下では，否認や相殺禁止の成立を主張する者は，支払停止という要件事実の内容として，一定時点の債務者の支払停止行為に加えて，破産手続開始まで継続する客観的支払不能を立証しなければならない[83]。

---

81) 山木戸47頁，注解破産法（上）471頁〔宗田親彦〕，（下）121頁〔谷合克行〕など。ただし，通説の立場でも，支払停止の解消を抗弁事実とするのであれば（谷口76頁，高橋宏志「破産原因と破産障害」判タ830号27頁（1994年）），本書の立場と実質的な違いはなくなるが，法文との関係でこのような解釈が成立するかどうか疑問がある。もっとも，岡伸浩・前掲論文（注79）765, 769頁は，支払停止に該当する事実について，かつての手形不渡りや夜逃げ（本書122頁）のような一回的行為から，私的整理の進行（本書55頁）のような継続的行為に変化している動向を踏まえ，支払停止概念に一回的行為性と継続性の両側面があるとし，一回的行為性に該当する事実が認められても，継続性を覆す事実が主張立証されれば，支払停止は否定されるとする。

82) 谷口76頁，青山善充「支払停止の意義および機能」新・実務民事訴訟講座（13）55頁（1981年），基本法198頁〔河野正憲〕など。ただし，これらの学説では，推定を破る事実が抗弁事実であると表現されるが，厳密にいえば，「支払不能の不存在」が債務者の立証責任に属する主要事実であり，支払の再開は，それを事実上推定させる間接事実に属する。

83) 青山・前掲論文（注82）67, 68頁。中西正「危機否認の根拠と限界（2・完）」民商

有力説は，否認や相殺禁止の基礎となる危機時期が客観的なものでなければならないとし，かりに，債務者の主観的行為としての支払停止のみを否認や相殺禁止の要件とすると，取引の相手方に対して不測の損害を与える可能性があることを強調する。しかし，否認などの要件として，客観的支払不能を要求することは，かえって破産管財人の負担を過大にする結果となり，立法者の意図に沿うものではない。したがって，否認などの要件としての支払停止も，破産手続開始原因推定事実の場合と同様に，一定時点における債務者の行為と考えるべきである。現行法が相殺禁止に関する要件として，従前からの支払停止と並んで支払不能の概念を設けたことも（破71Ⅰ②・72Ⅰ②），有力説のような考え方が成り立たないことの根拠となる。

　もっとも，過去に支払停止の事実が存在したとしても，破産手続開始決定がそれにもとづく支払不能の推定によって行われたのではなく，それとは関連性のない支払不能や債務超過の事実が直接に立証されたことによって行われた場合には，支払停止の事実は，否認などの要件である支払停止に該当するものとは認められない。法160条1項2号あるいは71条1項3号などにいう支払停止は，あくまでそれにもとづいて破産手続が開始されたことを前提とするものだからである。

3　債務超過

　債務超過とは，債務額の総計が資産額の総計を超過している状態をいう[84]。

93巻4号516，539頁（1986年）は，同様の考え方をとりつつ，否認の相手方が支払不能不存在の証明責任を負担すると説く。これらの考え方に批判的検討を加えるものとして，西澤宗英「支払停止の『二義性』について」法学研究59巻12号333，345頁（1986年）がある。また，倒産・再生訴訟301頁〔杉本和士〕は，二義性自体は否定しつつも，破産手続開始原因の推定事実たる支払停止と否認や相殺禁止の要件としての支払停止の判断基準が異なるとする。

84）　証券取引所の上場廃止基準として，同じく債務超過の概念が用いられている。鈴木竹雄＝河本一郎・証券取引法〈新版〉430頁（1984年），東京証券取引所上場廃止基準概要（マザーズ）参照。企業の収益が悪化し，未処理損失が計上され，その額が任意積立金の額を超えると，資本の欠損が生じる。さらに損失額が増えると，自己資本をもってそれを補填することができなくなる。この状態では，総負債が総資産を上回り，たとえ株主の持ち分をゼロとしても，なお債権者の権利を100％満足させることはできない（日本経済新聞1998年9月6日朝刊第13面参照）。この意味では，破産法でいう債務超過も，上場廃止基準としての債務超過も，資産評価方法の違いを別とすれば，同一の内容をもつ。

　なお，再生手続や更生手続という事業再生型手続の開始および遂行と上場廃止基準との関係を検討するものとして，多様化する事業再生80頁〔福岡真之介〕がある。

債務超過の判断にあたっては，弁済期が到来した債務だけでなく，期限未到来の債務も債務額の中に計上されるし，損害賠償債務のように当事者間に争いがあるものについては，裁判所がその存否や額を判断しなければならない[85]。他方，不確定な予想収益は，資産に含まれないのが原則であるが，暖簾として資産計上が許される場合がある[86]。また，債務超過は，支払停止などの債務者の行為と異なって，ある程度の持続性をもった客観的状態を意味するから，法人が突発的原因によって一時的に債務超過に陥っても，その回復が予想されるようなときには，破産手続開始原因の存在を否定すべきである[87]。

---

85) その例として，東京地決平成3・10・29判時1402号32頁〔倒産百選〈第5版〉5事件〕，東京地決平成4・4・28判時1420号57頁，東京地決平成8・3・28判時1558号3頁などがある。なお，破産者が負担する債務のうち，約定劣後破産債権に相当するものについては，それが株式に類する性質を有すること（本書311頁注100），実際に破産手続における配当を期待していないことを考えれば，債務超過の基礎としての債務額から除外すべきであるとの考え方がありうる。さらに進んで，倒産手続開始事由が発生した場合，破産者が当該債務の支払義務を免除されるとの約定が設けられているときには，当該債務は破産債権となりえないのであるから，債務額からの除外を認めるべきである。信託財産破産における受益債権についても，類似の議論がある。信託法セミナー4 155, 158頁参照。自然債務についても，強制履行の可能性が存在しないのであるから，同様である。

　また，非金銭債務については，その不履行による損害賠償請求権への転化の蓋然性を基礎として評価すべきである。注釈破産法（上）101頁〔小林信明〕。

　なお，債権者代位権や詐害行為取消権との関係では，債務超過は，債務者の無資力要件（民423 I 本文・424 I 本文参照）との関係で問題となる解釈上の概念である。潮見・新債権総論 I 660, 757頁参照。

86) 会社計算規則11条。その意義については，中村忠・株式会社会計の基礎〈新訂版〉41頁（1996年），江頭676頁注13参照。

87) その典型的な例として，天災地変によって資産が一時的に減少することが考えられる。「阪神・淡路大震災に伴う法人の破産手続開始決定及び会社の最低資本金の制限の特例に関する法律」では，このような考え方にもとづいて破産手続開始決定の猶予を定めていた。柳田幸三「阪神・淡路大震災に伴う法人の破産宣告及び会社の最低資本金の制限の特例に関する法律の概要」ジュリ1070号173頁以下（1995年）参照。また，事業継続の客観的見込みがあり，債権者の支援が約束されている債務者については，債務超過の事実が認められるとしても，申立ての不誠実性（破30 I ②）を理由として，破産手続開始申立てを却下することも考えられる。岡山地津山支決平成14・5・10判時1905号92頁。

　また，COVID-19（新型コロナウイルス感染症）による業績悪化と債務超過の場合には，それが相当期間継続することから，天災地変と同視することは難しいが，諸般の事情を考慮し，再生計画案の作成もしくは可決の見込みまたは再生計画の認可の見込みがないことが明らかでない限り，民事再生によって破産を回避することを認めるべき場合があろう（本書848頁）。

　なお，受益債権の評価などの信託財産の債務超過に関しては，浅田ほか・前掲座談会（注56）21頁参照。

債務超過は，法人および信託財産については付加的な破産手続開始原因，相続財産については唯一の破産手続開始原因とされている。これを規定した立法者の主たる目的は，法人債権者に対する有限責任を前提として，民法旧70条1項や旧81条1項にもとづいて法人の理事などが，債務超過を発見した際に破産手続開始申立てをする義務を課されていることと，平仄を合わせることにあった[88]。実際にも，外部の債権者が，債務者の資産および負債を評価して，債務超過を発見することは，困難なことも少なくない。したがって，債務超過という破産手続開始原因がその役割を果たすのは，主として債務者による自己破産手続開始申立て，または法19条による準自己破産手続開始申立ての場合と思われる[89]。

---

[88] 梅56頁。なお，相続財産については，債務超過が唯一の破産手続開始原因であるが，支払不能を付け加えることを主張するものとして，注解破産法（下）153頁〔林屋礼二＝宮川知法〕，山本・前掲論文（注19）170頁がある。

[89] 債務超過を法人に関する手続開始原因とするのは，旧破産法127条1項以来のことであるが，青木徹二・破産法説明〔手続規定〕297頁（1924年）は，その趣旨について，「団体信用ノ基礎ハ則チ団体ノ財産ニ存スルヲ以テ其基礎タル財産カ負債ニ及ハサルカ如キトキハ則チ最早団体ニ信用ナキトキト認ムルヲ安全トス」（圏点は伊藤）とし，加藤・研究第5巻では，「会社カ計算上既ニ債務超過トナレルニ拘ハラス……之ヲ看過シ得ヘシトセハ会社債権者ノ地位ハ益々危険ニ陥リ頗ル危険千万卜謂ハサルヘカラス」（旧漢字は常用漢字に直している。圏点は伊藤）と説明するが，いずれも，債務超過を破産手続開始原因とすることは，財産保全目的の趣旨であると理解される。近時の学説として条解破産法〈第3版〉1615頁は，債権の回収不能が生ずる抽象的な危険が発生しており，それ以上危険を拡大させないために破産手続を開始できるようにする必要があると表現する。
　また，このように債務超過を破産原因としたことの背景には，取締役等に破産手続開始申立義務が課されていたことがある。商法（明治32年法律48号）昭和13年改正前の第174条2項は，「会社財産ヲ以テ会社ノ債務ヲ完済スルコト能ハサルニ至リタルトキハ取締役ハ直チニ破産宣告ノ請求ヲ為スコトヲ要ス」と規定していた（条文は，我妻栄編集代表・旧法令集327頁（1968年）による）。しかし，この規定に対しては，その実効性に欠けるなどの批判が多く（松本烝治・日本会社法論291頁（1929年），田中耕太郎・会社法概論〈再訂版〉505頁（1932年）など参照），昭和13年改正によって削除され，現在に至っている。園尾隆司ほか「事業再生と倒産法制――債務者の破産申立義務をめぐって」事業再生と債権管理148号55頁（2015年）参照。
　したがって，現在では，株式会社については，清算人を除いて（会社484 I），このような義務は存在しない。清算人の場合には，事業の継続を想定しないわけであるから，債務超過を理由として破産手続開始申立義務の根拠とすることに合理性がある。しかし，一方で，債務超過を理由とする破産手続開始申立義務が存在せず，他方で，債務超過が破産手続開始原因とされていることは，取締役としては，会社が債務超過に陥ったことを認識したときに，事業を継続するか，それとも断念して破産手続開始を申し立てるかの選択肢が与えられることを意味する。これに対して，私立学校法人，医療法人，特定非営利活動法人（NPO法人）の理事などについては，申立義務が規定されている（私学50の2 II，

有限責任を前提とする法人の場合には，法人財産のみを基準として債務超過を判断できるが[90]，同じく法人であっても，その構成員が法人の債務について責任を負う存立中の合名会社および合資会社の場合には，弁済能力があるかどうかを法人の財産のみを基準として決めることが不適当であるから，法16条2項は，この2種の会社については，債務超過を破産手続開始原因としていない[91]。構成員が団体の債務について責任を負う他の場合，たとえば民法上の組合について破産能力が認められる場合にも同様に解すべきである（本書116頁参照）。

また，債務超過の判断の基礎となる資産の評価に関しては，清算価値を基準とすべきであるとの見解と，継続事業価値を基準とするとの見解とが対立する[92]。事業活動が継続している場合には，債務の弁済は事業収益からなされるものであるから，債務超過か否かは継続事業価値を基準とすべきであるし，す

医療55Ⅴ，非営利活動31の3Ⅱ）。これらの法人の事業の特質を重視し，財務基盤が危うくなった法人について適時に破産手続を開始し，混乱を防ごうとする趣旨と理解する。

なお，この問題に関してドイツ法を踏まえた詳細な研究として，吉原和志「会社の責任財産の維持と債権者の利益保護——より実効的な規制への展望（2）」法協102巻5号951頁（1985年），「同（3・完）」同巻8号1460，1480，1522頁（1985年）があり，ドイツ法において債務超過が取締役の破産手続開始申立義務の原因とされている理由は，会社債権者の利益保護を目的としているからであること，しかし，会社債権者の関心は，清算による弁済よりは，収益による弁済にあることを考えれば，日本法が取締役の破産手続開始申立義務を廃止したことに合理性が認められること，債務超過の状態にある会社の事業継続による債権者の損害拡大の防止は，むしろ取締役の善管注意義務の問題であることなどが論じられている。江頭493頁参照。

90) 会社債務について代表者個人の保証などがあっても，そのような事実は顧慮されない。東京高決昭和56・9・7判時1021号110頁〔倒産百選5事件〕。

91) 存立中とは，合名会社等がその事業を継続中であることを意味し，解散事由が生じれば（会社641），たとえ清算目的の範囲内で会社が存続中とみなされても（会社645），法16条2項は適用されず，債務超過が破産手続開始原因となる。債務超過状態にある清算会社は，通常の清算手続によるよりも，破産による厳格な清算に適するからである（改正破産法理由書72頁）。

92) 継続事業価値を主張するのは，谷口76頁，吉原・前掲論文（注89）（2）法協102巻5号881，955頁などである。これに対して，基本法198頁〔河野正憲〕，注釈破産法（下）576頁は，基本的に本書と同一の考え方をとり，条解破産法〈第3版〉130頁，注釈破産法（上）100頁は，2つの価値のいずれか高い方を基準とすべきとする。また，野村秀敏・破産と会計175頁（1999年）では，事業活動を停止した法人については，清算価値によって，事業活動を継続中の法人については，継続事業価値と清算価値のいずれによっても負債が資産を上回るときに破産法上の債務超過を認めるべきであるとしつつ，商業貸借対照表上で債務超過となっている企業については，破産法上の債務超過が事実上推定されるという。

でに事業活動が停止し，清算手続に移行している場合には，弁済は資産の売却によって行われるものであるから，清算価値を基準として債務超過を判断せざるをえない[93]。

第3項　破産手続開始の条件

　破産手続開始原因の存在が認められても，一定の事由（破30Ⅰ各号）があると，裁判所は，破産手続開始決定をすることができない（同柱書参照）。これらの事由の不存在を破産手続開始の条件と呼ぶ[94]。

　第1は，破産手続の費用の予納がないときである（同①）。費用の予納がなされないと，破産管財人の選任など裁判所が手続を進めるために必要な行為をすることができず，手続を開始する意義に乏しいからである。ただし，国庫仮支弁の場合（破23Ⅰ前段。本書148頁）を除く（破30Ⅰ①かっこ書）。

　第2は，破産手続開始申立てが不当な目的でされたとき，その他申立てが誠実にされたものでないときである（同②）。申立ての不当性とは，申立人の目的が法の目的（破1）と合致しないことを意味する。たとえば，①債務名義をもたない債権者が債務者を威嚇して自己の債権を優先的に取り立てるためにする申立て，②債務者が債権者からの追及を一時的に免れるためにする申立て，③申立人が審尋の期日に出頭しないとか，行方不明になるなど，破産手続開始を求める誠意が欠けている申立て，④債務者が免責をうるためにのみする申立

---

[93] このような考え方を採用するものとして，福岡地小倉支決平成9・1・17判タ956号293頁，新版破産法113頁〔中山孝雄〕，破産実務の基礎34頁がある。また，資産評価の方法について混乱が避けられないなどの理由から，債務超過を破産手続開始原因とすること自体に疑問を呈するものとして，三木浩一「破産法における立法的課題」ジュリ1111号65，68頁（1997年）がある。継続企業価値を基準とするとしても，継続的企業価値を資産として評価できるものでなければ債務超過と判断される。最決平成17・2・1実情251頁参照。

[94] 条件が満されないときの裁判の形式として，申立てを棄却すべきか，それとも却下すべきかという問題がある。旧会社更生法38条柱書は，棄却の形式をとるべき旨を規定していたが，破産法などにはそのような文言が存在しないので，解釈によって決することとなる。実質からみて不適法却下とすべきであるが，手続開始の条件という趣旨を重視する棄却説も有力である。立案担当者の解説は，棄却説を前提とし（一問一答新会社更生法71頁），実務も棄却説である（最新実務会社更生95頁）。詳細については，条解破産法〈第3版〉236頁注3参照。なお，旧破産手続につき却下説をとったものとして，広島高決平成14・9・11金商1162号23頁〔倒産百選A2事件，倒産百選〈第4版〉10事件〕がある。

てなどが例としてあげられることがあるが[95]，③を別とすれば，いずれも申立ての動機に着目するものであり，これらの事実が認められたからといって，直ちに不誠実な申立てとして却下すべきとは考えられない。

第4項 破産障害事由

破産能力および破産手続開始原因の存在が認められても，一定の事由があると，裁判所が破産手続開始決定をなしえないことがある。この事由を破産障害事由と呼ぶ。具体的には，会社更生や民事再生など別の倒産処理手続が開始され，または開始されようとしている事実が破産障害事由とされる。これらの手続開始またはその申立てが破産障害事由とされるのは，破産がこれらの手続に対して劣後的地位に置かれていることを意味する。また，これらの手続は，単に破産手続開始の障害になるだけではなく，いったん破産手続が開始された後でも，手続を中止させる原因となる。破産障害事由を含めて，破産と他の手続との優先劣後の関係を以下に説明する。

1 破産と民事再生

第1に，債務者について破産手続開始申立てと再生手続開始申立てが競合すると，必要があると認められるときに，中止命令が発せられる（民再26 I ①）。破産手続開始手続を進めることが，再生手続開始決定をするために障害になるのを排除できるようにする趣旨である。中止命令の効力は，再生手続開始申立てに対する裁判があるまで続き，申立てが棄却されれば，中止命令の効力が失

---

[95] 旧破産法以来の議論を条解破産法〈第3版〉247頁以下が整理している。債権者が譲り受けた債権について，すでに譲受価格を上回る回収をしていることは，その者による破産手続開始申立てを不当とする理由にならない。福岡高決平成23・3・16判タ1373号245頁。また，債権者申立ておよび自己破産申立てにおける濫用事例について，倒産・再生訴訟433頁〔片山健〕参照。その他，不当性が問題となった事例として，最決平成28・4・13実情855頁，仙台高決平成30・12・11金法2139号88頁がある。

申立ての不当性は，申立てが信義則違反になるかどうか（破13，民訴2）の判断と重なることも多い。否認対象行為の受益者たる債権者による破産手続開始申立てなどについても，自ら破産手続の目的に反する行為をしながら，手続の開始を求めることが信義則違反となるか，にもかかわらず手続を開始すべき特段の事情が認められるかなどが問題となろう。再生手続開始申立てについて本書848頁参照。

なお，取締役会議事録を添付して代表取締役が自己破産の申立てをしたときに，取締役会の決議が存在しないことが明らかになっても，準自己破産の申立てとして扱う可能性が議論されるが，申立ての適法要件（破19Ⅲ）の具備を確認した上で，申立ての形式を改めさせるべきであろう。注釈破産法（上）109頁。

われるし，開始決定がなされれば，中止命令の効力は，次に述べる民事再生法39条1項に引き継がれる。

第2に，破産手続開始手続中に再生手続開始決定がなされると[96]，破産手続開始手続は当然に中止する（民再39 I）。新たに申立てをすることも禁止する（同）。中止する破産手続開始手続は，再生計画認可前に廃止などの理由によって再生手続が終了すると，続行されることになるが，再生計画認可決定があると失効する（民再184本文）。もはや破産手続を開始する意味がなくなるからである。もっとも，認可決定確定後に再生手続が廃止されることがありうるが（民再194），その場合には，申立てまたは職権による破産手続開始決定（民再249・250 I）がなされうる。また，禁止に反してなされた破産手続開始申立ては，不適法として却下する。

第3に，すでに破産手続が開始している場合にも，再生手続開始申立てがなされると，裁判所は，破産手続の中止を命じうる（民再26 I ①）。中止命令の要件および効果は，第1の場合と同様である[97]。

第4に，すでに破産手続が開始している場合であっても，再生手続が開始すると，破産手続は中止する（民再39 I）。再生計画認可による破産手続の失効（民再184本文）などは，第2の場合と同様である。

このように第1から第4までのいずれの場合においても，破産手続が中止するのは，株式会社に関する会社更生の場合と同様に，再生型手続としての民事再生の破産に対する優先性を示している。もっとも，いずれの場合においても，破産手続が直ちに失効せず，中止するにとどまるのは，再生手続が開始せず，または開始しても認可決定確定前に廃止される可能性などを考慮して，破産手続を続行する可能性を残すためである。

2 破産と会社更生

第1に，株式会社について破産手続開始申立てと更生手続開始申立てが競合すると，裁判所は，利害関係人の申立てまたは職権によって破産手続開始手続

---

96) 開始決定確定の必要はない。（民再33 II）。花村117頁参照。
97) 旧和議法では，その目的が破産予防にあるとされていたこととの関係で（旧和1），すでに破産手続が開始されている債務者が和議申立てをすることは許されないとする一方（旧和16），破産手続の中で強制和議の申立てを認めることによって（旧破290以下），和議の実施を図ることとしていた。しかし，民事再生についてはこのような制約が存在しないところから，本文のような民事再生の破産に対する優越性が認められている。

の中止を命じうる（会更24 I ①）[98]。中止命令の要件は，裁判所が「必要がある
と認める」ことであるが，破産手続開始手続を進めることが更生手続開始およ
び遂行の障害となるおそれがあることを意味する。中止命令の効力は，更生手
続開始申立てに対する裁判があるまで続き，申立てが棄却されれば，中止命令
の効力が失われるし，開始決定がなされれば，中止命令の効力は，次に述べる
会社更生法50条1項に引き継がれる。

　第2に，破産手続開始手続中に更生手続開始決定がなされると，その手続は
当然に中止する（会更50 I）。新たに申立てをすることも禁止される（同）。中
止する破産手続開始手続は，更生計画認可前に廃止などの理由によって更生手
続が終了すると，続行することになるが，更生計画認可決定があると失効する
（会更208本文）。もはや破産手続を開始する意味がなくなるからである。もっ
とも，認可決定後に更生手続が廃止されることがありうるが（会更241），その
場合には，申立てまたは職権による破産手続開始決定がなされうる（会更
251・252 I）。また，禁止に反してなされた破産手続開始申立ては，不適法とし
て却下する。

　第3に，すでに破産手続が開始している場合にも，会社更生手続開始申立て
がなされると，裁判所は，破産手続の中止を命じうる（会更24 I ①）。中止命令
の要件および効果は，第1の場合と同様である[99]。

　第4に，すでに破産手続が開始している場合であっても，会社更生手続が開
始すると，破産手続は中止する（会更50 I）。更生計画認可による破産手続の
失効（会更208本文）などは，第2の場合と同様である。

　このように第1から第4までのいずれの場合においても，破産手続が中止す

---

[98] 会社更生法24条1項1号は，破産手続の中止命令を規定するが，ここでいう破産手続
は広義のもので，破産手続開始申立てについての審理手続を含む（条解会更法（上）331
頁，伊藤・会更法・特清法761頁）。申立権を有する利害関係人には，更生手続開始申立
人のほか，会社，債権者，あるいは株主を含む。中止命令に反する破産手続の続行や破産
手続開始決定は無効であり（条解会更法（上）338頁），外形上の破産手続開始決定は，
即時抗告（破9）によって取り除かれる。

[99] 更生手続の開始要件との関係では，すでに破産手続が開始されている株式会社につい
て更生手続を開始しうるかという問題に還元される。会社更生法17条1項1号との関係
では疑問の生じる余地があるが，同法19条は，破産会社による更生手続開始申立てを認
め，また法246条1項は，破産管財人による更生手続開始申立てを認めている。破産会社
について，更生の見込みがないとはいえないとして更生手続開始決定をなした例として，
大阪地決平成10・3・31判時1643号185頁①事件・同②事件がある。

るのは，会社更生手続の適用対象たる株式会社について事業再生の機会を確保しようとする趣旨である[100]。もっとも，いずれの場合においても，破産手続が直ちに失効せず，中止するにとどまるのは，会社更生手続が開始せず，または開始しても認可決定前に廃止される可能性などを考慮して，破産手続を続行する可能性を残すためである。

3 破産と特別清算

第1に，破産手続開始申立てと特別清算開始申立てが競合した場合には，裁判所は，破産手続開始手続の中止を命じうる（会社512 I ①）。特別清算は，債務超過状態に陥っていると疑われる株式会社についての清算手続であるので（会社510），破産と共通の目的をもつが，法は，協定による簡易な清算としての長所を特別清算に認め，破産手続に優先させることとしたものである[101]。

第2に，破産手続開始手続中に特別清算開始決定がなされたときにも，同様に，破産手続開始手続が中止し，特別清算開始決定の確定とともに失効する（会社515 I II）。その後に協定成立の見込みがない場合または協定実行の見込みがない場合には，裁判所の職権によって破産手続開始決定をする（会社574 I）[102]。

第3に，破産手続開始決定によって破産手続が開始した後に特別清算開始申立てが許されるか，また特別清算開始決定がなされうるかどうかについては，すでに破産手続が開始された以上，会社の管理処分権は破産管財人に専属するから（破78 I），利害関係人や清算人が特別清算の申立てをなしたり，裁判所が清算人に特別清算を行わせることもありえない（会社510・511・478 I 参照）。

---

100) 伊藤・会更法・特清法761頁参照。
101) 新版注釈会社法（13）399頁〔青山善充〕。清算人の申立義務についても，破産手続開始申立義務（会社484 I）よりも，特別清算開始申立義務（会社511 II）のほうが優先すると解されている（新版注釈会社法（13）388頁〔青山善充〕）。
　なお，商法旧433条・383条1項・2項では，すでに破産手続が開始している場合でも，特別清算開始申立てにもとづく中止命令または特別清算開始にもとづく中止の可能性がありうると解される余地があったが，これに関する通説的解釈を踏まえて，現行法は，破産手続開始前の手続のみが中止命令または中止の対象となることを明らかにした。萩本ほか70, 86頁。
102) もっとも，同じく清算を目的とする破産手続を新たに開始することが立法論として妥当かどうかについては，疑問が呈され（新版注釈会社法（13）504頁〔霜島甲一〕，須藤英章「特別清算手続の終了および他の倒産手続への移行」判タ866号498, 500頁（1995年）），むしろ，特別清算に否認規定を設けるなどの形での解決が主張されたが，会社法でも従来の考え方が維持されている。

破産債権者も特別清算開始申立権を行使しえないから（破100 I），利害関係人による特別清算開始申立ては却下する[103]。

第2節　破産手続開始手続

破産は，公平な配当という債権者の利益のため，また免責による経済的再生という債務者の利益のために行われるものであり，原則としてはこれらの利害関係人の申立てにもとづいて手続が開始される。例外的には，民事再生法250条や会社更生法252条などにいう牽連破産のように，裁判所の職権によって開始される場合もあるが，これは，再生型倒産処理手続がその目的を達することなく終了したときに，残された資産および負債を破産手続によって清算しようとする目的をもつ制度である[104]。

第1項　破産手続開始申立権者

法18条1項は，破産手続開始申立権者についての一般規定を設け，法19条，224条および244条の4は，破産者の種類に応じた特別規定を設けている。一般規定の下で破産手続開始申立権を認められるのは，債権者および債務者である（破18 I）。なお，破産手続開始申立ての多くは，代理人弁護士によってなされる（その地位については，本書205頁参照）。

1　債　権　者

債権者に破産手続開始申立権が認められるのは，破産手続が強制執行手続とともに配当手続を通じて債権者の権利実現を目的とすることによる[105]。破産

---

103)　東京高決昭和49・7・3東高民時報25巻7号117頁。
104)　その他，民法旧70条1項では，法人に対する職権破産手続開始決定が認められていたが，「一般社団法人及び一般財団法人に関する法律」では，これに対応する規定はない。
105)　この点で，破産手続開始申立ては，破産債権の届出（民147 I ④。民旧152）とは別に，時効の完成猶予事由としての裁判上の請求（民147 I ①。民旧147①・149にもとづく中断事由）と同視される（最判昭和35・12・27民集14巻14号3253頁，最判昭和45・9・10民集24巻10号1389頁〔倒産百選A1事件，倒産百選〈第3版〉9①事件〕）。なお，申立てが取り下げられた場合でも，取下げ後6ヵ月間は時効の完成猶予効が認められる（民147 I 柱書かっこ書）。破産手続開始決定の取消し（破33Ⅲ参照）の場合も同様である（条解破産法〈第3版〉305頁）。
　　また，破産手続開始申立てをさせることを主たる目的として債権譲渡をすることは，訴訟信託の禁止（信託10。伊藤・民訴法199頁）に抵触して不適法となる可能性がある。

手続による権利の満足と強制執行による満足とを比較すると，破産手続には次のような特徴がある。

　第1に，強制執行の申立てには債務名義が要求されるが（民執22），破産手続開始申立てにおいては，あらかじめ債務名義を取得する必要はなく，債権の弁済期到来も求められない。また，債務名義にもとづく強制執行について執行停止決定（民執39）がなされていても，破産手続開始申立権に影響はない。

　第2に，強制執行の対象が債務者の個別財産に限定されるのと比較して，破産においては，債務者の総財産が債権者の満足への引当てになる。反面，破産配当は，申立債権者を含めた総債権者に対して平等になされるのが原則であるから，申立債権者としては，独占的満足を受けることは期待できない[106]。

　第3に，破産においては，債権者の利益を最大化するために破産管財人が双方未履行双務契約を解除したり（破53 I），破産手続開始前に破産者がなした詐害行為や偏頗行為を否認する（破160以下）ことにより破産財団を増殖し，破産管財人が財団所属財産を換価する権能が認められている。債権者としては，このような特徴を考慮して，破産手続開始申立権の行使を選択する。

　破産手続開始申立権を認められる債権者に該当するかどうかは，開始されるべき破産手続において破産債権者としての地位を認められるかどうかによる。したがって，破産手続開始前の原因にもとづいて生じた財産上の請求権の主体（破2 V VI）であれば，債権者としての破産手続開始申立権が与えられる[107]。期

訴訟信託該当性を否定した裁判例として，東京高決平成31・2・14金商1564号28頁参照。
106)　もちろん，強制執行手続においても平等主義が支配するが，破産と異なって，総債権者の権利届出を促す手続が用意されているわけではなく，逆に，配当要求資格が限定されることなどにみられるように，総債権者の権利を平等に満足させることが手続の目的とされているとはいえない（中野貞一郎＝下村正明・民事執行法35頁（2016年），中田裕康「債権者平等の原則の意義」曹時54巻5号1，7頁（2002年）参照）。
107)　会社更生についての債権者の手続開始申立てについては，債権額の制限があるが（会更17 II ①。伊藤・会更法・特清法52頁参照），破産については，このような制限は存在しない。
　また，債権者と債務者との間の合意によって，あらかじめ債権者の破産手続開始申立権が放棄されているときに（破産手続開始申立制限契約），その合意の効力が認められるかという問題がある。申立権は債権者の利益実現のためのものであるから，債権者の無知に乗じるとか，予定された資産配分手続が機能していないなどの特段の事情が存在する場合を除いて，合意の効力を認めて，破産手続開始申立てを却下してよい（注解破産法（下）185頁〔谷合克行〕，破産・民事再生の実務〔破産編〕79頁，条解破産法〈第3版〉138頁，後藤出「資産流動化取引における倒産不申立て特約と責任財産限定特約」ジュリ1441号92頁（2012年））。ただし，個別的権利行使にかかる不起訴の合意が当然に破産手

限付債権（破103Ⅲ），金額不確定の債権（同Ⅱ①ロ），あるいは条件付債権・将来の請求権（同Ⅳ）であっても差し支えないし[108]，破産手続上で優先的破産債権とされることも（破98Ⅰ），破産手続開始申立権に影響しない。被担保債権であって，担保権について別除権が認められることも（破2ⅨⅩ），破産手続開始申立権に影響しない[109]。また，非金銭債権であっても，財産上の請求権として，評価によって破産債権として扱われるものであれば（破103Ⅱ①イ），破産手続開始申立権が認められる[110]。さらに，債務者に対する直接の債権者で

続開始申立権の放棄を意味するものではない。前掲仙台高決平成30・12・11（注95）は，破産手続の目的を考えれば，不起訴の合意の存在により破産法30条1項2号の破産手続開始の条件が欠けるとはいえないと判示する。

信託財産破産に関する信託債権者または受益者による特約の効力について破産法大系Ⅲ265頁〔山本和彦〕参照。債務者の申立権に対する効力については，本章注115参照。

また，債権者による破産手続開始申立てについても権利の濫用や信義則の一般法理の適用がありうるが，実際には，例外的な場合にとどまろう。東京地判令和元・5・31金商1571号28頁参照。

108) 連帯保証人の事前求償権にもとづく更生手続開始申立てについて，大阪高決平成23・12・27金法1942号97頁〔会社更生〕，租税の連帯納付義務者の求償権にもとづく破産手続開始申立てについて，最決平成17・6・10実情254頁がある。ただし，破産手続開始前の弁済が否認されたことによって復活する受益者の債権（破162）は，否認権行使という停止条件に係る破産債権であり，配当への参加資格は認められるが（破169。本書656頁），それを破産申立権の基礎とすることは，原則として許すべきものではない。実質的にみても，一方で偏頗弁済の利益を保持しつつ，他方で破産手続開始を求めることはクリーンハンドの原則に反するし，破産者による弁済によっていったん債権が消滅している以上，破産手続開始前に債権発生の基礎たる事実が存在しているともいえないためである。詐害行為取消権の行使によって復活する受益者の債権（民425の3）についても，同様であろう。

109) 別除権は，その行使によって生じる不足額の限度で破産債権の行使が認められるが（破108。本書486頁参照），不足が生じるかどうかは，破産債権たる被担保債権にもとづく破産手続開始申立資格を左右するものではない。注釈破産法（上）106頁。

110) 本書〈第2版〉90頁注79においては，破産手続開始決定前の原因にもとづく金銭債権であっても，財団債権とされる租税など（破148Ⅰ③）については，破産手続開始申立権が否定されるとしたが，財団債権であるか，破産債権とされるかは，破産手続上の区別であること，同一の債権でも財団債権とされる部分と破産債権とされる部分があること（破148Ⅰ③・149。本書334, 339頁参照），破産法18条1項も「債権者」に申立資格を認めていること，実質的にも，財団債権者たる債権者が予納金などの負担を引き受けて申立てをすることを禁じる理由に乏しいことを考えると，財団債権者の申立権を認めるべきである。労働債権について条解破産法〈第3版〉137頁参照。

これに対し，破産財団が財団債権総額を上回っているときは，財団債権の満足に不安がない一方，破産債権者の利益を害するおそれがあること，下回っているときでも，同時破産手続廃止（破216Ⅰ。本書196頁）に至ることが想定され，無意味な申立てに帰すことなどから，申立権を否定する有力説がある（山本和彦「財団債権者・共益債権者の倒産手

なくとも，民法423条にもとづく債権者代位権の行使が認められる者については，直接の債権者と同様に破産手続開始申立権が認められる[111]。先に述べたように，債務名義を有していることも破産手続開始申立権の要件ではない[112]。

申立人の債権は，破産手続開始決定の時に存在することを要する。開始決定時に存在しさえすれば，確定までに消滅しても，破産手続開始決定の取消事由とはならない[113]。破産手続は開始決定と同時に開始され（破30Ⅱ），いったん開始された以上，申立債権者のためだけではなく，総債権者の利益のために遂行されるからである。ただし，破産手続開始決定と同時に定められる債権届出期間において（破31Ⅰ①），届出債権者が1人もいない場合の取扱いについては考え方が分かれる。破産手続開始決定に対して破産者が即時抗告を申し立て，抗告審係属中に債権届出期間が経過し，なお届出債権者が1人もみられないときには，破産手続開始決定を取り消し，破産手続開始原因が存在しないものとして申立てを棄却すべきである[114]。

2 債　務　者

法18条1項は，債務者にも破産手続開始申立権を認める。債務者の申立てによって開始される破産を自己破産と呼ぶ。近年自己破産の増加傾向は著しい。

続開始申立権」今中傘寿410，415頁）。説得的な議論であるが，破産手続開始申立ての時点で，裁判所にこのような判断を求めるのは困難であると思われるし（破産法大系Ⅱ46頁〔小川秀樹〕参照），例外的な事案では，不当性を理由にして申立てを棄却（破30Ⅰ②。本書129頁）すれば足りると思われる。

111) 差押債権者，債権質権者など，債務者に対する債権を行使する実体法上の地位を認められる者も同様である（注解破産法（下）173頁〔谷合克行〕，基本法204頁〔林泰民〕など）。逆に，自己の債権に質権を設定した者は，特段の事情がない限り，破産手続開始申立権を否定される（最決平成11・4・16民集53巻4号740頁〔倒産百選10事件〕，条解破産法〈第3版〉136頁）。なお，民法423条の5により，改正前民法の下における解釈と異なり，債権者代位権の行使が債務者（被代位債権者）の管理処分権を排斥しないとされているので，被代位債権者の開始申立権も認められよう。注釈破産法（上）105頁。

112) 不法行為にもとづく損害賠償債権についてみられるように，債務者が債権の存在を争っているときには，裁判所が申立資格として債権の存否を判断しなければならない。申立債権の時効消滅が問題となった例として，最決平成22・9・30実情536頁がある。

113) 破産・民事再生の実務〔破産編〕139頁，倒産・再生訴訟576頁〔園尾隆司〕，大決昭和3・10・13民集7巻787頁〔倒産百選〈初版〉12事件〕。ただし，大決昭和9・9・25民集13巻1725頁は反対。

114) 広島高岡山支決昭和29・12・24高民7巻12号1139頁。議論の詳細については，注解破産法（下）175頁〔谷合克行〕参照。もちろん，破産手続開始決定が確定すれば，届出債権者が不存在であっても破産手続開始決定の取消しは問題にならず，同意破産手続廃止（破218）規定の類推適用などが考えられるにすぎない。本書773頁参照。

これは，主として消費者債務者が免責をうるために申し立てる事件の増加によるものであるが，企業倒産においても，再生の見込みが立てられないために債務者が自己破産の手続開始申立てをなす事件が次第に多くなっている。かつては，破産手続開始申立ての濫用といえば，債務者を威嚇するための債権者申立ての事件を指していたが，近年では，自己破産手続開始申立てについていわれるようになったのも，時代の変化を示している。

　個人，法人，または法人でない社団等のいずれであれ，債務者が自己破産の手続開始申立てをなすについては，その旨の意思決定をなし，申立ての形でその意思を裁判所に対して表示する必要がある[115]。しかし，法人については，意思決定の手続，および法人を代表して意思決定を外部に表示する機関が，法人の種類によって異なるので，自己破産の手続開始申立てとみなされるためには，代表機関が正規の手続を践んで申立てをする必要がある。たとえば，一般社団法人の場合には，各理事が法人の代表権限をもつが（一般法人77ⅠⅡ）[116]，理事会が設置されていればその前提として，理事会決議を経る必要がある（一般法人90Ⅱ①）。したがって，これらの手続を践むことなく理事が法人の代表機関として破産手続開始申立てをなしても，それが19条1項による破産手続開

---

[115]　会社の意思決定の準備，従業員の取扱い，証券取引所に対する適時開示，裁判所との打合せ，財産の保全，債権者説明会の開催，開始申立ての時期選択等について，申立マニュアル143～166，173，188頁参照。
　　会社と労働組合との間で，会社が自己破産の申立てをなす場合には，あらかじめ組合と事前協議をなし，その同意をうる旨の約定が締結されていた場合に，会社が，この約定に反して，組合との事前協議を経ずに自己破産の申立てをなしたとしても，組合に対する債務不履行責任が生じるかどうかはともかく，破産手続開始申立てが不適法になるものではない（東京高決昭和57・11・30下民33巻9～12号1433頁〔倒産百選6事件〕，破産法大系Ⅲ367頁〔中井康之＝山本淳〕）。
　　また，債権者と債務者間の破産手続開始申立制限契約が債権者のみならず，債務者に対しても拘束力を有するかどうかについては，総債権者に対して公平な分配をするという破産手続の目的を重視して，これを否定する説が有力である（条解破産法〈第3版〉138頁。信託財産破産に関する受託者の申立権について注釈破産法（下）582頁，破産法大系Ⅲ265頁〔山本和彦〕）。確かに，免責の取得などを考えると，消費者である債務者に対する拘束力を否定すべきではあるが，特定目的会社（SPC）の存在などを考えると，債権者すべてとの間で破産手続開始申立制限契約が締結されている場合には，債務者についても，その拘束力を認めることが合理的といえよう。破産法大系Ⅰ21頁〔伊藤眞〕参照。これに対して，破産法大系Ⅲ326頁〔林康司〕は，SPCおよびその役員の破産手続開始申立権を制限する特約は，倒産法的公序に反し，無効とする立場をとる。

[116]　宇賀克也＝野口宣大・Q＆A新しい社団・財団法人制度のポイント32頁（2006年）。

始申立てとして認められるかはともかく，債務者による自己破産手続開始申立てとは認められない。同様に株式会社の自己破産手続開始申立てとして認められるのは，代表取締役が取締役会の決議を経て申立てをなす場合に限られる[117]。自己破産手続開始申立てと認められるときには，破産手続開始原因の疎明は要求されない（破 18 Ⅱ 参照）[118]。

3 法人の理事等

自己破産手続開始申立てに加えて，法人については，理事，取締役および業務を執行する社員（会社 590 参照）などが，その地位自体にもとづいて法人に対する破産手続開始申立権を認められる（破 19 Ⅰ Ⅱ Ⅳ）。その解散後であっても，残余財産の引渡しまたは分配が終了するまでの間は同様である（同Ⅴ）[119]。これを慣行上準自己破産と呼ぶことがある。法人が破産手続開始申立人となるわけではないので，法律上は自己破産と区別される。また，一般社団法人および一般財団法人の清算人については，実体法上の義務として債務超過状態におけ

---

[117] 実務上の諸問題 24 頁参照。民法上の法人について，常に理事全員の申立てによるか，全員の一致の上で代表者が申し立てることを要するとの考え方があったが（注解破産法（下）177 頁〔谷合克行〕，山内八郎「破産申立権者と申立義務者」判タ 830 号 29，30 頁（1994 年））,現行法下の議論としても賛成できない。旧和議法の場合には，理事等の全員一致が必要であったが（旧和 12），民事再生法ではこのような要件は設けられていない。また，法人でない社団等については，当該団体の性質に即した手続を経た上で，代表者が自己破産を申し立てる（最判平成 6・5・31 民集 48 巻 4 号 1065 頁参照）。

外国法人の日本における代表者が当該法人を代表して破産手続開始申立てをすることができるかという問題があるが，外国会社の日本における代表者の権限を日本における業務に限定する会社法 817 条 2 項との関係から，消極に解されている（条解破産法〈第 3 版〉134 頁）。

[118] 自己破産手続開始申立ての場合であっても理事等の全員一致がないときには，破産手続開始原因の疎明を要求されるとの説が有力であるが（基本法 204 頁〔林泰民〕等。破 19 Ⅲ 参照），賛成できない。全員一致が要求されるかどうかは，法人の意思決定の方式にかかわる問題であり，全員一致でなくとも自己破産手続開始申立てと認められるのであれば，破産手続開始原因の疎明を要求する理由はない。

[119] 清算結了の登記（一般法人 311，会社 929 など）がなされていても変わりはない。注解破産法（下）135 頁〔谷合克行〕，条解破産法〈第 3 版〉141 頁。

なお，法人の理事による破産手続開始申立てについて，その法人が債務超過の状態にあることを認めながらも，私的整理による清算が進行中であり，残債務の免除についても債権者の同意がえられていることに加え，申立人である理事が法人の窮境について責任があることなどから，申立権の濫用を理由に，申立てを却下したものとして広島高岡山支決平成 14・9・20 判時 1905 号 90 頁がある。現行法の下では，申立ての不当性（破 30 Ⅰ ②。本書 129 頁）と申立てと信義則（破 13，民訴 2）の枠組によることになろう。事案は，公法人(本書 90 頁)にかかるものであるが，私法人にも適用可能性がある判断枠組である。

る破産手続開始申立義務が課される（一般法人215Ⅰ）[120]。なお，同じく理事等による破産手続開始申立ての場合でも，理事等の全員が申立人となる場合と異なって，一部の理事等が申立人となっている場合には，破産手続開始原因の疎明責任が課される（破19Ⅲ）。

4 相続財産に対する申立権者（本書93頁参照）

相続財産そのものに法主体性が認められない限り，相続債権者や受遺者は相続人に対する債権者であるが，法は，相続財産について破産能力を認め（破222以下），これらの者を破産債権者とすることの関係で（破231Ⅰ参照），これらの者に破産手続開始申立権を認める（破224Ⅰ）。また，相続人，相続財産管理人，相続財産清算人，遺言執行者にも破産手続開始申立権が認められる（同）。これは，これらの者が破産者たる相続財産について管理処分権を認められていることにもとづいて（民918Ⅰ・953・1012Ⅰ），自己破産手続申立てに準じる申立権を認めたものである[121]。

---

[120] そのほかに破産手続開始申立義務が課される例としては，清算人（会社484Ⅰ・656Ⅰ）などがある。詳細については，石原382頁参照。民事再生では，再生手続開始申立てをもって破産手続開始申立てに代えることが認められる（民再22）。また，清算人が申立義務を怠った場合には，過料の制裁が科される（一般法人342⑰，会社976㉗前半部分など）ほかに，故意または過失にもとづく懈怠によって配当財源となるべき破産者の財産が減少したときには，破産債権者に対する損害賠償責任が生じる。大コンメンタール77頁〔世森亮次〕，条解破産法〈第3版〉140頁。これに対し，四宮章夫「私的整理の研究2」産大法学49巻1・2号143頁（2015年）は，清算法人の財産が僅少であるとか，公正な私的整理で代替できる場合には，清算人の破産手続開始申立義務を免除すべきであるとする。

なお，清算人の申立てにもとづいて破産手続が開始されたときには，清算株式会社がすでに行った債権者への弁済や株主への分配を破産管財人が取り戻すことができる（会社484Ⅲ）。否認権との均衡の視点から立法論としての合理性を疑う指摘があるが（中島弘雅「会社法484条3項は破産法改正の忘れ物？」加藤哲夫古稀531頁），主観的要件を問題とせずに通常清算開始の状態に巻き戻し，破産清算を実施するための規定と理解すべきであろう。福岡高那覇支判令和2・2・27金商1593号14頁。

申立義務がある場合でも，申立てを取り下げること(本書150頁参照)は可能であるが(注釈破産法(上)192頁)，取下げに合理的理由が認められないときには，申立義務を果たしたとはいえない。

[121] 相続人が複数存在する場合，および相続人と相続財産清算人などが併存する場合にも，各自に破産手続開始申立権が認められる。その他，問題としては，相続人について破産手続開始決定がなされ，相続人が相続財産についての管理処分権を失ったときに，相続人の破産管財人に破産手続開始申立権を認めるべきかなどの問題がある。以上について注解破産法（下）198頁〔宮川知法〕，注釈破産法（下）512頁，破産法大系Ⅲ229頁〔村松秀樹〕参照。なお，旧破産法では，相続財産が債務超過の状態であることを発見した相続財

5　信託財産に対する申立権者（本書105頁参照）

　信託財産破産における破産者は、信託財産そのものであり、受託者に対する債権者である信託債権者（信託21Ⅱ④）や受益者（信託2Ⅵ）は破産債権者とすることとの関係で（破244の7Ⅰ参照）、これらの者に破産手続開始申立権が認められる（破244の4Ⅰ前半部分）。また、受託者（信託2Ⅴ）または信託財産管理者（信託63Ⅰ）、信託財産法人管理人（信託74Ⅱ）もしくは管理人（信託170Ⅰ）にも、破産手続開始申立権が認められる（破244の4Ⅰ後半部分）[122]。受託者等は、破産者たる信託財産について管理処分権を認められることにもとづいて、自己破産開始申立てに準じる申立権を認めたものである。なお、信託が清算手続に入った段階で、債務超過の状態にあることが明らかになったときは、清算受託者（信託177柱書）は、直ちに信託財産についての破産手続開始の申立てをしなければならない（信託179Ⅰ）。

6　監督官庁

　破産法以外の特別法によって破産手続開始申立権を認められるものとして監督官庁がある（金融更生特490Ⅰ）。これは、債務者の財産状況を把握しうる立場にある監督官庁に申立権を与えることによって、社会的混乱が拡大する以前の適切な時期に破産手続を開始させようとするものである[123]。このような特

　　産管理人などに破産手続開始申立義務を課していたが、本書94頁に述べた理由からこの義務は廃止された。
[122]　申立権を示す添付書類については、申立マニュアル195頁参照。
[123]　特別清算に関しては、監督官庁の通告にもとづく職権開始の制度があったが（商旧381Ⅱ・431Ⅲ）、単なる通告では、手続開始の是非について裁判所が十分な判断資料をうることが困難であるなどの理由から会社法の制定の際に廃止された。なお、立法論としては、一般的に監督官庁に開始申立権または通告権を認めようとする考え方があったが（検討事項第1部第1章第1 2 (2) イ）、監督官庁一般に申立権を認めるべき合理的理由に乏しいことなどから、個別法に委ねるべきものとされた（中間試案補足説明52頁）。申立権とは異なるが、特別監視の下にある金融機関等に対して破産手続開始申立て等がなされた場合の内閣総理大臣の意見陳述権がある（預金保険126の15）。
　　なお、消費者被害の事案について、被害債権者たる消費者の申立権行使（弁護団方式を含む）が困難である事情を指摘した上で、消費者庁に申立権を与えるべきかどうかを検討し、むしろ特定適格消費者団体（消費者裁判手続特例法2⑩）に申立権を認めるべきであるとの立法論が提言されている。黒木和彰「特定適格消費者団体による破産手続開始申立ての可能性」多比羅喜寿191頁参照。対象消費者による授権を前提とする簡易確定手続の段階に進めばもちろん、共通義務確認訴訟の段階でも、対象消費者と相手方事業者との間の共通義務という概括的法律関係について当事者適格が特定適格消費者団体に付与され、事業者の財産に対する仮差押えも可能であることを考慮すれば（伊藤眞・消費者裁判手続特

別の定めがない限り，監督官庁には申立権はないが，破産手続開始の事実については，破産者の事業についての許可権限などを有する監督官庁にこれを知らしめることが必要であるので，裁判所書記官から監督官庁などに通知がなされる（破規 9。本書 186 頁参照）。

第 2 項　破産手続開始申立ての手続

破産手続開始申立ては，管轄ある裁判所に対して破産規則で定める事項を記載した書面でしなければならない（破 20 I，破規 1）[124]。破産規則で定める必要的記載事項とは，申立人の氏名等（破規 13 I ①），債務者の氏名等（同②）[125]，申立ての趣旨（同③）および破産手続開始原因となる事実（同④）である。これらの事項が記載されていなければ，破産手続開始申立書が不適式のものとなり，裁判所書記官による補正命令や裁判長による申立書却下の対象となる（破 21 I 前段・VI，破規 16）[126]。

例法〈第 2 版〉32，205 頁（2020 年）），傾聴に値する立法論である。
[124] 旧法 114 条では，書面または口頭で申立てができると規定していたが，口頭でなされることはほとんどなく，また手続上も書面の申立てを求めることが合理的であるために，改められたものである（条解破産規則 2 頁）。なお，破産手続開始申立てに限らず，手続における申立て，届出，申出および裁判所に対する報告については，書面が要求されるのが原則である（破規 1 I）。ただし，裁判所に対する報告は口頭ですることが許される場合があり（同Ⅲ），また，期日における破産管財人の申立ては，口頭ですることも許されるが（同Ⅱ柱書本文），重要な裁判を求める申立ては，なお書面が要求される（同柱書但書・①〜⑥）。関連するものとして，電磁的方法による情報の提供等（破規 3）がある。
　なお，破産法 20 条および 21 条に対応する規定は，民事再生法および会社更生法には設けられていない。これは，破産法においては，不備のある申立書について裁判所書記官による補正処分（破 21 I）およびそれに対する不服申立て（同Ⅲ）が認められていることとの関係で，申立書の記載内容を法によって明確にする必要があったことによる。条解破産法〈第 3 版〉144 頁参照。申立書の審査を裁判所書記官の権限としたことの理由と合理性については，一問一答 46 頁，大コンメンタール 83 頁〔佐藤満〕，条解破産法〈第 3 版〉164 頁参照。
　また，破産手続の場合には，再生手続開始申立てや更生手続開始申立てにおけるような事前相談（本書 856 頁，伊藤・会更法・特清法 58 頁）は一般的ではないが，大型事件や申立時の混乱が想定される事件，あるいは事業譲渡を予定する事件などにおいては，事前相談が必要なことがある。破産・民事再生の実務［破産編］155 頁，220 問 42 頁〔西脇明典〕。
[125] 相続財産や信託財産に対する破産手続開始申立ての場合には，それぞれの財産を特定するにたる事項の記載が求められる。条解破産法〈第 3 版〉146 頁参照。
[126] 補正処分が書面（破規 16）による告知によってなされること（破 21Ⅱ），補正処分について裁判所（受申立裁判体）に対する異議が認められること（同Ⅲ），異議申立てに執

その他に訓示的記載事項として，債務者の収入および支出の状況ならびに資産および負債（債権者の数を含む）の状況（破規13Ⅱ①），破産手続開始原因となる事実が生ずるに至った事情（同②），債務者の財産に関してされている他の手続または処分で申立人に知れているもの（同③），債務者について現に係属する破産事件，再生事件または会社更生事件等があるときは，当該事件が係属する裁判所および当該事件の表示（同④），親会社等の破産事件等があるときは，当該事件が係属する裁判所および当該事件の表示等（同⑤），債務者について外国倒産処理手続があるときは，当該外国倒産処理手続の概要（同⑥），従業者の過半数で組織する労働組合等があるときは，その名称等（同⑦），破産手続開始の事実を通知すべき監督官庁等の名称等（同⑧）および申立人または代理人の郵便番号および電話番号等（同⑨）がある[127]。

破産事件についての裁判管轄（以下，破産管轄と呼ぶ）は，国法上の裁判所のうち，いずれの裁判所が破産事件についての裁判権[128]を行使するかにかかわる規律であり，国内管轄と国際管轄とに分けられる。破産管轄をもつ地方裁判所が破産裁判所と呼ばれ[129]，現に破産事件に関する審判を行う裁判体を単に裁判所と呼ぶ。破産管轄および裁判所については，第1部第2章第1節第3項

行停止の効力がともなうこと（同Ⅳ），裁判所が，申立書について補正処分の対象以外の不備を認めたときは，その補正を命じなければならないこと（同Ⅴ），申立人が確定した補正処分または裁判所の補正命令にしたがわないときは，裁判長が申立書の却下を命じなければならないこと（同Ⅵ），却下命令に対する即時抗告が認められること（同Ⅶ）の詳細については，条解破産法〈第3版〉168頁参照。

[127] それらの事項に関する具体的記載内容については，条解破産法〈第3版〉147頁以下，法や規則においては定められていないが，実務上求められる記載事項については，同149頁参照。また，破産管財の手引〈第2版〉46頁，申立マニュアル223頁以下には，破産手続開始申立書（免責許可申立書を兼ねる）の具体的記載例および添付すべき書類が掲載されている。

[128] ここでいう裁判権には，破産手続開始決定などの狭義の裁判をなす権能のみでなく，破産手続が非訟事件の一種であることとの関係で，破産管財人の選任監督など，破産手続上裁判所の権能とされるすべての事項を含む。具体的には，石原337頁参照。

[129] 破産裁判所は，破産管轄を認められる国法上の地方裁判所（破2Ⅲ），たとえば，東京地方裁判所になり，現に破産裁判権を行使する裁判体は，裁判所と呼ばれ（破7，8Ⅱ，11，12，15Ⅰ，21Ⅴ，24，25，27，28，29，30，31，32ほか），東京地裁民事第20部に所属する裁判官によって構成される単独または合議制の裁判体を意味する（裁26ⅠⅡ①Ⅲ，実務上の諸問題64頁）。なお，東京地裁民事第20部や大阪地裁第6民事部は，破産や民事再生事件の専門部といわれるが，その比較法的特質については，佐藤鉄男「倒産事件と裁判所——日本型商事裁判所への布石」宮澤節生先生古稀記念・現代日本の法過程（上）676頁（2017年）参照。

（本書227頁以下）で説明する。なお，破産手続開始申立てについては，手数料の納付が要求される（民訴費3Ⅰ・別表第1項12・16）。納付がなされないときには，納付が命じられるし（破21Ⅰ後段），なお納付がなされなければ，申立書が却下される（同Ⅵ）[130]。

　債権者の申立てについては，その適法要件として，債権の存在および破産手続開始原因の疎明が要求される（破18Ⅱ）。これは，破産手続開始申立てが他の債権者や債務者に与える影響が大きいことを考慮して，無益または有害な申立てがなされることを防ぐためである[131]。したがって，裁判所が破産手続開始決定をなすためには，債権の存在は別として，破産手続開始原因の存在については，疎明にとどまらず，証明が要求される。これに対して，債務者自身による自己破産の手続開始申立てについては，上記の疎明は必要とされない。破産手続開始原因の疎明が免除されているのは，債務者が破産手続開始申立てをなすこと自体が，破産手続開始原因の存在を事実上推定させるからである。

　すでに外国において破産手続に相当する手続が開始されている場合には，破産手続開始原因の存在が法律上推定されるので，疎明の必要はない（破17）[132]。ただし，法人の理事などによる準自己破産の場合には，破産手続開始原因について争いがあることも予想されるので，理事などの全員一致による申立ての場合を除いて，破産手続開始原因の疎明が要求される（破19Ⅲ）[133]。

　他方，債権者以外の者の申立て，すなわち自己破産（破18Ⅰ）および準自己

---

[130] 申立書の却下は，申立てそのものの却下とは区別され，裁判長による命令の形式をとる（井上薫「破産申立に対する裁判」判タ830号47，48頁（1994年））。
[131] 相続財産破産における相続債権者または受遺者の申立て（破224Ⅱ①）および信託財産破産における信託債権者または受益債権者の申立て（破244の4Ⅱ①）の場合も同様である。なお，疎明には即時性が要求されるので（破13，民訴188），証拠方法としては，債権や破産手続開始原因の存在を示す書証が中心になる。具体例については，基本法204頁〔林泰民〕，新版破産法102頁〔堀田次郎〕，申立マニュアル239頁，注釈破産法（上）107頁参照。
[132] 外国における破産手続相当の手続開始決定（注釈破産法（上）102頁参照）が確定していることを要するかどうかについては，議論があるが，推定規定の適用の問題として考えれば足りる。
[133] 相続財産破産における相続人，相続財産管理人，相続財産清算人または遺言執行者の申立て（破224Ⅱ②）および信託財産破産における受託者等の申立て（破244の4Ⅱ②）においても，破産手続開始原因の疎明が要求される。ただし，後者の場合には，受託者等が一人であるとき，または受託者等の全員が破産手続開始の申立てをしたときには，疎明の必要はない（破244の4Ⅲ）。

破産(破19ⅠⅢⅣ)の手続開始申立ての場合には,破産規則で定める事項を記載した債権者一覧表を裁判所に提出しなければならない(破20Ⅱ本文)[134]。ただし,当該申立てと同時に債権者一覧表を提出することができないときは,当該申立ての後遅滞なくこれを提出すれば足りる(同但書)。破産規則で定める事項とは,破産債権たるべき債権等の債権者名,住所,債権の内容および担保権の内容である(破規14Ⅰ各号)[135]。これらの事項を記載した債権者一覧表の提出がない申立書も不適式のものとして,補正処分や却下命令の対象となりうる[136]。これに対して,債権者による破産手続開始申立てについては,同様の事項を記載した債権者一覧表の提出を求める訓示規定が設けられている(同Ⅱ本文)。ただし,申立債権者においてこれを作成することが著しく困難である場合は,提出しなくても差し支えない(同但書)。

また,破産手続開始申立書には,一定の書類を添付することが求められる(同Ⅲ)。一定の書類とは,債務者が個人であるときは,その本籍地の記載がある住民票の写し(同①)[137],法人であるときは,その登記事項証明書(同②),

---

[134] 相続財産破産の場合には,相続債権者以外の者(破224Ⅰ参照),信託財産破産の場合には,信託債権者以外の者(破244の4Ⅰ参照)が債権者一覧表の提出を求められるが,実務上は,申立人の地位を考慮した柔軟な運用が必要であろう。条解破産法〈第3版〉151頁参照。また,金融機関等の更生手続の特例等に関する法律にもとづく監督官庁の申立て(金融更生特490Ⅰ。本書141頁参照)については,債権者一覧表の提出が不要とされているが(同Ⅲ),これについても同様である。

[135] 破産規則14条1項各号で,租税等の請求権(同②)と給料の請求権および退職手当の請求権(同③)を別に扱っているのは,これらの請求権に破産債権となるべきものと財団債権となるべきもの(破148Ⅰ③・149など参照)が含まれているためである。また,破産手続開始後の破産管財人の権限行使によって財団債権となるもの(破148Ⅰ⑦など)については,破産債権となるべき債権(破規14Ⅰ①)として記載すべきであるとされている。条解破産規則47頁参照。一般用の債権者一覧表と公租公課用の債権者一覧表の記載例は,破産管財の手引〈第2版〉49,51頁に掲載されている。また,破産手続開始後に債権者の存在が判明した場合の債務者または代理人による追加については,220問53頁〔上林佑〕参照。

[136] これに対して,有力説は,補正処分の対象は破産手続開始申立書の必要的記載事項(破規13Ⅰ)および申立手数料の納付に限られ,訓示的記載事項(同Ⅱ)や書類の添付・資料の提出(破規14Ⅲ・15),あるいは債権者一覧表の提出(破20Ⅱ)や債権者一覧表の必要的記載事項(破20Ⅱ,破規14Ⅰ)は,補正処分の対象にならないとする(条解破産法〈第3版〉165頁,注釈破産法(上)133,140頁)。訓示的記載事項は,その性質上,補正処分の対象とならないことは明らかであるが,提出を義務づけられた債権者一覧表やその必要的記載事項について有力説の立場に立っても,実際上は,裁判所書記官の指示にしたがうべきであろう。

[137] 実際の居住地と住所が異なる場合,また外国籍の個人の場合について,220問66頁

貸借対照表および損益計算書（同④），個人である債務者の家計簿や確定申告書の写し等（同⑤）および財産目録（同⑥）である。

申立書にこのような事項の記載が義務づけられ，または債権者一覧表の提出が義務づけられ，さらに書類の添付が求められるのは，裁判所が債務者の経済状況や債権の内容等を早期に把握し，破産手続を円滑に進めるためであり，法および規則で定める事項の記載や書面の提出のほかに，裁判所は，破産手続を円滑に進めるために必要な資料の提出を求めることができる（破規15)[138]。

第3項　予　納　金

破産手続を進めるためには，種々の費用を要する。破産手続開始決定前にも，破産手続開始申立てについての審理のための費用（必要な場合の証人尋問の用など）や保全処分の費用がいることがあるし，手続が開始されれば，財団の管理および換価の費用，破産管財人の報酬など多くの費用が発生する。本来であれば，これらの費用は，破産債権者が共同で負担すべきものであるから，財団債権として破産財団から優先的に支払われるはずのものであるが，現実に破産管財人が財産を管理する前には支払が不可能であるし，財団の規模自体が費用を償うに足るものかどうかも判明していない。そこで法は，これらの費用を償う財源を一時的に破産手続開始申立人に求める。これが，予納金の制度である[139]。したがって，予納金は，開始決定手続の費用として使われようと，開始決定後の費用として使われようと，その納付者が破産者以外の者であれば，破産手続が開始され，破産財団たる財産が存在する限り，法テラスなど納付した者（自己破産の申立てをした債務者を除く）に対して財団債権（破148Ⅰ①）として償還されるべきものである（本書333頁）。また，予納金の実際上の機能とし

〔吉野晶〕参照。
138) これらの規定が訓示規定である場合には，書面等が提出されなくとも申立てが不適法になるわけではないが，旧法以来，実務ではよく励行されている。書面等（清算貸借対照表等）の内容については，実務上の諸問題28頁参照。その他，添付を求められる資料については，破産・民事再生の実務［破産編］41頁，条解破産法〈第3版〉157頁，申立マニュアル253頁以下，破産実務の基礎36頁参照。破産管財の手引〈第2版〉52頁以下には，資産目録の内容およびその記載にあたって注意すべき事項が掲載されている。
139) 個別的な訴訟行為についての費用の予納は，民事訴訟費用等に関する法律11条および12条が定めるところであるが，総債権者のために債務者の総財産を換価し，配当するという破産手続の特質を踏まえて，包括的な予納を命じるものである。

ては，破産手続開始申立ての濫用を防止することもあるといわれる。

1　予納金額および予納の手続

予納金額は，破産手続の費用[140]を支弁するためのものであるから，一律でなく，負債総額，債権者数，および予想される破産財団の規模などの要素を考慮して，裁判所がそれぞれの事件について定める（破規18 I）。一応の算定基準としては，負債総額が重視されるが，予納金の使途目的からして，それは考慮要素の1つに過ぎず，破産財団の規模，あるいは管財業務の要否と内容を総合的に考慮して決定すべきである[141]。予納金額は裁判所が定め，申立てに際

---

[140]　破産手続の費用としては，開始決定などの各種決定の送付，通知，公告費用や関係者に対する連絡や告知の費用，破産手続開始前の保全処分の発令にともなって生じる費用，破産手続開始後の破産財団の管理や換価に要する費用が含まれるが，中心となるのは，保全管理人や破産管財人の報酬や費用である。条解破産法〈第3版〉170頁参照。官報公告費用（東京地裁の場合には，個人1万8543円（同時廃止の場合は1万1859円），法人1万4786円。破産・民事再生の実務［破産編］81頁）として破産手続開始決定時に裁判所に納付される裁判所予納金と，破産管財人報酬などの手続費用に充てるために申立代理人から破産管財人に引き継がれる引継予納金（東京地裁の場合には，最低20万円。破産・民事再生の実務［破産編］81頁）に分けられる。破産管財の手引〈第2版〉101頁，運用と書式20頁。預貯金や生命保険解約返戻金のような現金資産を引継予納金に充てることについても，破産管財の手引〈第2版〉102頁参照。

　なお，引継予納金は，破産財団の一部となるが，それが自由財産たる現金から拠出されたとみなされる場合には，それに相当する額を破産財団所属財産となるべき退職金債権（本書263頁）から控除し，実質的に自由財産たる現金が縮減されないように配慮している。破産管財の手引〈第2版〉144頁。

　また，債務者本人の申立ておよび債権者申立ての場合の予納金の納付，破産管財人への交付，財団債権（破148 I ①）としての償還については，破産・民事再生の実務［破産編］160頁，破産管財の手引〈第2版〉364頁参照。

[141]　破産・民事再生の実務［破産編］81頁，条解破産法〈第3版〉171頁，申立マニュアル338頁，破産法大系Ⅰ134頁［佐村浩之］参照。すなわち，負債額5000万円未満を下限とし，法人について予納金70万円，個人について50万円とする。逆に，負債額100億円以上を上限として，法人・個人について予納金700万円以上とする（破産・民事再生の実務［破産編］158頁以下）。ただし，同時破産手続廃止で破産管財人が選任されない事案では，1万584円を基準とする。東京地裁では，少額管財事件が始まった当初は，自己破産の個人管財事件につき原則として20万円の予納金とされていた。しかし，現在では，法人・個人ともに20万円を原則とする取扱いがなされているようである。破産実務の基礎20頁参照。

　なお，予納金額決定についての裁判所の裁量権を明らかにした裁判例として，東京高決昭和63・5・26金法1228号41頁［新倒産百選14A事件］がある。また，予納金を低額化し，同時破産手続廃止を避けるための実務の運用については，新版破産法53頁［西謙二］参照。

して納付が求められるが（破22Ⅰ）[142]，申立人は予納に関する決定に対して即時抗告をすることができる（同Ⅱ）。予納がなければ，裁判所は，破産手続開始申立てを却下できる（破30Ⅰ①）[143]。また，破産手続開始決定があるまでの間において，予納した費用が不足するときは，裁判所は，申立人にさらに予納させることができる（破規18Ⅱ）[144]。

2 自己破産手続開始申立てと予納金および国庫仮支弁

旧破産法は，債権者申立てについてのみ予納金の納付を要求し，債権者以外の破産手続開始申立人の場合，すなわち自己破産および準自己破産の手続開始申立ての場合にはそれを要求せず，その場合の手続費用については，国庫仮支弁の制度を設けていた（旧破140前段）。旧法が，債権者申立てとそれ以外の者による申立てとでこのような区別をしているのは，前者の場合には，破産債権者である申立債権者の利益のために破産手続が行われるのに対して，後者の場合には，申立人たる債務者が破産手続によって利益を受けるのではないという判断にもとづいたものと思われる。ところが，免責をうるという債務者の利益

[142) 事情によっては，一括納付に代えて，合理的範囲での分割納付も認められる。ただし，破産手続開始をまたぐ分割納付については，本章注144に述べる問題があり，申立代理人が予納金を保管しており，分割納付を認めるべき理由がある場合に限られよう。分割納付の取扱いについては，条解破産法〈第3版〉173頁，注釈破産法（上）148頁参照。また，法テラス（日本司法支援センター）による立替制度について，破産管財の手引〈第2版〉85頁，220問31頁〔下山和也〕参照。

143) 予納は，申立ての適法性にかかるものであるから，裁判の形式としては，棄却でなく，却下とするのが正しい（谷口80頁，小西秀宣「破産申立に関する裁判に対する不服申立と抗告審の審理・裁判」判タ830号61頁（1994年），条解破産法〈第3版〉175頁）。なお，旧法では，予納に関する決定に対する不服申立てが認められていなかったこと（旧破139Ⅱ）との関係で，予納に不服がある申立人がそれを争おうとすれば，破産手続開始申立却下決定に対して即時抗告をする以外になかったが，現行法下では，予納に対する不服が認められているから，予納に関する不服は，破産手続開始申立却下決定に対する即時抗告の理由とならない。条解破産法〈第3版〉175頁（大コンメンタール90頁〔重政伊利〕は反対）。ただし，破産手続開始申立却下決定に対する即時抗告の手続が係属中に予納命令が即時抗告によって取り消されれば，破産手続開始申立却下決定も取り消されることになろう。

144) 追加予納または追納と呼ばれる。なお，破産手続開始後の費用は，破産財団から支出されるべきものであり，それができないときは，破産手続を廃止することになるから（破217。本書196頁参照)，それをまかなうための追納は，破産規則18条2項が予定するところではない。条解破産法〈第3版〉172頁参照。しかし，破産手続を廃止すべきではない特別の事情が認められ，しかも，申立人が破産手続の続行を希望するような場合には，追納を求めても差し支えない。ただし，既に破産手続開始決定がなされている以上，予納がなされないことを理由とする破産手続開始申立ての却下（破30Ⅰ①）の余地はない。

のために自己破産が申し立てられるようになると，果たしてこのような区別が合理的かどうか疑われる。そこで旧法下の実務では，自己破産の場合にも，裁判所が申立人に対して予納金を納めるように求める取扱いをなしていた。

　これに対しては，予納金を納める余裕のない債務者についてまで納付を求めるのは違法であり，経済的余裕のない自己破産手続開始申立人に関しては，国庫仮支弁の制度をより積極的に運用すべきだという批判がなされた[145]。このような経緯を踏まえて現行法は，申立人の属性を問わず一律に予納義務を課した上で（破22Ⅰ），申立人の資力，破産財団となるべき財産の状況その他の事情を考慮して，裁判所が申立人および利害関係人の利益の保護のために特に必要と認めるときは，国庫仮支弁を認めることができるとする（破23Ⅰ前段）。職権による破産手続開始決定の場合も同様である（同後段）[146]。国庫仮支弁がなされるときには，申立人に予納義務が課されないから（破23Ⅱ），予納義務の懈怠を理由とする破産手続開始申立却下（破30Ⅰ①）の余地もない。

　申立人に予納をするだけの資力がなく，他方，破産財団から手続費用を償還できる見込みがあり，かつ，破産手続を開始することの必要性が特に高い場合に国庫仮支弁を認めるのがこの規定の趣旨であるから[147]，実際には，極めて

---

145) 旧法下の実務の運用に関しては，伊藤ほか・座談会（上）15頁，条解破産法〈第3版〉176頁，裁判例として，大阪地判昭和57・10・25判時1069号115頁，大阪高判昭和59・6・15判時1132号126頁〔新倒産百選14事件〕，前掲広島高決平成14・9・11（注94）〔倒産百選A2事件，倒産百選〈第4版〉10事件〕がある。もっとも，裁判所の求めに応じて申立人が予納金を納付する行為が，真の意味で任意とみなされるかどうかについては批判もあり，現行法の立法につながった。

146) 法23条1項が定める仮支弁の要件を定型的に満たしていること，および予納を命じる申立人が存在しないことが理由であるが，実際には，利害関係人たる債務者や債権者から任意に予納を受けて手続の進行を図ることが少なくないといわれる。この場合も，手続費用の立替払いとして，債権者の償還請求権を財団債権（破148Ⅰ①）として扱うべきである。条解破産法〈第3版〉180頁。

147) 債務者による自己破産手続開始申立てが主たる対象として想定されるが，債権者申立ての場合であっても，国庫仮支弁の可能性がないわけではない。基本構造67頁。
　また，「申立人及び利害関係人の利益の保護のため特に必要と認めるとき」（破23Ⅰ前段）には，多額の手続費用を要すると予想され，予納金額が高額になる事件において破産手続を開始すべき公益上の要請なども含まれる。基本構造69頁，条解破産法〈第3版〉177頁。
　ただ，現在の実務運用では，申立人である債務者が20万円を超える現金を保有する場合には，少額管財事件として予納させ，それに相当する現金がないと認められるときには，同時廃止事件として扱うので（破産管財の手引〈第2版〉34頁，破産実務の基礎16頁），国庫仮支弁が求められる事案は，ほとんど考えられない。これに対して，債権者申立事件

限定された場合にのみ仮支弁が許されることになろう。仮支弁が行われた場合の国の支弁金返還請求権は、財団債権として、破産財団から償還される[148]。

第4項　破産手続開始申立ての取下げ

いったん破産手続開始決定がなされれば、確定をまたずその効力が生じ（破30Ⅱ）、集団的債務処理手続たる破産手続として破産者の管理処分権や破産債権者の権利行使に対する制約が生じるのであるから、その後に破産手続開始申立ての取下げを認めることは不合理である。法が開始決定前に限って破産手続開始申立ての取下げを認めるのは（破29前段）、このような理由からである。訴えの取下げは、訴訟係属発生後も原則として原告の意思に委ねられているが、上記の点を考えれば、破産手続開始申立取下げを訴えの取下げと同様に考えることはできない[149]。

もっとも、破産手続開始決定がなされる前であっても、他の手続の中止命令（破24Ⅰ）、包括的禁止命令（破25Ⅰ）、財産保全処分（破28Ⅰ）、保全管理命令（破91Ⅱ）、否認権のための保全処分（破171Ⅰ）がなされているときには[150]、すでに破産手続開始による管理処分権や権利行使に対する制約が前倒しされているとみなされるから、それにもかかわらず破産手続の開始を妨げるべき合理的理由がある場合に限って、破産手続開始申立ての取下げを認めるべきである。法が、これらの命令や処分発令後の取下げを裁判所の許可にかからせているのは（破29後段）、このような理由からである[151]。

においては、申立債権者の資力、予納金を調達することができる他の方法の存在、破産手続を開始すべき理由などを考慮して、国庫仮支弁を認めるべき事案が存在する。福岡地決平成25・4・26金法1978号138頁①事件・同②事件。
- 148）　財団が不足であれば、破産者から国庫に返済させる以外にない。国庫の仮支弁金返還請求権は財団債権（破148Ⅰ①）に属するものであるから、免責の対象とならない（破253Ⅰ柱書本文参照）。財団債権について破産手続終了後に破産者が責任を負うか否かについては、本書343頁参照。ただし、法人の場合には回収は不可能であろう。仮支弁および支弁金の回収手続については、高橋欣一「予納金（2）」裁判実務大系（6）44, 50頁、条解破産法〈第3版〉180頁参照。
- 149）　注解破産法（下）183頁〔谷合克行〕、霜島144頁、加藤哲夫97頁、条解破産法〈第3版〉230頁など参照。
- 150）　各種の中止命令、禁止命令、保全処分などの効力発生時を意味し、これらに対する即時抗告がなされていても、それが執行停止効を有しないところから、申立ての取下げ制限効は発生するが、保全処分などが取り消されれば、制限効は消滅する。条解破産法〈第3版〉231頁。

第5項　破産手続開始原因の審理

　債権者申立ての場合には、債権の存在および破産手続開始原因の疎明が要求されるが、これは申立ての適法要件であって、裁判所が破産手続開始決定をなすためには、なお破産原因の証明が必要になる。破産手続開始原因の疎明が要求されない自己破産等の場合であっても、この点は同様である。これに対して、申立人の債権の存在については、争いがある。判例は疎明で足りるとしているが、最近の有力説は、債務者の利益保護という理由から、証明を要するとしている[152]。申立債権の証明は、それほど困難な問題でないと思われるので、議論の実益は少ないが、破産手続開始原因が存在する以上、手続を開始するのが原則という意味で、疎明説をとる。

　開始決定のための審理は、迅速性の要請から口頭弁論を開かずに行えるし（破8Ⅰ）、また当事者の立証のみに委ねずに、裁判所が職権をもって破産手続開始原因の調査を行える（同Ⅱ）。その際には、裁判所が裁判所書記官に命じて必要な事実の調査を行わせることもできる（破規17）。ただし、実務では、申立人および債務者に対する審尋を行うのが一般的である（破13、民訴87Ⅱ・

---

[151]　民事再生法32条および会社更生法23条も同様の趣旨にもとづくものである。旧破産法には、このような取下げの制限が存在しなかったにもかかわらず、新たな規定が設けられたことは、現行法が手続開始前の保全処分等を強化したことの反映とも評価できる。条解破産法〈第3版〉228、230頁参照。旧法下の古い時代において、破産手続開始申立てをした債権者による取下げが頻発したことについて、田原睦夫「整理屋の時代と弁護士の倒産実務——事業再生に活躍する弁護士の礎のために」松嶋古稀274頁参照。
　なお、役員の財産に対する保全処分（破177Ⅰ）が、取下げ制限の根拠とされていないことは、この保全処分が濫用されるおそれに乏しいなどの理由による。基本構造84頁、条解破産法〈第3版〉226頁。
　裁判所の許可は、取下げの申出が合理的理由にもとづくものかどうか、たとえば、新たな資金提供者が現れ、事業の継続が可能になったとか、債権者の大多数の同意の下に任意清算の見込みが立ったなどの事実が認められるかどうかを判断してなされる。なお、取下げの申出と許可の申立てとは、理論的には区別されるが、実際上は、一個の書面によって行われ、許可がなされるときには、その書面に「許可する」旨を記載して裁判の告知がされ、取下げの効力が生じることになろう。条解破産法〈第3版〉233頁。なお、取下げの効力が生じると、保全処分も当然に失効することになるので、裁判所書記官が抹消の登記や登録の嘱託をする（破259Ⅱ・262）。

[152]　判例は、大決大正3・3・31民録20輯256頁、学説は、山木戸58頁、青山ほか43頁。これに対して、谷口96頁、条解破産法〈第3版〉259頁は、疎明説による。なお、申立債権者の破産債権調査については、倒産と訴訟146頁〔住友隆行〕参照。

187Ⅰ)153)。審理の結果，破産手続開始原因の存在が判明すれば，破産手続開始決定がなされるのが通常であるが，例外的に，申立権の濫用などを理由として，申立てが却下されることもある。

第6項　破産手続開始決定前の中止命令および保全処分

　破産手続開始申立ての事実は，事実上，債務者の倒産状態を示すことが多いが，法的には，破産手続は，破産手続開始決定時から開始され（破30Ⅱ），債務者に対する人的拘束（破37以下）や財産管理処分権の破産管財人への専属（破78Ⅰ）なども，すべて破産手続開始を基準時として生じる。ところが，実際には，すでに破産手続開始申立てによって債務者の倒産が明らかになっているところから，様々な問題が起きる。債務者の側についてみれば，開始決定の効果を免れるために，その財産を隠匿したり，特定債権者に対して偏頗弁済をなす可能性がある。また，債権者の側では，法100条1項にもとづく権利行使の制限を免れるために，開始決定前に債権の取立てなどを図ろうとする。これらを放置すると，破産手続を開始しても，たとえ後に否認の可能性があるとはいえ，債権者間の平等が害され，また破産財団が散逸するので，法は，開始決定前の保全処分制度を設け，破産手続の実効性を担保しようとしている154)。

　なお，破産手続開始申立てを前提とせず中止命令や保全処分を発する場合として，再生手続や更生手続終了等にともなう破産手続開始前の保全処分等がある（民再251Ⅰ，会更253Ⅰ。本書1243頁）。

　清算型倒産処理である破産における保全処分の目的は，第1に，債務者に対

---

153)　審尋の実務については，申立マニュアル269頁参照。
154)　抜け駆けの禁止という機能から保全処分が倒産処理制度の中心をなすと指摘するものとして，太田勝造「倒産手続と保全処分Ⅱ」松浦＝伊藤71頁以下がある。
　　　考え方としては，自己破産の申立てがなされた場合には，個別的保全処分によることなく，申立自体にもとづいて個別的権利行使禁止の効力が生じるという，いわゆる自動停止も考えられる（検討事項第1部第1章第1 5 (2)　イ，高田裕成「倒産手続における保全処分」ジュリ1111号162, 165頁（1997年））。自動停止の概念自体については，加藤哲夫・諸相143頁参照。現行法は，自動停止の考え方自体は採用しなかったが，包括的禁止命令の制度新設の背後には，自動停止の実質的意義を実現しようとする考え方がある。民事再生や会社更生における包括的禁止命令（民再27，会更25）も同様である。
　　　もっとも，実務では，財産の保全，従業員の解雇や継続または一時雇用，請負工事現場の保全などは，破産手続開始申立代理人の職務とされ（本書205頁），実際には，申立代理人が保全管理人的役割を果たしているといえる。また，保全の必要が高い事案では，保全処分を発令するのではなく，早期に破産手続開始決定をする実務がある。

して一定の行為を命じ，または一定の行為をしないことを命じることによって，破産財団たる財産およびそれに関する債権者の利益を保全することに求められる。法38条2項の引致命令や法28条の財産保全処分，すなわち財産処分禁止や弁済禁止などの保全処分がこれに属する。もっとも，弁済禁止保全処分などは，債権者の権利行使に対抗する手段を債務者に与える趣旨から，債務者の利益保護手段としての機能ももつ。第2に，強制執行など他の手続に対する中止命令（破24Ⅰ）や包括的禁止命令（破25Ⅰ）は，破産債権者に対してその権利行使を禁止することによって，破産財団を保全しようとするものである。さらに，否認権のための保全処分（破171）は，手続開始後に予定される否認権行使による財団増殖のために，否認対象行為の受益者などの第三者に対して仮差押えや仮処分を命じるという特質をもつ。

　同じく保全処分であっても，民事保全法上の保全処分は，本案の権利実現を保全するためのものであり（民保1），権利が本案訴訟で確定されるまでの間，個別的権利者のために行われる保全手段である。これと比較すると，破産保全処分は，職権でなされる場合はもちろん，申立てにもとづく場合であっても，申立人のみの利益のためになされるものではなく，総債権者の利益のために破産財団たる財産を保全するためになされるものであること，仮差押えまたは仮処分以外に様々な種類の保全処分が認められること，申立人による本案訴訟が予定されていないこと，あるいは原則として担保の提供が要求されないことなどにその特徴がある[155]。

　ただし，否認権のための保全処分は，その効果が破産手続開始決定の効力の中に当然に吸収されるものではなく，後に提起される否認の請求や否認訴訟を前提とする点で，他の保全処分と異なっており，担保提供などの点でも通常の保全処分と同様の取扱いがなされる（破171Ⅱ・172）。役員の財産に対する保全処分については，本書662頁参照。

1　人的保全処分

　破産手続開始後は，破産者の引致（破38Ⅰ）が認められるが，法38条2項

---

155)　松浦馨「倒産手続と保全処分Ⅰ」松浦＝伊藤3，31頁参照。保全処分を媒介項として法的整理と私的整理を結合しようとする試みも（宮川・総論326頁），こうした破産保全処分の特徴を考慮したものである。

は，開始決定前における保全処分としてこの可能性を認めたものである[156]。引致命令についての利害関係人の申立権は認められず，破産手続開始申立てを前提として，裁判所の職権によって行われる。引致は引致状を発して行われ（同Ⅲ），刑事訴訟法中勾引に関する規定が準用される（同Ⅴ）。引致命令に対しては，破産者や開始決定前の債務者による即時抗告が認められる（同Ⅳ）。また，裁判所は必要がなくなれば，引致命令を取り消す。なお，引致は，破産者だけではなく，破産者の法定代理人や理事，取締役など，破産者に準じる者に対しても認められるが（破39），破産手続開始前の債務者に準じる者に対する引致も許されるが，命令時にその身分にある者でなければならない（第3版の説を改める）。

2 財産保全処分

法28条の規定にもとづく財産保全処分は，利害関係人の申立てまたは職権にもとづいてなされる。利害関係人には，破産手続開始申立人はもちろん，他の債権者および債務者が含まれる[157]。申立てを受けた裁判所は，保全の必要性を疎明させなければならないが，債権者申立ての場合には，すでに破産手続開始申立てにともなって破産手続開始原因の疎明はなされているので（破18Ⅱ），保全処分の要件として重ねて破産手続開始原因の疎明は要求されない[158]。また，担保に関しては，保全処分申立人のみの利益を目的とするものではないという理由で，立法者は立担保を要求していない（破28Ⅰ参照）[159]。

---

156) 旧法では，引致に加えて破産宣告前後の監守（旧破149・152）も認められたが，実際上の必要に乏しいことから廃止された。一問一答76頁，基本構造510頁参照。現行法は，破産者等の説明義務（破40）などを設けることによって，破産債権者の利益を確保しようとしている。

157) 他に，開始申立人以外の破産手続開始申立権者（破18Ⅰ・19参照）や保全管理人（破91）が考えられる。また，申立ては，書面によって行い（破規1Ⅰ），その記載事項は，破産規則2条の定めるところによる。条解破産法〈第3版〉223頁参照。

158) 注解破産法（下）265頁〔麻上正信〕，条解破産法〈第3版〉223頁。東京高決昭和55・12・25判タ436号128頁〔新倒産百選17②事件〕は，破産手続開始原因の疎明を要求したものとして引用されることもあるが，債務者が破産手続開始原因を争ったのに対して，それが疎明されていると認めたものであり，積極的に保全処分申立人に対して疎明を要求したものではない。もっとも，本事件についての野村秀敏解説は，保全処分発令の要件としての破産手続開始原因の疎明は，破産手続開始申立ての要件としての疎明よりも高度のものであるとして，両者を区別するが，実際上はその区別の意義は少ない。また，宗田132頁は，自己破産手続開始申立てのときには疎明がなされていないので，改めて破産手続開始原因の疎明が要求されるという。理論的にはその通りであるが，実際には，自己破産の場合にもすでに疎明がなされている場合が多いと思われる。

保全処分の審理に関しては，裁判所は，口頭弁論を経ないで裁判ができる（破8Ⅰ）。保全処分に対しては即時抗告が認められるが（破28Ⅲ），執行停止の効力は与えられない（同Ⅳ）[160]。また，裁判所は，いつでも保全処分の変更または取消しができ（同Ⅱ）[161]，変更または取消決定に対する即時抗告も認められるが（同Ⅲ），執行停止の効力はない（同Ⅳ）[162]。保全処分，その変更または取消しの裁判および即時抗告についての裁判は，その裁判書が当事者に送達[163]される（同Ⅴ前段）。この場合には，法10条3項本文の規定は適用されず，公告をもって送達に代えることはできない（同後段）。利害関係人の利益を保護するためである。

　保全処分の執行に関して，弁済禁止のような不作為を命じる保全処分については特に執行行為を要しないが，仮差押えなどについては，執行行為を要する場合があり，また，登記または登録された権利について処分禁止の仮処分などが発令されたときには，その旨の登記または登録を嘱託する（破259Ⅰ①・262）[164]。対象財産を執行官保管とする保全処分の場合には，執行官がその占有を取得した後，破産手続開始後に破産管財人に引き渡すこととなる。

---

159) 旧法下では，保全処分によって債務者に損害を与える余地があるので，立担保の可能性を残すべきだというのが多数説であった。山木戸60頁，青山ほか46頁，谷口117頁，破産・和議の実務（上）41頁など。宗田148頁は，現行法下でもこの考え方をとる。債権者による保全処分申立ての場合には，立担保を要件とする余地はあろう（条解破産法〈第3版〉223頁）。

160) 執行停止効が認められないのは，保全処分の発令，変更または取消しをした原裁判所の判断を優先させるためである。また，即時抗告権者は，保全処分の発令等について利害関係を有する債務者や債権者などである。

161) 変更とは，保全処分の種類や対象財産を変更することを意味し，取消しの理由は，当初から保全処分が相当でなかった場合および事情の変更によって相当でなくなった場合の双方を含む。なお，変更や取消しについての利害関係人の申立権は認められず，裁判所の職権の発動を促すにとどまる。

162) 取消しまたは変更以外に保全処分が失効する可能性がある。破産手続開始申立ての取下げまたは棄却などのほか，保全処分の効力が破産手続開始決定の効力に吸収される場合もこれに属する（注解破産法（下）267頁〔麻上正信〕，条解破産法〈第3版〉226頁）。

163) 法は，一定内容の裁判がなされた事実やその内容などを利害関係人に周知させるための手段として，公告，送達，通知などを規定しているが，その使い分けについては，基本構造53頁参照。

164) この登記または登録に反してなされた処分は，破産手続が開始されたときには，相手方の善意悪意を問わず，破産手続との関係で無効となる。条解破産法〈第3版〉218頁。なお，保全処分の登記の手続やそれに後れる登記の抹消などについては，破産法大系Ⅰ105頁〔高山崇彦〕，注釈破産法（下）742頁参照。

保全処分の効力は，破産手続開始申立てについての決定があるまで存続する。そして，破産手続開始申立却下または棄却決定がなされれば，保全処分は失効するし[165]，破産手続開始決定がなされたときも保全処分は失効して，破産手続開始決定の効力がこれに代わる[166]。裁判所の許可をえて，破産手続開始申立てが取り下げられた場合（破29）も，保全処分は失効する。

　財産保全処分の種類として一般に承認されているのは，破産財団確保に関する処分，すなわち不動産などの財産の仮差押えや処分禁止の仮処分[167]，あるいは商業帳簿の執行官保管または債権者による閲覧に供する仮処分[168]などで

[165] ただし，開始申立却下または棄却決定に対して即時抗告が提起された場合には，裁判所が新たに保全処分を発令する可能性がある（破33Ⅱ）。抗告審が保全処分を発するのは，原審が保全処分を発し，これが開始申立棄却決定などによって失効した場合に限られず，原審が保全処分を発していない場合も含まれる。また，抗告裁判所だけではなく，原審も，法33条2項が準用する法28条にいう「裁判所」として，再度の考案（破13，民訴333）によって保全処分を発することが許される。以上について，伊藤・会更法・特清法70頁参照。

[166] 破産手続開始決定がなされれば，弁済禁止保全処分は失効するが，開始決定にもとづく効力として引き継がれる。中島肇「民事再生手続におけるリース契約の処遇——最三判平成20.12.16にみる諸論点」NBL907号70頁（2009年）は，再生手続開始にもとづく弁済禁止効（民再85Ⅰ）が生じた後の履行遅滞についても，弁済禁止保全処分後と同様に考えるべきであるとする。ただし，後掲最判平成20・12・16（注172）における田原睦夫裁判官の補足意見は，この点について異なった考え方を説示している。

　また，小林信明「ファイナンス・リースの倒産手続における取扱い」ジュリ1457号85頁（2013年）は，担保権の実行の前提となる解除については，弁済禁止保全処分の効力による制約がないとする。ニューホライズン222頁は，これを前提とし，再生手続に関し，再生債務者が再生手続における担保権実行に対する中止命令（民再31。本書869頁）の手続をとるために必要な期間（1～2カ月程度）が経過して初めて，解除が許されるとする。

[167] 個別財産についての処分禁止ではなく，債務者の全財産を対象とする処分禁止の保全処分の適法性および効力については，その公示方法がないことなどをめぐって旧法時代から議論がある。しかし，事実上の周知は可能であり，相手方が保全処分について悪意の場合には，保全処分に反する処分を無効とできるのであれば（破28Ⅵ参照），この種の保全処分の適法性を認めるべきである。債務者の借入れを禁じる借財禁止の保全処分についても同様である。条解破産法〈第3版〉218頁。したがって，悪意の貸主は，元本の返還を求める不当利得返還請求権のみを破産債権として行使できるにとどまる。

　さらに，債権譲渡の債務者に対する通知を譲受人が譲渡人（破産者たるべき者）に代わって行うことなどを想定し，第三者を名宛人とする保全処分の可能性が議論される。基本的には，中止命令（破24）や保全管理命令（破91）によって対処すべき問題であろう。条解破産法〈第3版〉220頁参照。もっとも，債権者による財産持ち出し行為の禁止など，事実行為による財産減少を防ぐために保全処分を認めるべきとの見解も有力である。注釈破産法（上）186頁。

[168] その必要性や債権者による閲覧を認めるべき場合について，条解破産法〈第3版〉

ある。なお，財産保全処分は，破産財団に属する財産を確保するためのものであるから，保全処分の対象となる財産は，少なくとも法定財団に属するものでなければならない[169]。

　財産保全処分の代表的類型の1つとして弁済禁止保全処分がある。弁済禁止保全処分の本来の目的は，債務者に対して特定債権者への偏頗弁済を禁止することにある。したがって，この保全処分の名宛人は債務者であり，債権者が申立人になることが多いと想定される。しかし，実際には，債務者自身がこの保全処分の発令を申し立て，債権者に対する弁済を拒絶する手段として使われることがほとんどである。そこで，この保全処分の許容性，債権者に対する効力，保全処分に違反した弁済の効力などが，議論の対象となる。

　旧法下では，この類型の保全処分の許容性自体について議論があったが[170]，現行法は，それを認めている（破28Ⅵ参照）。債権者からの追及に対しては，強制執行停止や取立禁止の保全処分によって対応すればよいとの考え方もあるが，一般的な弁済拒絶権能を与える必要のあることが，この保全処分を認める根拠である。また，債務者が自らを名宛人として弁済禁止を求めることについても，それが破産債権者のために破産財団を保全する目的をもつことを考えれば，倒産保全処分としての性質に適合する。

　債権者に対する効力については，弁済禁止保全処分が，債務者による任意弁済を禁止する趣旨の不作為命令である以上，債権者の取立権を奪うものでないことは，判例・通説によって承認されている。具体的には，保全処分発令後でも対象となる債権について給付訴訟の提起が許され，また強制執行も妨げられない[171]。実体法的には，弁済禁止保全処分によって猶予の効果が生じるものではなく，履行期が変更されることもない。ただし，保全処分が発令されることにより，債務者は，弁済をしてはならない旨の裁判による拘束を受けているのであるから，弁済がなされないことが債務者の責めに帰すべき事由によるも

221頁参照。
169) 退職金債権について，福岡高判昭和59・6・25判タ535号213頁〔倒産百選A3事件〕参照。したがって，差押禁止部分（破34Ⅲ。本書265頁参照）は保全処分の対象外となる。条解破産法〈第3版〉222頁。
170) 霜島甲一「倒産法上の保全処分について (1)」判タ336号2頁以下 (1976年)，山木戸61頁，谷口112頁。なお会社更生については，条解会更法（上）394頁以下参照。
171) 会社整理について最判昭和37・3・23民集16巻3号607頁〔倒産百選A4事件〕，旧和議について東京高決昭和59・3・27判時1117号142頁〔新倒産百選20事件〕がある。

のであるとして，履行遅滞を主張し[172]，遅延賠償を請求したり，契約の解除などを主張することは許されない。判例も，会社更生における弁済禁止保全処

[172) 履行遅滞の要件としては，①履行の可能なこと，②履行期の徒過，③債務者の帰責事由，④不履行の違法性が挙げられる（我妻・債権総論102頁，奥田・債権総論130頁など）。弁済禁止保全処分発令の事実を違法性にかかわるものとする考え方もありうるが（東京地判平成10・4・14判時1662号115頁），一般には，留置権や同時履行の抗弁権など，履行の遅延を実体法上正当化し，請求権の効力に実体法上の影響を与えるものが違法性にかかわる事実とされているので，弁済禁止保全処分はむしろ帰責性にかかわる事実とするのが適切であるとしていた（条解破産法〈第3版〉225頁参照）。しかし，現行民法の下では，解除に債務者の帰責性が不要とされたので（潮見・概要241頁，改正債権法コンメ642頁），弁済禁止保全処分の効力を確保するためには，それを理由とする債務の不履行には違法性が欠けるとすべきである（破産管財の実務27頁〔高木洋平〕参照）。この点は，旧版の所説（第4版153頁）を改める。

この点について，加毛明「新しい契約解除法制と倒産手続——倒産手続開始後における契約相手方の法定解除権取得の可否」事業再生研究機構編・新しい契約解除法制と倒産・再生手続227頁（2019年）は，解除の要件としての催告が不可能になることを理由として解除を認めない結論を導き，催告が不可能になる根拠として，破産法100条1項による権利行使の禁止の対象になり不可能になること，および債務者側から見ても破産者側による弁済が禁じられるため債務者に追完の機会を保障するための催告をする前提が失われることを挙げる。

ただし，遅延損害金の発生には，債務者の帰責事由が要求されるので（大江忠・要件事実民法〈第4版補訂版〉(4) 89頁（2018年）），弁済禁止保全処分発令後は発生しないと解すべきである。ただし，金銭債務については帰責事由が不要とされるので（民419Ⅲ），遅延損害金の発生が認められる（札幌高判昭和31・6・27下民7巻6号1645頁。野村秀敏「更生手続開始前の会社の業務・財産に関する保全処分」判タ866号89, 90頁（1995年），清水研一「弁済禁止保全処分とその運用」同98, 99頁，金祥洙「弁済禁止の保全処分」松浦＝伊藤321, 338頁，条解破産法〈第3版〉225頁）。

さらに，破産手続開始申立てなどによって債務者が期限の利益を失った後に，弁済禁止保全処分が発令されたときに，債権者が債務不履行およびそれにもとづく解除権発生を主張できるかどうかという問題がある。最判平成20・12・16民集62巻10号2561頁〔民事再生〕〔倒産百選77事件〕における田原睦夫裁判官の補足意見は，これを否定すべきであるとするが，申立てにもとづく期限の利益喪失の効果を認める以上，同日に弁済禁止保全処分が発令される場合を除いて（大判大正10・5・27民録27輯963頁参照），解除権の発生を否定できるかどうかは，疑問である。同日に弁済禁止保全処分が発令された場合についても，担保権の実行としての解除については，これを認める考え方が有力であるが（本章注166），契約解除の方式をとる以上，解除権の発生を否定すべきである。

もちろん，解除の要件として催告を要する場合に，弁済禁止保全処分後の催告がその効力を有しないとすれば，解除権行使の効果も生じないが，以上のことは，開始前に催告がなされている場合や催告を要しないで解除権の行使が認められる場合があることを前提としている。

もっとも，破産手続開始申立てにもとづく期限の利益喪失条項の効力を認めるべきかどうかという問題が存在する。ニューホライズン436頁，更生手続に関して，伊藤・会更法・特清法80頁注94参照。

分（会更28ⅠⅥ）について，この考え方を採用している[173]。

次に，弁済禁止保全処分に違反した弁済の効力に関して，旧法下では議論の対立があり，弁済を常に有効とするもの，債権者が保全処分について善意のときにのみ有効とするもの，常に無効とするものの3つの考え方があった。第2の考え方が通説であり，下級審判決もこれにしたがっていた[174]。第1説では，保全処分の実効性が失われるし，また，保全処分が公示されない以上，第3説にも無理があり，この考え方がもっとも合理的とみなされるので，現行法はこれを立法化したものである（破28Ⅵ）[175]。ただし，悪意の証明責任は，弁済等の無効を主張する側にある。

3 債権者の権利行使に対する中止命令等

上記の財産保全処分は，破産手続開始によって破産者の管理処分権が奪われること（破78Ⅰ）を開始前の手続段階に投影するためのものである。これに対して，ここで説明する中止命令等は，破産債権者による個別的権利行使が制限されるという破産手続開始の効果を開始前の手続段階に投影しようとするものである。破産手続は，総債権者のために破産者の財産を公平に配分することを目的とするから，いったん破産手続が開始されれば，個別債権者による強制執行を開始することはできず（破42Ⅰ・100Ⅰ），また，すでに開始されている強制執行はその効力を失う（破42Ⅱ本文）。しかし，旧法は，開始決定前に強制執行などの中止を命じられるかどうかについて明文の規定を置かず，解釈論として，財産保全処分の一種としてそのような命令が認められるかどうかが議論された[176]。これに対して現行法は，破産財団たるべき財産の保全のために，債務者を名宛人とする財産保全処分と区別して，以下に述べるいくつかの中止命

---

173) 最判昭和57・3・30民集36巻3号484頁〔倒産百選76事件〕。谷口安平「保全処分の種類と効果」金商719号26，27頁（1985年）。
174) 谷口113頁，石原436頁，東条敬「倒産法における保全処分」新・実務民事訴訟講座(13) 27, 41頁（1981年），会社整理の事案について東京高判昭和36・6・15下民12巻6号1375頁〔新倒産百選19A事件〕。なお，債務消滅行為以外であっても，担保の提供を含む財産処分行為についても，それが保全処分によって禁止されているときには，法28条6項の趣旨を考慮し，相手方が悪意であるかぎり，処分の効力は無効と解される。条解破産法〈第3版〉218, 224頁参照。
175) 民事再生法30条6項，会社更生法28条6項も同趣旨の規定である。なお，解釈論上の問題としては，保全処分違反であることを理由とする弁済金の返還請求と偏頗弁済であることを理由とする返還請求との関係がある。基本構造80頁。
176) 議論の内容については，伊藤・破産法〈第3版補訂版〉90頁参照。

令および禁止命令の制度を設けている[177]。

(1) 各種の他の手続に対する中止命令

裁判所は，破産手続開始の申立てがあった場合において，必要があると認めるときは[178]，利害関係人の申立てまたは職権によって，開始申立てについての決定があるまでの間，以下の①から⑥までの手続または処分の中止を命じることができる。中止命令の申立権者は，破産手続開始の申立てをなした者または破産手続開始の申立権者（本書134頁参照）であり，株主は含まない[179]。申立ては，申立人の氏名および住所，申立ての趣旨および申立てを理由づける具体的な事実などを記載した書面によって（破規1Ⅰ・2Ⅰ Ⅱ），疎明書類の写しを添付して行う（破規2Ⅲ）。

中止命令に関する裁判は，口頭弁論を経ないですることができ（破8Ⅰ），決定の形式でなされる。裁判所は，職権で，必要な調査をすることができる（同Ⅱ）。

中止命令が発せられると，その対象となった手続や処分の以後の進行は許されず，たとえ続行されても無効である[180]。中止命令の効力については，命令において期間を定めることも可能であるが，その定めがないときは，破産手続開始申立てについての決定があるまで効力が存続する。そして，破産手続開始申立却下または棄却決定がなされれば，中止命令は失効するし[181]，破産手続

---

[177] ただし，裁判の性質としては，中止命令や禁止命令も，破産財団たるべき債務者の財産を保全し，破産手続の目的を実現するための処分として，保全処分に属するといってよい。条解破産法〈第3版〉182頁参照。なお，破産法，民事再生法および会社更生法における中止命令と取消命令を一覧表として整理したものとして，中森亘ほか「再生手続における担保権の取扱い——中止命令と担保権消滅請求制度への提言を中心に」事業再生と債権管理140号26頁（2013年）がある。

[178] 必要性の有無の判断は，破産手続の開始が想定される一方，これらの手続の進行を放置すると，破産財団の維持形成に支障が生じるかどうかを中心とする。

[179] 監督官庁に中止命令の申立権を認める説が有力であるが（条解破産法〈第3版〉192頁），職権による中止命令発令を促せば足りる。ただし，その際には，必要性などについて十分な疎明資料を提供すべきである。

[180] ただし，現実に手続を停止させるためには，執行機関に中止命令の正本を執行停止文書（民執39Ⅰ⑦）として提出したり，受訴裁判所に提出することが必要である。

[181] ただし，開始申立却下または棄却決定に対して即時抗告が提起された場合には，裁判所が新たに中止命令を発令する可能性がある（破33Ⅱ）。抗告審が中止命令を発するのは，原審が中止命令を発し，これが開始申立棄却決定などによって失効した場合に限られず，原審が中止命令を発していない場合も含まれる。また，抗告裁判所だけではなく，原審も，法33条2項が準用する法24条にいう「裁判所」として，再度の考案（破13，民訴333）

開始決定がなされたときも中止命令は失効して，破産手続開始決定の効力がこれに代わる。裁判所の許可をえて，破産手続開始申立てが取り下げられた場合（破29）も，中止命令は失効する。

　裁判所は，職権によって中止命令を変更し，または取り消すことができる（破24Ⅱ）。変更とは，中止の対象となる強制執行等の範囲や中止の期間の変更などであり，取消しは，発令当初から中止命令が相当でなかったこと，不要になったこと，あるいは不当な損害が発生すると認められることなどを理由とする。

　中止命令，中止命令変更または取消決定に対しては，即時抗告をもって不服申立てをすることが認められるが（同Ⅳ），即時抗告には執行停止の効力はない（同Ⅴ)[182]。これらの裁判の裁判書は，当事者に送達される（同Ⅵ)[183]。

① 　強制執行等に対する中止命令および取消命令

　裁判所は，債務者の財産に対して行われている強制執行，仮差押え，仮処分[184]または一般の先取特権の実行もしくは留置権（商法または会社法の規定によるもの以外）の実行としての競売手続の中止を命じることができる（破24Ⅰ柱書本文・①）。ただし，ここでいう強制執行等は，破産債権または財団債権となるべき債権にもとづくか，もしくはこれらの債権を被担保債権とするものでなければならない（同①）。

　ここで中止命令の対象となる強制執行等は，いったん破産手続が開始されれば，その開始が禁止され（破42Ⅰ），またすでに開始されているものも失効することになるが（同Ⅱ・66Ⅲ），中止命令は，集団的清算としての破産手続の目的を実現するために，その効果を前倒しするものである。財団債権は，破産債権に先立って随時に弁済されるものではあるが（破151），財団不足の場合には，一定の順序に従って弁済を受けるべきものであるところから（破152），個別的権利実行に関する限り，破産債権と同様に開始決定および中止命令の効力に服

によって中止命令を発することが許される。以上について，条解破産法〈第3版〉302頁，伊藤・会更法・特清法110頁参照。

[182] 法が即時抗告に執行停止効を認めないのは，対象となる裁判が保全措置的な性質を持つ場合が多いためである。基本構造52頁。

[183] 送達代用公告（破10Ⅲ本文）も認められる（破27Ⅵ後段・28Ⅴ後段参照）。

[184] 仮差押えまたは仮処分の発令手続（民保第2章）が含まれるかどうかが問題となるが，これを肯定する見解が有力である（条解破産法〈第3版〉184頁）。

するものとされている[185]。したがって，別除権として破産手続によらない権利の実行を保障されている特定財産上の担保権については（破2ⅨⅩ・65Ⅰ・66Ⅰ），中止命令の対象とされない[186]。取戻権たるべき権利にもとづく強制執行等が対象にならないのはもちろんである。

ただし，中止命令が発令されるのは，執行債権者などに中止による不当な損害を及ぼすおそれがない場合に限られる（破24Ⅰ柱書但書前半部分）。執行債権者が破産配当によってうることが期待される利益が強制執行によって受けられる利益を下回ることは，不当な損害とはいえない。しかし，たとえば開始決定までに強制執行による満足を受けないと，執行債権者自身が倒産するおそれがある場合など，個別執行の中止を受忍させることが社会的にみて不相当と評価されるときは，不当な損害発生のおそれがある場合にあたる[187]。

債務者の財産の管理および処分をするために特に必要があると認められるときは，中止命令からさらに進んで強制執行等の取消命令も可能であるが，取消命令の発令は，執行債権者の地位そのものを覆す効果を持つため，手続開始決定に準じる保全管理命令が必要であり，かつ，執行債権者の利益を守るために立担保が要求される（同Ⅲ）。ここでいう特別の必要とは，手続の開始を待たず強制執行等を取り消して，財産を処分する必要などを意味する[188]。

---

185) 租税等の請求権にもとづく国税滞納処分は，破産手続開始にもとづく中止の対象とならないために（破43Ⅱ），中止命令の対象にもされていない。

186) 民事再生法および会社更生法においては，強制執行等に対する中止命令（民再26Ⅰ，会更24Ⅰ）に加えて，特定財産上の担保権の実行に関しても，中止命令の制度が置かれている（民再31，会更24Ⅰ②・2ⅩⅫ）。これは，会社更生手続では，手続開始にともなって担保権に更生担保権の地位が与えられるとともに，その実行が禁止されること（会更50Ⅰ），民事再生手続では，特定財産上の担保権に別除権の地位が認められるが（民再53Ⅰ），なお担保権消滅請求が認められること（民再148以下）を反映したものである。破産手続においても，担保権消滅許可が認められていることを考えると，立法論として検討の余地がある。基本構造74頁。

187) 条解破産法〈第3版〉193頁，伊藤・会更法・特清法63頁参照。いずれにしても，特定財産上の担保権と異なって，破産手続が開始されれば，破産配当のみを期待できるにすぎない破産債権者にとっては，不当な損害発生のおそれが認められるのは，極めて限局された場合である。なお，法文上では，このようなおそれが存在しないことが中止命令発令のための加重要件とされているが，事実の性質上，債権者の側におそれの存在について主張および立証を求めることになろう。伊藤・会更法・特清法63頁参照。疎明と立担保の可能性については，条解破産法〈第3版〉194頁参照。

188) 具体的には，短期間に価値が減耗するような財産を早期に処分する必要がある場合，保全管理人が事業を継続して，仕掛品や原材料を製品に仕上げて売却するとか，優良事業

② 企業担保権の実行手続に対する中止命令

債務者の財産に対してすでにされている企業担保権の実行手続で，破産債権等（破産債権または財団債権となるべきもの）にもとづくものに対しても中止命令が認められる（破24Ⅰ②）。強制執行等に対する中止命令の場合と同様に，企業担保権の実行手続も破産手続開始とともに失効すること（破42ⅠⅡ）を前提としたものである。中止命令の取消しまたは変更が認められることなどは，強制執行等に対する中止命令の場合と同様である。

③ 債務者の財産関係の訴訟手続に対する中止命令

強制執行等に対する中止命令や包括的禁止命令の対象となる強制執行等は，これに制限を加えないと破産手続の目的実現が妨げられるという理由から，中止を命じられる。これに対して，権利確定のための訴訟手続等，破産財団たるべき財産の管理に直接に影響するものではないが，開始決定後は財産の管理処分権が破産管財人に専属し（破78Ⅰ），それを反映して，財産の帰属や債権の存否などに関する訴訟手続も中断することを考えれば（破44・45），開始決定前でも裁判所が必要と認めるときには，これらの手続を中止させる（破24Ⅰ③）。中止命令の取消しまたは変更が認められることなどは，強制執行等に対する中止命令の場合と同様である。

ここでいう債務者の財産関係の訴訟手続が破産債権や財団債権たるべき債権を訴訟物とする訴訟，あるいは債務者の財産にかかわる権利義務を訴訟物とする訴訟で，債務者を訴訟当事者とするものを含むことは疑いがない。もっとも，債務者の財産にかかわる権利義務を訴訟物とする訴訟であっても，債権者代位訴訟や詐害行為取消訴訟のように，債務者を訴訟当事者としない訴訟もありうるが，この種の訴訟も破産手続開始にともなって中断すること（破45Ⅰ）を考えれば（本書452頁参照），中止命令の対象となりうる[189]。

これに対して，債務者を当事者とする手続であっても，身分関係の訴訟は中

部門を譲渡することが破産財団の増殖に資する場合などがあげられる。大コンメンタール97頁〔杉浦徳宏〕，条解破産法〈第3版〉196頁，注釈破産法（上）164頁参照。保全管理人の事業譲渡の権限については，本書178頁参照。

189) 債権質権者の取立訴訟（民366）や責任追及等の訴え（一般法人278，会社847）についても同様である。条解破産法〈第3版〉186頁，注釈破産法（上）158頁，伊藤・会更法・特清法335頁参照。なお，保全管理命令が発令されていても，この種の訴訟は中断しない。破産法96条2項参照。

止命令の対象から除外され，身分関係に起因する財産分与の審判のような非訟手続（民768，家事154Ⅱ④）も，破産手続開始決定にもとづく中断の対象とならない以上（本書448頁参照），中止命令の対象とすることはできない。これに対して，債務者を当事者とする組織法上の訴訟，たとえば合併無効の訴えなどは，それが債務者の財産関係に影響すると認められるときには，破産手続開始による中断の対象となるとすれば（本書448頁参照），中止命令の対象にも含まれる。

④ 債務者の財産関係の事件で行政庁に係属しているものの手続に対する中止命令

これも，訴訟手続と同様に，破産手続開始にともなう中断の効果（破46・44）を前提とするものである（破24Ⅰ④）。ここで予定されているのは，行政不服審査法や，国税通則法，特許法などの特別法にもとづく不服審査手続である[190]。

⑤ 債務者の責任制限手続（船舶の所有者等の責任の制限に関する法律第3章または船舶油濁等損害賠償保障法第5章）に対する中止命令

この手続は，船舶の所有者等がその一定範囲の財産と一定範囲の債務とを清算することを目的とする点で，破産手続と競合関係に立ち，申立人である船舶の所有者等についてすでに破産手続が開始されていれば，責任制限手続開始の申立てを却下する（船主責任制限24，油賠38）。また，すでに責任制限手続が開始されていれば，破産手続がそれと併走する（破263・264参照）。そこで，責任制限手続の開始決定がなされていない場合に限ってその申立てにもとづく手続に対する中止命令が認められる（破24Ⅰ柱書但書後半部分）[191]。

⑥ 共助対象外国租税の請求権にもとづく外国租税滞納処分で破産債権等に

---

190) 具体例については，条解会更法（上）606頁，条解破産法〈第3版〉187頁参照。
191) 旧破産法155条の2以来の立法の経緯については，条解破産法〈第3版〉187頁参照。なお，財産開示手続（民執196以下）や第三者からの情報取得手続（民執204以下）のように，破産手続開始によって失効するにもかかわらず，中止命令の対象とされないものがあるのは，手続の特質を考慮した結果である。条解破産法〈第3版〉188頁参照。責任制限手続と破産手続の競合に関する規律の詳細については，条解破産法〈第3版〉1815頁以下，注釈破産法（下）755頁以下参照。

なお，船舶の所有者等の責任の制限に関する法律の平成27年改正については，高橋玄ほか「船舶の所有者等の責任の制限に関する法律の一部を改正する法律の解説」金法2019号57頁（2015年）参照。

もとづくものに対する中止命令

外国租税滞納処分は，共助の対象となる外国租税等の請求権の実行のために国税滞納処分の例によって行うものであるが（租税約特11．本書77頁参照），国税滞納処分と異なって，すでにされている外国租税滞納処分も破産手続開始によって失効すること（破42Ⅱ本文）を反映して，中止命令の対象としている（破24Ⅰ⑥）。なお，強制執行等に対する中止命令の場合と同様に，外国租税滞納処分を行う者に不当な損害を及ぼすおそれがない場合に限る（破24Ⅰ柱書但書前半部分）。

(2) 包括的禁止命令

強制執行等に対する中止命令は，すでに開始されている個別の手続を対象とするものであるが，さらに進んで，破産財団保全のために将来多発することが予想される強制執行をあらかじめ禁止する必要がある場合が存在する。この必要に応えようとするのが，包括的禁止命令の制度である（破25)[192]。

ア 包括的禁止命令の発令等

包括的禁止命令は，すべての債権者に対し，破産手続開始申立てから申立てについての決定があるまでの間，債務者の財産に対する強制執行等（破24Ⅰ①第2かっこ書）および国税滞納処分（税通40，破25Ⅰ本文かっこ書）の禁止を命じるものであり，利害関係人の申立てまたは職権にもとづいて発令する（破25Ⅰ本文）。

包括的禁止命令発令の要件は，第1に，強制執行等などに対する中止命令（破24Ⅰ①⑥）によっては破産手続の目的を十分に達成することができないおそれがあると認めるべき特別の事情があることである（破25Ⅰ本文前半部分）。特別の事情の例としては，執行対象となりうべき財産が多数存在し，また執行債

---

[192] 包括的禁止命令の特質としては，将来行われることが予想される強制執行をも予め禁止の対象とする予防性と，執行債権者を特定しない包括性があげられる。思想的には，現行法立案作業当初検討された破産手続開始申立てにもとづく自動停止の制度とのかかわりがある。条解破産法〈第3版〉200頁参照。アメリカ法の自動停止制度については，髙木59頁，福岡41頁，加藤哲夫・諸相143頁など参照。藤本利一「申立て直後の取引の継続」今中傘寿505頁は，手続開始申立直後の不安定な時期における自動停止制度の意義を分析し，包括的禁止命令制度について違反行為の当然無効などの強化を説く。
　なお，類似のものとして，民事再生法27条，会社更生法25条があるが，それぞれの手続の性質の違いを反映して，細部においては，かなりの違いが存在する。伊藤・会更法・特清法71頁参照。

権者となりうべき債権者も相当数存在するなど，いずれの財産に対していずれの債権者から執行が行われるかをあらかじめ把握しがたく，かつ，個別執行によって生じると予測される混乱が大きい場合などが，典型的なものとして考えられるが[193]，特別の事情を判断する基準としては，目的財産の包括性，債権者の包括性および対象手続の包括性，損害発生の予防の必要性という，包括的禁止命令の4つの特徴を考慮すべきである。上記の例は，目的財産の包括性と債権者の包括性を重視したものであるが，預金債権など重要な資産に対する差押えなどが予測され，それが破産手続の遂行に重大な影響を与えるおそれが認められるときにも，損害発生の予防の必要性の見地から特別の事情の存在を肯定する余地がある[194]。

包括的禁止命令発令の第2の要件は，事前にまたは同時に，債務者の主要な財産に関して保全処分（破28 I）がなされていること，または保全管理命令（破91 II）が発令されていることである（破25 I 但書）。包括的禁止命令は，その効果として破産手続の目的を達成するために債務者の総財産を包括的に強制執行等から隔離するものであり，破産手続開始決定の効果の前倒しを意味するから，それによってかえって債権者等の利害関係人の利益が損なわれることがあってはならない。保全処分などによって債務者の財産が保全されることを要件とするのは，このような理由によるものである。

禁止の対象となるのは，債権者による強制執行等と国税滞納処分（国税滞納処分の例による処分を含み，交付要求を除く）である（破25 I 本文）。強制執行等は，破産債権にもとづくものと財団債権によるものとを含む。また，国税滞納処分が中止命令の対象にならないにもかかわらず（破24 I ①参照），禁止命令の対象となるのは，開始決定時にすでに開始されている滞納処分の続行が妨げられな

---

[193] 会社更生の実務（上）114頁〔池下朗〕，加藤哲夫「他の手続の中止命令・包括的禁止命令」理論と実務58頁，大コンメンタール100頁〔杉浦徳宏〕，条解破産法〈第3版〉203頁，再生手続について，民事再生法逐条研究45頁〔深山卓也発言〕，新注釈民事再生法（上）130頁〔髙木裕康〕参照。

[194] 再生手続の実務では，特定の再生債権者に対する，または特定の財産を対象とした包括的禁止命令も許されるとされている（新注釈民事再生法（上）132頁〔髙木裕康〕）。更生手続における積極説として，会社更生の実務（上）115頁〔池下朗〕がある。破産手続については，消極説が有力であるが（条解破産法〈第3版〉202頁，注釈破産法（上）170頁），特定債権者による執行に相当数の債権者による執行と同視できるだけの重要性が認められるときには，検討の余地があろう。

いのに対して（破43Ⅱ），開始決定後の滞納処分の開始が禁じられること（同Ⅰ）を反映したものである[195]。

包括的禁止命令は，すでに開始されているものおよび将来に開始を予想される強制執行等全体について執行障害事由となる。したがって，債務者の財産に対して既にされている強制執行等の手続および外国租税滞納処分であって，当該包括的禁止命令によって禁止されることとなるものは，当然に中止する（破25Ⅲ）。具体的には，強制執行等（破24Ⅰ①第2かっこ書）および外国租税滞納処分が，破産手続開始の申立てについての決定時まで中止する（破25Ⅲ）[196]。

イ　包括的禁止命令の対象除外

包括的禁止命令を発する場合において，裁判所は，相当と認めるときは，一定の範囲に属する強制執行等（破24Ⅰ①第2かっこ書）または国税滞納処分を包括的禁止命令の対象から除外することができる（破25Ⅱ）。包括的禁止命令によって個々の債権者が不当な損害を受けるおそれがあると認めるときは，裁判所は，申立てにもとづいて包括的禁止命令の解除をすることができるが（破27），ここでいう対象除外は，個々の債権者についての事情を問題とするものではなく，一定の範囲に属する強制執行等，たとえば使用人の給料の請求権にもとづく強制執行について，類型的に包括的禁止命令の効果を及ぼさないためのものである[197]。

---

[195]　条解破産法〈第3版〉201頁。これと比較すると，会社更生では，滞納処分は中止命令の対象にも（会更24Ⅱ），禁止命令の対象にもなりうる（会更25Ⅰ本文）。他方，民事再生では，中止命令の対象にも，禁止命令の対象にもならない（民再26・27参照）。これらの違いも，滞納処分の続行および開始が禁止される更生手続と（会更50Ⅱ），一般の無担保債権者の権利に限定して権利関係の調整を図る再生手続の特質を反映したものである（花村129頁参照）。

　　なお，実務上では，滞納処分を主たる対象とする包括的禁止命令が用いられることがある。新版破産法93頁〔武笠圭志〕。

[196]　これに対して，すでに開始されている国税滞納処分は，開始決定にもとづく中止の対象とならないため（本書348頁），包括的禁止命令に基づく中止の対象にもならない。

[197]　不当な損害が生じるおそれがある場合には，これらの債権者も包括的禁止命令の解除（破27Ⅰ）を申し立てることはできるが，それが過重な手続負担となることを考慮している。一問一答新会社更生法59頁，新会社更生法の基本構造32頁〔深山卓也発言〕，条解破産法〈第3版〉202頁参照。解釈上の問題としては，不法行為債権が除外の対象となりうるかなどが議論される。

　　なお，解除の場合（本書169頁参照）と同様に，包括禁止命令の対象から除外された債権者による強制執行に他の債権者が配当加入できるかという問題がある。これを肯定することは，包括的禁止命令の効果を潜脱する結果となるので，執行裁判所としては，除外さ

ウ 包括的禁止命令に関する手続

　包括的禁止命令の変更または取消し（破25Ⅳ）や中止された強制執行等または外国租税滞納処分の取消しが認められること（同Ⅴ）また，包括的禁止命令，包括的禁止命令変更または取消決定および強制執行等取消命令に対する即時抗告が許されること（同Ⅵ）[198]，ならびに即時抗告が執行停止の効力を有しないこと（同Ⅶ）は，他の手続の中止命令等（破24。本書159頁参照）の場合と同様である。

　包括的禁止命令申立却下決定は，相当と認める方法で申立人に告知するが（破13，民訴119），包括的禁止命令および包括的禁止命令変更または取消決定は，利害関係人に重大な影響を与えるところから，公告し，その裁判書を債務者（保全管理人が選任されている場合には，保全管理人）および申立人に送達し，かつ，決定の主文を知れている債権者および債務者（保全管理人が選任されている場合）に通知しなければならない（破26Ⅰ）。通知は，相当と認められる方法によるから（破13，民訴3，民訴規4Ⅰ），普通郵便のほか，電話，ファクシミリなどによって行うことができる。また，債務者または保全管理人，および申立人に対する決定書の送達（破26Ⅰ Ⅲかっこ書・27Ⅵなど）については，公告をもってこれに代えることは許されず（破10Ⅲ但書），送達は民事訴訟法の規定（民訴第1編第5章第4節）にしたがって行われる（破13）。

　包括的禁止命令および包括的禁止命令変更または取消決定の効力は，債務者に対する裁判書の送達がなされた時から生じる（破26Ⅱ）。包括的禁止命令などの効力を各利害関係人への告知にかからせ（破13，民訴119），効力発生の時点が各別となることは，包括的禁止命令制度の趣旨と調和しないので，債務者への送達を基準時として，一律に効力を生じさせるものである[199]。他方，包

　　れた債権者以外の配当要求債権者に対する配当を留保して供託した上で（民執39Ⅰ⑦・91Ⅰ③・92Ⅰ参照），破産管財人に対する供託金の支払委託をし，破産管財人が還付を受けるなどの方策が考えられる。条解破産法〈第3版〉202頁。

198）即時抗告権者は，これらの裁判について法律上の利害関係を有するものであれば足りる。条解破産法〈第3版〉207頁参照。

199）その結果として，債権者に対する決定書送達前に執行禁止の効力を生じる可能性があるが，すでに決定書の送達を受けた債務者または保全管理人がその効力を主張することが期待されるから，不相当に執行手続が進行するおそれはない（再生手続における包括的禁止命令について，花村102頁）。

　　なお，これに関連して，包括的禁止命令などの裁判に対する2週間の即時抗告期間（破25Ⅵ・9）の起算日が公告の時点か，債務者等に対する送達の時点から問題となる。多様

括的禁止命令は，破産手続開始決定，破産手続開始申立却下または棄却決定，開始申立ての取下げによって失効する（破25Ⅰ本文参照）。ただし，破産手続開始申立却下または棄却決定に対する即時抗告がなされた場合には，なお包括的禁止命令発令の余地がある（破33Ⅱ・25～27）。

即時抗告（破25Ⅵ）についての裁判は，その決定書を当事者に送達しなければならない（破26Ⅲ）[200]。なお，即時抗告にもとづいて包括的禁止命令を変更し，または取り消す決定は，公告および送達がなされるので（同Ⅰ），3項にもとづく送達の対象から除外される（同Ⅲかっこ書）。

　エ　包括的禁止命令の解除

包括的禁止命令は，破産手続の基礎となる債務者の財産を維持しようとするものであり，その発令にあたっては，破産手続の目的達成にとっての必要性のみが判断の対象となる。しかし，禁止命令によって，禁止の対象となる強制執行等の申立人たる債権者に不当な損害を及ぼすおそれが認められるときには[201]，当該債権者の申立てによって，その者に限って，包括的禁止命令を解除することができる（破27Ⅰ前段）。解除の申立てをすることができる債権者は，禁止命令前に強制執行等の申立てをした者だけではなく，禁止命令後に強制執行等をしようとする者を含むが，その者は，まず強制執行等の申立てをした上で解除の申立てをしなければならない[202]。

解除の要件である不当な損害とは，強制執行等の中止命令の場合（破24Ⅰ柱書但書。本書162頁）と同様に，破産手続による集団的満足を受忍する以上に，債権者の側に重大な不利益が生じることを意味する。強制執行等を実施しなけ

な即時抗告権者の存在を想定すると，公告の時点とし，具体的には，官報に掲載された日の翌日（破10Ⅰ・Ⅱ）から2週間の即時抗告期間を起算すべきである。条解破産法〈第3版〉209頁参照。

200）送達代用公告の規定（破10Ⅲ本文）は，適用されうるが，裁判の性質を考えると，送達を行うことが望ましい場合が多いと思われる。

201）おそれの存在については，証明ではなく，民事保全法38条2項や39条2項を典拠として，疎明で足りると解されている。条解破産法〈第3版〉213頁参照。

202）再生手続について，松下淳一「保全処分」金商1086号80頁（2000年），小海隆則「再生債務者の財産の保全」民事再生法の理論と実務（上）200頁参照。これに対して花村105頁，条解破産法〈第3版〉213頁は，解除の決定を受けた上で強制執行等の申立てをする意思を有している再生債権者を意味するとする。

なお，解除の申立ての方式は，破産規則1条1項および2条1項ないし3号の定めるところによる。

れば，債権者の側が倒産するおそれがある場合などがその例として挙げられる。なお，不当な損害が生じるおそれについては，解除申立人が主張および立証しなければならない。

　解除の申立てについての裁判に対しては，債務者，保全管理人または解除の申立てをした破産債権者等が即時抗告をすることができるが（破27Ⅳ），即時抗告は執行停止の効力を有しない（同Ⅴ）。解除の申立てについての裁判，および即時抗告についての裁判の決定書は，当事者に送達する（同Ⅵ前段）。この送達については，送達代用公告の規定（破10Ⅲ本文）は適用しない（破27Ⅵ後段）。

　禁止が解除された債権者は，強制執行等を開始することができ（破27Ⅰ後段前半部分），また禁止の効果として中止されていた強制執行等の手続は続行する（同後半部分）。

　解除の効果は，申立人たる債権者について属人的に生じる。したがって，その者は，包括的禁止命令発令前の強制執行等を続行できるにとどまらず，新たに強制執行等を申し立てることができるが，新たな強制執行等に対しては，中止命令（破24Ⅰ①）が出される可能性がある。また，当該債権者について禁止が解除されたからといって，他の債権者が同一目的物について強制執行等を実施できるものではない[203]。

　上記の解除の手続および効果に関する規律は，国税滞納処分を行う者に不当な損害を及ぼすおそれがあると裁判所が認める場合にも，同様に妥当する（破27Ⅱ）。

　　オ　包括的禁止命令と消滅時効

　包括的禁止命令が発せられたときは，禁止の対象となる破産債権等については，当該命令が効力を失った日の翌日から2月を経過する日までの間は，時効は完成しない（破25Ⅷ）。破産債権等にもとづく強制執行等が禁止され，時効の完成猶予の措置（民148Ⅰ・149。民旧147②にもとづく時効の中断）をとること

---

[203]　解除を受けた債権者によって開始される強制執行の手続に他の債権者が配当要求をすることができるかという問題がある。包括的禁止命令の効力が及んでいる債権者には，執行手続における配当受領権限が認められないから，配当を留保すべきである（本章注197参照）。また，債務者や保全管理人は，配当異議（民執89Ⅰ）の方法によって配当参加を排除できると解すべきであり，配当がなされた場合には，債務者，保全管理人や破産管財人が，不当利得としてその返還を求められると解すべきであろう。

ができないため，命令失効から2月を経過するまで時効の完成を猶予する趣旨である。民法158条ないし161条に規定する時効の完成猶予（民旧158～161では時効の停止）に相当する。包括的禁止命令の効力が失われる事由としては，職権による取消し（破25Ⅳ），即時抗告による取消し（同Ⅵ），あるいは破産手続開始申立てについての決定などがある。また，ある破産債権者等について包括的禁止命令が解除されたときは，当該破産債権者等については，命令失効の日を解除決定の日に読み替える（破27Ⅲ）。解除決定後は，当該破産債権者等は差押えなどによって消滅時効の完成猶予の措置をとることができるからである。

4 否認権のための保全処分

債務者が開始決定前にその財産を受益者に詐害的に譲渡したとすれば，開始決定後に破産管財人は，受益者を相手方として否認権を行使し，目的物を破産財団に取り戻すことになる（破160Ⅰ①など）。さらに，受益者が目的物を他の者に転々譲渡した場合には，破産管財人は，転得者に対する否認権を行使する（破170）。しかし，転得者に対する否認はその要件が厳格なので（本書630頁参照），否認権行使の実効性を維持するためには，目的物が受益者から第三者へ転々譲渡されることを防ぐ必要がある。このような必要を満たすために，受益者を名宛人とした処分禁止の仮処分などを内容とする保全処分を財産保全処分の1つとして認めるべきことが旧破産法下などで説かれていた[204]。

民事再生法および会社更生法とあわせて，この考え方を立法化したのが，否認権のための保全処分である（破171）。登記または登録がある権利について保全処分がなされたときには，その処分の登記または登録が嘱託される（破259Ⅰ②・262）。また，現行法の保全処分は，偏頗行為否認を前提として，その結果たる金銭返還請求権を保全するための仮差押えとしても行うことができる。

裁判所は，破産手続開始申立てがあった時から当該申立てについての決定があるまでの間において，否認権を保全するため必要があると認めるときは，債権者などの利害関係人の申立てにもとづいて[205]，または職権によって仮差押

---

[204] 議論の状況については，伊藤・破産法〈第3版補訂版〉91頁参照。なお，破産手続が開始されれば，破産管財人は，否認権行使にかかる権利を被保全権利として仮処分や仮差押えという民事保全の申立てができることは当然である。

[205] 破産財団たるべき財産を保全する趣旨で，債務者も利害関係人に含まれる。条解破産法〈第3版〉1208頁，基本構造431頁〔山本克己，田原睦夫発言〕参照。財団債権者た

えや仮処分などの保全処分を命じることができる（破171Ⅰ）[206]。保全管理人が選任されているときには，財産の管理処分権がその者に専属するので（破93Ⅰ本文），保全処分の申立権も保全管理人に専属する（破171Ⅰ）[207]。保全処分の前提となる必要性とは，破産財団に属すべき財産について否認対象行為の存在が窺われ，処分禁止の仮処分などがなされないと，受益者から転得者への譲渡などがなされるおそれがあり，破産管財人による否認権の行使が困難になることを意味する。

この保全処分は，一般の財産保全処分（破28Ⅰ）と異なって，その効果が破産手続開始に吸収されるものではなく，否認の請求（破174Ⅰ）などの手続を経て初めてその目的を達するものであり，被保全権利としての否認権にもとづく目的物の返還請求権や価額償還請求権を前提とする。その点で，この保全処分は，むしろ民事保全法にもとづく保全処分（民保1参照）とその性質を同じくする。一般の財産保全処分と異なって，立担保の可能性があること（破171Ⅱ），民事保全法の規定の一部が準用されること（破172Ⅳ）は，この性質にもとづくものである[208]。

るべき者についても，申立権を認めるべきである。注釈破産法（下）194頁。
[206] 所有権移転の場合には，目的物についての処分禁止，抵当権設定の場合には，当該抵当権の処分禁止および実行禁止の保全処分などが典型的なものである。

破産管財人が目的物の返還を求めるかその価額や差額の償還を求めるかについて選択できることを前提として（本書650頁），保全処分の内容として，目的物自体を確保するための処分禁止の仮処分を行ったときに，価額償還を求める否認権行使に際して仮処分の効力を仮差押えに転換できるかどうかという議論がある。基本構造434頁〔松下淳一発言〕参照。

この保全処分は，破産手続開始によって当然に失効するわけではないが（破172Ⅱ参照），破産手続開始申立棄却または却下決定がなされたときには，失効すると解され，棄却決定の場合に限って，新たな保全処分申立ての可能性がある（破171Ⅶ）。
[207] この場合，債権者には申立権は認められない（条解破産法〈第3版〉1208頁）。また，保全管理人がこの申立てをする場合に，それが要許可事項に該当し（破93Ⅲ・78Ⅱ⑩），裁判所の許可をえる必要がある。

なお，保全管理人による否認権のための保全処分とは別に，債権者が詐害行為取消権を保全するために民事保全法にもとづく保全処分を申し立てることについては，保全管理段階では，詐害行為取消訴訟の提起や続行が制限されていないこと（破96Ⅰにおける破45の不準用）などの理由から，これを認める考え方が有力であるが（基本構造433頁〔田原睦夫，花村良一，山本克己発言〕），本書では，破産財団に所属すべき財産保全の責任を保全管理人に専属させるという保全管理命令の趣旨から，消極説をとる。
[208] 被保全権利の存在を基礎づけるのは，破産手続開始の見込みに加え，否認対象行為の存在であり，否認の要件（破160など）の疎明が必要になる（法161条にもとづく否認に

裁判所は，必要性の変化などに応じて保全処分を変更し，または取り消すことができる（破171Ⅲ。登記または登録について破259Ⅱ・262）。保全処分および変更または取消申立てについての裁判に対しては，即時抗告が認められるが（同Ⅳ），即時抗告に執行停止の効力はない（同Ⅴ）。保全処分等の裁判の裁判書は当事者に送達され，送達代用公告に関する規定（破10Ⅲ本文）は適用しない（破171Ⅵ）。なお，破産手続開始申立棄却決定に対して即時抗告（破33Ⅰ）がなされたときには，本来であればこの保全処分を発令する余地はないが（破171Ⅰ参照），即時抗告が認められて破産手続開始決定がなされる可能性があるので，保全処分の可能性が認められる（同Ⅶ）。

破産手続が開始された場合には，保全処分にかかる手続を続行するかどうかは，否認権の成否に関する破産管財人の判断に委ねられる。破産管財人は保全処分にかかる手続を続行することもできるが（破172Ⅰ，破規55ⅠⅡⅣ）[209]，開始決定から1月以内に続行しなければ，保全処分はその効力を失う（破172Ⅱ）。続行しようとする場合には，破産管財人は，すでに立てられている担保（破

　関し，否認の要件該当性が認められないとして，保全処分を取り消した大阪地決平成29・11・29判時2396号23頁がある）。疎明を定める民事保全法13条2項は，準用の対象となっていないが，後に否認の請求や否認訴訟などの手続が予定されている以上，保全処分の段階で証明を要求する理由はない。役員等の財産に対する保全処分についても，同様に考えられる。保全される財産が僅少であり，破産手続開始後に同時破産手続廃止（破216。本書196頁）や異時破産手続廃止（破217。本書776頁）となる蓋然性が高いときには，保全処分を発令すべきでないとする見解が有力であるが（条解破産法〈第3版〉1207頁），財団債権者にも保全処分の申立権を認める以上（本章注205），異時廃止については，疑問がある。
　また，保全の必要性の判断は，受益者の資力や目的物が第三者に譲渡されるおそれがあることなどを考慮する。注釈破産法（下）195頁。
[209]　保全処分の執行着手前に破産手続が開始された場合に破産管財人が承継執行文の付与を受けて執行に着手する（民保43Ⅰ但書・46，民執27Ⅱ）など，手続の段階に応じた続行の態様については，基本構造437頁〔小川秀樹発言〕，条解破産法〈第3版〉1213頁，注釈破産法（下）199頁参照。また，続行手続を不要とし，保全処分の効力を維持すべきとする立法論として，木村真也「倒産手続における査定手続の合理化について」倒産法改正研究会編・続・提言倒産法改正56頁（2013年）がある。
　なお，破産管財人が新たに否認権行使を保全するための保全処分を求めようとすれば，民事保全法の定める手続によることになるが，立法論としては，破産管財人が特殊保全処分として，否認権のための保全処分を求める可能性を認めることも検討に値する（木村・前掲論文55頁）。本文で述べたように，この保全処分は，本質的には民事保全法による保全処分と性質を同じくすること，現に破産事件を担当する裁判体の方が適正かつ迅速な判断を期待できること，実際には，破産管財人の調査によって初めて否認対象行為の存在が明らかになることなどがその理由である。

171Ⅱ）の全部または一部が破産財団に属する財産でないときは，それを破産財団に属する財産による担保に変換しなければならない（破172Ⅲ，破規55Ⅲ）。否認権は，破産債権者の利益のために破産財団を増殖することを目的として行使されることを前提としたものである。

なお，破産管財人が続行する手続については，本案の起訴命令（民保37Ⅰ～Ⅳ Ⅷ）など民事保全法の規定の一部を準用する（破172Ⅳ）[210]。民事保全規則の規定についても同様である（破規55Ⅵ）。

5 破産手続開始前の役員の財産に対する保全処分

裁判所は，破産手続開始申立てがあった時から当該申立てについての決定があるまでの間においても，緊急の必要があると認めるときは，債務者または保全管理人の申立てにより[211]または職権で，当該法人の役員の責任にもとづく損害賠償請求権を保全するための当該役員等の財産に対する保全処分をすることができる（破177Ⅱ）。

役員に対する損害賠償請求権の行使は，破産手続続開始後に破産管財人によって査定の申立ての方法を通じて行われるべきものであり（破178），それについての保全処分も破産手続開始後に予定されているが（破177Ⅰ），緊急の必要があるときには，破産手続開始申立てからそれについての決定があるまでの間においても，保全処分の発令が認められる[212]。第三者に対する保全処分という点で類似の性質を持つ否認権のための保全処分が，「否認権を保全するため必要があると認めるとき」に発令しうるのと比較すると，ここでの発令の要件として，「緊急の必要があると認めるとき」とされているのは，損害賠償請求権の相手方が役員として定まっているところから，当該役員がその財産を隠匿または費消をするおそれがあるなどの特別の事情が認められる場合に限って，保全処分の発令を認める趣旨である[213]。

---

210) 準用規定は，保全処分の相手方の保護に関するものを中心とする。一問一答240頁，条解破産規則134頁参照。
211) 訴えの提起が裁判所の要許可事項に該当し（破93Ⅲ・78Ⅱ⑩），保全管理人は，許可をえて申立てをすることになる。また，否認権のための保全処分と異なって，債権者などの利害関係人には申立権が認められない。
212) 破産手続開始決定がなされれば，保全処分の効力は存続する。破産手続開始申立てが却下または棄却されれば，保全処分は失効するが，棄却決定の場合には，即時抗告がなされれば，さらに保全処分が発令される可能性がある（破177Ⅶ）。
213) 条解破産法〈第3版〉1240頁参照。なお，破産手続開始後には，「必要があると認め

保全処分の内容は，法人である債務者の役員（理事，取締役，執行役，監事，監査役，清算人またはこれらの者に準じる者）の責任にもとづく損害賠償請求権を保全するための当該役員等の財産に対する保全処分である（破177ⅠⅡ）。破産手続開始申立棄却決定に対して即時抗告がなされ，それについての裁判があるまでの期間についても同様である（同Ⅶ）。

保全処分の被保全権利は，役員に対する損害賠償請求権であり，それが金銭債権であることから，保全処分の内容は仮差押えが通常である。申立権者は，当該請求権について管理処分権をもつ者であり，保全管理人が選任されていれば，保全管理人，選任されていなければ，債務者である。

同じく第三者を相手方とする否認権のための保全処分の場合には，立担保が要求される可能性があるが（破171Ⅱ），この保全処分については，立担保は要求されない。これは，純然たる第三者である否認の相手方と異なって，役員が法人である債務者の内部者とみなされる（破161Ⅱ①参照）ことを考慮したものである。

申立てまたは裁判所の職権によって保全処分が発令されれば，裁判所書記官の嘱託にもとづいて当該財産について保全処分の登記または登録がなされる（破259Ⅰ②・262）。

また，裁判所は，必要に応じて保全処分を変更し，または取り消すことができる（破177Ⅲ）。変更または取消しについても，登記または登録の嘱託がなされる（破259Ⅱ・262）。申立ての取下げ等の理由によって保全処分が失効した場合も同様である（破259Ⅱ・262）。

保全処分決定およびその取消しまたは変更決定に対しては，即時抗告による不服申立てが認められるが（破177Ⅳ），執行停止の効力はない（同Ⅴ）。

これらの決定および即時抗告についての裁判があった場合には，その裁判書を当事者に送達しなければならない（同Ⅵ前段）。送達代用公告の規定（破10Ⅲ本文）は適用しない（破177Ⅵ後段）。

6 保全管理命令

破産手続開始によって破産者の財産管理処分権は破産管財人に専属するが，

るとき」に保全処分の発令可能性がある（破177Ⅰ）。ただし，否認権のための保全処分と異なって，相手方が役員という内部者であること，立担保が要求されていないことなどを考慮すれば，要件の判断が厳格にすぎないよう注意すべきである。

それまでは、財産保全処分にもとづく個別的な制限を受けるにすぎない。そこで、債務者の財産の散逸防止や継続事業価値の維持のために、管理処分権を包括的に債務者から剥奪し、保全管理人に付与する保全処分が許されるかどうかが旧法下において解釈論として議論された[214]。再生型手続では、事業の価値を維持するために保全管理命令が必要となるが、清算型手続である破産手続の場合にも、債務者の財産管理が失当であり、個別的財産保全処分によっては破産財団たるべき財産を保全できない場合があることを考えると、保全管理命令の必要があるものと判断し、現行法の立法者は、これを明文の規定によって認める（破91以下）。

　ア　保全管理命令の発令

　裁判所は、債務者の財産の管理および処分が失当であるなど、その財産の確保のために特に必要があると認めるときは、破産手続開始申立てについての決定があるまでの間[215]、保全管理人による管理を命じることができる（破91Ⅰ）。債務者の財産管理組織がその正常な機能を失い、放置すれば財産が散逸するおそれが大きい場合などがこれにあたる[216]。ただし、保全管理命令は、債務者が法人である場合に限って認められる（同）[217]。法人の財産は、その事業活動を維持するためにのみ存在するのに対して、個人の場合には、たとえその者が事業者の場合であっても、財産には生活維持の基礎としての側面もあり、両者を截然と区別するのが困難なこと、破産手続開始後であっても新得財産は自由

---

[214] すでに旧会社更生法39条1項および民事再生法79条1項は、保全管理命令を認めていたので、これを破産手続に類推適用することができるかどうかが問題となった。議論の内容については、伊藤・破産法〈第3版補訂版〉92頁、条解破産法〈第3版〉718頁、伊藤・会更法・特清法86頁参照。

[215] ただし、破産手続開始申立てについて棄却決定がなされ、それに対する即時抗告があった場合にも、保全管理命令を発する可能性がある（破91Ⅲ）。

[216] 特に、証券会社の破産や病院の破産のように、破産手続開始申立て後の混乱を防ぐ手段としての利用が説かれる。条解破産法〈第3版〉719頁、川瀬庸爾「医療法人の破産」事業再生と債権管理153号112頁（2016年）。その他、破産手続開始前の事業譲渡や再生手続または更生手続からの牽連破産（本書1243頁）における保全管理命令について、注釈破産法（上）628頁、破産法大系Ⅰ168頁〔島崎邦彦〕、鹿子木康「事業譲渡を目的とする再生手続の活用」倒産法の実践53頁参照。

[217] 法人の他に、信託財産にも保全管理命令の適用があるし（破244の12）、相続財産についても適用があると解されている。条解破産法〈第3版〉719頁。適用対象とならない自然人で、事業用資産全体を保全する必要が高い事案では、財産保全処分（破28）を活用すべきであるとされる。注釈破産法（上）185, 630頁。

財産となるのに対して，開始前の財産をすべて保全管理人の管理処分権に吸収してしまうのは不当であることなどが，その理由である[218]。

　裁判所は，保全管理命令において，1人または数人の保全管理人を選任しなければならない（破91Ⅱ）。保全管理人は，「その**職務を行うに適した者**」の中から選任する（破規29・23Ⅰ）。法人であっても差し支えないが（破96Ⅰ・74Ⅱ，破規29・23Ⅱ），実際には弁護士が選任されるのが通常である。

　保全管理人が数人あるときは，共同職務執行が原則である（破96Ⅰ・76Ⅰ本文）。もっとも，**職務分掌**は許される（破76Ⅰ但書）。裁判所書記官は，保全管理人に対し，その選任を証する書面を交付しなければならない（破規29・23Ⅲ）。

　裁判所は，必要に応じて保全管理人を追加するなど保全管理命令を変更し，また必要がなくなったものと認めれば，保全管理命令を取り消すこともできる（破91Ⅳ）。保全管理命令およびその変更または取消決定に対しては，即時抗告が認められるが（同Ⅴ），即時抗告には執行停止の効力がない（同Ⅵ）。即時抗告権者は，法人たる債務者や債権者などの利害関係人であり[219]，その期間は公告が効力を生じた日から起算して2週間である（破9）。

　裁判所は，保全管理命令およびその変更または取消決定を公告する（破92Ⅰ）。この場合には，公告による告知擬制（破10Ⅳ）は働かない（破92Ⅲ），また裁判所は，保全管理命令およびその変更または取消決定ならびに即時抗告についての裁判の裁判書を当事者に送達する（同Ⅱ）[220]。裁判所書記官による登

218）　保全管理命令の発令対象となる事件など，実務運用に関しては，新版破産法80頁〔武笠圭志〕，破産実務の基礎67頁参照。
　　また，個人事業者に関しても，保全管理命令を発する実務上の必要性が説かれ，法人に類似する事業者については，類推適用を認めるべきであるとの有力説がある。新版破産法91頁〔武笠圭志〕，破産法大系Ⅰ171頁〔島崎邦彦〕。破産・民事再生の実務［破産編］94頁は，このような考え方にもとづいて，事業権の保全処分（破28Ⅰ）として管理人を選任する取扱いを肯定している。
219）　株主は，破産手続においても利害関係人とならない関係上，抗告権はない。これに対して使用人は，給料等の請求権の主体という点から抗告権を認められる。条解破産法〈第3版〉724頁。
220）　民事訴訟法119条の例外であり，保全管理命令は，送達によってその効力を生じる。債権者による破産手続開始申立ての事案などで，送達受領者への交付が危ぶまれるような場合には，補充送達や差置送達（破13，民訴106）に備えて執行官送達（破13，民訴99Ⅰ）を用いることも考えられる（条解破産法〈第3版〉727頁，220問221頁〔富岡武彦〕）。さらに，送達場所において送達受領者と出会わない場合などに，その他の要件を満たすことを前提として付郵便送達（破13，民訴107）を行うことも考えうる。これに対し，破産法大系Ⅰ65頁〔林圭介〕は，送達に手間取る事案では，債務者による財産の隠匿や

記の嘱託がなされることも，破産手続開始決定の場合と同様である（破257Ⅳ）。

　イ　保全管理人の権限および地位

　保全管理命令がその効力を生じると，債務者の財産管理処分権は保全管理人に専属する（破93Ⅰ本文）[221]。対象は外国財産をも含む（同かっこ書）。破産手続開始にともなって，財産管理処分権が破産管財人に専属する効果（破78Ⅰ）を前倒しするものである。したがって，未だ破産手続は開始されていないが，保全管理人は破産手続の機関としての性質を持つ。保全管理人の地位が手続上も，また実体上も破産管財人に準じるものとされており（破96），また保全管理人が任務終了時に裁判所に対して書面による計算報告義務を負うこととされたり（破94Ⅰ），保全管理人がその権限にもとづいてした行為によって生じる請求権が財団債権とされるのは（破148Ⅳ），このことを反映したものである。

　しかし，積極的に破産財団たる財産の範囲を変動させる行為，たとえば，双方未履行双務契約の解除権（破53Ⅰ）や否認権の行使（破173Ⅰ）などは，保全管理人の権限に含まれない。ただし，前者については，破産財団たるべき財産の減少を防ぐために緊急の必要があるときは肯定すべきこともあろう。

　保全管理人は上記の範囲内でその権限を行使するが，常務に属しない行為をするには，裁判所の許可をえなければならない（破93Ⅰ但書）。許可をえないでした行為は無効であるが，その無効は，善意の第三者に対抗できない（同Ⅱ）。常務とは，事業の遂行にともなって必然的に生じる事務を意味し，通常の程度の原材料の仕入れや弁済期の到来した債務の弁済などがこれにあたる。これに対して，重要な財産の売却など，通常の業務外の事項は常務にあたらず，必要な場合には裁判所の許可を受けなければならない。また破産管財人の場合と同様に，法定の重要事項は裁判所の要許可事項とされる（破93Ⅲ）[222]。許可をえ

　　情報の消去が行われるおそれがあるとし，破産手続開始決定の場合（破30Ⅱ。本書182頁）と同様に，命令時に効力を発生させることを立法として検討すべきであると説く。
[221]　法定財団（本書256頁）に帰属すべき財産にも保全管理人の管理処分権が及ぶから，第三者が所持している債務者の財産の引渡しを求めることもできる。ただし，否認権の行使などはすることができない。また，組織法上の事項に及ぶかどうかについては争いがあるが（条解破産法〈第3版〉728頁参照），それが債務者の財産と関係があるかぎり及ぶと解すべきである。
[222]　条解会更法（上）412頁。保全管理人本来の権限の範囲と常務の範囲との間には，一定の差異がある。破産と比較して，再生型手続における保全管理人の権限（民再81Ⅰ本文，会更32Ⅰ本文）の範囲は，積極的事業経営まで含むが（瀬戸英雄「保全管理命令・保全管理人」理論と実務62, 64頁，伊藤・会更法・特清法88頁），常務以外の権限行使

ないでした行為が無効であることおよびそれが善意の第三者に対抗できないことも，破産管財人の場合と同様である（破93Ⅲ・78Ⅴ）。

　ウ　保全管理命令の効力

　保全管理命令の発令によって債務者の財産管理処分権は保全管理人に専属し（破93Ⅰ本文），保全管理人は，必要があれば，裁判所の許可をえて，自己の責任において1人または数人の保全管理人代理を選任することができる（破95ⅠⅡ）[223]。保全管理人代理の法的地位は，破産管財人代理に準じる（本書216頁参照）。

　保全管理人は，債務者である法人の役員や使用人などに対して，財産の状況についての説明を求め，帳簿等の物件を検査すること（破96Ⅰ・83Ⅰ），債務者の子会社等に対して同様の行為をすること（破96Ⅰ・83Ⅱ）ができる。これらの職務を遂行するについて，保全管理人は，善良注意義務を負い（破96Ⅰ・85Ⅰ），その懈怠については，利害関係人に対する損害賠償義務が課される（破96Ⅰ・85Ⅱ）。また，保全管理人は，職務執行について裁判所の監督に服する

については，破産と同様に裁判所の許可を要する。

　なお，事業の譲渡については，常務に属するものではないが，事業の価値を保全するために必要であれば，保全管理人の権限に含まれ，裁判所の許可をえて，これをなしうる（実例について，進士肇「保全管理命令下での，大田市場花き部における仲卸業許可および施設利用権の譲渡に関する実例の報告」事業再生と債権管理149号17頁（2015年））。その際に，株主総会の特別決議という会社法上の手続を要するかどうかに関する議論があるが，裁判所が債務超過を認めて許可をする場合には，民事再生法43条1項の規定を類推すれば，不要と考える。新版破産法88頁〔武笠圭志〕，松下祐記「倒産手続における保全管理人による事業譲渡について」青山古稀861頁，倒産・再生訴訟17頁〔佐藤昌巳〕参照。類推にあたっては，送達や即時抗告の問題があるが（民再43Ⅱⅵ参照），株主名簿が不備である場合などには，柔軟に運用すべきであろう。

　これに対し，一問一答142頁や条解破産法〈第3版〉732頁では，会社法上の手続を必要とする考え方が示されている。また，島岡大雄「民事再生事件の履行監督と民事再生から破産への移行（牽連破産）事件の処理における一裁判官の雑感（下）」銀行法務21 811号37頁（2017年）は，牽連破産（本書1243頁）における保全管理人について，民事再生法43条1項が同法42条1項の特則であることを根拠として，代替許可を否定する。この点について裁判所の許可によることを認めるべきとする立法論として判例・実務・改正提言32頁〔多比羅誠＝高橋優〕がある。

223）　保全管理人代理の選任の必要性とは，資産の維持や管理が複雑かつ困難であり，保全管理人のみで対応できない場合を指すと解される。保全管理人代理の数に制限はないが，法74条2項が保全管理人代理に準用されていないことから（破96Ⅰ前段参照），法人を保全管理人代理に選任することは許されないと解されている。条解破産法〈第3版〉736頁。

（破96Ⅰ・75Ⅰ）[224]。

　保全管理人は，上記のような職務を果たす破産手続の機関としての法的地位を有し，費用の前払いおよび裁判所が定める報酬を受けることができる（破96Ⅰ・87Ⅰ）。報酬額は，その職務と責任にふさわしいものでなければならない（破規29・27）。報酬額に関する裁判所の定めに対しては，保全管理人または利害関係人から即時抗告をもって不服を申し立てることができる（破96Ⅰ・87Ⅱ）。

　また，債務者の財産に関する訴訟手続や行政手続について，破産手続開始の場合と同様に中断および受継がなされるのも（破96Ⅱ・44），財産管理処分権の移転にともなって当事者適格が保全管理人に帰属することを反映したものである。これに対して債務者財産に対する強制執行等の手続は，破産手続開始の場合と異なって（破42参照），失効しない。破産債権者による個別的権利実行が包括的に禁止されるのは，破産手続開始固有の効果であり，保全管理人に財産管理処分権が専属する効果の延長として個別的権利実行を禁止することはできないからである。したがって，債権者に対する強制執行中止命令（破24Ⅰ）や包括的禁止命令（破25Ⅰ）は，保全管理命令発令後もその効力を維持する。これに対して，債務者に対する処分禁止や弁済禁止の保全処分（破28）は，保全管理命令の効力の中に吸収されるので，その効力を失う[225]。

　　エ　保全管理人の任務終了

　保全管理命令が取り消されれば（破91Ⅳ），保全管理人の任務は終了する。辞任（破規29・23Ⅴ）や解任（破96Ⅰ・75Ⅱ）の場合においても，破産管財人と同様に，任務が終了する。また，破産手続開始申立取下許可の裁判（破29後段）にもとづく取下げ，破産手続開始申立棄却決定，または破産手続開始決定によって保全管理命令が失効すれば，保全管理人の任務も終了する。任務終了に際して計算報告等の義務が課されるのは，破産管財人の場合と同様である（破94）。

---

224) その他，保管手続の円滑な進行のために，裁判所と保全管理人との間の協議（破規29・26Ⅰ），破産手続開始申立人の保全管理人に対する協力（破規29・26Ⅱ）などが定められている。
225) 手続的には，処分禁止などの登記がなされている場合には，保全処分を取り消して，保全管理人の権限行使に対する制約を除去する必要がある。宮脇＝時岡71頁，条解会更法（上）408頁，伊藤・会更法・特清法90頁参照。

第7項　破産手続開始決定

　破産手続開始申立権の不存在，予納金の不納付などの理由によって破産手続開始申立てが不適法とされる場合[226]，破産能力の欠缺によって破産手続開始の実体的要件存否の判断に立ち入ることができない場合，あるいは破産手続開始申立てが誠実にされたものでない場合には，裁判所は，破産手続開始申立てを却下する決定をなす（破30Ⅰ参照）[227]。これらの適法要件が満たされるときでも，破産手続開始原因が存在せず，または破産障害事由が存在すると判断されるときには，裁判所は破産手続開始申立てを棄却する[228]。これに対して，破産手続開始原因が存在し，かつ，破産障害事由が存在しないと判断されるときには，破産手続開始の裁判が決定の形式でなされる（破30Ⅰ）[229]。

---

226) その他，手続的要件としては，破産管轄，申立人の当事者能力，訴訟能力などがある。ただし，管轄に関しては，却下に代えて移送の裁判がなされる（破13，民訴16Ⅰ）。
227) 再生手続においては，手続開始の条件が満たされないときは，開始申立てを棄却する（民再25柱書）。これに対して，更生手続では，一定の事由に該当する場合を除いて，開始決定をするとされているので（会更41Ⅰ柱書），破産手続と同様に，棄却の決定をするのか，却下の決定をするのかが明らかでない。本文で却下の決定をするとしたのは，これらの事由の手続的性質を重視したためである。基本構造72頁参照。
228) 破産障害事由の不存在は適法要件であると解し，その存在が認められれば，裁判所は破産手続開始申立てを不適法として却下すべきであると見解もあるが（中田63頁），破産手続開始決定をなすための本案要件の1つとして，障害事由が存在する場合には，申立てを棄却すべきである（山木戸57頁，井上・前掲論文（注130）48頁）。ただし，条解破産法〈第3版〉235頁は，予納金の不納付なども破産障害事由に属するとし，法33条2項の適用可能性は，却下か棄却かという形式ではなく，当該法条の趣旨にしたがって検討すべきであるという。
229) もっとも破産手続開始決定は，管理処分権の剥奪，人的な制限など重大な効果を破産者に対してもつところから，任意的口頭弁論である決定手続によってこれを行うことが，破産者の裁判を受ける権利（憲32）を侵害し，憲法82条などに違反するのではないかという疑いが生じる。判例は，破産手続開始決定（旧法下の破産宣告）が実体的権利義務を確定するものでなく，したがって固有の司法権の作用に属さないという理由によって，決定手続による破産手続開始決定を合憲とする（最大決昭和45・6・24民集24巻6号610頁〔倒産百選1①事件〕）。免責の裁判（破252。本書792頁）について同旨の判示をするものとして最決平成3・2・21金法1285号21頁〔倒産百選1②事件〕がある。
　確かに，破産手続開始決定は，破産者にとって重大な効果をもたらすから，破産者に対する手続保障を充実させる必要は存在するが，その必要は，必要的口頭弁論によってでなければ満たされないとはいえない。実務上は，審尋の方法によって債務者に対する手続保障と迅速な破産手続開始の要請との調和が図られている（実務上の諸問題68頁，条解破産法〈第3版〉257頁）。また，債権者申立てが主であった時代と自己破産申立てが中心になっている現在との審理方法に関する差異については，新版破産法3頁〔園尾隆司〕参

決定は書面でなされ（破規19Ⅰ），主文には，「債務者某について破産手続を開始する」旨が表示され，理由部分には，支払不能または債務超過にあたる事実が記載される[230]。加えて，規則19条2項は，決定書に必ず開始決定の年月日時を記載することを要求している。これは，法30条2項によって，開始決定の効力が破産手続開始決定の時から生じるので，その時点を明らかにするためである。ただし，「決定の時」がいつを指すかについては，学説の対立がある[231]。

開始決定は決定の形式による裁判であるから，相当と認める方法で告知することによってその効力を生じる（破13，民訴119）。したがって，口頭弁論において開始決定が言い渡されたときは言渡し時，審尋期日において告知されたときは告知時になる。破産者が適法に呼出しを受けていれば，不出頭であっても，言渡しや告知の効力が生じる（破13，民訴119・122・251Ⅱ）。また，言渡しや告知がなされないときには，決定書が破産者に対して発送された時に，開始決定の効力が生じる。決定書記載の年月日時は，これらの時を証明するものとして扱えば足りる[232]。

開始決定は官報によって公告され（破32Ⅰ・10Ⅰ）[233]，公告は官報掲載の翌

照。伊藤・前掲論文（注70）41頁は，立法論を背景として，運用論としても，自己破産申立てにおいては，破産手続開始原因を厳格に要求すべきではないとする。
[230] 関係人間で破産手続開始原因の存在について争いがない事案では，「一件記録によれば，債務者が支払不能の状態にあることが認められる。よって，主文のとおり決定する」という定型的な記載になっていることについて，条解破産法〈第3版〉260頁参照。
[231] 裁判官が破産手続開始決定の意思を確定して，決定書に署名押印した時とする説，決定書が裁判所書記官に交付された時とする説，決定書が利害関係人に対して発送された時とする説，および決定書に記載された時とする説が対立するが，決定書記載時説が近時の多数説である（注解破産法（上）32頁〔斎藤秀夫〕，注釈破産法（上）215頁）。しかし，署名押印時説および裁判所書記官への交付時説は，いずれも裁判所内部における行為であり，これをもって，裁判の効力発生時とすることはできない。決定書記載の年月日時は証拠としての意味はあるが，それ自体が裁判所の行為ではないので，これをもって効力発生時とすることにも無理がある。
[232] 霜島147頁。ただし，同書では，破産者ではなく，破産管財人への告知で足りるとするが，破産者の財産管理処分権を剥奪する開始決定の性質を考えると，疑問である。本文は，条解破産法〈第3版〉262頁にしたがっている。なお，破産法30条2項は，確定によらずに決定の効力が生じる旨を定めた特則となり，決定の効力発生時自体については，民事訴訟法119条の一般規定によることとなる。また，決定書記載の日時は，法定証拠（民訴160Ⅲ本文参照）ではないが，その証明力は高度である。
[233] 旧法下では，公告の方法は，官報および登記事項の公告を掲載すべき新聞紙への掲載（旧破115Ⅰ），新聞紙への掲載に代えて裁判所等の掲示板への掲示（旧破116）によるこ

日からその効力を生じ（破10Ⅱ）。この公告は，破産者など関係人に対する送達に代わる効力を与えられ（同Ⅲ本文），また関係人に対する告知も擬制されるが（同Ⅳ），破産管財人，破産者，知れている破産債権者，知れている財産所持者等，保全管理人および労働組合等に対しては，通知がなされる（破32Ⅲ）234)。これらの者に適切な対応をとることを促し，また不測の損害を発生させることを防ぐ趣旨である。

公告は，破産手続開始決定に対する即時抗告期間の起算点にもなる（破33・9）。破産者に対する通知がなされても，法的な送達の効力は，公告の時点が基準となる。

1 同 時 処 分

裁判所が開始決定と同時になさなければならない処分を，同時処分と呼ぶ。同時処分としては，1人または数人の破産管財人の選任がなされるほか，破産債権届出期間，財産状況報告集会の期日および破産債権調査期間など，破産手続の遂行に不可欠の基本的事項を定める（破31Ⅰ）235)。破産債権届出期間は，

ととされていたが，戦時民事特別法3条，同法廃止法律附則2項によって新聞紙への掲載は不要とされ，事実上の便宜のために日本経済新聞など特定の新聞紙上で公告が行われているにすぎなかった（基本法179頁〔熊谷絢子〕）。このような実情を踏まえ現行法は，公告の方法を官報掲載に限定したものである。一問一答35頁参照。ただし，大規模事件では，裁判所が開始決定に関連する事項を日刊新聞紙に掲載し，またはインターネットを利用して，利害関係人への周知のための措置をとることができる（破規20Ⅲ）。条解破産規則59頁参照。官報公告の役割については，佐藤鉄男「官報公告と倒産手続関係人の行為責任」加藤新太郎古稀496頁参照。

なお，公告に関する事務は，裁判所書記官が取り扱う（破規6）。官報公告のインターネットによる検索が，破産者名簿と同様の機能を果たすことについては，園尾隆司「破産者に対する制裁と破産者名簿調製の歴史——財産開示手続強化その他の判決の履行確保策への1つの視点」判タ1388号10頁（2013年）参照。

また，個人情報保護などとの関係を重視し，官報公告の内容を再検討すべきであるとの提案として，佐藤鉄男「破産者の個人情報」事業再生と債権管理170号128頁（2020年）がある。

234) 通知書の書式については，破産実務の基礎93頁参照。裁判所は，破産管財人の同意をえて，通知に関する事務を破産管財人に取り扱わせることができる（破規7）。また，破産債権者が通知を受けるべき場所の届出（破規8）については，条解破産規則18，21頁参照。知れている債権者の範囲が広く，かつ，債権者自身が自らの債権を認識していない場合の実務については，債権調査・配当507頁〔小畑英一＝野城大介〕，511頁〔伊藤尚〕参照。

235) このほか旧法においては，小破産の決定が同時処分の1つとして定められていた（旧破358以下。ただし，手続開始後におけるいわゆる異時小破産も認められていた。旧破359Ⅰ参照）。破産財団の額が100万円に満たない場合に，第1回債権者集会と債権調査期

特別の事情がある場合を除き，破産手続開始決定の日から2週間以上4月以下とし（破規20Ⅰ①），財産状況報告集会の期日は，破産手続開始決定の日から3月以内の日とし（同②）[236]，破産債権調査期間は，破産債権届出期間の末日との間に1週間以上2月以下の期間を置き，1週間以上3週間以下とし（同③），破産債権調査期日は，破産債権調査期間の末日から1週間以上2月以内の日とする（同④）のを原則とする。

ただし，財産状況報告集会については，知れている破産債権者の数その他の事情を考慮して，集会を招集することが相当でないと認めるときは，期日を定めないことができる（破31Ⅳ）。破産債権者の数が多い場合には，集会としての実際上の意義に乏しく，かつ，不相当な費用を要するおそれがあることを考慮したものである。

また，知れている破産債権者の数が1000人以上であり[237]，かつ，相当と認めるときは，裁判所は，破産債権者に対する通知（破32Ⅳ Ⅴの本文において準用する破32Ⅲ①等）をせず，かつ，債権届出をした破産債権者に対する債権者集会への呼出しをしない決定をすることができる（破31Ⅴ）。この決定がなされると，破産手続開始決定の主文等の事項（破32Ⅰ）に加えて，破産債権者に対する個別の通知で一定のものおよび債権者集会への個別の呼出しをしない旨を公告するとともに（同Ⅱ），知れている破産債権者等に通知する（同Ⅲ）[238]。

ここでの目的は，超大規模の破産事件において破産債権者に対する通知や呼

　日の併合，監査委員の不設置，債権者集会の決議に代わる裁判所の許可，中間配当の省略および公告の簡易化などが小破産の特徴である。しかし，こうした措置の実質の多くは，通常の破産手続でも実現されており，手続の簡素化という意味に乏しいなどの批判があったところから（伊藤・破産法〈第3版補訂版〉96頁参照），現行法は，小破産制度そのものを廃止した。現行法の定める簡易配当制度（破204以下）は，これに代わって小規模の破産財団について手続の簡素化を図ろうとするものである。一問一答22頁，基本構造269頁参照。

　なお，開始決定にともなう実務運用については，新版破産法58頁〔西謙二〕，条解破産法〈第3版〉270頁。

236)　実務の現状については，条解破産法〈第3版〉271頁，破産管財の手引〈第2版〉300頁参照。

237)　知れている破産債権者の数は，破産手続開始決定時のものであるが，実際に破産債権の届出をした破産債権者の数が1000人を下回っても，この決定を取り消す必要はない。基本構造57頁。

238)　条解破産法〈第3版〉276頁。省略できる通知および呼出しの詳細についても，同書277頁参照。

出しに要する費用を縮減しようとするためであり，したがって，相当と認めるときとは，社会的に著名な事件であって，通知をしなくとも通常の破産債権者が必要な事項に注意を払うことが期待される場合などを意味する[239]。ただし，この場合にも，裁判所は，破産債権者に対する周知を図るために，一定の事項を日刊新聞紙に掲載し，またはインターネットを利用する等の方法によって，破産債権者が知ることができる状態に置くための措置を破産管財人がとるものとすることができる（破規20Ⅲ）。また破産管財人は，財産状況報告集会が開催されない場合でも，そこで報告すべき事項（破158では要旨）と同一の事項を記載した報告書を裁判所に提出しなければならない（破157Ⅰ）。

なお，破産財団が破産手続の費用を支弁するのに不足するおそれがあると裁判所が判断するときには，債権届出期間（破31Ⅰ①）および債権調査期間または期日（同③）を定めないことができる（破31Ⅱ）。直ちに同時破産手続廃止（破216）には至らない場合においても，手続を簡素化するための措置である[240]。ただし，費用不足のおそれがなくなったと認めるときは，裁判所は，速やかにこれらの事項を定めなければならない（破31Ⅲ。破規20Ⅱ参照）。

2 付 随 処 分

以下の事項は，裁判所が破産手続開始決定に付随して行う措置として，付随処分と呼ばれる[241]。

(1) 公告および通知

裁判所は，開始決定後直ちに一定の事項を公告しなければならない（破32Ⅰ）。その趣旨は，関係人に開始決定がなされた事実を知らしめ，権利行使の

---

239) 条解破産法〈第3版〉278頁では，予想される破産財団の規模や配当見込額から，破産債権者の関心がそれほど高くないと推察され，周知措置の必要性が低くなる事案も対象となりうるとする。
240) 実務運用について，条解破産法〈第3版〉274，861頁，運用と書式244頁参照。債権調査留保型運用などと呼ばれる。なお，債権届出期間が定められていないときであっても，債権者の側から時効の完成猶予（改正前民法では中断）などのために自ら破産債権を届け出ることは可能である。一問一答60頁，大コンメンタール119頁〔大寄麻代〕，条解破産法〈第3版〉273頁参照。
241) 本書では，従来，公告および通知を付随処分とし，登記等の嘱託などをそれと区別していたが，条解破産法〈第3版〉282頁にしたがい，両者を全体として付随処分と位置づけることに改めた。なお，個人破産者の再生の機会の確保という視点から，公告の制度の見直しを提言するものとして，佐藤鉄男「破産者の憲法的不自由はこれでよいのか」春日古稀622頁がある。

機会を与え,かつ,第三者が不測の損害を受けることを防止することにある。付随処分として法32条1項は,開始決定の主文,および同時処分によって定められる破産管財人の氏名または名称,債権届出期間などの事項,ならびに破産者に債務を負っている者や,破産者の財産を所持している者は,破産者に対して債務を弁済したり,財産を引き渡したりしてはならないこと,さらに簡易配当をすることが相当と認められる場合にあっては(破204 I ②),簡易配当に異議のある破産債権者は債権調査期間の満了時などまでに裁判所に対して異議を述べるべき旨の公告を規定する。また,大規模破産事件において破産債権者に対する通知が省略される場合には(破31Ⅴ),その旨の公告もなされる(破32Ⅱ)。

公告とは別に,付随処分の内容は,破産管財人,保全管理人,破産者,知れている破産債権者や財産所持者などの利害関係人,労働組合等に通知される(破32Ⅲ)[242]。これも破産手続開始の効果発生を明らかにし,利害関係人の利益を損なわないための措置である[243]。

破産手続開始と同時に定めるべき事項であるが,異時破産手続廃止のおそれがあることを理由に破産債権届出期間および破産債権の調査期間または調査期日の定めが留保され(破31Ⅱ),後にその定めがなされることになったときは(同Ⅲ),その公告および破産管財人,破産者および知れている破産債権者に対

---

[242] 破産者に代わる者として,相続財産破産の場合には,相続人,信託財産破産の場合には,受託者に対する通知をなすべきである。条解破産法〈第3版〉285頁参照。また,財団債権者は通知の対象とはされていないが,強制執行が許されないところから(破42 I),通知をすることが適切であろう。

また,通知の主体は裁判所書記官であり,相当と認める方法(通常郵便が多い)で行い,通知をした旨および通知の方法を事件記録上明らかにしなければならないが(破規12,民訴規4 I Ⅱ),破産管財人の同意をえて,破産管財人に通知の事務を取り扱わせることが認められており(破規7),実務上は,債権者申立事件や大型事件についてこの処理がなされることが多い。条解破産法〈第3版〉287頁,実践マニュアル79頁参照。

[243] 旧法では,法人に対する主務官庁の監督権の発動,あるいは検察官による破産犯罪の捜査という公益の実現に関わるものとして,主務官庁への通知義務(旧破125)および検察官への通知義務(旧破144)が規定されていたが,現行法は,膨大な数の破産事件を前提としたときに実効性に乏しいなどの理由からこれらを廃止し(一問一答75頁参照),ただ破産規則において事業の開始等について官庁等の許可を要する法人についてのみ,裁判所書記官が破産手続開始決定の事実を通知しなければならないとされている(破規9。条解破産規則25頁)。その他に,預金保険法137条の2第1項,金融商品取引法77条の6第4項や同法154条などの特別法の規定にもとづいて監督官庁に対する通知が定められることがある。条解破産法〈第3版〉290頁,注釈破産法(上)239頁参照。

する通知がなされる（破32Ⅳ本文）。ただし，大規模破産事件の特例としての決定がされたときには（破31Ⅴ），知れている破産債権者に対する通知を要しない（破32Ⅳ但書）。

　破産管財人の氏名等（破32Ⅰ②）に変更を生じた場合[244]にも，同様に公告および破産管財人，破産者および知れている破産債権者ならびに知れている財産所持者等に対する通知がなされるし，また債権届出期間など（破31Ⅰ）に変更を生じた場合にも，公告および破産管財人，破産者および知れている破産債権者に対する通知がなされる（破32Ⅴ本文）。ただし，いずれの場合であっても，大規模破産事件についての特則（破31Ⅴ）が適用されるときには，知れている破産債権者に対する通知を行う必要はない（破32Ⅴ但書）。

(2)　登記の嘱託等

　破産手続開始は，破産者の管理処分権剥奪や破産債権者の権利行使制限という効果を伴うので，一方で公告や通知によってその周知を図るとともに，他方で，登記簿上にこれを公示して取引の安全を図る必要がある。ただし，この場合の登記は，法律行為などの対抗要件としての登記（民177，会社908Ⅰ，商9Ⅰ等）とは異なり，利害関係人に対する警告としての意義を有するにとどまるので，いかなる登記を行うかも，一方で適切な警告としての機能を重視し，他方で登記嘱託に伴う負担を考慮して判断されるべきものである。現行法が，旧法と異なり，法人と個人で登記嘱託の内容を分けているのは，このような理由にもとづくものである。なお，以下の嘱託登記については，登録免許税は課されない（破261）。公益的要請を重視したものである。

　法人債務者の場合には，裁判所書記官は，職権で，遅滞なく，破産手続開始の登記を当該法人の本店または主たる事務所の所在地の登記所（破産者が外国会社で，日本に営業所を設けているときは，各営業所の所在地の登記所，営業所を設けていないときは，日本における各代表者の住所地の登記所，その他の外国法人であるときは，各事務所の所在地の登記所）に嘱託しなければならない（破257Ⅰ）[245]。そ

---

244)　破産管財人の辞任または解任によって新たな破産管財人を選任した場合や破産管財人を追加選任した場合が含まれる。大コンメンタール126頁〔大寄麻代〕，条解破産法〈第3版〉289頁参照。

245)　法257条1項については，会社法の制定にともなう平成17年改正があり（村松秀樹＝世森亮次「会社法の施行に伴う破産法・民事再生法・会社更生法の改正の概要」NBL819号30頁（2005年）参照），一般社団法人及び一般財団法人に関する法律等および信託

の際には，破産管財人の氏名等，数人の破産管財人の職務執行の態様（破 76 Ⅰ）もあわせて登記される（破 257 Ⅱ）。また，登記事項に変更が生じた場合も同様である（同Ⅲ）。破産手続開始を前倒しする実質をもつ保全管理命令についても，開始決定の場合と同様の登記嘱託がなされる（同Ⅳ～Ⅵ）。登記嘱託に関する添付書面については，規則 78 条が規定する。以上に対し，法人の破産財団に属する権利については，破産手続開始の登記の嘱託はなされない。その必要性に乏しいためである[246]。

　個人債務者の場合には，裁判所書記官は，職権で，遅滞なく，破産手続開始の登記を登記所に嘱託しなければならない（破 258 Ⅰ 柱書）。対象となる登記は，当該破産者に関する登記（同①）および破産財団に属する権利の登記（同②）である[247]。破産者に関する登記とは，破産者の地位等に関する登記で，開始決定がその地位に影響を与えうるものを意味する（商 5・6 等）[248]。破産財団に属する権利の登記とは，財団所属不動産の登記などが含まれる。未登記の不動産については，登記官の職権による保存登記をした上で，破産手続開始の登記をすることになる。

　特許権の登録（特許 66 Ⅰ）などについても同様である（破 262）。破産手続開始決定の取消しなどがなされたときにも，同様に，それに対応した登記の嘱託がなされる（破 258 Ⅱ）。なお，「動産及び債権の譲渡の対抗要件に関する民法の特例等に関する法律」15 条 1 項は，譲渡登記がされている譲渡にかかる動

　　　法制定にともなう平成 18 年改正についても同様である。条解破産法〈第 3 版〉1769 頁参照。
246)　基本構造 59 頁，一問一答 355 頁。なお，根抵当権者による元本確定登記の申請についても，同書同頁，破産法大系Ⅰ98 頁〔高山崇彦〕，注釈破産法（下）729 頁参照。
247)　担保権の設定があり，財産的価値がないために破産財団からの放棄が予定されるなど，実際上の必要性が乏しい場合には，登記の嘱託がなされないことも多い。基本構造 61 頁。実務の運用もそのように行われている。破産管財の手引〈第 2 版〉109，128 頁，破産法大系Ⅰ99 頁〔高山崇彦〕，注釈破産法（下）732 頁参照。
　　逆に，破産財団に属する不動産で未登記のものについて裁判所書記官から嘱託がなされれば，登記官は，職権で所有権保存の登記をした上で（不登 76 Ⅱ Ⅲ），破産手続開始の登記をする。破産法大系Ⅰ97 頁〔高山崇彦〕参照。
248)　その他の例については，基本法 181 頁〔熊谷絢子〕，破産法大系Ⅰ96 頁〔高山崇彦〕，注釈破産法（下）726 頁参照。なお，弁護士の登録（弁護 8）等をここでいう破産者に関する登記に含ませるかどうかについては，肯定説が多数説であるが（注解破産法（下）50 頁〔安藤一郎〕），本条の拡張解釈には慎重でなければならない。条解破産法〈第 3 版〉1784 頁，破産法大系Ⅰ96 頁〔高山崇彦〕も，このような考え方を支持する。

産および債権などについては，破産財団に属する権利の登記についての破産法258条1項2号の適用を排除し，破産の登記の嘱託をしない旨を規定するので，個人債務者への譲渡登記について破産法258条による登記の嘱託はなされない。

また，破産財団に属すべき財産ではあるが，裁判所や破産管財人の判断によって属しないこととされた財産については（破34Ⅳ・78Ⅱ⑫），裁判所書記官は，職権で，遅滞なく，登記の抹消を嘱託しなければならない（破258Ⅲ）。

相続財産または信託財産が破産者となる場合および信託財産について保全管理命令がされた場合にも，財団に属する財産に関する登記について，同様の取扱いがなされる（同ⅣⅤ）。

以上の登記嘱託に関しては，一定の添付書面が定められる（破規79）。

その他の付随処分として，裁判所による郵便物や信書便物（郵便物等と呼ばれる）の破産管財人への配達嘱託がある（破81Ⅰ）[249]。これは，破産管財人が破産財団に属すべき財産を発見し，管理するために通信の秘密の例外として認められたものであるので，必要がない場合には，取消しや変更の可能性があるし（同Ⅱ），破産手続が終了すれば取り消さなければならない（同Ⅲ）。また，嘱託，嘱託取消しや変更に係る決定に対しては，破産者または破産管財人に即時抗告権が認められるが（同Ⅳ），即時抗告に執行停止の効力はない（同Ⅴ）。

第8項 破産手続開始の効果

破産手続開始の効果として中心になるのは，破産者からの財産管理処分権の剝奪と破産管財人への専属（破78Ⅰ），および破産債権者の個別的権利行使の

---

[249] 旧法190条1項では，電報の配達嘱託が定められていたが，実情を考慮して廃止された。なお，嘱託を登記の場合と同様に裁判所書記官の権限とすることも検討されたが（検討事項第1部第1章第1 7 (2)），通信の秘密（憲21Ⅱ）などとの関係での事柄の重要性から，裁判所の権限にとどめられた。実務運用について，破産管財の手引〈第2版〉129頁，〔書式21, 22〕参照。
　また旧法下では，法に規定されたものではないが，破産者の本籍地市区町村長に対して，裁判所から破産宣告の通知がなされることになっていたが（昭和30・2・2民事甲第30号最高裁民事局長通知など），現行法下では，平成16年11月30日最高裁民事局長通達（最高裁民三第113号）によって，免責不許可の決定が確定した場合など，復権の見込みがないことが明らかになった時点において通知がなされる。大コンメンタール115頁〔大寄麻代〕，条解破産法〈第3版〉266頁，注釈破産法（上）219頁参照。通知にもとづいて市町村が破産者名簿を調製していること，および名簿の内容等については，園尾・前掲論文（注233）8, 10頁参照。

禁止（破100Ⅰ）である。これらにともなって，破産者にかかわる実体的および手続的法律関係にも様々な影響が生じるが，それらについては，第1部第4章（本書360頁）以下で説明することとし，ここでは，破産者に対する人的な効果について説明を加える。

1 説明義務および重要財産開示義務

まず，法人破産者および個人破産者に共通するものとして，説明義務および重要財産開示義務がある。説明義務としては，破産者，その代理人，法人の役員およびこれに準ずる者[250]および従業者が，破産管財人，債権者委員会または債権者集会の求めに応じて破産に関して必要な説明[251]をしなければならない（破40Ⅰ柱書本文・①～⑤）。過去にそれらの地位にあった者についても同様である（同Ⅱ）。ただし，従業者に説明を求めるのは，裁判所の許可がある場合に限られる（同Ⅰ柱書但書）。

この説明義務は破産者の財産の内容や所在，破産に至った経緯などに関する情報を提供させて，破産管財人の管財事務遂行の資料とし，また破産債権者が管財事務に対する監督を行うための資料を提供させるためのものである。この義務に違反すると，破産犯罪（破268ⅠⅡ）となり[252]，また免責不許可事由ともされる（破252Ⅰ⑪）。なお，相続財産破産における相続人等および信託財産破産における受託者等についても，同様の義務が定められる（破230Ⅰ柱書・Ⅱ・244の6Ⅰ柱書・Ⅱ）。

破産者は，破産手続開始後遅滞なく，その所有する不動産，現金，有価証券，預貯金その他裁判所が指定する財産[253]の内容を記載した書面を裁判所に提出

---

250) 「準ずる者」としては，一時役員の職務を行うべき者（一般法人75Ⅱ），取締役職務代行者（会社352，民保56），株式会社の会計参与や会計監査人（会社374・396），法人格のない社団の代表者や管理人があげられる。条解破産法〈第3版〉339頁。
251) 説明は，口頭の陳述を意味するが，その趣旨などを明らかにするための書類等の提示や提出も含まれる。大コンメンタール157頁〔菅家忠行〕，条解破産法〈第3版〉341頁。
252) ただし，不利益供述の強要禁止（憲38Ⅰ）や弁護士など専門職の守秘義務との関係がある。大コンメンタール158頁〔菅家忠行〕，条解破産法〈第3版〉341頁，注釈破産法（上）283頁。また，債権者申立事件における破産管財人の説明請求との関係を検討するものとして，佐藤鉄男「財産情報をめぐる破産者と管財人の関係——破産者のジレンマ」中央ロー・ジャーナル15巻2号108頁（2018年）がある。
253) 不動産，現金，有価証券および預貯金については，必ず開示が求められる。それが破産財団に属するか，自由財産（本書265頁）に属するかは，開示の範囲とかかわりがない。また，その他裁判所の指定する財産は，破産手続開始申立ての際の添付資料等から判断する。なお，この開示義務に関しても，説明義務と同様に，不利益供述の強要禁止などの問

しなければならない（破41）。これが重要財産開示義務と呼ばれる[254]。破産財団に関連する情報を提供するという点では，説明義務と同趣旨のものであるが，破産管財人などからの求めの有無にかかわらず，裁判所に対して定型的に重要財産に関する書面による開示義務を課したところに，特徴がある。その違反が破産犯罪となり（破269），また免責不許可事由となる（破252 I ⑪）ことは，説明義務の場合と同様である。なお，信託財産破産における受託者等についても，重要財産開示義務が課される（破244の6Ⅳ・41）。

2 法人に対する破産手続開始の効果

法人に対して破産手続開始決定がなされると，一般法人法148条6号・202条1項5号，会社法471条5号，641条6号などの規定にもとづいて法人は解散する[255]。法人でない社団等に対する破産手続開始についても，同様に考えるべきである。しかし，通常の場合であれば解散に引き続いて行われる清算手続はなされず，破産管財人による清算がこれに代わる（一般法人206①かっこ書，会社475①かっこ書・644①かっこ書など）。ただし，破産手続が開始された後でも，破産法人の法人格は，破産の目的の範囲内においてなお存続するものとみなされる（破35）。破産法人の財産管理処分権は，破産管財人に専属するが（破78 I），財産の帰属主体自体は，破産法人であり，破産手続が終了（本書768頁）するまでその法人格を存続させる必要が認められるからである[256]。

題がある。条解破産法〈第3版〉343頁。重要財産開示義務については，破産管財の手引〈第2版〉17頁，注釈破産法（上）289頁参照。

　なお，ビットコインなどの仮想通貨が破産財団所属財産となること（本書261頁）を前提とすれば，破産管財人がその管理などを行うための情報（秘密鍵。片岡義広ほか編・FinTech法務ガイド210頁（2017年）参照）も，重要財産開示義務の対象に含まれよう。

254）　法人が破産者の場合には，代表取締役，代表清算人または代表理事が義務を履行すべきである。条解破産法〈第3版〉342頁。ただし，破産手続開始申立ての添付書面の内容として重要財産が開示されているときには，開始決定時までに変動がなければ，改めて資産目録などを提出する必要はない。破産法大系 I 199〔瀬戸英雄＝植村京子〕。

255）　法律上解散とは，会社の法人格の消滅を来すべき原因となる事実を指し（江頭1039頁），清算手続を開始させる効果をもつが，破産の場合には，破産手続が開始されるために，清算手続は行われない。

256）　もっとも，破産管財人が再生手続開始申立てや更生手続開始申立てをすることが認められており（民再246，会更246），また破産管財人が裁判所の許可をえて事業を継続し（破36，また事業を譲渡することも可能であるから（本書721頁参照），破産法人の存続は，清算の目的のみに限定されるわけではない。

　また，破産手続開始後も破産法人が再生手続や更生手続の開始申立てができると解されていること（条解破産法〈第3版〉326頁，本書1242頁，伊藤・会更法・特清法761頁）

破産手続が進行して,配当が行われ,法220条2項にもとづく破産手続終結決定の公告がなされると,その時点で破産法人の法人格が消滅し,それにともなう措置として,裁判所書記官は,法257条7項にもとづいて破産手続終結の登記を嘱託し,終結の登記がなされることによって法人登記用紙が閉鎖される。同時破産手続廃止および異時破産手続廃止の場合には,廃止決定の確定によって法人格が消滅し,同様の登記上の措置がとられる(破216・217・257Ⅶ。添付書面について破規78参照)[257]。

破産手続中であっても,破産法人の法人格は存続しているのであるから,破産管財人の管理処分権に服さない事項については,理事など破産法人の機関が管理処分をしなければならない。破産財団とかかわりのない法人の社団法的あるいは組織法的活動がこれに属する。実質的にみても,破産債権者の利益を実現することを職務とする破産管財人に対して,これらの活動を要求することは不合理である[258]。また,いったん破産手続が終了した後でも,破産管財人が放棄した財産などについて破産法人が清算を行わなければならない事態も例外的に生じる[259]。

は,法人格が存続することを前提としている。ただし,取締役は,その権限を失っているので,清算人を選任する必要がある(本書433頁参照)。

[257] その後に財産が発見された場合における登記簿の再開や清算等の手続について,条解破産法〈第3版〉328頁,注釈破産法(下)463頁参照。

[258] 会社設立無効,不成立確認の訴えの被告適格,決議無効確認の訴えの被告適格に関して,大判大正9・5・29民録26輯796頁,大判昭和14・4・20民集18巻495頁〔倒産百選〈第4版〉19事件〕,大判大正4・2・16民録21輯145頁などがある。学説もこれを支持する(中田109頁,山木戸132頁,谷口201頁,基本法32頁〔中島弘雅〕)。具体的には,これらの訴えについての訴訟追行は,破産法人の理事や代表取締役などが行うことになるから,破産管財人の権限に含まれない事項については,民法653条2号にもかかわらず,法人と理事などとの間の委任関係は終了していないと解することになる。

ただし,決議無効確認の訴えなどが破産財団にかかわるときには,会社の機関でなく,破産管財人が当事者適格をもつと解さざるをえないから,場合によっては,訴えの内容にもとづいて適格の帰属を判断せざるをえない。

[259] 破産管財人が放棄した財産についての別除権放棄の意思表示の相手方が取締役ではなく,清算人であることを判示した最決平成16・10・1判時1877号70頁〔倒産百選59事件〕も,このことを前提としている。

また,配当終結によって破産が終了した後で財産が発見されたときにも,それが破産管財人による追加配当の対象となるものでない場合には,一般法人法206条以下,会社法475条以下,644条以下などの規定にもとづく清算が行われる(大阪高判昭和63・3・8判時1273号127頁参照)。また,その財産に関する訴訟においては,破産管財人は当事者適格をもたない(最判平成5・6・25民集47巻6号4557頁〔倒産百選21事件〕)。破産手続

3 個人に対する破産手続開始の効果

破産者が個人の場合には，破産手続開始の事実は，権利能力に影響がないのはもちろん，行為能力にも影響しない。しかし，破産管財人が清算を円滑に進めるために，法は破産者についていくつかの義務や行為制限を設けている。

(1) 居住制限

破産者の説明義務などを尽くさせるためには，裁判所が破産者の所在を把握していることが必要になる。そのため，破産者は，その申立てにもとづいて裁判所の許可をうることなしにその居住地を離れることができない（破37Ⅰ）[260]。申立てを却下する裁判に対しては，即時抗告が認められる（同Ⅱ）。この制限に違反すると，免責不許可事由となる（破252Ⅰ⑪）。なお，法人の理事など，破産者に準じるものについても居住制限が課される（破39・230Ⅲ・244の6Ⅲ）。

(2) 引致

必要と認めるときには，裁判所は，引致状を発して，破産者の引致を命じることができる（破38Ⅰ・Ⅲ）。必要と認めるときとは，破産者が説明義務を尽くさなかったり，財団の占有管理を妨害したりする場合などである。破産手続開始申立後で開始決定前でも，必要があれば，裁判所は債務者の引致を命じることができる（同Ⅱ）。引致には，刑事訴訟法および刑事訴訟規則中の勾引に関する規定が準用される（同Ⅴ，破規22）。なお，引致を命じる決定に対しては，

終結後の登記抹消請求についても同様である（前掲大阪高判昭和63・3・8）。このような場合には，破産法人の法人格も存続するものとみなすべきである。条解破産法〈第3版〉327頁。

　これに対して，追加配当の対象とされるべき財産が発見されたときは，たとえ破産手続がすでに廃止されたときにも，財団債権の弁済の必要もあり，破産管財人に当事者適格が認められる。東京地判平成24・5・16判時2169号98頁。

260) 居住地とは，住所（民22）または居所（民23）であるとは限らず，現に破産者が居住する場所を意味する。また，「離れる」とは，一時的な外出を含まないが，2泊以上の宿泊はこれにあたると解されている。その場合には，裁判所の許可を要するが，破産手続の進行に支障を生じないと認められれば，許可をすることになろう。実務運用上は，破産管財人の同意をもって裁判所の許可に代えている例もある。大コンメンタール148頁〔野口宣夫〕，条解破産法〈第3版〉331頁，注釈破産法（上）277頁参照。また，破産手続への協力を確保するために，債権者集会への出席を条件とする海外旅行許可も適法である。東京高決平成27・3・5判タ1421号119頁〔倒産百選A5事件〕。

　居住制限についての破産者に対する説明，破産管財人の同意をえた場合の裁判所への上申については，破産管財の手引〈第2版〉132頁，［書式23, 23-2］参照。また，居住制限と破産者の人権との関係を問題視するものとして，佐藤・前掲論文（注241）609頁がある。

破産者または債務者は即時抗告によって不服を申し立てることができる（破38Ⅳ）[261]。法人の理事や法定代理人など，破産者に準じる者についても引致が命じられうる（破39・230Ⅲ・244の6Ⅲ）。

(3) 通信の秘密制限

破産管財人が破産者の財産状態や取引関係を把握するために必要があると認めるときは，裁判所は，破産者宛の郵便物や信書便物を破産管財人に配達するよう信書送達事業者に嘱託することができ（破81Ⅰ），破産管財人は受け取った郵便物等を自ら開封し，読むことができる（破82Ⅰ）。これは，憲法21条2項によって保障された通信の秘密に合理的な制限を加えたものである[262]。

破産者は，破産管財人への配達嘱託の取消しを求めることができ，裁判所は，破産管財人の意見を聴いた上で，取り消すことができる。変更についても同様である。取消しまたは変更は，裁判所の職権によってもなされうる（破81Ⅱ）。破産手続が終了したときは，裁判所は配達嘱託を取り消さなければならない（同Ⅲ）。また破産者は，破産管財人に配達された郵便物等の閲覧を求めることができるし，破産財団に関しない郵便物等の交付を求められる（破82Ⅱ）。

なお，配達嘱託決定，その取消しまたは変更決定および取消しまたは変更申立却下決定のいずれに対しても，破産者または破産管財人は即時抗告をもって不服を申し立てられるが（破81Ⅳ），即時抗告には執行停止の効力がない（同Ⅴ）。

(4) 資格制限

現行破産法は，破産手続開始によって破産者に懲罰的効果を及ぼすことを避

---

[261] 旧法では，引致に加えて破産者の監守が認められていた（旧破149〜151）。しかし，実際上の必要に乏しいこと，説明義務などの懈怠に対する刑事制裁によってその目的を達しうることなどの理由から，現行法はこれを廃止した（一問一答76頁参照）。引致の具体的手続に関しては，条解破産法〈第3版〉334頁参照。

[262] 旧法190条1項では，配達嘱託を必要的なものとしていたが，不必要に通信の秘密を侵害することを避けるために，現行法では裁量的なものとした。なお，法人である破産者の理事個人宛の郵便物等についてこれらの規定を拡張解釈することは許されない。

　実務上は，破産者の財産発見の手段として，原則として全件について配達嘱託を行っている模様であるが，信書便物や電子メールについても問題がある。条解破産法〈第3版〉671頁，佐藤・前掲論文（注241）618頁参照。ただし，大規模な破産事件で複数の営業所があるような事案，事業を継続するような事案では，従来通りの営業所で郵便物を把握するほうが便宜であることから郵便物の配達嘱託をしないこともある。回送嘱託の実際については，注釈破産法（上）583頁参照。

けているが，各種の法令は，それぞれの政策的目的から破産者に関して資格制限を設けている。公法上のものとしては，弁護士，弁理士，公認会計士，公証人などが挙げられるし（弁護7⑤，弁理士8⑩，会計士4④，公証14②），私法上のものとしても，後見人，保佐人，後見監督人，遺言執行者，持分会社の社員などがある（民847③・876の2Ⅱ・852・1009，会社607Ⅰ⑤など）[263]。したがって，これらの者が破産手続開始決定を受け，未だ復権（破255以下）していないときには，それぞれの資格をうることはできないし，また，現に資格をえている者については，その資格を失う。

　株式会社の取締役については，現に取締役である者が破産手続開始決定を受けたときには，会社法330条によって会社と取締役との関係が委任とされているから，会社と取締役との間で特約がある場合を別とすれば，民法653条2号の規定によって取締役を退任しなければならないことは明らかであったが，破産手続開始決定を受けた者を新たに取締役に選任できるかどうかについては，考え方の変遷があった。商法の旧規定の下での判例[264]は，会社財産を運用する責任のある取締役の地位と破産者の地位とは両立しないとして選任可能性を否定したが，なお反対の学説も有力であり，立法者は，商法旧254条ノ2第2号の規定を新設して，選任可能性を否定した[265]。しかし，会社法の制定にあたっては，破産者となったことから当然に取締役たりうる資格を剥奪するのは，立法政策として適切でないとの理由からこのような規定を設けず，株主総会の判断に委ねることとした[266]。一般法人法64条および65条1項3号の規定も，

---

263) 条解破産法〈第3版〉巻末§30別表1，破産実務の基礎83頁参照。信用情報機関への登録については，220問4頁〔田中暁〕参照。なお，持分会社の社員については，会社法607条2項によって退任しない旨の定めを置くことができる。
　　宮川・各論Ⅰ92頁以下では，債務者の経済的再生とそのための職業保障という視点から，これらの立法を人格不信型（国公5Ⅲ①など），資力不足型（貸金業6Ⅰ②など），および複合型（弁護7⑤など）に分け，いずれについても廃止すべきことを説く。基本的姿勢としては，この考え方を支持するが，直ちに全面廃止が困難であれば，職業・地位の性質上必要最低限のものに限定すべきである（西澤宗英「倒産者の地位」ジュリ1111号169，170頁（1997年），破産法大系Ⅲ99頁〔宮下正彦〕，佐藤・前掲論文（注241）612頁）。なお，関連する下級審裁判例として，名古屋高金沢支判昭和61・8・20判時1217号72頁〔倒産百選〈第3版〉15事件〕がある。
264) 最判昭和42・3・9民集21巻2号274頁〔倒産百選〈初版〉20事件〕。
265) 立法に至る議論の経緯については，注解破産法（上）344頁〔吉永順作〕参照。
266) 相澤哲・一問一答 新・会社法〈改訂版〉111頁（2009年），条解破産法〈第3版〉266頁参照。個人保証などによって破産に追い込まれた者の経済的再生の機会を不当に制

同様の趣旨と解される。

第9項　同時破産手続廃止

　破産財団が破産手続の費用をも支弁するに足りないと裁判所が認めたときは，その職権によって破産手続開始決定と同時に破産手続廃止決定をしなければならない（破216Ⅰ）。これを同時破産手続廃止または同時廃止と呼び，破産手続開始後に財団不足を理由としてなされる異時破産手続廃止または異時廃止（破217）と区別する。同時破産手続廃止決定がなされると，裁判所は，破産手続開始の決定の主文とともに廃止決定の主文および理由の要旨を公告する（破216Ⅲ）。同時処分（破31）および付随処分（破32）はなされない[267]。ただし，手続費用を償うに足る金額が予納されたときには，同時破産手続廃止決定はなされない（破216Ⅱ）[268]。

　同時破産手続廃止決定に対しても即時抗告が認められるが（同Ⅳ），執行停止の効力はない（同Ⅴ）。しかし，即時抗告にもとづいて廃止決定を取り消す決定が確定すれば，破産手続開始にもとづいて破産手続が進められることになるので，同時処分および付随処分が行われる（同Ⅵ・31・32）。

　破産財団[269]が手続費用を償うにも足らず[270]，手続を進めても破産債権者の

　　限するおそれがあること，実質的には，倒産犯罪を犯したことを欠格事由とすること（会社331Ⅰ③）によって，不適切な者を排除できることなどがその理由である。
[267]　旧法の下では，検察官への通知（旧破144）がなされるべきかどうかが議論されたが，通知の制度そのものが廃止された。また，本籍地市区町村長への通知も限定的となったので（注249参照），実際上資格制限の実効性は弱まった。ただし，破産の登記の嘱託など（破257Ⅰ・258Ⅰ）は，廃止の登記の嘱託とともになされる（破257Ⅶ・258Ⅱ）。
[268]　債権者申立ての場合の予納金（破22Ⅰ）は，財団債権として予納者に返還されるべきものであるから，予納金が返還されない危険を承知して破産手続の実施を求めるような場合でなければ，同時破産手続廃止決定をなすべきである（基本法216頁〔鬼頭季郎〕）。これに対して債務者が手続遂行を前提とする予納金を納付する場合には（破22Ⅰ），同時破産手続廃止決定をする理由はない。
[269]　ここでいう破産財団は，現有財団（本書256頁参照）だけではなく，破産管財人が未だ回収していない過払金請求権などはもちろん，否認権の行使によって回復すべき財産を含む法定財団（本書256頁参照）を意味する。申立代理人による過払金の調査について，220問26頁〔鈴木嘉夫〕，申立マニュアル54，158頁参照。否認権の行使によって回復される財産の見込みとの関係について，今中秀雄ほか「破産手続・民事再生手続における否認権等の法律問題　第2回　継続的給付の差押えがされた場合の否認等について」曹時64巻7号53頁（2012年）参照。
　　なお，同時破産手続廃止決定および免責許可決定を受けた破産者が，その後に破産財団

満足に役立たないと判断される場合には、母法たるドイツ法のように破産手続開始申立てを却下するもの[271]、旧商法破産編のように破産宣告をした後に手続を停止するもの（旧商法破産編982Ⅰ）などの立法例があるが、旧法は、破産手続開始原因がある限り破産手続開始の効力を発生させることは必要であり、他方、無益な手続を開始して利害関係人に負担をかけるべきでないという判断から、同時破産手続廃止の制度を採用し、現行法もこれを引き継いでいる。同時破産手続廃止においては、破産管財人選任など同時処分がなされず、破産手続は実施されないものの、破産手続開始の効力がいったん発生することに変わりはなく、資格制限などの効果も生じる。また、個人について同時破産手続廃止が行われた場合でも、破産手続開始の申立てがなされている以上、破産者には免責申立資格が認められる（破248Ⅰ参照）。したがって、同時破産手続廃止も破産手続終了の一態様である[272]。

に属すべき過払金返還請求訴訟を提起することが信義則に反し、権利濫用にあたるとするものとして、東京地判平成23・11・17金法1960号151頁、東京地判平成24・5・16金法1960号148頁②事件がある。
270) 破産管財人報酬を含む手続費用を支弁するために債務者が破産手続開始申立てに際して予納する予納金（本書148頁参照）は、破産財団の一部となるから、事件を同時破産手続廃止とするか否かは、結局、どの程度の金額を予納させるのが適切か、債務者にそのための資力が存在するかという裁判所の判断によって決定される（破産管財の手引〈第2版〉18、30頁。その判断のための即日面接についても、同頁以下、申立マニュアル307頁以下、破産法大系Ⅲ138頁〔野口宣大〕、破産管財の実務20頁〔永谷典雄〕、破産実務の基礎15、40、318頁参照）。なお、同時破産手続廃止は、個人の場合だけではなく、法人についても可能であるが、実際上ではなされていない。条解破産法〈第3版〉1487頁、注釈破産法（下）462頁参照。
　なお、同時破産手続廃止の判断をする際に自由財産拡張（破34Ⅳ。本書269頁）の可能性を考慮することもありうる。条解破産法〈第3版〉323頁、220問80頁〔相沢祐太〕。もっとも、破産管財人の意見聴取（破34Ⅴ）の機会がないことなどを理由とする消極説もあるが（破産法大系Ⅲ141頁〔野口宣大〕、注釈破産法（下）459頁、破産実務の基礎319頁）、あくまで拡張の可能性の判断であり、破産手続開始申立代理人からの情報提供（本書205頁）が信頼できる場合にまで、否定すべき理由はない。
271) 1994年倒産法（BGBL. IS. 2866）26条1項。吉野正三郎＝木川裕一郎「ドイツ倒産法試訳（1）」東海法学16号65、81頁（1996年）参照。比較法的にも、特異な制度といわれる。申立マニュアル7頁。
272) 同時破産手続廃止後に債権者が同一の債権を理由として破産手続開始申立てをすることも許されないし（大決昭和8・7・31大審院裁判例（7）民事199頁）、債務者も同一の債務を理由として破産手続開始申立てをすることが許されないとされる（静岡地富士支決昭和63・4・22判時1288号135頁）。債務者の資産および負債内容が破産終了時と同様とみなされれば、破産手続開始申立ての利益を欠くといえるが、その内容に変化があれば、破産手続開始申立て自体は、権利濫用にあたらない限り、適法と思われる。もっとも、破

同時破産手続廃止が破産実務の1つの焦点となっているのは、消費者破産事件の急増によるところが大きい。消費者破産では、破産財団が乏しい場合が多く、また、自己破産を申し立てる破産者の立場からすれば、同時破産手続廃止事件では破産管財人が選任されず、手続費用もほとんどかからないので、予納金の額も低額化するという利益がある。しかし、債権者の立場からすると、同時破産手続廃止の安易な運用には不満が生じる。財団が真に乏しいかどうかは、破産管財人の調査を待たねば判明しないにもかかわらず、同時破産手続廃止決定がなされると、破産者の財産隠匿が見過ごされる危険がある。また、免責について述べるように、免責不許可事由の存否について破産管財人の報告（破250）は大きな意味をもっているが、同時破産手続廃止では破産管財人が選任されないので、ここでも問題が生じる。したがって、同時破産手続廃止の運用、特に財団が不足しているかどうかの判断については、破産者と債権者の利益が対立する。この問題を解決するために、破産手続開始前に債権者の意向を聴取し、財産の有無や同時破産手続廃止の是非に関する債権者の意見を考慮して、廃止を決定する方策をとることも考えられたが、現在の実務は、債務者と債権者から資産についての資料の提出を求め、手続費用を償うに足る資産の存在が認められない等、相当と認められる事案であれば、同時破産手続廃止決定をなす形で運用されている[273]。

産手続開始決定がなされる場合であっても、免責申立てが許されるかどうかの問題が残るが（仙台高決平成元・6・20判タ722号274頁は免責申立てを不適法とする）、これも権利濫用を基準として判断すれば足りる。

[273] 破産・民事再生の実務［破産編］540, 547頁、伊藤ほか・座談会（中）31頁以下、長井秀典「大阪地裁における破産事件の事務改善の試み」判タ990号11頁以下（1999年）、条解破産法〈第3版〉1475, 1486頁、申立マニュアル10, 14, 30, 39頁参照。かつては、破産者が不動産を保有している場合には同時破産手続廃止決定をしないとされていたが、現在の実務は、いわゆるオーバーローン物件（被担保債権額が不動産業者の査定額や処分予定価格の1.5倍を超えるもの（220問29頁〔浅井悠太〕）で、被担保債権の額との関係で、不動産の価値が財団形成に資するところがないと判断されれば、同時破産手続廃止決定を行っている。破産管財の手引〈第2版〉33頁、［書式1］。

また、現行法によって自由財産の範囲が拡張されたこと（本書265頁参照）との関係で、自由財産となるべきものをあらかじめ控除して、同時破産手続廃止の是非を決めるか、それとは無関係に、予納金を支弁できるかどうかによって是非を決めるかの2つの実務処理が報告されている。基本構造500頁。後者の考え方の根拠としては、自由財産の拡張は、破産手続が開始されてから判断されるべきものであるという点があげられる。同197頁。

具体的には、申立代理人による資産の調査が重要である。破産管財の手引〈第2版〉41頁、220問44頁〔荒井剛〕、申立マニュアル43頁、運用と書式21頁以下に、具体的に求

なお，同時破産手続廃止に関連して，少額管財手続という実務上の方式がある。破産手続を進めるに足る財産の有無や免責不許可事由の存否について客観的な判断資料をうるためには，破産管財人の調査によることが望ましい。しかし，破産管財人を選任して手続を進めるについては，一定程度の費用を予納させなければならない。そこで，破産手続を簡素化し，できるかぎり手続費用を低廉なものとすることを前提として，代理人による破産手続開始申立ての事件で，裁判所による即日面接調査の結果，低額（20万円程度）の予納金を支弁する資力が認められない等，相当と認められる事件については，直ちに破産手続開始と同時破産手続廃止の決定をなして，個人債務者であれば，免責の手続に移る。これに対して，予納金の支弁ができる事案では，破産管財人を選任して，手続を進め，個人債務者であれば，並行して免責についての調査がなされ，異時破産手続廃止または配当によって手続を終結し，免責についての決定がなされる。

少額管財手続の意義は，破産手続を進めるに足る財産があるかどうか，また，免責の不許可事由の存否は，破産管財人による調査を基礎として裁判所が判断すべきであるという原点から出発し，一方で，予納金の低額化によってそれを可能にするとともに，他方で，財産の調査などに関する申立代理人の活動と破産管財人との連携によって，同時破産手続廃止事件と管財事件との適切な振り分けを通じて，破産手続および免責手続の適正な機能を確保しようとするところにあり[274]，同時破産手続廃止という独自の制度をもつわが国において破産手続と免責手続の適正な機能を確保するための方式として高く評価できる。

められる調査の内容が記載されている。
274) 園尾隆司ほか編・少額管財手続の理論と実務33頁以下（2001年），基本構造528頁，鈴木義和「少額管財手続」講座（2）169頁以下，黒木和彰「自然人の破産手続とその運用」田原古稀（下）367頁，破産管財の実務22頁〔永谷典雄〕，破産実務の基礎16，45頁，参照。少額管財手続自体は，旧法下で開始されたものであるが，現行破産法において，自由財産の範囲が拡張されたこと（本書265頁参照），債権者集会の開催が任意化されたこと（本書237頁参照），簡易配当の手続が整備されたこと（本書763頁参照）などによって，この手続が消費者に限られず，法人の代表者や法人についても適用される制度的基盤が整備されたといえる。破産・民事再生の実務〔破産編〕146頁，破産管財の手引〈第2版〉9頁以下，申立マニュアル18，22，312頁以下参照。

第10項　破産手続開始申立てについての裁判に対する不服申立て

　破産手続開始申立てについての裁判に対しては[275]，利害関係人が即時抗告の方法によって不服を申し立てることができる（破33Ⅰ）。抗告期間は，破産手続開始決定の場合には，公告が効力を生じる日から起算して2週間であり（破9)[276]，公告がなされない裁判の場合には，裁判の告知を受けた日から1週間である（破13，民訴332)[277]。不服申立権を認められる利害関係人の範囲は，裁判の内容によって異なるが，基準としては，裁判について法律上の利害関係をもつかどうかにもとづいて判断される。

　第1に，申立てを却下する裁判については，それが債権者申立ての場合には，債務者には不利益が存在しないから，不服申立権が否定され，他の債権者の申立権にも法律上の影響を生じないから，他の債権者の不服申立権も否定される[278]。したがって，不適法とされた申立債権者のみに不服申立権が認められ

---

[275]　破産手続開始申立てについての裁判に対して即時抗告が提起されたときの原裁判所が再度の考案としてする更正決定（破13，民訴333），たとえば破産手続開始申立却下決定を取り消してする破産手続開始決定も含まれる。これに対して，破産手続開始申立ての管轄違いなどを理由とする移送決定（破13，民訴16Ⅰ）や著しい損害または遅滞を避けるための移送決定（破7）は，破産手続等に関する裁判（破9）として即時抗告の対象となり，ここでいう破産手続開始申立てについての裁判にはあたらない。条解破産法〈第3版〉292頁参照。

　なお，申立書不備または申立手数料の不納付などが認められる場合には，裁判所書記官が補正命令を出し（破21Ⅰ），申立人がそれに従わない場合には，裁判長によって申立書が却下され（同Ⅵ），却下命令に対しては，即時抗告が許される（同Ⅶ）。

[276]　公告が効力を生じる日とは，官報に掲載された日の翌日を意味し（破10Ⅰ Ⅱ），その日を含めて（破13，民訴95Ⅰ，民140但書）2週間が抗告期間となる。破産実務の基礎78頁。なお，期間前にした即時抗告も適法である。最決平成13・3・23判時1748号117頁〔倒産百選13事件〕。

[277]　破産手続開始申立棄却決定や却下決定の場合には，公告がなされないから，申立人に対する裁判の告知の日から起算して1週間が抗告期間となり，初日は算入しない（破13，民訴95Ⅰ，民140本文）。

　なお，即時抗告がなされても，裁判所が必要がないと認めるときには，裁判所書記官は，破産手続事件の記録そのものではなく，抗告事件の記録のみを抗告裁判所の書記官に送付すれば足りる（破規5Ⅰ）。原審が破産手続を進める必要を満たすためである。ただし，例外がある（同Ⅱ）。

　また，開始申立てについての裁判を含む破産手続上の裁判一般に対する不服申立ての申立権者，申立期間などを整理したものとして，破産・民事再生の実務［破産編］26頁以下がある。

[278]　破産能力の欠缺を理由とする破産手続開始申立却下決定が問題となるが，他の申立権

る。債務者等の申立ての場合にも，同様の理由から他の申立権者には不服申立権が否定され，申立人のみの不服申立てが許される。法人の理事等による申立て（破19 I II IV。本書139頁）についても，同様に考えられる。

　第2に，管轄違いを理由とする移送決定に対しては，申立人のほかに，債権者申立ての場合には，債務者に不服申立権が認められる。債務者は特定の裁判所が破産裁判所となることについて手続上の利益をもつからである[279]。

　第3に，債権者による破産手続開始申立てを棄却する決定に対しては，申立債権者のほか，他の債権者にも不服申立権が認められる。申立てが適法であることを前提とすれば，否認や相殺禁止との関係で（破160 I ②・162 I ①・71 I ④・72 I ④)，他の債権者も当該申立てにもとづいて破産手続を開始させることに法律上の利害関係をもつからである[280]。債務者等による申立てを棄却する決定についても，申立人のほかに，破産債権者たるべき者に不服申立権が認められる。

　第4に，破産手続開始決定に対しては，債権者申立ての場合には，債務者および他の債権者が，債務者等の申立ての場合には，債権者が不服申立権を認められる。債務者は，破産手続開始によって財産管理処分権を剥奪されるので（破78 I），法律上の利害関係をもつし，債権者もその個別的権利行使を制限されるので（破100 I），自らが申立人となっている場合を除いて，破産手続開始決定について法律上の利害関係にもとづく不服申立てを認めざるをえない[281]。

　　者に与える影響は事実上のものと考えられる。また，破産障害事由は，本書では本案の要件と考えるから，ここでは問題とならない。学説については，条解破産法〈第3版〉293頁参照。
279) 小西・前掲論文（注143）61頁。
280) 加藤・研究7巻521頁，中田65頁，山木戸58頁，条解破産法〈第3版〉293頁など。ただし，判例（大決大正15・12・23民集5巻894頁）は，不服申立権を否定する。また，近時の学説でも否定説が有力である。
281) 申立人の属性に応じた説明として，条解破産法〈第3版〉294頁参照。その他，法人に対して破産手続開始決定がなされたときに，取締役や株主が不服申立権を認められるかどうかという問題がある（小西・前掲論文（注143）62頁参照）。肯定説は，委任関係が終了することによって取締役の地位が失われ，また解散によって株主の地位に影響を生じることを理由として，不服申立権を肯定する（取締役について肯定説，株主について否定説を採るものとして条解破産法〈第3版〉295頁がある。これに対して，松下淳一「破産手続及び再生手続における株主の即時抗告権について」石川古稀（下）519頁は，株主について肯定説をとる）。しかし，破産者の管理処分権剥奪や債権者の権利行使制限などに比較すると，これらの効果は，確かに法律上のものではあるが，副次的なものにすぎず，破産手続開始決定に対する不服申立権を基礎づけるほど重大なものとは思われない（大決

なお，相続財産破産においては，破産手続開始によって管理処分権または権利行使を制限される者，すなわち申立人以外の相続債権者，受遺者，相続人，相続財産管理人，相続財産清算人および遺言執行者が不服申立権を認められる。信託財産破産においては，同様の理由から，信託債権者，受益者，受託者等に不服申立権が認められる。いずれの場合であっても，法30条2項との関係で，不服申立方法たる即時抗告に執行停止の効力は認められない[282]。

第11項　抗告審の審理および裁判

即時抗告による不服申立てが原裁判所によって受理されると（破13，民訴331・286），抗告が不適法で，その不備を補正することができない場合（破13，民訴331・287），および再度の考案によって原決定が更正される場合（破13，民訴333）を除いて，裁判所の判断に応じて，裁判所書記官は，破産事件の記録または抗告事件の記録を抗告審に送付する（破規5Ⅰ）。ただし，抗告審が必要と認めれば，破産事件の記録が送付される（同Ⅱ）。抗告審は，原決定の内容に応じて手続的要件および実体的要件を審査した上で，裁判を行う[283]。破産手続開始決定の要件，特に破産手続開始原因の存否は，抗告審の審理終結時を基準として判断される。原審の段階で破産手続開始原因がなくとも，抗告審でそれが生じていれば，抗告審による開始決定がなされるし，逆に，原審の段階で破産手続開始原因が存在しても，抗告審で消滅していれば，開始決定は取り消される。即時抗告期間の徒過や即時抗告権の不存在を理由として抗告を不適

　大正5・1・26民録22輯29頁，大阪高決平成6・12・26判時1535号90頁〔倒産百選12事件〕）。

[282]　大判昭和8・7・24民集12巻2264頁〔新倒産百選6事件〕。通説もこれを支持している（条解破産法〈第3版〉297頁）。立法論として，執行停止効がない旨の規定を設けるべきであるとの議論が有力である。園尾隆司「倒産法における即時抗告と執行停止効」多比羅喜寿43頁。
　　もっとも，実務上は，抗告審によって破産手続開始決定が取り消される可能性を考慮して，破産管財人は，緊急を要する業務のみを行うべきであるとする考え方もある。これに対して，即時抗告審に特別の考慮を払うことなく，通常通り管財業務を進めるべきであるとの考え方があり（破産・民事再生の実務［破産編］135頁，注釈破産法（上）56，244頁），実務では，その考え方が有力であるとしながらなお慎重な運用を求めるものとして条解破産法〈第3版〉297頁がある。

[283]　高等裁判所が抗告審となるから，一般原則として再抗告は認められないが（裁7②参照），許可抗告（民訴337）の可能性はある。また，抗告権の放棄や抗告の取下げは，一般原則（破13，民訴331・284・292）による。

法として却下する場合のほか，抗告審の判断としては，以下のようなことが考えられる。

第1に，原決定が破産手続開始決定であるときには，すでに破産手続が破産債権者のために開始されているので（破30Ⅱ），手続的要件のうち申立人の破産債権の存否は問題とならない[284]。抗告審は，破産手続開始決定を正当とするときは，抗告を棄却するが，それを不当とするときには，開始決定を取り消した上で，破産手続開始申立てを却下または棄却する。開始決定が取り消されると，開始決定にもとづく効果は遡って消滅する[285]。再度の考案にもとづく取消しについても同様である。したがって，破産者に対する人的制限（破37など），管理処分権の剥奪（破78Ⅰ），債権者の権利行使の制限（破100Ⅰ）[286]，訴訟手続の中断（破44Ⅰ），強制執行の失効（破42Ⅱ）などの効果も遡及的に消滅する。ただし，すでに実施された破産手続の残務整理の限度では，破産管財人の権限が認められるし（破90Ⅱ），また，破産管財人がその権限にもとづいて行った行為で，第三者を相手方とするものは，その効力を失わない[287]。さら

---

[284] 原決定時点で申立人の破産債権が存在しなかったことが判明したとき，および原決定後に当該破産債権が消滅したときの双方を含む。また，破産手続開始申立ての取下げも問題とならない（破29前段）。破産債権の届出がないことも原審の破産手続開始決定を取り消すべき理由にならない。条解破産法〈第3版〉299頁。ただし，注釈破産法（上）247頁は，他に債権届出がある限りとする。破産手続開始原因たる支払不能（破15Ⅰ）については，破産手続開始決定による破産債権の現在化（破103Ⅲ）および金銭化（破103Ⅱ①）の効果が原審の破産手続開始決定とともに生じていること（破30Ⅱ）からすれば，抗告審もそれを前提として判断することになる。しかし，現在化や金銭化は，あくまで破産債権者の手続参加に関する規律であることを考えれば（本書291頁），抗告審としては，それらの効果が生じる前の原状を基礎として，支払不能の判断をすべきである。破産手続開始決定に対する即時抗告権（破33Ⅰ）の実効性を確保する意味でも，このような解釈が合理的であろう。

[285] 遠藤功「破産取消しと破産廃止」演習破産法133，135頁。原裁判所に管轄権がないとする場合には，開始決定を取り消し，事件を管轄裁判所に移送する。東京高判平成14・5・30判時1797号157頁。

[286] 破産債権届出による時効の完成猶予（民147Ⅰ④．民旧147①）は，破産取消決定の確定およびその後6ヵ月間について認められる（民147Ⅰ柱書かっこ書）。民法改正前の裁判上の催告としての効力について山木戸71頁，基本法223頁〔野中百合子〕，条解破産法〈第3版〉1482頁参照。

[287] 旧法下では，旧法156条2項によって旧法355条の規定が破産取消しの場合に準用されることが法文上の根拠とされていたが（大判昭和13・3・29民集17巻523頁），現行法下では，法90条2項が根拠となる（ただし，破産法大系Ⅰ420頁〔石田明彦〕は，取引の安全保護を理由とする）。その結果，破産者の行為と破産管財人の行為が抵触するときには，後者が優先する。条解破産法〈第3版〉304頁，注釈破産法（上）252頁。

に，破産手続開始決定の場合の付随処分に対応するものとして，破産手続開始決定をした原裁判所は，破産取消決定の公告や，知れている債権者等への通知[288]などの処分を行う（破33Ⅲ）。登記の嘱託に関しては，法257条7項や258条2項の規定がある。

第2に，原決定が破産手続開始申立却下または棄却決定であり，これに対して，抗告審が申立てを適法とし，かつ，破産手続開始原因の存在を認めるときには，原決定を取り消さなければならないが，その後の手続としては，旧法下では，抗告裁判所が自判として破産手続開始決定および同時処分を行うとする考え方，同時処分のうち，破産管財人の選任のみをなすとする考え方，事件を原審に差し戻して，原審が破産手続開始決定および同時処分をなすとの考え方が分かれていた[289]。現行法下でも，議論の余地はあるが，旧法と異なり，強制執行等に対する中止命令（破24），包括的禁止命令（破25～27）および財産保全処分（破28）を発令する可能性を認めていること（破33Ⅱ）を踏まえると，抗告審としては，財団財産の散逸を防ぐために必要がある場合には，これらの命令を発令し，破産管財人の選任等の処分は原審に委ねるべきものと考える[290]。

---

288) 保全管理命令は，破産手続開始決定によってすでに失効しているために，保全管理人に対する通知（破32Ⅲ③参照）はなされない。条解破産法〈第3版〉303頁。
289) 学説の詳細については，基本法177頁〔熊谷絢子〕参照。同書は，抗告裁判所が破産管財人選任に関する資料を有しないことを理由として，事件を原審に差し戻し，破産裁判所たる原審が，破産手続開始決定および破産管財人選任などの処分をなすべきであるとする。再生手続開始申立棄却決定を取り消すべき場合について，倒産・再生訴訟577頁〔園尾隆司〕参照。
290) 大コンメンタール131頁〔大寄麻代〕，条解破産法〈第3版〉56頁，注釈破産法（上）34頁，破産法大系Ⅰ181頁〔佐藤達文〕。法文（破33Ⅱ）は，「申立てを棄却する決定」であるが，却下決定を含めるべきことについても，同書182頁，注釈破産法（上）249頁参照。

第2章　破産手続の機関および利害関係人

債権者に対して公平な配当を実施するという破産手続の目的は，様々な機関の活動および利害関係人の協力によって実現される。中でも，破産手続の運営に関与する機関である裁判所，破産管財人，保全管理人，債権者集会および債権者委員会の役割は重要である[1]。破産手続遂行の中心となるのは破産管財人

---

1) 破産手続開始申立代理人は，本来は，債務者の委任を受けて破産手続開始申立てを代理する者であるが（受任について，申立マニュアル70，82頁），近時の実務運用の中では，債務者の資産や負債についての調査を行い，その情報，把握する債務者の財産および引継予納金（本書147頁）を破産管財人に引き渡すという職務の遂行を求められ［書式5～7］，220問46頁〔柚原肇〕，62頁〔桶谷和人〕，法人破産申立て実践マニュアル6頁〔野村剛司〕，67頁〔林祐樹〕），代理人弁護士は，破産手続による利益を受ける立場にある債権者に対する関係でも公平誠実義務（弁護1Ⅱ・30の2Ⅱ，弁護士職務基本規程5）を負うとされる（破産管財の手引〈第2版〉14頁，220問11頁〔中井康之〕，申立マニュアル26頁参照）。

しかし，代理人の地位は，債務者（破産者）からの委任に由来するものであり，債権者に対して直接に法律上の義務を負うのではなく，破産手続によって自らの財産を債権者に対し公平に分配することを債務者から受任し，その利益を実現するのが代理人の義務と考えるべきである。したがって，代理人は，破産手続開始申立てという特定行為の代理ではなく，受任以後の様々な局面で代理人としての職務遂行を行う意味で，破産者代理人と呼ぶべきであろう（加藤新太郎「破産者代理人の財産散逸防止義務」高橋古稀1156頁もこれを支持する）。破産者と代理人弁護士との関係は，委任契約であるが，民法653条2号の規定にもかかわらず，特約があれば，委任関係が存続すると解されている（本書433頁）。

破産手続開始申立ての受任通知が支払停止とみなされ（本書121頁），その後の債務の弁済や口座引落しが偏頗行為否認（本書586頁）となり，また，債権者の取立行為を違法とする効果があり（貸金業法21Ⅰ⑨・47の3Ⅰ③），債務者の財産保全が強く要請されることを考えれば，破産者代理人が債務者に必要な説明を行い，注意や助言を与えるなどの措置をとることも（破産管財の手引〈第2版〉20頁），破産財団に属する財産を公平に分配すべき受任者の委任者に対する委任事務の処理に属し，善管注意義務が課される（民644）。生活保護受給者に対する費用返還請求権（生活保護63）の返済について，220問64頁〔八木宏〕参照。

これとは別に，受任通知が，債権者に対する関係で，個別的権利行使を自制させる効果を有することから，破産手続に参加する利益を保護するために，受任通知の相手方たる債権者を債権者一覧表（破20Ⅱ．本書145頁）に記載することが求められ，正当な理由がないままにそこに記載されなかった債権者が，配当を受ける機会を逸した場合には，当該債権者に対して代理人弁護士が不法行為にもとづく損害賠償責任を負うとする金沢地判平成30・9・13判時2399号64頁がある。具体的事情と受任通知を受けた債権者が破産手続に参加する利益を重視したものと理解できる。宇都宮地判令和3・5・13判タ1489号69

であるが，裁判所も，手続の開始や終結に関する裁判機関としてだけではなく，

頁も同旨である。
　もっとも，消費者の場合と異なり，法人の場合には，受任通知を発するか，直ちに破産手続開始申立てをすべきかという問題がある。220問40頁〔阿部弘樹〕，申立マニュアル47，52，104頁，倒産処理と弁護士倫理38頁，法人破産申立て実践マニュアル22頁〔野村剛司〕，115頁〔津田一史＝林祐樹〕，破産実務の基礎47頁。滞納処分との関係については，220問379頁〔久米知之〕参照。一方で，金融機関による相殺などによる破産財団所属財産の減少を防ぎ，他方で，債権者による個別的権利行使などに起因する混乱を回避するという要請を調和させるために，破産者代理人の合理的裁量判断が求められる。受任通知が消滅時効の更新事由たる承認（民152。民旧147③）に該当するかどうかは，特定の債務の存在を前提としているかなど，その内容によることとなろう。東京地判平成28・7・29金法2068号72頁参照。また，受任通知にもとづいて債権者との間の協議が行われるときには，協議を行う旨の書面による合意による時効の完成猶予（民151）が問題となる可能性もある。
　破産者代理人が破産者に対する適切な助言や指導をすることを怠り，また，破産者から管理を委ねられた財産の保全管理などについて過失があったときに，財産散逸防止義務の懈怠を理由として破産者代理人に対する損害賠償請求権が発生するか，それが破産財団所属財産になるかなどについては，東京地判平成21・2・13判時2036号43頁〔倒産百選11事件〕をはじめとする相当数の下級審裁判例がある。同判決や東京地判平成26・4・17判時2230号48頁，東京地判平成26・6・18金法2052号75頁，青森地判平成27・1・23判時2291号92頁などは，破産管財人に対する不法行為との法律構成をとり，また，東京地判平成27・10・15判タ1424号249頁などは，破産制度の趣旨に照らし破産者代理人が損害賠償義務を負うとの判示をしている。
　しかし，破産手続開始前の財産散逸に起因する破産者代理人の責任にもとづく損害賠償義務を破産管財人が追及するのであれば，破産財団の概念（破34）との関係からも，財産散逸防止義務の根拠については，委任者たる破産者に対する委任契約の債務不履行または不法行為との法律構成しかありえないと考えられる（下級審裁判例の法律構成に関する問題を指摘するものとして，岡伸浩「『財産散逸防止義務』再考」倒産法の実践40，50頁があり，それぞれの要件については，髙木裕康「受任通知と申立代理人の責任」自正68巻3号36，38頁（2017年），破産実務の基礎50頁参照）。ここで債務不履行または不法行為とは，自らの責任財産の債権者に対する公平な分配を委任した債務者の利益を実現する義務を履行せず，またはその利益を侵害したことを意味する。
　ただし，代理人の助言や指導にもかかわらず，破産者自身が財産の隠匿や処分などの行為をする場合には，受任者たる代理人が実現すべき公平分配利益を破産者自らが放棄したとみなされるから，代理人の受任者としての責任が生じることはなく，それを破産管財人から追及されることもない。詳細については，伊藤眞「破産者代理人（破産手続開始申立代理人）の地位と責任──『破産管財人に対する不法行為』とは何か。補論としてのDIP型破産手続」事業再生と債権管理155号12頁（2017年）（全国倒産処理弁護士ネットワーク編・破産申立代理人の地位と責任18頁（2017年）に所収）参照。
　破産者自身の責任については，破産財団帰属財産の主体としての破産者と自由財産の帰属主体としての破産者との関係が問題となる（本書259頁参照）。個人である破産者についても同様である。黒木和彰「個人破産の申立代理人の権限と責務──免責決定の意味を再度考える」自正68巻3号50頁（2017年）参照。ただし，破産者の公正分配利益の実質的享受者は，破産債権者ではないかとの批判がある。中森亘「法人破産の申立代理人の

破産管財人に対する監督，あるいは債権者集会の指揮のような手続事務など様々な面で，手続遂行の役割を担う機関として位置づけられる。また，債権者集会や債権者委員会は，もっとも密接な利害関係をもつ破産債権者の利益を手続に反映させるという重要な機能を果たす。

第1節 破産手続の機関

各機関の相互関係は以下のように整理できる。破産手続遂行の中心になるの

役割と法的責任」自正68巻3号56頁（2017年）。そして，加藤・前掲論文1177頁以下は，弁護士法1条2項にいう誠実義務を根拠として，委任者たる破産者のみならず，第三者である破産債権者に対する関係でも破産者代理人が財産散逸防止義務を負い，破産債権者の破産者代理人に対する損害賠償請求権については，破産管財人が職務上の当事者となると説く。

また，破産手続の開始によって，代理人の本来の職務が終了した後も（民653②），破産者の代理人としての説明義務（破40Ⅰ②）や破産管財人に対する協力義務を課されており，これらを総合すれば，破産者代理人は，上記の責任規範に加えて，破産手続の機関たる破産管財人に対する協力と協働の責務を負っているといってよい（破産管財の手引〈第2版〉88頁，220問11頁〔中井康之〕，46頁〔柚原肇〕，申立マニュアル112, 116, 119, 123, 127, 130, 135, 260, 358～373頁，実践マニュアル47頁，破産実務の基礎80頁）。もちろん，否認対象行為や破産犯罪該当行為に関する情報提供など，債務者または破産者の代理人としての地位と破産管財人に対する協力義務との関係が問題となる場面が考えられなくはないが，申立代理人としては，免責などの利益を説明し，債務者または破産者の納得をえながら，その職務を遂行することが期待される。申立マニュアル86頁，倒産処理と弁護士倫理44頁。

なお，弁護士としての守秘義務（弁護23，弁護士職務基本規程23）との関係が問題となりうるが（財産換価32頁〔進士肇〕），破産者の代理人としての説明義務（破40Ⅰ②。本書190頁）が，法律に別段の定めがある場合（弁護23但書）や正当な理由（弁護士職務基本規程23）にあたると解されるし，破産管財人に対して破産財団に関する情報を伝達することは，破産者との間の委任契約の内容に含まれていると解することもできるが，個人破産者については，免責の利益などを説明するなどし，受任またはその後の段階で破産者の了解をうることが望ましい。

合理的範囲を超えた申立代理人の報酬が否認の対象となるとした神戸地伊丹支決平成19・11・28判時2001号88頁，東京地判平成22・10・14判タ1340号83頁，東京地判平成26・8・22判時2242号96頁，神戸地尼崎支判平成26・10・24金商1458号46頁，破産財団たるべき財産に関する申立代理人の責任に関する前掲東京地判平成21・2・13，前掲神戸地尼崎支判も，上記のような考え方を基礎としているものと思われる。220問267頁〔野村剛司〕参照。報酬基準について申立マニュアル76頁，倒産処理と弁護士倫理27, 33, 62頁。

これに対して申立代理人が存在しない本人申立事件や十分な協働が期待できない債権者申立事件における破産管財人の留意事項について，破産管財の手引〈第2版〉362頁，〔書式9, 9-2〕，〔書式10, 10-2〕，220問72頁〔小関伸吾〕，103頁〔中西達也〕参照。

は，破産管財人である。破産管財業務の最終目的は，破産債権者に対する公平な配当の実施に集約されるが，その目的を実現するために，破産管財人は，狭義の財産管理・換価を行うほか，否認権の行使を通じて破産財団を増殖し，財団をめぐる実体的法律関係を整理したりすることによって，その管理下の財産をあるべき破産財団の範囲に一致させる。他方，配当の相手方となる破産債権者の権利内容を調査し確定する手続に関与することも，破産管財人にとって欠くことのできない業務に属する。また，免責審理に際しての報告書提出にみられるように，破産管財人は，破産者の経済的再生にも注意を払わなければならない。さらに，本書の冒頭に掲げたような社会的影響の大きい事件では，利害関係人の利益だけではなく，法人の活動の結果として生じた権利義務や法律関係について終局的な整理を行って，法人格の消滅に導くなど，社会正義の実現にも配慮することが要請される。この視点からみると，破産管財人は，単に破産債権者の利益を実現するだけではなく，破産者を含めた利害関係人全体の利益，そして事件によっては，社会正義を実現するよう職務を遂行しなければならない。後に述べるように，現在の実務では，例外なく弁護士が破産管財人に選任されているが，それは，このような破産管財人の職務内容を考慮したものと思われる[2]。

　次に，裁判所の職務のうち，破産手続開始申立てに対する裁判などは，裁判機関としての職務に属する。これに対して，手続機関としての裁判所の職務の中心となるのは，第1に，破産管財人に対する監督である（破75）。裁判所は，一般的に破産管財人の職務遂行を指揮する権限をもつわけではないが，法律が定める特定の重要な事項について報告を受け，あるいは許可を与えるなどの形で（破78Ⅱ），破産管財人に対する監督権を行使し，かつ，善管注意義務（破85Ⅰ）および忠実義務など破産管財人の一般的義務について，その違背がないかどうか監督する。第2に，裁判所は，債権者集会の指揮（破137）など手続の遂行そのものにかかわる。立法政策としては，手続の遂行を全面的に破産管財人に委ねることも考えられるが，現行法は，これを裁判所の任務としてい

---

[2] 弁護士職務基本規程前文，1条および5条などが関係する。「解説『弁護士職務基本規程』」自正56巻臨時増刊号1，3，7頁（2005年）参照。破産管財人の職務遂行に関する公益的側面については，伊藤眞「破産管財人の職務再考――破産清算による社会正義の実現を求めて」判タ1183号35頁（2005年）参照。

る³)。

　最後に債権者集会と債権者委員会の役割について述べる。利害関係人の中で破産手続にもっとも密接な利害関係をもつのは破産債権者であり，破産手続の第1次的目的は，破産債権者に対する配当実施にある。債権者集会（破135以下）や債権者委員会（破144以下）は，破産債権者の利益を代表して破産管財人を監視する役割をもつ。再生型手続である民事再生や会社更生と比較すると，清算価値を平等に配分することを目的とする破産手続においては，債権者集会や債権者委員会の果たす役割は限定されているが，管財業務の遂行に関する重要な情報を破産債権者に与え，その意見を管財業務に反映させる意味では，重大な役割をもっている⁴)。

　破産事件の増加にともなって，破産管財人の数も増加する一方，その適正な職務執行に対する利害関係人の期待も高まっている。適正な職務執行は，破産管財人自身の自覚によるところが大きいことはいうまでもないが，同時に裁判所，債権者集会および債権者委員会などの機関が破産管財人の職務執行を適切に監督・監視できるかどうかにかかっている。一方で，監督などが過度にわたるために機動的な管財業務の遂行が妨げられないよう十分に注意しなければならないが，他方で，破産債権者の意見が，裁判所を通じてであれ，また債権者集会や債権者委員会を通じてであれ，管財業務の遂行に適切に反映されることが望まれる。

---

3)　アメリカ法は，裁判所を手続の遂行任務から解放し，破産管財人に対する監督的役割も最小限にとどめ，破産手続における争訟解決の役割を重視している（髙木8頁）。これと比較すると，わが国の裁判所は，ドイツ法の伝統を受け継いで，手続の主宰者という性格が強いといえよう。もっとも，アメリカ法自身においても，このような行き方について反省が生じている（リン・ロパキ「アメリカ合衆国の倒産処理制度」民事訴訟法学会編・民事訴訟法・倒産法の現代的潮流207, 213頁（1998年））。

4)　旧法は，債権者の利益を代表して破産管財人の業務執行を監督する機関として，監査委員の制度を設けていた（旧破170以下。伊藤・破産法〈第3版補訂版〉123頁以下）。これは，債権者集会によって選任される監査委員が（旧破171Ⅰ），債権者の利益を代表して破産管財人の業務執行を監督するという理念の下に設けられた制度であるが（旧破197参照），実際には，破産管財人の機動的な業務執行の妨げになるとか，裁判所による監督の妨げになるなどの理由から，債権者側の関心の薄さと相まって実務上ほとんど利用されることがなかった（伊藤・破産法〈第3版補訂版〉126頁）。現行法の立法者は，このような実情を踏まえて監査委員制度を廃止し，破産管財人に対する監督権は裁判所が行使するものとし，債権者は，債権者集会や債権者委員会を通じて，間接的に破産管財人の業務執行を監視することとしたものである。基本構造136頁，条解破産法〈第3版〉630頁。

第1項　破産管財人

　破産管財人は，破産手続開始と同時に裁判所が選任する（破31Ⅰ柱書・74Ⅰ）5)。破産管財人の資格要件について，旧法下では個人に限られると解されていたが，弁護士法人制度（弁護30の2以下）の創設や大規模な破産事件における必要性などを考慮して，現行法は，法人破産管財人を認める（破74Ⅱ)6)。破産管財人たるべき個人および法人について，その資格等に関する特別の制限はないが，管財事務を適切に遂行できるものでなければならないから（破規23Ⅰ参照），行為能力が制限されている個人などは，実際上除外される。**職務専念義務**（国公101，地公35）がある公務員も破産管財人適格を欠く。

　現在の実務では，法律知識が必要であるとの理由から，経験年数などを基準として，弁護士の中から選任されている7)。もっとも，一般的資格要件は満たしていても，当該事件と利害関係をもつ者は，公平な職務遂行について疑念をもたれやすいので，選任すべきではない8)。破産管財人への就任は強制される

---

5) 例外的に破産手続開始後に選任される場合としては，追加選任，辞任（破規23Ⅴ）もしくは解任（破75Ⅱ），または死亡による後任破産管財人の選任がある。
6) 旧法下の解釈論は，旧会社更生法95条などと比較して，旧法が法人管財人に言及していないことを根拠とするものである。会社更生における管財人についても（会更67Ⅱ），民事再生における管財人および監督委員についても（民再64Ⅱ・78・54Ⅲ），法人が認められる。弁護士法人を含めた法人破産管財人についての実務上の必要性などに関しては，基本構造99頁，条解破産法〈第3版〉618頁参照。金融機関等についての法人管財人に任命されうるものとして，預金保険機構があり，保全管理人，再生手続の管財人や更生手続の管財人についても同様である（預金保険34条13号）。
　　なお，法人が破産管財人となるときは，役員または職員のうち破産管財人の職務を行うべき者を指名し，その者の氏名を裁判所に届け出なければならない（破規23Ⅱ）。
7) 選任の実務については，実務上の諸問題108頁以下，破産・民事再生の実務［破産編］173頁，基本法225頁〔庵前重和〕，条解破産法〈第3版〉617, 619, 622頁，財産換価69頁〔島岡大雄〕，破産実務の基礎109頁参照。また，弁護士倫理との関係から受任を避けるべき場合として，破産債権者との関係などを検討すべきである。220問98頁〔田川淳一〕，倒産処理と弁護士倫理82頁。比較法的視点からみた，わが国の破産管財人制度の特質については，高田賢治・破産管財人制度論5頁（2012年）参照。
8) 利害関係の具体例としては，破産者や債権者の顧問弁護士があげられるが（多比羅誠「破産管財人の心得（1）」NBL 581号6, 9頁（1995年）），破産管財人としての職務を公正に遂行することについて疑いをいだかれる程度の利益相反を基準とすべきである。したがって，債権者の顧問弁護士であっても，当該事件との関わりが薄いときには，選任も許されると解される。財産換価58頁〔三森仁〕参照。さらに進んで，破産手続開始申立代理人として破産者との委任関係にあった弁護士であっても，その職務遂行が適切と認められ，破産債権者からの異議も予想しえない場合には，その者を破産管財人に選任すること

ものではなく，選任された者が受諾してはじめて就任することになるが（ただし，弁護士職務基本規程80条参照），実務上は，破産手続開始決定書と一体をなす選任決定書を受領することが受諾の意思表示とされている[9]。破産管財人の氏名または名称は公告され，かつ，知れたる債権者等に対して通知される（破32Ⅰ②・Ⅲ）。選任決定に対する不服申立ては許されない[10]。破産管財人には，選任証明書が交付され（破規23Ⅲ）[11]，破産管財人は，必要に応じて，職務遂行にあたってそれを示さなければならない。

　破産管財人は，事件の規模などに応じて1人または数人が選任される（破31Ⅰ柱書）。もっとも，実務では，意思決定の機動性などを重視して，複雑かつ大規模な事件でも，複数の破産管財人を選任することは少なく，破産管財人代理（破77。常置代理人と呼ばれる）を選任することが多い[12]。

1　破産管財人の職務

　破産管財人の職務は，債権者の利益のためにするものと債務者の利益のためにするものとに分けられるが[13]，前者が中心となるので，まず，前者について

　　も可能である。これを DIP 型破産と呼ぶ。伊藤眞「法的倒産手続の利用を促すために――nahtlos（継ぎ目のない）手続の実現を目指して」金法2069号43頁（2017年）参照。
9）　実際には，正式受諾の前から，内諾のうえ，破産管財人候補者として申立代理人との連絡や引継ぎをしている。条解破産法〈第3版〉620頁，破産管財の手引〈第2版〉94，95頁，注釈破産法（上）535頁，220問98頁〔田川淳一〕，運用と書式30，95頁参照。そのほか，破産管財人就任前後の事務や破産管財人口座の開設などについても，同書92頁，破産管財の手引〈第2版〉96，98頁，［書式13］参照。
10）　破産管財人は裁判所の監督に服し，また，破産管財人の中立性等について疑問があれば，債権者が解任申立てをなすことも許されるし（破75Ⅱ），利害関係人から選任に対する不服申立てがなされることは，手続の遅延につながるからである。山木戸73頁，石原460頁，中島Ⅰ93頁，条解破産法〈第3版〉623頁など参照。是正命令を含む監督の方法については，注釈破産法（上）542頁参照。
11）　実践マニュアル77頁。また，破産財団に属する不動産についての権利に関する登記を申請するための印鑑証明を資格証明書に記載すべきことについて破産規則23条4項の規定がある。［書式8］参照。
12）　破産・民事再生の実務［破産編］175頁，東西44頁。しかし，必ずしも複数破産管財人の事例が稀有というわけではない。基本構造103頁。なお，複数破産管財人の制度が利用されない原因の1つは，共同職務執行の原則のために管財事務が煩雑になることが挙げられた。この点を考慮し，現行法は，旧法163条1項を改め，単独職務執行の可能性を明定している（破76Ⅰ但書）。
13）　概観するものとして，破産実務の基礎114頁がある。ただし，社会における破産制度の機能を考えれば，破産管財人の職務遂行に関する公益的契機を軽視すべきではない。伊藤・前掲論文（注2）35頁参照。

説明する。債権者の利益実現のためにする職務の目的は，公平な配当を実現することであるが，そのためには，第1に，破産手続開始時に破産管財人の管理下に入った破産財団，すなわち破産手続開始時における破産者の一切の財産で自由財産を除くもの（破34ⅠⅡ）を本来あるべき財団の範囲と一致させ，配当の基礎となる財団を作り出さなければならない[14]。この職務は，狭義の管理および広義の管理，ならびに換価に分けられる。狭義の管理には，財産の占有や管理，封印，財産評定，財産目録・貸借対照表の作成や提出，および郵便物等の管理などが含まれる（破79・155・153・81・82等）。これに対して，広義の管理には，否認権の行使（破173Ⅰ），契約関係の整理（破53等），破産財団に関する訴訟追行（破80）などが含まれる。換価は，配当のために破産財団所属財産を金銭に転換する業務を意味する（破184以下）。破産管財人は，これらの職務の執行に際し抵抗を受けるときは，その抵抗を排除するために，裁判所の許可をえて，警察上の授助を受けることができる（破84）[15]。

　第2に，配当を受領すべき破産債権者の範囲および債権額を確定することも，破産管財人の職務に属する。破産債権の調査・確定に関する職務としては，届出債権の調査と認否等（破117以下），および破産債権査定決定手続や異議訴訟の追行が含まれる（破125以下）。また，破産債権である給料の請求権等を有する者に対する情報提供努力義務（破86）も，破産債権の確定に関する職務に付随するものである[16]。

---

14) この意味で，破産管財人の管理処分権（破78Ⅰ）は，法定財団（本書256頁）のみならず現有財団（本書256頁）にも及び，取戻権などの主張の相手方は破産管財人になる。ただし，自由財産（本書265頁）には破産管財人の管理処分権が及ばない。大コンメンタール331頁〔田原睦夫〕，条解破産法〈第3版〉643頁。破産手続開始直後の破産管財人の職務の概要について実践マニュアル75頁以下参照。
　　なお，弁護士法25条1号違反を理由として，破産者が相手方弁護士による訴訟行為に対して異議を申し立て，それを排除できるときには，破産財団の管理処分権者たる破産管財人が訴訟当事者となっている場合にも，同様に異議申立権を行使できる。最決平成29・10・5金法2086号76頁。伊藤・民訴法161頁注108参照。
15) その実情および理論的意義について，基本構造112頁参照。また，病院の破産などを想定して，官公庁一般に対する援助要請も立法論として考えられる。同115頁。
16) 給料の請求権等が，財団債権になる部分（破149）と優先的破産債権になる部分（破98Ⅰ）とに分かれるために，当該破産債権者の利益のためだけではなく，破産手続の円滑な進行のためにも，破産管財人が適切な情報を提供することが求められる。基本構造170頁。提供を求められる情報の具体的内容については，220問386頁〔服部千鶴〕，実践マニュアル338頁，条解破産法〈第3版〉695頁，注釈破産法（上）608頁，詳説倒産と労働117頁〔岡伸浩〕（岡・理論研究73頁），債権調査・配当233頁〔池上哲朗〕参照。ま

第3に，上に述べた財団の管理や換価および破産債権の調査や確定を前提として，破産管財人は，配当に関する職務を行う（破193以下）。配当表の作成（破196）および配当の実施（破193Ⅱ本文）がその中核をなす。配当には，破産財団に属する財産の換価終了後に行われる最後配当（破195以下），その特例である簡易配当（破204以下）および同意配当（破208），換価終了前に行われる中間配当（破209以下）および最後配当後に行われる追加配当（破215）がある。以上の職務を適正に実施するために，破産管財人は，裁判所や債権者集会に破産財団に関する事項を報告したり（破157・158，破規54)17)，重要事項について裁判所の許可を求めたりしなければならない（破78Ⅱ。本書720頁参照）。

　債務者の利益実現を目的とする破産管財人の職務としては，第1に，財団に属する財産のうちで，破産債権者の利益を実質的に侵害しないことを前提として，破産者の生活にとって意味のある財産について，破産者のために管理処分権を放棄することが挙げられる（破78Ⅱ⑫）。いわゆる破産財団からの放棄と呼ばれるものである。たとえば，少額の生命保険解約返戻金請求権を放棄して，破産者が契約を継続することを可能としたりする例がこれにあたる。第2は，自由財産の拡張において，調査の上裁判所に対して意見を述べることである（破34Ⅴ）。第3は，破産手続終了後，免責手続において免責不許可事由の有無や免責許可決定の当否に関する報告や意見陳述をすることである（破250Ⅰ・251Ⅱ)18)。

　破産管財人の職務遂行には，善良な管理者としての注意義務，すなわち善管注意義務が課される（破85Ⅰ）。善管注意義務とは，民法644条の受任者の注

　　た，情報提供義務は，担保価値維持義務（本書214頁参照）とは異なって，破産手続開始前に使用者が負う情報開示義務を承継するものではなく，破産管財人の職責にともなう独自の義務と解される。詳説倒産と労働107頁〔岡伸浩〕。
　　なお，破産管財人の善管注意義務（破85Ⅰ）は，情報提供努力義務の水準を定めるとの説明がなされているが（条解破産法〈第3版〉694頁），両者を別個の義務とする見解も有力である（詳説倒産と労働116頁〔岡伸浩〕（岡・理論研究75頁））。いずれにしても，努力義務であるところから，善管注意義務違反とされることは例外的と思われる（注釈破産法（上）609頁）。不当労働行為との関係については，本書443頁参照。
17)　特定された報告義務のほかに（破157Ⅰ），裁判所が監督権の行使として（破75Ⅰ），定期的に破産管財人からの報告を求めることができる（破157Ⅱ。民再125Ⅱ，会更84Ⅱもこれに対応する）。具体的態様については，基本構造111頁，条解破産法〈第3版〉627頁参照。
18)　その他，旧法では，破産者に対する扶助料の給付（旧破192Ⅰ）が存在したが，現行法はこれを不要として削除した。

意義務に源を発し，破産債権者や破産者などの利害関係人のために破産手続の目的（破1）を実現すべき責務を担う破産管財人がその職務を遂行する際の注意義務を意味する。そして，破産管財人に選任されるのが法律事務取扱の専門職である弁護士であることを前提とすれば，破産財団の管理や換価，財団債権の弁済，破産債権の配当などについて十分な注意を払い，受任した破産事件について弁護士としての使命と職責（弁護1・2）にかなった行動をとったかどうかを基準とする。

　その義務違背の例としては，破産財団に属する債権の取立てを怠った場合，届け出られた債権について十分な調査をなさずにこれを確定させた場合，税務申告を怠り破産財団に損害を与えた場合，否認可能性の調査を怠った場合などが挙げられる[19]。また，広い意味での善管注意義務に含まれるものであるが，

---

[19] 東京高判昭和39・1・23下民15巻1号39頁，名古屋地判昭和29・4・13下民5巻4号491頁。その他の裁判例および実例に関しては，基本法230頁〔北谷健一〕，多比羅・前掲論文（注8）(2) NBL 585号47, 50頁（1996年），条解破産法〈第3版〉685頁以下，注釈破産法（上）598頁以下が詳しい。なお，善管注意義務と関連して，破産債権届出に対する破産管財人の協力義務が議論されることがある。基本構造173頁。

　また，善管注意義務は，破産債権者の利益を中心とするものではあるが，場合によっては，破産財団所属財産についての別除権者の利益が正当な理由なしに損なわれないように配慮すること（担保価値維持義務）も含まれると解されている。最判平成18・12・21民集60巻10号3964頁〔倒産百選17事件〕。ただし，同判決は，担保目的物の価値を維持すべきかどうかの判断について未だ基準が確立されていなかったことを理由として，善管注意義務違反の責任を否定する一方（才口千晴裁判官の補足意見参照），別除権者の損失による破産財団の不当利得を認めている。林道晴「民事法判例研究」金商1268号6頁（2007年）参照。担保価値維持義務と善管注意義務の関係については，中井康之「破産管財人の善管注意義務」金法1811号40頁（2007年），伊藤眞「破産管財人等の職務と地位」季刊債権管理119号4頁（2008年），松下満俊「破産手続における動産売買先取特権に関する考察」ソリューション44頁参照。

　正当な理由の例としては，破産財団が乏しい一方，明渡しまでに一定期間を要する場合などが考えられる。220問307頁〔石井教文〕。担保価値維持義務の存在と限界を明らかにすることを求める立法論的提言として，判例・実務・改正提言292頁〔田川淳一＝志甫治宣〕がある。

　これに対して，伊藤眞ほか「破産管財人の善管注意義務──『利害関係人』概念のパラダイム・シフト」金法1930号64頁（2011年）では，善管注意義務は，破産管財人がその利益を実現するために職務を遂行する，破産債権者や破産者という利害関係人を相手方とするものであり，破産手続によらない権利の実行が保障されている別除権者や取戻権者は利害関係人の範囲に含まれず，それらの者に対する破産管財人の責任は，担保価値維持義務や不法行為責任という実体法上の根拠に求められる。したがって，破産管財人の管理下にある別除権や取戻権の目的物が毀損したり，破産管財人の管理下に破産財団に属する産業廃棄物などによって近隣住民などが被害を受けたりした場合の相手方の請求権は，財

公正中立義務や忠実義務が破産管財人の義務として挙げられることもある[20]。破産管財人が，これらの義務に反した場合には，破産管財人たる個人または法人として利害関係人に対する損害賠償責任が発生するほか（破85Ⅱ），裁判所の監督権発動の原因が生じ，解任事由（破75Ⅱ）となりうる。その他，破産者がその財産の管理について公法上の義務を負っているような場合には，破産管財人も，破産財団に関する限りその義務を遵守しなければならない[21]。破産管財人代理（本書216頁）についても同様である。

破産管財人が複数存在する場合には，共同で職務を行うのが原則であるが

団債権（破148Ⅰ④）となるべきものであるが，それが同時に破産管財人の不法行為として評価されるときには，破産管財人は，相手方に対して私人として損害賠償義務を負担し，両者の関係は，不真正連帯債務となる。現行民法下の不真正連帯債務の意義については，改正債権法コンメ322頁，一問一答民法（債権関係）改正119頁参照。

ただし，このような事案においても，破産管財人が理由なく財団債権を増加させたとみられるときには，破産債権者や破産者に対する善管注意義務違反の問題が生じると論じる。佐長功「破産管財人の善管注意義務と個人責任」自正64巻7号56頁（2013年），佐藤鉄男「倒産手続の目的論と利害関係人」田原古稀（下）54頁も同様の考え方と思われる。財産換価627頁〔山本和彦〕も，破産手続の受益者である破産債権者などに対する善管注意義務を対内的義務とし，別除権者に対する担保価値維持義務などを対外的義務とし，両者が衝突する場面では，対外的義務が優先すると説く。

また，善管注意義務違反にもとづく損害賠償義務の主体としての破産管財人たる私人と財団債権の債務者たる破産管財人との関係については，財産換価562頁〔伊藤眞〕参照。さらに，善管注意義務について，担保価値維持義務を含めて破産管財人が破産財団の管理について負う義務に違反した際に，個人責任まで負担しなければならないかどうかの判断基準たる評価規範と位置付ける見解もある。財産換価607頁〔山本研〕参照。

もっとも，このような考え方の下でも，別除権者の破産債権のうち不足額については，破産管財人の善管注意義務が問題となりうる。札幌高判平成24・2・17金法1965号130頁。

なお，破産管財人が裁判所の許可をえて行った行為について，なお善管注意義務違反が問題となるかどうかについては，藤本利一「破産管財人の善管注意義務」事業再生と債権管理139号123頁（2013年）が，アメリカ法の裁判官免責の準用の法理を紹介する。

20) 破産管財人が破産財団との間で自己取引をすることなどが公正中立・忠実義務違反の代表的なものである（破産・民事再生の実務［破産編］179頁）。大コンメンタール362頁〔菅家忠行〕，条解破産法〈第3版〉683頁，伊藤・会更法・特清法120頁。

21) このような例として，損害保険代理店の破産管財人が，保険募集の取締に関する法律（旧法）上の義務を負う場合がある。東京地判昭和63・3・29判時1306号121頁，伊藤眞「判例評釈」判時1330号（判例評論372号）223頁（1990年）参照。また，産業廃棄物の処理等に関する破産管財人の法令遵守について，220問149頁〔長島良成〕，113頁〔進士肇〕，116頁〔長島良成〕参照。なお，善管注意義務違反にもとづく損害賠償請求権の消滅時効は10年（民旧167Ⅰ）であったが（破産法大系Ⅰ240頁〔瀬戸英雄＝植村京子〕），現行民法166条1項の下では，5年または10年とされる。潮見・概要46頁。

(破76Ⅰ本文)[22]，裁判所の許可をえて，それぞれ単独でその職務を行い，または職務を分掌することも認められる（同但書。登記について破257条2項参照）。しかし，第三者から管財人に対して意思表示をなすときには，1人に対してなせば足りる（同Ⅱ）。共同で職務を行うべき破産管財人の1人がそれに反して行った行為は無効であるが，取引の相手方は会社法354条の類推適用によって保護される。職務分掌違反の場合も同様である[23]。

また，破産管財人は，必要があるときは，裁判所の許可をえて，破産管財人代理（常置代理人）を選任することが認められる（破77）。実務では，複雑，かつ，大規模な事件処理の必要を満たすために破産管財人代理が選任される例が多い[24]。破産管財人代理は，包括的代理権限をもつので[25]，その選任には裁判

---

[22] 訴え提起などの訴訟行為については，共同の訴訟追行が求められるという意味で，固有必要的共同訴訟となり（伊藤・民訴法670頁），このことは追加選任の場合には，訴訟の中断および受継の原因となる。条解破産法〈第3版〉635頁。

[23] 条解破産法〈第3版〉632，633頁。会社更生法69条（旧破97条）について，最判昭和46・2・23民集25巻1号151頁〔倒産百選〈第3版〉19事件〕がある。なお，単独職務執行を認められている数人の管財人が相矛盾する行為を行った場合の効力が問題となるが，行為の効力自体としては，最後に行われた行為が効力を生じることを前提とし，ただし，効力を否定される行為については，会社法354条を類推適用すべきである。注釈民再法（上）228頁〔石井教文〕，条解破産法〈第3版〉634頁，注釈破産法（上）547頁参照。

[24] 旧法165条1項では，「臨時故障アル場合ニ於テ」との要件が規定されていたが，実際には，本文のような必要を満たすために常置代理人が選任される場合がほとんどであったので，現行法が「必要があるときは」という要件に改めたものである。基本構造104頁。破産管財人代理選任許可申立てに関する［書式11，12］参照。

　数人の破産管財人代理を置いて，それぞれの職務を分掌させることもできるが，職務権限の制限は，第三者に対抗することができない。条解破産法〈第3版〉637頁。

　なお，法人を破産管財人代理に選任できるかについては，考え方が分かれるが，法74条2項に相当する規定がないこと，実際上の必要に乏しいことなどから，否定説が有力である。条解破産法〈第3版〉636頁。

[25] 破産管財人と破産管財人代理との関係は委任であるが（条解破産法〈第3版〉636頁），辞任や解任も委任の法律にしたがう。ただし，破産管財人代理は破産手続の機関としての性質も併有し，破産管財人と同様に善管注意義務などを負い，裁判所が許可を取り消せば，その地位を失う（注解破産法（下）326頁〔安藤一郎〕，条解破産法〈第3版〉638頁，注釈破産法（上）552頁）。もっとも，裁判所の直接の監督（破75参照）に服するわけではない（条解破産法〈第3版〉637頁）。

　また，破産管財人は，自らの責任で破産管財人代理を置いた以上，破産管財人代理の過失ある行為について，その選任・監督に過失がなくとも責任を負わなければならない（基本法232頁〔北谷健一〕，注釈破産法（上）551頁）。なお，破産管財人代理が破産管財人と同様に調査権（破83）を行使できるかどうかについては，考え方の対立があるが（基本構造106頁，条解破産法〈第3版〉637頁），これを肯定すべきである。

　破産管財人代理と区別されるものとして，破産管財人の補助者がある。破産管財人代理

所の許可が要求されるが，訴訟代理など特定の事務についての代理人選任は，破産管財人の権限内のことなので，裁判所の許可は不要である[26]。

2 費用および報酬

　破産管財人の職務は，第1次的には総債権者の利益のため，第2次的には破産者の利益のために行われる。したがって，破産管財人の活動に要する諸費用，および活動の対価たる報酬は，破産者に帰属する財産によって構成され，破産債権者への配当財源である破産財団が負担するのが適当である。この趣旨にもとづいて破産管財人は，破産財団から費用の前払いおよび報酬を受ける（破87Ⅰ）。費用前払請求権および報酬請求権は，裁判所の決定にもとづいて発生するものであり，破産管財人，破産債権者，および破産者は，利害関係人として決定に対して即時抗告を申し立てられる（同Ⅱ）。なお，これらの請求権は，法148条1項2号に定める財団債権としての性質をもつ。したがって，破産財団に現金があれば，そこから費用が随時支払われるが，なければ財団に組み入れられた予納金の中から支弁される。破産管財人代理についても，同様の取扱いがなされる（破87Ⅲ）。

　破産管財人に対する報酬額は，裁判所が決定するが，その基準としては，財団の規模を基礎として，これに管財事務の難易，破産管財人の勤勉さ，配当率などの諸要素が勘案される。報酬の支払は，一般には，中間配当または最終配当など債権者に対する配当と同時になされるが，事件の性質によっては，適当な時期に報酬見込額が支払われることもある[27]。

　と異なって，補助者は，破産手続の機関ではなく，破産管財人の権限についての包括的代理権を有せず，破産管財人の指揮の下に管財事務を補助する者であり，その報酬は，財団債権として支払われる（破148Ⅰ④）。補助者の資格に制限はなく，その職務の性質に応じて，弁護士，公認会計士，税理士，破産者の元役員や元従業員などが考えられる。詳細については，破産管財の手引〈第2版〉120頁，220問223頁〔野田泰彦＝小野塚直毅〕参照。

26) 大判昭和11・4・24民集15巻652頁。
27) 報酬の基準，支払方法および時期については，破産・民事再生の実務［破産編］185頁，大コンメンタール369頁〔園尾隆司〕，条解破産法〈第3版〉698頁参照。廃棄物の処理など，破産債権者や財団債権者の利益を犠牲にしても破産管財人が活動しなければならない場合もあり（本書208頁），このような活動も破産管財人報酬額決定の考慮要素となる。佐藤鉄男「破産管財人の報酬に関する視点と論点」立命館法学369・370号上巻242頁（2016年）参照。また，報酬の算定基準等の公表の可能性を検討するものとして，倉部真由美「倒産手続における手続機関の報酬とその規制」プレーヤー146頁がある。

　なお，旧法下では，破産管財人代理に対する報酬は，破産管財人の報酬の中から支弁さ

3 任務終了

　破産管財人の任務は，破産手続終結（破220Ⅰ），破産手続廃止（破218Ⅰ・217Ⅰ），破産取消し（破33Ⅲ），または手続の失効（民再184本文，会更208本文，外国倒産61Ⅰ[28]）などによる破産手続の終了によるほかに，その死亡，行為能力の喪失，辞任（破規23Ⅴ），および解任（破75Ⅱ）などの事由によっても終了する。辞任は，正当な理由がなければ認められず，破産管財人の申出にもとづく裁判所の許可が要求される（破規23Ⅴ）[29]。解任決定は，裁判所によってなされるが[30]，裁判所は，利害関係人[31]の申立て，または職権によって決定を行う（破75Ⅱ前段）。ただし，これは破産管財人に対する監督権の発動であり，その職務遂行の懈怠を問うものであるから，破産管財人の主張を聴くための審尋が要求される（同後段）。解任決定に対する破産管財人による即時抗告は認められない（破9前段参照）[32]。

　任務が終了したときには，破産管財人は，遅滞なく裁判所に計算報告書を提出しなければならない（破88Ⅰ）[33]。これは，監督権を行使する裁判所に対し

れ，その点も考慮して破産管財人の報酬額が決定されたが，現行法下では，独立に報酬が決定される（破87Ⅲ）。もっとも，破産管財人経由で破産管財人代理に対して報酬を支払うことも禁じられるわけではなく，むしろ実務上では，このような取扱いを原則としている。大コンメンタール372頁〔園尾隆司〕，条解破産法〈第3版〉701頁。

28）　ただし，これらの場合には，それ以前の中止の段階において（民再39Ⅰ，会更50Ⅰ，外国倒産57Ⅱ本文など）破産管財人の任務は停止される。

29）　健康上の理由などが正当事由にあたることは疑いがない。管財業務遂行の意欲喪失がこれにあたるかどうかについては，異論もあるが，実務上は認めざるをえない（条解破産規則66頁）。辞任の手続について条解破産法〈第3版〉624頁参照。

30）　解任事由は，破産財団に属する財産の管理および処分を適切に行っていないこと，その他重要な事由があることであり，収賄や横領などの不正行為だけではなく，管理処分権行使の懈怠であって，破産管財人に対する信頼を著しく損なう事実などが含まれる。その他重要な事由の例としては，複数選任されている破産管財人間の意思が一致しないことがあげられる。条解破産法〈第3版〉629頁。

　　なお，旧法167条は，破産管財人の解任を債権者集会の法定決議事項としていたが，裁判所は，これに拘束されるものではないと解されていた。現行法では，債権者集会の法定決議事項ではなく，解任決議がなされれば，裁判所の職権発動を促す意味しかない。基本構造128頁。解任の手続に関しては，条解破産法〈第3版〉630頁参照。

31）　利害関係人としては，破産債権者の他，財団債権者，破産者が考えられる。これに対して，破産管財人による取引の相手方は含まれない。基本構造131頁。

32）　即時抗告による不服申立ては，破産法に特別の規定がある場合にのみ（破33Ⅰなど）認められるからである。即時抗告が認められる裁判の性質をどのように理解するかについては，基本構造52頁参照。

33）　計算報告書の記載内容については，条解破産法〈第3版〉705頁参照。破産債権者や

て管財事務に関する正確な情報を提供し，事務が適正に行われたか否かの判断をさせる趣旨である。死亡などの理由で破産管財人が欠けたときは，後任の破産管財人が計算書を提出しなければならない（同Ⅱ）[34]。計算書を提出した破産管財人は，債権者集会への計算報告を目的として債権者集会招集の申立て（破135Ⅰ本文）をしなければならない（破88Ⅲ）[35]。計算報告書の提出日と債権者集会の期日との間には，3日以上の期間を置かなければならない（同Ⅴ）。開催された債権者集会の期日において破産者，破産債権者または後任の破産管財人（法88条2項にもとづいて計算書を提出する後任破産管財人を除く）は，計算報告書の内容について異議を述べることができる（破88Ⅳ）[36]。異議がなかった場合には，計算が承認されたものとみなされる（同Ⅵ）[37]。その後は，計算報告の内容が事実と異なることを理由として破産管財人の責任を問うことはできない。

　破産者などの利害関係人が管財業務の遂行結果の合理性を判断できる程度の記載が求められる。計算報告書の書式については，[書式75] 参照。

34) 破産管財人が死亡などの理由によって欠けたときについて旧法168条1項は，破産管財人の相続人に計算報告義務を課していた。しかし，破産管財人の業務遂行に何ら関与していない相続人にこのような義務を課すことは合理性を欠くとの理由から，現行法は，後任の破産管財人に計算書提出義務を課したものである。多くの場合には，裁判所は，計算書提出を求めるために後任の破産管財人を選任することになる。基本構造123頁。もっとも，解任や辞任の場合には，破産管財人が欠けたことにあたらず当該破産管財人が報告義務を負うとするか（条解破産法〈第3版〉705頁），欠けたことにあたるとして後任の破産管財人が報告義務を負うとするか（大コンメンタール375頁〔田原睦夫〕）という問題がある。前任の破産管財人にも報告義務を課すという意味で，前者に賛成する。

35) 異時破産手続廃止，同意破産手続廃止または破産手続開始決定の取消しによって破産手続が終了した場合でも，破産管財人の管財業務が存在する以上，債権者集会の招集申立てをしなければならない。条解破産法〈第3版〉706頁。

36) 異議は，異議申述者に対する関係で，破産管財人の計算報告不承認の効果（破88Ⅵ参照）を生じさせるだけであり，異議についての債権者集会の意思決定がされるわけではない（大コンメンタール376頁〔田原睦夫〕，条解破産法〈第3版〉707頁）。また，破産手続終了にも影響を及ぼさない。

37) この効果は擬制にもとづくものであるから，破産債権者などが実際に債権者集会に出席したか否かとはかかわりがない。みなし承認の効果は，計算報告書の記載事項に関する破産管財人の損害賠償義務などを免除するものであるが，破産管財人の職務執行に不正行為があった場合，また計算の承認をうるにあたって不正行為があった場合には，責任免除の効果は生じない（条解破産法〈第3版〉708頁，注釈破産法（上）619頁）。もちろん，異議権を認められない財団債権者については，責任免除の効果は生じない。また，異議およびみなし承認の定めがない民事再生法77条および会社更生法82条の解釈については，本書896頁および伊藤・会更法・特清法132頁注47参照。

しかし，旧法以来，計算報告のための債権者集会への破産債権者などの出席は一般に低調であり，債権者集会を開催する意義に乏しいとの批判があった。そこで，現行法は，破産管財人が債権者集会の招集を申し立てることに代えて，書面による計算報告をする旨の申立てをすることを認めている（破89Ⅰ）[38]。計算報告書（破88ⅠⅡ）が提出され，かつ，この申立てを受けた裁判所は，計算報告書の提出の事実，および計算に異議があれば一定の期間内に異議を述べるべき旨を公告する（破89Ⅱ前段）。一定の期間は，1月を下ることはできない（同後段）。破産者等がこの期間内に計算に対する異議を述べることができ（破89Ⅲ。異議は書面による。破規28），異議を述べなければ，計算が承認されたものとみなされることは（同Ⅳ），債権者集会が開かれた場合と同様である。

そのほかに任務終了時の問題としては，破産管財人またはその承継人は，急迫の事情があるときは，後任の破産管財人または破産者が財産を管理することができるようになるまで，必要な処分をしなければならない（破90Ⅰ）[39]。これは，応急処分義務と呼ばれる。

また，破産手続開始決定の取消決定，または破産手続廃止決定が確定した場合には，破産管財人が財団債権を弁済しなければならないことも（同Ⅱ本文），

---

[38] いかなる場合に書面による計算報告の申立てができるかについては，特段の規律がないので，破産管財人の判断に委ねられるが，一般的にいえば，破産債権者数が多く，債権者集会の開催に多大の費用を要する場合，逆に，破産債権者数が少数で，かつ，従前から十分な情報開示がなされているために，改めて債権者集会を開催する意義に乏しい場合などが考えられる。大コンメンタール378頁〔田原睦夫〕，条解破産法〈第3版〉710頁，注釈破産法（上）620頁。破産管財人の判断が妥当でないと考えるときは，裁判所は，監督権を発動して（破75Ⅰ），書面による計算報告の申立ての取下げを求めることができるし，さらに進んで，職権による債権者集会開催を可能とする見解もある。大コンメンタール379頁〔田原睦夫〕。

[39] 破産管財人が辞任するなどの場合に，破産財団所属債権について消滅時効が完成するおそれがあるとか，工作物の瑕疵によって他人に損害を生じるおそれがあるなどが急迫の事情の例として考えられる（大コンメンタール381頁〔田原睦夫〕，条解破産法〈第3版〉713頁）。

破産手続終了による任務終了の場合には，独立に財産的価値を認められない帳簿類は，破産管財人が破産者に返還すべきものであるが，破産者や破産者の代表者が行方不明のときには，実務上の問題を生じる（実務上の諸問題135頁，破産・民事再生の実務［破産編］564頁）。その他，応急処分義務の存続期間，義務の内容，費用および報酬については，大コンメンタール381頁以下〔田原睦夫〕，条解破産法〈第3版〉713頁参照。

なお，計算報告書の提出の場合と異なって，応急処分義務は，承継人，すなわち個人たる破産管財人の相続人に課されることがあり，破産管財人の死亡の場合には，迅速に後任の破産管財人を選任することが求められる。条解破産法〈第3版〉713頁。

任務終了時の職務に属する[40]。存否または額に関して争いがある財団債権については，債権者のために供託がなされる（同但書）。

4 破産管財人の法律上の地位

破産法学における理論的重要問題の1つとして，破産財団の法的性質およびそれにともなう破産管財人の法律上の地位がある。かつては，破産財団に法主体性を認めることを前提として，破産管財人をその代表者とする学説，いわゆる破産財団代表説が通説的位置を占めたが，近時は，それを発展させ，かつ，かつての職務説を再評価し，破産財団の管理機構としての破産管財人に法人格を認める，いわゆる管理機構人格説が有力になっている。本書でも，この有力説をとるが，その内容に入る前に，破産管財人の法律上の地位に関する議論の意義を整理する。

破産管財人の法律上の地位をめぐる議論は，第1に，破産法律関係における破産管財人の地位にかかわる。たとえば，破産財団に対する管理処分権の破産管財人による行使，裁判所や破産債権者と破産管財人の関係，否認権の行使主体，あるいは財団債権の債務者などを合理的に説明できるかどうかが問題となる[41]。いいかえれば，議論の焦点は，破産手続の内部的法律関係をいかに矛盾なく説明できるかという問題である。

第2は，破産管財人の職務遂行にあたっての指導理念をどこに求めるかという問題であり，最終的には，破産手続の目的論に還元される。破産管財人は，第1次的には破産債権者の利益を実現するために活動するが，それだけではなく，破産者の経済的再生にも注意を払わなければならないし，また事件によっては，破産債権者など利害関係人の利益を超えて，社会正義が実現されるよう努めなければならない。後に述べる債権者代理説や破産者代理説は，この視点からもとることはできない。

第3に，破産管財人の地位は，外部者との実体的法律関係の中で問題となる。たとえば，破産者から破産手続開始前に不動産を譲り受けていた者が，登記な

---

40) 破産終結決定や破産管財人の辞任などによる任務終了の場合には，すでに財団債権の弁済がなされているか，弁済のための手続が存在することから，任務終了時の職務の問題は生じない。なお，すべての財団債権について弁済しなければならないのか，租税等の請求権（破 148 I ③）や給料等の請求権（破 149）を除いて，共益的費用としての財団債権のみの弁済を行うべきかの議論があるが，前者と解さざるをえない。
41) 兼子・研究 1 巻 421, 428 頁。

しにその権利取得を破産管財人に対抗できるか，すなわち破産管財人が譲受人との関係で民法177条にいう第三者にあたるかどうかという問題があるし，また，民法94条2項，96条3項，467条，あるいは545条1項但書などに関しても同様の問題が生じる。これらの問題を考える際に，破産管財人が破産者と同視されるのか，差押債権者などと同様の第三者的地位を与えられるのかが焦点となる。しかし，同じく法律関係に関するといっても，第1の議論が，破産手続の内部的法律関係の解明を目的としていたことと比較すると，第3の議論は，外部者との実体法上の法律関係を対象としており，問題の次元が異なるといってよい。

以上，破産管財人の法律上の地位が問題とされる局面を3つに分けたが，第2の議論は，すでに序論で破産手続の目的に関連して扱ったし，第3の議論は，第1部第4章（本書360頁以下）で扱うので，ここでは，第1の議論を扱う。

(1) 職　務　説

職務説は，破産管財人に選任された私人が，その職務として破産法上の権能を行使するものとする。法主体としては，あくまで本来の個人や法人であるが，その職務として破産法上の権能の行使が認められるとするところに特徴がある。職務説は，さらに，職務の性質に着目して，公法上の職務説と私法上の職務説とに分けられる。公法上の職務説は，かつての有力説であり，破産管財人を破産債権者のための執行機関として捉える[42]。破産管財人の職務が破産債権者の権利を満足させるために破産者の財産を換価するという内容を含むので，理論的には，この考え方も一応の根拠があるが，破産管財人が執行機関としての権限をもつかなどの疑問があり，説明概念として不十分である[43]。

これに対して，私法上の職務説は，破産管財人は私人であるが，国家機関たる裁判所からその職務を委託されるとする[44]。この考え方は，後述の破産財団

---

[42] 加藤・研究2巻145頁以下に詳しい。大判昭和3・10・19民集7巻801頁が，破産管財人を公の機関とするのもこの趣旨に理解できる。

[43] 国税徴収手続上は，破産管財人が執行機関とみなされるが（税徴2⑬），これは国が交付要求（税徴82Ⅰ）などの行為をする前提となるものであり，破産債権者や破産者に対する関係で破産管財人が一般的に執行機関としての地位を認められるものではない。

[44] 菊井維大・破産法概要133頁（1961年），櫻井孝一「破産管財人の法律的地位とその責任」宮脇幸彦＝竹下守夫編・破産・和議法の基礎〈新版〉88，91頁（1982年），井上薫「破産管財人の意義及び地位」判タ830号78頁（1994年）など。籠池信宏「破産管財人の法的地位――通説に対する批判的考察」ソリューション236頁は，公法上の職務説と私

代表説に対する批判を基礎として，権利義務の帰属主体たる人格を認められるのは，破産管財人に任命される私人以外になく，ただ，破産管財人がその職務として行った管理処分権行使の効果が破産者に帰属すると説明する。確かに，法は破産管財人の承継人についても一定の義務を課しており（破90Ⅰ），破産管財人の私人たる側面が存在しないとはいえない。また，破産財団の法主体性に対する批判および破産管財人の職務の公益性を強調する点で，私法上の職務説の内容は評価できる。しかし，管理処分権の帰属（破78Ⅰ），双方未履行双務契約に関する解除権の帰属（破53Ⅰ），否認権の帰属（破173Ⅰ），あるいは財団債権の債務者など，破産実体法上の権利義務の帰属を考えれば，破産管財人に選任される私人ではなく，破産管財人自体に人格を認める，後述の管理機構人格説が優れている。

(2) 破産債権者代理説または破産者代理説

この両説は，破産管財人の地位を利害関係人たる破産債権者または破産者との私法上の関係によって説明しようという特色をもつ。破産債権者代理説は，破産手続開始決定にもとづいて破産債権者が破産財団所属財産上に差押質権を取得し，破産管財人がこれを代理行使するとの構成をとる。しかし，わが国において差押質権なる概念がなじまないことを主たる理由として，現在では支持するものがない。

また，破産者代理説は，破産財団所属財産の帰属主体が破産者であることを根拠としているが，否認権行使をはじめとする職務遂行にあたって，破産管財人が破産者の代理人としてこれを行っているとみることには，理論的に無理がある。

(3) 破産財団代表説

財産の集合体である破産財団に法人格を認め，破産管財人をその代表機関とする。否認権などの効果が代表機関たる破産管財人の行為を通じて破産財団に帰属することなど，各種の法律関係を矛盾なく説明できる利点をもつが，根本的な疑問として，法の規定がないにもかかわらず破産財団に法主体性を認めることができるかどうかが批判される[45]。

法上の職務説の調和を目指している。
45) 兼子・研究1巻468頁，中田82頁。兼子博士は，破産財団に法主体性を認める明文の規定はないが，実定法の全趣旨から法人格が推認される「暗星的法人」とする。なお，消

(4) 破産団体代表説

破産清算の目的のために，破産者および破産債権者によって構成される破産団体なる社団の成立を認め，破産管財人をその代表機関とする[46]。破産管財人の職務が利害関係人の権利の調整であるとする点では，この考え方にも合理性が認められるが，破産者および破産債権者を包摂した破産団体の法主体性には疑問があり，これをとることはできない。

(5) 受託者説

近時の有力説として，破産者を委託者，破産債権者を受益者，破産管財人を受託者とする法定信託の成立を説くものがある[47]。私的整理における債権者委員長や民事再生や会社更生における管財人の地位と破産管財人の地位とを整合的に説明できること，あるいは内部的法律関係と外部者との実体的法律関係における破産管財人の地位とを統一的に説明できるなどの利点が認められるが，破産財団所属の権利義務が破産者から破産管財人に信託的に移転するとみることは困難であること，法定信託成立に関する明文の根拠を欠くことが難点である。

(6) 管理機構人格説

財産の集合体としての破産財団に法人格を認め，破産管財人をその代表機関とするのではなく，むしろ財団財産について管理処分権を行使する，管理機構たる破産管財人自身に法人格を認めようとする考え方である。破産債権者や破産者から独立して，破産法律関係の主体となり，破産実体法上の各種の権能を

　費税法2条1項14号にいう基準期間との関係で，破産財団を財団所属財産の帰属主体たる法人または法人格のない財団とみなし，破産法人と区別された新規事業者として扱うべきであるとする裁判例が存在するが（福井地判平成19・9・12金法1827号46頁），控訴審において，そのような考え方を認めがたいものとして，取り消されている。名古屋高金沢支判平成20・6・16金法1873号71頁。

46) 宗田・研究376頁以下では，破産団体を権利能力なき社団とする一方，財団財産は，破産団体に帰属すると説く。

47) 霜島44, 54頁, 加藤哲夫78頁, 基本法40頁〔池田辰夫〕, 中島Ⅰ96頁。論者は，これによって外部者との実体的法律関係における破産管財人の地位にも法律上の根拠が与えられるとする。
　また，岡伸浩・信託法理の展開と法主体285, 320頁（2019年）は，受託者説と管理機構人格説の統合を説き，受託者的地位に立つ管理機構としての破産管財人は，委託者的地位にある破産者の財産の管理処分権を付与され，受益者的地位にある破産債権者に対し適正かつ公平な配当を実施する職務を負うと説く。このように考えれば，破産者代理人の任務（本章注1）との連続性が確保されることになろう。

行使する主体として破産管財人を位置づける点では，私法上の職務説に近似するが，選任される私人とは独立に破産財団の管理機構たる破産管財人そのものに法主体性を認めるところに特徴がある[48]。この考え方によれば，破産財団所属財産は破産者に帰属し，また破産債権の債務者は破産者であるが，それらについての管理処分権は破産管財人に帰属し，財団債権については，管理機構としての破産管財人が債務者となる。さらに，法が破産管財人について認める特別の権能，すなわち否認権や双方未履行双務契約についての解除権も，管理機構としての破産管財人に帰属する。これらの法律関係を合理的に説明しうる点で，この管理機構人格説を支持する[49]。

---

[48] 山木戸80頁，谷口60頁，注解破産法（上）79頁〔小室直人＝中殿政男〕，青山ほか163頁。もっとも，近時の批判として，判例・実務・改正提言588頁〔永島正春〕がある。

[49] 更生会社について事業経営権および財産管理処分権を掌握する管財人の地位についても，破産管財人と同様の議論がある。更生利害関係人団体の機関とするもの（松田111頁），更生団体の機関とするもの（宗田・研究413頁），利害関係人のための受託者とするもの（条解会更法（上）493頁，霜島54頁など），企業財団代表説（宮脇＝時岡319頁など），破産管財人と同様に管理機構としての管財人に法人格を認めるもの（谷口60頁）などである（詳細については，鈴木俊光「更生管財人の地位と権限」判タ866号160頁参照）。破産管財人と会社更生の管財人との間には，後者が事業経営権まで付与される点で違いが存在するが，それは，清算価値の配分を目的とする破産と継続事業価値の配分を目的とする会社更生との違いを反映したものであり，更生手続関係の主体となり，また，否認権など実体法上の権能の主体となる点では，破産管財人と更生管財人との間に違いはない。したがって，会社更生の管財人にも，更生会社の継続事業価値を維持・配分するための管理機構として，独立の法人格が認められるべきである。民事再生における管財人（民再64）についても，同様に考えられる。

なお，近時は，明文の根拠に欠けること，各種の権能は，破産管財人に就任した私人に帰属すると解すべきこと，破産管財人の法的地位を議論すること自体の実際的意義が認められないことなどを理由として，管理機構人格説に対する批判が多い。

しかし，破産財団所属財産の帰属主体である破産者や利害関係人の中核たる破産債権者とは独立し，破産手続の目的（破1）を実現すべき職務を遂行する機関として，破産管財人の法的地位を明らかにする必要があり，その理論構成としては，管理機構人格説の合理性が認められる。また，破産者が行った不法原因給付と破産管財人の地位との関係（本書363頁），財団債権の債務者（本書343頁），破産管財人の善管注意義務違反の効果（本書213頁），破産管財人の源泉徴収義務（本書357頁）などの問題を検討するについても，管理機構人格説が理論的基礎とされるべきである。成年後見人や遺言執行者との差異などの詳細については，財産換価547，555頁〔伊藤眞〕参照。

そして，管理機構人格説の下では，破産手続開始後に，第三者や破産法人の代表者が破産財団所属財産を毀損したり，隠匿したりしたときには，破産財団所属財産の帰属主体としての破産者が損害賠償請求権や返還請求権を取得し，破産管財人がこれを行使する。自然人である破産者自身が同様の行為をしたときには，破産財団所属財産の帰属主体としての破産者が自由財産帰属主体としての破産者に対してこれらの請求権を取得し，破産管財

管理機構人格説を前提とすると、破産管財人は破産法律関係においても、破産者や破産債権者とは独立の主体とみなされるし[50]，外部者との実体的法律関係においても，独立の法主体とみなされる。ただし，それを前提としても，物権変動や債権譲渡などの場合について，破産管財人が第三者とみなされるか，それとも権利義務の帰属主体としての破産者と同視されるかが当然に決定されるものではない。この点は，対抗要件などの実体法規定の解釈として，破産管財人がいかなる者の利益のためにその管理処分権を行使するとみられるかにかかわる。

第2項　保全管理人

法人である債務者について，破産手続開始決定があるまでの間において，その財産の管理処分が失当であるなどの事情が認められるときに，裁判所は，保全管理人による管理を命じる処分をすることができる（破91Ⅰ。詳細は本書175頁参照）。保全管理命令において1人または数人の保全管理人が選任されること（同Ⅱ），破産管財人代理に対応する保全管理人代理が選任されうること（破95）などは，破産管財人の場合とほぼ同様であり，債務者の財産の管理処分権は保全管理人に専属することも（破93Ⅰ本文），破産管財人と変わりがない。

ただし，保全管理という手続の性質から，債務者の常務に属しない行為については，保全管理人は裁判所の許可をえなければならない（同但書）。保全管理

　　人がこれを行使するとの法律構成を取るべきである。伊藤・前掲論文（注1）14頁。
50)　したがって，破産管財人も，会社更生の管財人も，また民事再生の管財人も，法人である債務者の代表機関となるわけではない。これに対して同じく管財人の名称を持つが，金融整理管財人（預金保険法）は，「被管理金融機関を代表し，業務の執行並びに財産の管理及び処分を行う権利は，金融整理管財人に専属する」（同77Ⅰ前段）とされていることから，法人の代表機関としての性質を持つ。すでに廃止された手続ではあるが，会社整理における管理人も同様である（商旧398Ⅱ）。このような違いは，制度の基本的骨格として，否認権や双方未履行双務契約に関する解除の選択権を管財人に認めるべきかどうかなどの点に反映される。信用協同組合の組合員代表訴訟の帰趨に関してこの点を明らかにしたものとして，最判平成15・6・12民集57巻6号640頁がある。倒産と訴訟537頁〔中島弘雅〕参照。

　　また，杉本和士「破産管財人の法的地位」プレーヤー169頁は，破産管財人に対する関係で不法原因給付の主張を排斥した最判平成26・10・28民集68巻8号1325頁〔倒産百選20事件〕（本書363頁注4参照）の判示を前提にすれば，本文に述べた第1ないし第3の局面（本書361頁）は，破産管財人の地位を考えるにあたって結びつかざるをえないと指摘する。

人の手続上の権能についても，保全管理の目的を達する上で必要な範囲で破産管財人に準じるし（破96Ⅰ・40・74Ⅱ・75・76・79・80・82~85・87ⅠⅡ・90Ⅰ），対外的法律関係上の地位も破産管財人に準じる（破96Ⅰ・47・50・51）。財産の管理処分権が保全管理人に専属するところから，債務者の財産に関する訴訟手続や行政手続についても，破産管財人の場合と同様の規律が設けられる（破96Ⅱ①・44Ⅰ~Ⅲ・96Ⅱ②・44Ⅳ~Ⅵ）。また，その任務が終了した場合には，保全管理人は遅滞なく裁判所に書面による計算の報告を義務づけられ（破94Ⅰ），保全管理人が欠けたときには，後任の保全管理人または破産管財人が代わって計算の報告をしなければならない（同Ⅱ）。

　保全管理人の法的地位は，基本的には破産管財人と同様の管理機構である。ただ，保全管理の段階では，未だ破産財団が形成されていないので，破産財団となるべき債務者の財産の集合体について管理処分権を行使する法主体として，保全管理人が位置づけられる。保全管理後に破産手続が開始されれば，管理機構たる地位は保全管理人から破産管財人に引き継がれるし，破産手続が開始されなければ，財産の帰属主体である破産者の管理処分権が復活する。

第3項　裁　判　所

　破産手続開始決定や破産手続終結決定などの裁判を行い，債権者集会の指揮など自らその手続を主宰し，または手続を主宰する破産管財人などの機関を監督し，手続を終結させる職務を負うのは，裁判所である。破産事件は，地方裁判所の職分管轄に属する（破5）。なお法は，現に破産事件を担当する裁判体を単に裁判所と呼び，その裁判体が所属する地方裁判所を破産裁判所と呼ぶ（破2Ⅲ）。

　現行法上の裁判所の職務は，5つに分けられる[51]。第1は，破産手続の開始（破30Ⅰ），破産手続の終了（破220Ⅰ等）にかかわる裁判を行うことである。第2は，破産管財人の選任（破31Ⅰ柱書），債権者集会の招集・指揮（破135Ⅰ柱書本文・137），破産債権届出の受理（破111）など，破産手続の実施を内容とする職務である[52]。第3は，破産管財人などの機関に対する監督をなすことである

51）佐野裕志「破産裁判所（意義と職務全般）」判タ830号64頁（1994年）参照。
52）ただし，裁判所が手続の実施そのものにかかわるのは，法で定められた特定の事項に限定され，裁判所が破産管財人に対して一般的な指揮権をもつものではない。旧商法破産

(破75・78等)53)。第4は，破産債権者など利害関係人間の権利義務に関する争いを裁判によって解決することである（破125・126・174・175・178・180等）。第5は，破産手続に付随する手続としての免責許可の申立てについての裁判をなすことである（破248)54)。これらの職務のうち，第1，第4および第5は，破産事件に関する裁判機関としての職務であり，第2および第3は，破産手続の実施にかかる手続機関としての職務である55)。

ある破産事件についてわが国の裁判所が権限を行使できるかどうかが国際破産管轄の問題であり（本書234頁），国際裁判管轄を肯定するときに，わが国のいずれの裁判所が権限を行使すべきかが職分管轄や土地管轄の問題である。

1 土 地 管 轄

破産事件の管轄はすべて専属的であって（破6），合意管轄や応訴管轄は認められない。管轄は，職分管轄と土地管轄に分けられるが，職分管轄に関しては，破産事件は地方裁判所の管轄に属する（破5，裁25）。したがって，裁判所は単独制が原則であるが，合議体で扱うこともできる（裁26)56)。これに対して，

編においては，裁判所の主任官が破産管財人に対する指揮権をもっていたが，現行法は，旧法の考え方を引き継ぎ，一定の事項以外は，破産管財人が手続実施の主体となり，裁判所はこれを監督するという選択をした。旧商法破産編983条，1013条，加藤・要論296頁参照。

53) 破産管財人との進行協議（破規26Ⅰ）やその一環としての面談も，裁判所の監督権行使の一態様として位置づけられる。基本構造109頁，条解破産法〈第3版〉628頁。裁判所書記官による事情聴取等もこれに付随するものである。破産管財人の裁判所に対する必要的報告事項や協議事項については，破産管財の手引〈第2版〉134頁参照。裁判所の監督のあり方は，事件の規模や内容，破産管財人の経験年数などを考慮し，手続の進行状況を把握しながら，過度の干渉や放任にならないように留意すべきである。財産換価78頁〔島岡大雄〕。

54) この中で，裁判所の職務ではなく，破産裁判所の職務とされているものがある（破126Ⅱ・173Ⅱ・175Ⅱ・180Ⅱ・248Ⅰ）。これは，手続機関としての性質を持つ裁判所に代えて，破産裁判所の中立的裁判機関性を重視したものである。倒産・再生訴訟426頁〔園尾隆司〕参照。

55) したがって，手続機関としての職務，たとえば債権者集会の指揮や破産債権届出の受理などを破産管財人に委ねることも，立法政策としては可能である。

56) 利害関係人間の対立が深刻であるとか，反社会勢力の介入があるなどの事件について，期間を限って合議体で扱うことが考えられる。条解破産法〈第3版〉56頁。また，東京地裁破産再生部では，申立代理人と破産管財人との連携と協働を前提とする通常管財係と，債権者申立てや債務者本人申立てなど，連携などが期待できない事件，大型事件など複雑困難な事件を扱う特定管財係という内部分担を定めている。破産管財の手引〈第2版〉11, 362頁。

土地管轄は次のように分かれる。なお，複数の裁判所が管轄権をもつときには，先に破産手続開始申立てのなされた裁判所が専属管轄をもつ（破5X・222V・244の2V）[57]。

(1) 原則的土地管轄

債務者が営業者である場合には，主たる営業所[58]の所在地，主たる営業所が外国にあるときは，日本における主たる営業所の所在地を管轄する地方裁判所が管轄裁判所となる（破5I）。また，債務者が営業者でないとき，または営業所がないときには，普通裁判籍（民訴4）所在地の地方裁判所が管轄をもつ（破5I）。なお，相続財産に関する破産事件については，被相続人の相続開始の時の住所地の地方裁判所が管轄裁判所となる（破222Ⅱ）。また，信託財産に関する破産事件については，受託者の住所地（破5I参照。受託者が数人ある場合にあっては，そのいずれかの住所地）の地方裁判所が管轄裁判所となる（破244の2Ⅱ）。

(2) 補充的土地管轄

原則的土地管轄にしたがって管轄裁判所が決定されないときには，財産所在地の地方裁判所が管轄をもつ（破5Ⅱ）。財産とは，破産財団に所属しうる一切の財産を含むが，債権については，裁判上の請求をなしうる地をもって所在地とみなす（同かっこ書）。したがって，債権の所在を基準とする管轄裁判所は，当該債権行使についての管轄裁判所になる。相続財産または信託財産に関する破産事件についても，同様である（破222Ⅲ・244の2Ⅲ）。

(3) 親子会社等についての関連土地管轄

親子会社等の密接な組織関係があり，かつ，経済的にも関連した事業活動を営んでいる複数の法人について破産手続を行う場合には，同一の裁判所が管轄裁判所となり，実際上一体の手続を進めることが，破産財団の管理や換価など

---

57) 管轄は，破産手続開始申立て時を基準として定められる（破13，民訴15）。したがって，破産手続開始申立て後に住所や営業所の変更があっても，管轄権には影響がない。逆に破産手続開始申立ての時に管轄権がなくとも，開始決定手続審理中または抗告審係属中に管轄原因が生じれば，正当な管轄権が発生する。

なお，管轄を弾力化するという視点から，補充的土地管轄を有する裁判所の自庁処理制度の創設を説くものとして，判例・実務・改正提言87頁〔園尾隆司〕がある。

58) ここでいう主たる営業所とは，形式上の本店所在地の意味ではなく，実質上の本店を意味する（石原338頁，注解破産法（下）11頁〔安藤一郎〕，条解破産法〈第3版〉57頁）。もっとも，形式上の本店所在地の地方裁判所に破産手続開始申立てがなされたときにも，当然に管轄違いとすべきではなく，管轄を認めて，移送（破7）の余地を認めれば足りる。破産法大系Ⅰ120頁〔佐村浩之〕。

にかかる費用や労力を節約し，破産債権者に対して公平，かつ，迅速な配当を実現する上でも望ましい。法は，このような視点から，親子会社等について1つの破産手続が先行している場合に，その事実をもって後行手続の土地管轄について管轄原因とする関連土地管轄を規定する（破5Ⅲ〜Ⅶ）。また，先行手続が民事再生や会社更生のような破産以外の倒産処理手続である場合にも，一体的処理の要請が働くことに変わりはないので，同様の規律が設けられる[59]。なお，以下の管轄は，競合管轄である。

第1に，親法人が子会社たる株式会社（子株式会社[60]）の議決権[61]の過半数を有する場合に，すでに親法人について破産事件，再生事件または更生事件（破産事件等と呼ばれる）が係属しているときには，子株式会社についての破産手続開始申立ては，親法人の破産事件等が係属する地方裁判所にもすることができる（破5Ⅲ）。また，子株式会社について破産事件等が係属しているときには，親法人についての破産手続開始申立ては，子株式会社の破産事件等が係属する地方裁判所にもすることができる（同）。同様の規律は，孫会社と親法人との間にも妥当する（破5Ⅳ）。孫会社とは，子株式会社または親法人および子株式会社が議決権の過半数を有する株式会社を意味する。

第2に，会計監査人設置会社が，その最終事業年度について当該株式会社と他の法人にかかる連結決算書類を作成し，かつ，当該株式会社の定時株主総会においてその内容が報告された場合には，当該株式会社と当該他の法人の間にも関連土地管轄が認められ，当該他の法人についての破産手続開始申立ては，当該株式会社について破産事件等が係属する地方裁判所にもすることができ（破5Ⅴ），また，当該株式会社についての破産手続開始申立ては，当該他の法人について破産事件等が係属する地方裁判所にもすることができる（同）。

第3に，法人と法人の代表者との間についても関連土地管轄が認められる。

---

59) 民事再生法5条3項から7項まで，会社更生法5条3項から5項までも同趣旨の規定である。

60) 子株式会社とは，会社法上の子会社（会社2③）と区別され，いわゆる連結子会社を含まない。大コンメンタール35頁〔小川秀樹〕，条解破産法〈第3版〉59頁。

61) ここで議決権とは，「株主総会において決議をすることができる事項の全部につき議決権を行使することができない株式についての議決権を除き，会社法（平成17年法律第86号）第879条第3項の規定により議決権を有するものとみなされる株式についての議決権を含む」ものをいう（破5Ⅲ第1かっこ書）。条解破産法〈第3版〉60頁，伊藤・会更法・特清法142頁注66参照。

すなわち，法人の代表者についての破産手続開始申立ては，法人について破産事件等が係属している地方裁判所にもすることができ（破5Ⅵ），また代表者について破産事件または再生事件が係属しているときには，法人についての破産手続開始申立てをその係属する地方裁判所にもすることができる（同）[62]。

第4に，個人である連帯債務者相互間，主債務者と保証人相互間および夫婦相互間についても，一方について破産事件が係属する地方裁判所にも他方の破産手続開始申立てをすることが認められる（破5Ⅶ）[63]。

(4) 大規模破産事件についての土地管轄の特則

債権者の数が多数に上るような大規模破産事件においては，裁判官，裁判所書記官および破産管財人候補者などの人的体制が整い，またその種の破産事件の取扱いに習熟した裁判所が管轄裁判所となることが，破産債権者などの利害関係人の利益に資する。法は，このような視点から，大規模破産事件についての土地管轄の特則を定める。なお，この特則にもとづく土地管轄も競合管轄である[64]。

第1は，破産債権者たるべき者[65]の数が500人以上である大規模破産事件について，原則的管轄（破5ⅠⅡ）によって管轄裁判所となる地方裁判所の所在

---

[62] 法人とその代表者の破産事件にかかる予納金や同時破産手続廃止の基準，利益相反の問題などについては，220問20頁〔石岡隆司〕，150問25頁〔山川萬次郎〕，29頁〔三村藤明〕参照。

[63] 一方について再生手続が係属する裁判所に対して，他方の再生手続開始申立てをすることも認められるが（民再5Ⅶ），一方について再生手続事件が係属する裁判所に対して，他方の破産手続開始申立てをすることはできない。この点は，法人の場合（破5Ⅲ）と異なる。基本構造47頁参照。

[64] 民事再生法5条8項および9項も同趣旨の規定である。これに対して会社更生法5条6項は，事件の規模を問わず東京地裁および大阪地裁の競合管轄を認める。これは，会社更生事件の専門性を重視したものである。なお，大規模破産事件の申立てがなされることが多い東京地裁破産再生部における事件処理の工夫，たとえば破産管財人室の開設と運営，開始決定通知の発送事務，破産債権届出書の記載，郵便転送嘱託の上申，債権者に対する情報提供，債権者集会の運営，債権調査や配当などの実施については，破産管財の手引〈第2版〉365頁以下参照。

[65] 破産債権者たるべき者の数は，債権者一覧表の記載にもとづくことになるが，開始申立てに対する判断の対象であるから，後に確定される破産債権者数と一致するとは限らない。したがって，実際の破産債権者数が500人または1000人を下回ることが債権調査の結果として判明しても，そのことは管轄に影響するものではなく（破13，民訴15参照），移送（破7）の問題が残されるにすぎない。基本構造50頁。これに対して，債権者の数に計算違いがあったような場合には，管轄違いとして移送すべきである。条解破産法〈第3版〉63頁。

地を管轄する高等裁判所の所在地を管轄する地方裁判所にも，破産手続開始申立てをすることができる（同Ⅷ）。高等裁判所所在地の地方裁判所では，上記の人的体制が整っていることを重視したものである。

第2は，破産債権者たるべき者の数が1000人以上である超大規模事件について，東京地方裁判所または大阪地方裁判所にも，破産手続開始の申立てをすることができる（破5Ⅸ）。両裁判所には，破産事件等についての専門部が設置され，人的体制の整備とともに，破産事件取扱いについての専門的知見が蓄積されていることを重視したものである[66]。

(5) 移　　送

管轄違いの裁判所に破産手続開始申立てがなされた場合には，移送が可能である（破13，民訴16）[67]。また，前記のように，ある地方裁判所がある破産事件について管轄権を行使しうる場合にも，利害関係人の利益を考慮して，より適切な裁判所に事件の取扱いを委ねる可能性を認めることが合理的である。法は，このような見地から，著しい損害または遅滞を避けるため必要があると認めるときは，裁判所が，職権によって破産事件（免責事件を含む）を破産手続開始申立てを受けた管轄裁判所から他の裁判所に移送することを認める（破7柱書）[68]。

民事訴訟法上では，訴訟の著しい遅滞を避け，または当事者間の衡平を図るため必要があるときは，申立てまたは職権による移送が認められるが（民訴17）[69]，事案の解明を目的とし，当事者対立構造を基本とする民事訴訟手続と，

---

[66] なお，金融機関等（金融更生特490Ⅰ第2かっこ書）の破産については，破産債権者の数を1000人以上とみなす旨の特則がある（金融更生特496Ⅰ）。

[67] 移送申立てについての裁判に対して即時抗告による不服申立てを認めるか否かについては，民事訴訟法21条の準用（破13）を根拠とする肯定説と，破産法9条前段にもとづく即時抗告の制限を重視する否定説とがある。破産手続の性質上，否定説が妥当である。条解破産法〈第3版〉66頁，注釈破産法（上）42頁。

これに関連して，専属管轄違背が破産手続開始決定に対する即時抗告の理由となるかという問題があるが，即時抗告を認める以上（破33Ⅰ），専属管轄違背を排除すべきではない。ただし，すでになされた中止命令などの効力は覆らない。また，破産手続開始決定をした裁判所が受移送裁判所であるときには，移送の拘束力（破13，民訴22）から，専属管轄違背の瑕疵は治癒される。以上について条解破産法〈第3版〉67頁参照。

[68] そのほか，ある裁判所に破産手続が係属し，同一事件について別の裁判所に再生手続や更生手続が係属し，破産手続が中止しているときに，再生手続や更生手続が成功せず，破産手続が進行する事態に備えて，破産事件を再生裁判所や更生裁判所に移送する場合がある（民再248，会更250。本書1246頁，伊藤・会更法・特清法766頁参照）。

破産債権者に対する配当と破産者の経済的再生を目的とする破産手続の違いから，移送の要件が著しい損害または遅滞とされ[70]，また職権による移送に限られたものである。もちろん，実際には，職権の発動を促すための利害関係人による申立てが前提となる。移送の裁判が確定することによって，当該事件は初めから受移送裁判所に係属していたものとみなす（破13，民訴22Ⅲ）[71]。

受移送裁判所になるのは，主たる営業所または事務所以外の営業所または事務所の所在地を管轄する地方裁判所（破7①）[72]，住所または居所の所在地を管轄する地方裁判所（同②），財産所在地を管轄する地方裁判所（同③），親子会社等についての関連土地管轄を持つ地方裁判所（同④イ），大規模事件についての管轄を持つ高裁所在地の地方裁判所（同ロ），債権者が1000人以上の超大規模事件についての管轄を持つ東京地方裁判所または大阪地方裁判所（同ハ）および主たる営業所所在地などによる本来の土地管轄地方裁判所（同⑤）である。最後のものは，親子会社等の特例による管轄規定などによって，本来の土地管轄裁判所以外の管轄裁判所に破産事件が係属している場合を対象とする。

(6) 相続財産に関する破産事件の管轄

相続財産に関する破産事件は，被相続人の相続開始時（民882）の住所地（民22・23ⅠⅡ本文）を管轄する地方裁判所が管轄裁判所となる（破222Ⅱ）。その管轄裁判所が存在しない場合には，相続財産に属する財産所在地の地方裁判所が管轄裁判所となる（同Ⅲ）。債権者が500人以上の大規模破産事件についての管轄の特則（破5Ⅷ），超大規模破産事件についての管轄の特則（同Ⅸ），著しい損害または遅滞を避けるための移送（破7）の規定は，相続財産破産にも適用

---

69) その趣旨については，伊藤・民訴法97頁参照。
70) 利害関係人の利益に着目した損害と手続の進行という公益に着目した遅滞とは，総合的に考慮すべきであること，「著しい」との要件を過度に厳格に適用すべきでないことについて，条解破産法〈第3版〉70頁参照。
71) したがって，破産手続開始申立てにもとづく時効の完成猶予および更新の効力（本書134頁）も影響を受けないし，移送裁判所が行った保全処分の効力も残る。
　　また，移送裁判所に係属する否認争訟（破173Ⅱ），役員の責任の査定の争訟（破178Ⅰ・180Ⅱ）または破産債権の査定の争訟（破125Ⅰ・126Ⅱ）は，管轄違いになるわけではないが（破13，民訴15参照），通常は，受移送裁判所に移送することが望ましい（民訴17参照）。条解破産法〈第3版〉72頁。
72) 破産法5条では，主たる営業所または事務所以外の営業所または事務所の所在地の裁判所には管轄が認められないから，移送先の裁判所としてのみ意味を持つ。大コンメンタール45頁〔小川秀樹〕，条解破産法〈第3版〉70頁。

があり（破222Ⅳ。ただし，法7条1号・2号・4号イは適用の余地がない），また複数の地方裁判所に管轄が認められる場合に，先に申立てがあった地方裁判所が管轄裁判所となることも（同Ⅴ），一般の場合と同様である。

(7) 信託財産に関する破産事件の管轄

信託財産に関する破産事件は，受託者の住所地を管轄する地方裁判所が管轄裁判所となる（破244の2Ⅱ）。その管轄裁判所が存在しない場合には，信託財産に属する財産の所在地を管轄する地方裁判所が管轄裁判所となる（同Ⅲ）。大規模破産事件についての管轄の特則等も，相続財産の場合とほぼ同様である（同ⅣⅤ）。

2 国際破産管轄

国際破産管轄，すなわちある債務者についていずれの国の裁判所が破産手続を開始し，遂行する権限を持つかの規律については，かつては規定が設けられていなかった。解釈としては，わが国の国内土地管轄を定める規定を基礎として，国際破産管轄を定める考え方が有力であったが，平成12年改正によって，旧法に以下のような内容の国際破産管轄に関する規律を設けられ，現行法はそれを引き継いでいる[73]。

---

[73] かつての解釈論については，伊藤・破産法〈第3版補訂版〉121頁参照。国内の土地管轄原因をもとに国際管轄の存否を定める考え方を逆推知説と呼ぶ。平成12年改正は，国際破産管轄，国内破産の対外的効力，外国破産の対外的効力など，国際破産に関する主要な問題について立法的解決を行い，破産法等の関連規定を改正するとともに，外国倒産処理手続の承認援助に関する法律（平成12年法律129号）を制定した。

国際破産管轄が明定された理由としては，基準の明確化および透明化，承認援助法によって外国の破産管轄を承認すべき場合が定められたこととの均衡，逆推知説の下で，わが国に過剰な破産管轄が発生することを避ける必要があることがあげられる。なお，民事再生法4条は，破産法4条と対応する規定になっているが，会社更生法4条は，株式会社の組織再編を前提としている会社更生手続の特質を考慮して，株式会社が日本国内に営業所を有するときに限って，国際更生管轄を認めている。立法の経緯等について，山本・国際倒産法制134頁参照。

現行法の規律内容は，おおむね逆推知説の結論としていわれたところと同一であるが，逆推知説のもとで過剰管轄原因として批判された個人の最後の住所や法人の主たる業務担当者の住所などは（破5Ⅰ，民訴4Ⅱ Ⅳ），現行法では国際破産管轄の原因とならない。

また，逆推知説の下では，財産の所在などを理由としてわが国に国際破産管轄が認められるときでも，事件を外国の破産手続に委ねるのが合理的であるなどの特段の事情がある場合には，国際破産管轄を否定する余地が認められた。しかし，国際破産管轄が明定された現行法の下では，そのような可能性はない。ただし，外国破産手続との関係で，わが国における破産手続開始申立てが不当な目的でなされたと認められる場合には，それが却下される可能性がある（破30Ⅰ②）。

債務者が個人である場合には，日本国内に営業所，住所，居所または財産を有するときに限り，債務者が法人その他の社団または財団である場合には，日本国内に営業所，事務所または財産を有するときに限り，わが国の裁判所に国際破産管轄が認められる（破4Ⅰ）。債務者の財産である債権については，民事訴訟法の規定によって裁判上の請求をすることができる債権は，日本国内にあるものとみなされる（同Ⅱ）[74]。

　国際破産管轄原因の1つである営業所，すなわち営利活動にかかる事業を行う場所は，主たる営業所である必要はない。たとえば，外国に主たる営業所を持ち，わが国に従たる営業所を持つ法人についても，わが国の裁判所に国際破産管轄が認められる。また，外国に営業所や住所を持つ個人であっても，わが国にその財産[75]が所在すれば，わが国の国際破産管轄が認められる。単一破産主義，すなわち世界各国の間で国際破産管轄の配分について統一がなされれば，このような規律は合理性を失うが，そのような状況にはない以上，上記のような法人や個人についても，わが国において破産手続を開始する必要が存在するものとして，国際破産管轄を認めるものである。

　ただし，このことから2つの問題が派生する。第1は，同一の債務者についてわが国の破産手続と外国の破産手続が競合する並行倒産の問題である。第2は，たとえば財産の所在を管轄原因としてわが国の破産手続が開始されたときに，その効力が外国財産に及ぶか，逆に，主たる営業所の所在を理由として外国において破産手続が開始されたときに，その効力が国内財産に及ぶかなどの，破産手続の国際的効力の問題である。いずれについても，国際破産に関して説明する。

　なお，相続財産破産については，被相続人の相続開始時の住所または相続財産所属財産が日本国内にあるときに限り，わが国の国際破産管轄が認められる（破222Ⅰ）。また，信託財産破産については，信託財産所属財産または受託者の住所（破4Ⅰ参照）が日本国内にあるときに限り，わが国の国際破産管轄が認められる（破244の2Ⅰ）。

---

[74] 知的財産権等については，それが日本国内で登録され，差押えが可能であれば，国内にあるものとされる。大コンメンタール28頁〔深山卓也〕，条解破産法〈第3版〉52頁。

[75] 破産財団に属すべき財産であることを要する。条解破産法〈第3版〉51頁。

3 裁判所書記官

　裁判所書記官の権限は，事件記録その他の書類の作成や保管，および法律に定める事務等と規定されているが（裁60Ⅱ），破産手続においては，破産手続開始の準備から始まり，裁判所と破産管財人との連絡，裁判所の許可事項についての申請受理，債権調査および財産換価についての裁判所と破産管財人との連絡，および配当の実施についての事務など，裁判所の職務とされる事項のほとんどすべてにわたって，裁判所書記官が関与している[76]。

　このような現状を踏まえ，また破産事件の適正，かつ，迅速な処理のために裁判所の事務を合理化する目的から，現行法は，旧法下で実務慣行上裁判所書記官によって行われている事項の多くに法律上の根拠を与え，また裁判所の権限とされていた事項のうち，一部を裁判所書記官の権限に委譲している[77]。したがって，現行法における裁判所書記官は，裁判所とは区別される破産手続の機関として位置づけられる。

第4項　債権者集会

　破産手続に関する直接の利害関係人である破産債権者に対して，一方で手続の進行についての情報を開示し，他方でそれを基礎として管財業務にかかわる重要事項についての意思決定の機会を与えるのが，債権者集会の制度である。ただし，一方で破産債権者の意思を手続の運営に反映させ，他方で手続を迅速に進め，破産債権者に対する配当を行うという，2つの相異なる要請を踏まえ，債権者集会の制度をどのようなものとするかについては，立法の変遷がある。

　旧法の立案担当者は，旧商法破産編における債権者集会の制度と旧法における制度とを比較し，その差異を次のように説明する。第1は，旧法において破産債権者自身およびその利益を代表する監査委員に債権者集会の招集申立権が認められたことである（旧破176）[78]。旧商法では，破産主任官にのみ招集権が

[76) 伊藤ほか・座談会（中）30頁，荒野康久「書記官からみた破産管財業務」判タ955号48頁（1998年），高橋宏志ほか「倒産手続における裁判官，書記官，弁護士の協力と関与(1)～(5・完)」NBL 645号6頁，646号31頁，647号55頁，648号50頁，649号53頁（1998年）参照。

77) 一問一答19頁参照。具体的には，破産手続開始申立書の補正処分（破21Ⅰ），破産原因の調査（破規17），資格証明書の発行（破規23Ⅲ），破産管財人に対する監督事務（破規24），公告の主体（破規6），登記・登録の嘱託（破257～262）などが挙げられる。詳細は，破産法大系Ⅰ77頁〔三村義幸〕参照。

認められ，債権者の申立権は認められていなかった[79]。第2は，債権者集会の決議についての裁判所の認可（旧商法破産編1037Ⅱ）を不要とし，ただ決議が破産債権者一般の利益に反する場合にのみ，裁判所が決議の執行を禁止する制度をとったことである（旧破184Ⅰ）[80]。これらの改正の趣旨は，利害関係人たる破産債権者自身による管財業務の監督を認め，債権者自治の理念を重視するところにあった。

　これと比較すると，現行法の下における債権者集会制度には，以下のような特色が認められる。破産債権者自身およびその利益を代表する債権者委員会に招集申立権が認められることは（破135Ⅰ②③），旧法と考え方を共通にする。また，債権者集会の決議は当然に効力を生じるものとして，旧法の決議執行禁止の制度は廃止された。このことからみると，債権者集会の機能が強化されたともみられるが，全体をみると，むしろ債権者集会の手続機関としての役割は後退したといってよい。このことは，債権者の申立てがあったときでも，知れている破産債権者の数その他の事情を考慮して，相当でないと認めるときには，裁判所は債権者集会の招集をしないことができること（破135Ⅰ柱書但書），債権者集会における決議の方法として書面等投票の制度が導入されたこと（破139Ⅱ②），より機動的な債権者による監視機関として債権者委員会の制度が新設されたこと（破144以下）にも現れているし，なによりも破産財団の管理や換価に関する重要事項に関する債権者集会の決議制度（旧破198Ⅱ本文）や監査委員選任の制度（旧破170以下）が廃止されたことをみれば，このことが理解されよう。

　したがって，現行法における債権者集会制度についてみれば，破産債権者自身の利益のために管財業務を監督する手続機関という性質は，旧法時代と変わ

---

78) 梅64頁によれば，株主が株主総会の招集を求められるのと同様の考え方であるという。詳細については，河崎祐子「倒産処理における関係人自治についての一考察」加藤哲夫古稀379頁参照。

79) 旧商法破産編1035条1項。磯部四郎・大日本商法破産法〔明治26年〕釈義〔日本立法資料全集別巻10〕227頁（1996年）では，その理由として，破産が国家の裁判権の行使であり，破産債権者をして破産財団の管理に参加させる理由がないこと，債権者集会を開くのは，破産主任官や破産管財人の処置について破産債権者の承認を取り付け，後に不服を唱えさせることのないようにする目的であると説明される。

80) 梅65頁では，旧商法破産編のように常に裁判所の認可を要するとすることは，旧法の理念である，債権者自治を損なうという。

らないが，招集や開催の任意化および必要的決議事項の廃止などの諸点をみると，機関としての役割は後退したと評価される。立法者がこのような判断をした背後には，旧法時代における債権者集会が形骸化し，むしろ迅速な手続進行にとって桎梏となっていたという認識がある[81]。もちろん，現行法下でも債権者集会制度がその意義を失ったわけではないので，それが適切に機能するために，破産者等や破産管財人は債権者集会に対して必要な情報を提供しなければならない（破40Ⅰ本文・88Ⅲ等）[82]。

なお，旧法下においては，債権者集会とその期日の概念が不可分のものとされていたが，現行法では，期日が開かれる債権者集会と開かれない集会との2種類が存在し（破139Ⅱ・140・141参照），集会そのものとその期日とは区別されている。

1 債権者集会の法的性質

かつての有力説は，債権者集会を破産債権者団体の機関としていたが，近時の通説は，これを集会の期日ごとに成立する債権者の事実上の集合体としている[83]。通説が，債権者団体の成立を認めない理由は，2つに分けられる。第1は，債権者団体の法主体性が実定法上認められていないことである。第2は，破産債権者の利害が常に共通しているとは限らないから，利益の共通性を前提とする債権者団体の観念が成立しないというのである。

しかし，本書では，債権者集会を団体としての破産債権者によって構成され

---

[81] 検討事項第1部第1章第1 10 (2) ア，福田正「倒産処理手続と債権者集会」判タ890号11, 15頁（1995年），髙木新二郎「事業者倒産における裁判所と債権者等の役割」法の支配111号62, 73頁（1998年），基本構造116頁，河崎・前掲論文（注78）386頁。

[82] 条解破産法〈第3版〉976頁では，債権者集会の機能を，破産債権者に対する情報開示，破産債権者による破産管財人に対する監督，破産債権者としての意思表明の3つに整理する。また，東京地裁破産再生部においては，破産債権に対する情報の開示，いわゆる情報の配当を重視して，全件について債権者集会を開催する方針をとっている。破産管財の手引〈第2版〉300頁，破産実務の基礎75頁。破産法大系Ⅰ248頁〔小久保孝雄〕，注釈破産法（上）865頁に説明のある実務運用に照らすと，現行法の下で債権者集会は，財産状況報告集会（第1回集会）についてみるかぎり，十分その機能を果たしているといえよう。

[83] かつての有力説は，加藤・要論307頁，加藤・研究1巻273頁などであり，破産手続関係の主体として債権者団体の成立を認める。河野正憲「債権者集会とその役割」判タ830号154頁（1994年）および条解破産法〈第3版〉975頁，三上55頁はこれを支持する。これに対して，近時の通説は，中田205頁，山木戸86頁，青山ほか116頁，加藤哲夫83頁，注解破産法（下）362頁〔谷合克行〕，基本法243頁〔堀毅彦＝鈴木秀行〕などである。

る破産手続の機関とする。確かに，集会が主として活動するのはそれぞれの期日であるが，その前提として，破産債権者間の情報交換および意見形成のための活動が期日前ならびに期日間にも行われているはずであるし，債権者自治にもとづく手続機関としての債権者集会を期日ごとに別個のものとみるのは不自然といわざるをえない。

さらに現行法において書面等投票が認められ（破139Ⅱ②），期日が開催されない可能性などを考えれば，債権者集会の基礎として債権者団体の概念を認めることが合理的である。通説の側からは，債権者団体に法主体性を認めることが困難であると批判されるが，債権者団体がその機関たる債権者集会を通じて外部の第三者と法律関係を結ぶわけではないから，法主体性を与える必要はない。また，団体構成員たる破産債権者の利害が常に共通するわけではないとも批判されるが，これは各種の団体に常にみられるところであり，それゆえに団体性を否定する根拠にはなりえない。少なくとも，適正な管財業務の遂行を期待する点では，破産債権者の利害は共通しているはずである。

2 債権者集会の権限

旧法下では，破産管財人の解任，監査委員の選任や解任，営業の廃止など，多くの事項が債権者集会の決議の対象とされていたが[84]，現行法は，1つは監査委員や強制和議制度などの廃止にともなって，もう1つは，手続の機動化のために債権者集会の決議を裁判所の許可に置き換えることによって，法定の決議事項のほとんどを廃止した。現行法において決議事項とされているのは，破産者等に対する説明の求め（破40Ⅰ柱書・230Ⅰ柱書・244の6Ⅰ柱書）および破産管財人に対する状況報告の求め（破159）であり，その他に債権者集会の開催が法定されているのは，財産状況報告集会（破31Ⅰ②・158)[85]，異時破産手続廃止に関する集会（破217Ⅰ後段）および破産管財人の任務終了時の計算報告集会（破88Ⅲ）にすぎない。

加えて，財産状況報告集会は，知れている破産債権者の数その他の事情を考

---

84) 伊藤・破産法〈第3版補訂版〉129頁参照。
85) 財産状況報告集会に相当する旧法下の第1回債権者集会における報告書の内容，添付書類，提出時期などについて，破産・和議の実務（下）94頁，髙木新二郎「破産管財人に望むこと」判時1331号14頁（1990年）参照。現行法下の財産状況報告集会については，基本構造117頁，破産・民事再生の実務［破産編］503頁参照。
　申立ては，書面によって（破規1Ⅰ），所定の事項（破規2Ⅰ Ⅱ）を記載して行う。

慮して，その招集が相当でないと裁判所が認めるときは，集会を招集しないなどの措置をとることができるし（破31ⅣⅤ），計算報告集会についても，集会を招集せず，書面による報告をもってこれに代えることも許される（破89Ⅰ）[86]。異時破産手続廃止についても同様である（破217Ⅱ）[87]。もちろん，法定の決議事項以外の事項に関して，たとえば破産管財人の解任について債権者集会の招集を申し立て，決議をすることは可能であるが，裁判所に対する拘束力は認められない。

3 招集および議事

債権者集会の招集権をもつのは裁判所であるが，破産管財人，債権者委員会，および知れている破産債権者の総債権の評価額の10分の1以上にあたる破産債権者には招集申立権が与えられる（破135Ⅰ）[88]。ただし，裁判所は，知れている破産債権者の数その他の事情を考慮して，債権者集会を招集することが相当でないと認めるときは，申立てにもかかわらず，招集しないことができるし（同Ⅰ柱書但書），また，申立てがない場合でも，相当と認めるときは，債権者集会を招集することができる（同Ⅱ）。

財産状況報告集会期日は破産手続開始決定と同時に定められ，公告と通知がなされる（破31Ⅰ②・32Ⅰ③・Ⅲ）。その他の場合には，裁判所は，集会の期日と目的たる事項とを定めて，公告，労働組合等（破32Ⅲ④）に対する集会の期日の通知ならびに破産管財人，破産者および届出をした破産債権者に対する呼出しをしなければならない（破136ⅠⅢ）[89]。公告は，破産債権者に対する手続

---

[86] 計算報告集会の任意化および計算報告に関する実務については，基本構造121頁参照。小規模な事件においては，財産状況報告集会と併せて，異時廃止のための意見聴取の集会期日および計算報告集会の期日を同一期日に指定し，その期日までに換価業務を終了する実務が行われている。破産法大系Ⅰ251頁〔小久保孝雄〕参照。

[87] 異時廃止の際の意見聴取のための債権者集会の運営，またはこれに代わる書面による意見聴取については，基本構造124頁。なお，東京地裁では，特別の事件を除いて，財産状況報告集会，任務終了計算報告集会および破産手続廃止に関する意見聴取集会を同一日時に一括して指定し，その後も破産手続終了まで債権者集会を続行し，定期的に開催する扱いをしている。破産管財の手引〈第2版〉301頁。集会における破産管財人の報告，そのための準備，集会の進行についても，同書同頁以下参照。大阪地裁などにおいても，個別の進行管理を要する複雑困難な事件（個別管財事件）を除いて，一般管財事件については，同様の取扱いをしている。実践マニュアル306頁，運用と書式4，106頁，注釈破産法（上）866，870，879頁参照。

[88] 破産債権者の数は申立権に影響しない。なお，申立てに対する招集決定または招集申立棄却決定に対しては，利害関係人による不服申立ては認められない（破9前段参照）。

保障の趣旨であるから，目的たる事項は具体的に定めなければならないし，また公告された事項以外について決議をなすことは許されない。ただし，集会において延期または続行の言渡しがあったときには，公告，通知および呼出しの必要がない（同Ⅳ）[90]。

　債権者集会の開催場所については，特に法律に規定がないが，原則として破産事件を担当する裁判所が所属する官署としての裁判所で行われる。ただし，破産債権者が多数にのぼる場合などには，外部の場所で開かれることもある[91]。

　債権者集会は，裁判所が指揮する（破137）。指揮とは，議事の進行や秩序維持を意味し，議事の内容にわたるものではない[92]。債権者集会の指揮も，裁判所の職務執行としてなされるものであるから，秩序維持には裁判所法および法廷秩序維持法にもとづく措置がとられる。なお，債権者集会は口頭弁論にあたらないから公開されず（民訴87，憲82Ⅰ参照），出席権があるのは，一般的に破産債権者，破産管財人，破産者，ならびに特定の事項に限って別除権者および取戻権者などの利害関係人，ならびにそれらの者の代理人に限られる[93]。

　破産債権者が1人も出席しない場合の措置として，実務は，決議のための債権者集会と報告を受けるための債権者集会とを分け，前者では債権者集会は成立しないが，後者では債権者集会の成立を認めてよいとする。債権者集会は招集によって成立し，その意思決定たる決議についてのみ法定多数の債権者出席が必要とされることを考えれば，このような取扱いは正当である[94]。

---

89) 大規模事件（破31Ⅴ）における呼出し不要（破136Ⅰ但書），議決権を行使できない破産債権者（本書306，312頁）に対する呼出し不要（破136Ⅱ）の特則がある。また，代理委員が選任されている場合（破110）には，呼出しはその者に対してすれば足りる。条解破産法〈第3版〉984頁。

90) 延期または続行の場合には，出頭破産債権者等に対して次の期日の告知がなされているからという理由であり，期日が開かれる前に変更されたときには，公告，通知および呼出しの必要がある。条解破産法〈第3版〉986頁。

91) 裁判所庁舎外で行う場合でも，最高裁判所の許可（裁69Ⅱ）は不要であり，また，会場使用料等の費用は国庫の負担となる。条解破産法〈第3版〉982頁。

92) 債権者集会の準備および進行の実際については，破産管財の手引〈第2版〉302頁以下，条解破産法〈第3版〉982頁，注釈破産法（上）872頁参照。

93) ただし，裁判所が相当と認める第三者の傍聴を許すことはできる（非訟30但書参照。条解破産法〈第3版〉987頁）。

94) 実務上の諸問題145頁，条解破産法〈第3版〉989頁。ただし，現行法の下では，債権者集会の招集自体が必要的ではなくなり，また書面等による投票も認められるところから，このような議論をする意義は，旧法と比較すると小さくなった。なお，破産管財人の欠席のときには，集会を延期または続行するのが適当である。これに対して，破産者の欠

4 決　議

　破産債権者は，その議決権額に応じて債権者集会における議決権を認められるが（破138），劣後的破産債権および約定劣後破産債権部分については，議決権が否定される（破142Ⅰ）。これは，劣後的破産債権などが破産配当を受ける可能性がほとんどなく，したがって破産手続への利害関係が薄いとみられるためである。また，優先的破産債権である給料等の請求権を有する者のうち配当前に弁済を受けた破産債権者（破101Ⅰ）および外国で一部の弁済を受けた破産債権者（破109）は，その弁済を受けた債権の額については，議決権を行使することができない（破142Ⅱ）。同じく，破産手続への利害関係が薄いとみられるためである。

　債権者集会における議決権額および議決権行使の方法は，期日を開く場合（破139Ⅱ①③）と開かない場合（同②）とで区別される。

　期日を開く場合における議決権の額（破140Ⅰ柱書）は，すでに債権額が確定している届出破産債権の場合にはそれが基準となる（破140Ⅰ①・Ⅱ但書）[95]。未確定の債権，停止条件付債権，将来の請求権，および別除権の行使によって弁済を受けられない債権額については，届出破産債権者からの議決権額の届出に対して，破産管財人や他の破産債権者から異議がなければ，届出債権額を議決権額とするが（破140Ⅰ①かっこ書・②），異議があれば，裁判所が議決権の有無およびその額を定める（同Ⅰ③・Ⅱ本文）[96]。裁判所の決定は，もっぱら議決権額に関するものであり，破産債権額そのものの評価（破103Ⅱ①）とは意味が異なる。

　なお，議決権に関する決定は，裁判所の自由な判断にもとづくと解されているので，利害関係人の申立て（口頭でも差し支えない。破規47）にもとづいてまたは職権で裁判所がそれを変更できるし（破140Ⅲ）[97]，議決権に関する決定は，

　　席は集会の成立および運営に影響しない。条解破産法〈第3版〉989頁。
[95]　再生手続および更生手続との差異について，条解破産法〈第3版〉1000頁，本書912頁，伊藤・会更法・特清法151頁参照。
　　なお，手続開始時現存額主義（破104。本書313頁）との関係で，手続開始後に一部弁済を受けても，議決権額に影響はない。
[96]　たとえば，停止条件付債権や将来の請求権についても，破産債権額はその全額となるが（破103Ⅳ），議決権額については，条件成就の蓋然性などを考慮して定めることも許される。
[97]　ただし，変更決定によって，それまでに認められた議決権の行使，およびそれにもと

相当と認める方法による告知によって効力を生じ（破13，民訴119），不服申立ては許されない（破9前段参照）[98]。

期日を開かない場合の議決権の額（破141Ⅰ柱書）は，確定届出破産債権者については，その確定額（同①），それ以外の破産債権者については，裁判所が定める額であり（同②），裁判所が定める議決権額を変更できるのは（同Ⅱ），期日を開く場合と同様である。

債権者集会における決議が成立するためには，議決権を行使することができる出席債権者の議決権の2分の1を超える者の賛成がなければならない（破138)[99]。期日が開かれず，書面等投票による場合（破139Ⅱ②）も同様である（破138)[100]。

要決議事項[101]に関する債権者集会の決議の手続は，以下のようなものである。破産管財人や一定額以上の破産債権者などの申立権者（破135Ⅰ）による申立てがなされたときは，裁判所が当該事項を決議に付する旨の決定をする（破139Ⅰ）。その決定中で議決権者の議決権行使の方法として，集会の期日における議決権行使（同Ⅱ①），一定の期間内の書面等投票（同②，破規46），または併用型として，そのいずれかの方法のうち議決権者が選択する方法（破139

づく決議の効力が影響を受けることはない（注解破産法（下）382頁〔谷合克行〕，条解破産法〈第3版〉1001頁，注釈破産法（上）885頁）。
[98] 東京高決平成13・12・5金商1138号45頁〔民事再生〕。
[99] また，代理人による議決権行使も認められる（破143）。代理人の権限は，委任状などの書面で証明しなければならない（破規48。印鑑証明書の要否などについて条解破産法〈第3版〉1007頁参照）。その場合，代理権授与は集会ごとに要するし（会社310Ⅱ参照），また議決権の不統一行使も許される（会社313参照）。なお，代理人資格は，弁護士に限られない（以上について，基本法246頁〔堀毅彦〕，条解破産法〈第3版〉1006頁，注釈破産法（上）890，891頁参照）。
[100] 旧法179条と異なり，頭数要件は設けられていない。基本構造134頁，条解破産法〈第3版〉990頁。これにともなって，決議が成立しない場合における裁判所の決定による擬制決議の制度（旧破180Ⅰ）も廃止された。また，旧法179条2項は，特別利害関係人が決議から排除される旨を規定していたが，現行法は，決議の対象が限定され，利害関係の有無が問題にならないところから，この規定も廃止している。
[101] 要決議事項としては，破産者等一定の者に対する説明請求（破40），破産管財人に対する状況報告請求（破159），相続人等に対する説明請求（破230）および受託者等に対する説明請求（破244の6）がある。それ以外の事項を決議に付するための債権者集会開催の申立てがあっても，破産債権者の意見を聴取する集会として開催すべきである。条解破産法〈第3版〉995頁。

Ⅱ③))[102]の3つのうち,いずれかを定めなければならない。書面等投票または併用型の方法を定めたときには,裁判所は,その旨を公告し,かつ,投票は,裁判所の定める期間内に限りすることができる旨を議決権者に対して通知しなければならない(破139Ⅲ本文)。ただし,超大規模事件における通知省略などの決定(破31Ⅴ)がなされたときには,通知は不要である(破139Ⅲ但書)。

　成立した決議は,決議に賛成しなかった破産債権者を含め,すべての利害関係人を拘束する。決議の手続に瑕疵があっても,それが軽微なものであるときには,その効力に影響を生じないが,公告されなかった事項についての決議や,多数決要件に反した決議など,手続上重大な瑕疵が存在する場合には,効力に影響を生じる[103]。

第5項　債権者委員会

　債権者集会は,破産債権者全体によって構成される団体として,破産管財人による管財業務の遂行を監視するための機関であるが,実際には,集会のための期日開催に要する費用と労力を考えると,機動性に欠ける。他方,現行法は,旧法の監査委員の制度を廃止したので,債権者集会よりも機動的に活動できる手続機関が求められ,債権者委員会はこれにあたる。監査委員は,破産管財人が一定の行為をする際に,必ずその同意をえなければならないとされ,監督機関という性質を持っていたのに対して,現行法は,監督機関としての職務は裁判所に委ね,破産管財人の活動に対する監視機関として,管財業務に関する情報を収集し,それにもとづく判断を破産管財人や裁判所に伝えて,適切な管財業務の遂行および監督権の発動を求めるという職務を債権者委員会に期待している[104]。

---

102)　3号による併用型の場合には,書面等投票の期間の末日は,集会期日より前の日でなければならない(破139Ⅱ③後段)。集会の状況が書面等投票に影響するのを防ぐためである。
　　なお,民事再生法172条2項や会社更生法193条2項に定める議決権の不統一行使(本書1100頁,伊藤・会更法・特清法650頁)を許容する規定は置かれていない。しかし,これを許容すべきことについて,条解破産法〈第3版〉997頁参照。
103)　ただし,旧法と異なり,決議の対象が限定され,その効力の有無が争われることはほとんど考えられない。決議の執行禁止の規定(旧破184)が廃止されたのもこのためである。
104)　基本構造138頁。職務の内容に若干の違いはあるが,民事再生および会社更生にも同様の制度がある(民再117以下,会更117以下)。条解破産法〈第3版〉1009頁,本書

債権者委員会の職務は，管財業務の遂行に関して裁判所や破産管財人に対して意見を陳述すること（破144ⅡⅢ・145Ⅱ），その前提となる権限として，破産者等に対して説明を求めること（破40Ⅰ柱書・230Ⅰ柱書・244の6Ⅰ柱書），破産管財人から報告書，財産目録または貸借対照表の提出を受けること（破146），裁判所を通じて破産管財人に対して破産財団に属する財産の管理および処分に関して必要な事項についての報告（破157Ⅱ）を求めること（破147）からなる[105]。

債権者委員会の設置自体は，破産債権者の自発的意思によるが，それが手続機関としての権限を認められるためには，裁判所の承認を要する。すなわち，破産債権者をもって構成される委員会が存在する場合に，破産債権者などの利害関係人の申立て[106]があると，裁判所は，以下の3要件が満たされていると判断する場合に，当該委員会が破産手続に関与することを承認する（破144Ⅰ柱書）。

第1は，委員の数が3人以上10人以内であること（同①，破規49Ⅰ），第2は，当該委員会が破産手続に関与することについて破産債権者の過半数が同意していると認められること（破144Ⅰ②），第3は，当該委員会が破産債権者全体の利益を適切に代表すると認められること（同③）である。第1の人数要件は，債権者委員会が監視機関として適切に機能するための前提要件である。第2および第3の要件は，いずれも債権者委員会が総破産債権者の利益を代表す

916頁，伊藤・会更法・特清法154頁参照。この制度が十分に機能していないこと，それを改善するために，立法論として，「破産債権者全体の利益を適切に代表」（破144Ⅰ③）に代えて，ゴルフ場の預託金債権者と金融債権者など，属性に応じた債権者群の利益を適切に代表する債権者委員会を提案するものとして，破産法大系Ⅰ262頁〔小久保孝雄〕がある。

105）裁判所を通じることなく，債権者委員会が破産管財人に対して直接に報告請求できる権利を検討すべきことについて，条解破産法〈第3版〉1019頁参照。なお，意見陳述の対象に関しては，破産手続における事業譲渡が典型であるといわれる。注釈破産法（上）898頁。

106）申立てをするのは，通常は委員会の代表者であろうが，委員ではない破産債権者や破産管財人などであっても差し支えない。条解破産法〈第3版〉1011頁。また，申立ての方式は，書面により（破規1Ⅰ），必要な事項（破規2ⅠⅡ）を記載し，必要な書類を添付して（同Ⅲ）行う。また，申立ての時期は，破産手続開始申立て後であればよい。条解破産法〈第3版〉1011頁。事業再生ADRなどの手続が先行するときには，その組織が債権者委員会に移行することも考えられるが，金融債権者以外の債権者の参加を補充する必要がある。

ると認められるためのものであるが，第2は，過半数の同意という形式面から[107]，第3は，利益の適切代表という実質面からこれを規定するものである[108]。

裁判所による承認がなされると，裁判所書記官はその旨を破産管財人に通知し（破145Ⅰ），通知を受けた破産管財人は，遅滞なく，破産財団に属する財産の管理および処分に関する事項について，債権者委員会の意見を聴かなければならない（同Ⅱ）。また，債権者委員会が裁判所と緊密な連携の下に活動することを確保するために，連絡担当者などに関する定めが設けられている（破規49ⅡⅢ）。

裁判所は，利害関係人の申立てまたは職権によって，いつでも債権者委員会の手続関与の承認を取り消すことができる（破144Ⅴ）。他方，債権者委員会が破産手続の円滑な進行に貢献する活動を行ったと認められるときには，裁判所は，その活動のために必要な費用を支出した破産債権者の申立てにより，その費用のうち相当額を財団債権として償還することを許可することができる（同Ⅳ）。これは，債権者委員会の活動が破産債権者全体の利益に寄与した場合に，費用の償還を保障することによって，間接的に委員会活動を活性化しようとする趣旨である[109]。

第2節　破産手続の利害関係人

裁判所，破産管財人，債権者集会および債権者委員会などの機関は，相互に協同，監督または監視の関係に立ちながら配当による破産手続終結を目的とし

---

[107] ただし，過半数が同意していることではなく，同意していると認められることが要件であるから，形式的に過半数の同意書が存在しなくとも，裁判所が総合的にみて，過半数の同意を認定できればよい。条解破産法〈第3版〉1012頁，注釈破産法（上）896頁。なお，第2および第3の要件から考えると，債権者委員会は，一破産事件について1つに限られる。

[108] 民事再生における債権者委員会について，適切代表性の意義を明らかにするものとして，逐条研究99頁参照。破産手続においても，取引債権者，金融債権者，消費者債権者，不法行為にもとづく損害賠償債権者などが存在する場合には，委員構成の点でそれらの債権者全体の利益を適切に代表することが求められる。大規模事件における適切代表の判断が実際には困難なことについて，注釈破産法（上）897頁参照。

[109] 更生手続における更生担保権者委員会の例について，伊藤・会更法・特清法5頁注8参照。

て手続を進める。それらの機関が職務を遂行するにあたっては、破産手続によって法律上の利益を受けることが保障され、また逆に法律上の権利を制限されることになる利害関係人の利益に配慮する必要があるし、利害関係人の側からも裁判所の裁判に対する不服申立てや債権者集会招集の申立てなどの形で、破産手続に関与することが認められる。

ただし、利害関係人の範囲は、破産手続開始の効果および破産手続の構造を考慮して決定される。破産手続は、当事者対立構造の下に権利義務の存否や内容を確定することを目的とする訴訟手続と異なって、破産手続開始時の破産者の財産を基礎とした破産財団にかかわる権利義務の調整を目的とする非訟事件手続としての性質をもつ（破1参照）。したがって、破産手続開始申立てから終了までを通じて手続の主体となる当事者概念を考えることはできず、それぞれの手続段階に応じて、手続関与を認めるべき利害関係人の範囲を考えざるをえない。

破産手続を通じて利害関係人と認められる者として、破産者、破産債権者および財団債権者があり、また、別除権者の地位を認められる担保権者（破2 X・65）も、破産債権者たる資格とは別に利害関係人と認められる。これに対して株式会社の株主など、法人の持分権者には、利害関係人としての地位が認められない。会社更生の場合には、株主の権利を変更し、株式会社の資本関係を再構成することを手続の目的とするところから（会更1参照）、株主も利害関係人として手続に参加するのに対して（会更165・166)[110]、破産の場合には、破産財団をもって破産債権者に対する配当を実施し、残余財産が存在すれば、破産手続終結後に通常の清算手続によって株主に対する分配を行うことを予定しているところから、株主は、破産手続上の利害関係人とはされていない[111]。

[110] 同じく再生型手続である民事再生では、資本構成の変更を手続自体の内容として含んでいないために（民再1参照）、株主は再生計画の成立そのものに関与することはないが、個別的な局面では手続に関与することが予定され（民再43等）、その意味では、株主を利害関係人として位置づけることができる。

[111] 注釈破産法（上）66頁。労働組合を利害関係人として認めるべきかは、文書の閲覧等の権利（破11）などに影響する。これを肯定する有力説があるが（詳説倒産と労働32頁〔徳住堅治〕）、再生手続や更生手続と比較すると（本書924頁、伊藤・会更法・特清法166頁）、労働組合の関与の場面が限られているところから（破32Ⅲ④・78Ⅳ・136Ⅲ）、利害関係人性を否定する考え方もありえよう。そのほか、株主、役員、一般市民などを想定して、「周辺的利害関係人」の概念を提唱する見解もある（佐藤鉄男「倒産処理と社会正義」今中傘寿387頁）。事案に応じて破産管財人が配慮を求められる相手方という意味

破産財団所属の特定財産上の担保権者についていえば，別除権者として破産手続外の権利行使が認められており（破65），破産手続への参加を要求されない。しかし，別除権者の破産債権行使は，いわゆる不足額に限定されており（破108Ⅰ本文），また，別除権の目的物も破産財団所属財産であり，それが剰余価値を含む場合には，その剰余価値は破産債権者に配当されるべきものであり，別除権者としての地位を破産手続から完全に切り離すことはできない。法もこの点を考慮して，別除権目的物についての破産管財人による提示請求および評価（破154ⅠⅡ），受戻し（破78Ⅱ⑭），破産管財人による強制執行の方法にもとづく換価に関する規定（破184Ⅱ），ならびに担保権消滅を前提とした任意売却に関する規定（破186以下）などを設けており，このことを前提とすると，別除権者も破産手続の利害関係人として位置づけられる。

ただし，破産者，破産債権者および財団債権者が破産手続全体について利害関係を有するのと比較すると，別除権者，相殺権者や取戻権者などは，破産手続の個別的局面において利害関係を有するにとどまる。このことは，同じく利害関係人であっても，破産管財人の善管注意義務（破85Ⅰ）の相手方となり，その違背について破産管財人が損害賠償責任を負う者（同Ⅱ）とそれ以外の者とを区別すべきことを意味する（本書214頁参照）。

第1項 破産債権者

破産債権者の概念には，実体上の意義と手続上の意義とがある。実体上の意義とは，破産手続開始前の原因にもとづく財産上の請求権であって財団債権に該当しないものの主体を指し（破2ⅤⅥ），手続上の意義とは，破産債権の届出をなし，破産配当を受けうる地位（破103Ⅰ・193Ⅰ参照）をいう。破産債権者の地位にともなう様々な法律効果は，この2つの意義のいずれかに整理される。まず，実体上の意義における破産債権者について生じる法律効果を説明する。これらの効果は，破産債権者たるべき者がその債権の届出をなし，破産手続上破産債権者の地位を取得したか否かにかかわりなく生じる。

第1に，破産手続外の権利行使の禁止がある（破100）。その結果として，破産債権者は破産手続中に強制執行などを開始することは許されないし，また，

では，有益な概念である。

すでに開始されている強制執行などは失効する（破42ⅠⅡ本文）。この効果は，破産手続が終了すれば消滅するが，終了後も免責手続が係属している場合には，その手続の効果として強制執行などの禁止や中止の効果が生じる（破249ⅠⅡ）。

　第2に，破産者に免責が与えられると，破産者は破産債権者に対する責任を免れる（破253Ⅰ柱書本文）。ただし，この場合において債権についての責任のみが消滅して自然債務として残るのか，債権自体が消滅するのかについては，考え方の対立があるが，これについては後に破産免責に関して述べる。

　第3に，債権の目的および弁済期などについて，法103条などの規定にもとづく変更が加えられる。これは，破産清算を円滑に遂行するために行われる権利変更である（破産債権の金銭化と現在化）。ただし，この変更は，破産者に対する関係でのみ認められるものであるから，破産手続終了後もその効力が維持されるとしても，保証人などの第三者に対して効力をもつものではない[112]。

　次に，破産債権者について生じる手続上の効果を説明する。債権届出をなした破産債権者（破111Ⅰ）は，債権者集会において議決権を行使することによって（破138）その意思を破産手続に反映させられる。また，債権調査の際に異議を述べることによって他の破産債権者の不当な権利行使を排除することもできる（破118Ⅰ・121Ⅱ）。さらに，これらの権利行使の前提として，債権者集会を通じて破産管財人に対して管財業務の報告などを求められ（破159等），あるいは破産手続の利害関係人として記録などの閲覧を求められる（破11）。配当を受ける地位も，届出債権者のみに認められる（破193Ⅰ）。

第2項　破　産　者

　債務者に破産原因が認められて破産手続開始決定がなされると，破産手続上の呼称として債務者が破産者と呼ばれる（破2Ⅳ）[113]。破産手続開始によって，

---

112)　基本法53頁〔徳田和幸〕。
113)　旧法下において，破産者の呼称は，懲罰的な色彩をともない，債務者の経済的再生を目的の1つとする現在の破産制度においては，好ましくないという立法論もあったが（伊藤・研究8頁，宮川・総論398頁，宮川・各論Ⅰ96頁，検討事項第1部第1章第1　20(8)イ），現行法はこれを維持している。しかし，債務者が自らの責任財産を公平に分配することを積極的に促すためにも，たとえば，再生債務者（民再2①，本書881頁）にならって，破産者の名称を改め，清算債務者とすることを検討すべき時期に来ている。詳細については，伊藤・前掲論文（注8）36頁，水元宏典「魅力ある倒産手続に向けた立法のあり方」法時89巻12号35頁（2017年），杉本和士「破産免責の過去・現在・未来」加

破産者は，自由財産を除いて，破産手続開始時のすべての財産についての管理処分権を失い（破34Ⅰ・78Ⅰ），破産手続終了までそれを回復することはない[114]。もっとも，ある財産が破産手続開始時の財産として破産管財人の管理処分権に服するのか，それとも開始決定後の新得財産として自由財産になるのかについては，問題が起きることがある。

　破産者は，自らの財産についての管理処分権を喪失する反面，破産手続開始後は破産債権者からの個別的追及を免れ，また開始前であっても弁済禁止の保全処分や強制執行中止命令などをうることによって同様の効果を期待しうる。そして破産手続終了後に免責をえれば，破産債権者の一切の追及から解放される。また，免責の可能性を別としても，どの程度の破産配当がなされるかが，手続終結後の破産債権者の債権額に影響するので，破産者は，破産財団の換価にも利害関係をもつ。さらに，破産手続における債権調査の結果は，破産者に対する確定判決と同一の効力を与えられ（破221Ⅰ前段），破産債権者はそれを債務名義として強制執行をなしうるので（同後段），債権調査についての破産者の利害関係も否定できない。破産者が計算報告のための債権者集会における破産管財人の報告に対して異議を提出することを認められ（破88Ⅳ），また破産債権の届出に対しても異議権を与えられているのは（破118Ⅱ・121Ⅳ），利害関係人たる破産者の利益を保護するためである（破221Ⅱ参照）。

第3項　別除権者・相殺権者・取戻権者

　法は，抵当権など特定財産の上に成立する担保権には，別除権の地位を与え，破産手続によらない権利行使を保障している（破2Ⅸ Ⅹ・65Ⅰ）。しかし，このことは，担保権者の権利行使が破産手続によって何らの制約を受けないことを

藤哲夫古稀448頁，佐藤鉄男「破産者の個人情報」事業再生と債権管理170号125頁（2020年）参照。
　また，破産者の氏名を含む破産手続開始決定の公告がなされ（破32Ⅰ），それが商業媒体などに転載されることが破産者の更生を妨げ，ひいては破産手続の利用を逡巡させるおそれがあり（佐藤鉄男「情報としての倒産公告の意義と問題点」中央ロー・ジャーナル14巻3号101頁（2017年）参照），少なくとも転載情報を一般に配布することに対する規制は検討すべきであろう。

[114]　名古屋高判昭和58・7・13判時1095号124頁。もっとも事案は，破産者が復権（旧破366ノ21Ⅰ④）をえたにもかかわらず，未だ破産手続が終結していないという異例なものである。

意味するものではない。すでに述べたように，別除権の目的物といえども，破産財団所属の財産であり，その換価などについて一定の制約が課されるし，破産管財人による別除権の承認などについての手続的規律も設けられており，また担保権消滅の対象とされる可能性もある。したがって，別除権者も破産手続の利害関係人に含まれると考えるべきである。

破産債権者は破産手続によらない相殺権の行使を認められるが（破67I），相殺の基礎となる自働債権および受働債権については，合理的相殺期待の範囲を画するものとして，法71条および72条による制限が課され，また解釈論としては，さらに否認権によって相殺権の範囲を制限しようという議論も存在する。その結果として，相殺の禁止を主張する破産管財人または破産債権者の利益と，相殺権者たる破産債権者の利益との間には，相殺禁止や相殺否認の可能性をめぐって対立が生じる。さらに自働債権および受働債権の態様に応じて法は，相殺権の行使について特別の規律を設けており（破67II～70），これらの規律をめぐって相殺権者たる破産債権者と他の破産債権者との利益の対立が予想される。したがって，相殺権者たる破産債権者についても，相殺権の範囲をめぐる利害関係人として位置づけられる。

特定財産が破産財団に属しないことを主張して，第三者が破産管財人に対して目的物の引渡しなどを求める権利を取戻権と呼ぶが，破産手続の開始は，取戻権に影響を及ぼさない（破62）。このことは，取戻権の成否およびその内容が，もっぱら破産法以外の実体法によって規律されることを意味する。取戻権の行使をめぐって破産管財人と取戻権者の間に争いが生じることは予想されるが，その解決基準がもっぱら実体法に求められるとすれば，破産者，破産債権者，別除権者，あるいは相殺権者と同様の意味で取戻権者を破産手続の利害関係人とすることは不適当とも思われる。しかし，法は62条の一般原則を前提としながら，取戻権について特別の規定を設けており（破63・64），また破産管財人が取戻権を承認するについて手続的規律を定めていることから考えれば（破78II⑬），取戻権者も破産手続上の利害関係人にあたるとすべきである[115]。

---

115) 取戻権者などが利害関係人とされることは，手続的には，これらの者の記録閲覧・謄写請求権（破11）などに影響する（霜島67頁）。

第4項　財団債権者

　法148条などに規定される財団債権者は、破産手続によらないで（破2ⅦⅧ），破産財団から破産債権者に先立って弁済を受ける（破151）。このことからみると財団債権者は，破産手続の利害関係人にあたらないようにみえるが，破産配当手続によらないとはいえ，財団債権に対する弁済も破産管財人によって行われることに変わりはない。破産手続開始の効果として、破産債権者と同様に，財団債権者も強制執行などを禁止されるし（破42ⅠⅡ），破産管財人は財団債権に対する弁済の前提として，裁判所の許可をえてその承認をしなければならない（破78Ⅱ⑬）。また破産管財人が弁済を怠るときには，財団債権者は，裁判所の監督権行使を促すこともできる（破75Ⅰ）。このような点を考慮すれば，財団債権者も破産手続の利害関係人とするのが適当である。

第3節　破産事件に関する文書の閲覧等

　利害関係人がその手続上の権利を適切に行使するためには、破産財団の状態などに関する情報を入手する必要がある。法は、そのための手段として利害関係人に文書の閲覧や謄写の請求権を認め（破11），他方，閲覧や謄写によって管財業務に著しい支障を生じるおそれが認められる場合には，その制限を認めている（破12）[116]。

　利害関係人は，裁判所書記官に対し，破産法および破産規則の規定にもとづいて裁判所に提出され，または裁判所が作成した文書その他の物件（文書等といわれる）の閲覧を請求することができる（破11Ⅰ，破規10Ⅰ）[117]。利害関係人

---

[116]　旧法は，閲覧・謄写について特別の規定を置いておらず，民事訴訟法91条の準用に委ねられていた（旧破108）。しかし，審理に関して一般公開原則が妥当する判決手続と，非公開が原則である破産手続とでは，文書の閲覧・謄写に関する基本的前提が異なっており，現行法では，新たに規定が設けられたものである。なお，閲覧等の制度の整備にともなって，書類の備置きの制度（旧破230等）は廃止された。一問一答38頁，条解破産法〈第3版〉92頁参照。

[117]　裁判所書記官は，記録の保存または裁判所の執務に支障があるときは、閲覧等を拒むことができる（破13，民訴91Ⅴ。大コンメンタール55頁〔榎本光宏〕，条解破産法〈第3版〉95頁）。裁判所書記官の拒絶処分に対しては，裁判所に対する異議申立て（破13，民訴121）裁判所の異議申立却下または棄却決定に対しては，抗告（破13，民訴328）が認められる。ウェブサイトにおける閲覧などについては、判例・実務・改正提言158頁

の範囲は,先に述べた通りであり（本書247頁)[118],閲覧等の対象となる文書は,利害関係人により提出される各種の申立書およびその添付書類,ならびに開始決定の裁判書や調書などを含む[119]。さらに,利害関係人は,裁判所書記官に対して,文書等の謄写,正本等の交付または事件に関する事項の証明書の交付を請求することができる（破11Ⅱ)。文書等のうち録音テープやビデオテープに関しては,利害関係人の請求があれば,裁判所書記官は,その者が複製をすることを許さなければならない（同Ⅲ)。なお,閲覧等の請求にあたっては,当該請求にかかる文書等を特定するに足りる事項を明らかにしてしなければならない（破規10Ⅱ)。

　以上の閲覧・謄写請求権の行使については,第1に,手続の時期および利害関係人の種類に応じた制限があり,第2に,文書の種類に応じた制限がある。手続の時期および利害関係人の種類に応じた制限は,以下のようなものである。

　債務者以外の利害関係人については,強制執行等の中止命令（破24Ⅰ),包括的禁止命令（破25Ⅱ),財産保全処分（破28Ⅰ),保全管理命令（破91Ⅱ),否認権のための保全処分（破171Ⅰ)または破産手続開始申立てについての裁判がなされるまでの間は,文書等についての閲覧・謄写請求権を行使できない（破11Ⅳ柱書本文・①)。破産債権者などの利害関係人が閲覧・謄写をすることによって,これらの命令などの実効性が損なわれるおそれがあり,逆に,これらの裁判がなされた後は,それを争うための情報開示の必要性が高まるためである。ただし,当該利害関係人が破産手続開始申立人である場合には,そのおそれがないので,閲覧・謄写が可能である（同Ⅳ柱書但書)。

　債務者については,破産手続開始申立てに関する口頭弁論もしくは債務者審

〔蓑毛良和＝志甫治宣〕参照。

[118] 東京地判平成24・11・28金法1976号125頁は,破産事件記録の閲覧および謄写をすることができる利害関係人は,破産手続によって直接的に自己の私法上または公法上の権利ないし法律的利益に影響を受ける者に限られ,破産財団に対し債務を負担する第三債務者は,これに該当しないとする。なお,保全管理人や破産管財人が利害関係人としてあげられることもあるが（条解破産法〈第3版〉93頁),本質的には,これらは破産手続の機関であり,その資格において閲覧等が許されると解したい。

[119] 申立代理人や破産管財人が裁判所との協議のために事実上提出した書面（資料,メモなど）は含まず,利害関係人が裁判所の職権の発動を促すために提出した書面は含むとする考え方が有力であるが（条解破産法〈第3版〉94頁,注釈破産法（上）67頁),基準を設けるとすれば,名称にかかわらず,裁判所の権能を行使する直接の基礎となる文書や添付書類などが含まれると解すべきである。

尋の期日の指定の裁判，または上記の命令，保全処分もしくは裁判がなされるまでの間は，同様に文書等の閲覧・謄写が制限される（同Ⅳ②）。その理由は，上記の命令等の場合と同様である。ただし，債務者が破産手続開始申立人である場合には，そのおそれが存在しないので，閲覧・謄写は制限されない（同Ⅳ柱書但書）。

次に，文書等の種類に応じた制限は，以下の通りである[120]。第1に，破産者の事業継続（破36），破産者の従業者または従業者であった者による説明（破40Ⅰ柱書但書・Ⅱ・96Ⅰ），財団財産の処分に関する許可事項（破78Ⅱ・93Ⅲ），破産管財人に対する警察上の援助（破84・96Ⅰ）または保全管理人が債務者の常務に属しない行為（破93Ⅰ但書）に関して，許可をうるために裁判所に提出された文書等（破12Ⅰ①），第2に，破産財団の管理および処分の状況等について破産管財人から裁判所に提出される文書等（破157Ⅱ）については（破12Ⅰ②），事業の譲渡に関わる文書など，その内容に破産手続の進行に重大な影響を与えうる機密情報が含まれている可能性がある。そこで，これらの文書の特定のものについて（破規11Ⅰ～Ⅲ），文書等を提出する際に破産管財人または保全管理人が閲覧等の制限の申立てをなし，利害関係人の閲覧等によって破産財団の管理または換価に著しい支障を生じるおそれ[121]がある部分（支障部分）があることを疎明したときは，裁判所は，支障部分の閲覧等を請求することができる者を閲覧等の制限の申立てをした者に限ることができる（破12Ⅰ柱書，破規11Ⅳ）[122]。

---

[120] 類似のものとしては，民事訴訟法92条にもとづく訴訟記録の閲覧制限の制度がある。ただし，訴訟記録は，審理の公開原則の趣旨を踏まえ，公開されるのが原則であるので，閲覧制限も一般第三者を対象としていること，閲覧等により当事者が社会生活を営むのに著しい支障を生じるおそれがあることという，厳格な要件が設けられていることに特徴がある。伊藤・民訴法277頁参照。

また，破産法12条が定める以外の場合，たとえば営業秘密や重大なプライヴァシーが侵害されるおそれが認められるときに，民事訴訟法92条にもとづく閲覧等の制限ができるかどうかについては，法13条の準用規定を根拠として，これを肯定する考え方が有力である（条解破産法〈第3版〉101頁）。営業秘密は，法12条の適用範囲に含まれるであろうから，対象となるのは，管財業務と無関係な破産者のプライヴァシーが破産手続開始申立書に記載されている場合などが考えられる。

[121] 著しい支障とは，特定の利害関係人が閲覧等をすることによる支障ではなく，記載内容にかかる情報が利害関係人に開示されること自体によって，事業譲渡などが困難または不可能になるおそれがあることを意味する。

[122] ただし，保全管理人が提出した文書について閲覧等の制限の申立てをした場合には，

閲覧等の制限の申立てに際しては，書面によって（破規1Ⅰ），必要な事項を記載し（破規2ⅠⅡ），必要な書類を添付し（同Ⅲ），当該申立てにかかる文書等から支障部分を除いたものを作成・提出し（破規11Ⅲ），文書等の支障部分を特定して，上記のおそれを疎明しなければならない（破12Ⅰ柱書，破規11Ⅰ）。また，閲覧制限は，申立人を除くすべての利害関係人を対象とするものであり，特定の利害関係人を対象とするものではない。

閲覧等の制限の申立てがなされると，その申立てについての裁判が確定するまで，申立人を除く利害関係人は，支障部分の閲覧等を請求することができない（破12Ⅱ）。申立てを却下する決定に対しては，即時抗告が認められる（同Ⅳ）。これに対して閲覧等制限決定に対する即時抗告は許されないが，支障部分の閲覧等を請求しようとする利害関係人は，裁判所に対して，閲覧等の制限の要件が当初から欠けていたこと，またはそれが欠けるに至ったことを理由として，閲覧等制限決定の取消しの申立てをすることができる（同Ⅲ）。取消しの申立てについての裁判に対しては，即時抗告が認められ（同Ⅳ），取消決定は確定しなければその効力を生じない（同Ⅴ）[123]。

破産管財人は，閲覧等の制限を受けない（破12Ⅰ柱書第4かっこ書）。なお，閲覧等を制限する決定の主文例については，条解破産法〈第3版〉100頁参照。

[123] 確定した場合には，取消しを申し立てた利害関係人のみならず，すべての利害関係人が閲覧等を認められる。基本構造65頁。

第3章　破産財団と破産債権等

　破産手続開始決定の効力にもとづいて、破産者に帰属する財産は、破産財団と呼ばれる財産の集合体を形成し（破34Ⅰ）、他方、破産手続開始前の原因にもとづいて破産者に対して生じた債権には、破産債権としての地位が与えられ（破2Ⅴ）、破産清算は、破産財団をもって破産債権を清算する手続として進められる（破100Ⅰ・103Ⅰ・193Ⅰ）。この意味で、破産財団と破産債権はともに破産手続の根幹をなす概念であり、以下に両者の意義および範囲を説明する。

第1節　破産財団の意義と範囲

　破産財団は、破産手続の根幹をなす概念であるが、以下では、まず破産財団の意義を説明し、次に破産財団の範囲について具体的に問題となる点を検討し、最後に、国際破産に関する諸問題を説明する。

第1項　破産財団の意義および性質

　債務者に対して破産手続開始決定がなされると、開始決定時の総財産について破産者の管理処分権が剥奪され、その総財産が清算目的のために破産管財人の管理下に置かれ、破産債権者の共同の満足に充てるために換価される。この財産の集合体のことを破産財団と呼ぶ（破2ⅩⅣ）。より厳格にいうと破産財団は、3つの内容に区別される。第1は、法の予定する破産財団であって、法定財団と呼ばれる。これに対して、第2の現有財団は、現に破産管財人の管理下にある財産によって構成される。破産手続が開始された時点では、法定財団と現有財団とは食い違っているのが通常であり、その食違いを整序するのが破産管財人の任務である。

　たとえば、本来は破産財団に属すべき財産が破産者の詐害行為によって第三者に移転されていたり、逆に、本来は第三者に属すべき財産が破産財団中に混入していたりすることがある。前者の場合には、現有財団が法定財団に満たないから、破産管財人は、否認権を行使して破産財団を増殖しなければならない

（破160以下）。後者の場合には，現有財団が法定財団の範囲を超えているから，破産管財人は，第三者による取戻権の行使に応じて，現有財団を縮小しなければならない（破62以下・78Ⅱ⑬）。そのほかに，担保権者による別除権の行使，あるいは破産債権者などによる相殺権の行使などによっても，現有財団は変動する。

　理論的にいえば，破産管財人の職務は，現有財団を法定財団と一致させつつ，それを換価し，破産債権者への配当の原資を作ることにある。この配当原資たる破産財団が，第3の配当財団である[1]。もっとも，破産管財人が現有財団を法定財団と完全に一致させようとすれば，そのための費用がかさみ，かえって破産債権者の利益を害する危険があるので，いったん管財人が否認の請求などを提起したときでも，裁判所の許可をえて和解をなすことが多く（破78Ⅱ⑪），その場合には，法定財団と現有財団が一致するとはいえないが，そのことが破産管財人の義務（破85Ⅰ）に反するとはいえない。

　破産財団に属する権利や財産は，破産者に帰属するものであるが，破産手続開始決定によって破産者の管理処分権が消滅し，代わって破産管財人の管理処分権が設定されることを契機として，破産清算を目的とする財産の集合体として扱われる。そのことを前提として，破産法律関係の中で破産財団の性質をどのように理論構成するかが争われる。

　かつての通説は，破産財団自体に法人格を認める。実定法上の根拠はないが，破産法上の種々の法律効果を矛盾なく説明するためには，それらの効果の帰属主体として破産財団に法主体性を認めるのが合理的であるという。すなわち，法160条1項にいう「破産財団のために」否認できるとか，法42条2項本文や法238条1項にいう「破産財団に対して」効力をもつ，あるいは失うとか，

1）　法文上は，法34条および法78条1項にいう破産財団は法定財団を，62条にいう破産財団は現有財団を，法209条にいう「配当をするのに適当な破産財団に属する金銭」は配当財団を指すものと解される。なお，破産者の名義であるが，第三者に帰属すべき財産，第三者の名義であるが，破産財団に帰属すべき財産の例については，財産換価143頁〔野村剛司〕参照。

　また，第三者が占有する法定財団所属財産について破産管財人による返還請求を認めた裁判例として，東京地判平成28・9・15金法2068号66頁があり，逆に，共同企業体の組合員の破産において，共同企業体に帰属すべきものとして分別管理されていた金銭が破産手続開始申立予納金として納付された後に破産財団に組み込まれた場合に，現有財団が法定財団の範囲を超えるものとして，共同企業体の他の組合員からの財団債権（破148Ⅰ⑤）行使を認めた裁判例として，福岡高那覇支判平成28・7・7判時2331号49頁がある。

法148条1項5号および6号にいう「破産財団に対して生じた」請求権とか，法50条2項にいう「破産財団が受けた」利益などの規定は，破産財団に法人格が認められることを前提として，はじめて矛盾なく解釈できると主張される。これが，いわゆる暗星的法人としての破産財団説と呼ばれる。この考え方には，財団債権の債務者を破産財団とし，あるいは破産管財人を破産財団の代表機関とするなど，他の法律関係も矛盾なく説明できるという利点を認められる[2]。

しかし，本書では，近時の有力説にしたがい，破産管財人の法律上の地位について説明したように，財産の集合体としての破産財団ではなく，財産の管理機構としての破産管財人に法主体性を認める考え方をとる。管理機構人格説を前提とすると，破産財団は，管理機構としての破産管財人がもつ管理処分権の客体となる財産の集合体と解される。この考え方の下では，破産財団を法主体として認めるような表現を用いている上記の諸規定は，法律効果の実質的意義を定めているものであり，法律効果そのものは独立の法主体である破産管財人について生じると解される。

第2項　破産財団の範囲

債権には債務者の財産から強制的満足を受ける権能が内包されており（民414 I 本文），債権の攫取力とも呼ばれる。これに対応して，攫取力の対象となる債務者の財産は責任財産とされる[3]。破産手続は，債権がもつ攫取力を前提として，債務者の総財産を責任財産として総債権者の満足に充てるものであるから，総財産が破産財団を構成する。破産者が有する一切の財産（破34 I）とは，この趣旨である。しかし，破産清算は一瞬にして行われるものではなく，一定の時間を要することを考えれば，総財産といっても，いつの時点を基準時とするかを決定する必要がある。かりに基準時を設けないとすれば，破産手続が継続する限り，新たに破産者に帰属する財産は破産財団に組み込まれる。膨張主義の考え方はこれに属する。これに対して固定主義の考え方は，破産手続開始を基準時として責任財産の範囲を決定しようとするものである。

---

2) 兼子・研究1巻468頁，中田82頁。そのほかに，旧法下で破産者が扶助料などの財団債権を破産財団に対してもちえたこと（旧破192 I），また，逆に破産財団が破産者に対して損害賠償債権をもちうることなども，破産財団が破産者の権利の客体でなく，独立の法人格をもつことの根拠として挙げられる。

3) 奥田＝佐々木・債権総論（上）20，96頁，中田・債権総論78頁参照。

他方，債権の摑取力を前提としながらも，手続法の視点から責任財産の範囲を限定することが考えられる。すなわち，財産的交換価値や使用価値をもつすべての財産に対して債権者による摑取を認めるとすれば，債務者の生存や健康で文化的な最低限度の生活（憲25Ⅰ）が脅かされる。法は，このような見地から強制執行において差押禁止財産の制度を設け（民執131・152），債権の摑取力を手続的に制限する。同様に破産においても差押禁止財産を基本とする自由財産は破産財団に属しないこととされ（破34Ⅲ），この点でも破産財団の範囲が制限される。また，旧法では，破産財団管理の負担を軽減する目的で，破産財団を構成するのは破産者の国内財産に限定された（平成12年改正前旧破3Ⅰ）。この原則は属地主義と呼ばれたが，旧法の平成12年改正によって属地主義は廃棄され，現行法も日本国内外の財産が破産財団に含まれるとする普及主義を採用している（破34Ⅰかっこ書）。

固定主義を前提とすると，開始決定後の新得財産および差押禁止財産などは，破産財団に組み入れられず，破産管財人の管理処分権に服することなく，破産者の管理処分権に委ねられるという意味から，自由財産と呼ばれる。

破産財団の範囲に関する上記の諸原則のうち，固定主義に関しては，退職金などの将来の請求権（破34Ⅱ）をどのような形で破産財団に組み入れるかなどが問題となり，また差押禁止財産については，破産者が法人の場合に差押禁止財産（同Ⅲ）が自由財産とみなされるかという問題などがある。以下では，これらの問題について検討する。

1　破産財団の時的限界――固定主義

破産財団は，破産手続開始の時に破産者に帰属する財産によって構成される（破34Ⅰ）。したがって，開始決定後に破産者に帰属するに至った財産，いわゆる新得財産は，破産財団から除かれる。このような立法を，開始決定を基準時として破産財団の範囲を固定するという意味で，固定主義と呼ぶ[4]。固定主義と対比されるのは，開始決定後の財産も破産財団へ組み込む膨張主義である。同じく倒産処理手続であっても，再生型手続である，民事再生および会社更生では，将来収益を基礎とした継続事業価値を利害関係人に配分することを目的

---

[4] 破産財団に属する財産の価値の具体化として，破産手続開始後に生じた賃料等の果実は，固定主義の下でも破産財団に属する。破産管財人が破産者の事業を継続した場合の収益も同様である。大コンメンタール137頁〔髙山崇彦〕，条解破産法〈第3版〉309頁。

とするために，手続開始後に取得される財産も利害関係人に対する分配の対象に組み入れられる点で，膨張主義に近い。これに対して，破産法が旧法以来固定主義を採用している理由は，旧法の立法関係者によって次のように説明されている。すなわち，第1に，破産手続が迅速に終結することである。第2に，新得財産が開始決定後の原因にもとづく新債権者に対する引当てとなるから，新債権者の保護が図られることである。第3に，破産者が新得財産を基礎として生活や事業の再出発をなし，また新たな信用の供与を受けられることである。第4に，第3の点を前提とすれば，債務者による早期の自己破産手続開始申立てを促すことができるというのである。

しかし，法人破産の場合には，破産とともに法人が解散し，その活動が終了するから，固定主義と膨張主義とを区別する意義は少ない。ただし，法人の場合であっても，破産管財人が一定期間事業を継続し（破36），その後に営業を譲渡する場合（破78Ⅱ③）などを考えれば，膨張主義的要素が皆無とはいえない。もっとも，両者の区別が実際上大きな意味をもつのは，個人の破産の場合である。破産清算の合理性と破産者の経済的再生を考えれば，固定主義が優れていると思われるが，破産免責の条件として新得財産から一定額の弁済を求めるような運用，いわゆる条件付免責の運用がなされれば，実質的には膨張主義的色彩が認められる[5]。

なお，固定主義との関係で，第2破産という事象が生じうる。すなわち，破産手続開始後に取得する新得財産を基礎として，破産者が経済活動を展開する結果として，先行する破産手続の終了前に後行の破産手続が開始する場合に，先行する破産手続を第1破産，後行の破産手続を第2破産と呼ぶ。第2破産における破産財団は，その開始時の破産者の財産を基準とするために第1破産の破産財団を含み，第2破産における破産債権は，第2破産の破産手続開始前の原因にもとづいて生じた財産上の請求権（破2Ⅴ）であるために，第1破産の破産債権を含むことになる。その結果として第2破産と第1破産の破産債権者間に実質的な不平等を生じることを避けるために，第1破産の破産債権者は，第1破産において弁済を受けられない額についてのみ第2破産においてその権利を行使できるという残額責任の原則が置かれている（破108Ⅱ後半部分。本書

---

[5] 条件付免責は，旧法下の一部の実務にみられたものであるが，必ずしも一般的なものではない。本書790頁注16参照。

489頁）。

2 破産者が有する財産

破産手続開始時における破産者の財産であれば，原則としてすべてのものが破産財団に属する。不動産や動産はもちろん，制限物権や債権[6]，知的所有権などの法律上の権利，および事実関係と呼ばれる商権やノウハウなど，およそ財産的価値があり，破産債権者への配当財源となりうる財産は，すべて破産財団に含まれる（推定規定の例として，特定破産法人の破産財団に属すべき財産の回復に関する特別措置法（平成 11 年法律 148 号）3 条がある）。別除権の目的物であっても，破産財団に属することは当然である（破 2 IX 参照）。手続開始後に財産価値がないことが判明するものであっても，一般的に財産とみなされるものは，破産財団に組み入れられ，後は放棄など破産管財人による処理（破 78 II ⑫）に委ねられる[7]。これに対して，そもそも財産価値を認められえない人格権や身分

---

[6] 預金債権，保険金請求権，保険契約解約返戻金などの債権について出捐者と名義人が異なる場合の問題について，220 問 118 頁〔安田孝一〕，269 頁〔浅野貴志〕参照。また，債権が破産管財人の管理処分権に服する結果として，その債権の保全や回収にかかる吸収合併に対する異議権（会社 789 I ①・799 I ①）や無効の訴え（会社 828 I ⑦）の訴権は，破産管財人のみが行使できる。名古屋高判平成 24・1・17 判タ 1373 号 224 頁。

ビットコインなどの仮想通貨（暗号資産）も，それが財産的価値を有する以上（情報通信技術の進展等の環境変化に対応するための銀行法等の一部を改正する法律（平成 28 年法律 62 号）による改正資金決済に関する法律（平成 21 年法律 59 号）2 V），破産財団所属財産となる。武内斉史「仮想通貨（ビットコイン）の法的性格」NBL 1083 号 10 頁（2016 年），伊藤眞「仮想通貨（暗号資産）と倒産法上の諸問題」多比羅喜寿 11 頁参照。

また，ポイント契約にもとづいて顧客がポイントカード上に保有するポイントは，換価可能でないため破産財団を構成しないとされる（加々美博久「ポイント契約と倒産」多比羅喜寿 475 頁）。財産的価値は認められるが，換価の手段がない場合には，破産財団からの放棄（本書 722 頁）の対象とせざるをえないという趣旨であろう。

[7] 近時，個人破産者が有するいわゆる過払金返還請求権（利息制限法にもとづく引き直し計算を行った結果として判明する消費者金融業者等に対する不当利得返還請求権）が問題になることが多い。これは，破産手続開始前の過払いによる財産上の請求権であるから，破産財団に属すべきことは明らかであるが，破産者にその存在および帰属についての認識が薄いことがあり，破産者の財産開示義務（破 41 など。本書 190 頁），同時破産手続廃止（破 216。本書 196 頁）の基準，免責不許可事由（破 252 I ①。本書 794 頁）などとの関係で問題を生じる。条解破産法〈第 3 版〉310 頁。

その他に将来の養育費等を内容とする扶養請求権や破産手続開始後に保険事故が起きた場合の保険金請求権などの破産財団帰属性が問題とされる。前者は，破産手続開始後の扶養義務の具体化であるから，破産財団に属することはない。後者は，破産手続開始前の保険契約にもとづく権利という側面に着目すれば，破産財団に属することになるが（札幌地判平成 24・3・29 判時 2152 号 58 頁，東京高判平成 24・9・12 判時 2172 号 44 頁，条解破産法〈第 3 版〉315 頁，現代型契約と倒産法 275 頁〔神原千郷ほか〕。震災関連について

上の権利は，破産財団に含まれない。

(1) 将来の請求権

　破産手続開始前の原因にもとづく将来の請求権は，破産財団に属する（破34Ⅱ）。将来の請求権とは，停止条件付債権（民127Ⅰ）で，破産手続開始の時点では未だ条件成就が認められないものを指す。連帯債務者または保証人もしくは物上保証人の求償権（民442Ⅰ・459の2Ⅰ・460・462Ⅰ・465・351・372，民旧442Ⅰ・459・465・351・372）も同様である。停止条件付債権の場合には，停止条件が成就してはじめて法律行為の効力が生じ，債権が発生する，求償権の場合には，求償権者の出捐などの事実にもとづいて債権が発生するなどの違いはあるが，開始決定を基準としたときに，いずれも請求権の発生原因が開始決定前にあり，未発生の権利も期待権としての取扱いを受けるので（民129参照），法は，固定主義の趣旨を明確にするために，これらの請求権の破産財団への帰属を確認したものである[8]。

　220問485頁〔小向俊和〕，実際には，破産手続開始後の保険料支払いなどを考慮した和解的解決が望まれる。

　　原発事故によって被害者が破産手続開始後に受ける賠償金についても，それが破産手続開始前の事故に起因するものとみれば，破産財団を構成する財産となるが，むしろ，継続的に避難生活や休業などを強いられることにもとづくものとして，破産手続開始後の新得財産とみることができる。220問487頁〔伊藤敬文〕参照。破産手続開始前の事故にもとづく介護費用に関する請求権についても，同様に考える余地がある。

　　これに対し不動産がいわゆるオーバーローン状態にあることは，同時破産手続廃止にするかどうかの基準にはなるが（本書196頁），当該不動産の破産財団帰属性に影響するものではない。したがって，その種の不動産について原子力損害賠償が支払われることとなり，かつ，抵当権者が損害賠償請求権に対して物上代位を主張しないときは，損害賠償請求権は，破産管財人の管理処分権に服する。200問416頁〔斎藤睦男〕参照。

[8] 青木・実体規定35頁参照。手形・小切手法上の遡求権も同様である（手43・77Ⅰ④，小39）。近時の判例として，破産手続開始前に成立した第三者のためにする生命保険契約にもとづいて死亡保険金受取人（破産者）が有する死亡保険金請求権の破産財団帰属性を認めた最判平成28・4・28民集70巻4号1099頁〔倒産百選24事件〕があり，これを前提として，破産者から保険金請求がなされた場合の保険会社の対応や申立代理人のとるべき措置（本書206頁参照）を検討するものとして，田頭章一「破産手続開始前に成立した生命保険契約に基づく死亡保険金請求権の破産財団への帰属」金法2053号23頁（2016年），若狭一行＝阪井大「保険金受取人破産時における保険金請求権の帰属」ビジネス法務2017年1月95頁がある。

　　判例の事案は，破産手続係属中に被保険者が死亡し，保険金請求権が具体化したものであるが，破産手続終了時までに保険事故が発生していないときには，破産管財人は，保険事故発生の蓋然性などを考慮して，破産財団からの放棄などを検討することになろう。追加配当の財源とすべきかどうかについても（本書767頁注234），具体的保険金請求権の

将来の請求権に関連して問題とされているものとして，退職金債権がある。退職金が賃金の後払いとしての性質をもつことを前提とすれば，破産手続開始時において破産者がもつ退職金債権は，開始決定前の労働の対価とみなされる範囲で破産者に帰属し，かつ，退職という将来の事実によって現実化する権利と考えられるから，法34条2項でいう将来の請求権に該当する[9]。したがって，破産管財人としては，破産財団所属財産としての退職金債権を換価，すなわち退職金債権を第三債務者たる雇主から取り立てて，現金化する必要がある。そのためには，破産者の退職が前提となるが，破産者が自発的に退職しない場合には，破産管財人が雇用契約を解約して（破53Ⅰ），退職金を破産者に代わって受領するとの考え方もありうる。

しかし，雇用契約は，双方未履行双務契約の一種ではあるが，破産者の一身上の法律関係であり，破産管財人の解約権行使を認めることはできない。また，破産管財人が破産者に対して事実上退職を勧めることも，破産手続終了後における破産者の経済的再生を考えれば問題がある。他方，破産財団所属財産たる退職金債権について換価措置を講じないことは，破産管財人の注意義務違反（破85）とされることになるし，また，退職金の存在および額についての陳述を破産者が怠ることは，免責不許可事由（破252Ⅰ⑧）とされる可能性がある。

下級審裁判例は，退職金債権が，差押禁止の範囲に含まれる部分を除いて（破34Ⅲ②，民執152Ⅱ・153Ⅰ），将来の請求権として破産財団に属するという判

発生が見込まれ，破産債権者の期待を及ぼすべき事情が認められるかどうかなどの判断が必要である。石井教文「死亡保険金請求権の破産財団帰属性に関する最高裁判例が破産実務に及ぼす影響——最一小判平28・4・28の検討」金法2077号42頁（2017年）参照。もっとも，本判決の法理を過度に一般化することについては，慎重でなければならず，保険金請求権の種類等に応じた検討も必要であろう。たとえば，特定疾病保障特約にもとづく保険金などについては，破産手続開始後の疾病治療のための新得財産として扱うことも検討に値しよう。ただし，深澤泰弘「抽象的保険金請求権の破産財団帰属性について」生命保険論集211号140, 143頁（2020年）は，問題を指摘しつつも，自由財産の拡張（破34Ⅳ．本書269頁）によって対応すべきであるとする。

また，東京高判平成31・4・17判時2454号21頁は，破産手続開始後の保険事故（火災）発生にもとづく火災等共済金請求権の破産財団帰属性を認めたものであるが，契約が破産手続開始後に自動更新され，その後の掛金を破産者が支払っていたという事情が存在する。更新前後の契約の同一性を前提とし，上記最判平成28年の法理を適用すれば，そのような結論になろうが，少なくとも破産者が支払った掛金は，財団債権（破148Ⅰ⑤）として返却すべきであろう。同号30頁における原判決の判示参照。

[9] ただし，法34条3項2号との関係で，退職金の全額ではなく，その4分の1である（民執152Ⅱ）。実務上の運用については，本章注12参照。

断を示す。実務は，これを前提として，破産管財人が雇用契約を解約するのではなく，破産者の自発的退職を待つか，あるいは退職金と同価値の自由財産を破産財団に組み入れさせて，破産管財人が退職金債権を破産者のために破産財団から放棄する取扱いをする（破78Ⅱ⑫）[10]。破産者がいずれの方法もとらない場合には，そのことを理由として免責不許可の裁判がなされる可能性がある（破252Ⅰ①）。現行法を前提とすると，このような取扱いを原則とせざるをえないが，裁判所は，破産者の生活の状況や退職金額などを考慮して，自由財産たる退職金債権の範囲を拡大することができる（破34Ⅳ）。

退職金債権と同様の性質をもつ請求権として，生命保険契約にもとづく解約返戻金請求権および賃貸借契約にもとづく敷金返還請求権がある。いずれも，契約解約の事実にもとづいて金額が確定し，現実化する点で，破産手続開始の時点を基準とすると将来の請求権とみなされる。また，雇用契約と異なって，破産管財人はこれらの契約を解約することも許されるので，解約によってこれらの請求権を現金化し，破産財団に組み込む[11]。

[10] 免責不許可事由との関連で，福岡高決昭和37・10・25下民13巻10号2153頁〔倒産百選〈初版〉29事件〕。またこの考え方を前提として否認の成否を判断するものとして，最判平成2・10・2判時1366号48頁がある。旧法下の実務では，退職金債権のうち差押可能部分の現在価値として，破産手続開始時を基準とした額の8分の1を財団所属とする前提で，本文に述べた処理を行っていた（伊藤ほか・座談会（中）5頁，遠藤直哉「破産者の有する将来の退職金請求権」判タ830号272頁（1994年））。現行法下でも，基本的に同様の取扱いがなされている。条解破産法〈第3版〉313頁。

[11] 生命保険解約返戻金については，差押債権者が債務者に代わって契約を解約できるという判例があり（最判平成11・9・9民集53巻7号1173頁），これを前提とすれば，破産管財人の解約権も認められ，また法53条による解約も可能である（本書424頁）。

ただし，解約返戻金の額に対応する金銭を自由財産から支弁させて，返戻金請求権等を破産者のために破産財団から放棄できること，また，破産者の生活状況を考慮して，高額でない返戻金請求権等を自由財産とする可能性がありうること（破34Ⅳ）は，退職金債権の場合と同様である（杉浦徳宏「少額管財手続の運用の現状」金法1561号9，10頁（1999年）参照）。破産財団から放棄されたときには，保険金受取人としての地位が破産管財人の管理処分権を離れる以上，その後に保険事故が生じたとしても，保険金は自由財産となる。議論の詳細については，現代型契約と倒産法278頁〔神原千郷ほか〕参照。

なお，保険法60条および89条によれば，破産管財人の解除に対抗して保険金受取人が介入権を行使することができ，自由財産にかかる契約として継続することができる。山下友信＝米山高生編・保険法解説613頁〔萩本修＝嶋寺基〕（2010年）参照。

また，損害保険（自動車保険）の解約返戻金についても，同種の問題があり，東京地判平成28・9・12金法2064号88頁，東京高判平成29・1・19 D1-Law 28252849（確定）は，差押債権者の解約権を否定している。自動車保険の特質を重視するか，権利濫用の視点を強調するかという差異はあっても（三宅新「商事判例研究」ジュリ1524号125頁（2018

(2) 自由財産の意義

新得財産を別として，破産手続開始時の破産者の財産のうち自由財産とされるものには，3種類がある。第1は，民事執行法やその他の特別法にもとづく差押禁止財産，および権利の性質上差押えの対象とならない財産である（破34Ⅲ②）。第2は，民事執行法上の差押禁止金銭（民執131③。民事執行法施行令1条によって66万円とされる）の1.5倍相当額（99万円）の金銭である（破34Ⅲ①）。第3は，第1および第2の自由財産を裁判所がさらに拡張するものである（同Ⅳ）。第2および第3の自由財産は，個別執行においては差押禁止財産とされないものであり，個人債務者が無資力状態に陥っていることから，包括執行たる破産手続において特別に破産債権者の責任財産から除外されるものである[12]。

年）参照），これらの裁判例を前提とすれば，破産管財人の解約権も否定される。
　もちろん，損害保険の場合であっても，保険契約が双方未履行双務契約に該当すれば，破産管財人が法53条1項にもとづいて解約する可能性はある（本書424頁参照）。

[12] 現行法の自由財産の考え方や比較法的な特徴などについては，基本構造489頁参照。実際には，当然に自由財産とされる99万円の現金を所持している破産者は少なく，預金債権等が99万円の限度で自由財産になる根拠を見出すことが困難であるので，自由財産の拡張（破34Ⅳ）によって対応すべきであるとする見解が有力であり（野村剛司「自由財産拡張をめぐる各地の実情と問題点」自正59巻12号52頁（2008年），条解破産法〈第3版〉322頁，破産法大系Ⅲ123頁〔山崎栄一郎〕など），実務もそのように運用されている。ただし，債務者の生活状況などを考慮して，99万円を超える金銭債権が自由財産として拡張されることもありうる。220問84頁〔中野星知〕，86頁〔松尾吉洋〕，運用と書式82頁。震災時の保険金，義捐金などの取扱いについて，220問483頁〔小向俊和〕，485頁〔舘脇幸子〕参照。
　また，売掛金や在庫商品などの資産を破産手続開始申立直前の時期に換価してえられた現金について，自由財産たる99万円の現金として扱うのではなく，換価前の資産と同視して，破産財団に組み込ませるべきとの考え方もある。しかし，否認の問題を別にすれば，そのような取扱いをすべき理由に乏しい。220問90頁〔髙橋敏信〕，破産法大系Ⅲ123頁〔山崎栄一郎〕。
　差押禁止財産のうち，特に問題となるのが退職金債権である。法定の差押禁止は，その4分の3相当分であり（民執152Ⅱ），したがって，4分の1相当分が破産財団に組み入れられることになるが，実際には，懲戒解雇などの事由によって退職金が受給できなくなる可能性を考慮し，支給見込額の8分の1（4分の1の半額）相当額を破産財団に組み入れることとし，また，8分の1相当額が20万円以下であるときには，それを自由財産とする扱いがなされている。破産・民事再生の実務［破産編］200頁参照。
　そのほか，法定の差押禁止財産ではない預貯金，生命保険解約返戻金，敷金返還請求権などについても，それぞれ20万円を限度として，裁判所の判断によって自由財産とされている。破産管財の手引〈第2版〉138頁，実践マニュアル296頁。それ以外にも，破産者の具体的な生活状況などを考慮して，裁判所がさらに自由財産を拡張することができる。具体例については，破産管財の手引〈第2版〉146頁以下参照。これに対して，大阪地裁では，20万円基準は撤廃され，総額が99万円以内であるかどうかで審査される。運用と

差押禁止財産のうち，民事執行法上の差押禁止財産には，差押禁止動産（民執131)[13]および差押禁止債権（民執152)があるが，差押禁止動産たる金銭（民執131③）は，第2類型の自由財産に吸収される（破34Ⅲ②かっこ書）。それ以外の差押禁止財産であっても，破産手続開始前に民事執行法132条1項によって差押えが許されたもの[14]，および開始決定後に発行された著作物等（民執131⑫），開始後に具体的金額が確定した交通事故などによる慰謝料請求権（本書268頁），開始後に事業を廃止した場合の事業用動産類など，開始決定後に差押えが可能になったものは，差押禁止財産とされず，破産財団に含まれる（破34Ⅲ②但書)[15]。

特別法にもとづく差押禁止財産としては，労働者の補償請求権（労基83Ⅱ），信託財産（信託23Ⅰ），あるいは生活保護受給権等（生活保護58）などが挙げられる[16]。これら以外の権利，たとえば生命保険金請求権などは差押禁止財産と

書式81頁以下，実践マニュアル281頁以下。

　なお，破産手続上拡張された自由財産は，破産手続が終了すれば，免責許可決定が確定しても，別途民事執行法等による差押禁止措置（民執132・153など）がとられないかぎり，非免責債権（破253Ⅰ各号）や破産手続開始後の原因にもとづく債権による執行の対象となる。

　また，早期退職を勧奨するための年金を民事執行法152条1項2号の退職年金と区別し，差押禁止財産にあたらないとする東京高判平成26・4・24判タ1414号155頁があるが，雇用関係に起因し，退職後の生活を保障する趣旨は，退職年金と変わらないと思われる。

13) 旧法6条3項但書は，差押禁止財産たる事業用動産（民執131④⑤）を自由財産から除外しており，その理由として，事業用資産を一体として破産管財人の管理下に置く必要があるためとか，破産者の営業が廃止されるからなどと説明されるが（青木・実体規定38頁），生業に使用する程度の自由財産も認めないことは，立法論として疑問であるとして，現行法のように改められた。実際上問題となるものとしては，民事執行法131条6号との関係で医療機器などがある。破産法大系Ⅲ124頁〔山崎栄一郎〕。

14) 差押えを許すのは，執行裁判所であるが，実際には，開始決定前に個別執行において差押えを許されたものが，強制執行の失効とともに破産財団所属財産となる。これに対して，大コンメンタール138頁〔髙山崇彦〕は，破産手続開始後に差押えが許された動産（民執132Ⅰ）をも想定する。しかし，破産手続開始とともに自由財産たる差押禁止財産に対する強制執行が中止している（条解破産法〈第3版〉349頁）にもかかわらず，なお，執行裁判所の権限行使が許されるかどうかという疑問がある。破産法34条4項との関係も問題となろう。

　なお，ここでは差押禁止動産のみが想定されているが，破産手続開始後に差押えが許された差押禁止債権（民執153Ⅰ）についても，同様に取り扱うべきであるとする立法論がある。条解破産法〈第3版〉319頁。

15) ただし，固定主義との関係では問題がある（中田87頁）。

16) 簡易生命保険の還付金請求権についても，差押禁止財産である旨が定められていたが（旧簡保50），現在では削除されている。もっとも，法改正前である平成3年4月1日以

されていないが，その額が僅少なものについては，自由財産の拡張（破34Ⅳ）の対象とするか，破産管財人が裁判所の許可をえて破産者のために破産財団から放棄することができる（破78Ⅱ⑫）。

その性質上差押えの対象となりえない権利も差押禁止財産の一種として，自由財産となる。すなわち，帰属上の一身専属権は，転付命令（民執159）や譲渡命令（民執161）によって換価することができないし，また行使上の一身専属権は，差押債権者が債務者に代わって取り立てることによって（民執155）換価することができない。したがって，いずれかの意味で当該権利が一身専属的であれば，それは差押えの対象となりえず[17]，破産財団に属するものといえない。

この点に関して，判例・学説上議論の対象となるのが，慰謝料請求権である。慰謝料請求権が帰属上の一身専属権かどうかについては，かつては争いがあったが，判例・通説では，相続の対象となることが承認されているので[18]，帰属上の一身専属権とはいえない。しかし，慰謝料請求権が行使上の一身専属権であることは一般に承認されているので，その理由からこの請求権は，差押えの対象となりえず，破産財団に所属しえない。ただし，慰謝料請求権が金額の確定などの事由によって行使上の一身専属性を失うのであれば，当然に破産財団から除外されるものとはいえない。

この問題についての判例の考え方は，以下のようなものである。すなわち，慰謝料請求権は，それが行使上の一身専属権である限り，破産財団に帰属することはないが，一身専属性を失えば，破産手続開始後に差押えが可能になったものとして（破34Ⅲ②但書），破産財団所属財産となるというものである。一身専属性が失われるのは，慰謝料請求権の金額が客観的に確定した時であり，当

前に発効した契約にもとづく還付金請求権は，現在でも差押禁止債権として，自由財産になる。破産管財の手引〈第2版〉140頁。そのほか，特別法にもとづく差押禁止債権について，220問78頁〔田中智晴〕，震災関連の災害弔慰金，生活再建支援金について，220問485頁〔舘脇幸子〕，張泰敦「厚生年金基金の解散による残余財産分配請求権の破産財団への帰属に関する考察」民事特別法の諸問題6巻553頁参照。その他，特殊なものとして，債務超過等に陥っている金融機関等の業務にかかる動産等で，特定救済金融機関等に承継されるものがある（預金保険126の16）。

17) その例としては，本人の行使前の扶養請求権や財産分与請求権などが挙げられる（中野・民執法654頁）。
18) 最大判昭和42・11・1民集21巻9号2249頁，学説については，吉村良一「慰謝料請求権」民法講座（6）429，445頁以下参照。

事者間に金額の合意が成立した時，または債務名義が成立した時などがこれにあたるという[19]。

　行使上の一身専属性が金額の確定とともに失われるという，慰謝料請求権の性質を前提とすれば，判例の結論を支持せざるをえない。問題としては，判決言渡しによる債務名義成立の時点と破産手続終結決定の時点との前後という偶然的事情によって，慰謝料請求権が配当財源となるかどうかが決定される点が指摘される。問題解決の方向としては，慰謝料請求権について，その主体，すなわち個人であるか法人であるか，およびその保護法益，すなわち生命，身体，あるいは名誉など本来的に金銭的交換価値をもたないものかどうかなどによって区別し，個人の生命，身体，または名誉侵害などに起因する慰謝料請求権については，その金額が確定しても行使上の一身専属性を失わず，破産財団に帰属することはないものとすべきである[20]。

---

[19] 最判昭和58・10・6民集37巻8号1041頁〔倒産百選23事件〕，最近の下級審裁判例として，大阪高判平成26・3・20事業再生と債権管理145号97頁。学説については，栂善夫「破産財団の範囲 (1)」裁判実務大系 (6) 310, 314頁参照。したがって，破産手続終結までに本文に述べた事由が生じれば，慰謝料請求権は配当財源を構成するが，終結後にそれらの事由が生じたときには，法215条1項後段の解釈上，追加配当の財源にはならないという。追加配当との関係については，遠藤賢治「判例解説」曹時40巻2号105, 118頁 (1988年) 参照。

　遺留分減殺請求権についても，同様に考えられ，破産者たる相続人の行使上の一身専属権であるが（最判平成13・11・22民集55巻6号1033頁），いったんその意思表示がなされれば，それにもとづく具体的な権利は破産財団所属の財産となり，破産管財人がそれにもとづく具体的権利を行使できる。220問134頁〔猿谷直樹〕。

　離婚にともなう財産分与請求権についても，判例法理（最判昭和55・7・11民集34巻4号628頁）を前提とすると，同様に考えられる。条解破産法〈第3版〉665頁，倒産と訴訟199頁〔島岡大雄〕，債権調査・配当289頁〔玉川直美〕。養育費や婚姻費用についても同様である。倒産と訴訟202頁〔島岡大雄〕。これに対して破産者が有する遺産分割請求権は，判例法理（最判平成11・6・11民集53巻5号898頁，最判平成17・10・11民集59巻8号1頁）を踏まえると，行使上の一身専属権といえず，当初から破産財団所属の財産として破産管財人の管理処分権に服する。倒産と訴訟204頁〔島岡大雄〕。

[20] もちろん，破産手続開始前に慰謝料請求権が現金化され，それが破産者の一般財産に混入してしまえば，配当財源とせざるをえない。本文のような考え方をとるものとして，基本法39頁〔池田辰夫〕，羽成守「破産者の有する慰謝料請求権」判タ830号270, 271頁（1994年），破産法大系I 277頁〔石井教文〕などがある。また，金銭化されても専用口座の預金として保管されているときには，行使上の一身専属性を失わず，破産財団に帰属しないと考えることができる。

　このような考え方に対しては，多額の慰謝料請求権が存在するにもかかわらず，それが破産債権者の満足に充てられないのは不当であるとの批判が考えられるが，慰謝料の本質が，客観的金銭価値を認定しえない人の身体や名誉などに加えられた苦痛を慰謝するため

自由財産の第2の類型である民事執行法上の差押禁止金銭の1.5倍相当額の金銭（99万円）は，破産者やその家族の当面の生活資金を保障する趣旨である[21]。また，第3の類型である自由財産は，裁判所の裁量によって自由財産の範囲を拡大するものであり，破産者の申立てまたは職権で，破産者の生活の状況，破産手続開始の時において有する第1および第2の類型の自由財産の種類および額，破産者が収入をうる見込みその他の事情を考慮して決定する（申立

に金銭を給付するところにあるとすれば，その同一性が維持されている限り，それを破産債権者への満足に充てるのは，背理といわざるをえない。中島I 132頁，条解破産法〈第3版〉320頁も同旨と思われる。220問122頁〔中村崇〕，破産実務の基礎99頁は，このような考え方の存在を背景として，自由財産の拡張（破34Ⅳ）を検討すべきとする。財産的損害を内容とする損害賠償請求権についても，同頁に詳しい。
　また，今中利昭ほか「『固定主義再考』その後」事業再生と債権管理153号151頁（2016年）は，慰謝料請求権のみならず，後遺症などにもとづく逸失利益の賠償請求権も，それが人の身体の機能喪失に起因する損害を補塡するための財産の給付であるという点を重視し，その性質上，差押禁止財産としての自由財産（破34Ⅲ②）とすべきであると説く。このような考え方が採用されることを望むが（伊藤眞「本論文を読んで」同号161頁），それがとれないとしても，固定主義の趣旨（本書259頁）を重視し，破産手続開始後に継続するであろう苦痛を和らげるための慰謝料請求権，開始後の生活を支えるための介護費用請求権やそれに代わる保険金請求権などの部分を新得財産と同視すべきものと考える。伊藤眞「固定主義再考」事業再生と債権管理145号88頁（2014年），現代型契約と倒産法280頁〔神原千郷ほか〕，佐藤鉄男「破産財団と自由財産をめぐる立法政策と課題」徳田古稀781頁。年金資産について，張・前掲論文（注16）556頁参照。
　森宏司「家事調停・審判手続中の当事者破産」伊藤古稀1175頁も，離婚に起因する慰謝料請求権に関し，破産手続開始時において，人格に付着する性格を持つために一身専属的権利とされ，破産財団への帰属を期待できなかった債権が，その後，手続が進行した結果，当該人格から離れて配当原資となるという帰結は合理的でないと指摘し，財産分与請求権，婚姻費用分担請求権および養育費請求権についても，破産財団帰属性を否定する（同論文1177，1178頁）。山本克己「人事訴訟手続（離婚事件）と破産手続の開始」徳田古稀720頁は，係属中の離婚訴訟が破産手続開始によって中断せず（本書447頁），開始後の離婚判決にともなって財産分与を命じる判決が確定したという局面において，破産手続開始時には期待的利益が存在するに過ぎず，法34条2項の適用対象とならないとして，破産財団帰属性を否定する。
　なお，本文のような考え方を前提とすれば，破産手続開始時に破産者による慰謝料請求訴訟が継続していても，それは，中断・受継（破44ⅠⅡ）の対象とならないし，破産者が新たに訴訟を提起することも妨げられない。

[21] 99万円の限度の財産は，破産財団に所属しないという理由から，財産を売却して99万円分を現金化する行為は，否認（破161）の対象とならず，また，免責不許可事由（破252Ⅰ①）にもあたらないとする議論が有力である。基本構造492頁。ただし，同時破産手続廃止事件を不当に多く認める結果を招くおそれがあるなどの理由からの消極論も有力であり，換価前の財産が破産手続開始時に存在するものとみなすとの実務運用もなされている。条解破産法〈第3版〉318頁。

書の添付書面について，破規21参照)22)。決定は，破産手続開始から決定確定日以後1月を経過するまでの間にされなければならない（破34Ⅳ)23)。

　法定の自由財産が破産者やその家族の最低生活を画一的に保障する趣旨であるのに対して，裁量にもとづく自由財産は，当該破産者等の状況を踏まえ，具体的必要性を考慮してその範囲を拡張するものである。たとえば，生命保険解約返戻金請求権などは，最低生活の保障という意味では自由財産に含まれないが，生命保険契約の存続が破産者や家族の将来にとって不可欠のものであり，かつ，返戻金の額からみて，破産債権者の利益を不当に害しないと認められる場合には，その請求権を自由財産とすることが許される。

　裁判所は，自由財産拡張について決定をするに際しては，破産管財人の意見を聴かなければならない（同Ⅴ）。拡張の申立てが却下されたときには，破産者は即時抗告を認められる（同Ⅵ)24)。拡張の決定または即時抗告に対する裁判の裁判書は，破産者および破産管財人に送達する（同Ⅶ前段）。送達代用公告の規定（破10Ⅲ本文）は適用しない（破34Ⅶ後段）。

　(3)　破産者の承諾にもとづく自由財産の破産財団への組入れ

　自由財産とされるものについて，破産者が承諾することによって，破産財団への組入れが可能となるかどうかが問題となる。たとえば，免責不許可事由（破252Ⅰ）の疑いがある破産者について，自由財産とされる退職金の部分の破

---

22)　手持ちの現金に代わって預金を持つ破産者について，相当額の限度で預金債権を自由財産とするなどが，財産の種類および額を考慮した自由財産拡張の例である。基本構造498頁，220問78頁〔田中智晴〕，80頁〔相沢祐太〕，82頁〔團潤子〕。その他，自動車，敷金返還請求権，退職金債権，年金受給権，家財道具，過払金返還請求権などの例について，条解破産法〈第3版〉322頁，220問86頁〔松尾吉洋〕，破産実務の基礎103頁参照。また，各地の裁判所の運用基準に適合すると破産管財人が判断して，黙示の拡張決定があったものとみなすとの実務も報告されている。破産・民事再生の実務［破産編］397頁，220問88頁〔髙橋敏信〕，破産法大系Ⅲ131頁〔山崎栄一郎〕。

23)　実務では，拡張の決定について裁判書を作成しないことが通常であるが，拡張の申立を却下する決定については，不服申立（破34Ⅵ）が許される関係で，裁判書が作られる。基本構造503頁。
　　また，この期間は不変期間ではないので，裁判所の裁量でその伸長が許されるが（破13，民訴96Ⅰ），制度の趣旨からすると合理的限界があろう。大コンメンタール141頁〔髙山崇彦〕，条解破産法〈第3版〉322頁参照。

24)　関連する裁判例として，福岡高決平成18・5・18判タ1223号298頁がある。拡張決定に対する破産債権者などからの即時抗告は認められない。また，拡張決定の変更または取消しも認められていない（民執132Ⅱ参照）。注釈破産法（上）266頁は，これを重視して，拡張には慎重な判断を要するとする。

産財団への組入れを承諾する意思が表示されたときに，それを前提として免責許可決定をなすなどの運用が考えられる（同Ⅱ参照）。しかし，このような自由財産放棄の意思表示の効力には疑問がある。民事執行法制定前の民事訴訟法旧規定570条4項では，ある種の動産を除き，債務者の承諾を条件として差押禁止を解除できるとしていたが，民事執行法は，債務者に事実上の圧力が加えられることを危惧して，この制度を廃止した[25]。この経緯をみれば，破産においても，破産者の承諾を条件として，自由財産を破産財団に組み入れることはできないと考えざるをえない[26]。

(4) 法人における自由財産

個人の場合には，生活保護の必要もあり，また，破産手続開始後も破産者の経済生活が継続することから，その基礎となる自由財産の存在は不可欠である。これに対して，法人の場合には，一方で生活保護の必要はなく，他方で，すでに述べたように，破産が法人の解散事由とされていることから，自由財産を認める理由が存在しない。それにもかかわらず，旧法下の有力説は，破産法人について自由財産の存在を認めていた[27]。

有力説が，破産法人について自由財産の存在を肯定するのは，以下の理由にもとづく。第1に，旧法旧3条1項によれば，外国財産は破産管財人の管理処分権に服さないから，法人の自由財産とせざるをえないという。しかし，国際破産について述べるように，旧法の平成12年改正を引き継いで，現行法は普及主義に転換したので（破34Ⅰかっこ書），この論拠はもはや妥当しえない。第2に，財団管理以外の社団法的または組織法的活動は，破産管財人の権限に吸

---

[25] 問題の所在については，吉田孝夫「財団財産をめぐる問題点」自正36巻6号14, 17頁（1985年）参照。民事執行法についての考え方は，鈴木忠一＝三ケ月章編・注解民事執行法 (4) 209頁〔小倉顕〕（1985年）参照。

[26] ただし，退職金債権などを破産財団から放棄するのと引換えに，同価値相当の自由財産を破産財団に組み入れる旨の合意をすることは許される。この場合には，自由財産の破産財団への組入が破産者の利益保全につながるからである。大コンメンタール140頁〔髙山崇彦〕，条解破産法〈第3版〉324頁，注釈破産法（上）265頁。類似の問題として，自由財産をもってする破産債権者への任意弁済がある。それが許されるとしても，任意性は厳格に判断されるべきであり，それを欠く場合には，破産債権者の不当利得が成立する。最判平成18・1・23民集60巻1号228頁〔倒産百選45事件〕，条解破産法〈第3版〉772頁，注釈破産法（上）673頁，220問475頁〔松井和弘〕。破産法大系Ⅱ13頁〔八田卓也〕は，任意性を客観的に担保することは困難であることを理由として，無効説を採る。

[27] 注解破産法（上）76頁〔小室直人＝中殿政男〕。しかし，近時は，むしろ否定説が有力である（谷口131頁，基本法40頁〔池田辰夫〕，三上143頁など）。

収されないから，その関係で自由財産の存在を認めざるをえないという。確かに，法人の財産に影響のない活動まで破産管財人の負担とするのは，不合理である。しかし，財産関係にかかわりのない範囲で法人の機関の管理処分権が存続するからといって，破産法人に自由財産を認める根拠とはならない。第3に，同時破産手続廃止（破216Ⅰ）後に財産が発見されたときには，破産法人の自由財産とせざるをえないという。これは，同時破産手続廃止制度から生じる問題点であり，この種の財産が法人の機関の管理処分権に委ねられることはやむをえない[28]。しかし，これは例外的な問題であって，破産手続係属中に一般的に破産法人の自由財産を認めることの理由にはならない。

以上のように考えると，法人に自由財産を認めるべき根拠は薄弱であり，また，破産法人の自由財産を認めると，不公平な結果が生じる。本来，破産法人の財産は，破産債権者への配当財源となるものであるが，これを自由財産とすると，破産債権者ではなく社員などの残余財産分配請求権の対象となる。これは，実質的に破産債権者より社員などの権利を優先させるものであり，破産法の基本原理に反する。判例が差押禁止とされた簡易生命保険契約上の還付金請求権（旧簡保50）が破産法人の自由財産ではなく，破産財団に属するとするのも，同様の考え方にもとづくものと思われる[29]。

3 国際破産における破産財団の範囲

国際破産とは，広義では，破産財団や破産債権者の関係で渉外的要素を含む破産事件と定義される。この意味での国際破産に関連する法律問題は，4つの領域に分けられる[30]。第1は，国際破産管轄であり，ある事件についていずれ

---

28) 大阪高決昭和37・3・27高民15巻4号249頁，最判昭和43・3・15民集22巻3号625頁〔倒産百選〈第4版〉87事件〕。しかし，近時の実務では，法人について同時破産手続廃止を認めないので，異時破産手続廃止などにおいて，破産管財人が放棄した財産が想定される。
29) 最判昭和60・11・15民集39巻7号1487頁〔新倒産百選30事件〕。実務においては，法人の財産のすべてを換価することとしているが（破産管財の手引〈第2版〉138頁），換価不能として破産管財人が破産財団から放棄した財産（本書722頁）は，法人の自由財産になる。
30) 竹内69頁以下，条解破産法〈第3版〉1643頁。そのほかにも，破産原因たる債務超過を国内財産のみに限定して決定するか，局地的支払不能を破産原因として認めるべきかなどの問題もある（山本克己「渉外性のある内国倒産手続の諸問題」民商113巻2号1，10頁（1995年）参照）。なお，対内的効力の場面であれ，対外的効力の場面であれ，並行倒産の局面になると，わが国破産管財人と外国管財人との間のプロトコル（各国の管財人間におけるコミュニケーション等の諸々の取決めを定めた法的拘束のない紳士協定）が重

の国が破産裁判権を行使するかについての規律である（本書234頁参照）。第2は，破産手続上の外国人の地位に関するものであり，破産外人法と呼ばれる。外国人の破産能力がこれに属する（本書89頁参照）。第3は，破産手続の準拠法であり，国際私法の一領域として，破産能力や破産原因など破産手続に関する規律についての準拠法をどこに求めるかの問題である。一般原則としては，「手続は法廷地法による」との国際私法の原則によって，破産開始地国法が準拠法となるが，否認権や双方未履行双務契約の解除権など，破産実体法に関する規律については，議論の余地がある[31]。第4は，国内破産の外国財産に対す

要な役割を果たす。事業再生迅速化研究会〔第5PT〕「倒産実務の国際的側面に関する諸問題（下）」NBL 995号91頁（2013年），上田裕康＝田中信隆「リーマン・ブラザーズの破綻処理——関係会社との間の論点とその処理を中心に」事業再生と債権管理143号140頁（2014年），破産法大系Ⅲ186頁〔片山英二＝米山朋宏〕，ニューホライズン511頁，上田裕康「事業再生の進化と国際化」多比羅喜寿590頁参照。

[31] 双方未履行双務契約の解除，否認や相殺禁止などの破産実体法について取引地法や破産者の本国法を適用する可能性を認めると，関係人の間に不公平を生むという理由から，破産開始地国法が準拠法となるとの考え方が有力である（山戸嘉一「破産」国際私法講座3巻882頁（1964年），伊藤眞「国際リースと国際破産」加藤一郎＝椿寿夫編・リース取引法講座（上）243, 255頁（1986年），福岡真之介「国際倒産（1）——準拠法と承認」ジュリ1450号86頁（2013年），事業再生迅速化研究会〔第5PT〕・前掲論文（注30）88頁，澤木敬郎＝道垣内正人・国際私法入門〈第8版〉396頁（2018年），150問358頁〔鐘ヶ江洋祐〕）。破産法大系Ⅲ202頁以下〔横溝大〕も，破産手続の目的を実現するために必要な諸規定が抵触法上の強行性を有するとし，否認，相殺，取戻権，別除権などがこれに属するとする。複数の破産手続開始国がある場合には，外国主手続（本書280頁）の開始国法を準拠法とすべきである（福岡・前掲論文87頁）。双方未履行双務契約の取扱いについても，同様に考えるべきである。福岡・前掲論文89頁，福岡真之介ほか「第一中央汽船の民事再生について——海運会社の国際的倒産事件の事例」事業再生と債権管理156号134頁（2017年）参照。

もちろん，債権や担保権など，権利そのものの成立要件などは，破産手続とは区別される問題なので，一般の国際私法の原則にしたがって決定される。一般原則としては，平等・公平な破産債権者の満足という破産制度の目的にかかわる規定は，破産開始地国法によることになろう（竹下編・国際倒産法26頁〔竹下守夫〕，石黒一憲・国際民事訴訟法298頁（1996年）。より詳細な根拠を示すものとして，山本・前掲論文（注30）40頁，山本和彦「国際倒産に関する最近の諸問題」法の支配170号14頁（2013年）があり，実務上の対応を検討するものとして，現代型契約と倒産法142頁〔森倫洋＝田中研也〕，債権調査・配当607頁〔園尾隆司〕がある。

ただし，早川吉尚「国際倒産の国際私法・国際民事手続法的考察」立教法学46号155, 177頁（1997年）では，準拠法選択の基本原理や法秩序安定の要請にもとづいて，否認などについても，取引地法など破産手続開始前の準拠法によるべきであるとされるし，石黒一憲ほか・国際金融倒産332頁〔佐藤鉄男〕（1995年），髙木新二郎「否認権の準拠法」白川和雄先生古稀記念論文集559, 591頁（1999年）のように，裁判所が最適の準拠法を選択できるとする学説もある。また，担保権の成立や対抗要件について，わが国が加入す

る対外的効力，および外国破産の国内財産に対する対内的効力の問題で，破産財団の範囲を決定するものである。ここでは，第4の問題を扱う。

(1) 国内破産の外国財産に対する対外的効力

ある者に対してわが国の裁判所が破産手続開始決定を行ったとき，その破産者が外国にもつ財産に破産手続開始決定の効力が及ぶか，すなわち外国財産についても破産管財人の管理処分権が及び，破産財団所属の財産とみなされるかが，いわゆる対外的効力の問題である。なお，国内財産であるか，または外国財産であるかは，不動産や動産については，その所在地によって決定されるが，債権については，わが国において裁判上の請求をなしうるかどうかによって決定される（破4Ⅱ）。

平成12年改正前の旧法3条1項は，属地主義を採用し，破産手続開始決定の効力を国内財産に限定した。これは，外国財産に対して破産管財人が管理処分権を行使することがかえって管財業務の負担を増し，破産債権者の利益を損なうなどの理由によるものであったが，現代では，そのような根拠は一般には妥当せず，外国財産についての管理処分権の行使態様は，個別的事案に即して裁判所の許可（破78Ⅱ）などによって対応すれば足りると判断されたところから，平成12年改正によって普及主義が採用され，現行法もそれを引き継いでいる（破34Ⅰかっこ書）。属地主義の下では，その不合理な帰結を回避するために様々な解釈論が展開されたが[32]，普及主義が採用された現在では，そのような議論は過去のものとなった。

破産手続開始決定の効力が外国財産にも及び，外国財産が破産財団に含まれることの具体的効果は，以下のようなものである。第1に，外国財産も破産管財人の管理処分権に服する（破78Ⅰ）。したがって，破産管財人は，外国財産の管理や換価などの事実行為をし，また外国の裁判所における訴訟提起などの法律的行為をする権限を有する[33]。第2は，破産債権者に対する個別的権利行

　る国際条約があれば，それも考慮しなければならない。小塚荘一郎「鉄道車両ファイナンスに関する法ルールの歴史と展望——ケープタウン条約ルクセンブルク議定書の理論的分析」江頭憲治郎先生古稀記念・企業法の進路601頁（2017年）参照。

　取戻権については，物権準拠法（目的財産所在地法）によるとの考え方が一般的であるが（石黒一憲ほか・前掲書263頁〔貝瀬幸雄〕），取戻権の根拠に応じてなお詳細な検討がなされている（森田博志「取戻権・倒産担保権の準拠法（上）」NBL 653号25頁以下（1998年））。

32) 伊藤・破産法〈第3版補訂版〉153頁以下参照。

使の制限（破100Ⅰ）が，外国財産にも適用される。たとえば，内国債権者であれ，外国債権者であれ，破産債権者が外国財産に対して外国手続によって強制執行などをすることは許されない。したがって破産管財人は，外国手続によって強制執行などの中止や取消しを求めることができる。

　もっとも実際には，破産手続が開始された後，破産債権者が外国財産に対する権利行使の結果として，その債権の全部または一部について満足を受ける事態が生じうる。一部の満足を受けた場合でも，破産手続開始時の全額について破産債権を行使することができるが（破109），配当については，他の同順位の破産債権者が自己の受けた弁済と同一割合の配当を受けるまでは，配当を受けることができない（破201Ⅳ）。当該破産債権者が外国の破産手続において配当を受けた場合も同様である[34]。

　普及主義を前提としても，わが国において破産手続が開始されている破産者

---

[33] 財産の種類などに応じた具体的な管理や換価の方法については，新版破産法171頁〔坂井秀行＝柴田義人〕，220問214頁〔福岡真之介〕，外国籍の個人の外国財産について220問66頁〔吉野晶〕，近藤丸人「破産者の海外事業及び在外資産がある場合の管財業務」自正64巻7号58頁（2013年），舘内比佐志ほか「在外資産や海外子会社の取り扱い上の問題点（下）」NBL1108号58頁（2017年），第一東京弁護士会総合法律研究所倒産法研究部会・海外財産の管理処分に関する事例報告（2021年），民事再生について150問351頁〔菅野百合〕，破産実務の基礎390頁，日本の破産管財人によるアメリカ連邦破産法第15章の承認申立について，向山純子「日本破産手続を承認することが連邦倒産法において公序の明らかな違反になるかをめぐる紛争」NBL982号132頁（2012年），事業再生迅速化研究会〔第5PT〕「倒産実務の国際的側面に関する諸問題（上）」NBL994号76頁（2013年），破産法大系Ⅲ197頁〔片山英二＝米山朋宏〕，ニューホライズン507頁参照。再生手続においては，開始決定前の段階でも再生債務者（民再2①）の資格として承認申立てをすることが可能である。福岡ほか・前掲論文（注31）133頁参照。

[34] この原則をホッチ・ポット・ルールと呼ぶことがある。外国財産が破産財団に含まれる結果として，外国手続による満足をわが国の破産手続による満足と同視することがその根拠となっている。破産財団に含まれるかどうかは，わが国の破産法によって決定する。条解破産法〈第3版〉815頁，注釈破産法（上）715頁。適用例として，福岡ほか・前掲論文（注31）129頁参照。

なお，破産債権者が外国において破産者から任意弁済を受けた場合にも，同様の取扱いをすべきかどうかが問題となる。しかし，ここで前提となっているのは，破産債権者による権利行使であり，破産者は，破産手続開始後は財産の管理処分権を失い，その行為の効力を破産債権者に対抗できないこと（破47・48）を考えれば，両者を区別すべきである。破産管財人は，当該破産債権者に対して，破産者からの任意弁済を不当利得として破産財団に返還すべきことを求められる。条解民事再生法466頁〔木川裕一郎〕。これに対して，破産法大系Ⅲ156頁〔村上正子〕は，任意弁済分が破産配当額を超えないような場合には，簡便な処理としてホッチ・ポット・ルールを適用すべきことを説く。実務上の処理については，150問347頁〔柴田義人〕参照。

に対して，重ねて外国で破産手続が開始されるのを防ぐことはできない。これが並行破産である。普及主義を前提として，並行破産において配当調整がなされることは，上に述べた通りであるが，法は，その他にも並行破産に関する手続的規律を設けている。第1は，破産管財人と外国管財人との間の相互協力である。破産管財人は，当該破産者について外国倒産処理手続[35]がある場合には，外国管財人[36]に対して，破産手続の適正な実施のために必要な協力および情報の提供を求めることができる（破245Ⅰ）。逆に，破産管財人は，外国管財人に対して，外国倒産処理手続の適正な実施のために必要な協力および情報の提供に努めなければならない（同Ⅱ）。破産手続が内外で並行実施されることを前提としながら，破産者にかかる債権債務や財産の状況に関する情報を交換し，場合によっては，共同で財産の処分をするなどの協力を行うことによって，内外を問わず破産債権者の平等な満足を実現しようとする趣旨である[37]。

第2は，外国管財人がわが国の破産手続に関与する権限である。後に述べるように，外国の破産手続は，わが国の裁判所の承認決定を経ない限りは，わが

---

[35] 外国で開始された手続で，破産手続または再生手続に相当するものをいう（破245Ⅰ第1かっこ書）。わが国の更生手続に相当するものであってもよい。また，外国倒産処理手続があるとは，厳密な意味で係属している場合に限らず，手続開始申立て段階やすでに終了している場合も含む。さらに，破産者自身についての手続だけではなく，その親会社や子会社等に関する手続も同様である。条解破産法〈第3版〉1652頁，注釈破産法（下）612頁。

[36] 外国倒産処理手続において破産者の財産の管理および処分をする権利を有する者をいう（破245Ⅰ第2かっこ書）。たとえば，アメリカ合衆国連邦破産法第11章の占有債務者（debtor in possession）もここでいう外国管財人に含まれる。

[37] わが国の裁判所が外国管財人や外国裁判所に協力や情報の提供を求めようとするときには，司法共助の途もあるが，実際には，破産管財人を通じて行うことになろう。破産管財人が外国裁判所に協力や情報の提供を求めることは，法245条1項が正面から規定するところではないが，行為の性質を考えても，これを排除すべき理由はない。条解破産法〈第3版〉1649，1650頁。事件によっては，裁判所が外国の裁判所と手続の進行などについて情報交換をすることもありえよう。小杉丈夫＝金子浩子「外国倒産手続への援助問題を扱ったシンガポール国際商事裁判所判決」国際商事法務45巻3号334頁（2017年）参照。

協力および情報提供の例については，新しい国際倒産法制400頁，山本・国際倒産法制165頁，注釈破産法（下）613頁，UNCITRALモデル法などを基礎とした情報交換や協力については，大川友宏「グローバル企業の倒産処理」加藤哲夫古稀794頁，杉本純子「国際倒産処理における裁判所間の協力」同863頁参照。

また，破産管財人が外国管財人に対して協力や情報提供をした場合には，その費用や報酬額を破産財団に組み入れて，破産管財人として相当額の支払を受けることができる。条解破産法〈第3版〉1653頁，注釈破産法（下）614頁。

国において効力を生じない。しかし，法は，承認手続とは別途に，外国管財人のわが国の破産手続への関与を認めることによって，並行破産の適正な実施を可能にしている。すなわち，外国管財人は，債務者についてわが国において破産手続開始の申立てをすることができ（破246Ⅰ），また，わが国の破産手続において債権者集会の期日に出席し，意見を述べることができる（同Ⅲ）。

　外国管財人が破産手続開始申立てをする際には，外国裁判所などの認証を受けた書面に訳文を添付してその資格を証明し（破規72ⅠⅢ），開始原因の疎明が求められる（破246Ⅱ）[38]。なお，破産手続開始申立てをした外国管財人に対しては，包括的禁止命令，その変更または取消決定の主文，破産手続開始決定の公告事項等，および破産手続開始決定取消決定の主文が通知される（同Ⅳ）。これも，外国倒産処理手続とわが国の破産手続との連携を緊密にするための措置である。実際上は，債権者集会期日などについても，通知をすべき場合があろう。

　第3は，外国管財人および破産管財人の破産手続と外国倒産処理手続における債権届出権限である。並行倒産における1つの問題は，内外の債権者がそれぞれからみて外国の手続において債権届出をすることが容易ではなく，そのために実質的な債権者不平等を惹起するおそれが存在することである。

　この問題に対処するために，外国管財人は，わが国の破産手続において届出をしていない破産債権者であって，外国倒産処理手続に参加しているものを代理して，破産債権の届出をし，破産手続に参加することができる（破247Ⅰ本文）。当該外国の法令によってその権限が与えられている場合に限られるが（同但書），外国管財人が外国法にもとづいて有する代理権を破産手続において承認する趣旨である[39]。同様に，破産管財人は，届出をした破産債権者であっ

---

[38] その点では，外国管財人の申立ては，債権者による開始申立てに近いものと理解される（破18Ⅱ参照）。ただし，すでに開始されている外国倒産処理手続が破産手続に相当するものである場合には，破産原因の推定規定（破17）が働くから，実質上疎明の負担は存在しない。
　なお，この地位は，外国管財人固有のものであるから，その行使の前提として外国倒産処理手続の承認（外国倒産22）を求める必要はない。承認申立ての選択については，注釈破産法（下）616頁参照。

[39] 破産管財人の外国倒産処理手続における法定代理権とあわせて，クロス・ファイリングと呼ばれることがある。外国管財人等の参加の後，破産債権者本人が参加の意思を表明すれば，以後は代理権が消滅する。条解破産法〈第3版〉1658頁，注釈破産法（下）619頁，破産法大系Ⅲ195頁〔片山英二＝米山朋宏〕。

て，外国倒産処理手続に参加していないものを代理して，当該外国倒産処理手続に参加することができる（同Ⅱ）[40]。法定代理人として参加した破産管財人は，本人である破産債権者のために，外国倒産処理手続に属する一切の行為をすることができるが（同Ⅲ本文），届出の取下げ，和解その他の破産債権者の権利を害するおそれがある行為をするには，特別の授権を要する（同但書）。

(2) 外国破産の国内財産に対する効力

平成12年改正前の旧法は，外国破産の国内における効力に関しても属地主義を採用し（旧破3Ⅱ），その効力は国内財産に及ばないこととしていた。しかし，国内破産の外国財産に対する効力について普及主義を採用する以上，その対極にある外国破産の国内財産に対する効力について属地主義を維持することは不合理といわざるをえない。もっとも，この局面において普及主義に転換するとしても，一定の要件を備えた外国破産の効力を当然に国内において認めるか，それともわが国の裁判所の承認手続を経て外国破産の効力を認めるかという立法の選択肢がある。平成12年に制定された「外国倒産処理手続の承認援助に関する法律」（平成12年法律129号）および手続の細目等を定める「外国倒産処理手続の承認援助に関する規則」（平成12年最高裁判所規則17号）は，後者の考え方を採用している（外国倒産1参照）[41]。

外国管財人等（外国倒産2Ⅰ⑧）は，外国倒産処理手続（同①）が申し立てられている国に債務者の住所，居所，営業所または事務所がある場合には[42]，裁判所に対して，当該外国倒産処理手続について承認の申立てをすることができる（外国倒産17Ⅰ）。承認援助事件は，東京地方裁判所の専属管轄である（外国

類似のものとして，金融機関等の更生手続の特例等に関する法律にもとづく預金保険機構の権限がある（金融更生特504～508）。

40) 届出をした破産債権者に限られるのは，その権利行使の意思が明らかであることによる。この点は，預金保険機構の代理権（金融更生特505）と異なる。

また，破産管財人の外国倒産処理手続への参加を義務づけられるかどうかについては，考え方が分かれうるが（条解破産法〈第3版〉1659頁，再生債務者等について条解民事再生法1096頁〔安達栄司〕），善管注意義務（破85Ⅰ）の問題ではなく，法定代理権を付与した法の趣旨を考慮して，配当の見込みがある場合には，参加すべきであろう（注釈破産法（下）621頁）。参加のための費用や報酬は，代理される届出破産債権者が負担すべきである。破産法大系Ⅲ190頁〔片山英二＝米山朋宏〕。

41) 承認援助手続の詳細については，新しい国際倒産法制30頁以下，山本・国際倒産法制21頁以下参照。

42) 財産の所在を理由として開始された外国倒産処理手続は承認の対象とされない。普及主義を適用する理由に乏しいからである。

倒産 4)。一定の事実があるときには，裁判所は，承認の申立てを棄却しなければならないが，その主なものは，当該外国倒産処理手続の対外的効力の不存在が明らかなこと（外国倒産 21②），当該外国倒産処理手続に対して援助の処分をすることがわが国の公序良俗に反すること（同③），当該外国倒産処理手続について援助の処分をする必要がないことが明らかなこと（同④）などである。

　これらの事由に該当せず，また後に述べるわが国の破産手続や他の外国倒産処理手続との競合を理由とする不承認事由が存在しない場合には，裁判所は，承認決定をなす（外国倒産 22 I）。ただし，承認の要件を欠くことが明らかになった場合や当該外国倒産処理手続が終了した場合には，裁判所は承認取消しの決定をしなければならず（外国倒産 56 I），承認管財人となった外国管財人に手続上の義務違反があった場合などには，裁判所は，承認取消しの決定をすることができる（同 II）。

　承認決定によって外国倒産処理手続は，日本国内における効力を認められることになるが[43]，国内財産の管理処分や破産債権者による個別執行を排除する

---

[43]　たとえ，外国倒産手続における外国管財人やその地位にある占有債務者（debtor in possession）であっても，国内財産に対して管理処分権を行使するためには，承認決定および管理命令（外国倒産 32 I）をえて，承認管財人の選任を求めなければならない（ただし，新しい国際倒産法制 216 頁，山本・国際倒産法制 112 頁は，管理命令を不要とする）。また，承認援助法立法以前の解釈論として，破産者が解放金を供託して仮差押えの取消しを求められるのと同様に（民保 22・51），外国管財人も仮差押えの取消しを求められるとか（東京高決昭 56・1・30 下民 32 巻 1～4 号 10 頁〔新倒産百選 117 事件〕），株たる破産者が株主総会決議取消訴訟の原告適格を認められるのと同様に（会社 831 I），外国管財人にも原告適格が認められる（東京地判平成 3・9・26 判時 1422 号 128 頁）とされていたが，現在では，いずれの場合にも，外国管財人は承認決定および管理命令をえて，承認管財人の選任を受けなければならない（新しい国際倒産法制 215 頁，山本・国際倒産法制 122 頁，山本・前掲論文（注 31）8 頁，坂井秀行「国際倒産（2）──効力」ジュリ 1451 号 76 頁（2013 年））。

　占有債務者による国内財産の管理処分権行使については，承認管財人を不要とする立場であっても，事業譲渡などの重要な財産の処分に関しては，裁判所の許可事項（外国倒産 31 I）とすることになろう。福岡真之介ほか「〈パネルディスカッション〉国際倒産の実務上の諸論点」NBL 1109 号 40 頁（2017 年）〔杉山悦子〕参照。

　なお，外国倒産手続にもとづく権利変更などの効力は，その基礎である計画認可決定や免責決定などの裁判の効力の承認の問題であり，民事訴訟法 118 条の規律によって判断されるべきである。山本・前掲論文（注 31）10 頁，坂井・前掲論文 78 頁，破産法大系 III 197 頁〔片山英二＝米山朋宏〕。しかし，そのことが事業譲渡などの障害になるとの指摘もあり（福岡ほか・前掲パネルディスカッション 42 頁〔井出ゆり〕），外国倒産手続が承認されている以上，特段の事情が認められない限り，民事訴訟法 118 条の要件は満たされると考えるべきである。

などのためには，承認決定を基礎として，さらに裁判所に対して援助の処分を申し立てなければならない（外国倒産25以下）。援助の処分の具体的内容は，強制執行などの他の手続の中止命令等（外国倒産25），処分禁止や弁済禁止の処分（外国倒産26），担保権の実行としての競売手続等の中止命令（外国倒産27），強制執行等禁止命令（外国倒産28〜30），債務者の財産の処分等に対する許可（外国倒産31），承認管財人による管理命令（外国倒産32〜50）および保全管理命令（外国倒産51〜55）である。

　　ア　外国倒産処理手続にかかる承認援助手続と国内倒産処理手続または他の外国倒産処理手続との競合

　外国倒産処理手続を承認の対象としたときに，破産手続を含む国内倒産処理手続との競合および他の外国倒産処理手続の承認援助手続との競合の問題が生じる。具体的な規律の内容は以下に述べるが，承認援助手続と国内倒産処理手続との競合については，国内倒産処理手続の優先を基本とする規律が，承認援助手続相互間の競合については，先行手続が後行手続に優先するとの原則と，債務者の主たる営業所所在地などを国際破産管轄原因とする外国主手続（外国倒産2Ⅰ②）が，それ以外の管轄原因による外国従手続（同③）に優先するとの原則を組み合わせた規律が設けられている。

　　イ　外国倒産処理手続にかかる承認援助手続と国内倒産処理手続との競合

　まず，承認申立てについての決定をする前に，同一の債務者について国内倒産処理手続（外国倒産2Ⅰ④）が開始されたことが明らかになったときは，次の要件のすべてが満たされる場合を除いて，裁判所は，承認申立てを棄却しなければならない（外国倒産57Ⅰ柱書）。第1は，当該外国倒産処理手続が債務者の主たる営業所所在地などの外国において申し立てられた外国主手続（外国倒産2Ⅰ②）であること（外国倒産57Ⅰ①），第2は，当該外国倒産処理手続について援助の処分をすることが債権者一般の利益に適合すると認められること（同②），第3は，援助の処分をすることによって国内において債権者の利益が不当に侵害されるおそれのないこと（同③）である。

　これらの要件が満たされているものとして，裁判所が当該外国倒産処理手続の承認の決定をする場合には，裁判所は，当該国内倒産処理手続の中止を命じなければならない（同Ⅱ）。要するに，同一債務者について外国倒産処理手続と国内倒産処理手続とが競合する場合には，国内手続が優先するのが原則であ

るが，外国手続が主たる手続で，かつ，倒産処理をそこに集中することが国内債権者の利益を不当に侵害せず，かつ，債権者一般の利益に適合する場合には，外国倒産処理手続を優先させる趣旨である。

また，外国倒産処理手続を優先させるための要件（外国倒産57 I）が満たされている場合には，裁判所は，承認申立てについての決定をする前において，必要があると認めるときは，利害関係人の申立てまたは職権で，国内倒産処理手続の中止を命じることができる（外国倒産58 I）。承認申立てについての決定がなされるまでの間，国内倒産処理手続について裁量的中止の可能性を認めるものである。

次に，外国倒産処理手続の承認決定が先行し，その後に国内倒産処理手続の開始決定がなされ，または承認決定前に開始決定がなされていたことが明らかになった場合にも，基本的には，国内倒産処理手続が優先する。したがって裁判所は，承認援助手続の中止を命じる決定をするが（外国倒産59 I②），外国倒産処理手続を優先させるための要件のすべてが満たされているときは，国内倒産処理手続の中止を命じなければならない（同①）。外国倒産処理手続の承認決定が先行し，国内倒産処理手続の申立てがなされたことが明らかになった場合も，同様の考え方にもとづいて，国内倒産処理手続の中止を命じる決定がなされる場合（外国倒産60 I）以外は，申立てまたは職権にもとづいて承認援助手続の中止を命じる決定をすることができる（同Ⅱ）。

以上によって中止された国内倒産処理手続は，外国倒産処理手続が終結したことによってその承認決定が取り消されたとき（外国倒産56 I③）は，もはや続行する意義を失うので，失効する（外国倒産61 I）[44]。逆に，中止された外国倒産処理手続は，国内倒産処理手続が終結したときには，もはや続行する意義を失うので，失効する（同Ⅱ）。

　ウ　外国倒産処理手続にかかる承認援助手続の競合

さらに，ある外国倒産処理手続について承認の申立てがなされているときに，同一の債務者について他の外国倒産処理手続が存在し，それについて承認援助手続が開始されている場合には，以下のいずれかの事由があるときは，裁判所

---

[44] 外国倒産処理手続終結以外の理由で承認決定が取り消された場合には，中止命令が取り消され，国内倒産処理手続が続行される。新しい国際倒産法制318頁，山本・国際倒産法制124頁参照。

は，承認の申立てを棄却しなければならない（外国倒産62Ⅰ柱書）。第1は，他の外国倒産処理手続が外国主手続であるときである（同①）。この場合には，すでに承認されている他の外国主手続に承認援助手続を一元化することが合理的であるからである[45]。第2は，承認申立てがなされている外国倒産処理手続が外国従手続であり，かつ，それについて援助の処分をすることが債権者一般の利益に適合すると認められないときである（同②）。

後行の承認申立てが外国従手続にかかるものであることに加えて，それによることが債権者一般の利益に適合すると認められるときは，後行の申立てを認め，承認援助手続を後行手続に一元化する趣旨である。したがって，後行手続の承認にともなって，先行する他の外国従手続（外国倒産2Ⅰ③）である外国倒産処理手続にかかる承認援助手続は中止する（外国倒産62Ⅱ本文）。なお，後行の承認申立てが外国主手続にかかるもので，その承認の決定がなされた場合も同様である。

後行の外国倒産処理手続に関する承認申立てについての決定がなされる前において，外国従手続である承認援助手続が係属する裁判所は，必要があると認めるときは，申立てまたは職権で，その承認援助手続の中止を命じることができる（外国倒産63Ⅰ）。これは，後行手続の承認可能性を前提として，承認申立てについての決定をなすまでの間に，先行手続が外国従手続である場合に限って，裁量的中止の余地を認めるものである。

なお，後行の外国主手続の承認にともなって，または承認申立てについて決定がなされるまでの間の中止命令によって中止された先行の外国従手続たる外国倒産処理手続にかかる承認援助手続は，後行の外国主手続の終結にともなっ

---

[45] 後行の外国倒産処理手続承認申立てとの関係で，すでに承認されている外国倒産処理手続を外国主手続と認めるか，すなわち主たる営業所が先行手続の開始地と後行手続の開始地のいずれにあるか，また，その判断の基準時をいつとするかについての裁判例として，東京地決平成24・7・31判時2174号61頁とその即時抗告審である東京高決平成24・11・2判時2174号55頁があり，いずれも，法的安定性の見地から判断の基準時を先行手続の申立時としている（背景等を含め，三森仁ほか「判例考察」事業再生と債権管理141号142頁（2013年），福岡真之介＝湯川雄介「国際並行倒産における『主たる利益の中心』（COMI）について」NBL987号56頁（2012年）が詳しい）。

これに対して，山本・前掲論文（注30）12頁は，外国主手続に対する協力という目的からみて，判断時点を先行手続の申立時に固定する理由はないとするが，原則は先行手続の申立時として，特段の事情が存在する場合に限って，その変動を認めるのが合理的であろう。

て承認取消決定が確定したとき（外国倒産56Ⅰ③）は，失効する（外国倒産64）。もはや中止された手続を続行する意義が失われたからである。ただし，終結以外の事由によって承認取消決定が確定した場合には，中止命令が取り消され，先行外国従手続にかかる承認援助手続が続行される。

第2節 破産債権

　破産債権とは，破産手続に参加し（破103Ⅰ），破産配当によって満足を受け（破193Ⅰ），免責手続による免責の対象となりうる（破253Ⅰ柱書本文）権利を意味する。同じく利害関係人の権利である財団債権とは，原則として手続外で満足を受けることが禁止される点（破100Ⅰ・2Ⅷ参照），また，破産免責の対象となる点で区別され，破産手続によらないでその権利を行使することができる別除権（破2Ⅸ・65Ⅰ）とも，その地位を異にする。

　破産債権は，再生手続における再生債権や更生手続における更生債権に相当するものであるが，再生を目的とする再生手続や更生手続と清算を目的とする破産手続との差異などから，現在化（破103Ⅲ）や金銭化（同Ⅱ①イ）の効果が生じること，また，一般の優先権がある債権が優先的破産債権とされること（破98Ⅰ．民再122ⅠⅡ。なお，更生手続上は優先的更生債権とされる。会更138Ⅰ②・168Ⅰ②参照），劣後的破産債権（破99）の概念が存在することなどの違いがある。

第1項　破産債権の意義

　破産債権とされるのは，原則として，破産者に対し破産手続開始前の原因にもとづいて生じた財産上の請求権であって，財団債権（破148など）に該当しないものである（破2Ⅴ）。これに加えて，破産手続開始前の原因にもとづくとはいえないものであっても，破産手続開始後の利息の請求権などが破産債権とされる（同かっこ書・97）。したがって，破産者に対する財産上の請求権のうち破産債権とされないのは，破産手続開始前の原因にもとづくものであって財団債権とされるもの，および破産手続開始後の原因にもとづくものであって法97条各号の規定に該当しないものであるが，後者は，財団債権（破148など）または非破産債権のいずれかに分類される。

1 破産債権の基本的成立要件

破産債権は，①財産上の請求権であって，②破産者に対するものであり，③その強制的実現を求めることができ，④破産手続開始前の原因にもとづくものであり，かつ，財団債権に該当しないものでなければならない（破2V）。

(1) 財産上の請求権

破産手続の主たる目的は，破産債権者に対して配当を行うことである。それを前提とすれば，破産手続に参加する債権者の権利は，金銭配当によって満足を受けうるものでなければならない。財産上の請求権の要件は，このことを意味している。ただし，財産上の請求権は金銭債権に限定されず，評価にもとづいて金銭債権に転化しうるものであればよい（破103Ⅱ①イ）。もちろん，身分関係上の権利など，金銭として評価不可能なものは財産上の権利とはいえない。

作為または不作為を目的とする債権のうち，代替的作為を目的とする債権は，債務者に対する金銭債権に転化しうるから（民414Ⅰ本文，民執171），財産上の請求権といえる。破産手続開始前に不履行の事実が発生している必要はない[46]。これに対して，不代替的作為または不作為を目的とする債権は，間接強制による執行は可能であるものの（民執172Ⅰ），権利自体を金銭的に評価することができないために，財産上の請求権とはいえない。ただし，破産手続開始前の不履行にもとづいてこれらの債権がすでに損害賠償債権に転化していれば別である。破産手続開始後における破産者の不履行によって損害賠償債権に転化したときの扱いについては，議論が分かれているが，破産債権となるかどうかは，破産手続開始時を基準として決定されるから，否定すべきである[47]。

---

[46] 破産者の財産価値の利用によって履行される請求権であることが理由になる（伊藤・会更法・特清法184頁）。評価は，代替執行に要する費用（民執171Ⅳ）が基準となろう（条解破産法〈第3版〉33頁）。なお，非金銭債権の再生手続における取扱いにつき，小畑英一「再生債権をめぐる諸問題」民事再生の実務と理論127頁，小林信明「ゴルフ場の倒産の諸問題」講座（4）448頁参照。

[47] 破産債権となるとするのは，山木戸90頁，ならないとするのは，青山ほか97頁，加藤哲夫151頁，基本法50頁〔徳田和幸〕，大コンメンタール400頁〔堂薗幹一郎〕，条解破産法〈第3版〉33頁，劣後的破産債権となるとするのは，注解破産法（上）111頁〔石川明＝三上威彦〕。

なお，池田辰夫「破産債権の意義・要件・範囲」判タ830号158，160頁（1994年）は，不代替的作為または不作為請求権そのものについて財産上の請求権とする余地があることを示唆する。不代替的作為請求権，たとえば，芸術的役務提供請求権，秘密保持請求権，ゴルフ会員権に付随する優先的施設利用権，いわゆるポイントにもとづく割引販売請求権などについても，それに対応する財産的出捐がなされており，評価が可能な場合には，財

(2) 人的請求権

破産債権は，破産者に対する請求権でなければならない。したがって，権利の性質は人的請求権と解される。人的請求権とは，物権のように，破産者の財貨を直接に支配する権利ではなく，破産者の行為を介して財貨を獲得し，ないしは財産的利益を享受する権利を意味する[48]。第三者に対する権利は，破産債権にならない[49]。破産者に対する請求権は，金銭債権か，金銭債権に転化されるものを中核とするから，責任の面からみれば，破産者に対する財産上の請求権は，破産者の一般財産を責任財産とする権利または破産者の一般財産を基礎として実現される収益によって満足を受けるべき権利を意味する。

これに対して特定財産上の物権および債権のうち，目的物の占有を支配しうる権利については，取戻権（破62。本書465頁）の地位が与えられ，また特定の目的物について担保権が存在する場合には，別除権（破2Ⅸ）の地位が与えられるので，破産債権とは区別される。もちろん，担保権の被担保債権は担保権自体とは区別されて破産債権とされるが，破産債権者としての権利行使に制限が加えられる（破108Ⅰ本文）。ただし，同じく担保権であっても，一般財産上の優先権である一般の先取特権は，優先的破産債権の基礎となる（破98Ⅰ）。

産上の請求権として扱うことも考えられる（債権調査・配当292頁〔柴田義人〕）。

また，金融機関が貸し手となるローン契約（シンジケート・ローン契約を含む）においては，元本および利息の弁済を確保するために，借り手に対し様々な義務を課す条項が設けられることが一般的である。これらの条項は，コベナンツと呼ばれるが，借り手について破産手続が開始されたときには，コベナンツにもとづく借り手の義務，たとえば財務状況報告義務や貸し手の承諾なく組織変更を行わない旨の義務などの履行を求める貸し手の請求権が破産債権となるかどうかという問題が議論される。

これらの請求権は，破産債権たる貸金債権に付随するものであり，それ自体が独立の財産上の請求権とはいえず，また，破産手続の目的実現とも抵触する可能性があるところから，その効力を否定すべきである。ただし，貸金債権に付された担保が別除権となり，コベナンツの条項が担保価値維持義務（本書214頁）の発現とみられるとか，別除権の行使に付随する合意とみなされる場合には，その効力を認めて差し支えない。詳細については，ニューホライズン82頁参照。

48) この意味で，民法における物権と債権の区別にほぼ対応する。奥田＝佐々木・債権総論（上）6頁参照。同じく請求権であっても，物権的請求権は，物権の内容の完全な実現を目的とするものであり，物権から派生する権利としての属性を備えているから（我妻＝有泉・コンメンタール359頁），破産債権とはならない。

49) ただし，相続財産破産，信託財産破産および法人でない社団等の破産の場合には，相続人，受託者，団体構成員など，破産者以外の第三者に対する債権が破産債権として扱われる。

争いがあるのは，ある権利についての責任財産が，法律上または当事者間の合意にもとづいて破産者の特定の種類の財産に限定されている場合である。たとえば，救助料債権に対する積荷所有者の責任は，救助された積荷に限定されている（商812）が，積荷所有者が破産したときに，救助料債権が破産債権になるかどうかについて肯定説と否定説の対立がみられる[50]。本書では，肯定説をとる。救助料債権者は，責任財産たる積荷について優先権をもっているわけではなく，他の債権者もその財産から弁済を求めることができ，したがって債権者全体に対する公平な弁済を図る必要があることは，一般財産の場合と変わらないからである。ただし，救助料債権者は，財団債権の弁済や優先的破産債権の配当分を控除した破産財団の中で責任財産の限度でしか破産債権の行使を認められない。

当事者間の合意にもとづいて責任財産が限定されている場合にも，同様の取扱いがなされるべきである。

(3) 執行可能性

破産は，権利の強制的満足を目的とする手続としての性質をもつから，そもそも強制的実現の可能性のない請求権は破産債権たりえない。債務者の義務が自然債務と呼ばれる場合，たとえば不法原因給付返還請求権（民708）などがこれにあたる[51]。もちろん，すでに破産者による任意弁済や強制執行による満

---

[50] 否定説としては，加藤・要論65頁，中田192頁，山木戸90頁，青山ほか97頁など，肯定説としては，基本法49頁〔徳田和幸〕，注解破産法（上）113頁〔石川明＝三上威彦〕，谷口154頁，加藤哲夫145頁，池田・前掲論文（注47）159頁，大コンメンタール402頁〔堂薗幹一郎〕，条解破産法〈第3版〉34頁などがある。なお，商法607条および旧信託法19条（現信託21Ⅱ相当）に関しても，同様の議論があった。現行信託法の下でも，受託者の破産における受益債権の取扱いなどが問題となろう。

また，資産流動化取引における，SPCに対する特定債権者について流動化の対象となった特定財産のみを責任財産とする特約の取扱いについては，後藤出「資産流動化取引における倒産不申立て特約と責任財産限定特約」ジュリ1441号94頁（2012年），破産法大系Ⅲ332頁〔林康司〕参照。

[51] 消滅時効が完成し債務者が時効を援用した債権など（中田・債権総論80頁），その他，破産免責の効果について責任免除説を前提とした場合の非免責債権（破253Ⅰ柱書本文）や再生計画や更生計画によって免責された債権（民再178Ⅰ，会更204Ⅰ柱書）のほか，貸金業の規制等に関する法律43条が適用されうる場合における利息制限法違反超過利息などが自然債務の例にあたるとされていたが，同法が「貸金業法」に改められるとともに，同法43条は撤廃された。上柳敏郎＝大森泰人・逐条解説貸金業法20頁（2008年）参照。

また，不執行の合意が付されている債権も破産債権性が否定される。最判平成5・11・11民集47巻9号5255頁，中田・債権総論82頁参照。いわゆる出世払いに類する資本代

足を受けた債権は，破産債権となりえないが，仮執行による満足は仮定的なものであるので，破産債権の行使が認められる[52]。

(4) 破産手続開始前の原因

破産債権が破産手続開始前の原因によるものに限定されているのは，破産財団の範囲が，固定主義の原則（破34 I）にもとづいて破産手続開始時の破産者の財産に限定されることと対応している。すなわち，破産手続開始を基準時として，その時点の総資産と，その時点までに発生原因が備わっている負債とを破産清算の対象としたものである。

開始決定前の原因の意義については，一部具備説と全部具備説とが対立していたが，現在ではほぼ前者に統一されている[53]。一部具備説の下では，破産債

替的貸付債権についても破産債権性が否定されうる。東京高判平成12・3・29判時1705号62頁〔会社更生〕参照。

[52] 仮執行の効果については，伊藤・民訴法622頁参照。したがって，手形債権者が破産手続開始前に仮執行宣言付手形判決にもとづいて仮執行を行い（民訴259 II参照），その債権の満足を受けた後，破産手続開始によって手形判決に対する異議訴訟（民訴361）が中断し（破44 I），破産管財人によって受継されることとなった場合（破129・127 I），手形債権者は，仮執行によって満足を受けた債権を破産債権として届けることができる（東京地判昭和56・9・14判時1015号20頁〔会社更生〕〔倒産百選〈第3版〉46事件〕）。

そして，債権調査の結果として，仮執行によって満足を受けた債権が破産債権として認められなかったときは，相手方は仮執行による受領金を破産管財人に返還しなければならないし，また，破産債権として認められたときであっても，受領金が破産配当金を上回る場合には，その差額を返還しなければならない。

ただし，青山善充「仮執行の効果に関する一考察——仮執行後の債務者の倒産を中心として」法協百周年記念論文集（3）393頁は，仮執行によって完全な満足を受けた債権は，破産債権とならないとの考え方をとるが，最決平成13・12・13民集55巻7号1546頁は，破産債権とする考え方を前提としていると思われる。最高裁判所判例解説民事篇平成13年度（下）837頁の髙部眞規子調査官解説参照。

なお，仮執行宣言にかかる執行停止の担保の更生手続における取扱いにつき，最決平成25・4・26民集67巻4号1150頁〔会社更生〕，小畑英一ほか「更生手続における過払債権の取扱いをめぐる法的問題点」NBL 961号64頁（2011年），また執行停止が不法行為に該当するとして再生計画による弁済額との差額の損害賠償を認めた事例として，大阪高判平成20・2・28判時2030号20頁〔民事再生〕参照。

[53] 主たる発生原因が破産手続開始前に備わっているといえないことを理由として破産債権性を否定するものとして，山形地判平成29・7・11租税関係行政・民事事件判決集（徴収関係判決）平成29年1～12月順号29-24，破産手続開始前の原因に対応する，再生手続開始前の原因（本書935頁）について一部具備説を説くものとして，東京地判平成17・4・15判時1912号70頁〔民事再生〕がある。また，関連して委託を受けない保証人の求償権が破産債権となるかという問題がある（本書544頁）。一部具備説の形成過程と通説化については，山本和彦「破産債権の概念について」徳田古稀734頁参照。同論文では，一部具備説の内容について，配当受領権を承認するに値する法的地位，すなわち当該

権の発生原因の全部が開始決定前に備わっている必要はなく，主たる発生原因が備わっていれば足りる。具体的には，履行期未到来の債権，条件付債権，あるいは保証人の求償権などの将来の請求権などは，債権の発生原因が破産手続開始前ならばいずれも破産債権となる[54]。不法行為にもとづく損害賠償債権についても，発生原因たる不法行為が破産手続開始前であれば，破産債権とされるが，損害が顕在化していない損害賠償請求権者に破産債権の届出を期待することができるかなどの問題がある[55]。なお，破産手続開始前の原因にもとづく

請求権の発生要件のうち重要なものが備わっているかどうかを判断基準とする考え方とし，停止条件付債権や将来の請求権（本書295頁）の破産債権性も，この基準から正当化されるとする。

[54] 職務発明にもとづく相当利益請求権（特許35Ⅳ）の場合には，その成立原因たる事実，たとえば勤務規則等で定められた権利の移転時期が破産手続開始前であれば，破産債権となる（中山信弘＝小泉直樹編・新・注解特許法（上）529頁（2011年）参照）。その金額が具体化するのが将来であることは，破産債権性を左右する根拠とはならない。建築物の注文者が目的物の瑕疵が顕在化したときに有する瑕疵修補に代わる損害賠償請求権も将来の請求権としての性質を持つ。220問179頁〔小木正和＝川瀬典宏〕。相殺について本書545頁，配当について本書753頁参照。

また，破産者が負担する養育費（養育料）請求権（民766・749・771・788）のうち，破産手続開始前に支払期日が到来しているものは，破産債権となるが，破産手続開始後に支払期日が到来するものは，その主たる発生原因が破産手続開始後の養育であることから，非破産債権として，破産者の自由財産からの満足を受ける。婚姻費用分担請求権（民760）などについても，同様である。破産管財の手引〈第2版〉285頁，220問136頁〔木内道祥〕，債権調査・配当288頁〔玉山直美〕，破産実務の基礎151頁。

いわゆる回し手形の所持人の裏書人に対する遡求権も，それが満期における支払拒絶にかかっているために（手形77Ⅰ④・43），将来の請求権に属する。220問346頁〔秋山裕史〕。

さらに，破産債権性と免責可能性が問題とされる例として，個人破産申立代理人たる弁護士の成功報酬請求権がある。受任時の着手金に加えて，免責許可決定の確定を条件として一定額の報酬を支払うことを約した場合がこれにあたるが，破産者と弁護士との間の委任契約が破産手続開始前の原因にあたるため，破産債権とされ，免責の対象となる（本書806頁）。詳細については，高橋宏志「個人破産申立代理人弁護士の成功報酬と免責」伊藤古稀918頁参照。法テラスの立替金については，注145参照。

[55] 再生手続と異なって，破産手続においては自認の制度が存在せず（本書670頁参照），破産債権としての届出がなかったものは，破産配当の対象とならず，また破産終了にともなって破産者の法人格が消滅するために（本書770頁参照），事実上権利行使の機会を失うことが問題となる。更生債権たる過払金返還請求権に関して，伊藤・会更法・特清法685頁注195参照。同じく破産債権であっても，破産法人による不法行為の被害者が有する損害賠償請求権などについては，特別の配慮が必要となろう。伊藤眞「不法行為にもとづく損害賠償債権と破産・会社更生」判時1194号（判例評論330号）174頁（1986年）参照。人の身体に対する加害行為に起因する後遺症などについても，同様の問題がある。最判昭和42・7・18民集21巻6号1559頁，伊藤・民訴法232頁参照。また，民法167条

破産債権の中には，劣後的破産債権および約定劣後破産債権と呼ばれるものがあるが，これについては，破産債権の順位のところで説明する（本書306頁）。

2 特別の規定によって破産債権とされるもの

以上の原則に対して，第1に，破産手続開始後の原因にもとづいて発生するとみられるもの（破97①～④⑦），第2に，公法上の請求権であって財団債権とするのに適しないもの（同⑤⑥），第3に，破産手続における法律関係の変動の結果として生じる相手方の請求権で，財団債権とするのに適しないもの（同⑧～⑫）については，特別の規定によって破産債権とされ（破97柱書），かつ，それぞれの特質に応じて，第1および第2のものは，劣後的破産債権とされ（破99Ⅰ①），第2のものは，非免責債権とされる（破253Ⅰ①⑦）という特別の取扱

および724条の2が「人の生命又は身体の侵害による損害賠償請求権の消滅時効」および「不法行為による損害賠償請求権の消滅時効」について特則を設けていることも参考になろう。潮見・概要48頁参照。

なお，委託を受けない保証人の事後求償権について，代位弁済が手続開始後であっても，保証契約の締結が開始前であれば破産債権となるとするものとして，大阪地判平成20・10・31判時2060号114頁，大阪高判平成21・5・27金法1878号46頁がある。しかし，委託を受けない保証の履行が事務管理としての性質をもつことを考えれば，手続開始後の弁済にもとづく求償権は，破産債権たりえず，非破産債権として扱われるべきである。詳細については，栗田隆「主債務者の破産と保証人の求償権——受託保証人の事前求償権と無委託保証人の事後求償権を中心にして」関西大学法学論集60巻3号45頁（2010年）参照。東畠敏明「民事実体法と倒産実体法の関係」銀行法務21 873号27頁（2021年）も，無委託保証人の求償権の発生原因が開始後の弁済の事実であり，開始前の保証契約は，債務者との関係では破産債権の根拠たりえないとする。

これに対して，上記事件の上告審である最判平成24・5・28民集66巻7号3123頁〔倒産百選70事件〕は，「保証人の弁済が破産手続開始後にされても，保証契約が主たる債務者の破産手続開始前に締結されていれば，当該求償権の発生の基礎となる保証関係は，その破産手続開始前に発生しているということができる」との理由から（千葉勝美裁判官の補足意見では，委託を受けた保証人の場合と同様に，「保証契約締結の時点で主債務者のための事務管理がされたといわざるを得ない」とする），この種の求償権の破産債権性を認めている。山本・前掲論文（注53）744頁，小原将照「破産手続における求償権の取扱い」春日古稀530頁（小原・後掲書（注105）150頁）も，保証契約を事後求償権発生の主たる原因とする視点から，本判決の考え方を支持する。

もっとも，同判決は，このような前提に立ちながらも，この種の求償権を自働債権とする相殺は，法72条第1項1号の類推適用によって禁止されるとしているので（本書544頁参照），通常の破産債権とは区別した取扱いがされることになる。同判決のいう破産債権性についての検討として，潮見佳男「相殺の担保的機能をめぐる倒産法と民法の法理」田原古稀（上）285頁，木村真也「委託なき保証人の事後求償権と破産手続における相殺」金法1974号37頁（2013年）参照。木村論文では，保証関係のない第三者が弁済の結果取得する求償権も，弁済対象債権の存在が破産手続開始前の原因にあたるとして，その破産債権性を肯定する。

いがなされている。

これに対して，第3のものは，破産手続の遂行に関して生じた債権であって，非破産債権として破産者の負担とする合理性はなく，また，財団債権とするほどの共益性はないために，一般の破産債権とされる。たとえば，破産手続参加の費用（破97⑦），為替手形の支払人などが破産者たる振出人に対して取得する求償権（破60），破産管財人が双方未履行の双務契約を解除した結果として相手方に与えられる損害賠償債権（破54Ⅰ），市場の相場のある商品の取引にかかる契約解除にもとづく損害賠償請求権（破58ⅡⅢ），開始決定後の委任事務処理にもとづく受任者の債権（破57），交互計算が閉鎖されたことにもとづく相手方の残額支払請求権（破59Ⅱ），および否認の相手方が有する反対給付の価額償還請求権（破168Ⅱ②）などである。

3 破産手続開始前の原因にもとづく請求権で破産債権とされないもの

これとは逆に，本来は破産手続開始前の原因にもとづく破産債権であるにもかかわらず，財団債権とされるものもある。破産手続開始前の原因にもとづく租税等の請求権の一部（破148Ⅰ③）や使用人の給料等の一部（破149Ⅰ），社債管理者等の費用（破150ⅠⅡⅣ。ただし裁判所の許可にかかる）が，その例である[56]。これは，破産者の活動にともなって生じた公の負担である租税等については，破産債権者が共同で負担しなければならない，あるいは破産手続開始直前の使用人の給料等を財団債権として保護することが，破産財団所属財産の確保などに資し，破産債権者の共同の利益につながるとの考え方にもとづいて，立法者が財団債権としたものである（本書335頁参照）。

第2項 破産債権の金額

破産手続は，破産債権者に対する配当を行うことを目的とするから，配当を受ける破産債権についても，弁済期が未到来であれば，それを到来させ，金額

---

[56] 従来の説明では，このほかに，法148条1項7号の請求権，すなわち，破産管財人が双方未履行双務契約について履行の選択をなした場合の相手方の債権，および同条2項の請求権，すなわち，破産管財人が負担付遺贈の履行を受けたときの負担を求める受益者の請求権が例として挙げられる。しかし，後に双方未履行双務契約の取扱いについて説明するように，これらの請求権を，本来破産債権であるが，特別の考慮にもとづいて財団債権とされたものとみるのが適当かどうか疑問があり，少なくとも租税の請求権や使用人の給料等の請求権とは，性格を異にするので，本文で挙げなかった。

が未確定であればそれを確定させ，あるいは非金銭債権については，それを金銭債権に転換する必要がある。まず，弁済期については，破産手続開始までに弁済期が到来していない期限付債権[57]は，破産手続開始と同時に弁済期が到来したものとみなされる（破103Ⅲ）[58]。これを債権の現在化と呼ぶ。

　現在化は，債務者について破産手続開始と同時に期限の利益が失われること（民137①）と対応している[59]。ただし，破産債権の現在化は破産清算のためのものであるから，破産手続外の第三者，たとえば保証人，連帯債務者，あるいは物上保証人などの関係で弁済期が到来したものとみなされるわけではない。その点が民法の規定などにもとづく実体法上の期限の利益喪失と異なる。もっとも，破産者に対する関係では，破産者の異議がなければ，破産債権についての破産債権者表の記載が確定判決と同一の効力を認められるが（破221ⅠⅡ），これは破産手続の結果とみなされるから，現在化の効力が及ぶ[60]。

　破産債権を行使するために破産債権者は，債権の金額等を破産裁判所に届け出なければならない（破111Ⅰ①）。その前提として，破産債権の金額が定まっていることが必要になるが，①すでに金額が確定されている金銭債権，②金額

---

[57] ここでいう期限は，始期（民135Ⅰ）を意味する。債権の発生そのものが期限付のものも含まれ，条件付債権（破103Ⅳ）とは区別される（注解破産法（上）126頁〔石川明＝三上威彦〕，基本法53頁〔德田和幸〕）。将来事象発生の確実性を重視する趣旨である。

[58] 破産債権者が別除権者であるときには，法103条3項の適用可能性を否定する有力説がある（注解破産法（上）127頁〔石川明＝三上威彦〕）。しかし，同じく破産債権者である以上，そのような区別をする理由に乏しい（谷口284頁，基本法53頁〔德田和幸〕，大コンメンタール435頁〔堂薗幹一郎〕，条解破産法〈第3版〉786頁）。

[59] もっとも，民法137条の場合には，債権者の請求に対して債務者が期限の利益を主張できないにとどまるが，破産手続の場合には，期限の到来を擬制する点が異なる。これに関連して，民法の場合には，本来の期限までの利息を請求できないのに対し，破産手続においては，その分が劣後的破産債権（破97①・99Ⅰ①）となるという差異が生じる。条解破産法〈第3版〉785頁。

[60] 山木戸96頁，基本法53頁〔德田和幸〕，注解破産法（上）127頁〔石川明＝三上威彦〕，条解破産法〈第3版〉785頁。また，破産手続廃止によって破産債権の確定に至らず破産手続が終了した場合については，現在化を認める説（谷口284頁，基本法53頁〔德田和幸〕）と否定する説（櫻井孝一「破産債権額の算定」演習破産法218，223頁，注解破産法（上）129頁〔石川明＝三上威彦〕，条解破産法〈第3版〉782，786頁）とが対立する。しかし，現在化は，金銭化（破103Ⅱ①イ）とは異なって，破産手続開始の効力にもとづくものであるので，開始決定が取り消されない限りその効力が残る。もっとも，破産者の異議があっても，一部に対して配当がなされたときには，もはや現在化の効力が失われることはない。大コンメンタール430頁〔堂薗幹一郎〕，条解破産法〈第3版〉782頁など参照。

が定まっていない財産上の請求権，すなわち金額不確定の金銭債権，外国通貨による金銭債権，および非金銭債権など，③定期金債権，④条件付債権および将来の請求権の4つに分けて，破産債権額の確定を説明する。

1 金額の確定されている金銭債権

この種の金銭債権は，破産手続開始時にすでに弁済期が到来している場合とそうでない場合とに分けられる。前者の場合には，その元本額，利息および遅延損害金などを合計したもの，すなわち，実体法上の債権額がそのまま破産債権額となる（破103Ⅱ②）。後者の場合にも，この原則自体に変わりはないが，破産手続開始後に弁済期が到来する利息などは，法97条1号および法99条1項1号によって劣後的破産債権とされ，また，無利息債権の場合の期限到来までの中間利息相当額も，法99条1項2号および3号によって劣後的破産債権とされる。なお，マイナス金利が付された金銭債権は，特段の定めがない限り，破産手続開始時までに発生し未払のマイナス金利相当額を控除した額が破産債権額となる。破産手続開始後のマイナス金利の請求権は，その発生が認められるのであれば，破産財団所属の財産となる。

2 金額不確定の金銭債権および財産上の請求権

これに属するのは，不確定金銭債権，外国通貨金銭債権および非金銭債権である財産上の請求権の3つである（破103Ⅱ①イロ）。これらの債権は，いずれもそのままの形で配当に加えることができないので，破産手続内の効果として，金銭債権に転換する必要がある。これを債権の金銭化と呼ぶ[61]。具体的には，破産債権者が破産債権の届出に際し，破産手続開始時を基準とする金額評価額

---

61) 評価にもとづく破産債権者の届出および調査・確定の手続を経て，破産手続との関係では，破産債権の内容が変更される。ただし，菅野孝久・和議事件の申立・審理・裁判240頁（1991年）は，実体法と手続法を峻別する立場から，債権の内容そのものに変更は生じないとする。

また，手続が破産手続から再生手続に移行すること（本書1246頁）などにともなって，破産債権確定の効力が失われる場合（本書1130頁）には，破産配当の実施を目的とする金銭化の効力も消滅すると解すべきである。ただし，破産者に対する関係は別に考えられる（条解破産法〈第3版〉782頁参照）。山本和彦「仮想通貨交換業者の倒産手続に関する若干の法律問題」民事特別法の諸問題6巻355頁は，非金銭化説を基本としつつ，破産債権者に選択の可能性を認める。

なお，仮想通貨（ビットコイン）の返還請求権を破産債権とすることを前提とし（本書468頁参照），その金銭化による破産債権額が争われた事例として，東京地判平成30・1・31金商1539号8頁がある。

を併せて届け出,債権調査を経て,破産債権およびその評価額が確定される。なお金銭化は,現在化と異なって,破産手続開始決定の効果として当然に生じるものではなく,破産債権確定の効果として(破124 I Ⅲ・221 I)生じるものである。したがって,破産手続が破産債権の確定に至らずに終了するときには,すでに金銭化のための届出がなされている場合であっても,破産者に対する関係で金銭化の効果は生じない。確定し,破産者が異議を述べていなければ,破産債権者は,金銭化された破産債権にもとづいて破産者に対する強制執行を行うことができる(破221 I Ⅱ)。ただし,金銭化はあくまで破産手続内部の効果にとどまるから,連帯債務者や保証人などの第三者との関係でも金銭化の効果は及ばない。

(1) 不確定金銭債権(破103 Ⅱ①ロ)

通説は,この債権は,主観的にのみならず,客観的に金額が確定されていない金銭債権を意味するとし,その例として,将来の一定時期における収益分配請求権を挙げる。反面,不法行為にもとづく損害賠償債権などは,たとえ破産手続開始時において債権者が金額を知していなくとも,客観的には,確定金額が存在するはずであるから,ここには含まれないという[62]。しかし,法103条2項1号ロ(旧破22条)の母法であるドイツ法の解釈は,これと異なって,むしろ金額不確定の債権の代表的な例として,損害賠償債権を挙げる[63]。

損害賠償債権が金額不確定の債権とされることの意義は,次のように整理される。破産債権者自身の評価にもとづいて債権届出がなされ,これに対する調査が行われる点では,金額確定とされようと,不確定とされようと差異を生じない。しかし,債権調査の方法については,次のような差異が考えられる。同じく破産債権者による届出であっても,一般の場合には,客観的に存在する債権額が一定の要件事実にもとづいて定められるのに対して[64],金額不確定とされる場合には,どの程度の額に達するかを蓋然的に評価し,債権確定訴訟を含

---

[62] 注解破産法(上)132頁〔石川明=三上威彦〕,大コンメンタール432頁〔堂薗幹一郎〕,旧会社更生法117条(現会更136 I③ニ相当)について条解会更法(中)417頁,注解会更法400頁〔須藤英章〕。
[63] 伊藤・前掲論文(注55)182頁参照。
[64] 破産管財人や他の破産債権者がその額について争おうとすれば,異議を提出し(破124 I),破産債権査定手続および異議訴訟によって金額が確定される(破125 I・126 I)。したがって,査定決定時または異議訴訟の口頭弁論終結時が債権額の基準時になる(旧法下の債権確定訴訟について注解破産法(上)133頁〔石川明=三上威彦〕参照)。

む債権調査もその評価の合理性をめぐって行われる。

　不法行為にもとづく損害賠償債権であっても，損害額算定に関する基礎事実が確定している場合には，金額確定のものとして取り扱ってよい。しかし，その事実が将来にわたる予測的なものである場合には，金額不確定なもの，またはこれに準じた取扱いを認め，破産管財人などの異議権行使や破産債権査定手続等においても，破産手続開始時における評価の合理性を基準とすべきである[65]。

(2)　外国通貨金銭債権（破103Ⅱ①ロ）

　外国通貨金銭債権の届出にあたっては，破産債権者は，それを破産手続開始の時の為替相場にしたがって国内通貨に評価し直して，届け出る。ただし，為替相場についていずれの地のものを基準とすればよいかについては争いがあるが，手続は法廷地法によるとの準拠法の原則，および債権者の平等などの理由から，開始決定地のそれが基準となる[66]。調査および確定は，本来の外国通貨金銭債権およびその評価額の双方についてなされる。

　なお，破産債権者が邦貨による評価を行わず，外国通貨債権のみを届け出た場合には，これを不適式な届出として，破産債権者表に加えないことも考えられるが，実務上では破産管財人が評価を行うことがある[67]。

(3)　非金銭債権（破103Ⅱ①イ）

　ここでいう非金銭債権は，実体法上の非金銭債権のすべてではなく，物の引渡請求権や代替的作為請求権など，財産上の請求権とされるものに限られる。

---

[65]　基本法54頁〔徳田和幸〕も本書の考え方を支持する。したがって，破産管財人としては，破産債権者による評価の方法が合理的であると判断すれば，あえて損害賠償額算定の基礎事実そのものの存否・内容にまで立ち入る必要はない。本書がこのような考え方をとる背景には，不法行為にもとづく損害額認定そのものについて，裁量的要素を認めざるをえないとの認識がある（平井宜雄・債権各論Ⅱ130頁（1992年）参照）。

[66]　任意弁済の場合には，履行地の為替相場が基準となるが（民403・484Ⅰ），破産の場合には，本文に述べた理由から開始決定地の為替相場が基準となる（破産・民事再生の実務〔破産編〕469頁，条解破産法〈第3版〉783頁，破産管財の手引〈第2版〉284頁，破産実務の基礎396頁参照）。ただし，破産配当からみれば，取立債務としての性質上（破193Ⅱ本文），開始決定地が履行地ともいえる。
　　なお，仮想通貨（暗号資産）支払請求権についても，基本的な考え方は外国通貨金銭債権と同様である。伊藤・前掲論文（注6）13頁参照。

[67]　櫻井孝一「破産債権の概念とその範囲」金商別冊1号63, 67頁（1980年），破産管財の手引〈第2版〉284頁。ただし，評価が破産管財人の義務とは考えられない（基本法55頁〔徳田和幸〕参照）。

この場合にも，破産手続開始時を基準時として破産債権者が，物の市場価格や代替的役務提供者との取引価格などを基礎として，自ら評価をなし，債権届出を行い，本来の債権とその評価額について調査および確定がなされる。

3 定期金債権（破103Ⅱ①ハ）

同じく定期金債権であっても，金額および存続期間が確定していれば，確定金銭債権であって弁済期未到来のものとして扱われる。これに対して，金額または存続期間が不確定であれば，評価にもとづく届出が要求される。資産の運用による収益の分配にもとづく定期金などが，金額が不確定な場合にあたり，終身定期金債権（民689）は，存続期間が不確定な場合にあたる。いずれの場合にも，将来に弁済期が到来する定期金部分に関する中間利息相当分については，劣後的破産債権として扱うべきである（破99Ⅰ④参照）。

4 条件付債権および将来の請求権

条件付債権とは，その発生原因たる法律行為において停止条件または解除条件が付されたものを指し，保証人の求償権など，法定の停止条件にかかる債権を将来の請求権と呼ぶ。これらが破産債権となる場合に，債権額をどのように定めるかについて，立法政策としては，条件成就の蓋然性を債権額の評価基準とすることも考えられるが，法は，無条件の債権と同じく，その全額または法103条2項1号の規定による評価額を債権額としている（破103Ⅳ）。停止条件付の債権の例としては，保険事故発生前の保険金請求権，敷金返還請求権，契約違反を理由とする損害賠償請求権や違約金請求権，将来の請求権の例としては，保証人や連帯債務者の求償権が挙げられる[68]。

しかし，将来の不確定な事実に依存しているこれらの債権を無条件の債権とまったく同様に扱うのは不適当なので，法は，配当および相殺について特別の

---

68) 退職手当の請求権は，不確定期限付債権であるが，懲戒解雇の場合には退職手当を支給しない旨の定めがあれば，退職事由が懲戒解雇ではないことを条件とする停止条件付請求権としての性質をもつ。大コンメンタール437頁〔堂薗幹一郎〕，条解破産法〈第3版〉787頁。

なお，双方未履行双務契約について破産管財人が解除を選択した場合の相手方の損害賠償請求権（破54Ⅰ。本書391頁）や否認の相手方の償還請求権（破168Ⅱ②③。本書654頁）を条件付債権の一種とする見解もあるが，ここでは，破産手続開始時に条件付債権として存在するものを対象とするのであるから，このような見解は妥当でない。また，別除権の被担保債権たる破産債権もその行使は不足額に限定されるが（破108Ⅰ本文），破産債権そのものに条件が付されているわけではない。条解破産法〈第3版〉787頁。

規定を設けている。まず，停止条件付債権および将来の請求権は，その発生自体が不確定なので，条件成就が未確定の間は，配当を行わないのが原則である。すなわち，中間配当にあたっては，配当額が寄託されるし（破214 I ④），最後配当においては，除斥期間内に条件が成就しないときは，その債権者は配当から除斥され（破198 II），寄託分は，他の破産債権者への配当にまわされる（破214 III）。これを打切主義と呼ぶ。相殺に関しては，停止条件付債権者などからの相殺権行使が問題となるが，無制限に相殺を認めると，条件が成就しなかったときに問題を生じる。法は，相殺権の行使を認めず，ただし後日条件が成就した場合の相殺権行使を確保するために，破産財団に対する債務の弁済金を寄託するよう，破産債権者が破産管財人に請求できる旨を規定する（破70前段）。この寄託金も，最後配当のための除斥期間内に条件が成就しなければ，他の破産債権者への配当財源とされる（破201 II）。

これに対して解除条件付債権の場合には，債権が成立しているので，停止条件の場合とは異なった取扱いがなされる。まず，中間配当においては，債権者は配当を受領できるが，その際に担保の提供が要求される（破212 I）。後に解除条件が成就したときに，他の破産債権者に損害を与えるのを防ぐ趣旨である。担保の提供がなされないときには，停止条件付債権者の場合と同じく配当額が寄託される（破214 I ⑤）。

最後配当に際しては，除斥期間内に条件が成就しなければ無条件で配当がなされるし，中間配当にあたって提供された担保や寄託金も返還される（同IV・212 II）。その後に解除条件が成就したときには，それを不当利得として破産者に返還するのか，それとも不当利得として破産管財人に返還して，追加配当の財源（破215 I）とするのかは，考え方が分かれるが，理論的には，追加配当の財源とするのが妥当である[69]。なお，解除条件付債権者が相殺権を行使しようとするときにも，担保の提供または寄託が要求され（破69），最後配当の除斥期間内に条件が成就しなければ，担保などは債権者に返還される（破201 III）[70]。

---

[69] 注解破産法（上）141頁〔石川明＝三上威彦〕，基本法56頁〔徳田和幸〕，条解破産法〈第3版〉788頁，注釈破産法（上）688頁。

[70] 以上のような条件付債権の取扱いに関して，破産手続終結後に停止条件が成就する債権者が不当な不利益を受けることなどの理由にもとづいて，立法論としては，民法930条2項と同様の評価制度を設けるべきであるとの意見が旧法下で有力であったが（山木戸98

第3項 破産債権の地位

　破産債権は，破産法に特別の定めがある場合を除いて，破産手続によらなければ，行使することができない（破100Ⅰ）。破産手続による行使とは，破産債権をもって破産手続に参加できることを意味する。また，これを前提とすれば，破産管財人の側から破産債権者に対して任意弁済をすることも，法にこれを許容する特別の定めがない限り，禁止される[71]。なお，特別の定めとしては，破産債権である租税等の請求権にもとづく国税滞納処分等（同Ⅱ），給料の請求権等の弁済の許可（破101）がある。また，破産管財人による相殺を規定する102条も，破産手続によらずに破産債権者の債権の全部または一部を消滅させるという効果からみれば，特別の定めと趣旨を同じくする。

1 破産手続によらない破産債権の行使の意義

　破産手続によらない破産債権の行使とは，当該債権の満足を求めるすべての法律上および事実上の行為を意味する。したがって，債務名義にもとづく強制執行や保全執行がこれに含まれることは当然であり，破産管財人や破産者は，破産財団所属財産または自由財産に対する強制執行や保全執行に対して，破産手続開始決定の正本を執行機関に提出して，その停止および取消しを求められる（民執39Ⅰ⑥，民保46）。また，給付訴訟や積極的確認訴訟を提起することも破産債権の行使とみなされるので，受訴裁判所は，破産手続開始の事実が明らかになれば，訴えを不適法として却下すべきである[72]。保全命令申立てについ

　頁，谷口284頁，青山ほか109頁，基本法56頁〔徳田和幸〕），現行法は，旧法の規定を引き継いでいる。

[71] 破産管財人がこれに違反して任意弁済をした場合，それが善管注意義務違反として，破産管財人の損害賠償義務を発生させる（破85ⅠⅡ参照）にとどまらず，弁済そのものも手続の基本構造に反するものとして無効と解すべきである。相手方の善意・悪意とはかかわりがない（破50ⅠⅡ参照）。具体的には，労働債権の優先的破産債権部分（破98Ⅰ。本書304頁）を財団債権（破149ⅠⅡ。本書339頁）と誤って支払うことなどが考えられる。条解破産法〈第3版〉769頁。

[72] 優先的破産債権存在確認請求訴訟を不適法却下したものとして，東京地判平成27・11・12判時2298号72頁がある。
　扶養料債権等を非免責債権として（破253Ⅰ④。本書812頁）その給付訴訟を提起することも，破産手続外の破産債権の行使とみなされるので，同様に扱うべきである。条解破産法〈第3版〉770頁。ただし，大コンメンタール419頁〔堂薗幹一郎〕は，反対。これに関連して，破産債権者が破産手続開始前または破産手続開始後の破産者の債務不履行を理由として，破産債権の発生原因たる契約を解除できるかどうかという問題がある。岡正

ても同様である。

他方，主債務者が破産した場合に，保証人に対して保証債務の履行を請求することは，そもそも破産債権の行使にあたらないから，禁止の対象ではない[73]。

これに対して，破産債権者が自らの債権を保全するために，破産財団に属する権利について債権者代位権を行使し（民423Ⅰ本文），代位訴訟を提起しうるかについては，旧法下で議論があった。しかし，債権者代位権の行使も，破産債権行使の一態様に他ならず，また，破産財団所属財産たる権利の保全は，それについて管理処分権を有する破産管財人に委ねるべきである。破産手続開始時に係属する債権者代位訴訟について，その中断および破産管財人による受継を認める明文の規定（破45）が設けられたことを考えても，このような結論をとるべきである[74]。破産手続係属中に破産債権者が詐害行為取消訴訟を提起で

品「倒産手続開始後の相手方契約当事者の契約解除権と相殺権」伊藤古稀782頁は，解除権を肯定する立場をとる。同論文が指摘するとおり，法100条1項によって禁止されるのは，破産債権の満足を求める行為であり，解除権の行使は，これに該当するものではない。また，破産手続開始前に債務不履行の事実が生じ，相手方たる破産債権者が解除権を行使しうる状態にあったときは，破産手続開始後もその行使を制限すべき理由はない（本書397頁）。破産管財人が双方未履行双務契約について履行の選択をした後に財団債権たる相手方の債権についての履行を怠る場合も同様である。

しかし，それ以外の場合，たとえば，双方未履行双務契約の相手方が，破産手続開始の効果として自らの債権についての履行がなされないことを理由として解除権を行使することは，法53条1項にもとづいて破産管財人の選択権行使を無意味にするから許すべきではないし，自らの引渡義務などを履行済みの売主が，破産手続開始の効果として自らの代金債権についての履行がなされないことを債務不履行として解除権を行使することも，破産手続開始の効果としての履行禁止は実体法が想定する債務不履行には該当しないので，これを否定すべきである。双方未履行双務契約の相手方からの解除一般については，本書393頁，担保権実行としての解除については，本書499頁参照。

73) また，破産した持分会社の債権者が，会社の社員に対して債務の履行を求めることも（会社580参照），責任財産の主体を異にするものであるから，本条の対象とならない（注解破産法（上）121頁〔石川明＝三上威彦〕，青木62頁，中田204頁，山木戸35頁，条解破産法〈第3版〉770頁）。

74) 条解破産法〈第3版〉770頁，注釈破産法（上）671頁。裁判例として，東京地判平成14・3・13判時1792号78頁，再生手続（管理命令発令事案）に関して，東京高判平成15・12・4金法1710号52頁〔倒産百選A14事件〕，再生手続（管理命令発令のない事案）に関して，東京地判平成24・2・27金法1957号150頁〔倒産百選A13事件〕（ただし，再生手続における別除権協定の性質との関係がある。本書991頁参照），更生手続に関して，東京地判平成16・1・27金法1717号81頁がある。これに対して手形の支払呈示などは，もっぱら当該手形債権者にかかわるものであり，破産財団に影響を与えないから，禁止の対象とならない。大判明治37・3・12民録10輯309頁，条解破産法〈第3版〉771頁。破産債権の譲渡や質入も禁止されない。条解破産法〈第3版〉771頁。

きるかどうかについても，同様にこれを否定すべきである[75]。

2 自由財産に対する破産債権者の権利行使

破産債権者による権利行使の対象としては，破産財団所属財産と破産者の自由財産とが考えられる。このうち，破産財団所属財産に対する権利行使が許されないことは，上に述べた通りである。また，自由財産のうち差押禁止財産については，その理由から権利行使が許されない。これに対して，新得財産については，破産債権者による権利行使が考えられるので，法100条1項がそれについても適用されるかどうかが問題となる。しかし，破産債権者に対する責任財産の範囲を破産手続開始時における破産者の総財産に限定する固定主義（破34Ⅰ参照）や，破産手続終了後の免責審理期間中における強制執行の禁止（破249Ⅰ）の趣旨を考えれば，法100条1項は新得財産に対する権利行使にも適用され，破産手続係属中に破産債権者がそれに対して強制執行を行い，また破産者を被告として給付訴訟を提起することなども禁止されると解すべきである[76]。

3 租税等の請求権に関する特例

破産手続によらない破産債権の行使に関する例外として，租税等の請求権にもとづく滞納処分等がある。

(1) 破産手続開始の時に破産財団に属する財産に対して既にされている国税滞納処分

租税等の請求権とは，「国税徴収法又は国税徴収の例によって徴収するこ

---

[75] 執行文付与の申立て（民執26）や執行文付与の訴え（同33）も，それが破産者を相手方とするものであれ，破産管財人を相手方とするものであれ，禁止される。執行文付与の訴えについて，条解破産法〈第3版〉771頁，注釈破産法（上）671頁。

[76] 注解破産法（上）119頁〔石川明＝三上威彦〕，条解破産法〈第3版〉772頁，注釈破産法（上）672頁など。強制執行について，大判昭和8・12・19民集12巻2882頁，破産者に対する給付訴訟について，最判昭和43・6・13民集22巻6号1149頁がある。なお，確認訴訟についても，破産債権の調査確定との関係で，訴えの利益が否定される（注解破産法（上）120頁〔石川明＝三上威彦〕，条解破産法〈第3版〉772頁，注釈破産法（上）673頁）。

また，旧法下では，破産者が異議を述べた破産債権について，破産宣告当時訴訟が係属するときは，債権者が破産者を相手方として受継することができる旨の規定が存在し（旧破240），これが自由財産に対する権利行使禁止の例外となっていたが，現行法がこの規定を削除したことについては，本書693頁注62参照。

さらに，破産者が自由財産をもって破産債権者に対する任意弁済を行うことの評価については，本章注26参照。

のできる請求権」（破97④）を意味するが，その中では，財団債権とされるもの（破148Ⅰ②③）以外は，破産債権となる（破97③ないし⑤を含む）。破産債権である以上，法100条1項による権利行使禁止の対象となるべきものであるが，租税等の請求権には自力執行権が認められていることなどを考慮すると，通常の破産債権と同様に一律に破産手続開始後の権利行使を否定することは適切でないと考えられる。他方，破産手続開始後に自力執行としての滞納処分を開始することを認めるのは，破産手続の円滑な進行を阻害するおそれがある。

そこで，立法者は，破産手続開始時に滞納処分に着手していない租税等の請求権については，それが財団債権であれば，破産管財人による随時弁済（破2Ⅷ）により，それが破産債権であれば，破産管財人による配当に委ねることとして，滞納処分の開始を認めず（破43Ⅰ），破産手続開始時に既に滞納処分が開始されている場合に限ってその続行を認めることとしたので（同Ⅱ），これが破産債権にもとづく権利行使の例外とされたのである（破100Ⅱ①)[77]。ただし，共助対象外国租税の請求権は除く（同柱書かっこ書）。

結局，破産手続開始時に既に開始されている滞納処分が続行されるときには，破産債権者としての租税等の請求権者は，その手続の中で優先的な満足を受けられる可能性がある。その実質的理由は，滞納処分による処分禁止効によって租税等の請求権者に別除権者類似の優先的地位が認められることに求められる[78]。

(2) 徴収の権限を有する者による還付金または過誤納金の充当

徴収の権限を有する者による還付金または過誤納金の充当は，還付金等の還

---

[77] ここでいう滞納処分には参加差押え（税徴86）が含まれる。したがって，破産手続開始時に既にされている滞納処分または参加差押えにかかる租税等の請求権者は，その手続による満足を受けることができるが，交付要求（税徴82）をしたに過ぎない租税等の請求権者は，滞納処分にもとづく手続による配当を受けることはできず（破25Ⅰ本文かっこ書参照），その配当分は破産管財人に交付され，租税等の請求権者は財団債権または優先的破産債権の区別にしたがって満足を受けることとなる（最判平成9・11・28民集51巻10号4172頁〔倒産百選〈第4版〉98①事件〕，最判平成9・12・18判時1628号21頁〔同②事件〕参照）。

[78] 一問一答192頁。しかし，このような結論になることに対しては，租税等の請求権について財団債権となる部分を限定した意義（破148Ⅰ②③参照）との関係が問題となろう。

なお，大コンメンタール421頁〔堂薗幹一郎〕は，これを根拠として，法78条2項14号を類推適用し，破産管財人が滞納処分にかかる租税等の請求権に対する弁済をした上で，差押えの目的物を任意売却できるとする。

付を受けるべき者について納付すべき国税等への充当を認めるものであるが（税通57Ⅰ，地税17の2），性質としては相殺に類似するものであり，破産債権者による相殺が原則として認められていること（破67Ⅰ）との関係なども考慮して，これを認めることとしている（破100Ⅱ②）[79]。

4 給料の請求権等の弁済の許可

給料等の請求権のうち財団債権とされる部分（破148）は，破産手続によらない随時の弁済が受けられるが，優先的破産債権とされる部分（破98Ⅰ）は，配当の実施を待つことになる。優先的破産債権は，破産配当における優先権を意味するものであって，配当手続外での優先的満足を意味するものではないからである。

しかし，給料の請求権または退職手当の請求権が優先的破産債権となっている場合において，配当手続に先立ってその弁済を受けなければ，使用人の生活の維持を図るのに困難を生じるおそれがあるときには[80]，裁判所は，破産管財人の申立てまたは職権によって，給料の請求権等の全部または一部の弁済を許可することができる（破101Ⅰ本文）。ただし，その弁済によって財団債権または他の先順位もしくは同順位の優先的破産債権を有する者の利益を害するおそれがない場合に限られる（同但書）。破産債権者たる使用人には，直接の申立権はなく，破産管財人に申立てを求める以外にないが，申立てを求められた破産管財人は，直ちにその旨を裁判所に報告しなければならない（同Ⅱ前段）。この場合に，申立てをしないこととしたときは，遅滞なく，その事情を裁判所に報告しなければならない（同後段）。

この制度は，民事再生や会社更生における再生債権や更生債権弁済禁止の解除制度（民再85Ⅱ Ⅴ，会更47Ⅱ Ⅴ）と異なって，あくまで優先的破産債権たる給

---

79) ただし，開始決定後の決算期における消費税や法人税の還付金等を破産手続開始前の租税等の請求権に充当することも条文上排除されておらず（破100Ⅱ），相殺の範囲（破72Ⅰ①）を超える部分もある。
80) 生活には，破産債権者本人およびその扶養家族の生活が含まれる。多少の生活費の切りつめで対処できるのであれば，困難を生じるとはいえないが，著しい困難であるまでの必要はない。条解破産法〈第3版〉776頁，220問411頁〔佐藤昌巳〕。ただし，財団債権としての給料等の請求権の支払によって，使用人の生活維持が可能であるとか，他に十分な収入や資産がある場合には，弁済の許可は認められない（破産法大系Ⅱ107頁〔蓑毛良和〕）。なお，解雇予告手当が財団債権に含まれないとの前提に立ったときに，法101条1項の類推適用が説かれることがある。220問411頁〔佐藤昌巳〕，注釈破産法（上）676頁，注釈破産法（下）43頁。

料の請求権等に対する配当の前倒しにすぎない[81]。破産手続開始前3月間の使用人の給料の請求権等が財団債権とされ（破149 I），随時弁済を受けるのとも，その趣旨を異にする。破産債権者たる使用人には弁済許可の申立権がなく，配当の実施に責任を持つ破産管財人にのみ申立権が認められているのも，このような理由にもとづいている。破産管財人は，手元に弁済に充てることができる金銭があり，弁済を実施しても，破産手続の進行に支障を来さないことを前提として，弁済許可の申立てをなすべきである。申立てを受けた裁判所は，積極要件として，使用人の生活維持が困難になるおそれがあること，消極要件として，財団債権や同順位以上の優先的破産債権を害するおそれがないことを判断の上，許可または不許可の裁判をする[82]。裁判は，破産管財人に対する告知によってその効力を生じ（破13，民訴119），不服申立ては許されない（破9前段参照）[83]。

そして，給料の請求権等について弁済を受けた者は，それが配当の前倒しとしての実質をもつために，他の同順位の破産債権者が自己の受けた弁済と同一の割合の配当を受けるまでは，配当を受けることができない（破201 IV など。本書753頁）。議決権の行使も否定される（破142 II。本書242頁）。

第4項　破産債権の順位

破産債権は，破産財団から配当によって公平な満足を受ける権利であるから，債権額に比例して平等に扱われるのが原則であるが（破194 II），それぞれの権利がもつ実体法上の優先権を考慮して，法は，優先的破産債権の概念を設け，

---

81)　したがって，破産債権としての確定までは必要がないが，届出を経て，その存在と内容が疑われないものが対象となろう。条解破産法〈第3版〉777頁，220問412頁〔佐藤昌巳〕。和解許可（破78 II ⑪）を介在させた実務運用については，注釈破産法（上）679頁参照。

82)　財団債権をすべて弁済できる場合に，労働債権のみの届出にもとづいてこの規定による弁済をなし，異時破産手続廃止をする実務運用がある。基本構造349頁。なお，大阪地裁では，優先債権だけに弁済をする場合には，裁判所の許可をえた和解によって処理をしている。運用と書式293，298頁，破産法大系 II 108頁〔蓑毛良和〕。

83)　要件の判断を誤り，弁済によって財団債権者などの利益が害されても，弁済の効力は影響を受けない。これに対して裁判所の許可を受けることなく破産管財人が弁済をしたときは，無効な弁済となる。また，許可がなされたにもかかわらず，破産管財人が弁済を実施しないときは，裁判所の監督権の発動（破75 I）を促すことになる。なおいずれの場合にも破産管財人の善管注意義務（破85）の問題が生じる。

また一定の政策的理由などにもとづく劣後的破産債権および破産債権者と破産者の合意にもとづく約定劣後破産債権の概念を設けている。その結果，破産債権の順位は，①優先的破産債権，②一般の破産債権，③劣後的破産債権，④約定劣後破産債権となる。

1　優先的破産債権

　破産財団所属の財産について，一般の先取特権その他一般の優先権をもつ債権は，他の破産債権に優先する（破98Ⅰ）。優先権の範囲が一定期間に限定されているときには，その期間は，破産手続開始の時から遡って計算する（同Ⅲ）。同じく破産債権であっても，実体法上の優先権をもつ以上，これらの権利を一般の破産債権と同順位とすることは公平に反する。他方，優先権の対象は特定財産ではなく，一般財産であることを考慮し，法は，これらの権利を破産債権でありながら，一般の破産債権に優先するとしたものである。同じく実体法上の優先権であるが，特定財産上の優先権をもつ権利者は，破産手続外の権利行使によってその優先権を実現できる，別除権者とされる（破2Ⅸ・65Ⅰ）。また，劣後的破産債権および約定劣後的破産債権については，たとえ一般の優先権があっても，優先的破産債権とならない（破98Ⅰかっこ書）。劣後性の趣旨に反するからである。

（1）優先的破産債権の範囲

　優先的破産債権の基礎となるのは，民法その他の法律にもとづく一般の先取特権および企業担保権などである[84]。これらの中で多く問題となるのは，雇用関係にもとづく従業者の労働債権である。民法の平成15年改正前は，先取特権が認められる範囲が給料6カ月分について限定されていたところから，雇主

---

84) 民法306条から310条まで，放送法80条6項，7項，企業担保法2条1項，7条，税徴8条（ただし，納期限から1年を経過したもの。破148Ⅰ③参照）など。年金掛金のうち，公的年金掛金については，一般の優先権が認められるので（厚年88），優先的破産債権となる。これに対して，企業年金，特に過去の積立不足を解消するための特別掛金拠出請求権は，基金の事業主に対する請求権であるために，雇用関係にもとづくものとはいえず，一般の破産債権にとどまる。詳説倒産と労働392頁〔下向智子〕参照。
　なお，民法306条4号にいう日用品供給先取特権は，債務者が個人の場合に限って認められるから，債務者が法人の場合には，優先的破産債権とならない（最判昭和46・10・21民集25巻7号969頁〔倒産百選〈第3版〉47事件〕）。また，賃金や退職金が社会的にみて不当に高額であるときには，その支払や支払の合意が否認の対象となりうる。これに対して，民事再生手続では一般の優先権ある債権が再生債権とされないため（民再122），優先的再生債権の概念が存在しない。

が株式会社などである場合（商旧295・有旧46Ⅱ・保険旧59Ⅰ）との不均衡が存在したが[85]，平成15年改正によって雇用関係にもとづく債権は，雇主の種類を問わず，期間の限定なしに先取特権の保護対象とされることとなったので（民306②），その全額が優先的破産債権となる。なお，後に述べるように，労働債権のうち一部は財団債権となる（破149）[86]。

民法の規定における，雇用関係にもとづくとは，労務の提供と直接または間接に関係する従業者の賃金や退職金などを意味するから，取締役などの役員報酬は，雇用関係にもとづくものにあたらず，先取特権の成立は認められない。これに対して，身元保証金返還債権は賃金ではないが，雇用関係にもとづくものとして先取特権の対象となる。社内預金払戻債権は，労務の提供との関係が存在しないので，先取特権の成立が否定される[87]。

---

85) 伊藤・破産法〈第3版補訂版〉168頁参照。
86) 一個の労働債権のうち破産債権としての届出を要する優先的破産債権部分と届出を要しない財団債権部分とが分かれること，独立行政法人労働者健康安全機構からの立替払いの充当順序などに関して，実務上の問題が生じることがある。基本構造339，342頁，220問404頁〔小川洋子〕，吉田＝野村146頁，破産法大系Ⅱ111頁〔蓑毛良和〕。制度の趣旨からして，まず優先的破産債権部分に充当すべきであろう。破産法大系Ⅲ353頁〔中井康之＝山本淳〕。
87) 基本法67頁〔加藤哲夫〕，条解破産法〈第3版〉758頁，詳説倒産と労働57頁〔岩知道真吾〕。裁判例としては，東京高判昭和62・10・27判時1256号100頁〔新倒産百選109事件〕，札幌高判平成10・12・17判時1682号130頁〔倒産百選〈第4版〉92事件〕がある。旧会社更生法119条は，社内預金返還請求権を共益債権として保護したが，立法論として批判が強く（注解会更法406頁〔山田二郎〕），現行会社更生法130条5項は，更生手続開始前6月分の給料総額相当分または預り金の3分の1相当額のいずれか多い額に限定して，共益債権として扱っている。
現行破産法立案時にも，預り金の取扱いが問題となったが（池田辰夫「企業倒産における労働者の地位と労働債権」ジュリ1111号144，147頁（1997年）)，現在では社内預金自体が一般的ではないこと，給料債権の一部を財団債権に格上げしたことなどとの関係で，会社更生法のような規定は設けられなかった。もっとも，社内預金については，その保全措置を講じることが会社に義務づけられている（労基則5の2⑤）。また，社内預金の名目であっても，それが強制されているような場合には，雇用関係にもとづくものとして扱うべきである（破産法大系Ⅱ97頁〔蓑毛良和〕，同Ⅲ344頁〔中井康之＝山本淳〕）。
これに対して，雇用契約上の安全配慮義務違反にもとづく損害賠償請求権は，雇用関係にもとづくものと考えられる。そのほか，通勤手当，出張旅費，解雇予告手当の取扱い，請負契約にもとづく工賃債権との区別などについては，破産管財の手引〈第2版〉278頁，詳説倒産と労働64頁〔徳住堅治〕，74頁〔神原千郷〕参照。また，主体面からみると，役員（取締役，会計参与および監査役。会社329Ⅰ）の報酬は，雇用関係にもとづくものにあたらず，執行役と会社の関係は委任であるから（会社402Ⅲ），同様に解することになるが，重要な使用人とする考え方もある。使用人兼務の取締役は，その職務の実態に即

実体法上の根拠にもとづいて優先的破産債権とされるもののほかに，社会的に保護の必要が説かれるものとして，下請業者の請負代金債権や不法行為にもとづく損害賠償債権などがある。根本的な問題の解決のためには，実体法がこれらの債権に優先権を付与することが望ましいが，一般破産債権について適用される平等原則を衡平の見地から修正することを認めるだけでも（民再85Ⅱ Ⅴ・155Ⅰ但書，会更47ⅡⅤ・168Ⅰ柱書但書参照），問題が解決されうる[88]。しかし，破産法では，このような修正が認められていないために，これらの債権を一般の破産債権に優先させることはできない[89]。もちろん，平等原則は破産債権者の利益を保護するためのものであるので，影響を受けるすべての破産債権者からの同意をえれば，破産管財人はこれらの債権者に対して優先的な配当を与えることができる。

(2)　優先的破産債権相互の順位

　優先的破産債権相互間の順位は，実体法の基準によって定まる（破98Ⅱ）。したがって，国税および地方税が最優先となり（国徴8，地税14），各種の公課（国徴2⑤）がそれに次ぐ（国年98，健保182など）。これらの公租公課相互間では平等である（破194Ⅱ）。これらに後れる民法上の先取特権にもとづく優先的

して判断する以外にない（破産法大系Ⅱ94頁〔蓑毛良和〕）。請負と雇用の区別についても，同様である。注釈破産法（下）41頁参照。

[88]　特に不法行為債権について，高橋宏志「債権者の平等と衡平」ジュリ1111号156，157頁（1997年），伊藤・前掲論文（注55）174頁参照。自動車事故の被害者の損害賠償については，自動車損害賠償保障法16条1項にもとづく直接請求権のほかに，責任保険契約にもとづく加害者の保険金請求権に対して被害者が別除権者として満足を受けることができる。220問125頁〔栗田口太郎〕，実践マニュアル124頁。

[89]　高橋・前掲論文（注88）157頁，条解破産法〔第3版〕757頁参照。不法行為にもとづく破産債権を一般の破産債権より優先させるための解釈論として，伊藤眞「破産管財人の職務再考――破産清算による社会正義の実現を求めて」判タ1183号35頁（2005年）参照。なお，比較法的にみると，個人の生命や健康被害に起因する損害賠償請求権を最先順位とする立法例もある。松嶋希会「倒産に関するロシアの法制度――債権の取扱い・債権者の地位を中心に」ロシアNIS調査月報2015年9-10月号73頁参照。

　会社更生に関するものであるが，大規模災害に起因する被害者の損害賠償請求権を保護するための仕組みとして，山本和彦「原子力発電所事故を起こした電力会社の会社更生手続試論」齊藤誠＝野田博編・非常時対応の社会科学290頁（2016年）は，公的使命を果たすべき第三者機構が損害賠償請求権を買い取り，買い取った債権を更生債権として手続に参加するという，会社更生手続と保険的スキームの併用によって，平等原則との関係や債権調査に要する時間の問題などが解決できるとする。このような考え方は，破産手続や再生手続にもあてはめることができよう。

破産債権の順位は，民法306条に掲げる順位による（民329Ⅰ）。別除権たる特別の先取特権は一般の先取特権より優先するが（民329Ⅱ本文），共益費用の先取特権（民306①）は，利益を与えた限度で，別除権たる特別の先取特権にも優先する（民329Ⅱ但書）から，破産管財人は，その目的物の換価代金から共益費用の先取特権者に優先的に配当を与えることができる[90]。

2　劣後的破産債権

一般の破産債権に後れるものは，劣後的破産債権と呼ばれる（破99Ⅰ柱書）。一般の破産債権について100％の配当が行われることは少ないので，劣後的破産債権とされることは，実際的には，その債権が破産配当から除外されることを意味する。また，劣後的破産債権者は，債権者集会における議決権も否定されている（破142Ⅰ）。しかし，劣後的破産債権も破産債権である以上，破産免責の効果を受ける（破253Ⅰ柱書本文）。

(1)　劣後的破産債権制度の趣旨

法99条の前身である旧法46条は，旧法の昭和27年の改正によって新設されたものであるが，それ以前は，統一的な劣後的破産債権の概念は存在せず，旧法46条1号から4号まで（現破99Ⅰ①・97①②⑥⑦）に対応する債権は破産債権とされない旨が規定されていた（昭和27年改正前旧破38）。その結果，これらの債権者は，破産者に対して破産手続外で弁済を求めることを妨げられなかった。もっとも，破産者が個人の場合には，これらの債権者が新得財産に対して権利の実行をすることが考えられるが，法人や相続財産の場合には，そのような可能性がないので，法人および相続財産に限ってこれらの債権を劣後的破産債権としていた（昭和27年改正前旧破46）。また，無利息債権の中間利息相当分なども，法人破産に限って破産債権とされていたこととの関連で（昭和27年改正前旧破18～21），これらも同じく劣後的破産債権として規定されていた（昭和27年改正前旧破46）[91]。

---

[90]　そのほか，特別法にもとづく先取特権の成立および順位については，企業担保法7条1項，保険業法117条の2などの規定がある。条解破産法〈第3版〉760頁。

[91]　改正破産法理由書21, 26頁。なお，民事再生および会社更生では，劣後的破産債権に対応するものは，再生債権（民再84Ⅱ）もしくは更生債権（会更2Ⅷ）または開始後債権（民再123，会更134）とされ，劣後的再生債権や劣後的更生債権の概念は存在しない。ただし，一般の再生債権や更生債権と比較すると，これらの債権は，議決権を否定されるなどの劣後的取扱いを受ける（民再87Ⅱ，会更136Ⅱ）。このような差異が存在するのは，民事再生や会社更生が計画案についての議決を通じて債務者財産の配分を行う手続構造を

結局，昭和27年改正前の旧規定は，本来破産財団の負担とすべきでない債権について，個人破産のときには破産債権とせず，破産者自身の負担としたが，法人の場合にはそれができないので，やむなく破産債権とした上で，一般の破産債権に劣後させる扱いをした。この扱いに変更を加える必要が生じたのは，昭和27年改正によって個人について免責制度が導入されたからである。破産財団の負担とすべきでないとはいえ，破産手続に関連する債権を破産者の負担とすることは，免責による破産者の経済的再生を妨げると考えられた。

　そこで立法者は，個人と法人とを区別せず，この種の債権を一律に破産債権とするとともに，一般の破産債権者の負担とならぬように劣後的破産債権として実質的に配当から除外し，また債権者集会における議決権行使という破産債権者としての基本的な権利を否定したものである。したがって，劣後的破産債権とされている各種の債権について共通の性質を求めるとすれば，それぞれの理由によって破産財団の負担とすべきでないとされたものといえよう。現行法もこの考え方を引き継いでいる。

(2)　破産手続開始後の利息の請求権（破99Ⅰ①・97①③）

　利息は，元本使用の対価としての性質をもつので，開始決定後の利息は，本来破産債権になりえない。それをあえて立法政策上から破産債権としたので，一般の破産債権に対する圧迫を避けるために，劣後的破産債権とされたものである[92]。破産手続開始後の延滞税，利子税または延滞金の請求権またはこれらに類する共助対象外国租税の請求権（破97③）が劣後的破産債権とされるのも，同様の趣旨にもとづく[93]。

とっているのに対して，破産では，破産債権の順位にしたがって自動的に配当が決定される方式をとっているためである。

[92]　もっとも，通説は，元本債権が破産手続開始前の原因によるものである以上，破産手続開始後の利息も本来破産債権であるが，無利息債権との均衡などから劣後的破産債権とされたものと理解する（詳細については，基本法70頁〔加藤哲夫〕，条解破産法〈第3版〉763頁参照）。破産手続開始前の利息として一般の破産債権となるか，開始日以後の利息として劣後的破産債権となるかは，破産手続開始日を基準とした日割計算による。なお，劣後的破産債権となる利息の請求権は，相殺の自働債権とならない。大阪地判昭和56・2・12判タ452号140頁，条解破産法〈第3版〉763頁。ただし，破産法大系Ⅱ228頁〔岡正晶〕は，相殺の意思表示の時点で債権債務が消滅することなどを理由として，相殺を容認する。

[93]　ただし，財団債権である租税債権（破148Ⅰ③）について破産手続開始後に生じた延滞税等は，破産管財人の不作為によって生じたものとして財団債権（同④）となるから（今泉純一「破産における租税等の請求権をめぐる諸問題」今中傘寿423頁，債権調査・

(3) 破産手続開始後の不履行による損害賠償または違約金の請求権（破99 Ⅰ①・97②）

　破産管財人の行為としての不履行にもとづく損害賠償などは，財団債権（破148Ⅰ④）とされる。また，破産債権については，破産債権者から手続外でその履行を求められないから（破100Ⅰ），不履行による損害賠償なども考えられない[94]。さらに，破産者自身が破産手続開始後の原因にもとづく義務についてその履行を怠ったときには，それについての損害賠償債権などは破産手続とかかわりがない。したがって，ここでいう損害賠償または違約金とは，破産手続開始前の不履行にもとづく遅延損害金や定期的に支払うべき違約金が，破産手続開始後も不履行状態が継続することによって発生し続けている場合を指す[95]。これが劣後的破産債権とされる理由は，破産手続開始後の利息の場合と同様である。

(4) 租税等の請求権で，破産財団に関して破産手続開始後の原因にもとづいて生じるもの（破99Ⅰ①・97④）

　租税等の請求権のうち破産手続開始前の原因にもとづくものは，一部は財団債権となり（破148Ⅰ③），一部は優先的破産債権（破98Ⅰ）となる。これに対して財団所属財産の換価など，破産手続開始後の原因にもとづくものは，それが破産財団の管理や換価の費用とみなされる限り，財団債権となるが（破148Ⅰ②），それ以外のものの取扱いについては，旧法下で考え方の対立があった[96]。現行法は，これを破産債権者の負担とすべきではないとの判断を前提として，劣後的破産債権とし（破97柱書かっこ書参照），その届出，調査および確

　　配当417頁〔平山隆幸〕。ここで，劣後的破産債権とされるのは，優先的破産債権とされる租税債権についての延滞税等である（破97柱書かっこ書参照）。一問一答195頁，基本構造331，332頁，条解破産法〈第3版〉752頁，注釈破産法（上）656頁。

94）　もっとも，金銭債権の場合には，手続開始後の不履行にもとづく損害金の発生も観念されるとすれば（本書158頁参照），それを劣後的破産債権とすることも考えられよう。

95）　注解破産法（上）202頁〔斎藤秀夫〕，基本法71頁〔加藤哲夫〕，条解破産法〈第3版〉751頁，注釈破産法（上）655頁。なお，少数説としては，破産者が負う不代替的作為義務について開始決定後に不履行があった場合を指すとの考え方もあるが（中田200頁），本文に述べた理由からこれをとらない。

96）　伊藤・破産法〈第3版補訂版〉197頁注115参照。もちろん，現行法下でも，破産財団に関しないものは，劣後的破産債権にならない。破産管財人による放棄（破78Ⅱ⑫。本書722頁）後に放棄財産に関して生じた固定資産税などがこれにあたる。今泉・前掲論文（注93）424頁，破産法大系Ⅱ59頁〔伊藤尚〕参照。

定についても，特別の規定を置いている（破114①・134。本書710頁）。なお，租税等の請求権は，破産免責の効力を受けない（破253Ⅰ①）。

　(5)　罰金等の請求権（破99Ⅰ①・97⑤⑥）

　罰金，科料，刑事訴訟費用，追徴金または過料の請求権の本来的性質は，破産者本人に対する制裁であり，これを一般の破産債権と同列に扱うことは，破産者の負担を破産債権者の負担に転嫁する結果となる。このような結果を避けるために，法は，これらの債権を劣後的としたものである。国税に関する加算税もしくは地方税に関する加算金の請求権またはこれらに類する共助対象外国租税の請求権（破97⑤）が劣後的破産債権とされるのも，同様の理由による[97]。その届出，調査および確定についても，特別の規定を置いている（破114②・134。本書679，710頁）。また，この種の債権は，その制裁としての性質から免責の対象からも除外される（破253Ⅰ①⑦）。

　(6)　破産手続参加の費用の請求権（破99Ⅰ①・97⑦）

　破産手続参加の費用は，破産手続開始後の原因にもとづくものであるが，破産債権者の権利行使に不可欠のものであるから破産債権とされる（破97⑦）。しかし，それが本来の破産債権を圧迫することは好ましくないので，劣後的破産債権とされたものである。ここでいう費用とは，債権届出書の作成・提出の費用，債権者集会などの期日に出頭した費用などを意味する。これに対して，破産手続開始申立ての費用は，債権者全体の利益に関係しているので，財団債権とされる（破148Ⅰ①）。

---

[97]　破産管財人の行為に起因する罰金等は財団債権となる（破148Ⅰ④）。これに対して，破産手続開始後の破産者の行為に起因する罰金等がここでいう破産債権になるかどうかについては，肯定説（大コンメンタール406頁〔堂薗幹一郎〕，注釈破産法〈上〉749頁）と否定説（条解破産法〈第3版〉754頁）とがある。肯定説をとっても，劣後的破産債権であるから，他の破産債権者に不利益を与えることは想定できず，また免責の対象にもならないので，議論の実益は少ないが，破産手続の構造からいえば，否定説が妥当である。

　なお，課徴金（独禁7の2Ⅰ）の制裁的性質を重視して，罰金と同様に劣後的破産債権として扱うべきかについても議論があるが（基本構造333頁），その徴収が国税滞納処分の例によることから（独禁69Ⅳ），租税等の請求権として扱うべきである。同じく課徴金と呼ばれても，金商法上の課徴金が過料の請求権とみなされ（金融商品185の16），罰金等の請求権として扱われるのと異なる。減免制度導入との関係について，宇賀克也「独占禁止法の課徴金の見直し」ジュリ1510号15頁（2017年）参照。

(7) 無利息の確定期限付債権の破産手続開始から期限までの中間利息相当分（破 99 I ②）

破産債権の現在化の効果として，期限未到来の債権についても，破産手続開始の時に期限が到来したものとみなされ，その全額が破産債権となる（破 103 Ⅲ）。しかし，開始後の利息が劣後的破産債権とされていること（破 99 I ①・97 ①）との均衡上，期限未到来債権についても中間利息相当分が劣後的破産債権とされる。中間利息の計算方式は，ホフマン式計算によるものとされ，債権の券面額を N，法定利率を Z，破産手続開始から本来の期限までの年数を A，一般の破産債権となる額を X，劣後的破産債権となる額を X_1 とすると，

$$X = N/(1+ZA),\ X_1 = N-X$$

という計算式で示される。ただし，破産手続開始から期限に至るまでの期間の年数の算定について，1年に満たない端数は切り捨てる（破 99 I ②かっこ書）。

したがって，債権届出をする場合には，破産債権者は，自己の債権のうちで一般の破産債権となる額と劣後的破産債権となる額とを，上の計算式にもとづいて区別して届けることを要し[98]，これをしなければ異議の対象となる。

(8) 不確定期限付無利息債権の債権額と評価額との差額（破 99 I ③）

この種の債権は，破産手続開始時に弁済期が到来し（破 103 Ⅲ），その破産債権額自体は券面額によるが，確定期限の場合と異なって，破産手続開始から弁済期までの中間利息相当分を算定できないので，破産手続開始時における評価額と券面額との差額を劣後的破産債権としたものである。

(9) 金額および存続期間が確定している定期金債権の中間利息相当額（破 99 I ④）

金額と存続期間が確定している定期金債権は，確定金額債権であるが，各期の定期金を受け取るべき債権については，期限未到来の債権とみなされる。したがって，本号では，まず各期の定期金債権について，中間利息相当額を算定し，その合計額を劣後的とすることを規定する。しかし，その残額をそのまま

---

[98] 満期未到来の手形債権が代表的なものである。基本構造 358 頁。具体例は，大コンメンタール 413 頁〔堂薗幹一郎〕，条解破産法〈第 3 版〉764 頁に記載がある。
　なお，法定利率については，改正民法により 3% に統一し（404 Ⅱ），3 年ごとに見直されるが（同 Ⅲ。潮見・概要 56 頁，中田・債権総論 64 頁参照），破産手続との関係では，破産手続開始時における法定利率による（整備法による改正 99 I ②④）。

一般の破産債権とすると，その額が，本来その債権者が定期金として受けられる相当額を利息として受け取ることができる元本額を超えることがある。そこで法定利率を基準として，本来の定期金額に相当する利息を生ずべき元本額を算定し，前記の破産債権額がこの元本額を超える部分をさらに劣後的とするものである[99]。

3 約定劣後破産債権

約定劣後破産債権とは，破産債権者と破産者の間において，破産手続開始前に，当該債務者について破産手続が開始されたとすれば，当該破産手続におけるその配当の順位が劣後的破産債権に後れる旨の合意がされた債権であり，法定の劣後的破産債権に後れる最後順位の破産債権である（破99Ⅱ）[100]。旧法下では，解釈論としてこのような劣後債権に関する約定の有効性が説かれていたが，現行法は，それを立法として肯定したものである。約定劣後破産債権には，債権者集会の議決権も認められない（破142Ⅰ）。

4 解釈による劣後化

子会社の破産における親会社の債権，あるいは会社の破産における取締役な

---

[99] 具体例は，条解破産法〈第3版〉765頁，注釈破産法（上）667頁に記載されている。また，制度の趣旨は，加藤・要論76頁に詳しい。なお，退職手当について定期金として支払う旨の定めがある場合には，この規定によって劣後的破産債権となるべき金額を計算し，それを控除して財団債権となるべき部分が定まる（破149Ⅱ第1かっこ書参照）。

[100] 約定劣後破産債権は，実質的には株式に近いものであるが，債務者の資金調達の都合と債権者の融資の都合によって，このような形式がとられることがある。いわゆる劣後債がその例である（岩村充＝神田秀樹「劣後債に関する法的諸問題」金法1126号6，11頁（1986年），ニューホライズン91頁）。他の破産債権者が完全な満足を受けることを停止条件として支払請求権の効力が生じるという法形式をとるものも，ここでいう約定劣後破産債権に含まれる。条解破産法〈第3版〉766頁。

これに対して，特定の債権のみに対して劣後し，あるいは一般の破産債権には劣後するが，劣後的破産債権には優先する旨の合意を付した債権は，約定劣後破産債権にあたらない。基本構造350，351頁，条解破産法〈第3版〉766頁。なお，当初は，一般の債権であったものを債務者の事業再生のために約定劣後破産債権とすることがあり，デット・デット・スワップ（DDS）と呼ばれる。ニューホライズン137頁参照。

ただし，信託の受益債権との関係では，約定劣後破産債権と受益債権は同順位とされ（破244の7Ⅲ本文），信託行為の定めによって約定劣後破産債権が受益債権に優先するものとすることができるとされるのは（同但書），受益債権の性質を重視したものである（本書110頁）。一般社団法人の社員の基金返還請求権に関する定め（一般法人145）や，金融機関等の更生手続の特例等に関する法律260条1項4号および5号の定め，保険業を営む相互会社の破産における基金返還請求権の取扱いも同様な理由によっている。大コンメンタール416頁〔堂薗幹一郎〕，条解破産法〈第3版〉767頁。

ど内部者の債権を，当該債権者の意思にかかわらず劣後的破産債権とすることができるかどうかの問題である。劣後化を認める考え方は，再生計画や更生計画においては，衡平を理由としてこれらの債権の劣後化が許されること（民再155Ⅰ但書，会更168Ⅰ柱書但書），破綻について責任を負うべき者の破産債権を他の破産債権と平等に扱うことは衡平に反することなどを理由とするが，旧法下の下級審裁判例はこれを否定する。現行法の立法に際して民事再生法や会社更生法の規定に類似した規定を設けることが検討されたが，立案に至らなかった[101]。

第5項　多数債務者関係と破産債権

実体法上，同一の給付を目的として，1人の債権者に対して数人の債務者が債務を負担することがある。これを多数債務者関係と呼ぶことにするが，その内容は，各債務者がそれぞれ独立して債務を負担するか，それとも共同して重畳的に債務を負担するかによって区別され，前者に属するのが，分割債務，後者に属するのが，不可分債務，連帯債務，および保証債務である[102]。後者の

---

[101] 劣後化を主張する学説については，白石哲「判例解説」判タ821号258頁（1993年），畑宏樹「倒産債権の劣後的処遇について」上智法学40巻2号139頁，40巻3号121頁（1996年），同「倒産手続における『内部者』概念について」加藤哲夫古稀597頁，中嶋勝規「内部者債権の劣後化」今中傘寿455頁参照。これを否定する裁判例は，東京地判平成3・12・16金商903号39頁〔倒産百選〈第5版〉47事件〕である。立法論は，検討事項第4部第2 2 (3) エに掲げられている。

　なお，現行法の下で劣後化そのものを否定するとしても，破綻について全面的に責任を負う債権者による債権届出に対しては，破産管財人は，異議を提出し，その債権者が他の破産債権者との平等な配当を求めることが信義則に違反することを理由に，他の破産債権者が完全な満足を受けることを条件として貸付けなどがなされたとの合意があったものとみなして，約定劣後破産債権と同様に扱うべきことを債権確定手続において主張できる。いわゆる資本代替的貸付けについても，同様の考え方が成り立とう。基本構造361，362頁における小川秀樹発言は，資本代替的貸付けを念頭に，ある債権者と破産者とが特定の関係にある場合に，約定劣後債権とする合意があったとみなす可能性に言及するが，上記の考え方と共通性が認められる。また，東京地判平成28・2・23金法2048号75頁は，破産債権の行使が信義則に違反する場合の劣後的取扱いの可能性を認めながら，当該事案においては，信義則違反とする事情が認められないとする。

　もちろん，このような意味での劣後化が認められないときであっても，破産管財人は，その債権者に対する損害賠償債権との相殺の主張を通じて，実質的に劣後化の目的を達することは可能である。基本構造361頁，広島地福山支判平成10・3・6判時1660号112頁，220問341頁〔中川嶺〕，判例・実務・改正提言283頁〔杉本和士〕，注釈破産法（上）668頁，三上160頁，実務上の対応については，債権調査・配当311頁〔岡伸浩〕参照。

場合には，同一の給付について複数の債務者が共同で債務を負担するので，給付の履行がより確実となり，いわゆる人的担保と呼ばれる。

　分割債務関係においては，債務者の1人が破産した場合にも，その債務は，他の債務と独立であるから，債権者は，分割債務の内容を破産債権として行使するのみであり，破産において特別の規律を要しない。しかし，共同債務関係においては，一面では人的担保としての趣旨から1人の債務者の破産によって債権者の利益を損なうことのないよう，配慮する必要があるし，他方，当該債権者の破産債権行使によって他の破産債権者が不当な不利益を受けることのないよう，配慮する必要がある。

1　数人の全部義務者の破産

　数人の全部義務者の全員，またはその中の数人[103]が破産手続開始決定を受けたときに，債権者は，それぞれの債務者に対する破産手続開始時の債権額全額について破産債権者としてその権利を行使できる（破104 I）。全部義務とは，不可分債務（民430），連帯債務（民436。民旧432）や不真正連帯債務（現行民法下では，法令の規定または当事者の意思表示によって数人が連帯して債務を負担するとき（436）），連帯保証債務（民458），および手形についての合同債務（手47）などを含む。これは，手続開始時現存額主義（以下，単に現存額主義という）と呼ばれているが，その意義は，3つに分けられる。

　第1は，破産手続開始時の現存額全額が破産債権になる点であり，それ以前

---

[102]　以上については，奥田＝佐々木・債権総論（中）528頁，潮見・新債権総論II 561頁，中田・債権総論519頁参照。

　　なお，債権の側についてみると，改正民法432条は，連帯債権の概念を新設している（潮見・新債権総論II 625頁，中田・債権総論511頁参照）。法定の規定または当事者の意思表示によって数人が連帯して債権を有するときは，各債権者は，すべての債権者のために全部または一部の履行を請求することができ，債務者は，すべての債権者のために各債権者に対して履行をすることができるというのが規定の内容である。債務者の破産における連帯債権者の破産債権行使が問題となるが，連帯債権者の1人が連帯債権の全額を破産債権として行使したときには，他の連帯債権者の破産債権行使は認められない，または予備的な破産債権行使にとどまることになろう。債権調査にあたっての留意点については，債権調査・配当275頁〔高井章光〕参照。

[103]　全部義務者の1人が破産した場合も含まれる。また，ある全部義務者に破産手続が，ほかの全部義務者に再生手続または更生手続が開始した場合にも，法104条の規定が類推適用される。条解破産法〈第3版〉790頁，注釈破産法（上）690頁。

　　なお，現行民法下の不真正連帯債務の意義については，一問一答民法（債権関係）改正119頁，中田・債権総論549頁，潮見・新債権総論II 587頁参照。

に一部の弁済を受けていれば，本来の債権額全額について債権届出はできない。

　法104条1項と民法の規定との関係は，次のように整理できる。民法旧441条は，連帯債務者の破産について，債権全額が破産債権となる旨を規定し，これが民法旧430条によって不可分債務に準用されているが，連帯保証債務などについては，特別の規定がない。したがって，この点では，法104条1項の意義は，連帯保証債務などについて民法旧441条の取扱いを及ぼしているところに認められる。反面，民法旧441条は，債権額の全額が破産債権となると定めるが，法104条1項は，破産債権になるのは，本来の債権額全額でなく，破産手続開始時の現存額であるとするから，この面では，法104条1項は，民法旧441条を制限しているという意義をもつ。ただし，民法は旧441条を削除しているので，以上の説明は過去のものとなった。

　立法論としては，破産手続開始時における現存額に制限せずに，本来の債権額のまま破産債権者の地位を認める考え方もある[104]。

　第2に，破産手続開始後は，その後に他の義務者からの弁済がなされても，破産債権額に影響はないことである（破104Ⅱ）[105]。もちろん，全額の弁済がな

---

[104] 我妻・債権総論410頁，基本法57頁〔上田徹一郎〕，注解破産法（上）146頁〔加藤哲夫〕など。したがって，破産手続との関係では，民法旧441条の独自の存在意義はないといってよい。他の債権者としては，当初から債権全額をもって権利行使されることを覚悟していたのであるから，債権全額の破産債権行使を認めても，他の債権者の利益を害することにはならないという。連帯債務などの担保的機能を重視する考え方と思われる。しかし，開始決定時までにすでに一部の弁済がなされているにもかかわらず，なお当初の債権額全額の行使を認めるべき合理性があるかどうか，後掲最判平成22・3・16（民集64巻2号523頁）（注106）の考え方を前提とすれば，疑問がある。

　民法は，旧441条を削除したので，連帯債務などの全部義務者の破産における破産債権行使は，すべて破産法104条に委ねられる。潮見・概要117頁参照。

　なお，破産手続開始前に一部の弁済をした全部義務者は，弁済額に相当する求償権を破産債権として行使できる。残額を破産債権として行使する債権者との間に優劣はない。注釈破産法（上）693頁参照。ただし，民法502条3項の下では，全部義務者は，債権者に劣後することとなろう。

[105] 破産法104条2項は，旧破産法や旧会社更生法下の判例・通説の考え方を立法化したものである（一問一答151頁，新会社更生法の基本構造181頁〔菅家忠行〕，236頁〔中西正〕参照）。破産法大系Ⅱ127頁〔河崎祐子〕，小原将照・多数当事者の債務関係と破産15頁（2021年）は，手続開始後の弁済を破産債権額に反映させる考え方を控除説，反映させない考え方を非控除説（非控除ルール）と呼び，現行法が非控除説をとっているのは，原債権者を優先させるものとしている。民法502条1項との関係については，八田卓也「破産法上の開始時現存額主義と民法上の一部弁済による代位の規律との関係についての一考察」加藤新太郎古稀444頁参照。また，杉本和士「破産手続における『現存額主義』

され，債権自体が消滅した場合は別である[106]。また，破産債権全額の行使を

の歴史的系譜とその根拠・機能」民訴雑誌62号140頁（2016年）は，手続開始後の一部弁済を破産債権額に反映させないという非控除原則の根拠の1つは，破産手続の円滑な進行にあるとして，後述（注106）の口単位説を正当とする。

旧法下の判例は，最判昭和62・6・2民集41巻4号769頁〔倒産百選〈第3版〉48事件〕，最判昭和62・7・2金法1178号37頁，学説については，伊藤・破産法〈第3版補訂版〉175頁参照。ただし，破産手続開始前に相殺適状があり，開始決定後に破産債権者が相殺権を行使したときには，債権消滅の効果が開始決定前に遡るから（民506Ⅱ），破産債権の額に影響する（条解会更法（中）354頁，条解破産法〈第3版〉792頁，注釈破産法（上）693頁，谷口168頁，青山ほか100頁，注解破産法（上）148頁〔加藤哲夫〕，基本法58頁〔上田徹一郎〕，220問290頁〔和智洋子〕，小原・前掲書10頁など）。もっとも，相殺の際の債権債務の計算について相殺の意思表示時とする特約がある場合は，破産債権額が減少しないとの考え方があるが（220問290頁〔和智洋子〕），このような特約は，実体法上の効力は認められるとしても（潮見・新債権総論Ⅱ248頁），破産手続に対する関係では，利息や損害金の計算に限られ，相殺の遡及効自体を覆せるものではなく，破産債権額自体は減少するものとして取り扱うべきである。神戸地尼崎支判平成28・7・20金法2056号85頁は，破産手続に対する関係で相殺の遡及効を制限する特約が一般破産債権者の利益を害する可能性を認めつつ，他の全部義務者との間で行われた相殺は，破産財団の減少をともなうものではないために，そのような問題を生じないとして，特約の効力を肯定する。これに対して，岡山地判平成30・1・18金法2088号82頁は，主債務者の連帯保証人である破産者に対する保証債務履行請求権たる破産債権が，破産手続後の主債務者の別の保証人による保証債務と保証人の反対債権の相殺にともない，相殺の遡及効にもとづき減額されるかが問題になった事案において，銀行取引約定書を引用する差引計算の合意が相殺の遡及効を制限する合意を含むとは認められないと判示する。

しかし，本書では，かりに相殺の遡及効を制限する合意を含むと認められる事案でも，破産手続開始時の債務者の総財産（破産財団）と破産債権とを適正かつ公平に清算するという破産手続の目的（破1）に照らし，合意の効力を否定すべきであるとの考え方を基本とする。ただし，合意が特定の破産債権者と他の全部義務者との間のものであるように，他の破産債権者の利益を害さない場合には，区別して考える余地はあろう。中山孝雄「開始時現存額主義に関するいくつかの問題」多比羅喜寿336頁参照。

また，他の全部義務者ではない第三者から破産手続開始後に任意弁済がなされた場合には，人的担保を重視する破産法104条2項は適用されず，債権額は減少する（条解破産法〈第3版〉792頁，注釈破産法（上）695頁，注解破産法（上）148頁〔加藤哲夫〕，基本法58頁〔上田徹一郎〕）。もっとも，弁済をするについて正当な利益を有しない者による代位に関しては，債権者の意思に反してすることはできないという実体法上の制約（民499・474Ⅲ参照）がある。また，一部弁済にもとづく代位が認められる場合には，原債権者の優先を認める実体法理（最判昭和60・5・23民集39巻4号940頁，最判昭和62・4・23金法1169号29頁，潮見・債権総論Ⅱ296頁）を尊重するかどうか問題となるが，更生手続の場合と異なり（伊藤・会更法・特清法233頁注128），破産手続においては，原債権者の別除権としての担保権実行における配当の問題となる。民法502条3項の下では，その場合には，原債権者が優先することとなろう。

ただし，他の義務者と破産者とが一体の関係にあり，他の義務者からの弁済が，破産者による弁済と同視できるような場合には，開始時現存額主義の適用を制限することも検討に値しよう。福岡ほか・前掲論文（注31）129頁参照。

認める結果として，債権全額を超える配当がなされたときには，超過分は不当

106) 主債務者財産上の1個の根抵当権によって担保される数口の債権について連帯保証人となっている者の破産において，債権者が，それらの債権の全額を届け出た後に，根抵当権の実行によって主債務者が一部の債権を全額弁済したとみなされる場合に，破産債権額が影響を受けるかという問題がある。現存額主義は，1個の債権に限って，全部義務者の責任の性質を重視して，実体法上の債権額と破産債権額とが乖離することを認める原則であり，たとえ同一の根抵当権によって担保されているものであっても，債権が別個である以上，このような乖離を認めるべき理由は存在しないから，現存額主義（破104Ⅱ・105）は適用されず，また，その趣旨を拡張することは，他の破産債権者との平等を害するおそれもあるから，当該債権の破産債権としての行使を認めるべきではない。
　最判平成22・3・16民集64巻2号523頁〔倒産百選46事件〕も，「同条〔破産法104条――筆者注〕1項及び2項は，上記の趣旨に照らせば，飽くまで弁済等に係る当該破産債権について，破産債権額と実体法上の債権額とのかい離を認めるものであって，同項にいう『その債権の全額』も，特に『破産債権者の有する総債権』などと規定されていない以上，弁済等に係る当該破産債権の全額を意味すると解するのが相当である。そうすると，債権者が複数の全部義務者に対して複数の債権を有し，全部義務者の破産手続開始の決定後に，他の全部義務者が上記の複数債権のうちの一部の債権につきその全額を弁済等した場合には，弁済等に係る当該破産債権についてはその全額が消滅しているのであるから，複数債権の全部が消滅していなくても，同項にいう『その債権の全額が消滅した場合』に該当するものとして，債権者は，当該破産債権についてはその権利を行使することはできないというべきである」と判示し，物上保証人による弁済についてもこの考え方が妥当するとしている。事案の概要および判旨の意義（口単位説と呼ばれる），元本債権と利息・損害金債権の区別や代位権不行使特約との関係については，松下淳俊「破産手続における開始時現存額主義をめぐる諸問題」ソリューション114頁以下，小原・前掲書（注105）55頁に詳しい。それを踏まえた実務上の取扱いについては，破産管財の手引〈第2版〉274頁参照。
　再生計画において同一の再生債権者が有する複数の再生債権を一本化して弁済条項を定める，いわゆる一本化条項についても，再生手続開始後に保証人から弁済がなされたときに類似の問題を生じるが（東京地判平成24・11・28金法1971号97頁），本書1079頁参照。
　また，上記の問題に関連して，数個の債権を有する破産債権者の弁済充当特約にもとづく充当指定権が制限されるとする最判平成22・3・16裁判集民233号205頁があり，その田原睦夫裁判官の補足意見では，弁済充当の合意の効力が否定されるのは，破産手続開始後にその効力を認めると，破産債権者間に著しい不均衡をもたらすからであると説示されている。これに関連して，石井教文「破産手続における弁済の充当」田原古稀（下）444頁以下は，個別執行において法定充当を認める判例との関係，財団債権の弁済や別除権の目的物の受戻しの充当関係などを検討する。
　さらに，債権者が主債務者に対して元本債権，利息債権および遅延損害金債権を有し，保証人の破産においてそれを1個の保証債務履行請求権として破産債権の届出をなし，破産手続開始後に主債務者が元本債権を完済したときに，1個の保証債務履行請求権として開始時現存額主義を適用するとすれば，債権者は，届出破産債権額を維持できることになるし，数個の破産債権であるとすれば，開始時現存額主義の適用はないために，元本債権の破産債権行使は許されず，利息および遅延損害金債権のみの破産債権行使になる。民法447条の文言を重視した適用肯定説も有力であるが（松下・前掲論文125頁），支分権と

利得として破産財団に返還しなければならない[107]。

　しての利息債権などは元本債権と別個のものと解されていること（我妻＝有泉コンメンタール734頁），上記の最高裁平成22年判決（民集64巻2号523頁）の趣旨を踏まえれば，他の破産債権者に与える影響を考慮して，実体法上の債権額と破産債権額とのかい離は最小限にとどめるべきであり，適用否定説が妥当である。主債務者が破産手続開始後に利息や遅延損害金を完済した場合も同様である。詳細は，松下淳一「開始時現存額主義に関する若干の覚書」高橋古稀1333頁，中井康之「開始時現存額主義と原債権者優先主義」木内古稀425頁，塩路広海「保証債務履行請求権に関する開始時現存額主義の適用について」銀行法務21 824号28頁（2018年）参照。塩路論文では，このような考え方を採用した大阪地堺支決平成29・2・10（未公刊）も紹介されている。
　また，主債務者の破産において，一般破産債権として債権者が貸金債権の元本および破産手続開始前の利息等の請求権，劣後的破産債権として破産手続開始後の利息等の請求権を届け出ており，手続開始後に他の全部義務者や物上保証人から弁済がなされたときには，それぞれを区別して最高裁平成22年判決（民集64巻2号523頁）の法理を適用すべきであり，かりに1個の債権とみなす立場に立ったとしても，劣後的破産債権部分の弁済がないことを理由として，当初の破産債権全額を基準として配当を行うのは，劣後的破産債権の制度趣旨に反する。大阪地堺支決平成28・6・16金法2071号106頁。これに対し，抗告審たる大阪高決平成29・1・6金法2071号99頁は，一方で，開始後の利息等の請求権を含め，1個の債権とみなし，その全額の満足を受けない限り，債権者の破産債権行使を認め，物上保証人の破産債権行使を否定し，他方で，配当により一般破産債権部分が消滅する場合には，それを超える部分は，他の一般破産債権に対する配当にあてるべきであるとする。
　しかし，許可抗告審たる最決平成29・9・12民集71巻7号1073頁〔倒産百選47事件〕は，物上保証人が一部を弁済しても，配当の基礎となる債権者の破産債権額に影響を及ぼさない，求償権者は，配当の段階で債権者の権利を予備的にも破産債権として行使できないなどの理由から，配当の結果として破産債権者がその実体法上の債権額を超える満足を受けることも是認されるとする（予備的行使の意義については，渡部美由紀「破産債権者表の効力と開始時現存額主義による超過配当の処理」加藤哲夫古稀720頁参照）。元本と利息等の請求権を1個の債権とみなし，手続開始時現存額主義を徹底し，破産債権の確定についての確定判決と同一の効力（破124Ⅲ）を重視したものと思われる。しかし，後に物上保証人による破産債権者に対する不当利得返還請求を認めるか，配当によって破産債権全額が消滅したことを理由とする破産管財人による請求異議の訴え（民執35Ⅰ）の可能性（木内道祥裁判官の補足意見参照）などの問題を生じることとなる。
　ただし，劣後的破産債権たる遅延損害金部分を含めれば，債権者に実体法上の給付受領権がある場合に，物上保証人との関係で不当利得が成立するかという問題がある（杉本和士「破産手続における開始時現存額による届出破産債権に対する超過配当の処理——最三小決平29.9.12の検討」金法2078号40頁（2017年））。破産法秩序との関係で，劣後的破産債権部分について，物上保証人の一般破産債権に優先して配当を受けることが「法律上の原因なく」（民703）に該当し，民法502条3項もそこまでの優先権を債権者に認めているものではないとすれば，不当利得の成立が認められよう（齋藤毅「時の判例」ジュリ1514号95頁（2018年））参照。岡正晶「最三決平成29・9・12が残した問題——破産債権者は一般破産債権に対する破産配当金を劣後的破産債権に充当できるか」金商1529号1頁（2017年），中山・前掲論文（注105）333頁参照。
　そして，大阪地判平成31・1・17金法2119号69頁は，超過配当が一般破産債権に対す

なお，物上保証人は全部義務者ではないが，その者が破産手続開始後に債権者に対して弁済等をした場合にも，債権の全額が消滅しない限り，債権者の破産債権額には影響がない（破104ⅤⅡ）[108]。

る配当としてなされたものである以上，債権者が超過部分を劣後的破産債権部分（破産手続開始後の遅延損害金部分）に充当して保持することは許されず，一般破産債権部分を行使しうる地位をえた物上保証人に対する不当利得が成立すると判示した。上記最決平成29・9・12を前提としながら，一般破産債権と劣後的破産債権を区別する破産法秩序を尊重し，現存額主義の適用が債権者に不当な利益を生じさせる結果となることを是正するものである。控訴審たる大阪高判令和元・8・29金法2129号66頁も，現存額主義の適用の結果，一般破産債権部分に対する超過配当がなされたときに，それを劣後的破産債権部分に充当して保持することは，破産法の趣旨等に照らして是認できず，不当利得となるとして，原判決を維持している。また，同判決は，最決平成29・9・12に関して超過配当部分を劣後的破産債権に充当することを認める学説が有力であったといえないことから，債権者が悪意の受益者（民704前段）にあたるとしている点が興味深い。
　なお，民事再生における再生計画による弁済についても同様の問題がある。個人再生の実務Q&A 120問246頁〔柴田義人〕参照。
107）　松下満俊・前掲論文（注106）132頁。返還された金銭は，破産債権者全体に対する追加配当の財源となる。これに対して，基本構造365頁以下では，破産手続開始後の全部義務者による弁済の結果として，このような事態が生じたときには，求償権の範囲で原債権を破産債権として行使できる全部義務者に対して，その者による予備的な破産債権届出を許すことなどを前提として，超過部分を配当すべきである（債権調査・配当587頁〔山本和彦〕），あるいは全部義務者が当該破産債権者に対して不当利得返還請求権を行使できるという考え方が説かれていた。概説168頁，条解破産法〈第3版〉799頁，注釈破産法（上）702頁，220問430頁〔服部敬〕，豊島ひろ江＝上田純「破産債権・再生債権の確定後の債権消滅・変更に対する処理——債権者表の記載と実体法上の権利関係に齟齬がある場合の事例処理を中心に」銀行法務21 766号39頁（2013年），山本研「手続開始時現存額主義により生ずる超過配当額の処理」伊藤古稀1208頁，債権調査・配当274頁〔上野保〕。
　このように複数の見解が対立していたが，前掲最決平成29・9・12（注106）は超過配当となるべき場合でも配当を実施して差支えないとの判断を示した。ただし，破産債権者と全部義務者との間の合意ができれば，超過部分に対応する配当金支払請求権の一部を全部義務者に譲渡することを認めてもよいとの提案がなされている（山本・前掲論文1224頁参照）。
108）　旧破産法および旧会社更生法の下では，物上保証人が全部義務者でないこと，求償権に関する旧破産法26条1項および2項（現破104ⅢⅣ相当。旧会更110ⅠⅡ）が物上保証人の求償権に準用されているのに対して（旧破26Ⅱ。現破104Ⅴ相当。旧会更110Ⅲ），旧破産法24条（現破104Ⅰ相当。旧会更108）が物上保証人に準用されていないことから，物上保証人の場合には，一部弁済であっても，債権者が行使できる額が減少するとの解釈が有力であった。しかし，学説（伊藤眞「現存額主義再考」河野正憲＝中島弘雅編・倒産法大系46頁（2001年）など）の批判を踏まえ，最判平成14・9・24民集56巻7号1524頁は，「債権の全額を破産債権として届け出た債権者は，破産宣告後に物上保証人から届出債権の弁済を得ても，届出債権全部の満足を得ない限り，なお届出債権の全額について破産債権者としての権利を行使することができる」旨を判示し，上記の解釈を斥けた。現

第3に，債権者が破産手続に参加した場合において，求償権者が破産手続開始後に債権者に対して弁済等をしたときは，その債権の全額が消滅した場合に限り，求償権者は，その求償権の範囲内において，債権者が有した権利を破産債権者として行使できることである（破104Ⅳ。破産債権の届出やその変更の手続に関しては，本書677頁参照）109)。

　これも，債権者が破産手続開始時において有する破産債権の全額について権利行使の機会を保障するという意味において，現存額主義の発現とみなされる。なお，数人の全部義務者がそれぞれ一部弁済をして，結果として債権者に対して全額の弁済がなされた場合には，求償権者は，自己の弁済した範囲で，破産

　行破産法104条5項は，この判例の考え方を立法化したものである（一問一答153頁，基本構造370頁参照）。債務者が自らの財産に担保権を設定した後にその財産を第三者に譲渡し，その後に債務者について破産手続が開始したときにも，破産手続開始時を基準とすれば，第三者が物上保証人の地位にあるので，同様に考えるべきである。注釈破産法（上）704頁参照。

　また，本章注106に述べた内容と関連して，物上保証人が1個の根抵当権によって担保される数口の債権の一部について全額弁済をなしたことが，債権者の連帯保証人に対する破産債権行使に影響を与えるかという問題がある。破産法104条4項および5項の規律が，ある債権についての物上保証人の責任の性質に着目して，その全額を弁済しない限り，物上保証人の求償利益の実現を債権者の権利行使に対して劣後させる趣旨にもとづくものであることを考えれば，債権者の連帯保証人に対する上記破産債権の行使を認めるべきではない。

　前掲最判平成22・3・16（民集64巻2号523頁）（注106）も，注106引用部分に引き続いて，「破産法104条5項は，物上保証人が債務者の破産手続開始決定の後に破産債権である被担保債権につき債権者に対し弁済等をした場合において，同条2項を準用し，その破産債権の額について，全部義務者の破産手続開始の決定後に他の全部義務者が債権者に対して弁済等をした場合と同様の扱いをしている。したがって，債務者の破産手続開始の決定後に，物上保証人が複数の被担保債権のうちの一部の債権につきその全額を弁済した場合には，複数の被担保債権の全部が消滅していなくても，上記の弁済に係る当該債権については，同条5項により準用される同条2項にいう『その債権の全額が消滅した場合』に該当し，債権者は，破産手続においてその権利を行使することができないものというべきである」と判示している。

　さらに，破産者が物上保証人兼保証人であるときに，物上保証人としてなされた弁済（担保権実行の結果または任意弁済）は，形式的には，「他の全部の履行をする義務を負う」主体のする弁済（破104Ⅱ）には該当しないが，物上保証をえている債権者の利益を尊重する趣旨からは，同様に取り扱うべきである。220問349頁〔瀬古智昭〕。

109) 委託を受けた保証人については，このことが妥当するが，委託を受けない保証人の場合に，破産手続開始後の弁済にもとづく求償権が破産債権となるかどうか（本章注55参照）という問題がある（最判平成7・1・20民集49巻1号1頁〔旧和議〕，最判平成10・4・14民集52巻3号813頁〔倒産百選〈第4版〉43②事件〕〔旧和議〕）。これを前提として，求償権を自働債権とする相殺禁止に関して本書542頁参照。

債権を行使することができる。

2　求償義務者の破産

　連帯債務者など数人の全部義務者がいるときに，その全員または一部の者について破産手続が開始すると，破産債権者となるのは，本来の債権者だけではなく，全部義務者相互間でも，求償権を破産債権として，または求償権の範囲内で代位によって取得した原債権（民旧500，民499）を破産債権として行使することが考えられる[110]。求償権は破産手続開始前の原因にもとづく財産上の請求権の一種として破産債権とされるが（破2Ⅴ），求償権者は求償権の全額について破産債権者としての権利行使を認められる（破104Ⅲ本文）。

　これは，事前求償権を全部義務者すべてに認めたという意義をもつ[111]。すなわち，委託を受けた保証人の場合を含め（民460①参照），まず債権者に対して弁済をなし，その後に他の全部義務者に対して求償をなす，事後求償が原則であるが（民旧430・442Ⅰ・459，民459の2・462・465），法104条3項本文は，全部義務者一般について将来の求償権を破産債権として行使することを認める[112]。その理由は，事後求償を強制すると，破産手続の進行との関係上，求償権者が満足を受けることが実際上困難になる点にある。

　もっとも，全部義務者の1人の破産手続において，債権者も破産債権を行使し，かつ，他の全部義務者も求償権を破産債権として届け出るとすると，実質的には1つの債権が二重に行使されることになり，他の破産債権者の利益を害する。そこで，債権者が破産債権の全額を行使した場合には，求償権者の破産

---

[110]　求償権者自身が破産手続開始決定を受けているときには，求償義務者の破産手続において求償権を破産債権として行使するのは，求償権者の破産管財人にほかならない。

[111]　これに対して，事後求償であっても破産債権に該当することを明確にし，その行使を容易にするための規定とする見解があり（条解破産法〈第3版〉797頁，大コンメンタール443頁〔堂薗幹一郎〕，小原・前掲論文（注55）532頁），これにしたがえば，破産法104条3項は，本文よりもその但書に意味があるとの説明になる。

[112]　もっとも，委託を受けない保証人が破産手続開始後に弁済したことによる求償権のように，将来の請求権たる破産債権として認められない場合もある（本章注55）。また，数人の連帯債務者や連帯保証人のように，1個の債権にもとづく複数の求償権者が破産者の負担部分を内容とする求償権（民442・465Ⅰ）を破産債権として行使することも考えられる。現実に破産手続による満足を受けるためには，求償権として現実化していることが原則として必要である（条解破産法〈第3版〉798頁注7）。ただし，議決権については，1個の権利を共同行使するという理由から統一的行使が要求されるという見解が有力であるが（条解会更法（中）360頁），むしろ停止条件付権利として各自が議決権を行使できるとするのが合理的と思われる。

債権の行使は妨げられるが（破104Ⅲ但書），その後に求償権者が債権者に対して弁済をなし，債権者の破産債権の全額が消滅した場合には，求償権者は，求償権の範囲内において，債権者の権利を破産債権者として行使することができる（破104Ⅳ）[113]。

[113] 旧破産法26条2項は，「求償権ヲ有スル者カ弁済ヲ為シタルトキハ其ノ弁済ノ割合ニ応シテ債権者ノ権利ヲ取得ス」と規定していたために，求償権者が債権の一部を弁済した場合に，その割合に応じて債権者の権利を行使できるとする解釈が成り立ちえた。しかし，このような解釈は，旧破産法24条の現存額主義に反するし，実質的にみても，求償権者の権利行使を債権者の権利行使に優先させる理由に乏しいと批判された。そこで判例（前掲最判昭和62・6・2（注105）〔旧和議〕，前掲最判昭和62・7・2（注105））・通説は，求償権者が債権全額の弁済をしない限り債権者の権利を行使しえないとの解釈を確立し（条解会更法（中）361頁など），それが現行破産法104条4項として立法化された（伊藤・破産法〈第3版補訂版〉177頁，一問一答151頁参照）。

なお，数人の求償権者が債権額の一部ずつを弁済し，全体として債権者に対する全額の弁済を行ったときは，その弁済の割合に応じて各求償権者が破産債権を行使する。また，求償権にもとづく破産債権の行使を認められない求償権者が，それを自働債権とする相殺を許されるかという問題もあろう。しかし，相殺を認めることは，破産財団からの弁済を期待する債権者の利益を害し，現存額主義の趣旨に反することなどを考慮すれば，相殺を否定すべきである。前掲最判平成10・4・14（注109），概説167頁，伊藤・会更法・特清法237頁注136参照。木村真也「破産法104条3項等の規律は相殺に及ぶか」伊藤古稀829頁が，相殺の担保的機能が担保権そのものとは区別されるべきこと，受働債権が破産財団所属財産であることから，原債権の破産債権行使と求償権を自働債権とする相殺とは，二重の権利行使の実質を持つとみなされるなどの理由から，この考え方を支持する。

なお，破産債権の行使をできるようになった求償権者は，原破産債権の承継をすることになるが（本書677頁），原破産債権に対する全部の弁済を停止条件とする求償権の破産債権行使を認めることも考えられる（ただし，沖野眞已「主債務者破産後の物上保証人による一部弁済と破産債権の行使」曹時54巻9号31頁（2002年）は，求償権の破産債権行使を許さず，求償権者が全部弁済によって取得する原債権のみの破産債権行使が許されるとする）。

求償権の破産債権行使を排斥することは，法104条3項本文との関係で困難であり，他方，同条4項および5項は，全部義務者または物上保証人が求償権の範囲内において原債権の破産債権行使を認めていると解するのが相当であるから，求償権者がすでに自らの求償権について破産債権の届出をしているときには，原債権の全額が消滅したことを条件として，その破産債権を認め，配当に加えるか，求償権の破産債権届出をしていないときであっても，すでに債権者が破産債権として届け出ている原債権の名義を全部義務者または物上保証人に変更する2つの可能性を認めるべきである。実務上の取扱いとしては，債権者の破産債権届出と競合する求償権の届出がなされたときに，法の趣旨に沿って破産管財人が破産債権たる求償権を認めない旨の認否をし，全部義務者が債権全部を消滅させた後に，その求償権を認める旨に認否を変更することも考えられる。注釈破産法（上）701頁参照。

また，ここでいう債権者の破産債権の全額が消滅した場合とは，求償権者の弁済と予定される配当とを合わせると全額が消滅することになる場合を含む。もっとも，そのようなときには，求償権者としては，あらかじめ全額の消滅を条件とする届出をし，破産管財人

なお，破産債権の届出後に全部弁済がなされたことによって求償権者が破産債権を行使するのは，弁済代位の一種と解され，手続としては，届出名義の変更の手続（破113）による[114]。

求償権者の破産債権の行使に関する規定は，物上保証人の求償権行使にも準用する（破104Ｖ）。物上保証人も債務の履行や担保権の実行によって事後求償権を認められるが（民351・372・459～465），これについても保証人の場合と同じく事前求償権を破産債権として行使することを認めたものである。

3　保証人の破産[115]

保証人が破産手続開始決定を受けたときには，債権者は，破産手続開始時の債権全額について破産債権者としての権利を行使できる（破105）。

保証人も，主債務の履行について重畳的に保証債務を負っているから，その破産の場合には，法104条1項が適用されるはずである。しかし，法105条が保証人の破産について特則を設けているのは，保証人が主債務者に対して従属的な地位にあり，催告および検索の抗弁権を与えられているので（民452・453），保証人の破産に際して債権者が，当然に破産手続開始時の債権全額を破産債権として行使できるか疑いが生じるためである[116]。

がそれを認めた上で，配当を実施する段階で条件の成就を確認し，求償権者への配当を定めるか，本章注114に述べる通り，その段階で，求償権者が法113条により（実際には債権者の協力をえて）届出名義の変更を行うことが考えられる（松下淳一・前掲論文（注106）1326頁）。前掲最決平成29・9・12（注106）は，このような処理を排斥しているが，中間配当によって破産債権の全額が消滅する場合には，その後の求償権者の破産債権の届出やそれに対する配当の実施までを否定するものとは考えられない。

114）　会社更生の実務（下）159頁〔船橋寿之〕では，債権者が自らの債権届出を取り下げるのではなく，弁済を行った求償権者への届出名義の変更に協力すべきであるとする。求償権者が改めて届出をなすとすると，債権届出期間の経過の問題が生じるためである（破112Ⅰ）。また，保証人が一部弁済をしたにとどまる場合であっても，債権者が保証人による破産債権の行使を認め，連署による名義変更届出がなされれば，それを排除する理由はない。破産管財の手引〈第2版〉273頁。

115）　物上保証人の破産においては，破産債権が存在せず，ただ破産財団が負担する担保権が別除権となるにとどまるので（破2Ⅸ），更生手続の場合と異なって（伊藤・会更法・特清法242頁），特別の問題は生じない。

116）　したがって，破産手続開始後に主債務について弁済がなされたとしても，その事実は，破産債権額に影響することはない。これに対して，破産手続開始後に主債務について利息や遅延損害金が発生し，それが保証債務の額を増加させるとすれば，破産債権額も増加することは当然であり，法105条は，これを制限するものではない。ただし，破産手続開始後の利息や損害金に対応する破産債権部分は，劣後的破産債権として扱うべきである（破97①②・99Ⅰ①類推）。

もっとも，保証人とともに主債務者も破産したときには，主債務者の無資力が明らかになり，催告および検索の抗弁権が失われるし（民452但書・453），連帯保証人の場合[117]には，そもそも催告および検索の抗弁権は問題とならないから（民454），法105条の規定を待つまでもなく，債権者は，保証人の破産財団に対して法104条1項の原則にもとづいて債権全額の権利行使ができる。したがって，法105条の意義は，保証人のみの破産において催告および検索の抗弁権の行使を許さないところにある。これは，保証人に対する債権者の権利行使の機会を失わせないためである。

なお，保証人が破産すると，主債務について期限の利益が失われるのが通常であり（民450Ⅱ・137③参照），保証債務の付従性（民448Ⅰ）の結果として保証債務についても期限が到来するが，主債務についての期限が到来しない場合であっても，破産債権の現在化（破103Ⅲ）の結果として，債権者は，期限が到来したものとして，保証人に対する破産債権を行使できる。

4 数人の全部保証人の破産

これについては，保証人が分別の利益をもたない場合ともつ場合の2つが分けられる。

(1) 分別の利益をもたない数人の全部保証人

ある債務について数人の保証人が存在し，それらの保証人が主債務の全部について義務を負っている場合[118]において，その保証人の全員または一部の者について破産手続が開始されたときには，破産法104条および105条によって，前記1から3までと同様の取扱いがなされる。

　なお，債権者の破産債権に対して保証人の破産財団から配当がなされ，全額の満足がえられたときには，保証人の破産管財人が主債務者に対して求償権を行使し，その結果としての回収金が破産財団に組み込まれる。実際にこのような場面が生じることは稀と思われるが（注釈破産法（上）706頁参照），求償権行使による回収金は，債権者平等の趣旨から保証人の破産債権者への配当にあてられるべきものである。

117) 保証人が株式会社その他の商人であるなど保証が商行為であれば，特約がなくても連帯保証となる（商511Ⅱ・503Ⅱ，会社5）。

118) 保証人が株式会社その他の商人であるなど保証が商行為であれば，本章注117で述べた通り，特約がなくても連帯保証となり（商511Ⅱ・503Ⅱ，会社5），主債務の全部について義務を負うのが原則となる。もちろん，連帯保証（民454・458）や保証連帯（民465Ⅰ）の特約があれば，保証人は主債務の全部について義務を負う。

(2) 分別の利益をもつ数人の全部保証人

これに対して，数人の保証人が分別の利益（民456・427）をもつ場合[119]には，それぞれの保証人の分割保証債務と主債務との関係について，法104条および105条が適用される。たとえば，債権者甲に対して主債務者乙が1000万円の債務を負っており，その全部について丙および丁の2人が保証をしていた場合において，連帯保証の特約がなければ，分別の利益が発生し，丙および丁は，それぞれ500万円について保証債務を負うことになる。この場合，丙および丁は1000万円について全部義務を負っているわけではないが，甲からみると，それぞれ500万円の限度では，乙に対する主債務と丙および丁に対する保証債務が併存していることになるので，乙と丙との関係や乙と丁との関係について，それぞれ破産法104条1項および2項を適用する[120]。

また，甲の500万円の破産債権の届出に対して，丙や丁の破産管財人が催告または検索の抗弁権（民452・453）を主張することは妨げられるべきであるから，破産法105条を適用する。さらに，丙および丁は，500万円の限度で乙に対して求償権をもつから，これについて破産法104条3項および4項を適用する[121]。

5　1人の一部保証人の破産

主債務の一部について1人の一部保証人が存在する場合には，主債務者と保証人との関係について，保証債務の限度で法104条および105条を準用する。

たとえば，債権者甲に対して主債務者乙が1000万円の債務を負っており，そのうちの600万円について丙が保証をしていたとする。この場合には，600万円の保証債務を基準とすれば，乙および丙は，数人の全部義務者とみられるから，乙および丙に破産手続が開始されたとすれば，甲は，乙に対して1000万円の破産債権を行使するほかに，丙に対して600万円の破産債権を行使できる（破104Ⅰ）[122]。丙の破産管財人は，甲の破産債権の届出に対して催告または

---

[119] 連帯保証とする旨の特約がなく，保証人が株式会社その他の商人でなく保証が商行為となるものでない場合（商511Ⅱ・503Ⅱ，会社5参照）である。

[120] 乙と丙との関係は，後で述べる1人の一部保証人の場合と同様の扱いになる。乙と丁との関係も同様である。これに対し，丙と丁との間には全部義務者の関係はない。

[121] これに対し，全部義務者の関係にない丙と丁との間には破産法104条3項および4項の適用はない。

[122] なお，旧破産法においては，全部義務者に関する条文（旧破24・26ⅠⅡ）を一部義務者に準用する旧破産法27条が設けられていた。しかしながら，本文で述べたように，

検索の抗弁権を主張しえない（破105)[123]。

　甲としては，丙の破産手続における弁済が600万円に達すると，丙に対する破産債権は全額の満足を受けたものとして消滅する。乙の破産手続に対する関係では，甲の債権は，保証によって担保される部分600万円と，担保されない部分400万円の2つに分けられ，600万円部分は，全額満足を受けたことになり，丙の破産管財人は，甲に代位して破産債権を行使しうる。これに対して，甲が乙の破産手続から受ける弁済は，債権者に対してできるだけ弁済しようとする法104条の趣旨から，民法489条の一般的充当原則にかかわらず，主債務者としての乙の性質上，まず保証が付されていない400万円部分に充当されることになり，たとえ乙の破産手続で600万円の弁済がなされたとしても，そのことは，丙の破産手続における甲の破産債権の額には影響を及ぼさない（破104Ⅱ)[124]。

　また，甲が乙の破産手続において破産債権の届出をなさなかった場合には，丙の破産管財人は，乙の破産手続において，600万円の求償権を破産債権として行使しうる（破104Ⅲ本文)[125]。甲が乙の破産手続において破産債権の届出をなしている場合でも，丙の破産管財人は，600万円全額の弁済をなせば，乙の破産手続において破産債権の行使が認められる（破104Ⅳ)[126]。

　　保証債務を基準とすれば，乙および丙は数人の全部義務者とみられるから，旧破産法27条のような準用規定を置くまでもなく，全部義務者に関する条文を適用することで同様の結論に達することができる。そこで，現行破産法は，旧破産法27条に相当する規定を設けていない。旧破産法27条の意義については，改正破産法理由書17頁，井上直三郎「破産法第二七条に就いて」同・破産・訴訟の基本問題265頁（1971年）参照。旧破産法27条廃止の理由については，一問一答152頁参照。なお，負担部分の概念は，通常，連帯債務者の内部的負担を指す意味で用いられるが（民442Ⅰ，潮見・新債権総論Ⅱ602頁，中田・債権総論538頁），旧破産法27条にいう負担部分は，これと異なって，主債務のうちで保証債務が成立している部分を指す。

123) この点についても，法105条にいう債権の全額が保証債務の額を指すものと解すれば，旧破産法27条のような規定を設けなくとも，法105条を直接に適用することによって，同様の結果に到達しうる。

124) 以上は，条解会更法（中）367頁による。

125) 丙の破産管財人が600万円の破産債権を届け出た場合には，停止条件成就を条件とする破産債権の取扱いが必要になる（本書753頁）。

126) 甲は，1000万円の債権届出をなしているが，丙が乙とともに甲に対して全部義務を負うのは600万円部分であるから，破産法104条4項にいう全額も600万円を意味するとの理解にもとづくものである（条解会更法（中）369頁，注解破産法（上）165頁〔加藤哲夫〕）。このように，破産法104条3項および4項についても，そこでいう全部義務が保

6 数人の一部保証人の破産

 主債務の一部について数人の保証人が存在する場合にも，全部義務者とみられる限度で法104条および105条を適用する。

 債権者甲に対して主債務者乙が1000万円の債務を負っており，そのうちの600万円について丙，丁，戊の3人が保証をしているとする。まず，丙，丁および戊が分別の利益をもたず，600万円の全部について義務を負っている場合には[127]，乙，丙，丁および戊は，600万円の保証債務を基準として全部義務者とみられるから，基本的に1人の一部保証人（前記5）と同様の処理がなされる。ただし，丙，丁および戊の相互間にも全部義務者の関係があるから，乙，丙および丁について破産手続が開始された場合において，いずれかの破産手続において配当がなされ，あるいは破産手続開始後に戊から一部弁済がなされても，それが600万円に達しない限り，各破産手続における甲の破産債権の額には影響を及ぼさない（破104Ⅱ）。また，甲が乙または丙の破産手続において破産債権の届出をなさなかった場合には，丁の破産管財人および戊は，乙の破産手続においては600万円[128]，丙の破産手続においては，負担部分が平等だとすれば，丙の負担部分に対応する200万円の求償権をそれぞれ破産債権として行使しうることになる（破104Ⅲ本文）。

 これに対し，丙ないし戊が分別の利益をもつ場合には，丙ないし戊は，それぞれ200万円について保証債務を負うことになるが，この200万円の限度では，乙の主債務と丙ないし戊に対する保証債務がそれぞれ併存していることになる。したがって，乙と丙ないし戊との関係について，破産法104条および105条を適用し，分別の利益をもつ数人の全部保証人（前記4（2））と同様の処理がなされる。

7 法人またはその社員の破産

 物的会社と呼ばれる株式会社の場合には，会社財産と社員の財産が完全に分

証債務を指すものと解すれば，旧破産法27条のような規定を設けてそれを準用しなくとも，破産法104条3項および4項を適用することによって，同様の結果に達しうる。詳細については，伊藤・破産法〈第3版補訂版〉178頁以下参照。
127) 連帯保証（民454・458）や保証連帯（民465Ⅰ）の特約がある場合のほか，保証人が株式会社その他の商人であるなど保証が商行為である場合には，原則としてこれにあたる（本章注117参照）。
128) 丁の破産管財人および戊がそれぞれ600万円の破産債権を届け出た場合の扱いについては，本章注112参照。

離されているから，法人か社員のいずれかが破産しても，一方の債権者が他方に対して権利行使をするという問題はない[129]。これに対して，合名会社や合資会社など，いわゆる人的会社の場合には，社員が法人の債務について責任を負うことから，主債務者と保証人と同様の関係が生じる。

持分会社と総称される合名会社，合資会社および合同会社（会社575 I かっこ書）のうち，合名会社および合資会社の無限責任社員は，会社の債務について無限責任を負う（会社580 I・576 Ⅲ Ⅳ）[130]。この場合の会社債権者と社員の関係は，債権者と保証人との関係と同様である。すなわち，債権者からみれば，社員の責任が会社の債務にとって人的担保となっている。そこで，無限責任社員の破産において法人債権者は，債権全額を破産債権として届け出ることができる（破106）。これは，社員の責任に関する補充性の原則（会社580 I）が働かないことを意味する[131]。

これに対して，持分会社の有限責任社員（会社576 I ⑤）や有限責任事業組合の組合員（有限組合11）のように，法人などの債務について未払出資額の限度で責任を負う者が破産したときには，実体法上では，法人などの債権者がその限度で債権の行使を認められる（会社580 Ⅱ，有限組合15）にもかかわらず，社員などの破産財団に対して破産債権を行使することは認められず（破107 I 前段），法人などが未払出資額そのものについて破産債権を行使する（同後段）。

また，法人について破産手続が開始されたときは，法人の債権者は，法人の債務について有限の責任を負う者に対してその権利を行使することも認められない（破107 Ⅱ）。有限責任の履行請求は，法人の破産管財人に委ねられるから

---

129) ただし，法人と社員との財産分離が濫用されているような場合，すなわち，法人格否認が問題となるような事案では，法人の債権者が社員の破産について破産債権者となり，また，逆に社員の債権者が法人の破産について破産債権者となることがありうる。法人格否認の法理については，最判昭和44・2・27民集23巻2号511頁参照。
130) 合名会社または合資会社の自称無限責任社員（会社589 I），合資会社の自称無限責任社員である有限責任社員（会社588 I），無限責任社員の地位にあった退社社員（会社612 I），無尽会社取締役（無尽11 I）も同様である。
131) 会社法580条1項では，会社の完済不能（同項①）および強制執行不奏効（同項②）が社員の責任発生要件であり，かつ，会社の弁済資力などが社員の抗弁事由とされているが（同項②かっこ書）（新版注釈会社法（1）275頁〔大塚龍児〕，大江忠・要件事実商法（上）156頁（1997年）），社員の破産の場合には，これらの要件に拘束されず，債権者が破産債権を行使できる。

である[132]。

8 組合員の破産

民法上の組合について破産能力が認められるかどうかは別にして（本書116頁），その構成員たる組合員[133]の破産に際して，組合債権者が破産債権者たりうるかどうかが問題となる。組合員は組合債務について責任を負うので（民675Ⅱ。民旧675参照），積極に解される[134]。ただし，組合員の責任は分割債務とされているので，破産債権の額も，組合に対する債権額そのものではなく，損失分担の割合または均一割合によるのが原則とされる（民675Ⅱ）[135]。また，額の基準時は，法106条の類推適用として破産手続開始時の分割債務額と解される。

9 結合企業の破産

親子会社などを含む結合企業の中で，結合の程度が著しく強い場合には，形式的な法人格を基準として通常の更生手続を行うことが，公平に反すると評価されることがある。たとえば，本来子会社の財産であるはずのものが，親会社の財産とされている場合などにおいて，両者について破産手続が開始されたと

---

[132] 法107条は，実体法上は有限責任の限度で法人の債権者が社員などに対して権利を行使することができるにもかかわらず，個別的権利行使が社員の破産手続において負担となるためにこれを制限し（法107Ⅰ前段），法人が出資請求権を破産債権として行使することとし（同後段），法人が破産したときには，法人の破産管財人がこれを行使することとしたものである（同Ⅱ）。条解破産法〈第3版〉808頁。なお，有限責任事業組合（LLP）は法人ではなく，法107条は直接に適用されないため，同条の類推適用ということになろう。
　これに対して自称有限責任社員の会社債務についての弁済責任の場合（会社589Ⅱ）には，法人が代わって権利行使をする余地はないところから，法人の債権者が自称有限責任社員の破産手続において破産債権を行使し，また，法人の破産においても，法人の破産管財人ではなく，法人の債権者が自称有限責任社員の責任を追及する。大コンメンタール453頁〔堂薗幹一郎〕，条解破産法〈第3版〉808頁。
　なお，法人の債権者が提起した訴えは当然に終了することになるが，これに対する立法論として，中断と受継を認めるべきとするものとして，倒産と訴訟483頁〔山本和彦〕がある。

[133] 実務上は，建設工事に関するジョイントベンチャー（共同企業体）が典型的なものである。前掲最判平成10・4・14（注109），150問162頁〔軸丸欣哉〕参照。

[134] 匿名組合員たる株式会社が営業者と連帯して債務を負担する場合（商537）において，当該株式会社について破産手続が開始されたときも，同様に解される。さらに，持分会社の社員である株式会社について破産手続が開始されたときにも，類似の問題がある。

[135] 注釈民法〈新版〉(17) 133頁〔品川孝次〕。もっとも，債務が商行為から生じたときには，連帯債務と解されている（前掲最判平成10・4・14（注109）参照）。

きに，それぞれに帰属する財産を前提として破産手続を行うと，親会社の破産債権者は有利な立場に置かれるし，逆に子会社の破産債権者は不利な立場に置かれる。問題が個別的な財産に限定されていれば，子会社の破産管財人が否認権や取戻権を行使したり，親会社が子会社に対してもつ破産債権を解釈上劣後化したりすることによって衡平の回復が図られる[136]。

しかし，財産の混同などが大規模になると，こうした個別的な法技術では解決が難しい。問題の解決のために，双方が同種の手続の場合には，双方の破産手続を併合して（破13，民訴152Ⅰ），1つの手続の中で親子会社それぞれについて破産清算を遂行する手続的併合[137]，さらに一方の破産債権者に他方の破産手続における権利行使を認め，実質的に1つの破産清算を実現する実体的併合などが議論される[138]。手続的併合は，現行法の下でも可能であり，実体的併合については，解釈論としては，法人格否認の法理を基礎としてこれを実現する方法が考えられる。なお，旧法と比較すると，現行法は，親子会社など密接な関係にある法主体について，広く関連破産管轄を認めるので（破5Ⅲ～Ⅶ），上記の手続的併合および実体的併合は，より認めやすくなったと思われる[139]。

---

[136] もっとも，再生手続や更生手続と異なって，破産手続においては，法律上の劣後化を認めることは困難である。本書312頁，伊藤・会更法・特清法244頁参照。

[137] 田原睦夫「企業グループの倒産処理」講座（3）79頁以下では，手続的併合によって実現できる措置として，債権調査確定手続や共通の破産管財人等の選任などを挙げる。

[138] 実体的併合に関する論文として，田村諄之輔「結合企業における倒産法上の問題点（1）～（4・完）」NBL 178号13頁，179号34頁，183号30頁，185号21頁（1979年），山内八郎「親会社の倒産処理に関する若干の考察（上）（中）（下）」判タ433号29頁，434号71頁，435号41頁（1981年），松下淳一「結合企業の倒産法的規律（4・完）」法協110巻4号1頁以下（1993年），伊藤・研究277頁などがある。法人格否認の法理自体は，前掲最判昭和44・2・27（注129）によって承認されており，これが債権者に対する責任について適用されることも，今日では疑いのないところと思われる。

したがって，法人格否認の法理が適用される事例においては，本文に述べるように，相互に債権届出を認め，また，一方の破産債権者が他方の債権届出に対して異議を述べることを許すべきである（大阪地判昭52・7・15判時873号98頁〔新倒産百選70事件〕参照）。金春「結合企業の倒産処理における実体的併合についての一考察」同志社法学66巻6号84頁（2015年）は，従来の議論を整理し，関連企業の資産および負債の分離が困難または不可能であるか，法人格否認の法理が適用されるべきかのいずれかの場合に実体的併合が許されると説く。また，中井康之「グループ企業の倒産手続における手続的併合及び実体的併合について」民事特別法の諸問題6巻510頁は，会社更生手続を中心とするものであるが，実体的併合の正当化根拠とパーレート弁済方式（グループ一体としての弁済率）を提示する。

[139] 実体的併合とは区別されるが，グループ企業である破産会社の一体的処理の技法とし

第3節 財団債権

　破産債権は，破産手続開始前の原因にもとづいて発生し，破産財団，すなわち破産開始時における破産者の総財産から破産配当の形で満足を求める権利である。ところが，破産財団を引当てとする債権の中には，時期的にも，また順位的にも破産配当に先立って満足を与えるべきものが存在する。法は，「破産手続によらないで破産財団から随時弁済を受けることができる債権」（破2Ⅶ）として，財団債権を定義する。いかなる債権を財団債権とするかは，立法政策の問題であるが，基本的な理念としては，破産手続を遂行し，破産配当を実現するために破産債権者が共同で負担しなければならない債権を財団債権とすべきものである[140]。

　したがって，財団債権とされることの意義は2つに分けられる。第1は，破産手続によらない随時弁済性，すなわち当該債権の本来の履行期にしたがった履行義務があることである（破2Ⅶ）。第2は，破産債権に先立つことである（破151)[141]。ただし，第1の意義は，破産配当によらない破産管財人の弁済義務を意味するものであって，その義務の実現を財団債権者が強制執行の方法によって求められることまでも含むものではない（破42ⅠⅡ参照）。

　財団債権は，以下のような類型に分けられる。第1の類型は，破産手続の遂

　ての事業譲渡，会社分割，あるいは合併については，田原・前掲論文（注137）85頁以下，福岡ほか・前掲論文（注31）128頁に詳しい。

[140] 厳密な意味で破産財団の維持・増殖に必要でなかったとみなされる費用にもとづく債権，たとえば破産管財人の不法行為にもとづく損害賠償債権（破148Ⅰ④）などをも包含する趣旨である。以上の点については，中西正「財団債権の根拠」関西学院大学法と政治40巻4号289，360頁（1989年），同「ドイツ破産法における財産分配の基準（2・完）」関西学院大学法と政治43巻3号85，142頁（1992年）参照。

[141] 「先立って」（破151）とは，破産債権に対する特別の優先権を付与する趣旨ではなく，破産手続によらない随時弁済の結果として，破産債権に対する弁済に優先する趣旨である。伊藤眞「財団債権（共益債権）の地位再考――代位弁済に基づく財団債権性（共益債権性）の承継可能性（大阪地判平21.9.4を契機として）」金法1897号19頁（2010年）参照。なお，財団債権の弁済を確実にするために破産管財人が担保権を設定した場合には，財団担保権が成立する（破152Ⅰ但書参照）。

　また，任務終了の計算報告書作成費用（破88Ⅰ）などにみられるように，財団債権の発生時期によっては，破産債権に対する配当実施後に財団債権に対する弁済がなされることもある。条解破産法〈第3版〉1064頁。

行に必要な費用である（破148Ⅰ①②）。破産管財人の報酬請求権などが代表的なものであるが，財団債権性の根拠は，これらの費用が債権者全体の利益のために支出されるものであり，それについて優先的な満足を与えることが破産手続の円滑な進行に欠くことができないという点に求められる。

第2の類型は，破産手続遂行の過程において破産管財人の法律行為または不法行為などにもとづいて発生する債権である（同④～⑧）。破産管財人が破産債権者の利益を実現するために活動する以上，第三者の負担において破産財団が利益を受けた場合はもちろん，破産財団が利益を受けない場合でも，公平の観点から破産管財人の行為に起因する第三者の権利を財団債権とするものである[142]。

第3の類型は，特別の政策的考慮にもとづいて特定の種類の債権に優先的地位を与えるために，法が財団債権とする場合である。開始決定前の原因にもとづく租税等の請求権の一部（破148Ⅰ③）および使用人の給料等の一部（破149ⅠⅡ）がこれに属する[143]。もっとも，この種の債権も破産財団に属する財産の

---

[142] 第1類型と第2類型とを合わせて，内在的（本質的）財団債権と呼ぶことがある（中西・前掲論文「財団債権の根拠」（注140）363頁）。

[143] この種の財団債権について代位弁済をした場合に，第三者が求償権や原債権を財団債権として行使できるかという問題がある。新版破産法425頁〔瀬戸英雄〕。租税債権の保証人について東京高判平成17・6・30金法1752号54頁〔倒産百選A10事件〕，前掲東京地判平成17・4・15（注53）〔民事再生〕，労働債権の労働者健康福祉機構（現労働者健康安全機構）による代位弁済について，基本構造343頁〔山本克己発言〕参照。

1つの考え方としては，財団債権性の基礎となる債権ないし債権者の要保護性を重視して，代位弁済者による財団債権としての地位の承継を否定する議論もありうる（山本和彦「労働債権の立替払いと財団債権」判タ1314号5頁（2010年），三森仁「弁済による代位と債権の優先性に関する考察」ソリューション152頁）。また，民法501条2項にいう「自己の権利に基づいて債務者に対して求償をすることができる範囲内」に限りとの規律との関係から，自らの求償権を破産債権として行使する立場にある代位弁済者が，原債権の財団債権性を主張することは，その規律の趣旨と矛盾するとの議論もありうる（大阪地判平成21・9・4判時2056号103頁〔民事再生〕，大阪地判平成23・3・25金法1934号89頁〔民事再生〕。長谷部由起子「弁済による代位（民法501条）と倒産手続」学習院大学法学会雑誌46巻2号246頁（2011年），同「倒産手続における債権者平等」多比羅喜寿367頁，野村剛司「弁済による代位と民事再生――大阪高裁平成22年5月21日判決の事案から（附最高裁平成23年11月24日判決について）」諸問題245頁参照）。

しかし，要保護性は，財団債権とされる根拠にとどまること，財団債権の譲渡と求償権にもとづく代位との間で決定的な差異をもうけるべき合理的理由（この点について比較法的検討をするものとして，杉本純子「優先権の代位と倒産手続」同志社法学59巻1号173頁（2007年）がある）に欠けること，民法501条2項（民旧501柱書）はあくまで求償権についての実体法上の制約であり（最判昭和59・5・29民集38巻7号885頁），求償

形成過程において破産債権者が共同で負担しなければならない費用としての性権行使に関する破産債権としての制約は手続上のものであることを考慮し，第三者による原債権行使について財団債権性を認めるべきである（佐々木修「破産手続において租税優先性の代位を否定した事例に関する問題点」銀行法務21 676号56頁（2007年）参照）。詳細については，伊藤・前掲論文（注141）12頁，松下淳一「共益債権を被担保債権とする保証の履行と弁済による代位の効果——大阪高判平22.5.21をめぐって」金法1912号20頁（2010年），中西正「財団（共益）債権性・優先的倒産債権性の継承可能性」諸問題260頁参照。財団債権たる労働債権につき承継可能性を否定した裁判例として，大阪高判平成21・10・16金法1897号75頁，共益債権たる前渡金返還請求権につき，承継可能性を認めた裁判例として，大阪高判平成22・5・21判時2096号73頁〔民事再生〕があった。

このような下級審裁判例の状況や学説の議論を踏まえて，最高裁は，財団債権たる労働債権（最判平成23・11・22民集65巻8号3165頁〔倒産百選48①事件〕）と共益債権たる前渡金返還請求権（最判平成23・11・24民集65巻8号3213頁〔民事再生〕〔倒産百選48②事件〕）に関して，それぞれの弁済にもとづく代位によって原債権を取得する者が財団債権性または共益債権性を主張できるものとした。その主たる理由は，原債権の取得は，代位弁済者の求償権を担保するために認められている以上，求償権が破産債権や再生債権にとどまるからといって，それを理由として，財団債権や共益債権という原債権の地位の主張を否定することは合理性を欠き，また，それを肯定したからといって，他の破産債権者や再生債権者に不当な不利益を与えることにはならないという点にある。実務もこれに沿って運用されている。破産実務の基礎162頁参照。

租税等の請求権については，第三者の弁済（納付）によっても，それが第三者に移転することはないなどの理由から，財団債権性の主張を否定しているが（破産管財の手引〈第2版〉244頁，220問384頁〔佐田洋平〕，三森・前掲論文149頁，冨上智子「第三者の弁済による求償・代位と倒産手続」判タ1386号53頁（2013年），東京地判平成27・11・26金商1482号57頁，破産法大系Ⅱ37頁〔小川秀樹〕，同Ⅲ351頁〔中井康之＝山本淳〕，山本和彦「租税債権の代位と倒産手続上の取扱い」加藤哲夫古稀669，675頁），立替払いを認める以上，なお検討の余地があろう（破産法大系Ⅱ88頁〔伊藤尚〕，杉本純子「優先権の代位と倒産手続再考」徳田古稀762頁，佐藤英明「租税判例研究」ジュリ1520号145頁（2018年）参照。

ただし，労働者健康安全機構による代位弁済については，それが未払賃金および退職金の約8割にとどまること，一部弁済の場合には，原債権者が優先することから（民502Ⅲ．民旧502Ⅰ参照），機構による弁済が財団債権分に充当されるとしてもなお問題が残り，法104条の手続開始時現存額主義との関係も問題となるなどの指摘がなされている。詳説倒産と労働94頁以下〔杉本純子〕。法104条は，破産債権の行使についての特則を定めるものであるから，ここでは直接の関係はないが，機構と労働債権者がともに財団債権を行使する場面では，労働債権の全額が満足されることを機構の財団債権行使の条件として，労働者の権利を優先させるべきであろう。民法502条3項の原債権者優先主義（潮見・概要194頁，中田・債権総論432頁）の趣旨にも合致する。

なお，優先的破産債権である労働債権や租税等の請求権について第三者が代位弁済をした場合についても，代位弁済者が優先的破産債権の地位を主張できるかという類似の問題がある。基本的には，財団債権性の承継と同様に考えるべきであるが（村田利喜弥「弁済による代位の問題点」田原古稀（下）133頁，条解民事再生法618頁〔清水建夫＝増田智美〕参照），優先権が実体法上のものであり，それが代位弁済者に移転するかという点を検討する必要があろう。再生手続上の一般優先債権に関して，破産・民事再生の実務〔再

質を否定できないので、第1および第2類型の財団債権とまったく共通性がないとはいえない。ただし、この種の債権のうちどの範囲のものについてこのような性質を認められるかは、政策的判断によらざるをえない。

第1項 一般の財団債権

以上の類型は、それぞれの債権が財団債権とされる実質的根拠から区別したものであるが、財団債権の根拠となる規定からは、法148条1項の規定にもとづく一般の財団債権と、それ以外の規定（民事再生法、会社更生法および会社法の規定を含む）にもとづく特別の財団債権とに分けられる[144]。

1 破産債権者の共同の利益のためにする裁判上の費用の請求権（破148Ⅰ①）

裁判上の費用とは、破産手続開始申立ての費用、保全処分の費用、破産手続開始決定の公告の費用、債権者集会開催にかかる費用など、狭義の裁判に関する費用だけでなく、破産手続遂行について裁判所が行う行為に関連して発生する一切の費用を含む。ただし、破産債権者の共同の利益となっていなければならないから、各破産債権者の手続参加の費用（破97⑦・99Ⅰ①）、あるいは特定の破産債権者のためだけの債権調査費用（破119Ⅲ）などは、除外される[145]。

生編］254頁参照。

[144]　なお、旧法47条9号は、一般の財団債権の1つとして、破産者および破産者に扶養される者の扶助料を規定していた。破産手続開始によってその財産をすべて破産財団に吸収されてしまったために、破産者が公的扶養に依存せざるをえなくなるとすれば、破産債権者は、国民の犠牲においてその満足をうることになる。そのような結果を避けることが、破産財団から扶助料を支出し（旧破192Ⅰ・194）、これを財団債権とする理由とされた。しかし、現行法は、破産者の生活保障は、自由財産（破34ⅢⅣ）や新得財産および破産免責の制度に委ねるべきであると判断したところから、財団債権としての扶助料の制度を廃止した。基本構造510頁参照。

[145]　破産手続開始申立てにともなって裁判所に納付する予納金（本書146頁）を法テラスなどの第三者が納付し、破産者に対する返還請求権を有する場合には、それが破産債権者の共同の利益につながっているという理由から、ここでいう財団債権として扱うべきである（伊藤眞「法テラスの破産手続開始申立弁護士費用立替にもとづく償還請求権の財団債権性」判時2433号134頁（2020年）（伊藤・古稀後著作集452頁））。
　また、破産手続開始申立てについての代理人弁護士の報酬は、開始後にその請求権が存在している場合には、原則として破産債権となるが、破産管財人の指示にもとづいて新たな業務を行ったようなときには、財団債権（破148Ⅰ②）となる可能性があるとするのが旧版の立場であったが、これを改め、代理人弁護士の費用報酬請求権は、その活動が破産債権者全体の利益保全につながりうるという認識（本書205頁）を基礎とし、それが現実のものと認められるときには、ここでいう財団債権性を肯定し、かつ、法テラスのような第三者がそれを立て替えて支弁したときには、財団債権性の承継（本書331頁）として償

2 破産財団の管理・換価および配当に関する費用の請求権（破148Ⅰ②）

これは，破産管財事務の遂行に要する費用，破産財団の管理に関する費用，換価に関する費用および配当に関する費用の4つに分けられる[146]。

第1の破産管財事務の遂行に要する費用としては，破産管財人や保全管理人に対する費用の前払いや報酬などの請求権（破87Ⅰ・96Ⅰ），事務消耗品費，管財事務の補助者の人件費，新たに破産管財人事務所を設ける場合の賃料等，財産価額評定や財産目録等の作成費用（破153ⅠⅡ）など，破産管財人が締結する契約を含め，破産管財事務の遂行に要する費用のすべてがこれに含まれる。

第2の破産財団の管理に要する費用としては，現有財団の維持または管理にかかるものとして，建物の保守管理費用や賃料，現有財団の増殖にかかるものとして，否認権の行使にかかる費用などが考えられる。

第3の換価に関する費用としては，不動産売却にともなう測量費，鑑定費用，仲介手数料，売掛債権の回収費用等があげられる。

第4の配当に関する費用としては，配当準備のための資料作成費用，配当表作成費用，配当に関する公告・通知等の費用（破197Ⅰ・211・201Ⅷ・215Ⅴ），配当金の振込費用などがこれにあたる。

なお，破産手続開始後の原因にもとづく租税等の請求権であって，破産財団所属財産の管理や換価にともなって発生するものとして，固定資産税，都市計画税，自動車税，消費税，登録免許税等があり，破産管財人による雇用や委任にともなって生じるものとして各種の源泉所得税があり，これらも法148条1項2号の財団債権に含まれる。

3 破産手続開始前の原因にもとづいて生じた租税等の請求権，すなわち国税徴収法または国税徴収の例によって徴収することのできる請求権（破97④）であって，破産手続開始当時，まだ納期限の到来していないもの，または納期限から1年を経過していないもの（破148Ⅰ③）

上記の請求権のうち，共助対象外国租税の請求権および劣後的破産債権とされる加算税等（破97⑤・99Ⅰ①）は除かれる（破148Ⅰ③第1かっこ書）[147]。また，

還請求権も財団債権として扱うべきである（伊藤・前掲論文137頁）。
　なお，開始決定前に合理的範囲を超える報酬の支払を受けた場合には，無償行為と同視され，否認（破160Ⅲ）の対象となりうる。神戸地伊丹支決平成19・11・28判時2001号88頁。
146) 条解破産法〈第3版〉1034頁による。
147) 延滞税は財団債権となるが，破産管財人が徴収手続上の執行機関とされること（税徴

包括的禁止命令が発せられたことによって国税滞納処分をすることができなかった期間（破25Ⅰ参照）は，1年の期間から除かれる（破148Ⅰ③第2かっこ書）。

国税徴収法によって徴収することができる請求権は，国税と呼ばれ，所得税および法人税などが含まれる（税徴2①）。国税徴収の例によって徴収することのできる請求権には，地方税および各種の社会保険料などが含まれる[148]。これらを全体として租税等の請求権と呼ぶ。租税等の請求権が財団債権とされる根拠については，租税が国または地方公共団体の存立および活動の財政的裏付けとなるものであり，公平，かつ，確実に徴収されなければならず，またそのために一般の優先権が与えられ（税徴8），さらに約定担保権に対しても，それが法定納期限後に設定されたものである場合には，優先する（税徴15・16）ことなどが挙げられる。

租税が破産手続開始前の破産者の経済活動にともなって発生する費用の一種であり，破産財団所属財産が形成されたのもその経済活動の結果であるとすれば，それを破産債権者が共同で負担すること自体の合理性は，否定されるべきものではない。旧法47条2号本文は，このような考え方に立って，破産手続開始前の原因にもとづく租税等の請求権全体を財団債権としていたが，破産債権者が共同で負担する方法としては，財団債権としての地位を与えることに限定されるものではなく，優先的破産債権の地位を付与することもありうる。また，直近に発生した租税等の請求権は，破産財団所属財産形成との牽連性が強いが，それ以前のものについては，牽連性が弱いと考えられる。現行法が，具体的納期限の到来していないもの，または納期限から1年を経過していないものに限って，財団債権の地位を認め，それ以前のものは，優先的破産債権（破98Ⅰ）として取り扱うのは，このような考え方にもとづいている[149]。

2⑬，地税13の3Ⅱ）との関係から，実務上は免除されることがある（税通63Ⅵ④，地税20の9の5Ⅱ③）。条解破産法〈第3版〉1045頁，注釈破産法〈下〉31頁，破産管財の手引〈第2版〉403頁，220問377頁〔畑知成〕，運用と書式295頁，実践マニュアル357頁，横田寛・弁護士・事務職員のための破産管財の税務と手続〈新版〉220頁（2017年），破産実務の基礎166頁参照）。

[148] 具体例および税や公課の種類に応じた財団債権部分，優先的破産債権部分，劣後的破産債権部分の区別については，破産管財の手引〈第2版〉249，256頁，220問364頁〔千綿俊一郎〕，368頁〔髙松康祐〕，370頁〔敷地健людьми〕，376頁〔木内道祥〕，破産実務の基礎168頁参照。また，各種の課徴金や下水道料金などが租税等の請求権に該当するかどうかについて220問372頁〔萩原経＝村松剛〕参照。

[149] 立案に至る経緯については，基本構造323頁が詳しい。法令上は，単に納期限という

なお，租税等の請求権には，自力執行権として国税滞納処分が認められており，納期限の到来したものは，滞納処分によって回収することができることも，財団債権性を制限する根拠の1つとなっている。包括的禁止命令の効果として滞納処分が禁止された期間を財団債権性の要件である1年の期間から除外するのは（破148 I ③第2かっこ書），そのことを理由とする。

また，租税等の請求権で，破産手続開始後の原因にもとづくものについて，旧法47条2号但書は，それが破産財団に関して生じたものに限って財団債権としていたが，これが財団債権とされる理由は，租税等の請求権という属性からではなく，破産財団の管理または換価にともなって生じる費用という性質に求められるので，現行法は，これについて別段の定めを設けず，法148条1項2号の財団債権の中に含ませている。この類型に含まれるものとしては，財団財産の管理換価にともなって生じる消費税や固定資産税があげられる。換価による清算法人税については，後に述べる。

4 破産財団に関し破産管財人がした行為によって生じた請求権（破148 I ④）および債務者の財産に関し保全管理人が権限にもとづいてした行為によって生じた請求権（同Ⅳ）

破産財団の管理機構たる破産管財人が，第三者との間で契約などの法律行為をしたときに相手方がもつ請求権，あるいは破産管財人の不法行為によって生じた被害者の請求権などがこれにあたる。破産債権者の利益の実現をその職務とする破産管財人の行為によって生じた請求権である以上，破産債権者全体にこれを負担させるのが公平であるという判断にもとづく。ただし，破産管財人の行為は，通常，破産財団の管理や換価にともなってなされるものであるから，法148条1項2号によって財団債権となり，ここで財団債権とされるのは，取

ときには，具体的納期限を意味する。条解破産法〈第3版〉1044頁。なお，法定納期限とは，法律が本来の納期限として予定しているものであり，その翌日が延滞税の計算期間の起算日となるものを意味するのに対し，具体的納期限とは，交付要求に記載されるもので，これを過ぎると督促状による督促を受け，さらに滞納処分の対象となるものを意味すること（税通37・40），また，税の種類に応じた両者の区別については，破産管財の手引〈第2版〉251，378頁，220問365頁〔千綿俊一郎〕，366頁〔石田光史〕，運用と書式228頁，実践マニュアル366頁，今泉・前掲論文（注93）420頁参照。

破産手続開始前の原因にもとづく租税債権について財団債権性を基本とするか，それとも優先的破産債権性を基本とするかについては，考え方が分かれるが（基本構造325頁参照），破産財団に属する財産の形成等に関する共益費用的負担としての性質に財団債権性の根拠がある。

戻権対象財産の修繕費用など，それに該当しないものである。ただし，双方未履行双務契約について破産管財人が履行の選択をした場合に相手方が有する請求権（破148Ⅰ⑦）との均衡を重視し，4号の財団債権とする考え方も有力である[150]。

また，破産管財人の積極的行為は必ずしも要求されず，不作為によって第三者に損害を与えたときにも，損害賠償債権は財団債権となる[151]。保全管理人の行為によって生じた請求権も同様である[152]。

5 事務管理または不当利得により破産手続開始後に破産財団に対して生じた請求権（破148Ⅰ⑤）

破産手続開始後に破産財団のためになされた事務管理にもとづく費用償還請求権（民702），および破産財団に不当利得が生じたことによる返還請求権（民703）は，破産財団に利益または利得が生じていることから，これを財団債権とするのが公平に合致する[153]。

6 委任の終了または代理権の消滅後に急迫の事情があるためにした行為によって破産手続開始後に破産財団に対して生じた請求権（破148Ⅰ⑥）

委任関係は，委任者または受任者の破産によって終了するが（民653②），その後に急迫の必要のために受任者などが行った事務処理（民654）は，破産債権者全体の利益となるから，受任者などの報酬や費用償還請求権を財団債権と

---

[150] 松下淳一「財団債権の弁済」民訴雑誌53号49頁（2007年）。
[151] 破産財団に属する建物が土地の不法占有として土地所有者に損害を与えた場合について，最判昭和43・6・13民集22巻6号1149頁〔倒産百選〈第3版〉21A事件〕がある。また，破産手続開始後の労働を破産管財人が受領したことにもとづく賃金およびそれに相当する退職金も財団債権となる（大阪地判昭和58・4・12労民34巻2号237頁〔倒産百選〈第3版〉114①事件〕）。
[152] ここで想定されるのは，保全管理期間中に弁済されず，破産手続開始後に支払が行われるべきものである。なお，保全管理人がその権限外で行った行為に起因する相手方の損害賠償請求権などは，破産債権となるが（条解破産法〈第3版〉1050頁），権限の行使と関連してなされた行為にもとづく相手方の損害賠償請求権などは，財団債権とすべきであろう。
[153] 不当利得に関する例として，最判昭和43・12・12民集22巻13号2943頁，最判平成18・12・21民集60巻10号3964頁〔倒産百選17事件〕がある。その他の具体例については，注釈破産法（下）35頁参照。下級審裁判例としては，第三者が返還請求権を持つ金銭を破産者が予納金として裁判所に納付し，裁判所がこれを破産管財人に交付して，破産管財人がこれを破産財団に組み入れた場合に，破産管財人への交付時点で破産財団（破産者）に対する不当利得返還請求権が発生したとの理由から財団債権性を認めた前掲福岡高那覇支判平成28・7・7（注1）がある。当該金銭が預り金的性質を有することを重視したものと評価できる。

したものである。急迫の必要がないときに，受任者が破産手続開始を知らないで行った行為にもとづく請求権は，破産財団の利益にならない限り（破148 I ⑤参照），破産債権として扱われる（破57）。

7 法53条1項の規定により破産管財人が債務の履行をする場合において相手方が有する請求権（破148 I ⑦）

後に説明するように，双方未履行の双務契約について破産管財人が履行の選択をすると，相手方は，破産管財人に対してその義務を履行する。その反面，破産管財人も相手方に対してその義務を完全に履行しなければ，公平に反するところから，相手方の請求権を財団債権としたものである。もっとも，相手方の債権は金銭債権であるとは限らない。また，金銭債権でも弁済期が到来しているとも限らない。そこで，破産債権に関する金銭化および現在化の規定（破103 Ⅱ Ⅲ）が，この財団債権に準用される（破148 Ⅲ 前段）[154]。また，相手方の財団債権が金銭債権で，無利息債権または定期金債権であるときには，当該債権が破産債権であるとした場合の劣後的破産債権となるべき部分（破99 I ②〜④）を控除した額が財団債権額になる（破148 Ⅲ 後段）。財団債権者に不当な利得をさせないためである。

8 破産手続の開始によって双務契約の解約の申入れがなされた場合において，破産手続開始後その契約の終了に至るまでの間に生じた請求権（破148 I ⑧）

賃貸借や雇用など継続的契約関係の場合には，破産管財人による解除（破53 I Ⅱ）や相手方からの解約申入れがなされても（民631），直ちに契約関係が終了するわけではない。賃貸借の場合であれば，一定期間内は契約関係が存続するし（民617 I，借地借家27 I）[155]，雇用の場合にも，一定期間内は契約関係を終了させるわけにはいかない（民627，労基20 I 本文）。したがって，この期間

---

[154] もっとも，破産手続進行中では，本来の性質にしたがって財団債権に対する履行を行えば足り，現在化や金銭化は，破産手続終了時に残った財団債権について生じさせれば足りるとの有力説があり（概説85頁，松下・前掲論文（注150）54頁，大コンメンタール587頁〔上原敏夫〕，条解破産法〈第3版〉1049頁，注釈破産法（下）38頁），本書もこの有力説を支持する。ライセンサーの破産におけるライセンシーの財団債権について，破産法大系Ⅱ335頁〔金子宏直〕参照。

なお，ビットコインなどの仮想通貨（暗号資産）支払請求権が財団債権となる場合についても，上記と同様の取扱いをすべきである。伊藤・前掲論文（注6）14頁参照。

[155] 最判昭和48・10・30民集27巻9号1289頁〔借地〕，最判昭和45・5・19判時598号60頁〔借家〕がある。

内では契約関係が存続し，破産財団が相手方からの給付を受けるので，反対給付たる相手方の請求権も公平の見地から，財団債権としたものである。

第2項　特別の財団債権

　法148条1項以外の規定にもとづく財団債権には，以下のようなものがある。これらを特別の財団債権と呼ぶ。一般の財団債権と特別の財団債権の性質（破2Ⅶ・151）は同一であるが，一般の財団債権のうち法148条1項1号および2号によるものは，それ以外の一般の財団債権および特別の財団債権に先立つ（破152Ⅱ）。

1　破産管財人が負担付遺贈の履行を受けた場合の負担受益者の請求権（破148Ⅱ）

　たとえば，甲がある不動産を乙に贈与するが，その代わりに乙は丙に対して500万円の給付をする旨の負担付遺贈がなされた後に，乙が破産したとする。受遺者たる乙の権利義務は，破産管財人の管理処分権に服する。破産管財人としては，遺贈を放棄することもできるが，それを受け入れた場合には，遺贈によって破産財団が利益を受けたのであるから，丙に対する負担も完全に履行しなければ公平に反する。これが，受益者たる丙の請求権が財団債権とされる理由である。この財団債権は，法148条1項7号のそれと同じ趣旨のものである。ただし，受遺者の負担履行義務は目的物の価額の範囲内に限定されているから（民1002Ⅰ），財団債権の範囲も目的物の価額を限度とする（破148Ⅱ）。なお，破産債権者の金銭化等に関する規定（破103ⅡⅢ）がこの財団債権に準用され，また劣後的破産債権に相当する部分（破99Ⅰ②～④）が財団債権額から控除される（破148Ⅲ）。

2　破産管財人が双方未履行の双務契約を解除した場合の相手方の反対給付価額償還請求権（破54Ⅱ後段）

　破産管財人が双方未履行双務契約について解除権を行使したときに（破53Ⅰ），すでに相手方がその義務の一部を履行していた場合には，それをそのまま破産財団にとどめたのでは，財団が不当な利得をすることになる。そこで，履行の結果が現存すればそれを相手方に返還させるし，現存しなければその価額を相手方に償還させることが公平に合致する。解除の場合の原状回復請求権（民545Ⅰ本文）を破産の場合にも保障する趣旨である。

3 使用人の給料等（破149）

　破産手続開始前3月間の破産者の使用人[156]の給料の請求権[157]は，財団債権とする（破149Ⅰ）。また，破産手続の終了前に退職した破産者の使用人の退職手当の請求権（劣後的破産債権となるべき部分を除く）[158]は，退職前3月分の給料の総額に相当する額[159]を財団債権とする（同Ⅱ）。ただし，退職前3月間の給料の総額が破産手続開始前3月間の給料総額より少ない場合には，開始前3月間の給料総額相当分が財団債権とされる（同第2かっこ書）。破産手続開始後に給料の額が切り下げられたりしたときに，使用人に不利益を与えないためである。

　これらの債権が財団債権とされるのは，破産手続開始直前の労務の提供が，

---

[156] 使用人の地位は，雇用契約関係を前提とする。したがって，従業員兼取締役の場合には，従業員部分の給料および退職金債権が財団債権となる。また，請負の形態をとっているときでも，報酬の支払形態などから実質的に雇用関係とみられれば，財団債権に含まれる。条解破産法〈第3版〉1051頁。従業員兼役員や専属下請請負人の使用人に関する判断基準について，220問392頁〔松田康太郎〕参照。

[157] 給料の請求権の中には，基本給に加え，通勤手当など労務提供の対価とみなされる各種の手当が含まれる。ただし，解雇予告手当（労基20）は含まれず，優先的破産債権となる。条解破産法〈第3版〉1052頁，220問396頁〔安藤芳朗〕，法人破産申立て実践マニュアル225頁〔藤田温香〕。ただし，破産実務の基礎170頁は反対。なお，破産手続開始後の破産管財人による解雇にもとづく解雇予告手当は，財団債権（破148Ⅰ④）になる。破産法大系Ⅲ343頁〔中井康之＝山本淳〕。

　なお，財団債権となる部分の算定については，破産手続開始から3月分の期間を確定し，その期間の給料が一部支払われていれば，その部分を控除し，さらに給与計算の締日との関係では，日割計算をする。詳細については，条解破産法〈第3版〉1052頁，220問390頁〔眞下寛之〕，394頁〔小堀秀行〕，運用と書式233頁，実践マニュアル330頁，法人破産申立て実践マニュアル223頁〔藤田温香〕参照。

[158] 破産手続開始前の退職であれば，その時期は問わない。調査の実務について220問398頁〔齋藤泰史〕参照。また，退職金，報償金等の名目は問わないが，就業規則，労働協約，労働契約によって退職時に使用者が支給義務を負っているものを意味する。これに対して，解雇予告手当は，解雇の効力を発生させるためのものであるという理由から，退職手当に含まれない。条解破産法〈第3版〉1054頁。

　また，退職金請求権が定期金の場合に，財団債権として一時払をすることから，中間利息相当分を控除する趣旨である（破148Ⅲ参照）。基本構造341頁。

[159] 破産手続開始前に退職金の一部が支払われていれば，残部が退職前3月分の給料の総額の範囲内で財団債権となる。一部の支払は，財団債権となるべき退職金額に影響することはない。これは，非控除説と呼ばれる。基本構造345頁，220問398頁〔齋藤泰史〕。また，破産手続開始前3月間休職していたような事案の場合には，休職前3月分の給料の総額が基準となる。基本構造347頁。算定の方法については，池田弥生「財団債権となる労働債権の算定」金法1798号17頁（2007年），破産法大系Ⅱ102頁〔蓑毛良和〕参照。

破産財団所属財産の形成や維持に寄与していることを重視したものである（雇用関係自体の取扱いについては，本書436頁参照）[160]。

4 社債管理者等の費用および報酬

社債発行会社が破産し，社債権者が破産債権者となる場合に[161]，社債権者集会の開催など社債の管理に関する事務が必要になる場合がある。このときに，社債管理者または社債管理補助者が設置されていれば，社債権者集会の開催費用など，当該事務の処理に要する費用をあらかじめ財団債権とする旨の許可を申し立て，裁判所は，それが破産手続の円滑な進行を図るために必要なものであると認めれば[162]，その許可をすることができる（破150Ⅰ）。社債管理者または社債管理補助者の事務は，本来はそれぞれ破産債権者である社債権者の利益のために行われるものであるが，社債権者が多数に上る場合など，社債管理者などの事務処理が破産債権者全体の利益に資すると認められることが，財団債権化の根拠である。

また，社債管理者または社債管理補助者が上記の許可をえないで，破産債権である社債の管理に関する事務を行った場合でも，裁判所は，当該社債管理者または社債管理補助者の事務が破産手続の円滑な進行に貢献したと認められるときは，社債管理者が支出した当該事務処理費用の償還請求権のうち，貢献の程度を考慮して，相当と認める額を財団債権とする許可をすることができる

---

[160] 退職手当および定期賃金を対象とする労働者健康安全機構による立替払いとの関係については，条解破産法〈第3版〉1056頁，破産管財の手引〈第2版〉213頁，220問426頁〔野村剛司〕，402頁〔山田尚武〕，405頁〔小川洋子〕，実践マニュアル345頁，吉田＝野村70頁，破産実務の基礎170頁参照。また，同機構が立替払いをしたときに，財団債権および優先的破産債権の地位を主張できるかどうかについては，本書331頁参照。

さらに，財団債権部分および優先的破産債権部分について使用人の債権者による差押えがなされている場合の取扱い，機構による立替払いとの関係については，220問407頁〔服部一郎〕参照。

[161] 社債発行会社と社債管理者との関係は，委任の性質を有するが，社債権者の利益を保全すべき社債管理者の役割を考えると，民法653条にもかかわらず，委任関係は終了しない。大コンメンタール594頁〔上原敏夫〕，条解破産法〈第3版〉1060頁。

[162] 必要と認められる費用のみが財団債権になるから，社債権者の数からみて不必要に広い会場を借り上げた費用などは財団債権にならない。この意味で，あらかじめ裁判所の許可を要求する合理性がある。新会社更生法の基本構造126頁参照。許可がないままに社債管理者が事務を行った場合の費用が財団債権（破148Ⅰ⑤）になるかどうかについては，これを否定的に解する考え方が有力である。基本構造359頁，大コンメンタール596頁〔上原敏夫〕，条解破産法〈第3版〉1062頁。社債の種類に応じた実務運用については，ニューホライズン164頁参照。

（同Ⅱ）。客観的に破産手続の円滑な進行に貢献したと認められれば，事前の許可をえていない場合でも，事後の許可によって費用償還請求権を財団債権として認めうる趣旨である。

さらに，裁判所は，破産手続開始後に上記の事務処理をしたことについて社債管理者または社債管理補助者の報酬請求権が発生した場合には，その相当と認める額を財団債権とする旨の許可をすることができる（同Ⅲ）。これは，報酬請求権の財団債権化によって社債管理者または社債管理補助者が上記のような事務処理を行うことを促すことが，破産債権者全体の利益に資するとの判断にもとづくものである。

以上の3つの場合において，裁判所の許可をうることによって，社債管理者の費用請求権，費用償還請求権および報酬請求権は，財団債権となる（同Ⅳ）。ただし，財団債権化の許可決定に対しては，利害関係人からの即時抗告が認められる（同Ⅴ）[163]。

なお，裁判所の許可にもとづく費用請求権等の財団債権化の規定は，社債管理者または社債管理補助者に類似する事務を行う他の者の費用または報酬請求権について準用される（同Ⅵ）。

5　その他の破産法上の財団債権

破産財団に属する財産に関する訴訟や行政手続を破産管財人が受継し（破44Ⅱ・46），その訴訟等で破産管財人側が敗訴した場合の相手方の訴訟・行政手続費用償還請求権は財団債権とされる（破44Ⅲ・46）。その趣旨は，法148条1項4号と共通である。

上の訴訟等において破産管財人が勝訴すれば，破産管財人は，訴訟費用を相手方に負担させることができ（民訴61），その費用償還請求権は破産財団所属の財産になる。また，破産債権者の開始した強制執行を破産管財人が破産財団のために続行するときには（破42Ⅱ但書），従前の強制執行は，破産債権者全体の利益のために行われたものとみなされ，執行債権者であった者は，その支出した費用を財団債権として回収することができる（破42Ⅳ）。また，否認権の

---

[163] 即時抗告権者は，許可にかかる金額を過大とする破産管財人，他の財団債権者または破産債権者であり，社債管理者は，不許可決定に対する即時抗告が許されないところから，金額が過小であることを理由とする許可決定に対する即時抗告を認められない。大コンメンタール595頁〔上原敏夫〕，条解破産法〈第3版〉1063頁。

行使にともなう原状回復の目的のために，詐害行為の相手方がなした反対給付の価額償還請求権（破168Ⅰ②）および反対給付にもとづく現存利益返還請求権（同Ⅱ①）が財団債権とされる。

さらに，異議債権者が破産債権査定手続や破産債権確定訴訟において勝訴し，破産財団に利益がもたらされるときには，異議債権者は，その利益の限度で訴訟費用償還請求権を財団債権として行使することができる（破132）。

6 先行手続の費用等

民事再生や会社更生などの再生型倒産処理手続は，破産手続に優先するが，それらの手続が目的を達せずに終了した場合には，事件を破産手続に委ねる以外にない。先行した他手続の費用等は，破産において財団債権の地位を与えられる（民再252Ⅵ，会更254Ⅵ）。簡易な清算手続である特別清算から破産手続に移行した場合も同様である（会社574Ⅳ）。これは，目的を達しなかったとはいえ，先行手続が全債権者の利益のために行われたこと，および財団債権としての取扱いを保障することが，先行手続から破産への移行を円滑にすることなどの考慮にもとづいている[164]。

第3項 財団債権の債務者

破産財団および破産管財人の法律上の地位をめぐる議論の一環として，財団債権の債務者を誰と考えるかという問題がある。財団債権は，破産財団から優先して弁済されるが（破151），破産財団自体には法人格を認めない前提に立てば，債務者として何らかの法主体を想定せざるをえず，その結果として破産手続終了後に財団債権について弁済の責任を負う者が生じる可能性もある。

1 破産者説

破産財団が破産者に属する財産であることを理由にするが，財団債権のほとんどが破産手続開始後の原因にもとづくものであること，および破産手続終了後に破産者が財団債権一般について責任を負う結果が合理的といえないことなどの点で批判される[165]。

---

[164] 私的整理から破産に移行した場合にも，これらの規定の趣旨を類推適用して，財産の保全などに要した費用を財団債権として扱う余地がある（宮川・総論382頁）。
[165] 旧法下では，その他に破産者の扶助料が財団債権とされたこと（旧破47⑨）が批判の根拠としてあげられたが，現行法下では，この点は当てはまらない。

2 破産債権者団体説

　財団債権の多くのものが，破産債権者の共同の利益に関連しているところから，破産債権者全員またはその団体を債務者とする。しかし，財団債権の中には，異なった性質のものもあり，また，債権者集会の母胎となることなど破産手続上の役割は別として，破産債権者団体に財団債権の債務者たる法主体性を認めることが妥当でないと批判される。

3　破　産　財　団　説

　破産財団の法主体性を認めることを前提として，破産財団の負担たる財団債権の債務者は，破産財団自身であるとし，その帰結として，財団債権についての破産者の責任を原則として否定する。ただし，破産者自身の債務としての性質をもつ財団債権（破148Ⅰ③・149など）については，破産手続終了後における破産者の責任を認めるべきであるとする。破産者の責任についての結論はともかく，破産財団の法主体性を認めることそのものに問題があるので，これをとることはできない。

4　管理機構としての破産管財人説

　管理機構としての破産管財人に法主体性を認める考え方を財団債権についても当てはめると，管理機構としての破産管財人が財団債権の債務者になる[166]。もっとも，破産管財人の費用や報酬が財団債権とされていることが問題となるが（破148Ⅰ②），破産管財人に就任している私人が管理機構としての破産管財人を債務者とする財団債権を行使すると考えれば足りる。

　したがって，破産手続終了後に破産者が財団債権について責任を負うことはない[167]。租税等の請求権（破148Ⅰ③）については別に検討するので，それ以外のもので従前から問題とされているものについて説明する。

---

[166]　破産管財人が破産財団を責任財産として負担する債務は，破産手続から再生手続や更生手続に移行するときには，共益債権として再生債務者や更生会社に引き継がれる。これに対して，破産管財人に法主体性を認めること反対する立場からの批判として，判例・実務・改正提言586頁〔永島正春〕がある。

[167]　旧法に関する大正10年の破産法草案においては，旧法50条（現破151条）に対応する規定が，財団債権については，破産財団を限度として弁済する旨を定めており，破産者の責任を否定することが明確になっていた（加藤・研究5巻430頁参照）。なお，旧法下の学説の対立状況については，片野三郎「財団債権の最終義務者」判タ830号299頁（1994年）が詳しい。本書と同様の考え方をとるものとして，判例・実務・改正提言236頁〔長島良成〕，三上200頁がある。

第1に，受任者の急迫行為による請求権（破148 I ⑥）であるが，委任終了後の事務によって利益を受けているのは，破産財団，いいかえれば破産債権者であるから，破産者に個人的責任を負わせる理由はない。

　第2に，解約申入れがなされた双務契約の終了までに生じた請求権（同⑧）であるが，解約申入れから終了までの期間において相手方の給付によって利益を受けたのは破産財団であるから，これについても，破産者の責任を否定すべきである。

　第3に，破産管財人によって解除された双務契約について相手方がなした反対給付価額返還請求権（破54 II）であるが，双務契約の解除は破産管財人の判断によってなされるものであり，その効果について破産者の責任を認めるのは合理的でないから，破産手続内で財団債権として優先権を与えれば足りる。

　第4に，訴訟等の相手方の費用償還請求権であるが（破44 III・46），これは，破産管財人の訴訟追行の結果として生じる財団債権であるから，破産者の責任を否定するのが妥当である。このようにみると，別に検討する破産手続開始前の原因にもとづく租税等の請求権（破148 I ③）および破産手続開始前3月間の給料等の請求権（破149）を含めて（本書334, 340頁），破産者自身の責任が認められるべき財団債権は存在しない（本書810頁）[168]。

---

[168] その他に，破産者に責任を負わせるべきものとして法148条1項7号が挙げられることがあるが，この場合の相手方は，同時履行の抗弁権をもっているものであり，それを放棄して自己の債務のみを履行したときに，財団から弁済がえられないからといって，破産者の責任を追及するのは不当である。

　なお，近時の有力説としては，手続遂行の費用としての性質を持つ財団債権については，管理機構としての破産管財人を債務者とし，租税債権や労働債権など，政策的に財団債権とされるものについては，破産者を債務者とする見解がある。松下・前掲論文（注150）62頁，概説90頁，条解破産法〈第3版〉1030頁，破産法大系 II 53頁〔小川秀樹〕，岡伸浩「破産管財人の法的地位・序説——管理機構人格説の再定位と信託的構成との調和」慶應法学40号55頁（2018年）。また，山本克己「財団債権・共益債権の債務者」田原古稀（下）79頁は，財団債権の債務者を破産者とすることを前提としつつ，共益費用性を有する財団債権（破148 I ①②など）については，破産財団限りでの物的有限責任を認め，政策的考慮から財団債権とされているものについては，配当終結以外の事由による破産手続終了の場合（破216〜218）に財団債権が完全な満足を受けられない可能性があること，同種の給料等の請求権（破149）や租税等の請求権（破148 I ③）が非免責債権とされていること（破253 I ①⑤）などを考慮すべきであるとする。免責をえた破産者については，財団債権の負担も免れるとする考え方もある。注釈破産法（下）16, 59頁参照。

　さらに進んで，近時は，本来的性質が破産債権である財団債権（労働債権等）について，破産手続の前後で破産者から破産管財人へ債務者の交代を認めるべき根拠が欠けること，

第4項　財団債権の弁済

　財団債権者の地位には，2つの権能が含まれる。第1は，破産債権に対する優先権である（破151）。もっとも，配当率または配当額が破産債権者に通知されるまでに破産管財人に知れなかった財団債権者は，配当すべき金銭から弁済を受けることはできないから（破203），財団債権者の優先権も無限定なものではない。なお配当終結の場合に財団債権に対する優先弁済がなされることはいうまでもないが，破産取消しや異時破産廃止の場合にも，財団債権に対する弁済がなされる（破90Ⅱ本文）[169]。

　第2に，財団債権に対する弁済は，破産手続によらず，随時に破産管財人によってなされる（破2Ⅶ）。破産管財人は，破産債権の場合と異なって，調査・確定の手続を経ずに本来の弁済期にしたがって随時に財団債権への弁済ができるし，またその義務がある。ただし，破産管財人は，100万円を超える財団債権を承認するに際しては，裁判所の許可を要求される（破78Ⅱ⑬・Ⅲ①，破規25）。また，破産管財人にとって財団債権の存在および内容を把握することは，必ずしも容易でない場合があるので，財団債権者は，破産手続開始決定があったことを知ったときは，速やかに財団債権を有する旨を破産管財人に申し出るものとされる（破規50Ⅰ）。申出は，必ずしも書面による必要はない（同Ⅱ）[170]。

倒産手続相互間の移行の局面（本書1243頁）でも債務者の交代による法律関係の錯雑が生じうることなどを理由として，財団債権の債務者を破産管財人とすることに対する批判が強い。しかし，いずれの場合であっても，破産手続の開始にともなって債務者の地位が破産管財人に交代することの説明は可能であり，かつ，実質的合理性も認められるので，本書の考え方を維持したい。詳細は，伊藤眞「破産管財人の法的地位と第三者性——管理機構人格説の揺らぎ？」財産換価559頁参照。なお，日本司法支援センター（法テラス）が立て替える管財予納金の返還請求権が財団債権（破148Ⅰ①）となる場合の取扱いについては，注釈破産法（下）691頁，伊藤・前掲論文（注145）138頁参照。

169）　配当の進行と財団債権の弁済，破産財団が手続費用を支弁するに足りないとして異時破産手続廃止（本書777頁）になる場合の財団債権の弁済については，破産管財の手引〈第2版〉247頁参照。

170）　財団債権である租税債権については，交付要求の方式をとる（税徴82Ⅰ）。220問374頁〔成瀬裕〕。再生手続から破産手続に移行する場面などにおいて，財団債権の把握が容易でないことを理由として，立法論として規律の強化を提言するものとして，判例・実務・改正提言28頁〔多比羅誠＝髙橋優〕がある。現行法下での破産管財人の側からの財団債権の調査については，債権調査・配当386頁〔佐藤三郎〕参照。

第5項　財団債権をめぐる訴訟

　ある債権者が，自らの債権が財団債権にあたることを主張し，破産管財人が裁判所の許可をえて，それを認めれば（破78Ⅱ⑬），財団債権をめぐる紛争は発生しないが，債権者が財団債権性を主張するのに対して，破産管財人がそれを否定し，または債権の存否や内容を争う場合には，債権者側からの給付訴訟や財団債権性についての積極的確認訴訟，または破産管財人の側からの消極的確認訴訟などが想定される[171]。その訴訟物については，財団債権たる実体法上の請求権とするか，財団債権支払請求権とするか，2つの可能性がある[172]。財団債権性に関する積極または消極の確認訴訟の場合はもちろん，債権者からの給付訴訟の場合であっても，審判の対象は，実体法上の請求権の発生原因たる事実に加え，財団債権性を根拠づける事実によって特定される以上，後者の考え方が妥当である。したがって，請求認容確定判決は，一定内容の給付請求権が財団債権であることを既判力によって確定するのに対して，請求棄却確定判決は，当該請求権が財団債権に該当しないことを確定する[173]。

---

[171] 争いが発生する典型的場面については，倒産と訴訟 275 頁〔加藤清和＝島岡大雄〕参照。通常の手続によることについては，最判昭和 62・4・21 民集 41 巻 3 号 329 頁〔倒産百選〈第4版〉95 事件・租税判例百選〈第5版〉116 事件〕，破産管財の手引〈第2版〉245 頁，220 問 375 頁〔成瀬裕〕参照。財団債権にもとづく強制執行が許されないこと（破 42 ⅠⅡ．本書 348 頁）との関係で，訴えの形式を確認訴訟に限るとの考え方もありうるが，破産手続の終了の可能性を考えれば，給付の訴えを否定すべき理由はない。東京高判平成 21・6・25 判タ 1391 号 358 頁参照。また，当該債権の発生原因たる契約に仲裁条項を設けている場合であっても，共益債権性に関する争いまでが仲裁合意に含まれるとは解されない。東京地中間判平成 27・1・28 判時 2258 号 100 頁〔会社更生〕。

[172] 倒産・訴訟 301 頁〔加藤清和＝島岡大雄〕では，訴訟物を実体法上の請求権そのものとすると，財団債権性に関する主張立証責任の帰属や既判力の範囲について問題を生じるとして，後者の考え方をとる。なお，財団債権支払請求権とする場合には，財団債権内部の優先劣後との関係で，それが法 148 条 1 項各号のいずれにあたるかによって訴訟物が区別されよう。注釈破産法（下）3 頁参照。ただし，各号の区別に関して判断が分かれる余地があり（本書 330 頁参照），適切な釈明権の行使が望まれる。

[173] 債権調査・配当 395 頁〔小畑英一〕。したがって，判決理由中で当該請求権の不存在が判示されていたとしても，その判断に既判力が生じるわけではなく，財団債権性の不存在を理由とする請求棄却判決と同様に，財団債権性の不存在について既判力が生じるのみである。もちろん，そのような判決が確定しているにもかかわらず，なお債権の存在を主張することは，原則として信義則に反するといえよう。なお，当該請求権が破産債権であり，財団債権にあたらないとするときは，受訴裁判所は，訴え却下ではなく，請求棄却の本案判決をすべきである。倒産と訴訟 305 頁〔加藤清和＝島岡大雄〕。

第6項　財団債権にもとづく強制執行

　法151条は，財団債権に対する破産管財人の弁済義務を定めたものである。弁済期が到来しているにもかかわらず，破産管財人が任意に弁済しない場合には，財団債権者が破産管財人を相手方として訴えを提起することはできるが，さらに強制執行をなすこともできるかどうかについては，旧法下で議論の対立がみられた[174]。しかし，現行法は，破産手続開始決定の効力として，破産債権にもとづく強制執行のみならず，財団債権にもとづく強制執行まで禁止し（破42Ⅰ），消極説の考え方を立法化した。

　したがって，財団債権者は，訴え提起によってその権利を確定することは許されるが，強制執行については，法定の順位にしたがった破産管財人による弁済という手続的要請が優先するため，強制執行申立権が否定される[175]。すでに開始されている強制執行も中止する（破42Ⅱ本文）。破産管財人が理由なく弁済を拒むときには，財団債権者としては，裁判所の監督権の発動（破75Ⅰ）を促せば足りる。次に述べるように，租税等の請求権にもとづく滞納処分の開始が否定されることとの均衡上も，財団債権にもとづく強制執行の禁止に合理性が認められる。もちろん，不当な弁済拒絶に対しては，破産管財人に対する損害賠償請求（破85Ⅱ）を妨げない。

第7項　租税等の請求権にもとづく滞納処分

　租税等の請求権は，破産手続開始前の原因にもとづくものの一部が財団債権とされ（破148Ⅰ③），開始決定後の原因にもとづくものは，破産財団の管理等に関する費用に含まれるものに限って財団債権とされる（同②）。財団債権一

---

174) 伊藤・破産法〈第3版補訂版〉191頁参照。消極説の論拠は，強制執行を認めると，旧法51条（現破152条）および旧法286条（現破203条）の適用が困難になるという点である。破産財団が財団債権全体の弁済に不足であるにもかかわらず，特定の財団債権者が強制執行によって満足を受けたり，あるいは破産債権者に配当すべき金銭を差し押さえたりすることによって法定の順位による弁済が困難になるからである。

175) 別除権者が財団財産に対してその担保権を実行したときに（破65参照），財団債権者が配当要求をすることが可能かという問題がある。これを認めた上で，配当を破産管財人に交付し，破産管財人が財団債権者に対して弁済を行うという考え方（注釈破産法（下）10頁）と，配当要求も強制執行と本質を同じくするものとして，禁止されるという考え方がある。本書では，後者を支持する。松下・前掲論文（注150）47頁，基本構造355頁。

般の強制執行開始が許されないのと同様に、破産手続開始後に新たに国税滞納処分を開始することは許されない（破43Ⅰ）[176]。これに対して、開始決定前に開始されている国税滞納処分の続行は妨げられないとされ（同Ⅱ）、すでに開始されている財団債権にもとづく強制執行が失効するのと（破42Ⅱ本文）比較すると、国税滞納処分の続行が認められるのは、租税等の請求権の公益性と自力執行権を重視したものである[177]。

第8項　財団不足の場合の順位

破産管財人は、財団債権についてその弁済期にしたがって随時弁済を行うが（破2Ⅶ）、破産財団が財団債権の総額を弁済するために不足することが判明した場合には[178]、法令に定める優先権にかかわらず[179]、未弁済額に応じた平等

---

[176] 旧法には明文の規定が存在しなかったが、伊藤・破産法〈第3版補訂版〉192頁も含め、国税滞納処分の開始を否定する考え方が判例（最判昭和45・7・16民集24巻7号879頁〔倒産百選〈第3版〉122事件〕）・多数説であった。なお、税務署長が交付要求をすることは許されるが（税徴2⑬・82Ⅰ）、交付要求は、破産管財人に対して弁済を強制する効力をもたない（最判昭和59・3・29訟月30巻8号1495頁〔倒産百選〈第4版〉97事件〕）。

　また、破産者所有不動産に対する競売手続において国税債権にもとづく交付要求がなされている場合であっても、交付要求に対する配当金は破産管財人に交付され、破産管財人が財団債権としての国税債権に対する弁済を行う（最判平成9・11・28民集51巻10号4172頁〔倒産百選〈第4版〉98①事件〕）。実践マニュアル378頁。

[177] 破産手続開始前に継続的収入にかかる債権に対して滞納処分がなされた場合（税徴66）、その効果が、開始後に破産管財人の行為によって生じる債権にまで及ぶかという問題がある（基本構造328頁）。破産者の行為にもとづく債権と破産管財人の行為にもとづく債権とでは、継続的収入としての連続性が欠けるので、滞納処分による差押えの効力が及ばないと解する。なお、関連する問題として、租税等の請求権にもとづく自由財産に対する国税滞納処分の可否がある。破産債権たる租税等の請求権は、非免責債権であるが（破253Ⅰ①。本書809頁）、免責審理期間中は非免責債権を含め、破産債権にもとづく強制執行が許されないこと（破249Ⅰ。本書803頁）との関係からも、滞納処分も許されない。また、財団債権たる租税等の請求権については、破産者の責任を否定するのであれば（本書345頁）、滞納処分も許すべきではないが、責任を認める場合でも、一定の配慮が求められる。破産法大系Ⅰ481頁〔石田憲一〕。

[178] 破産財団の不足が判明したときには、新規の財団債権の発生の原因となる行為も控えるべきであるが、破産財団の管理上やむをえない費用を財団債権として支払うことは許される。条解破産法〈第3版〉1067頁。

[179] 法令に定める優先権とは、法152条1項但書との関係上、租税等の請求権や一般の先取特権など、一般の優先権を指す。租税等の請求権相互間の優先劣後関係（税徴11など）にも拘束されない。したがって、破産管財人は、それらの優先権の有無や範囲について調査をする必要はない。

弁済をなす（破152Ⅰ本文）[180]。ただし，財団債権について留置権，特別の先取特権，質権，または抵当権という特定財産上の担保権が成立するときには，その効力が認められる（同但書）[181]。

財団債権に関する平等原則の例外をなすものとして，法148条1項1号および2号（保全管理中の債務者の財産の管理および換価の費用であって，保全管理人の行為にもとづくものを含む）の財団債権は，他の一般および特別の財団債権より優先する（破152Ⅱ）。破産債権者にとっての共益性を重視したものである[182]。

第4節　破産と租税

旧法においては，破産手続開始前の原因にもとづく租税等の請求権が一律に財団債権とされていたために，破産財団が租税等の請求権の満足に充てられ，破産債権者の利益を害するとの立法論的批判がなされていた。現行法148条1項3号が，財団債権となる租税等の請求権の範囲を限定したのは，こうした批

---

[180] 平等原則が適用されるのは，財団不足が判明した時点以降であり，すでになされた弁済が平等原則違反として問題になることはない。偏頗弁済にもならない（加藤・要論117頁，注解破産法（上）244頁〔斎藤秀夫〕，基本法77頁〔中西正〕，条解破産法〈第3版〉1066，1069頁など）。破産管財人による財団不足判断については，善管注意義務（破85Ⅰ）が適用される（西島幸夫「財団債権間の優先順位」判タ830号290頁（1994年），条解破産法〈第3版〉1070頁）。期限の到来または未到来の財団債権などに対する弁済金額については，条解破産法〈第3版〉1070頁，注釈破産法（下）59頁参照。

[181] 破産手続開始時に破産財団所属財産に成立する留置権に関する規定（破66）は，適用されず，民事留置権も影響を受けない（本書482頁参照）。
　　また，財団債権を自働債権とし，財団所属債権を受働債権とする相殺権の許容性については，本書517頁参照。

[182] 旧法は，旧法47条1号から7号までの財団債権が他のものよりも優先すると規定していたため，破産管財人の報酬（旧3号）と租税等の請求権（旧2号）との優先関係が問題になり，最判昭和45・10・30民集24巻11号1667頁〔倒産百選〈第5版〉120事件〕は，破産管財人報酬の優先性を認めたが，現行法は，この問題を立法的に解決した。一問一答206頁，条解破産法〈第2版〉1027頁参照。2号と4号の振り分けについて，松下・前掲論文（注150）49頁参照。
　　いわゆるDIPファイナンスにもとづく財団債権（民再120Ⅲ・252Ⅵ）は，共益的費用たる財団債権（破148Ⅰ①②）には劣後するが，他の財団債権とは同順位になる。基本構造353頁。また，先行する再生手続における監督委員の報酬などの共益の費用は，破産手続の共益的費用たる財団債権に劣後することが問題として指摘される。同354頁。
　　また，双方未履行双務契約の相手方の財団債権（破148Ⅰ⑦）は，按分弁済に服するようにみえるが，相手方が先履行や同時履行の抗弁権を主張すれば，破産管財人としては，その財団債権全部の履行をなすべきである。条解破産法〈第3版〉1068頁。

判に応えるためである。他方，旧法47条2号は，破産宣告後の原因にもとづく租税等の請求権のうち，破産財団に関して生じたものに限って財団債権としていたが，現行法は，これを破産財団の管理，換価および配当に関する費用の請求権（破148Ⅰ②）の中に吸収した。しかし，破産手続後の原因にもとづく租税等の請求権のうち，いかなるものがそこに含まれるかについては，旧法と同様に解釈に委ねられている。

第1項　破産手続開始後の原因にもとづく租税等の請求権で財団債権（破148Ⅰ②）とされるもの

　破産手続開始前の原因にもとづくものと異なって，開始後の原因にもとづく租税等の請求権が財団債権として扱われるのは，破産財団の管理や換価に関する費用の請求権とみなされる場合に限られる。異論のないものとしては，破産財団所属財産に関する破産手続開始後の固定資産税や所属財産売却にともなう消費税などがこれにあたる[183]。これに対して，破産財団に関する破産手続開始後の原因にもとづく租税等であるが，換価等に関する費用の請求権とみなされないものは，劣後的破産債権となる（破99Ⅰ①・97柱書かっこ書・④）。

1　個人破産における租税等の請求権

　個人破産において破産財団に関して破産手続開始後の原因にもとづいて発生する租税等の請求権としては，財団財産が破産管財人によって換価されたことにより生じる譲渡所得に起因する所得税が考えられる。所得税とは，個人の各種の所得を総合一本化した総所得金額に対して課税されるものであり，総所得金額と切り離された譲渡所得についてのみの所得税はありえない[184]。したが

---

[183]　破産手続開始前後の計算について，実践マニュアル372頁参照。
　オーバーローンの状態にある物件についての固定資産税は，破産債権者にとっての実質的利益を有しないという理由から，財団債権性を否定する議論がある。しかし，担保権消滅許可の可能性などを考えると，この議論には賛成しがたい。基本構造335頁。
　そのほか，管理に関する租税の例として，都市計画税，償却資産税，自動車税等があり，換価にともない発生する租税として印紙税や登録免許税等がある。また，破産管財人が雇用する従業員の給与支払にかかる源泉所得税や社会保険料，各種事務を委任する公認会計士や税理士等に対する報酬にかかる源泉所得税も財団債権となる。220問380頁〔中川利彦〕参照。さらに，厚生年金基金の脱退時特別掛金の財団債権性については，議論がある。220問382頁〔石井教文〕。消費税も，それが破産財団所属財産の取引にともなうものであれば，財団債権となる。注釈破産法（下）27頁。

[184]　「納税者が破産宣告を受け，その総所得金額が破産財団に属する財産によるものと自

って，かりに譲渡所得に対する課税がなされる場合であっても，それは破産財団の換価等に関して生じたものとはいえず，財団債権にあたらない。もっとも，このように考えると，財団財産換価にもとづく譲渡所得については，破産者の所得の一部として所得税が破産者の自由財産から徴収される結果となり，破産者の経済的再生を妨げるとの批判が考えられる。

　法人の場合と異なって，現在の固定主義の下では，破産者は，破産手続開始の時点から破産財団とは独立の経済活動を開始する。したがって，破産財団所属財産の換価にもとづく利益は，もっぱら破産債権者に帰属するのであるから，その利益に対する課税を破産者の自由財産の負担とすることは，課税の対象となる利益の帰属しない主体に対して課税を行う結果を招く。立法者もこの点を考慮し，資力喪失状態における換価にもとづく所得を非課税としている[185]。したがって，個人に関しては，破産財団所属財産の換価等にもとづく租税等の請求権が財団債権とならないだけではなく，租税等の請求権自体の発生が否定される[186]。

2　法　人　税

　法人破産において破産管財人が管財事務を遂行するにあたって発生する法人税課税については，平成22年度税制改正の前後で基本的な考え方の転換がみられる。改正前においては法人税法旧5条で「内国法人に対しては，各事業年度（連結事業年度に該当する期間を除く。）の所得について各事業年度の所得に対する法人税を，清算所得について清算所得に対する法人税を課する」とされていたことからわかるように，通常の事業年度の所得と清算手続における清算所得を区別し，破産法人をはじめとする清算法人に対しては，清算所得に対

　　由財産によるものとに基づいて算定されるような場合においても，その課税の対象は，それらとは別個の破産者個人について存する前叙の総所得金額という抽象的な金額なのである。このように，所得税は，破産財団に関して生じた請求権とは認めがたい」（最判昭和43・10・8民集22巻10号2093頁〔倒産百選〈初版〉97事件〕）。ただし，岡正晶「個人破産と所得税」金子宏先生古稀祝賀・公法学の法と政策（上）339頁（2000年）は，財団債権となる所得税がありうることを示唆する。

185) 　昭和40年の所得税法改正によって同法9条1項10号が創設された。
186) 　確定申告の義務を負うのは，破産者個人であり，破産管財人ではない。ただし，青色申告をしている個人破産者について，所得税の還付が受けられるときは（所税140），その一部を破産財団に組み入れるために，破産管財人が確定申告をすることは考えられる。破産管財の手引〈第2版〉399頁。その他，個人である破産者に対する各種課税の取扱いについては，220問440頁〔松村昌人＝柴田義人＝権田修一〕，442頁〔髙木裕康〕参照。

する課税を行うこととしていた。法人税法旧第3章「清算所得に対する法人税及び継続等の場合の課税の特例」は，清算所得課税のための規定であった。

しかし，平成22年改正後の法人税法5条は，「内国法人に対しては，各事業年度（連結事業年度に該当する期間を除く。）の所得について，各事業年度の所得に対する法人税を課する」と規定し，これにともなって旧第3章に含まれていた旧92条ないし旧120条までを削除することによって清算所得課税の制度を廃止した。したがって現在は，破産法人であっても，資産超過であるか債務超過であるかとかかわりなく，破産手続開始決定日から開始する各事業年度において資産譲渡益等から青色欠損金（法税57Ⅰ）や期限切れ欠損金（法税59Ⅲ）を控除し，所得が発生したと認められれば，それに対応する法人税の納付義務が課される[187]。したがって，以下の予納法人税に関する説明は，現行法人税法下では妥当しない。

3　予納法人税──平成22年度税制改正前

清算法人に対しては，通常の法人税課税は行われず，清算所得に対する法人税が課される（旧法税5・93）。破産法人も清算法人の一種である以上，この清

---

[187]　植木康彦・会社解散・清算手続と法人税申告実務60頁（2012年），220問444頁〔内藤滋〕，446頁〔須藤英章＝柴田義人〕，448頁〔篠田憲明〕，450頁〔三森仁〕，453頁〔上野保〕，456頁〔大場寿人〕，457頁〔髙井章光〕，須賀一也「事業再生と欠損金税制」多比羅喜寿652頁参照。したがって破産管財人は，破産法人についての法人税や消費税等の申告義務を負う。申告等の実務については，横田・前掲書（注147）108頁参照。

　破産管財の手引〈第2版〉383頁以下では，平成22年10月1日より前に開始決定がされた法人の破産事件における清算所得課税の説明があり，さらに，同書376頁以下では，その時期後に開始決定がなされた法人税の申告に関する説明がある。

　なお，平成22年度税制改正前の清算所得課税制度を前提として，法人税の納付義務者を破産法人とするか，破産財団の管理機構たる破産管財人とするかについては議論があり，本書〈第2版〉241頁では，管理機構たる破産管財人としていたが，現在の税制下では，破産手続開始前からの欠損金の引継ぎの点からも破産法人と解すべきことになろう。ただし，還付金が破産財団所属財産となることとの関係でも，破産管財人がその管理処分権の行使として，税務申告を行うべきである。220問446頁〔須藤英章＝柴田義人〕。破産法大系Ⅲ380頁〔木内道祥〕は，破産管財人の善管注意義務（破85Ⅰ。本書213頁）との関係で，申告が破産財団の確定や増殖に資する場合に申告がなされるべきであるとする。還付の実務については，財産換価468頁〔谷津朋美〕，横田・前掲書（注147）129頁が詳しい。

　類似のものとして，破産会社が行った法人税の確定申告について破産管財人による更正の請求（税通23Ⅰ①）が認められるかどうかという問題がある（大阪高判平成30・10・19判時2410号3頁とその上告審判決である最判令和2・7・2民集74巻4号1030頁）。本書6頁注10参照。

算法人税が課される。問題は，この清算法人税が財団債権としての性質をもつかどうかである。財団債権にあたるかどうかは，破産財団の換価等に関する費用としての性質をもち，破産債権者が共同して負担しなければならないものかどうかという基準によって決定される。その点からみると，清算法人税は，財団債権にはあたらない。なぜならば，清算法人税は，清算手続においてえられた金額から，まず負債額を控除し，その残余財産からさらに資本金額などを控除した額を清算所得とし，その額に対して課税される（旧法税93）からである。課税に先立って負債額が清算所得から控除されることは，清算法人税が債権者に対する弁済に優先するものではなく，いいかえれば破産債権者全体が共同で負担する費用としての性質を持たないことを示している。

　しかし，清算法人税について財団債権性が否定されることは，予納法人税についても当然に財団債権性が否定されることを意味するものではない。予納法人税とは，清算期間が数事業年度にわたる場合に，法人税の徴収を確実にするために，各事業年度の清算所得を標準として課税されるものである（旧法税102・105）。この予納法人税は，債権者に対する負債の控除を前提とするものではなく，各清算事業年度の所得に応じて課税されるものであるから，上記のような基準によれば，破産債権者全体が負担すべき破産財団の換価等に関する費用として，財団債権性が肯定されるという考え方も成り立つ。

　しかし，判例は，次のような理由にもとづいて財団債権性を否定した[188]。すなわち，いったん予納法人税を財団債権として破産管財人に納付させても，後に行われる清算確定申告にもとづいて予納額が清算法人税額を超過する場合には，その超過部分は破産法人に還付される（旧法税110Ⅰ）。ところが，破産法人の場合には，定型的に債務超過であり，清算法人税額は，ほとんど例外なくゼロとなり，予納額が全額還付されることになる。したがって，予納法人税をいったん財団債権として納付させ，後にそれを還付することは，破産管財人に無用の負担をかけることになるから，財団債権性を否定すべきであるというものである。

　この判例の考え方は，合理的なものと評価できる。したがって，現行法下においても，予納法人税は財団債権といえず，劣後的破産債権となる（破97④・

---

[188]　前掲最判昭和62・4・21（注171）。

99 Ⅰ①)189)。

4 土地重課税

　法人が土地の譲渡によってえた利益に対しては，通常の法人税とは別に，その土地の保有期間に応じて利益額の5％，10％，または15％の課税がなされる（平成10年改正前税特措旧62条の3Ⅰ・63Ⅰ・63の2Ⅰ）。この制度は，土地投機を防止する目的をもったものであるが，破産財団所属の土地が破産管財人によって売却された場合にも，重課税が課され，それが財団債権として扱われるべきかどうかが争われる。判例は，原則としてこれを肯定し，本書も判例に賛成する190)。

　一般の法人税に比較した場合の土地重課税の特徴は，欠損金との損益通算が許されていないことにある。したがって，破産手続開始決定日から始まる各事業年度において損金の額が益金の額を上回り，課税所得が生じない場合であっても，土地重課税は納付しなければならない。このことは，破産債権者全体が共同で土地重課税を負担しなければならないものであり，破産手続においても，重課税が総破産債権者に対する優先性をもっていることを意味する。したがって，土地重課税については，財団債権性が肯定されるべきであり，破産管財人は，その申告・納付を行う義務を負う191)。

---

189) 旧法下では，劣後的破産債権となるという考え方と，破産宣告後の原因にもとづくものであるから，劣後的破産債権にもならず，破産手続終了後に破産者の自由財産から満足を受ける以外にないとする考え方が対立していた（伊藤・破産法〈第3版補訂版〉197頁参照）。現行法は，これを立法的に解決したものである。
　もっとも，財団債権としての納付義務はなくとも，申告義務が存在するかどうかという問題がある。財団債権性が否定される以上，破産管財人は，申告義務も負わないとする考え方と，破産法人の財産について管理処分権をもつ破産管財人が，破産財団の管理にかかわる公法上の義務として，申告義務を負うという考え方がありえよう。財団債権性と予納法人税の申告義務は別のものであるから，後者の考え方が正当である（最判平成4・10・20判時1439号120頁〔倒産百選〈第4版〉96事件〕）。実際上も，破産管財人が欠損金の繰戻しによる還付（法税80Ⅰ）などを求めるときには（水野武夫「破産管財人の執務上の諸問題」裁判実務大系(6) 256, 261頁），財団債権とならない予納法人税についても，申告をせざるをえない。申告義務の法的性質については，注釈破産法（下）25頁参照。
190) 前掲判昭和62・4・21（注171）。ただし，土地重課税制度自体は，平成10年度の改正により，超短期（2年以下。税特旧63の2）は廃止，短期（5年以下。租特現63Ⅰ）および長期（5年超。租特現62の3Ⅰ）は，平成10年1月1日から適用停止となっているので（租特現62の3ⅩⅤ・63Ⅷ），当分の間，土地重課税は法人に適用されない。
191) 財団債権性を否定する学説の論拠については，次のようにいえる。第1に，土地重課税を財団債権とすると，租税負担が破産法人ではなく，破産債権者に生じるという。しか

もっとも，土地譲渡益に対して課される重課税がすべて財団債権となるわけではなく，判例は，次のような例外を認めている。すなわち，土地に対して担保権が設定されており，土地売却代金の中から別除権者に対する優先弁済が行われた場合には，譲渡益のうち優先弁済に充てられた部分は，破産債権者が共同で負担すべきものとは考えられないので，その部分について課される重課税は，財団債権として扱われない。たとえば，取得価額1億円の土地が破産管財人によって5億円で売却され，5億円のうち，3億円は，別除権者への優先弁済に充てられたと仮定し，2億円が破産財団に組み込まれたとする。他方，譲渡益4億円についてみると，そのうち2億円は，破産財団に組み込まれ，残り2億円は，別除権者に対する3億円の弁済の一部となっている。したがって，財団債権となる重課税（平成10年改正前税特措旧63の2 I）は，破産財団に組み込まれる2億円の15％，すなわち3000万円となる[192]。そのほか，地方税についても，これまでに述べたのと同様の原則にもとづいて財団債権性および財団債権額が決定される[193]。

　旧法下では，破産手続開始後の原因にもとづき破産財団に関して生じた租税等の請求権の意義については，人税・物税という基準が立てられ，物税にあた

　　し，土地重課税の制度は，法人がその譲渡益を債権者への弁済に用いるか，または株主に対する配当に用いるかなどと関係なく，譲渡益そのものに対して課税することを目的とするものであるから，この批判はあたらない。第2に，個人破産においては，譲渡益が所得税法9条1項10号によって非課税とされるが，これは，個人破産者の更生を目的としたものであり，そのことから法人に対する重課税の財団債権性を否定する理由とならない。第3に，会社更生では，土地の評価益について重課税が課されないこととの均衡が説かれるが，会社更生でも評価益は，繰越欠損金と相殺されるのであり，実質非課税とはいえない。なお，詳細については，伊藤眞「破産管財人の納税義務」判時1306号（判例評論364号）156，162頁（1989年）参照。

192)　別の計算方式を提言する論者もある（四宮章夫「判例批評」民商98巻1号130，144頁（1988年））。しかし，土地の売却代金は，まず別除権者への優先弁済に充てられるとすれば，取得価額相当分は，別除権者への弁済に充てられ，譲渡益も一定金額までは優先弁済に充てられる。その結果，破産財団を構成するのは，譲渡益の残額と考えるのが自然であるから，本文に述べた計算方法が妥当である。

193)　法人住民税のうち法人税割（地税23 I ③・292 I ③）および事業税（地税72の12）は，法人税と同じ性質をもつので（地税53 V），破産法人の所得を基準として財団債権とされる。また，法人住民税の均等割（地税23 I ①）は，破産法人が破産手続の目的内で存続することについての必要経費とみられ，破産債権者にとっての共益的支出としての性格をもち，また，法人の負債に対する弁済に優先されるものであるので，財団債権として扱われる（前掲最判昭和62・4・21（注171）。220問456頁〔大場寿人〕）。

る固定資産税，自動車税，消費税，および登録免許税などが財団債権となるとされてきた。しかし，ここで財団債権とされるのは，破産財団の管理・換価にともなって生じる租税等の請求権であり，破産債権者が共同で負担しなければならないものを意味するから，人税・物税という基準は意味をもたない。物税とされた固定資産税などは，破産債権者が共同に負担すべきものとして財団債権になるし，人税とされる法人住民税の均等割も，管理・換価の遂行にともなう共益的支出という視点から財団債権とされる。

第2項 破産管財人の源泉徴収義務

給与支払義務を負う事業者などが破産者となった場合には，すでに徴収した源泉徴収所得税は，財団債権として国に納付する（破148Ⅰ③）。破産手続開始後，一定期間雇用が継続して，破産管財人が給与を支払う義務を負う場合には，破産管財人が給与等の支払者として源泉徴収義務を負い，（所税183Ⅰ），破産財団の管理にともなって発生した費用たる財団債権としてその納付を行う（破148Ⅰ②）。また，破産財団の管理機構たる破産管財人（本書224頁参照）が，その職務を行う私人たる弁護士に対して支払う報酬は，弁護士の業務に関する報酬（所税204Ⅰ②）に該当し，破産管財人は，その支払いをする者として源泉徴収義務を負い，財団債権（破148Ⅰ②）としてそれを納付しなければならない。源泉徴収にもとづく納付を怠った場合の不納付加算税（税通67Ⅰ本文）についても同様である（破148Ⅰ④）[194]。

問題は，破産手続開始前の原因にもとづく給料等の請求権のうち，財団債権である部分（破149）を支払い，また優先的破産債権である給料等の請求権（破98Ⅰ）について破産配当を行う際にも破産管財人が源泉徴収義務を負うか否か

---

[194] 最判平成23・1・14民集65巻1号1頁〔倒産百選18事件〕。当該事件は，旧破産法の下におけるものであるが，その意義は，現行法下でも変わるところはない。木村真也「源泉徴収義務の破産管財人に対する適用方法と適用範囲」ソリューション286頁，山崎笑「破産手続と源泉徴収」民事特別法の諸問題6巻536頁。破産管財人代理や履行補助者としての弁護士等に対する報酬についても同様である。220問457頁〔髙井章光〕，破産法大系Ⅱ74頁〔伊藤尚〕。なお，実質所得者課税の原則を根拠として，債務の消滅という実質的利益を享受する破産者を徴収納付義務者とすべきであるとの議論もなされるが（注釈破産法（下）29頁など），破産管財人の報酬については，納税主体が破産者となるとしても，破産管財事務の遂行の職務を担う管理機構としての破産管財人を源泉徴収義務者とするのが判例の趣旨であろう。詳細は，財産換価564頁〔伊藤眞〕参照。源泉徴収の実務については，横田・前掲書（注147）224頁参照。

である。

　源泉徴収義務の基礎となる給与等とは，俸給，給料，賃金，歳費および賞与ならびにこれらの性質を有する給与とされており（所税28 I），賃金債権に対する破産配当がこれに含まれるか否かについては，積極または消極のいずれの考え方も成り立ちうる[195]。しかし，源泉徴収制度は，給与等についての効率的な徴税の視点から事業者などの徴収納付義務者に合理的な範囲で負担を課すとの考え方にもとづいて成立しているものであり[196]，給与等が対価となっている役務等の給付を受領する者以外の者に源泉徴収義務を認め，その徴収を破産債権者の負担において行わせることは，制度の趣旨からみて適当でない[197]。したがって，破産債権たる給料債権等に対する配当を行う際には，破産管財人は源泉徴収義務を負うものとは解されない[198]。地方税法321条の4・321条の

---

[195] 詳細については，永島正春「破産管財人の源泉徴収義務」税務弘報36巻9号148, 149頁（1988年），新版破産法569頁〔永石一郎〕，条解破産法〈第3版〉1040頁参照。

[196] 最大判昭和37・2・28刑集16巻2号212頁において「給与所得者に対する所得税の源泉徴収制度は，これによって国は税収を確保し，徴税手続を簡便にしてその費用と労力とを節約し得るのみならず，担税者の側においても申告，納付等に関する煩雑な事務から免かれることができる。また徴収義務者にしても，給与の支払をなす際所得税を天引しその翌月10日までにこれを国に納付すればよいのであるから，利するところ全くなしとはいえない」とされていることもこの考え方を表している。

[197] 破産配当に際しての破産管財人の源泉徴収義務を否定した前掲最判平成23・1・14（注194）は，この点について「破産管財人は，……破産者が雇用していた労働者との間において，破産宣告前の雇用関係に関し直接の債権債務関係に立つものではなく，破産債権である上記雇用関係に基づく退職手当等の債権に対して配当をする場合も，これを破産手続上の職務の遂行として行うのであるから，このような破産管財人と上記労働者との間に，使用者と労働者との関係に準ずるような特に密接な関係があるということはできない」と判示している。本件は，旧破産法下のものであるが，現行法下の退職金，給料等の支払いについて，それが優先的破産債権であるか財団債権であるかを問わず妥当する。破産管財の手引〈第2版〉403頁，220問458頁〔髙井章光〕。木村・前掲論文（注194）273頁は，判例の理解として，「支払いをする者」を破産管財人とした上で，労働者との間に「特に密接な関係」が認められないために，源泉徴収義務が否定されるとする。これに対して，破産管財人に法主体性を認めないとする立場からの批判として，判例・実務・改正提言591頁〔永島正春〕がある。

　なお，関連する判例として，最判平成23・3・22民集65巻2号735頁があり，給与の支払義務者が強制執行の手続において弁済を行った場合にも（民執122 II参照），源泉徴収義務を免れないとしている（具体的な手続については，同判決に付された田原睦夫裁判官の補足意見参照）。これを前提とすれば，破産管財人が源泉徴収義務を負わないときにも，破産者の源泉徴収義務は発生すると解すべきであり，それにもとづく納付義務は，劣後的破産債権（破99 I ①・97④）になる。条解破産法〈第3版〉1043頁。

[198] 従来の大阪地判平成18・10・25判タ1225号172頁，大阪地判平成20・3・14判時

5にもとづく市町村民税の特別徴収義務についても，納税義務発生の時点の差異などはあるものの，源泉徴収および特別徴収はいずれも徴税上の特別の便宜を有するような特に密接な関係にある者に徴収納付させるものと解されており，源泉徴収に関する判例も退職手当等の支払をする者と労働者との間のかかる関係の有無を考慮して破産管財人の源泉徴収義務を否定していること，給与に関する源泉徴収義務者が特別徴収義務者として指定されること（地税321の4Ⅰ）等から，同様に特別徴収義務を否定すべきである[199]。

2030号3頁，大阪高判平成20・4・25金法1840号36頁は，破産者が源泉徴収義務を負うこと，破産配当も給与等の支払とみなされることなどを理由として，破産管財人の源泉徴収義務を肯定し，それにもとづく租税債権を財団債権（旧破47②但書，破148Ⅰ②相当）としていたが，学説上ではこれに対する賛否も分かれており（中西正「破産管財人の源泉徴収義務」銀行法務21 676号46頁（2007年），山本和彦「破産管財人の源泉徴収義務に関する検討」金法1845号8頁（2008年），佐藤英明「破産管財人が負う源泉徴収義務再論」税務事例研究103号25頁（2008年），岡正晶「破産管財人の源泉徴収義務に関する立法論的検討」金法1845号16頁（2008年），本書〈第2版〉245頁など），前掲最判平成23・1・14（注194）は，上記の理由に加え，破産管財人が破産者の源泉徴収義務を承継すると解すべき法令上の根拠もないとして，源泉徴収義務を否定すべきことを明らかにした。また，源泉徴収義務が認められない以上，不納付加算税（税通67Ⅰ本文）も課されることはない。

次に問題となるのは，法149条にもとづいて財団債権とされる給料等の請求権の弁済に際して破産管財人に源泉徴収義務が課されるかどうかであり，前掲最判平成23・1・14（注194）には，これについての直接の判示はないが，源泉徴収義務の根拠と破産管財人の地位に関する上記判示部分からすれば，同じく源泉徴収義務を否定すべきものと思われる（破産管財の手引〈第2版〉403頁，220問458頁〔髙井章光〕，条解破産法〈第3版〉1057頁，破産法大系Ⅱ71頁〔伊藤尚〕，注釈破産法（下）28頁。源泉徴収義務を否定した場合の所得税の徴収方法については，破産法大系Ⅲ363頁〔中井康之＝山本淳〕参照。

なお，社会保険料については，その性質上，破産管財人は，従業員の負担部分を含め全額について支払義務を負い，未払給与の支払の際に負担部分の控除をすることができるにとどまるので（健保167Ⅰ，厚年84Ⅰ），ここでいう源泉徴収義務は問題とならない（破産法大系Ⅱ106頁〔蓑毛良和〕参照）。

[199] ただし，特別徴収の納税時期や手続の特質を重視し，社会保険料と同様に破産管財人が納税義務を負うとする有力説がある。木村・前掲論文（注194）269頁注4参照。

第4章　破産財団をめぐる財産関係の整理

　破産管財人が破産清算を実行するためには、その前提として、破産手続開始前に破産者を一方の法主体として形成されている法律関係を整理し、法律関係から派生する相手方の権利を破産債権や財団債権として、また破産者の権利を破産財団所属財産として確定する必要がある。たとえば、破産者が第三者から不動産を購入する契約を締結し、双方の義務が履行される前に破産手続が開始されたときには、破産管財人としては、まず契約上の義務を履行するか、契約を解除するかを決定し、それを前提として、相手方の売買代金債権などを財団債権とするか、破産債権とするかを確定させなければならない。また、契約の履行か解除かの選択は、売買目的物たる不動産が破産財団所属財産となるかどうかを決定する。

　このような実体的法律関係の整理は、本来民法や商法などの実体法の規律にしたがって行われるはずのものである。事実、民法642条などは、破産の場合を想定した規定である。しかし、迅速な破産清算を実行する必要性、あるいは、破産債権者と第三者との利益を公平に調整する必要性から、破産法は、実体法規範を補充し、または修正する特別の規定を設けている。これがいわゆる破産実体法の規定であり、破産管財人による法律関係の整理は、民法および商法などの実体法に加えて、破産実体法にもとづいて行われる。

第1節　破産管財人の実体法上の地位

　破産財団の管理処分権は破産管財人に専属するので（破78Ⅰ）、破産財団をめぐる法律関係についても、破産管財人がその管理処分権の行使として整理を行う。その法律上の地位について述べたように、破産管財人は、権利義務の帰属主体としての破産者とは独立の法主体性を認められるが（本書224頁参照）、その地位を破産者や第三者との関係で実体法上どのようにとらえるかが問題となる。たとえば、破産手続開始前に破産者から不動産を買い受けた買主が、その所有権を管理処分権者たる破産管財人に主張して、登記名義の移転や引渡し

などを求められるかどうかは，物権変動の効果に関して，破産管財人が第三者（民177）にあたるかどうかにかかっている。

　破産管財人がたとえ独立の法主体であるとしても，破産者に代わって管理処分権を行使するにすぎないのであれば，物権変動における第三者にあたらず，買主は，登記なくしてその権利を破産管財人に対抗できる[1]。しかし，管理処分権の行使が破産債権者の法律上の利益を実現するものである点に着目すれば，差押債権者と同様に破産管財人を第三者とすべきことになる。いずれにしても実体法律関係における破産管財人の地位を決定する際には，破産者に帰属する権利義務について，破産管財人が破産者に代わって管理処分権を行使する側面と，管理処分権の行使を破産債権者の利益を実現するために行う側面の双方を考慮しなければならない。

第1項　破産管財人の法的地位をめぐる3つの基準

　実体法律関係における破産管財人の法的地位を決定するについては，法律関係の性質に即して，3つの基準が適用される[2]。

　第1は，破産者と同視される破産管財人である。破産手続開始によって破産管財人に管理処分権が付与されても，権利義務の帰属自体には何ら変更がないとすれば，外部の第三者との法律関係において破産管財人を破産者と区別して取り扱うべき理由がない。破産手続開始前から破産者と何らかの法律関係を結んでいた第三者からみた場合でも，相手方の破産という，自己と無関係の事由によって法律関係の内容が変更されることを受忍する理由に乏しい。第三者が破産者に対して主張することができた法律上の地位は，破産管財人に対しても認められるべきであるし，逆に，破産管財人が第三者に対して主張できる法律

---

[1]　権利主体に代わって管理処分権を行使する者でありながら，第三者と考えられない例として，他に遺言執行者（民1012）がある。遺言執行者の地位については，最判昭和31・9・18民集10巻9号1160頁，最判昭和43・5・31民集22巻5号1137頁参照。なお，金融整理管財人について本書226頁参照。

[2]　破産管財人の地位を包括的に検討したものとして，櫻井孝一「破産管財人の第三者的地位」裁判実務大系（6）164頁，水元宏典「破産管財人の法的地位」講座（2）37頁，垣内秀介「破産管財人の地位と権限」新破産法の理論と実務139頁，河崎祐子「『破産管財人論』再考」伊藤古稀801頁，三上45頁があり，籠池信宏「破産管財人の法的地位——通説に対する批判的考察」ソリューション249頁は，破産手続開始の効果としての包括的差押効を実現することを職務とする手続機関として破産管財人を位置付け，第三者性の概念を不要とする。

上の地位は，破産者が主張しえた範囲に限られるべきである。破産管財人を破産者またはその一般承継人と同視するのは，このようなことを意味する。したがって，法が破産手続開始を原因として従来の法律関係を変更する特別の規定を設けていない限り，破産管財人の法的地位は破産者と同視される[3]。

3) 融通手形の受取人である破産者の破産管財人が手形金の支払を求めた場合に，振出人は，破産者に対するのと同様に，融通手形の抗弁を破産管財人に対して対抗しうるものであり，対価欠缺や融通契約についての破産管財人の善意・悪意は問題とならない（最判昭和46・2・23判時622号102頁〔倒産百選〈第4版〉18事件〕）。破産管財人が手形の第三取得者であるとすれば，振出人は悪意の抗弁（手17）または一般悪意の抗弁を主張せざるをえないが（平出慶道・手形法小切手法249頁（1990年）参照），破産管財人は第三取得者にあたらないので，その善意・悪意を問題とせず，融通手形の抗弁が認められるものである。なお，破産管財人の法的地位を破産者と同視することについては，破産債権者の利益を代表すべき破産管財人の地位と調和しないなどの批判がなされることがある。しかし，取戻権者や契約の相手方などの外部の第三者との関係では，破産法に特別の規定がない限り，一般実体法の規律が妥当し，破産財団所属財産についての管理処分権を取得する破産管財人を所属財産の帰属主体である破産者と同様に扱うべきであるというのが本書の立場であり，また，上記判例の基礎にある考え方でもある。詳細については，財産換価570頁〔伊藤眞〕参照。
　同様に，譲渡制限の意思表示（譲渡禁止特約）（民466Ⅱ）が付された債権の譲渡人の破産管財人が譲受人に対して譲渡の無効を主張できるかとの問題もある。しかし，この特約が，債務者の利益保護を目的としていることを考えれば（最判平成21・3・27民集63巻3号449頁），譲渡人の差押債権者も無効を主張する利益を認められず，したがって，破産管財人も無効の主張ができない。東京地判平成27・4・28判時2275号97頁。伊藤眞「債権譲渡禁止特約と譲渡人の倒産」山本和彦＝事業再生研究機構編・債権法改正と事業再生12頁（2011年），中井康之「債権譲渡法制の民法改正案の概要」事業再生研究機構編・債権譲渡法制に関する民法改正と事業再生5頁（2017年）参照。これに対して，大阪高判平成29・3・3判時2350号92頁は，対象債権の差押債権者と同様の地位を認められる破産管財人が，破産財団の回復のために無効を主張できるとするが（和歌山地判令和元・5・15金法2131号72頁も同旨），譲渡制限の意思表示が，譲渡人やその債権者ではなく，債務者の利益保護を目的としていることを考えれば，一方で，譲受人に不当な不利益を生じ，他方で，譲渡人の破産債権者に不当な利益を与える結果となる。このことは，現行民法466条2項および3項の下では，より明らかなものとなる。中田・債権総論631頁，竹内努「弁済および担保権設定行為に対する否認権行使の可否」金法2157号44頁（2021年）参照。
　このような考え方によれば，譲受人は，譲渡人に対する不当利得返還請求権を破産債権（破産手続開始前の弁済）または財団債権（破産手続開始後の弁済）として行使できることになる。森倫洋「債権譲渡に関する民法の改正と譲渡人の倒産」加藤哲夫古稀645頁は，財団債権としての保護が十分でないとし，取戻権（金銭が特定性を維持している場合）または代償的取戻権（特定性を失っている場合）としての保護を与えるべきであるとする。
　なお，譲渡制限の意思表示が付された債権の譲受人の差押債権者が保護される場面（民466の4・466の5）においては，譲受人の破産管財人も同様に保護されることになる。
　また，破産者が代理人たる認定司法書士の弁護士法72条違反（司書3Ⅰ⑦参照）を理由とする和解契約の無効を主張できない場合には，破産管財人も同様である。最判平成

第2は，破産債権者の利益代表者としての破産管財人であり，破産手続開始決定が破産債権者の利益実現のために破産管財人に破産財団所属財産の管理処分権を付与することから[4]，破産財団所属財産に対する差押債権者と類似の法

29・7・24民集71巻6号969頁参照。逆に，民事再生事件の受任弁護士が，その後の依頼者の破産事件の破産管財人を原告とする訴訟事件（当該受任弁護士の受任期間中に生じた請求権等にもとづく請求をするもの）について，被告の代理人となって行う訴訟行為の効力は，弁護士法25条1号違反を理由として排除されるから，破産者と同視されるべき破産管財人も，同様に排除の申立てをすることができる。最決平成29・10・5判タ1444号104頁。伊藤・民訴法159頁注108，中野琢郎「最高裁時の判例」ジュリ1519号78頁（2018年）参照。

[4]　会社自身の不当利得返還請求権の行使が不法原因給付の法理（民708本文）によって制限される場合であっても，その制限は管財人に及ばないこと（大阪地判昭和62・4・30判時1246号36頁〔倒産百選〈第4版〉93事件〕，東京地判平成18・5・23判時1937号102頁，東京高判平成24・5・31判タ1372号149頁），会社が行った粉飾決算について管財人が監査法人の責任を追及することが，信義則に反するものではないこと（大阪地判平成20・4・18判時2007号104頁〔管理型民事再生〕）も，破産管財人（再生手続の管財人）が破産債権者（再生債権者）の利益実現のために財産管理処分権を行使するという法理の発現である。裁判例の詳細および関連する問題，すなわち債権者代位権を行使する債権者の場合にも不法原因給付の法理が排斥されるかという議論などについて，出水順「破産管財人による不法原因給付債権の行使に関する覚書」田原古稀（下）418頁参照。差押債権者や代位債権者についても，その者が債務者と同視されるべき特段の事情が存在する場合を除いて，破産管財人と同様の地位に立つと解すべきであろう。

　これに対し，最判平成26・10・28民集68巻8号1325頁〔倒産百選20事件〕は，公序良俗に反する無効な契約（民90）にもとづいて給付を受けた相手方に対する破産管財人の不当利得返還請求について，不法原因給付であることを理由として相手方が返還を拒むことは，破産手続の目的に照らし，信義則上から許されないとするが，ここでいう信義則は，破産債権者の中核をなす無限連鎖講商法の被害者の被害回復を目的として活動する破産管財人に対する関係では，同商法の配当利益の保持を是認しえないという趣旨と理解され，個々の差押債権者などと区別し，上記のような破産管財人の地位を重視したものと思われる（注釈破産法（上）523頁，杉本和士「破産管財人の法的地位」プレーヤー170頁，同判決についての木内道祥裁判官の補足意見参照。破産管財人の法律上の地位に関しては，本書224頁参照。したがって，破産債権者の構成などが異なれば，本判決を前提としても，信義則違反と認められないこともあろう（木村真也「不法原因給付と破産管財人からの返還請求——最判平成26年10月28日を踏まえて」事業再生と債権管理151号148頁（2016年））。ただし，木村論文150頁では，更生手続の管財人や再生債務者等には，手続の目的が異なるために本判決の趣旨が妥当しないとするが，清算目的の更生手続なども考えられるところから，やはり具体的事情を考量して，信義則の適用を検討すべきであろう。

　なお，本判例の判断枠組みを適用した下級審裁判例として，名古屋地判平成28・1・21判時2308号119頁がある。ただし，山本克己「破産管財人の法的地位と破産財団に属する財産の帰属」上野古稀637頁は，木内裁判官の補足意見について不当利得返還請求権自体が破産管財人に帰属するとの考え方とも理解できると指摘する。

　また，違法金融業者から貸付けを受けた者が高率の利息を取り立てられたことについて不法行為にもとづく損害賠償請求をした場合に，貸付金の交付が不法原因給付にあたるか

律上の地位が破産管財人に認められる[5]。物権変動や債権譲渡の対抗要件の問題などに典型的に表れているように，実体法が差押債権者の地位を保護している場合には，その趣旨に照らして破産管財人も，破産手続開始の効力として，その時点における差押債権者と同様の地位を認められるし，また，破産手続開始前に債権者のうちのある者が現実に差押えを行っている場合には，破産管財人は，その効力を援用することが許される（本書369頁参照）。

　らそれを損益相殺の基礎として主張できないとされるが（最判平成20・6・10民集62巻6号1488頁），違法金融業者の破産管財人が同様の主張をするときには，上記の最判平成26・10・28の趣旨を考慮し，それを認め，破産債権額の算定に反映させるべきであろう。同判決における田原睦夫裁判官の意見および木村真也「不法原因給付と破産手続についての試論――最三小判平26.10.28と最三小判平20.6.24の検討」金法2062号30頁（2017年）参照。

　さらに，過払金返還請求権の破産債権としての確定にもとづいて破産管財人が法人税額の減額更正の請求（税通23）をした事案において，それを認めた大阪高判平成30・10・19判時2410号3頁の基礎にも，破産会社と破産債権者の利益を代表する破産管財人とを区別する考え方が看取できるが，同判決は，最判令和2・7・2民集74巻4号1030頁によって破棄された。

5) 個人の破産財団に属する権利について登記がある場合に，破産の登記の記入がなされるのは（破258 I），このような破産管財人の地位を公示する実質をもつ。しかし，法人である破産者の破産財団に所属する財産については，登記の記入がなされないことから理解されるように，この登記は，法律上は対抗要件としての意義を持たず，利害関係人に対する警告としての意義を有するにとどまる。「動産及び債権の譲渡の対抗要件に関する民法の特例等に関する法律」にもとづく譲渡登記がされている動産および債権については，破産の登記の記入がなされない（動産債権譲渡特15 I）のも，そのことを前提としている。その趣旨については，植垣勝裕＝小川秀樹・一問一答　動産・債権譲渡特例法〈三訂版増補〉134頁（2010年）参照。

　いいかえれば，不動産の差押債権者がその地位を譲受人などの第三者に対して主張するためには，差押えの登記を要し（中野・民執法394頁参照），第三者との優劣が登記の先後によって決せられ，債権の差押債権者がその地位を譲受人などの第三者に対して主張するためには，差押命令の第三債務者への送達を要し（民執145 IV），第三者との優劣が送達と第三者による対抗要件具備の先後によって決せられる。破産管財人の管理処分権は，破産手続開始決定自体の発効（破30 II）にもとづいて，破産財団所属財産について権利を取得した第三者に対しても，その効果を主張することができるから，第三者との優劣は，第三者の対抗要件具備と破産手続開始決定の先後によって決せられるといってよい。法49条1項本文などの規定も，このことを前提としている。したがって，第三者としては，破産手続開始決定の発効までに対抗要件を具備しなければ，その権利を破産管財人に対して主張しえず，破産管財人としては，破産手続開始決定の効力にもとづいてその管理処分権を第三者に対して主張することができる。

　なお，中西正「破産管財人の実体法上の地位」田原古稀（下）403頁は，上記の点について，破産債権者に差押債権者の地位が認められ，それが信託的に破産管財人に帰属すると説く。

将来債権譲渡の効力が破産管財人に対して認められるか，たとえば，一定の契約関係から発生すべき将来債権を甲が乙に譲渡し，その後に甲について破産手続が開始されたときに，乙は，甲の破産管財人に対して将来債権の譲受人としての地位を主張できるか，また，破産管財人が将来債権の発生の基礎となる契約上の地位またはそれを包含する事業を第三者に譲渡したときに，乙が第三者に対して将来債権の譲受人としての地位を主張できるかについては，まず，将来債権譲渡の実体法上の効力がどの範囲で認められるか，破産手続開始前に譲渡の対抗要件が具備されているかが問題となる[6]。そして，このような意味で将来債権譲渡の効力および対抗力が認められる限り，将来債権は，破産手続開始時の破産者の財産としての破産財団に含まれず（破2XIV・34 I），破産管財人の管理処分権が及ぶものではなく，破産管財人が契約上の地位やそれを包含する事業を第三者に譲渡したとしても，将来債権の譲受人の地位は影響を受けない[7]。

---

[6] 譲渡の効力の前提となる将来債権の特定については，最判平成 11・1・29 民集 53 巻 1 号 151 頁，最判平成 12・4・21 民集 54 巻 4 号 1562 頁，対抗要件については，最判平成 13・11・22 民集 55 巻 6 号 1056 頁参照。また，将来債権に対する差押えの効力が債権発生の基礎である契約上の地位を譲り受けた者に対しても主張できるとしたものとして，最判平成 10・3・24 民集 52 巻 2 号 399 頁がある。そして，民法 466 条の 6 第 1 項および第 2 項は，将来債権の譲渡性を認める明文の規定である。潮見・新債権総論 II 362 頁，中田・債権総論 638 頁参照。また，譲渡の対象となる将来債権に譲渡禁止（制限）特約が付されているときに，当該特約についての悪意の擬制がどの範囲で及ぶかという問題があるが（赫高規「将来債権譲渡や相殺範囲に関する改正法案が実務に与える影響」事業再生研究機構編・前掲書（注 3）27 頁），民法 466 条の 6 第 2 項の趣旨を考えれば，対象債権の発生原因たる基本契約の時点と債務者対抗要件具備の時との前後を基準として，同条第 3 項の適用を判断すべきであろう。

[7] 深山雅也「譲渡人の地位の変動に伴う将来債権譲渡の効力の限界」田原古稀（上）263，265 頁，伊藤眞「債権法のパラダイム・シフトを倒産法はいかに受け止めるか——倒産法がプロクルステスの寝台とならないために」早稲田大学大学院法務研究科 Law & Practice 7 号 82 頁（2013 年）参照。これに対して，籠池信宏「将来賃料債権処分等の倒産法上の取扱い——『投資の清算』理念からの試論」ソリューション 206，259 頁は，譲受人の権利が，将来債権を発生させることを譲渡人に対して求める債権的権利であるという理由付けから，譲受の効力を破産管財人に対抗できないとし，藤澤治奈「アメリカ担保法と倒産法の交錯（上）」法時 89 巻 1 号 105 頁（2017 年）もこれに近い。また，多比羅誠「倒産実務家から見た債権法改正の中間試案の問題点」法の支配 170 号 71 頁（2013 年）は，破産管財人の第三者性の視点から，破産管財人が締結した個別契約にもとづいて発生する債権については，譲渡の効力が及ばないとする。

さらに，立法論として，対抗力を備えた将来債権譲渡の効力が全面的に，または一定の範囲で承認されるに至ったとき（民法（債権関係）の改正に関する中間試案（平成 25 年

第3に，破産管財人には，破産法その他の法律によって特別の地位が与えられることがある。後に説明するように，双方未履行双務契約について，管財人には特別に履行か解除かの選択権が認められること（破53Ⅰ）や，否認権の行使が認められることは，これに当たる。

　第1から第3までの基準の相互関係は，以下のように整理される。破産管財人と外部の第三者との法律関係は，破産手続開始によって破産財団所属財産の帰属が変動するものでない以上，基本的には第1の基準，すなわち破産管財人を破産者自身と同視し，またはその一般承継人として規律される。しかし，実体法規がある法律関係について差押債権者に特別の地位を与えている場合には，破産管財人にも同様の地位が与えられる。これが第2の基準である。さらに，破産法その他の法律が破産管財人に対して特別の地位を認めている場合には，それが第3の基準となる。

第2項　破産手続開始前に破産者が行った法律行為の破産管財人に対する効力

　保全処分を別とすれば，破産手続開始前には破産者の財産管理処分権は制限を受けず，したがって破産管財人は，破産者が破産手続開始前に行った法律行為の効力を承認しなければならない。しかし，実体法が，ある法律効果を善意の第三者に対して主張しえないとしていたり，あるいは対抗要件を具備しなければ第三者に対して法律効果を主張しえないとしている場合において，その第三者が差押債権者を含むと解されているときには，破産手続開始を基準時として差押債権者類似の法律上の地位を認められる破産管財人も第三者として保護される。

3月）第18　4（1）～（4）参照）には，破産管財人に対する関係でもその効力を認めるべきことがいわれ，現行民法467条は，将来債権譲渡の第三者対抗要件として，確定日付のある証書にもとづく譲渡人による通知または債務者の承諾を規定している。この要件を備えた将来債権の譲受人がその権利を譲渡人の地位の承継人に対して対抗できる以上，将来債権の差押債権者としての実質を有する破産管財人に対する関係で，将来債権の譲受人の権利を制限する根拠は存在しない。もっとも，そのような結果が再生手続や更生手続における事業の再生を妨げるという批判はありうるが，その点は，将来債権の譲受人との間の合意によってその権利を変更する可能性を別にすれば，再生手続において将来債権の譲受人の権利を変更するための特別の規定を設ける以外にない。以上について，伊藤・前掲論文80頁，ニューホライズン401頁参照。

1 物権変動等の対抗要件と破産管財人の地位

たとえば、破産者甲が乙に対してその所有不動産を譲渡し、それにもとづく移転登記がなされる前に破産手続が開始されて、破産管財人丙が選任されたとき、譲受人乙は、その所有権を破産管財人丙に対抗しうるかどうかが問題となる[8]。不動産にかかる物権変動は、登記がなされなければその効力を第三者に対して主張することが許されないが（民177）、ここでいう第三者が差押債権者を含むことは判例・通説によって承認され、したがって、破産管財人が第三者に含まれることにも、疑問の余地がない[9]。動産譲渡登記（動産債権譲渡特3Ⅰ）

---

[8] 開始決定後に乙が登記を取得すれば、49条の問題になるが、ここでは乙が登記を要せずにその所有権を破産管財人丙に対抗できるかどうかを問題とする。

[9] 大連判明治41・12・15民録14輯1276頁は、「第三者トハ当事者若クハ其包括承継人ニ非スシテ不動産ニ関スル物権ノ得喪及ヒ変更ノ登記欠缺ヲ主張スル正当ノ利益ヲ有スル者ヲ指称ストに論定スルヲ得ヘシ」と判示し、差押債権者や破産管財人は、ここでいう正当な利益を有する者に含まれる。土地所有者に対して破産手続開始決定がなされた場合に、賃借人が管財人に対してその賃借権を主張するためには、対抗要件（旧建物保護1、借地借家10Ⅰ）を具備する必要があるとする最判昭和48・2・16金法678号21頁〔倒産百選15事件〕も同じ趣旨と理解される。再生債務者に関して、大阪地判平成20・10・31判時2039号51頁〔民事再生〕〔倒産百選19事件〕がある。

また、最判平成22・6・4民集64巻4号1107頁〔民事再生〕〔倒産百選〈第5版〉58事件〕も、再生手続における自動車の留保所有権の移転を受けた第三者（ファイナンス会社など）の地位について、このような考え方を前提としている。学説に関しては、条解破産法〈第3版〉596頁、印藤弘二「倒産手続における所有権留保の取扱い——最二小判平22.6.4の検討」金法1928号83頁（2011年）、関武志「民事再生手続におけるクレジット会社の法的地位（上）（下）」判時2173号3頁、2174号3頁（2013年）参照。

ただし、これは、第三者が自らの立替金債権について販売会社から譲り受けた留保所有権を別除権として主張する場合であり、代位弁済によって取得した販売代金の残額を被担保債権とする場合には、自ら登録名義を備えなくとも、販売会社の留保所有権の登録を援用して、買主の破産管財人に対して別除権を主張できる（札幌高判平成28・11・22金法2056号82頁、最判平成29・12・7民集71巻10号1925頁〔倒産百選58事件〕）。詳細は、伊藤眞「最二小判平22.6.4のNachleuchten（残照）——留保所有権を取得した信販会社の倒産手続上の地位」金法2063号36頁（2017年）（伊藤・古稀後著作集320頁）参照。

信販会社が留保所有権を別除権として主張できない場合には、その立替金債権などは破産債権となり、また、登録名義を有する原留保所有権者（販売会社）は、所有権を持たないために、目的物の引渡しを破産管財人に請求できないことになる。ただし、登録名義が販売会社にあるために、自動車を処分するためには、破産管財人が登録名義の移転を求める訴訟を提起するか、販売会社と交渉する必要がある。破産管財の手引〈第2版〉220頁、220問198頁〔冨永浩明〕、福田修久「破産手続・民事再生手続における否認権等の法律問題 第1回 所有権留保に基づく自動車引上げがされた場合の否認等について」曹時64巻6号1頁（2012年）、財産換価721頁〔杉本和士〕。また、関連する否認の問題については、本書603頁参照。

もっとも、更生手続の管財人に関しては、会社の業務執行機関としての性質をもつこと

についても，同様に解される。

また，将来債権を含む債権譲渡の対抗要件に関しても（民467Ⅱ，動産債権譲渡特4Ⅰ），差押債権者と同様に破産管財人も第三者とみなされる[10]。したがって，目的物が不動産であろうと，動産であろうと，また債権であろうと，権利変動について対抗要件が要求されるかぎり，破産者から権利を譲り受け，または設定を受けた第三者がその権利を破産管財人に対して主張するためには，破

（会更72Ⅰ）を強調し，破産管財人と区別して，差押債権者と同視すべきではないとする少数説も存在する（千葉勝美「更生管財人の第三者的地位」司法研修所論集71号1頁（1983年））。しかし，更生管財人の事業経営権および財産管理処分権は，継続事業価値を利害関係人に分配する目的を実現するために行使されることを考えれば，破産管財人との間に本質的な差異を見いだすことはできず，更生手続の管財人も，対抗要件の関係では第三者とみなされる。再生債務者（民再2①）や民事再生の管財人（民再66）についても同様である。なお，更生手続の管財人については，更生債権者のみならず，更生担保権者や租税等の請求権者の利益をも代表するという視点を加え，新たな解釈論を提示するものとして，木村真也「更生手続上の管財人の地位について」田原古稀（下）722頁がある。

また，権利保護要件という視点から，対抗要件を備えない担保権は，同時廃止事件における破産財団の範囲（本書196頁参照）を考える際にも度外視されるべきであるとするものとして，甲斐哲彦「対抗要件を具備していない担保権の破産・民事再生手続上の地位」司研論集116号119頁（2006年）がある。

さらに，対抗要件を備えないために破産管財人に対して目的物についての権利を主張できない者は，破産管財人から目的物を譲り受けた第三者に対しても権利を主張しえない。京都地判平成27・1・15判時2269号64頁。同判決では，第三者が背信的悪意者と認められない根拠についても判示している。

10) 大判昭和8・11・30民集12巻2781頁。また，最判昭和58・3・22判時1134号75頁〔倒産百選16事件〕も集合債権譲渡担保の事案について判例理論を確認する。

なお，本文に述べたように，動産および債権譲渡の対抗要件に関しては，「動産及び債権の譲渡の対抗要件に関する民法の特例等に関する法律」（平成10年法律104号。平成17年法律87号による改正。平成29年法律45号による改正）によって，法人が動産や債権（指名債権であって金銭の支払を目的とするもの）を譲渡した場合に，民法178条の引渡しや同467条の通知の代わりに，動産債権譲渡登記によっても対抗要件を具備できることが定められたが（植垣=小川・前掲書（注5）28頁以下），この特例による動産や債権譲渡についても，破産手続開始までにそれぞれの登記を備えなければ破産管財人に対する対抗力を認められない。

また，債権譲渡のように，第三者に対する対抗要件と債務者に対する対抗要件とが分けられるときには（動産債権譲渡特4ⅠⅡ参照），破産手続開始までに第三者に対する対抗要件を備えれば，譲渡人（破産者）の破産債権者の利益を代表する破産管財人に対して譲渡の効力を主張することができる。それとは別に債務者との関係では，債務者に対する対抗要件の具備が求められるが，債務者に対する対抗要件の具備は，破産債権者の利益を害するものではないので，譲渡人の破産手続との関係では，危機時期になされた債務者対抗要件の具備を否認（破164，本書603頁参照）の対象外とし，開始後の債務者対抗要件の具備（破49，本書378頁参照）の効力を認めるべきであろう。

産手続が開始された時までに対抗要件を備えなければならない。

2 破産手続開始決定に先行する差押えの効力の援用

　破産手続開始時を基準とした差押債権者の地位が破産管財人に認められることを前提として，さらに，開始前に破産債権者たるべき者の1人が破産者の財産を差し押さえている場合に，破産管財人が先行する差押えの効力を自己に有利に援用できるかという問題がある[11]。たとえば，破産手続開始前に破産者がその不動産について抵当権を設定したとき，その設定登記がなされるまでの間に，一般債権者による差押えがなされれば，抵当権者は，その権利を差押債権者に対して主張しえない[12]。その後に破産手続が開始されれば，破産債権者による強制執行は失効することになるが（破42Ⅱ本文），破産管財人は，開始決定前の差押えの効力を自己に有利に援用し，抵当権の効力を否定することができる[13]。

　なぜならば，強制執行がその効力を失うのは，破産財団に対する関係のみであり，差押えそのものが絶対的に失効するわけではなく，差押えの効力に後れる第三者の権利主張を認めるべき理由はない。したがって，破産管財人は，その判断にもとづいて強制執行を続行することが許されるし（同但書），かりに続行しない場合であっても，差押債権者に対して対抗できない権利変動は，差押債権者を含む破産債権者の利益実現のために破産財団の換価を行う破産管財人に対しても対抗できない[14]。

　結局，破産管財人は，単に破産手続開始を基準時として差押債権者の地位を認められるだけではなく，破産手続開始前に差押債権者が現存し，その差押え

---

11) もちろん，手続開始前の保全処分（破28Ⅰ）として仮差押えなどがなされ，その後に破産手続が開始されたときには，破産管財人が保全処分の処分禁止効に反する物権の設定移転などの効力を否定できるのは，当然である。

12) 民事執行法45条・46条・87条1項4号に表れた手続相対効の考え方（中野・民執法402頁参照）と同様の結果となる。仮差押えについても同様である。

13) このように考えないと，第三者は，差押えが破産手続開始によって失効したことによって利益を受ける結果となり，破産手続の目的に反する（伊藤眞「破産管財人の第三者性」民商93巻臨時増刊号(2) 91, 103頁（1986年）参照）。

14) 仮差押えや処分禁止の仮処分に後れる権利変動については，本案の権利が認められて本執行への移行をして，はじめて処分禁止効を具体的に機能させることが可能となるものであること（原井龍一郎＝河合伸一編著・実務民事保全法〈3訂版〉276頁以下（2011年），瀬木比呂志・民事保全法〈第3版〉565, 572頁（2009年）参照）との関係が問題となるが，破産手続が破産債権者全体の利益のために開始されるものであることを考えれば，差押えと同様に解して差し支えない。

の効力が破産手続開始時まで継続しているときには，その効力を援用して，差押えに後れる第三者の権利取得を否定することができる。差押登記に後れてなされた所有権移転登記について，抹消登記の請求をなし，また，差押登記に後れてなされた抵当権設定登記がある場合には，その抹消登記を請求しうる。

3 第三者保護規定と破産管財人の地位

民法などの実体法は，種々の法律関係において善意の第三者，または第三者一般を取引の安全等の見地から保護する規定を置いている。そこで，破産者が破産手続開始前に一定の法律関係を結んだ場合に，当該法律関係の相手方との関係で破産管財人を第三者とみることができるかどうかが問題となる。

(1) 虚偽表示における善意の第三者と破産管財人

破産手続開始前に破産者と通謀虚偽表示をなした相手方が，その法律行為の無効を破産管財人に対して主張できるかが問題になる。民法94条2項にいう善意の第三者は，虚偽表示を信頼して新たにその当事者から独立した利益を有する法律関係に入り，そのために虚偽表示の無効を主張する者と相反する法律上の利害関係を有するに至った者と一般に定義されており，差押債権者は，目的物について強制的換価を求める法律上の地位を有することから，第三者に含まれる。破産管財人の地位は，破産手続開始時における差押債権者と同視されるという基本原則に照らせば，相手方は，虚偽表示を理由とする無効を破産管財人に対して主張しえない[15]。

次に，善意または悪意の判断がなされるべき主体をどのようにとらえるかが問題となる（民94Ⅱ）。破産財団の管理機構としての破産管財人が第三者にあたるのであれば，破産管財人の善意または悪意が問題になるが，破産管財人に選任された私人の善意または悪意をもって管理機構としての破産管財人の善意

---

15) 大判昭和8・12・19民集12巻2882頁，最判昭和37・12・13判タ140号124頁〔倒産百選〈初版〉26事件〕，東京地判令和2・9・30金法2162号90頁。条解破産法〈第3版〉604頁，注解破産法（上）570頁〔野村秀敏〕，基本法38頁〔池田辰夫〕，中田116頁，山木戸145頁，谷口133頁など。心裡留保による無効（民93Ⅱ）についても同様である。なお，民法94条2項の第三者の定義について，注釈民法〈新版〉(3) 348頁（2003年）参照。

さらに，法律行為の双方当事者について破産手続が開始し，一方当事者の破産管財人がその法律行為にもとづく債権を破産債権として届け出たときに，その法律行為が虚偽表示にあたる場合であっても，破産債権を届け出た破産管財人が善意の第三者に該当すれば，当該破産債権は否定されない。東京地判平成28・2・23金法2048号75頁。

または悪意を決することは合理性を欠く。学説の中では，破産管財人自身の善意または悪意を基準とする考え方と，破産債権者を基準として，その中に1人でも善意の者があれば，破産管財人は善意を主張できるとする考え方とが対立している[16]。後者が通説であるが，本書でも，次の理由から通説を支持する。

すなわち，破産管財人は，あくまで管理機構として破産財団の管理にあたるのであり，破産管財人に選任される私人の善意または悪意を問題とすることは，理論的に不合理であるにとどまらず，法的安定性を欠く結果となる。極端な場合として，破産債権者全員が悪意のときに，破産管財人自身の善意を理由として無効の主張を認めないことは，公平に反すると思われるし，逆に，たまたま破産管財人自身が悪意であっても，破産債権者の中に善意の者が存在すれば，無効を主張させることは，相手方に不当な利益を与える結果になる。包括執行としての性質から，破産債権者の中に1人でも善意の者がいれば，破産管財人はその地位を援用できるとするのが合理的である。したがって，破産手続開始を基準時として，破産管財人は，破産債権者のうちで1人でも善意の者がいることを立証すれば，無効の主張を斥けることができる。

(2) 詐欺・強迫による取消しと破産管財人

詐欺または強迫にもとづく意思表示は，いずれも取消しの対象となるが（民96 I），詐欺による取消しは，取消し前に権利を取得した善意・無過失の第三者に対抗することができない（同Ⅲ）。したがって，破産管財人が善意・無過失の第三者にあたるかどうかの問題も，詐欺に限って生じる。近時の有力説は，詐欺の被害者を保護するという視点から，虚偽表示の場合と異なって，差押債権者や破産管財人は第三者たりえないとする[17]。被害者保護という政策目的を

---

[16] 学説については，条解破産法〈第3版〉605頁，注解破産法（上）570頁〔野村秀敏〕，基本法38頁〔池田辰夫〕参照。東京地判令和2・9・30（注15）は，この考え方を採用する。これに対して，新版破産法129頁〔吉田勝栄〕は破産管財人を基準とすべきであると説く。東京地判平成25・4・15判タ1393号360頁は，会社が取締役の利益相反取引（会社356 I ②・365 I）の無効を第三者に対して主張する場合には，その者が取締役会の承認決議不存在について悪意であることを主張立証しなければならず（最大判昭和43・12・25民集22巻13号3511頁参照），破産管財人は第三者に該当し，またその悪意または重過失は，破産手続開始決定時を基準として，破産債権者全員の悪意または重過失を意味するから，破産債権者の中に一人でも善意かつ無重過失の者がいれば，破産管財人に対する無効の主張が排斥されるとしている。

[17] 竹下守夫「取戻権の意義と種類」演習破産法316，318頁，谷口133頁，注解破産法（上）570頁〔野村秀敏〕など。これに対して，注釈破産法（上）519頁，三上51頁は，

強調するのであれば，この有力説にも説得力が認められるが，理論的には，詐欺によって作出された資力の外観を責任財産として信頼した差押債権者，およびそれと同様の地位を認められる破産管財人を，取引行為によって目的物について権利をえた者と区別することができるかどうか疑問である。本書では，詐欺の場合にも，破産管財人は第三者にあたりうると解し，善意・無過失に関しては，虚偽表示の場合と同様に，破産手続開始時の破産債権者のそれを基準とする。

(3) 錯誤取消しと破産管財人

法律行為が錯誤によって無効とされるときに（民旧95），法律行為の効果を前提として権利を取得した第三者の地位に関しては，特別の規定が存在しなかった。しかし，学説は，詐欺取消しが主張される場合との均衡などを理由として，錯誤無効についても，善意または善意無過失の第三者が保護されると解していた[18]。かりにこのような解釈を前提とすれば，虚偽表示などについて述べたのと同じ理由から破産管財人も第三者に含まれる。そして，改正民法95条1項および4項は，無効を取消しに改め，かつ，取消しは，善意無過失の第三者に対抗することができないと定めるので，法律行為の相手方は，破産管財人に対しても取消しの効果を主張できないことがある。善意無過失の判断は，詐欺の場合と同様である。

(4) 解除の効果と破産管財人

契約解除によって両当事者は原状回復義務を負うが[19]，第三者の権利を害す

本書と同様の考え方をとる。なお，無過失が要件として追加されたことは，被欺罔者の保護を目的とするものであるが（潮見・概要12頁），破産管財人に関しては，過失が認められることは想定できない。

[18] 我妻栄・民法総則303頁（1965年），幾代通・民法総則〈第2版〉277頁（1984年）。石田穣・民法総則351頁（1992年）は，重過失のある表意者が善意無過失の第三者に対して無効の主張をすることが制限されるとする。ただし，民法の規定の解釈が異なれば，錯誤取消しは善意の管財人に対して主張することも認められるという立場もあったが（条解破産法〈第3版〉608頁注39），改正民法95条4項は，詐欺の場合と同様に，錯誤による取消しが善意無過失の第三者に対抗できないと規定している。

[19] すでに契約当事者の双方がその義務の全部または一部を履行済みの場合には，双方の原状回復義務は同時履行の関係に立つ（民546・533）。それについては，双方未履行双務契約に関する規律（破54Ⅱ）を類推適用することが公平に合致する。相手方は，解除後に登場した破産管財人に対して目的物の所有権そのものを主張することはできず，取戻権の行使を認められるわけではないが，原状回復義務の同時履行として目的物の返還またはそれに代わる価額の支払いを求めることは考えられよう。

ることは許されない（民545 I 但書）。この場合にも，破産管財人が第三者に含まれるかどうかが問題となる。第三者としては，解除までに新たな権利を取得した者と，解除後に新たな権利を取得した者とに分けられるが，民法545条1項但書は前者について適用されると解されるので[20]，ここでも，前者の場合を問題とする。

　たとえば，破産者に対して特定動産を売却する契約を締結して目的物を引き渡した売主が，買主に対して破産手続が開始された後，破産手続開始前の代金債務の不履行を理由として契約を解除し，破産管財人に対して目的物の取戻しを主張できるかどうかが問題となる。この場合の破産管財人は，解除権が行使される前，破産手続開始時に差押債権者と同様の地位を取得した者とみなされ，近時の一般的解釈が民法545条1項但書の第三者は差押債権者を含むとしていることを前提とすれば[21]，破産管財人も第三者に該当し，解除権を行使した相手方は，原状回復の効果を破産管財人に対して主張しえない。

　なお，契約の相手方が解除権を行使した後に破産手続が開始された場合については，民法545条1項但書の問題ではなく，対抗問題であるとするのが一般的な考え方である。したがって，不動産の売買を例にとれば，移転登記をなした解除売主が登記の抹消をなす前に買主について破産手続が開始されれば，売主はその所有権を破産管財人に対抗できない[22]。

---

20) 我妻栄・債権各論（上巻）198頁（1954年），注釈民法〈新版補訂版〉（13）885頁〔山下末人〕。
21) 大判明治34・12・7民録7輯1278頁は，請負代金債権の差押えの後に請負契約が解除されたときに，差押債権者がなお差押債権の取立権を主張できるかどうかが争われた事案において，差押債権者は第三者にあたらないとしているが，この判例の意義は，解除によって消滅する債権の譲受人や差押債権者は第三者にあたらないとすることにあると理解され（我妻・前掲書（注20）198頁，注釈民法〈新版補訂版〉（13）885頁〔山下末人〕），これと比較して，引き渡された契約目的物についての差押債権者は第三者にあたるとする解釈が一般的である（名古屋高判昭和61・3・28判時1207号65頁）。すなわち，民法545条1項但書の第三者とは，目的物について新たな権利関係を取得した者を指すところ，自らの債権の実現のために目的物を差し押さえた債権者もここに含まれるとする。条解破産法〈第3版〉609頁参照。
22) 注釈民法〈新版補訂版〉（13）885頁〔山下末人〕。もっとも，解除後の破産手続開始について対抗問題とせず，解除者の権利を破産管財人に対して主張させるべきであるとする有力説もある（谷口184頁）。この有力説の基礎には，破産手続開始後の解除においても破産管財人が第三者として保護されないとされることとの均衡があるが，本書のように破産管財人が民法545条1項但書の第三者にあたるとする場合には，むしろ解除後の破産手続開始決定についても破産管財人を同法177条などの第三者としないと，均衡を失する

第3項　破産手続開始後に破産者が行った法律行為の破産管財人に対する効力

破産手続が開始されると，財産の管理処分権が破産管財人に専属するので（破78Ⅰ），かりに破産者が破産財団所属の財産について何らかの法律行為を行ったとしても，相手方は，破産手続の関係においては，その効力を主張できない（破47Ⅰ）。

ここでいう法律行為には，狭義の法律行為，すなわち契約，ならびに相殺および免除などの単独行為のみならず，物の引渡し，登記または登録，債権譲渡の通知または承諾，債務の承認，あるいは弁済の受領など，権利義務の発生，移転および消滅にかかわる行為すべてが含まれる[23]。ただし，自由財産に関する行為や身分上の法律関係に関する行為は，何ら制限を受けない。また，ここで取り扱うのは，破産手続開始時以後の破産者の行為であるが，開始決定日になされた行為については，開始決定後になされたものと推定される（破47Ⅱ）。これに対して，開始前の行為の効力は，保全処分によって処分禁止などが命じられていない限り，それが破産管財人に対抗できるものであり，ただ否認（破160以下）の対象になるにすぎない。

法律行為の効力を破産債権者に対抗できないことの意味は，相手方から効力を主張することが妨げられるだけであって，行為の絶対的無効を意味するものではない[24]。したがって，行為の効力を承認したほうが破産債権者に有利とみ

（竹内康二「破産と取戻権」金商別冊1号159，161頁（1980年），伊藤・前掲論文（注13）111頁，条解破産法〈第3版〉612頁，注釈破産法〈上〉519頁参照）。

　なお，債務不履行が生じた後に保全管理命令が発令され，その後に解除権の行使があり，引き続いて破産手続開始決定がなされた場合には，破産管財人は，保全管理命令の効力を援用して，民法545条1項但書の適用を主張することも，また，解除にもとづく原状回復としての目的物の取戻しの主張に対して民法177条などの適用を主張することも考えられる。

23）　会社分割のような組織法上の行為であっても，財産の帰属の変動をともなう行為はここに含まれる。条解破産法〈第3版〉397頁参照。

24）　大判昭和6・5・21新聞3277号15頁。条解破産法〈第3版〉397頁。ただし，基本法80頁〔中野貞一郎〕は，これを相対的無効と解することに反対し，破産手続開始後の譲受人が目的物の損壊者に対して損害賠償請求をなした場合に，損壊者も譲渡の無効を主張することができ，たとえ賠償をなしても破産財団に対して免責されないとする。しかし，このような解釈は，法48条1項がいう「破産手続の関係においては，その効力を主張することができない。」という文言にも反するし，第三者たる損壊者にこのような負担を負

られるときには、破産管財人は、行為の効力を承認することができる。また、相手方が管理処分権を回復した破産者に対してその効力を主張することは、別の問題である。したがって、破産手続が取り消されたり、廃止されたりしたときには、相手方は、破産者に対して行為の効力を主張して義務の履行を求めることができる[25]。

この点に関連して、相手方が、破産者から動産を譲り受けた場合には、法47条1項と即時取得（民192）との関係が問題となる。破産者は、権利帰属主体ではあるが、目的物の処分権を欠いていることを前提とすれば、相手方がその点について善意であれば、即時取得の成立可能性がある。しかし、法47条1項が相手方の善意または悪意を問わずに、権利取得を対抗できないとする趣旨は、破産財団を充実させるために即時取得を排除する特別規定を設けたものと考えられるから[26]、たとえ即時取得の要件が満たされていても、破産手続開始後の破産者の行為によって相手方が破産財団に属する財産について権利を取得することはない。もちろん、相手方が当該動産をさらに転得者に譲渡した場合に即時取得が成立するかどうかは、民法の一般原則にしたがうことになる[27]。

第4項　破産者の行為によらない破産手続開始後の権利取得

第三者が破産手続開始後に破産者の行為によらないで財団財産に属する財産について権利を取得しても、その権利取得は、破産手続の関係においてその効力を主張することができない（破48Ⅰ）。開始決定の日における権利取得は、開始決定後のものと推定する（同Ⅱ）。通説は、この規定の意義について、破

　　わせる理由はなく、破産管財人から譲受人に対する不当利得返還請求を認めれば足りる。
[25]　前掲大判昭和6・5・21（注24）。会社更生法54条1項（旧会更56条1項）についてこの趣旨を判示したものとして、最判昭和36・10・13民集15巻9号2409頁〔倒産百選〈第5版〉99事件〕がある。
[26]　もっとも、即時取得の適用範囲を権利の帰属に関する瑕疵を治癒する点に求め、処分権限の瑕疵（無能力、無権代理等）を治癒するものではないとの解釈によれば（注釈民法〈新版〉(7)物権(2)158頁〔好美清光〕参照）、破産者による処分は、そもそも即時取得の適用対象外であり、特別としての意味はないということになろう。手形法上の善意取得（手16Ⅱ・77Ⅰ①）についても同様である（末永敏和・手形法・小切手法〈第2版〉89頁（2007年）参照）。
[27]　注解破産法（上）264頁〔吉永順作〕、基本法80頁〔中野貞一郎〕、条解破産法〈第3版〉399頁、注釈破産法（上）332頁、大コンメンタール193頁〔大村雅彦〕。手形・小切手等の善意取得（手16Ⅱ、小21、商519）についても同様とされる。

産者の行為によらないで破産財団に属する財産についての権利を取得しても，破産債権者を害することには変わりがないから，破産者の行為による場合（破47Ⅰ）と同様に，破産手続においてその効力を主張することができないことを規定したものであると説明する[28]。

具体例としては，開始決定後に破産者が死亡しても，相続人は破産管財人に対してその権利を主張できない，あるいは，破産債権者たる代理商が，開始決定後に破産財団に属すべき有価証券などを第三者から受け取ったとき，本来であれば，商事留置権（商521，会社20）を取得できるはずであるが，法48条1項の適用の結果，商事留置権は破産管財人に対抗できないというのである。その一方，次のような場合には，この規定の適用はないとする。すなわち，取得時効，破産者以外の者からの即時取得，および付合，混和，加工などによって第三者が権利を取得する場合である。なぜならば，法48条は，破産者が破産財団に関して処分権をもたないことを前提としているものであるから，破産者の処分権の有無を問わない権利取得は適用対象外であるからという。

しかし，この通説的理解にはいくつかの疑問がある。第1に，破産手続開始後に破産者が死亡したときには，相続財産に対する破産が続行されるから（破227），権利主体たる相続人がその権利を破産債権者に対して主張することを考える必要に乏しい。第2に，法48条1項が適用される場合と適用されない場合との区別については，適用があるとされる留置権の場合でも，権利の成立に破産者が何ら関与していないことは，適用がないとされる時効取得などと同様であり，この点で両者の区別ができるとは思われない。

通説がこのような批判を受ける説明をなしているのは，旧法の立法者の考え方が十分整理されていなかったことによる。旧法の立法にあたって参考とされたと思われるドイツ破産法は，本条と類似の規定をもつが，その趣旨は，一部の破産債権者が第三者の偶然の行為によって財団所属財産について担保権を取得し，他の債権者との公平が害されることを防ごうとするところにあった[29]。

---

28) 中田97頁，山木戸114頁，谷口136頁，石川明「破産手続開始後の破産者の行為」実務と理論228頁，条解破産法〈第3版〉400頁，大コンメンタール194頁〔大村雅彦〕。
29) ドイツ倒産法91条1項（旧ドイツ破産法15）（吉野正三郎＝木川裕一郎「ドイツ倒産法試訳（2）」東海法学18号65，85頁（1997年）。同条は，1898年改正前の12条をその前身とするが，改正前の12条では，破産債権者による担保権の取得を対象とすることが明確にされていた。しかし，狭義の担保権のみを対象とするのは狭すぎるとの批判がなさ

上に述べた沿革を背景とすれば，法48条1項の解釈としても，権利取得を否定される者は，開始前から破産者に対して債権をもっていた破産債権者であって，その者が第三者の行為によって破産財団所属財産について担保権や給付の目的物についての所有権などを取得しても，それを破産管財人に対して主張できないと考えるべきである。

その例としては，破産債権者たる商人などが，破産手続開始後に有価証券などを第三者から受け取ったことにもとづいて取得する商事留置権（商521，会社20）が，破産手続との関係においては，その効力を認められないことがあげられる。通説が例外として挙げていた時効取得（民162・163）などについては，破産財団所属の財産であるからといって，法律上の所有権取得原因である時効取得などが排除されるいわれはなく，所有権取得が有効とみなされるのは当然といえる[30]。即時取得（民192）や付合（民242～244），混和（民245），加工（民246）についても同様である[31]。

れたため，改正によって一般的な権利主張を対象とするように改められたのである。その結果として，開始決定前に破産者と動産の売買契約を締結していた買主が，開始決定後に破産者の従業員から目的物の引渡しを受けたことを理由として破産管財人に対して目的物の所有権を主張することも許されないこととなった。以上の説明は，Jaeger, Konkursordnung, 15, Anm. 1-5. 9. Aul. (1980): Hahn, Materialien zu der Konkursordnung vom 10. Februar 1877, S. 75 (1898) によっている。

30) もっとも基本法81頁〔中野貞一郎〕は，法48条1項の趣旨を破産債権者の共同の満足を妨げる権利取得の排除にあるとし，時効取得を対象外とすることに疑問を呈する。そのように考えるのであれば，即時取得も排除することにならざるをえないと思われる。破産法48条，民事再生法44条，会社更生法55条の比較については，条解民事再生法240頁〔畑瑞穂〕が詳しい。

31) 最判昭54・1・25民集33巻1号1頁〔倒産百選74事件〕は，賃貸人破産の事例において，賃借人が破産手続開始後に目的物を転貸したときに，第三者による転借権の取得が法48条1項（旧破54条1項）に該当するかどうかについて，すでに財団財産が賃借権の負担をしている以上，転借権が生じたからといって破産債権者の利益が害されるものではないという理由で，法48条1項の適用を否定し，破産管財人に対する転借権の主張を認めている。本書の考え方からいっても，この結論は当然といえる。賃借権の譲渡についても同様である。

また，会社更生法55条1項は，更生債権または更生担保権についての会社の行為によらない権利取得とし，規定上も本書と同様の考え方を採用している（民再44Ⅰも同旨）。従来は，これが破産法48条1項の範囲を立法的に制限したものであると説かれるが，なぜ制限をする合理性があるのかについては触れられない（条解会更法（上）522頁，注解会更法194，195頁〔中村勝美〕参照）。しかし，本書のように考えれば，会社更生法55条1項は，破産法48条1項の趣旨を明確にしたものと解される。伊藤・会更法・特清法276頁。中島Ⅰ227頁も同旨と思われる。なお，現行法の立案の経緯については，概説

なお，破産管財人が財団所属財産の所有権を第三者に移転したり，財団債権について担保権を設定したり，あるいは別除権の実行（破65Ⅰ）の結果，財団所属財産について買受人が権利を取得することも，形式的には法48条1項に該当するようにみえるが，これらは，破産法自身が予定する権利の移転であり，かつ，破産債権者の利益を害することと無関係なので，破産手続との関係でも有効である。

第5項　善意取引の保護

破産手続開始後の破産者の法律行為は，破産管財人に対して無効であり，またそれにもとづく第三者の権利取得も破産管財人に対抗しえないとする原則を貫くと，第三者に不測の損害を与え，取引の安全を害することが予想される。このような不都合を避けるために，法は，一定の場合に限って，破産手続開始について善意の第三者を保護する規定を置く。その前提として，破産手続開始決定の公告前であれば善意を推定し，公告後であれば悪意を推定する（破51）。

1　破産手続開始後の登記・登録

ある財産についての権利変動の対抗要件として，登記・登録が要求されているときに，破産手続開始前に登記・登録がなされていれば，その権利変動は破産管財人に対して有効なものとなり，あとは否認の問題が残されているにすぎない。これに対して，破産者を登記義務者とする破産手続開始前の登記原因にもとづいて開始後に第三者が登記または仮登記（不登105①）（以下，登記とする）をえた場合には，開始後の権利取得等が破産債権者に対して対抗できないとする一般原則に照らせば（破47Ⅰ・48Ⅰ），その登記の効力は認められない（破49Ⅰ本文）。しかし，登記権利者が破産手続開始について善意でなした登記については，その効力が認められる（同但書）[32]。この規定は，権利の設定，移転も

195頁参照。

32)　再生手続開始前に根抵当権設定契約をしながら，開始決定まで設定登記を経ていなかった者が，開始後に根抵当権設定登記を請求し，別除権者の地位を主張することを否定したものとして，前掲大阪地判平成20・10・31〔民事再生〕（注9）がある。

なお，動産や債権の譲渡に関する登記（動産債権譲渡特3・4）は，ここに含まれるが，債権譲渡の対抗要件（民467）などについても，但書の類推適用を認めるべきであろう。詳細については，条解破産法〈第3版〉403頁参照。これに対して注釈破産法（上）338頁は，明文の規定がないにもかかわらず，不動産登記等と同程度の保護を与える必要はないとして，類推適用を否定する。

しくは変更に関する登録もしくは仮登録または企業担保権の設定，移転もしくは変更に関する登記についても準用する（同Ⅱ）。

(1) 善意の登記権利者の保護

これらの規定の趣旨について通説は，破産手続開始後の権利取得によって破産債権者が害されることを排除しつつ，取引の安全の要請から，善意者を例外的に保護する目的をもったものと説明する[33]。これに対して旧法下の少数説は，開始後に登記がなされる権利変動についてそれが破産管財人に対抗できるかどうかは，その財産について破産の登記（旧破120後段）と，第三者のための登記とのいずれが先になされるかによって決められるべきであり（民177），未だ破産の登記がなされていない財産について第三者が先に登記をえれば，第三者がその権利を破産管財人に対抗できるのは当然であるとする。したがって，法49条1項但書の意味は，たとえ破産の登記前に登記をえた者であっても，悪意の者は保護されない点に見いだされるべきであるとする[34]。通説によれば，第三者がその善意について証明責任を負うのに対して，少数説によれば，破産管財人が破産の登記前に登記をえた第三者の悪意について証明責任を負う。

しかし，財団所属財産に関する破産の登記制度が法人については廃止され，それが対抗要件としての意義を持たないことが明らかにされた以上，この少数説を採用する余地はない。

法49条1項本文は，破産財団に属する財産に関する対抗要件については，民法177条の一般原則に委ねず，たとえ個人の財産についての破産の登記（破258Ⅰ②）よりも先に第三者が登記をえても，当然にはその効力を認めない趣旨と理解される。破産管財人を差押債権者と同視するならば，第三者との優劣は登記の先後によって決まるはずであるが，破産管財人と第三者の地位の優先劣

---

[33] 条解破産法〈第3版〉403頁，大コンメンタール196頁〔大村雅彦〕。実際には，破産手続開始後に登記申請がなされるときには，法人についての破産の登記（破257）などから，すでに開始決定によって管理処分権を失った破産者との共同申請にもとづくものであることが判明して，申請が却下される（不登25④）。したがって，破産手続開始後に第三者の登記が認められるのは，例外的な場合に限られる（注解破産法（上）269頁〔吉永順作〕）。

[34] 注解破産法（上）272頁〔吉永順作〕。最判昭和48・2・16金法678号21頁〔倒産百選15事件〕の判示が根拠の1つとなる。この考え方にしたがえば，破産の登記に先立つ登記権利者に対しても，破産管財人がその者の悪意を主張して（破51），権利を否定できることになる。

後は，破産手続開始決定と第三者の対抗要件具備との先後によって決まるから，たとえ第三者が個人の財産についての破産の登記前に登記をえたとしても，当然には破産管財人に対してその権利を主張しえないことを明らかにする。そして，同条同項但書は，登記をえた第三者が破産手続開始決定について善意である場合に，例外的にその権利を破産手続において主張することを認めている[35]。善意の証明責任は第三者が負担する。

(2) 不動産登記法 105 条 2 号の仮登記

同じく登記権利者が破産手続開始について善意であっても，不動産登記法 105 条 1 号の仮登記と異なって，2 号の仮登記は保護されない。その理由は，1 号仮登記と 2 号仮登記との性格の違いに求められる。すなわち，1 号仮登記の場合には，権利変動の実体的要件が開始前に満たされているのに対して，2 号の場合には，権利変動のための請求権を保全するためのものであって，実体的要件が開始前に満たされているとはいえないから，特別の保護に値しない[36]。

(3) 破産手続開始前の 1 号仮登記を前提とする本登記

破産手続開始前にすでに 1 号仮登記をえていた第三者が開始後に破産者の協力によってえた本登記にもとづいてその権利を破産管財人に対して対抗できるかどうか，および仮登記権利者が破産管財人に対して本登記を請求できるかどうかが問題となる。

第 1 の問題における本登記は，破産手続開始後の登記とみなされ，第三者が善意の場合にのみ保護されるのか（破 49 I 但書），それとも，すでに 1 号仮登記が先行することによって善意または悪意とかかわりなく保護されるのかが議論される。通説は，後者の考え方をとり，第三者の善意または悪意にかかわりなく，本登記の効力を認める。その理由は，次のところに求められる。すなわち，第三者としては，すでに破産手続開始前に登記原因たる権利変動が発生し，破産者に対して本登記を請求できる地位を有していたところ，手続上の要件を具

---

[35] もちろん，原因行為の否認の可能性は別である。大コンメンタール 197 頁〔大村雅彦〕。また，破産手続開始前の原因行為から起算して 15 日を経過した後に支払停止等を知ってなされた対抗要件具備行為は，たとえその間に更生手続が開始されていようとも，対抗要件の否認（破 164。本書 603 頁）の対象となりうる（注釈破産法（上）339 頁）。破産手続開始後になされた破産者の行為であっても，その効力が認められるときには（破 49 I 但書），破産手続開始前の行為と同視できるからである。

[36] 条解会更法（上）526 頁，条解破産法〈第 3 版〉405 頁。

備しなかったために仮登記にとどまらざるをえなかったにもかかわらず，善意の場合に限って本登記の効力を認めるのは，第三者に酷であるとする。1号仮登記の効力として，差押えなどを含む中間処分を排除することが認められており[37]，破産管財人も，差押債権者と同様に扱われる以上，仮登記の効力を承認せざるをえない。したがって，通説の考え方を支持すべきである[38]。

さらに，後者の問題，すなわち，1号仮登記権利者が破産管財人に対して本登記請求をできるかどうかについても，差押債権者に対抗してその権利を主張しうる地位を，破産手続開始前に1号仮登記によって第三者がえている以上，破産管財人に対しても同様の地位を認める趣旨から，これを肯定すべきである[39]。

(4) 破産手続開始前の2号仮登記を前提とする本登記

破産手続開始前に2号仮登記が存在する場合にも，1号仮登記と同様な問題が発生する。この場合に関しては，破産者の協力によって開始後に第三者が本登記を取得しても，第三者が善意でなければ（破49Ⅰ但書），その効力を否定し，また破産管財人に対する本登記請求も否定する議論が有力である。すなわち，開始前に本登記の原因があっても，開始前に1号仮登記がされていない限り，開始後の本登記は，法49条1項但書の範囲でしかその効力を認められないのに対して，開始前に本登記原因の存在しない2号仮登記について善意・悪意にかかわらず開始後の本登記の効力を認めると，均衡を失するというのである[40]。

しかし，最近の有力説は，中間処分を排除できる効力の点では，1号仮登記と2号仮登記との間に差がないことを強調し，破産手続開始前に2号仮登記を取得している者は，開始後に破産者の協力によって本登記をえれば，善意・悪

---

[37] 仲江利政「仮登記の効力と本登記手続」不動産登記講座Ⅱ231，236頁（1977年）。仮登記の順位保全効と対抗的効力については，山野目章夫・不動産登記法333頁（2009年）参照。

[38] 条解破産法〈第3版〉407頁，大コンメンタール198頁〔大村雅彦〕，谷口198頁，基本法82頁〔中野貞一郎〕。もっとも，本章注33に述べたこととの関係で，破産者の協力によって本登記がなされるのは，例外的な場合にすぎない。

[39] 大判大正15・6・29民集5巻602頁。条解会更法（上）527頁。ただし，本登記請求権が破産債権または財団債権であることを理由として，破産管財人に対する本登記請求を否定する有力説がある。松下淳一「破産手続開始前の仮登記にもとづく破産管財人に対する本登記請求」加藤哲夫古稀608頁。

[40] 石原101頁，会社更生法56条1項について，条解会更法（上）528頁，霜島373頁，基本法83頁〔中野貞一郎〕。

意にかかわりなくその地位を認められるし，また，破産管財人に対して本登記請求をなすこともできるとする。ただし，仮登記権利者の地位が，債権的権利にすぎない場合には，破産管財人は，権利の基礎となっている契約そのものを解除することによって（破53 I），本登記請求に対抗することができる。しかし，仮登記担保のように，物権的権利が基礎となっている場合には，担保権者が別除権の行使として本登記請求をなせば，破産管財人はそれに応じざるをえないとする[41]。本書もこれにしたがう。

たとえば，甲が乙から不動産を買い受ける旨の売買予約が締結されたとする。それによると，甲は，一定期間内に予約完結権を行使し，代金を提供する，それに対して乙は，所有権移転の義務を負うものとされている。甲は，この予約にもとづく将来の所有権移転請求権を保全するために，2号仮登記をえた。その後に乙に対して破産手続が開始されたとする。甲が破産手続開始前でも後でも，予約完結権を行使すれば，破産管財人に対して本登記請求権を行使することができるが，破産管財人はこれに対して売買契約そのものを解除することができる（破53 I）[42]。

2 破産手続開始後の破産者に対する弁済

破産者が債権者となっている債権も，破産手続開始によって破産財団所属のものとなり，破産管財人の管理処分権に服する（破78 I）。したがって，開始決定後に当該債権についての債務者が，破産者に対して弁済をなしたとしても[43]，それは破産管財人に対抗できず，破産管財人からの請求があれば，債務

---

[41] 吉野衛・注釈不動産登記法総論〈新版〉（上）264頁（1982年），谷口199頁，竹下守夫「非典型担保の倒産手続上の取扱い」新・実務民事訴訟講座(13) 365，371頁，注解破産法（上）274頁〔吉永順作〕。この考え方を前提とする判例として，最判昭和42・8・25判時503号33頁〔倒産百選A11事件〕があり，また，2号仮登記の対抗力自体は認めつつも，破産管財人が法53条の解除権によって本登記請求に対抗することを認めた裁判例として，大阪高判昭和32・6・19下民8巻6号1136頁がある。学説の詳細については，条解破産法〈第3版〉407頁，大コンメンタール198頁〔大村雅彦〕参照。

[42] 2号仮登記のままではその権利を破産管財人に対して対抗しえないという見解に立つ場合であっても，破産手続開始前に甲が予約完結の上，売買代金も完済しているときには，本登記請求のための実体関係が完成したとみて，2号仮登記が1号仮登記の性質に転換され，甲は，破産手続開始についての善意または悪意を問わず，破産管財人に対して本登記請求をすることが許される（条解会更法（上）529頁，条解破産法〈第3版〉407頁，大コンメンタール198頁〔大村雅彦〕参照）。甲が代金を破産手続開始前に完済している以上，破産管財人は，売買契約を法53条1項によって解除することはできない。

[43] ここでいう弁済の対象となる債務は，金銭債務に限られず，特定物の引渡債務なども

者は二重払いをなさなければならない。しかし，債務者が常に債権者の財産状態に注意を払っていることを要求するのは，債務者に不当な負担を課することになるので，債務者が破産手続開始について善意で破産者自身になした弁済は，破産管財人に対抗できるものとされる（破50Ⅰ）。その趣旨は，債権の準占有者に対する弁済（民478）と同一である[44]。善意または悪意については，破産手続開始決定の公告による推定が働く（破51）。

もちろん，破産債権者の立場からすると，善意の弁済者が生まれることは望ましくないので，破産手続開始決定の付随処分として，公告に破産者への弁済を禁じる旨が記載されるし（破32Ⅰ④），知れている債務者に対しては，その旨が通知される（同Ⅲ②）。また，善意弁済者の保護は，一般原則に対する例外であり，合理的理由のない拡張は許されず，代物弁済などは対象とならない。

弁済者が悪意のときには，一般原則にしたがって弁済の破産管財人に対する効力は否定されるが，その弁済によって財団が利益を受けた限度では，弁済の対抗力が認められる（破50Ⅱ。民479参照）。たとえば，破産者が受領した弁済金の一部または全部を破産管財人に引き渡した場合や，財団債権に対する弁済に充てた場合などがこれにあたる[45]。

3 破産手続開始後の手形の引受け・支払

甲が，為替手形の振出人（手1⑧），乙が受取人（同⑥），丙が支払人（同③）または引受人（手25Ⅰ）としたときに，平常の状態であれば，あらかじめ甲が

含まれる。
　また，破産法人の代表者に対する弁済が破産者に対するものとみなされるべきかどうかという問題がある（肯定説として条解破産法〈第3版〉410頁，注釈破産法（上）343頁がある）。代表者の地位が存続している以上，これを肯定すべきである。弁済金は，破産財団に属すべきものであるから，破産管財人は，それについて不当利得返還請求権を行使できる。

44) 債務者が善意弁済の主張をせず，破産管財人の請求に応じて二重払いをするときには，破産者に対する弁済が無効になり，善意の債務者は破産者に対して不当利得の返還を請求できる（東京高判昭和41・8・18下民17巻7・8号695頁〔倒産百選〈初版〉64事件〕）。
45) 債務者の弁済の効力が破産手続に対する関係で認められるか否かを問わず，破産者は，弁済金を不当利得として破産管財人に引き渡すべき義務を負う。破産者が弁済金を費消したときには，破産管財人が破産者の自由財産に対して損害賠償請求権を行使する。また，破産者が弁済金をもって一部の破産債権者に弁済をなした場合には，破産管財人は，不当利得として返還を請求する（以上について，条解破産法〈第3版〉409頁，大コンメンタール200頁〔大村雅彦〕，注解破産法（上）278頁〔吉永順作〕，基本法84頁〔中野貞一郎〕）。なお，詐欺破産罪（破265Ⅰ④）の成立可能性もある。

丙に対して支払資金を交付してある場合などを除くと[46]，丙は，支払委託契約などにもとづいて，支払によって甲に対して現在の求償権を取得するし，または引受けをなすことによって，将来の求償権を取得する。ところが，甲が破産手続開始決定を受けた後に，丙が支払いまたは引受けをなした場合には，求償権が開始決定後の支払または引受けという原因にもとづくものであるとすれば，破産債権の要件（破2V）を満たさず，支払人または引受人は，破産財団に対して何らの権利行使ができないことになる。これが，支払または引受けをした者の保護に欠ける結果になるので，支払または引受けをした支払人または予備支払人（手55Ⅰ）は，破産手続開始について善意であった場合に限って，破産債権の行使を認められる（破60Ⅰ）。善意または悪意については，破産手続開始決定の公告の前後による推定が働く（同Ⅲ）。

　法60条の規定は，法49条および50条が破産財団に属する財産に関する規定であるのと異なって，破産債権の要件に関する規定である。いいかえれば，法49条および50条が法47条1項に対する特則であるのに対して，法60条は法2条5項に関する特則としての性質をもつ[47]。ただし，本条が善意の支払人や予備支払人を保護したのは，支払または引受けの際に，支払人等が振出人について破産の事実の有無を確かめる必要をなくす趣旨だといわれるが，与えら

---

[46] 振出人が，あらかじめ支払資金を支払人に交付していた場合に，破産手続開始後に支払人がその資金をもって受取人に支払ったとすれば，その支払は，破産者である振出人に対する資金の返還と同視され，支払人が破産手続開始について善意である限り（破50Ⅰ），振出人の破産管財人に対抗できる（条解会更法（中）339頁）。支払人の振出人たる破産者に対する求償権が問題とならないことは，いうまでもない。

[47] 旧法の立法者は，善意者保護の共通性に着目して，旧法55条（現破49条）および旧法56条（現破50条）と並んで旧法57条（現破60条）を置いたものである。加藤・要論125頁，中田99頁，山木戸117頁，注解破産法（上）280頁〔吉永順作〕，基本法84頁〔中野貞一郎〕。なお，このような趣旨を説き，約束手形の振出人が受取人の破産について善意で手形を振り出し，受取人がそれを裏書譲渡した場合に，裏書の効力と旧法57条とのかかわりはないと判示するものとして，大阪地判昭和43・8・31判タ227号222頁がある。

　現行法の立法者は，このような規定の性質の違いを考慮して，規定の配列を変更している。条解破産法〈第3版〉480頁参照。なお，破産管財人の行為によって破産手続開始後に生じた破産債権を自働債権とする相殺について，本書546頁参照。

　なお，悪意の場合の求償権は，破産債権とならないとするのが，立法の趣旨に合致するが，破産手続終了後の権利行使の可能性などを考えると，劣後的破産債権として扱う（注釈破産法（上）409頁），または支払人などの意思を重視して，約定劣後破産債権とすることも考えられる。

れる権利が破産債権にすぎないので，支払人等の地位が完全に保護されるわけではない。その意味では，この規定によって手形の流通が保障されるとはいいがたい。

　小切手についての支払保証（小25・53）や約束手形についての手形保証（手77Ⅲ・31）において，保証人が支払をなした場合にも，同様に求償の問題が生じるので，善意者に破産債権の行使が認められる（破60Ⅱ）。

第6項　保全管理人の実体法上の地位

　保全管理命令が発せられると，保全管理期間中は債務者の財産の管理処分権は，保全管理人に専属する（破93Ⅰ本文）。保全管理人の破産手続上の地位に関しては，すでに述べた通りであるが（本書226頁），実体法上の地位に関しては，第三者が物権変動等の効力を保全管理人に対して主張できるかどうかは，保全管理命令の発令と第三者の対抗要件の具備の先後が基準となるし，また実体法の第三者保護規定の適用についても，保全管理人は破産管財人と同様に取り扱われる。さらに，保全管理命令によって債務者の管理処分権が剥奪されるところから，破産手続開始後の破産者の法律行為の効力（破47），破産手続開始後の債務者に対する弁済の効力（破50）および破産手続開始決定公告の前後による善意または悪意の推定（破51）の規定は，保全管理人に準用する（破96Ⅰ）。

　ただし，未だ破産手続本体が開始されていないため，手続開始そのものによる効力，すなわち開始後の権利取得の効力（破48）や開始後の登記および登録の効力（破49）の規定は準用されない。また，双方未履行双務契約に関する選択権（破53）や否認権（破160以下）は，保全管理の目的を超えるために，保全管理人には与えられない。

　債務者の財産に関する係属中の手続関係，すなわち訴訟手続および行政手続については，債務者の財産に関する当事者適格が保全管理人に移転するところから，保全管理命令が発せられると，破産手続開始の場合と同様に，中断および受継等の規律を適用する（破96Ⅱ①・44Ⅰ〜Ⅲ）。また，破産手続開始決定があった場合以外で保全管理命令が効力を失った場合には，破産手続終了と同様に中断および受継の手続がとられる（破96Ⅱ②・44Ⅳ〜Ⅵ）[48]。

---

48)　ただし，債権者代位訴訟や詐害行為取消訴訟等の中断に関する規定（破45）は，保全管理の場合には準用しない。したがって，これらの訴訟は，破産手続開始決定時までは続

第2節　契約関係の整理

　破産手続開始前に破産者が第三者と契約関係を結んでいた場合に，契約上の義務がすべて開始前に履行されていれば，契約関係は消滅し，義務履行に対する否認は別として，破産管財人が契約関係の整理にかかわる余地はない。しかし，破産者もしくは相手方の義務のいずれか，またはその双方が残っている場合には，破産者はその義務を履行することはできず（破47Ⅰ・78Ⅰ・100Ⅰ），また相手方も原則として破産者に対してその義務を履行することができない（破50Ⅰ参照）。したがって破産管財人は，契約関係およびそれにもとづく義務が実体法上存在することを前提として，破産手続の目的を実現するためにそれらを整理することを要する。

　その具体的内容は以下に述べるが，整理にあたっての基準としては，まず，契約関係にもとづく義務がどのような状態にあるのか，すなわち破産者の義務のみが未履行のものとして存在するのか，相手方の義務のみが未履行のものとして存在するのか，あるいは双方について未履行義務が存在するのかを分ける必要がある。その上で，一方で，相手方との契約関係上の公平が損なわれることがないように考慮し，他方で，破産債権者に配分されるべき破産財団の最大化が実現するよう配慮しなければならない。

第1項　未履行契約の取扱い

　契約上の債務から契約の種類をみると，一方当事者のみが義務を負う片務契約と，双方当事者が義務を負う双務契約とがある。しかし，破産手続開始時を基準時として考えると，未履行の片務契約と一方のみ未履行の双務契約とは，同様に考えられる。そこで，一方のみ未履行の双務契約と双方未履行の双務契約を例として，その取扱いを検討する。

1　一方のみ未履行の双務契約関係

　買主甲が代金支払義務を履行し，他方，売主乙が目的物たる動産の引渡義務を履行していない段階で，甲に対して破産手続が開始されたと仮定する。破産

行されることになる。また，破産債権者による詐害行為取消権のための保全処分の申立てが許されないことについては，本書172頁参照。

者たる甲が有する目的物引渡請求権は財産上の権利であるから，破産財団に帰属し（破34Ⅰ），破産管財人がこれを売主に対して行使して，目的物の引渡しを受け，破産債権者のためにそれを換価する。相手方たる売主としても，破産者に対する契約上の義務を履行するだけのことであり，買主の破産によって有利にも不利にもその地位を変更されるわけではない[49]。もちろん相手方がその義務履行を怠れば，破産管財人は損害賠償請求権などを行使することになるが，これは目的物引渡請求権について破産管財人が管理処分権を行使することから派生する実体法上の帰結であり，契約関係自体や契約関係上の権利義務について破産手続が特別の変更を加えているものではない。

　次に，売主乙が目的物を引き渡し，これに対して買主甲が代金支払義務を履行していない段階で，買主甲に対して破産手続が開始されたと仮定する。乙の代金債権は，破産手続開始前の原因にもとづく財産上の請求権であり，財団債権に該当しない限り，破産債権となり（破2Ⅴ），破産配当によってその権利の満足を受ける。破産配当は，通常，債権額の一部のみを満足させるにすぎないから，この結果は，一見すると，公平に反するように思われる。すなわち，売主としては，自己の義務を完全に履行したにもかかわらず，代金債権については，他の債権者との比例的満足しか受けられないからである。

　しかし，破産手続開始時の売主の地位を考えると，この取扱いはやむをえない。売主としては，すでに破産者に対して目的物を引き渡している以上，そもそも同時履行の抗弁権（民533本文）をもたないか，これを放棄しているかであり，その代金債権については，破産者の一般財産から弁済を期待する以外の地位をもたず，他の一般債権者との比例的満足に甘んじざるをえないからである[50]。破産手続が一般債権者に対する平等な弁済を目的とするものである以上，上記のような結果を承認しなければならない。

---

[49] すでに相手方が履行遅滞に陥っている場合などには，破産管財人は契約の解除をなすこともできるが（谷口183頁），これは通常の法定解除権の行使にあたり，破産法53条1項によるものではない。

[50] もちろん，売主が代金債権について動産売買先取特権（民311⑤）またはその物上代位（民304）を行使しうる場合は別である。もっとも，相手方による解除権行使の結果として双方の原状回復義務が同時履行の関係に立つ場合が考えられるが（民546・533），少なくとも相手方の原状回復請求権の破産手続外行使を否定する以上，それとの均衡上，破産管財人の相手方に対する原状回復請求権の行使も否定すべきであろう。問題の詳細について，中西正「破産手続における解除権行使の効果」加藤哲夫古稀547頁参照。

それと逆に，売主乙が破産した場合には，乙の目的物引渡義務のみが未履行であれば，買主甲はそれを破産債権として行使し（破103Ⅱ①イ）[51]，甲の代金支払義務のみが未履行であれば，乙の破産管財人が代金債権を破産財団所属財産として行使する。

2 双方未履行の双務契約関係

双務契約であって，しかも，破産手続開始時を基準時として双方の債務の全部または一部の履行が完了していない場合に[52]（以下，双方未履行双務契約と呼ぶ），破産管財人は，契約関係にもとづいて破産者の債務を履行し，相手方に対して債務の履行を請求するか（以下，履行の選択），または解除権の行使によって契約関係を消滅させるか（以下，解除の選択）の選択権を行使することができる（破53Ⅰ）。

そして，履行が選択され契約関係が存続する場合には，相手方の権利は，財団債権として扱われる（破148Ⅰ⑦）[53]。これに対して，破産管財人が解除を選択したときには，契約関係は遡及的に消滅するが[54]，原状回復を求める相手方の権利（民545Ⅰ本文）は，取戻権または財団債権の地位を与えられる（破54Ⅱ）。また，相手方は，解除による損害賠償を求めることもできるが（民545Ⅳ），

---

51) もっとも，甲がすでにその所有権について対抗要件を備えていれば，甲は，目的物引渡請求権を取戻権として行使できる（本書466頁参照）。

52) 未履行の理由は問わない。破産者の債務が履行不能であっても差し支えない（高知地判昭和59・2・7下民35巻1～4号33頁）。これに対して，年会費のない預託金会員制ゴルフクラブの会員が破産した場合には，会員の側に未履行の債務はないから，会員契約の解除は認められない（最判平成12・3・9判時1708号123頁〔倒産百選81②事件〕）。

　また，残っている未履行義務が契約全体からみて付随的なものにとどまる場合には，双方未履行双務契約とみなされても，管財人による解除権の行使が否定される可能性がある（本章注65参照）。

53) 実際には，財団債権性が争われる場合がある。そのようなときには，相手方は，破産管財人に対して財団債権性を主張しつつ，それが認められることを解除条件として破産債権の届出をすることになり，たとえ破産債権としての記載が確定したとしても（破124Ⅲ），そのことによって財団債権性の主張が遮断されるわけではない。東京地判平成21・10・30判時2075号48頁〔民事再生〕。これに対して大阪高判平成23・10・18金法1934号74頁は，予備的な届出である旨を明らかにせず，再生債権として確定した以上，共益債権としての主張は許されないとする。これを踏まえた最判平成25・11・21民集67巻8号1618頁〔倒産百選49事件〕については，本書1032頁注1参照。

54) 民法620条，630条を前提とすれば，継続的契約などについては，解除の効果が将来に向かってのみ生じると解すべきであろう。我妻＝有泉・コンメンタール1153頁，中田・契約法226頁，潮見・新契約各論Ⅰ396頁参照。

その損害賠償債権は，破産債権としての地位にとどめられる（破54Ⅰ）。

　従来の学説は，これらの規定の趣旨を次の2つの視点から説明していた。第1は，契約当事者間の公平の視点である。双務契約における両当事者の義務が同時履行の関係にあり，相互に担保視し合っているにもかかわらず，破産管財人が履行の選択をなしたときに，相手方の権利が破産債権となると，破産管財人は完全な履行を受けられるのに対して，相手方の権利の完全な満足は確保されないから公平に反する。したがって，相手方の権利は，破産手続開始前の契約にもとづくもので，本来破産債権たるべきものであるが，公平を保つために法がこれを財団債権へと格上げしたものとする。第2は，破産清算の必要という視点であり，その目的のために，破産管財人に契約の履行か解除かの選択権が与えられたとする[55]。

　しかし，これらの規定の意義は，次のように理解すべきである。すなわち，その理解は，契約の履行が選択された場合において相手方の債権が財団債権とされる範囲などに影響する（本書399頁参照）。立法者がこれらの規定によって意図したものは，破産管財人に契約の解除権を認めるところにある。この解除権は，契約当事者間の合意にもとづくものでないことはもちろん，履行遅滞など実体法上の解除原因（民541～543）にもとづくものでもなく，法によって破産管財人に与えられた特別の権能である[56]。契約の一方当事者である破産者の

---

[55]　通説を含む学説の対立状況については，基本法86頁〔宮川知法〕，水元宏典「破産および会社更生における未履行双務契約法理の目的（1）」法学志林93巻2号63，68頁（1995年），竹内65頁，条解破産法〈第3版〉415頁，大コンメンタール204頁〔松下淳一〕参照。また，岡正晶「倒産手続開始後の相手方契約当事者の契約解除権・再論」木内古稀361頁は，法53条による解除の効果が不相当であるとして，立法論としての再検討を提言する。

[56]　谷口174頁が，法53条の趣旨について，破産財団に有利な双務契約についてのみ効力を承認し，不利なものについては契約の拘束から免れさせると説き，田頭章一「和議手続における双方未履行双務契約の処理」岡山法学40巻3・4号861，872頁（1991年）が，破産管財人に履行か解除かの選択権を与えることによって破産財団の利益を図るとするのも，本書と同様の考え方にもとづくものと思われる。また，札幌高判平成25・8・22金法1981号82頁は，法53条1項にもとづく破産管財人の解除権行使が合意解除や債務不履行解除と区別されるべきことを判示する。破産法53条に対応する民事再生法49条に関するものであるが，双方未履行双務契約の解除を主たる目的として，民事再生手続の申立てをした事案を紹介するものとして，福田真之介ほか「第一中央汽船の民事再生について——海運会社の国際的倒産事件の事例」事業再生と債権管理156号124頁（2017年）がある。
　また，破産者を当事者とする取引の性質を同時交換的取引と信用供与型取引とに分け，法53条が特別の規律を設けて相手方の利益を保護するのは，双方未履行双務契約が同時

破産財団所属財産についての管理処分権が専属する破産管財人は，解除権を付与されることによって，従来の契約上の地位より有利な法的地位を与えられる。次の問題は，解除または履行が選択されたときに，相手方との公平をどのように維持するかである。

まず，解除が選択されたときには，契約関係が消滅し，原状を回復するのが一般原則である（民545 I 本文）。したがって，破産者がすでにその義務の一部を履行しているときには，相手方からその返還を求め，逆に，相手方が一部の義務履行をなしているときには，破産財団から相手方への原状回復を行わなければならない。相手方のもつ原状回復請求権は，破産管財人が特別の権能である解除権を行使した結果であるので，公平を考慮して取戻権または財団債権の地位を与えられる（破54 II）[57]。

交換的取引に属するからであるとし，その趣旨は，危機否認の除外（破162 I 柱書かっこ書参照）と共通するとの考え方がある。この考え方の下では，双方未履行双務契約の内容が破産債権者にとって不利な場合には，その履行を許さないことによって，破産債権者全体の利益を保全することに，解除の選択権の根拠が求められる（中西正「双方未履行双務契約の破産法上の取り扱い」谷口古稀497頁以下）。

もっとも，立法論としては，解除権に代えて履行拒絶権能を与えれば十分であるとの指摘がなされている（田頭章一「倒産法における契約の処理」ジュリ1111号106，107頁（1997年））。しかし，履行拒絶権という特別の権能を破産法上創設した場合には，相手方の損害賠償請求権を認めるかどうか，あるいはすでになされた一部給付をどのように取り扱うかなどの問題が残る。現行法でも解除権構成が維持されている。なお，履行拒絶権構成についての詳細な分析として，竹内康二「双務契約再考」小島古稀（上）1013頁，条解破産法〈第3版〉413頁，水元宏典「賃借人破産と破産法53条1項に基づく破産管財人の解除選択——賃貸人の原状回復請求権・原状回復費用請求権を中心に」ソリューション18頁がある。また，現行民法が，危険負担に関する民法旧534条および旧535条を削除し，債務者の危険負担として，債権者の反対給付の履行拒絶権を定めた536条1項を設けたことは，履行拒絶権構成に手掛かりを与えるものとなろう。水元宏典「魅力ある倒産手続に向けた立法のあり方」法時89巻12号32頁（2017年）参照。

なお，法53条の趣旨に関する本書の立場は以上に述べた通りであるが，破産解除条項の効力を否定する近時の一般的理解（本書397頁）を前提とすれば，破産管財人の選択権を保障するという機能も認められよう。代理店契約解除の違約金額が高額に過ぎ，民事再生法49条1項（破53 I）が保障する選択権を不当に制約するとの理由から，違約金条項の効力を否定した東京地決平成28・12・9金商1515号36頁にも，このような考え方が現れている。

関連するものとして，解除権の不可分性の規定（民544）が破産管財人の解除権行使に適用されるかという問題がある。本文に述べた趣旨から，本書では否定説をとる。

[57] 破産財団の原状回復請求権と相手方の原状回復請求権の双方が生じるときには，両者が同時履行の関係に立つので（民546），相手方の権利を取戻権または財団債権とするのは当然といえる。なお，このことは，破産手続開始前に契約が解除され，双方の原状回復

これに対して，破産管財人の解除によって相手方に発生する損害賠償請求権は，破産債権として扱われる（破54 I）。本来であれば，損害賠償請求権も破産管財人の解除権行使によって生じるものであるから[58]，これを財団債権とすることが考えられないわけではない（破148 I ④参照）。それにもかかわらず，これが破産債権とされるのは，損害賠償請求権を財団債権とすると，その負担が重大なものとなり，破産管財人に特別の権能として解除権を付与した趣旨が没却されるからである[59]。

次に，破産管財人によって履行が選択されたとき，すなわち破産管財人が法53条1項による解除権を放棄して確定的にその履行を求める意思表示をしたときには，従来の契約関係における相手方の地位，すなわち同時履行の抗弁権を認めなければならない。担保的機能を果たすことを予定される同時履行の抗弁権は，契約関係が存続する以上，差押債権者や破産管財人に対してもその主張が認められるものである。したがって，相手方は，破産財団の側が自らの債

　　義務が同時履行の関係にある場合にも妥当する。220問300頁〔池上哲朗〕。これに対し，破産法大系 II 302頁〔竹内康二〕は，解除の効果を遡及的なものとしないとの立場から，既履行部分の返還を求める権利は破産債権となるとする。
　　なお関連する問題として，双方未履行双務契約の解除にもとづく破産財団（再生債務者財産）の相手方に対する原状回復請求権（不当利得返還請求権）の準拠法を密接関係地法（法適用15）としての破産手続（再生手続）開始地国法たる日本法とするかどうかという問題があり，東京高判平成31・1・16金法2122号66頁は，これを否定している。

[58] この損害賠償請求権は，民法上の解除にともなう損害賠償請求権（民545 IV）とは異なって，破産管財人の解除権行使にもとづく特別のものである（青木・実体規定149頁参照）。

[59] 立法政策としては，損害賠償請求権の発生自体を否定するという考え方もありうる。事実，旧商法破産編993条は，この考え方を採用していた（長谷川喬・改正破産法正義〔日本立法資料全集別巻70〕74頁（1996年）参照）。しかし，立法者は，これがあまりにも相手方の利益を無視し，破産債権者の利益のみを重視しているという反省の上に立って，損害賠償を破産債権とし（加藤・要論131頁参照），これが現行法に引き継がれている。なお，民法旧621条・旧642条2項などが，損害賠償請求権の発生を否定していたのは，旧商法破産編の考え方を前提として民法が制定されたためである。加藤博士も，民法の規定を早急に改正する必要を指摘され，現行破産法の制定にともなって，これらの規定も改正された。ただし，民法631条については，雇用契約の特質を考慮して，従来通りの規定が維持された。
　　なお，破産債権となる損害賠償請求権の内容を信頼利益に限るか，履行利益まで含めるかという問題があるが，解除を受忍する相手方の利益を保護するためには，履行利益を含めるのが妥当である。条解破産法〈第3版〉442頁，注釈破産法（上）372頁。実例を紹介するものとして，金井暁＝井田大輔「大口債権者による債権届出と債権確定」事業再生と債権管理156号68頁（2017年）がある。

務を契約の内容にしたがって履行するのと引替えにのみ，破産財団に対してその債務を履行すれば足りる。相手方の債権が財団債権（破148 I ⑦）とされるのは，このような趣旨によるものである。

いいかえれば，相手方の権利は，本来破産債権とされるべきものが立法によって財団債権に格上げされたのではなく，相手方による債務履行によって破産債権者全体が利益を受け，したがってその対価たる相手方への債務履行を破産債権者が共同で負担すべきものとして，相手方の権利は本来的な財団債権であり，破産管財人が履行の選択をなすことによって財団債権としての行使が可能になるものと理解すべきである。このことは，契約関係として一体であるかぎり，それにもとづく給付が可分の場合も同様である[60]。

さらに，近時の有力説として，相手方の権利の本来的性質は，同時履行の抗弁権付破産債権であるとし，破産財団の相手方に対する履行請求は，同時履行の抗弁権によって阻止され，他方，相手方の破産財団に対する履行請求は，破産債権としての制約を受け，いわば両すくみの状態が生じるとする考え方がある[61]。破産管財人の選択権は，この両すくみの状態を解消させるものであるとする。このような理解を前提として，破産管財人の解除権の行使にもとづいて必要以上の不利益が相手方に発生することを防ぐべきであるとし，具体的には，不動産売買の買主が売主から登記名義の移転は受けたが，引渡しを受けていない状態で，売主について破産が開始されたような場合には，買主は，残代金の支払をなすことによって，破産管財人の解除権行使を阻止しうるなどの結論をとる。

相手方の権利が破産債権の要件（破2 V）に当てはまるかどうかは，説明の問題にすぎないが，同時履行の抗弁権は契約関係から派生するものであり，債

---

[60] このようにいうと，同じく破産手続開始前の原因にもとづく他の破産債権者との均衡を失わないかとの批判が予想される。しかし，破産手続開始時を基準として考えると，一般債権者は，その債権確保について何らの担保的利益をもっていないのに比較して，双方未履行双務契約の相手方の債権は，同時履行の抗弁権によって担保されている（前掲高知地判昭和59・2・7（注52））。したがって，相手方の権利を破産債権とせず財団債権としても，公平に反しない。

[61] 福永有利「破産法五九条の目的と破産管財人の選択権」北大法学論集39巻5・6号（上）1373頁（1989年）（福永・研究32頁以下所収），同「破産法五九条による契約解除と相手方の保護」曹時41巻6号1521頁（1989年）（福永・研究82頁以下所収），水元・前掲論文（注55）（2・完）法学志林93巻3号69, 87頁（1996年），霜島380頁，破産法大系 II 287頁〔竹内康二〕。

権に付着するものではないこと，どのような理論的根拠にもとづいて相手方の債権が破産債権から財団債権に変更されるのかが明らかでない[62]ことなどの理由から，この考え方をとることはできない[63]。

　判例についてみると，最判昭和62・11・26民集41巻8号1585頁〔倒産百選80事件〕は，現行破産法53条の前身たる旧破産法59条に関して，「同条は，双務契約における双方の債務が，法律上及び経済上相互に関連性をもち，原則として互いに担保視しあっているものであることにかんがみ，双方未履行の双務契約の当事者の一方が破産した場合に，法60条と相まって，破産管財人に右契約の解除をするか又は相手方の債務の履行を請求するかの選択権を認めることにより破産財団の利益を守ると同時に，破産管財人のした選択に対応した相手方の保護を図る趣旨の双務契約に関する通則である」と判示する[64]。

---

[62] 水元・前掲論文（注55）は，その根拠として，破産管財人の選択権は形成権の一種であり，その行使の効果として破産債権が財団債権に変化すると説く（同100頁）。有力説を前提とする限り，このような説明がもっとも説得的であると思われるが，法53条1項が破産管財人について予定するのは，破産者の債務の履行と相手方の債務の履行請求であり，これを実体法上の形成権の根拠とすることは困難である。履行か解除かの選択権は，あくまで管理処分権（破78Ⅰ）にもとづく手続上の権能にとどまり，実体法上の形成権としては，解除権が存在するにすぎない。

[63] 宮川知法「破産法五九条等の基本的理解」法学雑誌37巻1号40頁（1990年），基本法87頁〔宮川知法〕は，通説の再構成として，以下のように主張する。すなわち，相手方の債権は，本来破産債権であり，かつ，破産債権としての制約から同時履行の抗弁権も否定されるという。それにもかかわらず，破産管財人が履行の選択をなしたときには，それによって破産財団が利益を受ける限度で相手方の債権を優遇するのが，財団債権とする趣旨であり，解除の選択の場合にも，同様にそれによって財団が利益を受ける限度で，相手方の原状回復請求権を財団債権とするのが，旧法60条2項（現破54条2項）の趣旨であるとする。

　しかし，破産手続開始前の原因にもとづくとの理由から相手方の債権を破産債権とするとしても，そのことから契約法上の権能である同時履行の抗弁権まで否定することには，論理の飛躍がある。財団債権の範囲が拡大して，破産財団が減少するというのが，論者の批判の基礎になっている。しかし，私見の立場を前提にすると，破産管財人が履行の選択をするのは，相手方に財団債権の行使を認めても，なおかつ履行による財団の利益がそれを上回ると判断する場合に限られるから，この批判には疑問がある。更に進んで，赫高規「双方未履行双務契約」今中傘寿563頁は，履行の選択に代え，破産管財人が履行の提供をすることによって相手方に対する履行請求が可能になる一方で，相手方が同時履行の抗弁権を放棄して，自らの債務の履行を提供するときは，破産管財人の解除権を否定すべきであるという。しかし，破産財団にとって不利になる契約関係の解消を制約する結果とならないかという懸念があり，本書では，判例法理を基礎とした解除権行使の規律を是としたい。

[64] 関連判例である最判平成7・4・14民集49巻4号1063頁〔会社更生〕〔倒産百選75事

この判示の前半部分は，伝統的考え方に沿ったものであるといえるのに対して，後半部分は，本書のような考え方とも調和的であるとみられるので，判例は，1つの視点に偏することなく，本条の趣旨を総合的に捉えているといえよう。

もっとも，破産管財人による解除の選択権も無制約のものではない。破産管財人の契約解除によって相手方に著しく不公平な状況が生じるときには，解除権の行使は許されないとするのが判例法理であると解される。たとえ解除によって破産者や利害関係人に利益が発生することが期待できる場合であっても，相手方との関係で著しく不公平な結果が生じるおそれがあれば，解除権の行使は許されない[65]。

件〕，最判平成12・2・29民集54巻2号553頁〔倒産百選81①事件〕なども，本判決の判示を前提としていると思われる。したがって，双方未履行の諾成契約が当然に破産手続上の双方未履行双務契約とみなされるわけではない。民法旧593条は，使用貸借を要物契約としていたが，これが諾成契約とされても（民593），貸主の引渡義務と借主の返還義務とが対価的関係にあるとは考えられないために，両者の義務が未履行の段階で，いずれかの契約当事者について破産手続が開始されたときに，法53条の適用はない。伊藤眞「片務契約および一方履行済みの双務契約と倒産手続——倒産解除条項との関係を含めて」NBL 1057号32頁（2015年）参照。民法の特則（民587の2Ⅲ）が適用されない民事再生における諾成的消費貸借契約についても同様に考えるべきである（150問141頁〔野村祥子〕）。

したがって，実体法上，貸主または借主のいずれかが使用貸借の解除をすることができるときには，（民593の2本文・598），いずれかの破産管財人も解除を許されるが，それ以外の場合には，使用貸借が存続する。ただし，法53条類推適用の余地はあろう。潮見・新契約各論Ⅰ318頁参照。

[65] 前掲最判平成12・2・29（注64）。判決理由においては，破産管財人の契約解除によって相手方に著しく不公平な状況が生じるときには，解除権の行使は許されないとし，その判断要素の1つとして，「破産者の側の未履行債務が双務契約において本質的・中核的なものかそれとも付随的なものにすぎないか」という点をあげる。なお，現行法が，賃貸人の破産において破産管財人が解除権を行使できる場合を制限する規定（破56Ⅰ）を設けたことも，思想的には，相手方との公平を重視したものである。基本構造〔山本克己発言〕271頁。なお，最判平成12・3・9判時1708号127頁も類似の判断を示している。

破産法大系Ⅱ293頁〔竹内康二〕は，このことを「双方に，本質的・中核的義務が，均衡を保って未履行であることを意味する」と説明する。請負契約における注文者の破産管財人による解除についてこの法理の適用を説くものとして，破産法大系Ⅱ359頁〔小林信明〕がある。双方未履行双務契約について破産管財人に解除権を認めるのは（破53Ⅰ），破産法の目的（破1）を実現するために実体法律関係を変更する権能を与えるという意味で，倒産法的再構成の一種であるが（伊藤眞「証券化と倒産法理——破産隔離と倒産法的再構成の意義と限界（上）」金法1657号10頁（2002年）），本判決は，さらにそれを修正するという意義を有する（現代型契約と倒産法4頁〔伊藤眞〕）。

また，社会正義に反するという理由から管財人の解除権行使が制限される場合がありう

なお，破産管財人の選択権行使自体に時間的な制約はないが[66]，相手方の地位が不安定になることを考慮して，相手方は，相当の期間を定めてその期間内に履行か解除かの選択をなすよう破産管財人に対して催告をすることができる（破53Ⅱ前段）。催告に対して期間内に破産管財人から確答がないと，契約の解除がなされたものとみなされる（同後段）[67]。解除が擬制されるのは，清算を目的とする破産の性質を重視したものである[68]。また，破産管財人が履行の請求をなすには，裁判所の許可（破78Ⅱ⑨）が要求されるが，これは，破産財団に新たな負担を生じさせる可能性のある履行選択について，適切な判断を確保しようとするものである[69]。

3 相手方からの契約解除

破産管財人の履行選択がなされると，相手方は破産財団に対してその債務を履行し，破産財団に対する債権は財団債権として行使可能となるが，財団債権について常に完全な満足が保障されるわけではない（破152Ⅰ参照）。そこで相手方としては，破産管財人が履行の選択をなしたにもかかわらず，または履行

ることについて，伊藤眞「破産管財人の職務再考——破産清算による社会正義の実現を求めて」判タ1183号35，42頁（2005年），財産換価86頁〔福田修久〕参照。

[66] したがって，破産管財人が選択権の行使を怠っても，破産債権者に対する善管注意義務違反（破85Ⅰ）とされるかどうかは別として，相手方に対する不法行為となることはない（福岡高判昭和55・5・8判タ426号131頁）。ただし，破産管財人の解除権が破産手続の目的実現のために特別に認められたものであることを考えれば，配当表の提出（破196Ⅰ・205・209Ⅲ）後は，特段の事由がない限り，解除権の行使は許されないと解すべきであり，破産手続の終了（破216以下）後は，これを許すべき理由がない。
　　また，契約上の義務の履行がある場合には，明示的に履行の請求がなかったとしても，黙示的な履行の請求があったと認定されよう（東京地判平成18・6・26判時1948号111頁〔民事再生〕）。もっとも，継続的契約の場合，たとえば賃料の支払いにもとづいて賃貸借契約についての履行の請求を認定すべきかどうかは，支払いの回数や態様などを総合して判断すべきである。

[67] 破産管財人が選択権を行使せず，また相手方も催告をなさない場合には，相手方の債権は破産債権となり，同時履行の抗弁権も失われるとの有力説がある（平岡建樹「開始決定と請負」裁判実務大系（6）141，150頁，基本法89頁〔宮川知法〕）。実際上ほとんど考えられない場合であるが，双方未履行双務契約関係が存続する以上，同時履行の抗弁権が消滅することはありえず，相手方は，その義務の履行を求められても，自らの権利が満足されない限り，義務の履行を拒絶しうる。民事再生や会社更生でも同様である。

[68] 事業の再生を目的とする民事再生および会社更生では，確答がないと，解除権の放棄が擬制される（民再49Ⅱ後段，会更61Ⅱ後段）。裁判例として，東京地判平成26・9・11判時2246号50頁〔民事再生〕がある。

[69] 逆に民事再生や会社更生では，解除について裁判所の許可が要求される場合がある（民再41Ⅰ④等，会更72Ⅱ④）。

の選択がなされる前に，自ら契約の解除をなし，あるいは契約条件の変更を求めることが考えられる。

このような手段として第1に，契約法上の一般法理として不安の抗弁権がある。特に継続的給付を目的とする双務契約のように，契約上の義務履行が長期間にわたる場合において，相手方としては，破産財団の側の義務履行について不安を感じることは避けられない。法は，破産管財人の選択権について特則（破53 I）を設けるものの，履行が選択された後の契約関係については，契約法一般の法理が適用されるから，たとえ相手方の債権が財団債権（破148 I ⑦）とされても，その不履行の危険があるような状況においては，不安の抗弁権を排除する理由はない。

ただし，破産財団を当事者とする契約であることを理由として，相手方が当然に不安の抗弁権にもとづいて契約を解除することができるとするのは，法が破産管財人に選択権を認めた趣旨に反するから，受け入れることはできない。しかし，破産財団の状況などを考慮して，場合によっては，相手方が契約条件の変更，たとえば支払方法の変更や担保の提供などを求める可能性を認めるべきであろう[70]。

第2に，相手方が破産手続開始前の不履行を理由として解除権を行使する場合が考えられる。破産手続開始後に履行期が到来する債務については，破産管財人が履行の選択を行うまでは相手方は財団債権としての弁済を求めることが

---

[70] 具体例については，伊藤・研究498頁以下，フランチャイズ契約に関して，現代型契約と倒産法252頁〔服部明人ほか〕参照。不安の抗弁権を認めた裁判例としては，東京地判平成2・12・20判時1389号79頁がある。債権法改正の中でも，不安の抗弁権についての規定を設けることが議論されたが（法制審議会民法（債権関係）部会における，民法（債権関係）の改正に関する中間的な論点整理〔58, 1 (179頁)〕，民法（債権関係）の改正に関する検討事項（14）・部会資料19-2第3（27頁），民法（債権関係）の改正に関する中間的な論点整理のたたき台（4）・部会資料24第56（36頁），中間試案〔第33〕），合理的要件を設定しないと，事業再生にとっての桎梏となるおそれがある（大阪弁護士会・司法委員会・債権法改正と倒産法ワーキンググループ「民法（債権関係）の改正に関する検討事項の倒産処理に対する影響について」大阪弁護士会・民法（債権法）改正の論点と実務——法制審の検討事項に対する意見書（下）735頁（2011年），多比羅・前掲論文（注7）57頁）。

平成29年の民法改正では，不安の抗弁権に関する規定は設けられないこととなった。伊藤・前掲論文（注64）34頁，現代型契約と倒産法8頁〔伊藤眞〕，中田・契約法157頁，潮見・新債権総論 I 317頁，稲田和也＝髙井章光「民法（債権関係）改正『見送り』事項に関する実務的検討（下）」NBL 1108号37頁（2017年），改正債権法コンメ976頁参照。

できず，また破産管財人も相手方の債権について弁済をなすことはできないから，債務者の責めに帰すべき債務不履行が生じているとはいえず，相手方の解除権は否定される。しかし，弁済禁止の保全処分がされた場合を別とすれば（本書157頁参照），破産手続開始前にすでに債務不履行が生じ，しかも催告など解除権発生の要件が充足されていれば，相手方は，その解除権を破産管財人に対して行使し，原状回復を求めることができる。ただし，解除の効果を破産管財人に対して無条件に主張できるわけではない（本書373頁）。

第3に，あらかじめ契約中に，一方当事者について破産手続開始や破産手続開始申立て，または支払停止などの事実が生じることを解除権の発生原因として定め，これにもとづいて相手方が破産手続開始後に解除権を行使する場合が考えられる。この種の合意がなされるのは，相手方としては，破産状態に陥った者との契約関係を続けることに不安を感じるためである[71]。

しかし，この解除の効力を認めると，それが破産手続に関して必ず生じる事実を原因とするものであるだけに，相手方は，解除にもとづく原状回復の効果を制限される可能性があること（民545Ⅰ但書）は別にして，常に破産管財人に対して解除権を主張できる。その結果，法が破産管財人に対して履行か解除かの選択権を与えたことも，事実上その意味を失う。したがって，法が破産管財人に選択権を付与している趣旨を考慮すれば，破産手続との関係においては，この種の解除権行使の効果を破産管財人に対して主張することを原則として否定すべきである[72]。

---

[71] したがって，破産手続との関係を度外視すれば，支払停止などを理由とする無催告解除が当然に無効とはいえない（大阪地判平成3・1・29判時1414号91頁）。

[72] 会社更生手続における弁済禁止保全処分の効力の関係で，このような考え方を示すものとして，最判昭和57・3・30民集36巻3号484頁〔倒産百選76事件〕がある。学説としては，条解会更法（中）307頁，谷口182頁，伊藤眞「更生手続申立と契約の解除」金商719号75，78頁（1985年），基本法86頁〔宮川知法〕，田邊誠「解除権留保特約の効力」実務と理論263頁，ニューホライズン444頁などがある。

従来は，会社更生の目的との関係で，この種の解除権行使を制限することが説かれてきたが，本文に述べたように，むしろ破産法53条1項，民事再生法49条1項または会社更生法61条1項との関係で，解除権行使を制限すべきである（破産法大系Ⅱ298頁〔竹内康二〕，現代型契約と倒産法250頁〔服部明人ほか〕，150問135頁〔村中徹〕参照）。ただし，最判平成20・12・16民集62巻10号2561頁〔倒産百選77事件〕では，別除権としての担保権実行に対して再生手続の目的との関係から制約を加えるべきであるという理由から，解除権に関する特約の効力を無効としている（天川博義「ファイナンス・リース契約におけるユーザーの民事再生手続開始申立てを解除事由とする特約の効力について」

第2項　各種の未履行双務契約の取扱い

　以上に述べた基本原則にもとづいて各種の契約類型についてその取扱いを検討する。ただし，以下に取り上げる契約類型は網羅的なものではなく，また，今後新たな契約類型が出現することが予想される。しかし，それぞれの契約類型について法律上特則が置かれる場合は別として，契約当事者間の債務内容を検討し，破産手続開始を基準時として双方未履行双務契約に該当するかどうかを決して，基本原則を適用する以外にない[73]。

　　判タ1303号9頁（2009年），中島肇「民事再生手続におけるリース契約の処遇——最三判平成20.12.16にみる諸論点」NBL 907号69頁（2009年）参照）。このような考え方をとれば，その延長として，相殺権の行使を可能にするための破産解除条項の効力も検討する必要があろう。そのような解除条項の効力について，解除（解約）により倒産債権者の利益に看過しがたい不利益を生じ，当該不利益を契約当事者が合理的に予測できたかを軸として検討するものとして山本和彦「経営者保険における会社の倒産と保険会社による相殺の効力」多比羅喜寿433頁参照。

　　なお，契約の性質や目的に照らし，例外的にこの種の約定を有効とする余地もあろう（破58Ⅰ参照）。もちろん，破産管財人が解除を有効として扱うことが破産財団の維持増殖に資すると判断するときは，解除の効果の追認とするかどうかはともかく，解除の効果を認めて差し支えない。財産換価662頁〔垣内秀介〕。

　　また，再生型である再生手続および更生手続においては，解除を否定すべきであるが，清算型である破産手続においては，肯定されるとの見解も有力である。新版破産法210頁〔富永浩明〕。もちろん，信義則や権利濫用の一般原則によって解除権行使を排除する可能性は別である。なお，現行法下の考え方については，基本構造279頁，契約自由の原則（民521）との関係からの検討として，稲田正毅「契約自由の原則と倒産法における限界」諸問題319頁，藤本利一「アメリカ連邦倒産法における ipso facto 条項をめぐる展開素描」同書331頁，伊藤・前掲論文（注64）35頁，現代型契約と倒産法9頁〔伊藤眞〕。また，合意解除に類するものとして，否認可能性を検討する水元宏典「契約の自由と倒産解除特約の効力」熊本法学117号12頁（2009年）参照。

[73]　新種契約について具体的に倒産手続上の取扱いを検討したものとして，福永有利・新種・特殊契約と倒産法（1988年）所収の諸論文がある。ローン提携販売に関する判例として，最判昭和56・12・22判時1032号59頁〔倒産百選〈第4版〉66事件〕，預託金会員制ゴルフクラブの会員契約に関する判例として，前掲最判平成12・2・29（注64）がある。現代型契約と倒産法111頁以下〔高井章光〕は，割賦購入・斡旋契約について，それが購入者，販売業者・役務提供事業者，信販会社間の3者間の法律関係であることを前提としながら，信販会社の立替払債務と販売業者などの購入者に対する債務の全部または一部が未履行である状況においては，破産法53条（民再49）の適用または類推適用を検討する。宇宙ビジネスにともなう人工衛星打上契約などの双方未履行双務契約性については，蓑毛良和＝岩下明弘「宇宙ビジネス事業者の倒産をめぐる諸問題」多比羅喜寿636頁参照。また，寄託契約（民657）については本書で取り上げていないが，潮見・新契約各論Ⅱ391頁参照。

　　近時の新種契約の1つとして，ポイント契約，特にその構成部分たるポイントサービス

1 売買契約および継続的給付を目的とする双務契約

売買契約においては、買主の売買代金支払義務および売主の目的物引渡し・登記移転義務などの双方について、その全部または一部が破産手続開始時に未履行であれば、買主の破産であれ売主の破産であれ、双方未履行双務契約とみなされ、破産管財人が契約の履行か解除かを選択する（破53 I）。

これに対して、売買契約の一種またはそれと類似の性質をもつ継続的給付を目的とする双務契約における給付受領者の破産については、それが双方未履行双務契約にあたるかどうか、また履行選択がなされた場合の財団債権となる代金債権の範囲などに関して、旧法の下では、判断が分かれる可能性があった。

たとえば、売主甲が、買主乙に対して原材料を3年間の約束で供給し、乙は毎月の月末にその月の供給量に対する代金を支払うことを合意したとする。ところが、供給開始から6カ月が経過した時点で、乙に対して破産手続が開始されたと想定する。まず、破産手続開始を基準時として、甲乙間の契約を双方未履行双務契約とみなすことができるかどうかが問題となる。3年間の基本契約が存在する以上、その中途で買主に対して破産手続が開始されたのであり、売主および買主の双方に将来の未履行義務が残っているから双方未履行双務契約にあたる。売買契約以外の役務提供契約などの継続的給付を目的とする双務契約についても、同様に考えられる。

そこで、給付受領者の破産管財人としては、基本契約について履行か解除か

会社と加盟店との間に締結されるポイント加盟店契約がある。ポイントサービス会社は、ポイントなる無体の電子情報を加盟店に利用させ、加盟店は、ポイントカードを提示した顧客との取引においてポイントを付与したときには、ポイント付与代金をポイントサービス会社に支払う。そして、顧客が加盟店との取引においてポイントを使用したときには、加盟店は、ポイントサービス会社に対しポイント利用代金を請求する。実際の決済は、加盟店のポイント付与代金支払義務とポイントサービス会社のポイント利用代金支払義務の相殺によって行われるが、両者の義務が相互に対価関係にある点から、契約期間中いずれかについて破産手続が開始すれば、双方未履行双務契約として扱うべきである。以上については、加々美博久「ポイント契約と倒産」多比羅喜寿471頁参照。

実質は雇用契約（本書436頁）に類似する派遣契約や業務請負契約における派遣先の破産については、双方未履行双務契約状態にあるとみなされる限り、破産法53条（民再49）が適用される（150問76頁〔南賢一〕）。

なお、一方当事者履行済みの双務契約、片務契約、あるいは双方の義務が対立するにもかかわらず双方未履行双務契約とみられない諾成契約（民587の2 I・593）について付された破産解除条項については、その効力を認めることが破産手続の目的実現と背馳しないか、解除によって保護される正当な利益が存在するかなどを基準として判断すべきである。詳細は、伊藤・前掲論文（注64）36頁、ニューホライズン444頁参照。

の選択をなすことになる。破産管財人が解除を選択すれば，開始前の給付の対価である未払代金や，解除にもとづく損害賠償請求権が破産債権とされる（破2Ⅴ・54Ⅰ）。これに対して，破産管財人が履行を選択した場合には，まず，相手方が手続開始後に給付したものの対価は，財団債権として支払われる（破148Ⅰ⑦）。

次に，手続開始前の給付の対価としての未払代金債権については，双方未履行双務契約についての一般的規律を適用すれば，次のように考えられる。一般には，各期における給付が可分であるかぎり，たとえ基本契約にもとづく債務としては一体であっても，開始前の給付の対価は，開始前の原因にもとづくものとして（破2Ⅴ），破産債権と解される。ところが，契約の相手方である給付者についてみると，破産管財人が履行の選択をなしたにもかかわらず，相手方が，過去の未払代金が存在することを理由として，新たな給付を拒むことが考えられる。平常の状態であれば，給付者は，給付受領者に対して同時履行の抗弁権，またはこれと類似の給付拒絶権を理由として給付を拒めるはずである[74]。

しかし，これを認めると，破産管財人は，給付者にその給付義務の履行を求めるために未払代金を即時全額支払わざるをえず，結局，未払代金債権を破産債権とした趣旨と矛盾する結果となる。そこで，いったん破産管財人が基本契約について履行の選択をなした以上，当該契約にもとづく相手方の請求権全体，すなわち将来の給付の対価だけではなく，開始前の給付の対価である未払代金債権も，財団債権（破148Ⅰ⑦）になるという説が成り立ちうる[75]。

現行法は，民事再生法50条や会社更生法62条にならって，旧法下の考え方の対立を以下のような形で立法的に解決した。まず，破産手続開始前の給付の対価たる代金債権について，開始申立前の給付の対価と開始申立てから開始決定までの給付の対価[76]とに区分する。前者については，それを破産債権とし（ただし，後述のとおり一部財団債権となる部分を除く），かつ，その破産債権の弁

---

[74] 継続的給付を目的とする双務契約においては，相手方による前期の給付不履行を理由として後期における自己の給付を拒絶することができる（大判明治41・4・23民録14輯477頁，三宅正男・契約法（総論）58頁（1978年），中田・契約法151頁）。

[75] その根拠については，①文言上履行選択が各期の給付と対価ではなく，契約全体とされていること，②相手方は本来，未払いを理由とする同時履行の抗弁権を有するので，手続開始前の給付の対価にかかる債権を含めて，財団債権としても衡平を害しないことなどについて，伊藤・破産法〈第3版補訂版〉232頁参照。

[76] 開始申立ての日が属する期間内の給付の対価は，後者に含まれる（破55Ⅱかっこ書）。

済がないことを理由として相手方は破産手続開始後の給付を拒絶できないとする（破55Ⅰ）[77]。後者については，それを財団債権とし（同Ⅱ），したがってその弁済がないことを理由とする手続開始後の履行拒絶を認める。

この規定は，基本契約について履行の選択がなされたときに，破産手続開始前の給付の対価が財団債権か破産債権かという考え方の対立を止揚し，破産手続開始申立時を基準として，その前の給付の対価を破産債権，それ以後の給付の対価を財団債権とし，それにともなって前者については，履行拒絶権を否定し，後者については，それを肯定するという，破産財団の負担を軽減するための折衷的解決を内容とするものである[78]。電気，ガス，水道などの供給契約，

---

[77] もっとも，法55条1項が適用されるのは，破産手続開始後であって，申立後開始前の段階では，相手方が給付を拒絶する可能性があり，電気等の事業の継続に不可欠な給付の場合には，問題となる。保全管理命令が発令された以上，破産手続開始と同様に取り扱うことも検討に値しよう。解釈論としては，保全管理人による支払いを偏頗行為否認（破162）の対象とすることも考えられるが，制度の趣旨と調和しない。

また，破産債権となる相手方の債権のうち，個人に対する電気，ガス，上水道料金などを内容とするものは，日用品の供給にあたるところから（民306④・310），一般の先取特権を理由とする優先的破産債権（破98Ⅰ）となる。220問302頁〔森拓也〕。ただし，破産手続開始申立日以降の破産者の生活にかかるこれらの料金は，その金額を自由財産から破産財団に組み入れさせるという取扱いもみられる。実践マニュアル448頁。地方税の滞納処分の例によって徴収することができる下水道の使用量の取扱いについては，220問303頁〔森拓也〕，実践マニュアル448頁参照。

[78] 基本契約として1個とみなされることが前提である（150問138頁〔野澤健〕）。また，個々の部分給付の全部が履行されなければ契約の目的を達しえない場合，たとえば，建築工事に必要な建材の供給を一定期間にわたって繰り返す契約は，継続的給付を目的とする契約にあたらない（破産法大系Ⅱ380頁〔中島弘雅＝村田典子〕）。継続的給付の概念の中には，給付の可分性または独立性が内包されているというべきである。監査契約について，各期中の個々の監査業務について可分性が認められないことを理由として，継続的給付性を否定したものとして，東京高判昭和51・12・1判時842号110頁がある。

破産者がもっぱら個人的目的のために使用する携帯電話の使用料についても，継続的役務の給付を目的とする双務契約として，開始申立て後の使用料債権が財団債権となるかという問題がある。もっぱら個人的目的のために使用されるのであれば，破産管財人が，その使用契約について履行の選択をすることもありえず，法55条2項適用の前提条件を欠き（基本構造275頁〔伊藤眞発言〕参照），破産手続開始前の使用の対価は，破産債権，開始後の使用の対価は，非破産債権となる。なお，継続的給付を目的とする契約以外については，本書の立場では，破産手続開始前の給付の対価の請求権は，財団債権となると解する。

また，東京地判令和3・1・20判タ1483号161頁は，再エネ法55条1項にもとづく指定を受けた費用負担調整機関が小売電気事業者（破産会社）に対して有する納付金債権（再エネ法31Ⅱ）の財団債権性について，同機関が納付金と対価性を有する給付義務を負うものではないなどの理由から，破産法55条2項の適用や類推適用を否定している。

警備契約，英会話など各種の教育役務提供契約，スポーツクラブ会員契約，継続的な清掃業務委託契約など，一方が反復継続して役務を提供する義務を負い，他方がそれに対する対価を支払う義務を負う契約についても，上記のことが当てはまる。また，商品の供給や役務の提供は契約の相手方に対してなされるのが通常であるが，第三者に対する供給や提供が義務づけられている場合であっても，規定の趣旨を考慮すれば，法55条の適用を排除すべき理由はない。

なお，労働契約もその法律上の性質としては，継続的給付を目的とする双方未履行双務契約に含まれるが，労働者の基本権を考慮すると，上記の規律を適用するのは適当ではないので，適用が排除される（破55Ⅲ）。

2 賃貸借契約

賃貸借契約に関しては，賃借人の破産と賃貸人の破産とが考えられる。その共通の前提となるのは，賃貸借期間の途中でいずれかの当事者について破産手続が開始されたときに，賃貸借契約を双方未履行双務契約とみなすことができるかどうかである。賃貸人側の義務としては，契約期間中賃借人に目的物を使用させる義務およびその他の付随的義務が存在し，これに対して，賃借人の義務としては，賃料支払や目的物の返還その他の義務が存在する（民601・616・597等）。したがって，賃貸借期間中にいずれかの当事者について破産手続が開始された場合，残りの期間について両当事者の上記義務が残っており，賃貸借契約は双方未履行双務契約とみなされる[79]。

(1) 賃借人の破産

賃借人の破産については，現行破産法制定前は民法旧621条が特則を設けていた。双方未履行双務契約に関する破産法の規律（破53・54，旧破59・60）と比較すると，特則の内容は，2つの特徴をもっていた。第1は，賃借人の破産管財人だけではなく，契約の相手方である賃貸人にも解約権（民617）が与えられたことである（民旧621前段）。第2は，破産法の下では，破産管財人の解

---

79) 地上権設定契約については，それを物権契約として，地上権者の対抗要件具備によって設定者の義務の履行が完了するとの前提に立てば，双方未履行双務契約に該当しない。また，使用貸借契約は，民法旧593条では要物契約とされていたものの，現行民法では諾成契約に変更された（民593）。しかし，諾成契約であっても，双務契約とみなされないために（本書394頁，中田・契約法369頁，潮見・新契約各論Ⅰ313頁），双方未履行双務契約として扱われる余地はない。解除の可能性については，伊藤・前掲論文（注64）37頁参照。

除にもとづく損害賠償債権を相手方が破産債権として行使することができるのに対して，特則においては，損害賠償債権の発生自体が否定されていたことである（同後段）。そのことを前提として，双方未履行双務契約たる賃貸借契約における賃借人の破産に関して破産法の規律ではなく，民法旧621条の特則が適用されると，特に不動産賃貸借については，不当な結果を生むと批判された。

また，立法の沿革からみても，民法旧621条は，双方未履行双務契約について破産管財人と相手方の双方に解除権を認め，かつ，損害賠償請求権の破産債権としての行使をしていた旧商法破産編の規律を前提とするもので，もはやこれを維持すべき理由はないとも批判されたところである[80]。本書では，このような批判を踏まえて，解釈論としても民法旧621条の特則の適用を排除すべきことを説いた。現行法の立法者は，このような議論を前提として，民法旧621条を削除したものである[81]。

したがって，賃借人の破産においては，それを理由とする賃貸人の解除権は認められず，双方未履行双務契約に関する一般原則にしたがって，賃借人の破産管財人が履行か解除かの選択権を行使する[82]。解除を選択した場合には，将来に向かって双方の義務が消滅し，破産手続開始前の未払賃料は破産債権となり，開始後の賃料は財団債権（破148Ⅰ⑧）となる。解除から明渡しまでの賃料相当損害金も同様である（破148Ⅰ④）。賃借人の敷金返還請求権（民622の2）は破産財団所属の財産として破産管財人の管理処分権に服し，賃貸人の損害賠償請求権は破産債権となる[83]。これに対して，履行が選択されたときは，賃料

---

80) 伊藤・破産法〈第3版補訂版〉234頁参照。
81) 一問一答80頁，基本構造277頁参照。
82) なお，賃借人について破産手続開始申立てがなされたこと，または破産手続が開始されたことを理由として賃貸人に解除権を与える旨の条項は，破産管財人の選択権を保障する意味でも，また民法旧621条が削除されたことを考えても，無効である。東京地判平成21・1・16金法1892号55頁，破産法大系Ⅱ329頁〔堂薗幹一郎〕，潮見・新契約各論Ⅰ426頁参照。ただし，破産手続開始前に賃貸人が解除権行使の要件を備えている場合には，開始後でもその行使は可能である（本書397頁参照）。また，破産法大系Ⅱ328頁〔堂薗幹一郎〕は，危機時期において催告が無意味である状況においては，その他の要件を具備している限り，解除権の行使が認められるべきことを示唆する。
83) 賃料相当損害金と法定利率による遅延損害金の財団債権性について，東京高判平成21・6・25判タ1391号358頁参照。なお，同裁判例でも述べられているが，賃貸借契約には，契約解除から明け渡しまでの間に賃借人に賃料相当額の倍額を支払うよう定める条項が盛り込まれることが多いものの，賃貸人破産の場合において，財団債権として認められる部分は，あくまで賃料相当額にとどまると解される。破産管財の手引〈第2版〉198

債権は過去の未納分があればそれも含めて[84]，財団債権（破 148 I ⑦）となる。

頁。

　解除にもとづいて賃貸借契約が終了すると，賃借人は，目的物について原状回復義務を負うが（民 621。具体的内容について 220 問 145 頁〔志甫治宣〕，147 頁〔小林信明〕参照），賃貸人の原状回復請求権および，破産管財人がこれを履行せず，賃貸人が自ら原状回復を行った場合の費用請求権が財団債権になるかどうかという問題があるが（新版破産法 212 頁〔富永浩明〕，220 問 147 頁〔小林信明〕，304 頁〔野城大介〕），破産管財人の行為に起因する債務である以上，破産債権者が共同で負担することを受忍しなければならないから，財団債権（破 148 I ④または⑧）になると解すべきである（東京地判平成 20・8・18 判時 2024 号 37 頁，水元・前掲論文（注 56）ソリューション 27 頁）。

　これに対して，岡伸浩「賃借人破産における原状回復請求権の法的性質」筑波ロー・ジャーナル 7 号 79 頁（2010 年）（岡・理論研究 30 頁）は，原状回復請求権の発生原因たる原状変更行為が手続開始前のものであれば，破産債権とすべきであるとし（運用と書式 128 頁，赫・前掲論文（注 63）577 頁，注釈破産法（下）34 頁，綾克己「賃貸借契約と倒産」倒産法の実践 406 頁，債権調査・配当 269 頁〔高井章光〕，三上 261 頁も同様の考え方をとっている），三森仁「原状回復請求権の法的性質に関する考察」ソリューション 11 頁は，主たる発生原因を賃貸借契約とする立場から，同様の結論をとる。

　しかし，賃貸人の取戻権または財団債権となる目的物の返還請求権と賃借人の原状回復義務との関係が問題である。同書 15 頁参照。財産換価 683 頁〔杉山悦子〕は，原状回復請求権が取戻権たる賃貸人の明渡請求権に包含されることを理由として，財団債権説をとる。実務上の処理としては，敷金や保証金との精算など，和解的処理によることになろう。破産管財の手引〈第 2 版〉193 頁，申立マニュアル 119 頁，実践マニュアル 224 頁，債権調査・配当 404 頁〔住友隆行＝佐々木千代美〕。

　また，解除に際して，賃貸借契約中の解約予告期間条項，敷金等放棄条項や違約金条項が破産管財人を拘束するかどうかについても議論があるが（石原康人「賃貸借契約における違約金条項の有効性等」NBL 893 号 4 頁（2008 年），新版破産法 220 頁〔富永浩明〕，石田憲一＝松山ゆかり「企業倒産（破産・民事再生）をめぐる諸問題──司法研修所における特別研究会の概要」NBL 939 号 25 頁（2010 年），森倫洋「民事再生手続における各種契約条項の拘束力の有無」民事再生の実務と理論 77 頁，多様化する事業再生 277 頁以下〔神原千郷〕），実体法上有効と認められ，違約金額が高額に過ぎ，破産管財人の選択権を不当に拘束すると認められる場合を除いて（本書 390 頁），法 53 条 1 項にしたがって解除権を行使する破産管財人もその負担を受忍せざるをえず，これに拘束されると解すべきである（綾・前掲論文 403 頁）。名古屋高判平成 12・4・27 判時 1748 号 134 頁は，民法旧 621 条にもとづく解除について違約金特約の効力を認め，前掲東京地判平成 20・8・18 もその有効性を認め，大阪地判平成 21・1・29 判時 2037 号 74 頁〔民事再生〕〔倒産百選 78 ①事件〕は，賃料の倍額を定める違約金条項の効力を肯定している。また，東京高判平成 24・12・13 判タ 1392 号 353 頁〔民事再生〕は，民事再生法 49 条 1 項（破 53 I 相当）にもとづく賃借人の賃貸借契約の解除について，賃貸人が契約に従って賃借人に返還すべき保証金から違約金の控除を認め，他方，解除の効力発生時期に関する特約の効力を否定している。

　このような特約は，法 49 条 1 項の趣旨そのものに抵触するのであるから，妥当な判断といえる。これに対して，前掲東京地判平成 21・1・16（注 82）は，破産管財人による解除に対する違約金条項の拘束力を否定し，220 問 305 頁〔野城大介〕，運用と書式 129 頁もこれを支持する。解除の特質を重視したものであろう。

したがって，賃借人の破産管財人としては，破産財団所属の財産である賃借権の価値を金銭化するために，契約を解除して敷金返還請求権を破産財団に組み入れるか，それとも，賃借権が譲渡可能なものであれば（民612Ⅰ，借地借家19Ⅰ），契約の履行を選択した上で，第三者に譲渡するなどの形でそれを換価することもできる。いずれを選択すべきかは，破産債権者の利益を実現する職務を負う破産管財人の判断に委ねられる。しかし，漫然と賃貸借関係を継続し，破産者に目的物を使用させることは，破産管財人としての義務違背になる（破85Ⅱ参照）。もちろん，破産者が現に居住している建物の賃借権などの場合に，それを破産者のために放棄することは可能であるが，それは，敷金に相当する金額を破産者が自由財産から破産財団に提供するか，または敷金の額などからみて，敷金返還請求権が自由財産とされる場合に限られる（破34Ⅳ参照）。

なお，永小作人や地上権者が破産手続開始決定を受けた場合に，土地所有者がこれらの権利の消滅を請求することができるとする民法の規定（民旧276・旧266Ⅰ）は，賃借人の破産を理由とする賃貸人側からの契約解除を定める民法旧621条と同様の実質を持つものであるので，同条の削除にともなって改正がなされた[85]。

　それを前提としたときに，違約金請求権の破産手続上の地位および敷金や建設協力金との精算（相殺または弁済充当）を認めるかどうかが問題となる。本書〈第3版〉では，これを財団債権としたが，違約金が損害賠償額の予定と推定されること（民420Ⅲ），破産管財人による解除にともなう相手方の損害賠償請求権が破産債権とされること（破54Ⅰ）を根拠として，破産債権とする考え方に説を改める。
　加えて，違約金請求権のうち実際に発生した損害を超える部分は劣後的破産債権とし，かつ，それが経済的実質に裏付けられていないことから，他の破産債権者との公平を重視し，破産手続上では敷金などとの精算（相殺または充当）による優先的回収を認めないとの考え方をとる。詳細は，伊藤眞「双方未履行双務契約において破産管財人が破産法53条に基づいて解除した場合の中途解約違約金条項の有効性と中途解約違約金請求権の破産債権該当性」債権調査・配当571頁参照。

84)　継続的給付を目的とする双務契約についての特則である法55条は適用されない。法55条は，一定期間にわたって反復継続される可分的給付を前提としているからである（注釈破産法（上）377頁）。ただし，通説は，開始前の未払賃料を破産債権とする。条解破産法〈第3版〉455頁，大コンメンタール234頁〔三木浩一〕，220問304頁〔野城大介〕，破産法大系Ⅱ327頁〔堂薗幹一郎〕，注釈破産法（上）385頁。赫・前掲論文（注63）579頁も，賃貸人に同時履行の抗弁権が認められないとの理由から，破産債権説をとる。
85)　平成16年法律76号。具体的には，民法旧276条から「又ハ破産ノ宣告ヲ受ケ」との文言が削除され，現在に至っている。土地所有者の利益保護については，一問一答82頁参照。

(2) 賃貸人の破産

賃貸人の破産について法53条の規律が適用されるとすると，賃貸人の破産管財人が，その選択にしたがって，契約を履行または解除できる。ところが，これを認めると，賃借人は，賃貸人の破産という自己に関係のない事由によって賃借権という財産権を失うことになる。

ア 対抗力を備えた賃借権の保護

そこで，旧法下では，賃貸人破産について法53条（旧破59条）の適用を全面的に排除して，破産管財人に解除権が認められないとするとか，対抗力を備えた不動産賃貸借に関しては，同条の適用が排除されるなどの議論がなされていた[86]。現行法は，後者の考え方を立法化し，賃借権その他の使用および収益を目的とする権利について登記，登録その他の第三者対抗要件を備えている場合（民605・605の2Ⅰなど）には，法53条1項および2項の適用が排除され，破産管財人の履行か解除かの選択権を否定している（破56Ⅰ）。破産管財人に与えられる選択権は，契約の相手方に解除による不利益を受忍させても，破産財団の維持・増殖を図るためのものであるが，相手方がすでに財産権として確定的に保持している利益を解除によって失わせることは公平に反するというのが，立法の趣旨である[87]。

---

[86] 伊藤・破産法〈第3版補訂版〉237頁，条解破産法〈第3版〉450頁参照。中田裕康「法律行為」新会社更生法の基本構造210頁は，その趣旨について，対抗力の有無は，破産管財人の解除権を制約することと理論的には直結しないが，保護されるべき必要のある契約の範囲を画定する基準として有用であるので，法は，これを権利保護要件としての用いていると説く。

[87] したがって，相手方がその権利について対抗要件を備えている場合をすべて保護しようというものではない。たとえば，不動産売買契約の買主が売主から引渡しを受ける前に登記の移転を受け，その段階で売主に破産手続が開始された場合においては，買主の所有権は対抗要件を備え，第三者に対抗できるものとなっているが，売買契約は，法56条1項にいう「使用及び収益を目的とする権利を設定する契約」にあたらないために，破産管財人の選択権は制限されない。一問一答85頁，基本構造280頁，条解破産法〈第3版〉451頁，注釈破産法（上）381頁参照。

なお，対抗力を備えた賃借権に優先する抵当権などが存在する場合であっても，それによって法56条1項の適用が左右されることはない。ただし，抵当権が実行されて，賃借権が消滅したときに，財団債権たる使用収益を求める権利について債務不履行が発生したとして，賃借人が損害賠償を求められるか，それが財団債権となるかなどの問題がある。基本構造284頁，注釈破産法（上）383頁。

また，登記が，破産手続開始後に善意で取得されたときも，法56条1項が適用されるかどうかという問題があるが，法56条の趣旨を重視すれば，これを肯定すべきである。

なお，破産管財人が破産手続開始の事実を借地借家法などの正当事由にあたるものとして主張して，賃貸借契約を解除できるかという別の問題がある。しかし，これを認めると，法53条にもとづく解除権を否定した意味が失われてしまうし，実質的にみても，賃貸人に対する破産手続開始が賃貸借契約を終了させるべき理由とはみられないから，解除権を否定するのが妥当である[88]。

賃貸借契約が存続する場合に，賃借人の有する請求権は，財団債権とされる（破56Ⅱ）。履行が選択された場合（破148Ⅰ⑦）と同様に取り扱う趣旨である[89]。これに対して，賃貸人の賃料債権は破産財団所属の財産となる。その結果，賃借人は，賃料を破産管財人に対して支払うが，破産手続開始前に賃借人が賃料を破産者に対して前払いしていた場合，および破産者が開始後の賃料債権をあらかじめ第三者に譲渡して，対抗要件を備えていた場合に，それらの処分が破産管財人に対して対抗できるかどうかが問題となる。

旧法63条は，借賃の前払いおよび賃料債権の処分は，破産手続開始を基準とする当期および次期のもの以外には，破産債権者に対抗できないこと（旧破63Ⅰ），それによる損害の賠償について賃借人は破産債権を行使しうること（同Ⅱ）を定めていた[90]。しかし，前払いや賃料債権の譲渡は，いずれも破産手続開始前の破産者の行為にかかるものであり，否認の可能性を別とすれば，破産債権者に対する効力を当然に制限する理由に乏しいなどの理由から[91]，現行法

基本構造285頁，破産法大系Ⅱ311頁〔堂薗幹一郎〕，注釈破産法（上）382頁。担保権消滅許可（破186以下。本書729頁）によって先順位の担保権が消滅したときには，賃借権が当然に消滅することはないが（本書745頁），要保護性が弱まるとすれば，法56条1項の適用の対象とせず，破産管財人の解除権を認めるとの議論もありえよう。民事再生法51条および会社更生法63条についても同様である。破産法大系Ⅱ314頁〔堂薗幹一郎〕参照。

88) 東京高判昭和31・7・18下民7巻7号1947頁，大阪地判昭和53・3・17金商555号23頁。注釈破産法（上）384頁。
89) 財団債権となる権利は，使用収益を求める権利や修繕請求権などであるが（220問308頁〔桐山昌己〕），敷金返還請求権（民622の2）は，賃貸借契約にもとづく権利とはみなされないので，財団債権とならない。基本構造287頁。
90) その意義については，伊藤・破産法〈第3版補訂版〉238頁参照。
91) 民法においては，賃料の前払いが譲受人に対する対抗力を認められ，民事執行法においては，賃料債権の差押えが譲受人に対する対抗力を認められ，また将来債権の譲渡一般の効力が認められていること，旧法63条の規定が証券化取引の障害となっていることも，同条を削除する理由として挙げられる。一問一答89頁，基本構造295頁参照。ただし，賃料収入が期待できない物件は，破産管財人が財団から放棄せざるをえない結果となり，そのことが証券化にも影響を与えるという指摘がある。基本構造296頁。

は，この規律を廃止している[92]。

このような改正がなされた結果，破産管財人は，破産財団所属の財産たる目的物について，使用の対価たる賃料を受領することができないままに管理を続けなければならない結果となる。破産管財人としては，賃料債権の譲渡などの有効性やこれに対する否認（破160 I・161・162）や賃料の前払いに対する否認の成立可能性を検討した上で，目的物の管理を続けることが破産債権者にとって利益をもたらさないと判断されるときは，目的物を譲渡するか，財団から放棄するかの検討をせざるをえない[93]。

　イ　賃料債権を受働債権とする相殺

破産債権者が破産債権を自働債権とし，賃料債権を受働債権として行う相殺[94]についても，旧法103条は，前払いおよび賃料債権譲渡の制限（旧破63）と同様の趣旨から，相殺の受働債権の範囲を当期および次期の賃料に限っていた（旧破103 I 前段）。もっとも，敷金が差し入れられているときには，それに

---

[92]　民事再生法および会社更生法についても，現行破産法の制定にともなって同様の改正がなされた。すなわち，民事再生法51条（平成16年改正前）および会社更生法63条（平成16年改正前）は，旧破産法63条をそれぞれの手続に準用していたが，旧63条の削除にともない，準用規定も改められた。これらの改正の理由と経緯については，条解破産法〈第3版〉455頁，中田・前掲論文（注86）211頁参照。なお，詐害行為否認および偏頗行為否認の可能性については，破産法大系II 316頁〔堂薗幹一郎〕参照。

[93]　破産管財の手引〈第2版〉200頁。譲渡をした場合の敷金の承継などの問題については，新版破産法192頁〔小林信明〕，実践マニュアル234頁参照。現行民法は，605条の2第4項の規定を設けている。

　なお，破産管財人が目的物を破産財団から放棄すると，破産者の管理処分権が復活するため，将来の賃料収入が破産者に帰属する結果となるが，それが破産債権者の利益を害することがないかどうかを検討する必要がある。破産管財の手引〈第2版〉201頁。

[94]　自働債権となる破産債権としては，建設協力金返還請求権が代表的なものである。松下・入門123頁。なお，以下の叙述は，敷金返還請求権と未払賃料等の関係についての当然充当の法理を前提として，両者の間の相殺がありえないことを前提としている。八田卓也「倒産実体法の規律に関する理論的考察——特に，賃貸人倒産の場合の賃借人の賃料債務と敷金の扱いを中心に」ジュリ1349号56頁（2008年）参照。

　また，賃貸目的物たる建物が破産管財人によって第三者に譲渡されたときにも，建設協力金返還請求権を自働債権とし，破産手続開始後の賃料債権を受働債権として第三者に対する相殺が許されるかという問題があり，仙台高判平成25・2・13金商1428号48頁〔特別清算〕は，あらかじめ相殺契約が締結されている事案について，相殺契約が賃貸借と密接不可分の関係にあることなどを理由として，相殺を認めているが，最判昭和51・3・4民集30巻2号25頁において，新所有者が当然には建設協力金返還債務を承継しないと判示されていることとの関係で，疑問がある。なお，敷金返還請求権を自働債権とする相殺に備えて行う寄託請求（破70）については，本書523頁。

よって破産財団が受益しているとの理由から、敷金の限度までは相殺が許されるとしていた（同後段）。しかし、この規定に対しては、破産債権者による相殺権の行使が一般に許容されているにもかかわらず（現破67 I、旧破98）、賃料債権を受働債権とする相殺についてのみこれを制限する合理性を見いだしがたいこと、また、敷金の限度まで相殺を許すことの理由も十分な合理性を持つものではないとの批判もあり[95]、現行法の立法者は、旧法63条の廃止にあわせて、旧法103条をも廃止することとした[96]。

　ウ　転貸借契約の取扱い

　アに述べたことは、賃貸借契約の一種である転貸借契約にも当てはまるから、たとえば、居住用建物の所有者甲（賃貸人）が当該建物を乙（賃借人・転貸人）

---

95) 伊藤・破産法〈第3版補訂版〉320頁参照。
96) 一問一答90頁、基本構造295頁参照。賃借人が破産手続開始前に自ら目的物の修繕を行った場合の破産債権たる修繕費用償還請求権を自働債権とし、賃料債権を受働債権とする相殺についても、同様である。220問309頁〔桐山昌己〕。

　これに対して、民事再生および会社更生においては、賃料債権を受働債権とする相殺に対する制限が維持されている（民再92 II～IV、会更48 II～IV。伊藤・会更法・特清法300頁参照）。民事再生についていえば、再生債権者は、手続開始後に弁済期が到来すべき賃料債務の6ヵ月分についてのみ相殺が認められ（民再92 II）、相殺権を行使しないで賃料債務を弁済した場合には、6ヵ月分の限度で弁済額に対応する敷金返還請求権が共益債権になり（同III）、地代または小作料債務についても、同様の取扱いがなされる（同IV）。

　清算を目的とする破産手続においては、破産債権者の相殺期待を優先させているのに対して、事業の再生を目的とする民事再生および会社更生においては、賃料という現金収入の確保を重視して、相殺権の範囲を制限し、また相殺権行使が許される6ヵ月分についても、債権者が相殺権を行使せずに賃料を支払うことと引き換えに、敷金返還請求権を共益債権とする保護を与える趣旨である。基本構造299頁。

　さらに、破産手続において賃貸物件が第三者に譲渡されたときに、敷金返還義務が譲受人に承継されるかという問題もあり、破産債権者間の平等の視点からこれに疑問を呈する有力説もある。山本和彦「倒産手続における敷金の取扱い（1）」NBL 831号18頁（2006年）、全国倒産処理弁護士ネットワーク第4回全国大会シンポジウム報告「新法下における破産・再生手続の実務上の諸問題」事業再生と債権管理111号23頁（2006年）〔山本和彦発言〕。

　しかし、賃貸人の地位の承継にともなって敷金返還債務も承継されるという判例法理（最判昭和44・7・17民集23巻8号1610頁）を前提とすれば、賃借人は、敷金返還債務の承継について保護すべき期待を有していると考えられるから、承継を認めるべきである（旧破産法下で、承継を認めた上で、賃料債権との相殺を許したものとして東京高判平成6・12・26判タ883号281頁がある）。詳細については、伊藤眞「民事再生手続における敷金返還請求権の取扱い」青山古稀627頁、220問310頁〔中嶋勝規〕、破産法大系II 324頁〔堂薗幹一郎〕、注釈破産法（上）388頁参照。民法605条の2第4項に照らしても、このような解釈がとられるべきである。

に賃貸し，乙は，さらにそれを丙（転借人）に転貸し，丙は，すでに当該建物の引渡しを受けて，居住しているとする。このような状況の中で，賃借人乙について破産手続が開始されたとき，転貸借契約も，「賃借権その他の使用及び収益を目的とする権利を設定する契約」にあたり，しかも，転借人丙がその転借権について対抗要件を備えている以上，賃借人（転貸人）乙の破産管財人は，転貸借契約を解約することはできない（破56 I）。

これに対して，賃貸借契約の賃借人たる乙の破産管財人としては，賃貸借契約を解除することは妨げられない（破53 I）。その結果として，賃貸借契約が解除され，転貸借契約が存続する事態が発生しうるが，破産法56条1項が，賃貸人の破産という偶然の事情によって賃借権が失われることを防ごうとする趣旨のものであることを重視すれば，この場合には，債務不履行にもとづく解除に関する判例法理[97]を適用せず，賃借人（転貸人）乙の破産管財人による賃貸借契約の解除によっては，転借人丙の地位は影響を受けず，以後は，賃貸人甲と転借人丙との間の賃貸借契約に切り替わると考えるべきであろう[98]。

---

[97] 賃貸借契約の合意解除は，特段の事由がある場合を除いて，転借人に対抗できないとする判例法理（最判昭和62・3・24判時1258号61頁など）と賃借人（転貸人）の債務不履行にもとづく解除の場合には，それによって転借権も消滅するという判例法理（最判平成9・2・25民集51巻2号398頁）がある。この法理は，現行民法613条3項として明文化されているが（潮見・概要304頁，中田・契約法432頁，潮見・新契約各論 I 479頁，改正債権法コンメ843頁），賃借人の破産管財人が賃貸借契約を解除しても，解除の効果は，転借人の地位を失わせるものではないと解すべきである。

[98] 注釈破産法（上）388頁。これに対して，220問314頁〔大島義孝〕，齋藤理＝松本岳人「マスターレッシーの倒産に関する諸問題（上）――マスターリース契約およびテナント契約の取扱い」金融財政事情2954号34頁（2011年）では，賃借人（転貸人）の破産管財人による賃貸借契約の解除によって，転借人の占有権原が失われるとする。破産管財人による解除は，その性質としては，合意解除または賃貸人による債務不履行解除の何れとも異なるものであるが，法56条1項の趣旨を重視して，本文の見解をとる。もちろん，破産手続開始前に賃借人の債務不履行があり，弁済禁止保全処分の効力を踏まえても，なお賃貸人が賃貸借契約を解除でき，かつ，解除権を行使したときには（本書158頁参照），民法613条3項但書により，転借人は，自己の権利を賃貸人に対抗できない。

実務では，賃借人（転貸人）の破産管財人が条件を整えた上で，賃貸人と転借人との賃貸借契約に切り替えることが望ましい。実践マニュアル235頁，破産法大系Ⅲ321頁〔林康司〕，平岩みゆきほか「破産事件における管理・換価困難案件の処理をめぐる諸問題」事業再生と債権管理151号37頁（2016年）参照。

なお，以上のことは，民法605条の2第2項前段にもとづく合意（地位留保合意）がなされ，その後に譲渡人（賃借人・転貸人）の破産管財人の解除によって賃貸借契約が終了した場合（民605の2第2項後段参照）にも妥当する。同条第2項の趣旨については，池袋真実「賃貸人の地位の留保に関する一考察」NBL 1177号22頁（2020年）参照。

そして，賃借人（転貸人）乙の破産管財人による賃貸借契約解除後は，賃貸人甲と転借人丙との間の賃貸借関係が存続するとすれば，転借人丙が賃借人（転貸人）乙に差し入れた敷金の帰趨，具体的にいえば，賃貸人甲がその返還義務を引き継ぐかどうかが問題となる。賃貸不動産の譲渡にともなって，譲受人と賃借人との間に賃貸借関係が承継され，それに付随して敷金返還義務も譲受人が引き継ぐという判例法理[99]や民法605条の2第4項をこの場合に当てはめれば，賃貸人甲が敷金返還義務を承継するとの結論も考えられる。

しかし，賃借人（転貸人）乙との関係では，破産債権にとどまる転借人丙の敷金返還請求権について，賃貸人甲による承継に起因して全額の満足を受ける可能性が生じるのは不当であるとか，賃貸人甲としては，自らの意思によらずに転借人丙との賃貸借関係を設定されたにもかかわらず，敷金返還義務までの引き受けさせられるのは不合理であるなどの批判も考えられ，折衷的な立場としては，賃借人（転貸人）乙が，転借人丙から受領した敷金を賃貸人甲に交付している場合に限って，敷金返還義務の承継を認めるなどの考え方もありえよう。

3　ライセンス契約

賃貸借契約は，一定期間を区切って賃貸人が目的物の使用権原を賃借人に設定し，賃借人が使用の対価を賃貸人に支払う点に特徴をもつが，これに類似する契約類型としてライセンス契約がある。ライセンス契約は，ライセンサーの特許権などが目的物となるが，ライセンサー（特許権者）がライセンシーに対して目的物たる権利や法律上の利益を使用する権利を設定し，相手方がそれの対価としてロイヤリティを支払うことを基本的内容とする継続的契約である[100]。

したがって，契約期間中にいずれかの当事者について破産手続が開始されれば，契約は双方未履行双務契約とみなされ，法53条以下の規定にしたがって整理される[101]。目的物使用権の設定を受けたライセンシーの破産の場合には，

---

99)　最判昭和39・6・19民集18巻5号795頁。
100)　もっとも，ロイヤリティの支払方法としては，ライセンス製品の製造や販売に対応する最低保証ロイヤリティと，販売量に応じた追加ロイヤリティが定められることもあり，解除の効果などに関する問題が考えられる。ライセンス契約の意義および種類については，破産法大系II 331頁〔金子宏直〕参照。
101)　フランチャイズ契約に関しては，福永・前掲書（注73）123頁以下，ライセンス契約

賃借人の破産について述べたのと同様のことが当てはまる。すなわち，ライセンシーの破産管財人は，その選択にしたがって契約の履行か解除かを決定する。もっとも，ライセンシーの地位は，譲渡可能性がないのが通常であるので，履行が選択されるのは，営業継続など例外的場合に限られる。これに対して，ライセンサーの側は，契約中にライセンシーについて破産手続開始申立てなどを理由とする解除特約が設けられているときであっても，すでに述べた理由から，解除権は否定される。したがって，ライセンサーは，破産手続開始前にすでに解除権を取得していることを理由とするか，または破産手続開始後の債務不履行などを理由とする場合以外には，解除権の行使は許されない。

これに対して，ライセンサーの破産については，ライセンス契約が「使用及び収益を目的とする権利を設定する契約」（破56Ⅰ）とみなされるので，賃貸人の破産について述べたのと同様の取扱いがなされる。すなわち，ライセンシーとしては，目的物たる商標権や特許権を利用して，多額の初期投資を行い，自己の事業を展開しているにもかかわらず，自己に何ら責任のないライセンサーなどの破産によって契約の解除がなされれば，多大の損害をこうむらざるをえない。したがって，ライセンシーの通常実施権などの権利は，それが第三者に対抗できるものであれば，ライセンサーの破産管財人による解除権行使は認められない（同条同項）[102]。

に関しては，金子宏直「技術ライセンス契約の倒産手続における処理（1）（2・完）」民商106巻1号83頁，106巻2号66頁（1992年），田淵智久「『ライセンス契約』におけるライセンサー倒産に対する対処（上）（下）」NBL 540号6頁，542号39頁（1994年），また全体については，徳田和幸「新種契約の倒産法への取込み――ライセンス・フランチャイズ契約，デリバティブ等」ジュリ1111号112頁（1997年），フランチャイジーの地位の譲渡に関して，現代型契約と倒産法255頁〔服部明人ほか〕参照。

なお，ライセンサーの承諾をえないかぎり，ライセンシーの地位に譲渡可能性がないことは，法の規定によるが（特許77・94Ⅰ，著作63Ⅲ，商標30Ⅲ・31Ⅲ参照），特約があれば，別に考えることもできよう。議論の内容については，向山純子「ライセンシー倒産時における知的財産権ライセンス契約の譲渡についての検討」国際商事法務45巻4号538頁（2017年）参照。

102) もっとも，通常実施権について登録がなされることは少なく，実際には，ライセンシーの保護として機能しえないとの批判があった。中田裕康「法律行為に関する倒産手続の効力」ジュリ1273号57，59頁（2004年），一問一答87頁，概説230頁参照。立法論に関しては，基本構造304頁参照。産業活力再生特別措置法（平成11年法律131号）の平成19年改正によって，特定通常実施権登録という，通常実施権の対抗要件に関する特例が設けられたこと（同58以下）は，これに関するものである（後述の当然対抗制度の導入にともない廃止された）。波田野晴朗＝石川仙太郎「産業活力再生特別措置法等の一部

4 ファイナンス・リース契約

ファイナンス・リース（以下，単にリースと呼ぶ）とは，1960年代以後わが国に導入された，比較的新しい取引形態であり，目的物件をその事業活動のために使用しようとする者（ユーザー）が，リース会社に対してリースの申込みをなし，リース会社は，目的物の所有者（サプライヤー）から目的物を買い受けて，これをユーザーに使用させ，その対価としてリース料の支払を受けて，サプライヤーからの買受資金を回収した上で，一定の利潤を上げようとするものである。

法律構成としては，目的物の所有者たるリース会社が，それをユーザーに使用させ，リース料の支払を受けることに着目すれば，賃貸借契約に類似する。しかし，経済的実質としては，リース会社の所有権はユーザーに使用権原を与え，かつ，リース料の支払を確保するための手段にすぎず，目的物がもつ使用価値はユーザーによって使い尽くされることが通常である。したがって，経済的にみれば，リース会社がユーザーに対してサプライヤーからの買受資金を融資し，それをリース料の支払の形で回収し，その担保のために目的物の所有権

を改正する法律における特定通常実施権登録制度について――ライセンシーの事業活動を保護する新たな登録制度の概要」NBL 860号18頁（2007年）参照。

平成20年の特許法等の改正においても，仮専用実施権や仮通常実施権の登録など，関連する法改正がなされている。福田知子＝西田英範「特許法等の一部を改正する法律について――ライセンスの登録制度見直しを中心として」NBL 884号36頁（2008年）参照。なお，商標に関してライセンス契約と類似の性質を持つフランチャイズ契約についても，同様の問題が残されている。破産法大系Ⅱ349頁〔金子宏直〕参照。

さらに平成23年の特許法改正においては，通常実施権について当然対抗制度が設けられた（特許99）。神田雄「当然対抗制度における実務上の留意点」NBL 969号37頁（2012年）参照。その趣旨を考慮すれば，フランチャイジーが商標権の取得について登録（商標35，特許98Ⅰ）を行っていないときでも，フランチャイザーの破産管財人の解除権を否定するとの議論もありえよう（現代型契約と倒産法6頁〔伊藤眞〕）。

また，コンピュータプログラムの利用許諾契約が存続する場合，ライセンシーがもつ，プログラムのバージョン・アップを求める権利は財団債権となるが，ライセンサーの破産管財人の対応については，基本構造305頁〔山本和彦，伊藤眞，田原睦夫発言〕参照。

これに対し，ライセンス契約の中核的部分は，時間的，空間的範囲を特定してライセンシーに特許権などの利用を認める合意であり，それに付随してライセンサーの原材料供給，情報等の提供義務などを課する合意の部分には，法56条1項は適用されず，法53条1項による解除の対象となりうる（部分解除）との考え方がある（現代型契約と倒産法308頁〔樋口収ほか〕）。賃貸借契約などと比較すると，法56条の適用の結果として，ライセンサーの破産管財人に過大な負担を生じるおそれは否定できず，付随的部分については，このような議論を背景として，交渉による合理的解決を図ることが望まれる。

を自らに留保するのと異ならない[103]）。法律構成と経済的実質との間にこのような食違いが存在することが，リース契約と双方未履行双務契約概念との関係について議論を生じる原因である。

　リースと破産とのかかわりとしては，契約当事者たるユーザーとリース会社のそれぞれの破産が考えられるが，双方未履行双務契約との関係では，主としてユーザーの破産が問題となる[104]）。すなわち，リース期間中におけるユーザーの破産において，リース契約が双方未履行双務契約にあたるとする説は，リース会社については，残リース期間中ユーザーに目的物を使用させる義務が未履行義務としてあり，他方，ユーザーについては，残リース料支払義務があるとする。これに対して，否定説は，いったん目的物がユーザーに引き渡された後には，リース会社の義務は残っておらず，ユーザーのリース料支払義務のみが存在するから，双方未履行双務契約にあたらないとし，むしろリース会社は，そのリース料債権の担保のために目的物の所有権を留保している所有権留保売主か，またはユーザーの使用権上に担保を設定している担保権者として，別除権者の地位を破産手続上与えられるべきであると主張する[105]）。

103） 自動車など，汎用性のある目的物を中心として，リース期間終了後目的物がリース会社に返還され，さらにこれが再リースされる，オペレーティング・リースと呼ばれる取引形態もあるが，動産賃貸借と区別する意義に乏しいので，ここでは，ファイナンス・リースのみを扱う（ニューホライズン231頁参照）。リースの仕組みについては，加藤一郎＝椿寿夫編・リース取引法講座（上）2頁以下（1986年），手塚宣夫・リースの実務と法的諸問題6頁以下（1994年），中田・契約法386頁，潮見・新契約各論Ⅰ277頁など参照。なお，ファイナンス・リースにおけるリース料は，物件の購入価額に金利・保険料などを加えたものから見積残存価額を控除し，それをリース期間に配分する方式によって算定する。
　　もっとも，ファイナンス・リースとオペレーティング・リースとを常に一義的に区別するのは容易でないが（金井暁「航空機リース契約の取扱い」事業再生と債権管理156号26頁（2017年）参照），各期の目的物の使用とリース料との間に対価関係があるかどうかにもとづいて決する以外にない。

104） リース会社の破産については，リース料債権譲渡の対抗要件具備行為否認が実務上の問題点である（今中利昭ほか「ノンバンクの破綻処理と債権管理上の諸問題」金法1462号59，64頁（1996年）参照）。

105） 議論は，主として民事再生法49条や会社更生法61条をめぐるものであるが，双方未履行双務契約性肯定説として，庄政志・リースの実務知識〈全訂版〉152頁（1982年），松田安正・リースの理論と実務〈改訂版〉250頁（2001年），伊藤・研究437頁以下，塩崎勤「リース取引と倒産」加藤＝椿編・前掲書（注103）208頁，菅野孝久「リース料債権と倒産」加藤＝椿編・前掲書（注103）（下）176頁（1987年），注解破産法（上）293頁〔斎藤秀夫〕，南賢一「ユーザーの民事再生手続におけるリース契約の処遇に関する諸問題」民事再生の実務と理論157頁などがある。

両説の結論の違いは，以下のような点にある。まず，肯定説では，ユーザー

  ただし，その理由付けに関しては，賃貸借と同視できるとするもの，賃貸借ではないが双務契約にあたるとするもの，双務契約にあたるかどうか疑問があるが，リース会社の権利を担保権と構成するのが公平に反するというものなど，様々である。東畠敏明「民事実体法と倒産実体法の関係」銀行法務21 873号29頁（2021年）は，所有権移転や担保権設定という物権行為が契約当事者の意思に含まれないという視点から，担保権構成に反対する。
  また，否定説としては，福永有利「ファイナンス・リース契約と倒産法」判タ507号4, 15頁（1983年），藤田耕三「東京地方裁判所における会社更生事件の現状と問題点」民訴雑誌30号66, 84頁（1984年），注解会更法363頁〔宗田親彦〕，山本和彦「各種のリース契約」実務と理論239頁，手塚・前掲書（注103）144頁などがある。霜島399頁は，リース会社からの催告（破53Ⅱ）の可能性を認めつつ，残リース料の総額を更生担保権として届け出るとする。
  しかし，否定説の場合にも，リース会社の担保権を所有権留保売主と同様とするもの，ユーザーの使用権の上に設定された権利質であるとするものなど，理論構成は統一されていない。下級審の裁判例は従前から否定説をとり（東京地判昭和63・6・28判時1310号143頁〔新倒産百選81事件〕など），前掲最判平成7・4・14（注64）〔倒産百選75事件〕は，リース会社が投下資本全額をリース料によって回収することを予定する，いわゆるフルペイアウト方式のリースにおいては，リース料債権と牽連関係に立つリース会社の義務は存在しないとの理由にもとづいて，否定説を採用することを明らかにした。前掲最判平成20・12・16（注72）〔民事再生〕〔倒産百選77事件〕も，リース会社の権利を担保権とする前提に立っている。なお，リース会社の担保権の構成に関する近時の裁判例では，権利質説が有力である（大阪地決平成13・7・19判時1762号148頁〔倒産百選62事件〕，東京地判平成15・12・22判タ1141号279頁，東京地判平成16・6・10判タ1185号315頁，新版破産法234頁〔巻之内茂〕），ニューホライズン218頁，三上311頁，中島弘雅「ファイナンス・リース契約と再生手続開始申立解除特約」石川明＝三木浩一編・民事手続法の現代的機能441頁（2014年））。
  これに対して，リース契約とされていても，リース料全額の支払義務がリース契約時に発生しているとみられない場合には，なお双方未履行双務契約性を肯定する余地がある（東京地判平成21・9・29判タ1319号159頁）。また，ノンフルペイアウト，すなわちリース期間終了時に目的物の価値が残存するような契約内容の場合であっても，各期のリース料支払いと目的物使用との間に牽連関係が認められないときには，ファイナンス・リースとしての本質は変わらず，担保権として扱われるとの考え方が有力である。小林信明「ファイナンス・リースの倒産手続における取扱い」ジュリ1457号83頁（2013年），現代型契約と倒産法191頁〔山宮慎一郎＝田川淳一＝浅沼雅人〕，ニューホライズン230頁。いわゆる転リースについても，同書231頁参照。
  現行破産法の立案時にも，リース契約の取扱いが取り上げられたが（検討事項第4部第1 1 (3)），リース契約の実体法上の性質自体についての考え方が統一されていないことなどから，立法が見送られた（法務省「破産法等の見直しに関する中間試案補足説明」124頁（2002年），一問一答94頁，基本構造305頁参照）。最近の債権法改正における議論は，リース契約に関する実体法上の規律を設けようとするものであった（民法（債権関係）の改正に関する中間試案第38 15 (1)）。この点の方向性が定まれば，倒産実体法におけるリースの取扱いも明らかになったと思われるが，実現しなかった。中田・契約法386頁，潮見・新契約各論Ⅰ284頁参照。なお，東京地裁破産再生部では，ファイナン

の破産管財人は，リース契約の解除か履行を選択する（破53Ⅰ）。履行を選択すると，未払リース料は財団債権として支払われる（破148Ⅰ⑦）。これに対して，破産管財人がリース目的物件を不要であると判断して解除を選択すれば，目的物をリース会社に返還し（破54Ⅱ），その上でリース会社は，約定にもとづいて残リース料債権を破産債権として行使する（同Ⅰ）。これに対して否定説では，残リース料債権が破産債権とされ（破2Ⅴ），ただ，リース契約にもとづいてリース会社に担保権が認められれば，リース会社は別除権者（破2Ⅸ）としての地位を与えられる。したがって，リース会社としては，目的物の取戻し，およびそれにもとづく残リース料との清算という，担保権の実行を許されるし（破65Ⅰ・185Ⅰ），なお残リース料債権があれば，破産債権として行使する（破108Ⅰ）[106]。

ス・リース契約の取扱いについて一律の基準を設けず，事案に応じて柔軟な対応ができるようにしている。破産・民事再生の実務［再生編］169頁。

　関連する議論としては，傭船契約の取扱いに関する，渋川孝祐＝宮城健太郎「裸傭船取引の借主倒産時における裸傭船契約の取扱い」海事法研究会誌208号2頁（2010年），坂井豊＝土橋靖子「シップファイナンスと倒産」NBL933号64頁（2010年）がある。また，船舶の共有を基本としつつ共有者の一方が融資者である他方に対して使用料を支払うという内容の契約について，双方未履行双務契約性を肯定するものとして，伊藤眞「船舶共有制度と会社更生法上の双方未履行双務契約性」今中古稀2頁があり，これを否定するものとして，山本和彦「船舶共有契約の双方未履行双務契約性」関西法律特許事務所編・民事特別法の諸問題(5)（上）271頁（2010年）がある。

[106]　かりに，破産管財人がリース物件の継続使用を望む場合には，破産債権たるリース料の支払をなすことによって別除権の行使を防ぐことができるかという問題がある（破78Ⅱ⑭参照）。もっとも，民事再生や会社更生と異なって，破産では，事業の継続を前提としてリース物件を破産管財人が使用することは例外的である。逆に，否定説を前提とし，破産，民事再生や会社更生において再生債務者や管財人が目的物件を不要と判断したときに，いかなる手段によってリース契約を解除し，目的物をリース会社に返還するかという問題もある。山岸憲司ほか・リース取引法433頁〔巻之内茂〕(1985年）では，更生計画における返還の定め，およびそれを前提とした合意解除が示唆されるが，その他に，裁判所の許可をえた和解（破78Ⅱ⑪）によって目的物件をリース会社に返還することも検討に値しよう。リース物件の引揚げに関する問題については，220問106頁〔吉野建三郎〕，申立マニュアル122頁参照。

　また，ユーザーについての倒産手続開始申立てなどを原因とする解除条項（本書397頁）の有効性に関する議論があるが（遠藤元一「リース契約における倒産解除特約と民事再生手続（下）――東京高判平成19・3・14を契機として」NBL894号35頁（2008年）），前掲最判平成20・12・16（注72）〔民事再生〕は，この種の条項の効力を認めると，担保目的物としての意義を有するにとどまるリース物件が，再生手続開始前に債務者財産から逸出し，再生手続の趣旨，目的に反する結果となるとの理由で，有効性を否定しているが，このような理由付けが破産手続にも妥当するかどうかという問題がある。受戻し（本書

本書では，以下の理由から，法53条適用肯定説をとる。第1に，リース料と目的物の使用との間には厳密な対価関係があるわけではないが，使用によって生じる目的物の減価を償う性質をリース料がもっていること，第2に，リース契約の内容を尊重する限り，リース期間開始時にユーザーが条件付所有権を取得し，期間終了時に確定的に所有権がユーザーに帰属するという構成をとることが難しいこと，第3に，リース会社がユーザーの使用権の上に権利質を設定しているとみることも契約当事者の意思に沿わないこと，第4に，破産債権者が目的物の使用によって利益を受ける場合には，リース料を財団債権として破産債権者に負担させるのが公平に合致することなどである。しかし，判例法理としては，本章注105に述べた理由から，双方未履行双務契約性を否定する考え方が確立されている。

5 請負契約

建築請負などを代表とする請負契約に関しても，その破産法上の取扱いについて解釈論上の議論が多い。前提として，請負契約の法的な性質が問題となるが，請負人が仕事完成の義務を負い，これに対して注文者が報酬支払の義務を負っているから（民632），本来的に双務契約であり，請負人の仕事が完成する前，かつ，報酬全額が支払われる前に請負人か注文者かのいずれかに対して破産手続が開始されたとすれば，双方未履行双務契約とみなされる。

(1) 注文者の破産

注文者の破産の場合について，旧法下の判例・通説は，旧法59条（現破53条）以下の規定でなく，その特則としての民法旧642条（平成16年改正前）が適用されるとしていた[107]。その結果，注文者の破産管財人の側からはもちろん，請負人の側からも契約を解除することが許される。解除の結果，請負人は，すでになした仕事の割合に応じた報酬，および報酬に包含されない費用の請求権について破産債権者の地位を認められるが（同642 I），損害賠償請求権は，

723頁）などの可能性が失われることを理由として，破産手続における効力を否定するものとしてニューホライズン432頁がある。また，私的整理（事業再生ADRなど）の申請を理由とする解除条項の効力についても，私的整理に参加し，または参加する意思を表明している債権者に関する限りは，信義則によって解除の効力を制限することが考えられる。同書433頁参照。

[107] 最判昭和53・6・23金商555号46頁〔倒産百選79事件〕。学説については，注釈民法〈新版〉(16) 192頁〔打田畯一＝生熊長幸〕，室田則之「請負契約」実務と理論234頁参照。

破産財団についても，また請負人についてもその発生が否定されるので（同Ⅱ），請負人がこれを破産債権として行使することも認められないとしていた。

これに対して筆者の見解は，賃借人の破産に関する民法旧621条に対するのと同様の批判から，注文者の破産において民法旧642条（平成16年改正前）の適用を排除すべきことを説いた[108]。しかし，現行法の立法者は，民法旧621条の場合とは異なって，同642条にも一定の合理性が認められるところから同条1項を維持するものとし（民642ⅠⅡ），ただ，破産管財人の解除によって生じる請負人の損害賠償請求権が破産債権となるとの改正を行った（民642Ⅲ）。

賃借人の破産と注文者の破産とで，立法者がこのような区別を設けたのは，請負の場合には，注文者が破産したときに請負人の判断で契約関係から離脱する自由を認めるべき理由がある点で，賃借人の使用収益を受忍するだけの賃貸人との違いがあるとの判断にもとづくものである。このような判断がすべての請負契約に妥当するかどうかについては，疑問の余地がないではないが，立法者の考え方が明らかにされた以上，これにしたがわざるをえない[109]。したがって，注文者の破産においては，注文者の破産管財人だけではなく，請負人の側にも履行か解除かの選択権が認められ（民642Ⅰ本文），破産管財人によって解除が選択された場合には，請負人は損害賠償請求権を破産債権として行使することができる（民642Ⅲ）[110]。さらに，注文者の破産管財人にも，また請負人

---

108) 伊藤・破産法〈第3版補訂版〉244頁。
109) 一問一答95頁，基本構造306頁，条解破産法〈第3版〉429頁参照。民事再生および会社更生には，民法642条が適用されないので，双方未履行双務契約に関する一般原則にしたがって，再生債務者や管財人のみに解除の選択権が認められる。現行法の立場では，破産との差異の根拠を事業の再生という民事再生等の目的に求めることになる。なお，注文者の破産において請負人が民法642条にもとづいて契約を解除することができるのは，同条が破産法53条の特則であることとの関係から，請負人の仕事が未完成の場合に限られる。東京地判平成24・3・1判タ1394号366頁。

ただし，赫・前掲論文（注63）589頁は，双方未履行双務契約に関する考え方を適用して，請負人が同時履行の抗弁権や不安の抗弁権を放棄して，仕事の完成と引渡しを約束するときは，破産管財人の解除権は排斥されると説く。民法642条1項但書は，仕事の完成後にする請負人の解除権を否定する。引渡義務の履行のみが残る請負人の地位を解除権によって保護する必要はないと考えられたためである。潮見・概要320頁，改正債権法コンメ890頁参照。この場合にも破産管財人による解除（民642Ⅰ本文）は認められるが，解除権一般の規律（本章注65）による制限はありうる。また，破産管財人による解除（破53）がなされた場合の請負人の商事留置権行使については，注113参照。
110) 損害賠償の内容は，請負人の仕事を行ったとすればえられたであろう利益，すなわち履行利益である。基本構造308頁，破産法大系Ⅱ356頁〔小林信明〕。これに対して，請

にも，履行か解除かの確答をすべき催告権が認められ，確答がなされないときには，解除が選択されたものとみなされる（破53Ⅲ）。

　なお，破産財団中に請負人の仕事の結果たる出来高が存在し，それが請負人の所有に属する場合には，請負人は取戻権（破62）を行使できるが，破産財団に帰属するときは，取戻権の行使は認められない[111]。また，請負人の報酬等の請求権は破産債権となる（民642Ⅱ）。請負人から解除権が行使されず，注文者の破産管財人が契約の履行を選択したときには，請負人は，仕事を完成させる義務を履行し，その報酬等の請求権は財団債権となる（破148Ⅰ⑦）[112]。

　また，注文者の破産管財人による履行請求に応じて，建築請負人がその仕事を完成したときに，建物所有権の帰属は，請負人と注文者との間に特約があれば，それによることとなるが，特約がない場合には，主たる材料の供給者がいずれであるか，請負代金の主要部分が支払われているかなどの要素によって，請負人または注文者が所有者となる。所有権が注文者に帰属するときは，破産管財人が目的物の管理処分権を行使するが，請負人は，不動産工事の先取特権

　負人が契約の解除をした上（民642Ⅰ本文），注文者の破産管財人に対して損害賠償請求をなすことは認められない。同308頁。石塚重臣＝門口正人「破産手続上の請負契約」倒産法の実践409頁。次に述べる確答催告との関係で請負人の損害賠償請求権について検討するものとして，高田賢治「注文者破産における確答催告」大阪市立大学法学雑誌53巻4号347頁（2007年）がある。

111）前掲最判昭和53・6・23（注107），大コンメンタール218頁〔松下淳一〕参照。請負人の仕事の結果の帰属については，特約があれば，それにしたがい，特約がないときは，原材料の提供者や代金支払いの程度によって判断すべきであるといわれる。破産法大系Ⅱ355頁〔小林信明〕。

112）開始後に請負人がなした仕事の対価としての報酬が財団債権となることは疑問の余地がないが，開始前の仕事の割合に応じた報酬が財団債権となるかどうかについては，議論がある。すでに，継続的給付を目的とする双務契約について述べた本書の基本的立場では，破産管財人が履行の選択をなした以上，この部分も財団債権となる。しかし，通説に属する論者も，請負人の義務が不可分であるという理由で同様の結論に達する（福永有利「請負・売買と破産」基礎135, 138頁，室田・前掲論文（注107）234頁，破産・民事再生の実務［再生編］162頁。また，赫・前掲論文（注63）595頁も，請負人の不安の抗弁権などを重視する視点から，全額を財団債権とする。ただし，基本法101頁〔宮川知法〕，大コンメンタール218頁〔松下淳一〕，破産法大系Ⅱ360頁〔小林信明〕は疑問を呈する）。また，実務上では，破産債権として扱う例が多い。実践マニュアル119頁。

　なお，実務上の処理としては，請負工事の続行を前提としながら，いったん請負契約を法53条にもとづいて解除し，新たな請負契約を締結することもありうる。澤野正明＝田汲幸広「日本綜合地所（2）――経営責任との関係および担保変換」NBL955号90頁（2011年）参照。

（民325②・327）または商事留置権（商521本文）を別除権として行使しうる（破2Ⅸ・66Ⅰ）[113]。

(2) 請負人の破産

仕事が完成する前に請負人に対して破産手続が開始された場合には，注文者の破産と異なって，民法の特則がなく，しかも請負契約が双方未履行双務契約とみなされれば，法53条以下にしたがった整理がなされる。しかし，旧法下の古い通説は次のような理由からこれを否定していた。

すなわち，請負は，請負人の個人的な労務の提供を目的とするものであるから，その契約関係は破産管財人の管理処分権に服さず，破産者たる請負人自身の管理処分権に委ねられる。したがって，請負人がその義務を履行して，破産手続開始後に仕事を完成させたときには，報酬請求権は破産財団に属さず，義務不可分の理論により全額が破産者の自由財産となる。逆に，破産管財人が請負契約について履行か解除かの選択権を行使することもありえないとする。ただし，旧法64条[114]は，破産管財人が請負人に必要な材料を供給して仕事を完成させ，また，代替性のある仕事について第三者に仕事を完成させることによって，報酬請求権を破産財団に組み入れることを認めているが，これは破産財団の増殖を図るために，法53条にもとづく履行の選択権とは別に，法が特別に破産管財人に請負契約への介入権を認めたものとする。

これに対して，旧法下のその後の多数説は，同じく請負契約であっても，個

---

[113] もっとも，不動産を対象とする商事留置権の成立を認めるべきか（東京高決平成10・11・27判時1666号141頁②事件〔倒産百選55事件〕〔肯定〕，東京高判平成22・7・26金法1906号75頁〔否定〕，松岡久和「不動産留置権に関する立法論」NBL730号20頁（2002年），相澤光江「留置権の倒産法上の扱い」倒産法の実践180頁，150問209頁〔山田尚武〕参照），譲渡担保や所有権留保の目的物について，債務者の所有する物（商521等）といえるかなどの実体法上の問題がある。実務上の処理について，実践マニュアル120頁参照。

また，商事留置権は特別の先取特権とみなされるが（破66Ⅰ），特別の先取特権にもとづく別除権の行使としての競売にあたって登記が必要であること（民338Ⅰ前段）や敷地占有権の問題があり，十分な保護にはならないといわれる（福永・前掲論文（注112）136頁参照）。ただし，登記不要説として条解破産法〈第3版〉544頁がある。

[114] 旧法64条は，大要，次のように規定していた。すなわち，破産者が請負契約によって仕事をなす義務を負担するときは，破産管財人は必要な材料を供給し，破産者に仕事をさせることができる，その仕事が破産者自らなすことを要しないものであるときは，第三者にこれをさせることができる，これらの場合には，破産者の報酬請求権は破産財団に属するというものである。

人が請負人となっている場合と，法人が請負人となっている場合とを区別し，前者については従来の通説を支持するが，後者については法53条以下の適用を認める。法53条以下が適用される場合には，破産管財人が契約の履行か解除かを選択し，履行が選択されれば，報酬請求権は当然破産財団所属の財産となるが，適用範囲外とされる個人請負人についても，通説が認めるとおり，旧法64条にもとづく破産管財人の介入権が認められるとしていた[115]。

　しかし，旧法下の有力説として，請負人が個人であるか，法人であるかを問わず，請負契約について双方未履行双務契約の法理の適用を肯定する考え方が主張され，現行法の解釈として本書もこの説を支持する。旧法下の古い通説および近時の多数説は，請負人が個人である場合，または請負契約が個人的労務の提供を内容とする場合には，その契約関係は破産管財人の管理処分権に服さないとするが，この議論は説得力に乏しい。もちろん，破産管財人が請負人に対して仕事を強制することはできないが，それは，破産管財人が履行の選択をなした結果として生じる問題であって，履行の選択権自体を否定する理由とはならない。また，すでに破産者たる請負人が仕事の一定割合を完成していて，その出来高に応じて報酬請求権をもっているとすれば，その請求権は当然破産財団に所属するはずである。

　旧法下の通説および多数説の下では，この報酬請求権は当然に自由財産となるが，政策的な当否は別として，少なくとも解釈論としては，それは不当な結果と思われる。かりに，請負人自身がその仕事を完成させる意思がなく，また仕事が代替性をもたない場合であれば，破産管財人としては，請負契約を解除して，出来高に対応する報酬請求権を財団に組み入れなければならない。この

---

[115]　旧法下の古い通説は，加藤・要論138頁，中田106頁，山木戸125頁など。近時の多数説は，石原118頁，谷口179頁，基本法101頁〔宮川知法〕など。また，下級審判例の中では，大阪高判昭57・9・8判タ510号118頁，大阪高判昭和59・2・17高民37巻1号1頁などが，請負人破産に旧法59条（現破53）の適用はないとし，これに対して，大阪地判昭和58・8・9下民34巻5〜8号597頁は，請負人が法人であることなどを理由として，旧法59条の適用を認める。ただし，これらの判例の事案は，いずれも建築注文者が破産手続開始前に前払金を払っており，開始決定後に破産管財人に対する催告（旧破59Ⅱ・現破53Ⅱ）をした上で，請負契約が解除されたとして，前払金の返還を財団債権として（破54Ⅱ）請求したものである。前の2つの裁判例は，旧法59条の適用を否定して，催告にもとづく解除の効果を否定した。
　なお，宗田164頁は，法人と個人という区分を疑問とし，清算の要否を基準とすべきであるとする。

ことは、請負人が個人または法人であろうと、また、その債務が個人的労務の提供であろうとなかろうと、変わりはないはずである。

このように考えると、旧法64条1項は、破産管財人が請負契約について履行の選択をなした場合の履行の方法を定めた規定と理解できる。請負人の義務が非代替的作為義務であるときには、履行を選択した破産管財人が破産財団から材料を供給して破産者に仕事を完成させる（旧破64 I 前段）。もちろん、請負人にその意思がなければ、破産管財人としては、契約を解除して、出来高に相当する報酬請求権[116]を破産財団に組み入れる。もっとも、解除にもとづく原状回復義務として、破産管財人は、請負人がすでに行った仕事の結果を撤去しなければならないが、取引の慣行としては、原状回復をせずに出来高に応じた報酬が支払われるのが通常である。これに対して、請負人が破産管財人の求めに応じて労務の提供をなした場合には、契約にもとづく報酬請求権自体は破産財団の財産となるが（旧破64 II）、開始後の労務提供の対価は、破産管財人が破産者たる請負人に支払わなければならない[117]。

請負人の債務が代替的なものである場合には、破産管財人としては、破産者自身に仕事を完成させてもよいし、また、第三者に報酬を払って仕事を完成させるのが適当であれば、そのようにしても差し支えない（旧破64 I 後段）[118]。

しかし、以上のような結論は、請負契約について破産管財人が履行の選択をした場合の履行の態様と解すれば足り、旧法64条のような特別の規定を置く

---

[116]　報酬算定のための出来高査定について争いが生じることがあるが、その時点での出来高に応じた報酬が算定できれば、それによるのが簡明であろう。なお、報酬請求権と注文者の損害賠償請求権との相殺については、本書547頁注154参照。

[117]　法律構成としては、破産管財人と破産者の間に新たに請負契約または雇用契約が締結される。このように考えれば、個人請負人の経済的再生を阻害するとの批判（基本法101頁〔宮川知法〕）に応えられる。実務処理については、220問323頁〔三浦久徳〕参照。

[118]　注解破産法（上）336頁〔吉永順作〕、注釈民法〈新版〉(16) 201頁〔生熊長幸〕は、旧法59条全面適用説をとる。旧法の立法者の意思もこれに近い（改正破産法理由書38頁）。ただし、判例（最判昭和62・11・26民集41巻8号1585頁〔倒産百選80事件〕）は、「契約の目的である仕事が破産者以外の者において完成することのできない性質のものである」場合を除いて、旧法59条の適用可能性を認めるので、多数説に近い。しかし、判例を前提としても、個人請負人の破産について旧法59条の適用が全面的に排除されるわけではなく、実際上の結論は全面肯定説と大きく異ならない（室田・前掲論文（注107）236頁、破産法大系 II 364頁〔小林信明〕）。ただし、旧法64条が削除された現在、代替性のない個人請負人の破産において、破産管財人が破産財団から材料などを供給して、破産者に仕事を完成させ、その報酬債権を破産財団に組み込むことができるかどうかについては、考え方が分かれる。基本構造313頁。

必要に乏しい。現行法の立法者は，このような理由から旧法64条を削除した。したがって，現行法の下では，破産管財人は，破産債権者の利益を考慮し，その判断にしたがって，未履行部分について請負契約の解除か履行の選択をする。解除の場合には，出来高が既払金を超えていれば，破産管財人が差額を注文者に請求するし，請負人が破産手続開始前に注文者から前払金を受領し，それが出来高の評価額を超えているときには，破産管財人の解除（破53Ⅰ）にともなって，注文者は，その返還を求めることができる（破54Ⅱ）[119]。履行の選択をしたときには，報酬請求権は破産財団所属の財産となり，破産管財人がそれを行使する（相殺に関して本書546頁参照）。

[119) 前掲最判昭和62・11・26（注118），詳解民事再生法285頁〔徳田和幸〕，220問325頁〔小林あや〕，実践マニュアル120頁，破産・民事再生の実務［再生編］163頁。これに対し，石塚＝門口・前掲論文（注110）411頁は，最判昭和56・2・17金法967号36頁を引用し，工事内容の可分性と既履行部分の有益性が認められる場合は，解除の効果が未履行部分に限られるとする。同判決は，請負人の債務不履行を理由とする注文者の解除に関するものであり，その法理が請負人の破産管財人による解除に妥当するかどうか疑問があろう。また，このことを考えれば，仕事の完成前に請負が解除された場合において可分性と有益性を条件として，請負人の報酬請求権を認める民法634条2号は，破産法53条や民法642条1項本文にもとづく解除には適用されないと解することになろう。

前払金の破産財団帰属性については，最判平成14・1・17民集56巻1号20頁〔倒産百選52事件〕参照。ただし，前払金返還請求権の財団債権性については，前払金返還請求権と対価関係に立つ破産財団の原状回復請求権が存在しないことを理由とする否定説があるが（平岡・前掲論文（注67）151頁，新版破産法253頁〔加々美博久〕，新宅正人「公共工事請負人の破産——前払金の帰趨」銀行法務21 691号29頁（2008年）など），財団債権者としての地位は，破産管財人に対して解除権が与えられたこととの公平にもとづくものであるから，財団債権性を肯定するべきである（注釈民法〈新版〉(16) 203頁〔打田畯一＝生熊長幸〕，伊藤眞「建築請負人の破産と注文主の権利」法律のひろば41巻4号52頁（1988年），基本法102頁〔宮川知法〕，破産・民事再生の実務［破産編］263頁，破産法大系Ⅱ367頁〔小林信明〕，三上280頁）。立法論として，財団債権性を否定すべきことを説くものとして，判例・実務・改正提言410頁〔加々美博久〕がある。

なお，出来高相当分の報酬請求権を認めることを前提として，解除後の工事続行費用の増加による損害がそれを上回ったことを理由として，報酬請求権を否定した事例として，大阪地判平成17・1・26判時1913号106頁〔民事再生〕がある。

また，破産手続開始前の債務不履行などを理由として注文者側から請負契約が解除されたときには，出来高部分を超える前払金の返還請求権は，破産債権（破2Ⅴ）となる。220問323頁〔三浦久徳〕。合意解除がなされたと認められる場合も同様である。東京地判平成27・7・30金法2035号86頁。

その他，請負人の破産管財人による解除が当事者間の契約に定められた解除事由にもとづく解除と区別されることを理由として，注文者の違約金債権の発生を否定したものとして，札幌高判平成25・8・22金法1981号82頁，東京地判平成27・6・12金法2039号84頁がある。

6 その他の契約関係

以上に説明したものは，法律上の性質が双方未履行双務契約とみなされ，しかも，その取扱いに関して比較的議論が多いものである。以下では，その他の契約関係で双務契約とされるもの，および片務契約とされるものを併せて説明する。

(1) 保険契約

保険契約は，それが損害保険であれば，損害填補と保険料支払，生命保険であれば，生死に関する保険金支払と保険料支払が対価関係に立つ（商旧629・673，保険2①）。したがって保険期間中に保険者または保険契約者に対して破産手続が開始されれば，双方未履行双務契約とみなされる。それを前提とすると，第1に，保険会社など保険者の破産が問題となる。この場合には，契約の相手方である保険契約者が将来に向かって契約を解除することができ（保険96Ⅰ・31Ⅰ・59Ⅰ・88Ⅰ），また，保険契約者による解除がなされないときでも，保険契約は，破産手続開始から3ヵ月が経過することによって当然に失効する（商旧651Ⅱ・683Ⅰ，保険96Ⅱ）。これらの特別規定は，保険契約者の保護および保険法律関係の迅速な清算を目的としたものである。破産管財人としては，破産手続開始から3ヵ月の期間に関しては，保険契約の履行を強制される結果となり，法53条にもとづく解除の選択権は排除される[120]。

第2に，保険契約者の破産が問題となる。この場合については，商法（保険法）などに特則がないので，契約が双方未履行の状態にあるかぎり[121]，法53

---

[120] 保険契約者の側からいえば，3ヵ月間については保険料の支払を続ける限り，保険事故が発生しても，保険金請求権は財団債権として保護される（破148Ⅰ⑦類推）。3ヵ月後において契約が失効した場合の解約返戻金請求権が財団債権（同⑧類推）となる旨の有力説があるが（基本法92頁〔宮川知法〕），開始決定前の保険料支払に対応する返戻金請求権は，破産債権と考えられる。

なお，保険会社の破産に関する問題を包括的に扱ったものとして，「保険会社の経営破綻と倒産法制」ジュリ1080号6頁以下（1995年），那須克己「生命保険会社倒産」講座(4) 303頁があり，また経営破綻にともなう契約者保護のために保険契約者保護機構（保険259以下）が設けられている（竹濱修「投資者保護基金と保険契約者保護機構」ジュリ1145号27頁（1998年）参照）。

[121] いわゆる経営者保険のように，会社がその経営者を被保険者として保険料を全額前納している場合には，たとえその充当が毎年の契約応当日であっても，保険契約者の側がなすべき積極的義務が存在しないため，双方未履行双務契約とはみなされない。山本・前掲論文（注72）433頁参照。解約返戻金支払請求権と契約者貸付金返還請求権との相殺については，本書547頁参照。

条以下の一般原則にしたがって，保険契約者の破産管財人が契約関係を整理する。したがって，破産管財人としては，履行か解除かの選択権を行使することになるが，実際に問題が起きるのは，個人破産における生命保険契約の取扱いである。すでに，破産財団の範囲および自由財産について述べたように（本書265頁参照），破産管財人としては，解約返戻金請求権を財団に組み入れるために解除を選択するのが通常である[122]。

しかし，返戻金請求権が零細な場合にまで，契約の解除が適切かどうか検討の余地がある。返戻金請求権が自由財産とされる場合には（破34Ⅳ参照），破産管財人の解除権行使は許されないし，また，それ以外の場合でも，返戻金相当額を破産者が他から調達して破産財団に組み込むことを条件として，返戻金請求権について破産管財人の管理処分権を放棄することが可能である（破78Ⅱ⑫参照）。なお，商法では，例外的に履行が選択されたり，あるいは権利放棄がなされて，保険契約が存続する場合に，それが他人のためにする保険契約であるときには，保険者は，被保険者または保険金受取人に対して保険料の請求をすることできる旨が定められていたが（商旧652本文・683Ⅰ），保険法は，これに対応する規定を設けていない。

(2) 市場の相場がある商品の取引に係る契約

証券取引所において取引される有価証券，商品取引所で取引が行われる商品，あるいはその他の市場の相場がある商品の取引に係る契約であって，その取引の性質上，特定の日時または一定の期間内に履行がないと契約の目的が達せられないものは，定期行為としての性質をもつ[123]。したがって，一方当事者の

---

[122] ただし，最判平成17・1・17民集59巻1号1頁〔倒産百選64事件〕によれば，損害保険会社は，その有する損害賠償請求権と，破産管財人の解約にもとづく解約返戻金債務との相殺が許される。保険約款にもとづく保険会社の保険契約者に対する貸付けについても，同様である。現代型契約と倒産法292頁〔神原千郷ほか〕。更生手続との差異については，伊藤・会更法・特清法313頁注112参照。
　　なお，保険法60条は，破産管財人による解除の場合にも保険金受取人の介入権行使によって契約が存続する余地を認めている（破産管財の実務270頁〔高村健一〕）。

[123] 具体例については，竹内142頁，注解破産法（上）300頁〔吉永順作〕，新版破産法508頁〔桃尾重明〕，条解破産法〈第3版〉471頁，大コンメンタール247頁〔松下淳一〕参照。目的物の引渡しを前提とする現物売買などに限らず，反対取引にもとづく差額決済のみを予定する先物取引なども含む。また，法58条1項は，「取引の性質上」定期行為性が要求されることを明らかにして，通常の商品取引などが適用対象とされることを排除している。金属のスクラップ取引など，対象となりうる取引の範囲については，基本構造316頁参照。また，ビットコインなどの仮想通貨（暗号資産）と法貨との交換または仮想

債務不履行があれば，無催告解除が認められ（民542 I ④），また，商事売買であれば，解除が擬制される（商525）。

このような実体法の原則を前提として，破産法においては，この種の契約について，債務不履行の有無を問わず，履行期前に一方当事者について破産手続が開始されたときには，当然に契約の解除があったものとみなされる（破58 I）。かりに，法53条以下の原則によって契約関係を整理することになると，破産管財人が履行か解除かの選択をするのを待つことになるが，これがこの種の契約の実情に合わず，また契約の相手方に不当な損害を発生させるおそれがあるので，迅速に契約関係を終結させ，差額の決済の問題に転換する趣旨である[124]。したがって，当該取引所または市場に別段の定めがあれば，それにしたがう（破58Ⅳ）。

損害賠償の額は，履行地またはその地の相場の標準となるべき地における同種の取引であって同一の時期に[125]履行すべき相場価格と契約時の価格との差額となる（破58Ⅱ）。ただし，当該取引所または市場に別段の定め（金商133Ⅱ参照）があれば，それにしたがう（同Ⅳ）。いずれにしても，相手方の損害賠償請求権は破産債権として扱われ（同Ⅲ），破産者が差額請求権をもつときには，それは破産財団所属の財産となる（破34 I）。なお，一括清算条項が設けられている場合の損害賠償額の算定（破58Ⅴ）については，(4)を参照されたい。

法58条2項にいう「同一の時期」については，考え方の対立がある。本書初版では，これを破産手続開始決定と同一の時期と解していた。現在でもこれ

通貨間の交換も，この契約類型に含まれる。伊藤眞「仮想通貨（暗号資産）と倒産法上の諸問題」多比羅喜寿15頁参照。

[124] 旧法61条も同様の趣旨の規定であったが，現行法58条は，近年における取引の実情を踏まえ，取引所が存在しない場合であっても，市場の相場があるとき，および商品の売買だけではなく，商品の取引一般に特則が適用されることとし，特則の適用範囲を拡張している。一問一答100頁，基本構造314頁，条解破産法〈第3版〉468頁参照。

なお，本文の叙述は，法58条1項の趣旨を相手方の利益保護と理解するものであるが，これに対して，管財人の選択権を排除することによって，破産財団や破産債権者の利益が損なわれるおそれの発生を防ぐ趣旨との考え方もある。条解破産法〈第3版〉469頁参照。

さらに，法58条1項と商法525条との関係についても議論があり，相手方の利益保護を目的とする法58条1項とは異なって，商法525条は，履行を遅滞した当事者の保護を目的とするものであるから，両者の趣旨は異なるという考え方も有力である。条解破産法〈第3版〉470頁，破産法大系Ⅱ393頁〔中島弘雅〕，注釈破産法（上）401頁参照。

[125] 破産手続申立時を基準時とする合意がある場合には，それにしたがう。基本構造319頁参照。

が有力説である[126]。たとえば，契約内容としては，3月末に1株300円で500株を売買する約束をなしたときに，2月末に売主について破産手続が開始された時点では1株500円に高騰していたとすれば，その差額1株について200円分は売主たる破産者の負担となり，買主は，500株についての差額10万円を破産債権として行使する。逆に，破産手続開始の時点で1株100円に低落していたとすれば，差額200円は買主の負担となり，売主の破産管財人は，差額10万円を破産財団所属債権として行使するというものである。

しかし，本来は，将来の時期における相場を想定した取引が破産手続開始時の相場を基準とする取引に変更される理由はなく，条文の文言との関係からも，同一の時期とは，本来の契約で予定された時期を意味し，破産手続開始時に想定される予定時期の時点での相場が差額決済の基礎となると解すべきである[127]。本書初版の説を改める。具体的には，上記の例で2月末の破産手続開始時を基準とした3月末における1株あたりの相場が，契約時より高騰し，600円となっていれば，その差額300円分は売主の負担になり，買主は，500株についての差額15万円を損害賠償額として，破産債権を行使する。逆に，破産手続開始時に想定される3月末における1株あたりの相場が，1株50円に低落していたとすれば，差額250円は買主の負担となり，売主の破産管財人は，差額12万5000円を破産財団所属債権として行使する。

(3) 交互計算

交互計算とは，商人間または商人と非商人との間の一定期間中の取引にもとづいて生じる総債権と総債務を相殺し合い，残額の支払をなす旨の約定であり（商529）[128]，相互の信用を基礎としているから，一方当事者の破産によって当

---

[126] 本書〈初版〉284頁，注解破産法（上）302頁〔吉永順作〕など。

[127] 青木・実体規定151頁，加藤・要論133頁，条解破産法〈第3版〉473頁，基本法94頁〔宮川知法〕，破産法大系Ⅱ〔中島弘雅〕など。

[128] 交互計算は相殺と類似するが，相殺との相違点は，残額債権が交互計算の基礎となる債権とは法的に独立した，交互計算契約にもとづく債権であるところに求められる（大江忠・要件事実商法（下）79頁（1997年））。神作裕之「交互計算の対第三者効についての覚書（上）」曹時62巻4号3頁（2010年）によれば，交互計算の効力のうち，消極的効力として，その基礎となる各個の債権について，行使・譲渡・質入等の処分ができないとされることが，相殺との具体的差異となろう。

なお，法59条の適用対象外である，破産手続開始前の支払不能などの時期における相殺禁止（破71Ⅰ②〜④・72Ⅰ②〜④）との関係が問題となりうるが，交互計算契約を「前に生じた原因」（破71Ⅱ②・72Ⅱ②）として，相殺を許容すべきである。注釈破産法

然に終了し、各当事者は残額の支払を請求できる（破59Ⅰ）。残額請求権について、破産者側のそれは、破産管財人が破産財団所属の財産として相手方に対して行使するし、相手方のそれは、破産債権となる（同Ⅱ）。

(4) スワップ・デリバティブ契約

事業体が資金調達をしようとする場合、各事業体にとって必要な通貨または有利と思われる金利支払方法と、現実に利用可能な通貨や金利支払方法とが一致しないことがある。このような場合に、他の事業体が調達する通貨や利用する金利支払方法と自己が利用できる通貨や金利支払方法とを交換することによって、より有利な条件での資金調達を図る目的、すなわち通貨や金利交換の目的を達するために、相互に金銭の支払を行う契約を一般にスワップ契約と呼ぶ[129]。スワップ契約は、このような目的を達するために、双方当事者が一定期間、定期的に一定の条件で相互に金銭の支払を約するものであるから、その性質としては、法53条以下にいう双方未履行双務契約にあたるが、特に議論される問題としては、次のような点がある。

第1は、契約中に一方当事者についての破産手続開始申立てなどを原因として当事者間の契約関係が当然に終了する旨の条項が含まれていることである。デリバティブと呼ばれる金融取引においても、同様の定めがなされることが通常である。双方未履行双務契約一般についていえば、この種の条項は、法53条1項によって破産管財人に与えられる履行か解除かの選択権を失わせる結果となるので、無効とすべきであるが、スワップ契約等の多くは、双方当事者の信用を基礎として、基本契約にもとづいて一定期間にわたって取引を行うものであり、先に述べた市場の相場がある商品の取引に係る契約に含まれるかぎり、破産手続開始とともに契約関係の終了が認められるのであるから（破58Ⅰ）、破産手続開始申立てなどを理由とする契約終了条項の効力を認めても差し支えない。

第2の問題は、契約の一方当事者について破産手続開始申立てなどの事実が生じたときに、その時点における両当事者間の債権債務であって、履行期や通

（上）407頁。

[129] スワップ契約の構造については、岡本雅弘「スワップ契約の法的性質と倒産法」金法1340号25頁（1992年）、道垣内弘人「スワップ取引に関する私法上の問題点（上）」金法1343号11頁（1993年）など参照。

貨等を異にするものも含めて，弁済期を到来させて，時価による清算を一括して行う旨の条項，いわゆる一括清算条項の有効性である。デリバティブについても，同様のことが問題となる。一括清算は，その実質をみれば，相殺と異ならないので，相殺禁止との関係が問題となるが，法58条5項は，円滑な取引の終了についての契約当事者の信頼などを考慮して，一括清算条項の効力を認めている[130]。

また，基本契約にもとづいて相互間に発生する債権債務を順次決済した上で，新たな債権債務に置き換える旨の合意についても[131]，交互計算に近い性質を認められるから，交互計算の終了に関する規定（破59Ⅰ）の趣旨を考慮して，この種の条項の効力を認めるべきである。

(5) 組合契約

組合契約に関しては，組合の破産と組合員の破産とが考えられるが，組合の破産に関しては，破産能力に関して説明したので，ここでは，組合契約の当事者，すなわち組合員の破産について説明する。組合契約の性質としては，各組合員が出資および共同事業の経営義務を負う双務契約と解されるから（民667），

---

[130] 従来，相殺権の行使について一定の規律が設けられている民事再生や会社更生において（民再92Ⅰ，会更48Ⅰ），特に一括清算条項の効力が問題とされたが，取引の性質を考慮して，破産法と同様に一括清算条項の効力が承認された（民再51，会更63）。なお，金融機関等が当事者となるスワップ契約終了および一括清算条項については，金融機関等が行う特定金融取引の一括清算に関する法律（平成10年法律108号）によってその有効性が認められた（山名規雄「金融機関等が行う特定金融取引の一括清算に関する法律の解説」NBL 645号20頁（1998年），神田秀樹「一括清算法の成立」金法1517号18頁（1998年），基本構造320頁参照）。多数当事者間の一括清算ネッティング条項の取扱いについては，注釈破産法（上）405頁参照。

また，デリバティブ取引などに付随してなされる担保取引について，法58条が適用されるかどうかの議論があるが，取引の内容に即して，定期行為性をもつかどうかを判断する以外にない。論点解説新破産法（上）175頁〔江幡奈歩〕，基本構造321頁，竹内康二・倒産実体法の契約処理（2011年）149頁，注釈破産法（上）400頁。これに対し，金融機関等が取引当事者となっているデリバティブ契約等については，金融市場の安定を確保するために，そこに破産手続開始申立てなどの事由にもとづく早期解約条項が付されている場合であっても，内閣総理大臣の決定にもとづいて，一定期間その効力を制限できることとし，その間における破産法58条，民事再生法51条，会社更生法63条などの規定の適用を排除している（預金保険137の3Ⅴ）。梅村元史「金融機関の秩序ある処理の枠組み（下）――預金保険法等の一部改正」商事法務2010号36頁（2013年）参照。

[131] オブリゲーション・ネッティングまたは単にネッティングと呼ばれる。基本的な考え方については，前田庸=神田秀樹「オブリゲーション・ネッティングについて」金融法研究資料編（6）2頁以下（1990年）参照。

共同事業の継続中に契約当事者たる組合員の1人または数人が破産したときには，組合契約は双方未履行双務契約とみなされる（ただし，民667の2参照）。しかし，民法679条2号は，組合員の破産について特則を置き，破産によって組合員は当然に組合から脱退する旨を規定する。これは，組合員の破産管財人が破産者の持分を破産財団に組み込み，その払戻しを請求することを容易にするための措置である[132]。破産管財人は，破産手続開始にもとづく脱退の当時，組合の積極財産が消極財産を超えていれば，その差額について持分払戻請求権を行使できるが（民681ⅠⅡ），未だ継続している事項があるときには，その事項についての払戻請求権の行使は，その事項に関する計算完了後になる（同Ⅲ）。

したがって，破産法53条以下の適用はなく，破産管財人が組合契約について履行か解除かの選択権を行使する余地もない。なお，組合と類似の内部関係をもつ持分会社についても，時期についての制限を除いて，持分払戻請求権の行使に関して同様の措置が規定される（会社607Ⅰ⑤・611）[133]。これに対して，株式会社の株主の破産においては，脱退による払戻しの可能性はないから，破

---

[132] 条解破産法〈第3版〉438頁，大コンメンタール220頁〔松下淳一〕。民法679条2号の定めは，組合員の債権者の保護のための強行法規であるとされている。我妻榮・債権各論中巻二833頁（1962年），注釈民法〈新版〉(17) 137頁〔品川孝次〕，潮見・新契約各論Ⅱ461頁。これに対して，会社法607条を類推して任意規定と解するものとして，松岡久和＝中田邦博編・新・コンメンタール民法（財産法）979頁〔後藤元伸〕（2012年）がある。

　もっとも，組合契約の一種であるジョイント・ベンチャー（JV。建設共同企業体など）契約については，組合員の地位にとどまり，工事を完成させた方が破産財団の形成に資する可能性もあるので，当然脱退を否定し，法53条による破産管財人の選択権を認めるべきであるとの議論も有力である（現代型契約と倒産法166, 170頁〔加々美博久＝粟田口太郎＝志甫治宜〕，民事再生について150問164頁〔軸丸欣哉〕）。条件が整えば，このような考え方に合理性が認められる。

　なお，脱退後の取扱いや他の構成員の求償権を自働債権とする相殺の許容性などについては，破産法大系Ⅱ362頁〔小林信明〕が詳しい。

[133] 匿名組合契約の場合には，営業者または匿名組合員の破産は契約の当然終了原因であり（商541③），営業者の破産の場合には，匿名組合員が出資価額返還請求権を破産債権として行使し，匿名組合員の破産の場合には，匿名組合員の破産管財人が出資価額返還請求権を行使する（商542参照）。ただし，営業者の破産の場合は別として（基本法コンメンタール商法総則・商行為法〈第3版〉123頁〔和座一清〕（1991年），現代型契約と倒産法220頁〔柴田義人＝酒井俊和＝加治梓子〕参照），匿名組合員の破産においては，その地位に譲渡可能性があることを前提とすれば，当事者間の特約によって，契約関係の存続を認める余地があると考えられる。前掲・現代型契約と倒産法236頁参照。

産管財人は，株式を第三者に譲渡することによってその換価を行う。

(6) 消費貸借の予約（諾成的消費貸借契約）

消費貸借の予約は，貸主の貸す債務のみを内容とする片務契約であるとされ，当事者の一方について破産手続が開始されることによって当然に契約が失効する（民589）。破産法の一般原則によるとすれば，片務契約であるから，法53条以下の規定の適用はなく，借主の破産のときには，破産管財人が貸主に対して融資義務の履行を求めることになるし，貸主の破産のときには，借主が破産財団に対して融資請求権を破産債権として行使するはずである。しかし，融資を目的とする契約は，相互の財産状態に対する信頼を基礎としているので，法は，一方当事者に対する破産手続開始を原因として当然にこれを失効させることとしたものである。損害賠償請求権も発生しない。

また，同じく消費貸借の予約であっても，金融機関などが顧客に対して一定額の与信枠を設定し，顧客が，融資に対する金利とは別に，与信枠設定そのものに対する対価として一定の手数料を支払う旨の，コミットメント・ライン契約（特定融資枠契約）と呼ばれるものがある[134]。これは，消費貸借の予約とは異なって，期間中に契約当事者が破産した場合には，手数料の支払いが完了していないかぎり，双方未履行双務契約とみなされる。したがって，本来であれば，法53条以下の規定にしたがって破産管財人が履行か解除かの選択権を行使することになるが，民法旧589条の趣旨を考慮すれば，当然に失効すると解すべきである。ただし，消費貸借の予約に関する民法旧589条は，現行民法587条の2が諾成的消費貸借を認めたため削除された。

それに代わる書面による諾成的消費貸借契約（民587の2Ⅰ）については，貸主の金銭交付義務が未履行の状態で，いずれかについて破産手続が開始すれば，当該契約は当然に失効する（民587の2Ⅲ）。したがって，法53条以下の規定は適用されない。マイナス利息の約定が付されている場合も同様である。

(7) 委任契約

委任は，それが有償のものであれば双務契約であるし，無償のものであれば

---

[134] 特定融資枠契約に関する法律（平成11年法律4号）2条，金融法委員会『コミットメント・フィーに関する論点整理』の概要」金法1534号25頁以下（1998年），挽斐潔＝古閑裕二「コミットメントライン契約に関する新法の紹介」金法1545号13頁（1999年），潮見・新契約各論Ⅰ260頁参照。

片務契約である。したがって，委任関係が継続中に，委任者または受任者のいずれかについて破産手続が開始されたときには，その契約の性質にもとづいた取扱いがなされるはずである。しかし，民法653条2号は，この点について特則を定め，委任者または受任者が破産した場合には，委任契約が当然に終了すると規定する。これは，委任関係が相互の信頼関係にもとづくことを重視したものである[135]。しかし，委任の終了は，その事由を相手方に通知し，または相手方がそれを知ったときでなければ相手方に対抗できないので（民655），委任者の破産の場合に，受任者がそれを知らずに委任事務を処理したときには，受任者は，費用償還請求権（民650Ⅰ）や報酬支払請求権（民648）を与えられる。

この請求権は，開始決定後の原因にもとづくにもかかわらず，破産債権として行使することができる（破57）。ただし，解除による委任終了後であっても，委任事務が破産財団の利益のためになされたときには，事務管理に該当するので，受任者の請求権は財団債権となる（破148Ⅰ⑤）。また，委任契約終了後の

---

[135] 大判明治38・11・30民録11輯1730頁。もっとも，立法論としては，当然に終了させるのは行き過ぎであり，委任者または受任者の判断（民651Ⅰ）に委ねればよいとする考え方もありうる。民法改正の過程における議論について，注釈破産法（上）391頁参照。現代型契約と倒産法247頁〔服部明人ほか〕は，フランチャイズ契約を委任契約の一種としても，フランチャイジーの破産における当然終了を否定すべきであるとする。

ただし，民法653条は任意規定であるので，当事者の破産にもかかわらず委任関係が終了しないとする特約は有効である（注解破産法（上）338頁〔吉永順作〕，注釈破産法（上）392頁）。委任関係の存続を前提とすると，有償委任における委任者破産の場合には，委任事項が破産財団に関するものであれば，破産管財人が履行か解除かの選択をなすし，破産財団にかかわらない破産者の身分関係などに属する場合には，破産者自身が管理処分権を行使する。また，受任者破産の場合には，請負人破産の場合と同様に，費用償還請求権などが破産財団所属の財産となる（注釈民法〈新版〉(16) 296頁〔明石三郎〕）。弁護士と依頼者との間の訴訟委任契約についても同様に考えられる（注解破産法（上）339頁〔吉永順作〕，注釈破産法（上）393頁参照）。

なお，受任者の代理権も代理人の破産または委任関係の終了にともなって消滅する（民111Ⅰ②・Ⅱ）。

また，委任と類似した法律関係である信託については，信託財産破産の開始によって当然に終了する（信託163⑦）ほかに，委任者の破産，民事再生または会社更生において，信託契約が双方未履行双務契約として解除された場合に終了する（同⑧）。中森亘＝堀野桂子「信託関係者の倒産および黙示の信託に関する検討」銀行法務21 760号26頁（2013年）は，信託財産が引渡未了の場合と引渡済みの場合とに分け，信託契約が双方未履行双務契約として解除されること，および解除後の法律関係を分析する。なお，受託者の破産については，本書112頁参照。

行為にもとづく費用償還請求権（民654）なども財団債権（破148Ⅰ⑥）となる可能性がある。

　株式会社と取締役との関係も委任関係に属するので（会社330），受任者たる取締役は，自らに対する破産手続開始決定確定によってその地位を失う[136]。また，破産手続開始決定を受けた者は，復権しない限り取締役に就任しえないというのが商法旧254条ノ2第2号の規定であったが，現行会社法は，この制限を廃止した。

　委任者たる会社の破産の場合にも，委任関係が終了するとすれば（民653②），取締役はその地位を失う[137]。しかし，これに反対する大審院判例および有力説があり[138]，本書もこれにしたがう。会社破産において，破産財団に属する財産は，すべて破産管財人の管理処分権に属し（破78Ⅰ），取締役会の権限（会社362Ⅱ）は失われる。しかし，破産財団の管理処分とかかわりのない組織法上の活動，たとえば会社設立無効の訴えについての応訴などは，これを破産管財人の任務とすると，かえって破産管財人の負担を増す。そこで，破産法人の人格の存続を前提として，取締役にこの種の活動を行わせるべきである。したがって，破産財団とかかわりない事項については，なお取締役の地位が存続すべきものである。もちろん，組織法上の訴訟などでも，財産関係に影響を及ぼすものに関しては，破産管財人が受継するから（破44Ⅱ），取締役の関与を認める余地はない[139]。

[136]　なお，破産手続開始決定に対する即時抗告が認められていることとの関係で（破33），取締役の地位が失われるのは，破産手続開始決定確定時であり，破産手続開始決定と確定証明書にもとづいて取締役退任の登記がなされる（注解破産法（上）344頁〔吉永順作〕，条解破産法〈第3版〉463頁，大コンメンタール240頁〔三木浩一〕）。

[137]　最判昭和43・3・15民集22巻3号625頁〔倒産百選〈第4版〉87事件〕，注解破産法（上）346頁〔吉永順作〕。

[138]　大判大正14・1・26民集4巻8号，谷口130頁，大コンメンタール241頁〔三木浩一〕，条解破産法〈第3版〉464頁，注釈破産法（上）395頁。

[139]　最判平成21・4・17判時2044号74頁〔倒産百選14事件〕は，「役員の選任又は解任のような破産財団に関する管理処分権限と無関係な会社組織に係る行為等は，破産管財人の権限に属するものではなく，破産者たる会社が自ら行うことができるというべきである。……破産手続開始当時の取締役らは，破産手続開始によりその地位を当然には失わず，会社組織に係る行為等については取締役らとしての権限を行使し得ると解するのが相当である」と判示する（圏点は筆者）。
　もっとも，実際には，取締役固有の権限事項とそうでないものとの区別は困難であり，取締役としては，破産管財人の指揮を受けて，または破産管財人との協議にもとづいて，その権限を行使することになろう。ただし，破産会社の再生手続開始申立や更生手続開

(8) 代理受領

代理受領とは，債権者甲が，債務者乙に対する債権を確保するために，第三債務者丙に対する乙の債権について乙から取立ての委任を受け，丙から受領した金銭を自己の債権の弁済に充てる，担保の一態様である。第三債務者丙が官庁などである場合に，乙の丙に対する債権の譲渡や質入れを認めないことが多いので，その制限を回避するためにこうした方法が用いられる。

代理受領は，法形式としては，甲乙間の委任契約の形をとるので，当事者が破産した場合の取扱いが問題となる。たとえば，乙について破産手続が開始されたときに，代理受領権の基礎となる委任関係が終了するから（民653②），甲はもはや丙に対する取立権限を行使できない。その結果，代理受領は，乙の破産債権者との関係では担保的機能が認められず，甲が別除権者としての地位を認められることもない[140]。もちろん，破産手続開始前に代理受領権者がすでに金銭を取り立てていれば，破産債権と取立金返還義務との相殺によって担保的機能が果たされる（破71Ⅰ③参照）。

始申立ては，取締役固有の権限と解される。破産・民事再生の実務［再生編］54頁。破産法大系Ⅰ196頁〔佐藤達文〕は，破産者の説明義務（破40Ⅰ③）や重要財産開示義務（破41）も，取締役の地位の継続を前提としているものと説明する。

[140] 代理受領の実体法上の性質については，松本恒雄「代理受領の担保的効果（上）～（下）」判タ423号32頁，424号32頁，425号33頁（1980年），甲斐道太郎「契約形式による担保権」現代契約法大系6巻34頁など参照。また，破産手続上の取扱いについて本文のような考え方をとるのは，谷口233頁，注解破産法（上）347頁〔吉永順作〕，山内八郎・実務会社更生法211頁（1971年，第4刷1977年），条解破産法〈第3版〉465，578頁，大コンメンタール241頁〔三木浩一〕などである。代理受領契約に際して，第三債務者の承諾がとられていれば，当該第三債務者が債権者の代理受領権を侵害した場合には，当該第三債務者に不法行為責任が生じる余地があるが（最判昭和61・11・20判時1219号63頁），そのことは債務者の差押債権者や破産管財人などに対する対抗力を意味するものでない以上，本文記載のとおり代理受領権者は別除権者とならないとの考え方が支持される。

また，特約によって，代理受領者の権限が存続するとされていても，それは，債権者と代理受領者との間の債権関係に過ぎない以上，第三者たる破産管財人に対抗できない（受任者たる代理受領者の権限の破産管財人に対する効力について，岡正晶「倒産手続開始時に停止条件未成就の債務を受働債権とする相殺」田原古稀（下）160頁，木村真也「投資信託の販売金融機関による相殺の可否および商事留置権の成否」ソリューション96頁注27，注釈破産法（上）396頁参照）。

なお，民法653条2号が適用されない再生手続の場合であっても，再生債務者の第三者性（本書958頁参照）を前提とすれば，特約の有無にかかわらず，同様の結論になろう。

(9) 共有関係

数人が共有財産をもっている場合に，その共有者の1人について破産手続が開始されると，破産者の共有持分は破産財団に属し，破産管財人の管理処分に服する。破産管財人は，その持分を換価しなければならないが，その方法として持分を譲渡するか，共有物を分割しなければならない。一般原則としては，共有物の分割は可能であるが（民256 I 本文），不分割の合意がなされていると（同但書），分割が不可能となり，破産管財人による換価が制限される。しかし，共有者の破産においては不分割の合意の効力は認められない（破52 I）。ただし，法律上分割不可能とされている場合（民257・229・676Ⅲ，建物区分15Ⅱ）や総有のように権利の性質上分割ができない場合は，除外される。

分割の手続は，共有物分割の一般手続（民258・907）による。ただし，この分割は持分換価のために行われるものであるから，他の共有者は相当の償金を払って破産者の持分を買い取ることができる（破52Ⅱ）[141]。

(10) 配偶者・親権者の財産管理権

配偶者の一方は，夫婦財産契約（民755）によって他方の配偶者の財産について管理権をもつことがあるし，また親権者は，法律上，子の財産の管理権を与えられる（民824本文）。しかし，夫婦の場合には，管理が失当とみなされると，他方の配偶者が，管理権を自らに移すことを家庭裁判所に申し立てられるし（民758Ⅱ），また共有財産については，その分割を請求できる（同Ⅲ）。管理権者が破産手続開始決定を受けたことは，当然に管理の失当であったことを意味するわけではないが，法は，受任者の破産などと同様の趣旨にもとづいて破産手続開始を財産管理権の喪失事由として規定している（破61）[142]。親権者の破産の場合についても同様である（同，民835）。ただし，親権者の破産のとき

---

[141] なお，旧法94条は，共有物の管理・保存の費用を他の共有者が立て替えた場合などに，立替払いをなした共有者が共有者の1人である破産者に対して持つ償還請求権について，共有物が分割されたときに，共有に関する共益費用として破産者の分割財産の上に別除権を与えていたが，別除権の基礎となるべき実体法上の優先権の存在に疑いがあるとの理由から削除された。一問一答111頁参照。

[142] 注解破産法（上）354頁〔宮川知法〕，条解破産法〈第3版〉482頁，大コンメンタール256頁〔松下淳一〕，注釈破産法（上）412頁。ただし，共有財産の分割自体は法52条によっても可能であるから，法61条が民法758条3項を準用する意味は，管理権者の変更とともに分割の申立てをなせば，家庭裁判所が家事事件手続法別表第1の131の事項として分割を行える点にある。

には，管理権喪失宣告の申立ては，子の親族または検察官などが行う（民835）。

なお，夫婦財産に関する管理者の変更および財産分割の手続は，家事事件手続法別表第1の58の非訟事件とされ，また，親権者の管理権喪失宣告手続も，同法別表第1の67の非訟事件とされる[143]。

第3項　破産と労働関係

破産の労働関係に対する影響については，使用者の破産と労働者の破産とが分けられる。使用者の破産の場合には，雇用契約の解約，賃金債権や退職金債権の破産手続上の地位，解雇同意条項などを含む労働協約の破産管財人に対する拘束力などの問題がある。これに対して，労働者の破産については，近年の消費者破産の急増とともに，雇用契約の解約，退職金債権の破産財団への帰属などが議論される。

以下では，労働者の破産と使用者の破産とに分けて，それぞれに関する問題を説明する。なお，雇用契約は，労働者側の労務提供義務と使用者側の賃金支払義務が対立する双務契約であること（民623），その存続中に一方または双方が破産した場合には，双方未履行双務契約とみなされることが，議論の前提となる。

1　労働者の破産

通説は，請負人の破産の場合と同様に，雇用契約が双方未履行双務契約であるにもかかわらず，労働者の破産の場合に法53条以下の規定は適用されず，したがって雇用契約は破産管財人の管理処分権に服さないで，破産者自身の管理処分権に属するとしている。もちろん，破産手続開始前の未払賃金債権や退職金債権は，差押えが可能な範囲で破産財団に属する（破34Ⅰ〜Ⅲ）。しかし，開始決定後の労働の対価たる賃金債権は労働者の自由財産となる。

確かに，労働契約法や労働基準法などの趣旨を考えると（労契3・6・8，労基5・6・17等），雇用契約は，労働者がその自由意思にもとづいて締結または継続すべきものであり，破産債権者の利益を代表する破産管財人が履行の選択を

---

[143]　旧破産法61条2項では，夫婦財産に関する管理者の変更および財産分割の手続は，調停をすることができる旧家事審判法9条1項乙類の審判事項とされ，管理権喪失の審判は，調停をすることができない同条1項甲類の審判事項とされていたが，現行家事事件手続法は，両者を調停をすることができない別表第1に属する事件としている。金子修編著・一問一答　家事事件手続法52頁（2012年）参照。

して雇用契約を継続することは，許されないといわざるをえない。また，履行の選択をしても，破産手続開始後の労働の対価たる賃金は自由財産と解さざるをえないから，破産債権者の利益につながる可能性はない。

ただし，破産手続開始前の賃金の後払いたる性質をもつ退職金債権の現金化に関連して，雇用契約の解約が議論されることがある。この種の退職金債権のうち，差押可能部分は破産財団に属するから，それを現金化するために破産管財人が雇用契約を解約できるかどうかである。しかし，すでに述べたように，破産者が自発的に退職すれば，退職金債権を財団に組み入れることができるが，雇用契約の性質から破産管財人の解約権行使は許されないので，破産管財人としては，破産財団に帰属する退職金債権相当額を破産者の自由財産などから提供させ，それを条件として退職金債権を破産財団から放棄する取扱いが妥当である[144]。もっとも，破産者の協力がえられなければ，このような取扱いは不可能である。

なお，労働者の破産を理由として使用者が労働者を解雇することは，解雇権の濫用（労契16）にかかわるものである。破産の事実のみから直ちに労働力の提供が期待できなくなるとはいえないこと，また，破産の事実が直ちに会社の信用を失墜させるともいえないことなどから，解雇権の発生は否定される[145]。

2 使用者の破産

破産手続開始時を基準として雇用契約が双方未履行双務契約といえるとすれば，使用者の破産に関しては，法53条以下の規定が適用されるはずであるが，民法631条は，これについて特則を定める。すなわち，雇用契約に期間の定めがあるときでも，労働者または使用者の破産管財人双方から民法627条の規定によって解約の申入れをすることができ，かつ，解約にもとづく損害賠償請求は，いずれの当事者についてもこれを否定する。

もともと，雇用契約に期間の定めがない場合には，いずれの側からでも雇用

---

[144] 退職金債権のうち破産財団に帰属すべき部分およびその組入れについては，本書264頁参照。ただし，自由財産の拡張によって処理することもある。運用と書式72頁など。

[145] 解雇権の行使については，合理的理由を要し（最判昭和50・4・25民集29巻4号456頁），労務提供の不能，労働適格性の喪失，あるいは規律違反などの事由が認められない限り，解雇は無効とされる（労契16。菅野和夫・労働法〈第12版〉786頁（2019年），荒木尚志・労働法〈第3版〉296頁（2016年））。これを前提とすれば，労働者の破産は解雇事由とはならない（宮川・各論 I 66頁，注解破産法（上）307頁〔吉永順作〕，破産管財の手引〈第2版〉212頁など）。

契約の解約を申し入れられるので（民627Ⅰ前段），民法631条の意義は，期間の定めがある雇用契約についても，破産を原因とする解約権を双方に認める点にある。現行破産法の制定に際して，立法者は，賃借人の破産に関しては，特則たる民法旧621条を廃止する一方，注文者の破産に関しては，特則たる民法642条を修正の上で維持しているが，雇用契約に関する特則である民法631条については，修正を加えずに維持している。これは，労務の提供という雇用契約の特質を考慮した結果である。特則たる民法631条の第1の意義は，使用者の破産管財人だけではなく，契約の相手方である労働者にも解約権を認めることであるが，いかに破産手続開始後の賃金が財団債権として保護されるとはいえ（破148Ⅰ⑦），破産管財人の履行の選択によって，労働者が破産管財人を相手として従来の労働関係に拘束されるのは，労働者保護の観点からいって好ましくないからである。また，特則の第2の意義についてみると，使用者の損害賠償請求権が否定されることは，労働者の解約の自由を保障する意味があり，労働者の損害賠償請求権が否定されることは，労働基準法20条などの保護によって代替されるから深刻な問題とならない[146]。

したがって，使用者の破産に際しては，民法631条が適用され，破産管財人と労働者の双方が契約の解約権をもつ[147]。しかし，いずれもが解約権を行使しない場合には，破産管財人は，雇用契約について管理処分権を行使する立場にあるから，破産者に代わって使用者（労契2Ⅱ，労基10）としての地位を認められる[148]。

---

146) ただし，立法論として再検討の必要を指摘する論者もある（田頭・前掲論文「倒産法における契約の処理」（注56）109頁）。また，池田悠「倒産手続下における有期雇用労働者の処遇」多比羅喜寿498頁は，損害の発生を想定しつつ，損害賠償請求権を否定する民法631条には破産管財人による解約権行使を容易にするという，独自の意義が認められるとする。

147) 民法631条前段の規定によって相手方または破産管財人が解約の申入れをすることができる場合にも，破産法53条による破産管財人の選択権行使のときと同様に，相手方の破産管財人に対する確答催告権および解除擬制の規定が適用される（破53ⅢⅡ）。なお，再生手続や更生手続などによって事業を継続するときには，いわゆる整理解雇の4条件（4要素）との関係が問題となるのに対して（本書974頁，伊藤・会更法・特清法322頁），破産者の事業を廃止する破産の場合には，この点は問題とならない。

148) 破産管財人が使用者と認められるときは，その後の労働契約の解約について労働契約法16条（解雇権の濫用），同17条1項（有期労働契約期間中の解雇制限）の適用が問題となるが，適用を原則とすべきであろう。池田・前掲論文（注146）496頁参照。

(1) 破産管財人による雇用契約の解約

使用者の破産管財人による雇用契約の解約すなわち解雇は，民法631条を根拠としてなされるが，いったん解雇権が行使される以上，労働者保護の必要性は通常の解雇の場合と変わらないので，解雇予告期間および解雇予告手当など労働基準法上の要件（労基20 I 本文）を満たすことが要求される[149]。また，破産管財人が解雇権行使の形式をとらず，いわゆる希望退職を募集し，労働者がこれに応じる場合であっても，実質的に解雇と同様にみなされる場合には，解雇権が行使されたものと取り扱われる。

(2) 給料債権・退職手当債権の取扱い

破産管財人によって解雇がなされる場合の中心的問題として，退職金を含む退職手当債権[150]の取扱いがある。これについては，旧法下で4つの考え方が対立していた。

第1は，退職金債権が破産管財人の解雇行為にもとづくものとして，財団債権（破148 I ④）とする。第2は，退職金の基礎となる雇用契約が破産手続開始前のものである点に着目して，破産債権（破2 V）とする[151]。第3は，折衷説であり，賃金の後払的性格を有する退職金のうち，開始決定前の労務の対価とみなされるものを破産債権とし，開始決定後の労務の対価たる部分を財団債権（破148 I ⑧）とする考え方である[152]。第4は，開始決定後の労務の対価たる退

---

[149] 30日の予告期間または予告手当の支払である。なお，使用者の破産は，労働基準法20条1項但書にいう「やむを得ない事由」にはあたらない。ただし，解雇予告手当の支払は，解雇時ではなく，破産財団形成時でよいとされる（注解破産法（上）311頁〔吉永順作〕，永井博史「雇用（労働）契約」実務と理論241頁，大コンメンタール219頁〔松下淳一〕）。その他，実務上の取扱いについては，新版破産法138頁〔長島良成〕，破産管財の手引〈第2版〉210頁，破産法大系Ⅱ98頁〔蓑毛良和〕が詳しい。また，民法631条を根拠とする以外の解雇については，本書974頁参照。

[150] なお，退職金と類似するものとして，年金一時金があるが，その請求権にどのような地位を与えるべきかについては，議論がある。給付義務の主体が基金という破産者と別の法主体であるときには，破産手続上の制約は加えられないが，いわゆる規約型で，破産者（委託者）が給付義務の主体とみなされるときであっても，給付原資が外部の第三者（受託者）によって運用されるなど，分別管理がなされており，受給権者（受益者）が第三者に対する給付請求権を与えられているときには，破産手続による制約が課されないとする見解が有力であり（詳説倒産と労働388頁〔下向智子〕，ニューホライズン363頁），本書もこれを支持する。

[151] 東京高判昭和44・7・24高民22巻3号490頁。実務もこの考え方をとっていた（注解破産法（上）315頁〔吉永順作〕，破産・和議の実務（上）160頁）。

[152] 下級審判例にも，これを採用するものがある。大阪地判昭和58・4・12労民34巻2

職金や賃金が財団債権となるのは当然とし（破148Ⅰ②⑧），賃金の後払いたる退職金が，破産管財人の解除権の行使にもとづく原状回復義務の中に含まれるとして，退職金全額を財団債権とする（破54Ⅱ参照）153)。

これに対して現行法では，給料債権全般に対して優先的破産債権の地位が認められたのに加え（破98Ⅰ，民306②・308），破産手続開始前3月間の給料債権が財団債権とされ（破149Ⅰ）154)，さらに，破産手続終了前に退職した使用人の退職金を含む退職手当債権について，退職前3月間の給料の総額に相当する額が財団債権とされている（同Ⅱ。その総額が破産手続開始前3月間の給料の総額より少ない場合には，破産手続開始前3月間の給料の総額に相当する額。同かっこ書）。これは，旧法下の考え方の対立を立法的に解決したものである。

したがって，破産手続開始の前後を問わず，また，労働者による自発的退職か，それとも使用者または使用者の破産管財人による解除権の行使の結果かを問わず，労働者の退職手当債権は，退職前3月間の給料総額相当分が財団債権となり，それ以外の部分は優先的破産債権として扱われる155)。

号237頁〔倒産百選〈第3版〉114①事件〕。
153) 伊藤眞「破産と労働関係」法学教室65号28, 33頁（1986年）参照。会社更生では，管財人が解雇権を行使するときには，自己都合による退職と異なって，退職手当全額が共益債権とされる（会更127②・130Ⅳ。伊藤・会更法・特清法323頁参照。民事再生法119条2号についても同様と思われる）。本文に述べた説の実質的根拠は，これとの均衡にある。なお，解除の場合の原状回復義務として，供給された労務の価値を返還しなければならないことは一般に承認されている（注釈民法〈新版補訂版〉(13) 893頁〔山下末人〕，好美清光「契約の解除の効力」現代契約法大系2巻175, 181頁）。
　　この考え方に対する批判として，宮川・総論276頁，基本法95頁〔宮川知法〕がある。
154) 黒木和彰「労働債権の財団債権化」論点解説新破産法〈下〉38頁参照。もちろん，破産手続開始後の労務の対価としての給料等は，財団債権として扱われる（破148Ⅰ②⑧）。なお，付随的ではあるが，使用者が労働者を同意を得て労働者の給料債権や退職手当債権に対してする相殺は，その同意が労働者の自由な意思にもとづいてされたものであると認めるにたる合理的な理由が客観的に存在するときは，労働基準法24条1項本文に違反しないとの判例（最判平成2・11・26民集44巻8号1085頁〔倒産百選〈第4版〉37事件〕）を前提とすれば，破産管財人も同様の要件の下に退職手当債権を受働債権とする相殺をなしうることになる。実務上の取扱いについて，220問400頁〔室木徹亮〕参照。
155) 実際には，破産管財人にとっても，また，給料請求権者にとっても，財団債権部分と優先的破産債権部分を区別することは容易ではない。財団債権たるべき部分の申出（破規50Ⅰ）や破産債権たる部分についての情報提供（破86）は，こうした問題の解決のための規定である。条解破産法〈第3版〉1053頁，破産法大系Ⅱ103頁〔蓑毛良和〕。具体的計算方法については，破産管財の手引〈第2版〉208頁参照。その他，源泉徴収票の交付，住民税関係の異動届，社会保険関係の資格喪失届，雇用保険関係の離職証明書の提出について，実践マニュアル325頁，破産法大系Ⅲ398頁〔三森仁〕参照。労働者健康安全機構

なお，優先的破産債権となる給料債権および退職手当債権は，本来であれば，破産配当によってその権利の満足を受けるべきものであるが（破100Ⅰ参照），立法者は，これらの債権が労働者やその家族の生活維持に不可欠なものであることを考慮し，破産配当に先立つ，給料の請求権等の弁済の許可の制度を設けている（破101Ⅰ。具体的内容については，本書301頁参照）。

(3) 破産管財人による履行の選択

破産者の事業継続のため，または清算業務遂行のために必要な労働者の雇用を継続しようとするときには，破産管財人は従来の雇用契約をいったん解約し（民631），新たに雇用契約を締結するか，または従来の雇用契約について履行の選択をなす（破53Ⅰ）。前者の場合には，開始決定前の原因にもとづく給料債権等は，法149条が定める限度で財団債権となり，その余の部分は優先的破産債権（破98Ⅰ）となり，新たな雇用契約にもとづく賃金債権等は，すべて財団債権となる（破148Ⅰ④）。

後者の場合における給料債権等の取扱いについて通説は，開始決定後の給料債権等は財団債権となるが（破148Ⅰ⑦），開始決定前の給料債権等は，たとえ従来の雇用契約が存続する場合でも，財団債権と優先的破産債権とに分けられるとする[156]。しかし本書では，継続的給付を目的とする双務契約や賃貸借契約など他の継続的契約関係について述べた一般論から，いったん破産管財人が雇用契約について履行の選択をなした以上，開始決定後の原因にもとづく給料債権等と開始決定前の原因にもとづく給料債権等とを区別せずに，財団債権（破148Ⅰ⑦）と解する。継続的給付を目的とする双務契約について，破産手続開始前の原因にもとづく給付の対価を破産債権と財団債権とに区別する法55条1項および2項の規定が労働契約には適用されないとされていることも（破

による立替払いの制度については，吉田＝野村10頁以下，破産法大系Ⅲ399頁〔三森仁〕参照。

また，破産手続が長期にわたり，破産手続開始後の給料の後払いとみなされる部分が，退職前3月分の給料の総額（または，破産手続開始前3月分の給料の総額）を上回ることも考えられないではない。このようなときには，その部分は，財団債権として扱うべきである。条解破産法〈第3版〉1055頁。

[156] 谷口195頁，条解会更法（中）314頁に詳しい。裁判例としては，前掲大阪地判昭和58・4・12（注152）がある。これに対して，旧和議事件に関してではあるが，1個の退職金債権のうち，手続開始前の賃金対応分と開始後の賃金対応部分を分けることが不合理を生じるとするものとして，大阪高判昭和59・12・25労民35巻6号657頁〔倒産百選〈第3版〉114②事件〕がある。

55Ⅲ），このような結論の根拠となる。そのように考えないと，破産管財人が雇用契約の履行を選択しても，労働者が開始決定前の原因にもとづく未払賃金を理由として，労務の提供を拒否する可能性があり，問題の合理的解決が期待できない[157]。

なお，民事再生の場合には，一般の先取特権によって保護される給料債権等は，再生債権として扱われず（民再84Ⅰかっこ書），一般優先債権として，再生手続によらず，随時に弁済されるので（同122Ⅰ・Ⅱ）[158]，破産手続におけるような問題を生じない。

会社更生の場合には，給料債権等の取扱いについて破産と類似の規律が存在する。まず，更生手続開始決定がなされると，手続開始前6月分の給料債権および身元保証金返還請求権が共益債権とされる（会更130Ⅰ）。次に，更生手続開始決定前から会社に雇用された者については，更生計画認可前の退職であれば，開始決定前か開始決定後かという退職時期を問わず，管財人による解雇の場合を別として，退職前6月分の給料相当額または退職手当金額の3分の1相当額のうちいずれか多い額を限度として，共益債権としての取扱いがなされる（同Ⅱ）。これは，開始決定前の退職の場合には，たとえそれが解雇によるものであっても，これらの債権が優先的更生債権（会更168Ⅰ②）となるにすぎず，開始決定後の管財人による解雇の場合には，全額共益債権（会更127②）になるという不均衡，および退職事由の違いによる不均衡の解消を目的とし，一律に共益債権となる範囲を定めたものである[159]。

これに対して，更生手続開始後に管財人によって雇用され，更生計画認可前に退職する者の退職手当債権は，全額共益債権となる（会更127②）。なお，雇用開始の時期を問わず，更生計画認可後に退職する者の退職手当債権は，更生手続の対象外のものとされる。

---

157) このような問題の発生を避けるために，実務上は，破産管財人がひとまず労働者全員を解雇し，その後に必要とする者についてのみ新たに雇用契約を締結することが多いといわれる。
158) 一般優先債権が再生債権として扱われず，手続外で弁済を受けるのは，再生手続，特に再生計画案に対する議決権行使の手続を簡素化するためである。再生手続との関係では，一般優先債権と共益債権の取扱いに差異はない。花村342頁参照。
159) 宮脇＝時岡149，151頁，伊藤・会更法・特清法323頁参照。

(4) 使用者としての破産管財人

破産手続開始後の雇用関係自体は，破産者と労働者を契約主体とするものであるが，破産管財人は，雇用関係についての管理処分権（破78Ⅰ）にもとづいて使用者としての地位を認められる。したがって，破産管財人としては，破産財団の管理や換価に必要な範囲で，使用者としての破産者がもっていた権限，すなわち労働協約（労組14以下）や就業規則（労基89以下）にもとづく権限，あるいは労使慣行にもとづく配転・出向命令権などを行使する。解雇権などについても同様である。

しかし，その反面として，破産管財人は使用者としての義務，たとえば団体交渉応諾義務（労組7②）も課される。もっとも，団体交渉の対象となる事項は，通常の労使関係と比較すると制限される。すなわち，法律上破産管財人に裁量権が与えられていない事項，たとえば優先的破産債権たる給料債権等に対する配当率などについての問題は，交渉事項とならない。これに対して，給料債権等のうち財団債権となるもの（破149）の弁済時期，優先的破産債権たる給料債権等についての弁済許可申立て（破101），中間配当の時期（破209），財団換価の方針，あるいは破産管財人による民事再生や会社更生手続開始申立て（民再246Ⅰ，会更246Ⅰ）などについては，破産管財人にある程度の裁量的判断が許されるので，交渉事項として扱える[160]。なお，交渉事項となりうるものについて破産管財人が，正当な理由なく労働組合との団体交渉を拒否すれば，不当労働行為（労組7②）が成立する[161]。

---

160) 基本法96頁〔宮川知法〕，実践マニュアル125頁，詳説倒産と労働36頁〔徳住堅治〕，破産法大系Ⅲ358頁〔中井康之＝山本淳〕。伊藤眞「事業再生と雇用関係の調整——事業再生法理と労働法理の調和を求めて」松嶋古稀110頁では，使用者としての破産管財人が債権者平等などの倒産法理に拘束されることを説く。整理解雇に関する法理の適用との関係など，議論の全体状況については，判例・実務・改正提言415頁〔池田悠〕参照。

161) 中島Ⅰ263頁も同旨。これに対して，再生債務者による再生手続開始申立て（民再21Ⅰ），会社による更生手続開始申立て（会更17Ⅰ）などの方法による事業継続と雇用確保等を団交事項とする場合には，破産管財人ではなく，破産会社自身に団体交渉応諾義務が課され，取締役が団体交渉の担当者となる（旧強制和議について，徳島地決平成元・3・22労働判例546号56頁）。

再生債務者等の情報提供義務については，破産法86条や会社更生法80条の2のような明文の規定は存在しないが，再生債務者の公平誠実手続遂行義務（民再38Ⅱ）や管財人の善管注意義務（民再78・60）の延長として，労働者や労働組合に適時かつ適切に情報を伝達すべき責務があろう。もっとも，ストライキ権にかかわるスポンサー（本書1095頁）の意向などを労働組合に伝えるについては，時期や態様などに留意する必要がある。

次に，労働協約の破産管財人に対する拘束力を検討する。使用者たる破産者と労働組合との間で破産手続開始前に締結された労働協約が，解雇協議条項や団体交渉手続に関する条項を含んでいるときに，その協約が破産管財人を拘束するかどうかが争われる。議論の前提として，労働協約が双方未履行双務契約と解されるかどうかが問題となるが，一般には，協約の各条項が労使双方に対して各種の義務を課している点を捉えて，双方未履行双務契約性が肯定される。

さらに，破産管財人が労働協約について履行か解除かの選択権（破53Ⅰ）を与えられるかどうかが問題となる。民事再生法および会社更生法は，この点について特則を置き（民再49Ⅲ，会更61Ⅲ），再生債務者や管財人の選択権を否定している。したがって，このような特則のない破産では，労働協約も双方未履行双務契約の一種として，破産管財人に履行か解除かの選択権が認められる。ただし，民事再生法の規定の趣旨などを尊重すると，当然に解除が許されるとすべきではなく，協約の条項が円滑な管財事務遂行の妨げとならないことを労働組合が主張・立証すれば，解除権が否定される[162]。

就業規則（労基89）の法的性質については，議論があるが，一般には，使用者が職場の秩序や労働条件について定めた規則であり，一定の合理的手続によって定められた場合には，それが労働契約の内容となるとされている（労契10参照）。したがって，破産管財人は，その財産管理処分権に含まれるものとして，就業規則を変更することができるが，それについては，労働法による制約を受ける。

第3節　係属中の手続関係の整理

破産清算を実施するために，破産財団所属財産の管理処分権が破産手続開始

東京地判平成26・8・28判時2283号117頁〔会社更生〕，東京高判平成27・6・18労判1131号72頁〔会社更生〕参照。

[162] 労働協約について破産管財人の解除権を肯定するのは，谷口194頁，伊藤新一郎「破産管財人の執務上の諸問題（3）」裁判実務大系（6）269頁，渡辺徹「破産と雇用契約」金商別冊1号115頁（1980年），注解破産法（上）312頁〔吉永順平〕，破産法大系Ⅲ360頁〔中井康之＝山本淳〕などである。しかし，これらの学説も，協約中の各条項の性質などに応じて，たとえば，退職金条項などは破産管財人を拘束するという。もちろん，この種の条項に対する否認権の行使は，別問題である。また，労働組合との合意や労働組合法の規定（労組15ⅢⅣ）による改訂や解約の可能性は変わらない。

決定にもとづいて破産管財人に付与され（破 34 I・78 I），また，破産債権者は，個別的な権利の実行を禁止され（破 100 I），破産配当によってのみ満足を受ける。破産者および破産債権者に対する破産手続開始の効力は，破産者にかかわる実体法律関係に様々な影響を与えるが，上記の目的を実現するために，訴訟手続，強制執行手続，およびその他の手続法律関係にも影響を生じ，これらの手続について中止（中断を含む）または失効の効果が生じる。

中止または失効の対象となる手続を大別すれば，第1に，破産債権または財団債権にもとづく強制執行等または先取特権の実行手続の失効であり，企業担保権の実行についても同様である（破 42 I II 本文）。破産債権または財団債権にもとづく財産開示手続および第三者からの情報取得手続も失効する（同 VI 後半部分）。第2に，破産者を当事者とする破産財団に関する訴訟手続は，中断する（破 44）。これらの手続は，権利を個別的に実現するためのものであるので，破産手続が開始された以上，従来の姿のままで手続を維持すべき理由が失われるからである。第3に，債権者代位訴訟や詐害行為取消訴訟は，破産者を当事者とするものではないが，破産者の責任財産たる破産財団を保全または増殖する職務が破産管財人に専属するに至ったことから，同様に，破産手続開始とともに中断する（破 45 I）。

そして，実体法律関係と同様に，手続法律関係も破産財団の管理処分権者たる破産管財人によって整理・収束される。その過程における破産管財人の地位に関しても，実体法律関係の場合と同様に，基本的には，破産管財人は破産者に代わってその管理処分権を行使する者として，破産者と同一の手続上の地位に立つ。破産財団に属する財産に関して中断した訴訟を破産管財人が受継するのが（破 44 II），その例である。同時に，破産管財人は破産債権者全体の利益を代表する手続上の地位を認められる。破産債権に関する訴訟の取扱い（破 127 I），債権者代位訴訟および詐害行為取消訴訟の中断・受継（破 45），あるいは強制執行の続行（破 42 II 但書）などがその例である。

第1項　係属中の訴訟手続

破産手続開始後に破産財団に関する訴えを提起するときには，管理機構たる

破産管財人に当事者適格が認められる（破80）[163]。また，破産財団に関する訴訟が係属中に，いずれかの当事者に対して破産手続開始決定がなされると，訴訟手続は中断する（破44Ⅰ）[164]。訴訟代理人があっても，中断は避けられない（民訴124Ⅱ参照）[165]。中断は，訴訟係属中に当事者適格の喪失など法定の事由が生じた場合に訴訟手続が停止することを意味するが，破産手続開始決定がなされると破産財団に関する破産者の管理処分権が失われるので（破78Ⅰ参照），法はこれを中断事由とする。破産財団に関する管理処分権は，積極財産についての当事者適格と消極財産たる破産債権についての当事者適格双方を含むので，ここでいう破産財団に関する訴訟には，財団に属する財産に関する訴訟，財団債権に関する訴訟および破産債権に関する訴訟が含まれる。

　これに対して，破産財団に関する管理処分権と無関係な訴訟，たとえば，自

---

[163]　法定財団に属すべき財産に関する訴えはもちろん，現に破産管財人の管理下にある現有財団に属する財産に関する訴えも含まれる。
　　　したがって，破産手続開始後に破産者を当事者として新たな訴訟を提起することは許されず，訴えを却下すべきである（最判平成13・7・19金法1628号47頁参照）。再生手続が開始され，管理命令が発令された後に再生債権者が再生債務者に代位して訴訟を提起することができないとした東京高判平成15・12・4金法1710号52頁〔民事再生〕〔倒産百選A14事件〕も，このような考え方を前提としたものである。藤本利一「再生手続開始後における債権者代位訴訟（転用型）の可否」金商増刊1361号48頁（2011年）参照。
　　　これに対して，新得財産（本書260頁）を含む自由財産に関する訴えについては，破産者に適格が認められる。最判昭和43・6・13民集22巻6号1149頁。もちろん，自由財産か破産財団所属財産かについて争いがあるときには，破産財団所属財産であることを主張する破産管財人に当事者適格が認められる。注釈破産法（上）577頁参照。
　　　また，破産管財人を当事者とすべきであるにもかかわらず，誤って破産者を当事者として提起した訴えであっても，訴訟の目的たる財産について破産管財人が管理処分権を放棄したときには，適法なものとなる。最判昭和47・9・7民集26巻7号1301頁〔会社更生〕参照。
[164]　現行法制定前は，破産手続開始にともなう訴訟手続の中断・受継に関する規律は，民事訴訟法125条に規定されていたが，現行法制定にともなって，同条は削除された。ただし，「民法等の一部を改正する法律」（令和3年法律24号）によって，民事訴訟法125条は復活し，所有者不明土地管理命令にもとづく訴訟の中断および受継が規定された。
　　　また，訴え提起後，訴状送達前に当事者について破産手続が開始された場合には，訴訟係属発生前であるので，中断の問題は生じないが（伊藤・民訴法265頁参照），実務上適切な対応が求められる。破産実務の基礎373頁参照。
[165]　破産管財人と破産者の利害が一致するとはいえないためである。伊藤・民訴法583頁参照。なお，訴訟委任との関係については，本書432頁参照。また，同時破産手続廃止（破216Ⅰ．本書196頁）の場合に，訴訟手続が中断するかどうかの問題もある。破産管財人が選任されず，破産者の管理処分権が実質的には影響を受けないことを考えれば，中断しないとすることが簡明であろう。破産法大系Ⅰ471頁〔石田憲一〕。

由財産に関する訴訟，破産者の身分関係に関する訴訟，あるいは破産法人の組織法上の争いについての訴訟については，中断の効果は生じないとするのが通説であるが[166]，破産財団所属財産についての管理処分権行使に関係するものについては，中断を認めるべきである[167]。なお，ここでいう中断は，訴訟当事者に対して破産手続開始決定がなされた事実にもとづくものであるが，債権者代位訴訟や詐害行為取消訴訟の係属中に債務者に対して破産手続開始決定がなされた場合など，訴訟当事者でない者の破産によっても中断が生じることがある（破45 I）。これは，債務者の破産によって代位債権者などの当事者適格

---

[166] 各種の組織法上の訴えとそれに関する判例について，条解破産法〈第3版〉667頁参照。特に，近時のものとしては，前掲最判平成21・4・17（注139）が，株主総会決議不存在確認の訴えについて「破産財団に関する管理処分権限と無関係な会社組織に係る行為等は，……破産者たる会社が自ら行うことができる」と判示する。

[167] 解散の訴え，設立無効の訴え，合併無効の訴え，総会決議取消し・無効確認の訴えなど（一般法人264以下，会社828以下参照）については中断が生じないから，破産者が従来通り訴訟追行をするというのが従来の一般的見解である。これに対して，組織法上の訴訟であっても，会社の財産関係に影響を及ぼすような訴訟については，破産財団に関するものとして中断を認め，破産管財人がそれを受継すべきである（松田104頁，伊藤・会更法・特清法330，67頁，注釈破産法（上）581頁）。
　したがって，合併無効，分割無効，総会決議取消しや無効確認の訴えでも，その内容によっては，中断・受継を検討するべきである。ただし，谷口202頁，基本法106頁〔本間靖規〕は，訴訟が中断せず，破産管財人が共同訴訟的補助参加をなすべきであるとする。しかし，この種の訴えにもとづく請求認容の確定判決が有する対世効（一般法人273，会社838）を考えても，破産財団所属財産の管理処分権行使に無縁のものは考えにくい。なお，中止命令との関係については，本書161頁参照。
　また，離婚訴訟などの破産者の身分関係に関する訴訟が中断の対象とならないことはもちろんであるが，身分関係に起因する紛争にかかる非訟手続，たとえば，離婚に伴う慰謝料や財産分与（民768，家事154 II ④）については，検討の余地がある（220問139頁〔木内道祥〕）。慰謝料請求権が破産債権となり，財産分与請求権が破産債権または取戻権となること（本書471頁）を前提として，中断および破産管財人による受継を認めるのが，従来の多数説であったが，非訟事件手続法および家事事件手続法の下では，中断は生ぜず，破産管財人が当然に手続を受継する（非訟36，家事44，民調22）。労働審判についても，同様である（労審29 I）。条解破産法〈第3版〉369頁，金子修編著・一問一答非訟事件手続法75頁（2012年），同・前掲書（注143）96頁，破産法大系 I 456頁〔石田憲一〕参照。財産分与にかかる調停や審判についても同様である。森宏司「家事調停・審判手続中の当事者破産」伊藤古稀1168頁。
　慰謝料や財産分与請求権の権利者側に破産手続が開始したときには，これらの権利の一身専属性との関係があり，それが失われない間は，破産管財人が手続に関与することはできない。注釈破産法（上）312，578頁。離婚訴訟の付帯処分としての財産分与の申立てについて，山本克己「人事訴訟手続（離婚事件）と破産手続の開始」徳田古稀728頁参照。また，破産手続開始前の相続にもとづいて破産者に属すべき遺産にかかわる遺言無効確認訴訟は，破産財団に属する財産にかかる訴訟とみなされる。220問134頁〔猿谷直樹〕。

が失われるためである。

1 破産財団に属する財産に関する訴訟

破産者を一方当事者として，その財産に関する訴訟が係属中，破産者に対して破産手続開始決定がなされたときには，当該財産が破産財団に属するものである限り，訴訟は中断する（破44Ⅰ）[168]。破産者が原告または被告となって，ある財産の所有権を争っている場合などが，その例にあたる。中断の理論的根拠は，その財産について破産者が管理処分権を失ったことによって，当事者適格を喪失したことに求められる。当事者適格は，新たに管理処分権を取得した破産管財人（破78Ⅰ・80）に認められるから，中断した訴訟は，破産債権に関するものを除いて，破産管財人が受継する（破44Ⅱ前段）[169]。

[168] ここでいう破産財団が法定財団と現有財団のいずれを意味するかについては，考え方の対立があるが，中断・受継の範囲を明確にする意味で，現有財団と解するのが妥当である（注解破産法（上）360頁〔永田誠一〕，基本法106頁〔本間靖規〕）。もちろん，破産者がその存在を主張する請求権なども，ここでいう現有財団に含まれる。これに対して大コンメンタール331頁〔田原睦夫〕，条解破産法〈第3版〉368頁，破産法大系Ⅰ457頁〔石田憲一〕，注釈破産法（上）575頁は，破産管財人の管理処分権に服することが予定されている財産として，法定財団説をとる。中断する訴訟についての実務上の対応については，破産実務の基礎367頁参照。

ただ，破産財団所属財産について債権者が強制執行に着手し，それについて自らの権利を主張する者が第三者異議の訴え（民執38Ⅰ）を提起しているときには，破産財団に属する財産に関する訴訟ではあるが，破産者が訴訟当事者ではないために中断・受継の問題は生じない。もっとも，強制執行が破産手続開始決定によって効力を失うことから（破42Ⅰ），第三者異議の訴えは，その目的を失い，棄却される。破産法大系Ⅰ458頁〔石田憲一〕。

また，破産手続に先行する再生手続や更生手続における役員責任査定異議の訴え（民再145，会更102）も，破産財団に関する訴訟として中断および受継の対象となる。

なお，非訟事件手続や家事審判手続についても，それが破産財団に関するものであるかぎり，同様の取扱いがなされる（非訟36，家事44。倒産と訴訟188頁〔島岡大雄〕）。

[169] ただし，上告裁判所は，上告状，上告理由書，答弁書その他の書類により上告を理由なしと認める場合には，上告理由書提出期間の経過後に上告人が破産宣告を受けたときであっても，破産法所定の受継手続を経ることなく，口頭弁論を経ずに上告棄却の判決をすることができるものと解するのが相当であるとする判例（最判平成9・9・9判時1624号96頁）がある。旧民事訴訟法401条（現民訴319）の下では，受継によってなすべき訴訟行為が考えられないためであろう。

また，破産管財人が当該財産を破産財団から放棄した場合には（破78Ⅱ⑫），破産者が中断した訴訟を受継する（破44Ⅴ Ⅵ類推。大コンメンタール185頁〔菅家忠行〕，条解破産法〈第3版〉374頁）。中断・受継の問題自体が生じないとする見解があるが（注解破産法（上）367頁〔永田誠一〕），中断は破産手続開始の効力にもとづくものであるから，これを否定することはできない。自由財産の拡張決定があった場合も同様である。

なお，第三者が所有権を主張する建物を破産者が占有し，第三者を原告とし，破産者を

他方，相手方としても，一方当事者の破産という偶然の出来事によって，それまでの訴訟追行の結果が無駄になるのを受忍すべき理由はないから，破産管財人に対する受継申立てをなすことができる（破44Ⅱ後段）。破産管財人は，受継を拒絶できない。また，同様の趣旨から，受継した破産管財人は，中断時までの訴訟状態に拘束され，破産者がもはや提出できなくなった攻撃防御方法（民訴157Ⅰ等）を提出できないし，攻撃防御方法の提出に関する手続上の義務（民訴167・174・178・301Ⅱ等）も履行しなければならない[170]。もちろん，破産管財人の地位にもとづく固有の攻撃防御方法，たとえば善意の第三者の抗弁などの提出が許されることは当然である。

受継した訴訟において破産管財人が敗訴した場合には，相手方が破産管財人に対して訴訟費用償還請求権を取得するが（民訴61），その請求権が受継前の費用まで含めて財団債権として扱われる（破44Ⅲ）[171]。なお，破産管財人が勝訴した場合には，費用償還請求権は破産財団所属財産になる。

破産管財人がいったん受継した訴訟が係属している間に，破産手続が終了すれば，破産管財人の当事者適格が失われるので，訴訟は中断し（破44Ⅳ），訴訟の目的物について管理処分権を回復した破産者またはその相手方の受継申立てにもとづいて，受継決定がなされる（同Ⅴ）。破産管財人が受継する前に破産手続が終了したときには，受継の手続を要することなく，受継の効果が生じる（同Ⅵ）。

2 財団債権に関する訴訟

財団債権の多くは，破産手続開始後の原因にもとづいて生じるものであり，それらについては，破産手続開始時に訴訟係属があることは考えられない。しかし，例外的に破産手続開始前の原因にもとづく債権で財団債権とされるものがあり，それに関しては，開始時の訴訟係属がありうる。たとえば，破産者が買主である売買契約について売主が破産手続開始前に売買代金支払請求訴訟を

被告とする明渡訴訟が破産手続開始によって中断したときに，破産管財人がこれを受継すべきどうかが議論されるが，占有の利益の放棄がなされない限りは受継されるべきである（基本法106頁〔本間靖規〕，条解破産法〈第3版〉368頁）。

170) 訴訟手続上の制約等に関しては，伊藤・民訴法716頁参照。ただし，裁判上の自白がなされているような場合に，それを否認する余地があることについては，本書624頁参照。

171) 受継後の費用に関する請求権が財団債権となることは当然であるから（破148Ⅰ②），法44条3項の意味は，受継前に破産者が当事者であった部分の費用を財団債権とするところにある（注解破産法（上）370頁〔永田誠一〕）。

提起していることが考えられる。この売買契約について双方未履行として破産管財人が履行の選択をすれば（破53Ⅰ），代金債権は財団債権となる（破148Ⅰ⑦）。しかし，売買代金請求訴訟は，破産手続開始によって中断しているので（破44Ⅰ），この訴訟についても，破産管財人が履行の選択をなした段階で受継が行われる（同Ⅱ）[172]。

破産財団に対する債権は，それが破産債権となるものであれば，破産手続の中で調査・確定されるが，財団債権は調査・確定の手続に服さないので，破産管財人が直ちに受継することとしたものである。相手方にも受継申立権が認められること，相手方の訴訟費用償還請求権が財団債権となることは，財団財産に関する訴訟の場合と同様である[173]。

破産手続開始前の原因にもとづく財団債権として，そのほかに法148条3号の租税債権および破産手続開始前の原因にもとづく使用人の給料等（破149）がある。前者については，財団債権たる租税債権に関して破産者が破産手続開始前に課税処分取消訴訟などを提起していたときに，この訴訟も中断し，破産管財人によって受継される（破44ⅠⅡ）。破産手続開始前の原因にもとづく使用人の給料等（破149）について，破産手続開始前から訴訟が係属していた場合の取扱いも，同様である。

3 破産債権に関する訴訟

債権者が破産者に対して給付訴訟を提起していたり，逆に破産者が債権者に対して債務不存在確認訴訟を提起しているときに，破産手続開始決定がなされると，それらの訴訟は中断する（破44Ⅰ）[174]。債権の引当てとなる責任財産の管理処分権者が破産者から破産管財人に変わり，当事者適格が変動することが

---

[172] 債権調査・配当412頁〔平山隆幸〕。財団債権性の有無や範囲に起因して受継原因の争いが生じた場合の手続に関しては，伊藤・民訴法269頁参照。

[173] 財団債権にもとづく強制執行も禁止される（破42Ⅰ。本書348頁）ことから，給付請求を確認請求に変更することになる。

[174] 非訟事件や労働審判については，本章注167参照。仲裁や調停については，訴訟手続に準じた取扱いをすべきである。これに対し，条解破産法〈第3版〉933頁は，調停について確定手続としての代替性に乏しいことを理由として受継を否定する。それぞれの手続における請求の内容と中断および受継の取扱いについては，倒産と訴訟189頁〔島岡大雄〕，増田勝久「非訟手続，家事手続，仲裁手続，外国訴訟手続と倒産債権の確定」木内古稀451頁が詳細に記述する。また，消費者裁判手続特例法にもとづく手続と事業者の破産との関係については，森純子「消費者裁判手続特例法に基づく手続中の事業者の破産」木内古稀661頁参照。

その理由である。次に中断後の訴訟の取扱いが問題となるが，破産債権は，財団債権とは異なって，破産手続によらない権利行使が禁止され（破100Ⅰ），破産手続内で調査・確定の上で配当を受けるので，中断した訴訟を破産管財人が受継するとは限らない（破44Ⅱ前段）。

手続としては，訴訟中断後，債権者はその破産債権を届け出，それについて調査・確定手続が行われる（破115以下）。調査の中で破産管財人および他の破産債権者から届出債権に対して異議が述べられなければ，債権の存在および内容は確定され（破124ⅠⅢ），中断した訴訟は終了する[175]。異議が述べられたときには，通常は，破産債権査定手続が行われ（破125Ⅰ本文），査定決定に対して不服がある者によって異議の訴えが提起されるが（破126），この場合には，中断中の破産債権に関する訴訟が破産管財人などの異議者を相手方として，または異議者によって受継される（破125Ⅰ但書・127Ⅰ・129ⅠⅡ）。以後は，受継後の訴訟が異議訴訟として続行される[176]。

4 詐害行為取消訴訟（債権者取消訴訟）および債権者代位訴訟

債務者が詐害行為をなしたことを理由として，債権者が破産手続開始前に受益者を被告として詐害行為取消訴訟を提起し（民424Ⅰ），その訴訟係属中に債

---

[175] 当事者から訴訟物たる債権が確定した旨の上申を受け，受訴裁判所は訴訟終了宣言判決をなす。ただし，破産者も異議を述べていない場合には，訴訟終了宣言判決を要せず，当然に訴訟が終了するとの考えがある（倒産実務講義案93頁）。なお，破産債権に関する訴訟の中断および受継の流れについては，倒産と訴訟180頁〔住友隆ович〕に流れ図がある。
　なお，債権調査留保型（本書185頁）で債権調査がなされないままに破産手続廃止決定の確定によって破産手続が終了したときには（本書775頁），破産者が中断した訴訟を受継することになるが，破産者の法人格が消滅すれば，訴訟は当然に終了する。大阪高訴訟終了宣言平成26・5・30金法2013号141頁。

[176] 賃貸借の解除を理由として賃貸人が賃借人に対して，建物収去・土地明渡請求ならびに明渡までの賃料相当額損害金支払請求訴訟を提起し，訴訟係属中に賃借人に対して破産手続開始決定がなされたときには，収去・明渡請求は，取戻権の行使にあたるので（破62），破産財団所属の財産に関する訴訟として，中断・受継がなされ（破44ⅠⅡ），損害金請求のうち破産手続開始後の占有にもとづくものは，財団債権（破148Ⅰ④）に関する訴訟として中断・受継がなされるが（破44ⅠⅡ），破産手続開始前の占有にもとづく損害金請求権は，破産債権となるために，中断はするが（破44Ⅰ），その後は，調査・確定手続に委ねられ（最判昭和59・5・17判時1119号72頁〔倒産百選82事件〕），異議が述べられれば，本文のような取扱いがなされる。
　このように手続関係が複雑になるので，実務上の取扱いとしては，現状有姿での明渡しなどの交渉によって，訴えの取下げなどの形での終了が望まれる。破産管財の手引〈第2版〉199頁。破産債権に関する中断中の訴えの取下げについて，運用と書式99頁参照。

務者に対して破産手続開始決定がなされたとする。訴訟の当事者は，債権者[177]と詐害行為の受益者であり，破産者は訴訟とは無関係である。それにもかかわらず，詐害行為取消訴訟は中断する（破45Ⅰ）。そして，中断した訴訟については，破産管財人または相手方の受継申立てにもとづいて，破産管財人が取消債権者側を受継する（同Ⅱ）。なお，破産手続開始時に再生手続または更生手続において開始された否認関係訴訟が存在する場合の中断や受継については，本書1252頁以下を参照されたい。

　詐害行為取消訴訟は，債務者の責任財産を回復する目的をもつものであるが，いったん破産手続が開始された以上，責任財産の回復は，破産財団の増殖に置き換えられ，その目的は，破産管財人による否認権行使によって実現されるのが適当であるという判断にもとづく。この中断・受継は，責任財産の範囲をめぐる当事者適格が，取消債権者から破産債権者の利益を代表する破産管財人に移転したことによるものである[178]。

---

[177] 破産債権者のみならず，財団債権者を含む。債権者代位訴訟についても，同様である。これは，財団債権にもとづく強制執行も禁止されること（破42Ⅰ）と関係があり，その点で，再生手続（民再40の2Ⅰ）や更生手続（会更52の2Ⅰ）との違いがある。基本構造89頁，伊藤・会更法・特清法335頁参照。

[178] したがって，破産手続開始後は，破産債権者が債権者取消訴訟を提起することは許されない（大判昭和4・10・23民集8巻787頁，東京地判平成19・3・26判時1967号105頁〔民事再生〕〔倒産百選A15事件，倒産百選〈第5版〉72事件〕，東京高判平成17・6・30金法1752号54頁〔民事再生〕，東京高判平成22・12・22判タ1348号243頁〔小規模個人再生〕〔倒産百選A16事件〕）。ただし，改正民法下の詐害行為取消権の特質を考慮し，この結論を疑問視する議論もある。佐藤鉄男「倒産手続と詐害行為取消権」民事特別法の諸問題6巻815頁。

　また，受継後の訴訟において破産管財人が請求原因として否認権の主張と並んで，またはそれに代えて，詐害行為取消権の主張をすることも許されるかという問題がある。転得者に対する否認の要件（本書628頁）が詐害行為取消権より厳格なことなどを理由として，これを肯定する有力説もあったが（大コンメンタール623頁〔山本和彦〕，条解破産法〈第2版〉1062頁注4），制度の趣旨に反する疑いがあり（否認権と詐害行為取消権との関係について，本書559頁，中田・債権総論282頁参照），また受継した詐害行為取消訴訟に敗訴した破産管財人がさらに否認訴訟を提起できるかなどの問題もあり，消極に解すべきである。大判昭和12・7・9民集16巻1145頁が破産管財人による詐害行為取消訴訟の提起を否定していることとの関係でも，このような結論が妥当である。

　民法424条の5を前提としても，このことに変わりはない。注釈破産法（上）323頁。ただし，園尾隆司「否認の手続と否認訴訟」倒産法の実践340頁は，否認権と詐害行為取消権の異質性を理由として，破産管財人による受継の規定を廃止すべきことを提案する。

　なお，法45条は，保全管理命令に準用されていないが，これは，保全管理命令の暫定的性質および保全管理人に否認権行使が認められないことによるものと理解される。

もっとも，詐害行為取消訴訟の訴訟状態が破産管財人にとって有利な場合は，破産管財人はそれを積極的に受継するが，従来の訴訟状態が破産管財人にとって不利で，むしろ破産管財人が改めて否認訴訟を開始したほうが有利と判断されるときに，相手方の受継申立てを拒絶できるかという問題がある。旧法下では，これを肯定する考え方が有力であったが，相手方の受継申立権が明定されている以上，破産管財人による受継拒絶を認めるべきではない[179]。ただし，受継後に破産管財人が当該訴訟の請求原因を変更するなどして，否認訴訟に切り替えなければならない[180]。

　なお，受継後の訴訟において受益者たる相手方が勝訴した場合の訴訟費用償還請求権は，受継前のものまでを含めて財団債権となること（破45Ⅲ），破産管財人による受継後に破産手続が終了したときに，訴訟手続が再び中断し（同Ⅳ），最初の中断前の訴訟当事者であった破産債権者などが受継すること（同Ⅴ），最初の中断後破産管財人による受継前に破産手続が終了したときは，破産債権者などが当然に受継すること（同Ⅵ）は，破産財団に関する訴えの場合と同様である。

　債権者甲が，債務者乙の第三債務者丙に対する債権について債権者代位訴訟

---

[179] 旧法下で，破産管財人による受継拒絶を認めていたのは，東京地決昭和49・9・19判時771号66頁〔倒産百選〈初版〉70事件〕，東京地判昭和50・10・29判時818号71頁。学説としては，山木戸221頁，谷口203頁，霜島342頁，小島浩「係属中の訴訟・強制執行・滞納処分等」判タ830号265，266頁（1994年），破産・和議の実務（上）66頁などがある（現行法下のものとして，受継拒絶の可能性を認めるものとして，東京高決平成15・7・25金商1173号9頁〔民事再生〕〔倒産百選95事件〕があり，条解民事再生法755頁〔齋藤善人〕はこれを支持する）。伊藤・破産法〈第3版補訂版〉267頁もこれを支持したが，説を改める。新版破産法439頁〔片山憲一〕，破産管財の手引〈第2版〉238頁，注釈破産法（下）206頁も破産管財人による受継拒絶を否定する。
　　もちろん，相手方が受継申立てをしないときには，破産管財人は，中断中の詐害行為取消訴訟を受継せず，新たに否認の請求や否認の訴えを提起することができる。破産管財人が新たに否認訴訟を提起する場合であっても，取消債権者が行った処分禁止仮処分手続を受継し，仮処分債権者たる地位を承継できる（大判昭11・7・11民集15巻1367頁〔倒産百選〈初版〉71事件〕）。仮差押えについても同様である。破産法大系Ⅱ566頁〔世森亮次〕参照。
　　また，ここでの問題とは別であるが，すでに確定した詐害行為取消訴訟の判決が債務者の破産管財人に効力を及ぼすかどうかが議論される。請求認容判決の判決効が破産管財人に対して拡張されるとしても（民425），請求棄却判決の場合には，破産管財人の否認権行使を制約するものではない。破産法大系Ⅰ466頁〔石田憲一〕。
[180] 条解破産法〈第3版〉384頁，破産管財の手引〈第2版〉238頁。これと対立する考え方に関して，本章注178参照。

（民423・423の7）を提起しているときに，乙に対して破産手続開始決定がなされた場合に関しても，債権者取消訴訟について述べたのと同様の規律が妥当する（破45Ⅰ）。債権者代位訴訟の目的は債務者の責任財産を保全することにあり，破産手続開始決定がなされることによって，責任財産保全に関する当事者適格が代位債権者から破産管財人に移ることがその根拠となっている[181]。受

[181] 旧法下では明文の規定がなかったが，詐害行為取消訴訟の中断および受継に関する旧法86条（現破45相当）の規定を類推適用する考え方が判例・通説であった。伊藤・破産法〈第3版補訂版〉268頁参照。いわゆる転用型事例については，考え方が分かれているが（一問一答75頁，基本構造90頁，新版破産法440頁〔片山憲一〕，条解破産法〈第3版〉379頁，倒産・再生訴訟366頁〔杉山悦子〕参照），本書では，以下の2類型に応じて，結論を異にする立場をとる。

転用型債権者代位訴訟については，2つの類型が考えられる。第1は，転買主甲が，転売主乙（買主）に対する移転登記請求権にもとづいて，転売主乙（買主）の売主丙に対する移転登記請求権を代位行使し，売主丙を被告として転売主乙（買主）への移転登記を求めている訴訟係属中に，転売主乙（買主）に対する破産手続が開始された場合である（民423の7参照）。

この場合の代位債権は，売買契約にもとづく移転登記手続請求権（売主に対して移転登記手続申請の意思表示を求める請求権）であり，本来の破産債権としての性質を有している。そして，破産者の売主に対する移転登記請求権は，破産財団所属の財産であり，売主から破産者に対して移転登記がなされることは，破産者の責任財産が充実することを意味する。したがって，この類型については，転用型ではあるが，法45条が適用され，当該訴訟は，破産管財人による中断・受継の対象となる（東京高判平成15・12・4金法1710号52頁〔倒産百選A14事件〕〔民事再生における管理命令発令事案〕参照）。整備法による改正45条1項では，民法423条の7の規定による債権者代位訴訟が中断することとされ，上記の考え方が立法化された。

第2は，賃借人甲が賃貸人たる所有者乙の不法占有者丙に対する妨害排除請求権を代位行使して，占有者丙に対して自らに対する明渡しを求める訴訟の係属中に，賃貸人たる所有者乙に対して破産手続が開始された場合である。

この場合にも，妨害排除請求権自体は，破産者乙の財産として破産財団に帰属しているといえるが，賃借人甲が，不法占有者丙に対して，賃貸人たる所有者乙に対して明け渡すのではなく，自らへの明渡しを請求できると実体法上で解されていることは，賃借人甲が債権者代位を通じてではあれ，不法占有者丙に対して自らへの明渡しを請求を主張できるのに準じる地位を有するとみなされる。また，破産管財人としては，たとえ不法占有者丙に対して自らへの明渡しを求めたとしても，当該物件について対抗力がある賃借権が成立している以上，賃借人甲に対してその物件を引き渡さざるをえず，破産債権者にとって，不法占有者丙に対する明渡請求権が財産上の意義を有するということはできない。また，甲の乙に対する賃借権またはその内容としての目的物の引渡請求権は，破産債権ということもできるが，第三者たる丙に対して自らへの明渡しを求める権能が認められる以上，目的物に対する物的支配権ともいうべきであり，当該訴訟の続行を認めても，他の破産債権者の利益を害するということもできない。

このように考えると，賃貸人たる所有者乙について破産手続が開始されたとしても，不法占有者丙に対する明渡請求権についての当事者適格が，代位債権者たる賃借人甲から破

継した破産管財人は，請求の趣旨を変更するなど，適切な措置を講じる必要がある。また債権者代位訴訟に類似するものとして，取立訴訟（民執157）があるが，取立訴訟は，債権執行の一局面であることから，むしろ破産財団所属財産に対する強制執行（破42Ⅰ）に類するものとして，その中止を考えるべきであろう[182]。

産管財人に移転するというべきではなく，代位訴訟については，中断が生じない。抵当権者が所有者（破産者）の占有者に対する妨害排除請求権を代位行使する訴訟の場合にも，その続行を認めることが別除権の行使として必要であり，かつ，破産債権者の利益が害されることは考えられないとすれば（最大判平成11・11・24民集53巻8号1899頁参照），中断しないと解することになろう。破産法大系Ⅰ464頁〔石田憲一〕。

[182] 議論の状況については，破産について，基本構造96頁，条解破産法〈第3版〉382頁参照。第1は，取立訴訟の構造が債権者代位訴訟と同様のものであることに着目し，法45条を類推適用する可能性である。この場合の理論的根拠は，被差押債権が破産財団所属財産であり，それを保全するための当事者適格が差押債権者から破産管財人に移転したことに求められる。この考え方の下では，取立訴訟が破産手続開始によって中断し，破産管財人が受継することになる（条解破産法〈第3版〉382頁）。

　第2は，取立訴訟は，差押命令にもとづくものであり，その意味で，破産財団所属財産たる被差押債権に対する強制執行の一部をなすものであり，したがって，法45条ではなく，法42条2項本文の規定によって中止するという可能性である。ただし，この場合でも同項但書によって続行が認められていることを考えると，破産管財人が取立訴訟を続行し，取立金が破産管財人に交付されるから，実際上の取扱いとしては，第1の可能性と大きな差異は生じない。もっとも，法45条の下においては，相手方からの受継申立ても認められるのに対して，法42条2項但書が適用されるとすれば，相手方からの受継申立ては認められない点が異なる。

　債権者代位訴訟の本来の目的が債務者財産の保全にあり（民法423条の3は，債権者への支払または引渡しを認めるが，これは，従来の支配的考え方を明文化したものであり，債権者代位の本来の性質を変えるものではない。潮見・概要79頁，中田・債権総論274頁，改正債権法コンメ245頁参照），したがって，破産手続が開始されて債務者財産に関する当事者適格が破産管財人に移転することが，法45条の基本的考え方であるとすれば，取立訴訟については，その前提に違いがある。取立訴訟は，他の債権者による配当加入の余地はあるものの（民執165②参照），差押債権者自身が満足を受けるための手段であり，債務者の財産保全の手段ではない。そうであるとすれば，破産手続の開始にともなって，取立訴訟の原告たる差押債権者の当事者適格が破産管財人に移転するとみることには無理があり，取立訴訟は，差押債権者による強制執行に類するものとして，法42条2項を適用することが適当である。

　また，租税等の請求権を徴収するために債権者代位訴訟や詐害行為取消訴訟を提起することが認められているが（税通42），これを中断・受継の対象とするかどうかが問題となる。徴収権者が金銭の引渡しを受けたときは，直ちに租税等の請求権に充当できることを理由として，法45条の適用はなく，法43条2項の類推によって中断・受継の対象とならないとするのが多数説（大コンメンタール188頁〔菅家忠行〕，破産法大系Ⅰ482頁〔石田憲一〕である。しかし，上記の充当可能性に疑問があり，被代位債権または取消しにより発生する債権に対し破産手続開始決定前に国税滞納処分がなされている場合を除いて中

5 株主代表訴訟

株主が取締役を被告として株主代表訴訟（責任追及等の訴え。会社847）を提起しているときに会社に対して破産手続開始決定がなされると、会社財産の管理処分権は破産管財人に専属するから、債権者代位訴訟の場合と同様に、法45条の規定にもとづいて訴訟が中断し、破産管財人が原告たる代表株主を受継する[183]。

6 行政手続

破産財団所属の財産について破産手続開始時に行政庁に係属する事件は、開始決定とともに中断し、破産管財人が受継する（破46・44）。行政庁を相手方とする事件であっても、訴訟手続によるものは、法44条によって中断および

断・受継を認めるべきである。条解破産法〈第3版〉376頁。いずれにしても、破産手続開始後に新たに債権者代位訴訟などを提起することは許されない。

[183] 条解会更法（上）596頁、条解破産法〈第3版〉381頁、注釈破産法（上）322頁、倒産・再生訴訟245頁〔中森亘〕参照。下級審裁判例として、東京地決平成12・1・27金商1120号58頁①事件〔倒産百選22事件〕があり、また、同様の考え方にもとづいて破産手続や更生手続開始後の株主代表訴訟提起を不適法としたものとして、東京地判平成7・11・30判タ914号249頁、大阪高判平成元・10・26判タ711号253頁〔会社更生〕がある。これに対して、条解民事再生法772頁〔中島弘雅〕、倒産と訴訟541頁〔中島弘雅〕は、管財人が責任追及を行わないときには、株主による代表訴訟の提起を認めてよく、管財人が役員に対する損害賠償請求権の査定の申立てをすると、代表訴訟が中断するとする。

株主代表訴訟の訴訟物となりうる会社の取締役に対する請求権の範囲については、取締役の地位にもとづく損害賠償請求権や会社と取締役との間の取引にもとづく請求権の他にどのようなものが含まれるか、代表訴訟の方法によって、取締役の地位にある者の行為に対する会社の詐害行為取消権を行使できるかなどについて、考え方が分かれており（否定例として、仙台高判平成24・12・27時報2195号130頁）、それによって中断の対象となる株主代表訴訟の範囲にも影響が生じる。詳細は、伊藤眞「株主代表訴訟の外延と倒産手続との交錯——会社の責任財産の保全と株主の地位」倒産法の実践1頁参照。

なお、株主代表訴訟の提起について提供される担保（会社847の4Ⅱ）は、代表訴訟が不法行為を構成する場合の相手方の損害賠償請求権を担保するためのものであるから（江頭520頁）、破産管財人が受継するときには、必要があれば、破産管財人に担保の提供を求め、原告株主については、担保の取消し（民訴81・79Ⅰ）をすべきであろう。もっとも、このような可能性のある代表訴訟を破産管財人が進んで受継しない場合もあり、また、相手方の申立てにもとづいて受継する場合も、訴訟を維持しないことが考えられるから、破産管財人に担保の提供が求められる場面は稀と思われる。相手方の申立てにより受継がなされて続行される場合には、原告株主が提供した担保を維持することになろう。

また、役員等の第三者に対する損害賠償責任（会社429）を内容とする訴訟についても、少なくとも間接損害（取締役の任務懈怠によって生じた会社財産の減少などに起因する債権者や株主の損害）を内容とするものについては、中断・受継を認めるべきであろう（会社更生の実務（下）53頁〔渡邉千惠子＝葛西功洋〕、大コンメンタール728頁〔田頭章一〕、条解民事再生法775頁〔中島弘雅〕）。

受継の対象となるから，ここで予定されているのは，行政不服審査法や，国税通則法，特許法などの特別法にもとづく不服審査手続である[184]。

第2項　係属中の強制執行等

　強制執行手続は，個別的な債権者の権利を満足させるための手続であるから，集団的な債権の満足を目的とする破産手続など倒産処理手続とは両立しない。したがって，破産手続開始時に強制執行手続が係属するときには，破産手続を優先させ，個別的な強制執行手続を禁止し，また失効させる（破42ⅠⅡ本文）。しかし，債権者の有する権利の性質には様々なものがあり，特定財産上の担保権のように，その優先弁済権および換価権を尊重する趣旨から，破産手続によらないでその権利を実行することを認められているものもある（破2Ⅸ・65Ⅰ）。したがって，強制執行に対する破産手続開始の効果を考えるについては，債権者の有する権利の性質に応じて検討する必要がある。

1　破産債権にもとづく強制執行等

　破産債権は，破産手続開始とともに個別的権利行使を禁止されるから（破100Ⅰ），破産手続開始後に破産財団（現有財団）所属財産に対して強制執行等を開始することはできないし（破42Ⅰ）[185]，すでに破産手続開始前から開始され

---

[184]　その他の具体例については，注解破産法（上）404頁〔永田誠一〕，条解破産法〈第3版〉393頁，注釈破産法（上）327頁，大コンメンタール190頁〔菅家忠行〕参照。労働委員会に係属する不当労働行為救済命令申立事件も，性質上は，ここに含まれるが，破産管財人自身の行為が問題とされる場合は別として，破産手続開始前の破産者の行為に起因する事件について，破産管財人が使用者（労組7柱書）といえるかどうかは，少なくとも雇用関係が終了しているときには，これを否定し，手続は当然に終了するものと解すべきであろう。詳説倒産と労働428頁〔今村哲〕参照。

[185]　本書では，ここでいう破産財団を現有財団と解しているが，法定財団と解する考え方も有力である（条解破産法〈第3版〉349頁，注釈破産法（上）293頁）。有力説にしたがえば，第三者が占有している財産に対して第三者の債権者が強制執行を試みたときに，当該財産が破産者の所有であり，破産財団に属すると主張する破産管財人は，法42条にしたがって強制執行の禁止や失効を主張できることになるが，やはり第三者異議の訴え（民執38）を経由すべきであろう。これに対して，破産者が占有する財産に対して破産者の債権者が強制執行を開始し，その後に破産手続開始決定がなされたときには，現有財団に属する当該財産に対する強制執行は，その効力を失うから，当該財産の所有権を主張する第三者は，第三者異議の訴えを提起する利益を有せず，取戻権の行使として当該財産の引渡しを破産管財人に対して求めるべきである（最判昭和45・1・29民集24巻1号74頁〔倒産百選A12事件，倒産百選〈第4版〉47事件〕）。

　　また，破産債権者による自由財産に対する強制執行は，法42条の適用対象外のもので

ている執行も破産財団に対する関係ではその効力を失う（破42Ⅱ本文）。財産開示手続（民執196）または第三者からの情報取得手続（民執204）についても同様である（破42Ⅵ）[186]。なお，財団債権にもとづく強制執行についても，強制執行を破産手続開始後に新たに開始することはできないし（破42Ⅰ），また，破産手続開始前の原因にもとづく財団債権（破148Ⅰ⑦・149など）についてすでに開始されている強制執行も，法42条2項本文の規定によって失効する[187]。

禁止され，または失効するのは，破産財団に属する財産に対する強制執行，仮差押え，仮処分[188]，一般の先取特権の実行，企業担保権の実行または外国

あり，旧法下でこれを肯定する判例もあるが（大判昭和2・3・9新聞2672号8頁），免責制度の意義を没却するし，また法100条1項の趣旨から考えても，これを否定すべきである（山木戸113頁，基本法108頁〔本間靖規〕，破産法大系Ⅰ475頁〔石田憲一〕，注釈破産法（上）294頁など）。なお，破産手続終了後免責審理期間中における破産債権者による強制執行を禁止する法249条1項の規定も，このような考え方を前提とするものと思われる。条解破産法〈第3版〉350頁は，自由財産に対する強制執行は禁止されるとしつつ，既に開始されている強制執行については，失効に至らず，中止にとどめ，免責審理期間中の強制執行の中止と失効（破249ⅠⅡ）につなげられるべきであるとする。

　さらに，財団債権者による自由財産に対する強制執行も，法42条の適用対象外であり，原則として禁止されないとの考え方が有力である（条解破産法〈第3版〉350頁は財団債権の種類によって区別すべきであるとする）。しかし，本書では，財団債権の責任財産が破産財団に限定されるという理由から，強制執行が許されないとの立場をとる。

186） 財産開示手続は，債権者が債務者の財産に関する情報を取得することを目的とするものであるが，破産手続においては，破産管財人により強力な調査権限等を与え（本書212頁），またその実効性を刑罰によって担保しているので（本書832頁），その続行を認める意義に乏しい（条解破産法〈第3版〉359頁，注釈破産法（上）304頁）。もちろん，破産管財人はすでに財産開示手続によって取得された情報を利用することは妨げられない。このことは，第三者からの情報取得手続（民執204以下）についても妥当する。
187） 財団債権者が随時弁済を受けることは保障されているが（破2Ⅶ・151），破産財団が不足する場合において破産管財人による秩序ある弁済を確保することが，強制執行禁止等の根拠となっている。

　なお，財団債権を被担保債権とする民事留置権にもとづく競売が禁止され，または失効するかどうかについては，民事留置権の失効（破66Ⅲ）を重視して，これを肯定するが，破産手続開始後の原因にもとづく財団債権については，法152条1項との関係などから，競売は禁止されないとする考え方が有力である。基本構造457頁。
188） 仮差押え・仮処分については，その執行手続（民保第3章）だけでなく，その発令手続（民保第2章）も失効する（詳細は，注解破産法（上）381頁〔永田誠一〕，基本法108頁〔本間靖規〕，条解破産法〈第3版〉352頁，注釈破産法（上）295頁，破産法大系Ⅰ476頁〔石田憲一〕参照）。財産保全の責任は破産管財人に課せられるからである。

　なお，同じく保全処分であっても，仮の地位を定める仮処分（民保23Ⅱ）は，強制執行の保全や準備ではないとして法42条の適用対象外とする見解が有力であるが（条解破産法〈第3版〉352頁），賃金の仮払いを命じる仮処分のように，それにもとづく強制執行を予定するものについては（瀬木比呂志・民事保全法〈第3版〉738頁（2009年）参

租税滞納処分で，破産債権もしくは財団債権にもとづくもの，または破産債権もしくは財団債権を被担保債権とするものである（破42ⅠⅡ）。これに対して，強制執行手続ではあっても，破産債権とならない権利，たとえば取戻権となる所有権にもとづく引渡し・明渡しの執行やその保全のための仮処分などは，失効しないで，破産管財人を相手方として続行される[189]。

失効の意味は，特別の手続を要しないで，当該執行手続の効力が破産財団に対して過去に遡って失われ，破産管財人が差押えの処分禁止効などを受けずに，執行目的物たる財産またはこれに代わる金銭などについての管理処分権を行使できることを意味する。たとえば，すでに換価が終了していても，未だ配当が行われていなければ，破産管財人は執行機関に対して換価金の引渡しを求めることができるし，失効後に配当が行われていれば，不当利得としてその返還を求めることができる。その前提として，執行手続の取消しを求める必要はない[190]。しかし，執行処分が外形上残存し，それが管財業務の妨げになるときは，破産管財人はその取消しを求められる[191]。なお，失効するかどうかについては，執行手続が破産手続開始の時点で終了していたかどうかが重要である

照），強制執行が禁止等の対象となる。
[189] ただし，執行債務者が破産者から破産管財人に変わるので，承継執行文（民執27Ⅱ）を要する（注解破産法（上）376頁〔永田誠一〕，条解破産法〈第3版〉348頁）。
[190] 破産財団に属する債権が破産債権者から差し押さえられていた場合に，破産管財人が差押命令の取消しを求めたのに対して，差押命令が当然に失効するから取消しの必要はないとした裁判例として，東京高決昭和30・12・26高民8巻10号758頁，東京高決昭和56・5・6判時1009号70頁がある。したがって，第三債務者は差押命令の弁済禁止効（民執145Ⅰ）に拘束されず，破産管財人に対して弁済をしなければならない。〔書式16〜20〕参照。

　失効する本差押えまたは仮差押えについて，執行対象財産の種類に応じた破産財団への組入の方法に関しては，破産管財の手引〈第2版〉111頁，220問107頁〔三枝知央〕参照。
[191] たとえば仮差押えや競売開始決定の登記がこれにあたる。破産管財人が，破産手続開始決定の効力にもとづいてこれらの登記の抹消嘱託を求められるのであれば，登記の前提となっている裁判そのものの取消しを認める必要はないが，場合によっては，裁判そのものの取消しを認める必要が生じる（注解破産法（上）385頁〔永田誠一〕，条解破産法〈第3版〉355頁）。かつての下級審裁判例は，破産管財人が強制執行を続行する可能性があることなどの理由から，その取消しを認める必要はないとの判断を示していたが，東京高決平成21・1・8金法1868号59頁は，破産管財人の上申がある場合には，執行裁判所が差押命令を取り消すべき旨を判示しており，近時の実務もこれに沿った運用をしている（破産・民事再生の実務［破産編］131頁，220問108頁〔三枝知央〕）。

が、それは、民事執行法の規定によって定まる[192]。

もっとも、強制執行等は絶対的に無効となるものではなく、破産管財人が破産財団のために強制執行または一般の先取特権の実行手続を続行することも認められる（破42Ⅱ但書）[193]。この規定は、破産財団の換価のために破産管財人

---

[192] 動産執行であれば、配当の実施によって（民執139）、不動産執行であれば、配当の実施によって（民執84）、債権執行であれば、被差押債権の取立てか（民執155）、転付命令の確定（民執159Ⅴ）などによって執行が終了する（ただし、債権執行については、終了が債務者からの支払いを受けたときか（民執155Ⅱ）、取立てを了した旨の届出のときか（同Ⅲ）という問題がある。条解破産法〈第3版〉1168頁注7参照）。株券が発行されていない株式に対する強制執行（差押命令）において売却命令（民執161Ⅰ）による売却の後に配当異議の訴えが提起され、配当額に相当する金銭の供託がされた場合には、裁判所書記官による支払委託（供則30Ⅰ）がなされるまでは、供託金は配当を受ける債権者に帰属していないため、強制執行の手続は終了せず、それまでの間に債務者が破産手続開始決定を受ければ、強制執行は破産財団に対して失効し、差押命令は取り消される。最決平成30・4・18民集72巻2号68頁〔倒産百選83事件〕。したがって、これらの時点と破産手続開始との先後が問題となる。なお、保全処分の場合には、仮差押え・仮処分の効力が存続している限り、執行が終了していないものとみなされる。

仮執行宣言（民訴259）にもとづく仮執行の場合にも、それが終了していれば、債務者について破産手続開始決定がなされても、執行が失効することはなく、仮執行宣言が取り消されれば、破産管財人が債権者に対して原状回復（民訴260）を求めることになる。これに関連して、仮執行宣言付判決に対し控訴を提起した債務者が担保の提供をして強制執行の停止および既にした執行処分の取消しをえたときには（民訴403）、強制執行の停止または既にした執行処分の取消しがされなかったとしても仮執行が破産手続開始時までに終了していなかったとの事情がない限り、債権者は、強制執行の停止または既にした執行処分の取消しによって生じた損害について、担保として提供された金銭などから他の債権者に先立ち弁済を受ける権利を有する（民訴405Ⅱ・77）。弁済を受けられるのは、債権の存在が確定したときであり、破産債権としての確定（本書690頁）もこれに含まれる。

したがって、債務者について破産手続が開始された一事をもって、「担保の事由が消滅した」（民訴79Ⅰ）とはいえない。最決平成13・12・13民集55巻7号1546頁は、旧破産法の下での破産宣告について上記の趣旨を判示するが、現行法下でも変わるところはない。なお、当該最高裁決定では、損害賠償の範囲については判断が示されていないが、債務者について破産手続が開始したときには、当該債権は破産債権となるから、債権者は、執行が停止または取り消されなかった場合にえたであろう金額と破産手続による配当との差額について損害賠償として債務者が提供した担保から満足を受けることができる可能性を指摘するものとして、髙部眞規子・最高裁判所判例解説民事篇平成13年度（下）842頁参照。

[193] いわゆる相対的無効である（民執87Ⅱとの関係で、名古屋高決昭和56・11・30下民32巻9〜12号1055頁〔新倒産百選58②事件〕）。したがって、破産手続開始決定が取り消されると、強制執行を再開することが許される（加藤・研究7巻48頁、谷口206頁）。近時の有力説（宗田184頁）は、これを時間的相対無効とし、これに対して破産管財人が破産財団にとって有利な強制執行を続行できることは、破産財団にとって不利な強制執行のみが失効する趣旨で、内容的相対無効とする。

が既存の強制執行等の手続を利用したほうが効率的である場合を想定したものであり，執行債権者の地位が従来の債権者から破産管財人に交代する[194]。破産管財人が執行債権者を含む破産債権者全体の利益を代表して，執行目的物を含む総財産を換価する職務をもつことが，その理論的前提となっている。したがって，個別の執行債権者の利益実現を前提とする無剰余執行禁止の規律（民執63・129）は，破産管財人によって続行される強制執行には適用されない（破42Ⅲ）。

また，条文上では強制執行に限って破産管財人による続行が認められるが，仮差押えおよび仮処分などの保全処分についても，破産管財人がそれらを続行し，またはその効力を援用することが許される[195]。ただし，配当はなされず，売却代金は破産管財人に交付する。

破産管財人が強制執行を続行する場合には，すでに執行債権者が支出した費用を含めた執行費用は財団債権とされるし（破42Ⅳ），また，第三者異議の訴え（民執38）に関しては，破産管財人が被告となる（破42Ⅴ）。強制執行の続行は，執行債権実現のためのものではないが，取戻権を主張する別訴提起を第三者に要求することを避け，第三者異議の訴えを通じて，目的物の帰属に関する争いを解決しようとする趣旨である。

もっとも，破産管財人が強制執行を続行する場合に，新たに提起される第三者異議の訴えの被告が破産管財人となる点については問題がないが，破産手続開始前から第三者異議の訴えが係属していたときの扱いに関しては，破産管財人が執行を続行する場合と，しない場合とを区別する必要がある。強制執行を

---

[194] ただし，破産管財人による強制執行は，特定の執行債権実現のためのものではないから，債務名義を要せず，承継執行文の必要もない（加藤・研究7巻52頁は，破産手続開始決定が一般的な債務名義になるとする）。また，すでになされている配当要求等は失効する（注解破産法（上）391頁〔永田誠一〕，条解破産法〈第3版〉357頁）。大コンメンタール172頁〔菅家忠行〕は，続行する手続を一種の形式競売（民執195）とする。執行債務者も観念しえない。

[195] 注解破産法（上）390頁〔永田誠一〕，大コンメンタール173頁〔菅家忠行〕，条解破産法〈第3版〉356頁，注釈破産法（上）301頁，破産法大系Ⅰ468頁〔石田憲一〕。これに対して，石原149頁，青山ほか95頁は，保全処分が換価のためのものではないという理由で，破産管財人の援用を否定する。しかし，破産手続開始前に仮差押えに後れて抵当権の設定がなされた場合に，破産管財人が仮差押えの効力を援用して，抵当権者に対して別除権者の地位を否定することを認めた下級審裁判例として，前掲名古屋高決昭和56・11・30（注193）がある。

続行する場合には，破産管財人が第三者異議の訴えの被告適格をもつので，中断・受継が生じる（破44 I II）。これに対して，破産管財人が執行を続行しない場合には，第三者異議の訴えの実質が，第三者が所有権などを主張し，目的物の破産財団への帰属を争うものであることから，中断の上，第三者が破産管財人に対して目的物の取戻しを主張する取戻訴訟として，破産管財人が被告側を受継すべきである（破45類推）[196]。

2 担保権の実行

質権，抵当権など特定財産の上の担保権は，破産手続上では別除権として，破産手続によらない権利実行が保障されているので（破2 IX・65 I），すでに開始されている実行手続も，担保権消滅許可（破186以下）の可能性を別とすれば，破産手続開始によって何ら影響を受けない[197]。ただし，同じく担保権であっても特定財産上のものでない一般財産上の担保権の場合には，別除権とされず，したがって，破産債権や財団債権の場合と同様に，破産手続開始の効果として，すでに開始されている実行手続も失効する（破42 II）。企業担保権（企業担保2）および一般の先取特権（民306）がこれに属する。これらの担保権者は，破産手続の中で優先的破産債権者として配当を受ける（破98 I）。

3 国税滞納処分

租税債権にもとづいて破産手続開始前から破産財団に属する財産[198]に対し

---

[196] 山木戸134頁，谷口206頁，基本法107頁〔本間靖規〕。法45条の類推がいわれるのは，第三者異議訴訟において破産者が当事者となっていないためである。ただし，有力な反対説があり（石原150頁，注解破産法（上）393頁〔永田誠一〕，大コンメンタール174頁〔菅家忠行〕，破産法大系 I 478頁〔石田憲一〕），強制執行の失効にともなって第三者異議の訴えも終了し，第三者は別に取戻訴訟を提起すべきであるとする。もっとも，破産手続開始後の第三者異議の訴えについては，最判昭和45・1・29民集24巻1号74頁〔倒産百選〈第4版〉47事件〕が目的物について所有権を主張する第三者は，取戻権を行使すべきであり，第三者異議の訴えは訴えの利益を欠くと判示しており，前述の通り（注191），破産管財人が強制執行を続行していない限り，この結論は正当である（基本法107頁〔本間靖規〕）。

[197] 商事留置権にもとづく換価のための競売（民執195）は，商事留置権が特別の先取特権とみなされることから（破66 I），担保権の実行としての競売として続行する。また，民事留置権にもとづく換価のための競売（民執195）は，民事留置権が失効するため（破66 III），手続が終了する。

[198] ここでいう破産財団は，現有財団ではなく，法定財団を指すとする考え方が有力である（条解破産法〈第3版〉364頁）が，第三者が占有する破産財団所属の財産に対する滞納処分を排除するためには，実際上，第三者異議の訴えなどによることになろう。
　また，自由財産に対する国税滞納処分は法43条の適用対象そのものではないが，破産

て滞納処分[199]がなされているときには[200]，開始後もその続行が妨げられない（破43Ⅱ）。租税債権についての自力執行力を尊重して，その続行を認めたものである[201]。

これに対して，破産手続開始後に破産財団に属する財産に対して新たに国税滞納処分を開始することは許されない（同Ⅰ）。財団債権に対する弁済は，破産配当の方法によらず，弁済期に応じて随時になされるが，法152条などの趣旨を考慮して，裁判所の監督の下に（破75Ⅰ），破産管財人による任意弁済の形でなされるべきものであり，財団債権たる租税債権（破148Ⅰ③）にもとづく滞納処分もその例外ではないからである[202]。なお，外国租税滞納処分は，こ

> 手続開始当時すでに開始されているものは，法43条2項の趣旨から，その続行を認め，破産手続開始後に開始するものについては，それが破産債権としての租税等の請求権にもとづくものであっても，財団債権としての租税等の請求権にもとづくものであっても，破産者にとっての自由財産を確保するという理由から，これを禁止するという考え方が有力である（条解破産法〈第3版〉365頁参照）。

199) ここでいう滞納処分には，国税滞納処分および国税滞納処分の例（大コンメンタール177頁〔菅家忠行〕参照）による差押え（税徴47以下）ならびに参加差押え（税徴86以下）は含まれるが，交付要求（税徴82以下）は含まれず（破25Ⅰかっこ書参照），別除権の行使としての担保競売において交付要求をしている租税債権者は，破産管財人に交付される剰余金から弁済を受ける（最判平成9・11・28民集51巻10号4172頁〔倒産百選〈第4版〉98①事件〕）。破産手続開始前からなされている滞納処分の手続における交付要求についても，同様である（最判平成9・12・18判時1628号21頁〔倒産百選〈第4版〉98②事件〕）。なお，租税債権が優先的破産債権となる場合（本書303頁注84）には，破産管財人に交付された剰余金から破産配当を受ける（条解破産法〈第3版〉364頁参照）。
200) 破産手続開始時に国税滞納処分が効力を生じていること（税徴56Ⅱ・62Ⅲ・68ⅡⅣなど）を意味する（条解破産法〈第3版〉365頁）。
201) 現行法の立法に際して，立法論としては，続行を否定することが提案されていたが（倒産実体法の研究（4）1040頁〔伊藤眞〕，中西正「租税債権の取扱い」ジュリ1111号149, 154頁（1997年）），採用されなかった。その理由については，一問一答191頁参照。続行が認められる結果として，財団債権たる租税等の請求権だけではなく，破産債権たる租税等の請求権も，破産手続外で満足を受ける結果となる（条解破産法〈第3版〉366, 773頁）。破産債権たる租税債権については，続行する滞納処分によって満足を受ける額と，破産債権として破産手続に参加し，配当の基礎とすべき額との調整が問題となる。今泉純一「破産における租税等の請求権をめぐる諸問題」今中傘寿450頁参照。破産債権たる租税等の請求権に特別の地位が認められたことを考えれば，別除権者の破産債権行使に関する不足額主義（破108Ⅰ本文。本書487頁）と同様に考えるべきである。
　なお，租税債権者が提起する詐害行為取消訴訟および債権者代位訴訟（税通42）については，法45条によって続行が認められる（注解破産法（上）403頁〔永田誠一〕，条解破産法〈第3版〉376頁）。続行できる滞納処分の具体的内容については，今泉・前掲論文449頁参照。
202) 最判昭和45・7・16民集24巻7号879頁〔倒産百選〈第3版〉122事件〕。旧法下の

こでいう国税滞納処分に含まれず（破43Ⅰかっこ書），法42条1項と2項にもとづいて禁止され，または失効する。

議論の詳細については，伊藤・破産法〈第3版補訂版〉192頁，条解破産法〈第3版〉362頁参照。譲渡担保設定者について破産手続が開始したときに，譲渡担保目的財産に対する滞納処分の開始が禁止されるかどうかが問題となるが，第2次納税義務（税徴24）の趣旨を重視すれば，禁止の対象とすべきではない。今泉・前掲論文（注201）448頁参照。

第5章　破産財団の法律的変動

　前章においては，破産手続開始の効力として，実体および手続法律関係がいかなる基準にしたがって確定されるかについて説明した。しかし，それを前提としても，なお第三者または破産管財人の破産手続開始後の権利行使によって破産財団に関する法律関係が変動する可能性がある。第三者側からの権利行使についてみれば，破産管財人が占有する財産について所有権などの権利を主張し，その引渡しなどを求める取戻権の行使（破62以下），破産財団に属する特定財産についての担保権実行を内容とする別除権の行使（破65以下），破産債権をもつ者が破産財団に対して負担する債務との相殺を主張する相殺権の行使（破67以下）などが挙げられる。これに対して，破産管財人から第三者を相手方とする権利行使としては，否認権の行使（破160以下）や破産法人の役員等の責任の追及等（破177以下）がある。

第1節　取　戻　権

　取戻権とは，その目的物が破産財団に属さないことを主張する権利を意味するが，その権利が破産法以外の実体法にもとづく場合と，破産法にもとづく場合とを分け，前者を一般の取戻権（破62），後者を特別の取戻権（破63）と呼ぶ。

第1項　一般の取戻権

　破産手続開始時を基準時として，破産者が占有していた動産や破産者の名義となっていた不動産は，すべて破産管財人の管理に服する（破34Ⅰ・78Ⅰ）。しかし，破産手続開始前から第三者が破産者に対して，ある財産を自己に引き渡すことを求める権利をもっている場合には，第三者は，その権利を破産管財人に対して主張することができる。このような第三者の実体法上の権利を破産手続上取戻権と呼ぶ（破62）。ただし，第三者が破産者に対してもつ権利は，破産手続開始時を基準時として，目的物についての差押債権者と同視される破産

債権者または破産管財人に対抗できるものでなければならない（本書363頁参照）。

取戻権の対象となる財産は，破産者の責任財産に含まれないはずのものであり，取戻権の行使によって，破産管財人の管理に服する現有財団は減少するが，その結果，破産財団は，責任財産たるべきものによって構成される法定財団に近づくことになる。これを取戻権の積極的機能と呼ぶ。もっとも，取戻権の行使態様としては，第三者の支配下にある財産について破産管財人がその引渡しなどを求めたときに，第三者がその目的物についての支配権を主張して破産管財人の請求を排斥する形をとることもある。これを取戻権の消極的機能と呼ぶ[1]。

1 取戻権の基礎となる権利

取戻権とは，目的物に対して第三者がもつ対抗力ある実体法上の支配権で，破産手続開始の効力によって影響を受けないものを意味する。したがって，いかなる権利が取戻権として扱われるかは，実体法による物の支配権が認められるか，その支配権について対抗要件が具備されているかを基準として決定する[2]。民事執行手続との関係でいえば，第三者異議の訴え（民執38Ⅰ）の基礎となる権利に対応する。

(1) 所　有　権

所有権は，目的物に対する排他的支配権を内容とすることから（民206），取戻権の基礎として承認されているものであるが，所有権者が当然に取戻権者とされるわけではなく，所有権者の支配権が制限される場合には，取戻権が否定される。たとえば，破産者のために賃借権が設定され，その賃借権が破産財団に帰属する場合には，所有権者といえども取戻権が否定される[3]。また，所有

---

1) 竹下守夫「取戻権の行使」演習破産法327頁。たとえば，第三者が占有する財産について破産管財人が破産者の所有権を理由として引渡しを求めるのに対して，第三者が抗弁として，対抗力ある賃借権を主張する場合などがこれにあたる。具体的な攻撃防御の態様については，倒産と訴訟〔安倍祐志＝島岡大雄〕399頁参照。
2) 対抗要件は破産手続開始決定時に具備されているのが原則であるが，その後に具備される場合もある（破49Ⅰ但書参照）。
3) それ以外にも，証券化取引との関係で，目的財産の真正譲渡性が問題とされることがある。目的財産の所有権を特別目的会社（SPC）に移転する外観をとっていても，譲渡人（オリジネーター）がそれを使用管理し，一定時期後に買い戻すことができる旨の約定などが存在するときには，所有者としての支配権を認めるに足らないとの理由から，真正譲渡性が否定され，オリジネーターの破産におけるSPCの取戻権が否定される可能性があ

権は，破産管財人に対してその効力を対抗できるものでなければならない。対抗要件（民177・178）を備えていない所有権は，差押債権者としての地位と同視される破産管財人に対抗できないし[4]，また，破産管財人が，各種の実体規定によって第三者として保護される場合にも，破産管財人に対する所有権の主張が制限される。

　所有権に関して議論が多いのは，所有権の移転を担保の形式として利用する譲渡担保や所有権留保の取扱いである。すなわち，形式的に所有権者となっている譲渡担保権者や所有権留保売主に，その所有権を理由として取戻権を認めるか，それとも譲渡担保権者などの所有権の実質は担保権にすぎないから，目的物についての排他的支配権を否定し，担保権にもとづく別除権にとどめるかという争いである。この点の説明は別除権に関して行う。もちろん，この種の所有権者を担保権者として，取戻権を否定しても，破産手続開始前に，担保権の実行が開始され，担保権者が確定的に目的物の所有権を取得していれば，通常の所有権者と同様に扱われる（本書364頁参照）。

(2)　その他の物権

　用益物権や担保物権が取戻権の基礎となりうるかどうかは，それらの権利の性質による。地上権や永小作権などの用益物権は，目的物の占有を権利の内容とするので，破産管財人が目的物を占有するときには，取戻権の行使として目的物の引渡しを求められる。また，占有権も取戻権の基礎となりうる。質権および留置権など，目的物の占有をともなう担保物権に関して，破産管財人がその返還を求めたときに，質権者や留置権者が取戻権の消極的機能（本書466頁）

る。条解破産法〈第3版〉486頁参照。真正譲渡性の判断基準等については，伊藤眞「証券化と倒産法理——破産隔離と倒産法的再構成の意義と限界（上）（下）」金法1657号6頁，1658号82頁（2002年），松下淳一「更生手続開始と証券化取引」理論と実務112頁，坂井秀行＝粟田口太郎「証券化と倒産」講座（4）124頁参照。

　また，同じく真正譲渡性が問題になる場面として，担保権消滅許可（本書729頁）の対象となりうるかが争われることがある。集合債権（将来債権）譲渡について，東京高決令和2・2・14金法2141号68頁は，契約の形式的文言にとらわれるべきでないとして，真正譲渡性を否定し，担保権消滅許可の対象たりうる譲渡担保に属すると判示している。譲渡代金の支払いが実質的な意味で融資と同視されること，譲渡人（再生債務者）の意思にもとづいて譲渡債権を譲渡人に復帰させる権能が保障されているなど，譲渡債権の支配権が全面的に譲受人に帰属しているとはいいがたいことなどの事情を重視したものと理解できる。

[4]　特許権など無体財産権についても同様である（中山信弘・特許法〈第4版〉180頁（2019年），中山信弘・著作権法〈第3版〉515頁（2020年）参照）。

としてそれを拒む場合についても，同様のことがいえる[5]。これに対して，抵当権や先取特権のような占有をともなわない担保物権については，占有の移転を求めるために取戻権を主張することはできない。

(3) 債　権

債権が取戻権の基礎となるかどうかも，その権利の性質による。ある財産が破産財団に属し，破産管財人の管理処分権に服することを前提として，その給付を求める債権を主張する者は，破産債権者として扱われ（破2Ⅴ），取戻権者の地位は与えられない。これに対して，破産管財人の支配権を否定し，自己への引渡しを求めうる内容の権利である場合には，債権といえども取戻権の基礎とされる。破産者が転借していた物について，転貸人が転貸借の終了を理由として取戻権を主張する場合などがこれにあたる[6]。そのほかに，形成権である

---

[5] これに対して，質権は対象物の占有が成立要件であり（民344），とりわけ動産質については占有の継続が対抗要件となり（民352），占有を失った場合にも占有訴権しか主張できないこと（民353），留置権は占有が成立要件かつ効力要件であること（民295・302，商521など。高木多喜男・担保物権法〈第4版〉36，59頁以下（2005年））から，質権者や留置権者が，取戻権の積極的機能として，破産管財人に対して対象物の引渡しを求めるのは，占有訴権を根拠とすることになろう。

[6] 賃貸人自身が賃貸借関係の終了を理由として賃借人の破産管財人に対して取戻権を行使する場合，賃貸人の破産においてその占有権原を破産管財人に対抗できる賃借人などもこれにあたる。なお，この問題は，差押債権者に対して第三者（取戻権者に相当）が第三者異議の訴え（民執38）を提起する場合の異議原因に関する問題と内容を同じくする（石川明ほか編・注解民事執行法（上）406頁〔伊藤眞〕（1991年）参照）。

　分別管理されている金銭について寄託者が寄託契約にもとづいて返還を求める場合にも，取戻権が認められる。東京地判平成26・11・19判タ1421号288頁。また，ビットコインなどの仮想通貨の取引所の破産において顧客に取戻権が認められるかどうかが問題となる。仮想通貨は，通貨と類似の財産的価値を有するが（情報通信技術の進展等の環境変化に対応するための銀行法等の一部を改正する法律（平成28年法律62号）による改正資金決済法2条5項参照），その本質はネットワーク上の情報にとどまり，顧客の権利は取引所に対して一定量の仮想通貨の返還を求める内容であるとすれば，ビットコインの価値を顧客が排他的に支配しているということはできず，破産者たる取引所に対する財産上の権利として破産債権となるとはいえても，取戻権の地位が与えられることはない。東京地判平成27・8・5 D1-Law判例ID 28233102，小林信明「仮想通貨（ビットコイン）の取引所が破産した場合の顧客の預け財産の取扱い」金法2047号40頁（2016年）参照。

　もっとも，預かり仮想通貨が取引所において分別管理され（改正資金決済法63の11），信託が成立しているとみなされるときには，仮想通貨は，受託者たる取引所の破産財団に属しないために（信託25Ⅰ），顧客は，破産管財人に対して仮想通貨の移転を求めることができる（本書113頁，片岡義広「ビットコイン等のいわゆる仮想通貨に関する法的諸問題についての試論」金法1998号44頁（2014年），伊藤眞「仮想通貨（暗号資産）と倒産法上の諸問題」多比羅喜寿20頁，玉井裕貴「仮想通貨交換業者の破産手続における利用

詐害行為取消権などが取戻権の基礎となることも，一般に承認されている。たとえば，破産手続開始前に第三者から破産者に対してある財産が譲渡されたとき，第三者の債権者が，譲渡行為を詐害行為として取り消して，破産管財人に対して目的物の返還を主張することなどが考えられる。

(4) 信託関係上の権利

ある財産が信託財産とされているときに，受託者について破産手続が開始されても，信託財産は，破産財団に属しない（信託25 I）[7]。したがって，破産手続の開始にともなって受託者の任務が終了し（信託56 I ③）[8]，新受託者が選任されれば（信託62 I），新受託者は，受託者の破産管財人に対して信託財産に関する取戻権を行使することができる。

信託と類似の性質をもつ，手形の隠れた取立委任裏書においても，被裏書人について破産手続が開始されると，裏書人は，手形を取り戻すことができる[9]。

者の仮想通貨返還請求権の取扱い」春日古稀657頁）参照。
[7] 道垣内273頁。ただし，信託財産であることの登記や登録ができる財産（不動産，自動車，特許権，株券不発行会社の株式など）については，その登記または登録がなければ，信託財産であることを主張できない（信託14）。登記または登録ができない財産については，それが信託財産として分別管理されているかどうかが基準となる。具体例については，条解破産法〈第3版〉489頁参照。

なお，地方公共団体が建築請負業者に対して交付する前払金を原資とする建築請負業者の別口預金口座が，業者の固有財産と区別される信託財産となることから，その一部について地方公共団体に取戻権類似の地位を認めるものとして，最判平成14・1・17民集56巻1号20頁〔倒産百選52事件〕，名古屋高金沢支判平成21・7・22判時2058号65頁がある。また，弁護士が破産した場合における弁護士の預り金等について検討するものとして，「信託と倒産」実務研究会編・信託と倒産114頁〔林康司〕（2008年），中森亘＝堀野桂子「信託関係者の倒産および黙示の信託に関する検討」銀行法務21 760号24頁（2013年）がある。

岡・理論研究172頁では，依頼者と弁護士との間の委任契約で，預り金の使途が明らかにされた上で，受託財産の分別管理の方法として，「（依頼者）代理人（弁護士）預り口」名義の口座を開設することを要するとされる。日本弁護士連合会・預り金等の取扱いに関する規程3条，4条参照。
[8] 受託者の任務が終了しない例外として，信託法56条1項柱書但書が定める場合がある。
[9] 最判昭和31・2・7民集10巻2号27頁および最判昭和44・3・27民集23巻3号601頁による，手形上の権利が裏書人から被裏書人に信託的に移転するとの法理を前提としている（佐藤鉄男「一般の取戻権」実務と理論222頁，条解破産法〈第3版〉491頁）。ただし，信託構成をとらず，通常の譲渡裏書として考えても，被裏書人の破産債権者を保護する必要がないから取戻権が認められるとする議論もある（注解破産法（上）616頁〔野村秀敏〕，注解会更法212頁〔西澤宗英〕参照）。これに対して，注釈破産法（上）420頁は，信託契約が終了しないのであれば，裏書人は取戻権の行使が認められないとする。

(5) 問屋の委託者の権利

問屋が，委託者のために物品を買い入れた後に破産手続開始決定を受けた場合に，委託者は目的物の取戻権を認められるかが問題となる。問屋と委託者との関係について代理に関する規定が準用されていることに着目すれば（商552Ⅱ），目的物の所有権は委託者に帰属するが，この規定は，あくまで問屋と委託者との内部関係を規律するにとどまるとされているので，問屋の破産債権者に対しては，委託者は所有権を基礎とする取戻権を主張できないとも解される。しかし最近の判例・通説は，委託者が買入代金をすでに問屋に支払っているときには，取戻権を認める[10]。その理由としては，問屋が買入委託を受けた商品は，経済的には委託者のものであるから，問屋の債権者は，それを責任財産として期待すべきではないこと，問屋の債権者は問屋と一体とみなされるべきであることなどが主張される。

本書もこの結論に賛成するが，その根拠として問屋の破産債権者を破産者たる問屋と一体とみるのは，破産債権者についての一般論と調和しない。理論構成として，問屋は，買入物品についての所有権を自己契約として委託者に移転し（民108），そのための対抗要件として占有改定を用いることができ，買入代金があらかじめ委託者から問屋に交付されていた場合には，この所有権移転と占有改定の合意が先行的になされたとみるべきである。ただし，占有改定が認められるためには，委託者のための物品を他の物品と区別して問屋が保管するか，特定して記帳することが要求される。

このような要件を設けるのであれば，問屋の債権者の利益を不当に害することがないから，所有権を根拠として委託者の取戻権が認められる[11]。もちろん，代金が支払われていないときには，委託者を保護すべき実質的理由にも乏しいので，取戻権は否定され，問屋と委託者との関係は，代金支払義務と物品引渡

---

10) 最判昭和43・7・11民集22巻7号1462頁〔倒産百選50事件〕。山木戸154頁，谷口213頁，注解破産法（上）614頁〔野村秀敏〕，基本法134頁〔池尻郁夫〕，条解会更法（上）553頁，注解会更法212頁〔西澤宗英〕，平出慶道・商行為法〈第2版〉381頁（1989年）など。

11) 理論構成は，注解破産法（上）614頁〔野村秀敏〕，大コンメンタール262頁〔野村秀敏〕および平出・前掲書（注10）381頁に詳しい。なお，自己契約は，原則として禁止されるが，商法552条2項および民法646条2項を根拠として，民法108条但書の例外に含まれる。さらに，条解破産法〈第3版〉492頁では，委託者と問屋との関係を信託契約とし，前払金を信託財産とみなして，委託者に取戻権を認めるべきであるとする。

義務の双方が未履行の双務契約として，問屋の破産管財人による選択権行使（破53Ⅰ）に委ねられる。

なお，問屋が委託者の所有商品の販売委託を受けているときに問屋に対する破産手続が開始された場合には，目的物の所有権が委託者に残っているから，委任関係が終了した以上，委託者の取戻権が当然に認められる[12]。

(6) 財産分与請求権

離婚にあたって配偶者の一方が他方に対してもつ財産分与請求権（民768・771）が，財産分与義務者の破産において取戻権となるかどうかは，同請求権の内容によって異なる[13]。財産分与請求権のうち，慰謝料および扶養としての性質をもつ部分は，破産者に対する債権的権利にすぎず，取戻権ではなく，破産債権となる。これに対して，夫婦共有財産の清算としての財産分与請求権は，配偶者の一方が目的物についてもつ物権的支配権を具体化したものとみなされるから，取戻権として認められる[14]。

---

[12] 問屋がすでに委託品を販売している場合に，問屋が代金を受領してしまえば，取戻権行使の余地はないが，代金受領前であれば，代金債権について代償的取戻権（破64Ⅰ）が認められる（ただし，注解破産法（上）615頁〔野村秀敏〕は反対）。

[13] 財産分与請求権に関する判例法理（最判昭和58・12・19民集37巻10号1532頁，最判平成2・9・27家月43巻3号64頁〔倒産百選51事件〕，最判平成12・3・9民集54巻3号1013頁）について，条解破産法〈第3版〉493頁参照。

[14] 宮川・各論Ⅰ183頁以下，注解破産法（上）617頁〔野村秀敏〕，大コンメンタール457頁〔野村秀敏〕。条解破産法〈第3版〉498頁，注釈破産法（上）424頁，森宏司「家事調停・審判手続中の当事者破産」伊藤古稀1163頁は，これに反対する。

また，分与請求権が金銭債権である場合に，判例（前掲最判平成2・9・27（注13））は，金銭債権たる財産分与請求権が破産債権にとどまるとするが，上記有力説は，法2条9項の類推適用によって，別除権が認められるとする。1個の財産分与請求権のうち，破産債権となる部分，取戻権となる部分，別除権となる部分の行使方法については，注解破産法（上）619頁〔野村秀敏〕に詳しい。

なお，財産分与については，さらに否認の可能性が残されている（破産・民事再生の実務〔破産編〕307頁，佐藤鉄男・取締役倒産責任論252頁（1991年））。前掲最判昭和58・12・19（注13）および前掲最判平成12・3・9（注13）も，過大な財産分与が詐害行為取消しの対象となりうることを認めている。詐害行為否認（破160）についても同様に考えるべきである。過大な養育費の一括払いも同様である。220問137頁〔木内道祥〕。

また，扶養的財産分与請求権については，旧法47条9号を類推して財団債権とする有力説もあったが（注解破産法（上）617頁〔野村秀敏〕参照），同条が削除された現行法下では，成り立ちえない。学説の分析については，条解破産法〈第3版〉497頁に詳しい。

もちろん，破産手続開始前に特定財産を分与する旨の合意をなし，かつ，それについての対抗要件を具備していれば，否認の問題は別として，被分与者の権利が取戻権として認められることに争いはない。ただし，破産法大系Ⅱ216頁〔高田賢治〕は，分与すべき財産

なお、財産分与に関する協議が調う前に、または協議に代わる家庭裁判所の審判が確定する前に破産手続が開始された場合には、少なくとも破産財団所属財産に関する限り、破産者がその財産管理処分権を失うので、破産管財人が審判手続を受継して、財産分与の手続を進め、取戻権の成否が定まることになる（破44類推）15)。

2　取戻権の行使

取戻権は、破産財団所属の財産に関するものであるから、破産管財人を相手方として行使する。しかし、行使の方法に関しては、破産手続による必要はなく、訴訟上または訴訟外の適切な方法によればよい。第三者が取戻権の行使として、目的物の引渡しなどを求めるときに、破産管財人がそれを争えば、第三者が給付訴訟などを提起するが、争いがなければ、破産管財人から任意の引渡しを受ける16)。ただし、破産管財人は、価額が100万円を超える物の取戻しを承認する場合には、裁判所の許可をえなければならない（破78Ⅱ⑬・Ⅲ①、破規25)。逆に、破産管財人の側から第三者の占有する目的物について、その引渡しなどを求めて訴訟を提起したときには、第三者は、取戻権を抗弁として用いる。

第2項　特別の取戻権

一般の取戻権は、目的物について第三者が実体法上の支配権をもつことを根拠とするものであるが、以下に述べる特別の取戻権は、実体法上の支配権とは別に、破産法が特別の考慮から創設したものである。

を自由財産として、破産管財人は、それを被分与者に交付することができるという。しかし、分与請求権の性質が問題となろう。
15)　条解破産法〈第3版〉369, 498頁。大コンメンタール265頁〔野村秀敏〕は、この場合でも、破産者たる配偶者の一方と他方との間で協議等の手続を進め、その結果として取戻権などが行使されるとする。なお、財産分与請求権を破産債権として扱う前提に立ったとき、協議や審判等でその具体的内容が形成されれば、破産債権としての届出が可能になるが、それ以前の段階でも、協議や審判等の成立を停止条件とする破産債権として届け出ることを認めるべきである。森・前掲論文（注14）1167頁。
16)　取戻権の目的物についての破産管財人の善管注意義務に関する裁判例として、東京高判平成9・5・29判タ981号164頁があるが、善管注意義務に関する本書の立場（本書213頁）を前提とすれば、むしろ受託者たる破産者の保管義務を引き継ぐ破産管財人にその義務違反があったかどうか、または破産管財人の不法行為が成立するかどうかを問題とすべきである。

1 売主の取戻権

　売買契約の買主の破産において，売主の目的物引渡義務と買主の代金支払義務との双方が未履行であれば，契約関係は，法53条以下の規定にしたがって整理される。また，売主の引渡義務が履行済みであれば，その代金債権は破産債権となる。このような一般原則に対して，法63条1項は，隔地者間の売買についての特則を設け，すでに売主が目的物を発送した場合にも，買主が代金全額を弁済せず，かつ，目的物が買主に到着しない間に買主について破産手続が開始されれば，売主に取戻権を認めることとする。売主が目的物についての所有権など実体法上の支配権をもっているかどうかを問題としないところに，特別の取戻権の意義が認められる。

　この取戻権は，隔地者間の売買における取引の安全を保護しようとする趣旨をもつ。売主は，動産売買先取特権をもち（民311⑤・321），これを基礎として別除権者の地位を与えられるが（破2Ⅸ），目的物自体を取り戻すことはできない。ここに特別の取戻権の独自の意義が認められる。もっとも，目的物の運送中は，売主は運送人に対して運送中止と目的物の返還を求めることもできるから（商580），この権能は，売主の取戻権と競合する。

(1) 取戻権の要件

　売主に取戻権が認められるためには，①隔地者の間の売買[17]であること，②買主が代金を完済していないこと，③破産手続開始決定の当時に買主が到達地で目的物を受領していないことの3つの要件が必要である。この中で，買主の受領は，買主が目的物の現実の占有を取得することを意味し，船荷証券などの有価証券の交付を受けただけでは足りない[18]。また，受領は本来の到達地でな

---

[17] 隔地者間の売買にあたるか否かは，売主が目的物を第三者に運送させるか否かによって決せられる。売主自身またはその代理人が運送する時には，立法趣旨から考えて隔地者にあたらない（注解破産法（上）633頁〔野村秀敏〕，大コンメンタール267頁〔野村秀敏〕，条解破産法〈第3版〉502頁，条解会更法（上）562頁）。

[18] 商法及び国際海上物品運送法の一部を改正する法律（平成30年法律29号）が成立する前は，貨物引換証等と引換えでなければ運送人に目的物の引渡しを請求できなかったが（商旧584・776），現在では，貨物引換証の制度そのものが廃止され，これらの規定も削除された（松井信憲＝大野晃宏編著・一問一答 平成30年商法改正25頁（2018年））。したがって売主は，取戻権の行使として，破産手続開始決定時に買主である破産者が目的物を受領していないときには，その引渡しを買主の破産管財人に対して求めることができ，または運送人から目的物の引渡しを受けることができる。なお，船荷証券については，それが発行される場合においては，基本的に従来と変わるところはない（商764参照）。

されることが必要であり，運送の途中で買主が目的物を受領しても，取戻権は成立する。さらに，破産手続開始後に破産管財人が目的物を受領した場合にも，開始決定時を基準時として売主が取戻権を行使しうる状態にあった以上，開始後に破産管財人が目的物を受領したからといって取戻権を否定する理由はない[19]。

(2) 法53条との関係

売主の取戻権行使に対抗して破産管財人は，代金の全額を支払って，取戻権を消滅させ，運送人などに対して目的物の引渡しを請求できる（破63Ⅰ但書）。破産手続開始決定時を基準時として考えると，破産者たる買主の代金未払が取戻権の発生原因事実とされているのに対して，破産管財人による代金支払が取戻権の消滅事実とされる趣旨である。破産管財人が代金を支払って，目的物の引渡しを受ければ，売買契約関係は消滅する[20]。

これに対して，売主が取戻権を行使して，目的物の占有を回復すれば，売買契約について目的物の引渡義務と代金支払義務との双方未履行関係が確定するから，契約関係は双方未履行双務契約の法理にしたがって整理される（破63Ⅱ・53ⅠⅡ）[21]。

---

[19] 加藤・要論192頁，中野・研究335頁，山木戸157頁，谷口214頁，注解破産法（上）634頁〔野村秀敏〕，基本法138頁〔池尻郁夫〕，原強「売主及び問屋の取戻権」実務と理論224頁，条解破産法〈第3版〉502頁，注釈破産法（上）427頁，大コンメンタール267頁〔野村秀敏〕など。これに対して条解会更法（上）562頁は，「いったん，取戻権が行使された後に更生会社ないし管財人が目的物を受け取っても」取戻権の行使は妨げられないとする。なお，破産管財人が取戻権実行前に目的物を処分した場合には，後述するように，代金相当分について代償的取戻権（破64Ⅰ）が認められる。

[20] 売主の義務が目的物発送によって履行済みとみなされない場合には，買主の破産管財人が，法63条1項但書にいう代金支払によるのではなく，法53条1項にもとづいて履行の選択権を行使することもありうる。しかし，破産管財人は，結局代金を支払って目的物の引渡しを受けることになるので，両者の間に本質的な差異はない。もっとも，法53条1項と63条1項との関係については，多少の議論がある。条解破産法〈第3版〉503頁参照。

[21] 法53条が本来予定するのは，破産手続開始決定当時双方未履行の状態であるが，この場合には，破産手続開始決定後の取戻権の行使によって双方未履行状態が復活したことになるので（条解破産法〈第3版〉504頁），法63条2項が法53条1項および2項の適用可能性を規定している。これに対して，大コンメンタール269頁〔野村秀敏〕，注解破産法（上）638頁〔野村秀敏〕は，手続開始時において双方未履行双務契約の状態になかった以上，破産法の規定ではなく，民法の一般規定によって解除の可能性などを決すべきであるとする。

(3) 取戻権の法的性質

売主の取戻権の法的性質に関しては，議論の対立がある。考え方としては，取戻権の行使の効果として，所有権が売主に復帰するとか，それとも単に目的物の占有権限が復帰するとか，また，売買契約が解除されるなどの議論が分かれる。しかし，取戻権の行使によって所有権の帰属や売買契約そのものの効力に影響を生じないこと，取戻権を形成権と考えるのは適当でないこと，状況に応じて，運送人，破産者，または破産管財人に対して取戻権を主張しうるので，特定人に対する債権と考えるのは適当でないことなどを考えれば，この取戻権の内容は，破産管財人にも対抗しうる法定の占有権限を売主に与えたものと解するのが相当である[22]。

2 問屋の取戻権

買入委託を受けた問屋が，買い入れた物品を委託者に発送した場合にも，委託者の破産において問屋に取戻権が与えられる（破63Ⅲ I）。すでに，問屋の破産について述べたように，問屋と委託者の関係は代理関係とされ，したがって買入物品の所有権は委託者に属するから，委託者の破産に際しては，問屋には一般の取戻権は認められない。しかし，取引が隔地者間のものであるときには，問屋と委託者との関係は隔地者間の売買と類似しているので，法は，特別の取戻権を与えたものである。取戻権の要件は，売主の場合と同じである。

問屋は取戻権としての占有権限にもとづいて目的物の引渡しを請求する。その結果，問屋は，占有の回復によって留置権をも回復し（商557・31），別除権を行使できる（破2Ⅸ）。

取戻権の行使によって問屋が物品の占有を回復したときに，問屋と委託者との関係について法53条の適用可能性があるかどうかが問題となる。問屋と委

---

[22] 学説については，中野・研究329頁以下，注解破産法（上）636頁〔野村秀敏〕に詳しい。伊藤・破産法〈第3版補訂版〉では，近時の有力説（谷口215頁，条解会更法（上）565頁，注解会更法219頁〔西澤宗英〕，基本法139頁〔池尻郁夫〕など）にしたがって，取戻権の行使によって売主が占有権限を回復するとする，占有権限回復説をとっていた。しかし，そこでいう取戻権の行使とは何を意味するのかが必ずしも明確でないので，これを改め，法63条1項にいう発生要件事実が満たされれば，売主は目的物についての支配権である占有権限を当然に取得し，その権限にもとづいて運送人や破産管財人に対して目的物の引渡しを求めうると解する。あえて呼称を付するとすれば，占有回復権限説とでも呼ぶことになろう。条解破産法〈第3版〉503頁，注釈破産法（上）428頁もこれを妥当とする。これにともなって，伊藤・破産法〈第3版補訂版〉では否定した特別の取戻権についての代償的取戻権も肯定する。

託者の間の法律関係である有償委任は双務契約であるが，法53条の適用を否定すべきである。その根拠は，法63条3項が同条2項を準用していないこと，委任関係は委任者の破産によって終了すること（民653②）などに求められる[23]。ただし，委託者の破産管財人は，報酬および費用全額を払うことによって問屋の取戻権を消滅させることができる（破63Ⅲ I 但書）。

第3項　代償的取戻権

一般の取戻権であれ特別の取戻権であれ，その目的は，破産管財人の支配に属する目的物を取戻権者に返還させるところにある。しかし，目的物がすでに破産者または破産管財人によって第三者に譲渡され，破産財団中に現存していなければ，返還は不可能になる[24]。この場合に，目的物に代わる反対給付，またはその請求権について取戻権を認めるのが，代償的取戻権の制度である[25]。なお，代償的取戻権を行使してもなお取戻権者に損失が残る場合には，譲渡が破産者によってなされたときには破産債権（破2Ⅴ），破産管財人によってなされたときには財団債権（破148 I ④）としての権利行使が許される。

1　反対給付が未履行の場合

たとえば，第三者所有の動産を占有する破産者が破産手続開始前に目的物を譲渡し，未だその代金を受け取っていない場合に，代金債権は破産財団所属の財産となる。この場合に，第三者は，破産管財人を相手方として目的物自体について取戻権を行使しえない。また，目的物の代金相当額について損害賠償請

---

23) 注解破産法（上）640頁〔野村秀敏〕，基本法140頁〔池尻郁夫〕，条解破産法〈第3版〉505頁。もっとも，対応する規定である会社更生法64条2項に関しては，民法653条の適用がないこともあり，同法61条の適用可能性を認める考え方が有力である（条解会更法（上）568頁，注解会更法220頁〔西澤宗英〕，伊藤・会更法・特清法355頁）。なお，委任者の破産によって委任関係が終了するときには，破産管財人は，報酬および費用を支払って目的物の引渡しを求めるか（破63Ⅲ I 但書），その必要がなければ，目的物を放棄する（破78Ⅱ⑫）。
24) もっとも，譲り渡されたが，未だ引き渡されていない目的物の場合にも代償的取戻権を認める立場では（条解破産法〈第3版〉507頁），取戻権と代償的取戻権とが併存することになる。
25) したがって，目的物の価値についての支配権をもたない取戻権者，たとえば転貸人や所有権をもたない賃貸人には，代償的取戻権が認められない（山木戸159頁，注解破産法（上）642頁〔野村秀敏〕，条解破産法〈第3版〉506頁）。なお，代償的取戻権の根拠や担保権にもとづく物上代位との関係については，水津太郎「代償的取戻権の意義と代位の法理――責任法的代位の構造と評価」慶應・法学研究86巻8号33頁（2013年）参照。

求権や不当利得返還請求権を行使する場合であっても，それは，破産者の行為を理由とするものであるから，破産債権となる[26]。しかし，破産者による譲渡は，無権限でなされたものであり，しかも代金債権は，他の破産財団所属財産とは区別された目的物の代位物であることが明らかなので，代金債権すなわち反対給付の請求権について代償的取戻権が認められる（破64Ⅰ前段）[27]。具体的には，取戻権者が破産管財人に対して請求権の移転を請求し，破産管財人が移転の意思表示および対抗要件としての債権譲渡の通知をなすように求める[28]。

いったん目的物が破産財団に組み入れられた後に，破産管財人がそれを第三者に譲渡した場合も同様である（同後段）。この場合には，一般原則によれば，譲渡によって破産管財人が不法行為をなしたか，破産財団が不当利得をなしたことになるから，取戻権者の権利は財団債権として保護されるはずである（破148Ⅰ④⑤）。しかし，破産財団が不足のときには，財団債権といえども完全な満足を保障されないので，法は，代償的取戻権を与えて，取戻権者の保護を図っている。

2 反対給付が既履行の場合

破産手続開始前に破産者または保全管理人が目的物を譲渡し，その反対給付を受け取ってしまえば，それは一般財産の中に混入してしまうから，もはや取戻権者たるべき者に特別の地位を与えることはできない。たとえ，給付の目的物が特定物であっても，この結論は変わらない。したがって，取戻権者は，不

---

[26] 譲渡が保全管理人によってなされた場合には，第三者の権利は財団債権（破148Ⅳ）となり，この場合にも代償的取戻権が認められる（条解破産法〈第3版〉509頁）。

[27] ただし，同じく代位物であっても，目的物の毀損による損害賠償請求権などは，代償的取戻権の対象とならず，取戻権者は，第三者を相手方として直接損害賠償請求権などを行使する。付合などによる償金請求権（民248）についても同様である（条解破産法〈第3版〉508頁，注釈破産法（上）431頁，大コンメンタール271頁〔野村秀敏〕，注解破産法（上）643頁〔野村秀敏〕など）。

　なお，会社が販売委託を受けていた商品を第三者に譲渡した場合のように，目的物の処分について無権限でない場合にも，代償的取戻権が成立するかという問題がある。しかし，このような場合には，委託販売関係が存続するかぎりは，委託者は，無条件に目的物を取り戻すことはできず，取戻権の前提要件（破62）を満たしていないから，代償的取戻権も認められず，委託販売契約上の権利を破産債権として行使し，または動産売買先取特権が成立する場合にはこれにもとづき物上代位権を別除権として行使する以外にない。

[28] 破産管財人が任意に請求に応じない場合には，意思表示を命じる債務名義を取得し，執行（民執174）する。なお，取戻権者は，目的物の譲渡に起因する損害賠償請求権を破産債権として行使することも可能であるが，その際には，移転を受けた請求権の行使によって回収した額を損害賠償額から控除する。

当利得返還請求権や損害賠償請求権を破産債権として行使する以外にない[29]。

これに対して，いったん目的物が破産財団に組み込まれた後に，破産管財人がそれを処分し，反対給付を受け取ったときには，破産管財人による不法行為または破産財団による不当利得として，取戻権者が財団債権者となるはずである（破148Ⅰ④⑤）。しかし，先に反対給付が未履行の場合について述べたのと同様の理由にもとづいて，取戻権者には，反対給付について代償的取戻権が与えられる（破64Ⅱ）[30]。ただし，代償的取戻権の根拠は，代位物が他の財産から区別しうるところにあるので，反対給付は特定物でなければならない。反対給付が金銭のように不特定のものであるときには，取戻権者は，財団債権者として扱われる。

なお，反対給付が破産手続開始後に破産者に対して履行された場合には，履行の効力が認められるかどうかによって取扱いが分かれる。履行をなした債務者が破産手続開始について悪意の場合には，破産財団が利益を受けた限度でしか履行の効力が認められない（破50Ⅱ。本書383頁参照）。したがって，効力が認められない部分については，反対給付が未履行として扱われる。しかし，反対給付が破産財団に組み入れられた場合には，破産管財人が反対給付を受領したのと同様に，特定物については代償的取戻権，不特定物については財団債権が，それぞれ行使される。債務者が破産手続開始について善意で，履行が破産債権者に対して対抗できる場合（同Ⅰ）にも，目的物が破産財団に組み込まれていれば同様の結果となるが，そうでなければ，第三者の損害賠償請求権や不当利得返還請求権は破産債権となる。ただし，破産者が目的物について返還請求権を有するような場合には，それについて代償的取戻権を認めることも考えられる。

3 第三者の権利との関係

破産者や破産管財人が目的物を第三者に譲渡したときに，即時取得（民192）などの理由によって目的物の所有権が第三者に移転すれば，取戻権者は，もはや目的物自体を第三者から取り戻すことはできず，代償的取戻権の行使によっ

---

29) ただし，保全管理人による譲渡の場合には，相手方は，財団債権として損害賠償請求権を行使できる（破148Ⅳ）。
30) 破産手続開始前に破産者または保全管理人が目的物を譲渡し，破産管財人がその反対給付を受け取った場合も同様である。

て満足する以外にない。しかし，即時取得などが成立していなければ，第三者からの取戻しは可能であり，その場合には，第三者への取戻請求権と代償的取戻権を選択的に行使する。

4 特別の取戻権と代償的取戻権

特別の取戻権については，実体法上の所有権の帰属とは別に，目的物についての占有権限が売主などの取戻権者に与えられる。しかし，破産者や破産管財人がその目的物を第三者に譲渡した場合には，取戻権者は，その占有権限を破産管財人などに対して実行することが不可能になる。したがって，一般の取戻権と同様に，特別の取戻権についても代償的取戻権が認められる。ただし，取戻権の内容たる占有権限は代金債権を確保するためのものであるから，代償的取戻権の範囲も，売主などの代金債権の範囲に限定される[31]。

第2節 別除権

典型担保であれ非典型担保であれ，実体法上で担保権と認められるものは，債務者の一般財産または特定財産についての優先弁済権を内容とし，その実行によって被担保債権の回収を行うことを目的とする。債務者に対して破産手続が開始されたことは，その資力不足が明らかになったことを意味するから，担保権者としては，担保目的物からの優先弁済の実現を期待する。担保権にもとづく優先弁済権を法律上の地位として認める以上，このような期待を破産手続上でも保護すべきである[32]。

---

31) 中野・研究333頁，条解会更法（上）571頁，注解会更法222頁〔西澤宗英〕，条解破産法〈第3版〉507頁など参照。ただし，学説では特別の取戻権について代償的取戻権を否定する考え方がむしろ有力であり（注解破産法（上）645頁〔野村秀敏〕など），伊藤・破産法〈新版〉もこの考え方を採用していた。この考え方の下では，破産管財人による目的物の譲渡を53条にもとづく履行選択と同視し，代金債権が財団債権（破148Ⅰ⑦）となると説明されるが，技巧的にすぎる説明であり，かつ，本書のように，特別の取戻権を占有回復権限としてとらえるのであれば，代償的取戻権を認めることが合理的と思われる（大コンメンタール271頁〔野村秀敏〕も同様の考え方をとる）。もっとも，条文の文言では，法64条にいう取戻権が法62条にいう一般の取戻権に限定されているので（破62かっこ書参照），以上の考え方は，法64条の類推適用になる。

32) 破産法大系Ⅱ142頁〔中西正〕参照。したがって，破産管財人が正当な理由なく別除権の目的物を処分し，そのことによって破産財団の減少を免れた場合には，別除権者は，不当利得返還請求権を財団債権（破148Ⅰ⑤）として行使することができる。最判平成18・12・21民集60巻10号3964頁〔倒産百選17事件〕。同判決は，その理由として，設

他方，担保目的物といえども破産財団所属の財産であることに変わりはなく，破産債権者およびその利益を代表する破産管財人としては，担保権者の優先弁済権の成立およびその範囲，ならびにその実行について利害関係をもつ。ある財産について担保権の成立が否定されれば，その価値は破産債権者の満足に充てられるし，また，担保権の成立が認められるときでも，目的物の価額が被担保債権額を超えていれば，その剰余価値は破産債権者への配当財源となり，さらに，被担保債権額が目的物の価額を超えているときでも，目的物がいくらで換価されるかは，後に述べる不足額責任主義との関係で担保権者の破産債権額に影響し，他の破産債権者への配当額に差を生じさせるからである。以上のことを前提とすると，破産手続上の担保権の取扱いについては，3つの点が問題となる。

第1に，担保権者がその権利を第三者に対して主張するために実体法上対抗要件の具備が求められている場合には，破産債権者または破産管財人に対する対抗要件を備えなければならない[33]。担保権には，破産法上で別除権の地位が

定者が担保権者に対して担保価値維持義務を負い，破産管財人がそれを承継すると説く。ただし，最判平成18・12・21判時1961号62頁は，破産管財人の善管注意義務に関する判示（本書214頁注19）との関係で，破産管財人が悪意の受益者（民704）にあたるということはできないとしている。破産管財人の善管注意義務との関係については，本書213頁参照。

なお，集合債権譲渡担保の事例で，目的債権の支払のために振り出された手形を破産管財人が回収した事案について，財団債権としての不当利得返還請求権を認めた裁判例として，東京地判平成20・1・29判時2000号50頁がある。

[33] 最判平成22・6・4民集64巻4号1107頁〔民事再生〕〔倒産百選〈第5版〉58事件〕。工場内に備え付けられた機械類については，工場抵当法3条1項・2項がある。220問167頁〔山宮慎一郎〕参照。また，対抗要件たる占有改定が認められるための条件については，財産換価〔杉本和士〕参照。最決平成29・5・10民集71巻5号789頁〔民事再生〕は，信用状にもとづく補償債務を弁済した金融機関の輸入商品についての譲渡担保権について，取引慣行などを理由として占有改定による引渡しを受けたものと解し，転売代金に対する物上代位（本章注75参照）を認めている。

もっとも，保証人が弁済による法定代位によって原債権とともに担保権を取得して，これを別除権として行使するに際しては，登録を備えることを要しないとする札幌地判平成28・5・30金法2053号86頁，札幌高判平成28・11・22金法2056号82頁があり，最判平成29・12・7民集71巻10号1925頁〔倒産百選58事件〕も，代位の法律構成および破産債権者の利益双方の視点から，これを是認している。

法定代位の実体法上の効果を踏まえれば妥当であり，また，任意代位や債権の譲渡の場合についても，同様に考えるべきである。伊藤眞「最二小判平成22.6.4のNachleuchten（残照）——留保所有権を取得した信販会社の倒産手続上の地位」金法2063号36頁（2017年）（伊藤・古稀後著作集319頁）参照。現在のオートローン約款の下では，契約

与えられているが，その地位も，対抗力ある担保権に限って認められる。特に，実体法上対抗要件の内容について争いがある集合動産や集合債権の譲渡担保では，この点に関して議論がある。

　第2に，たとえ対抗力ある担保権であっても，危機時期に設定されたものは破産管財人による否認権行使の対象となりうる。担保権の設定または対抗要件の具備が否認されれば，やはり別除権者としての地位は否定される。

　第3に，担保権者の優先弁済権を尊重するためにも，また，破産財団所属財産たる目的物について破産債権者がもつ利益を保全するためにも，目的物の価値を適正に実現する必要がある。特定財産上の担保権者については，別除権として，優先弁済権を実現するために破産手続によらない権利の実行が認められるが（破2Ⅸ・65Ⅰ），破産管財人には，破産債権者の利益を保全するために，目的物の価額を評価し，自らその換価を行う権能が与えられている（破154・184Ⅱ・185ⅠⅡ）。別除権者が担保権によって目的物の価値の全部または一部を物的に把握している以上，たとえ破産手続が開始されても，その法定または約

締結直後に信販会社による立替払いがなされる方式と，買主が割賦金の支払いを怠ったときに，信販会社が保証人として債務を履行する方式の双方があるが，いずれであっても，信販会社が販売会社から取得する留保所有権の被担保債権が販売会社の残代金債権と同一であれば，信販会社は，販売会社の留保所有権（登録名義）のままで別除権の地位を主張できる。同論文45頁。

　購入者にかかる破産手続が開始した時点で自動車につき立替払いをした信販会社を所有者とする登録がなされていないときであっても，信販会社が上記合意にもとづき留保した所有権を別除権として行使することは許されることを理由に，信販会社に対する不当利得返還請求を否定した裁判例として，大阪地判平成29・1・13金法2061号80頁がある。これに対し，信販会社が自らの債権を保全するために留保所有権を設定したとみなされるときには，別除権の地位が認められず，目的物の売却代金を自らの債権の弁済に充当する行為は，否認（破162）の対象となるとした裁判例として，名古屋高判平成28・11・10金法2056号62頁。

　上記のような状況を踏まえ，法定代位構成によらず，信販会社独自の手数料をも被担保債権とする所有権留保の合意が販売会社，信販会社および買主3者の間で締結され，登録された販売会社の留保所有権がそれを担保するためのものであるとみれば，法定代位構成によらなくとも，信販会社が別除権の地位を主張できるとする見解がある。和田勝行「破産・民事再生手続における（第三者）所有権留保の取り扱いに関する一考察」法学論叢180巻5・6号725頁（2017年）。問題の根本的解決の試みと評価できる。

　また，対抗要件の欠缺を主張することが信義に反すると認められる事由がある場合には，その第三者に対する権利主張の関係では，対抗要件の具備は不要であるとされるが（最判平成10・2・13民集52巻1号65頁），破産債権者やその利益を代表する破産管財人がこのような第三者にあたることは，通常は考えにくい。

定換価権を全面的に排除することは許されないが，破産管財人は，破産手続開始決定によって与えられた管理処分権（破78Ⅰ）にもとづいて，目的物の適正な換価を行うために，強制執行の方法による換価権が与えられる。

現行法は，さらに進んで，破産管財人が担保権を消滅させた上で別除権の目的物を任意売却し，売却代金の一部を破産財団に組み込むことを認める，担保権消滅許可制度を設けている（破186以下）。これは，担保目的物の価値そのものの中に破産債権者に帰属すべき部分が含まれていることを前提とし，任意売却によって破産管財人がそれを実現できるときに，担保権者が把握する価値部分を優先弁済することによって担保権を消滅させ，同時に，破産債権者に帰属すべき価値部分を破産財団に組み込み，配当財源とすることを認めるものである。

第1項　別除権の要件と内容

破産管財人に対抗できる破産財団所属の特定財産上の担保権，すなわち特別の先取特権，質権，または抵当権には，別除権の地位が与えられる（破2Ⅸ)[34]。

---

[34] 別除権は，破産財団所属財産についての物的な優先弁済権を基礎とするものであり，優先弁済権に対応する担保価値を別除する権能を意味する。したがって，必ずしも別除権者が同時に破産債権者であることを前提とするものではなく（注解破産法（上）650頁〔斎藤秀夫〕，655頁〔遠藤功〕，条解破産法〈第3版〉39頁），物上保証人など破産財団がその者に対する物的負担を負う場合も含まれる。逆に，主債務についての保証人が物上保証人の地位を兼ねているときに，その者が破産した場合には，債権者は，保証債務履行請求権を破産債権として行使するとともに，主債務についての物上保証人の責任にもとづく別除権を行使できるが，両者は別個の地位であるために，別除権付破産債権とはならない。220問348頁〔兼光弘幸〕，実践マニュアル440頁，注釈破産法（上）436頁。

また，別除権の基礎となる担保権は，破産手続開始の時において存在するものであるが（破2Ⅸ），破産管財人と担保権者との間の協定によって，破産手続開始の時に存在した目的物に代えて，別の破産財団所属財産について担保権を設定したときにも，別除権として扱って差し支えない。別除権協定に関しては，本書991頁参照。

なお，旧法94条は，共有者の別除権として，共有者の1人が破産宣告を受けたときは，その者に対して共有に関する債権を有する他の共有者は，分割によって破産者に帰すべき共有財産の部分について別除権を有するとしていたが，その基礎となる民法259条1項が他の債権者に対する優先権までを認めているかどうかについて疑義があり，現行法では，対応する規定が設けられなかった。基本構造453頁。

特別の先取特権として実際上問題となるのは，動産売買先取特権（民321。本書491頁）の他に，責任保険契約についての先取特権（保険22Ⅰ），マンションの管理費の先取特権（建物区分7Ⅰ）がある。後者の取扱いについて220問74頁〔宮﨑純一〕，実践マニュアル443頁参照。

これに対して実体法上の担保権たる一般の先取特権は、破産者の総財産の上に成立する優先権であるので、破産債権と同質のものとされ、その優先弁済権にもとづいて優先的破産債権の地位が与えられる（破98Ⅰ）。また、留置権のうち商法または会社法の規定による商事留置権は、特別の先取特権とみなされ、別除権の地位が与えられるが（破66Ⅰ）[35]、その順位は、他の特別の先取特権

---

[35] 特別の先取特権とみなされるのは、留置権者に優先弁済権および換価権を認めるためであり、留置権自体が消滅するものではない。このことは、手形に対する特別の先取特権を実行するためには、目的物の留置を続けることが有利であること（民執190Ⅰ①参照）、商事留置権を消滅させるための特別規定（破192）が存在することからも正当化される（最判平成10・7・14民集52巻5号1261頁〔倒産百選53事件〕、基本構造235頁参照。ただし、新版破産法523頁〔那須克巳〕は、留置的効力は特別の先取特権の実行を確保する限度で存続するとする）。
　また、銀行取引約定書（平成12年「ひな型」廃止）4条4項が定める換価方法は、法律に定められた方法によらない換価方法（破185Ⅰ）としての効力が認められる（東京地判平成20・7・29金法1855号30頁参照）。平成10年判決の意義については、山本和彦「破産と手形商事留置権の効力」金法1535号6頁（1999年）、伊藤眞「手形の商事留置権者による取立金の弁済充当──『別除権の行使に付随する合意』の意義」金法1942号22頁（2012年）参照。ただし、建築請負人の土地に対する商事留置権について留置権能を否定した裁判例がある（東京高決平成10・12・11判時1666号141頁①事件）。これに対して、商事留置権に特別の先取特権の地位を与える旨の規定が存在しない再生手続においては、手形の留置権者による取立金の充当をどのように正当化できるかという問題がある（本書990頁参照）。
　建築請負人が建築物について商事留置権を認められるか、さらに、上記のように敷地についてまで商事留置権を認められるかという実体法上の問題もあり、前者については、肯定説が有力であるが、後者については、否定説が一般的である（関連判例として、運送委託料債権を被担保権とする商事留置権が債権者が占有する不動産に及ぶことを認めた、最判平成29・12・14民集71巻10号2184頁がある）。肯定する場合でも、設定登記が先行する抵当権には劣後する。詳細は、220問321頁〔野澤健〕、植村京子「商事留置権に関する諸問題」ソリューション60頁参照。同論文64頁では、商法521条にいう占有を基軸として、建物未完成の間は、請負人の土地に対する独立の占有が認められるとはいえないとする。その場合の実務上の解決についても、同論文66頁参照（これに対して、ニューホライズン325頁は、敷地についての商事留置権の成立を認め、かつ、抵当権者に対しても、その効力を認める）。
　さらに、商事留置権の成立が争われる場面として、投資信託の受益権など、ペーパレス化された権利があるが、あえて商法521条を拡張解釈すべき理由に乏しい。木村真也「投資信託の販売金融機関による相殺の可否および商事留置権の成否」ソリューション107頁、ニューホライズン279頁参照。これに対して、手形に代わって利用が盛んになっている電子記録債権についても、窓口金融機関の商事留置権の成否が問題となるが、電子記録債権についての決済が窓口金融機関を通じて行われること、利用者との間の利用契約が基礎となっていることなどをみれば、準占有を肯定できるが、それが手形と同様の有価証券といえるかという疑問もある。ニューホライズン348頁、注釈破産法（上）467頁参照。
　なお、商事留置権消滅請求制度は、旧会社更生法161条の2（現会更29参照）になら

に後れる（同Ⅱ）。また，民事留置権は，破産財団に対してはその効力を失う（同Ⅲ）36)。

1 別除権の行使

破産手続によらない別除権の行使が認められるのは（破65Ⅰ），別除権の基礎である担保権本来の実行方法によることを許すことを意味する。したがって，担保目的物が動産や不動産であるときには，担保権実行としての競売（民執180①・190）や担保不動産収益執行（民執180②），目的物が債権のときには，その取立てなどの方法による（民執193)37)。その他，動産質についての簡易充当手続（民354），あるいは債権質についての直接取立て（民366）など，民事執行法以外の法律に定められた実行方法も認められる。加えて，担保権者が法律に定められた方法以外の方法で目的物を換価する権能をもつときには，それらの方法によることもできる（破185Ⅰ参照）。この種の方法としては，当事者の約定にもとづく任意処分がある38)。いずれの方法によるにしても，担保権が実行され，目的物が換価されれば，担保権者は換価代金の中から被担保債権の満足

　　って，現行法によって創設されたものである。
36) すでに留置権にもとづいて開始されている競売手続（民執195）も失効する。民事留置権者には，多くの場合に同時に特別の先取特権が与えられるから，実際の保護に欠けるところはないといわれる。もっとも旧法下の立法論としては批判があったが（注解破産法（上）663頁〔遠藤功〕)，現行法も民事留置権の失効の考え方を維持している。一問一答110頁，基本構造454頁，大コンメンタール290頁〔上原敏夫〕，概説130頁参照。倒産における留置権の機能については，生田次郎「留置権と倒産法」金融担保法講座Ⅳ113頁以下（1986年）が詳しい。なお，財団債権についての民事留置権も失効するとの考え方が有力であるが（条解破産法〈第3版〉546頁，概説129頁)，有力な反対説がある（大コンメンタール290頁〔上原敏夫〕，本書350頁)。
37) 競売手続の利害関係人として執行抗告や執行異議の適格をもつのは，破産者ではなく，目的物についての管理処分権者たる破産管財人である（基本法151頁〔宮川聡〕，大コンメンタール285頁〔野村秀敏〕)。また，競売手続が終了し，買受人に所有権移転登記がなされる際には（民執188・82Ⅰ①)，個人の財産に関する破産の登記（破258Ⅰ②）も抹消される（注解破産法（上）679頁〔斎藤秀夫〕)。民事執行法82条1項2号の類推による。
38) たとえば，銀行取引約定書（平成12年「ひな型」廃止）4条3項では，一般的に任意処分の権能が担保権者に与えられている。担保権が抵当権の場合には，抵当直流が許されていることから，任意処分約定の有効性に問題はないが，動産質の場合には，商法515条によって許容される場合を除いて，民法349条によって流質が禁止されているので，問題が生じる。しかし，最近の学説は，担保権者が清算義務を負うことを条件として流質の有効性を認めているので，破産においても，任意処分の約定を有効と解してよい。なお，詳細については，伊藤眞「典型担保の契約による修正——実行形態」現代契約法大系6巻1頁以下，条解破産法〈第3版〉519頁参照。

を受け，残額があれば，それは破産管財人に引き渡される。

別除権の行使が適正に行われるのであれば，破産管財人がそれに介入する必要はない。換価の剰余金があれば，その引渡しを受けることで足りるし，換価後もなお被担保債権の残額があれば，その部分について破産債権として調査・確定を行う。しかし，不適正な換価が行われると，発生すべき剰余金が発生しなかったり，不必要な破産債権行使がなされたりする。そこで，破産管財人としては，換価が適正に行われるかどうか監視する必要があるし，適正に行われないおそれがあるときには，自ら換価を行う必要も生じる。

目的物に関する破産管財人の提示請求権および評価権（破154），破産管財人による目的物の受戻し（破78Ⅱ⑭），および強制執行の方法による破産管財人の換価権（破184Ⅱ）などは[39]，これらの必要を満たすためのものである。強制執行の結果として，別除権者が受けるべき金額がまだ確定していないときは，破産管財人は，代金を別に寄託しなければならず，別除権は寄託された金銭上に存する（同Ⅳ）。

なお，換価権については，別除権者が任意処分の権限をもっているときには，それが優先するが，破産管財人は，処分の期間を定めることを裁判所に申し立て（破185Ⅰ），その期間が徒過すると任意処分の権限が失われる（同Ⅱ）。また，破産管財人は，別除権者の同意をえて，担保権設定登記を抹消して，目的物を任意売却することもできるし，同意がえられない場合でも，動産売買先取特権のように，破産管財人による任意売却によって担保権が消滅する可能性があり（民333），または抵当権などのように担保権付で目的物を第三者に売却することもできる[40]。

---

[39] この換価は，破産手続開始決定を債務名義（民執22③）として行われるものであるが，特定の債権を満足させるために行われるものではなく，実質は，包括執行としての強制競売であるが，法的性質としては換価のための形式競売（民執195）と考えられる。したがって，売却によって担保権は消滅し，その被担保債権に対する配分がなされた後に，売得金が破産管財人に交付される（条解破産法〈第3版〉1279頁）。なお，売却の方法は，担保権実行としての競売の例によるから，入札，競り売り，および特別売却がある（民執188・64Ⅱ，民執規51）。また，無剰余取消しの規定（民執63・129）は，上記のような破産管財人による強制執行の趣旨から，この場合には適用がない（破184Ⅲ）。

[40] 任意売却の権限は，破産管財人の管理処分権（破78Ⅰ）にもとづくものであるが，手続としては，裁判所の許可を要する（同Ⅱ①）。詳細については，注解破産法（下）458頁〔斎藤秀夫〕，大コンメンタール739頁〔菅家忠行〕，条解破産法〈第3版〉1273頁参照。実務上では，破産管財人による任意売却が原則化している（破産・民事再生の実務

もちろん，別除権者の同意の有無にかかわらず，破産管財人が被担保債権を弁済して，目的物を受け戻せば（破78Ⅱ⑭），担保権の負担のない財産として任意処分をすることができる。さらに進んで，別除権者の同意が得られない場合にも，破産管財人が担保権を消滅させた上で，目的物を任意売却し，その代金の一部を破産財団に組み込むことを認めるのが，担保権消滅許可の制度である（破186以下）。その基本原理および手続構造については，652頁以下で説明する。

2　別除権者の破産債権行使

破産者が物上保証人であって，担保権者に対する人的債務を負っていないときには，担保権者が別除権の行使以外に，破産債権を行使する可能性はない。しかし，破産者が同時に担保権者に対する債務者でもあるときには，担保権者は，別除権たる担保権の行使とは別に被担保債権を破産債権としても行使できるはずである。しかし，担保権が被担保債権について優先弁済をえるための手段であることを考えれば，1個の債権の満足をえるために別除権と破産債権双方の行使によって被担保債権の満足を受けることを認めるのは，他の破産債権者との公平を欠くので，別除権の行使によって満足を受けられない部分についてのみ破産債権の行使が認められる（破108Ⅰ本文）。これを不足額（残額）責任主義と呼ぶ[41]。

なお，別除権の基礎たる担保権の目的物である財産が破産管財人の任意売却や財団からの放棄[42]によって破産財団に属しないこととなった場合においても，

〔破産編〕208頁）。

41)　趣旨としては，抵当不動産以外からの弁済を制限している民法394条1項と共通である。ただ，同条2項本文は，一般財産の強制執行が先行するときには，抵当権による配当加入を制限しないが（注釈民法〈新版〉(9) 638, 639頁〔生熊長幸〕），破産では，さらにこれを制限したものである。条解破産法〈第3版〉809頁参照。

また，代位弁済をした保証人が破産債権たる原債権を取得し，それに付された担保権を別除権として行使しうるときには，不足額責任主義が適用されるが，加えて，求償権を破産債権として行使する場合などについても不足額責任主義が類推適用されるとの有力説がある。実践マニュアル445頁，栗田隆「破産手続における不足額責任主義の拡張」関西大学法学論集63巻4号104頁（2013年）。実体法上は，担保権の被担保債権たる破産債権と区別される別個の破産債権であるが，相互の牽連性からみて，被担保債権と同視されるべき破産債権については，このような考え方が成り立とう。

42)　管理処分権の放棄が許される場合やその後の財産処理などについて，平岩みゆきほか「破産事件における管理・換価困難案件の処理をめぐる諸問題」事業再生と債権管理151号23頁（2016年）参照。管理処分権が放棄された財産については，破産管財人を別除権放

当該担保権がなお存続するときは，担保権者は別除権者とされ（破65Ⅱ）[43]，その者の破産債権行使には不足額主義が適用される。

　もっとも，破産手続開始後に破産管財人と別除権者との間の合意によって，当該担保権によって担保される債権の全部または一部が担保されないこととなった場合には，その全部または一部については破産債権としての権利行使が認められる（破108Ⅰ但書）[44]。

　不足額を破産債権として行使しようとする別除権者は，被担保債権額そのものの届出（破111Ⅰ）に加えて[45]，あらかじめ予定不足額を見積もって，債権

棄の相手方とすべきではない（最決平成12・4・28判時1710号100頁〔倒産百選〈第3版〉67事件〕）。
　　旧取締役も会社財産についての管理処分権を失うから，旧取締役に対する別除権放棄の意思表示も，これを有効とすべき特段の事情が存在しない限り無効であり，清算人（会社475・478）に対してなされるべきである（最決平成16・10・1判時1877号70頁〔倒産百選59事件〕。特段の事情についての裁判例として，名古屋高決平成16・11・30判タ1253号307頁がある）。以上について，条解破産法〈第3版〉540，1283頁，実情206頁参照。
　　ただし，規則56条後段に定める放棄の通知がなされなかった場合に，別除権放棄の相手方を破産管財人としてよいかという問題がある。基本構造233頁。破産管財人が通知義務を怠った以上，破産管財人に対する別除権放棄の効果を認めるべきである。
　　また，別除権放棄の際の登記の要否についても，基本構造235頁参照。東京地裁破産再生部では，抹消登記を必要としている。破産管財の手引〈第2版〉268頁。
43）事後的な準別除権（破108Ⅱ）と表現されることがある。基本構造231頁。なお，任意売却や財団放棄に関しては，破産管財人が担保権者に対してその旨を通知しなければならない（破規56）。その趣旨等については，条解破産規則137頁参照。また，担保権付の任意売却の事例や機能については，同143頁参照。
44）経済情勢の影響などで競売手続が進行しないため，抵当権者などが，抵当権を放棄しない限り，配当に参加できない可能性がある。このような問題を解決するために，現行法において新たに設けられた規定である。民事再生法88条但書も同旨の規定である。一問一答286頁，基本構造254頁参照。
　　なお，再生手続の場合と同様に（本書991頁），被担保債権額変更の登記を要するかどうかについての議論がある（基本構造255頁，注釈破産法（下）372頁）。被担保債権額の変更自体は登記なくしても第三者に対抗できるとしても，担保権の譲受人や後順位担保権者の保護のためにも，登記を要するとすべきである（大コンメンタール457頁〔菅家忠行〕，条解破産法〈第3版〉812頁。破産管財人のとるべき措置について220問429頁〔末永久大〕参照。民事再生法88条に関して，注釈民再法（上）283頁〔木内道祥〕，条解民事再生法462頁〔山本浩美〕）。これに対する登記不要説として，詳解民事再生法314頁〔山本和彦〕がある）。
45）不足額算定の基礎となる破産債権額の中に破産手続開始決定後の利息を算入できるかどうかが問題となる。破産手続上では，破産手続開始決定後の利息は劣後的破産債権とされているが（破97①・99Ⅰ①），抵当権の被担保債権には最後の2年分の利息が含まれ（民375），かつ，弁済充当の順序としては，利息が元本に優先するから（民489Ⅰ），破産手続開始決定後の利息も不足額算定の基礎たる破産債権額に含まれる（注解破産法（上）

届出をなさなければならない（同Ⅱ）。債権調査は被担保債権としての届出額についてなされるが，破産債権の行使は，不足額が基準とされ，配当に関して次のような特別の取扱いがなされる。

すなわち，中間配当の配当除斥期間内に別除権者が目的物の処分に着手したことを証明し，かつ，不足額を疎明しなければ，別除権者は配当から除斥されるし（破210Ⅰ），その疎明がなされても，配当は不足額が確定するまで寄託される（破214Ⅰ③）。そして，最後の配当についての除斥期間内に不足額の証明がないと，別除権者は最終的に配当から除斥され，寄託された配当金は他の破産債権者に配当される（破198Ⅲ・214Ⅲ）。また，債権者集会における議決権額についても，不足額が基準とされる（破140Ⅰ②かっこ書）。

なお，担保権が根抵当権である場合には，不足額の証明について特別の問題がある。すなわち，根抵当権は，極度額の範囲内でのみ目的物の交換価値を把握しているから（民398の2Ⅰ・398の3Ⅰ），目的物の売却価額のいかんを問わず，極度額以上の満足を受けることはありえない。そこで，根抵当権に関しては，普通抵当と異なって，抵当権実行の終了を待たず，極度額を超える被担保債権部分については，当然に不足額の疎明（破210Ⅰ）および証明（破198Ⅲ）があるものとみなせるかどうかである。旧法下の解釈論としては，根抵当権を普通抵当より有利に扱う根拠に乏しいこと，あるいは不足額の疎明や証明の規定は，権利の実行を予定していることなどを理由として，消極説がとられていたが[46]，現行法は，最後配当の許可（破195Ⅱ）があった日における根抵当権者の破産債権のうち，不足額の証明がなされないときでも，極度額を超える部分をもって配当の基準とすることによって，この問題を立法的に解決した（破196Ⅲ・198Ⅳ。本書761頁）[47]。

682頁〔斎藤秀夫〕，基本法152頁〔宮川聡〕，大コンメンタール460頁〔菅家忠行〕，条解破産法〈第3版〉811頁）。弁済充当の順序の詳細については，基本構造265頁参照。

[46] 伊藤・破産法〈第3版補訂版〉292頁参照。

[47] 一問一答287頁，大コンメンタール847頁〔福永浩之〕，854頁〔舘内比佐志〕，条解破産法〈第3版〉1390，1402頁参照。もちろん，根抵当権実行の結果として不足額の証明がなされたり，根抵当権が放棄されれば，それを前提とする額が配当の基準となる。ある不動産について複数の根抵当権が設定されている場合の取扱いについては，田原睦夫「担保権と破産財団及び配当手続」ジュリ1273号44，50頁（2004年），基本構造262頁参照。具体的には，下位の根抵当権者の不足額（当該破産債権のうち極度額を超える部分の額）は，上位の根抵当権者の不足額がいくらであるかとかかわりなく，下位の根抵当権者自身の極度額を基準にして決定する。

第2項 準別除権

　法は，破産手続開始時の破産者の財産であっても，一定のものはこれを自由財産とし（破34Ⅲ等），また，破産者が破産手続開始後に取得する新得財産も，固定主義の原則（同Ⅰ）の下では，自由財産とされる。そこで，自由財産について担保権をもつ破産債権者と他の破産債権者，および破産手続開始時の財産を破産財団とする破産債権者と，破産手続開始後の自由財産を破産財団とする第2破産の破産債権者との利益を調整することが必要になる。

　破産債権者が，破産財団に属しない破産者の財産，すなわち自由財産の上に特別の先取特権，質権，または抵当権を有している場合には，これらの者は，準別除権者とされ，担保権の行使によって弁済を受けることができない額についてのみ破産債権の行使が許される（破108Ⅱ）。自由財産は破産財団所属財産とは区別され，自由財産からの優先弁済権は，他の破産債権者の利益に影響しないはずであるが，立法者は，財団所属の財産も自由財産も，その帰属主体は破産者である点を重視し，担保権実行の結果としての不足額についてのみ破産債権の行使を認めることが，他の破産債権者との公平に合致するとしたものである。

　また，破産者について第2破産（本書260頁）が開始された場合における第1破産の破産債権者の地位に関しても，第1破産の破産債権を準別除権として，残額責任の原則が適用される（破108Ⅱ）。なぜならば，第1破産の破産財団も，第2破産の破産財団もともに破産者の財産であるのに対して，第1破産の破産債権者は，第2破産の破産債権者となるが（破2Ⅴ），第2破産の破産債権者は，第1破産の破産債権者たりえないので，第1破産の破産債権者に，第2破産において破産債権全額の行使を認めると，公平を欠く結果となるからである。

　なお，類似の状況における民事再生法の規律として，根抵当権者に対する再生計画における仮払いおよび精算の制度があるが（民再160Ⅱ。本書1092頁），破産法にはこれに対応する規律が存在しないので，保証人の破産において不足額による配当を受けた破産債権者が，その後に主債務者から一定額の任意弁済を受け，被担保債権額が減少した場合の調整の必要が議論される。基本構造263頁。私見は，いったん不足額を基準として配当を受けた以上，その後に被担保債権が減少しても，現存額主義（破104）と同様に，調整の必要はないと考える。

第3項　各種の担保権と別除権

別除権に関する以上の説明を前提として，以下では，いくつかの種類の担保権を取り上げて，個別的な問題点を検討する。

1　根抵当権

根抵当権の元本は，極度額の範囲内で変動を予定するものであるが（民398の2Ⅰ），根抵当権者は，元本が確定した場合にのみ極度額の範囲で優先弁済権を保障される（民398の3Ⅰ）。確定事由には様々なものがあるが（民398の20等），債務者または根抵当権設定者について破産手続開始決定がなされることも確定事由の1つである（同Ⅰ④）[48]。したがって，確定根抵当権者の破産手続における権利は，通常の抵当権者の場合と同様に別除権として扱われる。ただし，破産者が物上保証人であるときには，根抵当権者は破産債権者とはならない[49]。

次に，被担保債権に含まれる利息等の範囲が問題となる。普通抵当の場合には，優先弁済権の対象となる利息等は，最後の2年分に限られるが（民375），根抵当権の場合には，極度額の範囲内であれば，すべての利息が被担保債権に含まれる（民398の3Ⅰ）。破産手続開始後の利息は劣後的破産債権とされるが（破97①・99Ⅰ①），これも別除権の被担保債権に含まれ，したがって不足額算定（破108Ⅰ本文）の基礎ともなる。

最後に，破産者が支払義務を負う手形を根抵当権者が取得したときに，その手形債権を被担保債権として扱ってよいかという問題がある。破産手続開始前であれば，根抵当権者の取得する債権はすべて被担保債権として扱われるのが原則であるから，根抵当権者が破産者から手形の振出しを受けたり，手形を裏

---

[48]　破産以外の倒産手続，すなわち再生手続や更生手続が開始されても，確定事由にはあたらない。手続開始後も取引継続の可能性があることも確定を認めない実質的理由となる。ただし，当事者間の約定によって更生手続開始などを確定事由とすることは認められる（鈴木祿彌・根抵当法概説〈第3版〉161頁（1998年））。更生担保権としての根抵当権の取扱いについては，伊藤・会更法・特清法210頁参照。

[49]　破産債権者とならない根抵当権者については，破産手続開始決定の通知（破32Ⅲ）がなされないとすると，根抵当権者が物上保証人の破産の事実を知らずに債務者に融資を続けたときには，破産手続開始後の融資分は，すでに破産手続開始決定によって元本額が確定しているため，別除権の行使によって回収することはできない。このような危険を避けるために，別除権者に対しても通知をなすべきであると解される（福永有利「倒産法と抵当権」金融担保法講座Ⅰ349，371頁）。

書譲渡されたことによって取得する手形債権は，当然被担保債権に含まれる。しかし，破産者以外の者から手形割引などの方法によって手形を取得したときに，その手形債権を被担保債権に含ませると弊害が多いといわれる。すなわち，この種の手形は回り手形と呼ばれるが，破産者について支払停止または破産手続開始申立てなどの事実が発生し，危機が明らかになったときに，極度額に余裕のある根抵当権者は，他の債権者がもっている手形を回り手形として譲り受け，根抵当権によってその回収を図ることが可能になる。

このような結果は，危機時期における債権者平等の理念に反するものであるから，支払停止・破産手続開始申立て後に取得された回り手形にもとづく債権は根抵当権の被担保債権として認められない（民398の3Ⅱ柱書本文。小切手や電子記録債権も同様である）。その趣旨は，相殺禁止に関する法72条1項3号および4号と共通である[50]。ただし，根抵当権者が支払停止などについて善意のときには，上記のような弊害が考えられないので，回り手形にもとづく債権も被担保債権に含まれる（民398の3Ⅱ柱書但書）。

2 動産売買先取特権

債権者が動産の売掛債権者である場合には，債務者が破産すると，債権者から破産財団中の目的物について動産売買先取特権（民311⑤・321）が主張されることがある。動産売買先取特権は特別の先取特権であるから，別除権の地位が認められるが（破2Ⅸ）[51]，目的物自体に対する先取特権の実行または転売債権などに対する物上代位権の実行方法との関係で，議論の対立がみられる。

以下では，まず，目的物が破産財団中に現存するときに，その目的物に対して別除権の行使ができるかどうかを説明し，次に，目的物が破産者または破産管財人によって第三者に売却されたときに，先取特権者が，代金債権について物上代位権（民304）を行使できるかどうかを説明する。なお，基本的視点は，次の3つである。

---

50) 根抵当権の被担保債権の範囲は，債務者との間の取引関係から生じる債権に限定されるのが原則であり（民398の2Ⅱ），この原則からみれば，回り手形にもとづく債権を被担保債権とすることは例外であり，民法398条の3第2項は，その例外を破産手続開始申立て等の前に取得された回り手形に限定したものと解される（鈴木・前掲書（注48）36頁参照）。

51) 動産売買先取特権の機能については，上野正彦「商社の倒産」講座（4）355頁以下参照。

第1は，立法論としてはともかく，解釈論としては，実体法が認めた動産売買先取特権の優先弁済権を尊重しなければならない[52]。第2は，民事執行手続においては，動産売買先取特権者が競売申立ての形で自ら能動的権利行使をする場合の要件と（民執190），配当要求の形で他の者が開始した競売手続に参加して権利行使をする場合の要件（民執192・133）とを区別していることである。第3は，破産手続開始決定によって包括執行のために差押債権者類似の地位を認められる破産管財人は，動産売買先取特権者からの配当要求を受ける差押債権者と同様の地位に立つことである[53]。

(1) 破産財団中の目的物についての別除権行使

破産者に対して動産を売却した売主は，その代金債権について動産売買先取特権を与えられ（民311⑤・321），破産手続開始決定後は，破産財団中に目的物が現存すれば，別除権者の地位を認められる。目的動産が買主から第三者に引き渡されたときには，先取特権の追及力が否定されるが（民333），すでに述べた通り，破産管財人は，目的物についての差押債権者類似の地位を認められるにすぎず，目的物についての第三取得者としてその占有を承継した者とはみなされないからである。民事執行手続上でも，先取特権者が配当要求を通じて差押債権者に対して優先弁済権を主張することが認められる（民執133）ことを考慮しても，破産財団中の動産について動産売買先取特権が別除権とされるべきである[54]。

次に，動産売買先取特権者が破産管財人を相手方として別除権を行使する方法が問題となる。別除権者は，破産手続によらず，その本来の権利実行方法によることができ（破65Ⅰ），動産売買先取特権の場合には，動産競売がそれにあたる（民執190）。ところが，平成15年の民事執行法改正前は，先取特権者が競売申立てをなすためには，目的動産の執行官への提出，または動産の占有

---

52) 動産売買先取特権に対する否定的評価を前提として，破産の場面における換価権を制限することを説くものとして，井上治典＝宮川聡「倒産法と先取特権」金融担保法講座Ⅳ281，295頁がある。

53) 詳細については，伊藤眞「動産売買先取特権と破産管財人（上）」金法1239号6，8頁（1989年）参照。なお，動産売買先取特権の破産手続上の取扱いについては，現行法の立案段階で議論がなされたが，結果としては，変更が加えられていない。基本構造458頁。

54) 注解破産法（上）669頁〔斎藤秀夫〕，大コンメンタール277頁〔野村秀敏〕，条解破産法〈第3版〉519頁など。もっとも，破産管財人を第三取得者と同じ地位に立つとする宗田・研究148頁は，別除権を否定するが，少数説である。

者が差押えを承諾したことを証する文書の提出が要求された（民執旧190）。したがって，先取特権者が任意の引渡しまたは自力救済などの手段によって破産手続開始決定前後に目的物の占有を取得していれば，それを執行官に提出できるが，それ以外の場合には，破産管財人に対して目的物の引渡しを求めるか，または差押えの承諾を求めなければならなかった。

そのための方法としては，先取特権者が被担保債権にもとづく仮差押えを行って，執行官に占有を取得させるとか，先取特権にもとづく引渡請求権または差押承諾請求権を基礎として，先取特権者への目的物引渡しや執行官保管を命じる仮処分を執行するとかの考え方が主張されたが，金銭債権の強制執行保全の手段である仮差押え（民保20）を担保権である先取特権実行のために用いることが正当か，あるいは，先取特権にもとづく引渡請求権や差押承諾請求権が認められるかという批判がなされた[55]。

このような議論を背景として，平成15年改正によって民事執行法190条1項3号および2項などの規定が設けられ，従来の方法に加えて，担保権証明文書[56]を提出して債権者が申立てをなせば，執行裁判所が動産競売開始許可決定をすることによって動産競売を開始することが可能になった。したがって，先取特権者としては，たとえ動産の占有を取得できなくとも，また破産管財人から差押承諾文書がえられなくとも，執行裁判所の動産競売開始決定をうることによって，破産管財人の管理下にある目的物について動産売買先取特権の実行をすることができる[57]。

---

[55] 伊藤・破産法〈第3版補訂版〉296頁，条解破産法〈第3版〉520頁，判例・実務・改正提言364頁〔園尾隆司＝谷口安史〕参照。

[56] ここでいう担保権証明文書の意義については，本章注61参照。

[57] 実務においては，動産売買先取特権者が目的物を特定してその権利を破産管財人に対して主張する場合には，動産売買先取特権の存在を認めた和解的処理がなされるといわれる。基本構造461頁参照。また，特定の程度については，池口毅＝木村真也「更生手続下における動産売買先取特権の取扱いについて」諸問題137頁，150問216頁〔柚原肇〕参照。ただし，大阪地判昭和61・5・16判時1210号97頁は，売主が目的物について動産売買先取特権を主張しているときに，破産管財人がそれを売却しても，不法行為は成立しないとしている。

また，松下満俊「破産手続における動産売買先取特権に関する考察」ソリューション44頁は，別除権者に対する善管注意義務という視点から，動産売買先取特権者が競売開始の許可決定書の写しを破産管財人に交付するなどにして，その存在が破産管財人に公証された以降は，破産管財人による任意処分が制約されるとし，小林信明「動産売買と買主の倒産手続」ジュリ1443号66頁（2012年），同「動産売買先取特権の倒産手続における

(2) 物上代位権にもとづく別除権行使

買主が目的物を転売したときなどは，先取特権者は，目的物に代わる代金債権などについて優先弁済権を主張することが許される（民304）。破産者または破産管財人が目的物を転売したときには，代金債権などは破産財団所属の財産になる。このときにも，先取特権者は物上代位にもとづく別除権者としての地位を認められるかについては，民法304条1項にいう差押えの性質をめぐる議論を反映して，先取特権者が破産手続開始前に債権を差し押さえていない限り，物上代位の効力を破産管財人に対して主張しえないとする消極説と，破産手続開始後でも差押えを行って，物上代位を主張しうるとする積極説とが対立していた[58]。判例は積極説をとる[59]。

積極説の根拠として判例は，第1に，先取特権者の差押えの目的は，債権の特定性を保持して，第三債務者などが不測の損害を被ることを防止するところにあるから，単に一般債権者による差押えが先行しているというだけでは，先

取扱い」田原古稀（下）196頁は，動産売買先取特権者による差押えが現実化しているような場合を除いて，不法行為の成立を否定する。ソリューション51頁，破産法大系II 160頁〔中西正〕，注釈破産法（上）449頁，進士肇「動産売買先取特権の倒産上の扱い」倒産法の実践236頁，多様化する事業再生269頁〔瀬戸茂峰〕も同旨と思われる。これに対し，財産換価701頁〔杉本純子〕は，動産売買先取特権者が破産管財人に担保権証明文書を提出したときは，不当利得が成立し，財団債権（破148 I ⑤）の行使を認める。

[58] 差押えが物上代位の目的物たる債権を特定する意義をもつとする立場では積極説を，目的債権についての優先権を保全するためのものとする立場では消極説をとっていた（差押えの性質に関しては，小林秀之＝角紀代恵・手続法から見た民法37頁以下（1993年）参照）。なお，差押えの趣旨は，優先弁済権の確定，目的債権の特定性維持，第三者の利益保護の3つが含まれるとするものとして，山本・前掲論文（注35），山本克己「債権執行・破産・会社更生における物上代位者の地位（2）」金法1456号23, 28頁（1996年）があり，本書もこれに賛成する。

[59] 最判昭和59・2・2民集38巻3号431頁〔倒産百選56事件〕。これ以前の下級審裁判例には，破産手続開始決定によって目的債権の管理処分権が破産管財人に移転することをもって，「払渡し又は引渡し」（民304 I 但書）があったものと同一視し，消極説をとるものがあった。しかし，今中利昭「破産宣告の動産売買先取特権に基づく物上代位に及ぼす影響」判タ427号42頁（1981年）に代表される学説には，これに対する批判が強く，最高裁はこれをうけて，積極説をとることを明らかにしたものと思われる。判例・学説の詳細は，井上＝宮川・前掲論文（注52）281頁以下に詳しい。

もっとも，破産管財人が被代位債権を第三者に譲渡し，対抗要件を備えた場合には，もはや差押えによって物上代位権を行使することは許されない。最判平成17・2・22民集59巻2号314頁。この点は，登記という公示手段がある抵当権にもとづく物上代位の場合と異なる。最判平成10・1・30民集52巻1号1頁，新版破産法456頁〔須藤英章〕参照。

取特権者の差押えが妨げられないこと，第2に，破産管財人の地位が差押債権者の地位と同視されることを挙げている。いいかえれば，一般債権者による差押え後も物上代位権行使としての差押えは，目的債権の特定性を維持し，それについて優先弁済権を主張するために許されるのであるから，総債権者のために差押え類似の効力を有する破産手続開始後にも許されるべきであるという。この判例の考え方は，その後の最高裁判決によっても確認され，また理論的にも正当なものと思われる[60]。

破産財団所属財産たる代金債権などに対する物上代位も，別除権の行使とみなされるので，先取特権者は，その本来の権利の行使方法である目的債権の差押えによってその権利を実行する（破65 I）。この差押えは，担保権の実行としてなされるものであり（民執193 I），破産債権にもとづくものではないので，破産手続開始による制限（破42 I）を受けない。差押えを行うためには，先取特権者は，その担保権を証明する文書を執行裁判所に提出することが要求される（民執193 I）[61]。

次に問題となったのは，先取特権者が担保権証明文書を直ちに提出できないときに，物上代位権を保全する方法として，目的債権の仮差押えや，破産管財人に対する取立てまたは譲渡禁止仮処分を申し立てられるかどうかであった。

---

[60] 最判昭和60・7・19民集39巻5号1326頁〔執行百選107事件〕。この判例は，一般債権者による差押えの後に，物上代位権行使のための差押えを許したものである。結局，先取特権者による差押えは，第三債務者に対する関係では，先取特権の効力を主張するための対抗要件であるが，一般の差押債権者に対する関係では，対抗要件ではないことになる（竹下守夫「判例批評」判時1201号（判例評論332号）199頁（1986年）参照）。なお，動産譲渡担保にもとづく物上代位について同様の結論をとる判例として，最決平成11・5・17民集53巻5号863頁がある。近時の学説も，破産手続開始後の物上代位権の行使としての差押えを認めることは共通している。大コンメンタール278頁〔野村秀敏〕，条解破産法〈第3版〉521頁など参照。

[61] その文書の意義に関しては，準名義説と書証説との対立がある。準名義説では，債務名義に準じる程度の高度の蓋然性をもって担保権の存在を証明できる独立の文書が要求されるのに対して，書証説では，提出された文書を総合して，裁判官の自由な心証によって担保権の存在が証明できればよいとする。学説には，中野貞一郎「担保権の存在を証する文書」判タ585号8頁（1986年），生熊長幸「動産売買先取特権の実行（2）」ジュリ876号116頁（1987年）など書証説が多いが，浦野雄幸「最近の動産売買の先取特権の実行をめぐる諸問題（4・完）」NBL 337号11, 19頁（1985年）のように準名義説をとるものも有力である。下級審判例も分かれているが（生熊論文参照），近時の実務は書証説にもとづいて運用されている（大コンメンタール278頁〔野村秀敏〕，条解破産法〈第3版〉522頁）。

学説では,仮差押えなどの可能性を肯定する見解が比較的有力であったが,下級審裁判例は,ほぼ一貫してこれを否定する[62]。動産売買先取特権者が一般債権者である破産債権者に対して優先弁済権を主張するためには,担保権証明文書にもとづく差押えが要求されているところ,一般債権者の権利保全の手段である仮差押えによって担保権たる物上代位権を保全することは,制度の趣旨に反するし,また,物上代位権者が債務者やその破産管財人に対して目的債権の取立てや譲渡を禁止する権能をもつものとも考えられないから,取立禁止などの仮処分も不適当である。したがって,下級審裁判例の考え方が支持される[63]。

3 所有権留保

割賦販売契約などにおける売主は,完済に至るまでの代金債権の支払を確保する必要がある。先に述べた動産売買先取特権もそのための手段となりうるが,権利の実行面で不安がある。また,目的物に質権を設定する可能性もあるが,動産質は,質権者が目的物の占有を取得することが成立要件となるので(民344・345),買主による目的物の使用収益を妨げる。この問題を解決するために実務上発達したのが,契約成立時に目的物の占有を買主に移転する一方,代金完済まで所有権を売主に留保する方法であり,所有権留保と呼ばれる。

所有権留保は,買主が分割代金債務の履行を遅滞したときには,売主が留保所有権にもとづいて目的物を買主から取り戻し,それを換価することによって残代金債権の満足を確保する。したがって,代金完済前に買主について破産手続が開始されたときには,売主としては留保所有権を実行する必要が生じる。しかし,その実行を取戻権として認めるか,それとも別除権として認めるかは,留保所有権の性質をどのように構成するかによって異なる。

(1) 別除権としての留保所有権

買主について破産手続が開始されたときの留保売主の権利に関しては,留保所有権を理由として取戻権(破62)を認める考え方と,代金完済を停止条件と

---

[62] 下級審裁判例については,注解破産法(上)673頁〔斎藤秀夫〕,中野・民執法363頁,伊藤・前掲論文(注53)(下)金法1240号12頁(1989年),大コンメンタール278頁〔野村秀敏〕,条解破産法〈第3版〉523頁参照。

[63] したがって,先取特権者が目的債権を差し押さえる前に取立てがなされれば,別除権の行使は不可能になり,また破産管財人の行為が不法行為を構成したり,破産財団の不当利得が成立することはない。東京地判平成3・2・13判時1407号83頁,松下・前掲論文(注57)48頁,注釈破産法(上)451頁。実務上は,問題の発生を避けるために,現金による処分が適当といわれる。破産管財の手引〈第2版〉181頁,220問193頁〔三村藤明〕。

する所有権を買主が取得している以上，留保所有権は代金債権担保のための担保権であるとし，別除権を認める考え方（破2IX類推）の2つの立場が対立する。しかし，最近の学説は，すでに買主が条件付所有権という物的支配権を目的物について取得している以上，留保所有権は本来の意味での所有権ではありえず，代金債権を担保する目的の担保権の一種であるとする点でほぼ一致している。これを前提とすれば，留保所有権は別除権とみなされる[64]。判例法理としても，留保所有権を担保権の一種とする考え方が確立されている[65]。

---

64) 札幌高決昭和61・3・26判タ601号74頁〔倒産百選〈第3版〉59事件〕。また，会社更生において取戻権（会更64 I）を否定し，更生担保権（会更2 X）にあたるとするのは，諏訪簡判昭和50・9・22判時822号93頁，大阪地判昭和54・10・30判時957号103頁などである。もっとも，その前提として留保所有権をどう法律構成するかという点になると，学説は，担保目的の形式的所有権とするもの，譲渡担保が売主のために設定されたとみるもの，動産抵当権とみるものなどに分かれている（注解破産法（上）599頁〔野村秀敏〕，矢吹徹雄「所有権留保と倒産手続」判タ514号115頁（1984年），大コンメンタール282頁〔野村秀敏〕，条解破産法〈第3版〉536頁参照）。なお，旧法下における立法論としても，別除権とする考え方が主張されていたが（倒産実体法の研究（5）449頁〔竹内康二〕），実体法上の性質が明定されていないなどの理由によって，現行法でも変化がない。一問一答108頁参照。

譲渡担保と異なって，担保権設定のための所有権移転という物権変動がないとする考え方も有力であるが，売主の完全な所有権が，売買にもとづいて買主に条件付所有権が移転する効果の反面として，担保権としての留保所有権に変化したことをもって物権変動と同視することができる。伊藤・前掲論文（注33）41頁，田高寛貴「自動車割賦販売における留保所有権に基づく信販会社の別除権行使──最一小判平29.12.7の持つ意味」金法2085号33頁（2018年）参照。

65) 前掲最判平成22・6・4（注33）〔民事再生〕では，自動車についての留保所有権が再生手続上の別除権となることを前提として，対抗要件たる登録なくして，別除権の行使は許されないとする。また，最判平成21・3・10民集63巻3号385頁，前掲最判平成29・12・7（注33）も，留保所有権を担保権とする考え方に立っている。動産の所有権留保権について，同様の立場から対抗要件を欠くとして再生手続上の別除権の行使を認めなかった事例として，東京地判平成22・9・8金商1368号58頁〔民事再生〕がある。ただし，登録制度のない動産の場合には，占有改定をもって対抗要件を備えたと認められる可能性がある。名古屋地判平成27・2・17金法2028号89頁〔軽自動車〕，東京地判平成27・3・4判時2268号61頁〔機械〕。

信販契約にもとづく立替払いや保証人としての代位弁済をした信販会社が，販売会社の残代金債権を承継したことにともなって，留保所有権を買主の破産管財人に対して主張するときには，販売会社の登録名義を援用することができるが，自らの立替払債権を被担保債権として主張するのであれば，破産手続開始前に登録名義の移転を受けていなければならない。伊藤・前掲論文（注33）44頁，破産管財人（再生債務者等）側の対応について150問242頁〔八木宏＝津田耕平〕参照。ただし，須藤英章「自動車売買における留保所有権の行使」多比羅喜寿419頁は，前掲最判平成22・6・4（注33）の事案において，三者間の合理的意思が法定代位を含んでいたのではないかとの疑問を示す。また，中西正

もっとも，別除権とされても，その実行方法として目的物の引渡しおよび留保売主による換価が認められれば（破185Ⅰ参照），取戻権とされる場合とその点については差異を生じない。ただし，別除権の目的物については，破産管財人の換価への介入権限や担保権消滅許可が認められるから（破78Ⅱ⑭・154・184Ⅱ・185ⅠⅡ・186以下），取戻権とされる場合とで違いが存在しないとはいえない。

(2) 所有権留保売買と双方未履行双務契約

上に述べたことと密接な関係をもつものとして，所有権留保売買に法53条の適用があるか，すなわち，買主または売主の破産において所有権留保売買が双方未履行の双務契約とみなされるかという問題がある。形式的には，売主の側では所有権移転義務が未履行であり，買主の側では残代金支払義務があるから，双方未履行の双務契約にあたる。その結果，買主の破産管財人としては，目的物の使用を継続しようとする場合には，契約の履行を選択し（破53Ⅰ），残代金を財団債権（破148Ⅰ⑦）として支払わなければならない。

「対抗要件を具備しない担保権の倒産手続における取扱い」多比羅喜寿407頁は，前掲最判平成22・6・4（注33）を前提としても，破産手続開始後の登録名義の移転は破産法49条に抵触しないとして，別除権の地位取得を認める。しかし，破産財団に属する財産についての第三者の権利主張に関して，破産手続開始を基準時として決定する法49条の趣旨（本書379頁）からすれば，疑問がある。

また，留保買主である個人破産者の場合に，目的物たる自動車の価値が乏しいとして自由財産への組入れ（破34Ⅳ．本書270頁）がなされたり，破産財団から放棄（破78Ⅱ⑫．本書722頁）され，破産者の管理処分権が復活したときに，留保所有権が存続するとすれば，その実行が許されるかという問題もあり，管理処分権の復活にともなって留保所有権が消滅するとの考え方がある（杉本和士「破産手続・再生手続終了後の留保所有権者による私的実行の可否」春日古稀634頁）。自由財産の趣旨を重視したものであろうが，別除権行使が認められない場合はともかく，それが認められる場合の法律構成について検討の必要がある。

なお，留保所有権の担保的構成（本書496頁）自体の疑問視につながる東京高判平成29・3・9金法2091号71頁があるが，原材料の留保所有権者とそれを含む集合動産譲渡担保者との優劣という限られた局面についての裁判例であり，また，対抗力（動産譲渡登記）を備えた譲渡担保権の物的効力を考えれば，判旨の理論構成にも検討の余地がある。議論の詳細については，白石大「集合動産譲渡担保と所有権留保の優劣――東京高判平29.3.9の検討」金法2096号13頁（2018年）参照。

同判決の上告審判決たる最判平成30・12・7民集72巻6号1044頁も，集合動産譲渡担保に対する留保所有権の優先性を認めているが，判決理由中では，留保所有権が1ヵ月という期間ごとに納品されるその目的物の売買代金の支払いを確保するための手段であることが説示されている。150問243頁〔眞下寛之〕参照。

しかし，目的物についての所有権は，代金完済という条件付ではあれ，すでに買主に移転しており，売主にはもはや履行すべき積極的義務が残っていないこと，逆に売主の破産において破産管財人の解除権行使によって買主の条件付所有権を失わせるのが不当であることなどを考えれば，双方未履行双務契約性を否定すべきである[66]。代金完済時においてはじめて登記や登録を買主に移転する旨の契約内容の場合であっても，登記や登録が担保目的の留保所有権の表章にとどまるとみられるときには，双方未履行双務契約性を否定すべきである[67]。

(3) 別除権行使の方法

売主は，担保権たる留保所有権を実行する方法として，約定にもとづいて，売買契約を解除し，または解除しないで，留保買主から目的物の引渡しを受ける。引渡し後，売主は，目的物を評価し，評価額が残代金債権を上回っていれば買主に清算金を提供し，下回っていれば，その差額を買主に請求する。いつ留保所有権の実行が終了するかについては議論があるが，この清算が終了した時とする考え方が有力である。

そこで，破産手続開始決定時を基準時として考えると，第1に，破産手続開始前に売主が契約を解除し，または解除することなく目的物の取戻しを請求し

---

[66] 下級審裁判例は，本章注64に挙げたもののほか，大阪高判昭和59・9・27判タ542号214頁〔会社更生〕〔倒産百選〈第3版〉80事件〕および，東京地判平成18・3・28判タ1230号342頁〔民事再生〕が双方未履行双務契約にあたらないとしている。これに対して，東京高判昭和52・7・19高民30巻2号159頁〔会社更生〕は，目的物たる自動車についての登録の移転という具体的義務が売主に残っていたことを理由に双方未履行双務契約性を肯定する。学説としては，竹下守夫・担保権と民事執行・倒産手続289頁（1990年），三上威彦「基本的所有権留保と破産手続（下）」判タ536号50，58頁（1984年），矢吹・前掲論文（注64）124頁，大コンメンタール282頁〔野村秀敏〕，条解破産法〈第3版〉537頁などが未履行双務契約性を否定する。

ただし，道垣内弘人・買主の倒産における動産売主の保護318頁（1997年）は，双方未履行双務契約性を否定しながら，破産管財人に受戻権を認めることを前提として，担保権実行の特徴を尊重して，取戻権を認めてよいとする。

[67] 本書〈第2版〉347頁では，「同じく所有権留保であっても，代金完済時においてはじめて売主が登記や登録を買主に移転する旨の契約内容の場合には，売主の積極的義務が残っているので，法53条が適用されてもやむをえない」としたが，説を改める。財産換価718頁〔杉本和士〕，伊藤・前掲論文（注33）39頁も，所有権留保について別除権構成をとる以上，登記または登録移転義務未履行の所有権留保売買を双方未履行双務契約として扱うことはできないとする。

ている場合が考えられる[68]。この場合には，担保権としての留保所有権の実行中であるとみられる。留保売主が目的物を取り戻したが，未だ清算が完了していない場合も同様である。しかし，一般債権にもとづく強制執行と異なって（破42Ⅱ本文参照），破産手続開始前に開始されている担保権実行手続は，破産手続開始決定の効果として中止されることはないから，留保売主は，破産管財人を相手方として目的物の取戻しや清算手続を実行することができる。破産管財人の側では，担保権消滅許可（破186以下）や目的物の受戻し（破78Ⅱ⑭）を求められるにすぎない。なお，清算終了後に剰余金があれば，留保売主はそれを破産管財人に引き渡すべきであり，逆に，不足額があれば，破産債権として行使する（破108Ⅰ本文類推）。

第2に，破産手続開始時に留保売主がまだ留保所有権の実行に着手していない場合には，留保売主は，約定にしたがって，目的物の取戻しなど，留保所有権の実行を別除権の行使として行う（破65Ⅰ類推）。これに対して破産管財人は，担保権消滅許可の申立て（破186類推）をなし，また別除権者による権利実行に介入する権限（破78Ⅱ⑭・154・184Ⅱ・185Ⅰ Ⅱ類推）を行使できる。

4 仮登記担保

仮登記担保とは，金銭債務を担保するために債務者や第三者所有の不動産等について代物弁済予約や停止条件付代物弁済契約を締結し，それにもとづいて債権者に与えられる将来の所有権移転請求権を保全するために仮登記・仮登録を行うものである（仮登記担保1）。債務不履行があると，債権者は，代物弁済の効力として目的物の所有権を取得し，かつ，仮登記の効力にもとづいて本登記等を取得し，併せて目的物の価値と被担保債権とを清算することによって満足を受ける。

---

[68] 解除の原因として，代金債務の不履行ではなく，買主について破産手続開始申立てなどの事実を解除原因とする特約が主張される場合には，その効力が問題となる。判例は，会社更生について，この種の特約の効力を否定し（最判昭和57・3・30民集36巻3号484頁〔倒産百選76事件〕），本書でも，双方未履行双務契約一般については，破産管財人の選択権（破53Ⅰ）を保障する趣旨からこの種の特約の効力を否定する。所有権留保売買を双方未履行双務契約とみなさないことを前提とすれば，更生手続や再生手続の目的（会更1，民再1）との関係を根拠とすることになろう。したがって，破産における所有権留保売買についても，破産管財人の受戻可能性などを重視して，解除特約の効力を否定する有力説があるが（竹下・前掲書（注66）312頁，注解破産法（上）609頁〔野村秀敏〕），解除特約にもとづく取戻しも別除権行使の方法であるとすれば，担保権消滅許可や受戻可能性が否定されるものではなく，特約自体の効力を否定する必要はない。

債務者など目的物の所有者について破産手続が開始された場合，破産手続開始前に仮登記担保権者がその権利の実行を終了し，目的物について完全な所有権を取得していれば，破産管財人に対して取戻権を主張できる。その前提として仮登記担保権実行の終了の時点が問題となるが，清算の完了時と解される（仮登記担保2・3・15）。したがって，破産手続開始前に清算が完了していれば，仮登記担保権者は所有権にもとづく取戻権を主張できる[69]。

　これに対して，破産手続開始までに実行が終了していなければ，仮登記担保権者は，別除権者として（仮登記担保19Ⅰ，破2Ⅸ），破産管財人に対して担保権実行を継続するか，または，新たにこれを開始する。清算の上で本登記を請求するという仮登記担保の実行方法は，仮登記担保契約に関する法律（昭和53年法律78号）にもとづくものであるから，文理上は，破産法185条1項にいう「法律に定められた方法によらないで別除権の目的である財産の処分をする権利」とはいえない。

　しかし，法185条が適用されないとすると，仮登記担保権者の権利実行を待たず，破産管財人が強制執行の方法によって目的物を換価できることになり（破184Ⅱ），仮登記担保権者の利益保護の点から不当な結果を生じる。したがって，仮登記担保契約に関する法律にもとづく実行方法は，法185条1項との関係では，法律で定めた方法によらない方法と解し，破産管財人がそれを失わせるためには，処分期間指定申立ての手続を経なければならない[70]。

　なお，被担保債権が特定されていない根担保仮登記は，破産手続においては，その効力を有しないとされる（仮登記担保14・19Ⅴ）。これは，仮登記担保の性質上，極度額による被担保債権の限定が困難であり，目的物の全価値が根担保仮登記によって支配される点で，包括根抵当権と同様の弊害をもたらすことが

---

[69] 谷口231頁，竹下・前掲書（注66）226頁，注解破産法（上）597頁〔野村秀敏〕，大コンメンタール281頁〔野村秀敏〕，条解破産法〈第3版〉525頁。所有権移転の基準時は，仮登記担保契約に関する法律2条に定める清算期間経過の時であるが，その所有権を他の債権者に対抗するためには，同法15条の趣旨にもとづいて清算金の支払を要すると解されていることが通説の根拠である。なお，仮登記担保権者による本登記請求も取戻権の内容となる。ただし，同法15条が，競売申立て時を基準時としていることを重視し，破産手続開始申立てまでに清算が終了していなければ，仮登記担保権者は取戻権を主張しえないとする有力説がある（本田耕一「仮登記担保権」実務と理論199, 201頁）。

[70] 竹下・前掲書（注66）223頁，注解破産法（上）594頁〔野村秀敏〕，基本法150頁〔宮川聡〕，大コンメンタール281頁〔野村秀敏〕，条解破産法〈第3版〉525頁，注釈破産法（上）452頁。

考慮されたものである[71]。

5 譲渡担保

譲渡担保とは，債権を担保するために，債務者または第三者（譲渡担保設定者）が所有する物の所有権を債権者たる担保権者に移転し，被担保債権が弁済されれば目的物の所有権が設定者に復帰するし，債務不履行があれば担保権者が目的物を自己に帰属させた上で，その価額と被担保債権との清算を行うか，担保権者が目的物を処分し，同じく清算を行う形で債権の回収を図る担保形態である。前者を帰属清算型と呼び，後者を処分清算型と呼ぶ。その法律構成としては，担保権者に所有権の形式をとった担保権が帰属し，設定者には，設定者留保権と呼ばれる，担保権の付着した所有権が帰属するという。すなわち，目的物についての所有権が担保権者と設定者との間に分属している状態にある。そこで，譲渡担保権者および設定者の破産のいずれについても，譲渡担保権をどのように取り扱うかが問題となる。

(1) 譲渡担保権者の破産

旧法88条は，譲渡担保権者が破産したときに，担保権者への所有権の移転は担保目的のものであるとの理由で設定者が目的物を取り戻すことは許されないとしていた。その立法の理由としては，譲渡担保権者の債権者が担保権者への所有権の帰属という外形を信頼していたのであるから，所有権の移転が担保目的のものにすぎないとの主張を設定者に許し，設定者に残る実質的所有権を理由として目的物の取戻しを認めることが，取引の安全を害するとされた[72]。

しかし，譲渡担保権を所有権そのものと考えれば，このような考え方にも理由があるが，近時の支配的考え方にしたがい，実体権としての譲渡担保権が所有権の形式を借りた担保権であるとすれば，破産手続開始決定時において破産財団を形成するのも，その担保権および被担保債権と考えるのが妥当である。したがって，設定者としては，被担保債権を弁済して，その設定者留保権を完

---

71) 立法論としては批判がある（注釈民法〈新版〉(9) 784頁〔高木多喜男〕）。もっとも，根担保仮登記も破産手続等の関係でその効力を否定されるだけであり，絶対的に無効となるものではない。したがって，破産管財人が目的物を売却したときには（破184Ⅰ），消滅し（仮登記担保16Ⅰ），その登記も抹消される。任意売却の場合も同様であるが（竹下・前掲書（注66）225頁），換価に至る前に破産手続が終了すれば，根担保仮登記権は存続する（注解破産法（上）597頁〔野村秀敏〕）。

72) 伊藤・破産法〈第3版補訂版〉304頁参照。

全な所有権として回復すれば，目的物を破産財団から取り戻すことができる。しかし，設定者留保権である限りは，目的物についての完全な支配権ではないから，取戻権の基礎として認めることができない[73]。

いずれにしても，譲渡担保権者の破産において設定者が目的物を取り戻すことができるかどうかは，譲渡担保に対する実体法上の規律に委ねれば足り，あえて旧法88条のような特則を設ける理由に乏しいと考えられたところから，この規定が削除されたものである[74]。なお，設定者が被担保債権の弁済をなさないときには，譲渡担保権者の破産管財人が担保権を実行するが，その際に目的物の価額が被担保債権額を上回り，清算金が発生すれば，設定者は，その支払を財団債権として求められる（破148 I ④または⑤）。

(2) 譲渡担保設定者の破産

先に述べたように，譲渡担保の法律構成として，譲渡担保権者には所有権形式の担保権が，設定者には設定者留保権が帰属しているとすれば，設定者の破産の場合に，設定者留保権たる支配権が破産財団に帰属し，譲渡担保権者は，その担保権にもとづく別除権を行使する（破2Ⅸ）[75]。

---

[73] 最判平成18・10・20民集60巻8号3098頁が「不動産を目的とする譲渡担保において，被担保債権の弁済期後に譲渡担保権者の債権者が目的不動産を差し押さえ，その旨の登記がされたときは，設定者は，差押登記後に債務の全額を弁済しても，第三者異議の訴えにより強制執行の不許を求めることはできないと解するのが相当である」とするのも，このような考え方と共通する。

[74] 一問一答105頁，基本構造453頁参照。もっとも，設定者が動産の占有や不動産の移転請求権保全の仮登記のような対抗要件を備えていなければ，たとえ被担保債権を弁済して，その所有権を回復しても，それを破産管財人に対抗することはできない（この点に関する検討として，破産法大系Ⅱ211頁〔髙田賢治〕がある）。ただし，破産手続開始後に，破産管財人が被担保債権の弁済を受けたにもかかわらず，目的物が破産財団に帰属することとなれば，破産財団に不当利得が生じ，かつ，その不当利得は，破産手続開始の効果にもとづいて設定者がその所有権を破産管財人に対して主張できなくなったことによるものであるから，目的物に関する不当利得返還請求権は，財団債権（破148 I ⑤）となる。実際には，破産管財人が目的物を設定者に返還することとなろう。ただし，破産管財人の第三者性を重視すれば，破産財団に保持できるとの考え方もあろう。

[75] 判例は，会社更生に関して譲渡担保を取戻権ではなく更生担保権とし（最判昭和41・4・28民集20巻4号900頁〔倒産百選57事件〕），民事再生に関して別除権とする（最判平成18・7・20民集60巻6号2499頁，同平成18・7・20判タ1220号94頁）。学説については，注解破産法（上）575頁〔野村豊敏〕，基本法135頁〔池尻郁夫〕，大コンメンタール279頁〔野村秀敏〕，条解破産法〈第3版〉526頁参照。これに対して，菅野孝久・和議事件の申立・審理・裁判287頁（1991年）は，取戻権説をとっても，設定者と譲渡担保権者との間の債権関係として清算義務が認められる以上，別除権説との間に実質的違

もっとも，破産においては，法律によらない別除権の実行方法として（破185 I）目的物の取戻しが認められるので，取戻権の地位を与えるのと大きな差異はないが，次に述べるような別除権者の清算義務，あるいは目的物についての担保権消滅許可（破186以下）や受戻し（破78 II ⑭）や換価の権能（破154・184 II・185 I II）などの面では，取戻権との間の差異が認められる。

ただし，帰属清算型であれ処分清算型であれ，破産手続開始の時までに譲渡担保権の実行が終了していれば，目的物はもはや破産財団所属の財産といえず，所有権は譲渡担保権者または第三者に確定的に帰属するから，別除権の行使は問題とならない。したがって，譲渡担保権の実行終了時をいつとするかが重要になるが，帰属清算型では，清算金の支払時，清算金がなければ，目的物の所有権を担保権者に帰属させる旨の意思表示が設定者に到達した時，処分清算型では，第三者への処分契約時と解されている[76]。

したがって，これらの時点と破産手続開始時とを比較し，かりに，破産手続開始時までに実行が終了していなければ，譲渡担保権は別除権とされ，破産手続開始前の実行を継続するか，新たに実行を開始できる。実行の結果，清算金が生じれば，譲渡担保権者は，それを破産管財人に対して交付しなければならない[77]。逆に，目的物の価額が被担保債権額を下回るときには，譲渡担保権者

いが少ないのであるから，所有権の所在を基準として取戻権説をとるべきであるとする。譲渡担保の実行方法およびこれに対する破産管財人の対応については，220問192頁〔三村藤明〕参照。

　なお，譲渡担保権についても物上代位が認められる余地があり（最決平成11・5・17民集53巻5号863頁，前掲最決平成29・5・10（注33）），また，譲渡担保の特殊な形態としてのトラスト・レシート取引については，新版破産法239頁〔奥田洋一〕参照。

76) 竹下・前掲書（注66）234頁参照。なお，帰属清算型では，譲渡担保権者の目的物引渡請求権と破産管財人の清算金支払請求権が同時履行の関係に立つから，破産管財人は，譲渡担保権者による評価額が不当に低いと判断するときには，目的物の引渡しを拒絶すべきである（破産・民事再生の実務［破産編］372頁）。

77) 譲渡担保権者がほかに破産債権をもつ場合に，破産債権を自働債権とし，清算金支払義務を受働債権として相殺を主張することが考えられるが，法71条1項1号に抵触するので，相殺は許されない（最判昭和47・7・13民集26巻6号1151頁［倒産百選〈第3版〉69事件］）。本判決は，旧会社整理の事案であるが，その法理は，破産および民事再生にも妥当する。伊藤眞「再生手続開始後の牽連破産における合理的相殺期待の範囲」門口退官215頁参照。

　なお，譲渡担保の目的物が不動産のときには，所有権登記名義が譲渡担保権者に移転している関係で，本文に述べた形で破産管財人が介入する可能性はないと考えられているが，法185条1項および2項を類推して，破産管財人が清算金相当額の交付を求めることがで

は，不足額を破産債権として行使できる（破108Ⅰ類推）。

6 売渡担保

　経済的には譲渡担保と類似するが，売渡担保の場合には，設定者がその所有物を担保権者に売り渡し，その代金を受け取る形で融資を受ける。そして，設定者は，その後に買戻し（民579以下），代金支払の形で融資の返済を行い，目的物の所有権を回復する。この売渡担保の場合には，譲渡担保の場合と異なって，被担保債権が存在せず，また，目的物所有権もいったんは確定的に買主に帰属するところに特徴がある。しかし，最近の有力説は，設定者に買戻権あるいは再売買の予約完結権が与えられている限り，なお目的物の実質的所有権は設定者に帰属し，買主には担保権が与えられるという法律構成をする[78]。

　このような考え方を前提とすれば，売主の破産においても，買主は，未だその所有権にもとづいて目的物に対する完全な支配権を取得していないから，売主の破産管財人に対して取戻権を行使することはできず，所有権にもとづく引渡請求なども，別除権の行使とみなされる。したがって，譲渡担保の場合と同様に，売主の破産管財人には，受戻しや換価に対する介入権限が認められる。また，買主が，売主の買戻権を消滅させて，目的物を確定的に取得するに際しても，売主の破産管財人に対して清算金を支払うことが義務づけられる[79]。

7 手形の譲渡担保

　担保のために債務者がその所持する商業手形を債権者に裏書譲渡し，債権者は，担保の実行として，譲渡を受けた手形を取り立て，その取立金を債権の弁済に充当する。当事者の約定において上記の裏書譲渡が担保のためであるとされるので，この取引が手形の譲渡担保と呼ばれる。これが，一般の譲渡担保と同様に破産手続において別除権として扱われるかどうかは，目的物たる手形が設定者に帰属しているとみられるかどうかによる。当事者間の約定においては，裏書譲渡が担保のためとされているが，担保手形を被裏書人が取り立て，取立

　　きるとする有力説があり（条解破産法〈第3版〉526頁，注釈破産法（上）453頁），本書もこれに与する。

[78]　注釈民法〈新版〉（9）838頁〔福地俊雄〕，道垣内弘人・担保物権法〈第4版〉302頁（2017年），田髙寛貴・担保法体系の新たな展開270頁（1996年）など参照。これに対し条解破産法〈第3版〉536頁は，占有も完全に移転する真の買戻特約付売買をもって，なお担保権構成をとることに疑問を呈する。

[79]　逆に，買主が目的物を処分したときに，その価額が買戻予定額を下回ったときには，その差額について，破産債権としての地位（破108Ⅰ類推）を認めざるをえない。

金を被担保債権の弁済に充当するとされており，裏書人が被担保債権を弁済して，担保手形を取り戻すことは予定されていないことを考えれば，手形が裏書人に帰属しているとすることは困難である。

　動産や不動産の譲渡担保の場合には，目的物の占有などの形で担保設定者の支配権が客観的に表示され，また被担保債権弁済にもとづいて目的物の所有権が設定者に復帰することが合意され，その合意にもとづく買戻請求権などが仮登記によって保全されていることなどが，目的物の物的支配権が設定者に帰属していることの根拠となっている。

　しかし，手形の譲渡担保の場合には，これらに対応する根拠を見いだすことは困難であり，手形の支配権は被裏書人に帰属しているとみざるをえない。被担保債権の弁済期前であっても，取立金を弁済に充当できるとされていることも，譲渡担保権者としての被裏書人が手形について完全な支配権をもっていることを意味する。もちろん，被裏書人は，担保手形の金額が被担保債権額を超えるときには，清算金の支払義務を負うことがあるが，これは，裏書人と被裏書人との間の合意と考えれば足りる。したがって，手形の譲渡担保設定者が破産した場合には，譲渡担保権者は，その名称にもかかわらず，別除権者ではなく，担保手形を自己の財産として支配し，被担保債権については，これを破産債権として行使する[80]。

　もっとも，破産においては，手形の譲渡担保権者に別除権者の地位が与えられるとしても，譲渡担保権者は，その占有する手形を取り立て，債権の弁済に充当することができる。また，現在の手形決済の仕組みを前提とすれば，破産

---

80) 菅野孝久「手形の譲渡担保と会社更生・破産」ジュリ703号60，63頁以下（1979年）。国税徴収法附則5条4項において，手形の譲渡担保がそれ以外の目的物についての譲渡担保と区別され，物的納税責任（税徴24）を課されないとされていることも，このような考え方をとることの根拠の1つとなる。これに対して，通説（谷口230頁，注解破産法（上）584頁〔野村秀敏〕，大コンメンタール280頁〔野村秀敏〕，竹内康二「手形の譲渡担保」金商719号153頁（1985年），伊藤眞「倒産法と非典型担保」金融担保法講座Ⅲ 237頁，渡部晃「手形の譲渡担保」裁判実務大系（3）467，474頁），注釈破産法（上）458頁および下級審裁判例（名古屋高判昭和53・5・29金商562号29頁〔倒産百選〔第5版〕56①事件〕，東京地判昭和56・11・16下民32巻9～12号1026頁〔倒産百選〔第5版〕56②事件〕）は，別除権説（会社更生について更生担保権説）をとり，伊藤・破産法〈新版〉262頁もこれを支持したが，説を改める。なお，手形譲渡担保の実質的目的に応じて別除権になる場合とならない場合とを区別する折衷説もある（中尾正士「手形の譲渡担保」実務と理論206頁参照）。

管財人が担保手形を受け戻したり、競売したりすることはほとんど考えられないので、本書のような考え方との間に大きな差異は生じない[81]。

　これに対して、会社更生においては、別除権説をそのまま適用すれば、譲渡担保権は更生担保権（会更 2 X 類推）となるが、別除権と異なって、更生担保権者は会社更生手続に参加することを要求され（会更 47 Ⅰ・50 Ⅰ）、譲渡担保権の実行は許されない。これに対して、本書のような考え方によれば、担保手形は更生会社の財産といえず、担保権者は、被担保債権を更生債権として行使する。併せて、担保権者は、更生債権の行使とは別に、会社更生法 203 条 2 項などを根拠として[82]振出人などの手形義務者から更生手続外で弁済を受けられるので、結局、更生手続によらず、手形取立金を被担保債権の満足に充てることができる。

8　集合物譲渡担保

　集合物譲渡担保も譲渡担保の一種であるが、担保目的物が特定の目的物ではなく、設定者が将来にわたって取得する在庫商品や売掛債権の一部または全部というような集合物について譲渡担保を設定するところに、その特徴がある。集合物に属する個々の動産や債権については、設定者は原則として自由な処分権をもち、処分によってその動産や債権は、譲渡担保の効力から離脱するが、他方、設定者が新たに取得する動産や債権には、それらが集合物の範囲に含まれる限り、当然に譲渡担保の効力が及ぶ[83]。集合物譲渡担保は、在庫商品や売

---

81) ただし、別除権説の場合には、手形譲渡担保権者の破産債権行使は不足額に限られ（108 Ⅰ 類推）、最後配当の除斥期間内に手形の期日が到来しないような場合には、別除権を放棄しない限り、配当から除斥される（破産・民事再生の実務［破産編］373 頁）。本書の立場では、このような制限は課されない。もっとも、破産法大系 Ⅱ 187 頁〔山野目章夫〕は、手形が破産財団に属しないとの立場をとる一方、不足額主義の類推適用を説く。

82) 事業再生研究機構編・更生計画の実務と理論 132 頁（2004 年）。ただし、菅野・前掲論文（注 80）68 頁は、会社更生法 203 条 2 項が認可された更生計画の効力に関する規定であるとして、同条と無関係に手形の譲渡担保権は、振出人などの第三者からの弁済を受けられると主張する。理論的には、この考え方にも理由がある（伊藤・会更法・特清法 223 頁）。

83) 最判平成 18・7・20 民集 60 巻 6 号 2499 頁は、「構成部分の変動する集合動産を目的とする譲渡担保においては、集合物の内容が譲渡担保設定者の営業活動を通じて当然に変動することが予定されているのであるから、譲渡担保設定者には、その通常の営業の範囲内で、譲渡担保の目的を構成する動産を処分する権限が付与されており、この権限内でされた処分の相手方は、当該動産について、譲渡担保の拘束を受けることなく確定的に所有権を取得することができると解するのが相当である」と判示し、最決平成 22・12・2 民集 64 巻 8 号 1990 頁は、「構成部分の変動する集合動産を目的とする集合物譲渡担保権は、

掛金債権など，設定者の事業活動にともなってその内容が変動する財産を担保目的物とするには適したものであるが，その範囲が特定されないままに譲渡担保としての効力を認めると，破産債権者の利益が害されるので，譲渡担保権の成立要件としては，集合物を特定することが要求され，また，破産債権者に対する対抗要件を備えることが求められる。

(1) 集合動産譲渡担保

在庫商品など，その内容が変動する動産を集合物として譲渡担保の対象としたときに，集合動産譲渡担保権が破産手続上で別除権とされるための前提として，そもそも集合動産を目的物とする譲渡担保が実体法上有効なものかどうかが問題となる。譲渡担保は，設定者の一般財産を目的とするものではなく，特定財産を目的物とする担保権であるから，たとえ集合物であっても，その範囲が特定していることが要求される。特定については，判例・通説は，構成部分の変動する集合動産について，その種類，所在場所あるいは量的範囲を指定するなどの方法によって特定が図られるとする[84]。したがって，譲渡担保設定契約時にこの意味での特定がなされていなければ，譲渡担保権自体が有効に成立したといえず，譲渡担保権者は別除権を主張することはできない。

加えて，別除権の主張には，破産手続開始時を基準時として破産債権者に対する対抗要件の具備が要求される。集合動産譲渡担保は，所有権移転の形式をとる担保権であるから，その対抗要件は，引渡し，すなわち占有の移転であるが（民178），判例・通説は，占有改定（民183）でも引渡しの要件が満たされるとする[85]。したがって，破産手続開始までに，設定者がその占有する集合動産を爾後本人たる譲渡担保権者のために占有する意思表示をなせば，その譲渡担保権は破産債権者に対抗できることになるが，占有改定による引渡しは公示機能をもたず，外部からは認識不可能であるために，破産債権者の利益が害され

譲渡担保権者において譲渡担保の目的である集合動産を構成するに至った動産……の価値を担保として把握するものである」と判示する。

[84] 最判昭和54・2・15民集33巻1号51頁。学説および下級審判例に関しては，角紀代恵「商品や原材料等の担保化」金融担保法講座Ⅲ45頁参照。動産・債権譲渡特例法による場合には，最低限，動産の種類に加え，製造番号等または保管場所の所在地の記載が求められる（動産・債権譲渡登記8）。

[85] 判例は，最判昭和62・11・10民集41巻8号1559頁〔執行・保全百選〈第3版〉17事件〕，学説については，千葉恵美子「集合動産譲渡担保の効力 (2)」判タ761号14，20頁（1991年），注解破産法（上）586頁〔野村秀敏〕，条解破産法〈第3版〉528頁参照。

るおそれがある。もちろん，現実の引渡し（民182Ⅰ）を要求することは，集合動産譲渡担保の機能を失わせるが，有力説は，公示機能をもつ対抗要件として明認方法を要求する。破産債権者の利益を保護するためには，このような考え方が合理的と思われる。したがって，破産手続開始までに明認方法を備えない集合動産譲渡担保は，対抗要件を備えない担保権として，別除権の地位を否定される[86]。

なお，別除権たる集合動産譲渡担保権の目的物は，担保権者から設定者への実行通知によって確定されている場合は別として，破産手続開始の時点を基準としてその範囲が確定されるというのが従来の多数説であった[87]。しかし，目的物が動産であれ，債権であれ，譲渡担保権者は，設定者である債務者が将来取得する目的物を含めて包括的に担保権を設定し，かつ，それについて登記などの対抗要件を備えているとすれば，破産手続が開始されたという事実をもって，担保権の効力がその後に債務者が取得する目的物に及ばないと解すべき理由は見いだしがたい。

他方，集合物譲渡担保としての本質は，債務者がその目的物についての処分権限を与えられ，その結果として，集合物に含まれる目的物が循環するところ

---

[86] 吉田真澄「集合動産の譲渡担保（11・完）」NBL 247号43, 50頁（1981年），伊藤・研究341頁，本間法之「集合債権・集合動産の譲渡担保」実務と理論208, 209頁など。明認方法とは，登記されない立木（立木法1Ⅰ参照）など，引渡しを対抗要件とすることが適さない動産に関する物権変動について，判例法上認められた対抗要件である（我妻栄・物権法119頁以下（1961年）参照。ただし，借地借家法10条2項は，明認方法を立法上対抗要件として認めたものとされる（内田貴・民法Ⅰ〈第4版〉466頁（2008年））。
　集合動産譲渡担保の場合には，占有改定による対抗要件具備が不可能ではないが，一般債権者の利益を尊重して，あえて明認方法を要求するのが有力説の考え方である。明認方法としては，一定の場所に所在する商品が譲渡担保の目的物となっていることを示す具体的表示が考えられる。このような方法を要求すると，設定者の信用が下落するといわれるが，その問題は不動産についての抵当権などとも共通の問題であり，集合動産譲渡担保の対抗要件を緩やかにする理由とはならない。
　なお，譲渡担保設定者が法人の場合には，動産・債権譲渡特例法による登記も可能である（本書368頁参照）。また，別除権の地位が認められる場合の破産管財人のとるべき方策や売却の方法などについては，三山裕三「破産手続と集合物譲渡担保（上）」NBL 984号21頁（2012年）。

[87] 「シンポジウム『集合動産譲渡担保の再検討』」金融法研究6号45, 69頁〔田原睦夫〕（1990年），注解破産法（上）587頁〔野村秀敏〕，基本法151頁〔宮川聡〕など。三山・前掲論文（注86）24頁が，目的物は固定されないが，目的物の価値枠として固定し，破産手続開始決定後に破産管財人が取得する財産には担保の効力が及ばないとするのも，この考え方に類する。

にあるから[88]，譲渡担保権者がその権利の実行，すなわち債権の場合であれば，第三債務者に対する譲渡通知を発し，債務者の処分権限を剝奪するなどの行為をした後にまで，債務者が取得する目的物について譲渡担保の効力が及ぶとすることも不合理である。動産の場合であれば，設定者に対する実行通知をした後にまで，譲渡担保の効力が及ぶことについても，同様である。

このような視点から，破産手続開始とはかかわりなく，譲渡担保権者がその実行に着手すれば，その時点で目的物の範囲が固定し，以後債務者が取得するものについては，担保権の効力が及ばないが，実行に着手しないかぎり，債務者が取得する財産が譲渡担保によって捕捉され，反面，債務者は，すでに集合物に組み入れられている動産や債権についての処分権を有すると解すべきである[89]。もっとも，再生手続や更生手続と異なって，破産手続の場合には，譲渡担保権者が別除権者として権利の実行に着手するのが通常であろうから，実際上の結果が大きく異なることはないと思われる。

また，集合動産譲渡担保の目的物については，しばしば動産売買先取特権との衝突が問題となる。問題の内容は，動産売買先取特権の目的物が集合動産譲渡担保の目的物に含まれている場合に，いずれの別除権が優先するかであるが，判例は，売主からの引渡しにもとづく占有改定によって，集合動産譲渡担保権

---

[88] 前掲最判平成 18・7・20 (注 83) は，「構成部分の変動する集合動産を目的とする譲渡担保においては，集合物の内容が譲渡担保設定者の営業活動を通じて当然に変動することが予定されているのであるから，譲渡担保設定者には，その通常の営業の範囲内で，譲渡担保の目的を構成する動産を処分する権限が付与されており……上告人と麒麟麦酒及びシセイとの間の各譲渡担保契約の前記条項……は，以上の趣旨を確認的に規定したものと解される」とする。なお，中間形態として，既発生の債権の一部を債権者が取り立てつつ，将来債権にも譲渡担保の効力が及ぶとする契約もありうるが，それが実体法上有効と認められるかぎり，本文に述べたところが妥当する。

[89] 議論の詳細および関連する問題については，伊藤眞「倒産処理手続と担保権——集合債権譲渡担保を中心として」NBL 872 号 60 頁 (2008 年)，伊藤眞「集合債権譲渡担保と事業再生型倒産処理手続再考——会社更生手続との関係を中心として」曹時 61 巻 9 号 1 頁 (2009 年)，須藤正彦「ABL の 2 方面での役割と法的扱い——事業再生研究機構編『ABL の理論と実践』を読んで」NBL 879 号 23 頁 (2008 年)，債権管理と担保管理を巡る法律問題研究会「担保の機能再論——新しいモデルを探る」金融研究 27 巻法律特集号 39 頁 (2008 年)，伊藤達哉「倒産手続における将来債権・集合動産譲渡担保権の取扱い——担保権の効力が及ばなくなる事由および担保権の価値評価の考察を中心として」金法 1862 号 8 頁 (2009 年)，条解破産法〈第 3 版〉529 頁，ニューホライズン 241，384 頁参照。対応する問題に関するアメリカ法の規律については，藤澤治奈「将来財産を目的とする担保権の倒産法上の取扱い」伊藤古稀 1023 頁が詳しい。

者が目的物の占有を取得し，対抗要件を備えたときには，譲渡担保権者がその権利を他の債権者に対して主張しうることとなる一方，動産売買先取特権は，第三取得者たる譲渡担保権者への引渡しによって消滅するから（民333），結局，譲渡担保権者のみを別除権者とする[90]。占有改定を対抗要件として認めることからの帰結であるが，前記のようにその前提自体に問題がある。

(2) 集合債権譲渡担保

集合物の内容が売掛金債権など集合債権である場合の取扱いも，基本的には，集合動産の場合と同様である。設定者が何らかの方法によって集合物としての目的債権を特定し，それを担保のために譲渡担保権者に譲渡した場合には，対抗要件が具備されている限りで，譲渡担保権者は，設定者の破産手続において別除権者の地位を与えられ，譲受債権の取立てなどの方法によって譲渡担保権を実行できる。これに対して，破産管財人は，必要があれば，目的債権を評価し（破154），場合によっては，それに対して担保権消滅許可の申立てを行ったり（破186以下），受け戻したり（破78Ⅱ⑭），その換価に介入することができる（破184Ⅱ・185ⅠⅡ）。

集合債権譲渡担保が別除権として認められるためには，その基礎となる譲渡担保権の有効な成立要件として，目的債権の集合物としての特定が要求される。特定のための指標としては，第三債務者名，債権の発生原因，債権額，あるいは支払期日などが考えられるが，最低限の指標としては，第三債務者名と債権の発生原因が挙げられる[91]。

---

90) 前掲最判昭和62・11・10（注85）が，先取特権者による動産競売を集合動産譲渡担保権者が第三者異議の訴え（民執38）によって排除することを認めた考え方を破産に当てはめたものである。これに対する学説の批判については，古積健三郎「『流動動産譲渡担保』と他の担保権の関係(1)」彦根論叢（滋賀大学）287・288号379，384頁（1994年），今尾真「流動動産譲渡担保権と動産売買先取特権との優劣に関する一試論(1)」明治学院論叢610号法学研究65号197，212頁（1998年）参照。また，集合動産譲渡担保の効力は，目的物が滅失した場合の物上代位として損害保険金に及ぶとする前掲最判平成22・12・2（注83）も，集合動産譲渡担保の目的物の価値に対する支配力を認めるものである。

91) 集合債権譲渡担保の一般的有効性については，最判昭和53・12・15判時916号25頁がこれを認め，また，少なくとも第三債務者名や発生原因による債権の特定が要求される（東京高判昭和57・7・15判タ479号97頁，東京地判昭和60・10・22判時1207号78頁，最判平成12・4・21民集54巻4号1562頁）。学説については，坂井＝粟田口・前掲論文（注3）119頁参照。ただし，道垣内・前掲書（注78）356頁では，第三債務者も発生原因も特定せず，設定者が有する一切の債権としても，公序良俗違反（民90）の問題は別として，特定性の要件は満たされているとする。なお，前記昭和53年判決は，債権発生の

次に,対抗要件が問題になる。個別債権譲渡の場合と同様に,設定者たる譲渡人から債務者に対する確定日付ある通知[92],または確定日付ある債務者の承諾がなされなければ,譲受人たる譲渡担保権者は,目的債権に対する差押債権者や設定者の破産管財人に譲受けを対抗することはできない(民467)。もっとも,集合債権を構成する個々の債権についてこのような通知などを要求することは,集合債権譲渡担保の意味そのものを失わせるので,集合債権としての包括的通知などで足りると解される[93]。いずれにしても,破産手続開始までにこのような対抗要件が具備されていないときには,譲渡担保権者が別除権を行使することは認められない[94]。

第3節 相 殺 権

相殺権とは,2人が互いに同種の目的を有する債務を負担し,双方の債務が弁済期にあることを前提とし,それぞれの債務者が相手方に対する相殺の意思

確実性を要求するが,最判平成11・1・29民集53巻1号151頁は,その不確実性が当然に契約の効力を左右するものではないとしている。

また,動産・債権譲渡特例法による場合には,譲渡担保設定者が法人に限られるが,第三債務者が特定していなくとも,それ以外の諸要素によって債権として特定できれば,譲渡の対象債権として登記することができ(動産債権譲渡登規9),対抗要件を備えることができる(条解破産法〈第3版〉533頁参照)。

なお,集合債権と将来債権とは,重なり合う概念として用いられることがあるが,集合債権が上位概念であり,その中に集合体としての将来債権が含まれると解している。潮見・新債権総論Ⅱ363頁,倉部真由美「集合債権譲渡担保の再建型倒産手続における諸問題」論究ジュリ35号87頁参照。将来債権の譲渡については,本書365頁参照。

92) ただし,譲受人が譲渡人から委任を受けて,譲渡人の代理人として通知を発することが認められる(最判昭和46・3・25判時628号44頁,潮見・新債権総論Ⅱ426頁,中田・債権総論650頁)。
93) 集合債権を含む債権譲渡担保に関する近時の法整備については,本書368頁参照。
94) 譲渡担保権者が別除権を行使することができる場合であっても,たとえば売掛金債権がその目的物になっているときに,対象債権の明細などに関して破産管財人が情報提供をする義務があるかどうかの問題がある。220問178頁〔中井康之〕。義務を肯定するとしても,譲渡担保権者にも一定の負担を求めるべきであろう。

有効性が認められ,対抗要件が具備されている集合債権譲渡担保に対する破産管財人の対応については,三山・前掲論文(注86)(下)NBL 985号63頁(2012年)参照。譲渡担保設定契約または対抗要件具備が否認の対象とならない場合には(本書594頁参照),譲渡担保権者による譲渡担保設定者の取立受領権限の剥奪は,別除権の実行として許される。東京地判平成27・4・28判時2275号97頁。

表示によって対当額でその債務を免れる権能を意味する（民505Ⅰ本文）。相殺の意思表示をなす債権者，すなわち自働債権の債権者の側は，相殺をなすことによって自己の債務，すなわち受働債権についての履行義務を免れる。ともに金銭債権である自働債権，受働債権について，相殺権者の資力に余裕があり，相手方の資力が不十分である場合を考えると，かりに相殺が認められなければ，相殺権者は，自働債権については満足な弁済を受けられないのに対して，受働債権については，完全な満足を与えなければならず，経済的損失を覚悟しなければならない。

これに対して，相殺が認められれば，実質的価値の低い自働債権と実質的価値の高い受働債権とを名目額で消滅させることによって，経済的損失を免れることができる。金融機関が相殺権者として，貸付金債権を自働債権，預金債権を受働債権として行う相殺において，このような相殺の機能が明瞭に示される。相殺権が認められることによって，相殺権者は，相手方の資力が低下し，自働債権の回収が困難になる危険を回避することができ，この点で相殺は，自働債権について担保権の設定を受けたのと同様の役割を果たす。相殺の担保的機能がいわれるのは，このような理由にもとづく[95]。

---

95) このような相殺の担保的機能を確保するために，金融機関が，取引先の支払停止などが窺われる状況になると，相殺の受働債権たる預金債権の払戻しを拒絶することが行われる。これを預金拘束または預金凍結などと呼ぶが，その適法性を認めた裁判例として東京地判平成19・3・29金商1279号48頁〔倒産百選26事件〕，東京高判平成21・4・23金法1875号76頁，広島高岡山支判平成23・10・27金商1393号54頁があり，不法行為になる余地を認めたものとして，岡山地判平成21・7・31金商1393号62頁，岡山地判平成23・4・27金商1393号58頁がある。

学説としては，伊藤眞「危機時期における預金拘束の適法性」金法1835号10頁（2008年），石倉尚「危機時期における預金拘束の法的根拠」銀行法務21 722号24頁（2010年）が債務不履行もしくは不法行為との関係で違法説をとり，または適法性を疑問視するが，亀井洋一「期限の利益喪失前の預金拘束の適法性」銀行法務21 711号34頁（2010年），潮見佳男「普通預金の拘束と不法行為——損害賠償責任の判断構造」金法1899号22頁（2010年），本多知成「預金の払戻拒絶措置の適否」金法1899号32頁（2010年），吉田桂公ほか「預金拘束実務の現状と課題」銀行法務21 755号8頁（2013年），安東克正「債権管理回収局面における預金拘束再考」金法1969号19頁（2013年），佐々木宏之「有事発生時の預金拘束および相殺の可否（上）」銀行法務21 870号41頁（2021年）などの多数説は，適法説を採り，その根拠として，預金契約と銀行取引約定の一体性，不安の抗弁権あるいは相殺権の確保などがいわれるが，いずれも十分な説得力をもつものではない。したがって，少なくとも債務不履行に相当する違法な預金拘束によって確保した預金債権を受働債権とする相殺は，法的保護に値せず，相殺権の濫用（本書553頁）とされる可能性がある。これに対し，ニューホライズン299頁は，預金拘束が違法となりうるこ

自働債権の債務者の資力低下がもっとも明瞭な形で現れるのは，債務者に対して破産手続が開始されたときであり，この場合に，破産財団についての管理処分権が破産管財人に移転したことを理由として相殺を認めないこととすると，相殺の担保的機能が損なわれるから，法は，破産債権を自働債権とし，破産債権者が破産手続開始の当時破産者に対して負担する債務を受働債権とする相殺を原則的に許容する（破67Ⅰ）[96]。また，民法の原則によれば，双方の債権が

とを認めつつ，相殺の効力は左右されないとする。

なお，預金拘束に類するものとして，再生手続や更生手続の申立てをした預金者の預金口座に対する送金の受入れを金融機関が拒絶する例があると仄聞するが，何らの法的正当性を認められない。

また，相殺の担保的機能が重視されるのは，米国においても共通であるが，担保権と同様に，相殺権の行使が原則として禁止されること，しかし，相殺権が認められる以上，自働債権は担保付債権として保護されることなどの違いがある。福岡45頁，堀内秀晃ほか・アメリカ事業再生の実務138頁（2011年），藤本利一「アメリカ連邦倒産法における相殺権行使の根拠と規律」事業再生と債権管理136号60頁（2012年）。

[96] ただし，相殺が行われると，相殺適状の時点に遡って自働債権たる破産債権消滅の効果が生じるから，その間の利息や損害金債権は，破産債権として行使できず，届出がなされると，異議等の対象となる（東京地判昭和47・6・28金法660号27頁参照）。相殺実行日までの利息や損害金債権の行使を認める旨の特約があっても，破産管財人に対する拘束力を認められない。破産管財の手引〈第2版〉288頁。

また，自働債権たる破産債権者と受働債権たる破産者に対して負担する債務の対立は，相殺を主張する破産債権者と破産者との間のものでなければならないから，破産者に対して債務を負担する者が，他人の破産債権を自働債権としてする相殺は，破産法上その効力を認められない。

最判平成28・7・8民集70巻6号1611頁〔民事再生〕〔倒産百選71事件〕は，このような場合において民事再生法92条1項の文言および再生債権者間の公平・平等を重視し，合理的期待を理由として相殺を認めることを排斥している。詳細については，伊藤眞「『相殺の合理的期待』はAmuletum（護符）たりうるか——最二小判平成28年7月8日の意義」NBL1084号13頁（2016年），松尾博憲ほか「三者間相殺判決を読み解く」金法2057号18頁（2017年）における木村真也発言，白石大「民事再生手続における三者間相殺の可否」論究ジュリ20号101頁（2017年），杉本純子「相殺禁止と合理的相殺期待」論究ジュリ35号113頁，150問123頁〔高尾和一郎〕参照。上田裕康「民事再生法92条1項と第三者債権による相殺——最二小判平28.7.8を契機として」金法2074号49頁（2017年）は，合理的相殺期待の存在を根拠として，法92条の適用範囲を制限することは，法の基本理念に反し，事業再生の実効性を危うくすると説く。

ただし，山本和彦「三者間相殺の再生手続における効力——最二小判平28.7.8を手掛りに」金法2053号10頁（2016年）は，千葉裁判官の補足意見を手がかりとして，三者間の合意の存在と自働債権の主体と相殺を主張する者との間に特別の関係が認められる場合には，合理的期待を認めるべき余地もあるし，遠藤元一「三者間相殺の民事再生手続における効力」金商1516号12頁（2017年）は，これを実質的な相互性とする。藤本利一「倒産法における相殺権の規律（上）」銀行法務21 871号30頁（2021年）も，三者間相殺に関する合意についての評価が変化することによって，議論の帰趨が影響を受ける余地

同種のものであり，かつ，弁済期が到来していることが相殺権の行使要件とされているが，破産債権については現在化および金銭化が行われること，および債務については，期限の利益などを放棄することが許されること（民136Ⅱ本文）を前提として，法は，破産清算の特質を考慮し，相殺権の行使要件を緩和している（破67Ⅱ）。他方，相殺は，相殺権者の破産債権に対して優先的満足を与える実質をもち，他の破産債権者の利益に影響を与えることを考えると，相殺が破産債権者の利益を不当に害する場合には，それを制限する必要がある。一定の場合に相殺が禁止されるのは（破71・72），このような理由にもとづくものである[97]。

第1項　相殺権に関する規定の適用範囲

法67条以下の規定が対象としている相殺は，破産債権を自働債権とし，破産財団所属の債権を受働債権とするものである。これに対して以下の債権にもとづく相殺は，これらの規定の適用対象外であり，それぞれの性質にしたがってその可否が判断される。

1　破産財団所属債権を自働債権，破産債権を受働債権とする相殺

対立する債権そのものは，法67条以下の規定が適用される場合と同様であるが，破産管財人の側から相殺権を行使する点に差異がある。旧法下の多数説は，この相殺を認めると，破産管財人が特定の破産債権者に破産手続外で弁済

を認める。しかし，法廷意見の説く法理を前提とする限りは，合理的期待や実質的相互性というよりは，二者間の相殺適状と同視できる場合に限られよう（白石・前掲論文102頁，森田修「判例研究」法協135巻4号929頁（2018年）参照）。また，本件において三者間の合意が存在し，それは金融取引から発生する債権債務の差引清算を内容とするものであるから，相殺に関する破産法の規律の適用を受けないとする立場もあるが（内田貴「三者間相殺の民事再生法上の有効性」NBL1093号18頁（2017年），三者間の合意の存在を前提とすることが問題であろう。

　同じく破産債権者と破産者との間の債権債務の対立が問題になる場合として，受託者たる信託銀行が信託財産に属する損害賠償請求権（破産債権）と信託財産に属しない破産者の預金債権とを相殺することが，破産法67条の下で認められるかという問題がある。信託法31条1項4号との関係で問題がなければ，相殺を認めるべきであるとの裁判例があるが（東京地判平成28・11・25判時2350号124頁），信託財産の独立性に加えて，法67条の解釈に相殺の合理的期待を持ち込むことや破産債権者間の平等については，上記の平成28年7月8日判決との関係で，なお検討の余地があろう。

[97]　破産債権を自働債権または受働債権とする相殺の要件，および相殺禁止規定が問題となる場合の破産管財人と相手方との攻撃防御の態様については，倒産と訴訟104，106頁〔福田修久＝明石法彦〕参照。

したのと同じ結果となる点を強調し，配当手続によって破産債権者に平等な満足を与える破産管財人の職責に反するという理由で，単に破産管財人の善管注意義務違反の問題を生じるだけでなく，相殺そのものを無効としていた[98]。

しかし，この場合の相手方の破産債権は，相殺権という一種の担保的利益が付着した債権であり，破産管財人の側からの相殺を認めたからといって，相手方に不当な利益を与えたことにはならない。このことは，担保目的物による代物弁済が否認の対象とされないことと，その趣旨を共通にする。また，例外的ではあるが，破産財団が豊かであり，他方，相手方の資力が不足している場合には，破産管財人が相殺権を行使することが破産債権者の利益に合致する。

したがって，破産管財人としては，相手方からの相殺権の行使（破67）を待ったり，また相手方に対して相殺権の行使を催告したりする（破73）だけではなく，自ら積極的に相殺権の行使をすべき場合が存在する。このような理由から現行法の立法者は，旧法下の有力説を立法化し，破産財団所属債権と破産債権との相殺が破産債権者一般の利益に適合するときは，裁判所の許可をえて，破産管財人が相殺権を行使することができるものとした（破102）。破産債権者一般の利益に適合するとは，上記の場合のように，破産管財人の相殺権の行使が破産財団の維持・増殖につながることを意味する[99]。

---

[98] 旧法下の議論については，伊藤・破産法〈第3版補訂版〉315頁，条解会更法（中）890頁参照。

[99] 一問一答150頁，山本和彦「相殺権」新会社更生法の基本構造199頁，条解破産法〈第3版〉779頁参照。具体例としては，親子会社や関連会社がともに破産手続などの手続に入って，相互の間に破産債権が成立しているときに，それを相殺することが破産財団の保全に資する場合や，受働債権として複数の破産債権が存在し，そのうちのあるものを相殺によって消滅させれば，破産財団が担保権の負担から解放されるなどの場合が挙げられる。状況によっては，債権調査の手続を待って催告権（破73）の行使によって相手方の相殺権を失権させるまでもなく，破産管財人が相殺権を積極的に行使し，異時廃止（破217Ⅰ）によって破産手続を早期に終了させることが，破産債権者の一般の利益に合致することもあろう。220問291頁〔神原千郷〕。

なお，破産管財人の相殺権を前提としたときに，主債務者破産において保証人などが破産財団所属の債権と破産債権との相殺を主張できるかという問題がある（民457Ⅱ参照）。旧破産法下では，大阪高判昭和52・4・14判時858号74頁，基本法157頁〔山本克己〕などは，破産管財人の相殺権が否定される以上，民法旧457条2項の適用も否定されるとして，消極に解していたが，現行法下でも，本文に述べたように，破産管財人の相殺権は破産債権一般の利益のために認められるものであるから，保証人の相殺権を認めるべき理由はない。また，保証人の相殺は，破産管財人が相殺の許可をえたにもかかわらず，それを行使しないことが前提となるので，実際上は考えにくい。破産法大系Ⅱ243頁〔岡正

2 非破産債権と自由財産所属の債権との相殺

この場合には，自働債権，受働債権ともに破産手続と無関係であるので，何ら破産法による制限を受けず，民法の一般原則によって相殺の可否が決せられる。

3 非破産債権と破産財団所属の債権との相殺

破産手続開始後に破産者に対して発生した債権は，非破産債権であり，破産財団から満足を受ける資格を認められない。また，破産管財人の側からもこの種の非破産債権に対する弁済を行うことはできない。管理処分権の帰属からみれば，2当事者間に債権債務の対立がみられないといってもよい。したがって，この場合には，非破産債権者からも破産管財人からも相殺が許されない。

4 破産債権と自由財産所属の債権との相殺

まず，破産債権者からの相殺は，少なくとも破産手続中は許されない。なぜならば，相殺が自働債権の強制取立てとしての機能をもつことを考えると，相殺を認めることは，固定主義に反し，また，破産手続によらないで破産債権者が破産債権を行使すること（破100Ⅰ）を意味するからである。もっとも，自由財産の主体である破産者からの相殺については，破産手続による制限が課されない[100]。

品〕。

保証人による相殺（学説においては，その意義について争いがある。我妻・債権総論483頁，奥田＝佐々木・債権総論（中）672頁参照）は，主債務者自身が相殺権を行使できることを前提としているものであり，すでに破産者たる主債務者が相殺権行使権限を失っている以上，保証人の相殺権行使も否定されるべきものである（ただし，物上保証人の相殺権を肯定した裁判例として，大阪高判昭和56・6・23下民32巻5～8号436頁がある）。

以上について，現行民法457条3項は，保証人が主債務者の相殺権を行使できるのではなく，相殺権の行使によって主債務者が免れるべき限度において，保証人に履行拒絶権を認めたので（潮見・新債権総論Ⅱ676頁参照），自働債権が主債務者の破産財団所属財産であるときにも，この規律が働くことになる。また，当事者間の相殺禁止または制限の意思表示の効力は，悪意または重過失の第三者に対してのみその効力を主張できるが（民505Ⅱ．民法旧505条2項参照），破産管財人もこの第三者に含まれる（本書361頁参照）。

[100] ただし，条解破産法〈第3版〉550頁，注釈破産法（上）479頁は，この類型の相殺が自由財産をもってする破産者による破産債権の任意弁済と同視できるところから，最判平成18・1・23民集60巻1号228頁〔倒産百選45事件〕の趣旨を考慮して，相殺をする破産者の任意性を重視する。任意性は，破産債権者からの働きかけなどの間接事実を基礎として認定することとなろう。

5 財団債権と破産財団所属の債権との相殺

通説は，財団債権が破産手続によらないで弁済を受ける権利である点を重視して，財団債権者または破産管財人のいずれの側からでも，民法の一般原則にしたがった相殺ができるとする。破産管財人側からの相殺については，財団不足の場合のように他の破産債権者の利益を害する場合を除けば，これを制限する理由はないが，財団債権者からの相殺に関しては，財団債権者による強制執行が否定される関係で（破42 I II），議論の余地がある。しかし，強制執行と異なって，相殺は，一種の担保的利益の実現であり，かつ，破産債権にもとづく相殺も許されていることを考えれば（破67 I），財団債権にもとづく相殺を認めるべきである[101]。

6 財団債権と自由財産所属の債権との相殺

財団債権については，破産者が責任を負うことはないから，破産者が自由財産として財団債権者に対して債権をもつ場合であっても，財団債権者と破産者との間に債権債務の対立はなく，財団債権者側からの相殺の可能性はない。しかし，本書の立場とは異なるが，例外的に法148条1項3号の租税債権や法149条の給料債権等について破産者自身の責任を認めるとすれば，相殺を認める可能性も排斥できない。また，破産者の側からの相殺は，破産財団の利益のためにする第三者の弁済（民474 I 本文）に準じるものとして認められる[102]。

---

101) 大阪地判昭和45・3・13下民21巻3・4号397頁〔倒産百選〈初版〉62事件〕は，相殺の効力を肯定する。基本法157頁〔山本克己〕，大コンメンタール299頁〔山本克己〕，598頁〔上原敏夫〕は，財団不足の場合に破産管財人による相殺を禁止する。財団債権者側からの相殺については，現行法下でも，財団債権を自働債権とする相殺を認める考え方が一般的であり（条解破産法〈第3版〉1065頁），その根拠として，法152条1項但書があげられることがある。基本構造355頁。

ただし，財団債権者側からする相殺については，破産財団不足の場合に関する法152条1項の規律を重視し，相殺禁止に関する法71条および72条の類推適用を主張する有力説があるが（破産法大系 II 245頁〔松下淳一〕，注釈破産法（上）490頁），随時弁済を求められる財団債権の地位（破151）と調和するかどうか，疑問がある。

その他，財団債権の債務者を破産管財人とする本書の立場について，財団債権の債務者たる破産管財人と破産者に帰属する破産財団所属の債権との間に相殺適状が存在しないのではないかとの批判がある。しかし，財団債権の債務者たる破産管財人は，破産財団を責任財産とする法主体であり，その点からすれば，同じく責任財産を内容とする破産財団を構成する債権で財団債権者を相手方とするものと，債権債務の対立がある状態と同視することができよう。詳細は，財産換価562頁〔伊藤眞〕参照。

102) 注解破産法（上）701頁〔斎藤秀夫〕，石原306頁など。第三者弁済に準じる相殺一般については，奥田・債権総論573頁参照。ただし，条解破産法〈第3版〉551頁，注釈

7 債務者の債権譲受人に対する債務を受働債権，債務者の債権譲渡人（破産者）に対する債権を自働債権とする相殺

　これは，債権譲渡の譲渡人Ａの破産を想定したものである。債権譲渡がなされなかったとすれば，債務者Ｂが破産者Ａに対する債務（甲債権）を受働債権として，危機時期以降に取得した破産者たる譲渡人Ａに対する破産債権（乙債権）を自働債権とし，破産管財人に対して主張する相殺については，破産法72条（本書541頁以下）の規律が適用される。なお，受働債権たる甲債権をＡが譲受人Ｃに譲渡した後にＡについて破産手続が開始したとすれば，Ｂは，Ｃに対して，甲債権を受働債権，乙債権を自働債権とする相殺をＣに対してすることができ（民469 I II），たとえ，Ｂが自働債権たる乙債権を取得したのが，Ａが支払不能になった後であり，取得の当時支払不能であったことを知っていたときであっても（破72 I ②），このことに変わりはないとも思われる。なぜならば，甲債権の譲渡がなされた以上，Ｂは，「破産者に対して債務を負担する者」に該当しないからである[103]。甲債権がＡの破産財団を構成しない以上，Ｂによる相殺がＡの破産財団を減少させるということもできないし，自働債権たる乙債権は，元来はＡに対する債権であるが，相殺の自働債権としてはＢがＣに対して主張するのであるから，Ａの破産債権者との平等も問題とする余地がない。

　しかし，このような場面で，Ｂによる相殺について破産法72条の規律を適用または類推適用して，相殺を禁止する可能性を認めるべきであるとの有力説がある[104]。その根拠は，①民法469条は，債務者Ｂが譲渡人Ａに対して相殺を主張できることを譲受人Ｃに対抗することを認める旨の規定であること，②債務者Ｂの譲受人Ｃに対する債務は譲渡人Ａに対する債務と同一のものであること，③破産法72条の適用を否定し，民法469条の規律のみに委ねることは，かえって譲受人Ｃの地位を不安定にすること，④債務者Ｂによる相殺

　破産法（上）480頁は，本章注100の場合と同様に，破産者の任意性を重視すべきであるとする。
103) 潮見・新債権総論Ⅱ439頁注255，志甫治宣「債権譲渡に関する民法改正（譲渡制限特約付債権，債権譲渡と相殺）の倒産実務への影響」法律実務研究34号107頁（2019年）など参照。
104) 森倫洋「債権譲渡に関する民法の改正と譲渡人の倒産」加藤哲夫古稀650頁。なお，本文の記述は，筆者の理解によるものである。

が許されれば，自働債権たる乙債権は消滅し，譲受人たるCの負担によって破産財団がその負担を免れたことになるから，Cは，それに対応する不当利得返還請求権を財団債権として行使することとなると，かえって破産財団の負担を増すというものであり，結論として，このような状況においてBのする相殺についても，破産法72条の適用または類推適用を主張する。

このような議論に対する批判としては，規定の文言に加え，相殺を禁止しても自働債権たる乙債権と受働債権である甲債権のそれぞれにもとづく給付が交換されるのみであり，Aの破産財団に益するところはないこと，乙債権の消滅によって破産財団が利益を受け，自らの出捐（甲債権の消滅）によってその利益を与えた譲受人Cが不当利得返還請求権を財団債権として行使することができるとしても，そこでいう利得とは，乙債権に対する破産配当相当額にとどまり，相殺の許容によって破産財団に本来的な負担を超える不利益を生じるものではないことなどが考えられる。

しかし，譲受人たるCは，譲渡人たるAに対し，債権譲渡契約の契約不適合を理由として債務不履行責任としての損害賠償請求権を財団債権または破産債権として行使することとなれば，譲渡前よりもAの破産財団に不利益が生じる可能性があること，債務者Bの乙債権は元来相殺が禁止されていたものであり，債権譲渡がなされたことを理由としてBに相殺の利益を付与すべき理由に乏しいこと，AC間の債権譲渡をめぐる法律関係の安定からしても，相殺禁止の効果を譲受人Cとの関係に拡張することが望ましいことなどから，本書では，上記の有力説にしたがい，民法469条1項の規定を制限解釈し，破産法72条の類推適用を支持する。結果として債務者Bは，譲受人Cに対して譲渡人Aに対する乙債権をもってする相殺を主張することはできず，甲債権を履行する一方で，自らの乙債権については，Aに対する破産債権として行使する。

以上の点は，破産法72条でなく71条が問題になる場合にも当てはまる。すなわち，BのAに対する乙債権の発生後，Aの危機時期にAのBに対する甲債権が発生し，当該甲債権がCに譲渡された場合であっても，やはり，Cへの債権譲渡がなかった場合にBによるAB間の相殺が破産法71条により認められないときには，BのAに対する乙債権をもってCのBに対する甲債権を受働債権とする相殺においては，破産法71条が類推適用される。

第2項　相殺権の範囲の拡張

　破産手続上で相殺権の行使が認められるための前提として，破産手続開始時に破産債権者と破産者の間に債権債務の対立が存在していなければならない（破67Ⅰ）。相殺権行使の要件たる相殺適状が認められるための要件は（民505Ⅰ本文），債権債務の対立のほかに，第1に，自働債権と受働債権の目的が同種とみなされることであり，第2に，両債権の弁済期が到来していることである。しかし，自働債権たる破産債権についていえば，たとえ期限未到来の債権であっても，破産手続開始決定の効果としてその現在化がなされるし（破103Ⅲ），また，非金銭債権であっても，その金銭化がなされる（破103Ⅱ①）。これを前提として，自働債権の範囲は，破産手続開始によって拡張される（破67Ⅱ前段）[105]。また，受働債権に関しても，弁済期の到来や条件成就を待つ必要がないものとされており（同後段），この面でも相殺権の範囲は拡張される。

1　自働債権についての要件

　自働債権に関する要件は，自働債権が期限付の場合と条件付の場合とに分けられる。

(1)　自働債権が期限付の場合

　破産手続開始時に期限未到来の債権であっても，破産手続開始の効果として期限が到来したものとみなされる（破103Ⅲ，民137①）。これは，破産手続限りでの法律効果であるが，これを前提として，破産債権者は，相殺においても，期限の到来を待たず，期限付債権を自働債権として用いることができる（破67Ⅱ前段）。

　ただし，自働債権の額については，一定の制限がある（破68Ⅱ）。まず，確定期限付無利息債権については，劣後的破産債権とされる破産手続開始後の中間利息相当分（破99Ⅰ②，本書310頁参照）を自働債権額から控除する。次に，

---

[105]　現在化や金銭化が破産手続内の効力にとどまり（条解破産法〈第3版〉782頁，本書291，292頁），相殺が破産手続外で行われるという理解に立てば，法67条2項前段が特別にこれを許すという説明になろう。また，立法論として，相殺権の拡張規定を廃止すべきとするものとして，水元宏典「倒産法における相殺規定の構造と立法論的課題」事業再生と債権管理136号15頁（2012年）がある。なお，平常時と倒産時，さらに倒産時の中で，破産法，民事再生法および会社更生法の規律を一覧表に整理したものとして，畑知成ほか「〈パネルディスカッション〉倒産と相殺」同22頁がある。

不確定期限付無利息債権については、同様に破産手続開始時における評価額との差額を劣後的破産債権とするので（同③）、自働債権額から控除する。さらに、定期金債権についても、劣後的債権となる部分（同④、本書311頁参照）を自働債権額から控除する。以上の制限は、劣後的破産債権が一般の破産債権に劣後するにもかかわらず、相殺による優先的満足を与えるべきではないとの理由にもとづいている。

これに対して、期限付、かつ、利息付債権の場合には、破産手続開始前に発生した利息を自働債権額に算入するのは当然であるが、破産手続開始後の利息については、自働債権から控除する。理論的には、相殺権を行使すると、自働債権消滅の効果が破産手続開始時に遡って生じるので、破産手続開始後に利息の発生する余地がないこと、実質的には、破産手続開始後の利息が劣後的破産債権とされるので（破97Ⅰ①・99Ⅰ①）、相殺を認めるのが妥当でないことなどが、その理由である[106]。

(2) 自働債権が解除条件付の場合

解除条件付債権の場合には、債権自体はすでに発生しているので、その全額をもって相殺の自働債権とすることができる（破67Ⅱ前段）[107]。ただし、破産手続中に条件が成就すると、自働債権が消滅し（民127Ⅱ）、相殺権を行使した破産債権者は、自働債権が存在しなかったにもかかわらず、受働債権の負担を免れた結果となり、不当な利益を受ける。そこで、相殺権の行使にあたって破産債権者は、受働債権の相殺額について担保の提供、または寄託を要求され（破69）、解除条件が成就したときには、担保や寄託額を配当財団に組み入れる。

---

[106] 大阪地判昭和49・2・18金商423号12頁、大阪地判昭和56・2・12判タ452号140頁。条解破産法〈第3版〉560頁、注釈破産法（上）482頁。
　破産手続開始後の利息が別除権の優先弁済権に含まれる場合に、それを相殺の自働債権に含ませられるかとの議論があるが、別除権と相殺権は別個の権能であるから、これを否定すべきである（山本克己「倒産法上の相殺禁止規定（2・完）」民商90巻2号68、84頁（1984年）、条解破産法〈第3版〉560頁参照）。ただし、破産法大系Ⅱ228頁〔岡正晶〕は、相殺の担保的機能を重視して、肯定説をとる。なお、劣後的更生債権の概念がなく、手続開始後の利息の請求権が一般の更生債権とされている会社更生手続においても、実質的劣後性を考えれば（伊藤・会更法・特清法198頁注56）、相殺を否定すべきである。再生手続についても、同様である。

[107] 解除条件付債権にもとづく相殺について特に要件を緩和しているわけではないので、厳密には相殺権の拡張に属するものではない。条解破産法〈第3版〉554頁、注釈破産法（上）472頁参照。

これに対して，最後の配当の除斥期間内に解除条件が成就しなければ，担保または寄託は効力を失い，相殺債権者に返還される（破201Ⅲ）。

(3) 自働債権が停止条件付の場合

停止条件が成就しない間は，債権が未だ発生していないから（民127Ⅰ），それを相殺の自働債権とすることはできない（破67Ⅰ参照）。将来の請求権が現実化しない間も同様である。したがって，破産債権者は，受働債権すなわち破産財団に対する債務を履行しなければならない。しかし，手続中に停止条件が成就したり，将来の請求権が現実化する可能性があるので，相殺権を全面的に否定するのは妥当でない。したがって，債権者は，破産財団に対する債務を弁済する際に，後日の相殺の可能性を確保するために，弁済額の寄託を請求できる（破70前段）[108]。賃貸借契約の終了を停止条件とする敷金返還請求権（民622の2Ⅰ）を破産債権とする者が，賃料債務を弁済する場合も同様である（同後段）[109]。かりに，最後配当の除斥期間内に停止条件が成就すれば，破産債権者

---

[108] 寄託の請求は，債務の弁済を解除条件，すなわち自働債権の発生または現実化にかからしめ，弁済金を寄託物の形で分別保管することを破産管財人に対して請求する意思表示を意味する。寄託の方法およびその後の処理に関しては，基本構造293頁，条解破産法〈第3版〉563頁，注釈破産法（上）483頁，220問310，311頁〔中嶋勝規〕参照。

[109] 敷金返還請求権も停止条件付破産債権に属するから，これを自働債権とする相殺についても，法70条前段による取扱いがなされ，また，敷金の賃料債務への充当は相殺とは区別されるが，同様の取扱いがなされるという趣旨である。したがって，停止条件が成就して敷金返還請求権が発生すれば，賃料債務の弁済についての解除条件が成就し，賃料債権が復活し，敷金の全部または一部がそれに充当されることによって（最判昭和44・7・17民集23巻8号1610頁など），賃借人は，寄託されている賃料の返還を財団債権として求めることができる（破148Ⅰ⑤）。

なお，敷金返還請求権額自体は，明渡し後でないと確定しないが，この場合には差し入れられた敷金額を寄託請求の上限とすることになる（大コンメンタール303頁〔山本克己〕，条解破産法〈第3版〉564頁）。また，目的物が譲渡され，譲受人が敷金返還債務を承継するときには，ここでいう解除条件が成就した場合とは区別される。賃借人の破産管財人の解除によって，賃借人（転貸人）の地位が賃貸人に移転し，賃貸人が転借人に対する敷金返還義務を承継する場合（本書411頁）も同様である。敷金返還請求権が承継されるので，寄託された賃料は，破産財団所属の財産として配当の原資となる。破産法大系Ⅱ232頁〔岡正晶〕参照。

この点に関連して，別除権者たる抵当権者が賃料に対する物上代位を行って，賃借人が抵当権者に対して賃料を弁済する場合に，弁済相当額を寄託するよう，賃借人が破産管財人または抵当権者に対して求められるかという議論がある。基本構造287頁。新版破産法188頁〔小林信明〕，八田卓也「倒産実体法の規律に関する理論的考察」ジュリ1349号54頁（2008年），220問312頁〔木村真也〕。停止条件付債権である賃借人の敷金返還請求権にもとづく相殺期待を保護しようとするものであるが，法70条後段にもとづいて，この

は，相殺を実行して，寄託額を取り戻すことができるし[110]，停止条件が成就しなければ，寄託された金額は破産債権者に配当される（破201Ⅱ）。

(4) 自働債権が非金銭債権などの場合

非金銭債権，金額不確定の金銭債権，外国通貨債権，および金額または存続期間の不確定な定期金債権などは，破産手続開始決定時の評価額をもって破産債権とされるので（破103Ⅱ①），これを前提として相殺が許され（破67Ⅱ前段），評価額が自働債権額となる（破68Ⅰ）。金銭化は，破産債権確定の効果として生じるものであるが（本書292頁），相殺については，破産債権としての届出や確定がなくとも，金銭化を前提とする相殺が許される。

2 受働債権についての要件

受働債権については，自働債権たる破産債権と異なって金銭化の規定がないので，民法の原則にしたがって，金銭債権であるか，金銭化前の自働債権と同種の目的をもつことが必要である。しかし，現在化に関しては，期限付もしくは条件付，または将来の請求権でも受働債権となりうる（破67Ⅱ後段）。すなわち，破産債権者としては，自らの利益のための受働債権についての期限の利益，解除条件成就または停止条件不成就の機会を放棄することができるため[111]，

ような場合にまで，破産管財人または抵当権者に対する寄託請求が認められるかどうか，疑問がある（条解破産法〈第3版〉565頁参照）。担保不動産収益執行（民執180②）の場合も同様である。破産法大系Ⅱ320頁〔堂薗幹一郎〕。これに対し，破産法大系Ⅱ233頁〔岡正晶〕は，敷金返還請求権者の期待保護などの理由から，抵当権者や賃料債権の譲受人に対する寄託請求を認める。

また，破産手続から再生手続に移行したときに，寄託した賃料の取扱いが問題となりうる。基本構造41頁。

110) 相殺の受働債権は，解除条件成就によって復活した破産財団に対する債務であり，停止条件が成就した破産債権を自働債権とする相殺によって，その債務が消滅するから，寄託金を取り戻す権利は，破産財団に対する不当利得返還請求権として財団債権（破148Ⅰ⑤）になる。松下淳一「財団債権の弁済」民訴雑誌53号46頁（2007年）参照。もっとも，財団債権として完全な満足が保障されるわけではなく（破152Ⅱ参照），弁済金が寄託物の形で保管されていることを重視すれば，取戻権を認めるべきであろう。破産法大系Ⅱ230頁〔岡正晶〕，本書468頁注6参照。

111) 理論的には，期限の利益の放棄，解除条件成就または停止条件不成就の利益の放棄の意思表示が相殺権行使の前提となっていると説明できるが，実際には，相殺の意思表示と区別して放棄の意思表示をなすべきことを求める必要はない。ただし，停止条件に関しては，実体法上その放棄が許されないにもかかわらず，破産法が特にその放棄と相殺を認めたのか，それが許されることを前提として相殺の許容性を確認したのかについて，考え方の対立がみられる（概説253頁，条解破産法〈第3版〉556頁。判例・実務・改正提言384頁〔柴原多〕は，前者を創設説，後者を確認説と呼ぶ）。民事再生法および会社更生

期限付債務などを受働債権とすることができる。ただし、停止条件付債務の場合に、破産債権者が直ちに相殺を行わず、手続中に条件が成就するのを待って相殺権を行使することも可能と解される。民事再生や会社更生（民再92 I，会更48 I）と異なって、破産手続においては、相殺権行使の期間に制限がないからである。もっともこの場合には、破産手続開始後に停止条件が成就することから、破産手続開始後に負担する債務を受働債権とする相殺禁止（破71 I ①）に抵触するかどうかが問題となるが、停止条件付債務とはいえ、破産手続開始時に相殺期待が存在する以上、これを破産手続開始後に破産財団に対して負担した債務とみなすべきではない[112]。したがって、破産債権者としては、いっ

法には、停止条件付債務を受働債権とする相殺を許容する規定が存在しないことを考えれば（民再92 I 後段、会更48 I 後段参照）、前者の理解を正当とする。
したがって、再生手続および更生手続においては、破産手続と異なって、停止条件付債務を受働債権とする相殺は許されない（本書1000頁、伊藤・会更法・特清法364頁参照）。これに対して、岡正晶「倒産手続開始時に停止条件未成就の債務を受働債権とする相殺」田原古稀（下）139頁、破産法大系Ⅱ236頁〔岡正晶〕は、合理的相殺期待の保護に関する限り、破産手続と再生型手続との間に差異がないこと、民法において停止条件不成就の利益の放棄が許されるべきことを理由にあげ、解釈論および立法論として、民事再生および会社更生においても相殺を許すべきであるとする。加々美博久「倒産手続における停止条件付債権を受働債権とする相殺」倒産法の実践350、358頁も、前述の創設説に立ちながら、これと同旨を述べる。再生型手続における相殺の許容性の限界に関する判断の問題であろう。

112) 破産手続開始後に期限が到来する場合も同様である。最判平成17・1・17民集59巻1号1頁〔倒産百選64事件〕。停止条件付債務の例として、信用金庫の組合員の出資金払戻請求があげられる（220問277頁〔小畑英一〕）。学説については、注解破産法（上）704頁〔高橋慶介〕、注釈破産法（上）475頁参照。もっとも、有力な反対説がある（谷口242頁、基本法158頁〔山本克己〕）。反対説は、条件不成就の機会を放棄しなかった以上、法71条1項1号が適用されるとする。ただし、大コンメンタール294頁〔山本克己〕は、現行法の下では、反対説を維持する余地はないとする。
投資信託受益者の破産において、信託契約の解約および委託者からの解約金の交付にもとづいて販売会社が受益者に対して負担する解約金返還債務が停止条件付債務であること（最判平成18・12・14民集60巻10号3914頁）、破産手続開始後の停止条件付債務を受働債権とする相殺も特段の事情がないかぎり許されること（前掲最判平成17・1・17）を前提とすれば、停止条件が破産手続開始後に成就するときでも相殺が許される。大阪高判平成22・4・9金法1934号98頁。特段の事情が、破産債権者に相殺の合理的期待を認めえないような例外的な場合に限られるべきことについて、伊藤尚「破産後に販売会社に入金になった投資信託解約金と販売会社の有する債権との相殺の可否」金法1936号59頁(2011年)参照。
これに対して、220問295頁〔山形康郎〕は、解約金返還債務を破産手続開始後に発生した債務と構成する可能性を示唆し、大阪地判平成23・10・7判時2148号85頁は、解約金返還債務と預金債務は、別の債務であり、後者は、破産手続開始後に負担した債務であ

たん破産債権の届出をなし，受働債権について停止条件が成就した段階で，相殺権を行使することになる。

また，受働債権が解除条件付であるときにも，破産債権者は，解除条件成就の機会を放棄することができるため，相殺権を行使できる。その後に解除条件が成就しても，遡って破産債権が復活するわけではないので，破産債権の行使は認められない。なお，解除条件不成就の確定を待って破産債権者が相殺権を行使することも，破産手続開始時に受働債権が存在する以上，相殺禁止（破71 I①）の対象とはならない[113]。

3 破産手続開始後の賃料債務等との相殺

旧破産法103条によれば，破産債権者が，破産財団に対して賃料債務を負担しているときには，破産手続開始の時における当期および次期の賃料に限って相殺が認められていた（旧破103 I 前段）。ただし，敷金があるときには，その限度において当期および次期を越えた賃料債務との相殺が認められた（同後段）。地代（民266）および小作料（民270，農地旧2Ⅸ）についても同様であるとされていた（旧破103 Ⅱ）。これは，期限未到来の債務も破産債権にもとづく相殺の対象となるという原則（旧破99後段。破67 Ⅱ後段）の例外を設けたものである。

賃料等の債務は，破産債権者が破産手続開始前の契約にもとづいて負担するものであり，すでに破産手続開始時に弁済期が到来している賃料債務については，破産債権との相殺が認められる（破67 I）。破産手続開始後に弁済期が到来する賃料債務等についても，破産債権者は期限の利益を放棄して相殺を主張できるはずであるが（同Ⅱ後段），これを無制限に認めると，破産債権者は自己の破産債権について完全な満足を受けることとなり，また，他の破産債権者と

るとの理由から相殺を否定する。また，岡・前掲論文（注111）161頁，倒産・再生訴訟176頁〔粟田口太郎＝木村昌則＝藤田将貴〕は，受働債権たる支払債務が破産手続開始時の破産財団所属財産の価値変形物であり，破産管財人の行為によって新たに生じた債務にあたるとの理由から，相殺を否定する。

さらに，木村・前掲論文（注35）95頁は，受益者と販売会社とが代理受領の関係にあることから，販売会社に合理的相殺期待が認められず（本書538頁参照），そのことを考慮すれば，解約金返還債務は，法67条2項にいう条件付債務に該当しないとして，相殺を否定する。法67条2項に対応する規定が存在しない再生手続または更生手続においても，代理受領者の地位を再生債務者や管財人に対して主張できない以上，同様の結論になるとする。畑ほか・前掲パネルディスカッション（注105）34頁参照。

113) ただし，基本法158頁〔山本克己〕は，停止条件付債務について述べたのと同じ理由から，相殺は許されないとする。

しては，破産財団所属財産の価値代替物たる賃料が配当財産に組み入れられないことによる不利益を受けるというのがその根拠であった。これは，賃料の前払いおよび譲渡の対抗力を制限した旧法63条1項の趣旨と共通する[114]。

しかし，賃料の前払いや譲渡に対する制限を定めた旧法63条を廃止することを前提として考えると，賃料債権を受働債権とする破産債権者の相殺期待についても，これを制限する理由に乏しく，また，敷金の限度で受働債権たる賃料債権の範囲を拡大することにも合理性が認められない[115]。このような理由から，現行法の立法者は，破産債権者が賃料債務を受働債権とする相殺についての制限を廃止し，法67条の一般的規律に委ねるものとした（本書409頁参照）。なお，敷金返還請求権も破産債権となるが，これを自働債権とする相殺は，停止条件付債権等を有する者による相殺として，法70条の規律にしたがう。ただし，民事再生法や会社更生法は，これらの点について破産法とは異なった規律を設けている（本書1000頁参照）。

第3項　相殺権の範囲の制限

民法や商法の規定によって相殺が禁止されているときには，破産手続上も相殺が無効とされる[116]。しかし，破産において相殺が有効と認められるためには，さらに他の破産債権者を害することなく，また債権者平等の理念に反しないことが要求される。自働債権を取得したり，受働債権を負担したりすることを通じて破産債権者に対する詐害性が認められ，また債権者平等の理念に反する場合としては，以下のような類型に分けられる。

---

[114] 詳細については，伊藤・破産法〈第3版補訂版〉319頁参照。
[115] 一問一答90頁参照。伊藤・破産法〈第3版補訂版〉320頁では，破産債権と賃料債権との相殺がなされることによって，敷金返還請求権自体の額が減少するわけではないが，破産財団としては，賃貸借終了までは敷金の返還を免れ，それを資金として運用できるという形での受益が存在することを旧法103条1項後段の存在理由として説明した。しかし，破産者が受領した敷金が破産財団に現存するとは限らず，このような説明も十分に説得的なものとはいえない。
[116] 債務の性質に反する場合（民505Ⅰ但書），相殺禁止の特約がある場合（同Ⅱ），不法行為債権や差押禁止債権を受働債権とする相殺が禁止される場合（民509・510），株金払込義務を受働債権とする相殺が禁止される場合（会社208Ⅲ）などが挙げられる。
　なお，再生手続および更生手続においては，相殺が許される場合であっても，その行使について時期的制限が設けられているが（民再92，会更48。本書1001頁，伊藤・会更法・特清法363頁参照），破産手続においては，このような時期的制限は存在せず，それを補うものとして相殺に関する破産管財人の催告権（破73）がある。

第1に，別除権として認められる担保権の有無および範囲が破産手続開始時を基準時として決定されるのと同様に，相殺権の範囲も，破産手続開始時を基準時として決定される（破67Ⅰ）。したがって，破産手続開始後に相殺の受働債権たる債務を負担しても，それを基礎とする相殺は債権者平等に反するものとされ，その効力が否定される（破71Ⅰ①）。この場合には，破産手続開始時を基準時とする画一的な破産債権者間の平等が基礎となっているから，債務負担の原因に関する例外は認められない（同Ⅱ柱書参照）。ただし，破産手続開始時にすでに停止条件付債務として成立している場合は別である（破67Ⅱ後段）。

　これに対して，破産手続開始後に取得した破産債権を自働債権とする相殺については，「他人の破産債権を取得したとき」（破72Ⅰ①）として，破産債権の取得原因が限定されているから，必ずしも画一的な破産債権者間の平等が基礎になっているとはいえず，むしろ第3にいう，相殺期待の詐害的創出という性質を有する[117]。したがって，法72条1項1号に該当しない場合，たとえば，破産管財人の行為によって破産手続開始後に生じた破産債権（破54Ⅰ・58Ⅲ・168Ⅱ②等）を自働債権とする相殺を許すかどうかは，これらの債権を破産債権とする趣旨などにもとづいて個別に決定すべきである（本書547頁参照）。

　第2に，たとえ破産手続開始時に相殺権を取得している者でも，その取得が支払停止や破産手続開始申立後の危機時期になされている場合には，債権者平等の理念に反するものとして，相殺が否定されることがある（破71Ⅰ③④・72Ⅰ③④）[118]。もっとも，この場合には，無条件に相殺権が否定されるのではなく，一方で支払停止などの事実についての相殺権者の悪意を要求し，他方で，相殺権の取得原因に関して一定の例外を設けている（破71Ⅱ・72Ⅱ）。それは，危機時期に取得された相殺期待が真に債権者平等に反するものであるかどうか，逆に危機時期以前に破産債権者が合理的な相殺期待を取得していたかどうかを判断するためである[119]。

---

117) 民法511条にいう第三債務者を破産者に対して債務を負担する者，支払の差止め（差押え）を破産手続開始決定，差押債権者を破産管財人と同視すれば，法72条1項1号の趣旨は，民法511条1項のそれと共通するといえるが（山木戸169頁），自働債権を他人の破産債権に限定しているところに差異がある。

118) 破産手続開始前の危機時期に取得した相殺期待を債権者平等に反するという理由から否定するという意味で，この類型の相殺禁止の趣旨は，偏頗行為否認（破162）に類似する。

119) 法71条および法72条によって相殺が無効とされる場合には，たとえ債権者と破産管

第3に，相殺期待の詐害的創出とでもいうべき類型がある（破71 I ②・72 I ②）。これは，支払停止または破産手続開始申立てという危機時期の徴表たる行為がなされる前の時期であり，したがって，債権者平等に対する期待は未だ具体化していないが，債務者はすでに支払不能の状態にあり，総債権者のために自らの責任財産を維持することを期待されているにもかかわらず，債務者と債権者が通じて相殺期待を創出し，またはこれと同視される行為を行った場合に，責任財産の実質的減少を根拠として，相殺を禁止する[120]。この類型の相殺禁止は，旧法には存在せず，現行法によって創設されたものである。

なお，以下の規定によってその効力が否定される相殺は，破産債権者が破産管財人に対してする相殺の意思表示だけではなく，破産手続開始前に債権者が行った相殺の意思表示，破産手続開始前に債権者と債務者との間でなされる合意による相殺や，破産手続開始後に破産管財人と破産債権者との間でなされる合意による相殺も含む[121]。これらの場合には，相殺の意思表示や相殺の合意は，破産手続開始決定の効力としての法71条または72条に反するものとして無効となる[122]。

1 受働債権たる債務負担の時期による相殺の禁止

上記のような根拠にもとづく相殺権の禁止は，具体的な態様としては，受働債権たる債務負担の時期による禁止（破71）と自働債権たる破産債権取得の時期による禁止（破72）とに分けられる。まず，前者について説明する。

財人との間で相殺を有効とする合意がなされても相殺は許されない（最判昭和52・12・6民集31巻7号961頁〔倒産百選69事件〕）。注釈破産法（上）498頁。

[120] 支払停止や破産手続開始申立て前の相殺期待の創出について，それを責任財産の実質的減少を理由として否定するという意味で，この類型の相殺禁止の趣旨は，詐害行為否認（破160）に類似する。基本構造464頁参照。もっとも，偏頗行為否認の基本的要件が支払不能とされていること（破162 I ①）や相殺による独占的満足を保障する点に着目すれば，偏頗行為否認に類するとの見方もできよう。立案の経緯については，山本和彦・前掲論文（注99）203頁参照。

[121] 破産手続開始決定前の相殺について，大判昭和4・5・14民集8巻523頁〔倒産百選〈初版〉53事件〕，合意相殺について，大判昭和14・6・20民集18巻685頁〔旧和議〕，東京地判平成22・8・25判タ1387号364頁，破産手続開始決定後の合意相殺について，前掲最判昭和52・12・6（注119）（事案は，破産手続開始前の相殺を有効と認める旨の破産管財人と破産債権者との間の合意）がある。

[122] 大判昭和5・10・15新聞3199号14頁，大決昭和9・5・25民集13巻851頁〔旧和議〕，大判昭和11・6・23民集15巻1265頁〔旧和議〕。

(1) 破産債権者が破産手続開始後に破産財団に対して債務を負担したとき（破71 I ①）

相殺権の範囲は破産手続開始時の債権債務を基準として決定する。したがって，破産債権者が，破産手続開始後に破産財団に対して債務を負担したとしても，それを受働債権として破産債権との相殺をなしえない。具体的に1号の禁止に抵触すると解すべき例としては，以下のようなものが挙げられる。

たとえば，破産管財人との取引によって発生する債務，双方未履行双務契約について破産管財人の履行選択（破53 I）がなされた場合の相手方の債務，一部履行済みの双方未履行双務契約について解除選択がなされた場合の相手方の返還債務あるいは弁済の否認など否認権行使の結果として生じる相手方の返還債務（破167 I）などである。これらの債務は，実質的にみても破産財団に対して現実に履行されなければその意味を失うし，破産債権者側でも破産手続開始の当時相殺期待をもっていたわけではないので，相殺権が否定されても相手方たる破産債権者の利益を不当に侵害することにはならない[123]。

破産財団に対して債務を負う第三者からの債務引受けによって破産債権者が財団に対して債務を負担したときにも，本号によって相殺が禁止される。また，金融機関が破産債権者となっているときに，第三者が破産手続開始後に破産者の口座に振込みをなした結果として，金融機関が破産財団に対して預金返還債務を負担したときにも，相殺は禁止される[124]。法71条1項2号から4号まで

---

[123] 第1のものについて，大判大正15・12・23新聞2660号15頁，第3のものについて，大判昭和11・7・31民集15巻1563頁がある。基本法161頁〔山本克己〕，実践マニュアル257頁。山本・前掲論文（注106）(1)民商89巻6号24，26頁では，破産管財人の行為によって破産債権者が債務を負担した場合として類型化する。双方未履行双務契約の履行選択がなされた場合の相手方の債務は，厳密には，破産手続開始後に負担した債務とはいえないが，法53条1項の趣旨からも，これに準じて扱われるべきである（条解会更法（中）892頁，条解破産法〈第3版〉570頁参照）。

[124] 条解会更法（中）893頁，条解破産法〈第3版〉570頁，基本法161頁〔山本克己〕。山本・前掲論文（注106）(1)民商89巻6号24，29頁では，破産債権者の債務が破産財団所属財産の価値変形物とみられる場合として類型化される。判例では，破産財団所属財産たる約束手形を破産債権者が破産手続開始決定後に取り立てた場合の取立金返還義務（最判昭和63・10・18民集42巻8号575頁〔倒産百選65事件〕），破産手続開始決定後の譲渡担保実行によって生じた清算金支払義務（前掲最判昭和47・7・13（注77）〔会社整理〕）などがこれにあたる。
　また，信託関係が破産手続開始後に終了し，従来は信託財産であった預金債権が受託者の固有財産となった場合には，その時点で金融機関が預金返還債務を負担したものとして，相殺禁止の対象となる。名古屋高金沢支判平成21・7・22判時2058号65頁（なお，逆に，

の場合と異なって，破産手続開始についての破産債権者の悪意や債務負担の原因が発生した時期は問題とならない。

　破産手続開始前から成立している停止条件付債務について，破産手続開始後に条件が成就したときに，破産手続開始後に破産債権者が債務を負担したものとして，相殺が禁止されるかどうかについては，議論がある。しかし，停止条件付債務を受働債権とする相殺が認められる以上（破 67 Ⅱ 後段），停止条件が破産手続開始後に成就したときでも法71条1項1号は適用されず，相殺を許すべきである[125]。これは，実質的には，たとえ停止条件が付いていても，債務の発生原因が破産手続開始前に存在するのであれば，破産清算においては合理的な相殺期待が認められるとの判断にもとづく。もっとも，同じ停止条件付債務であっても，合理的相殺期待が認められる場合と否定される場合とがある。

　たとえば，破産財団が所持する約束手形について破産債権者が裏書人である場合に，裏書人の支払義務は，第三者である振出人の支払拒絶等という停止条件にかかわっている（手77Ⅰ④・43柱書）。この停止条件が破産手続開始後に成就する場合でも，裏書人たる破産債権者としては，法71条1項1号の制限を受けず，破産債権と支払義務との相殺ができる。破産債権者としては，振出人の支払拒絶等による裏書人としての支払義務の発生が合理的に予測され，また，その金額もあらかじめ定まっているから，相殺について合理的期待をもつものと認められる。これに対して，破産債権者が，別口の債権を被担保債権とする譲渡担保権を実行した場合の，清算金支払義務と破産債権の相殺については，合理的相殺期待が否定される。この場合にも，清算金支払義務の発生は，譲渡担保設定者たる破産者の債務不履行にもとづく清算という，一種の停止条件にかかわっているが，破産手続開始時においては，清算義務の発生自体もまた清

破産手続開始前に信託関係が終了したことを理由として相殺を認めたものとして，福岡地判平成20・11・20判時2075号46頁，福岡高判平成21・4・10判時2075号43頁がある）。
　さらに，再生手続開始後の再生債権者の定時株主総会の決議にもとづく剰余金配当請求権を受働債権とする相殺が禁止される旨を判示するものとして，大阪地判平成23・1・28金法1923号108頁〔民事再生〕がある。
[125]　前掲最判平成17・1・17（注112）。条解破産法〈第3版〉571頁参照。しかし，再生手続や更生手続においては，手続開始後に停止条件が成就した債務を受働債権とする相殺が認められない（本書1001頁，伊藤・会更法・特清法368頁参照）。保険会社の約款貸付けにもとづく貸付金債権を自働債権とし，保険契約の解約にもとづく返戻金債権を受働債権とする相殺については，本書425頁注122参照。

算金の金額も確定されておらず，合理的な相殺期待が認められないから，法71条1項1号によって相殺を禁止する[126]。

(2) 支払不能になった後に契約によって負担する債務をもっぱら破産債権をもってする相殺に供する目的で破産者の財産の処分を内容とする契約を破産者との間で締結し，または破産者に対して債務を負担する者の債務を引き受けることを内容とする契約を締結することにより破産者に対して債務を負担した場合であって，当該契約の締結の当時，支払不能であったことを知っていたとき（破71Ⅰ②）

たとえば，支払不能状態にあった破産者が有する不動産を破産債権者たるべき者に売却し，破産債権者がその債権と売買代金債務とを相殺する場合を想定すると，すでに経済的価値を失っている破産債権であるにもかかわらず，相殺の手段を通じて，債権の名目額に対応する実質的価値を有する不動産を当該破産債権者が取得する結果となり，他の破産債権者の犠牲において責任財産を減少させる詐害性が認められる。これは，先に述べた相殺期待の詐害的創出にあたる。また，破産債権者である金融機関に預金口座を開設したり，開設済みの預金口座に破産者が金銭を振り込み，金融機関が相殺権を行使する場合も同様に考えられる。さらに，破産者が自らに対して債務を負う第三者に自らの預金口座に振込みを行わせ，同様に金融機関の相殺権が行使される場合も，実質的にみて破産者の第三者に対する債権という責任財産を相殺権者の独占的満足に

---

[126] 前掲最判昭和47・7・13（注77）。谷口237頁，注解破産法（上）716頁〔斎藤秀夫〕，条解破産法〈第3版〉572頁など。論者は，この場合の停止条件を「特殊な停止条件」と表現する。青山善充「倒産法における相殺とその制限（1）」金法910号4，7頁（1979年）。もっとも，同判決を合理的相殺期待と結びつけることができるかどうかについては疑問が呈されており（畑ほか・前掲パネルディスカッション（注105）28頁，むしろ破産法67条2項に相当する規定が旧会社整理に存在しなかったことが相殺を許さなかった理由と理解すべきであるとの指摘もなされる。

停止条件付債務の場合には，債務の負担時期について，停止条件付債務の成立を基準とする考え方もありうるが，判例（最判平成26・6・5民集68巻5号462頁〔倒産百選67事件〕など。髙山崇彦「投資信託と相殺」倒産法の実践371頁参照）は，停止条件成就時を債務負担の時期とすることを前提としており，危機時期における条件成就によって負担した債務を受働債権とする相殺について「前に生じた原因」（破71Ⅱ②）に該当するかどうかについて，相殺権者に合理的相殺期待（優先的満足を保護すべき期待）が認められるかどうかを判断基準としている。伊藤・前掲論文（注96）11頁参照。これに対し，富永浩明「信託受益権に係る解約金の支払債務と破産債権との相殺」多比羅喜寿457頁は，相殺の合理的期待という判断基準の不安定性を指摘し，債務者が保有する債権（相殺の受働債権）について担保権を設定することに特段の支障が認められない限り，相殺を許すべきでないとする。

充てる結果となっており，相殺期待の詐害的創出が認められる。

いずれの場合でも，支払不能後に破産者と破産債権者の間の合意にもとづいて，不動産や第三者に対する債権という破産者の財産の形状を変更し，相殺の受働債権に転換することを通じて，相手方たる破産債権者に相殺による独占的満足を与えようとすることが，債権者平等の理念に背馳し，相殺禁止の根拠となっている。

旧法104条2号による相殺禁止は，もっぱら支払停止または破産手続開始申立て後の債務負担を対象としていたので，以上のような相殺は規律の対象として捉えられず，相殺に対する否認可能性として議論されていたにすぎなかった。現行法は，相殺禁止の範囲をより拡充すべきであるとの立法論に応える形で，新たな相殺禁止の類型を設けたものである[127]。もっとも，支払停止等の時期よりさらに遡って相殺権の行使を禁止することは，その基準が一義的に明らかではなく，正当な相殺期待が遡って覆滅されることによって，かえって破産者の資金調達の途を塞ぐおそれがあることから，以下に述べるような厳格な要件を規定している。

第1は，債務負担の原因たる契約が支払不能状態になってから締結されていることである。これを支払不能期における債務負担原因契約と呼ぶ。ここでいう支払不能は，破産手続開始原因としての支払不能と同一のものであり，弁済能力の欠乏のために弁済期が到来した債務を一般的，かつ，継続的に弁済することができない状態を意味する。

債務超過とは異なって，積極財産と消極財産との客観的比較を意味するものではなく，借入れの可能性なども考慮されるが，特定の債務を弁済したり，または散発的に債務の弁済を行っていても，すでに一般的，かつ，継続的に弁済することができない状態に立ち至っていると評価されれば，支払不能状態にあたる[128]。また，債務負担の原因となる契約は，相殺権を主張する破産債権者

---

[127] 立案の経緯については，一問一答113頁，中間試案補足説明162頁，山本和彦「相殺権」ジュリ1273号83頁（2004年），基本構造464頁に詳しい。なお，旧破産法の下で，破産債権者が支払不能の事実を知って債務を負担した場合に，旧破産法104条2号本文の類推適用により相殺は禁止されるとした事例として，東京高判平成10・7・21金商1053号19頁がある。

[128] 再建計画などとの関係については，川田悦男「金銀協通達『新破産法において否認権および相殺禁止規定に導入された「支払不能」基準の検証事項について』の概要」金法1728号50，49頁（2005年）参照。また，債務負担または支払能力のいずれかの理由から，

と破産者との間のもので，その内容は破産者の責任財産に属する財産を処分するものでなければならない。上記の例でいえば，不動産の売買契約や消費寄託たる預金契約，さらに預金口座への振込みの合意がこれにあたる[129]。

　第2は，契約による債務負担についてもっぱら破産債権をもってする相殺目的が認められなければならない。これを専相殺供用目的と呼ぶ。専相殺供用目的は，破産債権者の意思にかかわるものであるから，その認定は，契約締結時の事情をもとにして推認する以外にない。たとえば，経済的合理性が認められないにもかかわらず，当該破産債権者に対して不動産を売却するとか，従来の預金取引の延長とは金額や時期において異質な振込みがなされているなどの事情が認められれば，専相殺供用目的が認定されよう[130]。

　　支払不能と同視される状態がありうることについては，本書119頁注76参照。
129)　預金口座への振込みについても，債権者たる破産者が債務者に指示して，特定の銀行口座などに振り込ませる行為も，財産の処分にあたる可能性がある。基本構造472頁，注釈破産法（上）494頁。

　　また，預金取引契約自体は支払不能前に締結されていても，金融機関が支払不能の事実を知って，普通預金の払戻しを事実上拒否した上で，残高と相殺するような場合には，支払不能後の合意にもとづく債務負担と同視される可能性がある。基本構造474頁，伊藤・前掲論文（注95）19頁，220問282頁〔本山正人〕参照。支払不能を停止条件とする債務負担の合意が支払不能前に締結されている場合についても，同様に考えられる。

　　これに対して，投資信託について受益者に対する金銭債権を有する販売銀行が債権者代位権を行使して信託契約を解約し，委託者から解約金の交付を受けた上で，解約金返還請求権を受働債権とする相殺を行った事案について，専相殺供用目的での債務負担原因契約への該当性を否定したものとして，名古屋高判平成24・1・31金商1388号42頁〔民事再生〕〔倒産百選〈第5版〉66事件〕がある。

130)　不動産の売買契約のように，債務負担の原因となる財産処分契約の内容自体には，経済的合理性があるようにみえても，その代金を現実に支払うのではなく，破産債権等との相殺によって決済することが予定されていたものとみなされる場合には，専相殺供用目的の存在を肯定すべきである。基本構造469頁，条解破産法〈第3版〉574頁，注釈破産法（上）494頁，大コンメンタール308頁〔山本克己〕参照。

　　再生債権者の債務負担の前後の諸事情を総合して専相殺供用目的を認定した裁判例として，大阪地判平成22・3・15判時2090号69頁〔民事再生〕，徳島地判平成25・11・21金法2005号150頁がある。これに対して，東京地判平成21・11・10判タ1320号275頁〔民事再生〕〔倒産百選68事件〕では，口座振込みが再生債務者の意図にもとづく一方的行為として行われ，金融機関の側の関与や働きかけが認められないことをもって，専相殺供用目的の存在を否定している。

　　しかし，専相殺供用目的が単なる事実概念ではなく，評価概念としての性質を持つことを考えると（倒産と訴訟88頁〔福田修久＝明石法彦〕），当該預金口座に入金される金額や決済使途に関する従前の経緯からみて，再生債権者の側には，当該入金を期待すべき事情が認められず，したがって，当該預金返還債務を受働債権とする合理的相殺期待が存在していなかったにもかかわらず，債務者の側の事務上の過誤というべき偶然的事情によっ

第 3 は，支払不能についての破産債権者の悪意である。支払停止や破産手続開始申立てと異なって，支払不能は，破産者の外形的行為ではないので，それについての悪意も上記の専相殺供用目的と同様に，契約締結時の事情から推認するのが通常である。すでに支払停止が先行している場合には，それについての悪意から支払不能についての悪意も推認されるが，いまだ支払停止該当行為が存在しない段階では，破産者の資金繰りや財務状態を知悉していたなどの事実から，支払不能についての悪意を推認することになろう。

なお，破産者の財産の処分を内容とする契約ではなく，破産者に対して債務を負担する者の債務を引き受けることを内容とする契約にもとづいて債務を負担した場合であっても，それが支払不能時期に，それを知ってなされていれば，相殺は許されない。たとえば，破産者に対して破産債権を持つ甲金融機関が破産者に対して預金返還債務を負担する乙金融機関から預金返還債務を引き受け，自らの破産債権と相殺することが考えられる[131]。この場合に，預金債権という破産者の財産が債務引受けと相殺によって責任財産から逸出し，他方，破産債権者たる甲金融機関が相殺によって独占的満足をえているところから，法定の要件が満たされれば，相殺が禁止される。

(3) **支払停止後に破産債権者が支払停止を知って破産者に対して債務を負担したとき**（破 71 I ③）

支払停止があれば，債務者の経済的破綻が広く外部に認識され，債権の実質的価値は下落し，その完全な満足は期待できなくなる。このような状況において，債権者が債務者から物を買い受けるなどの法律行為によって債務を負担し，あるいは債権者が債務者のために第三者から金銭を受領することによって債務を負担し，その債務と債権との相殺が認められるとすれば，債権者は，実質的

て負担した預金返還債務であることを知って，それを受働債権として相殺を行うことは，危機時期において作出された受働債権の負担の原因たる，専相殺供用目的による契約締結と同視すべきものとして，その当時債務者が支払不能の状態にあり，再生債権者もそれを認識していたという前提条件が満たされるのであれば，相殺を禁止するべきものと考えられる。

131) この場合には，専相殺供用目的は不要である。債務を引き受ける契約を締結すること自体に相殺目的が内包されているからである。
　なお，支払不能発生前に停止条件付債務引受契約を締結し，支払不能発生後に停止条件が成就した場合がこれに該当するかについての議論がある。基本構造 478 頁。停止条件の内容が支払不能発生やこれに類する事実であるときには，相殺禁止の対象とすべきである（期限の利益喪失条項の効力を前提とする相殺の許否に関する本書 1002 頁参照）。

価値の低下した債権について完全な満足を受ける結果となる。たとえ破産手続開始前であっても，支払停止または破産手続開始申立て後の危機時期においては，債権者平等の理念が支配することを考えれば，破産手続開始前の債務負担であるからといって，無制限に相殺を許すことは不合理である。

そこで立法者は，偏頗行為否認の考え方（破162）と共通するものとして[132]，債務負担について破産債権者の作為が介在することが多いことを考慮して，破産債権者が支払停止について悪意の場合には，相殺を認めないこととした（破71Ⅰ③本文）[133]。支払停止の事実[134]，およびそれについての悪意の証明責任は，

---

[132] 中西正「ドイツ破産法における財産分配の基準（1）」関西学院大学・法と政治43巻2号21, 36頁（1992年）は，このことを支払停止等後の財産拘束と表現する。

[133] 現行法71条1項3号および4号に相当する旧法104条2号は，旧会社更生法163条2号とともに，旧法の昭和42年の改正によって設けられたものであり，それ以前は，支払停止または破産手続開始申立てから破産手続開始決定までの時期に負担した債務を受働債権とする相殺が許されるかどうかは解釈論に委ねられていた。通説は，旧法104条旧3号（現破72Ⅰ③④）の類推にもとづく旧1号（現破71Ⅰ①）の拡張解釈によって相殺の効力を否定していたが，判例（最判昭和41・4・8民集20巻4号529頁〔倒産百選〈初版〉51事件〕）はその解釈を否定し，相殺を有効とした。この判例を契機として，立法の必要が確認され，旧法104条2号が新設された。

判例が相殺を有効とした理由は次のところにある。すなわち，危機時期における債務負担が生じるには，債務者の加担が前提となるから，その加担行為を否認の対象とすればよく，相殺自体を無効とする必要はないというものである。しかし，第三者による口座振込みのように債務者の加担がない債務負担も考えられるし，債務負担の原因が適正価格による売買である場合のように，債務者の行為に対する否認が成立しないことも考えられる。これらが改正を促す立法論となった（注解破産法（上）718頁〔斎藤秀夫〕，条解会更法（中）895頁，宮脇＝時岡261頁）。なお，会社更生法49条1項3号に相当する旧破産法104条2号に関する裁判例として，東京高判平成元・10・19金法1246号32頁，大阪高判平成10・8・27判時1675号94頁がある。また，支払停止の前後に関する認定について，220問279頁〔野田聖子〕参照。

また，事業再生ADRなどの私的整理に関連して，債務者が債権者に対してする一時停止の通知のような債務免除等要請行為が支払停止に該当しないとの考え方（本書121頁）を前提としたときに，その後に受け入れた預金にもとづく預金返還債務を受働債権とし，貸付金債権を自働債権とする相殺が禁止されないのかという問題を生じる。債務免除等要請行為の相手方としてこれに同意した金融債権者は，後に管財人が債務免除等要請行為を支払停止にあたるとして相殺禁止規定違反を主張したときに，いったん他の金融機関との秩序ある協働に応じながら，これに反する行動をとるという意味での信義則違反として，それを争い，当該行為が支払停止にあたらないと主張することはできないと解すべきである。支払不能期の債務消滅行為や担保供与行為に対する偏頗行為否認についても同様である（本書54頁）。

もっとも，当初から一時停止の要請自体を拒絶した金融機関については，このような規律は働かないが，その場合には，その金融機関の債権が相当額であるときには，私的整理の成立可能性がないことが判明するわけであるから，内容的に合理性のある事業再生計画

相殺の無効を主張する破産管財人が負担する。

　ただし，上記の要件が満たされているときでも，支払停止があったときに破産者が支払不能でなかった場合は，相殺は許される（同但書）。債務者の経済的破綻を示す外形的行為である支払停止があっても，実際には，支払不能状態でなければ，債権者平等の理念を優先させて相殺を禁止する理由に乏しいからである。支払不能でないことについては，相殺を主張する破産債権者が証明責任を負担する。

　(4)　破産手続開始申立て後に破産債権者が破産手続開始申立てがあったことを知って破産者に対して債務を負担したとき（破71Ⅰ④）

　この相殺禁止の趣旨は，法71条1項3号と同様であり，危機時期を画する基準として，破産手続開始申立てが用いられている点に違いがある。ここでいう破産手続開始申立ては，現在開始されている破産手続にかかわるものでなければならないのは当然である[135]。また，先行する民事再生手続や会社更生手続などがあり，事件が破産手続に移行した場合には，再生手続開始申立てや更生手続開始申立てなどが破産手続開始申立てとみなされる（民再252Ⅰ，会更254Ⅰ。会社574Ⅲ①参照）。

にもとづいた一時停止の要請通知であっても，その成否を左右するような大口の金融機関がそれを拒絶する意思を明らかにしたとすれば，その時点をもって一時停止の要請通知の基礎が失われたものとみて，それが支払停止行為と評価され，その後に行われた偏頗行為や相殺の効力を決すべきである。詳細については，伊藤眞「『私的整理の法理』再考——事業再生の透明性と信頼性の確保を目指して」金法1982号30頁（2013年）参照。

[134]　ここでいう支払停止を破産原因推定事実としての支払停止（破15Ⅱ）と区別し，むしろ支払不能状態と解する有力説があるが（詳細は，基本法161頁〔山本克己〕参照），条文の文言との関係，および相殺禁止が困難になるという実際的考慮から，このような考え方を採用しない。もちろん，支払不能についての悪意を類推適用によって支払停止についての悪意と同じく扱うこと（前掲東京高判平成10・7・21（注127），注解破産法（上）720頁〔斎藤秀夫〕）までを否定する必要はない。ただし，支払不能になった後に負担する債務を受働債権とする相殺について規律（破71Ⅰ②）が設けられた現行法の下では，このような取扱いには問題もある。

　なお，代理人弁護士による破産手続開始申立ての受任通知が支払停止行為にあたることを前提とし，その了知前後の事情から，債務負担時における破産債権者の悪意を否定した裁判例として大阪地判平成30・11・15金商1557号52頁がある。

[135]　もっとも，同一の債務者について債権者による開始申立てが先行し，債務者による開始申立てが後行し，先行の申立てが取り下げられ，後行の申立てにもとづく開始決定がなされたような場合には，同一の危機時期を画するものとして，先行の破産手続開始申立てを基準とすることも考えられる。

(5) 3つの例外

　破産手続開始後の債務負担を理由とする相殺禁止（破71Ⅰ①）は別として，支払不能時期の債務負担を理由とする相殺禁止（同②），および支払停止または破産手続開始申立て後の債務負担を理由とする相殺禁止（同③④）は，破産債権者に対する詐害性や債権者平等原則との抵触を根拠とするものである。しかし，債務負担が一定の原因にもとづく場合には，詐害性が否定され，また債権者平等原則にも抵触しないとされる。これが，法が規定する3つの例外である（破71Ⅱ）。

　それらの例外とは，債務負担が，第1に，法定の原因にもとづくとき（同①），第2に，破産債権者が支払不能，支払停止または破産手続開始申立てについて悪意になった時より前に生じた原因にもとづくとき（同②），第3に，破産手続開始申立てより1年以上前に生じた原因にもとづくときである（同③）。これらの例外にあたる事実については，破産債権者が証明責任を負う。

　第1に，債務負担が法定の原因にもとづく（同①）例としては，相続や合併のような一般承継，あるいは事務管理や不当利得などによって破産債権者が破産者に対して債務を負担することが考えられる[136]。債務負担が法定の原因にもとづく以上，破産債権者や破産者の作為や支払不能などについての悪意を理由として相殺を禁止する理由に乏しいというのが，この例外の根拠である[137]。

　第2に，支払不能や支払停止等について破産債権者が悪意になった時よりも前に生じた原因にもとづく債務負担も例外とされる（同②）。この場合に相殺が許されるのは，相殺禁止の要件が満たされる時期以前に破産債権者が正当な相殺期待をもっていたとみなされることによる。したがって，ここでいう債務負担の原因にあたるとされるためには，具体的な相殺期待を生じさせる程度に

---

[136] これに対して悪意による不法行為にもとづく損害賠償請求権および人の生命または身体の侵害による損害賠償請求権は，民法509条との関係から相殺の受働債権たりえない。
[137] ただし，合併などの場合には，作為が介入する余地があるとの理由で，立法的妥当性を疑問視する論者もあり（基本法162頁〔山本克己〕，大コンメンタール309頁〔山本克己〕，条解破産法〈第3版〉577頁），注釈破産法（上）496頁，概説259頁，破産法大系Ⅱ256頁〔松下淳一〕は，合併などは合意によるものであり，また，相殺目的で行うこともありうるから，法定の原因にあたらないとし，条解会更法（中）899頁は，相続または合併のいずれについても，そのような偶然的事実にもとづく相殺期待を保護すべき理由がないとする。債務負担の動機や背景ではなく，法律上の原因を問題とするのであるから，立法論としてはともかく，合併なども法定の原因と解すべきであろう。

直接的なものでなければならない[138]。

[138] 破産実務の基礎251頁。法71条1項3号に関して，第三者が破産債権者たる銀行の破産者名義の口座に振込みをなし，銀行が預金返還債務を負担したときに，その原因が破産者と銀行との間の当座預金契約や普通預金契約にすぎないときには，2項2号の例外規定の適用はなく，相殺は許されない（最判昭和60・2・26金法1094号38頁）。しかし，銀行が手形の取立委任契約にもとづいて取立てをなし，取立金返還債務を負ったときには，銀行取引約定および取立委任契約は，2号にいう前に生じた原因に該当する（前掲最判昭和63・10・18（注124））。本判決の分析として，伊藤眞「破産法104条2号に基づく相殺制限の意義」金法1220号6頁（1989年），反対評釈として，佐藤鉄男「判例評釈」判時1309号（判例評論365号）229頁（1989年）がある。

また，下級審裁判例では，信託財産返還債務について信託契約を前に生じた原因として認めた大阪高判平成13・11・6判時1775号153頁〔特別清算・破産〕，信託受益権の管理委託契約を前に生じた原因に該当することを否定した名古屋地判平成22・10・29金法1915号114頁〔民事再生〕，肯定した前掲名古屋高判平成24・1・31（注129）〔民事再生〕，名古屋地判平成25・1・25判時2182号106頁〔民事再生〕がある。しかし，信託契約や銀行取引約定によって販売銀行による解約があらかじめ可能とされているときは，これらを前に生じた原因と認めてよいが，それが存在しないときには，投資信託受益権の管理等を目的とする委託契約のみをもって，解約金返還債務を受働債権とする相殺によって，常に自己の債権の優先的回収を期待できるという意味での合理的相殺期待を生じさせる程度の直接の原因といえるかは疑問である。木村真也「支払停止後の投資信託受益権の解約と民事再生法93条2項2号の『前に生じた原因』に基づく相殺の可否（名古屋高判平24．1．31）」事業再生と債権管理136号78頁（2012年），木村・前掲論文（注35）103頁，倒産と訴訟86頁〔福田修久＝明石法彦〕。

これに対して，髙山崇彦＝辻岡将基「名古屋高判平24・1・31と金融実務への影響」金法1944号11頁（2012年），安東克正「8つの裁判例からみた投資信託からの回収」金法1944号36頁（2012年），三井住友信託銀行法務部「投資信託に基づく債権回収」銀行法務21 743号17頁（2012年），中西正「証券投資信託における受益者の破産・民事再生と相殺」銀行法務21 743号28頁（2012年）は，名古屋高裁判決の考え方を支持する。投資信託の法律関係や販売会社の地位については，木村・前掲論文（注35）82頁以下参照。

上記の議論を踏まえて，最判平成26・6・5民集68巻5号462頁〔民事再生〕〔倒産百選67事件〕は，解約金の支払請求権が信託受益権と実質的に等価とみなされること，受益権は，購入者たる再生債務者が他の振替先口座へ振替をすることができたこと，解約については，責任財産保全の手段である債権者代位によるほかはなかったことなどを理由として，合理的相殺期待の存在が認められず，管理委託契約が前に生じた原因にあたらないとしている。（判旨を踏まえて，相殺が認められるべき前提条件を検討するものとして，ニューホライズン288頁，髙山・前掲論文（注126）380頁がある．）合理的相殺期待という判断基準そのものに対する批判として，富永・前掲論文（注126）457頁参照。

類似のものとして，電子記録債権の債権者口座に対して債務者口座から送金がなされたことによって窓口金融機関が負担する預金返還債務が支払停止等を知った後であるときに，電子記録債権の譲渡が前に生じた原因にあたるかという問題がある。口座間の送金による以外の決済の方法が認められているとすれば，窓口金融機関としての合理的相殺期待が認められないことになろう。ニューホライズン353頁参照。

また，保険会社による契約者貸付金返還請求権を自働債権とし，生命保険契約解約返戻金支払請求権を受働債権とする相殺についても，貸付契約が前に生じた原因にあたるかど

たとえば，預金契約にもとづいて破産者が銀行に預金口座をもち，その口座に第三者が振込みを行っても，預金契約は具体的な相殺期待を直接に生じさせるものとは考えられず，ここでいう前に生じた原因とはみなされない。これに対して，銀行が破産者の支払不能等について悪意になる前に，銀行と破産者および第三者との間で約定がなされ，第三者が破産者への支払を当該預金口座への振込み以外の方法で行わないことが合意されていれば，悪意になる前に銀行は具体的な相殺期待をもっていたものと認められる。このような約定を振込指定と呼ぶ。振込指定約定を前提とすれば，たとえ支払不能等になった時期において第三者からの振込みがなされ，銀行が預金返還債務を負担しても，この振込指定の約定が債務負担の直接の原因とされ，2号の例外規定が適用される結果，相殺が許される[139]。

いわゆる代理受領についても同様に考えられる。破産者が特定の債権者に第三者からの弁済について代理受領権を与え，これを撤回しない旨を合意し，かつ，破産者に支払義務を負う第三者もこれを承知しているときには，たとえ支払不能等になった時期に代理受領が行われ，破産債権者たる受領者が受領金返還義務を負ったときでも，上記の合意にもとづいて2号の例外規定が適用され，受領金返還義務を受働債権とする相殺が許される[140]。

うかが問題となる。本文に述べた基準に照らせば，これを肯定すべきであるが（山本和彦「経営者保険における会社の倒産と保険会社による相殺の効力」多比羅喜寿436頁参照），保険契約者の破産等を解約事由とする条項については，破産解除条項との関係で問題がある（本書398頁参照）。

なお，取立委任手形の商事留置権の成否と取扱いの問題（最判平成23・12・15民集65巻9号3511頁〔倒産百選54事件〕）に関しては，本書990頁参照。

139) 名古屋地判昭和55・6・9判時997号144頁，名古屋高判昭和58・3・31判時1077号79頁。学説としては，青山・前掲論文（注126）9頁，谷口239頁，注解破産法（上）720頁〔斎藤秀夫〕，新版破産法498頁〔深山雅也〕などがこれを支持する。なお，この種の振込指定約定を強い振込指定と呼ぶことがある。これに対して，破産者と第三者との間のみの約定にもとづく振込指定を弱い振込指定と呼び，これについては，銀行に具体的相殺期待が発生することを否定する。ただし，霜島280頁は，このような考え方に反対し，振込指定にもとづく相殺期待は，事実上のものにすぎないとする。これに対して，上原敏夫「いわゆる『強い振込指定』について」青山古稀655頁は，第三者の関与よりは，銀行と破産者の合意の内容が相殺期待を生じさせる程度に具体的かどうかを重視すべきであるとする。

140) 条解会更法（中）905頁，条解破産法〈第3版〉578頁，注釈破産法（上）496頁，大コンメンタール310頁〔山本克己〕。実体法上も最判昭和61・11・20判時1219号63頁は，代理受領の合意に反して第三債務者が債務者に支払った場合における第三債務者の代

第3に，破産手続開始申立てより1年以上前に生じた原因にもとづく債務負担についても相殺が認められる（同③）。危機について破産債権者が悪意となった後に債務負担の原因が生じたときには，第2の例外には該当しないから相殺は許されないはずである。しかし，破産債権者の立場からすると，相殺が許されないことが確定するのは破産手続が開始されてからであり，それまでは不安定な状態に置かれる。この状態があまりに長く続くのは法的安定性を害するので，原因が生じてから1年を経過してもなお破産手続開始決定申立てがなされない場合には，相殺権が認められることとしたものである[141]。なお，破産手続に先行する民事再生手続や会社更生手続などがある場合には，それらの手続開始申立てが破産手続開始申立てとみなされる（民再252Ⅰ，会更254Ⅰ。会社574Ⅲ①参照）。

2　自働債権たる破産債権取得の時期による相殺の禁止

次に自働債権たる破産債権取得の時期による相殺の禁止（破72）について説明する。

(1)　破産者の債務者が破産手続開始後に他人の破産債権を取得したとき（破72Ⅰ①）

受働債権たる破産手続開始後の債務負担について相殺を禁止する法71条1項1号に関して述べたのと同様に，相殺権の範囲は破産手続開始時を基準時とするから，破産者に対して債務を負担する者が破産手続開始後に他人の破産債権を取得しても，相殺を認めるべきではない[142]。もっとも，この場合の相殺は，形式的には破産債権を自働債権とし，破産手続開始当時に破産者に対して負担する債務を受働債権とするものであるから（破67Ⅰ参照），立法者は，上記

理領権者に対する不法行為にもとづく損害賠償義務を認めている。なお，代理受領と双方未履行双務契約との関係については，本書434頁参照。

141) 現行法71条2項3号に相当する旧法104条2号但書は，「破産宣告ノ時ヨリ1年前ニ生ジタル原因」と規定していたが，申立てから手続開始までの審理期間によって相殺の成否が左右されることは望ましくないとの理由から，民事再生法93条2項3号や会社更生法49条2項3号にならって，現行法のように破産手続開始申立てを基準とするように改められた。ただし，近年の傾向としては，破産手続開始申立てから開始決定までの期間が短縮されており，この改正が相殺権の成否に大きく影響することは考えられない。

142) 破産債権の取得時期は，画一的処理の要請などから，対抗要件具備を基準として決定される（東京地判昭和37・6・18下民13巻6号1211頁〔特別清算〕）。なお，現行民法511条1項および2項但書も，破産手続開始決定と差押えという基準時の違いはあるが，同趣旨の規定である。潮見・新債権総論Ⅱ310頁，中田・債権総論486頁参照。

の趣旨を明らかにするために，相殺が禁止されるものとした。したがって，破産債権取得の原因が取引によるものか，相続などの法定の原因にもとづくものかなどは問わない（破72Ⅱ柱書参照）。機能的には，この相殺禁止は，破産者に対して債務を負担する者が，実価の下落した破産債権を取得し，相殺によって財団に対する債務の履行を免れ，破産債権者の利益を害することを防ごうとするものである。

　　ア　破産手続開始後の弁済にもとづく求償権を自働債権とする相殺

　1号にいう，他人の破産債権の取得に関しては，議論がある。たとえば，破産者に対して債務を負っている甲が，破産債権者乙に対して破産手続開始後に破産者に代わって第三者弁済（民474）をなし，その結果として求償権を取得すれば[143]，求償権の範囲内で乙の債権を代位行使することができる（民501Ⅰ Ⅱ）。この場合に，求償権にもとづいて破産債権を代位行使し，それを自働債権として相殺することが，他人の破産債権の取得による相殺とみなされるかどうかが，第1の問題であり，求償権自体を自働債権とする相殺は他人の破産債権の取得にもとづく相殺ではないにもかかわらず，法72条1項1号を拡張して，相殺を禁止すべきかどうかというのが第2の問題である[144]。

　第1の問題については，代位にもとづく原債権の行使が実体法上債権の移転とみなされるので[145]，破産債権である原債権を取得した代位弁済者がこれを自働債権として行う相殺は法72条1項1号に抵触する。

　これに対して第2の問題については，求償権は代位弁済者自身の権利であるので，たとえそれが破産手続開始後の弁済にもとづいて発生したものとしても，これを自働債権とする相殺は，文言上で1号に抵触しない。もっとも，有力な学説は，このような相殺を認めると，上記の例でいえば，破産債権者たる乙が

[143) 求償権については，明文の規定がある場合（民442以下等）のほか，委任事務処理費用の償還請求権（民650）や事務管理費用の償還請求権（民702）として認められる（平井・債権総論205頁）。

[144) 同じく求償権であっても，委託を受けた保証人の事前求償権（民460）の場合には，破産手続開始前の原因にもとづく破産債権として行使しうるので（破104Ⅲ），法72条1項1号との抵触の問題は生じない。もっとも，破産手続開始申立て等を原因とする特約によって事前求償権が発生した場合の相殺の許否については，期限の利益喪失約款の効力などとの関係で，なお検討する必要があろう。

[145) 我妻・債権総論247頁，奥田・債権総論543頁，平井・債権総論206頁，潮見・新債権総論Ⅱ102頁，中田・債権総論418頁など。

甲の代位弁済によって完全な満足を受け，また，代位弁済者たる甲も，破産債権である求償権を自働債権とする相殺によって破産手続によらない満足を受ける結果となり，破産財団に不利な結果を招来し，また破産債権者間の平等に反するとして，相殺を禁止すべきであると主張する[146]。

　　a　第三者弁済　　確かに，純然たる第三者が弁済する場合には，破産者のための事務管理にあたることが求償権の根拠となるが，求償権は，財団債権（破148⑤）には該当せず，また，破産手続開始後の弁済によってはじめて発生する権利であることに着目すれば，破産債権にも該当せず，むしろ非破産債権とみなすべきである。非破産債権については，破産財団所属債権との相殺が許されない（本書517頁参照）。また，求償権者が取得した原債権が破産債権としての権利行使に関する制約や免責による責任の消滅という変更を受けるときには，それと一体の関係にある非破産債権としての求償権にもとづく自由財産所属債権との相殺も許されないと解すべきである。

　　b　委託保証人　　これと比較して，主債務者から委託を受けた保証人（委託保証人）の事後求償権のように，保証契約および保証委託契約とともに，将来の弁済に係る停止条件付権利として破産手続開始時前に成立しているときには，破産手続開始時にすでに存在する破産債権とみなされるべきであるから，破産手続開始後の他人の破産債権の取得として，それにもとづく相殺を禁止すべき理由はない[147]。もちろん，停止条件付の破産債権である間は，それは未

---

[146] 条解会更法（中）908頁，条解民事再生法501頁〔山本克己〕，注釈破産法（上）500頁。この考え方にしたがえば，本号によって相殺禁止の対象となるのは，「他人」の破産債権の取得だけではなく，破産手続開始後の債権の取得一般である。旧破産法下の立法論としては，1号の対象を他人の破産債権取得だけではなく，破産手続開始後の破産債権取得全般に拡張することが考えられたが（山本克己「相殺権と相殺禁止の見直し」ジュリ1111号117，120頁（1997年）），現行法でもこの点について変更はない。

[147] 220問283頁〔高木洋平〕。組合契約などにもとづく連帯債務者間の事後求償権についても同様に考えられる。

　もっとも，一部の代位弁済をしたにとどまる場合には，法104条2項ないし4項との関係から，求償権をもって自働債権とする相殺は許されない。法104条2項ないし4項は，直接には，破産手続への参加に関する規律であるが，原債権の破産債権行使と求償権者の相殺権行使が競合することも，他の破産債権者の利益を損なうからである（本書313頁参照）。

　また，本来は事後求償権であるが，破産手続開始申立てなどを理由として事前求償権の成立を認める旨の特約がある場合についても検討の必要がある。破産手続開始申立てなどを理由とする契約解除条項の効力を否定する考え方（本書397頁参照）との関係では，この種の事前求償権にもとづく相殺を否定するとの議論もありえよう。

発生の権利であり，それを自働債権とする相殺は認められないが，弁済によって条件が成就した場合には，相殺を禁止すべき根拠は見出しがたい。

上記の有力説（本書542頁）は，本来は，破産債権として破産手続にしたがった配当をすれば足りるにもかかわらず，求償権にもとづく相殺を許すことによって破産手続によらない満足を与えることを破産財団が受忍しなければならないという不当な不利益が発生するという。

しかし，破産手続開始前から停止条件付権権としての破産債権を有していた者には，破産財団に対して負担する債務との間に合理的相殺期待が認められる。その点で，破産手続開始後に他人の破産債権を取得する者との間には，違いが存在し，この相殺期待を保護するためにも，法72条1項1号の文言に忠実に，この種の求償権にもとづく相殺を許すべきである。

　　c　無委託保証人　　これに対して，主債務者からの委託を受けない保証人（無委託保証人）が，破産手続開始後に弁済をなした場合に，代位取得した原債権を自働債権とする相殺は，法72条1項1号によって禁止されるが，それに加えて，求償権を自働債権とする相殺までを禁止すべきかどうかが議論される。下級審裁判例は，この場合の求償権も保証契約という破産手続開始前の原因にもとづく停止条件付権利であるとの理由から，禁止の対象とならないとしていたが，最高裁判例は，求償権を破産債権とする前提に立ちながら（本書288頁注55参照），法72条1項1号の類推適用によって相殺が禁止されるものとした[148]。

---

[148]　大阪地判平成20・10・31判時2060号114頁，大阪高判平成21・5・27金法1878号46頁。これに対する批判的見解として増市徹＝坂川雄一「保証人の事後求償権と相殺」銀行法務21　689号24，32頁（2008年），中西正「委託を受けない保証人の求償権と破産財団に対する債務との相殺の可否」同37頁，佐々木修「委託なき保証による事後求償権と破産手続開始後の相殺の可否」銀行法務21　723号26頁（2010年）などがあり，無委託保証人の事後求償権を破産債権とした上で，法72条1項1号の類推適用による相殺禁止を説く。

　このような議論を受けて最判平成24・5・28民集66巻7号3123頁〔倒産百選70事件〕は，破産法67条1項によって相殺を許容される破産債権と異なって，無委託保証人が破産手続開始後の代位弁済によって取得する求償権を内容とする破産債権については，破産手続開始時における合理的相殺期待が認められず，また，代位弁済を受けた債権者から求償債権者に破産債権を行使する主体が実質的に入れ替わったとみられることから，破産法72条1項1号の類推適用によって相殺を禁止すべきものとしている。

　なお，同判決には，破産債権者間の実質的平等に背馳する場合には，合理的相殺期待を認めるべきでないことを強調する須藤正彦裁判官の補足意見，類推適用の根拠として，こ

本書では，相殺を禁止する点では判例を支持し，その理由は，この種の求償権の非破産債権性（本書288頁参照）に求める。無委託保証にもとづく求償権の本質は，保証契約の段階では，もっぱら債権者の利益のために行われること[149]，弁済が行われてはじめて主債務者の利益実現に資することなどを考慮して，事務管理者の費用償還請求権と解されていること，保証契約は，債権者に対する保証人の義務成立の根拠となるものではあっても，保証人の主債務者に対する求償権の成立根拠となるものではないことを考えれば，事務管理にもとづく求償権は，保証人の弁済行為によってはじめて成立するものであり，それ以前に停止条件付権利としての成立が認められるものではない。

したがって，無委託保証人の破産手続開始後の弁済にもとづく求償権は，純然たる第三者による弁済の場合と同様に，破産債権とならず[150]，非破産債権として，破産財団所属債権を受働債権とする相殺が許されない。また，自由財

の種の破産債権にもとづいて相殺を認めることが，債務者や他の破産債権者の期待に反し，また破産手続開始後に相殺状況を作り出したとみられる点で，破産法72条1項1号にいう他人の破産債権の取得と同視すべきであるとする千葉勝美裁判官の補足意見が付されている。

そこでいう相殺の合理的期待や民法における無制限説との関係について，潮見佳男「相殺の担保的機能をめぐる倒産法と民法の法理」田原古稀（上）296頁参照。また，木村真也「委託なき保証人の事後求償権と破産手続における相殺」金法1974号52頁（2013年）では，受働債権たる債権に対する差押えとの比較において，代位弁済前に債務者に破産手続が開始した場合には，停止条件付債権たる求償権にもとづく相殺への期待が具体化していたとは評価しがたいとの理由から，法72条1項1号の類推を肯定する。

なお，この判例の意義を敷衍して，求償権にもとづく相殺の機会を確保するための寄託請求（破70前段）が許されないこと，破産手続開始後に破産者のマンション滞納管理費を支払った買主について，求償権を自働債権とする相殺を許さないと説くものとして，倒産と訴訟73頁〔福田修久＝明石法彦〕がある。下請会社の破産手続開始後に元請会社が孫請会社に立替払いをした場合については，破産法大系Ⅱ371頁〔小林信明〕参照。

[149] やや違った視点からではあるが，中西正「いわゆる『合理的相殺期待』概念の検討」事業再生と債権管理136号50頁（2012年）は，無委託保証にもとづく求償権による相殺が，主債務者の責任財産について他の債権者が有する利益を正当な根拠なく侵害すると述べる。中田・債権総論488頁が保証契約を求償権成立の主要な事実としつつ，相殺期待の正当性を認めえないことを理由として，前の原因にあたらないとするのも，同様の考え方と理解する。

[150] 最判平成7・1・20民集49巻1号1頁〔旧和議〕，最判平成10・4・14民集52巻3号813頁〔旧和議〕〔倒産百選〈第4版〉43②事件〕に関する調査官解説（最高裁判所判例解説民事篇平成7年度（上）10頁以下，同平成10年度（上）445頁以下）参照。ただし，これらの判決のうち，特に平成10年判決が無委託保証に類するものかどうかについては，なお検討の必要がある。

産所属債権を受働債権とする相殺についても，破産手続中はそれが制限され（本書517頁），また免責の効果が生じれば，それが許されなくなることは，注に述べる通りである[151]。

　　イ　破産手続開始後に原始的に取得した破産債権を自働債権とする相殺

　破産財団に対して債務を負担する者が，他人の破産債権を取得するのではなく，破産手続開始後に行われる破産管財人の行為などにもとづいて破産債権を

---

[151]　栗田隆「主債務者の破産と保証人の求償権――受託保証人の事前求償権と無委託保証人の事後求償権を中心にして」関西大学法学論集60巻3号45頁（2010年），三上512頁参照。ただし，山本和彦「倒産手続における求償権の処遇」関西法律特許事務所編・民事特別法の諸問題（4）265頁（2002年），長谷部由起子「弁済による代位（民法501）と倒産手続」学習院大学法学会雑誌46巻2号239頁（2011年）は，保証契約自体をもって事務管理行為とみなす立場から，破産債権説をとる。

　もっとも，求償権と原債権との関係についての判例法理，すなわち「代位弁済者はその求償権の範囲内で右の移転を受けた原債権及びその担保権自体を行使するにすぎないのであるから」（最判昭和59・5・29民集38巻7号885頁）という判示，およびこれを踏まえた「原債権（および担保権）は，どこまでも求償権の確保のために存立するものであるから，求償権の範囲内でしかこれを行使することはできない」（奥田・債権総論543頁）という学説の理解を踏まえると，求償権が非破産債権となれば，保証人が取得する原債権を破産債権として行使することは，求償権の範囲を超えるとの議論もありえよう。

　しかし，保証人による原債権の行使が求償権の範囲によって制約されるというのは，あくまで実体法の次元での制約にとどまり，非破産債権という手続法上の制約，すなわち，同じく破産者に対する債権でありながら，破産手続上の行使が許されないという制約が求償権に課されたからといって，そのことによって，保証人による原債権の破産債権行使が否定されるべきものではない。

　大阪高判平成22・5・21判時2096号73頁の「民法は手続法ではなく実体法であることに鑑みれば，民法501条柱書の『自己の権利に基づいて求償をすることができる範囲内』とは，求償権が存する場合にその求償できる上限の額の範囲内（原債権の額が求償権の額を下回っている場合には，原債権の額の範囲内），すなわち実体法上の制約の範囲内を意味していると解すべきであり，それ以上に，上記『範囲内』が手続法上の制約を含むとみることは，実体法の解釈として疑問があるというべきである上，民法501条柱書が手続法上の制約についても規定しているとすれば，債権者が原債権に債務名義を有するときは，代位者は，承継執行文の付与を受けてこれを行使することができるとされていること（民事執行法27条2項）と相容れないと解されることなどの点を併せ考慮すれば，民法501条柱書の解釈として，債務者が原債権を行使する代位弁済者に対し，求償権の行使に手続法上の制約が存することをもって対抗できると解するのは相当でない」との判示を踏まえても，このような結論が妥当と思われる。最判平成23・11・24民集65巻8号3213頁〔倒産百選48②事件〕も，求償権についての手続的制約とかかわりなく，原債権の破産債権行使を認めている。

　なお，破産債権である原債権について免責の効果（破253 I柱書本文）が生じたときには，非破産債権たる求償権も信義則上，破産者に対する訴求可能性を失うと解すべきであろう。冨上智子「第三者の弁済による求償・代位と倒産手続」判タ1386号55頁（2013年）参照。

取得する可能性がある。その例としては、双方未履行双務契約についての破産管財人による解除権行使の結果として生じる相手方の損害賠償請求権（破54Ⅰ）、破産手続開始後の為替手形の引受けまたは支払にもとづく支払人等の償還請求権（破60）、否認の相手方が有する反対給付の価額償還請求権（破168Ⅱ②）、破産手続開始後の受任者の債権（破57）などが考えられるが、これらの破産債権を自働債権とする相殺が許されるかどうかは、法72条1項1号の解釈問題としてではなく[152]、これらの債権を破産債権とする法の趣旨との関係から決せられるべきである。

これらの債権を財団債権ではなく、破産債権とする趣旨が、手続によらない弁済を受けることを否定し（破2Ⅶ参照）、破産手続による配当を受ける地位にとどめることにあることを考慮すれば、破産財団に対して負担する債務を受働債権とする相殺を認めることは、その趣旨に反するといえよう。このことは、否認の相手方が有する反対給付の価額償還請求権（破168Ⅱ②）にもっともよくあてはまる[153]。

これに対して、破産管財人の解除権行使の結果として生じる相手方の損害賠償請求権（破54Ⅰ）や為替手形の引受けまたは支払にもとづく支払人等の償還請求権（破60）については、破産手続開始前の原因にもとづく破産債権を自働債権とする相殺が原則として許されることと比較すれば、相殺を許容すべきである。たとえば、法54条1項にもとづく相手方の損害賠償請求権についていえば、相手方は、破産管財人の解除権行使そのものによって予期せぬ不利益を受けているのであり、破産債権たる損害賠償請求権を自働債権とする相殺を否定することによってそれ以上の不利益を受忍させるべき理由に乏しい[154]。法

---

[152] これに対して、破産法72条1項1号の解釈として類推適用を主張するものとして、条解破産法〈第3版〉583頁、条解民事再生法501頁〔山本克己〕がある。

[153] 偏頗行為否認の結果として復活する受益者の破産債権（破169）を自働債権とする相殺を許すべきかどうかについては、そもそもの相殺期待を保護すべきであるとの考え方もありえようが、いったん偏頗行為によって利益を受けた者の相殺期待をなお保護する理由に乏しいと考えられるので、相殺を否定すべきである。

[154] これに対して東京地判平成24・3・23判タ1386号372頁は、請負人の破産管財人による解除にもとづいて発生した注文者の損害賠償請求権を破産債権者が自ら破産手続開始後に取得した破産債権にあたるとし、法72条1項1号を類推して、相殺を禁止する。倒産と訴訟74頁〔福田修久＝明石法彦〕も、合理的期待の不存在を理由に、相殺を否定し、田頭章一「請負人の破産と注文者からの相殺の可能性」高橋古稀1215頁もこれを支持する。しかし、注文者は破産管財人の解除を受忍せざるをえない立場にあり、自ら取

60条にもとづく支払人等の償還請求権についても，破産手続開始後に手形の引受けまたは支払という出捐をしている以上，それに起因して発生した破産債権を自働債権とする相殺までを否定することは合理的とはいえない。

(2) 破産者の債務者が，破産者が支払不能になった後にそれについて悪意で破産債権を取得したとき（破72 I②）

破産者に対して債務を負担する者がその負担を免れようとすれば，すでに経済的価値を失った他人の破産債権を廉価で買い受け，自らの債務と相殺することが考えられる。また，破産者に対して預金返還債務を負担する金融機関が，割引手形の買戻請求権を行使して，手形買戻代金債権を取得し，その代金債権と預金返還債務とを相殺するような場合，破産者に対して預金返還債務を負担する金融機関が，破産者が支払不能に陥ったことを知って，破産者振出しの約束手形をその所持人から割引によって取得し，その手形金請求権と預金返還債務とを相殺するような場合（同行相殺。本書553頁）も考えられる。このような相殺を認めることは，破産財団所属の財産である当該債務を失わせる結果となる。

法71条1項2号が，他人の破産債権の取得を含めて，破産者が支払不能になった後に取得した破産債権を自働債権とし，破産者に対して負担する債務を受働債権とする相殺を禁止するのは，このような理由にもとづく[155]。ただし，

得した破産債権といえるかどうか疑わしく，相殺を許すべきである。岡正晶「倒産手続開始後の相手方契約当事者の契約解除権と相殺権」伊藤古稀794頁は，相手方からの解除を含め，注文者の損害賠償請求権は，他人の破産債権の取得と同視すべき理由がなく，要保護性の視点からも相殺を許容すべきであると説く。相殺を認める点に関しては，本書と立場を共通にするが，相手方からの契約解除を許容すべきかどうかについては，本書423頁参照。破産実務の基礎196頁は，和解的解決の可能性を示唆する。

また，札幌高判平成25・8・22金法1981号82頁は，損害賠償請求権が破産手続開始後の破産管財人による解除によって発生したものである以上，破産手続開始時に相殺適状が存在せず，破産法67条1項との関係から，相殺を不許とする。しかし，法67条1項が相殺の自働債権たりうる破産債権を破産手続開始時のものに限定しているかどうかも問題であり，本文に述べた理由からも，相殺を許すべきものと解する。

155) 法72条1項2号の相殺禁止は，相殺禁止の範囲を拡張すべきであるとの立法論に応えるために，支払不能になった後の債務負担を理由とする相殺禁止（破71 I②）とあわせて，現行法によって創設されたものである。法71条1項2号が，専相殺供用目的などの厳格な要件を設けているのと比較すると，法72条1項2号の要件は簡潔であるが，これは，支払不能になった後にそれについて悪意で破産債権を取得すること自体に，経済的合理性が欠けると判断されたためである。条解破産法〈第3版〉582頁参照。悪意の認定の具体例について220問287頁〔渡邊賢作〕参照。

このような作為によって破産者に対する債務を免れようとするのは，破産債権を取得した者が破産者の支払不能について悪意である場合に限られるので，相殺を禁止するためには，悪意の証明が要求される。

　(3)　破産者の債務者が，支払停止があった後にそれについて悪意で破産債権を取得したとき（破72 I ③）

　破産手続開始までに取得した破産債権を自働債権とする相殺は，その効力を認められるのが原則である（破67 I・72 I ①参照）。しかし，支払停止などから破産手続開始までの危機時期においては，すでに債務者の破綻が外部に明らかになり，債務者に対する債権の実質的価値が下落していることを考えれば，これを自働債権とし，破産者に対する債務を受働債権とする相殺を無条件に認めることは，破産財団たるべき財産を失わせ，他の破産債権者の利益を害する。このような考慮にもとづいて法は，破産債権を取得した者が支払停止について悪意の場合に限って，相殺を無効としたものである。悪意の証明責任は，無効を主張する破産管財人が負担する。ただし，法71条1項3号但書と同様に，支払停止の事実にもかかわらず，支払不能でなかったことを相殺を主張する破産債権者が証明すれば，相殺は許される（破72 I ③但書）。

　また，3号は，1号とは異なって，2号および4号と同様に，他人の破産債権を取得したことを要件としていない。これは，破産手続開始前後の時期の違いによるものであり，破産手続開始後に自らが原始的に破産債権を取得するのは例外的な場合にすぎないのに対して，開始前には，他人の破産債権の取得はもちろん，自らが原始的に破産債権を取得するのも常態であるために，2号から4号までは，他人の破産債権を譲り受けた場合だけではなく，破産者に対して債務を負担する者自らの行為によって破産債権を取得した場合にも，適用可能性がある。

　もっとも，その破産債権取得が破産者に対する救済融資などであるときにも，それによって生じた貸付金債権を自働債権とする相殺が許されないかどうかについては，旧法下では争いがあった。たとえば，金融機関が危機に陥った破産者からの要請に応じて救済融資を行い，その貸付金債権と預金返還債務との相殺を行う場合などである[156]。現行法は，法72条1項にもとづく相殺禁止の例

---

156)　伊藤・破産法〈第3版補訂版〉329頁参照。また，救済融資にともなう担保提供などが偏頗行為否認の対象とならないこと（本書590頁）も，同様の考え方にもとづく。

外の1つとして，破産債権の取得が破産者に対して債務を負担する者と破産者との間の契約による場合を規定しており（破72Ⅱ④），上記の例はこれによって相殺が許される。実質的にみれば，契約によって相殺権者が相当の出捐をしている以上，その出捐にもとづく破産債権を自働債権とする相殺を認めても，他の破産債権者を害することはないとの判断によるものである[157]。

(4) 破産者の債務者が，破産手続開始申立てがあった後にそれについて悪意で破産債権を取得したとき（破72Ⅰ④）

この相殺禁止の趣旨も，3号と同様のものであり，破産債権者の債務負担に係る法71条1項4号に対応する。

(5) 4つの例外

受働債権たる債務負担の時期による相殺禁止の場合（破71Ⅱ）と同様に，破産手続開始前の破産債権取得の時期による相殺禁止（破72Ⅰ②～④）については，4つの例外が認められる。破産債権の取得に関して作為が介在しえないこと，あるいは破産債権の取得が合理的期待にもとづいていることなどが，これらの例外の趣旨である。第1の例外は，破産債権の取得が法定の原因にもとづくときである（同Ⅱ①）。法定の原因としては，相続や合併のような一般承継のほかに，事務管理，不当利得，不法行為などが含まれる。ただし，事務管理などについては，相殺権者の作為が認められるときには，相殺は許されない[158]。

第2の例外は，破産債権の取得が，支払不能や支払停止等について破産者の債務者が悪意となった時よりも前に生じた原因にもとづく場合である（同②）。受働債権たる債務負担に関する法71条2項2号の場合と同様に，危機について悪意となる以前に生じた相殺期待を保護するのが，この例外の趣旨である。したがって，ここでいう原因は，債権取得を基礎づける直接の法律関係でな

---

157) 一問一答119頁，条解破産法〈第3版〉586頁，大コンメンタール315頁〔山本克己〕参照。もちろん，その契約内容が，実質的価値のない財産を破産者に買い取らせるような，破産債権者の利益を害するものであるときには，契約自体に対する否認可能性がある。

158) 前記の通り，破産者に対する債務者が，他の債権者に対する破産者の債務を委託なしに弁済し，その結果生じた求償権を自働債権とする相殺は許されない。本書545頁参照。
　また，合併にもとづく破産債権の取得について，作為の介在可能性を理由として合理的相殺期待を認めえないという理由から，相殺禁止の対象とすべきことを主張するものとして，条解会更法（中）912頁，条解破産法〈第3版〉577, 585頁，注釈破産法（上）503頁があり，大コンメンタール309, 314頁〔山本克己〕は，立法論として検討の必要を説く。

ければならない。たとえば，割引手形の買戻請求にもとづく買戻代金債権については，手形割引契約が直接の原因にあたるとされ，この債権と預金返還債務の相殺が許される[159]。また，破産者に対する保証人が保証債務の履行にもとづく求償権（民459〜460・462）を自働債権として主張するときにも，保証契約は，債権取得を基礎づける直接の法律関係とみなされる（ただし，無委託保証人の求償権については，本書289頁参照）[160]。

---

[159] 最判昭和40・11・2民集19巻8号1927頁〔倒産百選66事件〕。条解破産法〈第3版〉585頁，大コンメンタール314頁〔山本克己〕。その他，注文者の請負人に対する違約金債権にもとづく請負代金債権との相殺について，請負契約を前に生じた原因とした東京高判平成13・1・30訟月48巻6号1439頁，請負代金の信託譲渡を受けた者に対する関係でも相殺を有効とした東京地判平成28・6・2金法2054号60頁，元請業者の下請業者に対する立替払金求償債権にもとづく相殺について，立替払代金を前に生じた原因とした東京高判平成17・10・5判タ1226号342頁〔民事再生〕などがある。伊藤尚「下請事業者再生申立後の元請事業者による孫請代金の立替払いと，その求償権に基づく相殺について」民事再生の実務と理論137頁，220問285頁〔髙尾和一郎〕，田頭・前掲論文（注154）1225頁，150問156頁〔山形康郎〕参照。

これに対し，破産法大系Ⅱ371頁〔小林信明〕は，立替払いが義務づけられていない点で保証人の求償権と区別されるとし，元請会社が下請会社に対する債務の履行を免れようとする意図の下に行う相殺は，権利の濫用にあたるとする。

[160] 連帯債務者の求償権について，最判平成10・4・14民集52巻3号813頁〔旧和議〕〔倒産百選〈第4版〉43②事件〕が，申立後の弁済にもとづく求償権を自働債権とする相殺は旧法104条4号（現破72Ⅰ④）に抵触しないと判示する。ただし，無委託保証人の求償権については，保証委託契約が存在せず，保証人と債権者との間の保証契約が主債務者に対する求償権の成立根拠にならないとすれば（本書289頁参照），この時期における弁済によって保証人が破産債権等たる求償権を取得しても，保証契約がそれを基礎づける直接の法律関係とみなされない（岡正晶「無委託保証人の事後求償権による相殺を破産法72条1項1号の類推適用により相殺不可とした最二小判平24.5.28」金法1954号70頁（2012年）参照）。

なお，現行民法511条2項本文も，破産法72条2項2号と同趣旨の規定であり，支払不能や支払停止等について悪意になった時ではなく，差押えの時点を基準としていることの違いはあるが，前に生じた原因の意義については，破産法上の議論が参考となろう。潮見・新債権総論Ⅱ313頁，中田・債権総論489頁参照。将来債権譲渡を想定した現行民法469条2項2号についても，同様である。

この点に関して，債権法研究会編・詳説　改正債権法367頁（2017年）〔岡正晶〕は，「新制限説」として，民事訴訟法135条にもとづく将来の給付の訴えの利益に関する判例法理を基礎とし，前に生じた原因が認められるとしても，配当要求の終期の時点において将来の給付の訴えを提起することのできる請求権としての適格を有している債権のみを相殺の自働債権とすることができると説く。しかし，その判例法理は，継続的不法行為にもとづく将来の損害賠償請求について形成されたものであり（伊藤・民訴法184頁），これを判断基準とすることは，相殺の許容性を相当に狭めることになろう。

さらに，破産法72条2項2号に関する近時の重要判例として，最判令和2・9・8民集74巻6号1643頁がある。同判決は，請負人と注文者との間に複数の請負契約が締結され

第3の例外は，破産手続開始申立て時よりも1年以上前に生じた原因にもとづく債権の取得の場合である（破72Ⅱ③）。その趣旨は，法71条2項3号について述べたのと同様である[161]。

　第4の例外は，破産者に対して債務を負担する者と破産者との間の契約による破産債権の取得である（破72Ⅱ④）。先に挙げた救済融資の例のように，契約関係にもとづいて破産債権が発生する場合には，債務負担を免れるための作為によって破産債権を取得するおそれが認められず，また必要な場合には，契約自体を否認する可能性も残されているために，例外とされたものである[162]。

ているときに，請負人の支払停止を知った後に，注文者がそれらの契約のうちの未完成契約を解除し，その後に請負人が破産した事案において，請負人の破産管財人がそれらの契約にもとづく報酬債権の支払いを求めたところ，注文者が解除にもとづく違約金債権を自働債権とする相殺を主張した事案である。当該違約金債権が破産法72条1項3号の破産債権に該当することを前提とし，ある請負契約解除にもとづく違約金債権の取得が，他の請負契約の条項にもとづく受働債権との関係でも，「前に生じた原因」に該当するかどうかが重要な争点になった。

　原審（福岡高判平成30・9・21金法2117号62頁）は，契約としての別異性を重視して，相殺を否定したが，上告審は，違約金債権の発生根拠となる条項が当事者間の全ての未完成請負契約に共通して定められており，両当事者が解除にもとづく違約金債権と報酬債権を一括清算することを予定していたとみることができるとし，特定の請負契約解除にもとづく違約金債権の取得について，当該請負契約のみならず，他の請負契約の条項にもとづく受働債権との関係でも請負人が相殺の担保的機能に対して合理的な期待を有していたとして，「前に生じた原因」に該当し，他の請負契約にもとづく報酬債権との相殺をも認めている。複数の請負契約をまたぐ一括清算の合意を重視したものであるが，その妥当範囲については，今後の検討が必要であろう。藤本・前掲論文（注96）30頁は，契約間の時間的近接性による相殺期待の高さを評価したものとする。

161）　旧法下では，対応する規定である旧法104条4号但書の解釈として，1年以上前に生じた原因にもとづく債権取得であっても，その取得当時，債権者が破産者の支払不能状態などを知り，したがって取得債権にもとづく相殺によって破産者に対して負担する債務を免れることが，他の債権者を害する事実を認識していたときには，相殺は許されないとの考え方が有力であった（大判昭和9・1・26民集13巻74頁，基本法165頁〔山本克己〕，大コンメンタール315頁〔山本克己〕）。しかし，相殺禁止の範囲が拡張され，支払不能についての悪意を理由とする相殺禁止（破72Ⅰ②）が認められた現行法の下では，このような解釈をとる理由はない。

162）　偏頗行為否認に関する同時交換的取引の除外（破162Ⅰ柱書かっこ書。本書590頁）と同趣旨であると説明される。概説264頁，条解破産法〈第3版〉586頁，大コンメンタール315頁〔山本克己〕。その例として，元請会社が下請会社との間の立替払約款にもとづいて，下請会社の孫会社に対する債務を立替払し，その結果として立替金求償権を取得する例が挙げられる。新版破産法258頁〔加々美博久〕，前掲東京高判平成17・10・5（注159）。

3 法71条および法72条以外の根拠にもとづく相殺権の制限

旧法下では，旧法104条各号による禁止以外にも，破産債権者間の公平の視点からは，なお相殺を制限すべき場合があるといわれていた。具体的には，相殺濫用論および相殺否認論がある。

(1) 相殺権の濫用

相殺権の濫用法理は，いわゆる同行相殺に対処するために発達したものである。同行相殺の基本的関係は，以下のように整理される。甲銀行A支店に預金口座をもつ乙が破産した場合に，甲が乙に対してもつ債権を乙の預金債権と相殺しても，なお乙の預金に余裕があるとする。乙振出しの手形を所持する丙が，その手形を同じく甲銀行の支店であるB支店で割り引いていたとき，甲としては，丙に対して手形の買戻しを請求することもできるが，それをせずに，上記の支払人口手形にもとづく債権と乙の残余預金債権とを相殺するのが，同行相殺である。

丙と甲との間の手形割引が支払停止後などの時期になされていれば，危機時期における破産債権の取得とされる可能性があったが（旧破104④本文），それ以前になされていれば，相殺が禁止されることはなかった。しかし，破産債権者による相殺権の行使は，自己の債権保全に必要な範囲内でなすべきであり，丙に十分な買戻能力があるにもかかわらず同行相殺が行われれば，乙の破産による丙の損失を乙の一般債権者に転嫁させる目的が認められ，相殺権の行使が権利の濫用として無効とされた[163]。

現行法の下でも，権利濫用の一般法理が破産債権者による相殺権の行使に適用されうること自体は否定すべきではない。したがって，相殺権の濫用法理自体が現行法の下で否定されるものとはいえない[164]。しかし，旧法104条と比

---

[163] 好美清光「銀行取引と相殺権」銀行取引法講座（中）274頁，青山・前掲論文（注126）(3)・金法916号6頁（1980年），霜島283頁，三木浩一「相殺権の濫用」実務と理論192, 194頁，新版破産法501頁〔深山雅也〕，中島I 413頁。ただし，最判昭和53・5・2判時892号58頁〔倒産百選〈第4版〉61事件〕は，手形の買戻請求権などを行使するか，相殺権を行使するかは，破産債権者の自由な選択に委ねられるとし，相殺濫用論を否定している。これに対して，相殺権の濫用法理を認めた裁判例として，大阪地判平成元・9・14判時1348号100頁がある。議論の状況については，条解破産法〈第3版〉558頁，大コンメンタール296頁〔山本克己〕参照。

[164] 基本構造467頁。いわゆる協力預金に関して相殺権の濫用を否定したものとして大阪高判平成17・9・14金商1235号44頁があるが，疑問が多い。また，事業再生ADRなどの過程で，資金がメインバンクに集約され，ADRが頓挫した後にメインバンクがその預

較すると，現行法71条および72条は，破産者が支払不能になった後の債務負担または破産債権取得を理由とする相殺の禁止を拡充しており（破71 I ②・72 I ②），それに含まれない場合にまで，さらに権利濫用の法理によって相殺権の行使が規制されるのは，例外的な場合に限られよう。上の例でいえば，甲銀行と丙との関係などからみて，丙の利益を保全するために相殺が行われ，そのことが乙の破産債権者の利益を害すると認められるような場合が相殺権の濫用とされる可能性がある。

(2) 相殺の否認

上記の相殺濫用論は，自働債権たる破産債権の取得に関する議論であるが，旧法下で議論された相殺の否認は，自働債権の取得に限らず，旧法104条2号（現破71 I ③）の適用範囲外である受働債権の負担についても，一定の条件の下に相殺を故意否認（旧破72①）の対象としようとする考え方であった。たとえば，支払停止前ではあるが，債務者の倒産が確実に予想される時点で，債権者を害する目的で振込指定契約が締結され，それにもとづく債務負担が生じている場合などが問題となった。判例・通説は，相殺否認の可能性を否定していたが，否認を認める考え方も有力であり，伊藤・破産法〈新版〉282頁も相殺の否認を認めていた[165]。相殺禁止の範囲が，支払不能になった後の債務負担や

金を受働債権とする相殺を実行することも，ADRに協力した他の金融機関の期待を著しく裏切るものとして，相殺権の濫用法理を適用することが考えられる。破産実務の基礎258頁参照。

[165] 伊藤・破産法〈第3版補訂版〉332頁。判例は，最判昭和40・4・22判時410号23頁，前掲最判昭和41・4・8（注133），最判平成2・11・26民集44巻8号1085頁〔倒産百選〈第4版〉37事件〕，これを支持する通説は，中田134頁，山木戸170頁，谷口244頁，注解破産法（上）727頁〔斎藤秀夫〕，大コンメンタール297頁〔山本克己〕，条解民事再生法488頁〔山本克己〕など。反対する有力説は，条解会更法（中）26頁，石原323頁，基本法115頁〔池田辰夫〕，今中利昭「倒産企業に対する銀行の行なう相殺の効力（上）（下）」NBL 118号22頁，120号36頁（1976年），伊藤・研究410頁などがある。

本文に述べる通り，本書では相殺否認論をとるが，相殺濫用論と比較した場合の長所は，第1に，自働債権の取得のみならず，受働債権の負担にも適用されうること，第2に，濫用の要件よりも否認の要件のほうが柔軟性をもつことなどである。相殺否認論の問題点を詳細に検討したものとして，基本法156頁〔山本克己〕，高見進「新破産法における相殺の否認の余地について」伊藤古稀927頁があり，高見論文943頁は，自働債権の取得にもとづく相殺について詐害行為否認の可能性を認める。また，立法の検討事項としても掲げられたが（検討事項第4部第4・2 (2) ウ，第6・2参照），それ自体としては立法に至らず，法71条1項2号や72条1項2号の相殺禁止の拡充に具体化した。

なお，この他に相殺の否認が主張される場面として，銀行が債権者代位権の行使として

破産債権取得にまで拡大された現行法の下では，相殺の否認を議論する意味が，旧法下に比較して少なくなったことについては，疑問の余地がない。しかし，支払不能になる前でも破産者の倒産が必至となった状態での債務負担や破産債権取得を基礎として相殺期待が創出される可能性はあり，これに対して詐害行為否認（破160Ⅰ①）の成否を議論する意義が失われたわけではない。本書でも，なお相殺の否認可能性を維持する[166]。

　議論の第1の争点は，債権者の一方的行為である相殺について否認が考えられるかである[167]。確かに，否認の対象となるのは，原則として破産者の破産手続開始前の行為であるが（破160Ⅰ①），相殺適状の創出について破産者の加功行為が認められるような事案では，それを基礎とした相殺権の行使を否認の対象とすることができる。執行行為の否認（破165）が認められていることを考えても，効果において破産者の弁済と同視され，また債務者の意思を問わない債権の回収という性質において執行行為と類似性をもつ相殺について，否認を排除する理由はない。

　第2の争点は，否認の対象およびその効果であり，通説は，相殺そのものを否認しても，相殺適状が復活するのみで，依然として相殺の可能性が残されており，否認の意味がないとする。確かに相殺が否認されることによって債権債務が復活するが，復活した債務は，破産財団に対して現実に履行されることを予定されるものであり，相殺適格を否定すべきである（民505Ⅰ但書）[168]。

　　信託受益証券を解約し，受領した解約金返還請求権を受働債権とする相殺に対する否認を主張することが考えられる。これを否定したものとして，前掲名古屋高判平成24・1・31（注129）〔民事再生〕がある。

[166]　これに対して，詐害行為と偏頗行為との区別などを理由として，相殺に対する詐害行為否認の可能性を否定する考え方が多数である。基本構造387, 466頁。

[167]　したがって，相殺の否認を否定する場合でも，破産者による相殺の合意については，否認の可能性があろう。東京高判平成14・9・30 D1-Law 判例ID 28152692。これに対し，東京地判平成30・11・12金商1558号40頁は，生活保護費の不正受給にもとづく徴収金と生活保護費との相殺について，それが破産者の同意にもとづいて行われた場合であっても，否認は認められないとしている。徴収金の特質を重視したものと理解する。退職金債権と貸付金債権との相殺の合意が否認の対象とならないとした東京高判平成30・7・18金商1566号33頁も，類似のものであるが，相殺を前提として貸付けがなされたという事情があり，むしろ有害性の欠缺（本書563頁）または同時交換的取引の除外（本書590頁）の判断枠組に沿ったものと考えられる。

[168]　民法505条1項但書にいう相殺許容性については，相殺をなすことが債務を成立せしめた本旨に反する場合と説明されるが（注釈民法（12）396頁〔中井美雄〕），ここでも，相殺を認めることが債務を復活せしめた本旨に反すると思われる。三上519頁も本書の考

第 3 の争点として，相殺そのものを否認の対象としなくとも，その基礎となる破産者の債務負担行為を否認すれば十分であるとの主張が通説の側からなされる。しかし，自働債権の取得や第三者からの口座振込みなどにもとづく債務負担のように，債務者の直接的な行為が介在しない場合も多いので，相殺否認の必要性は存在する。

第 4 項　相殺権の実行

破産債権者は，破産手続によらないで相殺権を行使することができる（破 67 I）。破産手続によることを要しないということの意味を，通説は，相殺権実行の前提としての自働債権たる破産債権の届出（破 111 I）および調査・確定（破 115 以下）を要しないという趣旨であるととらえる。これに対して少数説は，自働債権が破産債権である点を重視して，それが届出を経て確定されない限り，相殺の効力は生じないとする[169]。

通説と少数説との間の実質的な差異は，破産管財人が自働債権たる破産債権の存在または額を争った場合の起訴責任の所在に関して生じる。通説によれば，相殺の効力を争う破産管財人の側から，受働債権の履行を求めて相手方に対して給付訴訟を提起することになり，その訴訟の中で相手方は，相殺の抗弁を提出し，自働債権の存在および内容を立証する。これに対して少数説の立場では，破産管財人が自働債権たる破産債権について調査手続の中で異議を唱えることとなり（破 116），破産債権者の側が破産債権査定申立て（破 125）などによって，自働債権たる破産債権の存在および額を証明する。

少数説をとることは，法 67 条 1 項の趣旨と合致しないので，本書でも通説を支持する。もちろん，相殺権者が進んで破産債権の届出をなすことは可能である。また，自働債権の全額が相殺によって回収できず，同時に破産債権としての権利行使を望むときには，届出をなさなければならない。届出にあたっては，別除権者の場合と異なって不足額の原則がないので，自働債権全額の届出

え方を支持する。
[169]　通説は，中田 134 頁，山木戸 174 頁，谷口 244 頁，石原 333 頁，宗田 433 頁，霜島 274 頁，条解会更法（中）883 頁，条解破産法〈第 3 版〉552 頁，大コンメンタール 295 頁〔山本克己〕，倒産と訴訟 516 頁〔藤本利一〕など。少数説の内容およびそれに対する批判に関しては，注解破産法（上）694 頁〔斎藤秀夫〕，基本法 155 頁〔山本克己〕が詳しい。

ができる。ただし，相殺の意思表示がなされれば，その効果によって破産債権額は減少し，残額が確定額となる[170]。

　受働債権は破産財団所属の財産であるから，相殺の意思表示は破産管財人に対してなされる。相殺権行使の時期については，民事再生や会社更生と異なって（民再92Ⅰ，会更48Ⅰ），破産では特別の制限はない。したがって，原則的には，手続が終了するまで（破220）は可能であるが，債権確定や配当の遅延を避けるために，破産管財人には破産債権者に対する催告権が認められる（破73）。すなわち，破産管財人は，破産債権調査期間または調査期日（破31Ⅰ③）の経過後または終了後，相殺権を持つと認められる破産債権者に対して，1月以上の期間を定め，その期間内に当該破産債権をもって相殺をするかどうかを確答すべき旨を催告することができる（破73Ⅰ本文）[171]。ただし，催告は，破産債権者の負担する債務が弁済期にあるときに限る（同但書）[172]。催告があっ

---

[170]　相殺後の自働債権残額が破産債権として確定されれば（破124Ⅰ），それを基礎として配当が行われる。これに対して，自働債権全額が破産債権として確定された後，相殺がなされても，破産管財人が請求異議訴訟（民執35）などの方法によって勝訴しない限り，そのことは破産債権額に影響せず，破産債権全額が配当に加えられる。ただし，実務上では，破産管財人から破産債権者に対して債権届出の取下げが促される（最高裁判所事務総局編・破産事件執務資料99頁（1991年））。このような問題の発生を避けるためにも，相殺についての破産管財人の催告権（破73）が認められている。

　　さらに，破産管財人が受働債権たる債権の給付訴訟を提起したときにも，すでに自働債権について破産債権としての届出がなされ，それが確定していれば，破産管財人もその存在を争うことはできない。倒産と訴訟523頁〔藤本利一〕。

[171]　期間の経過前または期日の終了前は，相殺を想定する破産管財人は，届出破産債権に対して異議を述べておくことになる。220問291頁〔神原千郷〕。また，破産管財人からの催告に対し受働債権が存在するのであれば相殺する旨の破産債権者の回答は，条件付となるので，確答としての効力を有しない。大コンメンタール317頁〔山本克己〕，条解破産法〈第3版〉588頁，220問291頁〔神原千郷〕。

　　なお，催告にあたっては，自働債権たる破産債権と受働債権たる破産者が有する債権の特定が必要かどうかが問題となるが，受働債権の特定の必要はない。複数の受働債権が存在するときに，いずれを相殺に用いるかは，破産債権者の選択に委ねるべきだからであり（条解破産法〈第3版〉588頁，注釈破産法（上）506頁），破産管財人が受働債権を特定しても，それは，破産債権者に対する判断資料の提供にとどまる。これに対して，自働債権たる破産債権の特定は必要と考えられる。法73条2項は，破産手続の関係で特定の破産債権について相殺の権能を失わせる効果を定めているためである。しかし，相殺権の行使が破産債権としての届出を前提とするものでなく，破産管財人が当該破産債権者のすべての破産債権を正確に把握するのは容易でないことを考えると，特定の破産債権をあげ，その他に当該破産債権者が有する債権一切という形の包括的特定も考えられる。

[172]　債務の弁済期が到来していない場合でも破産債権者の相殺は認められるが（破67Ⅱ後段），期限の利益を放棄することを強制するのは適当ではないからである。一問一答

た場合に，破産債権者が期間内に確答をしないときには，当該破産債権者は，破産手続の関係においては，当該破産債権について相殺の効力を主張することはできない（同Ⅱ）[173]。

第4節　否　認　権

　否認権とは，破産手続開始決定前になされた破産者の行為[174]，またはこれと同視される第三者の行為の効力を覆滅する形成権であり[175]，破産財団の管理機構たる破産管財人に専属する権能である（破167Ⅰ・173Ⅰ）。

第1項　否認権の意義と機能

　破産手続開始の効果として，破産財団所属財産についての管理処分権が破産管財人に付与される（破78Ⅰ）。破産手続開始前には，保全処分（破28Ⅰ）や保全管理命令（破91Ⅰ）を度外視すれば，自己の財産に関する債務者の管理処分

　　120頁，基本構造482頁，大コンメンタール317頁〔山本克己〕，条解破産法〈第3版〉588頁参照。
[173]　上記のような包括的特定がなされた場合に，特定された破産債権以外の債権を自働債権とする相殺が禁止されるかどうかについては，信義則に照らし，個別事案に即して決する以外にない。破産管財人が当該破産債権者に対して自働債権の有無を問い合わせるなどの調査をしたことを前提とするかぎり，容易にその存在が判明したであろう自働債権を明らかにせず，後にそれにもとづく相殺を主張することは，法73条の趣旨を考慮すれば，信義則に反するものとして許すべきではない。これに対して，当該破産債権者もその自働債権の存在を把握しえなかった特段の事情が存在するときには，包括的特定にもとづく催告の効果として相殺を禁止すべき理由はない。
　　もちろん，催告は，弁済期にある債務を対象とするものであるから，期間後に弁済期が到来する債務を受働債権とする相殺が制限されるものではない。破産法大系Ⅱ242頁〔岡正晶〕。
[174]　信託財産破産の場合には，信託財産が破産者とみなされることから，受託者等（破244の4Ⅰ第2かっこ書）が信託財産に関してした行為は，破産者がした行為とみなす（破244の10Ⅰ）。相続財産破産における被相続人等の行為についても，同様である（破234）。
[175]　否認権の法的性質については，民法上の詐害行為取消権（民424）と共通の問題として，①不法行為にもとづく原状回復請求権とする考え方，②不当利得にもとづく返還請求権とする考え方などがある（注解破産法（上）412頁〔宗田親彦〕，注釈民法（10）780頁〔下森定〕）。しかし，否認の対象となる行為は，不法行為（民709）に相当するわけではなく，また，受益者が法律上の原因なく利得をしていること（民703）を前提とするわけでもない。したがって，否認権は，責任財産を回復し，破産債権者に対する公平な満足を実現するために破産法が特別に認めた形成権であると考える以外にない。

権は何ら制限を受けず，債務者はその財産を第三者に譲渡したり，自己の債権者に対して債務を弁済することを妨げられない。しかし，破産者の支払能力の不足，すなわち責任財産をもってその債務を完済できず，かつ，借入れによって資力を補うこともできない状態は，開始決定時に生じるものではなく，それ以前の破産手続開始申立もしくは支払停止または支払不能状態発生時から生じている可能性がある。

たとえば，債務者がその財産を第三者に無償で贈与することも，または廉価で売却することも，本来は財産権の自由な行使として制限を受けないはずであるが，支払能力が不足しているときにこのような行為を自由に認めると，債権者に対する責任財産をますます減少させ，債権者の利益を害する。また，支払能力が不足しているときに，特定の債権者に対してのみ債務者が弁済をなすことを認めると，他の債権者との平等を害する結果を生じる。前者のように，債権者全体に対する責任財産を絶対的に減少させる行為を詐害行為と呼び，後者のように，債権者平等に反する行為を偏頗行為と呼ぶが，これらの行為の効力を否定し，いったん責任財産から失われた財産を破産財団に回復し，破産債権者に対する公平な配当を可能にするための制度が否認権である。

否認権のうち，基本類型としては，詐害行為否認（破160ⅠⅡ），その特殊類型である無償行為否認（同Ⅲ）および偏頗行為否認（破162Ⅰ）の3つがある[176]。

1 否認権と詐害行為取消権

否認権と詐害行為取消権（民424）とは，沿革的に共通の起源をもち，また，両者は，責任財産回復の点で共通の目的をもっているが，その目的を実現する

---

[176] 旧法では，主として詐害行為を対象として想定した，破産者の害意を要件とする故意否認（旧破72①本文），主として偏頗行為を対象として想定した，破産者の害意を要件としない危機否認（同②）および無償否認（同⑤）を基本類型としていた。しかし，行為類型と主観的要件とが交錯していたために，本旨弁済の故意否認にみられるように，偏頗行為に対して故意否認が認められるか，危機否認の対象とされる「其ノ他破産債権者ヲ害スル行為」（旧破72②本文）に詐害行為を含むかなどの解釈問題を生じる原因となった。現行破産法の立法者は，これらの議論を踏まえて，詐害行為と偏頗行為の行為類型の区別を基本としながら，それぞれの内部において，行為の時期などを考慮しながら，主観的要件などを書き分ける手法をとり（一問一答219頁，基本構造374，378頁参照），現行民事再生法や現行会社更生法も平成16年改正によって同様の規律を採用した（山本克己「否認権」新会社更生法の基本構造216頁参照）。
　なお，現行法の下においても故意否認と危機否認概念の区別が，詐害行為否認の第2類型（破160Ⅰ②）の理論構成にとって有益であるとするものとして，水元宏典「新しい否認権制度の理論的検討」ジュリ1349号61頁（2008年）がある。

権利の内容の点では，いくつかの差異がある。第1に，否認権の対象となる行為には，詐害行為（破160）と偏頗行為（破162 I）の2種類があるが，詐害行為取消権は，少なくとも従来は，詐害行為のみを対象とすると考えられていた[177]。第2に，権利行使の要件については，詐害行為取消権の場合には，債務者の詐害意思という主観的要件が必要とされているのに対して（民424 I 本文），否認権の場合には，偏頗行為否認についてだけでなく，詐害行為否認についても，破産者に関する主観的要件を不要としている場合（破160 I ②）がある。第3に，同じく債務者の無資力を前提としながら，詐害行為取消権が個々の債権者によって行使されることを予定しているのに対して（民424 I 本文），否認権は，破産手続内で総破産債権者のために破産管財人が行使する（破173 I）。したがって，この2つの権利の間には，目的および内容などの一部について共通性こそ認められるものの，法律上の権利としては，両者は，別個・独立のものとみなされる[178]。

しかし，現行民法においては，「相当の対価を得てした財産の処分行為」の

---

[177] 判例および学説について，注釈民法（10）823頁〔下森定〕参照。もっとも，判例は，債務者の害意が認められるときには，弁済なども取消しの対象となるとしており，最近の学説もこれを支持するものが多いので，それを前提とすれば，偏頗行為も取消しの対象となりうる（林錫璋「債権者取消権」民法講座4巻141，167頁参照）。しかし，現行法が詐害行為否認と偏頗行為否認を明確に区別したことが，詐害行為取消権に関する解釈論に対して影響を与え（基本構造380頁，潮見・債権総論Ⅱ144頁，法制審議会民法（債権関係）部会・民法（債権関係）の改正に関する中間試案第15），現行民法424条の3は，否認権より厳格な要件の下に偏頗行為の取消しを認めているが，債務者と受益者との通謀にもとづく詐害の意図を要件としているので（同 I ②・Ⅱ②），基本的枠組みを変えることなく，判例の理論を立法化したものと考えられる。潮見・新債権総論 I 785頁，中田・債権総論301頁参照。

[178] たとえば，総破産債権者の詐害行為取消権について出訴期間が経過していても（民426），破産管財人の否認権行使は妨げられない（最判昭和58・11・25民集37巻9号1430頁〔倒産百選29事件〕）。また，詐害行為取消権は抗弁として行使しえないのに対して（最判昭和39・6・12民集18巻5号764頁），否認権は抗弁として行使しうる（破173 I）という相違点もある。法律要件事実の視点から詐害行為取消権と否認権の異同を明らかにしたものとして，永石一郎「要件事実的観点からみた改正否認権」法の支配135号62，82頁（2004年）参照。否認権をめぐる要件事実一般については，倒産と訴訟19，47頁〔進士肇＝影浦直人〕，倒産・再生訴訟506頁〔島岡大雄〕参照。

なお，破産管財人が受継した詐害行為取消訴訟（破45Ⅱ）において，否認権ではなく，詐害行為取消権を基礎づける事実を主張できるか，また破産管財人が否認訴訟に代えて詐害行為取消訴訟を提起できるかなどの問題があるが，いずれも否定すべきである（本書453頁参照）。

取消し（424の2），「特定の債権者に対する担保の供与等」の取消し（424の3），「過大な代物弁済等」の取消し（424の4），「転得者に対する詐害行為取消」（424の5），詐害行為取消権の行使にともなう「財産の返還又は価額の償還の請求」（424の6），「債務者の受けた反対給付に関する受益者の権利」（425の2），「受益者の債権の回復」（425の3），「詐害行為取消請求を受けた転得者の権利」（425の4）などの規定を設けることとし，あわせて，整備法によって，「転得者に対する否認権」（破170）の規定が改正され，「破産者の受けた反対給付に関する転得者の権利等」（破170の2）や「相手方の債権に関する転得者の権利」（破170の3）の規定が新設されることなどによって，詐害行為取消権と否認権の規律内容に共通部分が多くなっている。

もっとも，詐害行為取消訴訟提起の債務者への訴訟告知（民424の7Ⅱ），「詐害行為の取消しの範囲」（同424の8），「債権者への支払又は引渡し」（同424の9），「認容判決の効力が及ぶ者の範囲」（同425）などは，詐害行為取消権を行使する債権者の地位を反映した詐害行為取消権特有の規律である。

2 否認権行使をめぐる利害関係人

否認権は，破産債権者全体の利益のために破産管財人が行使する。破産債権者としては，否認権の行使によって破産財団が増殖されれば，それだけ配当が増加するから，適切に否認権が行使されることに利害関係をもつ。否認権を行使すべきであるにもかかわらず，破産管財人がこれを怠ったり，また行使の態様が不適切である場合には，破産債権者は裁判所に対して監督権の発動を促したり（破75Ⅰ），破産管財人の解任を申し立てたり（同Ⅱ），あるいは破産管財人の善管注意義務違反を問うことができる（破85）。

これに対して，否認権が行使されると，対象行為の受益者や転得者は破産財団を原状に回復すべき義務を負うから（破167Ⅰ），債権の復活（破169・170の3）や反対給付返還請求権の行使（破168・170の2）などの余地はあるものの，不利益を受けざるをえない。詐害行為についてみると，たとえ受益者が破産者から廉価で財産を譲り受けたとしても，平常時であれば，その法律的効力は何ら問題とされないはずである。ところが，破産者が無資力であったことを理由に，後に売買が否認されると，売主の財産状態について注意を払わないのが通常である買主としては，取引の安全を害される。まして，その売買が相当の代金を支払ってなされているときには，取引の安全を重視しなければならない。

そこで，この種の行為に対する否認可能性を検討するにあたっては，破産者の詐害意思および詐害性についての受益者の悪意を要求するほかに（破160 I ①），対価の適正さや（破161），さらに行為の有害性や不当性など一般的要件をも考慮せざるをえない。

　偏頗行為についても同様の考慮が必要である。債務者から弁済を受けることは，債権者にとって当然の行為であり，ある債権者が他の債権者より優先して弁済を受けたからといって，そのこと自体は何ら法的非難に値しない。しかし，破産者の無資力が明らかになっている危機時期においては，この一般原則をあえて修正して，債権者平等の理念を優先させ，いったん受けた給付を否認権の行使によって破産財団に返還させることとしている（破162 I）。しかし，この場合にも，受益者が不測の損害を受けないよう，危機時期であることについての受益者の悪意を要求するなどのほかに，債権者平等に実質的に背馳するか（破162 I 柱書かっこ書参照），さらに有害性や不当性など一般的要件に照らした検討が必要である。

　さらに，否認権についての直接の利害関係人ではないが，否認の成否を考えるにあたっては，破産者の利益を無視することもできない。危機時期において破産者としては，その所有財産を売却して事業の運転資金をえたり，また，救済融資を受ける見返りとしてその財産に担保権を設定したりすることによって，破綻を回避しようとする。しかし，こうした行為が後に否認の対象とされる可能性があれば，第三者としては，破産者との取引を拒絶するようになり，いったん危機に陥った破産者は，破綻回避の手段に窮する。したがって，ここでも破産者と破産債権者との利益の調和を図るために，行為のなされている時期や行為の目的などを考慮して，否認の成否を決せざるをえない。旧法下の解釈論を前提として，現行法が相当の対価をえてした財産の処分行為の否認についての特則（破161）や同時交換的取引保護のための規定（破162 I 柱書かっこ書）を置いている背後には，上記のような意味での破産者の利益に対する配慮がある。

第2項　否認の一般的要件

　否認の要件は，詐害行為否認，無償行為否認あるいは偏頗行為否認という，それぞれの行為類型に即して規定されるが，それらの類型を通じる理論上の一般的要件として，行為の有害性と不当性がある[179]。

1 有　害　性

　否認権が破産債権者の利益を実現する目的をもつ以上，否認の対象となる行為は破産債権者にとって有害なものでなければならない。もっとも，否認の対象となる行為に詐害行為と偏頗行為の2種類があることから，有害性もそれぞれの行為の性質に応じてその内容を異にする。有害性は，少なくとも詐害行為については，行為の詐害性の中に内包されるべきものであるが，旧法下の解釈論として有害性が一般的要件として主張されるのは，不動産の適正価格による売却や，本旨弁済など，それ自体をみれば詐害性をもたないと思われる行為について，周辺の事情から詐害性を肯定するための理論枠組みとして，あるいは担保目的物による代物弁済など，行為自体をみれば詐害性を肯定されるものについて，周辺の事情から詐害性を否定するための理論枠組みとして利用されたからにほかならない。

　たとえば，特定財産の上の担保権は，破産手続によらないでその権利を実行し，満足を受けることが保障される（破2Ⅸ・65Ⅰ）。このことを前提とすれば，破産手続開始前に破産者が担保目的物を担保権者に代物弁済したときでも，被担保債権の弁済期が到来し，かつ，被担保債権額と目的物の価額との均衡がとれている限り，破産者の行為は破産債権者にとって有害とはいえない。なぜならば，目的物の価値は，被担保債権の限度で担保権者によって物的に把握されており，一般債権の引当てとして期待できないからである[180]。たとえ代物弁

---

179) 条解破産法〈第3版〉1102頁，大コンメンタール624頁〔山本和彦〕，木村匡彦「破産手続・民事再生手続における否認権等の法律問題 第4回 否認の一般的要件（有害性，不当性）について」曹時64巻11号40頁（2012年），破産法大系Ⅱ435, 437頁〔三木浩一〕もこの判断枠組を採用する。

180) 抵当権の設定された不動産を適正価格で売却し，売却代金を被担保債権の弁済にあてた事案について，否認の成立を否定した裁判例として，東京高判平成5・5・27判時1476号121頁〔倒産百選〈第5版〉30事件〕がある。ただし，資金の使途によっては，有害性を認められるとするものとして，木村・前掲論文（注179）44頁がある。もちろん，抵当権は，登記を備え，破産管財人に対してその効力を主張できるものでなければならない。最判昭和46・7・16民集25巻5号779頁。
　これに対して，所有権留保権等が対抗要件等を欠く場合には，危機時期における弁済などは偏頗行為否認の対象となることにつき，福田修久「破産手続・民事再生手続における否認権等の法律問題 第1回 所有権留保に基づく自動車引上げがされた場合の否認等について」曹時64巻6号1頁（2012年）参照。裁判例として，神戸地判平成27・8・18金法2042号91頁，仙台高判平成30・8・29LEX/DB25562494，東京高判平成30・1・18LEX/DB25549515がある。ただし，抵当権にせよ，留保所有権にせよ，法定代位などによって取得した担保権について対抗要件を具備することなく，別除権としての優先弁済権を破産

済行為を否認の対象として，目的物を破産財団に取り戻してみても，当該財産については担保権者が別除権を行使することになり，破産債権者の利益にならない。この意味で，代物弁済は破産債権者に対する有害性を欠き，否認を免れる[181]。もちろん，目的物の価額が被担保債権額を超過しているときには，その超過分については，代物弁済行為は有害性をもつから，破産管財人が否認権を行使してその償還を求めることができる[182]。

これに対して，金融機関の相殺期待が存在する預金を破産者が引き出して，当該金融機関に弁済する行為については，以下の理由から有害性が否定される。すなわち，相殺禁止規定（破71・72）に該当せず，また前述の相殺の否認（本書554頁）が成立しないかぎり，破産手続によらない相殺権の行使が保障されていることを考えれば（破67Ⅰ），当該預金債権の価値が相殺期待によって把

管財人に対して主張できる場合には，有害性の判断もそれを前提とすべきである。伊藤・前掲論文（注33）40頁。

　もっとも，所有権留保について物権変動が欠けるとか，破産債権者または破産管財人が対抗要件欠缺を主張する正当な利益を取得するのは，破産手続開始時であることを理由として有害性を否定する有力説がある（中西正「対抗要件を欠く担保権の実行と偏頗行為危機否認」事業再生と債権管理155号83頁（2017年），同「対抗要件を欠く担保権の実行と偏頗行為危機否認」徳田古稀791頁，同「対抗要件を欠く担保権の実行と偏頗行為危機否認・再論」木内古稀563頁，白石大「所有権留保と偏頗行為否認」加藤哲夫古稀424頁参照）。

　また，動産売買先取特権が目的物の引渡しによって追及力を失っているときに（民333参照），買主が目的物を第三取得者から取り戻し，それを売主に代物弁済する行為は，義務がないにもかかわらず新たに担保権を設定した上で，目的物を代物弁済する有害な行為と同視され，偏頗行為否認（破162Ⅰ②，旧破72④）の対象となる（最判平成9・12・18民集51巻10号4210頁〔倒産百選35事件〕，小林信明「動産売買先取特権の倒産手続における取扱い」田原古稀（下）188頁）。

181) 最判昭和41・4・14民集20巻4号611頁〔倒産百選34事件〕，最判昭和53・5・25金法867号46頁。また，最判昭和39・6・26民集18巻5号887頁は，被担保債権額と目的物の価額との均衡を欠いているとして，差額について否認を認めている。学説も，この判例理論を支持する（山木戸189頁，谷口252頁，注解破産法（上）431頁〔宗田親彦〕，破産・民事再生の実務〔破産編〕302頁，大コンメンタール651頁〔山本和彦〕，条解破産法〈第3版〉1104頁）。下級審裁判例は，動産売買先取特権者の物上代位について，その目的物である債権をもってする代物弁済も否認の対象とならないとする（大阪地判昭和57・8・9判タ483号104頁）。

　なお，担保目的物を債権者に売却し，債権者が代金債務と破産債権を相殺する行為も代物弁済と同視され，代金が適正である限り，売買は否認の対象とならない（最判昭和41・5・27民集20巻5号1004頁〔詐害行為取消権〕）。

182) 注解破産法（上）437頁〔宗田親彦〕，基本法115頁〔池田辰夫〕，大コンメンタール651頁〔山本和彦〕，条解破産法〈第3版〉1103頁。

握されているとみられる。したがって，合理的相殺期待の対象となっている預金債権を原資とする弁済は，偏頗行為としての有害性を欠くとも考えられる[183]。

　現行法の立法者も有害性の概念を前提として，その意義を明らかにするために，偏頗行為の外観をもちながらも詐害行為に該当する行為の否認（破160Ⅱ），あるいは相当の対価をえてした財産処分行為の否認要件（破161）などの規定を設けている。したがって，解釈論として有害性概念そのものに依拠しなければならない場面は大幅に減少した。しかし，上記の例のように，相当額の担保目的物による代物弁済に対する偏頗行為否認の成否などは，なお有害性をめぐる解釈論の対象として残されている。もっとも，旧法と異なって，別除権の目的物についても，担保権の消滅を前提とする破産管財人の任意売却権と売却代金の一部の財団組入れが認められていることを前提とすると（破186以下），現行法下では，相当額の担保権目的物による代物弁済についても，なお否認の可能性が存在する[184]。また，ある行為を否認の対象としてとらえる場合でも，回復されるべき利益の範囲などを検討する際には，有害性の概念が基準として機能しうる[185]。

---

[183] また，証券会社の倒産に伴い証券業協会等が特定の投資家に対する債務弁済のため特別融資した融資金による弁済について否認を否定した大阪高判平成元・4・27判時1326号123頁も，このような考え方にもとづくものと理解すべきである。担保目的物の差替えについても，目的物の価額が均衡していれば，原則として，有害性を欠くと考えるべきである。

　同様に，債権差押命令の送達を受けた第三債務者が差押債権者に対する弁済を行えば，それは，債務者（破産者）自身による弁済とみなされるが（本章注195），差押命令の効力に反して第三債務者が債務者（破産者）に対して弁済を行ったために，差押債権者に対する二重弁済を余儀なくされたときには（民481Ⅰ参照），後者の弁済は，第三債務者自身の負担としてなされるものであり，実質的にみて，債務者（破産者）の財産をもってなされるものとはいえず，有害性を欠くために，偏頗行為否認（破162Ⅰ）の対象とならない。最判平成29・12・19判時2370号28頁〔倒産百選A6事件〕参照。なお，第三債務者は，債務者（破産者）に対し求償権を有することになるが（民481Ⅱ），これは破産手続開始前の原因にもとづく財産上の請求権として破産債権になる。木村真也「判例考察」事業再生と債権管理162号179頁（2018年）参照。

[184] このことは，たとえ担保目的物がいわゆるオーバーローンの状態にあり，また代物弁済が適正価格に相当する場合であっても変わりはない。有害性を否定する論拠の1つとして，売却代金の一部の財団組入れは，事実上の期待に過ぎないとの議論もあろうが，組入れが法的に保障された財団増殖の手段であり，相手方がその額を争う機会も保障されていること（破187Ⅰ．本書739頁）などを考えると，この論拠は妥当といいがたい。

[185] 否認の対象である行為の目的物が数個であって，可分性が認められる場合などが考

有害性を欠く行為は，詐害行為否認の対象にも偏頗行為否認の対象にもならない。もっとも，その立証に関しては，詐害行為否認では，破産管財人が破産者の行為の詐害性としてこれを立証するし，偏頗行為否認では，代物弁済が原則として否認の対象となるところから，受益者の側で有害性の欠缺を立証すべきである。

2 不 当 性

行為自体が破産債権者にとって有害なものであるとみなされる場合であっても，その行為がなされた動機や目的を考慮して，破産債権者の利益を不当に侵害するものでないと認められるときには，否認の成立可能性が阻却されることがある。これを行為の不当性と呼ぶ。有害性と不当性の関係については，以下のように考えるべきである。有害性は，破産債権者の責任財産の確保および破産債権者間の公平の実現にかかわるものである。これに対して不当性は，ある行為が破産債権者にとって有害なものであっても，破産債権者の利益より優先する社会的利益，たとえば国民の生存権（憲25）などの憲法的価値や，生命や健康の維持を目的とする事業の継続という社会的価値あるいは地域社会経済に果たしている事業体の役割などを考慮して，否認の成立可能性を阻却するための概念である。

有害性の概念が，破産手続の目的を実現するために，受益者などの利益を犠牲にしても破産債権者のために破産財団を充実させなければならないとの要請にもとづくものであるのに対して，不当性の概念は，破産法秩序より高次の法秩序や社会経済秩序に照らしたときに，破産債権者の利益を犠牲にしても受益者の利益を保持させるとの要請にもとづくものである[186]。

られる。本章注351参照。また，自由財産となるべき，または自由財産となりうる可能性がある現金（本書269頁）をもってする弁済が当然に有害性を欠くとはいえないが（東京地判平成30・5・30判例集未登載），金額や債権の性質との関係で有害性や不当性を検討する余地はあろう。佐藤鉄男「判例研究」事業再生と債権管理173号148頁（2021年）参照。

186) したがって，救済融資にあたって担保権を設定した場合に，貸付額と担保目的物の価額との間に均衡が認められれば，有害性が否定され（破162 I 柱書かっこ書），不当性を問題とする必要はない。仙台高判昭和53・8・8下民29巻5～8号516頁〔倒産百選〈第5版〉33事件〕参照。また，私的整理における配当が不当性を欠くから危機否認の対象とならないと判示する裁判例として，岐阜地大垣支判昭和57・10・13判時1065号185頁があるが，これも有害性の問題に属する。営業上不可欠で重要な動産（自動車）の売却行為の詐害行為性を否定した大阪高判平成27・6・3判時2273号67頁〔詐害行為取消権〕も，

従来の判例の中では，生活費や事業の運転資金を捻出するための財産売却や担保の設定などが，不当性を欠く行為の例として挙げられていたが[187]，生活費は個人債務者の最低生活を維持するために必要な電気やガス料金などでなければならず，また事業資金は，たとえば病院など公益性の高い事業を維持するための資金，労働者の賃金支払のための資金などでなければ，不当性の欠缺を基礎づけるものとはいえない。いずれにしても，不当性の欠缺は，否認の不成立を主張する受益者などの側の証明責任に属する[188]。

3 破産者の行為

否認権の行使は，法律行為またはこれに準じる行為にもとづく法律効果を破産債権者に対する関係で失わせるものであるが，その行為の主体が破産者に限定されるかどうかについては，考え方の対立がある。行為の意義を広く解して，不作為まで含むものとしても[189]，相殺や代物弁済予約に関する予約完結権の

同様である。また，林圭介「事業再生に不可欠な商取引債権者に対する否認権行使」木内古稀591頁は，事業再生の可能性を高めるという視点から，弁済に対する否認権行使を否定する運用を示唆する。

三上358頁は，不当性の概念を支持するのに対して，倒産と訴訟495頁〔中西正〕は，判断基準としての不明確性，法的安定性の欠如，争点の無用な増加を理由として，不当性概念を排斥し，否認類型に応じた根拠論をもってそれに代えるべきとする。詳解民事再生法391頁〔水元宏典〕も，不当性概念に対し疑問を呈する。

187) 最判昭和42・11・9民集21巻9号2323頁〔債権者取消権〕，最判昭和43・2・2民集22巻2号85頁〔倒産百選〈初版〉94事件〕，最判昭和44・12・19民集23巻12号2518頁〔債権者取消権〕。学説については，注解破産法（上）439頁〔宗田親彦〕，櫻井孝一「否認の一般的要件（否認の対象）」実務と理論90，92頁参照。

一般論として，不当性の欠缺を否認の阻却事由として認めている判例も，実際には，担保の供与などについて，被担保債権額と目的物の価額との均衡を失し，有害性が認められるときには，「特別の事情がない限り」否認を肯定するとし，不当性の欠缺を理由として否認を否定することに消極的である（前掲最判昭和43・2・2，東京地判昭和51・10・27判時857号93頁）。実務上でも，不当性の欠缺を理由に否認の成立が否定されるのは，例外的な場合にとどまるとされる。木村・前掲論文（注179）50頁。

188) 条解民事再生法668頁〔小林秀之〕は，形式的要件のもつ硬直性を補充するという理由から，このような考え方に賛成する。

189) 時効中断をなさなかった不作為が否認の対象となるものとして，大判昭和10・8・8民集14巻1695頁がある。また，引渡しなどのような事実行為であっても，それが権利変動などの対抗要件具備としての法律効果をともなう場合には，否認の対象となるし（条解会更法（中）24頁），商事留置権を取得させるために債権者に物などを引き渡す行為も，担保の供与として偏頗行為否認の成立が認められる可能性がある。なお，詐害行為取消権の対象は，法律行為とされていたが（民旧424 I 本文），現行民法424条1項本文では，行為と改められている。

行使については，債権者の行為があるのみで，破産者の行為があるとはみられないし，また破産者に代わって第三者が債権者に弁済をなしたときにも破産者の行為がみられない。これらの場合にも，債権者や第三者の行為の結果が破産債権者に有害であるとすれば，否認を考える必要があるが，否認の要件を定める法文は，破産者の行為を否認の対象としているので（破160・162等），議論の対立が生まれる。

旧法下の考え方としては，①破産者の行為がある場合に限られるとする説，②破産者の行為の有無を問わないとする説，③故意否認（旧破72①）においては破産者の行為を要するが，危機否認（旧破72②）においては不要とする折衷説の3つが存在し，近時は，折衷説が多数説となっていた[190]。これに対して，判例の考え方も必ずしも統一されていなかった。一方では，執行行為の否認（破165・旧破75）を故意否認として主張する場合には，破産者が悪意をもって強制執行を招致したか，破産者が自ら弁済をなしたとすれば悪意をもってなしたと認められる状況にあったかのいずれかを要求するが，危機否認を主張するのであれば，破産者の加功行為またはこれと同視される状況は必要がないとした[191]。また，債務者が加功して債権者の代物弁済予約完結権行使（民556 I）を誘致した場合にも，債権者の予約完結行為を危機否認の対象とする[192]。他方では，破産者の行った債権譲渡についてなされた第三債務者の承諾（民467 I），あるいは債権者による相殺の意思表示（民506 I 前段）などの危機否認に関しては，破産者の行為が認められないから，否認の余地がないとしている[193]。

---

190) 山木戸189頁，谷口255頁。ただし，②の不要説もなお有力であった（注解破産法（上）442頁〔宗田親彦〕，櫻井・前掲論文（注187）93頁など）。
191) 故意否認について，大判昭和14・6・3民集18巻606頁，最判昭和37・12・6民集16巻12号2313頁〔倒産百選〈初版〉40事件〕。危機否認について，最判昭和48・12・21判時733号52頁，最判昭和57・3・30判時1038号286頁〔倒産百選40事件〕がある。また，仮登記仮処分の方法によってなされた抵当権仮登記を旧会社更生法80条（現会更88条）にもとづいて否認する場合にも，破産者に相当する更生会社の行為は必要ないとする下級審裁判例がある（東京地決昭和53・3・3下民29巻1～4号115頁〔新倒産百選42事件〕）。
192) 最判昭和43・11・15民集22巻12号2629頁。
193) 最判昭和40・3・9民集19巻2号352頁〔倒産百選〈初版〉37事件〕〔債権譲渡における債務者の承諾〕，前掲最判昭和41・4・8（注131）〔相殺〕。立法論としてこの点を問題とするのは，加藤哲夫・諸相295, 303頁である。

現行法は，否認類型として故意否認と危機否認に代えて，詐害行為否認と偏頗行為否認とを採用した。詐害行為否認のうち，破産者の害意を要件とする場合には（破160 I ①・161 I ②），それを認定するための資料としても，破産者自身の行為もしくは破産者の加功行為またはそれと同視される第三者の行為が要求される[194]。これに対して，詐害行為否認でも破産者の主観的要件が不要とされる場合（破160 I ②）および偏頗行為否認などの場合（破162 I）には，たとえ第三者の行為であっても，その効果において破産者の行為と同視されるものが認められれば，それについて否認の成立を認めてよい。法文からみても，破産者の行為をまったく不要とするのは，解釈論として行き過ぎであるが，第三者の行為が債務消滅などの効果の点で破産者の行為と同視されるものであれば，否認が認められる[195]。

---

[194] 条解破産法〈第3版〉1106頁，中島 I 335頁，破産法大系 II 438頁〔三木浩一〕も同旨。相続人の破産（本書100頁）において相続財産の処分に関する被相続人の行為を否認する可能性も認めるべきである。なお，形式的には第三者の行為であるが，破産者の依頼にもとづいて破産者の計算によってなされた代位弁済のように，実質的に破産者の行為とみられるときには，否認の対象となる（大阪地判昭52・9・21判時878号88頁）。価値の乏しい約束手形による債務者の代物弁済を受領する破産者（債権者）の行為も同様である。大阪地判平成28・9・21金商1503号30頁。

　また，実質的には破産者の財産である第三者名義の預金債権についての質権設定に対して，旧法にもとづく故意否認を認めたものとして，東京地判平成20・6・30判時2014号96頁がある。しかし，登記官の職権による登記の更正は否認の対象にならない。福岡高判平成26・3・27判時2227号51頁。

　なお，行為の主体と認識の主体は別であるとして，故意否認において破産者の認識は要求されるが，破産者の行為は不要とする有力説がある（宗田・研究20頁，注解破産法（上）443頁〔宗田親彦〕）。しかし，法文上では（破160 I ①，旧破72①），認識の主体と行為の主体が一致しているとみるべきである。

[195] 現行法でも，破産者の行為の要否については，立法的解決が図られてはいない（立案過程における議論については，大コンメンタール623頁〔山本和彦〕参照）。なお，具体的問題として，第三者による債権者の銀行口座への振込みを破産者による弁済と同視して危機否認の対象とできるかどうかという点がある。下級審裁判例では，考え方が分かれていた（福岡高判昭和62・2・25判タ641号210頁，名古屋高金沢支判昭和62・6・24判時1242号59頁〔新倒産百選34事件〕，伊藤眞「退職金の共済組合への払込みと危機否認の成否」私法判例リマークス1号257頁（1990年）参照）。

　しかし，最高裁判例は，危機否認については破産者の主観的意図は問題とならず，その効果として破産者による弁済と同視される第三者の行為が否認の対象となるという判断を示し（最判昭和39・7・29裁判所ウェブサイト，最判平成2・7・19民集44巻5号837頁〔倒産百選30①事件〕，最判平成2・10・2判時1366号48頁），現行破産法の解釈としてもこれを引き継いでいる（前掲最判平成29・12・19（注183））。また，債務者の承諾がその効力において譲渡人（破産者）による通知と同一であることを理由として対抗要件の否

4 破産者の組織法上の行為——会社分割の否認可能性

否認権は，破産手続開始前になされた行為の効果を覆滅し，逸出した財産を破産財団に取り戻すための手段であるから，その対象となるべき行為も，破産者の財産に関する財産上のものを想定している[196]。しかし，法人の組織再編行為，すなわち合併や会社分割などの行為は，その法的性質は財産上のものではなく，法人の組織を変更する組織法上のものであるが，破産法人の財産の包括承継または一般承継という効果を生じさせるところから，場合によっては，破産債権者の利益を害するものとして，否認の可能性を検討しなければならない。以下では，濫用的会社分割として近時議論が多い単独新設会社分割を主たる検討の対象とする。

(1) 事 業 譲 渡

事業譲渡は，事業目的のために一体として組織化された財産の移転であり，その実際的効果についてみると，会社分割などの組織再編行為と類似する側面を有するが[197]，行為の性質自体としては，財産上の行為であり，また，事業を構成する債務や契約上の地位等の移転に関しては，相手方の個別的同意を要

認（破164 I。本書603頁）を認めたものとして，釧路地決平成25・2・13 D1-Law 判例ID 28211647 がある。

　これに対して，孫請業者の債権者代位権行使に応じて元請業者が破産者である下請業者に対する債務を孫請業者に支払う行為は，破産者による弁済と同視されないので，否認の対象とならない（大阪高判平成16・6・29金法1727号90頁）。

196) 遺産分割協議も財産上の行為として否認の対象となりうる。最判平成11・6・11民集53巻5号898頁〔詐害行為取消権〕，220問133頁〔蓬田勝美〕。共同相続人間の実質的公平の視点から無償行為否認を否定した裁判例として東京地判平成27・3・17金法2032号93頁がある。

197) 最大判昭和40・9・22民集19巻6号1600頁は，事業譲渡（営業譲渡）について，「一定の営業目的のため組織化され，有機的一体として機能する財産（得意先関係等の経済的価値のある事実関係を含む。）の全部または重要な一部を譲渡し，これによって，譲渡会社がその財産によって営んでいた営業的活動の全部または重要な一部を譲受人に受け継がせ，譲渡会社がその譲渡の限度に応じ法律上当然に同法25条〔平成17年改正前商法25条。現行商法16条，会社法21条相当——筆者注〕に定める競業避止義務を負う結果を伴うものをいう」と定義する。しかし，会社法の解釈としては，競業避止義務より得意先関係の移転があることを事業譲渡該当性の要件とすべきであるとの見解が有力であり（江頭1010頁），否認の対象とすべき事業譲渡についても，このような考え方をとるべきであろう。髙井章光「事業譲渡に対する否認権行使」加藤哲夫古稀454頁は，さらに広く，個々の資産の資産価値を超える付加価値を含む財産の移転行為が否認の対象たる事業譲渡になるとする。また，否認の成否の前提となる事業価値の評価や債務引受けの否認可能性への影響についても，同論文458頁が詳しい。

するのが原則である[198]。しかし，承継の対象とならない会社債権者の利益は，その対価が不当に廉価であれば，害されることになるので，詐害行為否認（破160 I）の可能性がある。その対価の種類としては，債務が承継されることによって譲渡会社が免れる債務あるいは譲渡会社から交付される金銭や譲受会社の株式等が考えられる。また，相当な価額であっても，対価の隠匿等の処分をするおそれを現に生じさせるものであれば，なお，否認（破161）の可能性がある[199]。

そして，事業譲渡が否認されたときには，その効果が一体として覆滅され（破167 I），譲渡の対象となった財産全体が破産財団に復帰する一方[200]，相手

[198] ただし，特別法上の例外はある。江頭1012頁参照。
[199] 詐害行為否認を認めた裁判例として，東京地決平成22・11・30金商1368号54頁がある。否定したものとして，東京高判平成25・12・5金商1433号16頁〔倒産百選32事件〕がある。220問263頁〔岡伸浩〕参照。東京高判令和元・9・19金法2148号73頁およびその原審たる東京地判平成31・3・12同号81頁も，前掲最大判昭和40・9・22（注197）の判断枠組を前提とし，事業譲渡（営業譲渡）に該当しないとして否認を否定している。事実認定の問題ではあるが，髙井・前掲論文（注197）の視点からすれば，なお検討の余地はあろう。

ただし，民事再生から破産に移行した事案で，再生計画外の営業等の譲渡が裁判所の許可をえて行われた場合（民再42 I。本書1058頁）または再生計画によって行われた場合（本書1057頁）には，特段の事情が認められない限り，相当の価額によってなされたものとされよう（相澤光江「事業再編と事業譲渡と会社分割，減増資」今中傘寿606頁）。

また，否認対象たる事業譲渡が第三者（フィナンシャルアドバイザーなど）の助言に依拠して行われた場合には，第三者が破産管財人に対する関係で債務不履行または不法行為にもとづく損害賠償責任を負担することがありうる。岡・理論研究57頁。ただし，東京高判平成26・1・23金法1992号65頁は，廉価の事業譲渡が否認された場合のアドバイザーの債務不履行責任を否定している。

なお，事業譲渡に際して，一部の債権者が譲受会社に免責的に承継される場合がある。このような場合には，実際上，承継された債権者と残存する債権者との間に不平等が生じ，事業譲渡が偏頗的色彩を帯びることは否定できない。（工藤敏隆「事業譲渡による事業再生」論究ジュリ35号128頁（2020年）参照）。しかし，行為の法的性質としては，あくまで譲受人に対する財産移転行為であり，承継債権者に対する債務消滅や担保提供ではないので，詐害行為否認，すなわち事業譲渡が廉価で行われたか（破160），相当の対価によるものであっても，隠匿等の処分をするおそれを現に生じさせるものであったか（破161）という判断枠組の中で否認の成否を検討すべきである。これらの点を考慮して，濫用的と評価されないための事業譲渡の条件を提示するものとして，多様化する事業再生171頁〔中原健夫〕がある。

[200] たとえば，事業譲渡にともない，買掛金等の債務が承継され，譲受人が破産手続開始前にそれを弁済した後に，事業譲渡が否認されたとする。その結果として，譲受人のした弁済は，第三者弁済となるから，譲受人は求償権を行使できる（民702 I III）。この求償権は，破産債権となる。実際には，事業譲渡を否認して，譲受人に移転した権利義務を破

方は，その対価を返還する請求権を破産債権または財団債権として行使する（本書653頁）。

(2) 会 社 分 割

事業譲渡と異なり，会社分割は，資産や債務の移転という財産法上の効果の前提として，新設分割計画による新会社の設立という組織法上の行為がある（会社2㉚参照）。そして，消滅会社の資産および債務が包括的に存続会社や新設会社に移転する合併（会社2㉗㉘・750Ⅰ・754Ⅰ）と異なって，新設会社分割の場合には，分割会社がその事業に関して有する権利義務の全部または一部を新設会社に包括的に移転させることができる（会社764Ⅰ）。その経営が困難に直面している会社の場合には，収益性の良い事業部門と悪い事業部門とを切り離し，前者のみを承継会社または設立会社に移転し，後者は，分割会社に残すことによって事業の再生を図ろうとするために，会社分割，特に単独新設分割の手法が多用されるといわれる。

加えて，会社法制定前は，分割会社および新設会社がそれぞれ負担する債務の履行の見込みがあることが会社分割の実体的な要件と解されていたこととの関係で[201]，債務超過会社を分割会社とする会社分割は実際上困難であったが，会社法下では，そのような制約が消滅したことにともない[202]，会社分割の手法によって，債務超過会社の事業部門の再生を図る実例が激増している。

問題は，このような形で行われる新設分割が会社債権者の利益を害さないか

　産財団に戻すことは，取引関係に混乱を生じ，破産会社の事業価値を損なうおそれが大きく，否認対象行為の目的物そのものを破産財団に回復することがその財産価値保全という意味で困難であるという理由から，価額償還請求（本書650頁）を認めるべきである。
　事業譲渡の無償否認を認め，かつ，被告と取引先との間の取引関係がすでに構築されているので，事業自体を返還することが性質上不可能または困難であることを理由として価額償還請求を認めた裁判例として，大阪地判平成30・5・21金商1560号27頁とその控訴審判決たる大阪高判平成30・12・20同号8頁がある。このような判断枠組は，会社分割の否認にも適用できよう。永谷典雄「濫用的会社分割と否認権行使」多比羅喜寿284頁参照。

201) したがって，債務の履行の見込みが認められないことは，分割無効の理由とされていた。会社法コンメンタール（17）268頁〔神作裕之〕参照。
202) 会社法施行規則183条6号などでは，事前開示事項の1つとして，債務の履行の見込みに関する事項が定められているが，これを根拠として，債務の履行の見込みを会社分割の効力要件とするのは困難といわれる。神田406頁，会社法コンメンタール（17）271頁〔神作裕之〕，相澤哲ほか編著・論点解説新・会社法　千問の道標674頁（2006年）参照。ただし，江頭945頁は反対。

どうかである。新設分割に対して異議を述べることができるのは，分割会社の債権者のうち会社分割後に分割会社に対し債務の履行を請求できなくなる者に限られる（会社810 I ②)[203]。これらの者は，その意思にかかわらず，新設会社の債権者とされ，かつ，分割会社が当該債務について重畳的債務引受けも連帯保証も行わない場合には，免責的債務引受け類似の効果を甘受せざるをえないためである。これに対して，分割会社に対し債務の履行を請求できる債権者は，分割会社が新設会社から，移転した純資産の額に等しい対価を取得するはずであるから，会社分割に対する異議を述べる資格を与えられない[204]。

ところが実際には，新設会社に移転されるのは収益性の高い事業部門であり，そこに承継される債権者は，既存の債権の弁済のみならず将来の取引利益も期待できるにもかかわらず，分割会社に残されるのは，収益性のない事業部門であり，分割会社は，早晩清算され，分割会社に残された債権者は，その清算価値から比例的満足を受けるにすぎないという結果が生じやすく，分割会社に残された債権者と新設会社に承継された債権者との間に不公平感が生じ，これに加えて，分割の対価として受領した新設会社の株式が分割会社の財産として保全されていないことが多く，破産手続に入った分割会社の破産管財人が否認権を行使することを通じて，新設会社へ移転した財産の返還またはそれに代わる価額賠償を求められないかというのが，問題の背景である[205]。

下級審裁判例も，会社分割に関して否認権または詐害行為取消権の行使を認

---

[203] もっとも，会社法制定前のいわゆる人的分割に相当する場合，すなわち，分割会社が分割対価である株式等を株主に分配する場合には，分割会社の債権者も異議を述べることができる（会社810 I ②第2かっこ書。江頭950頁）。
[204] 以上は，江頭949頁，会社法コンメンタール（18）347頁〔伊藤壽英〕による。
[205] 議論の内容は，岡伸浩「濫用的会社分割と民事再生手続」NBL 922号6頁（2010年）（岡・理論研究177頁），内田博久「倒産状態において行われる会社分割の問題点」金法1902号54頁（2010年），難波孝一「会社分割の濫用を巡る諸問題——『不患貧，患不均』の精神に立脚して」判タ1337号20頁（2011年），神作裕之「濫用的会社分割と詐害行為取消権（上）（下）」商事法務1924号4頁，1925号40頁（2011年），第一東京弁護士会総合法律研究所倒産法研究部会編著・会社分割と倒産法（2012年）（岡・理論研究191頁），220問260頁〔服部明人〕，植村京子「否認権の効果に関する一考察」田原古稀（下）347頁，破産・民事再生の実務〔破産編〕308頁，倒産・再生訴訟132頁〔鈴木学＝高橋洋行〕，破産実務の基礎268頁など参照。また，否認が成立するような事案では，会社分割を立案したコンサルタント会社などに対する報酬支払の否認や損害賠償請求も問題となる。岡正晶「濫用的会社分割・事業譲渡と否認権」金法2071号43頁（2017年）参照。

めるものがあり[206]，会社分割を詐害行為として，分割計画書の内容として設

---

[206] 福岡地判平成21・11・27金法1911号84頁〔否認肯定〕，福岡地判平成22・9・30判タ1341号200頁〔否認肯定〕，大阪高判平成21・12・22金法1916号108頁〔詐害行為取消肯定〕，東京地判平成22・5・27判時2083号148頁〔詐害行為取消肯定〕，東京地判平成23・1・14 Westlaw Japan 文献番号2011 WLJPCA 01148016〔否認肯定〕，名古屋地判平成23・7・22判時2136号70頁〔否認肯定〕，福岡高判平成23・10・27金法1936号74頁〔詐害行為取消肯定〕，東京地判平成24・1・26判タ1370号245頁〔否認肯定〕，東京高判平成24・6・20判タ1388号366頁〔倒産百選33事件〕〔否認肯定〕など。
　その他，法人格否認の法理を適用して，新設会社が分割会社の債権者に対して責任を負うべきことを判示するものとして，福岡地判平成22・1・14金法1910号88頁，東京地判平成22・7・22金法1921号117頁，会社法22条1項の類推適用によって設立会社の責任を認めるものとして，東京地判平成22・11・29判タ1350号212頁がある。近時の関連裁判例は，第一東京弁護士会総合法律研究所倒産法研究部会編著・前掲書（注205）195頁以下（岡・理論研究221頁以下）に網羅されている。
　また，立法の動きとしては，「会社法制の見直しに関する要綱」が決定され（法制審議会第167回会議（平成24年9月7日開催）），その「第5　会社分割等における債権者の保護」の中の「1　詐害的な会社分割等における債権者の保護」においては「①　吸収分割会社又は新設分割会社（以下「分割会社」という。）が吸収分割承継会社又は新設分割設立会社（以下「承継会社等」という。）に承継されない債務の債権者（以下「残存債権者」という。）を害することを知って会社分割をした場合には，残存債権者は，承継会社等に対して，承継した財産の価額を限度として，当該債務の履行を請求することができるものとする。ただし，吸収分割の場合であって，吸収分割承継会社が吸収分割の効力が生じた時において残存債権者を害すべき事実を知らなかったときは，この限りでないものとする。」とされた上，後述のとおり法改正がなされたので，非承継債権者（残存債権者）が詐害行為取消権の行使によってその利益保全を図らなければならない必要性は，減少することになろう。
　しかし，非承継債権者の承継会社等に対する請求権は，「分割会社について破産手続開始の決定，再生手続開始の決定又は更生手続開始の決定がされたときは，行使することができないものとする。」とされているので（同要綱第5 1②の注1），分割会社の破産手続等において詐害的な会社分割を否認によって覆滅する必要性は影響を受けない。
　なお，以上に述べたことは，事業譲渡および営業譲渡についても妥当する（同要綱第5 1②の注2）。そして，上記の内容は，会社法の一部を改正する法律（平成26年法律90号）によって，詐害的会社分割に関する会社法759条4項，761条4項，764条4項，766条4項，詐害的事業譲渡および営業譲渡に関する会社法23条の2等ならびに商法18条の2として立法化された。これらの規定中に，譲渡会社について破産手続などが開始されたときには，残存債権者は，その権利を行使できないとする規律が含まれているが（会社759Ⅶ・761Ⅶ・764Ⅶ・766Ⅶ・23の2Ⅲ，商18の2Ⅲ），ここでいう「権利を行使することができない」とは，権利の満足を求めるすべての法律上および事実上の行為を意味し，債務名義にもとづく強制執行や保全執行を含むと解されている。深山卓也「平成26年会社法改正に伴う会社更生法の整備について」伊藤古稀1154頁参照。したがって，承継会社の残存債権者としては，その権利を破産債権として行使する以外にない。
　また，承継債権者による履行請求訴訟が係属するときに，分割会社の破産管財人による受継ができるかという問題があり，履行請求訴訟が個々の承継債権者の利益実現を目的とするところから，債権者代位訴訟や詐害行為取消訴訟と同視することはできず，受継を認

立会社に移転した資産の返還またはその価額相当額の金銭の償還を命じている。これを受けて最高裁判例は，組織法上の会社分割の効力とは切り離して，分割会社から新設会社への資産の移転が新設会社に承継されない債権者に対する関係で詐害行為となりうることを認めた[207]。その事件は，詐害行為取消権にかかるものであるが，否認についても同様の考え方が適用されると思われる。

検討すべき問題としては，第1に，組織法上の行為としての性質を有する会社分割が破産財団の回復を目的とする否認権の行使対象たりうるか，第2に，否認の対象たりうるとすれば，否認の類型は，詐害行為否認か偏頗行為否認か，第3に，否認の要件として捉えるべき事実は何か，第4に，否認の効果として，破産管財人はどのような給付を求めることができ，逆にどのような義務を負うかという4点に集約できる[208]。

第1の問題については，否認の目的は，組織法上の行為である新設会社の設立を否定することではなく，分割会社から新設会社への資産の移転の効果を覆滅することであるから，組織法上の行為は否認の対象たりえないという原則と矛盾するものではない（本書570頁参照）。

第2および第3の問題については，新設会社に承継される債権者（承継債権者）は，その債権を全額弁済される見込みがあるのに対して，分割会社に残される債権者（非承継債権者）は，残存の不良資産と分割にあたって交付される新設会社の株式（交付株式）の清算価値から満足を受ける以外になく，両者の間に不平等が生じることに着目して偏頗行為否認の成立を主張する学説も有力である。確かに，経済的実質からみると，交付株式が十分な価値を有しない場

めることは，解釈論としてはもちろん，立法論としても困難であるため，破産管財人の残存総債権者のための承継会社に対する履行請求を認めるべきであるとの立法提言がなされている。岡・理論研究234頁。

[207] 最判平成24・10・12民集66巻10号3311頁。同判決に付された須藤正彦裁判官の補足意見では，「本件残存債権の責任財産は大幅に変動するなどの事態が生じ，かつ，本件残存債権の債権者と本件承継債権の債権者との間に著しい不平等が生ずるに至った」と述べられている。

[208] 以下の議論の詳細については，木村真也「新設分割につき詐害行為取消権を行使することの可否（積極）」新・判例解説Watch179頁（2013年），伊藤眞「会社分割と倒産法理との交錯——偏頗的詐害行為の否認可能性」NBL 968号12頁（2012年。第一東京弁護士会総合法律研究所倒産法研究部会編著・前掲書（注205）18頁以下所収），岡・理論研究177頁参照。本書の考え方と同趣旨のものとして，岡正晶「濫用的会社分割の詐害行為取消を認めた最二判平成24・10・12」金商1405号1頁（2012年），永谷・前掲論文（注200）278頁がある。

合には，分割によって承継債権者と非承継債権者との間に偏頗な状態が生じることは否定できない。しかし，法律的には，分割によって承継債権者が弁済や担保の提供を受けるという構成をとることは困難であり，また破産管財人が新設会社ではなく，承継債権者を受益者として偏頗行為否認を主張することも現実性がない。したがって，会社分割を偏頗行為否認の対象とすることはできず，詐害行為否認を検討する以外にない[209]。

分割会社から新設会社への資産の移転を詐害行為否認の判断枠組でとらえようとすれば，その対価が何であるかが問題となる。対価としては，承継される債務と交付株式の２種類が考えられるが，分割会社がすでに債務超過の状態にあることを前提とすれば，債務を免れることによる利益は，その額面額ではなく，分割会社の資産のうち承継債務の責任財産となるべき部分の対価（実価）に基づいて判断されるべきであるから，それを超える資産の移転は，正当な対価なくして行われたものとみるべきである。

---

[209] 議論の詳細については，松下祐記「会社分割と否認・詐害行為取消し」論究ジュリ35号118頁参照。松下淳一「濫用的会社分割についての覚書」事業再生と債権管理138号149頁（2012年）は，偏頗行為の準備行為としての詐害行為という概念を基礎として，承継される債権の実質価値を超える資産の承継は，絶対的な財産減少行為としての詐害性を有するという。

なお，新設会社への資産の移転とは別に，分割の対価として交付された新設会社の株式を処分する行為の否認可能性も問題となる。処分のうち，第三者に対する譲渡が詐害行為否認や無償否認の対象となりうることは当然であるが（京都地判平成27・3・26判時2270号118頁参照），いわゆる人的分割（注203参照）に類するものとして，分割計画の定めによって，交付された株式を分割会社の株主に対する剰余金の配当（現物配当）の対象とする場合（会社763Ⅰ⑫ロなど）には，それが会社分割の一部を構成する行為であり，また，債権者異議手続が設けられていること（会社810Ⅰ②かっこ書など）との関係が問題となる。

しかし，前掲最判平成24・10・12（注207）の趣旨を踏まえれば，剰余金の配当としての株式の移転が否認されることは，分割の効力全体を否定することとは区別されるし，債権者異議手続は，個々の債権者の利益を保護するための手段であるから，その存在を理由として否認の可能性を排除すべき理由とはならない。加えて，剰余金の配当は，法的な意味で出資と対価関係にあるとはみなされないために，分割会社の株主に対する交付株式の配当については，無償否認の成立可能性がある。

これに対して，東京地判平成28・5・26判時2328号111頁は，剰余金の配当が組織法上の行為である会社分割の一環としてなされること，債権者の保護は，異議手続によって図られること，否認を認めることが法的安定を害することなどを理由として，否認可能性を否定する。しかし，いずれの理由についても，疑問があるといわざるをえない。三森仁「分割型新設分割と同時に行われる剰余金配当に対する否認の可否」多比羅喜寿297頁参照。

次に，交付株式については，破産管財人の側からは，詐害行為性の評価根拠事実として，新設会社の純資産額にもとづいて，それが十分な価値を有するものでないことを主張し，新設会社の側からは，評価障害事実として，株式に表象される新設会社の事業価値にもとづいて，それが十分な価値を有することを主張することとなる。その際には，分割会社が交付株式を廉価で処分したことや，新設会社が直後に第三者割当増資を行って，交付株式の価値が下落したことなどが評価障害事実の信憑性を判断するための材料となる。

上記の結果として，債務の承継および交付株式が資産の移転の相当な対価とみなされれば，法160条にもとづく詐害行為否認の成立が阻却され，破産管財人がなお否認を主張しようとすれば，法161条にもとづいて，資産が交付株式に代わったことが，隠匿等の処分をするおそれを現に生じさせたことや，分割会社の隠匿等の処分意思の存在を主張立証する（本書584頁）。その際には，分割計画が秘密裏に立案遂行されたことなどが，隠匿等の処分意思の認定にかかる事情となろう。

第4の問題についてみると，法160条または161条にもとづく否認が成立する場合には，破産管財人は，新設会社に対して移転資産の返還を求めることになるが，すでに新設会社の事業がその資産を基礎として行われている以上，資産そのものの返還は不可能または困難であると思われるので，その価額の償還を請求することになる（本書650頁）。これに対して新設会社は，対価として承継した債務（実価）の引受けや交付株式の返還を破産管財人に対して求めることとなるが，実際には，それらの金額を控除した金額が資産に代わる価額償還請求権の内容となろう（本書656頁）。

第3項　否認の個別的要件

以上の一般的要件を前提として，以下では，詐害行為否認，偏頗行為否認および無償行為否認の3類型に即して，それぞれの個別的な要件について説明する。

1　詐害行為否認

詐害行為否認（破160 I）については，行為の時期に応じて，2つの類型が分けられる。第1類型は，時期を問わず詐害行為を対象とするものであり，詐害行為および破産者の害意の2つが否認の積極要件であり，詐害についての受益

者の善意が消極要件である（同①）。第2類型は，支払停止または破産手続開始申立て（支払停止等と呼ばれる）後の詐害行為であり，詐害行為の存在が積極要件であり，支払停止等および詐害についての受益者の善意が消極要件である（同②）。

(1) 詐害行為否認の共通要件――詐害行為

詐害行為の存在は，いずれの場合にも共通の要件とされているが，その意義は，破産者の責任財産を絶対的に減少させる行為[210]であり，その点に詐害性が認められる。財産の廉価売却などがその代表例である。ただし，そうした行為が詐害性を帯びるのは，債務者が債権者に対して責任財産を維持することが求められる時期に入っていることが前提となる。平常時であれば，債務者は自

---

[210] ここで絶対的にという意味は，廉価売却にみられるように，当該行為自体にもとづいて破産者の財産の減少を生じさせることを意味し，偏頗弁済のように，消滅する債務の実価と減少する財産との経済価値を比較してはじめて，破産者の財産の減少が認められるものと区別する趣旨である。

したがって，債権者に対する責任財産に含まれない破産者の財産の処分などは，詐害行為にあたらない。この点に関してしばしば議論されるのが，破産者たる保険契約者の保険金受取人の変更行為である。具体例としては，代表取締役を被保険者，会社を保険契約者兼保険金受取人とする生命保険契約がある場合に，会社が保険金受取人を代表取締役の近親者に変更する行為が，詐害行為として否認の対象となるかどうかが争われる。保険金受取人の指定変更権の性質などを理由とする否定説も有力であるが（東京高判平成17・5・25金法1803号90頁），この種の保険契約は，もっぱら会社の財産上の利益実現を目的とするものとみられるから，否認の対象たりうるとするのが相当である。詳細については，岡山忠広「保険契約の保険金受取人変更と詐害行為取消権・否認権の行使」判タ1267号30頁（2008年）参照。保険契約者と保険金受取人が別であり，保険金受取人が破産したときに，保険契約者の変更行為が否認の対象とならないことは当然である。現代型契約と倒産法278頁〔神原千郷ほか〕。

また，形式的には破産者の関連会社の預金債権であっても，実質的出捐が破産者によることを理由として，預金債権が破産者に帰属する財産であるとし，それについての質権設定を詐害行為とした裁判例として，東京地判平成20・6・30判時2014号96頁がある。

なお，オーバーローンの物件を無償で第三者に譲渡する行為は，原則として有害性（本書563頁）が否定されるというのが従来の本書の見解であったが，オーバーローンの物件を担保権者に代物弁済する行為について有害性を認めうるとの立場（本章注184）との関係から，担保権が現存し，当該物件が破産財団に復帰した段階で破産管財人による任意売却と換価金の破産財団への組入れが期待できる事案においては，否認の可能性を認めるとの考え方もありえよう。

さらに，破産者が自らの財産の上に賃借権を設定する行為も，たとえ当該賃借権が担保不動産競売手続において消滅すべきものであっても（民執59Ⅱ参照），実際上，不動産の換価を困難にし，またはその価値を低落させるから，破産債権者を害する行為にあたる。金沢地判平成25・1・29金商1420号52頁。その分析については，池田靖＝志甫治宣「詐害行為否認」倒産法の実践288頁参照。

らの財産処分の自由を認められるから，たとえ廉価売却であっても，それが詐害行為とされることはない。しかし，破産原因たる支払不能や債務超過状態が発生し，またはその発生が確実に予測される時期（これを実質的危機時期と呼ぶ）が到来すれば，合理的理由のないままに債務者が責任財産を減少させる行為は，詐害行為と評価される[211]。

旧法下では，弁済のような債務消滅行為について故意否認が成立するかどうかが争われ，判例・通説はこれを肯定していた[212]。しかし，現行法は，詐害行為否認と偏頗行為否認とを区別する立場から，偏頗行為，すなわち担保の供与および債務消滅行為は，詐害行為否認の対象としないことを明らかにしている（破160 I 柱書かっこ書）。なお，ここでいう担保の供与は，破産債権に対する偏頗行為としての性質を持つものを意味し，第三者のためにする担保の供与，すなわち物上保証は，偏頗行為ではなく，破産者の財産を絶対的に減少させる詐害行為として，詐害行為否認または無償否認の対象となる。

旧法下で債務消滅行為，特に本旨弁済の故意否認が肯定されたのは，偏頗行為に対する危機否認が，原則として支払停止または破産手続開始申立て後に限定され，それ以前の実質的危機時期における否認可能性がないことを補完するためであった。現行法は，債務消滅行為を詐害行為否認の対象としないことによって，否認の範囲を限定しているが，他方，偏頗行為否認について，支払停

---

211) 破産手続開始原因たる事実の発生が確実に予測される時期においては，詐害行為を禁止するという範囲で，債権者が債務者の財産管理に介入できることを意味する。支払不能状態または債務超過状態のいずれかになることが確実に予測される時期における破産者の行為のいずれもが詐害行為とされうる趣旨である。基本構造385頁参照。これに対して，詐害行為の基礎を債務超過のみに限定し，さらにそれが現に発生している場合にのみ詐害行為の成立を認める有力説がある。同386頁，垣内秀介「否認要件をめぐる若干の考察」田原古稀（下）223頁，破産法大系II 449頁〔垣内秀介〕。なお，債務超過の判断基準は，時価により（本書128頁参照），行為の結果として債務超過に陥った場合を含む。
　破産手続開始時から約4年8ヵ月を遡る行為について，実質的危機時期における詐害行為として詐害行為否認を認めた裁判例として，東京地判平成28・7・20金法2062号81頁がある。また，離婚にともなう財産分与は，それが仮装的なものでない限り詐害行為取消しの対象とならないが（前掲最判昭和58・12・19（注13）），合理的な基準を超えたものかどうかを検討する必要がある。破産実務の基礎268頁参照。
212) 条解会更法（中）51頁，伊藤・破産法〈第3版補訂版〉342頁，条解破産法〈第3版〉1113頁，大コンメンタール622頁〔山本和彦〕参照。判例は，大判昭和7・12・21民集11巻2266頁，大判昭和8・12・28民集12巻3043頁，大判昭和15・9・28民集19巻1897頁〔倒産百選〈初版〉7事件〕，最判昭和42・5・2民集21巻4号859頁〔倒産百選〈第3版〉26事件〕がある。

止発生前の支払不能状態における行為も対象とすることによって（破162Ⅰ①），旧法下の債務消滅行為の故意否認の実質を立法化している。

ただし，債務消滅行為であっても，債務額を超過する価値を持つ目的物による代物弁済などは，その超過部分に関する限り詐害行為としての性質を持つ[213]。これを詐害的債務消滅行為と呼ぶ。これについては，当該行為がなされた時期に応じて詐害行為否認が認められる（破160Ⅱ）。超過部分の有無を判定するための目的物の評価は，行為時を基準とする。

(2) 詐害行為否認の第1類型固有の要件——詐害意思および受益者の悪意

次に，詐害行為否認の第1類型に固有の要件としての破産者の詐害意思について説明する。かつては，故意否認の要件としての詐害意思の内容について，債権者に対する加害の認識をもって足りるとする認識説と，より積極的な加害の意図を要求する意思説とが対立していた。前者は通説が採用するもので，行為の結果として破産債権者のための共同担保たる責任財産が減少し，破産債権者の満足が低下する旨の認識があれば十分とする。後者は，かつての判例が採用するもので，いずれも旧法下の本旨弁済に対する故意否認に関する事案において，否認を可能にするための加重的要件として，加害の意思を求めていたと理解される。しかし，判例も近時は，一般論として認識説をとることを明らかにし，この対立は解消された[214]。

本書も，詐害行為否認の第1類型における詐害意思の内容について認識説を前提とする。旧法と異なって偏頗行為がこの類型の否認の対象とされないこと

---

[213] 一問一答233頁参照。たとえば，債務額が100万円で代物弁済の目的物の価値が100万円であれば，両者が均衡しており，超過部分はなく，否認は成立しない。危機時期においては，債権の実価が低落するから，均衡に欠けるとの議論もありうるが，法160条2項が基準としているのは，あくまで法律上の債務額である。また，超過部分は，著しいまでの必要はないが，社会通念からみて過大と評価される程度でなければならない。破産法大系Ⅱ463頁〔垣内秀介〕。

[214] かつての判例は，前掲大判昭和8・12・28（注212），前掲大判昭和15・9・28（注212），近時の判例は，最判昭和35・4・26民集14巻6号1046頁〔詐害行為取消権〕，通説は，中田156頁，山木戸192頁，谷口257頁，注解破産法（上）464頁〔宗田親彦〕，基本法115頁〔池田辰夫〕である。現行法下の学説としては，条解破産法〈第3版〉1114頁，注釈破産法（下）101頁，大コンメンタール628頁〔山本和彦〕参照。なお，詐害行為取消権についても，詐害行為否認についても，行為の類型ごとに詐害の認識を判断すべきであるとする相関関係説が有力であるが（潮見・新債権総論Ⅰ773頁，条解会更法（中）53頁など），詐害意思を認定する際の事情ととらえれば足りる。また，詐害行為が破産者自身の行為であることを前提とすれば，詐害意思の存在には事実上の推定が働こう。

が明らかになったことを踏まえれば，自らが実質的危機時期の状態にあること，および当該行為が責任財産を減少させる効果を持つことの認識があれば，詐害意思が肯定される。

詐害行為否認の第1類型における消極的要件は，詐害，すなわち破産者の行為が責任財産減少につながることに関する受益者の善意である。受益者の側で善意であることの証明責任を負う[215]。善意であったことについて受益者に過失があったかどうかは問題とならない。受益者は，破産者の財産状態について注意義務を負っているわけではないからである[216]。

詐害的債務消滅行為についても，詐害の限度で，第1類型による否認が認められる（破160Ⅱ）[217]。なお，偏頗行為には債務消滅行為と担保供与行為が含まれるが，ここで債務消滅行為のみが対象とされているのは，代物弁済などの債務消滅行為の場合には，目的物の価値が破産財団から逸出するのに対して，過剰な担保供与がなされても，それが担保である以上，過剰部分の価値は破産財団に保持されているとみられるからである[218]。

---

[215] 前掲最判昭和37・12・6（注191）。受益者が，破産者が実質的危機時期の状態にあることを知らなかったこと，または当該行為が責任財産を減少させる効果を持つものであることを知らなかったことのいずれかの立証をすれば，否認の成立が妨げられる。破産法大系Ⅱ453頁〔垣内秀介〕。

[216] 最判昭和47・6・15民集26巻5号1036頁〔倒産百選〈初版〉35事件〕。もっとも，合理的取引人として，詐害の事実を当然知りうる状況にあったときには，悪意が推定される。その例として，東京地判昭和57・1・21判時1053号169頁がある。なお，倒産実体法の研究（7）145頁〔我妻学〕は，立法論として，受益者に重過失不存在の証明を要求する。

[217] 法160条2項は，本来は詐害行為否認の対象とならない債務消滅行為であっても，詐害性を有する部分を限度として否認を認める意義を有する。適用対象となる詐害的債務消滅行為は，支払不能等前のものと後のものの双方を含むが，支払不能後のものについては，債務消滅行為全体に偏頗行為否認の規定（破162）が適用されるから，その否認の成立が見込まれる限り（条解破産法〈第3版〉1118頁参照），実際には，法160条2項の適用を主張する意義は少ない。

ただし，法160条2項にもとづく超過部分のみの否認は，無償否認に類するものであるから，それによって相手方の債権が復活することはないが，法162条にもとづいて全体が否認されれば，給付の返還または価額の償還によって相手方の債権が復活する（破169）。なお，債務額を超えた価値を有する目的物による支払不能前の代物弁済が詐害的債務消滅行為として否認された場合には，相手方は，目的物が不可分であれば，超過分相当の金銭を支払う義務を負うものと解される。基本構造388頁参照。

[218] 過大な質物の提供とともに，流質契約（商515，民349）が締結され，質流れの際の清算義務も課せられないような場合は，代物弁済に類すると考えるべきである。破産法大系Ⅱ462頁〔垣内秀介〕参照。

(3) 詐害行為否認の第2類型固有の要件――形式的危機時期および受益者の悪意

同じく詐害行為であっても，支払停止[219]等の発生後になされたものについては，詐害意思は否認の要件とされない（破160 I ②本文）。支払停止等の発生によって債務者の財産状況の悪化が決定的な段階になった以上，財産を維持すべき債務者の責任も，その主観的認識を離れて，客観的なものとなることが，詐害意思を要求しない理由である[220]。

ただし，受益者の利益を不当に害することは許されないので，受益者が，行為の当時支払停止等の事実および破産債権者を害する事実（整備法による改正法160 I ②では，「害すること」）について善意であることを主張・立証した場合には，否認を免れる（同但書）。また，破産手続開始申立ての日から1年以上前にした詐害行為は，支払停止後の行為であること，または支払停止の事実を知っていたことを理由として否認することはできない（破166）。破産手続と牽連性の薄い行為を否認の対象外とすることによって，受益者を保護する趣旨である（本書561頁参照）。

なお，詐害的債務消滅行為についても，詐害の限度で，第2類型による否認が認められる（破160 II）。

---

[219] 支払停止の意義については，本書121頁参照。法164条に相当する旧破産法74条にいう支払停止の意義につき，最判昭和60・2・14判時1149号159頁〔倒産百選28①事件〕は，債務者が債務整理の方法等について債務者から相談を受けた弁護士との間で破産申立ての方針を決めただけでは，他に特段の事情のないかぎり，未だ内部的に支払停止の方針を決めたにとどまり，債務の支払をすることができない旨を外部に表示する行為をしたとすることはできないと判示する。

また，支払停止の事実が存在するにもかかわらず，支払不能でなかったとの事実が認められれば，否認の成立が阻却されるとの議論があるが，支払停止は否認の独立の要件であり，このような議論は成り立たない。支払停止には，破産手続開始原因としての支払不能推定機能と否認などの要件としての危機時期確定機能があるという見地から，このような考え方を示すものとして，岡伸浩「支払停止概念の再構成と判断構造」伊藤古稀761頁参照。

[220] したがって，債権者による破産手続開始申立て（破18）がなされ，その事実を破産者が知る前になされた詐害行為も否認の対象になりうる。破産法大系 II 458頁〔垣内秀介〕は，このような特質から，2号否認を危機否認の一種とする。

ただし，破産法大系 II 411頁〔三木浩一〕は，第2類型が支払停止等にもとづいて詐害意思の存在を法律上推定するものであるとし，詐害意思不存在の立証にもとづく否認の阻却可能性を認める。

(4) 相当の対価をえてした財産の処分行為の否認

弁済資力が不足している実質的危機時期において、破産者がその財産を廉価で売却することは、責任財産を絶対的に減少させる行為として、詐害行為否認の対象となる。これに対して、財産が適正価格で売却されたときになお詐害行為否認の余地があるかどうかについては、旧法下で考え方の対立があった。適正価格で売却されれば、当該財産は責任財産から失われる代わりに、その対価が責任財産に組み入れられるから、破産者の行為は詐害性を欠くはずである。事実、動産の適正価格による売却については、否認の可能性が認められない[221]。

ところが、不動産に関しては、判例・通説は否認の可能性を認める[222]。すなわち、不動産は、債権者に対する責任財産としてもっとも確実なものであるが、それが売却されたり融資の担保とされると、破産者が、金銭化された不動産の価値を費消、隠匿しやすくなり、責任財産の実質的減少とみなされるというのである。したがって、売却が私的整理の一環として公正な方法で行われるとか、対価たる金銭がそのまま保管されているなど、有害性を否定すべき特別の事情がない限り、不動産の適正価格による売却および融資額に見合った担保の設定も詐害行為とする。

これに対する批判としては、適正価格で買い受けたにもかかわらず、後に売主が破産したことによって否認が認められるのでは、買主の地位が不安定になり、取引の安全を害し、ひいては危機に陥った者が、不動産を売却したり担保を設定したりして金融をえる途を閉ざすことになると主張される。しかし、近年の通説は、受益者が詐害についての善意を立証すれば故意否認の成立は阻却されるから（旧破72①但書）、むやみに取引の安全が害されることはないとし、また、真にやむをえない目的のために破産者が行った売却等であれば不当性が否定されるから（本書566頁参照）、その面で否認の成立可能性が阻却され、破産者の利益を害することはないとして、判例に賛成する。

以上のような旧法下の議論を前提として、現行法は新たに、相当の対価をえ

---

221) 大判昭和7・12・23法学2巻845頁。
222) 否認を認める判例としては、大判昭和9・4・26新聞3702号9頁があり、これを支持する通説は、山木戸186頁、谷口249頁、石原170頁、注解破産法（上）433頁〔宗田親彦〕、基本法114頁〔池田辰夫〕などである。

てした財産の処分行為の否認という規律を，詐害行為否認に関する特則として設ける（破161）。すなわち，破産者の財産処分行為[223]において相手方が相当の対価[224]を支払っている場合には，以下の特別の要件が具備されている場合に限って，否認が認められる（同Ⅰ柱書）。これらの要件は，一方では責任財産の実質的減少を防ぐために，当該行為についての否認可能性を認め，他方では，受益者の利益を害しないために，一般の詐害行為否認よりも厳格な要件を設ける趣旨である[225]。

　第1の要件は，不動産の金銭への換価等，財産の種類の変更[226]によって破

---

[223] 財産処分行為には，売買の他，相当の融資を受けて担保権を設定する行為も含まれる。基本構造394頁，条解破産法〈第3版〉1124頁，大コンメンタール637頁〔山本和彦〕，破産法大系Ⅱ421頁〔三木浩一〕。この否認類型が詐害行為否認の特則であることを前提とすると，法160条1項柱書かっこ書との関係が問題になるが，否認要件が加重されていること，経済的実質は変わらないことを考えると，担保設定行為を含ませるのが正当である。また，用益権設定については，見解が分かれるが（否定説として，大コンメンタール637頁〔山本和彦〕，肯定説として，条解破産法〈第3版〉1124頁），用益権の設定も財産の処分行為の一種であること，対価としての賃料や敷金等について隠匿等の処分をするおそれが存在することを考えれば，これを肯定すべきである。なお，詐害行為否認の本則（破160Ⅰ）と法161条による否認との関係については，概説290頁参照。

[224] 対価の相当性は，移転された財産権の正常な取引価格を基準として決定される。したがって，破産者が賃貸物件を有し，敷金を預かっている場合に，対象物件の評価額から敷金債務額面相当額を控除した額において売買する場合には，対価の相当性を認めるべきである。なお，破産管財人が，廉価な売買などを理由として法160条1項にもとづく否認を主張し，それが排斥される場合に備えて，法161条にもとづく否認を主張するときには，対価の相当性との関係で両者は，主位・予備の関係になる。破産法大系Ⅱ469頁〔垣内秀介〕参照。

[225] 詐害行為否認の特則である以上，行為が実質的危機時期になされていることが前提となる。ただし，法文の要件との関係では，隠匿等の処分をするおそれを現に生じさせることと重なるといえよう。なお，破産法大系Ⅱ419頁〔三木浩一〕は，同じく詐害行為否認でありながら，法161条の否認が法160条の否認から自立したものであるとの前提に立ち，破産者の行為が責任財産の減少につながることについての受益者の悪意が要求され，それが破産管財人の証明責任に属するという。

[226] どのようなものの処分が否認の対象となるかについては，当該財産の種類の変更によって隠匿等の処分をするおそれを現に生じさせるかどうかによって決まるものであり，不動産に限らず，債権者から容易に認識できる財産が金銭に換えられた場合には，これにあたる。基本構造395頁，条解破産法〈第3版〉1125頁，大コンメンタール639頁〔山本和彦〕参照。預金債権を現金化する行為もここに含まれうるかが問題とされることがあるが，たとえ隠匿等処分意思が存在したとしても，処分の相手方たる受益者が想定されないために，否定すべきである。これに対して，賃料債権について前払いの合意をなし，賃借人から前払いを受ける賃貸人の行為は，債権から金銭への変更という意味で，財産の種類の変更にあたり，かつ，賃借人が受益者として想定されるために，否認対象行為となりうる。

産者が隠匿、無償の供与その他の破産債権者を害する処分[227]（整備法による改正161 I ①では、「破産債権者を害することとなる処分」。隠匿等の処分と呼ばれる）をするおそれを現に生じさせることである（同①）。この要件は、詐害行為否認一般の要件との関係では、詐害行為の特殊類型にあたる。すなわち、相当の対価[228]が支払われている点からみれば、当該行為による責任財産の減少は認められないが、隠匿等の処分のおそれが現に生じたことを踏まえれば、実質的な詐害性が認められるからである。隠匿等の処分については、そのおそれで足り、隠匿等がなされたことを要するものではないが、他方、抽象的なおそれでは足りず、処分前後の事情や財産の種類の変更などから隠匿等が行われたであろうことが推認される場合でなければならない[229]。

　第2の要件は、破産者が行為の当時隠匿等の処分をする意思（隠匿等処分意思と呼ぶ）を有していたことである（同②）。これは、詐害行為否認一般の要件との関係では、詐害意思の特殊類型にあたる。詐害意思は、自らが実質的危機時期の状態にあること、および当該行為が責任財産を減少させる効果を持つこ

---

[227] 「その他の破産債権者を害する処分」の中に、本旨弁済が含まれるかどうかが議論される。基本構造399頁、条解破産法〈第3版〉1126頁、大コンメンタール640頁〔山本和彦〕。しかし、ここで否認の対象となるのは、本旨弁済ではなく、その資金をうるための財産の処分行為であるから、その対価が相当である場合にまで、本旨弁済を破産債権者を害する行為として、財産の処分行為の否認を認めることは、法161条の立法趣旨に反する。もっとも、本旨弁済を受ける者と破産者とが特別な関係にあり、本旨弁済が実質的には隠匿と同視されるべき特段の事情がある場合は別である。破産法大系III 294頁〔林康司〕参照。

[228] 相当の対価にあたるかどうかについては、当該財産の公正な市場価格が一応の基準となるが、処分の時期などの事情から、早期処分価格でも相当の対価とみられる場合がある。これに対して、形式的には相当価格による売却であるが、実質的には対価が支払われない場合、たとえば買主が破産債権者の一人であり、その債権と代金債務との相殺がなされることにより売買を決済する場合には、破産者が受ける利益は、実価の低下した債権の負担を免れたことにとどまるから、対価の相当性を欠くという意味で法160条にもとづく否認の対象にも、また実質的な代物弁済にあたるという意味で、法162条にもとづく否認の対象にもなりうる。最判昭和46・7・16民集25巻5号779頁〔故意否認〕、条解破産法〈第3版〉1124頁、大コンメンタール638頁〔山本和彦〕参照。

　もちろん、相殺禁止は別の問題である。また、相当の対価が未払である場合には、隠匿等の処分をするおそれが現に生じているとは認められないために、否認は成立せず、破産管財人は、相手方から対価を受領する。

[229] もっとも、実際には隠匿等がなされず、代金がそのまま破産財団に組み込まれたような事案では、否認の一般的要件である有害性が欠けることになろう。基本構造398頁、条解破産法〈第3版〉1126頁。また、代金が破産者によって破産債権者に対する弁済に用いられた場合には、偏頗行為否認の問題となる。

との認識を意味するが，隠匿等処分意思は，より具体的に，処分の対価等を隠匿するなどして，債権者の権利実現を妨げる意図を意味する[230]。

第3の要件は，相手方が行為の当時，破産者の隠匿等処分意思について悪意であったことである（同③）。詐害行為否認一般の場合と異なって，悪意の証明責任は，否認の成立を主張する破産管財人の側にある。

もっとも，行為の相手方がいわゆる内部者である場合には，隠匿等の処分行為であると認められる蓋然性が高く，また隠匿等処分意思について悪意であることが少なくないものと考えられる。そこで法は，公平の見地から，行為の相手方が以下の者であるときには，隠匿等処分意思について相手方の悪意を推定する（破161Ⅱ柱書）[231]。相手方は，善意を立証して，推定を破る負担を課される。反対給付に起因する相手方の権利に関する法168条3項も同様の趣旨にもとづくものである（本書656頁参照）。

内部者たる相手方としては，法人である破産者の理事等（同①。会社法上の会計参与や会計監査人を含む），株式会社の支配的持分権者（同②イ），株式会社の親法人（同ロ），株式会社以外の法人の支配的持分権者または親法人に準じる者（同ハ），および個人である破産者の親族または同居者（同③）が含まれる。

2 偏頗行為否認

支払不能または破産手続開始申立てから破産手続開始までの時期を形式的危機時期とし，この時期になされた既存債務についての偏頗行為，すなわち担保の供与や債務の消滅にかかる行為については，破産者の詐害意思にかかわりなく，破産債権者にとって有害なものとされ，否認の対象とされる（破162Ⅰ）。これを偏頗行為否認と呼ぶ。

旧法72条2号では，危機否認の概念の下に，支払停止または破産手続開始申立て後の担保供与，債務消滅行為およびその他破産債権者を害する行為が否認の対象とされていた。これに対しては，実質的偏頗行為を捉えるためには，否認対象行為の時期をより遡らせるべきではないか，あるいは破産債権者を害する行為をも対象とすることは，詐害行為と偏頗行為との境界を曖昧にするも

---

[230] 実際には，対価等の保管や使途の態様から，意思の存在を推認することになろう。無資力者に対する無担保融資に充てた場合などについて，220問248頁〔加藤寛史〕参照。

[231] 信託財産破産においては，行為の相手方が受託者等または会計監査人であるときは，同様に，隠匿等処分意思についての相手方の悪意を推定する（破244の10Ⅱ）。

のではないかなどの立法論的批判がなされたところである[232]。現行法は，このような批判を踏まえ，形式的危機時期を画する基準として支払停止の概念に代えて支払不能を採用し，否認の対象時期を実質的に拡大する一方，対象行為を偏頗行為に限定したものである[233]。したがって，旧法下で危機否認の対象とされた詐害行為は，現行法では，詐害行為否認の第2類型の対象とされる（破160Ⅰ②・Ⅱ）。

なお，偏頗行為否認は，その根拠となる支払不能または破産手続開始申立てにもとづいて破産手続開始決定がなされた場合にのみ認められる。いったん支払不能が発生したが，その後に支払不能状態が解消され，再度発生した支払不能にもとづいて破産手続が開始されたときには，第1の支払不能発生後の行為であることを根拠として偏頗行為否認を認めるのは不合理であるし，また，破産手続開始申立てがいったん取り下げられ，再度破産手続開始申立てがなされて破産手続が開始されたときに，第1の破産手続開始申立て後の行為であることを理由として偏頗行為否認を認めるのは，破産手続開始申立てと破産手続開始までの期間になされた行為を対象とする偏頗行為否認の趣旨に反するからである。

(1) 偏頗行為否認の基本要件

偏頗行為否認の対象は，既存の債務についてされた担保供与または債務消滅に関する行為である。担保の供与には，破産者が破産財団所属財産について質権または抵当権などの典型担保を設定する行為のほかに，譲渡担保など非典型担保を設定する行為も含まれる。ただし，担保供与義務が存在する場合に限られる（破162Ⅰ②参照）。たとえ破産者が担保供与の義務を負っているときでも，その供与時期が支払不能または破産手続開始申立て後の危機時期であれば，偏頗行為否認の対象とする趣旨である。債権者平等の理念が担保供与義務に優先するからである。

債務の消滅に関する行為に含まれるものとしては，弁済（債務の内容たる給付

[232) 立法論としては，危機時期を遡らせ，破産手続開始申立て前60日，90日，または6カ月とするなどの提案がなされていた（倒産実体法の研究（6）763頁〔遠藤功＝荒木隆男〕，検討事項第4部第42(2)アb参照）。

[233) 中間試案補足説明142頁以下，一問一答226頁，基本構造403頁参照。支払不能の発生が必ずしも債務不履行の現実化を前提とするものではなく，場合によっては，支払停止の発生よりも遡りうることについては，本書118頁，基本構造405頁参照。

を実現する行為。民473)[234]，相殺（民505)[235]，更改（民513），代物弁済（民482)[236][237]が挙げられる。弁済に関して議論があるのが，第三者から新たに借り入れた資金による弁済が否認の対象となるかどうかである。借入れと弁済が

---

[234] 債務消滅行為たる弁済は，破産者自身が行うものであるが，破産者に代わって第三者が弁済を代行する場合にも否認が認められる。判例においては，公務員たる破産者に代わって国や地方公共団体が共済組合に対して貸付金を弁済するために退職金を払い込む行為も否認の対象となるとされている（前掲最判平成2・7・19（注195），最判平成2・7・19民集44巻5号853頁〔倒産百選30②事件〕，条解破産法〈第3版〉1131頁，大コンメンタール646頁〔山本和彦〕，伊藤・前掲論文（注195）257頁），破産・民事再生の実務〔破産編〕305頁。債権差押命令を受けた第三債務者が債権者に対する支払いを行う行為も同様であるが（本章注195），それが有害性を欠くときは，否認の対象とならない（本章注183）。

類似のものとして，使用者が従業員の借入金債務の返済を代行するために退職金債権と返済費用前払金返還請求権（民649参照）とを相殺し，前払金に相当する退職金部分を貸付先に弁済することもありうるが（220問271頁〔森直樹〕），同様に考えるべきである。

なお，保証人による代位弁済は，弁済原資を破産者が出捐したという特別事情がないかぎり，破産者による弁済を代行したものとはみなされない。

また，大阪地判令和元・12・20判時2462号41頁は，立替払いをした信販会社が留保所有権にもとづいて自動車の引渡しを受けて査定し，債務者に不足額を通知した時点で清算がなされたものとして，債務の消滅に関する行為がなされたと判断し，偏頗行為否認の成立を認めている。留保所有権者の行為（不足額通知）を効果の視点から債務者の弁済と同視するものである。

[235] ここでの相殺は，破産者の意思表示による相殺および破産者と相手方との合意にもとづく相殺を意味する。これに対して相手方の意思表示による相殺については，相殺の否認として議論される（本書554頁参照）。

[236] 代物弁済に類するものとして，退職金の支払に代えて保険契約者の地位の移転をしたものがある（東京高判平成12・9・27 D1-Law 判例ID 28162409）。対抗要件を備えず，別除権者たりえない破産債権者に対して所有権留保の目的物を引き渡す破産者の行為も，代物弁済に類するものとみられる。福田・前掲論文（注180）12頁。

また，貸付債権者に対して破産者が商品を売却し，売却代金との相殺によって決済させる行為も，代物弁済と同視されるべきものであるが，東京高判令和元・9・19金法2148号73頁およびその原審たる東京地判平成31・3・12同号81頁は，相殺の合意の存在が認定しがたいなどの理由から否認を否定している。しかし，偏頗行為否認の特質を考えれば，前後の事情から法律効果において代物弁済と同視できるのであれば，否認を肯定する余地もあろう。

[237] 筆者の見解としては，免除（民519）を含めていたが，破産債権者からする免除は，有害性を欠くところから，説を改める。条解破産法〈第3版〉1133頁，大コンメンタール648頁〔山本和彦〕，注釈破産法（下）126頁参照。これに対して破産者の側からする免除は，詐害行為否認（破160Ⅰ）や無償行為否認（同Ⅲ）の対象となりうる（本書596頁）。また，更改の場合には，破産者にとって旧債務より新債務の態様が重いときに限り，否認が成立すれば，新債務の消滅と旧債務の復活が認められる。破産法大系Ⅱ481頁〔田頭章一〕参照。これに対し注釈破産法（下）126頁は，詐害行為否認の対象になるとするが，法160条1項柱書かっこ書との関係が問題となろう。

分離したものとみれば，いったん破産者の財産に組み入れられた資金によって弁済がなされるのであるから，偏頗行為として否認の対象になる。これに対して，両者を一体としてみれば，第三者が受益者に対価を支払って，その破産債権を譲り受けたのと変わりがないから，他の破産債権者に対する有害性が否定される。

大審院判例は，否認肯定説をとったが，学説は，考え方が分かれている[238]。本書では，最高裁判例にしたがい，否認否定説をとるが，否認を免れるためには，借入れと弁済とが密着してなされていること，および借入れにあたって受益者への弁済目的が明確にされていることなどの事情があり，借入金が他の債権者のための共同担保とみなされる余地がないこと，ならびに借入れによる新債務の内容が利率などの点において旧債務より重くないことなどから，当該行為が他の債権者に対する有害性を欠くことが必要である[239]。

---

[238] 大判昭和8・4・26民集12巻753頁は否認を否定し，大判昭和10・9・3民集14巻1412頁，大判昭和15・5・15新聞4580号12頁，大阪高判昭和61・2・20判時1202号55頁〔新倒産百選35事件〕は否認を肯定する。学説では，山木戸201頁，石原191頁，条解会更法（中）42頁，注解会更法255頁〔櫻井孝一〕，基本法115頁〔池田辰夫〕，井上治典「借入金による弁済の否認」実務と理論100頁，注解破産法（上）436頁〔宗田親彦〕，条解破産法〈第3版〉1132頁，大コンメンタール648頁〔山本和彦〕，破産法大系Ⅱ427頁〔三木浩一〕など，否定説が通説である（ただし，中田162頁，谷口291頁）。
　このような状況の中で，最判平成5・1・25民集47巻1号344頁〔倒産百選31事件〕は，故意否認に関して否定説をとった。有害性は一般的要件であるから，危機否認にもこの判例の考え方が適用される（伊藤眞「判例評論」私法判例リマークス8号165頁（1994年），破産実務の基礎273頁参照）。なお，新版破産法483頁〔岡正晶〕は，現行法の下では，この種の行為が「債務の消滅に関する行為」（破162Ⅰ柱書かっこ書）にあたらないとする。

[239] 新旧債務の態様，あるいは第三者の融資の目的などの特別事情から詐害性を否定した裁判例として，大阪高判平成元・4・27判時1326号123頁がある。もちろん，債権者が破産者に対して第三者からの借入れを強要し，破産者がこれに応じたなどの事情が認定される事案では，詐害性が肯定される可能性がある。これに対し，破産法大系Ⅱ489頁〔田頭章一〕は，このような主観的事情によって否認の成否を決すべきでないとして反対する。
　また，ここでの問題は，借入金が会社財産に組み入れられたとみるべきかどうかというものであり，借入れに際しての事情にもとづいて否認の成否を問題とする同時交換的取引（破162Ⅰ柱書かっこ書）とは異なる。借入れの目的とは異なった使途に用いたという事実は，当該資金がいったん会社財産に組み入れられたとみるべき事情となる。木村・前掲論文（注179）49頁。
　さらに，旧債務の弁済のために新規に借り入れをし，そのための担保設定をするような事案では，新債務の態様が旧債務より重いのであるから，判例法理が妥当せず，旧債務に対する弁済が否認できるとするか，または実質的にみれば，新規借入れのための担保提供ではなく，旧債務に対する担保提供と同視できるとし，法162条1項柱書かっこ書に該当

なお，担保の供与または債務の消滅に関する行為が，租税等の請求権（共助対象外国租税の請求権を除く）または罰金等の請求権について，その徴収の権限を有する者に対してなされた場合には，偏頗行為否認は成立しない（破163Ⅲ）[240]。

ア　同時交換的取引の除外

偏頗行為否認の対象は，既存債務についての担保供与や債務消滅行為に限る（破162Ⅰ柱書かっこ書，民424の3Ⅰ柱書参照）。たとえば，破産者が第三者から新たに資金を借り入れ，その担保のために担保権を設定する行為は，対象に含まれない。偏頗行為否認の根拠となるのは，債権者間の平等の確保であるが，新規に出捐して債権を取得する者については，従来の責任財産の平等分配を期待する既存債権者との間の平等を確保する必要がないからである[241]。新規債務か既存債務かの判断基準は，取引としての一体性に求められる。論理的には，借入れが先行していれば，その後の担保設定はすべて既存債務に対するものとされうるが，社会通念上一体の取引とみなされる限り，債務発生と担保設定の間に若干の時間差が存在しても，新規債務に対するものとみなされる[242]。

するものとして，新債務に対する担保提供を否認することが考えられる。松下淳一「偏頗行為否認の諸問題」田原古稀（下）262頁参照。
[240] 租税等の請求権に自力執行権が認められていることやこれらの請求権が公的性質を持つことが，その根拠としていわれるが，立法論としての疑問も呈されている。基本構造419頁，条解破産法〈第3版〉1147頁。なお，ここで対象とされているのは，破産債権たる租税等の請求権に対する弁済であり，財団債権たる租税等の請求権に対する弁済は，一般的に偏頗行為否認の対象とならない。
[241] 詳細については，中西正「同時交換的取引と偏頗行為の危機否認」法学62巻5号1，32頁（1998年），破産・民事再生の実務［破産編］299頁参照。実質的には，これを否認の対象とすると，破産者が救済融資を受ける途を閉ざすことが根拠となる。なお，関連するものとして，否認の一般的要件としての不当性（本書566頁）や相殺禁止の例外（本書550頁）がある。根抵当権の設定につき既存債務の担保のためとして偏頗行為否認を認めた例として，名古屋地岡崎支判平成27・7・15金法2058号81頁があり，救済融資性を否定して弁済に対する偏頗行為否認を認めた例として，大阪高判平成30・12・20金商1560号8頁がある。
[242] 条解破産法〈第3版〉1135頁，注釈破産法（下）127頁，大コンメンタール649頁〔山本和彦〕。なお，新規融資に際して，新規債務のみならず，既存債務についても担保を設定する行為が同時交換的取引とみなされるかどうかが問題となる。新規債務に対する担保設定が既存債務に対するそれと区分できれば，その部分に限っては，同時交換の取引として否認を免れるが（和歌山地判令和元・5・15金法2131号72頁），一体として区分できない場合には，同時交換的取引とは認められない。具体的取扱いに関しては，新破産法の基本構造409，411頁，条解破産法〈第3版〉1136頁，注釈破産法（下）129頁，大コ

イ 行為の時期

偏頗行為は，破産者が支払不能になった後または破産手続開始申立てがあった後のものでなければならない（破162Ⅰ①柱書本文）。破産手続開始申立て後の行為については，その基準が一義的に明らかであるが，支払不能後の行為については，支払不能概念との関係で考え方が分かれる余地がある。定義規定によれば（破2XI，民424の3Ⅰ①かっこ書），支払不能とは，「債務者が，支払能力を欠くために，その債務のうち弁済期にあるものにつき，一般的かつ継続的に弁済することができない状態」を意味する。支払停止が債務者の1回的行為であるのに対して，支払不能は，一定期間継続する状態を意味する。支払不能が支払停止（ただし，破産手続開始申立て前1年以内のものに限る）によって推定されること（破162Ⅲ）から理解されるように，立法者は，支払不能状態が発生し，それが一定期間継続する中で，支払停止行為が生じることが通常であることを前提としている[243]。

したがって，偏頗行為否認の成立を主張する破産管財人は，推定規定を利用して，ある行為が支払停止後であることを立証することを通じて，支払不能後の行為であることを立証することもできるが，それ以前に支払不能状態が発生

ンメンタール650頁〔山本和彦〕，竹内努「弁済および担保権設定行為に対する否認権行使の可否」金法2157号41頁（2021年）参照。
　特に，根担保のように，新規融資の保全とあわせて極度額の範囲で既存債務を担保する結果となる取引形態では，開始決定時点で，破産管財人は，同時交換的融資債務を担保する範囲においてのみ別除権の基礎たる担保権として認め，それを超える部分を既存債務に対する担保供与として否認し，否認の登記に代えて，新規融資額にあわせて極度額変更の登記を求めることができる（ニューホライズン266頁）。
　また，担保設定は，当該担保権のための対抗要件具備までを含む意味で，新規債務と一体のものとみなされる必要があるとの見解がある（一問一答230頁参照）。しかし，遅延した対抗要件具備は，対抗要件の否認の可能性（破164）を生じさせるから，対抗要件の具備が遅れたことのみを理由として同時交換取引性を否定するのは不合理である。条解破産法〈第3版〉1136頁，注釈破産法（下）128頁。
　なお，松下・前掲論文（注239）259頁は，既存債務に対する担保供与をしなければ新規融資を受けられなかったなどの事情があるときには，既存債務と新規融資の双方を被担保債権とする担保設定が偏頗行為否認の対象とならないとするが，有害性の問題として考えるべきであろう。
　売買についても，破産手続開始前に破産者が新規売買を行い，目的物の引渡しを受けるのと引換えに代金の支払いを行ったことが，同時交換的取引として考えられる。破産法大系Ⅱ483頁〔田頭章一〕，注釈破産法（下）129頁参照。

[243] 一問一答228頁参照。法律上の推定一般の考え方については，伊藤・民訴法387頁参照。

していたことを直接に立証して，支払停止前の行為をも偏頗行為否認の対象とすることができる[244]。その場合には，弁済期の到来する債務のうち，一部のものについては弁済を行っていても，債務全体についての弁済資力が失われていると評価されれば，支払不能状態の存在が肯定される。

また，支払不能発生前に担保のために債権の譲渡をなし，支払停止などの事実が生じたことを停止条件として譲渡の効力を生じさせる旨の契約は，行為自体は，支払不能発生前に行われているが，その実質は，支払不能後の担保供与行為と同視されるから，偏頗行為否認の対象となりうる[245]。

　ウ　受益者の悪意

否認の成立のためには，アおよびイの要件に加えて，以下の事実に関する受益者たる債権者の悪意を立証しなければならない（破162Ⅰ①柱書但書）。第1に，支払不能後の行為である場合には，受益者が支払不能または支払停止につ

---

244) 支払不能の認定例として，前掲和歌山地判令和元・5・15（注242）がある。
　　旧法72条2号にもとづく危機否認は，支払停止または破産手続開始申立て後の偏頗行為を主たる対象としており，それを支払停止前一定期間まで遡らせるべきであるとの解釈論（中西正「危機否認の根拠と限界（2・完）」民商93巻4号516，538頁（1986年））および立法論が有力であった。現行法は，そうした議論と偏頗行為の受益者の利益保護を調和させるために，支払停止前の一定期間を一律に偏頗行為否認の対象とするのではなく，支払停止に代えて，支払不能を基準とすることによって，実質的に偏頗行為否認の範囲を拡大しようとするものである。中間試案補足説明143頁，一問一答228頁参照。なお，再建計画などとの関係については，川田・前掲論文（注128）49頁が参考になる。
　　なお，事業再生ADRなどの私的整理に関連して，債務者が債権者に対してする一時停止の通知のような債務免除等要請行為が支払停止に該当しないとの考え方（本書121頁）を前提としたときに，その後の弁済等の債務消滅に関する行為や担保供与行為が支払停止にもとづく支払不能時期の行為として，偏頗行為否認の対象となりえないのかという問題が生じる。
　　債務免除等要請行為の相手方ではない債権者などは別であるが，その相手方としてこれに同意した金融債権者などについては，後に破産管財人が債務免除等要請行為を支払停止にあたるとして偏頗行為否認を主張したときに，いったん他の金融機関との秩序ある協働に応じながら，これに反する行動をとるという意味での信義則違反として，それを争い，当該行為が支払停止にあたらないと主張することはできないと解すべきである。事業再生ADRなどの私的整理の申請後に負担した債務を受働債権とする相殺についても同様である（本書536頁）。
245) 旧破産法72条2号の危機否認について，支払停止等を停止条件とする担保のための債権譲渡契約を支払停止後の行為と同視できるとの理由から否認を認めたものとして，最判平成16・7・16民集58巻5号1744頁〔倒産百選39事件〕，最判平成16・9・14判時1872号64頁，東京地判平成10・7・31判時1655号143頁がある。また，同様の理由により破産法162条1項1号イに基づく否認を認めたものとして，東京地判平成22・11・12判時2109号70頁参照。

いて悪意でなければならない（同イ）。受益者の悪意の対象として支払停止が定められているのは，破産者の財産状態である支払不能を受益者が認識することは容易ではないことを考慮し[246]，行為の当時すでに支払停止が発生している場合には，外界への表示行為である支払停止の認識をもってそれに代えることを認めたものである。ただし，この場合にも法166条の制限（本書627頁参照）が働く。第2に，破産手続開始申立て後の行為である場合には，受益者が申立てについて悪意でなければならない（同ロ）。

受益者が内部者（破161Ⅱ）である場合には，支払不能等についての悪意を推定し，その結果として，受益者が善意についての証明責任を負担する（破162Ⅱ①）。これらの者については，破産者の破綻状態についての認識が事実上推定され，しかも，破綻について何らかの責任があることも多いから，証明責任を転換するのが公平に合致すると考えられたためである[247]。

また，支払不能後の偏頗行為で破産者の義務に属しないもの，またはその方法もしくは時期が義務に属しないものについては，支払不能等についての悪意を推定する（同②）[248]。非義務偏頗行為の有害性が強いことを考慮して，証明

---

[246] 第1に，債務者が客観的に支払不能の状態にあり，債務者の説明や自らの調査から受益者がそれを認識したと認められるときには，支払不能の状態についての受益者の認識を肯定すべきである（裁判例として，東京地判平成25・2・14判タ1392号343頁がある）。弁済や担保の設定を受けた受益者がメインバンクである場合に，支払不能の認識を肯定した裁判例として，高松高判平成26・5・23判時2275号49頁〔倒産百選27事件〕，広島高判平成29・3・15金商1516号31頁がある（藤井友弘「メインバンクが融資先から受けた弁済が支払不能後になされたものとして否認された事例」金法2062号36頁（2017年）参照）。

第2に，債務者が客観的に支払不能の状態にあるにもかかわらず，債務の存在を明らかにしなかったときは，支払不能の状態についての受益者の悪意が否定されるが，前後の事情から，受益者が債務の存在を知っていたと推認される可能性は排除できない。第3に，債務者が債務の存在を明らかにする一方，それが別債権との相殺によって消滅するなどの説明をなし，あわせてそれを基礎づける資料などを提示しながら，自らが支払不能の状態にないと説明するときには，受益者がそれを信ずべき合理的根拠があるものとして，支払不能の状態についての認識を否定すべきであろう。

また，受益者の調査や行動にもとづいて支払停止についての悪意を認定したものとして，前掲大阪地判平成28・9・21（注194）がある。

[247] 信託財産破産において，債権者が受託者等または会計監査人であるときは，その債権者は，支払不能等について悪意であったものと推定するのも（破244の10Ⅲ），同様の理由にもとづく。

[248] 破産管財人がこの推定規定を利用するときには，支払不能後の非義務行為であるという前提事実を証明すれば，受益者が支払不能等について善意であることを証明しない限り，

責任を転換したものであり，次に述べる支払不能前の非義務偏頗行為の扱いと趣旨を共通にする。

(2) 支払不能前30日以内の非義務偏頗行為

同じく偏頗行為であっても，弁済期未到来の債務について期限前弁済をするとか，特約が存在しないにもかかわらず担保を供与するなどの行為は，詐害行為的な有害性をもつ。この種の行為のうち弁済などは，詐害的債務消滅行為としても否認の対象となりうるが（破160Ⅱ），偏頗行為としての性質に着目し，非義務偏頗行為として，否認の要件が緩和され，支払不能になる前30日以内の行為も否認の対象とする（破162Ⅰ②本文）。また，受益者の悪意について証明責任が転換される（同但書）。すなわち，受益者たる債権者の側で，行為の当時，他の破産債権者を害する事実（整備法による改正162Ⅰ②但書では，「害すること」）を知らなかったことを証明して[249]，はじめて否認の成立が阻却される。

担保供与が義務に属すると認められるためには，破産者と債権者との間にその旨の特約が存在する必要があり，単に債務が存在するだけでは，担保供与義務は認められない[250]。また，債務の消滅については，弁済期が到来していな

否認が成立する。関連する裁判例として，東京地判令和2・1・20金法2147号68頁があり，偏頗弁済を受けた会社の代表取締役の第三者（破産会社・破産管財人）に対する責任（会社429Ⅰ）の要件たる悪意との関係が問題となっている。判旨は，破産法上の推定規定が会社法上の悪意に適用されることはないとしつつ，事実上の推定（伊藤・民訴法391頁）が働くとしているが，佐藤鉄男「判例研究」中央ロー・ジャーナル18巻1号106頁（2021年）は，両者の悪意の意味内容が異なるなどの視点からこれを批判する。

249) 「他の破産債権者を害する事実」とは，偏頗行為否認の基礎である債権者平等を害する事実を意味し，具体的には，支払不能の発生が相当程度以上の蓋然性をもって予測される状態と解される。基本構造416頁，条解破産法〈第3版〉1140頁，注釈破産法（下）135頁，大コンメンタール656頁〔山本和彦〕。

また，前掲大阪高判平成30・12・20（注241）では，「本来の弁済期まで待てば，支払不能に陥ることが確実であるという状態」という基準を用いているが，両者の間に実質的な差異は生じないと思われる。なお，担保設定時の状況などから担保権者の善意の立証を否定した裁判例として，東京高判平成23・10・27金法1942号105頁〔民事再生〕がある。

250) 谷口258頁，条解会更法（中）65頁，注解会更法272頁〔櫻井孝一〕，注解破産法（上）476頁〔宗田親彦〕，条解破産法〈第3版〉1140頁，注釈破産法（下）134頁，大コンメンタール655頁〔山本和彦〕，破産・民事再生の実務［破産編］300頁など。裁判例として，大阪高判平成9・12・17金商1053号22頁がある。したがって，具体的な財産を特定しない抽象的・一般的な担保供与義務では足りず，具体的な財産が特定されてはじめて，具体的な担保供与義務となり，法162条1項2号にいう破産者の義務に属する行為となる。これに対して，山木戸195頁は，弁済期の到来した債務に対する担保の供与は特約がなくとも義務に属する行為であるという。

い債務の弁済，および特約がないにもかかわらず行われる更改は，いずれも義務に属しないものとされる。

したがって，非義務偏頗行為は，行為自体が破産者の義務に属さない場合と，時期が義務に属さない場合とに分けられる。上記のように事前の特約がないにもかかわらず担保を供与する行為などは，行為自体が義務に属さない例であるし，また，期限前の弁済は，時期が義務に属さない例である[251]。これに対して，担保の供与等の行為の方法が義務に属しない場合は含まれない[252]。

(3) 集合物譲渡担保の否認

集合動産および集合債権譲渡担保の設定も否認権の対象となりうる。ただし，否認の対象としては，譲渡担保設定契約そのもの，対抗要件の具備，集合物を

ただし，特約といっても，当初は，銀行取引約定書にもとづく抽象的義務であったものが，その後に担保差入確約書などが取り交わされたり，当事者間の交渉や合意によって具体的義務に変質することもありうる。近時もこの点が争われた下級審裁判例があると仄聞する。

また，形式的には担保供与にあたらないときであっても，破産者が債権者に自らの債権の取立てを委任し，委任を受けた債権者が取立金を保管する行為は，対象債権に質権を設定したのと同視できるとして，否認を認める裁判例がある。前掲徳島地判平成25・11・21（注130）。

[251] 期限前弁済に該当しないとした裁判例として，前掲和歌山地判令和元・5・15（注242）がある。期限前弁済の程度が軽微である場合の否認成立阻却可能性については，基本構造414頁，竹内・前掲論文（注242）39頁参照。また，本来の弁済期が支払不能後に到来する債務について，支払不能発生前30日以内に期限前弁済をする行為だけではなく，本来の弁済期が支払不能発生前であり，その後に発生した支払不能からさかのぼって30日以内に期限前弁済がなされた場合も，否認の対象となりうる（前掲大阪高判平成30・12・20（注249））。その分析として，宇都宮一志＝前川拓郎「事業譲渡の無償行為否認と期限前弁済の非義務偏頗行為否認（下）」銀行法務21 857＝858合併号44頁（2020年），150問130頁〔伊藤尚〕，条解破産法〈第3版〉1140頁，大コンメンタール655頁〔山本和彦〕参照。非義務行為として債権者平等に反する強度の偏頗性を有することは，本旨弁済が否認の対象となる場合と変わりはなく，無償行為否認の要件に関して最判平成29・11・16民集71巻9号1745頁〔倒産百選37事件〕が民事再生法127条3項（破160Ⅲ）について示した解釈（本書598頁）とも共通する。

ただし，受益者は，期限前弁済を受けた当時，支払不能発生の蓋然性を予測できる状態になく，他の破産債権者を害する事実を知らなかったことを立証すれば，否認を免れる（破162Ⅰ②但書）。

[252] 一問一答232頁参照。法162条2項2号と異なって，方法が義務に属しない程度で，支払不能になる前30日以内に遡って否認を認めるのが行き過ぎであると考えられたためであろう。したがって，代物弁済（前掲最判平成9・12・18（注180）参照）は，方法が義務に属さないものとして，この類型の否認の対象外になる。基本構造414頁。もちろん，目的物の価額が債務額を上回っているときは，詐害的債務消滅行為としての否認（破160Ⅱ）の可能性は残される。

構成する個別的な動産・債権についての担保設定という3つのものを考える必要がある。このうちで、対抗要件の具備については、対抗要件の否認に関連して説明するので、ここでは、集合物譲渡担保設定契約および個別動産または債権についての担保設定について説明する。

まず、譲渡担保設定契約自体については、それが支払不能後の行為であるなど所定の要件を満たせば、偏頗行為否認の対象となりうる[253]。担保設定の特約がないときに、破産者が債権者と譲渡担保設定契約を締結すれば法162条1項1号・2号・2項2号が適用されるし、特約があるときでも、同条1項1号の適用可能性がある。もちろん、特約自体についての否認は別である。

次に、集合物譲渡担保設定契約自体は否認の対象とならないときであっても、集合物を構成する動産や債権について、詐害的債務消滅行為の否認（破160Ⅱ）や偏頗行為否認（破162Ⅰ①）が成立する余地がある。個別動産や債権について譲渡担保権が成立するのは、それらが集合物に混入したときであり[254]、それ自体については破産者の行為が存在しないが、担保権の成立または担保権の効力が及ぶ点では、破産者の行為による担保権の設定と同視されるからである。第1に、詐害的債務消滅行為の否認に関しては、破産者が譲渡担保権者の利益を図るために、人為的に在庫商品や売掛金債権を増加させるような事案では、破産者の害意が認められるから、増加分の目的物についてこれを代物弁済に類するものとみれば、法160条2項の詐害的債務消滅行為の規定を類推適用する余地がある[255]。

第2に、偏頗行為否認については、設定契約の存在を前提とすれば、法162

---

253) 有効な設定契約と認められるためには、目的物が集合物として特定されていなければならない（集合動産について、前掲最判昭和62・11・10（注85）、集合債権について、前掲最判昭和53・12・15（注91）、前掲最判平成11・1・29（注91）参照）。契約は締結されたが特定はその後になされている場合には、特定時が設定時とみなされる。

254) 集合動産譲渡担保について前掲最判平成18・7・20（注83）、集合債権譲渡担保について最判平成19・2・15民集61巻1号243頁参照。後者は、「将来発生すべき債権を目的とする譲渡担保契約が締結された場合には、債権譲渡の効果の発生を留保する特段の付款のない限り、譲渡担保の目的とされた債権は譲渡担保契約によって譲渡担保設定者から譲渡担保権者に確定的に譲渡されているのであり、この場合において、譲渡担保の目的とされた債権が将来発生したときには、譲渡担保権者は、譲渡担保設定者の特段の行為を要することなく当然に、当該債権を担保の目的で取得することができるものである」と判示している。

255) 注釈破産法（下）127頁。実務上も否認の可能性が認められている。破産管財の手引〈第2版〉219頁。

条1項2号の適用可能性はなく，もっぱら同項1号および同条2項が問題となるにすぎない。この場合には，たとえ担保供与義務が存在するときでも，支払不能等の後の担保設定は否認の対象となるから，この時期以降に破産者が取得した動産や債権に対する譲渡担保権の成立については，偏頗行為否認の対象となりうる[256]。

3 無償行為否認

支払停止等（破160Ⅰ②かっこ書）があった後，またはその前6月以内に破産者がなした無償行為またはこれと同視すべき有償行為は否認の対象となる（同Ⅲ）。破産者の詐害意思や，支払停止等についての受益者の認識など，主観的要素は必要とされない。他の否認類型と比較すると，6月前まで遡る遡及性と主観的要素を不要とする客観性が特徴である。

これは，第1に，支払停止等があった後またはそれに近接した（6月以内）時期において無償でその財産を減少させる破産者の行為がきわめて有害性の強いこと，第2に，受益者の側でも無償で利益をえているのであるから，緩やかに否認を認めても公平に反しないことにもとづいている。ここでいう無償行為とは，破産者が対価をえないで財産を減少させ，または債務を負担する行為であり，具体的には，破産者が行う贈与（民549），債務免除（民519），あるいは権利の放棄などを指す[257]。名目的な対価が存在するときでも，経済的にみて

---

[256] 以上についての詳細は，伊藤・研究364頁以下，破産法大系Ⅱ491頁〔田頭章一〕参照。ただし，固定化（本書997頁）がなされず，対象動産や債権が入れ替わっているに過ぎないときには，有害性（本書563頁）が否定されることになろう。

[257] 再生手続終結後に破産手続が開始された場合における再生債務者が行った免除の否認可能性について，200問188頁〔神原千郷〕。また，使用貸借の設定も無償行為とみなされる。民法旧593条は，使用貸借を要物契約としていたが，これが諾成契約とされても（民593），貸主の引渡義務と借主の返還義務とが対価的関係にあるとは考えられないために，無償行為性に変化は生じないと考えられる。伊藤眞「片務契約および一方履行済みの双務契約と倒産手続──倒産解除条項との関係を含めて」NBL 1057号32頁（2015年）参照。架空の債権を作出し，その代物弁済を行う行為も無償行為否認の対象になる（東京地判平成28・12・21金法2080号89頁）。

なお，共同相続人の1人に対し法定相続分を超える遺産を取得させる行為が直ちに無償行為となるとはいえないとした裁判例として，東京高判平成27・11・9金商1482号22頁〔倒産百選A7事件〕がある。

また，本文に述べるように，無償否認は，詐害行為否認の特殊類型であるから，偏頗行為は無償否認の対象とならず，また，対価が不十分であって詐害行為とみなされるときであっても，無償行為と同視されるものでない限りは，無償否認の対象とはならない。山本和彦「無償否認に関する若干の考察」倒産法の実践242, 246頁参照。

無償行為と同視される場合には，無償行為否認の対象となる。無償行為否認は，詐害行為否認の特殊類型である。ただし，支払停止等があった後，またはその前6月以内にした行為には，当然に詐害行為性が認められるのであるから，行為の時点で破産者が無資力の状態になかったことが否認の成立を阻却するものではない[258]。

無償性について議論があるのが債務保証である。たとえば，乙が甲に対して融資を行おうとしているときに，丙が甲の乙に対する債務の保証人となった場合，丙が破産すると，丙の破産管財人は，債務保証行為を無償否認の対象として，保証債務やそれについて設定された担保を否認できるかどうかが問題となる。さらに，丙が物上保証をした場合にも，同様の問題を生じる。保証をなすについて丙が，甲から保証料などの対価をえていれば，債務保証は無償行為といえない。しかし，丙が保証の対価をえていなければ，保証は無償行為とみな

これに関連して，破産者代理人（破産手続開始申立代理人）に対する報酬の支払いが無償否認の対象とされることがある（本書205頁注1参照）。代理人たる弁護士が役務を提供していないにもかかわらず，対価の名目で金銭が支払われているときには，無償行為に該当しうるが，提供した役務の対価が合理的限度を超えているときには，詐害行為（破160 I）とすべきであろう。佐藤鉄男「無償行為否認と詐害行為否認の関係」倒産法の実践276頁参照。

特殊なものであるが，TLAC（Total Loss-absorbing Capacity）債の仕組みにおける債務免除が無償行為とみなされるかどうかが問題となる。この仕組み（金融庁「金融システムの安定に資する総損失吸収力（TLAC）に係る枠組み整備の方針について」金融庁ホームページ参照）は，銀行持株会社がTLAC債を発行して投資家から調達した資金を子会社である銀行に貸し付け，銀行が危機状態に陥った場合にそれを停止条件として，返還債務を免除することを通じて，損失を持株会社が吸収することによって銀行の財務状態を改善することを目的とする。

債務免除のみに着目すれば，持株会社について破産手続が開始したときに，無償行為として否認の可能性があるが，停止条件付債務免除が持株会社から銀行に対する貸付けの附款であり，それが利率などの貸付条件に反映されているとすれば，無償行為性を否定すべきである。

258) 学説には対立があったが（笠井正俊「債務者の債務超過は無償行為否認の要件ではない――最一小判平29.11.16」金法2085号20頁（2018年）），前掲最判平成29・11・16（注251）〔倒産百選37事件〕は，破産法160条3項に相当する民事再生法127条3項について，「再生債務者が無償行為等の時に債務超過であること又はその無償行為等により債務超過になることは，民事再生法127条3項に基づく否認権行使の要件ではない」と判示し，本文に述べた考え方を判例として明らかにした。田中寛明「最高裁時の判例」ジュリ1520号107頁（2018年），150問127頁〔上田慎〕参照。これに対し，水元宏典「無償行為の否認と債務超過要件に関する一考察」多比羅喜寿258頁は，現行法下でも故意否認（本書559頁）の概念が維持されているとして，債務超過要件を必要とする。

第 4 節 否 認 権

される。もっとも，かつての多数説は，次のような理由にもとづいて無償行為性を否定していた。すなわち，受益者たる債権者乙は，丙の保証と引換えに甲に対して融資を行っているから，受益者の側についてみれば，無償で債務保証の利益をえたことにならないというのである。これは，無償否認の根拠たる第2の理由，受益者にとっての無償性を重視したものである。また，無償性を否定する他の根拠としては，保証人は主債務者に対する求償権を取得するから（民459・460・462），債務保証は無償行為とはいえないとも主張される。

判例は，一貫して債務保証行為の無償性を肯定し，最近の有力説も判例に賛成する[259]。本書も，次の理由からこれに賛成する。すなわち，無償否認の根

---

259) 判例（大判昭和11・8・10民集15巻1680頁，最判昭和62・7・10金法1174号29頁〔物上保証〕）に賛成する学説としては，谷口260頁，注解破産法（上）481頁〔宗田親彦〕，条解会更法（中）69頁，注解会更法274頁〔櫻井孝一〕，条解破産法〈第3版〉1120頁，大コンメンタール633頁〔山本和彦〕，破産法大系Ⅱ516頁〔山本研〕などがある。もっとも，中西正「無償否認の根拠と限界」法と政治（関西学院大学）41巻2・3号1，44頁（1990年）は，公平の視点から受益者にとっての無償性を重視し，原則として保証を否認の対象から除外する。

なお，最判昭和62・7・3民集41巻5号1068頁〔倒産百選36事件〕，前掲最判昭和62・7・10も，判例理論を再確認するが，主債務者が会社であり，保証人がその代表者であるという特別事情があるときには，会社に対する融資によって，保証人が出資の保全などの利益を受けたとみて，無償性が否定されるという反対意見がある。この反対意見は合理的なものと思われる。詳細については，伊藤眞「保証又は担保の供与と破産法72条5号にいう無償行為」判時1273号（判例評論353号）205頁（1988年），基本法117頁〔池田辰夫〕参照。

その後の下級審裁判例や学説には，このような考え方を採用するものがある（東京高判平成4・6・29判時1429号59頁，破産・民事再生の実務［破産編］294頁，西澤宗英「無償否認」実務と理論102頁参照），三上383頁。大コンメンタール633頁〔山本和彦〕，山本・前掲論文（注257）256頁では，保証人の一般債権者の立場からみても，保証にもとづく融資が保証人にとって現実的な経済的価値を有すると認められる場合に限って，無償性を否定すべきとされる。

関連する裁判例として，無償性を肯定した名古屋高判平成17・12・14 D1-Law判例ID 28110378〔民事再生〕，会社の代表者が会社のために生命保険の解約返戻金について根質権を設定した行為について無償性を否定した東京高判平成12・12・26判時1750号112頁，納税保証について保証人が対価としての利益を受けていないことを理由として無償行為否認を肯定した東京高判平成25・7・18判時2202号3頁，関連会社の新規借り入れに際して再生債務者が担保のために行った約束手形の振出しまたは裏書について無償否認を肯定した東京地判平成28・6・6判時2327号55頁などがある。なお，立法論的検討の必要性について，基本構造391頁参照。

また，すでに負担していた保証債務を実質的に肩代わりするものとして新たな保証債務を負担する場合には，有害性欠缺の理由から無償行為否認の対象とならない（大阪地判平成8・5・31金法1480号55頁，最判平成8・3・22金法1480号55頁，吉岡伸一「代表者

拠は，破産者と受益者との双方にとっての無償性に求められるが，行為の有害性という意味では，破産者にとっての無償性が基本であり，受益者にとっての無償性は補強的なものにすぎないこと，また，求償権は，事前であれ事後であれ，債権者に対する弁済という出捐回復の手段にすぎず，保証の対価としての意味をもたないことである。

第4項　否認に関する特別の要件

以上に説明した否認の一般的要件，および詐害行為否認や偏頗行為否認などの個別的要件にしたがって否認の成否が決定されるが，そのほかに，否認の対象となる法律関係の特質などを考慮して，法はいくつかの特別の要件を置いている。

1　手形支払に関する否認の制限

手形債務の支払も，債務消滅行為として偏頗行為否認の対象とされうるものであるが，法は，手形法律関係の特質を考慮して，以下のような特則を置いている。

(1)　意義と適用範囲

破産者が約束手形の振出人または為替手形の支払人もしくは引受人であるときに，手形の所持人が破産手続開始決定前に破産者から手形金の支払を受けたとすれば，偏頗行為否認（破162 I ①）の対象となることが考えられる。しかし，手形の支払を受けた者が，支払を受けなければ，債務者の1人または数人に対する手形上の権利を失うべき場合には，否認の対象から除外する（破163 I）[260]。

の保証と無償否認──『有害性』要件での判定の是非」金法1498号14頁以下（1997年）参照。

　なお，いわゆる同時交換的保証，すなわち，金融機関が与信に際して貸付先の経営者などの第三者から保証や物上保証をとったときに，保証や物上保証は無償行為否認（破160Ⅲ）の対象となりうる。同時交換的取引の除外（破162 I 柱書かっこ書）は，あくまで貸付けによって利益を受けた債務者自身の担保提供行為などの有害性欠缺を根拠とするものであり（本書590頁参照），保証や物上保証などを行った第三者の行為の無償性に影響を与えるものではないからである（大阪高判平成22・2・18判時2109号89頁）。

　また，やや特殊な問題として，レバレッジド・バイアウト（LBO）に際して，買収のために設立されたSPCが，対象会社の株式を買い取るための資金を借り入れ，対象会社がその資産に担保を設定することが，第三者による物上保証の提供として無償行為否認の対象になるかどうかが議論される。池田＝志甫・前掲論文（注210）302頁参照。

260) 小切手の場合にも，問題となる法律関係は同様であるので（小39参照），手形と同様に否認の制限が適用される（注解破産法（上）484頁〔宗田親彦〕，基本法117頁〔池田

ここでいう債務者の1人または数人に対する権利とは，手形法上の遡求権（手43・77Ⅰ④）を指す。すなわち，所持人の立場からすると，手形の満期が到来している時に，後に否認されることをおそれて，振出人などに対する手形の呈示による拒絶証書（手38・44・77Ⅰ④）の作成を受けなければ，裏書人に対する遡求権を失うことになるし（手53Ⅰ・77Ⅰ④），逆に，呈示をして支払を受けたとしても，後にそれが否認されたとすれば，もはや拒絶証書の作成は不可能であり（手44Ⅲ・77Ⅰ④），やはり遡求権行使の機会は失われる。すなわち，手形の所持人としては，一方で，遡求権保全のためには支払を求めざるをえず，他方で，支払を受けてもそれが否認されると遡求権を失うという二律背反状態に置かれる。これを解消するために，法163条1項は否認を制限することとしたものである[261]。

したがって，手形の所持人に対する支払であっても，上記のような二律背反状態が認められないときには，破産者たる振出人による弁済に対する否認が認められる。たとえば，約束手形の所持人が同時に手形の受取人であるときには，裏書人等に対する遡求権の問題が存在しないし，満期前の支払，または支払呈示期間経過後の支払の場合には，遡求権を保全するために支払を求めざるをえないという事情がない（手77Ⅰ④・43柱書前段）。さらに，わが国に一般的な拒絶証書作成免除手形の場合には，遡求権行使のために支払呈示せざるをえないという事情こそあるものの（手46Ⅱ前段・53Ⅰ③・77Ⅰ④），否認された後に所持人が手形の返還を受けて，満期における支払がなかったものとして遡求権を行使することが可能なため（手43柱書前段・77Ⅰ④），やはり破産者たる振出人による弁済は否認の対象となる。

(2) 手形の買戻し

手形の買戻しに関する否認の可能性についても議論がある。すなわち，破産者が約束手形の裏書人であり，被裏書人である所持人がその手形を破産者に買い戻させたとき，それが否認されると，すでに破産者が買戻手形を振出人など

辰夫〕，条解破産法〈第3版〉1143頁，大コンメンタール660頁〔山本和彦〕）。
[261] 改正破産法理由書45頁，青木・実体規定180頁，加藤・要論161頁，中野・研究307頁参照。支払には，破産者がする相殺も含まれる。弁済の受領を強制するのと同様の結果となるためである。条解破産法〈第3版〉1144頁，注釈破産法（下）137頁，大コンメンタール660頁〔山本和彦〕。ただし，否認が許されるときには，相殺の否認可能性（本書554頁）との関係が問題となろう。

に返還していた場合には、所持人としては手形の返還を受けることが不可能なことがあり、改めて手形上の権利を行使することができなくなる。そこで、法163条1項を類推適用して、否認を制限すべきであるという議論がある。しかし、判例はこれを否定し、また通説も判例を支持して、否認を制限すべきではないとしている[262]。この場合には、否認されると権利行使が不可能になるという事情はあるものの、買戻しを要求しないと後の権利行使が不可能になるというもう一方の事情が存在せず、所持人にとっての二律背反状態が認められないから、判例・通説の結論が支持される。もっとも、破産者が買戻手形にもとづいて振出人などから手形金の支払を受けているときには、買戻しによって破産者の責任財産が減少したとはいえないから、有害性の一般原則によって否認は否定される[263]。

(3) 否認が制限される場合の措置

法163条1項が適用される場合には、否認が否定されるが、これを予測する債権者が、支払停止等があったことを知り、または過失によってこれを知らず、破産者に約束手形を振り出させ、自己が受け取った手形を第三者に裏書譲渡し、第三者に破産者から弁済を受けさせることによって、間接的に自己の債権の回収を図ることが考えられる。そこで、法は、このような場合に、その債権者から破産管財人に、第三者に対して破産者が支払った金額を償還させることとしている（破163Ⅱ）。破産管財人の償還請求権は、手形金の受取りに対する否認権に代わるものであるから、破産管財人は、償還請求権の行使の前提として手形金受取りについて否認の要件が満たされていることを主張・立証しなければ

---

[262] 最判昭和37・11・20民集16巻11号2293頁〔倒産百選〈第5版〉35事件〕。これに対して、否認されると遡求権行使が不可能になる場合すべてに法163条1項の適用対象を拡張したり、遡求権以外の権利行使が不可能になる場合にも拡張しようとする少数説がある。前者の立場では、裏書人である破産者から支払を受けたときにも否認が否定されるし、後者の立場では、手形の買戻しについても否認を否定することになる。学説の詳細については、注解破産法（上）484頁〔宗田親彦〕、条解会更法（中）76頁、条解破産法〈第3版〉1144頁、条解民事再生法681頁〔加藤哲夫〕参照。
[263] 最判昭和44・1・16民集23巻1号1頁〔倒産百選〈第5版〉A5事件〕、谷口248頁、石原213頁、注解破産法（上）486頁〔宗田親彦〕、基本法118頁〔池田辰夫〕、条解破産法〈第3版〉1144頁。なお、現実に破産者が手形金の支払を受けていない場合でも手形の支払が確実であることが立証されれば、有害性は否定される（原強「否認と手形支払の例外」実務と理論104、106頁参照）。有害性の証明責任は、偏頗行為否認の場合であるから、受益者がその欠缺について負担する。

ならない²⁶⁴⁾。

　破産管財人に対して義務を負うのは，手形法上の最終償還義務者または手形の振出しを委託した者である。最終の償還義務者とは，約束手形では，第1裏書人，為替手形では振出人である（手43柱書前段・49・77Ⅰ④）。債権者が，破産者に委託して債権者を受取人とする約束手形を振り出させ，債権者がその手形を第三者に裏書譲渡し，第三者が破産者から手形金の支払を受けた場合，債権者が破産者を支払人，第三者を受取人とする為替手形を振り出し，これを第三者に交付してその対価を収め，第三者は破産者から為替手形の支払を受ける場合がこれにあたる²⁶⁵⁾。

　債権者が最終の償還義務者とならない場合であっても，なお手形を利用して，破産者の出捐において債権の回収を図る場合があり，これが手形の振出しを委託した者を破産管財人に対する償還義務者とする趣旨である。たとえば，債権者が破産者に委託して破産者を振出人，他人を受取人とする約束手形を振り出させ，その他人から債権者が手形の裏書譲渡を受け，破産者から手形の支払を受ける場合，債権者自身が振出人たる破産者から支払を受ける代わりに，第三者に裏書譲渡してその対価を収める場合などが考えられる²⁶⁶⁾。

2　対抗要件の否認

　権利変動の原因となる法律行為は，詐害行為否認または偏頗行為否認の対象となりうるが，権利変動に付随して行われる対抗要件具備行為についても，原

---

264) 破産管財人は，手形金受領者について否認の要件が満たされているにもかかわらず，法163条1項の規定によって否認が成立しないこと，および最終償還義務者等についての主観的要件を主張・立証する必要がある。これに対して，最終償還義務者等の側からは，否認成立の阻却事由（破166・176）を抗弁として主張・立証する。なお，償還義務を果たせば，その者の債権は復活するし（破169類推），償還請求権の行使も訴え，否認の請求または抗弁によらなければならない（破173類推）。条解会更法（中）83頁，条解破産法〈第3版〉1145頁参照。ただし，注解破産法（上）489頁〔宗田親彦〕，基本法118頁〔池田辰夫〕は反対。また，大コンメンタール660頁〔山本和彦〕は，通説の考え方に立ちつつ，否認の請求および否認権のための保全処分は適用されないとする。

265) 本文に述べた場合以外に，①債権者が他人に委託して，他人を振出人，破産者を支払人，自己を受取人とする為替手形を振り出させる場合，②債権者が破産者に委託して，破産者を振出人，他人を受取人とする約束手形を振り出させ，債権者がその他人から白地裏書を受けてさらに第三者に譲渡する場合，③債権者が他人に委託して，他人を振出人，破産者を支払人，第三者を受取人とする為替手形を振り出させ，債権者がそれを第三者に有償で交付する場合などが挙げられる。

266) 以上の例については，条解会更法（中）82頁によっている。

因行為についての否認とは区別して，否認可能性を認めるのが，対抗要件の否認の趣旨であり，否認の対象となるのは，破産者の対抗要件具備行為である。対抗要件具備行為が否認されると，権利の設定などの効力は破産管財人に対して対抗できないものとなる。

　法が，原因行為に対する否認とは別に対抗要件の否認を認める趣旨は，次のように理解すべきである。行為の有害性は，第1次的には，原因行為について考えるべきものであるから，原因行為が破産債権者にとって有害といえなければ，その結果たる権利変動などについて対抗要件を備えさせるのが妥当といえる。このように考えれば，原因行為の否認と別に対抗要件の否認を認める理由はない。しかし，破産財団に属すべき財産について売買や担保設定などの原因行為がなされたにもかかわらず，対抗要件による公示がなされなければ，破産者の債権者としては，その取引がなされていないもの，いいかえれば，原因行為の対象財産が破産者の責任財産から逸出していないものと信頼する。

　ところが，破産手続開始前の危機時期に至ってはじめて対抗要件が具備され，権利の移転などの効力が破産債権者に対抗できるものとなるのであれば，このような債権者の信頼が裏切られる。この意味では，合理的限度を超えた対抗要件具備の遅延は，それ自体が有害性を有する。そこで法164条は，原因行為から15日を経過し，かつ，支払停止等後に悪意で対抗要件具備行為がなされたことが，債権者の信頼を裏切る秘密取引であり，また債権者平等の理念に反するものとして，原因行為について否認が成立するか否かとかかわりなく，対抗要件の否認を認めたものである[267]。

　対抗要件の否認制度の源流に遡ると，フランス商法（当時）の規定に倣って，旧商法破産編922条の規定が，「有効ニ取得シタル抵当権其他合式ノ登記ニ因

---

267) 中西正「対抗要件否認の再構成」新堂古稀（下）670頁，条解破産法〈第3版〉1148頁，大コンメンタール662頁〔三木浩一〕，伊藤・破滅か更生か199頁，中井康之「対抗要件否認の行方」田原古稀（下）320頁参照。破産者が破産手続開始申立て前に登記手続に要する資料を相手方に交付してしまっている場合における実務上の対応策として，破産手続開始申立てとともに，破産者の業務および財産に関する保全処分（破28）として，相手方を名宛人として対抗要件具備行為を禁止する保全処分の発令をえることがあり（再生手続における保全処分の申立書式例として，木内道祥監修・民事再生実践マニュアル316頁（2010年）参照），手続開始後に対抗要件否認の手続をとるまでもなく，未然に財産を保全できるという利点がある。なお，破産手続開始後の登記の効力などについては，本書378頁参照。

リテ法律上効力ヲ有ス可キ権利ハ支払停止後ニ在テハ其取得ノ時ヨリ十五日ヲ過キサルトキニ限リ破産ノ宣告ノ日マテ登記ヲ為スコトヲ得」と規定したことに端を発し，旧破産法が否認制度を整備したのにともなって，旧破産法 74 条が対抗要件の否認制度を設け，旧会社更生法 80 条がそれを受け，現行破産法 164 条，民事再生法 129 条および現行会社更生法 88 条がその実質を変更することなく引き継いだものであるが[268]，対抗要件の中に，仮登記または仮登録が含まれることを明らかにし（破 164 I 本文かっこ書），また，受益者の悪意の内容が，支払停止等のあったことを知ってしたものであることを規定した点で，規定内容の明確化が図られている[269]。

なお，法 164 条の要件を満たさない場合にも，なお対抗要件具備行為が法 160 条 1 項または 162 条 1 項にもとづく否認の対象となりうるかという問題があるが，これについては，(6)で説明する。

(1) 対抗要件の否認の性質

破産者がなす対抗要件具備行為またはこれと同視される第三者の行為が，その性質として，詐害行為に属するのか，それとも偏頗行為とみられるのかは，法 164 条にもとづく対抗要件の否認やそれ以外の規定による対抗要件具備行為の否認の成否を考える上の根本問題であるが，旧法下では，故意否認と危機否認という否認類型が立てられ，偏頗行為についても故意否認の成立可能性が認められていたところから，対抗要件具備行為の性質について立ち入った検討をすることは少なかったといってよい[270]。これに対して，現行法が否認類型として詐害行為否認と偏頗行為否認とを峻別したことから（破 160 I 柱書かっこ

---

[268] 加藤正治・破産法研究 (9) 168 頁 (1936 年)，梅謙次郎・改正商法講義（日本立法資料全集別巻 18）730 頁 (1893 年)，条解会更法（中）88 頁など参照。

[269] もっとも，現行破産法の立法過程では，不動産登記法が共同申請主義をとっていることなどとの関係で，原因行為から対抗要件具備まで一定の日時を要するのが通常であることを理由として，対抗要件の否認制度の廃止を求める議論もあったが（山本克己「否認制度に関する考察」別冊 NBL 69 号 116 頁 (2002 年)），わが国における登記手続申請行為の実態をみれば，15 日内に登記手続申請行為の実行を求めることが無理とはいえないなどの判断から，立法者は，対抗要件の否認制度を維持している。また，中井・前掲論文（注 267）は，解釈論の混乱を解決する方法として，対抗要件否認を詐害行為否認や偏頗行為否認から独立させ，危機時期の悪意を不要とする，効果については，対抗要件具備請求権の復活に限るなどの形での立法提案を行う。

[270] しかし，現行破産法の立案過程の時期に至って，対抗要件具備行為を偏頗行為としてとらえる有力説が登場した。中西・前掲論文（注 267）669，698 頁。

書・162 I 柱書かっこ書参照)，この議論は，旧法下とは比較にならない重要性を認められる。

　有力説（本章注 270 参照）は，原因行為の効力を覆すことなく対抗要件具備行為のみを否認しうる唯一の否認類型は，偏頗行為の否認であるという基本認識に立ち，旧破産法 74 条（現破 164 相当）は，旧破産法 72 条 2 号（現破 162 I ②相当）の危機否認の特殊類型であるとする。その特殊類型である所以は，支払停止等後の対抗要件具備行為のすべてを危機否認に服せしめることは合理性を欠くことに求められる。なぜならば，原因行為から対抗要件充足までは，通常一定の期間を要するにもかかわらず[271]，この時期における対抗要件具備行為を当然に危機否認の対象とするのは，不合理な結果を招くからであるという。これを前提とすると，旧破産法 74 条 1 項本文がいう 15 日の期間は，危機否認の猶予期間としての位置づけが与えられる。

　対抗要件具備行為が破産者の義務の履行という側面を有していることから，原因行為とは区別された偏頗行為としての性質を有していることに着目し，旧破産法 74 条を旧破産法 72 条 2 号の危機否認を制限したものであるという指摘は，首肯できるところであるが，対抗要件具備行為自体は義務の履行であるとしても，その効果は，当該財産または当該財産の価値を破産者の責任財産から逸出させるものであり，偏頗行為という形式のみでとらえられるものかどうかという問題もある。特に，担保権設定についての対抗要件具備ではなく，所有権移転に関する対抗要件具備については，この問題を検討する必要があろう。

　すなわち，登記手続申請などの対抗要件具備行為がなされるについては，通常の場合，受益者との間の合意によって破産者がそれをすることを義務づけられていることからすれば，その義務または債務の履行，すなわち債務の消滅に関する行為（破 160 I 柱書かっこ書・破 162 I 柱書かっこ書）とみることができる。代表的な債務の消滅に関する行為である金銭債務の弁済と比較したときに，対抗要件具備行為は，それがなされることにより，対抗要件具備請求権が消滅し，受益者が対抗要件具備という利益をうる限度では，金銭債権に対する弁済と変

---

[271] ただし，この点については，対抗要件の否認が対象としているのは，登記などの対抗要件の充足そのものではなく，その前提となる登記手続申請などの破産者の行為であるから，それがなされるまでに相当の時間を要するのが通例であるといえるかという疑問がある。

わるところはなく，債務消滅に関する行為という以外にない。

しかし，対抗要件具備の効果はそれにとどまらない。対抗要件が具備されないかぎり，当該権利は，破産管財人に対抗することができず，受益者は，当該権利の目的物またはその価値を破産財団に返還しなければならないのに対して，いったん対抗要件が具備されれば，受益者の権利は，破産管財人に対抗できるものとなり，目的物が破産財団に戻ることはない。したがって，効果に着目すれば，対抗要件具備行為は，破産者の財産を絶対的に減少させる行為，すなわち詐害行為としての側面を持っているといえる。

このように考えると，対抗要件具備行為が詐害行為か偏頗行為かを一律に決定することはできず，むしろ，対抗要件が具備された場合の効果に着目して，その性質を考えることが適切であるといえよう。

(2) 支払停止等後の対抗要件具備行為

支払停止等後に破産者が行った対抗要件具備行為は，すべて否認の対象となりうる。不動産物権変動や動産や債権の譲渡などについての登記（民177・605，立木1・2，借地借家10，動産債権譲渡特2～4，農動産13，建抵7など），商号登記（商9・15Ⅱ），船舶登記（商687），自動車抵当についての登録（自抵5）はもちろん，動産物権変動についての占有移転（民178），あるいは債権譲渡についての確定日付ある通知（民467Ⅱ）なども含まれる[272]。権利取得の効力を生ずる登録（特許66Ⅰ・98，意匠20Ⅰ・36など）についても同様である（破164Ⅱ）。

問題となるのは，破産者がその債権を第三者に譲渡した場合に，債務者がする承諾（民467）が否認の対象となるかどうかである。旧破産法下の判例[273]は，

---

[272] ゴルフ会員権の譲渡担保設定についても，指名債権譲渡の対抗要件によることとされているので（最判平成8・7・12民集50巻7号1918頁），本条の適用可能性がある（東京地判平成7・5・29判時1555号89頁，東京地判平成7・9・28判時1568号68頁など）。立木についてされた明認方法も同様である（東京高判平成8・3・28判時1595号66頁）。これに対して，株式の譲渡について，株主名簿の名義書換えが第三者に対する対抗要件とはされていない場合には（会社130Ⅱ参照），破産法164条にもとづく否認の可能性はない（条解会更法（中）91頁，注解破産法（上）498頁〔宗田親彦〕，条解破産法〈第3版〉1151頁，大コンメンタール667頁〔三木浩一〕など）。

なお，仮登記も対抗要件の否認の対象となりうることは，旧破産法74条の下でも解釈として確立されていたが（最判平成8・10・17民集50巻9号2454頁〔倒産百選A8事件，倒産百選〈第5版〉39事件〕），法164条1項本文かっこ書は，その点を明らかにした。仮登記が否認の対象となるときは，当該仮登記にもとづく本登記も否認される（注解破産法（上）500頁〔宗田親彦〕，大コンメンタール668頁〔三木浩一〕）。

[273] 前掲最判昭和40・3・9（注193）。

対抗要件具備行為の否認は故意否認（旧破72①）を制限したものであり，両者は，その本質を同じくするという理由から，破産者の行為またはこれと同視しうるものだけが否認の対象となるとして，否認可能性を否定している。しかし，対抗要件の否認は，破産者の詐害意思の有無を問題としていないのであるから，加功などを理由として破産者の行為と同視される場合だけではなく，その効果において破産者による対抗要件具備行為と同視される債務者の承諾も否認の対象となりうると解すべきである[274]。

なお，破産者からの譲受人がなす未登記建物の保存登記（不登74参照）についても，同じ問題がある[275]。下級審裁判例の中に対立があり[276]，破産者の行為と同視されることを条件とすべきであるという見解があるが，上記の考え方から，効果において破産者の行為と同一であれば，否認の成立を認める考え方をとるべきであろう。仮登記仮処分についても同様に考えられる[277]。

(3) 権利の設定等の日から15日の経過

登記または仮登記等の対抗要件具備行為は，原因行為にもとづく権利の設定，移転または変更があった日の翌日から起算して（破13，民訴95Ⅰ，民140本文）15日を経過した後になされた場合に，否認の対象となる。15日は，原因行為がなされた日ではなく，行為の効果が発生した日から起算する[278]。原因行為

---

[274] 注解破産法（上）498頁〔宗田親彦〕，青山ほか192頁，条解会更法（中）91頁，注解会更法288頁〔櫻井孝一〕，基本法119頁〔池田辰夫〕，髙地茂世「対抗要件の否認」実務と理論107頁，条解破産法〈第3版〉1151頁，大コンメンタール666頁〔三木浩一〕。

[275] 建物の保存登記による借地権の対抗力（借地借家10Ⅰ）についても，同じ問題がある。

[276] 無条件に否認を肯定するものとして，大阪高判昭和36・5・30判時370号32頁，破産者の協力または加功があり，破産者の行為と同視される場合に限るとするものとして，大阪高判昭和40・12・14金法433号9頁がある。

[277] 条解破産法〈第3版〉1151頁，大コンメンタール667頁〔三木浩一〕。前掲最判平成8・10・17（注272）は，「仮登記仮処分命令を得てする仮登記は，仮登記権利者が単独で申請し，仮登記義務者は関与しないのであるが（不動産登記法32条〔現107条：筆者注〕），その効力において共同申請による仮登記と何ら異なるところはなく，否認権行使の対象とするにつき両者を区別して扱う合理的な理由はないこと，実際上も，仮登記仮処分命令は，仮登記義務者の処分意思が明確に認められる文書等が存するときに発令されるのが通例であることなどにかんがみると，仮登記仮処分命令に基づく仮登記も，破産者の行為があった場合と同視し，これに準じて否認することができるものと解するのが相当であるからである」と判示する。

[278] 最判昭和48・4・6民集27巻3号483頁，東京高判昭和62・3・30判タ650号249頁。なお，稀な状況ではあるが，水元宏典「破産手続開始後にした破産者の行為と否認権」

にもとづく法律効果が生じて，対抗要件を備えられるにもかかわらず，それを危機時期まで怠ったことが否認の理由であるから，当然である[279]。

この点に関して特に問題となるのは，集合債権譲渡担保である。集合債権譲渡担保自体の効力は判例によって確認されているが（本書511頁)，集合債権譲渡担保設定契約が締結された後に譲渡人たる譲渡担保設定者から債務者に対する通知（民467）がなされれば，設定契約にもとづく担保権設定の時から譲渡通知到達の時（民97Ⅰ参照）まで15日の期間が経過したか否かによって対抗要件否認の成否が決せられる。

ところが，譲渡担保設定者の信用下落をおそれるとか，通知の費用を節約するなどの理由によって，しばしば通知の留保がなされる。すなわち，譲渡担保権者は設定者から日付等の記入されていない包括的債権譲渡通知書を差し入れさせ，支払停止等の事実が発生した場合にはじめて，設定者の代理人として通知書を債務者に発送する。しかし，このような慣行の下では，譲渡担保設定の効力発生時から通知発送時までに15日の期間が経過することが多くなるから，

伊藤古稀1119頁，破産法大系Ⅱ544頁〔水元宏典〕は，次のような問題を提起する。法律行為（売買）がなされた後に，売主が支払いを停止し，買主がこれを知りながら15日を経過した時点で，売主について破産手続開始決定があり，売主と買主の共同申請による所有権移転登記がなされたという順序で事象が発生し，しかも，買主が売主についての破産手続開始決定の事実を知ったのは，登記申請後であったとする。この登記が，法49条1項但書にいう「登記権利者が破産手続開始の事実を知らないでした登記」（本書378頁）にあたるとすれば，その効力が認められ，また，破産手続開始後の破産者の行為であるために，対抗要件の否認の対象ともならない。論者は，否認対象行為が破産手続開始前の破産者の行為に限られるとの前提を再検討し，上記の行為が対抗要件の否認の対象たりうることを示唆するが（水元・前掲論文1131頁)，本書も，以下の理由から，これを支持する。

破産手続開始前の行為を否認の対象とするのは，目的財産について破産者の管理処分権にもとづいて有効になされた行為の効力を覆滅するためであるが（本書558頁)，破産手続開始によって破産財団所属財産の管理処分権が破産管財人に専属した後であっても（破78Ⅰ参照)，法49条1項但書によって破産者がした登記の効力が認められるとすれば，その限りで破産者の管理処分権が存続していたのと同様の効果が生じるといってよい。したがって，この場合には，対抗要件を具備させるのが破産手続開始後の行為ではあるが，破産手続開始前に破産者の管理処分権にもとづいて行われた行為と同視して，否認権によってそれを覆滅することを認めるべきである。この考え方は，更生手続および再生手続にも妥当しよう（水元・前掲論文1133頁)。

279) ただし，中間省略登記については，破産者から中間者への権利移転の効果が生じた時が起算点となる（東京地判昭和33・8・21新聞113号8頁)。なお，効力要件としての登録（特許66Ⅰ，意匠20Ⅰなど）の場合には，原因行為の時から15日を起算するが（基本法120頁〔池田辰夫〕)，立法論としては問題が指摘される（注解破産法（上）500頁〔宗田親彦〕，条解破産法〈第3版〉1152頁)。

対抗要件具備行為が否認の対象となる。これを回避するための実務上の方策として，あらかじめ譲渡担保設定予約を締結し，支払停止等後の危機時期になって予約完結権の行使をするとか，譲渡担保設定契約について支払停止等の事由を停止条件とするとかの合意がなされる。

このような形式をとれば，譲渡担保設定の効力の発生は，予約完結権行使時または停止条件成就時になるから，それに引き続いてなされる対抗要件具備行為たる通知は否認の対象とならないとする有力説がある[280]。もちろん，原因行為の否認を問題とする余地はあるが，停止条件付譲渡担保設定契約や譲渡担保設定予約は危機時期前になされ，停止条件成就時や予約完結権行使時には，否認されるべき破産者の行為が存在しないとする[281]。

しかし，これを認めると，実質的には譲渡担保が設定されているにもかかわらずそれが明らかにされず，危機時期になって突如対抗要件が備えられることになり，破産債権者の利益を著しく害するので，この場合の原因行為は停止条件付譲渡担保設定契約時または譲渡担保設定予約時であるとみて，その効力が生じた時点から 15 日を経過してなされた対抗要件具備は，法 164 条の適用対象となると解する考え方[282]をとるべきである。なお，債権譲渡の対抗要件に

---

[280] 宮廻美明「将来債権の包括的譲渡予約と否認権の行使」法時 55 巻 8 号 117 頁（1983 年）。

[281] もっとも，このような契約が，実質的に支払停止等後の設定契約と同視されれば，設定契約自体が否認の対象となりうる。前掲最判平成 16・7・16（注 245），前掲最判平成 16・9・14（注 245），前掲東京地判平成 10・7・31（注 245），前掲東京地判平成 22・11・12（注 245）参照。否認の成否は，本来，停止条件成就時ではなく，行為がなされた時点を基準として判断すべきであるが，行為の時点と効果発生の時点とを分離することによって危機時期において責任財産を逸出させることを目的としていることが，同視の根拠である。これに対して，TLAC 債（前掲金融庁「金融システムの安定に資する総損失吸収力（TLAC）に係る枠組み整備の方針について」（注 257）参照）における債務免除条項のように，停止条件を付すことが合理的理由にもとづくと認められるときには，本則どおり，行為がなされた時を基準として否認の成否を判断すべきであろう。

[282] 霜島 331 頁，伊藤・研究 384 頁，髙地・前掲論文（注 274）108 頁参照。いいかえれば，債権譲渡自体の効力は停止条件成就時などに生じるが，それは担保権の実行に相当し，集合債権についての非典型担保権の設定自体は契約時や予約時になされたものとみなされ，その対抗要件たる通知の否認に関する 15 日の期間は，契約時や予約時から起算されると考えるものである（長井秀典「停止条件付集合債権譲渡の対抗要件否認——売掛金をめぐる貸金業者と管財人の争い」判タ 960 号 37 頁（1998 年），同「停止条件付集合債権譲渡と否認」金商増刊 1060 号 104 頁（1999 年），条解破産法〈第 3 版〉1153 頁，大コンメンタール 669 頁〔三木浩一〕参照。下級審裁判例としては，大阪地判平成 10・3・18 判時 1653 号 135 頁，大阪高判平成 10・7・31 金法 1528 号 36 頁などがある）。

関する民法の特例等に関する法律にもとづく債権譲渡登記についても，同様の考え方が適用される。

ただし，対抗要件具備行為が破産手続開始申立ての日より1年以上前であれば，支払停止後の行為であることまたは支払停止を知ってしたことを理由とする否認は許されない（破166。本書627頁参照）。

(4) 支払停止等についての悪意

対抗要件の否認が成立するための主観的要件として，支払停止等（破160Ⅰ②）についての悪意がある（破164Ⅰ本文）。この悪意の主体が誰を意味するかについては，考え方の対立がある。判例・通説は，受益者の悪意とする[283]。詐害行為否認や偏頗行為否認の場合（破160Ⅰ②・破162Ⅰ①柱書但書）と同様に考えれば，受益者の悪意になる。これに対して，規定の文言に即して，受益者の悪意ではなく，対抗要件具備行為をした者の悪意を意味するとする少数説がある[284]。破産者と受益者が共同で行う登記申請のように，両者が一致することも多いが，たとえば債権の譲渡人たる破産者による通知のように，受益者たる譲受人が関与しない対抗要件具備行為も考えられる。この場合に，受益者が支払停止等について悪意でないことを理由として，否認の成立を否定することは，秘密取引を抑止するという本条の趣旨に沿わないとするのが，少数説の根拠であり，本書はこれを採用する[285]。

これに対して，前掲最判平成16・7・16（注245）や前掲最判平成16・9・14（注245）は，破産者があらかじめ将来債権の譲渡契約を締結し，譲渡の効力発生は，譲渡人に破産手続開始申立てや支払停止の事実が生じたときとする契約について，「上記契約は，破産法72条2号（現行破産法162条相当——筆者注）の規定の趣旨に反し，その実効性を失わせるものであって，その契約内容を実質的にみれば，上記契約に係る債権譲渡は，債務者に支払停止等の危機時期が到来した後に行われた債権譲渡と同視すべきものであり，上記規定に基づく否認権行使の対象となると解するのが相当である」と判示するが，このような考え方を前提とすれば，譲渡担保の設定自体を偏頗行為否認の対象とすることとなり，条件成就から15日内に対抗要件が具備されていることとなるので，本条による否認の余地はないという結果になろう（松下淳一「破産者の支払停止等を停止条件とする債権譲渡契約と破産法72条2号による否認（重要判例解説）」ジュリ1291号142頁（2005年）参照）。

283) 大判昭和6・9・16民集10巻818頁。注解破産法（上）499頁〔宗田親彦〕，基本法118頁〔池田辰夫〕など。
284) 条解破産法〈第3版〉1154頁，大コンメンタール670頁〔三木浩一〕。
285) 受益者たる登記権利者が登記義務者である会社から預かっていた登記関係書類を用いて対抗要件具備行為をした場合などは，受益者が破産者のなすべき行為を代行している関係にあるから，受益者の悪意をもって破産者の悪意と同視することが考えられる。

(5) 仮登記または仮登録後の本登記または本登録

すでになされている仮登記（不登105）または仮登録にもとづいて本登記または本登録がなされているときには，たとえ以上の要件を満たしても否認は成立しない（破164Ⅰ但書）。仮登記などがなされていれば，権利変動が公示されるから，後に仮登記などにもとづいて本登記などがなされても破産債権者の期待が害されるとはいえないことがその根拠となっている[286]。もちろん，仮登記など自体が対抗要件具備行為として否認されるのは，別問題である。

(6) 対抗要件具備行為の詐害行為否認および偏頗行為否認の可能性

法164条所定の要件が満たされない場合であっても，なお，対抗要件具備行為の否認可能性があるかどうかについては，詐害行為否認（破160Ⅰ）と偏頗行為否認（破162Ⅰ）のそれぞれについて考える必要がある。具体的状況については，原因行為の内容に応じて，以下のような状況が想定できよう。

　ア　対抗要件具備行為の否認が問題となる場面

　① 支払停止後の抵当権設定登記具備の事案

甲は，乙から1億円の融資を受け，その担保として，自ら所有する不動産について抵当権を設定することを約束し，委任状を含め，必要書類を乙に交付したが，その際，別途十分な担保を提供するので，抵当権の設定登記手続申請の実行をしばらく待ってほしい旨を乙に懇請した。乙は，甲の懇請を容れて，登記手続申請の実行を留保していたが，抵当権設定契約後20日ほど経過した時点で，甲について手形の不渡りが発生したとの情報に接し，抵当権設定登記手続申請を行った[287]。その3日後，甲は，破産手続開始の申立てをなし，1週間後に破産手続開始決定がなされたところ，破産管財人は，抵当権設定契約締結の時点では，甲は，未だ支払不能に陥っていなかったとの判断を前提として，設定契約から設定登記手続申請まで20日を経過していることに着目し，設定登記手続申請の時点で乙が甲の支払停止を知っていたものとして，法164条1項本文にもとづいて，乙が甲に代わってなした抵当権設定登記手続申請を否認

---

286) 前掲最判昭和43・11・15（注192）参照。仮登記は，不動産登記法105条1号および2号によるものの双方を含む。なお，法49条1項における両者の区別については，本書380頁参照。

287) 抵当権設定登記手続申請は，登記権利者である乙と共にする，登記義務者たる甲自身の行為であるが，ここでは，乙が甲からの委任を受け，甲の代理人として共同申請をすることを想定している。

する旨を主張し，否認の登記（破260 I 後段）を求める訴えを提起した。

② 支払不能後の抵当権設定登記具備の事案

基本的事実関係は，①と同様であるが，手形の不渡りという事実は発生しなかったものとする。しかし，乙は，甲の資金繰りが決定的に悪化しているとの情報に接し，急遽，抵当権の設定登記手続申請を実行したが，その時点は，①と同様に，抵当権設定契約から 20 日を経過していた。その 3 日後，甲は，破産手続開始申立てをなし，1 週間後に破産手続開始決定がなされたところ，破産管財人は，抵当権設定契約締結の時点では，甲は，未だ支払不能に陥っていなかったが，抵当権設定登記手続申請の時点では，支払不能の状態にあり，乙もそれを知っていたと判断し，法 164 条 1 項本文ではなく，法 162 条 1 項 1 号イにもとづいて，乙が甲に代わってなした登記手続申請行為の否認の可能性を検討している。

③ 支払停止後の所有権移転登記具備の事案

丙は，その所有不動産を丁に売却することとし，代金を 1 億円とする売買契約を締結した。丙は，丁から代金の支払を受けるのと引換えに所有権移転登記手続申請に必要な書類を丁に交付したが，その際，当該不動産を買い戻す意思があり，近く買戻資金の手当てができる見通しがあるので，登記手続申請の実行を暫時猶予してほしい旨の申入れをなした。丁は，丙の申入れを信じて 20 日ほど待ったところ，丙が取引金融機関数行に対して，期限が到来する債務についての資金手当てができないことを理由として返済猶予の申入れをしているとの情報に接し，その翌日に所有権移転登記手続申請を実行した。

丙は，その 3 日後に，破産手続開始申立てをなし，1 週間後に破産手続が開始された。破産管財人は，売買契約締結の時点では，丙は，未だ支払不能に陥っていなかったとの判断を前提として，売買契約から所有権移転登記手続申請まで 20 日を経過していることに着目し，丙の取引金融機関に対する返済猶予の申入れが支払停止にあたり，丁がそれについて知っていたものとして，法 164 条 1 項本文にもとづいて，丁が丙に代わってなした丁への所有権移転登記手続申請を否認する旨を主張し，否認の登記を求める訴えを提起した。

④ 支払不能後の所有権移転登記具備の事案

基本的事実関係は，③と同様であるが，丙による取引金融機関に対する返済猶予の申入れという事実は存在しなかったものとする。しかし，丁は，丙の資

金繰りが決定的に悪化しているとの情報に接し，急遽，所有権移転登記手続申請を実行したが，その時点では，③と同様に，売買契約から20日を経過していた。その3日後，丙は，破産手続開始申立てをなし，1週間後に破産手続開始決定がなされたところ，破産管財人は，売買契約締結の時点では，丙は，未だ支払不能に陥っていなかったが，所有権移転登記手続申請の時点では，支払不能の状態にあり，丁もそれを知っていたと判断し，法164条1項本文ではなく，法160条1項1号にもとづいて丁が丙に代わってなした登記手続申請について否認の可能性を検討している。

 イ 対抗要件具備行為の否認の根拠と成否

①は，法164条1項本文が適用される典型的場面と理解されている。原因行為たる抵当権設定契約は担保の供与にあたり，偏頗行為否認（破162Ⅰ）の対象たりうるが，この設例では，甲が支払不能になった後の行為ではないとの判断であるので，否認は成立しない。しかし，抵当権設定登記手続申請という対抗要件具備行為が，抵当権設定契約があった日から15日を経過した後，乙が甲の支払停止を知ってなされているところから，甲の破産管財人は，乙が甲に代わってなした抵当権設定登記手続申請を否認することができる。抵当権設定契約自体は，支払停止前の行為であるが，法164条1項本文は原因行為のなされた時期を問題とせず，対抗要件具備行為がなされた時期のみを問題としているので，この点は，否認の成否に影響するところはない。

 否認が認められれば，甲の申請の効力は失われ，その結果として乙の抵当権設定登記について否認の登記がなされるから，乙は，その抵当権を破産管財人に対して主張することは認められないために，別除権者の地位は否定され，1億円の貸金債権は，破産債権となる。

②は，対抗要件具備行為の偏頗行為否認が主張され，後に述べる制限説と創設説とが対立する場面の1つである。原因行為たる抵当権設定契約が否認の対象にならない場合に，対抗要件具備行為たる抵当権設定登記手続申請行為が否認されるのは，法164条1項本文が適用される場合のみ，すなわち，原因行為が効力を生じた日から15日を経過した後，支払停止があったことを知ってしたときに限られるとすれば，この場合には，否認は成立しえない。しかし，抵当権設定登記手続申請も甲の乙に対する債務の履行にあたると考え，それが行われた時点で甲が支払不能状態に陥っていたとすれば，法162条1項柱書かっ

こ書にいう「既存の債務についてされた……債務の消滅に関する行為」に該当することになる。かりに否認が成立するとすれば，その結果は，①について述べたのと同様のものとなる。

　③も，従来から対抗要件の否認の一場面とされてきたものである。否認が成立すれば，丙から丁への所有権移転登記について否認の登記がなされることになるが，問題は，むしろその後の処理にある。売買契約自体が否認されたわけではないので，丁から丙への代金支払および丙から丁への所有権移転が否認によって影響を受けることはないが，丁の所有権は，対抗要件を具備せず，破産管財人に対抗できないものとなるから（本書367頁参照），破産管財人の求めに応じて丁は，目的物を返還しなければならない。

　その結果として，丁の丙に対する移転登記手続請求権が復活するとしても，それは破産債権（破２Ⅴ）にとどまる。丁としては，売買契約そのものが否認されたとすれば，代金返還請求権を財団債権として行使できるのに対し（破168Ⅰ②）[288]，所有権移転登記のみが否認されたときには，支払済代金の返還を求めることはできず，移転登記手続請求権を破産債権として行使するにとどまるという差異が生じる。果たしてこのような差異が合理的なものかどうかについて検討する必要がある[289]。

　④は，旧法下で対抗要件具備行為に対する故意否認（旧破72①。現破160Ⅰ）の可否として争われていたところである。現行法は，故意否認と危機否認（旧破78②）の区別に代えて，詐害行為否認と偏頗行為否認という類型を立てたために，なお対抗要件具備行為に対する詐害行為否認を論じる意味があるかどうかを検討しなければならない[290]。あわせて，否認の成立可能性を認めるとすれば，その効果についても③と同様の検討が必要になる。

---

[288] 反対給付が金銭の場合，その返還請求権は，原則として財団債権となる。本書654頁参照。

[289] 畑瑞穂「対抗要件否認に関する覚書」井上追悼551頁，条解破産法〈第3版〉1157頁参照。また，相当な対価を得てした財産の処分行為について厳格な要件が設けられていること（破161）との均衡も問題となろう。

[290] 旧法下の議論については，注解破産法（上）490頁〔宗田親彦〕(1998年)，基本法118頁〔池田辰夫〕，伊藤眞・破産法〈全訂第3版補訂版〉362頁（2001年）参照。現行法に関して，対抗要件具備行為の詐害行為否認を肯定するものとして，条解破産法〈第3版〉1161頁，大コンメンタール664頁〔三木浩一〕，中島356頁，長島良成「対抗要件否認」倒産法の実践311頁があり，否定するものとして，条解会更法（中）86頁，加藤哲夫313頁，条解民事再生法686頁〔加藤哲夫〕などがある。

ウ　制限説と創設説

　議論の出発点は，旧破産法74条（現破164）にもとづく否認が旧破産法84条（現破166）によって妨げられるときに，なお旧破産法72条1号（現破160Ⅰ相当）の故意否認として破産者のなした対抗要件具備行為を否認できるかどうかという問題であった。これをより一般化すれば，対抗要件具備行為の故意否認可能性ということになろう。

　この問題について大審院判例は，対抗要件具備行為の故意否認可能性を排斥し，その前提としては，この種の行為も故意否認の対象となりうるものであり，ただ，対抗要件の否認に関する特則がある以上，否認はそれに委ねられるべきであるとの理由を示している[291]。

　いわゆる創設説は，結論としては大審院判例を是認しながらも，その理由として，登記については，故意否認の適用可能性がそもそもありえないと論じる[292]。すなわち，対抗要件具備行為は，本来的に故意否認の対象とならないことを前提としながら，支払停止後の時期に，しかも原因行為から相当期間を超えてなされる対抗要件具備行為が他の債権者に対する有害性をもつことに着目して，特別に否認可能性を認めたのが対抗要件の否認の意義と捉える考え方である。

　ただし，創設説がその立論の理由として，登記は債務者の義務であることに求めた点については，それが故意否認を排除する理由にはなっても，危機否認の対象である「債務ノ消滅ニ関スル行為」にあたらないとする理由にはならないのではないかという疑問を残すことになった。また，ここでは，抵当権設定登記を問題としているが，対抗要件の否認の適用範囲は，それを超えて，物権変動の対抗要件一般となっていることを考えれば，対抗要件の具備が義務の履

---

[291]　前掲大判昭和6・9・16（注283）は，登記または登記申請行為も本来であれば，旧72条1号にもとづく故意否認の対象となりうるものであるが，旧破産法の規定の趣旨は，原因行為に否認の理由がない以上，対抗要件の具備を認めるのが本則であるとの考え方を基礎として，「物権変動ノ行為ソノモノカ否認セラルル場合ハ之ヲ措キ単ニ登記ノミヲ否認スルハ唯同法第七四条第一項ノ能クスルトコロニシテ他ノ法条ニ依ル否認ノ如キハ之ヲ許ササル法意ナルコト之ヲ窺フニ難カラス」と判示した。

[292]　加藤・前掲書（注268）170，171頁は，「何トナレハ抵当権ノ設定行為カ有効ニ為サレタル以上ハ之ニ伴フ登記ハ債務者ノ当然ノ義務ニ属シ」とし，義務の履行たる登記については，元来旧法72条1号の適用がないために，旧法74条の規定が設けられたという。大審院判決では，旧法74条の規定が存在するために，旧法72条1号の適用がないとされているが，これはいわば逆転した発想であるというのが加藤博士の批判である。

行にあたるとの理由づけが一般的通用性を有するかについても，なお検討の余地があったといってよい。

これに対して，いわゆる制限説[293]の出発点は，不動産の譲渡を原因とする所有権移転登記にあった。すなわち，所有権移転登記は，所有権の移転それ自体とは区別されるが，破産財団所属財産という視点からみれば，「所有権の移転自体と其の価値を同じうし，従つて所有権移転の登記も亦，破産債権者を害する行為たり得る」とし，対抗要件具備行為も故意否認によって否認しうるが，対抗要件の否認は，特にこれを制限し，その否認を困難ならしめたものであると論じる[294]。

以上にみたように，創設説も制限説も，対抗要件の否認による場合を除いて，対抗要件の具備行為の否認がありえないとの結論においては共通であるが，故意否認の適用可能性を排除するための創設説の論拠，すなわち対抗要件具備行為が義務の履行にあたるとの説明は，危機否認との関係で問題を含むのに対して，制限説の論拠，すなわち詐害性の視点からみた対抗要件具備行為と原因行為の比重の軽重は，故意否認についても，危機否認についても否認可能性を制限すべき一般的通用性があると認められ，これが，その後に制限説が通説化した理由と考えられる。

しかし，制限説が検討の対象としているのが，不動産の譲渡にともなう所有権移転登記であり，その詐害性が所有権の移転自体と同価値とみなされるにもかかわらず，対抗要件の否認規定の適用場面以外では，否認の可能性が一切排除されることが合理的といえるかどうか，なお疑問の余地があり，それが次に

---

293) 井上直三郎「破産法第七四条に就いて」同・破産・訴訟の基本問題290頁（1971年）。なお，板木郁郎・否認権に関する実証的研究64頁（1943年）も同様の考え方をとる。

294) 井上・前掲書（注293）292頁。これは，旧破産法に関する説明であるが，旧74条（現破164）の要件に対応するのは，旧法72条2号または4号（現破162Ⅰ相当）であり，2号では，支払停止等後に受益者が支払停止等について悪意であることを要件として否認を認めるが，旧法74条は，これらの要件に加え，原因行為から15日を経過してなされた対抗要件具備行為を対象にしている。

その理由は，対抗要件具備が，それ自体で権利変動を引き起こすものではなく，既に生じている権利変動を完成する性質のものであり，債権者に対する詐害性が弱いとみなされることにある。そのために，15日の経過という加重的要件が設けられ，また，旧法74条1項本文にいう「悪意」とは，単に支払停止等の事実を認識しているという意味ではなく，「権利の変動を公示せざる儘に放置し，いざと云ふ際になつて債権者の満足を遮断せんとするの意思」と解さなければならないとする（井上・前掲書（注293）295頁）。

述べるような制限説の変質につながったと考えられる。

制限説が通説化するとともに，判例は，これを前提として個別的な解釈問題を判断するようになったが[295]，学説は，これを超えて，対抗要件の否認規定の適用対象でない場面においても，対抗要件具備行為の故意否認が可能であるとする論拠として，制限説を援用するようになった[296]。特に，その中で，対抗要件の否認規定は，危機否認の特則であるから，対抗要件具備行為の故意否認が制限されるものではないとの指摘が注目される。これが変質した制限説である。

すなわち，本来の制限説は，対抗要件具備行為がそれ自体否認の対象となりうる行為であることを確認しながら，その否認可能性は，故意否認や危機否認の規定によるのではなく，対抗要件の否認規定のみによって，すなわち支払停止等後になされたもので，原因行為から15日を経過している場合にのみ認められるとしていた。ここでいう制限とは，故意否認，危機否認，無償否認という旧破産法下の各種否認類型全体との関係で，否認可能性を対抗要件の否認規定の要件に限定することを意味していた。これに対して変質した制限説のいう制限とは，対抗要件の否認規定は，対抗要件具備という行為の性質を考えても，また，否認の要件を考えても，危機否認を制限したものと理解する。

すなわち，支払停止等後の対抗要件具備は，それが受益者の有する対抗要件具備請求権との関係でいえば，債務消滅行為にあたるから，受益者が支払停止等について悪意であれば否認が成立するにもかかわらず，対抗要件の否認規定は，原因行為から15日を経過する前になされた対抗要件具備行為は否認の対象とならないという意味で，危機否認の成立可能性を制限している。しかし，この規定は，故意否認についての制限ではないから，故意否認の要件が満たさ

---

295) 前掲最判昭和40・3・9（注193）や最判昭和45・8・20民集24巻9号1339頁〔倒産百選38事件〕が，旧破産法74条にもとづく否認も否認の一般原則にしたがうべきであるから，その対象は破産者の行為であることを要するとか，旧破産法72条による否認が主張されているときに，旧破産法74条による否認の主張の有無についても裁判所の釈明を要するとかの判断をする際に，制限説の考え方が援用されている。伊藤眞「破産管財人に対抗できる登記の範囲」法教53号74頁（1985年）では，これを制限説の拡散現象と呼んでいる。

296) 山木戸214, 215頁では，疑問形で対抗要件具備行為の旧法72条による否認可能性を示唆し，「74条は72条2号の特則たるにとどまり，破産者に詐害の意思があれば，72条1号による否認を認めえないであろうか」と説く。これに対して，谷口262頁，伊藤・前掲論文（注295）75頁は，72条1号による否認可能性の存在を断定する。

れる場合には，本来の原則通り，対抗要件具備行為が否認される可能性があるというものである。これは，本来の制限説とは異なった帰結であり，いわばそれを換骨奪胎したものともいえるが，創設説の発想からは，このような帰結は考えられないから，やはり制限説が変質したものという以外にない。

エ　制限説の再構成

現行法下の解釈としては，対抗要件の否認は，法164条の要件によってのみ可能であるとする見解が多数となっているが，対抗要件具備行為の有害性を強調し，他の法条による否認も可能であるとするのであれば，以下のように考えることができよう。

　　a　対抗要件具備行為の偏頗行為否認　②の設例について，甲の抵当権設定登記手続申請が支払不能状態でなされたことを理由として，法162条1項1号によって否認する可能性について検討する。この問題は，現行法が偏頗行為否認の対象行為の範囲を，支払停止等後の行為だけではなく，支払不能になった後の行為まで拡張したことに起因する。すなわち，法164条にもとづく対抗要件の否認は，甲が支払停止等後になした行為についてのみ可能であるが，支払不能発生から支払停止等までの期間については，対抗要件具備行為が債務の消滅に関する行為としての性質をもつことを踏まえれば，法162条1項1号にもとづく否認も考えられるからである[297]。

しかし，詐害行為否認と異なって，詐害意思の存在を要件としない偏頗行為否認において，支払停止発生前の支払不能状態における対抗要件具備行為を否認の対象とすることとなれば，15日の期間は何らの意味をもちえず，原因行為にもとづく対抗要件具備行為は，すべて偏頗行為否認の対象となりうる。このような結果は，法164条の存在意義を失わせるおそれがあり，支払不能後の行為であることを理由とする対抗要件具備行為の偏頗行為否認を認めるべきではない。

　　b　対抗要件具備行為の詐害行為否認　対抗要件具備行為の詐害行為否認が問題となる局面は，冒頭の設例に即していえば，支払不能時期に抵当権設

---

297) 法162条1項2号の適用についても，同様である。このような問題の発生を避けるために，法164条にいう支払停止を支払不能と読み替えるべきであるとの見解も存在する。畑・前掲論文（注289）555頁，判例・実務・改正提言455頁〔小島伸夫＝大石健太郎〕参照。立法論としては，検討に値しよう。

定登記がなされた場合（②）と所有権移転登記がなされた場合（④）とに分けられる。前者については，かりに否認が認められないとすれば，乙の抵当権が破産管財人に対抗できるものとなり，後者については，同様に，丁の所有権が破産管財人に対抗できるものとなる。それでは，これらの登記の前提となる甲や丙の登記手続申請行為を詐害行為否認の対象とすることができるであろうか。

甲の抵当権設定登記手続申請行為については，これを詐害行為否認の対象とすることは認められないと考えるべきである。もちろん，甲と乙とが通謀して，甲の債権者を害する意思の下にあえて抵当権設定登記を遅らせるような事案では，甲の詐害意思が認められ，乙もそれについて悪意であったといってよい。しかし，このような状況の下にあっても，甲の抵当権設定登記手続申請行為について詐害行為否認を認めることは，甲の抵当権設定行為そのものを否認するのと，実質的に変わりがない結果となる。したがって，担保の供与を詐害行為否認の対象から除外した法160条1項柱書かっこ書の趣旨を考えれば，この場合に詐害行為否認を認めることは，解釈論として不合理と考えられる。これを一般化すれば，原因行為が詐害行為否認の対象適格を備えない場合には，対抗要件具備行為も詐害行為否認の対象たりえないといってよい[298]。

しかし，④の設例における丙の所有権移転登記手続申請行為については，同じく対抗要件具備行為であっても，詐害行為否認の成立可能性を肯定すべきである。丙が，当該不動産が自らの責任財産から逸出した事実を隠蔽するなどの

---

[298] このような考え方に沿って，自らの債務についての根抵当権設定登記の具備行為についての詐害行為否認（会更86 I ①）を否定し，他方，第三者の債務についての物上保証としての根抵当権設定登記の具備行為についてその成立可能性を認めるものとして，東京地決平成23・8・15判タ1382号349頁〔会社更生〕，東京地決平成23・8・15判タ1382号357頁〔会社更生〕，東京地決平成23・11・24金法1940号148頁〔会社更生〕があり，このような考え方を支持するものとして，笠井正俊「事業再生ADR手続の申請に向けた支払猶予の申入れ等の後にされた対抗要件具備行為に対する会社更生法に基づく対抗要件否認と詐害行為否認の可否」事業再生と債権管理138号14頁（2012年），長島・前掲論文（注290）320頁がある。

もっとも，いわゆる登記留保の詐害性を重視すれば，担保供与の形式をとっても，財産処分行為とみられる場合には，原因行為自体が詐害行為否認の対象となりうるとすれば，その対抗要件具備行為も詐害行為否認の対象とする考え方もありえよう。

ただし，登記留保については，司法書士による依頼者等の本人確認等（東京司法書士会会則106条の2）との関係で，担保権者が必要書類を保持しているときであっても，場合によっては，司法書士の代理による登記が困難な場合がある。三上徹「登記留保と本人確認」登記情報48巻11号1頁（2008年）参照。

意図にもとづいて，所有権移転登記手続の申請を遅らせ，また丁もそれについて悪意であり，しかも，その時期に丙が支払不能の状態にあったとすれば，詐害行為否認の対象として扱うべきである。通常の詐害性は，廉価売却のように，正当な対価をうることなく破産者がその責任財産を減少させることを意味するが，この場合には，原因行為たる売買自体については，正当な対価をえていたとしても，その取引の存在を隠蔽して，他の債権者から信用供与を受けるなどすれば，責任財産の絶対的減少を隠匿して破産者が利益を受けたという意味で，債権者に対する詐害性においては，径庭ないからである。

廉価売却が，いわば表の詐害性であるとすれば，債権者を害する認識をもちながら対抗要件具備行為を遅らせる行為は，裏の詐害性であり，表裏いずれとも詐害行為否認の対象たりうると思われる[299]。

もっとも，同じく丙の対抗要件具備行為であっても，これを法160条1項2号によって否認できるかどうかについては，さらに検討を要する。同号も詐害行為否認を規定したものであるが，破産者の詐害意思を要せず，その主観的認識を離れて，支払停止等後の行為という客観的な要素にもとづいて否認を認めるものである（本書582頁参照）。法164条が定める要件とは，若干の差異はあるものの，要件に共通するところがあり，法164条による否認が成立しない場合，たとえば原因行為から15日内に対抗要件具備行為がなされているときに，

---

[299] これに対して，岡正晶「対抗要件否認」ジュリ1458号68頁（2013年）は，対抗要件の具備を遅らせる行為の有害性を「偽装・仮装」に求め，それは担保供与にかかる対抗要件であっても，所有権移転にかかる対抗要件であっても差がないとする。しかし，対抗要件を遅らせる行為自体をもって，「偽装・仮装」といえるか疑問がある。

なお，本書の立場では，この場合に，原因行為から対抗要件具備行為がなされるまでの期間は，それ自体が法律要件事実ではないが，破産者の詐害の意思を推認するための間接事実としての意味があり，その際には，法164条がいう15日の期間も参考になろう。大コンメンタール664頁〔三木浩一〕も同旨。ただし，相当期間の経過を詐害行為性を基礎づけるものとし，破産者がその時点で自らの支払不能状態を認識していたことをもって詐害意思にあたるとする考え方もあろう。

なお，原因行為たる売買などが適正価格によってなされている場合には，その否認は，法161条の要件によってなされるが，対抗要件具備行為の詐害行為否認は，法160条の要件による。対抗要件具備行為の詐害行為否認が成立すると，相手方は，その権利を実質的に失うに等しいことを考えると，このような結果は，やや公平に反するように思われるが，適時に対抗要件を具備することが可能であった以上，やむをえない結果である。

また，債権譲渡における債務者の承諾（民467）のような第三者の行為については，それが破産者の行為と同視されるべき場合（本書567頁参照）にのみ，詐害行為否認が成立しうる。

なお法160条1項2号による否認の可能性を残すことは，法164条の法意に反するといわざるをえない。したがって，対抗要件具備行為の詐害行為否認は，法160条1項1号にもとづくものに限るべきである。

(7) 否認の効果

否認の効果については，詐害行為否認および偏頗行為否認のそれぞれについて，法168条および169条が規定するが，法164条にもとづく対抗要件の否認および法160条にもとづく対抗要件具備行為の詐害行為否認の効果に限って，以下に説明を加える。

ア 担保権設定を原因行為とする対抗要件の否認の効果

これについては，先の①の設例（本書612頁参照）に即していえば，以下のように考えられる。否認が認められれば，甲の申請の効力は失われ，その結果として乙の抵当権設定登記について否認の登記がなされるから，乙は，その抵当権を破産管財人に対して主張することは認められないために，破産手続において別除権を主張しえず，1億円の貸金債権を破産債権として行使する。なお，否認の登記がなされた結果として，乙の甲に対する抵当権設定登記手続請求権が復活することとなるが（破169参照），これは，破産手続開始前の原因にもとづく財産上の請求権として破産債権となる（破2V）。その評価は，目的物の価額を基準とすることとなろう[300]。

イ 所有権移転を原因行為とする対抗要件の否認の効果

これについては，先の③の設例（本書613頁参照）に即していえば，以下のように考えられる。すでに所有権移転登記について否認の登記がなされ，丁の所有権が破産管財人に対抗できないものとなっている以上，否認の効果については，原因行為たる売買契約が否認されたものと同視すべきである[301]。したが

---

[300] しかし，この場合の対抗要件具備行為請求権は，無価値のものという評価もありえよう。

[301] 注釈破産法（下）150頁も，このような考え方を支持する。なお，売買契約の実体法上の効力については，別途の検討が必要となろう。これに対し，岡・前掲論文（注299）69頁では，所有権移転登記について否認の登記がなされれば，買主丁は，売主丙の登記移転義務の不履行を理由として，売買契約を解除することができ，解除にもとづく原状回復義務と目的物の返還義務が同時履行の関係に立つ以上（民546），買主は，事実上，破産債権である代金の返還請求権の履行を求められるという。しかし，破産債権である対抗要件具備手続請求権の債務不履行を理由として解除権の行使が許されるか（本書396頁参照）などの疑問がある。長島・前掲論文（注290）315頁参照。

って，丁は，丙の移転登記手続申請が否認され，移転登記について否認の登記がなされたことを理由として，丙に対する移転登記手続請求権を破産債権として行使するのではなく，破産管財人に対して財団債権の行使として代金の返還を求められると解すべきである（破168Ⅰ②）。なお，この結論は，④の場合，すなわち丙の移転登記手続申請について法160条1項1号にもとづく対抗要件具備行為の否認が認められた場合にも妥当する。

(8) 権利取得要件としての登録への準用

以上に述べたことは，権利取得の効力を生じる登録にも妥当する。その例としては，特許権（特許66Ⅰ・98），実用新案権（実用新案26），意匠権（意匠20Ⅰ・36），商標権（商標18），鉱業権（鉱業60），租鉱権（鉱業85）などがある。もっとも，この種の登録の場合は，権利の設定や移転が登録とともに生じるので，それから15日を経過した後に登録がなされるという事態は想定しえず，法164条1項を準用する趣旨についての議論が存在する。公示が遅れることによって第三者の利益が害されることを防ぐという同条1項の趣旨を考えれば，この種の登録の場合には，その原因行為である権利の設定や移転の合意がなされた日から15日を経過した時点でなされた登録が否認の対象になりうると解すべきである[302]。

3　執行行為の否認

詐害行為や偏頗行為は，それぞれ否認の対象とされるが，同じ行為が債務名義をもつ債権者を受益者として行われる場合，または執行機関による執行行為を通じてなされる場合でも，破産債権者に対する有害性の点では差異がない。そこで，否認対象行為について執行力ある債務名義[303]があるとき，またはその行為が執行行為にもとづくときにも，否認権の行使は妨げられない（破165）。

---

[302] 条解破産法〈第3版〉1164頁，大コンメンタール668頁〔三木浩一〕。ただし，質権の場合にも，債権者への目的物の引渡しが効力要件とされているのであるから（民344），同様に解さないと不合理な結果となるとの指摘がなされている。他の例としては，会社法128条1項本文，手形法12条，小切手法14条，抵当証券法15条，企業担保法4条1項が挙げられる。条解会更法（中）92頁，注解破産法（上）500頁〔宗田親彦〕，大コンメンタール668頁〔三木浩一〕参照。

[303] 債務名義として執行力が認められるものであれば足り（民執22各号），執行文の付与（民執25本文）を受けていることまでは要しない（条解会更法（中）101頁，基本法120頁〔池田辰夫〕，条解破産法〈第3版〉1166頁，大コンメンタール672頁〔三木浩一〕）。有名義債権に関する債権の調査確定手続の特則（破129）との対比については，本書702頁参照。

いいかえれば，執行行為の否認とは，執行行為自体について新たに否認の類型を設けたものではなく，債務名義や執行行為が介在する場合であっても，破産者等の行為について詐害行為否認や偏頗行為否認が可能であることを明らかにしたものである。したがって，問題となる執行行為としては，金銭執行だけではなく，物の引渡しを求めるなどの非金銭執行も，破産者の責任財産を減少させるものであればすべて含まれる[304]。

(1) 否認しようとする行為について執行力ある債務名義があるとき（破165前半部分）

これについては，さらにいくつかの場合に分けられる。第1は，債務名義の内容である義務，たとえば金銭の支払義務や物の引渡義務を生ぜしめた破産者の行為を否認しようとする場合である。破産管財人がこれらの行為について詐害行為否認を主張したときに，受益者は，行為にもとづく義務が債務名義上確定されていることをもって抗弁とすることはできない。行為が否認される場合には，債務名義の内容である義務が消滅する[305]。

第2は，債務名義を成立させる行為を否認しようとする場合であり，たとえば，裁判上の自白（民訴179），請求の認諾（民訴266），裁判上の和解（民訴267・275），あるいは執行受諾（民執22⑤）など，債務名義を成立させる訴訟行為の効力を否認によって覆すことが可能である。この場合には，否認の効果として債務名義の執行力が失われる[306]。

---

[304] 破産手続においては，担保権実行（民執180以下）は，それが別除権の行使とされる関係で（破65Ⅰ），ここに含まれない（基本法121頁〔池田辰夫〕，条解破産法〈第3版〉1165頁）。民事再生の場合（民再130・53Ⅱ）も同様である。もちろん，担保権設定行為自体の否認は別である（ただし，東京高判昭和31・10・12高民9巻9号585頁〔倒産百選〈初版〉41事件〕は，担保権実行の否認を認める）。これに対して，更生手続においては，担保権が更生担保権とされる関係で，担保権実行も執行行為否認（会更89）の対象となる（大阪地判平成9・12・18判時1651号137頁，高見進「質権の直接取立てと執行行為の否認」金商増刊1060号131頁（1999年）参照）。

　しかし，取戻権の基礎たる権利を生じさせた破産者の行為は別として，取戻権の実行としての引渡執行については，破産手続，再生手続，更生手続共通に，否認の対象とならない。

[305] ただし，債務名義の執行力が当然に消滅するわけではないので，破産管財人は，取戻権の基礎たる権利の否認を理由として，取戻権の行使としての物の引渡しを求める強制執行などを防ごうとすれば，請求異議の訴え（民執35）を提起しなければならない。条解破産法〈第3版〉1166頁，大コンメンタール672頁〔三木浩一〕。

[306] 第三者から物の引渡しを訴求された破産者が，債権者を害するために，引渡義務の基礎となる事実について自白をなし，請求を認容する判決が確定したとする。破産管財人が

第3は，債務名義にもとづく権利の実現を否認しようとする場合である。金銭執行による債権者の配当受領（民執87等）を否認したり[307]，登記の移転を命じる判決にもとづく移転登記申請（不登63 I）を否認するのがこれにあたる[308]。これらの行為が債務消滅に関する行為とみなされれば，偏頗行為否認（破162 I）の可能性もある。

　(2)　否認しようとする行為が執行行為にもとづくとき（破165後半部分）

　ここでいう否認しようとする行為とは，破産者から受益者への権利の移転などを指し，それが債務名義をもつ債権者の申立てにもとづいてなされる執行機関の行為（民執2）を介在して行われたときにも否認が認められる。すなわち，執行による債権者の満足は，否認の対象となることが明らかであるが（破165前半部分），状況によっては，債権者の満足ではなく，執行機関の行為を通じて実現された法律効果自体を否認する必要が生じる。次に述べる転付命令にもと

　自白について詐害行為否認を主張し，それが認められたとすれば，判決の既判力や執行力が破産手続に対する関係で消滅する（条解会更法（中）102頁，注解会更法294頁〔櫻井孝一〕参照）。ただし，執行力を排除するためには，請求異議の訴えを要することは，上記と同様である。既判力を排除するためには，再審の訴えを要する。なお，債務名義の内容たる義務そのものには，否認の効果が及ばないから，なお破産債権が認められる余地は残されている（条解破産法〈第3版〉1166頁，大コンメンタール673頁〔三木浩一〕）。

　また，破産財団所属財産にかかる訴訟手続において請求の成否にかかる事実について自白がなされ，破産手続開始決定によって当該訴訟手続が中断し，破産管財人がそれを受継した後（本書452頁参照），自白の効力を否認によって覆すことも考えられる。畑瑞穂「訴訟行為・執行行為の否認に関する覚書」伊藤古稀1017頁参照。

307)　差押命令にもとづく取立て（民執155 I）もこれにあたる。したがって，第三債務者からの弁済（同 II）を基準として，否認の成否を決すべきである。220問273頁〔佐藤潤〕。前掲最判平成29・12・19（注183）〔倒産百選A6事件〕も，このような考え方を前提としている。破産実務の基礎277頁参照。

308)　もっとも，移転登記が法律行為にもとづく物権変動の対抗要件具備行為とみなされるとすれば，対抗要件否認（破164）によるべきである（条解破産法〈第3版〉1166頁，大コンメンタール674頁〔三木浩一〕）。仮登記仮処分（不登108）についても同様の問題があり，判例（前掲最判平成8・10・17（注272）〔倒産百選A8事件，倒産百選〈第5版〉39事件〕）は，仮登記も対抗要件たる本登記に準じるものとして，対抗要件否認の対象となるとし，仮登記仮処分にもとづく仮登記申請行為が破産者の行為と同視されるとしている（ただし，学説は，執行行為否認の対象とする考え方が有力である。注解破産法（上）504頁〔宗田親彦〕，基本法121頁〔池田辰夫〕）。民事保全法制定後の仮登記仮処分の意義については，紺谷浩司「仮登記仮処分の対抗要件否認」金商1060号128頁（1999年）参照。

　また，対抗要件を備えない所有権留保者が強制執行によって目的物の引渡しを受け，その価値によって被担保債権たる破産債権の満足を受けたときには，債務名義にもとづく権利の実現を否認する可能性が生じる。福田・前掲論文（注180）12頁参照。

づく債権の移転や競売による所有権の移転がその例である。このような場合を想定して，法は，執行機関による執行行為を通じて実現された効果を破産者等の行為によって実現されたものと同視して，その否認を認めたものである[309]。

この否認類型が適用される典型例は，差押債権者の申立てにもとづいて破産者の財産たる被差押債権について転付命令（民執159）が発令された場合である。転付命令にもとづいて，差押債権者が第三債務者からすでに弁済を受けていれば，破産管財人としては，債権者の満足を否認して弁済金の返還を受ける（破165）。これに対して，第三債務者の弁済が未だなされていないか，または第三債務者が弁済金を供託した場合には，転付命令による被転付債権の債権者への移転自体を破産者から転付債権者への債権譲渡と同視して否認し，破産管財人が第三債務者に対して被転付債権または供託金還付請求権の移転を求めることとなる[310]。また，不動産の競売においても，債権者の満足とは別に，破産者から買受人への目的物の所有権移転（民執79）を両者間の譲渡と同視して，否認によって覆す可能性がある。この場合には，執行裁判所による売却許可決定（民執69）が権利移転の効果を生じさせる執行機関の行為にあたる[311]。

ただし，否認の対象となるのは，執行機関の執行行為ではなく，効果においてこれと同視される破産者などの行為であり，その結果として執行行為自体の効果を覆すものであるから，否認の要件，たとえば支払不能後の行為にあたる

---

309) かつては，判例・学説の間に，この否認類型の趣旨をめぐって議論の混乱があったが，条解会更法（中）96頁以下によって本文に述べた趣旨が通説化した。なお，破産手続開始時に執行手続が係属していれば，それは失効するので（破42Ⅱ），ここでは，すでに終了している場合，不動産の強制競売でいえば，配当や弁済金交付の完了（中野・民執法349頁，債権執行について本書460頁）後に破産手続が開始することを前提としている。

310) この場合に，民法467条を類推し，受益者たる債権者が第三債務者に対する通知を義務づけられるとするものとして，福岡高判昭和32・11・26下民8巻11号2191頁がある。条解民事再生法691頁〔加藤哲夫〕参照。

311) もっとも，買受人の権利の安定を害することは妥当ではないが，競売による相当の対価をえてした財産の処分行為（破161）とみなされるために，隠匿等の処分意思が要求され，否認が成立することは稀であろう。否認が認められるのは，債権者自身が買受人となっている場合（前掲東京高判昭和31・10・12（注304）），買受人が債権者の計算で買い受けた場合，買受人についても受益者の主観的要件（破160Ⅰ・161Ⅰ③）が満たされる場合などに限られよう。条解破産法〈第3版〉1168頁，大コンメンタール674頁〔三木浩一〕。

否認が成立するときには，配当を受けた債権者に対して返還請求をすることになろう（最判平成8・1・26民集50巻1号155頁参照）。また，これとは別に，配当を受領した債権者に対する偏頗行為否認の問題もある。

か否かは，転付命令申立て（民執159Ⅰ）や強制競売申立て（民執45参照）などの執行機関への執行申立行為を基準として決定すべきである[312]。

(3) 破産者の行為の要否

詐害行為否認の第1類型において破産者の詐害意思が要求される場合には，詐害意思を推認させる破産者自身の行為またはこれと同視される第三者の行為が要求される。これに対して詐害行為否認の第2類型および偏頗行為否認においては，詐害意思が不要とされることから，効果において破産者の行為と同視される第三者の行為も否認の対象行為に含まれる。したがって，詐害行為否認の第2類型または偏頗行為否認の要件が主張されている限り，破産者自身の行為の存在は必要でない[313]。しかし，詐害行為否認の第1類型が主張される場合には，破産者の詐害意思の存在を推認させる程度の加功行為，またはそれと同視される第三者の行為が要求されるので，旧法下の故意否認に関する判例も，破産者が故意に執行を招致したか，自ら弁済をなしたとすれば悪意をもってなしたものと認められることが必要であるとする[314]。

4　支払停止を要件とする否認の制限

詐害行為否認の第2類型（破160Ⅰ②），詐害的債務消滅行為否認（同Ⅱ），偏頗行為否認（破162Ⅰ）あるいは対抗要件具備行為の否認（破164）においては，否認対象行為が支払停止後のものであること，または支払停止についての受益者の悪意が否認要件の1つとされている。しかし，支払不能と異なって支払停

---

[312] もっとも，債務者代理人からの受任通知によって債権者が支払停止とそれにもとづく支払不能について悪意になる前に給料債権の差押えなどの執行申立てをなし，破産手続開始決定までの間に取立て（民執155Ⅰ），転付命令の確定（同160）や配当等（同166Ⅰ）などの方法によって満足を受けたとみなされる場面を想定して，執行行為の否認を偏頗行為否認の視点から捉え，債権の満足を受けた行為を否認対象行為と理解し，取立てなどの時点での支払不能についての悪意が立証されれば，否認が成立するとの有力説がある。中尾彰「支払不能前の債権差押えと執行行為の否認について」判タ1342号31頁（2011年），今中秀雄ほか「破産手続・民事再生手続における否認権等の法律問題 第2回 継続的給付の差押えがされた場合の否認等について」曹時64巻7号51頁（2012年）参照。

[313] 旧法下の危機否認について，前掲最判昭和57・3・30（注191），東京地判昭和56・12・18判時1065号152頁参照。

[314] 前掲大判昭和14・6・3（注191），前掲最判昭和37・12・6（注191）。学説では，破産者の行為を要しないとするものも有力である（谷口264頁，注解破産法（上）502頁〔宗田親彦〕など）。しかし，判例も破産者の行為そのものを必要としているわけではないので，結論においてそれほど大きな違いは生まれない。条解破産法〈第3版〉1169頁，大コンメンタール671頁〔三木浩一〕参照。

止は，継続的状態ではなく，破産者の1回的行為であり，破産手続からみて合理的範囲を超えて遡ることを認めるのは，取引の安全を害する結果となる。旧法84条は，このような理由から，破産宣告の日より1年前にした行為については，支払停止の事実を知ったことを理由として否認できないものとしていた。

現行法166条も同様の趣旨を表現したものであるが，破産手続開始申立てから開始決定までに要する時間によって否認の成否が左右されるのは合理的ではないこと，また支払停止についての認識だけではなく，支払停止後の行為そのものについても，期間制限を設けるべきであることを考慮して，破産手続開始申立ての日から1年以上前にした行為は，それが支払停止後の行為であること，または支払停止について悪意でなされたことを理由として否認することができないとしている（破166）[315]。ただし，有害性が強い無償否認（破160Ⅲ）は，この制限の対象外である（破166かっこ書）。

5 転得者に対する否認

否認権は，破産財団に属すべき財産が破産者の行為などによって逸出した場合に，その財産を取得した者，すなわち受益者から当該財産を破産財団に復帰させることを目的とする。しかし，破産者から受益者へ移転された財産がさらに第三者（転得者）へと移転されたとき，または当該財産について第三者が制限物権の設定を受けたときに[316]，その第三者に対して否認の効力を主張でき

---

[315] 偏頗行為否認が支払不能を基準としていること（破162Ⅰ①柱書本文）との関係で，支払不能を知ったこと，または支払不能後の行為であることを理由とする否認についても，法166条を類推適用すべきであるとの議論が有力である。基本構造418頁。しかし，支払不能は，破産者の財産状態が決定的に破綻している状況を示すものであり，否認権の要件との関係で，支払停止とはその比重が異なることなどを重視して，類推適用を否定するのが多数説である。条解破産法〈第3版〉1171頁，大コンメンタール677頁〔三木浩一〕。

なお，法166条にもとづく否認の制限は，受益者を長期間にわたって不安定な地位に置くことを避けるという趣旨において，支払停止にもとづく支払不能の推定の制限（破162Ⅲかっこ書）と共通するところがあるといわれるが（条解破産法〈第3版〉1138頁，大コンメンタール658頁〔山本和彦〕），前者は，破産手続開始申立てから行為までの間隔を理由として，支払停止後の行為であることを理由とする否認を制限し，受益者を長期間不安定な状態に置くことを防ごうとするものであり，後者は，破産手続開始申立てから支払停止までの間隔を理由として，支払停止にもとづく支払不能の推定機能を制限しようとするものであって，その目的と趣旨とを異にする。

[316] 受益者が目的物の所有権を取得し，転得者がそれについて抵当権や賃借権を取得するなどの場合が考えられる。このような場合にも，転得者との関係で破産者と受益者との間の行為の効力が覆滅されると，転得者の権利取得の効果が覆され，抵当権や賃借権の負担のない所有権が破産財団に復帰する。

ないとすると，否認制度の実効性が制限される。もちろん，否認によって受益者に対する財産権の移転が絶対的に無効とされれば，破産管財人は，その無効を転得者に対しても主張できるが，後に説明するように，否認の効力は，破産管財人と受益者との間の相対的無効であると解されるので，破産管財人は，当然には，受益者に対する否認の効果を転得者に対して主張できない。そこで法は，破産管財人が転得者に対して否認権を行使することについて特別の要件を設けている（破170）[317]。

したがって，転得者に対する否認における否認権行使の相手方は転得者であるが，否認権を基礎づける事由は，受益者など前者に対する関係で否認原因が存在すること，およびそれについての転得者の認識などであり，転得者自身の行為についての否認原因が問題となるわけではない[318]。また，否認の対象となるのは，破産者と受益者との間の法律行為など，転得者の権利取得の前提となる受益者の権利を基礎づける行為であり，受益者と転得者との間の行為ではない。転得者に対する関係で受益者を相手方とする破産者の行為が否認される

受益者からの転得者だけではなく，再転得者も含まれるが，相続や合併などにもとづく包括承継人は受益者と同視されるから，転得者に含まれず，受益者に対する否認の効果を受忍しなければならない。注釈破産法（下）183頁。

317) なお，受益者に対する否認訴訟係属中に目的物が転得者に譲渡されたような場合には，当事者適格の移転を理由として訴訟承継が認められる（民訴49～51。伊藤・民訴法720頁参照）。

また，通常は，詐害行為否認に関して転得者に対する否認が議論されるが，代物弁済や担保設定のような偏頗行為について，転得者や転担保権者に対する否認が成立しうるか，否認が成立しうるとすれば，受益者の債権が復活するのかどうか（破169参照）などについて議論がある。条解会更法（中）201，202頁，基本構造423頁，条解破産法〈第3版〉1196頁。目的物が特定できるのであれば，否認を認めるべきであろう（破産法大系Ⅱ442頁〔三木浩一〕）。これに対して実践マニュアル252頁では，破産会社からその代表者を経由して相手方に偏頗弁済がなされたときにも，転得者に対する否認可能性を示唆する。整備法による改正170条の3において転得者が受益者の権利を行使することを認めているのは，偏頗行為否認の場合にも転得者に対する否認可能性を前提としている。

いずれにしても，破産管財人が転得者の否認を主張することは，相当の負担になるので，そのような事態の発生を防ぐための手段として否認権のための保全処分（破171。本書171頁）がある。

318) したがって，転得者に対して否認を主張する前提として，受益者に対する否認の意思表示が要求されるわけではなく，破産管財人は，受益者または転得者のいずれか一方に対する否認を選択することができる（大判昭和15・3・9民集19巻373頁）。ただし，受益者および転得者の双方に対して否認権を行使することもできるが，合一的確定が求められるわけではないので，通常共同訴訟である。条解破産法〈第3版〉1199頁，条解民事再生法719頁〔加藤哲夫〕。

と[319]，転得者の権利取得の効果が覆され，財産権が破産財団に復帰する（破167 I）ところに，この否認類型の特色がある[320]。

(1) 転得者に対する否認の要件

転得者に対する否認は，以下の3つの場合に認められる[321]。第1は，受益者および中間転得者のすべてについて否認原因が存在し，かつ，転得者が転得の当時，その前者に対する否認原因の存在を知っている場合である（破170 I①）[322]。

---

[319] 転得者に対する否認は，否認対象行為に関与した受益者ではなく，受益者の権利を基礎とする権利取得者である転得者を相手方として，対象行為について否認権を行使するものである。否認の請求や訴えによる場合には，破産管財人は，法170条1項の要件に該当する事実，および転得者に対して訴訟上否認の意思表示がなされた事実を主張して，その意思表示によって受益者を相手方とする破産者の行為などが否認されたことにもとづいて，転得者からの財産回復などを請求する。

[320] 判例（大判昭和9・12・28法学4巻634頁）および通説は，否認の対象となるのは，あくまで受益者に対する破産者の行為などであるとする（学説については，宗田・研究46頁以下，注解破産法（上）541頁〔宗田親彦〕，条解破産法〈第3版〉1195頁，大コンメンタール696頁〔加藤哲夫〕が詳しい）。転得行為が否認の対象とならないとする根拠の1つは，これを否認によって無効としても，財産が受益者に復帰するのみで，破産財団に益するところがないとする点にある（板木・前掲書（注293）74頁）。

整備法による改正170条1項柱書本文では，このことが「否認しようとする行為の相手方に対して否認の原因があるときは，否認権は，当該各号に規定する転得者に対しても，行使することができる」と規定され，本文に述べた考え方を明らかにした。注釈破産法（下）184頁。

[321] 転得者に対する否認の要件（破170 I）が転得者に対する詐害行為取消しの要件（民424 I 但書）よりも厳格なことから，破産管財人が詐害行為取消訴訟を提起できるか（本書561頁）または詐害行為取消訴訟を受継した破産管財人が詐害行為取消権を行使できるか（本書453頁）という問題がある。ただし，この問題は，現行民法424条の5が整備法による改正170条1項を前提とした要件を定めることによって解決した。

なお，転得者に対する否認が成立したときに，転得者は，受益者に対して担保責任を追及できる（民561・567類推，条解会更法（中）164頁，基本法128頁〔池田辰夫〕，大コンメンタール702頁〔加藤哲夫〕，そのために転得者から受益者に対して訴訟告知（民訴53。伊藤・民訴法698頁参照）をすることが考えられる（条解破産法〈第3版〉1200頁）。これに対して，否認対象行為が詐害行為である場合に，転得者に対する否認がなされた後，転得者から受益者に対して追奪担保が追及され，受益者がこれを履行した場合には，受益者は，整備法による改正170条の2による請求権を弁済者代位（民422）により取得する。

[322] 否認原因の存在とは否認の要件事実を意味するから，破産管財人は，詐害行為否認の第1類型の場合であれば，詐害行為および詐害意思の存在（破160 I①本文），およびそれらについての転得者の悪意を主張・立証する。ただし，詐害についての受益者の悪意を転得者が認識していたことまで破産管財人が主張・立証しなければならないかについては，旧法の故意否認以来争いがある。受益者に対する詐害行為否認において，破産管財人は

第2は，転得者が破産者の内部者（破161Ⅱ）の場合である。ただし，転得者の側で，転得の当時それぞれ前者について否認原因があることを知らなかったことを立証したときは，否認の成立が阻却される（破170Ⅰ②。整備法による改正170条1項2号では，「破産者がした行為が破産債権者を害することを知らなかった」ことを立証したときは，否認の成立が阻却される。これは，受益者の悪意についての転得者の悪意（いわゆる二重の悪意）が転得者に対する否認の要件から除外された（破170Ⅰ①）ためである）。転得者といっても，法人である破産者の役員や個人である破産者の親族または同居者は破産者と密接な関係にあり，破産債権者を害する行為がなされやすいことなどを根拠として，前者についての否認原因（整備法による170条改正後は「破産者がした行為が破産債権者を害すること」）についての悪意に関する証明責任を転換するものである。

　　受益者の悪意について証明責任を負っていないからである（同但書）。
　　それにもかかわらず多数説は，証明責任の転換を認め，破産管財人が受益者の悪意およびそれについての転得者の認識を立証しなければならないとする（条解会更法（中）195頁，注解会更法315頁〔池田辰夫〕）。これは，下記の二重の悪意と呼ばれる。しかし，この結論では，破産管財人の負担が過重となり，公平に反するという理由から，転得者が受益者の善意について証明責任を負うとすべきである（注解破産法（上）544頁〔宗田親彦〕，伊藤眞「転得者に対する否認と転得者・受益者間の法律関係」基礎249，251頁，条解破産法〈第3版〉1198頁，注釈破産法（下）187頁，大コンメンタール699頁〔加藤哲夫〕）。裁判例として，東京地判平成19・3・15判タ1269号314頁〔会社更生〕がある。
　　また，立法論として，詐害行為取消権の場合と比較して，受益者の悪意を要求する合理性があるかどうかという議論がある。基本構造422頁，条解破産法〈第3版〉1198頁，判例・実務・改正提言447頁〔小島伸夫＝大石健太郎〕参照。
　　このような議論と現行民法424条の5を受け，整備法による改正170条1項柱書但書は，「当該転得者が他の転得者から転得した者である場合においては，当該転得者の前に転得した全ての転得者に対しても否認の原因があるときに限る」とし，あわせて1項1号は，改正前1項1号が「それぞれその前者に対する否認の原因のあることを知っていたとき」（下線は，筆者）と規定するのに対し，「破産者がした行為が破産債権者を害することを知っていたとき」とする。したがって，改正法の下では，破産管財人は，受益者に対する否認の原因となる事実（破産者の詐害行為）についての転得者の悪意を証明すれば足り，受益者の悪意に関する転得者の悪意（いわゆる二重の悪意）を立証する必要はない。
　　ただし，法160条1項1号では，受益者の善意が受益者の証明責任とされていることに対して，転得者に対する否認においては，受益者の悪意が破産管財人の証明責任とされる可能性があることについては，現行法と改正法の間に違いはなく，それを転得者の証明責任とすべきであるという上記の解釈論は，改正法の下でも意義を有する（法制審議会民法（債権関係）部会第82回会議（平成26年1月14日開催）議事録PDF版55, 56頁参照）。
　　さらに特殊なものとして，特定破産法人の特別関係者の悪意に関する推定規定がある。特定破産法人の破産財団に属すべき財産の回復に関する特別措置法（平成11年法律148号。本書69頁）4条2項参照。

第3に，無償行為またはこれと同視すべき有償行為によって転得がなされた場合には，それぞれの前者に関する否認原因の存在のみが要件であり（同③），否認原因に関する転得者の認識は問題とされない。転得者を保護する必要が薄いことが根拠である。なお，善意の転得者に対して否認が成立する場合には，現存利益の償還のみが義務づけられる（同Ⅱ・167Ⅱ）。

(2)　転得者に対する否認の効果

　廉価売却された不動産の転得者に対して否認権を行使する場合には，破産管財人は，訴えまたは否認の請求をもって，転得者に対して否認の登記や不動産の返還を求める。その訴えまたは否認の請求が認められると，当該不動産は破産財団に復帰することとなるが（破167Ⅰ），破産財団所属財産としての管理処分をするためには，否認の登記を申請することを要する[323]。

　代物弁済のような偏頗行為の転得者に対する否認を認めることを前提とすると，転得者は，受益者に対して追奪担保責任を追及し，その責任を果たした受益者は，自らが代物弁済の目的物を返還したのと同様に扱われ，受益者の債権が復活する（破169）[324]。

第5項　否認権の行使とその効果

　以下では，否認権の行使，その効果および相手方の地位について説明する。

---

[323]　否認の登記に関する詳細については，条解破産法〈第3版〉1199，1806頁参照。また，破産者が設定した賃借権の譲受人を転得者として否認を認め，目的物が転得者の従業員寮として使用されているときであっても，転得者に対する明渡請求が許されるとした金沢地判平成25・1・29金商1420号52頁がある。

[324]　転得者が目的物の返還などをしたことによって，直ちに受益者の債権が復活するわけではない。受益者が無資力のために追奪担保責任を追及できない場合には，転得者が受益者の債権を代位行使できるなど，他の考え方については，条解破産法〈第3版〉1205頁，注釈破産法（下）177頁参照。

　これに対して，否認対象行為が詐害行為である場合に，転得者に対する否認がなされた後，転得者から受益者に対して追奪担保責任が追及され，受益者がこれを履行した場合には，法168条により，受益者が破産財団に対する反対給付の返還請求権等を取得する。畑瑞穂「転得者に対する否認権・詐害行為取消権行使の効果に関する覚書」田原古稀（上）163頁には，関連する問題を含め，詳細な検討がある。

　なお，この点については，整備法による改正において，大要，以下のような規律が設けられている。

　第1に，詐害行為の否認（破160Ⅰ）もしくは無償行為およびこれと同視すべき有償行為の否認（同Ⅲ）または相当の対価を得てした財産の処分行為の否認（破161Ⅰ）について，転得者は，受益者が破産財団に対して取得すべき取戻権または財団債権（破168Ⅰ

1 否認権の行使

否認権は，詐害行為または偏頗行為によって逸出した財産を破産財団に回復する目的で破産管財人が行使する権利であるが，その法的性質および主体に関しては，議論がある。

(1) 否認権の性質

否認権の法的性質に関しては，請求権説と形成権説とが対立する。請求権説

各号）を行使することができる（破170の2Ⅰ本文）。転得者に対する否認が，破産者と受益者との間の行為を否認し，その効果を転得者に及ぼすものであることを考慮し，反対給付について受益者が行使できるはずの取戻権または財団債権の行使を転得者に認める趣旨である。

第2に，破産者が受益者から受けた反対給付の価額が，転得者がその前者（受益者など）に対してした反対給付または消滅した転得者の債権の価額を超えるときは，転得者は，財団債権者として破産者の受けた反対給付の価額の償還を請求することができる（破170の2Ⅰ但書）。この場合には，反対給付が破産財団中に現存する場合であっても，その取戻しを認めることは，過大な保護になるためである。

第3に，受益者のした反対給付が破産財団中に現存しない場合（破168Ⅰ②）において，破産者が隠匿等処分意思を有し，受益者がそれについて悪意であるときは，転得者は，財団債権者として反対給付によって生じた現存利益の返還（破168Ⅱ①），反対給付の価額の破産債権としての償還（同②）などを求めることができる（破170の2Ⅱ）。この場合には，反対給付にもとづく現存利益の返還や反対給付の価額の償還を求める受益者自身の権利も財団債権または破産債権となるので（破168Ⅱ各号），転得者にもそれに対応する権利の行使を認める趣旨である。受益者が内部者（破161Ⅱ各号）であるときには，隠匿等処分意思についての悪意を推定する（破170の2Ⅲ）。

第4に，第1ないし第3に述べた転得者の権利の行使については，転得者がその前者（受益者など）から財産を取得するためにした反対給付またはその前者から財産を取得することによって消滅した債権（代物弁済などの場合）の価額を限度とする（破170の2Ⅳ）。これらの権利を行使させることによって，転得者が不当な利益をうることを防ぐ趣旨である。

第5に，上記第1の行為について破産管財人が否認しようとするときは，破産財団に復すべき財産の返還（破167Ⅰ）に代えて，転得者に対し，当該財産の価額から上記第1ないし第2において転得者が財団債権として返還または償還を求めることができる額や取戻しを請求できる反対給付の価額を控除した額の償還を請求することができる（破170Ⅴ）。受益者に対する否認権行使の場合に認められる差額償還請求権（破168Ⅳ。本書656頁）を転得者に対する関係でも認めるものである。

第6に，担保の供与や債務の消滅に関する行為の偏頗行為否認が転得者に対する関係で否認された場合において，転得者がその受けた給付を返還し，またはその価額を償還したときは，転得者は，受益者に対して否認権が行使されたとすれば受益者が復活行使できる債権（破169。本書657頁）を行使することができる（破170の3前段）。破産者による代物弁済の目的物の転得者を例にとれば，転得者に代物弁済によって消滅した受益者の債権の行使を認める趣旨であり，転得者の保護を図るための規定である。ただし，転得者に不当な利益が生じることを防ぐために，上記第4に述べたのと同様の規律を適用する（同後段）。

は，否認権の要件が具備されれば，破産管財人による特別の意思表示なしに当然に否認の効果が発生すると説く。これに対して，形成権説は，一定の行為を否認する旨の破産管財人の意思表示によって，はじめて否認の効果が発生すると説明する。「否認権の行使は，破産財団を原状に復させる」として，法が否認の効果たる原状回復を否認権行使にかからしめていることから（破167Ⅰ），形成権説が妥当である。

　形成権説は，さらにその効果の点から，物権説と債権説に分かれる。両者の違いは，否認の意思表示によって当然に財産権が破産財団に復帰し，破産管財人がそれについて管理処分権（破78Ⅰ）を行使しうるとするか，それとも受益者などの相手方が財産権を破産財団に返還する債権的義務を負うにすぎないかという点であるが，法167条1項の文言を根拠とすれば，物権説が相当である。もっとも，物権説の中でも，その物権的効果が否認の相手方に対してのみ，かつ，破産手続の限りで生じるのか，それとも第三者との関係においても一般的に効果が生じるのかで，相対無効説と絶対無効説とに分けられる。しかし，すでに述べたように，転得者に対する否認が受益者に対する否認とは別に規定されていること，あるいは否認は破産手続との関係でのみその効果を認めれば十分なことなどを考慮すれば，相対無効説の考え方が正当である[325]。

(2) 否認権の行使主体

　否認権は，破産管財人が行使する（破173Ⅰ）[326]。破産管財人がいかなる資格にもとづいて否認権を行使するかについては，議論があり，これは，破産管財人の法的地位に関する議論を否認の場面に投影したものである。したがって，

---

[325] 条解民事再生法698頁〔加藤哲夫〕は，相対的無効の意義を関係人との間における相対性と手続との関係での相対性に整理する。手続との関係においては，破産手続開始決定が取り消されたり，破産手続が廃止された場合はもちろん，破産債権者に対して100％の配当をなして，なお否認の結果財団に取り戻された財産が残存していれば，それは，破産者にではなく，否認の相手方である受益者または転得者に返還される（浦和地判昭和57・7・26判時1064号122頁）。復活した相手方の債権（破169）は消滅する。注釈破産法（下）180頁。

[326] 更生手続の場合は，破産と同様に管財人が否認権を行使するが（会更95Ⅰ），再生手続においては，管財人または監督委員が否認権を行使する（民再135Ⅰ）。否認権の行使主体としての監督委員は，一般的には再生債務者財産の管理処分権を持たないので（民再38Ⅰ・56Ⅱ参照），同一の訴訟の目的物について否認権が請求原因となる場合と錯誤取消しなどが請求原因となる場合との関係をどのように調整すべきかという問題などを生じる。民事再生法逐条研究115頁，本書1018頁参照。

破産管財人を破産者の法定代理人とみる立場では，否認権の帰属主体は破産者であり，ただそれが管財人によって代理行使されると理解する。同様に，破産債権者説，破産財団説などからそれぞれの説明がなされるが，本書では，破産財団の管理機構たる破産管財人自体に法主体性を認めるので（本書225頁参照），否認権の帰属および行使主体を破産管財人と考える。

(3) 否認権の行使方法

破産管財人は，訴え，否認の請求または抗弁によって否認権を行使する（破173Ⅰ）[327]。したがって，否認権の行使適格は破産管財人に限られ，たとえ破産管財人が行使しない場合でも，破産債権者がそれを代位行使することはできない[328]。破産財団の管理・処分は，破産管財人の専権に属するからである（破

---

[327] 旧法76条は，訴えまたは抗弁，すなわち判決手続による行使に限定していたが，更生手続においては，旧会社更生法82条1項以来，訴えまたは抗弁による行使の他に，否認をめぐる争いの長期化を防ぎ，より機動的な否認権行使の機会を与えるために，否認の請求すなわち決定手続による否認権行使を認めており（特に，否認の請求について条解会更法（中）110頁参照），現行会社更生法95条1項は，これを引き継いでいる。破産法173条1項や民事再生法135条1項は，これにならったものである。中間試案補足説明153頁，一問一答241頁参照。

抗弁を別にすると，破産管財人が能動的に否認権を行使する方法としては，訴訟手続である否認の訴えと非訟手続である否認の請求とがあり，両者のいずれを選択するかは，申立手数料，証人尋問の要否，否認の請求を認容する決定がなされたときに，相手方が異議の訴えを提起する蓋然性などを考慮して判断することとなる。破産管財の手引〈第2版〉229頁，220問257頁〔佐長功〕，実践マニュアル260頁，運用と書式195頁。

実務運用としては，相手方が争う姿勢をみせているかどうかが重視され，その姿勢がみられるときは，否認の請求認容決定に対する異議の訴えの提起が予想されるため，破産管財人側の立証が容易である場合などを除いて，当初から否認の訴えを提起するのが適当であるといわれる。倒産と訴訟6，32，43頁〔進士肇＝影浦直人〕，民事再生の手引〈第2版〉228頁〔島岡大雄〕，釜利健太「破産手続・民事再生手続における否認権等の法律問題 第3回 大阪地方裁判所第6民事部における否認の請求事件の実情」曹時64巻9号34頁（2012年），破産法大系Ⅱ558頁〔世森亮次〕参照。

なお，否認権のための保全処分については，本書171頁参照。

[328] 条解破産法〈第3版〉1219頁，大コンメンタール712頁〔加藤哲夫〕。ただし，基本法122頁〔池田辰夫〕は，破産債権者が破産管財人に代位して，否認権を行使することを認める。もっとも，本書のような考え方の下でも，破産管財人が否認訴訟の当事者になっているときに，破産債権者が補助参加することはできる。この参加は，判決の効力が破産債権者に及ぶので，共同訴訟的補助参加である。補助参加を認めたものとして，大阪高決昭和58・11・2下民33巻9〜12号1605頁〔倒産百選〈第3版〉41事件〕がある。

詐害行為取消訴訟が係属中に破産手続開始決定がなされると，取消訴訟は中断（破45Ⅰ），破産管財人がこれを受継し，否認権を行使することができる（同Ⅱ）。また，いったん破産手続が開始されれば，破産財団の増殖は破産管財人の否認権に委ねられるから，破産債権者は詐害行為取消訴訟を提起できない（大判昭和4・10・23民集8巻787頁）。

78Ⅰ)。破産債権者としては，債権者委員会（破144Ⅲ），債権者集会（破135），または裁判所（破75Ⅰ）を通じて，破産管財人が適切に否認権を行使するよう促すべきである。

破産管財人が訴え，否認の請求または抗弁によって否認権を行使するときの相手方当事者は，否認によって回復すべき財産権に関する当事者適格をもつ受益者または転得者である。破産者は当事者適格を有しない。行使の方法を訴訟およびこれに準じる手続に限った趣旨は，行使の要件の有無を明らかにしようとするところにあるが，後に述べるように，訴訟外の行使が認められないかどうかについては争いがある。

(4) 訴えによる行使

破産者が行った詐害行為を否認して財産の取戻しを請求するとか，偏頗行為の否認にもとづいて金銭の返還を請求する場合には，破産管財人が原告となり，受益者や転得者を被告として訴えを提起する。この訴えの性質に関しては，判決主文において否認の宣言をするという形成訴訟説と，否認の宣言を不要として，金銭の支払または物の返還など，否認にもとづいて生じる相手方の義務のみを判決主文に掲げれば足りるとする給付・確認訴訟説との対立がある。かつての判例は形成訴訟説をとっていたが，最近の判例・通説は給付・確認訴訟説をとり，実務もこれにしたがう[329]。

給付・確認訴訟説の根拠は，次のところにある。第1に，形成訴訟説では，判決主文に否認の宣言のみが掲げられることになり，破産管財人が現実に財産の返還を受けるためには，さらに給付訴訟などを提起する必要があり，破産管財人に無用の負担をかける。第2に，たとえ形成訴訟と給付・確認訴訟の併合を認めても，論理的には形成判決の確定まで給付・確認判決ができないという

以上と比較し，保全管理人には否認権の行使が認められないために，破産債権者は，保全管理期間中，詐害行為取消訴訟を提起することが可能である。

329) 形成訴訟説をとるのは，大判昭和7・6・2新聞3445号12頁，給付・確認訴訟説をとるのは，大判昭和14・5・19新聞4448号12頁など。近時の通説は，中田169頁，山木戸219頁，谷口265頁，注解破産法（上）511頁〔宗田親彦〕，坂原正夫「否認権の行使」実務と理論115頁，条解破産法〈第3版〉1216頁，大コンメンタール712頁〔加藤哲夫〕，会社更生の実務（下）33頁〔佐々木宗啓〕など。これに対して，基本法122頁〔池田辰夫〕，霜島339頁などは，形成の訴えを完全に排斥する必要はないとして，折衷説をとる。

なお，否認権の行使を理由とする各種の給付および確認の訴えの請求の趣旨については，破産管財の手引〈第2版〉230頁，220問241頁〔岩知道真吾〕に説明があり，否認の請求の趣旨もこれにならう。

不都合が生じる。第3に，否認権は抗弁の形でも主張が可能であり，その場合には，否認の成否は判決理由中で判断される。これは形成訴訟説と調和しない。以上の理由から本書でも，給付・確認訴訟説を支持する。したがって，否認訴訟の訴訟物は否認の効果として生じる権利関係であり，否認の要件の存在，および否認の意思表示がなされたことについては，訴訟物を基礎づける攻撃防御方法として判決理由中において判断される。

否認訴訟の職分管轄に関しては，民事再生法や会社更生法の場合（民再135Ⅱ，会更95Ⅱ）と同様に，破産裁判所の管轄が定められる（破173Ⅱ）[330]。破産裁判所とは，破産手続開始決定をなし，破産手続にかかわっている裁判体そのものではなく，破産事件が係属している地方裁判所を指す（破2Ⅲ）。一般の管轄規定によらず破産裁判所に否認訴訟の専属管轄を認めるのは，否認に関する判断をできる限り統一的に行うためである[331]。なお，破産管財人は，訴訟を提起するについて裁判所の許可をえなければならない（破78Ⅱ⑩）。否認訴訟の提起が破産手続の進行に重大な影響を生じることを踏まえて，その成否の判断に慎重を期する趣旨である。

被告としては，受益者もしくは転得者，またはその双方を相手方とすることができるが，双方を被告とした場合でも合一確定の必要はないので，通常共同訴訟である（民訴38）。また，受益者を被告とする否認訴訟の係属中に転得者が生じた場合には，訴訟承継がなされるし（民訴49～51），口頭弁論終結後の転得者に対しては，受益者に対する判決の既判力が拡張される（民訴115Ⅰ③）[332]。

---

[330] 旧法下では，会社更生や民事再生と異なって特別の定めがなく，一般原則にしたがって（裁24①・33Ⅰ①）地方裁判所または簡易裁判所が職分管轄をもち，事物管轄および土地管轄は，裁判所法および民事訴訟法の規定によって定まるとされていたが，現行法は，これを変更したものである。したがって，旧法下で議論された合意管轄の効力（札幌高決昭和57・7・12下民33巻5～8号927頁〔倒産百選〈第3版〉40事件〕）は，破産裁判所の専属管轄が規定された現行法下では問題とならない。

[331] 注釈民再法（上）424頁〔三木浩一〕，条解会更法（中）110頁参照。法がいう「裁判所」，すなわち現に当該破産事件を担当している裁判体が否認訴訟を担当することは，否認訴訟の提起などについて裁判所が許可を与えることを考えると，公平中立性の問題があり，避けるべきである。ただし，裁判官の数が少ない裁判所では，やむをえない場合がある。基本構造429頁。

[332] したがって，口頭弁論終結後の転得者は，転得者に対する否認（破170）が主張される場合に，受益者に対する否認原因が存在することを争いえない。これに対して，執行力の拡張（民執23Ⅰ③）に関しては，否認の効果が相対的とされていること，および転得者に対する否認について特別の要件が定められていること（破170Ⅰ）を考慮すると，一

破産管財人は，訴訟中に訴えの取下げ，訴訟上の和解，あるいは請求の放棄などをなすこともできるが，訴え提起の場合と同様に，裁判所の許可をえなければならない（破78Ⅱ⑪⑫）。また，訴訟において破産管財人が否認の主張を撤回したり，または訴えを取り下げたりすれば，否認の効果も遡及的に消滅する。

(5) 抗弁による行使

破産管財人を被告として，取戻権にもとづく物の引渡請求訴訟が提起されたり，または破産債権者から破産債権査定の申立てがなされ，破産債権査定決定に対する異議訴訟が提起され，または，破産債権に関する訴訟の受継がなされたときに，防御方法として，破産管財人は，引渡請求権や債権の発生原因たる契約を否認することができる。また，破産管財人が原告となっている訴訟で，再抗弁として否認が主張されることもありうる。たとえば，破産財団に対して債務を負う者に対して破産管財人が履行の請求をなし，被告が免除の抗弁を提出したときに，破産管財人が，破産者による免除の意思表示を否認する場合などである[333]。なお，否認権を抗弁または再抗弁として主張する際には，許可事項とされないのが通例である。

(6) 否認の請求による行使

判決手続による否認権の行使には，その帰結が明らかになるまでに長期間を要することが多く，そのことが破産管財人の否認権行使をためらわせたり，また受益者など相手方に不当な負担を生じさせるおそれがある。法が，否認の請求という，決定手続による簡易な否認権行使を認めるのは（破174），このような理由からである。もちろん，否認権行使によって，すでに発生している法律効果が覆滅されることは，相手方の法的地位そのものにかかわることであるので，否認の請求を認容する決定に対しては，異議の訴えを認めることによって（破175），判決手続による相手方の救済手続を設けている[334]。なお，許可事項

般論として，執行力の拡張に関して，いわゆる起訴責任転換説（伊藤・民訴法615頁参照）をとるとしても，承継執行文の手続による執行力の拡張を認めることはできない（ただし，学説では，同条の要件を破産管財人に証明させることによって，承継執行文付与を認める考え方が有力である（吉村徳重「否認訴訟の判決の転得者に対する効力」基礎274頁，注解破産法（上）516頁〔宗田親彦〕，大コンメンタール701頁〔加藤哲夫〕，注釈破産法（下）161頁参照))。

333) 破産管財人が所有権にもとづく目的物の引渡請求訴訟を提起したのに対して，被告が破産者との間の売買契約を抗弁として提出した場合に，破産管財人が，再抗弁としてその契約の否認を主張する場合も，同様である。条解破産法〈第3版〉1217頁。

として訴えの提起（破78Ⅱ⑩）には，否認の請求も含まれると解される[335]。
　ア　否認の請求
　破産管財人は，否認の請求をするときには，その原因となる事実を疎明（民訴188）[336]しなければならない（破174Ⅰ）。請求にあたって，破産管財人に疎明責任を課す趣旨である。他方，否認の相手方たる受益者および転得者については，決定手続における審理の特則として（民訴87Ⅱ参照），必要的審尋が求められる（破174Ⅲ）。相手方などの利益を重視する趣旨である。裁判所[337]は，破産管財人による疎明と審尋の結果にもとづいて否認の成否を裁判するが，その裁判は，理由を付した決定で行わなければならない（同Ⅱ）[338]。理由付記が強制されるのは，否認の成否が実体的権利義務にかかわるからであり，また否認の請求を認容する決定に対しては，異議の訴えが認められるから（破175Ⅰ），不

---

334)　決定には既判力が認められないが，実際には，多くの紛争が否認の請求についての決定によって解決され，異議の訴えが提起されることは必ずしも多くないというのが，現行法がこの制度を新設した背後にある立法事実である。なお，民事再生法136条以下，会社更生法96条以下の手続もほぼ同様の内容である。立証の難易や相手方の対応などを考慮して，否認の請求か訴えのいずれを選択すべきかの指針については，本章注327参照。

335)　これに対して，否認の請求について裁判所の許可を不要とする一方，裁判所との事前協議が必要とする考え方もありうる。釜村・前掲論文（注327）37頁，注解破産法（下）207頁，破産管財の手引〈第2版〉123頁参照。

336)　疎明における証拠方法の制限，いわゆる疎明の即時性については，伊藤・民訴法356頁参照。

337)　管轄裁判所は，否認の訴えの場合と同様に破産裁判所であるが（破173Ⅱ），実務では，当該破産事件を担当する裁判体に配点することが多いといわれる（220問256頁〔佐長功〕，破産管財の手引〈第2版〉229頁，倒産と訴訟464頁〔伊藤眞〕）。否認の請求についての許可を与えた裁判体が否認の請求の当否について裁判をすることには，中立性の視点からすると問題がないとはいえないが，法律的には両者は別であることと，迅速な判断を可能にするための措置と考えられる。なお，東京地裁破産再生部における否認の請求の手続の流れについても，破産管財の手引〈第2版〉229頁参照。
　　また，破産管財人が破産者による保証を無償行為（破160Ⅲ）として否認する場合（本書598頁参照）において，一方で，すでに履行された保証債務の一部を取り戻す手段として，否認の請求をなし，他方で，未履行の部分について債権者が破産債権の届出をなしたのに対して，これを認めず，破産債権者による査定申立て手続における抗弁として，破産管財人が無償行為否認を主張することが考えられる。このような状況における手続の進行とその統一を図るための工夫について，倒産と訴訟454頁〔伊藤眞〕参照。

338)　決定においては，必ずしも理由を記載することは要求されないが（民事訴訟法122条の趣旨について，秋山幹男ほか・コンメンタール民事訴訟法Ⅱ〈第2版〉526頁（2006年）参照），その特則になる。ただし，簡潔なもので足りる。釜村・前掲論文（注327）42頁。

服申立ての手がかりを明らかにするためである[339]。

否認の請求を認容する決定があった場合には，その裁判書を当事者に送達する（破174Ⅳ前段）。この場合には，送達代用公告（破10Ⅲ本文）の規定は適用されない（破174Ⅳ後段）。異議の訴え提起の機会を確保するための措置である。これに対して，否認請求棄却決定については，このような措置はとられず，相当の方法で告知すれば足りる（民訴119）。決定に既判力がなく[340]，また不服申立ても認められないためである。

否認の請求の手続は，破産手続が終了したときは，終了する（破174Ⅴ）。訴え等によって否認権が行使されている場合には，破産手続の終了にともなって，訴訟手続は中断・受継することになるが（破44ⅣⅤ），否認の請求は，破産手続内で簡易迅速に否認の成否を決するためのものであるため，その当然終了を定めたものである[341]。

　　イ　否認の請求を認容する決定に対する異議の訴え

否認の請求を認容する決定に不服がある者は，その送達を受けた日から1月の不変期間内に，異議の訴えを提起することができる（破175Ⅰ）。管轄は，否認の訴えの場合（破173Ⅱ）と同様に，破産裁判所の専属管轄である（破175Ⅱ）。認容決定は，否認権の行使によって相手方の法律上の地位を覆滅する効果を持つものであるから，判決手続によって相手方の裁判を受ける権利を保障しようとするものである。これに対して否認の請求を棄却または却下する決定に対し

---

[339] したがって，不服申立ての対象とならない否認請求棄却決定の理由は，比較的簡略でよいとされる。条解会更法（中）143頁，条解破産法〈第3版〉1224頁，大コンメンタール715頁〔田頭章一〕参照。

[340] 既判力がないことから，破産管財人が同一の対象行為について，改めて訴えまたは抗弁をもって否認を主張することは可能であるが（条解会更法（中）138，143頁，会社更生の実務（下）35頁〔佐々木宗啓〕，条解破産法〈第3版〉1227頁，条解民事再生法734頁〔髙地茂世〕），破産管財人の善管注意義務（破85Ⅰ）からも，また信義則からも，訴えなどによる否認権行使は，否認の請求手続では提出を期待できなかった証拠が存在するなどの例外的な場合に限られるべきである。

[341] 民事再生法136条5項および会社更生法96条5項も同趣旨の規定である。これに対し，否認の訴えは，破産手続の終了にともなって破産者による受継の対象となるが（破44Ⅴ），法人破産者の場合には，その法人格が消滅するために（本書781頁），受継は問題とならない。これに対し，個人破産者については，受継の可能性があるが，破産者が否認訴訟を追行することは適当ではない。園尾隆司「否認の手続と否認訴訟」倒産法の実践333頁参照。否認訴訟を係属させたままで破産手続が終了することは，通常は想定できないが，破産者が訴訟を受継したとしても，否認権行使の適格を欠くことを理由として，訴えを却下することになろう。

て破産管財人の側から異議の訴えを提起することは認められない。実体的権利関係に変動を生じるものではないからである。また，抗告も許されない（破9前段参照）。ただし，改めて否認訴訟を提起することは否定されるものではないが，前述のような問題がある。

否認の請求を一部認容する決定，たとえば詐害的偏頗行為（破160Ⅱ）とされた給付の一部について否認を認めた決定に対しては，相手方が異議の訴えを提起できるのはもちろんであるが，破産管財人も異議の訴えを提起できるかどうかについて，多数説はこれを肯定する。これを否定すると，破産管財人は棄却部分について別訴を提起せざるをえなくなり，判断の矛盾を生じる可能性があることを理由とする[342]。しかし，条文の文言上問題があるし，破産管財人による別訴提起を前提とすることも不合理である。本書では否定説をとる。

異議の訴えに対する判決の内容は，不適法却下を除いて，決定の認可，変更または取消しである（破175Ⅲ）。認可は，実質的には請求棄却にあたるものであるが，決定の効力を明らかにし，仮執行宣言の可能性（同Ⅴ）を与えるところから，積極的な判断の形式をとることとしたものである。

否認請求認容決定を認可する判決が確定したときには，決定が確定判決と同一の効力を有する（破175Ⅳ前段）。決定内容にしたがって既判力や執行力が生じる趣旨である[343]。異議の訴えが期間内に提起されなかったとき，または却

---

[342] 条解会更法（中）146頁，新注釈民事再生法（上）682頁〔中西正〕，条解民事再生法641頁〔髙地茂世〕，大コンメンタール717頁〔田頭章一〕など。また，否認の請求を全部認容する決定がなされたときに，管財人が請求の拡張のために異議の訴えを提起できるとする見解も有力である。条解破産法〈第3版〉1227頁。

[343] 否認請求手続では決定に判決と同じ効力が認められる（破175Ⅳ）のに対して，役員責任査定決定の場合には認可判決に執行力を付与する（破180Ⅴ）という差異がある（条解破産法〈第3版〉1255頁）。これは，否認請求認容決定が否認訴訟の認容判決に等置されることによるものと考えられる。

　また，「決定は，確定判決と同一の効力を有する。」とされているところから，決定の内容である給付義務などの既判力の基準時が問題となる。役員責任査定決定に対する異議の訴えにおいて，決定を認可する「判決は，強制執行に関しては，給付を命ずる判決と同一の効力を有する。」（破180Ⅴ）とされていることとの差異に注意が必要である。すでに，旧会社更生法について，この問題が指摘されていた（条解会更法（中）153頁）。債務名義としての執行力は，認可判決付決定に生じると解されるが，給付義務についての既判力の基準時は，認可判決の口頭弁論終結時と解すべきである。変更判決の場合にも，変更判決付決定が債務名義となり，既判力の基準時は，同様に口頭弁論終結時となる。

　なお，異議訴訟が提起されず，否認請求認容決定が確定し，それについて既判力が生じる場合には（決定の既判力について秋山ほか・前掲書（注338）443頁，条解民訴法516

下されたときも同様である（同後段）344)。

　異議の訴えに係る訴訟手続は，破産手続が終了したときは，当然に終了する（破175Ⅵ）。これは，否認の請求に関する規律と同様であり（破174Ⅴ），判決手続の形をとっていても，異議訴訟手続は，否認請求認容決定の当否を判断するためのものであり，破産手続限りでその意義を認めるべきものであるところから，否認訴訟に関するそれ（破44Ⅳ）とは異なった取扱いをするものである。

　(7)　否認権の裁判外行使

　訴えもしくは抗弁または否認の請求による以外に，否認権の裁判外行使が認められるかどうかについては，争いがある。判例・通説は，法173条の文言，および否認要件の存在が裁判によって確定されないことなどを理由として，裁判外の否認権行使を認めず，破産管財人が裁判外で否認の意思表示をなし，それにもとづいて受益者などとの間で和解が成立したときには，和解契約の効力は認められるが，否認の効果は発生しないとする345)。

　判例・通説が裁判外の意思表示にもとづく否認の効果を認めない意味は，2つに分けられる。第1は，登記原因行為や対抗要件具備行為について裁判外で否認の意思表示がなされ，相手方との間に合意が成立したときでも，通常の抹消登記等がなされるのみで，否認の登記がなされない点である。第2は，弁済に対する否認の意思表示が裁判外でなされても，受益者の債権が復活すること（破169）にともなって，破産者の連帯債務者の責任などが当然に復活するわけではなく，連帯債務者としては，否認の要件が存在することを争えるという点である。

　しかし，これらの点は，否認権の裁判外行使を否定するほどの意味があるか疑わしい。後に述べるように，裁判上の否認においても否認の登記ではなく，通常登記がなされるという考え方もあるし，また，すでに否認訴訟の性質に関

　　頁），決定時が基準時となろう。
344)　訴えが取り下げられ，再訴が不可能になった場合も同様である。条解会更法（中）154頁参照。
345)　大判昭和5・11・5新聞3204号15頁，大判昭和6・12・21民集10巻1249頁，大判昭和11・7・31民集15巻1547頁。学説は，中田170頁，山木戸222頁，谷口275頁，注解破産法（上）518頁〔宗田親彦〕，基本法123頁〔池田辰夫〕，条解破産法〈第3版〉1218頁，大コンメンタール713頁〔田頭章一〕など。ただし，霜島338頁は，裁判外での和解における否認権行使も認められるという。実務上は，否認権行使を背景にした任意の返還請求がなされることが多い。実践マニュアル258頁。

して述べたように，現在の判例・通説である給付・確認訴訟説では，否認の成否は判決理由中の判断にすぎないから，連帯債務者などの第三者が判決確定後も否認を争えることは，裁判上の否認の場合でも同様である。したがって，否認にもとづく原状回復（破167Ⅰ）や相手方の地位（破168），あるいは相手方の債権の復活（破169）などの効果に関しては，裁判上の否認に限って認められるとしても，破産管財人の権能としての否認権行使については，裁判外のものも裁判上のものに準じて取り扱うべきである[346]。たとえば，破産管財人が裁判外で否認の意思表示をしようとするときは，訴えの提起（破78Ⅱ⑩）の類推により裁判所の許可を求めるか，少なくとも事前協議を経るべきであるし[347]，否認の意思表示の結果として和解が成立し，財産が破産財団に復帰し，移転登記が抹消されたときにも，その効果は，破産手続の限りで認められるものであるから，破産手続開始決定が取り消される場合などには，破産管財人は回復登記をなすべきである。

2 否認権の消滅

破産手続開始決定の日から2年間を経過したとき[348]，または否認の対象となる行為の日から10年（整備法による改正前176条では20年）を経過したときは，否認権を行使することはできない（破176）。旧法85条は，2年間の期間を時効期間としていたが，現行法はこれを改め，いずれも除斥期間としている。したがって，時効援用（民145）の必要もなく，また時効の完成猶予および更新の可能性（民147）もない。

否認権行使の方法としては，訴えによるもの，抗弁によるもの，あるいは否認の請求によるものなどが考えられるが，訴えや否認の請求による場合であれば，訴え提起や申立て時（民訴147・122），抗弁による場合であれば，準備書面

---

[346] 不動産の売却許可決定に対する抗告事由として，破産管財人が担保権の設定を否認することは許されないとする下級審判例があるが（大阪高決昭和58・5・2判タ500号165頁），この場合には，むしろ裁判上の否認と同視されるべきものであり，その結論に賛成できない。

[347] ただし，実務運用の問題ともいえる。抗弁による否認権行使についても同様である。

[348] 牽連破産の場合において，2年の期間は，破産手続開始決定の日ではなく，先行する再生手続開始決定や更生手続開始決定の日から起算される（民再252Ⅱ，会更254Ⅱ）。民事再生や会社更生においても，破産と同様の要件の下に否認権の行使が認められている以上，先行手続と破産手続との連続性が重視されるためである。なお，関連裁判例として，東京地判平成20・6・30判時2014号96頁がある。

の直送もしくは送達時（民訴規83・47Ⅳ），または口頭弁論における陳述時が期間遵守の有無を決定する基準となる[349]。ただし，訴えが却下または取り下げられたときには，期間遵守の効果は発生しない（民147Ⅰ柱書かっこ書参照）。

否認権は，破産手続の目的を実現するために認められている権利であるから，手続が何らかの事由によって終了すれば，消滅する。すでに否認権が行使された後に，これらの事由が生じて，なお行使の結果として破産財団に回復された財産が現存していれば，それは否認の相手方に返還する[350]。また，破産管財人の放棄によって否認権が消滅することも考えられるが，放棄は，相手方との間に和解が成立した場合など，破産債権者の利益に合致するよう，個別的事案に応じてなされなければならないし，裁判所の許可を要する（破78Ⅱ⑪⑫参照）。

3　否認権行使の効果

訴えの提起などの形で否認権を破産管財人が行使すると，破産者から受益者などに移転した財産権は当然に破産財団に復帰する（破167Ⅰ）[351]。もっとも，

---

[349] 抗弁によって否認権を行使する際には，いわゆる抗弁権の永久性（幾代通・民法総則〈第2版〉526頁（1984年）参照）との関係が問題となるが，法176条の期間制限に服するものと解する。ただし，破産債権の届出に対して破産管財人が債権の発生原因行為を否認しようとする場合に，それが無名義債権であれば破産債権者の側に起訴責任があるにもかかわらず（破126Ⅰ），除斥期間によって否認権を抗弁として行使する機会を失うことをおそれる破産管財人が，自ら否認訴訟を提起せざるをえなくなるのは不合理であるとして，債権調査期日において破産管財人から異議が提出され（破124Ⅰ参照），後の債権確定訴訟において否認権が抗弁として主張されるときには，異議の時点を基準として期間遵守を判断すべきであるとする有力説がある（条解会更法（中）215頁，基本法130頁〔池田辰夫〕）。本書もこれに賛成する（ただし，注解破産法（上）553頁〔宗田親彦〕は反対）。

その他，債務免除の否認などの場合に，否認の効果として復活する破産者の債権について，破産管財人が相手方の破産や会社更生における破産債権や更生債権として届け出ることも，これらの債権にもとづく個別訴訟が許されないこととの関係で，期間遵守の効果が認められる（注解破産法（上）553頁〔宗田親彦〕，酒井一「否認権の消滅」実務と理論129頁）。

また，破産管財人の債務履行請求に対して債務者が除斥期間満了後に免除の抗弁を提出したときには，相手方である債務者は，信義則上，除斥期間満了による否認権の消滅を主張できないと解する余地がある。

[350] 前掲浦和地判昭和57・7・26（注325）。なお，否認訴訟が係属中に破産手続が終了したときには，破産財団の管理・増殖に関する破産管財人の当事者適格が失われるから，訴訟が中断する（破44Ⅳ）。訴訟は，財産について当事者適格を回復した破産者が受継するが（同Ⅴ），否認権そのものは破産管財人以外の者が行使することはできないから，訴訟を維持するためには，破産者はその他の主張をせざるをえない。

[351] いわゆる物権的効果説である。ただし，この効果は，破産管財人と相手方との関係に

この復帰は観念的な権利の移転を意味するので，実際に破産管財人がその財産権を管理処分するためには，相手方から任意に目的物の返還を受けるとか，引渡しなどを求める強制執行をするとかの具体的行為が必要になる。また，財産権自体の復帰が不可能または著しく困難な場合には，破産管財人は，その返還に代えて価額の償還を求めることができる。

(1) 金銭給付の返還

偏頗行為である弁済の否認などの場合には（破162等参照），相手方は，破産財団に対して破産者から受領したのと同額の金銭の返還義務を負う。加えて，相手方は，受領した日[352]から起算した法定利息を支払わなければならない。法定利息の利率に関しては議論があるが，判例は，否認の対象となった行為が商行為であれば，その回復される金銭が商行為に利用されるべきものであることについて特段の反証がない限り，年6分の商事法定利率（商旧514）が適用されると解し，通説もこれを支持した[353]。受益者に不当な利益を生じさせな

おいて（人的相対効），また破産手続との関係において（手続的相対効）生じるものである（注解破産法〈上〉521頁〔宗田親彦〕，基本法123頁〔池田辰夫〕，条解破産法〈第3版〉1176頁，大コンメンタール680頁〔加藤哲夫〕）。

　人的相対効は，転得者などの当該権利を取得した者に対して否認にもとづく権利の復帰の効果を当然には主張できないことを意味するから，債権譲渡が否認された場合の第三債務者など，権利の帰属について独自の法的利益を有しない者に対する効力を否定するものではない。ただし，債権が破産財団に復帰したことについて第三債務者に対する通知などの必要がある。注釈破産法〈下〉160頁。

　手続的相対効は，破産手続終了の場合に否認権行使の効果が消滅することを意味するし，人的相対効は，第三者に譲渡された動産が否認によって財団に取り戻されても，いったん失効した動産売買先取特権（民333）が復活するものではないこと，相殺によって消滅したはずの債権に対する転付命令が，相殺の否認によってその効力を復活するものでないこと（大判昭和9・3・16民集13巻461頁）などを意味する。

　なお，旧会社更生法78条1項1号（旧破72①，現破160Ⅰ①相当）にもとづく否認について，目的物が複数で可分のときも，目的物すべてに否認の効果が及ぶとするのが判例である（最判平成17・11・8民集59巻9号2333頁〔倒産百選44事件〕）。

352) 否認対象行為がなされなければその日から破産者が金銭を利用できたはずであるから，行為の当日から起算する（条解破産法〈第3版〉1175頁）。

353) 大判昭和8・6・22民集12巻1627頁，最判昭和40・4・22民集19巻3号689頁，前掲最判昭和41・4・14（注181）。条解破産法〈第2版〉1131頁。もっとも，反証との関係で，受益者のみが商人であるときは，なお商事法定利率を適用すべきかなどの問題が残されている。ありうべき反証について，1つの考え方としては，受益者の側が当該金銭を商行為に用いることができなかった事情がこれにあたるとの考え方もありうるし，別の考え方としては，破産者の側が返還されるべき金銭を商行為に用いることが想定できなかった事実がこれにあたるとの考え方もありえよう。後者の考え方を前提とすれば，破産者が

いという理由で，本書でもこれにしたがい，商行為以外の場合には，民事法定利率（民旧404）が適用されるとしていた[354]。しかし，現行民法404条により，商事法定利率と民事法定利率の区別は意味を失った。

(2) 物または権利の返還

否認の結果として，破産管財人が物または権利を管理処分するためには，それらの引渡しを受けること，あるいは破産財団への復帰について対抗要件を備えることが必要になる。対抗要件に関しては，登記または登録の制度がある権利について，その原因たる行為が否認されたとき，登記または登録自体が否認されたときには，破産管財人は否認の登記または登録をなすことを要する（破260Ⅰ・262）。その前に第三者への登記または登録がなされたときには，転得者に対する否認（破170。本書628頁）が必要になる。

否認の登記の性質については古くから争いがある。判例理論にも変遷があり，古くは，訴えまたは抗弁により否認権を行使した破産管財人が単独でできることを特徴とする予告登記であり，破産管財人が勝訴したときには，抹消登記などの通常登記がなされるとする判例があったが，その後に，抹消登記や移転登記など，否認を原因とする通常登記を総称するものであるという判例が現れ，さらに学説の批判を受けて，破産法が抹消登記に代えて認めた特別の登記であるとする特殊登記説に転換した[355]。この特殊登記説は，否認の相対効とも調

非商人であることも，反証の内容として適切であると思われる。原状回復義務の意義について，破産者が当該金銭を自らの財産として運用できることに求めるとすれば，後者の考え方が妥当であるといえるが，判例法理の内容は必ずしも明確とはいえない。

ただし，現行民法の成立にともなって商事法定利率を定める商法514条は削除されたので（山野目章夫・新しい債権法を読みとく76頁（2017年），中田・債権総論63頁），上記の議論は過去のものとなった。逆に，現行民法下の変動法定利率制度（民404Ⅰ）の下では，いつの時点での利率を基準とすべきかが問題となるが，基準の明確性などを考慮すれば，否認対象行為の時と解すべきであろう。

354) ただし，川嶋四郎「破産法における否認の効果」実務と理論117頁は，商行為性の有無を問わず，受益者による金銭運用益を吐き出させるために商事法定利率を適用すべきであるとする。

355) 予告登記説は，大判昭和8・4・15民集12巻637頁。これに対しては，否認訴訟の提起とともに破産管財人が単独で予告登記をなしうるとすると，相手方の利益が害されるという批判がなされた。通常登記説は，大判昭和17・7・31新聞4791号5頁，最判昭和23・10・12民集2巻11号365頁。これに対しては，否認の効果は破産手続中でのみ認められる相対的なものであり，抹消登記などの通常登記をなすと，この相対効と矛盾するという批判がなされた。現在の特殊登記説を明らかにしたのは，最判昭和49・6・27民集28巻5号641頁〔倒産百選〈第3版〉42事件〕である。大阪高判昭和53・5・30金法

和するので，学説によっても支持され，本書も，これを採用する。現行法は，以下に述べるように特殊登記説を前提として，否認の登記が記入された後の取扱いを明確にしている。

破産管財人は，否認の登記を命じる確定判決にもとづいて目的不動産について否認の登記を申請する[356]。なお，否認の登記については，登録免許税は不要である（破261・262）。否認の登記は，破産手続の目的を実現するための否認の効果を公示するためのものであるので，否認の登記に係る権利の登記，たとえば破産管財人が否認によって破産財団に復帰した不動産の所有権を第三者に譲渡する場合には，否認の登記自体は登記官の職権で抹消される（破260Ⅱ①）。否認された行為を登記原因とする登記や対抗要件否認によって否認された登記も同様である（同②）。さらに，それらに後れる登記も登記官の職権によって抹消される（同③）[357]。

875号29頁〔倒産百選41事件〕もこれを前提とする（判例および学説の詳細については，川嶋・前掲論文（注354）117頁参照）。現行不動産登記法は，予告登記制度を廃止したので（河合芳光「新しい不動産登記法について」NBL 793号14，18頁（2004年）），もはや予告登記説はありえない。なお，現行法が特殊登記説を前提としていることについては，一問一答356頁，基本構造444頁，条解破産法〈第3版〉1804頁，大コンメンタール1117頁〔髙山崇彦〕参照。

356) したがって，抗弁によって否認権が行使されたときには，否認の登記はなされえない。その他，否認の登記の手続に関して竹下守夫「破産・会社更生における否認の登記」一橋論叢75巻4号49，65頁（1976年），破産・民事再生の実務［破産編］329頁，一問一答357頁，条解破産法〈第3版〉1805頁，大コンメンタール1119頁〔髙山崇彦〕，破産法大系Ⅰ109頁〔髙山崇彦〕参照。

なお，否認の登記申請の際の登記の目的の記載例としては，「〇番所有権移転登記原因の破産法による否認」（原因行為の否認の場合）や「〇番所有権移転登記の破産法による否認」となる。破産管財の手引〈第2版〉230頁，破産・民事再生の実務［破産編］329頁参照。

357) たとえば，抵当権の設定が偏頗行為として否認されたときには，まず登記簿上に否認の登記が記入され，次に，破産管財人が当該不動産を第三者に売却する際には，否認の登記の抹消（破260Ⅱ①），抵当権設定登記の抹消（同②）および否認対象たる抵当権より後順位で，否認権の行使に対抗することができない抵当権設定登記の抹消（同③）がすべて登記官の職権によってなされる。ただし，後順位抵当権が否認権の行使に対抗することができるかどうかは，登記官が登記簿の記載から客観的に判断できる場合に限られるから，登記官の職権による抹消は，後順位抵当権についても否認の登記がなされている場合に限られる。受益者に対して破産者から所有権移転登記がなされ，その後に第三者に対する移転登記がなされている場合も同様である。条解破産法〈第3版〉1808頁，大コンメンタール1121頁〔髙山崇彦〕。このような改正が実務に与える影響および登記の具体例については，基本構造445，446頁参照。

また，後順位抵当権に対する否認が成立しない場合の順位上昇などについては，基本構

これに対して，否認された行為の後否認の登記がなされるまでの間に，当該行為を登記原因とする登記に係る権利を目的とする第三者の権利に関する登記（破産手続の関係において，その効力を主張できるものに限る358)）がなされているときは，登記官の職権で，否認の登記の抹消および登記に係る権利の破産者への移転登記がなされる（破260Ⅲ）。

　たとえば，不動産の売買が詐害行為否認の対象となり，その否認の登記がなされるまでの間に，受益者が当該不動産に抵当権を設定し，売買による破産者から受益者への移転登記（同Ⅱ②）および第三者のための抵当権設定登記がなされている場合には，否認の登記を抹消し，受益者から破産者への移転登記がなされる。通常の場合と同様に，破産者から受益者への移転登記を抹消すると（同），抵当権の設定登記の基礎が失われ，抵当権者の利益を害するからである。したがって，登記が破産者に復帰した後も，抵当権者はその地位を破産債権者に対して主張しうる。もちろん，抵当権設定またはその登記自体が転得者に対する否認（破170）の対象となる場合は別である（破260Ⅲかっこ書)359)。

　否認訴訟などの結果として，否認の登記がなされても，破産手続が終了し，その時点で当該財産が破産財団中に現存していれば，否認の登記も裁判所書記官の嘱託にもとづいて抹消される（破260Ⅳ前段・262，破規81ⅠⅡ）。破産管財人が否認対象行為に係る権利を放棄し，否認の登記抹消嘱託の申立てをした場合も同様である（破260Ⅳ後段・262，破規81ⅢⅣ）。

　なお，破産手続開始決定前に破産者がその不動産の登記名義を第三者に移転したことについて，破産管財人が，主位的に譲渡を虚偽表示として無効であると主張し，予備的に譲渡を否認する場合には，主位的請求として抹消登記手続を，予備的請求として否認の登記手続を請求する360)。

　造448頁，条解破産法〈第3版〉1175頁，注釈破産法（下）162頁参照。順位上昇を認めることは，否認の成立を無意味にするから，先順位抵当権が破産債権者全体の権利の目的であるとみなして，それが破産財団に帰属するものとして扱うのが合理的である。
358)　具体的には，否認の登記がされていない登記を意味する。大コンメンタール1122頁〔髙山崇彦〕。
359)　転得者否認が成立する場合の登記手続について，基本構造446頁参照。また，受益者が抵当権者であり，その者が転抵当権を設定した場合の取扱いについては，同450頁，条解破産法〈第3版〉1810頁参照。
360)　櫻井孝一「否認訴訟の諸問題」実務民事訴訟講座10巻163，178頁（1970年）。したがって，破産管財人が否認権行使にもとづいて抹消登記など通常登記を請求する場合には，受訴裁判所が釈明権を行使して，請求を改めさせるべきである。ただし，請求の趣旨を善

(3) 無償行為否認の例外

無償行為否認（破160Ⅲ）は，破産債権者を害すること，および支払停止等について受益者が善意であるときにも成立するが，善意の受益者にも完全な原状回復義務を負わせると酷な結果となるので，行為の当時，詐害の事実（整備法による改正167Ⅱでは，「破産債権者を害すること」）および支払停止等について善意であった者は，現に受けた利益のみを償還すれば足りる（破167Ⅱ）。現に受けた利益とは，現存している目的物，その果実，あるいは目的物の滅失による保険金請求権などである[361]。ただし，善意であることは受益者が立証しなけ

解して，否認の登記請求と解することも不可能ではない（前掲最判昭和49・6・27（注355））。

[361] 詐害の事実（破産債権者を害すること）についての善意者の償還義務の範囲が限定される点に関しては，無償否認の成立要件として破産者が債務超過であったこと等を要しないとする法理（本書598頁参照）との関係が問われることがあるが（笠井・前掲論文（注258）23頁，佐藤鉄男「判例批評」民商154巻3号586頁（2018年）），無償否認の成立要件とそれが成立する場合の破産法167条2項にもとづく償還義務の限定の要件は区別して解釈すべきである。

また，「破産債権者を害する事実」の意義に関する本書の見解（564頁参照）を前提とすれば，相手方が債務超過の事実を知っている場合や当該行為によって債務超過に陥るべきことを知っている場合だけではなく，支払不能や債務超過の状態の発生が確実に予測される時期にあることを知っている場合にも，「破産債権者を害する事実」についての善意を否定すべきである。これに対して，破産者の状態がこのいずれにも当てはまらないにもかかわらず，支払停止等の前6月以内の行為であることを理由に無償否認が成立するときには，相手方を善意者として扱い，償還義務の範囲を限定すべきであろう。

善意であったと認められなければ，目的物またはその価値代替物である金銭を不当利得として返還しなければならない（前掲東京地判平成28・12・21（注257））。

これと比較し，行為の当時は，2つの事実について善意であったが，その後にいずれかまたは両者の事実について悪意となった者について法167条2項が適用されるかどうかについては，これを肯定せざるをえないが（条解破産法〈第3版〉1181頁），受益者の恣意を抑止するという視点から，損害賠償責任を認めるべきであるとの有力説がある（条解会更法（中）182頁）。

なお，無償の給付としてえた金銭を善意の受益者が費消したときにも，その目的が浪費であれば，現存利益なし，生活費や事業資金などの有用の資であれば，財産の減少を免れたという意味で現存利益ありとするのが有力な考え方である。これは，民法121条の2第3項や703条に関する解釈の影響を受けたものであるが，善意の受益者の負担を不当に過大にするおそれがあり，費消した以上，現存利益なしとするのが妥当である。伊藤眞「無償否認における善意の受益者の償還義務の範囲——詐害行為の回復と善意の受益者保護の調和を求めて」判時2307号42頁（2016年）参照。

これに対して，保証の無償否認（本書598頁）が成立するときであっても，受益者が善意のときには，現に受けた利益として保証料相当額を破産財団に返還すれば足り，保証債務の存在そのものは影響を受けないとするのが通説である（条解会更法（中）183頁，大コンメンタール683頁〔加藤哲夫〕，条解破産法〈第3版〉1181頁など）。しかし，否認

ればならない。転得者が無償行為によって目的物を転得した場合において転得者に対して否認がなされたとき（破170Ⅰ③）にも，同様の取扱いがなされる（同Ⅱ）。

(4) 価額償還請求権

たとえ受益者などに対する否認の要件が整っていても，目的物が滅失していたり，または第三者に譲渡されたりした場合には，目的物自体を破産財団に回復することが不可能または困難である。否認権行使の目的は，破産財団の価値を増殖することであるから，このような場合には，目的物に代えてその価額の償還を破産管財人が請求することができる。この権利を価額償還請求権と呼ぶ（破168Ⅳ・169・170の2Ⅴ・170の3参照）。

また，目的物を破産財団に取り戻すことは可能であるが，すでにその価値が減少しているような場合にも，減価分について価額償還請求権が認められる。目的物自体を取り戻すことだけでは，逸出した財産の価値を回復する目的を達しないからである[362]。したがって，価額償還請求権の発生原因事実としては，否認の要件事実のほかに，目的物の返還が不可能もしくは困難なこと，または目的物の返還だけでは破産財団が原状に回復しないことが挙げられる[363]。

の効果としてその行為の効果が覆滅されているにもかかわらず，善意であれば，保証による利益（保証債務の履行の結果または保証債権の破産債権行使）を保持できるという点で，疑問が呈されており（注釈破産法（下）166頁〔髙木裕康〕），本書では，保証委託契約の否認と保証契約の否認とを区別し，後者の場合には，保証債権の取得自体を現存利益とし（東京高判平成29・1・18金法2084号65頁もこのような考え方にもとづいて，保証債権の再生債権行使を否定する），保証債権が弁済されているときには，その金銭を費消しているかどうかによって現存利益の有無を判断するとの考え方をとる。詳細については，伊藤・前掲論文43頁参照。

362) 詐害行為取消権について通説は，これを否定するが（注釈民法（10）849頁〔下森定〕），これを肯定する有力説もある（辻正美「詐害行為取消権の効力と機能」民商93巻4号474，485頁（1986年））。有力説を前提とすれば，否認権についても本文に述べた考え方が支持される（伊藤眞「否認権行使をめぐる公平の理念」法学教室55号125, 128頁（1985年），基本法124頁〔池田辰夫〕）。ただし，通説は，目的物そのものの回復が不可能または困難であることが，価額償還請求権発生の要件とする。条解破産法〈第3版〉1179頁参照。本書の考え方を前提とすれば，事業譲渡または会社分割の詐害行為否認が成立するときに，事業の価値が低落してしまっている場合その他原状の回復が社会通念上著しく困難または不合理である場合にも，価額償還請求権が成立しうる。

363) ただし，差額償還請求権（破168Ⅳ。整備法による改正170の2Ⅴ）の趣旨を重視し，否認対象行為によって受益者に移転した経済価値を破産財団に回復することが否認権行使の目的であるととらえるのであれば，目的物の返還請求権と価額償還請求権との選択的行使を認めることも考えられる。

ただし，価額償還請求権が認められる場合にも，償還の対象となる価額の算定基準時に関しては，考え方の対立がある。たとえば，破産者を売主とする土地の売買契約が否認されたことを前提として，その土地がすでに受益者たる買主から第三者に転売されているときに，否認の対象行為たる売買契約時の土地価額を 1000 万円，転売，すなわち受益者による処分時の価額を 2000 万円，破産手続開始時の価額を 3000 万円，破産管財人が否認の請求または否認訴訟を提起したときの価額を 4000 万円，否認請求等の審理終結時の価額を 2500 万円とすると，いずれを基準時として償還価額を決定するのかが，争いの内容である。

まず，下級審裁判例および少数説として，否認の対象たる行為時を基準とする考え方がある[364]。否認権が行使されると，遡って行為がなかったことになる点を理論的根拠とし，かつ，行為後の事情によって償還額が左右されないことを実際上の根拠とする。しかし，上の例にみられるように，行為後に目的物の価額が高騰している場合には，受益者が不当な利益をうる難点が存在する。

同様に下級審裁判例および有力説によって説かれるものとして，受益者による処分時を基準時とする考え方がある[365]。理論的には，目的物が返還不能になるのは受益者による処分の時であるから，それを基準時とすべきであるとし，実際的には，処分による不当な利得を受益者に発生させるべきでない点を根拠とする。もっとも，動産にしばしばみられるように，処分時の価額が行為時よりも低落している場合には，逆に，破産財団が原状に回復しないという問題が生じる。

次に，有力説によって主張される考え方として，破産手続開始時を基準時とするものがある[366]。破産財団の範囲が，破産手続開始時を基準時として決定

また，抵当権付き不動産の譲渡の否認において，譲受人が被担保債権を弁済して抵当権を抹消しているときには，負担のない不動産を破産財団に復帰させると，破産財団に不当な利得を生じることになる。このような場合においても，差額償還請求権の趣旨を重視して，否認権行使時の当該不動産の時価から被担保債権額を控除した金額について価額償還請求権を行使すべきである。最大判昭和 36・7・19 民集 15 巻 7 号 1875 頁〔詐害行為取消権〕，注釈破産法（下）163 頁参照。

[364] 東京高判昭和 38・5・9 下民 14 巻 5 号 904 頁，熊本地判昭和 59・4・27 判タ 528 号 268 頁など。学説は，松田安正「代物弁済の否認と賠償価額算定の基準時」基礎 285 頁。
[365] 名古屋地判昭和 46・10・28 判時 673 号 68 頁，東京高判昭和 41・8・5 金法 450 号 7 頁など。学説は山木戸 226 頁。
[366] 谷口 268 頁。

されること（破34Ⅰ）を理論的根拠とする。しかし，開始時は，破産手続開始申立ての時期あるいは申立審理の状況などによって左右されるので，必ずしも客観的基準時たりえないという難点がある。

さらに，破産管財人が訴えなどの方法によって否認権を行使した時を基準時とする，いわゆる行使時説がある。この考え方は，最高裁の判例によって採用され，学説の多数によっても支持されている[367]。形成権たる否認権の行使によってはじめて，目的物が破産財団に復帰し，破産管財人の管理処分が可能になるはずであるから，目的物自体の返還がなされないときであっても，復帰の時点における価額を償還させるべきであるとするのが理論的根拠である。しかし，相手方の立場からすると，破産管財人がいつの時点を選んで否認権を行使するかによって償還価額が変動することになり，不測の損害が発生する危険があることが問題である。

また，大審院の判例によって採用されたものとして，否認訴訟の口頭弁論終結時を基準時とするものがある[368]。否認訴訟において目的物の返還が命じら

---

[367] 最判昭和41・11・17金法467号30頁，最判昭和42・6・22判時495号51頁，最判昭和61・4・3判時1198号110頁〔倒産百選43事件〕。中田171頁，石原257頁，霜島353頁，破産・民事再生の実務［破産編］327頁，注解破産法（上）523頁〔宗田親彦〕，基本法125頁〔池田辰夫〕，破産管財の手引〈第2版〉232頁。新株引受権の贈与に関して行使時説を適用し，引受権行使にもとづく取得株式が売却された事案において株式の価額を基準とした裁判例として，名古屋地判平成19・11・30判タ1281号324頁がある。
　ただし，行使時説を前提とするときでも，行使時までの事情によって価値が減耗した場合のように，行使時の価額を償還させたのでは「破産財団を原状に復させる」（破167Ⅰ）目的を達しないときには，行為時の原物が現物として受益者の下に維持されているものとみてその時価を評価し，逆に，受益者の経営努力によって譲渡された事業価値が高騰した場合のように，価値の増加分を破産債権者に享受させることが公平に合致しない結果となるようなときには，否認対象行為によって逸出した時点での原物の価格をもって行使時の時価とすべきこともあろう。最判昭和50・12・1民集29巻11号1847頁（詐害行為取消権）参照。
　事業譲渡の無償否認にもとづく価額償還を認めた前掲大阪地判平成30・5・21（注200）が，事業譲受人の不適切な行為による事業価値減少やその経営努力による事業価値増加といった特殊事情がない状況下で，行為時の評価額を基礎として行使時における評価額と償還額とを定めているのは，このような考え方に沿ったものと評価できる。伊藤眞「否認権行使にもとづく価額償還請求権の算定基準時――原物か現物か」民事特別法の諸問題6巻331頁（伊藤・古稀後著作集439頁），髙井・前掲論文（注197）467頁参照。事案の内容および上記の考え方にもとづいて裁判所が採用した価額算定の具体的方法については，宇都宮一志＝前川拓郎「事業譲渡の無償行為否認と期限前弁済の非義務偏頗行為否認（上）」銀行法務21 856号31頁（2020年）が詳しい。
[368] 大判昭和4・7・10民集8巻717頁。これを支持する学説として，条解会更法（中）

れるかそれとも価額の償還が命じられるかは，事実審の口頭弁論終結時を基準として決められるから，その時点を価額償還の基準時とすべきであることを理論的根拠とする。しかし，この説の難点としては，訴訟の進行状況という偶然的要素によって価額が決定される点が指摘される。

最後に，破産管財人は，行為時から否認訴訟の口頭弁論終結時までの中で，目的物を最高価で換価できた時点を選んで償還価額の基準時とすることができるとする説がある。ただし，行為時と処分時の中間の最高価を選ぶ場合，または否認権行使時の最高価を請求しようとするときには，相手方が価額高騰を予見できたことを破産管財人が立証する必要があるとする[369]。この説は，完全賠償の原則という民法上の履行不能における塡補賠償の考え方を否認について適用したものであるが，受益者などの相手方に必ずしも帰責事由のない否認の場合にまで最高価による償還義務を負担させるのが公平かどうかという疑問がある。

否認の効果としての原状回復（破167Ⅰ）は，否認対象行為にもとづく法律効果を無効とし，当該行為がなされなかったのと同様の状態に破産財団を復元するものであるから，目的物の返還に代わる価額の償還は，原則として否認対象行為時とすべきである。ただし，処分時までに目的物の価額が高騰しているときには，その高騰分を受益者などに帰属させることは公平に反するから，その高騰分も合わせて破産財団に償還させるべきものであり，この意味で，例外的に処分時の価額も基準時として用いるべきである。

4 相手方の地位

詐害行為否認の場合には，否認権が行使されて，目的物が破産財団に復帰するときには，否認された行為に際して相手方が破産者に対して行った反対給付を，相手方に返還する必要がある[370]。そうしないと，否認によってかえって

179頁，注解会更法310頁〔池田辰夫〕，条解民事再生法709頁〔加藤哲夫〕がある。詐害行為取消訴訟の場合には，これが判例・通説であるが（中田・債権総論313頁），形成権たる否認権と形成訴訟たる詐害行為取消訴訟との差異を反映したものと考えられる。

369) 鈴木正裕「否認権をめぐる諸問題」新・実務民事訴訟講座（13）150頁，川嶋・前掲論文（注354）119頁。

370) これに対して偏頗行為否認の場合には，偏頗行為にともなって受益者に対してなされた弁済や担保の供与を財団に返還させ，それにともなって相手方の債権を復活させれば足りるから（破169），反対給付の返還を求める相手方の地位を考慮する必要はない。現行法は，詐害行為否認と偏頗行為否認の区別を明確にしたために，この点が明らかになった

破産財団が不当な利得をすることになるからである。この点に関する限り，旧法と現行法との間に違いはない。しかし，破産者が反対給付を事業のために使用し，あるいは隠匿または費消した場合など，反対給付が破産財団中に現存しない場合について，相手方の地位をどの程度保護するかについては，旧法は，他の破産債権者との平等を重視して破産債権（旧破78Ⅱ）としていたのに対して，現行法は，相手方との公平を重視して，原則として取戻権または財団債権としている（破168Ⅰ）。

(1) 反対給付の返還

第1に，反対給付が破産財団中に現存しているときには，相手方がその返還を請求できる（破168Ⅰ①。民425の2参照）。反対給付の返還について相手方に取戻権を認める趣旨である。現存するか否かの判断の基準時は，口頭弁論終結時である[371]。第2に，反対給付が破産財団に現存しない場合には，反対給付の価額償還請求権を財団債権として行使できる（破168Ⅰ②）。したがって，相手方は，たとえ反対給付が現存しなくとも，他の破産債権者に先立って破産手続によらずにその価額の償還を求められる。価額の評価基準時は，破産管財人の価額償還請求権の場合と同様に，否認対象行為時を基本として，破産財団の側に不当な利益を発生させることを防ぐために，処分時をもってすることも許される。

問題は，破産者が反対給付としてえた財産について行為の当時隠匿等処分意思（破161Ⅰ①参照）を有し，かつ，相手方がそれについて悪意であった場合である。この場合には，一律に相手方に財団債権者としての保護を与える必要性はない。そこで，法は，反対給付によって生じた利益が財団中に現存する場合に限って，相手方の現存利益返還請求権を財団債権とし（破168Ⅱ柱書・①），反対給付によって生じた利益が現存しない場合には，反対給付の価額償還請求権を破産債権としている（同②）。利益の一部が現存する場合には，その限度

（破168Ⅰ柱書参照）。なお，詐害的偏頗行為否認（破160Ⅱ）の場合には，詐害行為に該当する部分について受益者の返還義務が生じるのみであり，それ以上に，相手方の地位を保護する必要は存在しない。

[371] 基本法125頁〔池田辰夫〕，条解会更法（中）187頁，条解破産法〈第3版〉1185頁，大コンメンタール686頁〔加藤哲夫〕，条解民事再生法705頁〔加藤哲夫〕。これに対して，注解破産法（上）528頁〔宗田親彦〕は，形成権たる否認権の性質を根拠として，否認権行使時とする。しかし，否認権行使時に現存しても，弁論終結時に現存していなければ，取戻権にもとづく請求を認容する余地はない。

で現存利益返還請求権が財団債権となり，その部分を控除した反対給付の価額償還請求権が破産債権となる（同③）。

すなわち法は，反対給付が財団中に現存しない場合について，相手方の価額償還請求権を原則として財団債権とすることによって保護し，ただし，破産者の隠匿等の処分意思およびそれについての相手方の悪意が認められるときには，反対給付によって生じた利益が現存する場合に限って，その現存利益返還請求権を財団債権とし，それ以外の場合には，反対給付の価額償還請求権を破産債権に格下げしている[372]。

なお，旧法下では，反対給付が金銭によってなされたときに，現存利益の存在が認められるかどうかについて考え方の対立がみられた[373]。しかし，現行法下では，反対給付たる金銭の価額償還請求権は，それにもとづく現存利益の有無を問わず，原則として財団債権となり，ただし，破産者の隠匿等処分意思およびそれについての相手方の悪意が認められる場合に限って，現存利益の有無を基準として，財団債権と破産債権とに分けられる。

現存利益の有無について旧法下では消極説，すなわち特定性のない金銭は一般財産の中に混入してしまうから，一般に現存利益は認められず，また当該金銭によって買い入れられた財産が現存していても，それは現存利益とはいえないとする考え方を正当としたが，現行法下では，法が隠匿等処分意思を問題にしていることなどを重視して，積極説，すなわち一般財産の中に組み込まれた金銭が，破産者によって費消されずに分別・管理されている場合はもちろん，費消されても財産購入の資金として使われたとか債務の支払に充てられたとか

---

[372] 旧法では，反対給付が現存しない場合には，相手方に財団債権の地位を認めないことを前提とし，ただ，反対給付によって生じた利益が現存する場合に限って，相手方に財団債権の地位を認め（旧破78Ⅰ），利益が現存しない場合には，相手方の地位を破産債権とした（同Ⅱ）。したがって，現行法と比較すると，隠匿等の処分意思が存在しない場合でも，反対給付によって生じた利益が現存しなければ相手方の地位は破産債権にとどまったという違いがある。一問一答236頁参照。

なお，相当の対価をえてした財産の処分行為の否認の場合だけではなく，詐害行為否認（破160Ⅰ）や無償行為否認（同Ⅲ）の場合で，かつ破産者が隠匿等の処分の意思を有し，相手方がそれを認識していた場合にも，本文に述べたことがあてはまる。

[373] 消極説は，条解会更法（中）188頁，森勇「否認の相手方の地位」実務と理論125，126頁，積極説は，谷口269頁，折衷説は，注解破産法（上）528頁〔宗田親彦〕，須藤英章「否認権行使の効果」基礎290頁。東京地判昭和32・12・9下民8巻12号2290頁は，消極説または折衷説によるものと思われる。

の場合には，それによって他の財産の減少を免れたという意味で，利益が現存するとの考え方に改める[374]｡

否認対象行為の相手方が内部者（破161Ⅱ各号）に当たる者のいずれかであるときは，破産者の隠匿等処分意思に関する悪意を推定する（破168Ⅲ）[375]｡したがって，通常の場合であれば，反対給付の価額償還請求権が財団債権として主張されるのに対して，破産管財人が破産者の隠匿等処分意思および相手方が内部者であることを立証して，それが破産債権にとどまることを主張すれば，相手方は，隠匿等の処分意思に関する善意を立証しなければならない｡

以上の場合において，破産管財人は，否認権の行使として財産の返還を求め，他方，相手方の反対給付の価額償還請求権等に対する履行義務を負う｡この2つの義務は同時履行の関係に立つことになるが[376]，財団増殖という目的から考えれば，破産管財人としては，返還されるべき財産の価額から相手方の価額償還請求権額を控除した差額の支払を求めることが，より簡明な手段たりうる｡そこで法は，財産自体の返還を求めるか，財産の返還に代えて，相手方に対して，当該財産の価額から相手方に対して財団債権として履行すべき額を控除した差額の返還を求めるのかの選択権を破産管財人に与えている（破168Ⅳ）[377]｡

---

374) 消極説の論拠の1つは，積極説をとると，隠匿や費消の場合以外は相手方の権利が財団債権となり，旧法78条2項の趣旨が没却されるという点にあったが，現行法は，同項の趣旨そのものを改めるとの考え方に立つ以上，この論拠はもはや妥当しえない｡基本構造439頁，中島Ⅰ386頁，条解破産法〈第3版〉1187頁，注釈破産法（下）171頁，大コンメンタール688頁〔加藤哲夫〕，条解民事再生法706頁〔加藤哲夫〕｡
　　なお，このような考え方は，否認の一般的要件としての有害性（本書563頁参照）に通じるものである｡

375) その趣旨は，相当な対価をえてした財産の処分行為の否認における内部者に関する特則（破161Ⅱ｡本書586頁参照）と共通する｡したがって，法168条3項の特則が実際上意義を有するのは，詐害行為否認（破160Ⅰ）や無償行為否認（同Ⅲ）の場合で，かつ破産者が隠匿等の処分の意思を有し，相手方がその認識をしていた場合であろう｡
　　なお，信託財産破産において，行為の相手方が受託者等または会計監査人であるときは，その相手方は，受託者等の隠匿等処分意思について悪意であったことを推定する（破244の10Ⅳ）｡

376) もっとも，破産財団に十分な資金が現存しない場合などを考えると，否認権行使の目的を達するためには，相手方の返還義務を先履行とする考え方もありえよう（破169参照）｡

377) 破産管財人は，破産財団にとっていずれが有利かを判断の上，選択権を行使する｡立案段階では，相手方にも選択権を認めるとの考え方も議論されたが（法制審議会倒産法部会第33回会議（平成15・7・11）議事録参照），かえって破産管財人の選択権を制約する結果となることなどの理由から，採用されなかった｡なお，差額の算定にあたっては，当

以上の説明を1000万円の価値を持つ不動産を500万円で廉価売却した行為が詐害行為として否認される例に当てはめると（破160Ⅰ），相手方は当該不動産を返還しなければならないが，その代わりに500万円の代金返還を求める権利を財団債権として行使できる（破168Ⅰ②）。しかし，破産管財人が破産者の隠匿等の処分意思およびそれについての相手方の悪意を立証すると，相手方が反対給付によって生じた利益の全部が，購入資産や預金債権などの形で現存していることを立証しない限り，相手方の代金返還請求権は，破産債権となる（同Ⅱ②）。この立証が成功すれば，相手方の現存利益500万円返還請求権は財団債権となる（同①）。ただし，破産管財人は，相手方の権利が財団債権となることを前提とすれば，当初から，不動産そのものの返還に代えて，否認権行使時の不動産の価額と財団債権額の差額の500万円の償還を相手方に求めることができる（同Ⅳ）。

(2) 相手方の債権の復活

弁済その他の債務消滅に関する行為が偏頗行為否認の対象とされ，相手方が破産者から受けた給付を返還し，またはその価額を償還した場合には，相手方

該財産の価額算定の基準時が問題となるが，価額償還請求権算定の基準時の場合（本書650頁）と同様に考えられる。一問一答237頁，基本構造442頁，条解破産法〈第3版〉1190頁，注釈破産法〈下〉174頁，大コンメンタール691頁〔加藤哲夫〕参照。

また，差額返還請求権の対象から詐害的債務消滅行為（破160Ⅱ）が除かれているのは（破168Ⅳ），相手方の財団債権が存在しえないためである。もちろん，過大な給付自体の回復が困難な場合において価額償還請求権が否定されるわけではない。もっとも，解釈論としては，無償行為否認（破160Ⅲ）や相手方の権利が破産債権にしかならない場合（破168Ⅱ②）のように，相手方が財団債権を有しないときにも，差額返還請求権の考え方を拡張して，破産管財人が差額償還を求められるとする有力説がある。植村京子「否認の効果としての差額償還請求権」ソリューション304頁。

さらに，破産管財人が目的財産自体の返還に代えて差額償還請求権を行使した場合に，相手方が目的財産の自らへの帰属を主張できるかという問題がある。東京地判平成23・9・12金法1942号136頁は，破産者の債権についての悪意の転得者に対する否認の事案において，転得者は，価額（差額）の返還に応じるまでは，否認権の行使により破産財団に復した権利を行うことはできないと判示している。法律構成については，なお検討の余地があるが，破産管財人に価額（差額）償還請求権の行使を認める趣旨は，簡便な方法で否認権行使の結果を実現しようとするものであるから，たとえ目的債権が受益者や転得者に帰属するとしても，破産管財人の権利や権限の行使を妨げるためにそれを用いることは許されないとすべきである。

植村・前掲論文（注205）343頁，同・前掲ソリューション313頁は，遺留分減殺請求の価額弁償の効果に関する判例法理（最判昭和54・7・10民集33巻5号562頁）を参照して，相手方の差額償還を先履行と解すべきとする。

の債権[378]が復活する（破169。民425の3参照）。これは，破産債権である[379]。相手方が一部の給付を返還したときには，その割合に応じて債権も復活する[380]。否認によって当然に復活するとしなかったのは，相手方が否認の結果として生じた義務を履行することを確実にするためである。したがって，相手方の返還・償還義務と復活する債権との間に同時履行の関係は成立しえないし，また相殺もありえない。

相手方の債権が復活すると，それに付されていた物的担保や人的担保も復活する。すなわち，破産者に対する債権に付されていた物的担保や保証債務は，破産者による弁済によっていったんは消滅したはずであるが，否認によって破産者からの給付が破産財団に返還されると，債権の復活にともなって物的担保や保証人の責任なども復活する[381]。抵当権など物的担保が破産財団所属財産に設定されており，弁済にともなってその登記が抹消されていたときには，破産管財人は回復登記の義務を負う。

ただし，担保権の登記が抹消された後に目的物が第三者に譲渡され，その登記がなされた場合や，抹消登記後に第三者のための担保権登記がなされた場合には，第三者の信頼を保護しなければならないので，第三者は回復登記承諾義務を負わず（不登72)[382]，破産管財人が新たな担保権設定など，担保権復活と

---

378) 破産者が保証人としてした弁済なども考えられるので，相手方の債権は，破産者に対する債権には限られない（条解会更法（中）192頁，注解破産法（上）530頁〔宗田親彦〕，注釈破産法（下）175頁）。
379) 和解の際には，相手方が破産債権を行使しないこととし，配当見込額を控除した金額の返還を受けることも行われる。実践マニュアル257頁。債権届出期間（破31Ⅰ①。本書675頁）内に決着がつかないと見込まれるときには，相手方は，予備的に破産債権の届出をすることになる。破産法大系Ⅱ586頁〔佐藤鉄男〕，注釈破産法（下）177頁。
380) 大コンメンタール693頁〔加藤哲夫〕，条解民事再生法711頁〔加藤哲夫〕。これに対して条解破産法〈第3版〉1192頁では，保証や物上保証の復活との関係で複雑な問題を生じるおそれがあること，条文の文言も全額の給付の返還や価額の償還を前提としていることなどを理由として，一部の返還などによる復活を認めない。問題の存在は確かであるが，給付全部を返還しないかぎり相手方の債権の復活を一切否定することは，公平に反すると思われる。
381) 前掲大判昭和11・7・31（注345），最判昭和48・11・22民集27巻10号1435頁〔倒産百選42事件〕。
382) 実体法的には，担保権を復活した相手方が登記なくしてこれらの第三者に対して担保権を対抗できないことを意味する。ただし，これらの第三者が否認について悪意である場合には，対抗力を認め，回復登記承諾義務を課することも考えられる（東条敬「弁済否認と担保・保証」金商別冊1号206, 207頁（1980年）参照）。

同一の経済的利益を提供する義務を負うにとどまる[383]。なお，物上保証人が設定していた担保権登記が弁済等によって抹消され，その弁済が否認された場合も同様であり，物上保証人は，原則として回復登記をなすべき義務を負う。

弁済等の否認によって相手方の破産者に対する債権が復活することにともなって，それに付されていた保証債務も復活する。保証人がそれによって不測の不利益を受けるわけではなく，また，相手方との公平の関係でも復活を認めることが必要である[384]。

第6項　相続財産破産および信託財産破産における否認

以下では，相続財産破産および信託財産破産における否認の特則を説明する。

1　相続財産破産における否認

相続財産破産（破222以下）における破産者は，権利能力なき財団たる相続財産であり，その破産管財人は，訴え，否認の請求または抗弁によって否認権を行使する（破173Ⅰ）。しかし，否認の対象行為に関しては，相続財産の場合には，自然人または法人と異なって，破産者自身が破産財団所属財産について詐害行為や偏頗行為を行うことは考えられず，被相続人など相続財産について相続開始前後に管理処分権を行使する者の行為を対象とする以外にない。法が，被相続人，相続人，相続財産管理人（民897の2），相続財産清算人（民936Ⅰ・952）および遺言執行者（民1012）が相続財産に関してなした行為について否認の成立を認め（破234），また否認の相手方の地位についても，これらの者の行為を破産者の行為と同視するのは（同），このような理由にもとづく[385]。

---

[383]　条解会更法（中）193頁，破産法大系Ⅱ588頁〔佐藤鉄男〕，注釈破産法（下）178頁。ただし，先順位担保権抹消登記時に設定されていた後順位担保権に関しては，順位の上昇を保護する必要はないから，後順位担保権者に回復登記承諾義務を課し，先順位担保権登記の回復を認めるべきである（森・前掲論文（注373）125，127頁など）。もっとも，反対説も有力である（条解会更法（中）193頁，破産・民事再生の実務［破産編］328頁）。議論の詳細については，条解破産法〈第3版〉1194頁，注釈破産法（下）179頁，大コンメンタール695頁〔加藤哲夫〕，条解民事再生法712頁〔加藤哲夫〕。

[384]　相手方が保証債務などの履行を求める場合には，弁済の否認，および給付の返還などの事実を主張する必要がある。ただし，否認訴訟の既判力が保証人などに拡張されるわけではないので，相手方としては，保証債務履行請求訴訟における敗訴の危険を避けるためには，否認訴訟において保証人などに対して訴訟告知（民訴53）をする必要がある（加々美博久「債務の弁済否認と保証債務の復活」金商1060号135，138頁（1999年），注釈破産法（下）179頁）。

[385]　条解破産法〈第3版〉1568頁，大コンメンタール985頁〔中島弘雅〕。旧法80条で

相続財産に対する受遺者の権利は，一般的に相続債権者に後れる（民931・947Ⅲ・950Ⅱ，破231Ⅱ）。そのことを前提として，相続財産の破産においては，受遺者に対する弁済その他の債務の消滅に関する行為は，それが破産債権者を害するときには，否認の対象となる（破235Ⅰ）。ここでいう破産債権者には，優先的破産債権者（破98Ⅰ）はもちろん，一般の破産債権者および劣後的破産債権者（破99Ⅰ）も含まれる。また，受遺者には，特定受遺者のみならず，包括受遺者（民990）も含まれる。なお，破産債権者を害するとは，弁済などの時に相続財産が債務超過の状態にあり，受遺者に対する弁済によって破産債権者たるべき者が完全な満足を受けられなくなることを意味する。この場合の否認は，偏頗行為否認の一般原則（破162Ⅰ）と異なって，支払不能などの事実に関する受益者の悪意などの主観的要件を問題とせず，破産債権者に対する責任財産の減少という，客観的要件のみに軽減して否認を認める趣旨である。したがって，相続財産の破産管財人が法235条1項による否認ではなく，一般原則による否認の方法（破162）を選択することを排斥するものではない[386]。

なお，受遺者に対する否認は，受益者たる受遺者の主観的要件を問題としない点で無償行為否認（破160Ⅲ）と共通するところがあり，したがって，その効果に関する法167条2項の規定が準用され，受遺者が破産債権者を害する事実を知らなかったときは[387]，現に受けている利益を償還すれば足りる（破235Ⅱ。整備法による改正235Ⅱでは「害すること」）。

相続財産破産において，法234条の規定にもとづく否認がなされた場合に，相続債権者に対して完全な弁済がなされた後に（破231Ⅰ参照），なお残余財産

は，旧法72条等の規定が個別的に準用されていた結果，準用の対象となっていない対抗要件否認（旧破74）および執行行為の否認（旧破75）などが準用されるかどうかについては，解釈論に委ねられていた。しかし，現行法は否認権に関する規定を包括的に準用しているので，この問題は解決された。

[386] また，遺贈そのものについて否認が認められるかどうかの問題があるが，受遺者の権利が破産債権者に劣後すること，および遺言者の意思を尊重すべきことから，否認を否定すべきである（基本法127頁〔池田辰夫〕，我妻学「相続財産における否認」実務と理論112頁。反対，注解破産法（上）537頁〔宗田親彦〕，大コンメンタール988頁〔中島弘雅〕)。

[387] 法167条2項が読み替えの上で準用されているので，「相手方（受遺者）は，当該行為の当時，支払の停止等があったことおよび本条1項の破産債権者を害する事実を知らなかったときは，その現に受けている利益を償還すれば足りる。」ということになる。条解破産法〈第3版〉1570頁。

が生じるときには，否認の相手方に対してその権利の価額に応じて残余財産を分配する（破236）。破産財団に対する権利者についてみれば，残余財産を破産債権者たる受遺者に分配することが考えられるが，立法者は，受遺者よりも否認の相手方を保護すべきものとして，このような規定を設けたものである。すなわち，否認の相手方は，反対給付の価額償還などについて取戻権，財団債権者または破産債権者の地位を認められ（破234・168ⅠⅡ），また，弁済否認によって復活する債権（破234・169）にもとづいて破産債権者の地位を認められるが，これらのうち破産債権が受遺者の破産債権（破231Ⅰ参照）に先だって満足を受けるとするのが，この規定の意義である[388]。

2 信託財産破産における否認

相続財産破産の場合と同様に，信託財産破産における破産者が信託財産であることを前提とすると，詐害行為否認や偏頗行為否認については，受託者等（破244の4Ⅰ第2かっこ書）の行為を対象とする以外にない。法が，否認権に関する規定（破第6章第2節）の規定の適用については，受託者等が信託財産に関してした行為をもって，破産者がした行為とみなすのは（破244の10Ⅰ），このような理由からである[389]。

また，受託者等や会計監査人は，行為の相手方にもなりうるが，相当の対価を得てした財産の処分行為の否認（破161Ⅰ）については，受託者等や会計監査人が内部者（同Ⅱ）に類する地位にあるとみられるところから，隠匿等処分意思の存在を推定する（破244の10Ⅰ）[390]。同様に，偏頗行為否認（破162Ⅰ①）については，行為の相手方である受託者等や会計監査人は，支払不能等に関して悪意であったものと推定する（破244の10Ⅲ）。さらに，反対給付に関する否認の相手方の権利（破168Ⅱ・170の2Ⅱ）に関しても，否認対象行為の相手方が

---

[388] 注解破産法（上）538頁〔宗田親彦〕，基本法127頁〔池田辰夫〕，大コンメンタール989頁〔中島弘雅〕。もっとも，破産債権となるもののうち弁済否認によって復活する債権（破234・169）については，それが相続債権であれば，完済されてはじめて，本条の適用が問題となり，それが受遺者の債権であれば，本条によっても分配の対象とならず，本条の適用可能性は，法168条2項2号および3号にもとづく破産債権に限られるとの指摘がある。条解破産法〈第3版〉1573頁，注釈破産法（下）538頁。
[389] 大コンメンタール1033頁〔村松秀樹〕，条解破産法〈第3版〉1636頁。
[390] 受託者等または会計監査人が法人であって，その職務を行うべき社員が処分の相手方である場合には，その社員の悪意を推定すべきである（大コンメンタール1034頁〔村松秀樹〕，条解破産法〈第3版〉1637頁）。

受託者等や会計監査人であるときは，隠匿等処分意思についての悪意を推定する（破244の10Ⅳ）。

第5節　法人の役員の責任の追及等

　法人の事業が破綻に至るまでの過程では，その役員の事業執行等について，過大な報酬の支給，合理的根拠を欠く融資，違法配当，法人財産の横領や廉価売却などの違法行為がみられることが多い。違法行為に起因する役員に対する法人の損害賠償請求権（会社423・120Ⅳ，民644等）は，法人の破産財団所属の財産となるから，破産管財人としては，それを行使することによって破産財団を増殖することが求められる。しかし，一方では，一般の訴訟手続によって損害賠償請求権を訴求することは時間を要し，かえって管財事務の負担となる可能性もある。他方，破産手続開始の前後には，損害賠償責任を負う役員がその財産を隠匿するなどの事態も多く，訴訟による追及が実際上の効果を持たない危険もある。こうした可能性や危険に対処するために，現行法は，民事再生法や会社更生法にならって（民再142以下，会更99以下），決定手続による損害賠償請求権の査定手続を設け，また破産手続開始前後において損害賠償請求権の実現を担保するための保全処分の制度を設けている[391]。

1　役員の財産に対する保全処分

　裁判所は，法人である債務者について破産手続開始の決定があった場合において，必要があると認めるときは，破産管財人の申立てによりまたは職権で，当該法人の理事，取締役，執行役，監事，監査役，清算人またはこれらに準じる者（役員と呼ばれる。会社法上の会計参与や会計監査人は，準ずる者として扱われる）[392]の責任にもとづく損害賠償請求権について，当該役員の財産に対する保

---

[391]　合理的理由が認められないにもかかわらず，破産管財人が責任追及を行わないと，法定財産の増殖を図る機会を見逃したという意味で，善管注意義務（破85Ⅰ）違反の問題を生じる。倒産と訴訟216頁〔岡伸浩＝島岡大雄〕（岡・理論研究86頁）。破産管財人が判断に際して考慮すべき事情については，破産法大系Ⅰ289頁〔石井教文〕参照。会社更生法100条に関する裁判例として，大阪地決平成27・12・14判時2298号124頁がある。また，法的性質としては損害賠償請求権と異なる法人の役員に対する請求権が査定や保全処分の対象となりうるかについては，注釈破産法（下）223頁参照。

[392]　すでに退任している役員を含む（150問118頁〔岡伸浩〕）。いわゆる実質的経営者は，「準ずる者」に当たらないとする見解が有力であるが（注釈破産法（下）222頁），なお検

全処分をすることができる（破177Ⅰ。申立ての方式について破規1Ⅱ③・2参照）[393]。破産手続開始申立てから手続開始についての裁判がなされるまでの間においても，緊急の必要があると認めるときは，裁判所は，債務者，保全管理人の申立てによりまたは職権で，財産保全処分をすることができる（破177Ⅱ）。破産手続開始申立て棄却決定に対して即時抗告がなされ（破33Ⅰ），それについての裁判があるまでの期間についても同様である（破177Ⅷ）。

この保全処分の目的は，上に述べた通りであり，破産法上の特殊保全処分（破28等）の一種に属するものであるが，破産者ではなく，役員という第三者を相手方とするところに，否認権のための保全処分（破171）と同様の特色がある。

保全処分の被保全権利は，役員に対する損害賠償請求権（会社53Ⅰ・423Ⅰなど）であり，それが金銭債権であることから，保全処分の内容は仮差押えが通常である。申立権者は，破産者の財産について管理処分権をもつ者であり，破産手続開始後は破産管財人，開始前は，保全管理人が選任されていれば，保全管理人，選任されていなければ当該法人である。発令の要件は，破産手続開始後は「必要があると認める」ことである。裁判所は，被保全権利たる損害賠償請求権の存在の蓋然性を前提として，役員の財産の状況などを判断して，保全処分発令の要否を決定する。また，開始前の発令の要件である「緊急の必要があると認めるとき」とは，その段階で直ちに保全処分を発令しなければ，財産の隠匿や費消などの事態が生じるおそれが存在することを意味する。

同じく第三者を相手方とする否認権のための保全処分の場合には，立担保が要求される可能性があるが（破171Ⅱ），この保全処分については，立担保は要求されない。これは，純然たる第三者である否認の相手方と異なって，法人の役員が破産者の内部者（破161Ⅱ①参照）とみなされることを考慮したものである[394]。

討の余地がある。真に実質的な代表者として行動し，法人との委任関係が認められる者を含めるとの考え方として，条解破産法〈第3版〉1237頁がある。

[393] 信託財産破産における受託者等または会計監査人の財産に対する保全処分も同様である（破244の11Ⅲ前半部分）。ただし，保全処分の申立権者については，債務者（破177Ⅱ）に該当する者が観念できないとする考え方（大コンメンタール1038頁〔村松秀樹〕）と，信託財産の管理処分権を有する受託者等を指すとする説（条解破産法〈第3版〉1640頁）とが対立するが，後者を支持する。

[394] これに対して，株主代表訴訟の場合には，本案訴訟についても担保提供命令の可能性

申立てまたは裁判所の職権によって保全処分が発令されれば，裁判所書記官の嘱託にもとづいて当該財産について保全処分の登記がなされる（破259 I ②）。また，裁判所は，必要に応じて保全処分を変更し，または取り消すことができる（破177Ⅲ）。変更または取消しについても，登記嘱託がなされる（破259Ⅱ）。申立ての取下げ等の理由によって保全処分が失効した場合も同様である。

破産手続開始前後の保全処分決定，その取消しまたは変更決定に対しては，即時抗告による不服申立てが認められるが（破177Ⅳ），執行停止の効力はない（同Ⅴ）。これらの決定および即時抗告についての裁判があった場合には，その裁判書が当事者に送達される（同Ⅵ前段）。送達代用公告の規定（破10Ⅲ本文）は適用しない（破177Ⅵ後段）。

2 役員の責任の査定手続

法人の役員に対する損害賠償請求権の有無およびその内容について，簡易な手続によって迅速に判断するために，法は損害賠償請求権の査定の手続を設ける（破178・179）。他方，事柄の性質は，実体権である損害賠償請求権の存否・内容にかかわるために，判決手続による判断を求める機会を保障する必要があり，そのために査定決定に対する異議の訴えが許される（破180）[395]。

裁判所は，法人である債務者について破産手続が開始された場合において，

がある（会社847の4Ⅱ Ⅲ）。

[395] いかなる事案において役員の責任査定申立てを検討すべきかについては，破産管財の手引〈第2版〉235頁参照。査定申立てとあわせて同一内容の民事訴訟を提起することは，重複起訴禁止（民訴142）に触れる。注釈破産法（下）228頁。なお，社外監査役について，責任限定契約の限度で責任を認めた査定決定を認可した裁判例として，大阪高判平成27・5・21判時2279号96頁がある。

法人の役員に対する損害賠償請求権を実現する方法としては，破産管財人が直接に損害賠償請求訴訟を提起するほかに，株主代表訴訟（会社847）などの制度がある。しかし，破産手続が開始されているときは，法人の損害賠償請求権についての管理処分権は破産管財人に専属すること，および損害賠償請求権の簡易な実現方法として役員責任査定決定手続が存在することを考慮すると，株主代表訴訟の提起は許されないと解すべきである。

また，係属中の株主代表訴訟は，それが債権者代位訴訟と類似の性質をもつことを考慮すれば，法45条の規定を類推し，中断および破産管財人による受継を認めるべきである（本書456頁参照）。再生債務者が管理処分権を保持する民事再生については，考え方が分かれる。新注釈民事再生法（上）707頁〔阿多博文〕参照。これに対して，債権者等の第三者による役員の責任追及（会社429・487）は，法人の破産による影響を受けない。

なお，信託財産破産における受託者等または会計監査人の責任にもとづく損失てん補または原状回復請求権の査定についても，同様の規定が設けられている（破244の11Ⅲ後半部分）。

必要があると認めるときは，破産管財人の申立てによりまたは職権で，決定をもって，役員の責任にもとづく損害賠償請求権の査定の裁判（役員責任査定決定と呼ぶ）をすることができる（破178Ⅰ）396)。必要があると認めるときとは，この手続によって損害賠償請求についての債務名義を作成する必要を意味する。

査定の手続を開始するために破産管財人が申立てをするときは，その原因たる事実を疎明しなければならないし（同Ⅱ。申立ての方式について破規1Ⅱ④・2参照)397)，また職権によるときには，裁判所は手続開始の決定をしなければならない（破178Ⅲ）。申立ておよび職権による手続開始決定には，裁判上の請求としての時効の完成猶予および更新の効力が与えられる（同Ⅳ）。なお，この手続は破産手続に付随するものであるから，役員責任査定決定があるまでに破産手続が終了したときには，査定手続も終了する（同Ⅴ）398)。

損害賠償請求を受ける役員に対する手続保障のために，査定に関する裁判を

---

396) ここでいう損害賠償請求権等は，法人の役員に対するものであるが，損害賠償請求権等のみならず取締役と会社との間の取引に起因する会社の請求権が含まれるかどうかという問題もある（最判平成21・3・10民集63巻3号361頁，江頭516頁，破産法大系Ⅰ291頁〔石井教文〕参照）。申立てに際して破産管財人は，裁判所の許可を要するが，不要説であっても，協議を必要とする。注釈破産法（下）227頁。
 また，手続法上の問題として，破産管財人の申立て額を超える損害賠償額を裁判所が査定することができるかという処分権主義（伊藤・民訴法223頁）がある。職権による査定決定が認められることから，処分権主義適用を否定する説が有力であるが（注釈破産法（下）231頁参照），運用は慎重を期すべきであろう。
397) 疎明は申立ての適法要件であるから，裁判所が査定の裁判をする際には，損害賠償請求権を基礎づける事実についての証明が必要であるが，その証明度は，手続の性質上，民事訴訟における証明度より低いものと解すべきである。倒産と訴訟237頁〔岡伸浩＝島岡大雄〕（岡・理論研究106頁）。
398) 役員責任査定決定があった後に破産手続が終了したときには，役員責任査定決定が確定するか，債務者と役員を当事者とする異議の訴えが係属する可能性がある。条解破産法〈第3版〉1248, 1253頁。異議の訴えが係属中に破産手続が終了したときにも，訴訟が中断し，債務者が受継する（破44Ⅳ Ⅴ）。否認の請求を認容する異議訴訟が終了する（破175Ⅵ）と異なるのは，役員に対する損害賠償請求権が実体法上の権利としての性質を有するためである。
 また，決定によらない査定手続の終了原因として，実務上では，手続外で和解契約を締結し，その合意内容を調書に記載した上で役員等責任査定申立てを取り下げるという取扱いがなされたが，現在では，非訟事件における裁判上の和解の許容性が明らかになった（非訟65）ので，裁判上の和解もありうる（条解破産法〈第3版〉1250頁，条解民事再生法777頁〔中島弘雅〕）。会社更生の実務（下）50頁〔渡邉千恵子＝葛西功洋〕。役員等責任査定決定があった後の破産手続の終了にもとづく手続については，本書1253頁参照。そのほか，当該役員について破産手続が開始されたときには，役員責任査定手続は中断し（破44Ⅰ），受継の対象となりうる（破127）。注釈破産法（下）229頁。

する際には，裁判所は役員を審尋しなければならないし（破179Ⅱ）[399]，役員責任査定決定またはその申立てを棄却する決定には，理由を付さなければならない（同Ⅰ）。また役員責任査定決定については，異議の訴えが認められ，申立人がそれに対する防御をする必要があるところから，決定の裁判書が，役員や申立人という当事者に送達される（同Ⅲ前段）[400]。送達代用公告の規定（破10Ⅲ本文）は適用しない（破179Ⅲ後段）。

3 役員責任査定決定に対する異議の訴え

役員責任査定決定は，当該役員に対するの法人の損害賠償請求権の存在および内容を確定する効果を持つので（破181参照），その当否については，判決手続による判断を受ける機会を保障しなければならない。これが，役員責任査定決定に対する異議の訴え（破180）を認める趣旨である[401]。

役員責任査定決定に不服がある者は，その送達を受けた日から1月の不変期間内に，異議の訴えを提起することができる（同Ⅰ）。この訴えについては，破産裁判所（破2Ⅲ）が管轄裁判所になる（破180Ⅱ）。訴えの当事者は，破産管

---

399) 決定手続一般は，任意的口頭弁論として，口頭弁論を開くことも許されるが（民訴87Ⅰ但書），この場合には，迅速な手続進行の必要性および異議の訴えが認められているところから，口頭弁論を開くことは許されない（民事再生法144条について，新注釈民再法（上）710頁〔阿多博文〕，条解民事再生法777頁〔中島弘雅〕，最新実務会社更生223頁）。否認請求手続や破産債権の査定手続についても，同様に解される。
　なお，査定決定の主文については，給付命令とする説と「○○円と査定する」との説があるが，実務は後者によっている。倒産と訴訟233頁〔岡伸浩＝島岡大雄〕（岡・理論研究102頁）。これに関連して，決定に仮執行宣言を付することができるかどうかが争われる（注釈破産法（下）231頁）。民事訴訟法259条1項が仮執行宣言を付す裁判を判決に限定している以上，これを否定すべきである（条解破産法〈第3版〉1250頁。秋山幹男ほか・コンメンタール民事訴訟法Ⅴ230頁（2012年）参照）。
400) 査定申立てを棄却する決定については，送達を要せず，相当と認める方法による告知で足りる（破13，民訴119）。
401) これに対して，査定申立てを棄却する決定に対しては，異議の訴えを提起することは認められず，破産管財人は，別途訴えの方法によって損害賠償を請求する以外にない（条解民事再生法781頁〔中島弘雅〕）。棄却決定には既判力がないから，訴えの提起自体は妨げられない。しかし，相手方たる役員の立場を考えれば，いったん査定申立てが棄却された後に，さらに損害賠償請求訴訟を提起するのは，例外的な場合に限られるべきであり，裁判所の許可（破78Ⅱ⑩）にも慎重な運用が求められる。これは，否認の請求と否認の訴えの関係について述べたところ（本章注337）と同様である。もっとも，破産財団の充実，すなわち破産債権者の利益実現を重視する立場からは，損害賠償請求訴訟を棄却する判決に対して破産管財人の上訴が認められることとの均衡などを考えても，破産管財人による異議の訴えを否定すべき理由はないとの議論もあろう。

財人および役員である。すなわち，申立てを一部認容した役員責任査定決定が典型であるが，それを不服とする役員が原告となるときは，破産管財人を被告として，それを不服とする破産管財人が原告となるときは，役員を被告として訴えを提起する[402]。

訴えにおける請求の趣旨には，役員責任査定決定の取消しまたは変更を求める旨を明示すべきであり，その限りでは，決定の効力に係る形成的宣言を求める形成訴訟としての性質を持つ[403]。したがって，この訴えに対応する判決は，出訴期間の徒過などを理由とする訴え却下の場合を除いて，役員責任査定決定を認可し，変更し，または取り消す旨を宣言する（破180Ⅳ）。ただし，認可ま

---

[402] 否認請求認容決定に対する異議訴訟（破175）については，一部棄却がなされた場合にも破産管財人は異議の訴えを提起しえないのに対して（本書640頁参照），この場合に破産管財人が異議の訴えを提起できるのは，法180条3項がそれを予定しているためである。

　もちろん，申立てを全部認容した役員責任査定決定の場合には，役員のみが原告となりうる。なお，査定手続が職権によって開始されたときでも，この点に変わりはない（ただし，条解破産法〈第3版〉1253頁は，いずれの場合でも，訴えの変更に準じて破産管財人による異議の訴えの提起を認めるが，査定手続の趣旨を考えると，疑問がある）。

　また，ある役員についての役員責任査定決定に対して破産管財人および当該役員の双方が互いを被告として異議の訴えを提起した場合には，必要的共同訴訟の規律（民訴40Ⅰ～Ⅲ）が適用され，併合審判がなされる（一問一答新会社更生法119頁。民再146Ⅱ参照）。

　役員または破産管財人が提訴期間内に異議の訴えを提起した場合に，被告が提訴期間経過後に反訴として異議の訴えを提起することができるかについては，提訴期間の規律を重視して，これを否定する見解（条解会更法（上）624頁）と，附帯控訴に関する民事訴訟法293条1項を類推して肯定する見解（谷口安平「損害賠償の査定」金判増刊1086号106頁（2000年），条解破産法〈第3版〉1253頁，条解民事再生法784頁〔中島弘雅〕ほか）に分かれている。すでに異議の訴えの手続が係属している以上，提訴期間の規律を絶対視する必要はないので，後者の考え方を支持する。もちろん，原告が異議の訴えを取り下げれば，附帯して提起した異議の訴えも当然に終了する（条解破産法〈第3版〉1253頁）。

　再生手続における異議訴訟の裁判例としては，東京地判平成16・9・28判時1886号111頁，東京地判平成16・10・12判時1886号132頁，東京地判平成17・6・14判時1921号136頁などがある。

　なお，異議訴訟に破産債権者が補助参加（民訴42）できるかという問題があるが，事実上の利益にとどまるため（伊藤・民訴法673頁），否定すべきである。

[403] ただし，一部認容を内容とする役員責任査定決定を変更し，追加的給付を求める場合には，給付訴訟としての性質を有する。

　また，損害賠償請求権に関する証明責任は，破産管財人の側が負担することになるが（条解破産法〈第3版〉1254頁），実際上は，査定決定がなされていることは，証明の必要に影響を与えよう。

たは変更判決自体が債務名義としての効力を持ち（同Ⅴ），仮執行宣言も付されうる関係から（同Ⅵ)[404]，判決主文においては，役員に対して命じられる給付の内容を明確にすべきである。

なお，異議の訴えが1月の出訴期間内に提起されなかったとき[405]，または出訴期間の徒過などによって却下されたときは，役員責任査定決定は，確定給付判決と同一の効力，すなわち決定時を基準時とする既判力と執行力とを認められる（破181）。

---

[404] 認可を内容とする判決であるために，「財産権上の請求に関する判決」（民訴259Ⅰ）にあたるかどうか，疑問が生じる余地があるために，仮執行宣言の可能性を明らかにしたものである。基本構造226頁。

[405] たとえば，1000万円の損害賠償請求の査定申立てに対して，500万円の支払を命じる役員責任査定決定がなされ，それに対して破産管財人のみが異議の訴えを提起し，1000万円の支払を命じる判決への変更を求めたとする。すでに支払を命じられている500万円部分については，役員からの不服申立てが存在しないが，異議の訴えが提起された以上，その部分についても役員責任査定決定は確定しない。条解破産法〈第3版〉1256, 1257頁。

第6章　破産手続の進行

　破産管財人の否認権，また第三者の取戻権行使などを通じて，破産財団は，破産手続開始時の現有財団から法定財団に即した姿に変化する。この破産財団を基礎として，破産手続の最終的目的，すなわち破産債権者に対する配当を実現するためには，なお2つの作業が必要になる。第1は，配当に加えるべき破産債権の範囲および額の確定である。破産債権の調査および確定手続がこれにあたる。第2は，破産財団を配当に適する配当財団に転換するために，破産財団所属財産を換価することである。この2つの作業が終了してはじめて，破産債権者に対する配当が可能になる。

第1節　破産債権の届出・調査・確定

　破産債権は，破産者に対して破産手続開始決定前の原因にもとづいて生じた財産上の請求権であることを原則とする（破2V）。しかし，その性質として破産債権とされるものであっても，破産債権に認められる手続上の権能，すなわち破産配当受領請求権や債権者集会における議決権を行使するためには，その存在および額が確定したものでなければならない。そのための手続が破産債権の届出および調査手続である。このような手続が設けられているのは，破産債権者でない者が債権者集会の議決に参加したり，あるいは破産債権者が本来の債権額を超えて配当を受けたりすることで，他の破産債権者の利益が害されるのを防ぐためである。

　そこで，破産債権の有無および額を確定するために，法は，破産手続内部において届出，調査および確定のための手続を設けている。すなわち，まず破産債権について債権者の側から，その額および発生原因などを裁判所に届け出させ，その届出に対して破産管財人が認否をするとともに他の破産債権者からの異議の提出を待ち，破産管財人が認めずまたは破産債権者から異議が提出されたものについては，破産債権査定手続および査定決定に対する異議訴訟等によって存在および額を確定する。このような方法がとられるのは，破産手続に参

加する総破産債権者の権利について,個別的にではなく,集団的に確定することを目的とし,そのための手段として,自己および他人の破産債権の存否および額について,もっとも密接な利害関係をもつ他の破産債権者,およびその利益を代表する破産管財人に,確定のための責任を委ねようとする趣旨である[1]。

第1項　破産債権の届出

破産債権者が破産手続上認められる様々な権能,すなわち,債権者集会における議決権(破138等),債権調査手続における異議権(破118 I・121 II),配当受領資格(破196 I 参照),あるいは破産手続廃止に対する同意権(破218 I)などを行使するためには,まず破産債権として届出をなし,その存在および内容が確定されることを必要とする[2]。いいかえれば,破産債権者といえども届出をなさない限り,破産手続上の破産債権者としての権能を行使しえない。したがって,届出は,裁判所に対して破産債権としての確定を求める訴訟行為としての性質をもつ。もっとも,破産債権たること自体について生じる手続上の法

---

1) したがって,破産債権たる債権について給付訴訟を提起することは許されない。最判平成 13・7・19 金法 1628 号 47 頁参照。また,届け出た破産債権を破産管財人からの別訴における予備的相殺の抗弁の自働債権として用いることが二重起訴の禁止(民訴 142)の趣旨に抵触するとの有力説がある。220 問 355 頁〔高野陽太郎〕。破産債権の確定に既判力が認められること(破 124 III・本書 690 頁)と相殺の抗弁について二重起訴禁止の趣旨が妥当するとの判例法理(最判昭和 63・3・15 民集 42 巻 3 号 170 頁,最判平成 3・12・17 民集 45 巻 9 号 1435 頁。伊藤・民訴法 237 頁参照)を前提としたものであるが,相殺が認められることを解除条件とする予備的破産債権届出(本書 672 頁)とするなど,適切な対応が望まれる。倒産・再生訴訟 76 頁〔進士肇=田汲幸弘〕。

2) 再生手続における自認債権制度(民再 101 III・本書 1039 頁)は,破産手続においてとられていない。もっとも,必要と認められる場合には,破産管財人が届出の失念を防ぐための適切な措置をとることはあろう。なお,破産債権たる共助対象外国租税の請求権にもとづいて破産手続に参加するには,共助実施決定が必要である(破 103 V)。

ただし,届出自体は,破産債権者自らの責任において行うべきものであり,破産管財人がそれを促さなかったからといって善管注意義務違反(破 85 II・本書 213 頁)の問題を生じるわけではない。大阪高判平成 28・11・17 判時 2336 号 41 頁。

また,金沢地判平成 30・9・13 判時 2399 号 64 頁は,管財人として一般的に要求される平均的な注意義務を尽くしてその職務を遂行すれば,その過程において容易に新たな債権者の存在が判明するような場合については,管財人は当該債権の有無および金額等について破産者(およびその代理人)に説明を求めるなど所要の調査を尽くした上で,当該債権者が他の債権者と同様に破産手続に関与することができるよう配慮すべき注意義務を負うと解する余地があるとする一方で,それを超えて一般的に,未判明の債権者を探索するために積極的に資料等を精査する義務を負うものではないとしているが,妥当な判断である。宇都宮地判令和 3・5・13 判タ 1489 号 69 頁も同旨である。

律効果，すなわち個別的権利行使の禁止（破100Ⅰ）や免責許可の効果（破253Ⅰ本文）などは，届出の有無にかかわりなく生じる。

　また，届出には，破産手続上の効果とは別に，破産手続終了まで時効の完成猶予の効果が認められる（民147Ⅰ④）[3]。届出債権が認められずまたはこれに対して異議が述べられ，届出債権が確定しなかったときは，「確定判決又は確定判決と同一の効力を有するものによって権利が確定することなくその事由が終了した場合」にあたり，6ヵ月間の完成猶予効は生じるが（民147Ⅰ柱書かっこ書），更新の効果（民147Ⅱ）は生じない[4]。

1　届出の手続

　届出は，破産債権について管理処分権をもつ者によってなされる。したがって，通常は債権者自身によってなされるが，その債権について差押命令が発せられたり債権者代位権の行使があったりすると，差押債権者や代位債権者が届出資格をもつ（民執145Ⅰ・155Ⅰ本文，民423Ⅰ本文参照）[5]。もちろん，代理人に

---

[3]　最判平成7・3・23民集49巻3号984頁，最判平成9・9・9金法1503号80頁。両判決は，代位弁済をした保証人が届出名義の変更届出（破113）をしたことについて，求償権行使の意思を根拠として，時効中断（現行民法にいう時効の完成猶予および更新）の効果を認めたものである。別除権者の破産債権届出の場合にも，不足額（破108Ⅰ本文）ではなく，債権全額について時効の完成猶予効が生じる。条解破産法〈第3版〉825頁，条解民事再生法521頁〔岡正晶〕。また，破産手続開始決定にともなって，裁判所から知れている債権者に対して破産債権の届出を促す通知がなされても，これは，債務者のする承認（民152）にはあたらない。220問343頁〔堀井秀知〕。

[4]　民法旧規定の下での最判昭和57・1・29民集36巻1号105頁〔倒産百選72事件〕は，異議が述べられたことが直ちに権利行使の効果を失わせるものでないとして，時効中断効の存続を認めていた。ただし，異議が述べられた破産債権が確定する前に破産手続が廃止されたときには，時効中断（現行民法にいう時効の完成猶予）効が失われるとする裁判例がある。福岡地小倉支判平成20・3・28判時2012号95頁。

　また，届出が不適法として却下されたときも，本文に述べたのと同様である。条解破産法〈第3版〉825頁。

[5]　差押えの競合の場合には（民執149），議決権の共同行使や配当供託（民執156Ⅱ）などの取扱いがなされる。条解破産法〈第3版〉826頁。もっとも，差押債務者についても，差押債権者が届出をなしていないときには，時効の完成猶予および更新など保存行為または管理行為の必要性を根拠として，独自の届出資格が認められる（破産・民事再生の実務［破産編］461頁）。ただし，その後に差押債権者が破産債権行使の意思を明らかにしたときには，それが優先する。条解破産法〈第3版〉826頁。

　これに対して，代位債権者と被代位債権者との間で争いが生じたときには，互いに異議を述べることになる。条解破産法〈第2版〉796頁。もっとも，現行民法423条の5の下では，代位債権者が破産債権の届出をしたときであっても，被代位債権者の届出権限も認められるために，いずれに対して配当をすべきかという問題が生じる（債権法研究会編・

よって届出をなすことも可能であり，破産債権者が広い地域に所在し，かつ，多数にのぼるときには，共通の代理人によって届出をなすことが裁判所にとっても便宜である（破規32Ⅳ③参照）。また，破産債権者は，裁判所の許可をえて，共同してまたは各別に，1人または数人の代理委員を選任することができる（破110Ⅰ）[6]。代理委員は，これを選任した破産債権者のために，破産手続に属する一切の行為をすることができるから（同Ⅱ），破産債権の届出もなすことができる。なお，代理委員の権限は，書面で証明しなければならず（破規31Ⅰ），代理委員を解任したときは，破産債権者は，遅滞なく，裁判所にその旨を届け出なければならない（同Ⅱ）。

(1) 届出の方式

破産債権の届出は，破産手続に関する申立ての一種として，書面でしなければならない（破規1Ⅰ）。届出の内容は，各破産債権の額[7]および原因（破111Ⅰ

詳説 改正債権法97頁（2017年）〔石井教文〕。破産管財人は，双方の届出を認めた上で，民法494条2項を類推し，供託することが考えられるが，それができないとすれば，被代位債権者に配当する処理をせざるをえないであろう。

また，株主代表訴訟提起の手続（会社847Ⅰ本文）を経た株主は，取締役の破産において，取締役に対する損害賠償請求権などを会社に代わって破産債権として届け出ることができるとする裁判例があり（東京地判平成13・3・29判時1750号40頁），注釈破産法（上）727頁は，これを支持する。破産手続による債権確定手続を代表訴訟に代わるものとみる取扱いである。伊藤眞「株主代表訴訟の外延と倒産手続との交錯——会社の責任財産の保全と株主の地位」倒産法の実践17頁参照。

連帯債権（民432）について，債権者の1人がすべての債権者のために破産債権の届出をしたときは，他の連帯債権者の届出は許されない。いわゆるパラレル・デットについても，同様に考えられる。道垣内弘人「連帯債権と破産手続」倒産法の実践77頁参照。配当については，債権調査・配当455頁〔森直樹〕参照。

6) 代理委員制度の趣旨や機能，あるいは再生手続や更生手続における代理委員制度との差異などについては，基本構造142頁，注釈破産法（上）719頁参照。この制度が十分に機能していないことを指摘し，同種の原因にもとづく多数の破産債権者が存在する事案では，手続の迅速化という視点からも代理委員の活用の余地があることを説くものとして，破産法大系Ⅰ264頁〔小久保孝雄〕がある。

7) 非金銭債権や条件付債権の場合には，債権者自身が金銭債権に評価し直して（破103Ⅱ①），その額等を届け出ることを要する。また，複数の貸金債権やリース債権を一個の債権であるかのようにしてする届出も不適法であることはいうまでもない（最判平成22・3・16民集64巻2号523頁〔倒産百選46事件〕参照）。

なお，財団債権としての地位を主張するが，それが認められない場合に備えるなどの目的から本来的地位が認められることを解除条件として破産債権の届出がなされる場合がある。実務慣行上，これを予備的破産債権届出と呼ぶが，その適法性については，条解会更法（中）402，564頁，詳解民事再生法455頁〔森宏司〕，条解破産法〈第3版〉833頁，注釈破産法（上）735頁，債権調査・配当266頁〔柴田義人〕参照。適法性を認めた裁判

①)[8]，優先的破産債権であるときは，その旨（同②），劣後的破産債権または約定劣後破産債権であるときは，その旨（同③)[9]，自己に対する配当額の合計額が最高裁判所規則で定める額（1000円。破規32Ⅰ）に満たない場合において

> 例として，東京地判平成21・10・30判時2075号48頁があり，予備的届出としないままに破産債権（再生債権）として確定したときには，後に財団債権性（共益債権性）を主張できないとしたものとして，大阪高判平成23・10・18金法1934号74頁〔民事再生〕とこれを踏まえた最判平成25・11・21民集67巻8号1618頁〔民事再生〕〔倒産百選49事件〕について本書1032頁注1参照。
> ただし，同判決は，再生計画案についての付議決定を経て再生計画認可決定の確定に至ったことを共益債権性の主張を排斥する根拠としているので，そのような手続事象を想定しえない破産手続においては，同判決にもとづいて当然に財団債権性の主張が否定されるものとはいえない（増田勝久＝飯田幸子「再生債権として届け出られた共益債権の扱い（最高裁平成25年11月21日判決の検討と理論の整理）」銀行法務21 790号36頁（2015年））。しかし，財団債権は免責の対象とならず（破253Ⅰ柱書本文），また，破産手続終了後も破産者が責任を免れないとする一般的見解（本書344頁）を考えれば，破産債権としての配当を受領しているときなどは，信義則によって財団債権性の主張を排斥すべき場合があろう。
> また，相殺の有効性を主張しながら，それによって消滅したはずの自働債権，破産管財人による否認権の行使を争いながら，復活することがありうる債権（破169）の届出についても同様である。予備的届出がなされた破産債権についての調査の方法については，倒産と訴訟128頁〔酒井良介＝上甲悌二〕参照。
> なお，議決権の額を届け出る必要はない（民再94Ⅰ，会更138Ⅰ参照）。議決権の額は，破産債権の額によって定まるためである（本書242頁）。

8) 債権の額および原因は，届出債権を特定するために必要なものであるから（大判昭和11・10・16民集15巻1825頁），これを欠く届出に対しては，補正命令が発せられ，補正に応じなければ，届出が不適法として却下される（破13，民訴137）。これに対して，証拠書類の提出義務は訓示規定と解されるから，その懈怠が届出却下の原因となるものではない（大決昭和8・12・22民集12巻2941頁〔旧和議〕）。
　また，原因の記載は，異議等が出された場合の査定手続または訴訟手続における拘束力がある（破128。本書701頁）。
　外国債権者による届出に関する基本的考え方や実務上の取扱いについては，債権調査・配当602頁〔園尾隆司〕参照。

9) 理論上は，優先的破産債権である旨の届出がなければ，破産管財人がそれを優先的破産債権として認めることができないのに対して，劣後的破産債権である旨の届出がなくとも，破産管財人がそれを劣後的破産債権として認めることはできる。他の破産債権者に不利益を与えないためである。しかし，給料等の請求権については，破産者の資料等から優先的破産債権であることが明らかであれば，その旨の明示の届出がなくとも，優先的破産債権の届出として扱うことができ，逆に，優先的破産債権としての届出があっても，それが財団債権であると判断されれば，認めない旨を述べた上で，財団債権として処理することを許すのが実務上の取扱いである。破産管財の手引〈第2版〉281頁，実践マニュアル351頁。その他，優先的破産債権である給料や退職金の請求権についての債権調査の留意点について，220問388頁〔服部郁〕参照。

も配当金を受領する意思があるときは，その旨（破111Ⅰ④）[10]，その他最高裁判所規則で定める事項（同⑤，破規32Ⅱ）であり[11]，かつ，破産債権者の電話番号等の記載が求められ（破規32Ⅲ），さらに[12]破産債権に関する証拠書類の写しなどの書面を添付することが義務づけられる（同Ⅳ）。また裁判所は，届出書の写しを提出することを求めることができる（同Ⅴ）[13]。

　実務慣行としては，裁判所に知れている債権者に対しては，破産手続開始決定および同時処分の通知書（破32Ⅲ）とともに債権届出書式が送付され，債権者がそれに債権額等を記入し，証拠書類等とともに提出する[14]。なお，破産債権について破産手続開始決定の当時に係属する訴訟があれば，その裁判所名，当事者の氏名，事件の表示等をも併せて届け出なければならないし（破規32Ⅱ④），すでに執行力ある債務名義または終局判決があれば，その旨も届けなければならない（同③）[15]。

　別除権者は，その被担保債権について債権額などの事項のほかに，別除権の目的である財産および別除権の行使によって弁済を受けられないと見込まれる

---

10) 実務上は，届出書式に少額配当受領意思がある旨を不動文字で記載し，届出破産債権者がこれを抹消しないかぎり，意思があるものとして扱う。事務の合理化のためである。大コンメンタール471頁〔林圭介〕，条解破産法〈第3版〉830，1417頁，破産管財の手引〈第2版〉331頁。
11) 破産債権者およびその代理人の氏名や住所など，通知場所，有名義債権であるときはその旨，破産債権に関する訴訟の情報である。［書式47］。有名義債権である旨の記載がないと，起訴責任転換（破129。本書702頁）の利益を受けられない。
12) 手形小切手債権については，手形小切手の写しを添付することが必要である（破規32Ⅳ①）。認否の際の留意点，原因債権の届出との関係，中間利息の控除などについて，破産管財の手引〈第2版〉275頁，債権調査・配当243頁以下参照。
13) 提出された写しは破産管財人に交付するのが，実務慣行である。条解破産規則82，84頁参照。
14) 送付の主体は，裁判所であるが（前掲大阪高判平成28・11・17（注2）参照），実務上は，裁判所が破産管財人を書類受領事務担当者として，届出書郵送先を破産管財人事務所とすることがあり（破規7参照），その場合には，時効の完成猶予などの効果も破産管財人事務所に提出された時点で生じる。もっとも，裁判所に提出されたときにも，届出の効果を認めた上で，破産管財人に交付する。条解破産法〈第3版〉828頁，破産管財の手引〈第2版〉258頁。なお，破産管財人が保管する債権者届出書は，手続終了時に裁判所に提出する。破産管財の手引〈第2版〉260頁。
　　また，破産手続開始決定に際して，債権調査期日等の指定がなされない場合には（本書681頁），後日その指定がなされた段階で債権届出書式等が送付される。
15) 訴訟係属のある債権および執行力のある債務名義または終局判決のある債権については，一般の債権と確定の手続が異なるからである（破127Ⅰ・129）。

債権額を届け出なければならない（破111Ⅱ）[16]。これは，別除権者の破産債権行使が不足額に限られるためである（破108Ⅰ本文）。準別除権者についても同様である（破111Ⅲ）。

(2) 債権届出期間

債権届出期間は，破産手続開始決定と同時にまたは事後に裁判所によって定められ（破31Ⅰ①・Ⅲ），その期間は，原則として破産手続開始決定から2週間以上4月以下（破規20Ⅰ①。ただし，知れている破産債権者で日本国内に住所等がないものがある場合には，4週間以上4月以下（同かっこ書））である。この期間は，裁判所によって公告され（破32Ⅰ③），かつ，知れている債権者等には，通知される（同Ⅲ①）。破産債権者は，この期間内に債権届出をなすべき義務を負う（破111Ⅰ柱書）。

旧法においては，債権届出期間後の届出自体について特別の制限が存在しなかった。もちろん，最後配当の除斥期間（旧破273）に間に合うように届出をなし，調査および確定を済ませる必要はあったが，それまでであれば，届出はいつでも可能であり，実際には，届出期間後の届出が破産手続の遅延を惹き起こす原因の1つとなっていると批判された[17]。このような批判を受けて現行法は，届出期間について以下のような規律を設けている。なお，終期が最後配当の除斥期間（破198ⅠⅡ）であることに変わりはない[18]。

すなわち，破産債権者がその責めに帰することができない事由によって破産債権の一般調査期間または一般調査期日（破31Ⅰ③）の経過または終了までに破産債権の届出をすることができなかった場合には，その事由が消滅した後1月以内に限り，その届出をすることができる（破112Ⅰ。手続について破規34参照）。1月の期間は，不変期間として，伸長または短縮を許さない（破112Ⅱ）というものである[19]。

[16) 予定不足額は，届出の時点では必ずしも明確にならないために，額未定との記載もありうる。条解破産法〈第3版〉832頁。
[17) 伊藤・破産法〈第3版補訂版〉390頁，瀬戸英雄「破産債権の届出，調査及び確定」ジュリ1273号37, 38頁（2004年），基本構造146頁，条解破産法〈第3版〉838頁参照。
[18) 最後配当の除斥期間満了時後に非免責債権を保全するためなどに時効の完成猶予の効果を生じさせようとすれば，破産管財人に対する催告の上，破産手続終了後に個別的権利行使をすることになる（民150参照）。
[19) ただし，遠隔の地に住所または居所を有する者のために付加期間を定めることはできる（破13, 民訴96Ⅱ）。

したがって，一般調査期間の経過などまでに届出をしなかった破産債権者は，それが責めに帰することができない事由によるものであることを立証して，その事由消滅後の1月以内に限って債権届出をすることが許され，それを徒過した場合には，いかなる事由があっても，届出は許されない[20]。また，破産債権者が，その責めに帰することができない事由によって，一般調査期間経過後などに，すでに届け出た事項について他の破産債権者の利益を害すべき変更，たとえば破産債権額の増額などの変更を加える場合も，同様である（同Ⅳ）。

再生手続や更生手続においては，債権届出期間を基準として同様の規律が設けられていること（民再95ⅠⅡⅤ，会更139ⅠⅡⅤ）に比較すると，破産法の規律は，一般調査期間などを基準としたものであり，比較的緩やかなものとなっている。これは，再生型である再生手続や更生手続と異って，清算型である破産手続は，債権者にとって実際上最後の権利行使の機会となるために，破産手続の進行にとって重大な支障を生じさせる時点として，一般調査期間の経過時などまで失権効の基準時が繰り下げられたものである。

なお，破産管財人の双方未履行双務契約解除にもとづく相手方の損害賠償請求権（破54Ⅰ）など，一般調査期間の経過後または一般調査期日の終了後に生じた破産債権については，その権利の発生した後1月の不変期間内に，その届出をすることが義務づけられる（破112Ⅲ）[21]。

また，届出自体が許される場合であっても，一般調査期間経過後などに届け

---

[20] 責めに帰することができない事由の考え方については，基本構造147頁，条解破産法〈第3版〉840頁，注釈破産法（上）739頁が詳しい。債権届出をしなかった理由や当該債権者についての期待可能性などを総合的に考慮することになろう。このような事態の発生を避けるために債権調査期日を配当手続まで続行する実務については，条解破産法〈第3版〉841頁参照。
　また，責めに帰することができない事由が認められないとして，債権届出が却下された場合について，不服申立てを認める旨の規定は存在しないが，即時抗告を認めるとの考え方も有力である。基本構造148頁，条解破産法〈第3版〉838頁。しかし，東京高決平成30・2・26金法2102号76頁は，即時抗告による不服申立てを否定する。破産手続における裁判の早期確定の必要から不服申立方法を即時抗告に限るとともに不服申立てができる裁判を個別的に規定することとした破産法9条前段の趣旨を考慮すれば，否定説が妥当である。

[21] 破産管財人の否認権行使の結果として復活した受益者の破産債権（破169）も同様である。220問254頁〔伊藤尚〕。停止条件が成就した破産債権をこれに含める考え方も有力であるが，届出の追完（破112Ⅰ）を認めるべきであろう。条解破産法〈第3版〉843頁。

出られる破産債権は，一般調査期間や一般調査期日における調査が受けられないため，特別調査期間や特別調査期日における調査の対象となり，その費用は当該破産債権者の負担となる（破119ⅡⅢ・122）。これも間接的ではあるが，届出期間遵守を促す効果をもつ。

破産債権届出期間中に届出債権が皆無の場合には，破産手続を廃止する。ただし，その手続に関しては，考え方の対立がある。破産者自身が廃止を申し立てるときには，同意破産手続廃止に関する規定（破218Ⅰ。本書773頁）を類推適用するが，裁判所が職権によって廃止決定を行う場合については，配当終結に関する規定（破220Ⅰ。本書768頁）を類推適用する考え方，異時破産手続廃止についての規定（破217Ⅰ）を類推適用する考え方などがあるが，これらのいずれにも属さない特別の場合として，職権をもって破産手続廃止決定をなすべきである[22]。

(3) 届出事項の変更と取下げ

届出事項の変更に関する取扱いは，変更が他の破産債権者の不利益になるものかどうかによってその取扱いが分けられる。破産債権額の減額など，他の破産債権者に有利になる変更については，破産債権届出の一部取下げとして扱われ，少なくとも破産債権確定までは，特別の制限を受けない（手続について破規33参照）[23]。これに対して，破産債権額を増額するなど，他の破産債権者に不利益になる場合には[24]，新しい届出と同様の取扱いを受ける。すなわち，調査期間経過前または調査期日終了前の変更であれば，破産債権額の増額や優先権の追加など，他の破産債権者の不利益になるものであっても，特別の負担は課されないが，変更が調査期間経過後または調査期日終了後になされるときには，新たな届出と同様に責に帰することができない事由によることを要し，その事

---

[22] 条解破産法〈第3版〉1480頁，破産法大系Ⅰ432頁〔石田明彦〕。下級審裁判例は，旧法282条（現破220条）類推適用説をとる（大阪高判昭和50・12・18判時814号122頁〔倒産百選〈第3版〉107事件〕）。

[23] 破産債権の額が確定した後に（破124ⅠⅢ），消滅の届出ができるかどうかについては，これを否定する見解が有力であるが（条解破産法〈第3版〉836頁），破産債権届出の全部または一部の取下げとして扱うべきであろう。

[24] 破産債権の原因の変更についても，旧訴訟物理論的に考えれば，害すべき変更にあたる場合が多くなるが，柔軟に対処すべきである。大コンメンタール475頁〔林圭介〕，条解破産法〈第3版〉842頁。なお，破産債権査定決定手続などにおける主張の制限に関する規律（破128）についても，同様の問題がある（本書700頁参照）。

由が消滅した後1月以内という制限が課される（破112Ⅳ）。また，一般調査期間や一般調査期日における調査を受けられないことも，新たな届出の場合と同様である（破119ⅠⅡ・122）。

変更が他の破産債権者の不利益にならない場合，たとえば，届出後に債権譲渡，法定代位，あるいは任意代位などの原因によって破産債権の移転が生じ，それにもとづいて届出名義の変更がなされる場合には，このような問題は起きない。もちろん，債権譲渡などは破産管財人に対する対抗要件（民467Ⅰ等）を備えなければならないが，それを前提とすれば，新たに破産債権を取得した者が一定の方式によって届出名義の届出書を提出することによって可能である（破113Ⅰ。手続については，破規35参照)[25]。その際には，自己に対する配当額の合計額が法111条1項4号に規定する最高裁判所規則で定める額（1000円。破規32Ⅰ）に満たない場合でも配当金を受領する意思があるときは，その旨を裁判所に届け出なければならない（破113Ⅱ)[26]。また，すでに破産債権が確定された後に（破124Ⅰ等），債権の移転が生じたときには，旧破産債権者から破産管財人に対してその旨を通知すれば，新破産債権者が配当金受領請求権を認められる[27]。

[25] 新旧債権者連名による届出などの実務上の取扱いについて条解破産法〈第3版〉846頁，破産管財の手引〈第2版〉296，298頁，［書式55］，実践マニュアル454頁参照。また，時期については制限がなく，配当請求権の帰属主体が確定する最後配当額の通知（破201Ⅶ。［書式67，69］）まで可能である。大コンメンタール476頁〔林圭介〕，条解破産法〈第3版〉846頁。なお，配当額の通知後の譲渡は，配当受領請求権の譲渡として扱われる。破産管財の手引〈第2版〉298頁。

この場合も含めて，債権調査後に債権額等の変更があったときには，破産管財人は，その一覧表を作成・提出し（［書式56］），さらに配当許可後の変更であれば，更正配当表も作成・提出する。破産管財の手引〈第2版〉298頁。

[26] その趣旨について条解破産規則78頁参照。

譲渡の効力などをめぐって，破産債権の帰属について新旧債権者間に争いがある場合に，裁判所が変更届出を却下したときは，新債権者が自ら破産債権の届出をなし，旧債権者の破産債権に対して異議を述べることになるし，裁判所が変更届出を認めたときには，旧債権者が改めて破産債権の届出をなし，同様に債権調査手続で争いの決着をつけることになる。なお，債権確定後であれば，新債権者が旧債権者を被告として債権の帰属に関する確認訴訟を提起し，その勝訴判決を添えて破産管財人に配当受領を申し出る（注解破産法（下）491頁〔高橋慶介〕，大コンメンタール477頁〔林圭介〕，条解破産法〈第3版〉848頁は，旧債権者と破産管財人を共同被告とするが，その必要はない）。

[27] ただし，大判昭和18・2・12民集22巻69頁は，破産債権者表を更正する必要があるとし，谷口・演習53頁は，これを支持する。条解破産法〈第3版〉844頁，注釈破産法（上）745頁も，名義変更の手続がなされない限り新債権者の配当受領資格を否定する。

破産債権届出の取下げは，破産手続参加を撤回する旨の裁判所に対する意思表示であるとされるが，その効力については，取下げの時期によって区別される。破産債権としての確定（破124Ⅰ等）前に取り下げた場合には，最初から届出がなかったものとみなされる。したがって，時効の完成猶予効も失われるが（民147Ⅰ④）[28]，実体法上の権利の放棄とは区別されるので，再度の届出も可能である[29]。これに対して，確定後の取下げについては考え方が分かれ，消極説は，届出債権について確定判決と同一の効力が生じること（破124Ⅲ）を根拠として，取下げの効力を否定する[30]。しかし，消極説を前提としても，取下げの意思表示を将来の配当金請求権の放棄と構成すれば，その効力まで否定する理由はない[31]。もちろん，再度の届出は許されないが，放棄がなされても，すでに受領した配当金を返還する必要はない。届出にもとづく時効の完成猶予および更新の効力も放棄によって影響を受けず，取下げの時から新たな時効期間が進行する（民147Ⅱ・169Ⅰ）。

(4) 租税等の請求権等の届出

租税等の請求権で財団債権に該当しないもの（破148Ⅰ③・97③～⑤・99Ⅰ①・98Ⅰ参照）は，優先的破産債権または劣後的破産債権として扱われるから，その権利行使のためには届出を要する。罰金等の請求権についても，同様である（破97⑥・99Ⅰ①）。しかし，届出の手続については，一般の破産債権に関する規律に従わず，当該請求権の額および原因その他最高裁判所規則で定める事項（破規36）[32]を，遅滞なく届け出なければならないとされる（破114柱書前段）[33]。

---

28) 完成猶予効は取下げから6ヵ月が経過するまで存続する（民147Ⅰ柱書かっこ書）。民法旧規定について最判昭和45・9・10民集24巻10号1389頁〔倒産百選A1事件，倒産百選〈第3版〉9①事件〕〔破産手続開始申立て〕参照。
29) 破産管財人が認否書を提出したり，他の破産債権者が債権調査期間に異議を述べたりした場合には，それらの者の同意を要するとの考え方（破13，民訴261Ⅱ）もありえようが，再度の破産債権届出が制約されること（破112Ⅰ参照）を考えると，取下げについての同意まで要求する必要はない。条解破産法〈第3版〉834頁。取下げの書式は，[書式54]参照。
30) 学説の分布については，注解破産法（下）489頁〔高橋慶介〕参照。
31) 広島高岡山支決昭和29・12・24高民7巻12号1139頁。岩瀬英雄「届出名義・届出事項の変更及び届出の取下げ」実務と理論174,175頁，条解破産法〈第3版〉835頁。破産債権確定の効力は残り，免責が許されない限り，破産手続終了後に破産債権者表にもとづく執行（破221Ⅰ後段）も可能である。
32) 国税の場合であれば，交付要求書によって（破規1Ⅰ，税徴82Ⅰ），請求権の額および原因（破114），請求権者の名称および住所など（破規36）を記載して行う。

共助対象外国租税の請求権については，その旨も届け出なければならない（破114柱書前段）。当該請求権を有する者が別除権者または準別除権者であるときは，目的物や予定不足額の届出も要する（同後段）。届出についてこのような特別の規律が設けられるのは，これらの請求権の確定のために特別な手続が存在し，破産手続においてもその手続にしたがうこととされているためである（破134）。

2 破産債権者表の作成

届出を受けた裁判所の裁判所書記官は，破産債権者表を作成しなければならない（破115Ⅰ）。破産債権者表は，債権調査の対象を明らかにすること，および債権調査の結果をそれぞれの債権について記載し，異議の有無などを明らかにし（破124Ⅱ），議決権の行使や配当実施の資料とすること，および確定債権について破産債権者に対する確定力（同Ⅲ）や破産者に対する執行力を付与することを目的として（破221Ⅰ）作成される。再生手続の場合と異なり，特段の定めはないが，作成は，債権届出期間終了後，一般調査に用いる時期までにすべきであろう（民再規36Ⅰ参照）。

この作成目的にもとづいて破産債権者表の内容は，①破産債権者の氏名または名称および住所，②破産債権の額および原因，③優先権があるときにはその権利，劣後的部分があるときにはその区分，④別除権者が届け出た予定不足額，⑤執行力ある債務名義または終局判決のある破産債権であるときはその旨などによって構成される（破115Ⅱ，破規37）[34]。破産債権者表の記載に誤りがある

---

[33] 届出に時効の完成猶予効などが認められるかは，これらの請求権に民法や会計法30条などの消滅時効の規定が適用されるかどうかにかかる。罰金等の刑罰については，民法や会計法は適用されず，刑法31条以下が適用されるが，刑法の時効の中断事由である「執行行為」（刑34Ⅱ，刑訴490）も破産手続において禁止されるため，時効の中断効を観念する余地はない（ただし破43Ⅲ参照）。

　遅滞なくの意義については，正当または合理的理由にもとづく遅れを許容する趣旨といわれるが，具体的には個別事情を考慮する以外にない。もちろん，他の破産債権と同様に，最後配当の除斥期間満了時（破198ⅠⅡ）後の届出は許されない。条解破産法〈第3版〉853頁。今泉純一「破産における租税等の請求権をめぐる諸問題」今中傘寿431頁は，さらに進んで，一般の破産債権に関する法112条の規律に準じて「遅滞なく」の意義を解すべきであるという。実務上の指針としては，望ましいものといえよう。

　なお，破産債権とならない租税等の請求権，たとえば破産財団から放棄した不動産にかかる翌年度の固定資産税なども，文言上は法114条の届出の対象となるが，届出は，破産管財人に対する情報提供の趣旨にとどまる。条解破産法〈第3版〉850頁。

[34] この他，破産手続調査手続の進行にともなって，債権調査の結果（破124Ⅱ），破産債

ときは[35]、裁判所書記官は、職権または破産債権者の申立てにもとづいて、いつでもその記載を更正できるし（破115Ⅲ）、さらに不服のある破産債権者は、裁判所に異議の申立てができる（破13、民訴121）。作成された破産債権者表は、利害関係人による閲覧等の対象となる（破11）。破産債権者の異議権行使の機会を与えるためである。

第2項　破産債権の調査

届け出られた債権については、破産債権者表が作成され、その債権の存否および額ならびに優先劣後の順位等について調査および確定の手続が進められる[36]。具体的には、調査・確定の手続としては、手続の種類として調査期間および調査期日に分けられ、手続の方式として書面方式と口頭方式に分けられ、この両者が組み合わされる[37]。第1は、調査期間手続と書面方式の組合せであ

権確定訴訟等の結果（破130）、配当した金額（破193Ⅲ）、届出事項や届出名義の変更があった場合の変更内容（破規33Ⅳ・35Ⅱ）および農水産業協同組合の破産手続における参加届出（破規85）を記載する。条解破産規則96頁。なお、実務上の工夫については、条解破産法〈第3版〉855頁参照。

[35] ここでいう誤りは、破産債権の届出と破産債権者表の記載との食違いや異議の有無についての誤記などを意味する。条解破産法〈第3版〉856頁、注釈破産法（上）755頁。更正処分の具体例については、債権調査・配当328頁〔小河原寧＝加藤純子〕参照。

[36] 届出があった破産債権について認否書に記載漏れがあった場合には、認めたもの（破117Ⅳ）とみなされる。したがって、破産債権者としては、破産債権者表の更正を求めることができる。

ただし、実務上は、配当が見込まれず、異時破産手続廃止で終了すると思われる事案では、債権届出期間の設定と債権調査期日の指定を留保する、留保型と呼ばれる処理がなされる。実践マニュアル426頁。配当との関係で認否の意味がないためであり、優先的破産債権である租税等の請求権に対する配当のみが行われるときや、優先的破産債権に対する配当のみが行われるときにおいて、配当の対象とならない他の優先的破産債権や一般の破産債権について認否が留保されるのも（破産管財の手引〈第2版〉262頁）、同様の理由からと思われる。

[37] 旧法は、債権調査・確定のための手続として、債権調査期日における破産管財人などの口頭による異議方式のみを認めていた（旧破231）。しかし、このような制度が、手続の効率性に欠け、破産債権者の利益と調和しないとの認識に立って、現行法は、本文に述べたように、調査期間における書面方式を原則とし、補充的に調査期日における口頭方式を採用したものである。中間試案補足説明71頁、一問一答162頁、基本構造156頁参照。実務上は、破産債権者に対する情報開示、管財事務の促進、あるいは期日の続行が可能であるなどの理由から、債権調査期日方式が主流となっている。基本構造157頁、条解破産法〈第3版〉862頁、注釈破産法（上）758頁。

り，調査期間における破産管財人が作成した認否書[38]ならびに破産債権者および破産者の書面による異議にもとづいて行われるものである（破116Ⅰ）。これが法の予定する原則形態である。第2は，調査期日手続と口頭方式の組合せであり，調査期日における破産管財人の認否ならびに破産債権者および破産者の異議にもとづいて行われるものである（同Ⅱ）。

調査の手続として調査期間が定められたときは，書面方式が，調査期日が定められたときは，口頭方式がとられるが，債権届出期間の満了後の届出に係る特別調査については，一般調査期日後の特別調査について特別調査期間における書面方式が，一般調査期間後の特別調査について特別調査期日における口頭方式がとられることもある（同Ⅲ）。いずれの場合であっても，破産管財人が認め，かつ，破産債権者からの異議がなければ，破産債権は，届出破産債権者と総破産債権者との間で届出通りに確定し，裁判所書記官による破産債権者表の記載は[39]，確定判決と同一の効力を認められる（破124Ⅲ）[40]。これを破産式確定と呼ぶ。異議が提出されると，その債権は債権者と異議者等との間の査定手続および査定決定に対する異議訴訟を通じて確定される（破125以下）。また，破産者が確定債権について異議を述べなければ，届出破産債権者と破産者との関係においても債権の存在および内容が確定される（破221）。

1 債権調査期間

債権調査期間とは，破産債権者などの利害関係人が認否書や書面による異議

---

38) 実務上は，認否書に代えて，破産管財人の認否にもとづいて裁判所書記官が作成すべき破産債権者表を破産管財人が作成し，これを裁判所に提出することがあるという。実践マニュアル432頁。また，債権の種別に応じた認否の実務についても，同書347頁参照。
39) 旧法241条1項では，裁判所の権限とされたものが，裁判所書記官の権限とされたものである。なお，旧法241条2項による債権証書への確定の記入は，実際上の意義に乏しいものとして廃止された。基本構造161頁。
40) 確定は，配当の基礎となる破産債権の範囲およびその額の確定と，債権者集会における議決権額の確定（破140Ⅰ①）という2つの意味をもつ。なお，別除権の場合には，被担保債権そのものと予定不足額の2つが調査の対象となり，被担保債権額は，調査によって確定されるし，また議決権額も予定不足額についての調査によって確定される（破140Ⅰ②）。しかし，配当の基礎となる不足債権額（破108Ⅰ本文）は，認否や異議の対象にはなるが（破117Ⅰ④・118Ⅰ等），それによって確定されるものではなく（破124Ⅰかっこ書），別除権が現実に実行されて，不足額の証明がなされることによって確定する（破198Ⅲ）。ただし，債権者集会の決議事項が限定されたものとなっているために（本書239頁），東京地裁破産再生部では，予定不足額の認否は，原則として留保して差し支えないという運用がされている。破産管財の手引〈第2版〉266頁。

などの行為をなすべき時間の経過を意味する。調査は，この期間における破産管財人の認否権の行使，およびそれを補充する破産債権者の異議権の行使を通じて進められる[41]。

(1) 一般調査期間における調査

破産管財人は，一般調査期間が定められたときは（破31 I③），債権届出期間内に届出があった破産債権について，その額（不存在を含む）[42]，優先・劣後の有無，別除権の予定不足額についての認否を記載した認否書を作成しなければならない（破117 I）。この認否は義務的である。これに対して，債権届出期間経過後に届け出られたもの，または他の破産債権者の利益を害すべき届出事項の変更があったものについても，その認否を認否書に記載することができる（同Ⅱ）。この認否は裁量的である。破産管財人は，これらの認否を記載した認否書を，一般調査期間前の裁判所が定める期限までに裁判所に提出しなければならない（同Ⅲ）[43]。認否を記載すべき事項で，認否書に記載がないものは，破産管財人においてこれを認めたものとみなされる（同Ⅳ）。また，届出期間経過後に届け出られたものなどについての認否（同Ⅱ）で，一部の事項についてのみ認否の記載がなされているときは，それ以外の事項については，破産管財人が認めたものとみなされる（同Ⅴ）。届出期間経過後の届出などについての認否は裁量的であるが，認否を行う以上は，届出事項全体についてなすべきであるとの考え方を前提としたものである。

---

41) 破産管財人が認めないとする根拠は，対象となる破産債権の届出前後の存否や内容などに関するすべての事由を含む。場合によっては，現実に相殺の意思表示がなされていなくても，相殺の見込額についての異議も考えられる。破産債権者による異議についても同様である。破産管財の手引〈第2版〉287頁。認否の前提となる債権者との連絡や交渉については，220問335頁〔森晋介〕参照。

42) 破産債権の原因（破111 I①）自体は認否の対象とされていないが，それが破産債権の特定要素である以上，認否の判断の基礎となる。

また，敷金返還請求権などの停止条件付債権について返還予定額が届出のとおりであれば，それを認め，備考欄等に停止条件付債権である旨を付記する。破産管財の手引〈第2版〉202頁。

43) ［書式48～50］。破産管財人が認めない旨の認否をしたときでも，対象債権者に対する通知はなされない（破規39Ⅱ参照）。したがって，破産債権者は，破産管財人による認否書を閲覧して，それを確認する必要がある。条解破産規則99頁。

なお，届出債権額の一部や優先権の存在についてのみ破産管財人が認めない場合には，それ以外の部分は，確定したもの，または確定したのと同様の取扱いがなされる。倒産と訴訟127頁〔酒井良介＝上甲悌二〕参照。

なお、破産管財人は、いったん認めた破産債権についての事項を否認に変更することはできないが[44]、いったん否認した破産債権についての事項を認める旨に変更することは許される[45]。その場合には、当該変更の内容を記載した書面を裁判所に提出するとともに、当該変更に係る破産債権を有する破産債権者に対し、その旨を通知しなければならない（破規38）。無用な査定申立てがなされることを防ぐためである。

他方、届出をした破産債権者は、一般調査期間内に、裁判所に対して、破産管財人による認否の対象となる破産債権（破117 I II）の届出事項（同 I 各号）について、書面によって異議を述べることができる（破118 I）[46]。書面には、異議の内容だけでなく、異議の理由を記載しなければならない（破規39 I 前段）[47]。破産管財人が認めた事項であっても、また否認した事項であっても、

---

[44] もっとも、認否書を破産債権者に開示するまでは、その訂正という形をとることはありえよう。大コンメンタール488頁〔井上一成〕、条解破産法〈第3版〉872頁。

[45] ［書式53］。査定の申立期間（破125 II）経過後も、最後配当の除斥期間（破198 I II）までは、撤回ができるかどうかは、査定申立期間経過の効果という理論的問題や破産管財人による債権調査のあり方などをめぐって考え方が対立するが、実務上は、合理的理由が認められれば、撤回の可能性を肯定すべきであろう。大コンメンタール488頁〔井上一成〕、519頁〔橋本都月〕、条解破産法〈第3版〉872頁、注釈破産法（上）766頁。これに対して、破産管財の手引〈第2版〉289頁は、例外的に認めている場合もあるとする。

[46] 優先的破産債権として届出をなした債権者が、一般の破産債権として届出をなした債権に対して異議を述べることができるかどうかが争われる。配当に関する限りは、異議の利益がないが、債権者集会の議決権からみると、異議の利益が認められる（条解会更法（中）646頁、注釈破産法（上）770頁参照）。

なお、自己の債権について異議を述べられた者も、他の届出債権に対して異議を述べることができるが、後の債権確定手続によって異議者の債権の不存在が確定されると、その者の異議の効力は失われる。それ以前であっても、自らの届出債権について査定申立て等をしないまま査定申立期間（破125 II）を徒過したときには、他の破産債権者の届出債権について述べられた異議は失効する。条解破産法〈第3版〉875頁、注釈破産法（上）770頁。これに対して、異議を述べた破産債権者の債権について包括承継または特定承継があったことは、異議の効力に影響しない。条解破産法〈第3版〉875頁。

[47] 破産管財人が否認する場合には、理由の付記は要求されない。破産管財人が職務の遂行に関して善管注意義務を負い（破85）、また裁判所の監督に服している点（破75）を考慮したものである。ただし、実務上は、無用な査定申立てを誘発することを避けるために、理由の要旨を記載するのが通常である。条解破産法〈第3版〉866頁、破産管財の手引〈第2版〉289頁、［書式52］。

なお、異議理由付記は手続上の義務であるが、理由を付さない異議がその効果を認められないわけではなく、確定遮断（破124 III参照）の効果は生じる。破産者の異議にもとづく執行力発生阻止（破221 II参照）の効果についても、同様である。条解破産規則99頁参照。

異議の対象となりうる。裁判所書記官は，当該異議に係る破産債権を有する破産債権者に対して，異議があった旨を通知しなければならない（同Ⅱ）。異議を述べた破産債権者が異議を撤回する場合には，破産管財人が認否を否認から認める旨に変更する場合（破規38）と同様の手続を要する（破規39Ⅲ）。

　破産者も，一般調査期間内に，裁判所に対して，理由を付して（同Ⅰ後段），書面で異議を述べることができるが，異議の対象は，破産債権の額に限られる（破118Ⅱ）。優先・劣後の有無や別除権の予定不足額は，もっぱら破産手続との関係で意味をもつからである。また，破産者の異議は，破産債権の確定を妨げる効果をもたず（破124Ⅰ参照），破産手続終了後の破産債権者表の執行力発生を妨げる効果を有するにすぎない（破221Ⅱ参照）。なお，破産者による異議の撤回も所定の手続によって可能である（破規39Ⅲ）。

　一般調査期間の変更は，破産管財人の認否権および破産債権者の異議権の行使に影響するので，裁判所は変更決定の裁判書を破産管財人，破産者および届出をした破産債権者（債権届出期間の経過前にあっては，知れている破産債権者）に送達しなければならない（破118Ⅲ）。送達代用公告（破10Ⅲ本文）も可能である。送達は，通常郵便または信書便の方法によってすることができる（破118Ⅳ）。その場合には，その郵便物等が通常到達すべきであった時に，送達があったものとみなされる（同Ⅴ）。なお，この方法による送達を行ったときには，裁判所書記官は，送達を受けるべき者の氏名，あて先および発送の年月日を記載した書面を作成しなければならない（破規40）。

(2)　特別調査期間における調査

　特別調査期間における調査の対象となる破産債権には，2種類のものがある。第1は，債権届出期間の経過後，一般調査期間の満了前または一般調査期日の終了前にその届出があり，または届出事項の変更があった破産債権である。この種の破産債権は，失権効に関する規定（破112）の適用対象とならず，当然に調査の対象となり，裁判所はそのために特別調査期間を定めなければならない（破119Ⅰ本文）。ただし，すでに破産管財人が提出した認否書において認否の対象とされている場合，または一般調査期日において調査をすることについて破産管財人および破産債権者の異議のない場合には，あえて特別調査期間を定める必要はない（同但書）。

　第2は，一般調査期間の経過後または一般調査期日の終了後に，その責めに

帰することのできない事由によることを明らかにした届出または届出事項の変更が認められた場合である（同Ⅱ・112ⅠⅢⅣ）。この場合の手続は，第1の場合と同様である。

　いずれの場合であっても，特別調査期間に関する費用[48]は，当該破産債権者の負担となる（破119Ⅲ）。債権届出期間を徒過した届出等について，当該破産債権者の利益のために行われるためである。手続としては，裁判所書記官が相当の期間を定め，費用の予納を命じる（破120Ⅰ）[49]。予納がなされないと，裁判所は，決定でその者がした届出または届出事項の変更に係る届出を却下する（同Ⅴ）。却下決定に対しては，即時抗告が認められる（同Ⅵ）。

　特別調査期間に係る破産債権の調査のために，破産管財人は，調査対象事項（破117Ⅰ）に掲げる事項についての認否を記載した認否書を作成し，特別調査期間前の裁判所の定める期限までに，これを裁判所に提出しなければならない（破119Ⅳ前段）。認否の記載のない事項については，破産管財人が認めたものとみなされるのは，一般調査期間の場合と同様である（同後段・117Ⅳ）。届出破産債権者や破産者も，特別調査期間において異議権を認められる（破119Ⅴ）。また，特別調査期間を定める決定またはこれを変更する決定があった場合の裁判書の送達については，一般調査期間変更決定の裁判書の送達に関する規律が準用される（同Ⅵ・118Ⅲ～Ⅴ）。

　2　債権調査期日

　債権調査期日とは，破産債権者などの関係人が裁判所の面前に会合して，債権の存否等に関して口頭の陳述などの行為をなす時間を意味する[50]。現行法は，

---

48)　ここでいう費用とは，送達費用（破119Ⅵ参照），破産管財人に対する追加報酬（破87Ⅰ）などを意味する。調査対象たる債権が複数にわたる場合には，頭割りによって平等な分担が課される（基本法272頁〔將積良子〕，大コンメンタール497頁〔井上一成〕，条解破産法〈第3版〉883頁）。

49)　現行法における裁判所書記官権限拡大の1つである。基本構造159頁。予納を命じる処分およびそれに対する不服申立ての手続については，法120条2項から4項までおよび規則41条参照。具体的には，裁判所書記官の予納命令について裁判所に対して異議申立てをなし（破120Ⅲ），それが排斥されたにもかかわらず，なお予納しない場合には，裁判所によって債権届出が却下され（同Ⅴ），却下決定に対する即時抗告が認められることになる（同Ⅵ）。即時抗告の結果として，抗告審が却下決定を取り消す場合に，予納額を抗告審が定めるのか，原審の裁判所書記官に定めさせるのかについては，考え方が分かれる。前者の考え方が妥当である。基本構造160頁，条解破産法〈第3版〉886頁。

50)　裁判所の面前で行えば足り，法廷でなされる必要はなく，また公開の必要もない。COVID-19（新型コロナウイルス感染症）の流行によって，債権者が一堂に会する形での

債権調査期間における書面による調査を原則とするが，裁判所が必要があると認めるときは，期日を開いて，口頭の陳述による調査を行うことを認めている（破116ⅠⅡ）。債権調査期日は，裁判長が指揮し（破13，民訴148），調書は，裁判長が作成を命じたときにのみ作成される（破規4）。

(1) 一般調査期日における調査

債権調査期日には，一般調査期日と特別調査期日の2種類がある。一般調査期日は，原則として，債権届出期間内に届け出た者の破産債権についての期日で，債権届出期間の末日から1週間以上2月以内の日に定められ（破規20Ⅰ④），破産手続開始の決定と同時に指定・公告され，かつ，知れている債権者等に通知する（破31Ⅰ③・32Ⅰ③・Ⅲ①）。

破産管財人は，一般調査期日に出頭し，債権届出期間内に届出のあった破産債権について，破産債権の額などの調査対象事項（破117Ⅰ）に関する認否を行わなければならない（破121Ⅰ）[51]。破産管財人が出頭しなければ，期日における破産債権の調査を行うことはできない（同Ⅷ）[52]。届出をした破産債権者またはその代理人[53]は，一般調査期日に出頭し，他の破産債権者の届出に係る調査対象事項について異議を述べることができる（同Ⅱ）[54]。破産者またはそ

期日の運用が困難になった場合の対処について，小畑英一「新型コロナウイルス問題が倒産・事業再生に与える影響」NBL1169号6頁（2020年）参照。

51) 裁判所は，破産管財人に認否予定書の提出を命じることができる（破規42Ⅰ）。もっとも，これは予定であるから，期日において予定書と異なる認否をしたときには，それが優先する。

また，破産管財人が期日において認めない旨の認否をしたときは，その旨が当該届出破産債権者に通知される（破規43Ⅳ本文）。ただし，当該届出破産債権者が当該認否の内容を知っていることが明らかであるときは，通知を要しない（同但書）。破産債権者による異議については，裁判所書記官から不出頭届出破産債権者に通知がなされる（同Ⅴ）。実務上は，出頭の有無の確認などの問題があるために，債権調査期日前等に一律に異議額と異議理由を通知する。破産管財の手引〈第2版〉289頁，［書式52］。

52) 破産管財人代理（破77）が選任されれば，その者の出席で足りる。これに対して，数人の破産管財人があり，職務分掌がなされていないときには，（破76Ⅰ本文），破産管財人全員の出頭を要する（ただし，基本法271頁〔將積良子〕，条解破産法〈第3版〉892頁は反対）。

なお，破産債権者の出頭は期日開催の必要要件ではなく，現実に1人の出頭もないことも珍しくはない。

53) 破産債権者および破産者の代理人の権限は，書面で証明しなければならない（破規43Ⅲ）。

54) 代理人も含めた異議理由の陳述強制（破規43Ⅰ前段・Ⅱ）も，調査期間の場合と同様である。

の代理人は，一般調査期日に出頭し，必要な事項に関する意見を述べなければならない（同ⅢⅤ）。この義務は，破産に関する説明義務（破40）と同様，破産者の情報開示義務の一環とみられる。したがって，破産者が正当な理由なくこの義務の履行を拒む場合には，裁判所は破産者の引致を命じることができる（破38）。なお，破産債権の額について破産者に異議権が認められること（破121Ⅳ）は，調査期間における場合と同様である[55]。

一般調査期日においては，債権届出期間の経過後に届出または届出事項の変更があった破産債権についても，一般調査期日における調査に関して破産管財人および破産債権者の異議がない場合には，調査が行われる（同Ⅶ）。

裁判所は，一般調査期日を変更する決定をしたときは，その裁判書を破産管財人，破産者および届出破産債権者などに送達しなければならない（同Ⅸ）。同様に，一般調査期日における調査の延期または続行の決定をしたときは，裁判所は，その決定を当該期日において言い渡した場合を除いて，裁判書を破産管財人，破産者および破産債権者に送達しなければならない（同Ⅹ）。送達は，通常郵便または信書便によって行うことができる（同Ⅺ）。

その他，破産管財人の認否の変更，破産債権者の異議の撤回，破産者の異議の撤回，裁判所書記官による送達に関する書面の作成などについても，調査期間における書面による破産債権の調査と同様の取扱いがなされる（破規44）。

(2) 特別調査期日における調査

特別調査期日は，債権届出期間経過後，一般調査期間の満了前または一般調査期日の終了前に届け出られ，または届出事項の変更があった破産債権について，裁判所が必要であると認めるときに開かれる期日である（破122Ⅰ本文）。ただし，当該破産債権について，破産管財人が一般調査期間前に提出した認否書（破117Ⅲ）において調査対象事項の全部もしくは一部についての認否を記載している場合，または一般調査期日において調査をすることについて破産管財人および破産債権者の異議がない場合には，特別調査期日は開かれない（破

---

[55] 破産者がその責めに帰することができない事由によって一般調査期日または特別調査期日に出頭することができなかったときは，その事由が消滅した後1週間以内に限り，裁判所に対して，当該期日における調査に係る破産債権の額について，書面で異議を述べることができる（破123Ⅰ）。この期間は不変期間である（同Ⅱ）。

なお，破産者の不出頭は，破産免責の判断に影響する可能性もある（破252Ⅰ⑪参照。本書800頁参照）。

122 I 但書)。一般調査期間や一般調査期日における調査で足りるからである。特別調査期日は，特別性という点では，特別調査期間に関する規律が準用され，期日性という点では，一般調査期日に関する規律が準用される（同Ⅱ)。失権効の適用対象とならない破産債権が調査の対象となること（破119Ⅱ)，調査の費用が当該破産債権者の負担とされること（同Ⅲ)，期日変更に関する手続（同Ⅵ）および費用の予納（破120）の準用は，前者に属し，調査の方法（破121）の準用は，後者に属するものである。

3 戦略的異議

債権調査手続における破産管財人の認否については，認めない理由を述べることを義務づけられず，また理由を述べたとしても，後の債権確定手続においてそれに拘束されない。これに対して，認めないとされた届出破産債権者は，執行力ある債務名義または終局判決がない限り，破産管財人を相手方として破産債権査定申立てをしなければならない（破125Ⅰ本文)。したがって，破産管財人の認否によって届出債権者が受ける影響は大きなものがある。

そこで，破産管財人としては，真に届出債権について疑いをもつ場合だけではなく，届出破産債権者が債権調査に非協力的態度をとり，証拠書類などを提出しないことに対する制裁として認めない旨を述べ，また届出破産債権者が破産手続開始前に商品の自力回収行為をなし，その返還義務を履行しない場合に，それに対する制裁として届出破産債権に対して認めない旨を述べ，あるいは実質的に劣後化されるべき親会社や破産法人の代表者の破産債権などに対して認めない旨を述べることがある。こうした動機にもとづく届出破産債権に対する否認は，旧法以来戦略的異議と呼ばれ，その適否については議論がある[56]。

56) 破産債権者間の実質的公平を実現し，手続を円滑に進めるための手段として，これを積極的に評価するものとして，棚瀬＝伊藤79頁，増山宏「債権調査期日」裁判実務大系(6) 398, 403頁，霜島454頁，新版破産法426頁〔瀬戸英雄〕，条解破産法〈第3版〉869頁，破産・民事再生の実務［破産編］489頁，破産管財の手引〈第2版〉286頁，220問340頁〔勝村真也〕，破産法大系Ⅰ356頁〔上野保〕，倒産・再生訴訟368頁〔杉山悦子〕，債権調査・配当317頁〔河野慎一郎〕があり，証拠書類などを提出しない場合に限るべきであるとするものとして，実務上の諸問題208頁，基本法274頁〔栗田隆〕がある。ただし，破産管財の手引〈第2版〉287頁，220問340頁〔勝村真也〕は，代表者も破産している場合には，代表者の財産も公平に分配されることなどから，通常は異議を述べる必要はないとする。
なお，類似のものとして，暫定的異議なる実務運用があり，対象破産債権についての調査が完了していないときなどに，後の撤回も想定して，暫定的に異議を述べるものである

もちろん，届出破産債権の存在について何ら疑いがないにもかかわらず，もっぱら破産債権者を困惑させるために認否権を恣意的に行使することが許されるはずはないが，破産債権者が十分な証拠書類を出さないなど債権の存在に疑問がある場合だけでなく，破産債権者間の実質的衡平を図る目的で認否権を行使し，あるいは認否権の行使を通じて破産債権者の協力を確保し，破産財団を増殖することも，破産管財人の認否権行使として正当なものと評価される。

4 調査による債権の確定

債権調査において破産管財人から否認されず，他の破産債権者からも異議が述べられなかった債権は，その存在，額および優先権の有無などが確定する（破124Ⅰ）。この確定は，確定債権についての破産債権者表の記載（同Ⅱ）が破産債権者の全員に対して確定判決と同一の効力を有することを意味する（同Ⅲ）。すなわち，否認されず，かつ，異議を述べられずに確定した破産債権の内容は，破産手続内ではもはや争うことができず，議決権の判定や配当表の作成にあたっては，破産債権者表の記載にしたがわなければならないだけでなく，破産手続外であっても破産債権者間では既判力をもって確定されることを意味する[57]。

が，むしろ期日方式の調査によって，期日を延期することで対処すべきであるとされる。条解破産法〈第3版〉868頁，注釈破産法（上）763頁，200問282頁〔森川和彦〕。

[57] 有力説は，真の権利者に対する保護を考えても，確定の対象は債権の帰属を含まないとする（基本法274頁〔栗田隆〕，条解会更法（中）706頁）。しかし，確定債権が自己に帰属することを主張する者も，破産債権者たるべき者であり，これを除外する理由はない。条解破産法〈第3版〉907頁，注釈破産法（上）803頁。
　また，ここでいう確定判決と同一の効力が既判力を意味するかどうかについて，通説はこれを肯定するが（中田215頁，倒産・再生訴訟372頁〔杉山悦子〕），有力説は，破産債権調査には誤りがともないやすいこと，あるいは不必要な異議を誘発しやすいことなどを理由として，既判力を否定し，配当および議決権の関係のみで働く，破産手続内の効力であるとする（谷口298頁，宗田277頁，霜島457頁，基本法276頁〔栗田隆〕，条解会更法（中）701頁，大コンメンタール518頁〔橋本都月〕）。しかし，手続への信頼性を高める上からも，ここでいう確定力は，破産債権者間での既判力を意味するものと解し，破産手続外でも破産債権者表記載時における債権の存在や内容を争うことはできないと解すべきである。有力説は，破産式確定に裁判の契機が介在しないことを理由の1つとするが，これは請求の認諾（民訴267）の場合なども同様であり（伊藤・民訴法490頁参照），破産債権者の届出を破産管財人が認め，また破産債権者が異議を述べなかったこと，裁判所書記官によって破産債権者表として公証されたことを前提として（破124Ⅱ），集団的権利確定手続としての特質を考慮して，法が既判力を付与したものと解すれば足りる。そのほか，否定説と肯定説の結論が分かれる局面については，条解破産法〈第3版〉910頁，注釈破産法（上）801頁参照。なお，ここでいう確定判決と同一の効力や既判力は，法

ここでいう破産債権者は，届出破産債権者および届出をなさなかった破産債権者のすべてを含む。また，破産債権者の利益を代表する破産管財人にも拘束力が及ぶので，無償行為否認の対象となるべき保証（本書598頁）にもとづく届出破産債権などに対して否認権を行使しようとする破産管財人は，調査手続において認めない旨を述べておく必要がある。

5 破産債権者表の記載に対する不服申立て

確定債権についての破産債権者表の記載は，確定判決と同一の効力をもつが，その記載に誤りがある場合の更正方法については，旧法下で考え方が分かれていた。すなわち，破産債権者表の表現上の瑕疵として，破産債権額の計算間違いや異議の有無についての誤記が存在する場合がある。これらの誤りが破産債権者表自体から明白であるときには，判決の更正に準じて，破産債権者表の更正決定を求めることができること（破13，民訴257）については，異論がみられなかったが，誤りが破産債権者表から明白でないときについては，いくつかの考え方が対立していた[58]。しかし，現行法は，破産債権者表作成者たる裁判所書記官に更正の権限を認めるのが合理的であるとの考え方に立ち，誤りの明白性とかかわりなく，裁判所書記官が，申立てによってまたは職権で，いつでもその誤った記載を更正する処分をすることができるものとしている（破115Ⅲ）。

次に，破産債権者表の記載について内容上の瑕疵があるときには，不服申立方法として，再審の訴えおよび請求異議の訴えが認められる。たとえば，債権

131条1項および2項の場合と同様に，破産債権者の全員に対するものであり，それ以外の第三者を拘束するわけではない。名古屋地判平成28・7・27交通事故民事裁判例集49巻4号952頁。

もっとも，再生手続開始決定によって破産手続が中止し（民再39Ⅰ。本書874頁），再生計画認可決定の確定による失効（民再184本文）が予定されているときには，再生債権としての確定（民再104Ⅰ。本書1043頁）が破産債権としての確定に代わるものとなるから，上でいう既判力はその基礎を失う。具体例については，中島弘雅「破産債権確定後の破産会社に対する再生手続開始の可否」多比羅喜寿140頁参照。失効の意義として，破産手続が遡及的に効力を失うと解されていること（条解民事再生法971頁〔畑宏樹〕），破産債権確定の目的が破産配当の実施にあること（条解破産法〈第3版〉902頁）が，このような考え方を正当化すると思われる。民事再生法247条にもとづく債権届出の再利用の規定（本書1250頁）も，同規定が破産債権の確定いかんにかかわらず適用されると考える立場からは，この考え方に親和的となる。松下淳一「倒産処理手続相互の関係」ジュリ1273号112頁（2004年）参照。

58) 伊藤・破産法〈第3版補訂版〉398頁，一問一答161頁，基本構造162頁，条解破産法〈第3版〉913頁参照。

届出に際して偽造の証拠書類が提出されたとか，詐欺・脅迫など刑事上罰すべき他人の行為によって債権調査期日における異議の提出が妨げられた場合などに関しては，それぞれ再審事由を類推適用して再審の訴えが認められる（破13，民訴338Ⅰ⑤⑥）[59]。また，破産債権者表に記載された債権が記載時後に保証人などからの弁済によって確定後に消滅したにもかかわらず，届出債権者が債権放棄の申出をなさず，配当を求める場合には，破産管財人は，その者を被告として請求異議の訴え（民執35）を提起できる。過剰な配当がなされた場合には，破産管財人による不当利得返還請求がなされる（本書317頁）。

6 破産者に対する破産債権者表の効力

債権調査手続において破産者が述べた異議は，破産債権者表に記載される（破124Ⅱ）。破産者の異議は，破産債権者間の債権確定を妨げる効力をもたないが（同ⅠⅢ），異議を述べないと，異時破産手続廃止（破217Ⅰ）もしくは同意破産手続廃止（破218Ⅰ）の決定が確定したとき，または破産手続終結の決定（破220Ⅰ）があったときは，確定した破産債権についての破産債権者表の記載が破産者に対して確定判決と同一の効力をもつ（破221Ⅰ前段・Ⅱ）[60]。し

---

[59] 再審裁判所は当該破産事件を担当する裁判体が所属する裁判所である（破13，民訴340Ⅰ）。再審の訴えが認められるときには，当該破産債権が確定した旨の記載が取り消された上，破産債権者表の記載が改められる。

なお，すでに確定判決をえていた破産債権の届出に対して，債権調査手続において異議が述べられなかったにもかかわらず，後に破産管財人が上記の確定判決に対して再審の訴えを提起し，確定判決を取り消したときには，さらに破産債権者表の記載に対して再審の訴えを提起し，異議を記載させることができる（大判昭和16・12・27民集20巻1510頁〔倒産百選〈初版〉58事件〕）。条解破産法〈第3版〉914頁。

請求異議の訴えについては，消極的確認訴訟の選択肢もあるといわれるが，いったん確定した破産債権が事後的に消滅したことを理由としてその存在を争う手段としては適当でない。豊島ひろ江＝上田純「破産債権・再生債権の確定後の債権消滅・変更に対する処理——債権者表の記載と実体法上の権利関係に齟齬がある場合の事例処理を中心に」銀行法務21 766号37頁（2013年）参照。

なお，最決平成29・9・12民集71巻7号1073頁〔倒産百選47事件〕における木内裁判官の補足意見は，確定した破産債権者表にもとづいて超過配当となるべき場合に，請求異議の訴えなどを認める可能性があることに言及する。

[60] 同時破産手続廃止の場合（破216Ⅰ）には，債権確定手続が行われないこと，破産手続開始決定の取消しの場合（破33Ⅲ）には，たとえ破産債権確定手続が行われても，その効果が遡及的に消滅すること，再生計画認可決定の確定や更生計画認可決定による破産手続の終了の場合（民再184本文，会更208本文）には，それらの手続による債権確定の効果が残ることが，破産者に対する破産債権者表の効力が除外される理由である。

なお，破産手続の場合には，破産債権の権利変更を予定しないために，破産手続廃止ま

たがって，破産債権の存在および内容が届出債権者と債務者との間で既判力をもって確定される[61]。また，破産債権者表には債務名義としての効力が与えられ，破産債権者は，それにもとづいて破産手続の終了後に破産者に対する強制執行を行うことができる（破221Ⅰ後段，民執22⑦）。

もっとも，破産手続終了後に破産者が免責をえた場合には，破産債権にもとづく強制執行の可能性は消滅するから（破253Ⅰ柱書本文），強制執行の意義はそれほど大きいものではないが，非免責債権（破253Ⅰ①～⑦）となる場合，同意破産手続廃止の場合などのように免責の可能性がない場合（破248Ⅶ①参照），または免責が不許可とされる場合（破252参照）があるから，強制執行の可能性がまったく存在しないわけではない。また，時効期間に関しても確定の有無は意味をもつ（民169Ⅰ）。

破産者が異議を述べた債権について，破産手続開始決定当時係属し，かつ，中断している訴訟（破44Ⅰ）がある場合には，破産手続が終了した段階で，中断事由が解消し，破産者が手続を当然に受継する。もちろん，当該破産債権が免責の対象となれば，請求は棄却される[62]。

たは破産手続終結のいずれの場合でも，破産者の異議によって破産債権者表にもとづく確定判決と同一の効力が排除されるが（破221Ⅱ），再生手続や更生手続の場合には，再生計画や更生計画の効力による権利変更を予定するために，認可決定確定後や再生手続または更生手続終結後の再生債権表または更生債権者表等の効力（民再180Ⅱ Ⅲ本文，会更206Ⅱ・240本文）は，再生債務者や更生会社の異議によって影響を受けない。本書1044頁，伊藤・会更法・特清法518頁参照（管財人が選任されている場合）。

また，破産債権者表の記載の効力は，確定した破産債権について認められるが，破産手続終結後の債権確定手続において確定した場合も含まれる。大コンメンタール946頁〔瀬戸英雄〕，条解破産法〈第3版〉1525頁。

[61] ただし，既判力否定説も有力である。条解破産法〈第3版〉1526頁参照。その見解によっても，確定判決と同一の効力にもとづく実体法上の効果として，消滅時効期間が10年となる（民169Ⅰ）。

[62] 旧法240条2項は，破産手続内において，中断した訴訟について破産債権者が破産者を相手方として訴訟を受継させることができるとしていた。しかし，免責手続との関係で考えると，破産債権者にとっても訴訟を続行する意味は少なく，逆に破産者の側にとっては訴訟続行によって無用な負担を生じることが多いところから，この規定は削除された。一問一答171頁，基本構造166頁，条解破産法〈第3版〉772，1525頁参照。もちろん，訴訟係属がないときに，破産債権者が異議を述べた破産者を相手方として新たに訴訟を提起することは，破産手続中は許されない（破100Ⅰ参照）。

また，破産者が異議を述べた破産債権について，当該破産債権の不存在を理由として配当金の不当利得返還を求められるかという問題があるが，異議の効果は破産財団に対する破産債権の権利行使に影響するものではなく，破産財団から配当を受けたことが破産者に

第3項　破産債権の確定

債権調査手続において破産管財人が認めず，または破産債権者から異議が提出されると，その債権の存否および内容等に関する争いは，破産債権確定手続に委ねられる（破125以下）。債権確定手続は，破産管財人が認めず，または破産債権者が異議を述べた破産債権（異議等のある破産債権と呼ばれる）について，当該破産債権者の側が破産管財人や異議を述べた破産債権者（異議者等と呼ばれる）を相手方としてする破産債権査定決定手続（破125）と，査定決定に対する不服申立方法としての異議の訴え（破126），破産手続開始時に係属する訴訟の債権確定訴訟としての受継（破127）および有名義破産債権を争う訴訟手続（破129）の4つから構成される。

4つの方法のうち，現行法が新たに設けたのは，破産債権査定決定手続である。旧法は，異議のある破産債権確定のための手続として，破産債権確定訴訟の制度を設けていたが（旧破244以下），これが破産手続遅延の一因として批判されたことから，現行法は，民事再生（民再105以下）や会社更生（会更151以下）にならって，査定決定手続を導入したものである。査定決定手続は，判決手続ではなく，決定手続によって迅速な審理を実現できること，破産手続を主宰している裁判所がその審判にあたることなどの特徴があり，破産手続の迅速化に資することが期待される[63]。

ただし，議決権についての異議（破140Ⅱ）については，このような厳格な方法によらず，裁判所が定める額によって決定される（同Ⅰ③・141Ⅰ②）。

損失を及ぼしたことにあたらないから，否定すべきである。条解破産法〈第3版〉1528頁。

[63]　一問一答167頁参照。なお，法13条は，破産手続に関して民事訴訟法の規定を包括的に準用しているが（その趣旨について，金子修・一問一答非訟事件手続法5頁注3（2012年）参照），債権査定申立事件は，当該破産事件から派生するものではあるが，それ自体とは区別されるものであるから，非訟事件として調停に付することができる（民調20Ⅳ）。和解も可能である。再生手続の場合（本書1044頁）も同様である。破産・民事再生の実務［再生編］237頁。
　　さらに，破産債権たる財産分与請求権，養育費請求権，婚姻費用分担請求権のように，その請求権の性質上，家庭裁判所における手続が適している場合には，査定申立てに代えて，家事審判手続などの受継申立てによることができるとする考え方がある。倒産と訴訟208頁〔島岡大雄〕。

1 破産債権査定決定

 破産債権の調査において，その額または優先劣後部分の有無（額等と呼ばれる）について，異議等のある破産債権を有する破産債権者は，その額等を確定するために，異議者等の全員を相手方として，当該破産事件を担当する裁判体である裁判所に，査定の申立てをすることができる（破125Ⅰ本文）。ただし，異議等のある破産債権に関して，破産手続開始当時訴訟が係属する場合には，その訴訟の受継申立てによって確定が図られ（破127Ⅰ），また執行力ある債務名義のある破産債権が異議等の対象となっているときは，そのための特別の手続が設けられているので（破129Ⅰ Ⅱ），査定の申立てはできない（破125Ⅰ但書）。

 査定の申立ては，異議等のある破産債権に係る一般調査期間もしくは特別調査期間の末日，または一般調査期日もしくは特別調査期日から1月の不変期間（破13，民訴96）内にしなければならない（同Ⅱ）[64]。申立書の義務的記載事項は，当事者の氏名等（破規2Ⅰ①），申立ての趣旨（同②），訓示的記載事項は，申立てを理由づける具体的な事実（同Ⅱ①），立証を要する事由ごとの証拠（同②），および申立人または代理人の電話番号等（同③）であり，申立書には，立証を要する事由についての証拠書類の写しを添付するものとされる（同Ⅲ）。また，申立てをする者は，申立書および証拠書類の写しを相手方に送付しなければならない（同Ⅳ）。

 査定申立てがあったときは，裁判所は，申立期間の徒過などを理由にこれを不適法として却下する場合を除いて，異議者等を審尋の上（破125Ⅳ）[65]，決定

---

[64] 旧法においては，債権確定訴訟の出訴期間について特別の規律が置かれず，最後配当手続の直前になって訴訟が提起されることも可能であり，それが破産手続遅延の一因になっているとの批判を踏まえて，査定申立ての期間制限がなされたものである。一問一答169頁，基本構造163頁，条解破産法〈第3版〉920頁参照。なお，1月の不変期間を徒過すると，当該破産債権者が手続に参加できないことが確定するから，その後に，破産管財人が当該破産債権についての認否を認める旨に変更することは（破規38・44Ⅰ），意味を有しない。ただし，この点に関しては，見解の対立がある。基本構造166頁，本書684頁参照。
 また，破産債権者が査定申立期間を徒過したときには，破産債権が零円として確定するのではなく，届出がなされなかったのと同様の状態になり，破産手続に参加することができない。したがって，破産手続参加による時効の完成猶予の効力（民147Ⅰ④）も6カ月後に消滅する。条解破産法〈第3版〉921頁参照。
[65] 原則として審尋期日は開かず，書面審尋である。破産管財の手引〈第2版〉292頁。破産管財人の答弁書の記載内容について，同293頁参照。再生手続の場合（本書1045頁）における審尋についても同様である。破産・民事再生の実務［再生編］237頁。

で，異議等のある破産債権の存否および額等を査定する裁判（破産債権査定決定と呼ぶ）をしなければならない（同Ⅲ）。たとえば，届け出られた額の全額に対して異議等が述べられた破産債権について，査定申立てがなされたところ，裁判所が，全額が存在しないとの判断に達したときは，査定申立てを棄却するのではなく，届け出た破産債権を零円と査定する旨の査定決定を行う[66]。破産債権査定申立てについての決定，すなわち査定申立てを不適法として却下する決定および破産債権査定決定の裁判の裁判書は当事者に送達しなければならない（同Ⅴ前段）。送達代用公告の規定（破10Ⅲ本文）は適用しない（破125Ⅴ後段）。

2　破産債権査定申立てについての決定に対する異議の訴え

破産債権査定申立てについての決定に不服がある者は，その送達を受けた日から1月の不変期間内に異議の訴え（破産債権査定異議の訴えと呼ぶ）を提起することができる（破126Ⅰ）。破産債権の確定は，その基礎である実体権そのものの存否にかかわるところから，判決手続による不服申立てを保障する趣旨である。ただし，この訴えが遅れて提起されることによる破産手続の遅延を避けるために，1月の出訴期間の制限が設けられている[67]。この訴えの訴訟物は，破産債権査定申立てについての決定に対する異議権であり，訴訟上の性質は，決定の効果を認可し，または変更するための形成の訴えである。なお，提訴手数料算定の基礎となる訴額は，配当の予定額を標準として受訴裁判所が定める（破規45）。

異議の訴えは，破産裁判所（破2Ⅲ）の専属管轄に属する（破126Ⅱ）[68]。裁判所による査定申立てについての決定にかかわる判断の中立性を担保しようとするためである。ただし，訴えの提起を受けた第1審の受訴裁判所は，異議等の

---

[66] 花村298頁参照。なお，法律上では理由を付す必要はないが，異議の訴えとの関係でも，簡潔な理由を付すことが相当である。条解破産法〈第3版〉922頁。

[67] 査定決定において申立ての一部が認められたときには，申立人および相手方のそれぞれが異議訴訟を提起でき，両者が提起したときは，訴訟を併合する。一方が提起したときに，他方が反訴として異議訴訟を提起するときは，出訴期間の制限が及ばないとする見解が有力である（倒産と訴訟132頁〔酒井良介＝上甲悌二〕）。

[68] 東京地裁では，破産再生部ではなく，民事通常事件を扱う部に配点する。破産管財の手引〈第2版〉293頁。なお，破産債権に関する争いの迅速な解決のために，破産配当の前提となる裁判としての特質を重視して，異議の訴えの制度を見直し，査定決定に対する不服申立ても決定手続に委ねるべきであるとの立法論がある。園尾隆司「法的整理と私的整理は今後どこに向かうのか――倒産事件減少の背景と将来の展望」金法2050号17頁（2016年）。

ある破産債権を有する者の訴訟追行上の不利益を救済するために，事件を他の裁判所に移送することが認められる。すなわち，大規模事件の土地管轄（破5Ⅷ）または超大規模事件の土地管轄（同Ⅸ）のみによって破産裁判所の管轄が認められているときには（法7条4号ロまたはハによる移送を受けた場合を含む），破産裁判所から遠隔地に居住する破産債権者が存在することが予想されるので，訴えを提起する異議等のある破産債権を有する者の訴訟追行に関して，著しい損害または遅滞を避けるため必要があると認めるときは，受訴裁判所は，職権で，当該訴えに関する訴訟を原則的土地管轄を有する裁判所（破5ⅠまたはⅡ）に移送することができる（破126Ⅲ）。

異議等のある破産債権を有する破産債権者が破産債権査定異議の訴えを提起するときは，異議者等の全員を共同被告とし，当該異議者等が訴えを提起するときは，当該破産債権者を被告とする（同Ⅳ）。前者の場合には，被告となる異議者等の全員[69]について固有必要的共同訴訟が成立するが，後者の場合には，当該破産債権に対する異議者等が複数存在する場合であっても，当事者適格は個別的に認められる。ただし，判決は，破産債権者全員に対する対世効を与えられる関係から（破131Ⅰ），類似必要的共同訴訟の成立が認められ，数個同時に係属する訴訟の弁論および裁判は併合され，審理については，必要的共同訴訟の特則（民訴40Ⅰ～Ⅲ）が準用される（破126Ⅵ）。また，破産債権査定異議の訴えの口頭弁論は，1月の出訴期間経過後でなければ開始することができないとの規律（同Ⅴ）も，併合審判を担保するためのものである[70]。

---

69) 破産管財人が複数存在するときは，職務分掌（破76Ⅰ）がなされていない限り，その全員を被告とする。なお，破産者が異議を述べている場合でも，破産者を被告とする必要はない。

70) 異議を述べなかった破産債権者が破産債権査定異議訴訟の被告側に補助参加（民訴42）できるかどうかという問題がある。旧法下の破産債権確定訴訟について下級審裁判例にはこれを肯定するものがあり，多数説もそれを支持するが，有力反対説もある。補助参加を認めるのは，名古屋高決昭和45・2・13高民23巻1号14頁〔倒産百選〈初版〉59事件〕，これを支持するのは，山木戸252頁，注解破産法（下）529頁〔中島弘雅〕，井上治典「判例解説」倒産百選〈初版〉124頁，基本法281頁〔栗田隆〕，破産・和議の実務（下）90頁，注釈破産法（上）817頁，破産法大系Ⅰ461頁〔石田憲一〕など。否定するのは，条解会更法（中）740頁などである。債権調査手続で異議を述べなかった以上，破産債権者は異議権を失うから，訴訟の結果について法律上の利害関係を有する者とはいえず，補助参加の利益を否定すべきである。破産債権査定異議訴訟の結果が他の破産債権者への配当額に影響するのは，事実上の利益にすぎない。訴訟を不必要に長引かせない点でも反対説が優れている。破産債権査定申立手続の場合も同様である。条解破産法〈第3

破産債権査定異議の訴えに対する判決は，出訴期間の徒過などを理由に訴えを不適法として却下する場合を除いて，査定申立てについての決定を認可し，または変更する（同Ⅶ）。届け出た破産債権を零円とする査定決定を取り消して，その全部または一部を認定する場合や，逆に，一定額の破産債権の存在を認めた査定決定を取り消して，届け出た破産債権を零円とする場合も，変更する判決に含まれる[71]。

なお，破産債権査定異議の訴えの係属中に破産手続が終了した場合の取扱いについては，本書1253頁において説明する。

3 異議等のある破産債権に関する訴訟の受継

ある破産債権を訴訟物とする訴訟が破産手続開始当時係属するときには，その訴訟は開始とともに中断する（破44Ⅰ）。この訴訟は，破産管財人による受継の対象とはならない（同Ⅱ）。しかし，当該破産債権の届出に対して異議等が提出されたときには，係属中の訴訟と別に破産債権査定手続を開始することは合理性を欠くので，係属中の訴訟を破産債権確定訴訟として続行させようとするのが，この制度の趣旨である。

すなわち異議等のある破産債権に関し破産手続開始当時訴訟が係属する場合において[72]，破産債権者がその額等の確定を求めようとするときは，異議者等

版〉921, 929頁，注釈破産法（上）811頁，倒産と訴訟131頁〔酒井良介＝上甲悌二〕。その他，和解，裁判書，大量の査定申立ての取扱いなどについて，倒産と訴訟133頁以下〔酒井良介＝上甲悌二〕参照。和解については，非訟事件手続法65条を根拠とする。
71) 破産債権者全員に対する関係で，異議等のある破産債権の存否・内容を確定するためである（破131Ⅰ参照）。花村304頁参照。
なお，査定決定においては，破産債権を届出額の半額と決定したのに対して，届出破産債権者が異議の訴えを提起したときに，判決において原告により不利な額とすることは，不利益変更禁止の原則に抵触する。条解破産法〈第3版〉930頁。
また，査定の申立てを不適法として却下した決定に対する異議の訴えにおいて，却下決定を正当とするときには，却下決定を認可し，または請求を棄却する判決を，却下決定を不当とし，破産債権の存在を認めるときは，却下決定を取り消した上で，その判断にしたがった判決を，破産債権の存在を認めないときは，却下決定を取り消した上で，届け出た破産債権を零円とする旨の判決をすべきである。再生手続について，森倫洋「再生債権の調査・確定」講座（3）408頁。
72) ここでいう訴訟には，通常訴訟のほか，手形小切手訴訟（民訴350以下）などの特別訴訟も含まれる。ただし，受継後に通常訴訟に移行し，請求の趣旨を確認請求に変更しなければならない。優先的破産債権部分である給料等の請求権についても労働審判の手続が中断および受継の対象となるかどうかの議論がある。条解破産法〈第3版〉933頁，注釈破産法（上）822頁，債権調査・配当356頁〔三森仁〕。また，訴訟物の同一性に関して，

の全員を当該訴訟の相手方として，訴訟手続の受継の申立てをしなければならない（破127Ⅰ）[73]。査定申立ての場合と同様に，受継申立ても一般調査期間の

同一内容の給付を目的とする請求権競合の関係にある場合（伊藤・民訴法218頁）などについては，柔軟に考えるべきであろう。債権調査・配当353頁〔三森仁〕。

外国における訴訟や仲裁手続がここに含まれるかどうかについては，見解の対立があり（事業再生迅速化研究会〔第5PT〕「倒産実務の国際的側面に関する諸問題（上）」NBL994号82頁（2013年）），法文上は，外国訴訟がここでいう訴訟にあたるとはいいがたいが，仲裁の場合と同様に（本書707頁），当事者間に合意があり，外国手続の追行が破産財団にとって著しい負担とならないという条件の下で，また，わが国の破産手続の効力が当該外国で承認されているような事情があるときなど，外国訴訟手続の受継を認めるべきこともあろう。福岡真之介ほか「第一中央汽船の民事再生について——海運会社の国際的倒産事件の事例」事業再生と債権管理156号135頁（2017年），債権調査・配当540頁〔柴田義人〕，610頁〔園尾隆司〕，伊藤眞「破産債権確定手続と外国訴訟手続および仲裁手続の交錯」金法2140号35頁（2020年）（伊藤・古稀後著作集468頁），150問354頁〔篠田憲明〕，破産実務の基礎398頁，運用指針530頁参照。

また，調停や審判手続係属中の財産分与請求権を条件付破産債権として扱い，その届出を認める前提に立ったときに（本書295頁参照），異議等を述べた破産管財人などが手続を受継するとの考え方もあるが，財産分与という事柄の性質上，破産者たる分与義務者に手続を追行させ，条件の成就，すなわち調停や審判の成立に関する争いがあれば，配当表に対する異議（破200Ⅰ。本書756頁）に委ねるとの考え方が有力である。森宏司「家事調停・審判手続中の当事者破産」伊藤古稀1169頁参照。

なお，破産債権としての届出がないために債権調査の対象とならない債権に関する訴訟は，受継の対象とならない。この種の訴訟も中断するが（破44Ⅰ），破産管財人による受継に適さないためであり，破産手続終了後に破産者がこれを受継する（同Ⅵ）。条解破産法〈第3版〉936頁，倒産と訴訟149頁〔住友隆行〕，債権調査・配当352頁〔三森仁〕。

最判平成25・7・18判時2201号48頁は，破産手続開始前の仮執行にもとづく相手方の返還請求権や損害賠償請求権（民訴260Ⅱ）は破産債権であり，その申立ての手続（民訴260Ⅱ）は，破産手続開始とともに中断するが，同請求権の破産債権としての届出がない限り，破産管財人に対して続行命令を発することは違法であると判示する。なお，相手方の返還請求権や損害賠償請求権の破産債権性については，本書288頁，山本和彦「破産債権の概念について」徳田古稀746頁参照。更生債権としての届出がなく，訴訟の受継の手続（会更156・158．破127・129相当）がとられなかった訴訟費用請求権について，その発生の基礎となる事実関係が更生手続開始前に発生していたことを根拠とし，更生債権の届出がなかった以上，免責（会更204Ⅰ①）の効力が及ぶとする最決平成25・11・13民集67巻8号1483頁がある。破産債権（更生債権）の地位に関する一部具備説（本書288頁，山本・前掲論文）を前提とするものである。

[73] 受継手続の詳細については，伊藤・民訴法269頁参照。異議者等の側から届出破産債権者に対して受継申立てを促すこともできるが，届出破産債権者が受継申立てを義務づけられるわけではない。したがって，裁判所が続行命令（民訴129）を発する余地はない（奈良次郎「破産債権確定訴訟」実務と理論179，180頁，注解破産法（下）539頁〔林伸太郎〕，条解会更法（中）762頁，条解破産法〈第3版〉937頁）。最後配当の除斥期間との関係については，破産実務の基礎369頁参照。

なお，上告審係属中に破産手続が開始し，訴訟手続が中断したが，上告状，上告理由書，答弁書その他の書類により上告を理由なしと認めるときは（民訴319），受継の手続を経

末日等から1月の不変期間内にしなければならない（同Ⅱ）[74]。受継の対象となる訴訟は，当該破産債権者と破産者を訴訟当事者とするもので，当該破産債権を訴訟物とする訴訟であれば[75]，給付訴訟であっても，破産債権者の側からの積極的確認訴訟または破産者の側からの消極的確認訴訟であっても差し支えない。

ただし，続行される手続は，破産債権確定手続としての性質をもつので，場合によっては，請求の趣旨を変更する必要が生じる。たとえば，受継される訴訟が給付訴訟であり，異議等の対象が破産債権の額であれば，それについての確認請求に，異議等の対象が当該破産債権にかかる優先権であれば，請求の趣旨を優先的破産債権であることの確認請求に変更しなければならない[76]。なお，異議者等が複数存在するときには，受継後の訴訟が固有必要的共同訴訟となる関係から，その全員を相手方として受継の申立てをしなければならず，一部の者のみを相手方とする受継申立ては，不適法である[77]。

4 主張の制限

破産債権査定決定手続，破産債権査定異議の訴えおよび破産債権確定訴訟と

ることなく，口頭弁論を経ずに上告棄却の判決をすることができる（最判平成9・9・9判時1624号96頁，倒産と訴訟143頁〔住友隆行〕）。

74) 受継申立期間が徒過されたときには，中断状態が続き，破産手続終了後に破産者が受継する（破44Ⅵ）。倒産と訴訟153頁〔住友隆行〕。もっとも，特に法人である破産者の受継が期待しがたい事案が多いところから，当該債権を破産債権として行使しない旨の破産債権者からの意思表示にもとづいて，破産管財人の受継（破44Ⅱ前段）とともに，破産債権者が訴えを取り下げるとの見解がある。運用と書式99頁。

75) もっとも，請求権競合など同一の給付を目的とする請求権の場合には，たとえ旧訴訟物理論を前提としても，受継を許してよい（注解破産法〈下〉538頁〔林伸太郎〕，基本法282頁〔栗田隆〕），条解破産法〈第3版〉935頁，倒産と訴訟148頁〔住友隆行〕）。

76) 破産実務の基礎370頁。一般には，訴えの変更が許されるのは事実審の最終口頭弁論終結までであるが（伊藤・民訴法649頁参照），上告審係属中に給付訴訟が破産手続開始によって中断し，破産管財人によって受継された場合には，原告は，債権確定訴訟への訴えに変更することが許される（最判昭和61・4・11民集40巻3号558頁〔倒産百選73事件〕）。その他，民事訴訟法143条1項但書などの制限も適用されない。

また，債務不存在確認請求の被告である債権者が受継するときに，異議者等を被告として債権確認請求の反訴を提起しなければならないか，請求棄却を申し立てれば足りるかについては，見解が分かれるが（大コンメンタール531頁〔橋本都月〕，条解破産法〈第3版〉939頁，条解民事再生法567頁〔大村雅彦〕参照），原則としては後者を是とする（倒産と訴訟156頁〔住友隆行〕）。

77) ただし，旧法（旧破246Ⅱ・244Ⅱ後段）と異なって，異議を述べた破産者を受継の相手方に含める必要はない。

して受継される訴訟における審判の対象は、いずれも異議等の対象となっている破産債権の存在もしくは額、または優先権などの属性である。したがって異議等のある破産債権を有する破産債権者は、破産債権者表に記載されている事項のみを主張することができる（破128）。もっとも、法律上の性質は異にしても、発生原因事実から同一の債権と評価される場合であれば、破産債権者表に記載された届出事項と異なる主張をすることも許される。たとえば、売買代金債権として届け出たものを請負代金債権へと変更する場合などがこれにあたる[78]。ただし、発生原因事実から別個の債権とみなされるものの確定を求めることは、異議者等以外の破産債権者の異議権の保障、および調査・確定手続の趣旨に反するから許されない。

異議者等の側も、破産債権者表に記載された異議事項以外の新たな事項に対して異議を提出することはできないが、異議等の理由に関しては、破産管財人の場合と破産債権者の場合とで区別して考えなければならない。破産管財人が破産債権者の届出事項について認めない旨の意思を表明するときには、理由を述べる義務はない。実務上は理由を述べることが多いと思われるが[79]、破産債権査定異議の訴えなどにおける破産管財人の主張がそれに拘束されるべき理由はない。これに対して、破産債権者の異議の場合には、理由付記が手続上の義務とされており（破規39Ⅰ前段・43Ⅰ前段）、後にそれと異なる理由を主張することは、信義則違反とされる可能性がある（破13、民訴2）。

具体的な異議事由等として、破産管財人が認めない旨の意思を表明するときは、否認権行使を理由とするほかに、破産者が当該破産債権者に対してもっていたあらゆる抗弁を主張することが可能である。これに対して、異議者が破産債権者である場合には、破産者のもつ形成権、すなわち取消権や解除権などについては、それが破産管財人の管理処分に服するという理由から、主張可能性が否定される[80]。留置権や同時履行の抗弁権などの権利抗弁についても同様で

---

78) 前掲大判昭和11・10・16（注8）。大阪高判昭和56・6・25判時1031号165頁〔会社更生〕〔新倒産百選71事件〕、大阪高判昭和56・12・25判時1048号150頁〔会社更生〕。否定例として、仙台高判平成16・12・28判時1925号106頁〔民事再生〕がある。裁判例および学説の詳細については、条解破産法〈第3版〉941頁、注釈破産法（上）830頁、条解民事再生法569頁〔大村雅彦〕、倒産と訴訟118頁〔酒井良介＝上甲悌二〕、森・前掲論文（注71）400頁参照。
79) 民事再生規則38条1項について民事再生法逐条研究92頁における林道晴発言参照。
80) もっとも、消滅時効の抗弁については、破産財団にとって不利になりえないという理

ある。

5 有名義破産債権に関する特則

異議等のある破産債権について執行力ある債務名義または終局判決が存在するときには（有名義破産債権と呼ぶ），異議者等は，破産者がすることができる訴訟手続によってのみ異議を主張することができる（破129 I）。有名義破産債権についてこのような取扱いがなされるのは，破産手続開始までにこれらの破産債権者が取得した訴訟上の地位を尊重し，破産管財人などの異議者等が届出破産債権を争う手段を破産者ができる範囲に限ろうとする趣旨である[81]。

(1) 執行力ある債務名義のある破産債権

債務名義（民執22）は執行力を内包するものであるが，執行力ある債務名義として認められるためには，執行力存在の公証が要求されるのが原則である（民執25本文）。したがって，少額訴訟の確定判決や仮執行宣言付支払督促など例外的な場合を除くと（同但書），有名義破産債権者として認められるためには，債務名義について執行文の付与（民執26）を受けていることが前提となる[82]。なお，届出破産債権者が破産手続開始前に執行文の付与を受けているときには，有名義破産債権者として認められることに問題はないが，破産手続開始後に執行文の付与を受けることができるか，また執行文付与を受けた時に有名義破産債権として扱われるか否かについては，見解の対立がある。

破産手続中では，破産債権者の個別的権利行使が許されないことを理由として否定する見解も有力であるが，有名義破産債権について特別の取扱いをする理由が，届出破産債権者が破産手続開始前に取得した有利な地位を尊重することにあるとすれば，執行文の有無によって決定的な差異を設けるのは適当でないし，執行文は，債務名義にもとづく執行力の現存を公証するものにすぎないことを考えれば，届出破産債権者は破産手続開始後にも執行文の付与を受けて，有名義破産債権者として扱われるとすべきである[83]。

　　由から，主張を認める考え方が有力である（注解破産法（下）527頁〔中島弘雅〕，基本法281頁〔栗田隆〕，条解会更法（中）744頁，注解会更法539頁〔三上威彦〕，条解破産法〈第3版〉943頁など）。

[81] したがって，有名義破産債権についてその優先権についてのみ異議等が提出されたときには，届出破産債権者が債権確定手続を開始しなければならない（石原573頁，基本法279頁〔栗田隆〕，注釈破産法（上）835頁）。優先権の存在は債務名義などによって確定されていないからである。

[82] 最判昭和41・4・14民集20巻4号584頁〔会社更生〕。

(2) 終局判決のある破産債権

　終局判決は，訴訟物として届出破産債権の存在を認める趣旨のもの，またはこれに準じるものであればよく，給付判決に限られず，債務存在確認判決，債務不存在請求棄却判決，あるいは請求異議棄却判決などのいずれも含まれる。外国の確定判決や仲裁判断が，終局判決に準じるものとして扱われるかどうかは問題であるが，仲裁判断は，確定判決と同一の効力が認められるので（仲裁45 I 本文），終局判決と同視される[84]。

　これに対して，外国裁判所の確定判決は，直ちにわが国の終局判決としての効力が認められるものではないが，法定の要件が満たされていれば（民訴118），外国裁判所の確定判決の効力がわが国においても自動的に承認されるのであるから[85]，理論的には，承認要件を満たす外国裁判所の判決は，終局判決として扱ってよい。また，問題となる外国裁判所の確定判決が給付判決に限定されるものでもないから，執行判決（民執24）を要求すべきではない。

　ただし手続的には，外国裁判所の確定判決が承認要件を満たしているかどう

83）　ただし，条件成就執行文や承継執行文（民執27）については，執行文付与の訴え（民執33）の被告を誰とすべきかという問題がある。破産者が適格をもつとする説（加藤・研究7巻316頁），この種の特殊執行文については，破産手続開始後に付与を求めることは許されないとする説（基本法285頁〔栗田隆〕）などがある。執行文の付与を目的とするといっても，破産手続中に破産者を被告として訴えを提起することを認めるのは，法100条1項との関係でも問題があるので，後者に賛成する。条解破産法〈第3版〉946頁，本書299頁参照。

84）　和解調書などに認められる確定判決と同一の効力（民訴267）とは，既判力を含まないとする見解も有力であるが，ここで問題となるのは終局判決にあたるかどうかであって，既判力の有無ではないから，この種の調書は，たとえ執行力ある債務名義にあたらないときでも，終局判決に準じるものと扱ってよい（基本法285頁〔栗田隆〕，破産・和議の実務（下）90頁，条解破産法〈第3版〉947頁）。

　　また，再生手続や更生手続から破産手続に移行する場合（牽連破産）において，先行手続で確定した破産債権（民再104 III等，会更150 III等）は，終局判決のある破産債権と同様に取り扱うべきである。島岡大雄「民事再生事件の履行監督と民事再生から破産への移行（牽連破産）事件の処理における一裁判官の雑感（下）」銀行法務21 811号41頁（2017年），同「民事再生事件の履行監督及び牽連破産事件の処理について」多比羅喜寿519頁，本書第3部注16参照。

85）　わが国における承認の考え方が自動承認であることについては，高田裕成「財産関係事件に関する外国判決の承認」澤木敬郎＝青山善充編・国際民事訴訟の理論365，385頁（1987年）参照。ただし，執行判決を備えてはじめて，終局判決と同視されるとする考え方も有力である（基本法285頁〔栗田隆〕，債権調査・配当606頁〔園尾隆司〕参照）。議論の詳細については，条解破産法〈第3版〉948頁，注釈破産法（上）838頁，破産実務の基礎397頁，運用指針530頁参照。

かは，必ずしも明らかではない。したがって，外国裁判所の確定判決をともなう破産債権届出がなされ，これに対して異議等が提出された場合には，異議者等の側で，法129条1項に準じて，外国裁判所の判決不承認の訴えを提起することを認めるべきである[86]。

(3) 異議者等が開始すべき手続

有名義破産債権者に対しては，破産管財人などの異議者等は，破産者がすることのできる訴訟手続によってのみ，異議を主張することができる（破129Ⅰ）。たとえば，届出破産債権者が確定判決をもっている場合には，判決の更正申立て（民訴257），あるいは再審の訴え（民訴338）などが[87]，それぞれの異議事由に応じて考えられる。これらの訴訟等の管轄は，それぞれについての一般原則によって定まる。

これに対して，届出債権者が未確定の終局判決をもつ場合には，訴訟が係属中であるので，異議者等から受継の申立て（破129Ⅱ），またはそれを前提とした上訴もしくは異議申立てなどをなすことができる[88]。異議者等がこれらの方法によって異議を主張するについても，出訴期間の制限（破125Ⅱ）が課され

---

[86] 外国裁判所の判決不承認の訴えが許されることについては，鈴木忠一＝三ケ月章編・注解民事執行法（1）390, 425頁〔青山善充〕（1984年）参照。東京地判昭和51・12・21下民27巻9〜12号801頁〔新倒産百選119事件〕は，外国裁判所の確定判決ある債権を有名義債権に準じるものとして，破産管財人が，旧法248条1項（現破129Ⅰ）にもとづいて外国裁判所の判決不承認の訴えを提起することを認める。ただし，高桑昭「外国判決の承認及び執行」新・実務民事訴訟講座7巻125, 159頁は反対。

[87] 請求異議の訴えについては，異議者等が債務名義にもとづく強制執行を排除することを求めるより，債権自体の不存在確認を求めるほうが合理的であるとして，これを否定する有力説がある（加藤・研究7巻56頁，基本法286頁〔栗田隆〕）。請求異議の訴えに関する形成訴訟説を前提とすると，この考え方が合理的と思われる。条解破産法〈第3版〉948頁，注釈破産法（上）839頁参照。

執行証書については，執行文付与に対する異議など（民執32・34）か請求異議の訴えのいずれかという議論があるが，破産債権そのものの存在を争うのであれば，後者が適当である。条解破産法〈第3版〉949頁，注釈破産法（上）839頁。

[88] 有名義破産債権でない場合（破127）と比較すると，異議者等の側に受継の申立て責任が課されているところが特徴である。第1審判決が一部認容判決の場合の控訴審においては，請求認容部分については，異議者等に受継の申立責任が，請求棄却部分については，破産債権者に受継の申立責任が課される。条解破産法〈第3版〉951頁。

また，一部請求にもとづいて当該債権の一部についてのみ仮執行宣言付終局判決がある場合に，全額の破産債権届出がなされ，破産管財人が全額を認めないとするときには，一部については，異議者等に受継の申立責任が，残部については，破産債権者に査定申立責任が課される。220問357頁〔中根弘幸〕参照。

る（破129Ⅲ）。出訴期間を徒過すると，破産債権者の異議はなかったものとみなされ，破産管財人は当該破産債権を認めたものとみなされる（同Ⅳ）[89]。また，口頭弁論開始時期の制限（破126Ⅴ），弁論および裁判の併合（同Ⅵ）および主張の制限（破128）についても，破産債権査定異議の訴えの場合と同様の取扱いがなされる（破129Ⅲ）。

もっとも，破産者に対する債権の存在や額以外の事項が異議の理由であるときには，異議者等が訴訟手続を開始する責任こそ負担するものの[90]，開始すべき手続について上のような制限は課されない。たとえば，破産債権としての適格性や優先権の存否を異議事由とする場合がこれにあたる。これらの場合には，異議者等が新たに優先権不存在確認訴訟などを提起できる。その際の管轄については，破産裁判所の専属管轄が成立する（破126Ⅱ類推）。

(4) 破産手続終了と破産債権確定手続

破産手続終了と破産債権確定手続との関係に関する規律の視点は，以下のようなものである。

第1は，未確定破産債権にかかる配当の必要性の有無である。まず，配当が実施される場合には，未確定の破産債権に対する配当は寄託または供託される（破202①・205・214Ⅰ①）。破産手続終結の決定によって手続が終了するまでに，なお確定手続が終了しない場合には，それが続行され，確定手続の結果に応じて，当該破産債権者が供託された金銭を受領するか，他の破産債権者に対する追加配当が実施される（破215Ⅰ）。これに対して，破産手続廃止または破産取消しによって，配当が実施されずに手続が終了する場合には，破産債権を確定する必要も消滅するので，確定手続も終了する。

第2は，破産債権査定異議の訴えなどの訴訟当事者が破産管財人か異議ある破産債権者かである。破産管財人が当事者となっているときは，破産手続終了による中断規定（破44Ⅳ）との関係で，中断効を否定して続行させる必要があるが，破産債権者が当事者であるときは，単に続行させれば足りる。第3は，破産者を当事者とする先行手続が存在するかどうかである。破産手続開始時に

---

[89] 破産債権にかかる控訴期間中または控訴審係属中に異議者等が受継の手続をとらないと，破産債権は届出通り確定し，訴訟は当然に終了する。再審訴訟についても同様である。条解破産法〈第3版〉951頁。

[90] ただし，優先権の存在は債務名義によって確定していないから，届出破産債権者が起訴責任を負うとする考え方も有力である。条解破産法〈第3版〉952頁参照。

破産者を当事者とする訴訟が，開始後に破産債権確定訴訟として続行されたときは，破産取消しまたは破産手続廃止の場合においては，本来の姿に戻って，破産者が当事者として訴訟を続行する。以下の規律の具体的内容は，これらの視点を組み合わせたものである。

第1に，破産債権査定申立手続中に破産手続が終了した場合については，破産手続開始決定取消決定または破産手続廃止決定の確定による終了と配当による破産手続終結決定による終了とを分け，前者の場合には，破産債権査定申立手続はその意義を失って終了し，後者の場合には続行され（破133Ⅰ）[91]，終了後に破産債権査定申立てについての決定があれば，破産債権査定異議の訴えの提起が認められる（同Ⅱ）。

第2に，破産手続終了時に破産債権査定異議の訴えにかかる訴訟手続または破産債権確定訴訟として受継された訴訟（破127Ⅰ・129Ⅱ）が係属し，その訴訟の当事者が破産管財人であるものについては，配当による破産手続終結の場合に限って，中断せず（破44Ⅳ参照），続行する（破133Ⅲ）。その限度で破産管財人の管理処分権と職務が存続する。

これに対して破産手続開始決定取消決定または破産手続廃止決定の確定による終了の場合には，訴訟手続が中断し，破産者が受継する（破44ⅣⅤ）。

第3に，破産手続終了時に破産債権査定異議の訴えにかかる訴訟手続が係属し，その訴訟の当事者が異議を述べた破産債権者であり，破産管財人でない場合には，破産取消決定または破産手続廃止決定確定による破産手続の終了のときは，訴訟手続は終了し，配当終結のときは，続行する（破133Ⅳ）。

第4に，破産手続終了時に破産債権確定訴訟として受継された訴訟（破127Ⅰ・129Ⅱ）が係属し，その訴訟の当事者が異議を述べた破産債権者であり，破産管財人でない場合には，破産取消しまたは破産手続廃止による破産手続の終了のときは，訴訟手続は中断し，配当終結のときは，続行する（破133Ⅴ）。中断するのは，破産手続開始前に訴訟当事者であった破産者に訴訟を受継させるためである（同Ⅵ・44Ⅴ）[92]。

---

[91] 破産管財人が手続の当事者となっているときでも，その限度では破産管財人の職務が存続する。また，査定手続については，法44条4項の適用はなく，中断しない。条解破産法〈第3版〉964頁，注釈破産法（上）851頁。

[92] ただし，届出破産債権に対して破産者が異議を述べていなければ，破産債権者表の記載が確定判決と同一の効力をもつから（破221ⅠⅡ），受継された訴訟を続行する意味は

これに対して破産管財人が当事者である場合には，第2の場合として，配当終結のときには中断せず，続行し（破133Ⅲ），それ以外の終了のときには中断し，破産者が受継する（破44ⅣⅤ）。

第5に，破産手続終了時に有名義破産債権について異議者等が提起した訴訟手続（破129Ⅰ），たとえば再審の訴えが係属し，その訴訟の当事者が異議を述べた破産債権者であり，破産管財人でない場合には，破産手続開始決定取消しまたは破産手続廃止決定確定による破産手続の終了のときは，訴訟手続は終了し，配当終結のときは，続行する（破133Ⅳ類推）。

これに対して破産管財人が当事者である場合には，破産手続開始決定取消しまたは破産手続廃止決定確定による破産手続の終了のときは，訴訟手続は中断し，破産者が受継する（破44ⅣⅤ）。配当終結のときは，続行する（破133Ⅲ類推）[93]。

6 仲 裁 手 続

破産手続開始前に破産者と破産債権者との間で仲裁合意（仲裁2Ⅰ）がされていたときに，破産債権査定決定手続などの債権確定手続に代えて，仲裁手続によって異議等のある破産債権を確定できるかどうかが問題となる。現行法が査定決定手続などを設けていることは，異議等のある破産債権について簡易・迅速な確定を図ろうとするものであるから，異議等のある破産債権を有する者は，これによらなければならないのが原則である。しかし，破産手続開始時に当該破産債権の存否等に関して仲裁手続が係属するときは，その中断と破産管財人による続行による確定を図ることになろうから（破44Ⅰ・127類推），現行法の立法者の意思が，仲裁手続による確定を排除するものとは思われない。

それを前提とすると，破産管財人も仲裁合意に拘束されるから，異議等を述べられた届出破産債権者が査定申立てに代えて，仲裁手続の開始を申し立てたときには，これに応じなければならないとするのが多数説であるが，仲裁合意も双方未履行双務契約として破産管財人の解除権の対象となるから（破53Ⅰ），破産管財人が当然に仲裁手続に拘束される理由はないとする少数説も有力であ

---

93) 以上の内容を表として整理したものが条解破産法〈第3版〉968頁，注釈破産法（上）855頁に掲載されている。

る[94]。

　性質からみて仲裁合意が双方未履行の双務契約といえることは確かであるが，双方未履行双務契約についての破産管財人の解除権は，破産財団の負担となる財産的法律関係を解消する目的のために認められたものであるから，仲裁手続に応じることが不相当な負担を生じるものでない限り，この場合には適用可能性がないと解すべきである。仲裁判断には既判力が認められること（仲裁45 I本文）もこの結論の根拠の一つとなる。したがって，本書では多数説を支持する。その結果，仲裁手続が選択されるときには，これをもって破産債権確定手続に代えることが許される。

　これに対して，裁判手続による確定を図ろうとするときは，必ず破産債権査定決定手続を経ることが求められるから，民事調停（民調2）や起訴前の和解手続（民訴275）を届出破産債権者が申し立てても，不適法なものとして扱われる。支払督促（民訴382）も同様である。

7　破産債権の確定に関する訴訟の判決等の効力

　破産債権査定異議の訴えなど，破産債権の確定に関する訴訟についてした判

---

[94]　多数説は，竹下守夫「訴訟契約の研究（3）」法協81巻4号373，377頁（1965年），小山昇・仲裁法〈新版〉166頁（1983年），倒産と訴訟484頁〔山本和彦〕，山本和彦「国際倒産に関する最近の諸問題」法の支配170号19頁（2013年）などである。詳細については，伊藤・前掲論文（注72）36頁（伊藤・古稀後著作集478頁），阿部信一郎「日本の倒産事件における仲裁手続の関与と進展（2）」JCAジャーナル68巻11号34頁（2021年）参照。
　これに対して，少数説としては，福永有利・新種特殊契約と倒産法192頁以下（1988年），注解破産法（下）533頁〔中島弘雅〕がある。条解破産法〈第3版〉919頁は，破産債権確定手続が仲裁法13条1項にいう「法令に別段の定めがある場合」に該当するとして，仲裁合意の効力を否定するが，この立場からは，破産手続開始後に破産管財人が破産債権確定のために仲裁合意をすること（破78Ⅱ⑪参照）も否定されよう。
　他方，同書898頁は，破産債権について係属中の仲裁手続については，中断と破産管財人による承継の余地を認め，かつ，仲裁廷が中断等を認めない可能性がある以上，届出破産債権者は，査定申立てをする必要があるとする。また，杉山悦子「倒産手続における仲裁合意」仲裁とADR10号10頁（2015年）は，仲裁合意の拘束力を肯定しつつ，否認や相殺禁止など倒産固有の規律が問題となる場合には，拘束力を否定すべきであるとする。山本和彦「国際倒産法の規律と若干の個別問題の検討（下）」NBL1106号63頁（2017年）も，共益債権性の争いは仲裁手続の対象とすべきではないと説く。実務上の対応については，現代型契約と倒産法137頁〔森倫洋＝田中研也〕，債権調査・配当360頁〔三森仁〕，613頁〔園尾隆司〕，福岡真之介ほか「〈パネルディスカッション〉国際倒産の実務上の諸論点」NBL1109号49頁〔鐘ヶ江洋祐〕，粕谷宇史ほか「仲裁と倒産の制度的相克——米・英における調和の試みと日本法への実務的示唆」JCAジャーナル68巻8号15頁（2021年）参照。

決は，破産債権者の全員に対してその効力を有する（破131Ⅰ）[95]。したがって，確定判決の既判力（民訴114）も破産債権者全員に対して拡張される（民訴115参照）。届出をなさない破産債権者に対しても判決効が拡張される。破産債権査定申立てについての決定がなされ，それに対する破産債権査定異議の訴えが出訴期間内に提起されなかったとき，または却下されたときにも，当該決定は，破産債権者の全員に対して，確定判決と同一の効力を有する（破131Ⅱ）。

これらは，破産手続を進めるために権利の存否および内容を合一に定めるための規定であり，その趣旨は破産債権者表記載の効力（破124Ⅲ）と共通である。訴訟の結果（破産債権査定申立てについての決定に対する破産債権査定異議の訴えが提起されなかった場合，または却下されたときは，当該決定の内容）は，破産管財人または破産債権者の申立てにもとづいて[96]裁判所書記官が破産債権者表に記載する（破130）。そして，異議等を述べられた破産債権者が勝訴したときには，寄託または供託されている配当額が当該破産債権者に対して与えられるし，逆に，異議者等が勝訴したときには，配当額が異議者を含む他の破産債権者への配当にまわされる。

なお，破産債権査定申立てを含む破産債権の確定に関する訴訟（破126・127・129Ⅰ Ⅱ）等の訴訟費用に関しては，異議者等，すなわち破産管財人または破産債権者が敗訴すると，相手方の訴訟費用を負担しなければならない（民訴61）。破産管財人が敗訴したときの訴訟費用は，財団債権として破産財団が負担するし（破148Ⅰ④），異議者たる破産債権者が敗訴したときには，その破産債権者自身が負担する。これに対して，破産管財人が勝訴したときには，相手方に対する訴訟費用償還請求権を破産財団所属財産として行使するし，異議

---

[95] ただし，異議等のある破産債権を有する者が複数の異議者等を被告として訴えを提起すべきであったにもかかわらず，一部の者のみを被告として破産債権査定異議の訴えなどを提起し，固有必要的共同訴訟の点が看過されて，請求認容判決が確定しても，その効力は他の異議者に対して拡張されず，当該訴訟の当事者間でも効力を否定すべきである（基本法287頁〔栗田隆〕，条解会更法（中）806頁，条解破産法〈第3版〉958頁）。したがって，査定決定の効力が破産債権者全員に対して効力を有する結果となる。

[96] 申立ては，所定の事項を記載した書面によって，判決正本および確定証明（民訴規48）などの証拠書類の写しを添付して行わなければならない（破規1Ⅰ・2）。申立却下に対しては，裁判所に対する異議が許される（破13，民訴121）（注解破産法（下）553頁〔林伸太郎〕，基本法287頁〔栗田隆〕）。これに対して，申立てが認められたことに対する不服は，破産債権者表の記載に対する不服申立て（破115Ⅲ）による。条解破産法〈第3版〉955頁。

者たる破産債権者が勝訴したときには[97]，相手方に対する訴訟費用償還請求権とは別に，異議によって破産財団が利益を受けた限度で[98]，財団債権として費用の償還を求められる（破132）。これは，破産債権の確定に関する訴訟等の追行が，破産債権者全体にとって共益費用としての性質をもつことを重視したためである。訴訟費用が破産財団から償還された場合には，破産管財人が相手方に対する訴訟費用償還請求権を代位行使する（民499類推）。

第4項　租税等の請求権等についての特例

租税等の請求権および罰金等の請求権も，破産債権である限りは（破98Ⅰ・99Ⅰ①・97③〜⑥），破産債権者表に記載され，配当の対象になるが，その公法的性質および請求権の確定について特別の手続が設けられていることを重視して，通常の調査および確定手続に服さず，破産管財人による認否（破117Ⅰ・121Ⅰ）や破産債権者による異議（破118Ⅰ・121Ⅱ）の対象とはされない（破134Ⅰ）。

これらの請求権については，請求権者からその額等の届出がなされるが（破114），その中で刑事訴訟手続によって確定されるべき罰金，科料および刑事訴訟費用の請求権を除いて，請求権の原因（共助対象外国租税の請求権にあっては，共助実施決定）が審査請求や訴訟その他の不服申立てをすることができる処分である場合には，破産管財人は，当該届出のあった請求権について，当該不服の申立てをする方法で，異議を主張することができる（破134Ⅱ）。たとえば，交付要求の方式で（税徴82Ⅰ）届け出られた破産債権が法人税の請求権であるときには，破産管財人が国税通則法や行政事件訴訟法の手続によって異議を主張することができる[99]。この方法で異議を述べられるのは，破産管財人のみで

---

97) 異議者たる破産債権者が対象破産債権を認めなかった破産管財人と共同して訴訟追行をして勝訴した場合には，その訴訟追行の内容を考慮して公平の観点から訴訟費用の償還額を決定する。条解破産法〈第3版〉961頁。
98) 異議によって届出破産債権が排斥されたときは，その破産債権に対する予定配当額が利益の限度となるし，優先権が排斥されたときには，優先的破産債権として受けるべき配当と一般破産債権として受けるべき配当の差額が利益の限度となる（注解破産法（下）556頁〔加藤哲夫〕，条解破産法〈第3版〉961頁，注釈破産法（上）846頁）。
99) 破産債権たる租税等の請求権の届出としての交付要求に対して，破産管財人がその時効消滅等を主張して，取消しおよび納付義務の不存在確認の訴えを提起したところ，これを法134条2項にいう不服申立ての方法にあたるとし，かつ，同条4項の不変期間が適用されるから，訴えが不適法になると判示するものとして，大阪地判平成24・2・17 D1-

あり，破産債権者による異議は認められない。この種の請求権の性質を重視して，破産管財人に破産債権者の利益を代表して異議権を認め，かつ，異議者である破産管財人の側が確定のための手続を開始しなければならないとする趣旨である。

　また，当該届出のあった請求権に関し破産手続開始当時訴訟が係属するときは，異議を主張しようとする破産管財人は，当該届出があった請求権を有する破産債権者を相手方とする訴訟手続を受け継がなければならない（破 134 Ⅲ 前段）。当該請求権について行政庁に事件が係属する場合も同様である（同後段）。

　破産管財人による不服申立てや受継は，当該請求権の届出があったことを知った日から1月の不変期間内に行わなければならない（同Ⅳ）。破産管財人による不服申立てや受継の有無は，裁判所書記官によって破産債権者表に記載される（同Ⅴ・124 Ⅱ）。

　不服申立て等の手続において破産管財人は，これらの請求権者によって届け出られ，破産債権者表に記載されている事項のみを主張することができる（破 134 Ⅴ・128）。不服申立ての結果は，破産債権者表に記載され（破 134 Ⅴ・130），その結果は，破産債権者の全員に対して効力を有する（破 134 Ⅴ・131 Ⅰ）。さらに，破産債権査定異議の訴えの場合と同様に，破産手続終了時に破産管財人による不服申立手続や破産管財人が受継した手続が係属するときは，破産手続終結決定による終了の場合のみ，手続が続行される（破 134 Ⅴ・133 Ⅲ）。配当の可能性が残されているためである。

第 2 節　破産財団の管理および換価

　破産手続の目的である破産債権者に対する配当の実施を可能にするためには，一方で，配当を受けるべき破産債権者の範囲，額および優先権を確定するとと

Law 判例 ID 28206498 がある。
　これに対し，今泉・前掲論文（注33）は，交付要求の処分性を否定する立場から，時効消滅など，租税等の請求権の事後的な消滅を主張する場合には，債務（徴収権）不存在確認の訴えによるべきであるとし，その場合にも法 134 条 4 項が類推適用されるという。
　いずれにしても，不変期間を徒過したときには，届け出られた租税等の請求権の存在および内容が確定する（今泉・前掲論文 444 頁）。確定の効果は，一般の破産債権の場合と同様である。

もに，他方で，配当すべき金銭，すなわち配当財団を形成しなければならない。そのための作業としては，破産財団に属すべき財産を破産管財人が適切に管理した上で，現金以外の財産を現金化，すなわち換価することが必要になる。破産手続開始時には同じ内容の財団であっても，その後の管理および換価が適切に行われるか否かによって，現実の配当率は大きく異なることになるので，破産財団の管理および換価は破産管財人の職務の中でもっとも重要なものといえる。また，破産管財人による管理は，否認権の行使による破産財団の増殖，法人の役員の責任の追及，あるいは取戻権への対応による破産財団の整理など，広義の管理行為も含むが，以下では，狭義の管理のみを扱う。

なお，破産管財人の管理および換価が不適切な場合には，破産債権者は，債権者集会や債権者委員会を通じて，破産管財人に対する裁判所の監督発動を促したり，その解任を裁判所に申し立てることができる（破75）。

第1項 破産財団の管理

破産手続開始と同時に，破産財団に属する財産の管理処分権は破産管財人に専属するが（破78 I），これを背景として破産管財人は，就職後直ちに破産財団に属する財産の管理に着手しなければならない（破79）。これは，倒産後に時間が経過すると財産や帳簿などが散逸し，破産財団の管理が困難になるためである。管理の直接の対象となるのは，現有財団であるが[100]，広義の管理は否認権行使などを含むから，法定財団をも対象とする[101]。

管理すべき財産について破産者が占有しているものについては，破産管財人

---

100) 管理とは，財産の価値を保全するための一切の行為を意味するから，占有を確保すること，そのための管理体制を構築すること，管理のために必要な情報類を掌握することなどを含む。条解破産法〈第3版〉660頁，注釈破産法（上）572頁。
　なお，後に取戻権が行使されると認識する財産であっても，その毀損によって無用な財団債権を生じることがないよう，破産管財人が管理しなければならない。ただし，その費用は，取戻権者に請求することができる場合がある（民702 I 参照）。
　各種の財産や会計帳簿等の保全や管理の具体的方法については，破産管財の手引〈第2版〉106頁，220問101頁〔金山伸宏〕，実践マニュアル100頁以下参照。
101) 株主に対して株金の払込みを請求するなどして，会社財産の充実を図ることは，破産管財人の管理行為にあたる（大判昭和8・7・24民集12巻2264頁〔新倒産百選6事件〕）。
　なお，法律上では，破産管財人が就職後に管理行為を行うべきものであるが，実務上では，破産管財人就職予定者が裁判所からの要請を受けて，事実上，占有等の準備行為を行うことがある（注解破産法（下）395頁〔上野久徳〕）。

が破産者から引渡しを受けるが，破産者が任意の引渡しを拒絶するときには，裁判所に当該財産の引渡しを命ずべき旨を申し立て，裁判所が決定でその旨を命じる（破156Ⅰ）[102]。この決定は，確定しなければその効力を生じない（同Ⅴ）。裁判所は，決定をする場合に，破産者を審尋しなければならない（同Ⅱ）[103]。申立てについての決定，すなわち引渡しを命じる決定および申立てを却下する決定のいずれに対しても，即時抗告が許される（同Ⅲ）[104]。申立てについての決定および即時抗告についての裁判の裁判書は当事者に送達され，送達代用公告の規定（破10Ⅲ本文）は，適用しない（破156Ⅳ）。このような手続が践まれるのは，破産者が占有する財産には，破産財団に属するもの以外に自由財産に属するものが含まれるので，その判断を慎重に行うためである。

1 財産管理のための措置

破産管財人は破産財団管理の一環として，財産の封印，帳簿の閉鎖，郵便物等の管理など，破産財団の現状を把握し，その変更を防ぐための措置をとることができる。

(1) 帳簿の閉鎖

裁判所書記官は，必要があると認めるときは，破産管財人の申出により，破

---

[102] 旧法下では明文の規定がなく，解釈論として破産宣告を債務名義とする引渡執行が可能かどうかが議論された。一問一答215頁，基本構造215頁，伊藤・破産法〈第3版補訂版〉411頁，条解破産法〈第3版〉1087頁参照。破産者が法人の場合には，便宜上，旧代表者を代表者として引渡命令を発する。220問110頁〔関端広輝〕。
　なお，現行法下でも，第三者が占有している財産に関しては，任意の引渡しがなければ，破産管財人は引渡訴訟などを提起し，個別的に債務名義をえなければならない。基本構造218頁。これに対して，破産者の家族や従業員など独自の占有を有しない者，いわゆる占有補助者に対しては，破産者に対する引渡命令をもって引渡しの強制執行ができる。占有補助者の認定について条解破産法〈第3版〉1087頁，注釈破産法（下）77頁参照。

[103] 審尋は，書面または口頭で陳述の機会を与えれば足りる。個人破産者の場合には，当該財産が自由財産であるとの主張が考えられるが，法人破産者の場合には，占有の主体などについての情報を取得することが主目的となり，必ずしも法人の代表者ではなく，その種の情報を有する者を審尋することになろう。

[104] 目的物が自由財産に属することを主張して，破産者は，即時抗告を提起できる。これに対して，第三者が，その所有権などを理由として，即時抗告を提起できるか，あるいは第三者異議の訴え（民執38）を提起できるかについては，考え方が分かれる。基本構造219頁，条解破産法〈第3版〉1091頁，注釈破産法（下）78頁。本書では，この引渡命令が破産者と破産管財人との間の内部的債務名義にすぎないことを理由として，否定説を採る。破産者による第三者異議の訴えについても，否定すべきである。肯定説として，注釈破産法（下）79頁がある。

産財団に関する帳簿を閉鎖することができる（破155Ⅱ）。その場合には，当該帳簿にこれを閉鎖した旨を記載し，記名押印しなければならない（破規53Ⅳ）。また，裁判所書記官は，調書を作成し，閉鎖した帳簿の表示を記載し，記名押印しなければならない（同Ⅴ）。これは，破産手続開始後の帳簿の散逸や記載内容の変更などを防止し，破産管財人に破産財団の内容やそれに関する種々の権利関係を把握させるためのものである。したがって，閉鎖される帳簿としては，商業帳簿（商19，会社432）が主たるものである。紙媒体であるか，電磁的記録であるかを問わず，閉鎖も媒体の種類に適した方法によって行う。なお，閉鎖された帳簿を隠滅し，偽造し，または変造した者に対しては，刑罰が科される（破270後段）。

(2) 郵便物等の管理

裁判所は，破産管財人の職務の遂行のため必要があると認めるときは，信書の送達の事業を行う者に対し，破産者にあてた郵便物または信書便物を破産管財人に配達すべき旨を嘱託することができる（破81Ⅰ）[105]。破産管財人は，嘱託の結果を含め，破産者にあてた郵便物を受け取ったときは，これを開いて見ることができる（破82Ⅰ）[106]。これは，憲法21条2項によって保障された通信の秘密に合理的制限を加えるもので（刑133参照），破産管財人が破産者の財産状態や取引関係を把握するために認められた措置である。なお破産者は，破産管財人によって開かれた郵便物等の閲覧ができるし，破産財団に関しないものであれば，その交付を求められる（破82Ⅱ）。

また，裁判所は，破産者の申立てによりまたは職権で，破産管財人の意見を聴いて郵便物等について嘱託を取り消しまたは変更することができるし（破81

---

[105] 立法論としては，嘱託を裁判所書記官の権限とすることが検討されたが（検討事項第1部第1章第17(2)イ），通信の秘密にかかわるために，裁判所による嘱託が維持された。また，旧190条1項と比較すると，嘱託を裁判所の判断にかからせているところに特徴がある。条解破産法〈第3版〉671頁。嘱託の期間など実務運用について，同書671頁，220問112頁〔永嶋久美子〕参照。

[106] 破産者にあてた郵便物等のうち，破産管財人による開披の対象となり（破82Ⅰ），その内容が破産財団に関しないものであれば，破産者による交付の求めの対象となる（同Ⅱ）。もちろん，破産管財人は，知りえた内容を正当な理由なく他に漏らさない義務を負い（破85Ⅰ），その違反について損害賠償責任を負う（同Ⅱ）。また，弁護士の秘密漏示罪（刑134Ⅰ）によって処罰されることもありうる。

なお，この開披は，破産管財人に対する債権譲渡の通知（民467Ⅰ）としての効力を持たない。最判昭和49・11・21民集28巻8号1654頁。

Ⅱ），破産手続が終了したときは，裁判所は，嘱託を取り消さなければならない（同Ⅲ）。嘱託決定，嘱託取消しまたは変更決定および取消しまたは変更申立却下決定に対しては，破産者または破産管財人の即時抗告が認められる（同Ⅳ）。ただし，嘱託決定に対する即時抗告に限っては，執行停止の効力がない（同Ⅴ）。破産管財人の職務執行を確保するためである[107]。

(3) 破産管財人による調査等[108]

破産管財人は，破産者，法人である破産者の役員，破産者の従業者（破40Ⅰ）およびそれらの地位にあった者（同Ⅱ）に対して，破産に関して必要な説明を求め，または破産財団に関する帳簿，書類その他の物件[109]を検査することができる（破83Ⅰ）[110]。検査の対象となるべき帳簿等は，破産者の所有にかかるものに限られず，第三者所有のものも含まれる（民再59Ⅰ，会更77Ⅰ参照）。ただし，第三者の検査拒否に対する刑事罰は科されない（破268Ⅲ，本書832頁参照）。また，破産管財人は，その職務を行うために必要があるときは，破産者の子会社等[111]に対して，その業務および財産の状況につき説明を求め，ま

---

[107] 立案の経緯等については，基本構造53頁参照。
[108] 旧破産法などの規定との関係については，条解破産法〈第3版〉676頁参照。法83条1項にもとづく説明請求権は，実質的には，法40条と同趣旨の内容を破産管財人の権限として規定している。
[109] 帳簿，書類その他の物件とは，文字媒体または電磁的もしくは電子的媒体であるかを問わず，破産財団の内容にかかわる計算関係書類や事業の遂行過程で作成される記録一切を含む。
[110] 検査権は，破産財団に関するものであるから，破産者所有のものに限らず，第三者の管理下や所有のものにも及ぶが，法83条2項や3項が定める子会社等を別とすれば，第三者に対する強制力はない。条解破産法〈第3版〉677頁，注釈破産法（上）590頁。むしろ，破産者所有のものであれば，破産管財人の管理処分権に服するから，検査権があることは当然といってよい。
　なお，第三者に対する直接の強制力はないが，所定の要件が満たされるときには，破産者の財産である受益証券を保管している第三者がそれを隠匿した行為として，第三者に対して詐欺破産罪（破265Ⅰ①）が科される可能性があり，また，第三者が正当な理由なく，調査への協力を拒絶し，その結果として破産財団に属すべき財産の発見が妨げられ，破産債権者に損害を生ぜしめたと認められるときには，破産管財人は，第三者に対して，破産財団を構成する財産として，検査権行使の妨害を理由とする損害賠償請求権を行使しうる。
[111] 子会社等とは，株式会社である破産者の子会社（破83Ⅱ①，会社2③，会社則3），株式会社以外のものである破産者が総株主の議決権の過半数を有する株式会社（破83Ⅱ②）をいい（破83Ⅱ柱書かっこ書），さらに，株式会社以外のものである破産者の子会社等または破産者およびその子会社等が総株主の議決権の過半数を有する株式会社も破産者の子会社等とみなす（同Ⅲ）。

たはその帳簿，書類その他の物件を検査することができる（同Ⅱ）。

これらの権限は，倒産に際して，しばしば親会社と子会社との間に財産の移転などが見られることを考慮し，破産管財人の否認権行使などを容易にするためのものである。したがって，破産者の子会社の子会社，ならびに破産者およびその子会社の子会社についても，破産管財人の調査権が認められる（同Ⅲ）112)。

(4) 裁判所および債権者集会への財産状況等の報告

破産管財人は，破産手続開始後遅滞なく，破産手続開始に至った事情，破産者および破産財団に関する経過および現状，役員の財産に対する保全処分または役員責任査定決定を必要とする事情の有無，ならびにその他破産手続に関して必要な事項を記載した財産状況報告書を作成し，裁判所に提出しなければならない（破157Ⅰ）113)。それ以外にも，裁判所の定めるところにより，破産財団に属する財産の管理および処分の状況その他裁判所の命ずる事項を裁判所に報告しなければならない（同Ⅱ）。破産債権者に対する関係では，破産管財人は，裁判所に提出する報告書の要旨を財産状況報告集会（破31Ⅰ②）において報告しなければならず（破158），また，債権者集会がその決議（破138）で定めるところにより，破産財団の状況を債権者集会に報告しなければならない（破159）。

ただし，財産状況報告集会の期日を定めない場合（破31Ⅳ）には，裁判所は，破産管財人の意見を聴いて，破産管財人が財産状況報告書を提出すべき期間を定め（破規54Ⅰ），その期間内に提出されなかったときは，破産管財人に対し，その理由を記載した書面の提出を命ずることができる（同Ⅱ）。破産管財人が

---

112) 説明や検査の拒絶に対しては，刑事罰の制裁があるが（破268Ⅳ），子会社等に正当な理由がある場合には，説明や検査を拒絶することができるとし（大コンメンタール354頁〔菅家忠行〕，条解破産法〈第3版〉678頁，注釈破産法（上）592頁），その例として子会社等の営業秘密があげられる。しかし，破産管財人が弁護士としての守秘義務を負っており（刑134Ⅰ），当該事項が破産財団に関係するとすれば，当該事項が子会社等の営業秘密に属するからといって，当然に正当な理由があるとすべきではない。

なお，具体的に子会社等において説明義務を負うべき者は明示されていないが，現に代表者，代理人，使用人その他の従業者の地位にある者（破268Ⅱ参照）であると解されている。大コンメンタール353頁〔菅家忠行〕，条解破産法〈第3版〉679頁，注釈破産法（上）591頁。したがって，過去にこれらの地位にあった者については，任意の協力を求めることになる。

113) 財産評定の結果を示す財産目録および貸借対照表（破153Ⅱ）を引用等することができる。条解破産法〈第3版〉1094頁。報告書および債権者集会打合せメモについては，［書式41～46］，注釈破産法（下）82頁参照。

提出した財産状況報告書については，その要旨を記載した書面を知れている破産債権者に送付するとか，破産者の事務所や破産管財人の法律事務所など，適当な場所に報告書を備え置くとか，破産債権者に対する個別的説明やインターネットのウェブサイトへの掲載など，周知させるための適当な措置をとらなければならない（同Ⅲ）。

(5) 破産管財人の職務の執行の確保

破産管財人が破産財団に属する財産の管理などの職務執行に際して，破産者や第三者の抵抗を受けるときは[114]，その抵抗を排除するために，裁判所の許可をえて，警察上の援助を求めることができる（破84）。執行官の場合には，自らの判断で警察上の援助を求めることができるが（民執6Ⅰ本文），破産管財人は，国家機関としての地位をもたないために，裁判所の許可を要することとされたものである[115]。

2 財産の管理方法

破産管財人による破産財団財産の管理の方法は，それぞれの財産の性質に応じて異なる[116]。有体動産の場合には，破産者による隠匿や一部の破産債権者などによる持出しの危険が高いので，破産管財人が破産者から引渡しを受けて，直接占有を取得するのが原則である。しかし，その管理下にある在庫商品など，保管場所との関係で直接占有が困難な財産については，破産管財人は，裁判所書記官，執行官，または公証人に申し立て，封印をさせ，またそれを除去させることができる（破155Ⅰ）[117]。封印等をなした者は，調書を作成しなければな

---

114) 職務執行の開始から終了までの抵抗，有形力の行使はもちろん，不退去，言辞による強迫，その他破産管財人，破産管財人代理，補助者などの職務執行を困難または不可能にするあらゆる作為または不作為を意味する。条解破産法〈第3版〉680頁，注釈破産法（上）593頁。

115) 立会人（民執7）は要しない。また，執行官と異なって（民執6本文参照），破産管財人が威力を用いることはできない。警察の援助を求めるための手続については，条解破産法〈第3版〉681頁，注釈破産法（上）594頁参照。

116) 特別の配慮を要するものとして，病院や学校の破産がある。新版破産法380頁〔永島正春〕，393頁〔遠山信一郎〕。

117) 封印とは，物の形状変更や散逸等の防止を目的として権限ある公務員により，その財産の外部に施された封緘等の物的設備をいう（注解破産法（下）398頁〔上野久徳〕，条解破産法〈第3版〉1083頁。封印執行の具体的方法については，破産管財の手引〈第2版〉115頁，注釈破産法（下）73頁参照）。実務上は，封印に至らず，当該財産が破産管財人の占有下にあることを示す告示書を掲示するにとどめることが多い（破産・民事再生の実務［破産編］201頁，破産管財の手引〈第2版〉115，107頁，［書式14］参照）。

らない（破規53Ⅰ～Ⅲ）。なお，封印は当該財産についての破産管財人の占有を公示するもので，これを破棄すると，刑事罰が科される（刑96）。また，封印執行に際して抵抗を受けるときは，破産管財人は，裁判所の許可をえて警察上の援助を求めることができる（破84）。

個人の破産財団に属する権利で登記や登録があるものの場合には，破産手続開始後遅滞なく裁判所書記官から破産手続開始の登記または登録の嘱託がなされるが（破258Ⅰ②・262），破産管財人は，それに加えて，目的物の占有を取得しまたは封印をなす形で管理をしなければならない[118]。これは，第三者の占有などによる価値の減少を防ぐためである。

債権の場合には，破産管財人が印鑑や債権証書の引渡しを破産者から受ける。また，破産手続開始後に破産者への弁済を禁止する旨の公告や通知が第三債務者に対してなされるのも（破32Ⅰ④・Ⅲ②），債権を保全するための措置にほかならない[119]。

3 財産の評価・財産目録の作成

破産管財人は，破産手続開始後遅滞なく，破産財団に属するいっさいの財産につき，破産手続開始時の価額を評定しなければならない（破153Ⅰ前段）[120]。この場合には，破産者を立ち会わせることができる（同後段）。財産評定を前提として破産管財人は，財産目録および貸借対照表を作成し，これらを裁判所に提出しなければならない（同Ⅱ）[121]。ただし，破産財団に属する財産の総額が最高裁判所規則で定める額（1000万円。破規52）に満たない場合には，破産管財人は，裁判所の許可をえて，貸借対照表の作成および提出をしないことができる（破153Ⅲ）。少額の破産財団について管理費用を節約するためである。利害関係人は，財産目録などの閲覧や謄写を求めることができる（破11ⅠⅡ）。

---

118) もっとも，実際には，破産管財人がいったん占有を取得した後に，換価の時期まで破産者やその従業員に代理占有させることが多いといわれる（黒田節哉「破産管財人による破産財団所属財産の占有取得」基礎298頁）。
119) 仮想通貨（暗号資産）などのように電子情報として保管されている財産に関する管理方法については，伊藤眞「仮想通貨（暗号資産）と倒産法上の諸問題」多比羅喜寿11頁（伊藤・古稀後著作集419頁）参照。
120) 財産評定の主体は破産管財人であるが，破産会社の元役職員などの補助者や不動産鑑定士，仲介業者，販売業者などの第三者の助力をうることができる。その場合の費用は財団債権（破148Ⅰ②）となる。
121) 破産規則に明文の規定はないが，民事再生規則128条の定めるところと同様に，破産手続開始申立書に添付された財産目録を引用することも許される。基本構造214頁。

財産評定の目的は，配当財団の規模および予想配当率についての資料をえることである。ここで評定の対象となる財産は配当財源たりうるものであるが，別除権の目的物であっても，破産財団に帰属する剰余価値の把握，換価権行使（破184Ⅱ），受戻し（破78Ⅱ⑭），あるいは担保権消滅許可（破186以下）の必要性などの判断のために，同じく評定の対象とされる。破産財団に属すべき財産でありながら，第三者名義になっている財産も含まれるし，否認権行使によって取り戻されるべき財産も評価の対象となる。

　評定の時期について法は，「遅滞なく」と規定しているが（破153Ⅰ前段），破産債権者に配当率に関する情報を提供するためには，財産状況報告集会（破31Ⅰ②）における報告資料にできるような時期に評定が行われるのが望ましい。もちろん，財産管理の状況などによっては，ある程度評価が遅れるのはやむをえないが，あまりに評価が遅れることは，破産債権者からの不信を招く原因となる。なお，財産評定の基準は，清算を前提とした，それぞれの目的物の破産手続開始時における処分価値である[122]。破産者の事業用資産の評定は，破産手続開始前は取得価額にもとづいて行われているので，破産管財人によって処分価値にもとづいた評価換えがなされる。ただし，営業または事業の譲渡の方法によって換価がなされる場合には（破78Ⅱ③），営業または事業を構成する財産が一体として評定の対象となる[123]。

　評定を基礎として作成される財産目録および貸借対照表は，非常財産目録および非常貸借対照表と呼ばれる。これは破産管財人自身の管財方針の基礎資料であるとともに，財産状況報告集会における報告資料などとして，破産債権者への情報開示に重要な意味をもっている。したがって，破産債権者の閲覧権等（破11ⅠⅡ）が形骸化しないよう，破産管財人は，なるべく早期に財産目録などを作成することが望ましい。もちろん，いったん作成された計算書類も，その後の管理の進行によってこれを修正することは差し支えない。

4　破産管財人の管理行為についての制限（裁判所の許可）

　破産財団の管理について直接の責任を負うのは破産管財人であるが（破85Ⅰ

---

[122] 処分価値評価の基準となる処分の方法は，任意売却の見込みがあれば，それにより，その見込みが立たなければ，強制競売の方法によることになる。大コンメンタール604頁〔多比羅誠〕，条解破産法〈第3版〉1078頁。

[123] 具体的基準および評定方法については，上野久徳・倒産整理と計数管理〈改訂版〉77頁（1984年），注解破産法（下）408頁〔上野久徳〕参照。

参照)，法は，一定の重要な管理行為に関しては，破産手続についてもっとも密接な利害関係をもつ破産債権者，その集合体である債権者集会やその利益を代表する債権者委員会，あるいは破産管財人に対する監督権を有する裁判所が管理に関与することを要求する。もっとも，旧法と比較すると，現行法は，破産管財人の管理行為についての債権者集会の必要的決議事項の制度を廃止し，破産管財人に対する監督は，原則として裁判所に委ね，債権者集会や債権者委員会は，破産管財人に対する報告要求，任意的決議，あるいは裁判所への監督権発動の申立てを通じて，間接的に破産管財人の管理行為に関与する仕組みとなっている。

　破産債権者の利益に重大な影響をもつ管理および換価行為を破産管財人がなすについては，裁判所の許可をえることが要求される（破78Ⅱ柱書)[124]。ただし，法78条2項7号から14号に掲げる行為については，100万円以下の価額（破規25）を有するものに関するとき，および裁判所が許可を要しないものとしたものに関するときは，許可は不要である（破78Ⅲ)[125]。破産管財人の機動的な管財事務の遂行，また破産管財人となる者の練達度などを考慮して，裁判所が弾力的に許可権を行使することを可能にするためである。

　法78条2項各号所定の行為の中には管理行為および換価行為の双方が含まれるが，換価行為には，不動産に関する物権等の任意売却（同①)[126]，鉱業権

---

[124] 　現行法78条2項は，旧法197条を受け継いでいるが，一方で，管財業務の機動的運用を可能にするために要許可事項を限定し，他方で，「その他裁判所の指定する行為」（破78Ⅱ⑮）を許可事項とすることによって，弾力的な監督権の運用を目指している。条解破産法〈第3版〉650頁。また，許可対象事項の詳細および許可申立ての方法については，破産管財の手引〈第2版〉123頁，運用と書式136頁，注釈破産法（上）559頁参照。

　なお，旧法の下では，貴金属や現金など高価品の保管方法が第1回債権者集会の必要的決議事項とされ（旧破194)，それを前提として，金融機関に寄託された預金などの高価品の返還を求めるについては，裁判所の許可などが要求され（旧破206Ⅰ），破産管財人が許可なしに行った預金払戻し行為については，金融機関がそれについて善意無過失でないと弁済の効力を主張できないとされていた（同Ⅱ）。

　しかし，この点については，もっぱら破産管財人と裁判所との間の関係であるにもかかわらず，金融機関に危険を負担させるのは不合理であるとの批判があり（伊藤・破産法〈第3版補訂版〉416頁参照)，現行法の立法に際して，高価品の保管方法の定め，およびその返還についての裁判所の許可制度が廃止され（一問一答181頁)，これに代わって，金銭等の保管方法の届出の制度（破規51）が設けられた。基本構造127頁参照。

[125] 　100万円の算定基準については，220問207頁〔大石健太郎〕参照。実務上では，適宜，裁判所と協議することとなろう。

[126] 　［書式25，26]。対抗要件を備えた借地権や借家権も不動産に関する物権に準じる。

等の任意売却（同②），営業または事業の譲渡127)（同③），商品の一括売却（同④），動産の任意売却（同⑦）128)，および債権等の譲渡（同⑧）129)が属し，管理行為には，借財（同⑤）130)，相続放棄の承認等（同⑥），双方未履行双務契約についての履行の請求（同⑨）131)，訴えの提起（同⑩）132)，和解または仲裁合意

また，登記すべき船舶とは，総トン数20トン以上のものをいい，それ以外のものは動産である（商686Ⅱ）。

127) ここでいう営業または事業とは，法人・個人，営利・非営利を問わず，広く破産財団を基礎とする活動を指し，個人商人の営業または会社を含む法人の事業を意味するが，もっぱら破産者の一身専属的能力にもとづく活動を含むものではない（石原509頁，注解破産法（下）428頁〔谷合克行〕，基本法254頁〔砂山一郎〕）。破産者の営業や事業に関しては，破産の目的が清算にあることから，通常は廃止されるが，直ちに営業や事業を廃止することが社会的に許されないとか，民事再生への転換可能性があるとか，あるいは破産財団所属財産を一体として換価することが可能であるとかの事情があれば，継続の上（破36），譲渡の許可を求めることもありうる。
　破産管財人としては，営業等の譲渡が破産債権者にとって有利であると判断すれば，労働組合等に事前の働きかけをした上で（破78Ⅳ参照），裁判所の許可を求める。その際には，債権者に対して十分な情報を開示し，後に破産債権者が破産管財人に対する不信感をいだくことのないよう配慮しなければならない。また，営業等の継続はあくまで譲渡までの過渡的措置であるから，漫然と営業等を継続すべきではなく，迅速に譲渡が実現できるよう，破産管財人は努力しなければならない。営業等の譲渡を積極的に活用すべきことを説くものとして多比羅誠「事業再生手段としての破産手続の活用」新版破産法32頁，宮川勝之＝永野剛志「破産手続における営業譲渡」講座（2）101頁など参照。また，営業等の譲渡の前提となる事業の継続については，破産管財の手引〈第2版〉221頁，220問96頁〔小野正毅〕，注釈破産法（上）273頁参照。
　なお，破産者が株式会社であっても，再生手続における代替許可（民再43Ⅰ）の場合（本書1061頁参照）と異なって，裁判所の許可について特別の要件は法定されていない。同じく清算型手続である特別清算においても，同様の取扱いがなされている（会社536Ⅲ）。萩本ほか144頁参照。ただし，特別清算の場合には，知れている債権者や労働組合等の意見聴取が要求されている（会社896ⅠⅡ）。
128) ［書式24］。事業者の破産管財人が消費者を相手に有償でする任意売却については，破産管財人も事業者に該当すると解されることから，瑕疵担保責任免除特約が無効になるので（消費契約8Ⅰ⑤），これを避けようとすれば，業者に売却する必要がある。条解破産法〈第3版〉654頁参照。自動車の場合には，名義変更に関して特別の注意が必要である。220問208頁〔大石健太郎〕。
　また，動産譲渡担保や動産売買先取特権の目的物の売却については，本書493，504頁，条解破産法〈第3版〉654頁参照。
129) これに対して債権の取立てや回収は要許可事項ではないが，一部免除などをともなう場合には，要許可事項（破78Ⅱ⑪⑫）となる。条解破産法〈第3版〉654頁。
130) 手形の割引依頼など，信用の供与をえて債務を負担する行為を意味する。したがって，借財の結果としては，それに対応する財団債権（破148Ⅰ④）を生じさせる。
131) ［書式35］。
132) ［書式36］。訴訟上の救助に関して，［書式37］。その他の関連事項については，破産管財の手引〈第2版〉224頁参照。

(同⑪）133），権利の放棄（同⑫）134），財団債権，取戻権または別除権の承認（同

　　訴えの提起とは，反訴の提起（民訴146）など，請求を定立して裁判所の審判を求める
　　行為はもちろん，督促手続の申立て（民訴382）や保全命令の申立て（民保13）のように，
　　広い意味での訴権の行使に属する行為を含む。否認の請求（破174）や役員の責任の査定
　　の申立て（破178）も同様である（条解破産法〈第3版〉655頁。破産管財の手引〈第2
　　版〉235頁は，許可は不要であるが，裁判所との事前の協議を求められるとする）。控訴
　　や上告は，含まれないとするのが最判昭和61・7・18判時1207号119頁〔特別清算〕で
　　あり，これに賛成する説（条解破産法〈第3版〉655頁）と反対する説（大コンメンター
　　ル337頁〔田原睦夫〕）とがあるが，実際上では，事柄の重大性から許可を得ることにな
　　ろう。訴訟手続の受継（破44Ⅱ・45Ⅱ。本書449頁）は許可事項ではないが，事実上は，
　　裁判所と破産管財人との協議がなされている（破産実務の基礎376頁）。
　　　なお，訴え提起について裁判所の許可をえなかったときに，訴えが不適法になるかどう
　　かの問題がある。許可は破産手続の内部規律にすぎず，訴えの適法要件ではないとする裁
　　判例があり（東京控判昭和12・12・28新聞4265号7頁），訴訟手続の安定を考えれば，
　　訴えを不適法とすべきではない。これに対して多数説（大コンメンタール337頁〔田原睦
　　夫〕，条解破産法〈第3版〉658頁）は，受訴裁判所が許可の有無を確認し，許可をえて
　　いないときは，訴えを却下すべきであるとする。
133）〔書式33，34〕。裁判上の和解に限らず，裁判外の和解や調停における合意も含む。
　　また，債権届出期間を徒過した届出について，責めに帰することができない事由がある場
　　合（破112 I）の和解による処理について，条解破産法〈第3版〉656頁参照。
134）権利の放棄とは，厳密には，実体法上の権利放棄，管理処分権（破78 I）の放棄，
　　および請求の放棄（民訴266）や訴えの取下げ（民訴261）など訴訟法上の権利放棄を含
　　む（注解破産法（下）444頁〔上野久徳〕，基本法257頁〔砂山一郎〕，条解破産法〈第3
　　版〉656頁）。放棄の基準および手続に関しては，破産・民事再生の実務〔破産編〕236,
　　238頁，新版破産法408頁，220問217頁〔綾克己〕，破産法大系 I 303頁〔小畑英一〕参
　　照。所有権など実体法上の権利放棄の可能性については，沖野眞已「所有権放棄の限界」
　　事業再生と債権管理151号5頁（2016年）参照。
　　　管理処分権の放棄，たとえば，破産財団所属の建物所有権や敷地占有権についての管理
　　処分権を破産管財人が放棄することによって，原状回復義務や賃料相当損害金の支払義務
　　を免れること（大阪高判昭和53・12・21判時926号69頁。事案は不法占有）は，実質的
　　には債務や義務の放棄につながり，土地所有者の権利を害することになるので，やむをえ
　　ない場合を除いて，許すべきではないといわれる。大コンメンタール338頁〔田原睦夫〕。
　　問題の所在については，220問309頁〔桐山昌己〕，破産法大系 I 306頁〔小畑英一〕，平
　　岩みゆきほか「〈パネルディスカッション〉破産事件における管理・換価困難案件の処理
　　をめぐる諸問題」事業再生と債権管理151号31頁（2016年）参照。賃料債権が抵当権者
　　による物上代位の対象となっている場合の賃借権の放棄についても同様である。同27頁。
　　　そのほか，法人破産において破産管財人が管理処分権を放棄した財産を旧代表取締役に
　　引き渡すのか，新たに選任した清算人に引き渡すのかという問題がある。さらに，放棄
　　された財産が別除権の目的物であるときには，別除権者が別除権の放棄の意思表示をする相
　　手方として清算人を選任しなければならない（本書486頁）などの問題を生じるため，権
　　利を実行するか，別除権を放棄するかの判断の機会を別除権者に与えるために，別除権者
　　に対する通知が義務づけられる（破規56後段）。以上について，条解破産法〈第3版〉
　　1282頁，破産管財の手引〈第2版〉160，163頁，〔書式28〜32，38〕，運用と書式154頁
　　参照。

⑬)135)，別除権の目的である財産の受戻し（同⑭)136)，その他裁判所が指定する行為（同⑮）が含まれる。これらの事項について，破産管財人が許可をえないでした行為は無効であるが，善意の第三者には無効を対抗できない（破78Ⅴ)137)。

なお，破産管財人が裁判所の許可を要する行為をなすについては，遅滞を生じるおそれがある場合を除いて，破産者の意見を聴くことが義務づけられる（同Ⅵ)138)。また，裁判所は，営業または事業の譲渡について許可をする場合には，労働組合等の意見を聴かなければならない（同Ⅳ）。営業等の譲渡は，労働者の利益に重大な影響を及ぼすものであり，かつ，それが円滑になされるためには，労働組合等の協力が不可欠であることを考慮したものである。

>　また，有害な廃棄物等を含む不動産などを破産財団から放棄すべきか，それとも破産財団の費用で廃棄物処理などを行うべきかについては，伊藤眞「破産管財人の職務再考——破産清算による社会正義の実現を求めて」判タ1183号35頁（2005年），条解破産法〈第3版〉656頁，注釈破産法（上）527頁，220問149頁〔長島良成〕，151頁〔進士肇〕，154頁〔長島良成〕，破産法大系Ⅰ312頁〔小畑英一〕，注釈破産法（下）262頁，平岩ほか・前掲パネルディスカッション41頁参照。また，破産管財の手引〈第2版〉166頁以下には，東京地裁破産再生部における実例の紹介がある。大阪地裁の運用については，運用と書式155頁参照。
>　利害関係人たる破産債権者や財団債権者の負担が求められるという趣旨から，破産財団の中から費用を支出して，廃棄物処理などを行うべきである。もちろん，その処理を行う破産管財人の報酬が確保されることが前提である。ただし，やむをえない場合には，公的処理に引き継がざるをえないこともあろう。いずれにしても，放棄の判断に際して破産管財人は，裁判所や行政などと十分に協議を尽くすことが求められる。名津井吉裕「破産財団から放棄された財産の担い手」プレーヤー297頁，佐藤鉄男「倒産法と他分野の交錯」中央ロー・ジャーナル14巻1号44頁（2017年）参照。

135) ［書式27］。この承認は，裁判所の監督権の行使であるから，承認によって財団債権性などが確定するわけではない。財団債権性をめぐる訴訟については，本書347頁参照。
　　別除権にあたるかどうかについての争いが生じたときには，担保権存在確認訴訟，所有権留保や譲渡担保などについては，目的物の引渡請求訴訟による解決に委ねられる。倒産と訴訟317頁〔魚住泰宏〕。
136) 受戻しとは，破産管財人が被担保債権全額または極度額全額を弁済して，目的物についての担保権を消滅させることを意味する（民296・305・350・372参照）。担保目的物の差替え（本書565頁）の手段として用いられることもあろう。
137) 善意とは，当該行為が要許可行為であることを知らなかった場合および許可があったと誤信した場合を含み，過失の有無は問わない。また，第三者には破産管財人の行為の相手方のみならず，転得者も含む。条解破産法〈第3版〉658頁，注釈破産法（上）568頁。
138) 事前の意見聴取が求められるが，遅滞を生じるおそれがあるとか（破78Ⅵ），破産者が非協力的な場合には，意見を聴く必要はない。また，意見を聴くべきであったにもかかわらず聴かなかったことは，破産管財人の損害賠償責任を生じることはあっても，行為の効力に影響しない。条解破産法〈第3版〉659頁。

第2項　破産財団の換価

破産管財人は，破産財団の管理を行う一方で，財団財産の換価に着手する。換価は，配当を早期に実施するためにも，また財産の価値下落を防ぐためにも，適切な方法によって迅速に行うことが望ましい[139]。

1　換価に関する制限

換価行為は，破産管財人の権限に属するが，管理行為と同様に，一定の行為については，裁判所の許可が要求される（破78Ⅱ柱書）。すなわち，不動産に関する物権等の任意売却（同①），鉱業権等の任意売却（同②），営業または事業の譲渡（同③），商品の一括売却（同④），動産の任意売却（同⑦），債権または有価証券の譲渡（同⑧）などがこれにあたる。ただし，7号および8号に関しては，目的物の価額が100万円以下の場合，または裁判所の許可を要しないものとされた場合には，許可は不要である（同Ⅲ，破規25）。

破産管財人は，前記の要許可行為をなすに際して，遅滞を生じるおそれがある場合を除いて，破産者の意見を聴かなければならない（破78Ⅵ）。また，裁判所は，営業等の譲渡の許可をする場合には，労働組合等の意見を聴かなければならない（同Ⅳ）。なお，破産管財人が要許可行為について裁判所の許可をえずに換価をなしたときには，その行為は無効とされるが，その無効は善意の第三者に対抗できない（同Ⅴ）。裁判所の許可は，破産管財人の職務遂行を適正に行わせるためのものであるから，取引の安全を優先させる趣旨である[140]。

2　換価の方法，別除権の目的物の換価

換価の具体的な方法に関しては，破産管財人が適切なものを選択する[141]。

---

139) 財産換価63頁〔島岡大雄〕。旧法下では，一般の債権調査終了（旧破142Ⅰ③・231）前には，破産管財人は財団財産の換価をなしえず，また，一般の債権調査終了前に強制和議の提供がなされたときにも，その落着に至るまでは，換価が許されない（旧破196Ⅰ）との換価時期の制限が設けられていた（その趣旨について伊藤・破産法〈第3版補訂版〉417頁参照）。しかし，実務では，裁判所の許可をえて，一般の債権調査終了前に換価を行う（旧破196Ⅱ）ことが通常であった。現行法は，これを踏まえて，換価時期の制限を廃止している。一問一答247頁，基本構造226頁参照。

140) 善意についての証明責任は，破産管財人にあり，破産管財人は，第三者の悪意を証明しなければならない（基本法259頁〔砂山一郎〕）。また，営業等の譲渡の許可に際して，裁判所が労働組合等の意見を聴かなかったり，破産管財人が破産者の意見を聴かなかったりしても，破産管財人の行為の効力に影響を生じるものではない。

141) 機械，在庫商品，原材料などの換価の実務については，破産・民事再生の実務〔破産

ただし，不動産などに関する権利（破78Ⅱ①②）については，民事執行法などによる強制執行の手続によることなく，任意売却を実施するときには，裁判所の許可を要する（破184Ⅰ・78Ⅱ柱書）[142]。もっとも，実務では，任意売却によるほうが高価で換価できるところから，競売の方法を選ぶことはほとんどない。なお，ここでいう強制執行は，破産手続開始決定を競売権の存在を証する文書として行われる，いわゆる形式的競売（民執195）に属し，換価代金は破産管財人に交付されて，強制執行手続による配当はなされない[143]。また，無剰余の場合（民執63・129），すなわち換価代金が別除権者に交付されて破産財団に組み込まれない場合であっても，別除権者が破産債権として行使する不足額（破108Ⅰ本文）が破産債権者全体の利益に影響するところから，強制執行の方法による換価が認められる（破184Ⅲ）[144]。

[編] 222, 228頁，実践マニュアル160頁以下，220問188頁〔和田正〕，194頁〔竹下育男〕，211頁〔横山兼太郎〕，財産換価第2部第3章，三森仁「破産管財人による各種権利関係の調整――地方の食料品ディスカウントストアの破産事件を題材にして」事業再生と債権管理149号37頁（2015年），自動車の換価に関する注意事項については，破産管財の手引〈第2版〉182, 220頁，非公開会社の株式処分については，200問131頁〔加々美博久〕，133頁〔桑島英美〕，コンピュータの処分については，220問206頁〔松村譲＝貞松宏輔〕，仮想通貨（暗号資産）の処分については，同書209頁〔小林信明＝青柳徹〕，不動産の任意売却については，同書157頁〔御山義明〕，159頁〔柴田眞里〕，161頁〔錦織秀臣〕，163頁〔野口祐郁〕，165頁〔石川貴康〕，実践マニュアル180頁，各種不動産の換価については，財産換価第2部第1章，知的財産権の換価については，同第4章，多様化する事業再生306頁〔岩波修ほか〕，海外資産について，財産換価第2部第5章，事業譲渡については，新版破産法274頁〔河野玄逸〕，295頁〔三村藤明〕，220問214頁〔福岡真之介〕，財産換価第2部第6章，岡伸浩「管理命令と牽連破産を利用した医療法人の再生」事業再生と債権管理149号28頁（2015年），法人破産申立て実践マニュアル100頁〔有木康訓＝吉原秀〕，不良債権の一括売却など債権の換価については，220問181頁〔南賢一〕，財産換価第2章参照．

142) 裁判所の許可については，売却価格の適正さが問題となるが，その基準については，破産・民事再生の実務〔破産編〕208頁，条解破産法〈第3版〉1273頁参照．また，不動産の任意売却にともなう移転登記申請については，裁判所の許可書面等を添付することが要求される（不動産登記令（平成16・12・1政令379号）7Ⅰ⑤ハ）．なお，裁判所の許可があれば，株主総会や社員総会などの組織法上の手続は不要である．島岡・前掲論文（注84）銀行法務21 38頁参照．

別除権の目的物となっている不動産の任意売却の際の留意事項については，破産管財の手引〈第2版〉154頁参照．

143) 山木戸239頁，谷口315頁，基本法259頁〔砂山一郎〕，条解破産法〈第3版〉1279頁．

144) 剰余主義の適用が排除されるかどうかは，旧法下では解釈論に委ねられていたところであるが（伊藤・破産法〈第3版補訂版〉420頁注78参照），現行法は明文の規定を設け

破産管財人は，別除権の目的たる財産を強制執行手続によって換価することができ，別除権者はそれを拒絶できない（破184Ⅱ）。別除権者は，破産手続によらないでその権利を実行できるが（破65Ⅰ），別除権の目的物といえども，破産財団を構成する財産である以上，破産管財人の管理処分権に服するものであり，したがって，別除権目的物についての破産管財人の換価権もその管理処分権の発現とみられる[145]。別除権目的物についての破産管財人の提示請求権および評価権（破154）も同様の理由にもとづくものである。

　破産管財人の換価権によって，優先弁済権実現のための別除権者の換価権は制限されるが，法は，包括執行たる破産手続を考慮し，別除権者には目的物の価額によって優先弁済を与えれば足りるとの立場から，強制執行手続による換価権を認めたものである[146]。換価方法が強制執行の方法によるとされたことは，破産管財人の換価権を別除権者の換価権に優先させる以上，適正な換価手続を行う必要があること，目的財産上の担保権を担保権者の意思にかかわりなく消滅させるためには，強制執行の手続による必要があることなどにもとづく（民執188・59参照）。

　破産管財人の行う強制執行は形式的競売であるから，強制執行としての配当手続は行われず，破産管財人は，売却代金を別除権者に優先弁済した後，残額があればそれを破産財団に組み入れる。ただし，別除権の被担保債権について争いがあり，別除権者が優先弁済を受けるべき金額が確定しないときには，破

たものである。一問一答248頁，条解破産法〈第3版〉1281頁参照。実際上の機能としては，いわゆる担保割れ物件について，破産管財人が競売を実行できることによって，財団放棄の必然性がなくなることが指摘される。基本構造227頁。なお，すでに別除権者が担保権の実行としての競売手続を開始しているときであっても，破産管財人は，先行手続が無剰余を理由に取り消される場合に備えて，二重開始決定をうることができる（民執188・47参照）。概説116頁。

145) 換価の必要性が生じる場面としては，賃料に対する抵当権者の物上代位のために不動産を破産財団所属財産として維持することが，破産債権者の利益に反する場合などがあげられる。条解破産法〈第3版〉1279頁。

146) 別除権者の換価権を第1次的なものとし，これに対して破産管財人の換価権を第2次的なものとする見解があるが（注解破産法（下）456頁〔斎藤秀夫〕），支持することができない。破産管財人の換価権は，破産債権者の利益を実現するために破産手続開始決定にもとづいて与えられるものであり，別除権者の換価権とは独立の存在である。担保権が設定された不動産について，債務名義にもとづく強制競売が認められるのと同様に，別除権者の換価権と破産管財人の換価権との間に優先・劣後の関係が存在するものではない。条解破産法〈第3版〉1281頁。

産管財人は，代金を寄託しなければならず，別除権者は，寄託金返還請求権について物上代位としての優先弁済権を与えられる（破 184 Ⅳ）[147]。

別除権者が法定の権利実行方法以外の方法によって目的物を処分する権利をもつ場合[148]には，裁判所は，破産管財人の申立てにもとづいてその処分をな

---

[147] ただし，別除権者の優先弁済権は当然に与えられるものであり，物上代位権保全のための差押え（民 304 Ⅰ）は不要である（注解破産法（下）461 頁〔斎藤秀夫〕，基本法 261 頁〔宮川聡〕，大コンメンタール 750 頁〔菅家忠行〕，条解破産法〈第 3 版〉1281 頁）。もっとも，このような扱いは，破産管財人が寄託金を分別管理していることが前提であり，それがなされていないときには，別除権者は，不当利得返還請求権を財団債権（破 148 Ⅰ⑤）として行使することになる。条解破産法〈第 3 版〉1280 頁。

[148] 流質契約（商 515，質屋 18），抵当直流，譲渡担保や所有権留保の実行，リース目的物の処分，銀行取引約定書による担保目的物の処分に関する定めが代表的なものである。もっとも，譲渡担保などの非典型担保の場合には，法 185 条 1 項が想定する，法律に定められた方法による目的物の処分の権利と法律に定められた方法によらない処分の権利が併存しているとはいえないために，両者の併存を前提として，後者を制約する法 185 条の適用可能性および適用する場合の効果の双方について検討する必要がある。

第 1 に，法 185 条の適用可能性を否定する立場があろう。この考え方は規定の文言には忠実であるが，別除権者の権利行使が遅延することによって，破産手続全体が影響を受けるという問題が生じる。

第 2 に，法 185 条が非典型担保にも適用されるとし，期間内に処分をしなかったときには，別除権者は，その処分権能自体を喪失するとの立場があろう。しかし，この考え方は，別除権者の地位を認めながら，その権利行使の可能性をすべて否定してしまうという点で，やはり法 185 条の趣旨と乖離するといわざるをえない。

第 3 に，法 184 条 2 項にもとづく破産管財人の換価権とあわせて考えれば，法 185 条を非典型担保に適用し，期間内に別除権者がその権利を実行しなくとも権利実行の地位自体は失われないが，破産管財人が法 184 条 2 項にもとづいて目的物を換価することを受忍するか，また自ら換価したのと同様の効果を別除権者に対して主張することを受忍しなければならないとの立場である。

これを不動産譲渡担保にあてはめると，登記名義が譲渡担保権者にある以上，期間を徒過しても，破産管財人は自ら目的物を換価することはできないが，自ら換価したのと同様の効果，すなわち譲渡担保権者に対して，期間満了時の目的物の評価額と被担保債権額との差額を清算金として請求できる。譲渡担保権者は，その後に帰属清算または処分清算などの方法にしたがって目的物の処分をすることができるが，その結果として生じた清算金が既に破産財団に支払った清算金と一致しないときであっても，その差額を破産管財人と精算する必要はない。破産手続との関係では，既に換価が終了しているとみなされるからである（条解破産法〈第 3 版〉1286 頁以下の記述を参考としている）。ただし，譲渡担保権者の権利を過度に侵害しないという視点から，精算義務を肯定する考え方もあろう。

破産管財人の占有下にある動産譲渡担保，所有権留保売買あるいはファイナンス・リースの目的物については，別除権者としては，破産管財人が法 184 条 2 項にもとづいて換価をすることを拒絶，すなわち換価の手続に対してその所有権を理由として第三者異議の訴え（民執 38）を提起して，それを阻止することはできない。したがって，売却代金が被担保債権の額を下回れば，その差額は，別除権者が破産債権として行使する。

すべき期間を定め（破185Ⅰ），その期間内に処分が完了しないと，別除権者は，その処分権を失う（同Ⅱ）。なお，処分期間を定める申立てに関する決定については，利害関係人が即時抗告をすることができる（同Ⅲ）。処分期間を定める申立てについての裁判および即時抗告についての裁判の裁判書は，当事者に送達しなければならない（同Ⅳ前段）。この場合においては，送達代用公告の規定（破10Ⅲ本文）は適用しない（破185Ⅳ後段）。

破産管財人が別除権目的物について強制執行による換価に代えて，任意売却（破78Ⅱ①～④⑦⑧）をすることができるかどうかについては，目的物が破産管財人の管理処分権に服する以上，任意売却権限自体を否定することはできない[149]。しかし，担保権を存置したまま任意売却を実施しても，買受人に対して担保権が実行される可能性が残り[150]，実際上は，買受人を見いだすことが困難である。強制執行の場合には，競売の実施の結果として担保権が消滅するが（民執188・59Ⅰ等），任意売却の場合に同様の結果を実現するためには，別除権の目的である財産の受戻しと担保権消滅許可の2つの方法が存在する。

受戻しの場合には（破78Ⅱ⑭），破産管財人が被担保債権全額を支払うか，別除権者との合意によってその金額を減額の上で支払って，担保権の負担のないものとして目的物を売却する[151]。したがって，目的物の価額が被担保債権額を上回っているか，合意による被担保債権額減額によって上回ることになれば，受戻しによって剰余価値を破産財団に帰属させる合理性が認められる。これに対して，被担保債権額が目的物の価額を上回っているときに，なお担保権を消滅させて，その価額の一部を破産財団に組み込もうとするのであれば，後述の担保権消滅許可（破186以下）の手段による以外にない。

3　債権等の回収

債権の換価は，原則として債務者からの取立てによる。一般に，債権者が倒産すると，債務者は種々の苦情を申し立て，その義務の履行を拒むことが多い。

---

149) 任意売却自体は，破産者自身にもできたはずであり，目的物について管理処分権を取得した破産管財人について，これを否定する理由はない。
150) その場合にも別除権者の破産債権行使は，不足額に限られる（破108Ⅱ）。なお，担保権を存置したまま売却を実行する方法をとるときには，抵当権者に対して任意売却をする旨および相手方の氏名または名称を通知しなければならない（破規56前段）。抵当権者にその権利実行の機会を与えるためである。
151) 受戻金額の減額に関する実務処理については，破産・民事再生の実務［破産編］209頁，破産管財の手引〈第2版〉159頁参照。

したがって，名目額通りの債権回収を破産管財人に要求することは，破産管財人に過大な負担を課することになる。かといって，債務者からの苦情があることを理由に簡単に回収をあきらめるのは，破産管財人としての善管注意義務（破85Ⅰ）に反する。回収が期待できる程度は個々の事件に即して判断する以外にないが，破産管財人としては，破産債権者を納得させるに足る程度の回収努力をしなければならない。もっとも，取立てに多大の時間を要し，そのために手続が遅延するおそれがある場合には，破産管財人は債権譲渡の方法によって換価を行うこともできる（破78Ⅱ⑧）[152]。

債権回収に類するものとして，法人社員の出資義務についての履行請求（破182，会社663）がある。破産手続開始当時に出資義務の履行期が到来していれば，これらの義務も通常の破産財団に対する債務と変わるところはないが，履行期が到来していない場合にも破産管財人による履行請求を認めるものである。法人の債権者による直接請求は凍結される（破107Ⅱ）。

また，匿名組合契約が営業者の破産によって終了したときに（商541③），損失分担の約定があれば，破産管財人は分担すべき損失額を限度として，未履行出資義務の履行を求めることができる（破183）[153]。

4 担保権消滅許可制度

特定財産上の担保権の中核的権能は，目的物の処分価値からの優先弁済権とそれを実現するための手段たる換価権である[154]。破産手続においては，担保権に別除権の地位を与えることによって，これらの権能を保護している。しかし，担保目的物といえども破産者の財産，すなわち破産財団所属の財産であることには変わりがなく，その財産価値の形成および維持については，破産者や破産債権者の寄与を否定することはできない[155]。もっとも，目的物の処分価

---

[152] 債権回収の実務については，破産・民事再生の実務［破産編］232頁，［書式39，40］，220問174頁〔縣俊介〕参照。同書181頁〔南賢一〕では，サービサーへの売却にも触れられている。

[153] 匿名組合員が出資義務を完全に履行しているときには，出資価額返還請求権が破産債権となり，損失の分担があれば，その部分が破産債権額から控除される（商542参照）。注釈破産法（下）242頁。

[154] 付随的なものとしては，物上代位（民304）や担保収益執行（民執180②）の手段によって目的物の使用収益価値から優先弁済を受ける権能が認められる。しかし，抵当権の効力に関する民法371条の規定に示されているように，使用収益価値に対する担保権者の権能は，あくまで付随的なものである。

[155] 伊藤眞「倒産処理制度の理念と発展」民事訴訟法学会編・民事訴訟法・倒産法の現代

値のうち，どの部分が担保権者への優先弁済に充てられるべきものであり，どの部分が破産債権者などの寄与分に帰せられるべきものかを客観的に確定することは困難である。

しかし，一方で別除権者たる担保権者に優先弁済実現のための換価権行使の機会を保障しつつ，他方で，破産債権者の利益を代表する破産管財人に目的物の適正な処分価値実現の機会を与え，破産管財人の判断によってその処分価値のうち破産債権者に帰属させるべき部分を提示させ，また担保権者にその判断の妥当性を争う機会を認めるのであれば，担保権者の優先弁済権と破産債権者の利益の妥当な調和点を見いだすことができる。現行法が，破産管財人の権能として，特定財産上の担保権を消滅させて目的物を任意売却し，その売却代金の一部を財団に組み入れる制度，すなわち担保権消滅許可制度を創設したのは，このような理由にもとづくものである[156]。

(1) 類似の諸制度との比較

民法においては，抵当権に限定してではあるが，第三取得者による抵当権消滅請求が認められている（民379以下）。抵当権者は，競売申立てによって換価権を発動することによって（民385），これに対抗することができる。これは，平成15年改正前に滌除と呼ばれた制度を改正したものであるが，その目的は，目的不動産の流通促進にある[157]。不動産の流通促進という目的自体は，倒産処理手続における担保権消滅許可の目的と異なるものであるが，担保権者の換価権および優先弁済権を尊重することを前提として，合理的目的を実現するために，その意思によらずに担保権を消滅させることが認められる点では，両者

的潮流239，275頁（1998年），上原敏夫「倒産法における担保権の実行の規制」ジュリ1111号131，133頁（1997年），中島 I 309頁参照。

156) 立案の経緯，理論的根拠および類似の諸制度との比較などに関しては，基本構造176頁，大コンメンタール758頁〔沖野眞已〕，条解破産法〈第3版〉1291頁，倒産と訴訟548頁〔笠井正俊〕参照。実際上は，別除権者との間で，一定額の破産財団組入を前提として，任意売却と受戻し，すなわち抵当権の消滅（本書723頁）の交渉を行い，それが不調に終わるか，またはその見込みが立たないときに担保権消滅許可の申立てを検討することになる。破産管財の手引〈第2版〉176頁，220問172頁〔清水祐介〕，運用と書式174頁，注釈破産法（下）287頁，平岩ほか・前掲パネルディスカッション（注134）25頁。任意売却の場合の組入額については，売却価格の5%〜10%程度が想定されている。220問158頁〔御山義明〕。

157) 山野目章夫＝小粥太郎「改正担保物権法・逐条研究（4）」NBL 792号50，52頁（2004年）参照。

の間に共通性を見いだすことができる。また，被担保債権全額の弁済を受けない限り担保権が消滅することはないという，いわゆる担保権の不可分性が，担保権設定者以外の関係では制限されうることを示している点でも，共通性が認められる。

次に，倒産処理手続における担保権消滅許可の先鞭をつけた民事再生における担保権消滅許可と会社更生における担保権消滅許可の意義について説明する。再生手続においては，手続の簡易化のために特定財産上の担保権は別除権とされ（民再53Ⅰ），再生手続によらないでその権利を行使することができる（同Ⅱ）。したがって，再生計画において担保権者の権利を変更しようとすれば，再生債務者等と担保権者の間の合意による以外にない。しかし，合意の成立が困難な場合であっても，担保目的物が事業の再生に不可欠である場合が考えられ，その点に再生手続上の担保権消滅許可の根拠がある（民再148Ⅰ）。

したがって，消滅許可の申立てをされた担保権者は，再生債務者等から提示された目的物の価額を争うことはできるが（民再149・150），決定された価額に相当する金銭が裁判所に納付されれば，担保権は消滅し（民再152ⅠⅡ），後は，当該金銭による被担保債権の満足を受けることになる（民再153）。再生手続上の担保権消滅許可がこのような内容をもつのは，一方で，担保権に別除権の地位を与え，他方で，事業の再生のために，別除権の行使を抑止しながら，優先弁済権によって把握する範囲での目的物の処分価値を担保権者に保障しようとするためである[158]。

これに対して，同じく事業再生型の手続である会社更生における担保権消滅許可は，その性質が異なる。特定財産上の担保権は，会社更生法では更生担保権とされ，その実行権能を制限され，更生計画によって会社財産全体の収益価値から満足を受ける権利とされる（会更2Ⅹ～Ⅻ・47Ⅰ等）。しかし，更生計画によって変更または消滅させられない限り，担保権そのものは，更生手続中を通じて更生計画認可後も存続するものであり，いわば休眠状態の担保権となる。会社更生法上の担保権消滅許可制度（会更104以下）は，この休眠状態の担保

---

[158] 詳細については，一問一答251頁，民事再生法逐条研究125頁以下参照。なお，破産法，民事再生法および会社更生法における担保権消滅許可制度を一覧表として整理したものとして，中森亘ほか「〈パネルディスカッション〉再生手続における担保権の取扱い——中止命令と担保権消滅請求制度への提言を中心に」事業再生と債権管理140号28頁（2013年）がある。

権を消滅させることを目的とするものであり，この点で，同じく事業再生型手続における担保権消滅許可ではあるが，民事再生法上のそれとは性質を異にする。

　会社更生法上の担保権消滅許可の基本的要件は，「更生会社の事業の更生のために必要であると認めるとき」であるが（会更104Ⅰ），ここでいう必要性は，担保権の存在自体を消滅させる必要を指し，民事再生法における「当該財産が再生債務者の事業の継続に欠くことのできないものであるとき」という基本的要件（民再148Ⅰ）が，担保権の実行を阻止する必要性を指しているのと異なる。具体的には，更生手続において担保権消滅許可が認められうるのは，営業譲渡や遊休資産の処分に際して，担保権の存在そのものが妨げとなる場合などである。

　会社更生法上の担保権消滅許可制度は，担保権者が目的物の換価権を行使しうることを前提とするものではないから，担保権消滅許可に対して担保権者が競売申立てをもって対抗することはできない。また，目的物について担保権者が持つ優先弁済権自体も更生手続の開始によって凍結状態にあり，したがって，消滅許可手続の中で，目的物の価額に相当する金銭が納付されたときに，担保権は消滅するが（会更108ⅠⅢ），金銭は，更生計画認可後に管財人に交付され，更生会社の事業資金として使用されるのが原則である（会更109）。担保権者であった者は，更生担保権者として，更生計画にしたがった満足を受けるにすぎない[159]。

　以上に述べた民事再生法および会社更生法上の担保権消滅許可と比較すると，破産法上の担保権消滅許可には，以下のような特色を見いだすことができる。第1に，担保権消滅許可の目的は，基本的要件である「当該財産を任意に売却して当該担保権を消滅させることが破産債権者の一般の利益に適合するとき」（破186Ⅰ柱書本文）として表現されているように，任意売却によって担保権目的物が持つ処分価値を最大化し，その中で破産債権者全体に帰属させるべき部分を破産財団に組み入れることにある。民事再生の場合のように，目的物を事業資産として保持するために担保権を消滅させることが目的ではなく，また，会社更生の場合のように，目的物の売却代金全体を事業資金として使用するこ

---

[159] 詳細については，一問一答252頁，新会社更生法の基本構造96頁，伊藤・会更法・特清法561頁参照。

とが目的でもない。

　第2に，再生手続においても破産手続においても，担保権が別除権とされ，その換価権の発動が保障される前提は共通であるが，再生手続においては，換価権の発動を抑止するために担保権消滅許可がなされるのに対して，破産手続においては，目的物の処分価値の最大化が第1次的目的であるから，担保権者による換価権の発動そのものを抑止すべき理由はない。担保権消滅許可に対抗する担保権実行申立てが認められるのは（破187），このような理由にもとづくものである。

　第3に，目的物の金銭化された処分価値についてみると，再生手続の場合には，担保権者に交付され，更生手続の場合には，更生会社の事業資金として用いられる。これに対して破産手続の場合には，担保権者への優先弁済に充てられる部分と破産債権者のために破産財団に組み入れられる部分とに分けられる。これは，担保権消滅許可の目的が目的物の処分価値の中に含まれる一般債権者帰属分を顕在化し，破産財団に組み入れることにあるためである[160]。

　このように，各種倒産処理手続上の担保権消滅許可は，それぞれの手続の目的との関係で特徴をもつものであるが，消滅許可申立ての相手方である担保権者の側からみると，被担保債権全額の満足を受けない限り，その担保権を消滅させられないという担保権の不可分性が否定されていることは共通である。不可分性は，担保権の設定者または自らの意思で設定者から担保権の負担を引き受けた者は，被担保債権全額の弁済をしない限り，その負担を免れるべきではないとの考え方によるものであるが[161]，一般債権者を中心とする利害関係人のために目的物の処分価値が金銭化される強制執行手続や倒産処理手続では，それが働かないとの考え方が各種の担保権消滅許可制度の共通の基礎となっている[162]。

　また，担保権消滅許可の手続の中で目的物の処分価値が確定されることは，当該目的物上の数人の担保権者のうち，処分価値によって担保されない後順位

---

[160] これに対して多数説は，目的物を任意売却によってより高価に換価した破産管財人の努力に対する報償金の一種とみる。基本構造182頁，条解破産法〈第3版〉1305頁。

[161] 担保権消滅許可と不可分性概念との関係については，森田修「倒産手続と担保権の変容」別冊NBL 60号73, 76頁（2000年）参照。

[162] 山本和彦「担保権消滅請求制度について」今中古稀453頁，条解破産法〈第3版〉1292頁参照。

担保権者を排除する効果をもつ。従来の実務慣行の中では，破産管財人が担保目的物を任意売却しようとするときに，この種の後順位担保権者の抵当権設定登記などを抹消する同意をえるために，「判子代」などと称する金銭を支払うことがあったが，担保権消滅許可制度の創設によって，破産債権者がこのような合理性に欠ける負担を負う必要は消滅した。

(2) 担保権消滅許可の手続

担保権消滅許可手続は，破産管財人が担保目的物の任意売却およびその売却代金の一部破産財団組入れを前提として，担保権を消滅させることを内容とする許可の申立てをすることによって開始される（破186 I）。担保権者の側の対抗手段としては，まず，担保権消滅許可の申立てそのものに対抗するために，担保権の実行申立てが許されるし（破187），また，任意売却の価額や破産財団への組入額を争おうとするときは，買受けの申出によって対抗することが認められる（破188）。裁判所は，消滅許可の申立てが認められるべき場合には，許可の決定をなし，それによって目的物の売買契約が成立する（破189）。さらに，売却代金のうち破産財団に組み入れる額を控除した額を相手方が裁判所に納付することによって，担保権が消滅し（破190），納付された金銭が担保権者に配当される（破191）。

なお，慣用では，この制度を担保権消滅請求と呼ぶが，法律上の性質からいえば，消滅請求とは，消滅許可を求める破産管財人の裁判上の申立てにほかならない[163]。

ア　担保権消滅許可の申立て

破産手続開始の時において破産財団に属する財産につき別除権となるべき担保権が存する場合において，当該財産を任意に売却して当該担保権を消滅させることが破産債権者の一般の利益に適合するときは，破産管財人は，裁判所に対し，当該財産を任意に売却し，以下の区分に応じた金銭が裁判所に納付され

---

163) もっとも，多数説は，破産管財人の申立てについて，担保権者が異議申出の手段として担保権の実行を申し立てないことを停止条件とし，破産管財人が選定した相手方または担保権者が申し出た買受希望者が，売得金の額等を裁判所に納付することにより担保権を消滅させる旨の実体法上の形成権の行使とする。条解破産法〈第3版〉1293頁参照。また，裁判所による担保権消滅許可決定がなされることを条件として売却する旨の競争売買の申出との説明もある。同書1336頁。

なお，破産管財の手引〈第2版〉180頁に担保権消滅許可手続の流れが図示されている。

ることによって当該財産につき存するすべての担保権を消滅させることについての許可の申立てをすることができる（破186Ⅰ柱書本文）。ただし，当該担保権を有する者の利益を不当に害することとなると認められるときは，許可の申立ては認められない（同但書）。

　納付されるべき金銭の額には，2種類のものがある。第1は，売得金の額から破産財団に組み入れようとする額（組入金と呼ぶ）[164]を控除した額である（破186Ⅰ①）。ここで売得金とは，任意売却にあたって買主から交付されるべき金銭から，売買契約の諸費用額のうち破産財団から支出する額および譲渡にかかる消費税額等に相当する額で，当該売買契約において相手方の負担とされるものに相当する額を除いたもの，すなわち当該財産の実質的な処分価値相当額を意味する（同かっこ書参照）[165]。第2は，売得金の額そのものである（同②）。

　したがって，管財人としては，担保権消滅許可の申立てをなすについて，組入金を提示するかしないかの選択をすることになる。制度創設の趣旨からいって，ほとんどの場合に破産管財人は，組入金を提示して，消滅許可の申立てをなすものと思われるが，適正価額の任意売却によって別除権者が破産債権として行使する不足額（破108Ⅰ本文）を減少させるなど，組入額を提示しない許可申立ての意味がないとはいえない。

　消滅許可の申立ての対象となる担保権は，特別の先取特権，質権，抵当権（それらの物上代位を含む）または商事留置権であるが，譲渡担保権やファイナンス・リースなどの非典型担保権にも類推適用の可能性がある[166]。また，当

---

[164] 組入金の金額としては，売得金額の5～10％程度に相当する額が通常である。基本構造196頁。ただし，破産管財人の汚染除去などの活動によって目的物の価値が増加している場合には，それを組入金の金額に反映すべきである。平岩ほか・前掲パネルディスカッション（注134）44頁参照。

[165] 詳細については，基本構造193頁，大コンメンタール776頁〔沖野眞已〕，条解破産法〈第3版〉1302頁参照。相手方の負担すべき費用は，売買の当事者間で決定することができるから，結果としては，売買契約の費用のうち破産財団から支出する額が増えれば，売得金額が減少することとなる。

[166] 民事再生法逐条研究134頁，新版破産法235頁〔巻之内茂〕，544頁〔井窪保彦＝植竹勝〕，倒産と訴訟552頁〔笠井正俊〕参照。ただし，類推適用にあたっては，それぞれの非典型担保の特質を踏まえて，「当該担保権を有する者の利益を不当に害することになる」かどうかの判断が求められる。なお，ファイナンス・リースにおけるリース会社の権利を目的物の使用権の上の担保権であるとすれば（本書415頁），担保権消滅許可の対象とすることが考えられる。裁判例として大阪地決平成13・7・19判時1762号148頁〔民事再生〕〔倒産百選62事件〕がある。もっとも，ユーザーが利用権のみを取得していると

該財産上に順位や種類を異にする数個の担保権が存する場合には，そのすべてを対象にして消滅許可の申立てをしなければならない（破186 I 柱書本文）。

　裁判所が消滅許可をするための要件としては，当該財産を任意売却して，当該担保権を消滅させることが，破産債権者一般の利益に適合することが必要である。破産債権者一般の利益に適合するかどうかは，当該財産を他の手段によって換価する場合，すなわち担保権者による別除権の実行に委ねる場合や破産管財人が強制執行の方法によって換価する場合（破184 II）との比較にもとづいて判断しなければならない。具体的には，任意売却によって，担保権実行や強制執行による売却ではえられない剰余金が破産財団に組み入れられること，破産債権として行使される担保権者の不足額が減少すること，あるいは相当額の組入金によって破産財団の増殖が図れることなどが破産債権者一般の利益に適合する場合として考えられるが，通常は，組入金による破産財団の増殖が根拠となろう[167]。

　許可についての消極要件である「当該担保権を有する者の利益を不当に害することとなる」（破186 I 柱書但書）とは，担保権者が優先弁済権によって把握する価値そのものが消滅許可によって損なわれることを意味する。売却価額が

すれば，担保権を消滅させても，破産管財人が目的物を売却できるわけではなく，残リース期間中目的物を利用することを妨げられないにとどまる。
　また，不動産譲渡担保については，所有権登記名義が譲渡担保権者に帰属していること，あるいは複数の譲渡担保権者に対する配当手続が存在しないことなどから，消極説が有力である。基本構造184頁，条解破産法〈第3版〉1295頁。これに対して大コンメンタール772頁〔沖野眞已〕，破産法大系 I 322頁〔笠井正俊〕は，譲渡担保を原因とする所有権移転登記が担保権に係る登記にあたるとして，その抹消登記嘱託（破190 V）を認める余地があることを示唆する。破産管財人が目的物を占有する動産譲渡担保や所有権留保の場合には，売却自体には問題が少ないが，担保権者の対抗手段として，私的実行が認められるかなどの問題がある。基本構造187頁，条解破産法〈第3版〉1296頁，注釈破産法（下）274頁。
　また，集合債権譲渡担保については，それが真正譲渡（本書466頁注3）にあたらず，譲渡担保とみなされることが前提となる。東京高決令和2・2・14金法2141号68頁。
167）　破産財団が不足して，異時破産手続廃止（破217 I 前段）が予想されるときに，財団債権者の利益などを考慮して担保権消滅許可の申立てをすることが，破産債権者一般の利益とどのような関係に立つかという議論があるが，担保権実行の場面における財団債権たる租税債権（破148 I ③）や労働債権（破149）の優先順位との関係，破産手続が目的を達しないで廃止される場合にまで，担保権者の権能を制限する理由に乏しいなどを根拠とする，否定説が有力である。基本構造190頁。これに対する肯定説として，概説119頁，倒産と訴訟555頁〔笠井正俊〕，破産法大系 I 324頁〔笠井正俊〕，破産法大系 II 47頁〔小川秀樹〕がある。

低廉に過ぎる場合はもちろんこれにあたる。また，すでに述べたように，破産管財人が提示する組入金は，目的物の処分価値のうち破産債権者に帰属すべき部分に対応するものであるから，組入れがなされること自体が，担保権者の利益を不当に害するとはいえない。しかし，提示される組入金の額が相当と思われる水準を超えているときは，この要件に照らして，消滅許可をなすべきではない[168]。

消滅許可の申立てをしようとする破産管財人は，組入金の額について，あらかじめ，当該担保権を有する者と協議しなければならない（破186Ⅱ）。事前協議が行われることによって，適正な額の組入金が定められることが期待されるし，また担保権者との合意が成立すれば，不必要な担保権実行の申立て（破187）や買受けの申出（破188）を誘発することを防げるからである（破187Ⅲ・188Ⅵ）[169]。

担保権消滅許可の申立ては，以下の事項を記載した書面でしなければならない（破186Ⅲ）。すなわち，担保権の目的財産の表示（同①），売得金の額（目的

---

[168] また，経済的に一体をなしている数個の不動産を共同担保に取っているときに，その一部について担保権を消滅させ，任意売却するなどの場合も，担保権者の利益を不当に害するおそれが認められる。基本構造198，204頁，条解破産法〈第3版〉1299頁，注釈破産法（下）277頁。権利濫用の法理を適用して，このような理由から担保権消滅許可の申立てを否定したものとして，札幌高決平成16・9・28金法1757号42頁〔民事再生〕がある。
　なお，一部について担保権消滅が認められる場合でも，他の不動産の売却における後順位担保権者による代位の問題がある。基本構造199頁。
　これに対して，売却先の適切性は，破産管財人の職務の問題であって，担保権者の利益とはかかわりがない。同書204頁。
[169] 事前協議は訓示的義務であるから，それを怠っても，直ちに担保権消滅許可の申立てが違法になるものではない。ただし，義務違反が信義に反するような場合には，担保権者の利益を不当に害する（破186Ⅰ柱書但書）として，許可申立てが却下され，あるいは即時抗告（破189Ⅳ）によって，許可決定が取り消されることはありうる（注釈破産法（下）279頁）。協議の内容は，組入金の算出方法，売買契約の内容など，担保権者の利益に影響を生じうる事項全般に及ぶ。条解破産法〈第3版〉1301頁。
　また，目的財産について順位を異にする複数の担保権者が存在する場合の協議の相手方について，基本構造202頁参照。大コンメンタール781頁〔沖野眞已〕，条解破産法〈第3版〉1300頁では，任意売却でも競売でも弁済や配当を受ける見込みのない後順位担保権者は協議の相手方に含まれないとするが，正当である。破産法大系Ⅰ325頁〔笠井正俊〕は，さらに，全額弁済を受けられることが明らかな先順位担保権者についても，協議の相手方に含まれないとする。

財産が複数あるときは，各財産ごとの内訳の額を含む。同②)170)，目的財産の売却の相手方の氏名または名称（同③），消滅すべき担保権の表示（同④），その被担保債権額（同⑤），組入金がある場合には，その額（目的財産が複数あるときは，各財産ごとの組入金の内訳の額を含む。同⑥），および破産管財人と担保権者との協議の内容およびその経過（同⑦）である。さらに，財産の任意売却に関する交渉の経過の記載も求められる（破規57Ⅰ）。

申立書には，目的財産の売却にかかる売買契約の内容（売買の諸費用額および消費税額等に相当する額であって，売買契約において相手方の負担とされるものを含む）を記載した書面を添付しなければならないし（破186Ⅳ），売却の相手方が個人であるときは，その住民票の写しを，法人であるときは，その登記事項証明書を添付することが義務づけられる（破規57Ⅱ）。さらに裁判所は，必要があると認めるときは，破産管財人に対し，目的財産の価額に関する資料の提出を命じることができる（同Ⅲ)171)。

担保権消滅許可の申立てがあった場合には，申立書およびその添付書面を消滅すべき担保権を有する者（被申立担保権者と呼ばれる）に送達しなければならない（破186Ⅴ前段）。送達代用公告の規定（破10Ⅲ本文）は，適用しない（破186Ⅴ後段）。裁判所書記官は，すべての被申立担保権者に対して送達がされたときは，その旨および送達が終了した日を破産管財人に通知しなければならない（破規58Ⅰ）。この送達の終了日までに移転その他の事由によって消滅すべき担保権を新たに有することとなった者があることを知ったときは，破産管財人は，直ちに，その旨を裁判所に届け出なければならない（同Ⅱ）。なお，破産管財人は，担保権消滅許可の申立てを取り下げることができるが，その場合には，申立書などの送達を受けた被申立担保権者に対して，裁判所書記官から

---

170) 破産財団に属する複数の財産に担保権が設定され，破産管財人が，そのすべてを消滅させて，複数の財産を一括して売却するような場合が典型例である。もちろん，担保権消滅請求の対象となるのは，1つの財産であり，それを，担保権が設定されていない別の財産とともに一括売却する場合もありうる。基本構造197頁，条解破産法〈第3版〉1307頁参照。
　　集合動産譲渡担保や集合債権譲渡担保の場合には，固定化の時点（本書510頁）または担保権消滅許可申立ての時点での目的物を記載することとなる。条解破産法〈第3版〉1306頁，注釈破産法（下）280頁。
171) その趣旨や実務上の取扱いについて，基本構造192頁，条解破産法〈第3版〉1308頁参照。

その旨の通知がなされる（同Ⅲ）。

　イ　担保権実行の申立て

　破産管財人から担保権消滅許可の申立てがなされたとき，被申立担保権者としては，破産管財人の提示する売得金額，組入金額またはその双方に不服を持ちうる。その不服を主張するための手段が，担保権の本来的権能である担保権の実行[172]をなすことである。

　被申立担保権者は，担保権消滅許可の申立てについて異議があるときは，すべての被申立担保権者に申立書などが送達された日から1月以内に，担保権実行申立てをしたことを証する書面を裁判所に提出することができる（破187Ⅰ）[173]。裁判所は，被申立担保権者についてやむをえない事由がある場合に限って，当該被申立担保権者の申立てにもとづいて，1月の期間を伸長することができる（同Ⅱ）。

　担保権実行の申立ては，売得金または組入金に対する被申立担保権者の不服を基礎とするものであるから，破産管財人と被申立担保権者との間に両者について合意がある場合には，当該被申立担保権者は担保権実行の申立てをすることができない（同Ⅲ）。また，1月またはそれが伸長された証明文書提出期間が経過した後は，被申立担保権者は担保権実行の申立てをすることができない（同Ⅳ）。これらに反して担保権実行の申立てにもとづく開始決定がなされたと

---

[172]　担保不動産収益執行（民執180②）は，文言上はともかく，担保権実行が破産管財人による売却に対抗する手段である以上，担保権の実行に含まれないと解すべきである。基本構造206頁，新版破産法553頁〔井窪保彦＝植竹勝〕，大コンメンタール791頁〔沖野眞已〕。これに対して条解破産法〈第3版〉1315頁は，条文の文言に加え，別除権者の担保不動産収益執行によってその被担保債権を回収する利益を優先させるべきであるとの理由から，含まれるとする。ただし，いずれにしても，担保権にもとづく物上代位は，担保権の実行そのものとは区別されるので，含まれない。

[173]　申立てをしたことを証する書面とは，不動産競売開始決定の謄本，競売手続開始による差押登記の記載がある登記事項証明書や裁判所の受付印のある競売申立書の控えなどを意味する（民執188・45・48参照）。非典型担保の実行については，注釈破産法（下）292頁参照。

　なお，担保権実行の申立てがなされたにもかかわらず，書面が提出されないときには，担保権消滅許可の手続が進行し，金銭納付による担保権の消滅（破190Ⅳ）と担保権の登記の抹消（同Ⅴ）にともなって，競売手続は取り消される（民執183Ⅰ④・Ⅱ）。詳細については，注釈破産法（下）293頁参照。

　やむをえない事由（条解破産法〈第3版〉1317頁）にもとづいて期間が伸長されたときに，その効果は，当該被申立担保権者についてのみ生じ，他の被申立担保権者のためには及ばない（条解破産法〈第3版〉1317頁。注釈破産法（下）294頁は反対）。

きには，破産管財人は，執行抗告（民執10）をすることができる。

ただし，いったんなされた担保権消滅許可決定（破189Ⅰ）が取り消され（破190Ⅵ），または不許可の決定が確定したときは，担保権実行の申立てが許される（破187Ⅳ）。

いったん担保権実行の申立てをしたことを証する書面が提出された後に，当該担保権実行の申立てが取り下げられ，または却下された場合には，当該書面は提出されなかったものとみなす（同Ⅴ前段）。無剰余を理由として担保権実行手続が取り消された場合（民執188・63・192・129）においても，同様である（破187Ⅴ後段）。

担保権消滅不許可の決定が確定した後に，担保権実行の申立てが取り下げられ，または却下された場合に，破産管財人がさらに担保権消滅許可の申立てをしたときには，いったん担保権実行の申立てを取り下げた被申立担保権者は，再び担保権実行の申立てをしたことを証する書面を提出することができない（同Ⅵ）。担保権実行の申立ては，破産管財人の担保権消滅許可の申立てに対抗する手段であると同時に，担保権者の本来の権能である換価権の発動であるから，いったんそれに着手したにもかかわらず，それを取り下げた場合には，再度の担保権消滅許可の申立てに対して，再度の担保権実行の申立てをもって対抗することを認めない趣旨である。

　ウ　買受けの申出

担保権実行の申立ては，破産管財人による担保権消滅許可申立てに異議のある被申立担保権者が，その本来の権能である換価権の発動によって対抗するものであるが，担保競売の価格形成機能が十分ではない状況などを踏まえると，被申立担保権者の対抗手段をこれに限定するのは，組入金額の当否などについて被申立担保権者が争う機会を十分に保障したものとはいえない。そこで法は，破産管財人の提示する任意売却を基礎として，被申立担保権者自身または他の者が買い受ける旨の申出（買受けの申出と呼ばれる）を認めることによって，被申立担保権者の利益を保護しようとしている。

なお，買受けの申出は，破産管財人による任意売却を前提とするものであるので，同一被申立担保権者が，一方で担保権実行の申立てをし，その証明文書を提出して担保権消滅許可申立てについての不許可の裁判を求めながら，他方で，買受の申出をすることはできず，両者は，両立しない関係にある[174]。ま

た，破産管財人と被申立担保権者との間に売得金および組入金の額について合意がある場合には，当該被申立担保権者は，買受けの申出をすることはできない（破188Ⅵ・187Ⅲ）。買受けの申出は，売得金など適正さを争うための手段であるからである。

被申立担保権者は，担保権消滅許可の申立てについて異議があるときは，担保権実行申立ての証明文書の提出が認められる1月の期間内に，破産管財人に対して，当該被申立担保権者または他の者が目的財産を買い受ける旨の申出をすることができる（破188Ⅰ）。買受けの申出は，以下の事項を記載した書面でしなければならない（同Ⅱ柱書）。

具体的には，目的財産を買い受けようとする者（買受希望者と呼ぶ[175]）の氏名または名称（同①），買受けの申出の額，すなわち破産管財人が目的財産の売却によって買受希望者から取得することができる金銭の額（売買の諸費用額のうち破産財団から支出する額および消費税額等に相当する額であって，当該売買契約において買受希望者の負担とされるものに相当する額を除く。同②），および目的財産が複数あるときは，買受けの申出の額の各財産ごとの内訳の額（同③）である。

その他，買受けの申出をした者の氏名または名称および住所ならびに代理人の氏名および住所（破規59Ⅰ①），買受希望者の住所ならびに法定代理人の氏名および住所（同②），それらの者の郵便番号および電話番号（ファクシミリの番号

---

[174] ただし，同一被申立担保権者が，担保権実行の申立てをしながら，その証明文書の提出を留保して，買受けの申出をすることは排斥されない。また，ある被申立担保権者が買受けの申出をなし，他の被申立担保権者が担保権実行の申立てをすることもありうる。これらの場合には，2つの手続が一時的に併走することになるが，提出期間内に証明文書が裁判所に提出されれば（破187Ⅰ），担保権消滅許可申立てについて不許可の決定がなされる（破189Ⅰ柱書）。

また，担保権実行の申立てにかかる手続によって目的財産の所有権が破産者から買受人に移転すれば（民執79など），担保権消滅許可申立ては却下され，買受けの申出も失効する。他方，買受けの申出にかかる金銭納付によってすべての被申立担保権者の担保権が消滅すれば（破190Ⅳ），担保権実行の申立てにかかる手続は取り消される（同Ⅴ，民執183Ⅰ④・Ⅱ）。条解破産法〈第3版〉1332頁参照。

[175] 買受希望者の資格に法律上の制限はない。破産者でも差し支えない。破産管財人の売却の相手方も，ある被申立担保権者による買受けの申出に対抗して，他の担保権者を通じて買受けの申出にかかる買受希望者になることができるかどうかという議論があるが，破産管財人の売却の相手方となっていることと矛盾するために，否定すべきである。大コンメンタール798頁〔沖野眞已〕，条解破産法〈第3版〉1324頁。なお，目的財産の形状や利用状況からみて経済的合理性を欠く買受申出を権利濫用の一般法理によって排斥した裁判例として，東京高決平成24・5・24金法1948号107頁がある。

を含む。同③）の記載も義務づけられる。さらに，買受申出書には，買受希望者が個人であるときは，その住民票の写し（同Ⅱ①），法人であるときは，その登記事項証明書（同②），および買受申出書に記載された買受けの申出の額で目的財産を買い受ける旨を記載した買受希望者の作成にかかる書面（同③）を添付しなければならない。また，買受けの申出をする者が代理人をもって申出をする場合には，代理権を証する書面の添付も義務づけられる（同Ⅲ）。

買受けの申出の額は，破産管財人による担保権消滅許可の申立書に記載される売得金の額よりも5％以上高額なものでなければならない（破188Ⅲ）。買受けの申出は，実質的には，破産管財人による担保権消滅許可の申立てを覆すものであるから，買受けの申出の額が少しでも高額であれば許されるとすることは，担保権消滅許可制度の機能を損なうと判断されたところから，このような要件が設けられたものである[176]。また，目的財産が複数あるときは，買受けの申出の額の各財産ごとの内訳の額は，当該各財産についての売得金額の内訳の額を下回ってはならない（同Ⅳ）[177]。

買受希望者は，買受けの申出に際し，最高裁判所規則で定める額および方法による保証を破産管財人に提供しなければならない（同Ⅴ）。具体的には，買受けの申出の額の20％に相当する額で（破規60Ⅰ），方法としては，破産管財人の預金口座等への振込証明書，または所定の事項を記載した金融機関との間の支払保証委託契約締結を証する文書が求められる（同Ⅱ）[178]。

買受けの申出をした者（その者自身が買受希望者である場合）または買受希望者は，担保権消滅許可の申立書の送達がされた日から1月の期間内は，当該買受けの申出を撤回することができる（破188Ⅶ）。申出の撤回は，書面でしなければならない（破規59Ⅳ）。

破産管財人は，買受けの申出があったときは，それが不適法な場合を除いて，担保権消滅許可の申立書が送達された日から1月の期間が経過した後，裁判所

---

[176] 5％という基準が定められた根拠等については，一問一答259頁，基本構造207頁，条解破産法〈第3版〉1327頁参照。
[177] 複数の目的財産全体についての買受けの申出の額が5％を以上であれば，各財産ごとの内訳の額を定めるのは，買受申出人の判断に委ねられるが，内訳の額が売得金の額を下回るときには，各財産についての担保権者の利益が害されるおそれが生じるためである。
[178] 支払保証委託契約にもとづく支払保証の履行，同契約の失効，保証の変換（破規60Ⅲ）については，条解破産法〈第3版〉1328頁参照。

に対し，目的財産を買受希望者に売却する旨の届出をしなければならない（破188Ⅷ前段）。破産管財人が許可の申立てにあたって提示した売買契約の内容を前提として，売却の相手方が，被申立担保権者の買受けの申出にかかる買受希望者に交代する趣旨である。買受けの申出が複数あったときは，最高の買受けの申出の額にかかる買受希望者（それが複数の場合には，最も先にされた買受けの申出にかかる買受希望者）に売却する旨の届出をしなければならない（同後段）。その際に破産管財人は，担保権消滅許可の申立てから１月の期間内にされた買受けの申出に係る書面等を裁判所に提出しなければならない（破188Ⅸ，破規60Ⅳ）。

買受けの申出があったときは，破産管財人は，担保権消滅許可の申立てを取り下げるには，買受希望者（担保権消滅許可決定確定後は，買受人）の同意をえなければならない（破188Ⅹ）。買受希望者の地位を保護するためである[179]。

　エ　担保権消滅許可の決定等

被申立担保権者が期間内（破187Ⅰ）に担保権実行に着手し，それを証する書面を提出したときは，担保権者の換価権が優先するから，担保権消滅許可の申立てについて裁判所は不許可の決定をするが[180]，それ以外の場合には，次の者を売却の相手方とする担保権消滅許可の決定をしなければならない（破189Ⅰ柱書）。まず，買受けの申出がなされず，破産管財人からそれにかかる届出（破188Ⅷ）がなされなかったときは，破産管財人の許可申立書に記載された売却の相手方（破186Ⅲ③）である（破189Ⅰ①）。次に，買受けの申出にかかる届出がされたときは，そこに示された買受希望者が売却の相手方になる（同②）[181]。後者の場合には，許可決定の確定の効果として，破産管財人と買受希望者との間に，破産管財人が許可申立書に記載した契約内容（破186Ⅳ）と同一の内容の売買契約が締結されたものとみなす（破189Ⅱ前段）。この場合にお

---

179) 買受希望者が複数あるときには，担保権消滅許可決定確定までは，その全員の同意を要する。最高価の買受希望者以外も買受けの機会があるためである。条解破産法〈第3版〉1332頁。
180) 正確にいえば，担保権実行証明文書にかかる担保権実行の申立ての取下げ，却下，無剰余を理由とする実行手続の取消しの可能性があるので（破187Ⅴ参照），期間（破187Ⅰ Ⅱ）の経過を待って，そのような事情が存在しないことを確認の上，不許可の決定をする。
181) 買受希望者が反社会的団体の関係者であるとか，利用目的が反社会的であるとかなどの事情が裁判所に明らかになれば，不許可とすることもあろう。

いては，買受けの申出の額を売買契約の売得金の額とみなす（同後段）[182]。効果としては，破産管財人が提示した内容の売買契約のうち，売却の相手方が買受希望者となり，買受けの申出の額が売得金の額となるという変更を加えた売買契約の成立を擬制する趣旨である。その際には，破産財団への組入金は生じないから（破190 I ②参照），被申立担保権者としては，買受けの申出を成功させることによって，実質的には，破産管財人による組入金の試みを阻止することが可能になる[183]。

買受希望者は，担保権消滅許可の申立書が送達された日から1月の期間内は，買受けの申出を撤回することができるが（破188Ⅶ，破規59Ⅳ），その後は，担保権消滅許可の申立てについての裁判があるまでは，買受けの申出を撤回できず，裁判があってからそれが確定するまでの間は，撤回が許される（破189Ⅲ，破規59Ⅳ）。ただし，許可決定によって売却の相手方とされた買受希望者については，撤回が許されない（破189Ⅲかっこ書）。買受けの申出を自由に撤回できるとすると，許可の申立てについての裁判が実効性を失うから，撤回を制限する必要があるが，裁判がなされた後まで売却の相手方とされた買受希望者以外の買受希望者にかかる買受けの申出を拘束する理由はないからである。

担保権消滅許可の申立てについての裁判に対しては，即時抗告による不服申立てが許される（同Ⅳ）[184]。許可申立てについての裁判および即時抗告につい

---

[182] 売買の諸費用額等（破186 I ①かっこ書）は，買受希望者の負担になる。田原睦夫「担保権と破産財団及び配当手続」ジュリ1273号44, 46頁（2004年）参照。

[183] その際には，買受けの申出の額が，破産管財人の申立てにかかる売得金の額より5％以上高額でなければならないという規律が，組入金の合理性を担保する役割を果たす。たとえば，目的財産上の担保権の被担保債権額が100万円であるときに，破産管財人の申立てにかかる売得金額を100万円，そのうち組入金額を20万円とする担保権消滅許可の申立てがなされたとする（売買にともなう諸費用等は除外する）。

被申立担保権者がこの組入金額が不当に高額であると判断すれば，自らを買受希望者とする105万円の買受けの申出によって対抗することが可能である。管財人の申出のままに消滅許可決定がなされれば，被申立担保権者は80万円の満足しか受けられないのに対して，買受けの申出を成功させれば，被申立担保権者はいったんは105万円を納付しても，そのうち100万円は自らに交付されるから，実質は5万円の出捐によって，100万円の価値を持つ目的財産を入手でき，95万円相当の満足を受けることができる。

なお，買受けの申出にもとづいて担保権消滅許可決定がなされたときに，組入金が生じないことについての批判がある。基本構造208頁。

[184] 消滅許可申立却下決定に対しては，破産管財人が，許可決定に対しては，被申立担保権者を含む担保権者が即時抗告をすることが考えられるが，即時抗告の理由は，消滅許可の要件（破186 I 柱書）に関わる。基本構造211頁。即時抗告の理由については，条解破

ての裁判の裁判書は，当事者，すなわち破産管財人と被申立担保権者に送達しなければならず[185]，この場合には，送達代用公告の規定（破10Ⅲ）は適用しない（破189Ⅴ）。

オ　金銭の納付等

担保権消滅許可決定が確定したときは，当該許可にかかる売却の相手方は，裁判所の定める期限までに，以下の額に相当する金銭を裁判所に納付しなければならない（破190Ⅰ柱書）[186]。まず，破産管財人の許可申立書に記載された者が売却の相手方となる場合には，財団組入金を控除した売得金額（破186Ⅰ①）か，売得金額そのもの（同②）かのいずれかである（破190Ⅰ①）。これに対して買受けの申出にかかる買受希望者が売却の相手方となる場合には，みなし売得金額である買受けの申出の額（破189Ⅱ）から買受人が提供した保証の額（破188Ⅴ）を控除した額である（破190Ⅰ②。納付にかかる破産管財人への通知について破規61Ⅱ参照）。後者の場合には，保証の額に相当する金銭は，売得金に充てる（破190Ⅱ）。破産管財人は，保証の額に相当する金銭を直ちに裁判所に納付しなければならない（同Ⅲ）[187]。

上記の区分にしたがった金銭が納付されると，被申立担保権者の担保権が消滅し（同Ⅳ）[188]，裁判所書記官は，消滅した担保権にかかる登記または登録の

産法〈第3版〉1338頁，注釈破産法（下）313頁。
185) 被申立担保権者以外の買受希望者や売却の相手方は，当事者にあたらない。大コンメンタール808頁〔沖野眞已〕，条解破産法〈第3版〉1338頁。
186) 裁判所は，当該売買契約の内容，納付金額の額，買受人の属性などを考慮して（条解破産法〈第3版〉1341頁，注釈破産法（下）316頁）納付期限を定める。納付期限の決定は，手続の当事者の他に，売却の相手方に通知される（破規61Ⅰ）。
187) 破産管財人が納付しなければ，担保権消滅の効果は生ぜず，場合によっては，相手方に対する債務不履行責任にもとづく財団債権が発生する（破148Ⅰ④）とともに，破産管財人の個人責任も問題となる。
188) 消滅するのは，破産管財人による担保権消滅許可の申立書に記載された被申立担保権である。担保権消滅許可の申立書には，すべての担保権を記載しなければならないが（破186Ⅰ本文・Ⅲ④），誤って記載されていない担保権は，消滅しないし，また消滅する被申立担保権に後れる用益権も消滅しない。民事再生法逐条研究134，137頁における深山卓也発言，条解破産法〈第3版〉1297，1308頁参照。ただし，実体法上の解釈論として，用益権の消滅を認める議論はありうる。民事再生法逐条研究137頁における鎌田薫発言参照。
また，抵当権設定登記と併用される賃借権設定仮登記は，その実体法上の性質を踏まえれば（最判昭和52・2・17民集31巻1号67頁，最判平成元・6・5民集43巻6号355頁），担保権消滅許可手続の結果として抵当権設定登記を抹消するときには，同時に抹消

抹消を嘱託しなければならない（同Ⅴ，破規61Ⅲ）。これに対して，金銭の納付がなかったときは，裁判所は，担保権消滅許可決定を取り消さなければならない（破190Ⅵ）。この場合には，買受人は，提供した保証の返還を請求することができず（同Ⅶ）[189]，破産管財人は，保証金を破産財団所属の財産として破産債権者への配当等に充てる。なお，取消決定の裁判書は当事者に送達され（破189Ⅴ），破産管財人や買受人は，即時抗告をすることができる（同Ⅳ）。

　カ　配当等の実施

裁判所は，被申立担保権者に対する配当に係る配当表にもとづいて，納付された金銭を配当する（破191Ⅰ）。ただし，被申立担保権者が1人である場合，または被申立担保権者が2人以上であって，納付された金銭によって各被申立担保権者の被担保債権を弁済できる場合には，裁判所は，当該金銭の交付計算書を作成して，被申立担保権者に弁済金を交付し，剰余金を破産管財人に交付する（同Ⅱ）。配当手続に関しては，民事執行法85条および88条から92条までの規定が，弁済金交付手続に関しては，同法88条，91条および92条の規定が準用される（破191Ⅲ）。また，手続の細目については，民事執行規則の規定が準用される（破規62）[190]。

5　商事留置権の消滅請求

破産手続開始当時に破産財団所属の財産について商事留置権がある場合には，破産手続上特別の先取特権とみなされ（破66Ⅰ），別除権の地位が認められる（破2Ⅸ）。したがって，破産手続によらない権利の行使が可能であるが（破65Ⅰ），留置権固有の留置的権能が失われるわけではない（本書483頁）。他方，

すべきである。大コンメンタール773頁〔沖野眞已〕，条解破産法〈第3版〉1297頁，破産法大系Ⅰ321頁〔笠井正俊〕，注釈破産法（下）276頁。賃借権者側の救済手段について注釈破産法（下）319頁。

[189]　破産管財人が選定した相手方または買受希望者との間に売買契約が締結され，または締結されたものとみなされるから（破186Ⅳ・189Ⅱ参照），金銭の不納付は，買主の側の債務不履行となる。したがって，破産管財人が選任した相手方の不納付の場合には，債務不履行一般の法理による取扱いがなされるのに対して，買受希望者の不納付の場合における保証の不返還は，違約金が法定されたものとして，特段の合意がない限り，賠償額の予定と推定される（破190Ⅶ，民420Ⅲ）。条解破産法〈第3版〉1345頁。

　また，担保権消滅後の売買契約の履行は，通常の取引の場合と変わるところはない。詳細については，条解破産法〈第3版〉1345頁，注釈破産法（下）322頁，運用と書式188頁参照。

[190]　配当および弁済金交付の具体的手続については，条解破産法〈第3版〉1347頁，注釈破産法（下）325頁参照。

破産管財人が破産手続開始後，裁判所の許可をえて事業の継続をするときには（破36），仕掛品など，商事留置権の目的物を使用することが必要になる場合がある。商事留置権の消滅請求は，このような必要を満たすために，被担保債権全額の弁済に代えて，目的物の価額相当額を破産管財人が留置権者に対して弁済することによって留置権を消滅させる制度である。

(1) 担保権消滅許可との関係

破産財団所属の財産について商事留置権がある場合に，一方では，それは担保権消滅許可の対象となり（破186Ⅰ柱書本文），他方では，商事留置権消滅請求の対象となる（破192Ⅰ）。しかし，担保権消滅許可は，破産管財人が担保目的財産を任意売却して，その売得金の一部を破産財団に組み込むことを目的とするものであり，これに対して，商事留置権消滅請求は，倉庫業者などが保管する部品や原材料などの目的財産を破産者の事業の継続のために使用して製品化することなどを目的とするものであり，両者は，制度の目的において異なる[191]。

(2) 商事留置権消滅請求の要件および手続

破産財団所属財産である目的財産が事業の継続に必要なものであるとき，その他当該財産の回復が破産財団の価値の維持または増加に資するときは，破産管財人は，商事留置権者に対して，当該留置権の消滅を請求することができる（破192Ⅰ）。その際には，目的財産の価額[192]に相当する金銭を弁済しなければならない（同Ⅱ）。担保権消滅許可と異なって，破産管財人による留置権消滅請求は，裁判上の申立てではなく，実体法上の形成権の行使である。ただし，それが破産財団の維持または増殖に重大な影響を持つところから，消滅請求お

---

[191] 基本構造235頁，大コンメンタール762頁〔沖野眞已〕，条解破産法〈第3版〉1295頁。更生手続では，商事留置権の目的物を更生会社の事業のために使用する手段として，手続開始後は，担保権消滅許可（会更104Ⅰ），手続開始前の保全管理段階では，商事留置権の消滅請求（会更29）があり，再生手続では，同様の目的のための手段として，手続開始後は，担保権消滅許可（民再148Ⅰ）がある。もっとも，条解破産法〈第3版〉1352頁は，担保権消滅許可申立てと商事留置権消滅請求とは，同一目的物についていずれかを選択できる関係にあるとする。

なお，別除権の目的物の受戻し（破78Ⅱ⑭）も，商事留置権消滅請求と類似の役割を果たすが，受戻しは，あくまで被担保債権全額の弁済にもとづく別除権者の同意を前提とする。

[192] 価額の評価は，商事留置権消滅時の処分価額による。基本構造239頁，条解破産法〈第3版〉1355頁。消滅請求書の記載内容については，注釈破産法（下）332頁参照。

よび価額相当額の金銭の弁済については，裁判所の許可を要する（同Ⅲ）。

　裁判所の許可をえて，消滅請求および価額相当額の弁済がなされたときは，商事留置権消滅の効果が，消滅請求の時または弁済の時の，いずれか遅い時に生じる（同Ⅳ）。いいかえれば，消滅請求と弁済の2つの要件が満たされたときに，はじめて商事留置権消滅の効果が生じる。また，裁判所の許可をえていることは，裁判所と破産管財人との内部関係にとどまらず，消滅のための要件である。弁済金額が価額相当額かどうかについて争いが生じ，商事留置権者が目的物の引渡しを拒んだときは，破産管財人と留置権者との間の目的物返還請求訴訟において判断がなされる[193]。

　弁済金額が価額相当額に達しないとされる場合には，一般原則からいえば，原告である破産管財人の請求が棄却されるはずであるが，原告の申立てがあり，相当と認めるときは，受訴裁判所は，相当の期間内に不足額を弁済することを条件として，留置権者に対して，当該財産を返還することを命じることができる（同Ⅴ）。原告の申立ては，相当と認められる額に不足する一定額を追加弁済するとの申出を内容とするものである[194]。

---

[193]　商事留置権者が弁済を受領しないときには，破産管財人は供託ができる（民494前段）。また，価額の相当性は，後の訴訟手続で判断されるので，裁判所の許可の要件にもならないし，それを理由とする不服申立ても許されない。

[194]　一問一答270頁参照。実際には，当初から予備的請求として，弁済額が不足する場合には，相当額の追加弁済をする旨の申出をして，目的物の返還を求めることになろう。裁判所は，合理的範囲内であれば，原告が提示する追加弁済額に拘束されない。ただし，原告の申出金額と裁判所が認定する金額との乖離が大きすぎるときは，相当性の要件を欠くことになろう。

　なお，目的物を破産管財人から譲り受けた者も，引渡請求訴訟を提起したり，破産管財人が提起した訴訟を承継（民訴49）することができる。また，その訴訟において被告が価額の不足を理由として商事留置権を主張しても，原告は，不足額の弁済を申し出て，引換給付判決を求めることができる。実体法的には，商事留置権の不可分性が修正されていることを意味する。条解破産法〈第3版〉1358頁。

　さらに，商事留置権消滅請求またはそれにもとづく引渡請求訴訟と商事留置権者による競売の申立ての関係も問題となる。目的物の価額に相当する金額（差額を含む）の弁済または弁済の提供があるまでは，商事留置権は消滅しないから，それにもとづく競売手続も適法である。しかし，競売手続が終了した後で引渡請求訴訟の中で当初の提供金額が適正であったと判断されるときには，その時点で商事留置権が消滅していたはずであるから，競売手続は違法であったことになり，買受人の所有権取得が影響を受けないとしても（民執195・184），商事留置権者が受けた配当が不当利得となろう。条解破産法〈第3版〉1359頁。

第3節 配　　当

　破産債権者の範囲，額および順位が調査確定手続によって確定され，他方，破産財団の換価が進行して，財団が現金化されると，破産債権者に対する配当が可能になる[195]。配当の実施は破産手続の目標であり（破1），破産財団の管理換価に関する破産管財人の任務遂行も配当の実施に集約される。また，破産債権者の関心も配当の時期および配当率に集中するので，破産手続に対する破産債権者の信頼を維持する上でも，配当の適正な実施は重要である。

　もっとも，配当率の高さと配当の早期実施とは必ずしも両立するものではない。できる限り破産財団を増殖し，高い配当率を実現しようとすれば，配当実施までの期間が長期にわたることになりやすいし，逆に，現有財団だけを換価して配当を行えば，低い配当率ではあるが早期の配当が可能になる。破産管財人の任務は，この両者の均衡をとり，可能な範囲で高い配当率と早期の配当とを実現するところにある。したがって，否認訴訟などで手続の長期化が予想される場合には，適切な時期に中間配当を行うことなどが望まれる。

　配当の種類としては，まず配当の時期を基準として，破産財団に属する財産の換価終了後に行われる最後配当（破195Ⅰ），換価終了前に行われる中間配当（破209Ⅰ），および最後配当の配当額の通知後に行われる追加配当（破215Ⅰ）の3つに分けられ，次に，配当の方法を基準として，最後配当，それに代えて行われる簡易配当（破204Ⅰ柱書）および同意配当（破208Ⅰ）の3つに分けられる[196]。

---

[195]　中間配当を別にすれば，①換価業務，②財団債権の支払，③債権調査の終了が配当実施の前提となる。破産管財の手引〈第2版〉333頁。

[196]　その他に，優先的破産債権にあたる租税等の請求権や労働債権に対する簡易分配と呼ばれる実務がある。租税等の請求権については，私債権より優先順位が高いこと（本書335頁）や破産債権であっても通常の債権調査手続が行われないこと（本書710頁），労働債権の存否や額については，争いがない事案も多いこと，配当を期待できない一般の破産債権について債権調査を行う実益に乏しいことなどを前提として，裁判所の和解許可（破78Ⅱ⑪）を通じて，債権の調査確定手続を経ることなく，実質的な配当を実施し，異時破産手続廃止に至るものである。220問423頁〔野村剛司〕，運用と書式253，300頁，実践マニュアル460，470頁。ただし，理論的には，和解の概念に適合するかという問題はあろう。

第1項　配当に関する通則

　破産債権者が配当を受けるについては，法の定める手続による（破193 I）。これは，破産債権者に対して公平な配当を実施するためには，必ず法および破産規則に定める手続によることが求められ，便宜的な手続によることを許さないためである。また，順位も優先的破産債権（破98。本書303頁），一般の破産債権（本書303頁），劣後的破産債権（破99 I。本書306頁），約定劣後破産債権（破99 II。本書311頁）の順により，優先的破産債権間においては，実体法の定める順による（破194 I・98 II。本書306頁）[197]。そして，同一順位において配当をすべき破産債権については，それぞれその額の割合に応じた配当をする（破198 II）。

　いずれの種類の配当の場合であっても，破産債権者は，破産管財人がその職務を行う場所において配当を受けなければならない（同 II 本文）。民法の持参債務の原則（民484 I，商516）を破産手続の迅速な遂行のために変更している。したがって，銀行口座振込みによって配当を実施する際には，送金費用は破産

---

[197]　もっとも，不法行為の被害者の破産債権を他の一般破産債権よりも優先させるなど，実質的に合理性の認められる取扱いで，かつ，不利益を受ける全破産債権者の同意があれば，法の定めるところと異なった配当を認めることも考えられる。
　また，配当は，金銭すなわち邦貨をもって行うこととされているが（破193 III・196 I ③・197 I・201 III など参照），ビットコインなどの仮想通貨が破産財団中に存在するときに，それをもって配当を実施できるかどうかが問題となる。仮想通貨が，不特定の者を相手方とする取引の決済手段として法律上認められており（情報通信技術の進展等の環境変化に対応するための銀行法等の一部を改正する法律（平成28年法律第62号）による改正資金決済に関する法律（平成21年法律59号）2 V），強制通用力こそ欠くものの，通貨に準じる地位を与えられていることを考慮すれば，債権調査は手続開始時の金銭評価を基準として行うとしても，金銭化された破産債権に対する代物弁済としての配当としてではなく，仮想通貨そのものによる配当を認めるべきである。ただし，この場合には，手続開始後の仮想通貨の金銭価値が高騰しても，配当対象となる破産債権は，あくまでも手続開始時の換算率を基準としてその価値が評価されるものであり，そのように評価された破産債権に対する配当となる。
　もっとも，債権者平等との関係で，すべての破産債権者に対して仮想通貨による配当を求める選択権を与えるべきであろう。また，配当の方法についても，受領権者自身に仮想通貨を移転するほかに，破産債権者から代理受領権を付与された取引所に移転することも考えられる。以上についての詳細は，伊藤・前掲論文（注119）24頁（伊藤・古稀後著作集431頁）参照。
　また，類似のものとして，外貨による配当も考えられる。再生計画にもとづく弁済について，福岡ほか・前掲論文（注72）128頁，150問349頁〔福岡真之介〕参照。

債権者の負担となる[198]。ただし，破産管財人と破産債権者の合意によって別段の定めをすることは許される（破193Ⅱ但書）。破産管財人は，配当をしたときは[199]，その配当をした金額を破産債権者表に記載しなければならない（同Ⅲ）。また，破産管財人は，配当をしたときは，遅滞なく，その旨を裁判所に書面で報告しなければならない（破規63Ⅰ）。報告書には，領収書，払込証明書，供託書など，届出をした破産債権者に対する配当額の支払を証する書面の写しを添付しなければならない（同Ⅱ）。

第2項 中間配当

　一般調査期間の経過後または一般調査期日の終了後，破産管財人は，配当をするのに適当な破産財団所属の金銭があると認めるときは，最後配当に先立って，届出破産債権者に対し配当を実施することができる（破209Ⅰ）。これを中間配当と呼ぶ。ただし，破産管財人が中間配当を実施するにあたっては，裁判所の許可をえなければならない（同Ⅱ）[200]。中間配当の手続は，配当に加えられる破産債権と配当可能金額とを基礎として破産管財人が配当表を作成し，これに対する異議申立てなどを経て配当率を確定し，債権者に対する配当を実施する形で行われる（同Ⅲ・211）。中間配当を行うべきかどうかは，配当財団の規模，以後の管財業務の内容，財団債権発生の見込み，破産債権者の数や意向，さらに配当実施に要する費用などを踏まえた破産管財人の判断に委ねられるが，一般的にはかなりの額の配当財団が形成されれば，遅滞なく中間配当を実施す

---

198)　破産債権者から破産管財人に対して提出する振込送金依頼書（[書式61]）では，振込手数料を配当金から差し引くこととされている。

199)　債権証書への記載（旧破269Ⅱ）は，意義に乏しいとして廃止された。大コンメンタール837頁〔鈴木紅〕，条解破産法〈第3版〉1372頁。ただし，呈示証券，受戻証券である手形や小切手等の場合には，原則として，その呈示や交付がない限り，破産管財人は配当を実施できない。大コンメンタール836頁〔鈴木紅〕，条解破産法〈第3版〉1373頁，注釈破産法（下）346頁，220問427頁〔稲田正毅〕。証拠証券たる債権証書の場合には，他の手段によって当該破産債権者の受領権限が確認できれば，それで足りる。220問428頁〔稲田正毅〕。

200)　[書式70]。最後配当およびそれに代わる簡易配当や同意配当については，裁判所書記官の許可で足りる（破195Ⅱ・204Ⅰ・208Ⅰ）のと異なる。なお，許可を求めるに際しては，裁判所の判断資料，すなわち破産財団の現況，配当可能金額，配当対象債権，および今後の見通しなどを明らかにする必要がある（基本法292頁〔小島浩〕，条解破産法〈第3版〉1443頁）。実務上は，事前の裁判所との打合せが不可欠である。破産管財の手引〈第2版〉348，注釈破産法（下）416頁。

ることが望ましい[201]。

1 配当に加えられる破産債権

　ある破産債権が配当に加えられるためには，すでに届出がなされ，債権調査が済んでいなければならない。調査の結果，異議等がなく確定した債権，および異議等が提出されたものでも，債権確定手続によって確定されたものは，配当に加えるべき債権として，破産債権者の氏名等，債権の額，配当をすることができる金額（破209Ⅲ・196Ⅰ）および優先・劣後を区別した上で（破209Ⅲ・196Ⅱ）配当表に記載される（破209Ⅲ・196Ⅰ柱書）。これに対して，異議等のある破産債権を有する破産債権者が中間配当の手続に参加するためには，当該破産債権に関して債権確定手続が係属していることをその破産債権者が証明しなければならない（破209Ⅲ・198Ⅰ）。

　別除権者および準別除権者が中間配当の手続に参加するためには，中間配当に関する除斥期間（破210・198Ⅰ）内に，破産管財人に対し，当該別除権の目的である財産の処分に着手したことを証明し[202]，かつ，当該処分によって弁済を受けることができない債権の額を疎明しなければならない（破210ⅠⅡ）[203]。破産管財人は，その証明および疎明があったときは，直ちに配当表を更正しな

---

[201] 配当に適した金銭があるにもかかわらず，特別な理由なく中間配当を行わないのは，破産管財人としての善管注意義務（破85Ⅰ）に反する（実務上の諸問題221頁）ので，裁判所による適切な監督が求められる（破75）。また，優先的破産債権者のみに対する中間配当も許される（基本法291頁〔小島浩〕）が，給料等の請求権については，その一部が財団債権化（破149。本書340頁）され，また，配当の前倒しとしての弁済も受けられる（破101。本書301頁）ところから，中間配当の実施の必要性は減少した。現在では，財団規模が大きく，相当の配当財団が形成され，かつ，終結までに一定の時間を要すると見込まれる事件において例外的に実施される。しかし，そのように中間配当を実施すべき状況があるにもかかわらず，特別な理由もなく中間配当を実施しない場合には，依然として破産管財人の善管注意義務が問題になることはありえよう。現行法下の実務については，基本構造243頁，条解破産法〈第3版〉1444頁，注釈破産法（下）414頁，破産管財の手引〈第2版〉348頁参照。

[202] 処分の着手とは，競売手続の申立てや任意売却の締結などを意味する。条解破産法〈第3版〉1450頁。

[203] 疎明資料としては，競売手続における評価人の評価書や売買契約書などが考えられる。また，不足額の証明までがなされれば，寄託ではなく，現実の配当を実施する。条解破産法〈第3版〉1451頁。
　なお，根抵当権の極度額を超える部分についての特則（破196Ⅲ・198Ⅳ）は，中間配当に準用されないために（破209Ⅲ参照），当然に確定不足額の疎明があったものとは取り扱われない。

ければならない（同Ⅲ）。

　もっとも，いったん配当参加資格を否定されても，後の配当までに確定手続係属の証明を行うと，配当参加資格が認められ，かつ，前の配当において受けることができた額については，後の配当において他の債権者より優先的な取扱いを受けられる（破213前段）。別除権者および準別除権者の場合も同様である（同後段）。

　なお，配当手続に先立って，配当に相当する金銭の弁済を受けた破産債権者，すなわち給料等の請求権者（破101Ⅰ）および外国で弁済を受けた者（破109）は，ほかの同順位の破産債権者が自己の受けた弁済と同一の割合の配当を受けるまでは，配当を受けることはできない（破209Ⅲ・201Ⅳ）。

　ただし，配当手続への参加を認められることは，当然に現実に配当を受け取ることができることを意味しない。解除条件付債権である破産債権については，相当の担保（民訴76，民訴規29参照）を提供しなければ，中間配当を受けることができない（破212Ⅰ）。解除条件付債権を自働債権とする相殺に際しての担保の提供または寄託（破69。本書522頁）と同趣旨である。この担保は，最後配当の除斥期間内に解除条件が成就しないときは，その効力を失い（同Ⅱ），担保提供者に返還される。

　また，以下の破産債権は，配当手続には加えられるが，配当を受けることはできず，配当額は寄託[204]される（破214Ⅰ柱書）。寄託の対象となる破産債権は，異議等のある破産債権であって，破産債権確定手続が係属中のもの（同①・202①），租税等の請求権等であって，配当率の通知（破211）を発した時に不服申立手続（破202②）が終了していないもの（破214Ⅰ②），中間配当に関する除斥期間内に別除権および準別除権の実行に着手したことを証明し，かつ，不足額を疎明したもの（同③・210Ⅰ Ⅱ），停止条件付債権または将来の請求権である破産債権（破214Ⅰ④），解除条件付債権である破産債権であって，担保の提供（破212Ⅰ）がなされていないもの（破214Ⅰ⑤），および少額配当受領意思の届出（破111Ⅰ④・113Ⅱ）をしなかった破産債権（破214Ⅰ⑥）である。寄託された金銭はなお破産財団に属するので，その利息は破産財団に帰属する。

---

204) 寄託とは，破産管財人が破産財団に属する金銭を保管するために設定した金融機関の別口の預金口座等に入金するなど，他の配当財源と区別して管理することを意味する（条解破産法〈第3版〉1459頁，220問433頁〔堀野桂子〕）。

寄託された金銭の取扱いに関して，破産債権確定手続の係属を理由とするもの（破214Ⅰ①②）については，最後配当にあたって供託すべき場合には（破202①②），破産管財人は，その寄託した配当額をこれを受け取るべき破産債権者のために供託しなければならない（破214Ⅱ）。寄託と異なって，供託は債権者の利益のためになされ，破産管財人はこれによって支払の責任を免れる。

別除権者や準別除権者の破産債権の不足額の疎明分および停止条件付債権または将来の請求権である破産債権についての寄託分（同Ⅰ③④）は，最後配当に関する除斥期間内にこれを行使できるに至らなかったこと（破198Ⅱ参照），または不足額等の証明ができなかったこと（同Ⅲ V参照）によって，これらの者が最後配当の手続に参加することができなかったときは，破産管財人は，その寄託分を他の破産債権者に対する最後配当に充てなければならない（破214Ⅲ）。担保の提供がなされなかったことによって解除条件付債権である破産債権について寄託がなされた場合（同Ⅰ⑤）に，最後配当に関する除斥期間内に解除条件が成就しないときは，破産管財人は，その寄託分を当該破産債権者に支払わなければならない（同Ⅳ）。最後に少額配当受領意思の届出をしなかった破産債権についての寄託分（同Ⅰ⑥）は，最後配当にあたって，寄託分と最後配当額の合計額が1000円（破111Ⅰ④，破規32Ⅰ）に満たないときは，破産管財人は，その合計額を他の破産債権者に対する最後配当に充てなければならない（破214V・201V）。

2 配当表の作成

配当の実施は，破産管財人が配当表を作成し，それが異議手続を経て確定されることが前提となる。

破産管財人は，破産債権者の氏名等，債権の額，配当をすることができる金額（破209Ⅲ・196Ⅰ）および優先・劣後の区別を記載して（破209Ⅲ・196Ⅱ）配当表を作成する（破209Ⅲ・196Ⅰ柱書）。ここでいう配当可能金額とは，破産管財人の管理下にある金銭から手続費用をはじめとする財団債権の弁済に必要な分を控除した総額である[205]。中間配当の段階では，将来財団債権の弁済が必

205）［書式57］。実際の配当表には，各債権者に対する配当額が記載され，その合計額がここでいう配当可能金額たる総額になる（注解破産法（下）573頁〔高橋慶介〕，大阪弁護士協同組合・破産管財実務（下）210頁（1990年），条解破産法〈第3版〉1392頁）。なお，各債権者に対する配当額記載の際に，元本と利息・損害金に対する配当額を区別して記載すれば，指定充当（民488）として扱われるが，その区別がなされていなければ，

要になることが考えられるので，破産管財人はそれを予想して配当可能金額を決定する。作成された配当表は，利害関係人の閲覧に供するために裁判所に提出される（破209Ⅲ・196Ⅰ柱書）。裁判所に提出後，破産管財人は，遅滞なく，配当の手続に参加することができる債権の総額および配当可能金額を公告し，または届出破産債権者に通知しなければならない（破209Ⅲ・197Ⅰ）。通知は，その通知が通常到達すべきであった時に，到達したものとみなす（破197Ⅱ）。

通知が届出破産債権者に通常到達すべきであった時を経過したときは，破産管財人は，遅滞なく，その旨を裁判所に届け出なければならない（破209Ⅲ・197Ⅲ）。届出書には，通知の方法および通知を発した日をも記載しなければならない（破規69・64）。この公告または届出は，異議等を述べられた債権者が破産債権確定手続が係属していることを証明して，配当手続に参加するための2週間の除斥期間の起算点としての意味をもつ（破209Ⅲ・198Ⅰ）。

3 配当表の更正

作成された配当表について法定の事由が生じると，破産管財人はその更正を行わなければならない（破209Ⅲ・199Ⅰ柱書）。法定の事由とは，第1に，除斥期間（破209Ⅲ・198Ⅰ）内に破産債権者表を更正すべき事由が生じた場合である（破209Ⅲ・199Ⅰ①）。これには，破産債権確定手続の完結にともなう破産債権の確定，届出破産債権の取下げ，破産債権譲渡による債権者の交代など，配当に加えられる破産債権（破209Ⅲ・196Ⅰ①②）に関する変動が含まれる。第2に，異議等の対象となった破産債権者が除斥期間内に破産債権確定手続の係属を証明した場合である（破209Ⅲ・199Ⅰ②）。なお，配当表の更正は，破産管財人が職権または破産債権者の申請にもとづいて行う。

以上のほかに，書き損じや違算等の明白な誤謬については，更正が許される（破13，民訴257）。更正が行われた結果として，更正配当表が裁判所に提出されるが（破209・196Ⅰ柱書），配当に加えるべき破産債権総額などに変動が生じた場合に公告や通知（破209Ⅲ・197Ⅰ）を要するかどうかについては，考え方の対立があるが，手続の煩雑化を避けるために不要とすべきである[206]。

法定充当（民489）の順序にしたがう（大阪地判平成4・11・6判タ823号248頁，注解破産法（下）574頁〔高橋慶介〕，条解破産法〈第3版〉1392頁）。その他，配当表作成の実務については，破産管財の手引〈第2版〉333，336頁参照。配当表の更正事由は，破産管財の手引〈第2版〉340頁に整理されている。

[206] 石原585頁，基本法295頁〔小島浩〕，破産法大系Ⅰ375頁〔高木裕康〕。ただし，配

4 配当表に対する異議

　破産管財人によって作成された配当表，または更正された配当表に対して，届出をした破産債権者は，その誤りを理由として裁判所に対して異議を申し立てられる（破209Ⅲ・200Ⅰ，破規1）。これは，配当を受ける権利を迅速に確定するための特別の手続であり，訴訟手続による申立ては認められない。異議申立権者は届出をなした破産債権者であって，配当表の変更について法律上の利害関係を有する者であり，異議申立ての期間は除斥期間（破209Ⅲ・198Ⅰ）経過後1週間以内である（破209Ⅲ・200Ⅰ）。裁判所書記官は，異議の申立てがあったときは，遅滞なく，その旨を破産管財人に通知しなければならない（破規69・65）。異議の事由は，配当に加えるべき破産債権を配当表に記載しなかったこと，加えるべきでない破産債権を記載したこと，および破産債権の額または順位に誤りがあることなどである。ただし，すでに確定された破産債権の内容に関する主張は異議の事由になりえない[207]。

　異議について裁判所は，任意的口頭弁論にもとづく決定手続によって裁判する（破8Ⅰ）。異議に理由があれば，裁判所は，破産管財人に対して配当表の更正を命じなければならない（破209Ⅲ・200Ⅱ）。異議の申立てについての裁判に対しては，申立人，破産管財人や更正に利害関係のある破産債権者は，即時抗告をすることができる（破209Ⅲ・200Ⅲ前段）。即時抗告の期間は，異議の申立てを却下する裁判の場合には，当事者に対する裁判書の送達から1週間以内であるが（破13，民訴332），配当表の更正を命じる決定は送達されないから，利害関係人は，記録の閲覧（破11）によって内容を確認しなければならず，利害関係人がその裁判書の閲覧を請求することができるようになった日（破11Ⅰ参

　　当可能金額が先に公告した額を上回る場合には，さらに公告すべきであるとする有力説がある（注解破産法〔下〕581頁〔髙橋慶介〕）。なお，別除権の被担保債権である破産債権については，破産管財人がそれを認めるときでも，配当額を零円とする配当表を作成し，不足額の証明があったときに，配当表を更正するとの実務処理がなされている。破産管財の手引〈第2版〉267頁，運用と書式309頁。これに対して，配当表に記載しないとする実務方式について，裁判所職員総合研修所監修・破産事件における書記官事務の研究271頁（2013年）。

207) 配当表に記載された確定破産債権がその後に保証人などの弁済によって消滅したときでも，それを配当表から削除するためには，請求異議の訴え（民執35）などによることを要する。条解破産法〈第3版〉1407頁。もちろん，届出の取下げを促すことは可能である。注釈破産法〔下〕380頁。また，停止条件付債権に該当するか，停止条件成就の有無なども，配当表に対する異議の事由となる。220問351頁〔越智顕洋〕。

照）から1週間を起算する（破209Ⅲ・200Ⅲ・9・13，民訴332）。異議の申立てを却下する裁判および即時抗告についての裁判（配当表の更正を命じる決定を除く）があった場合には，その裁判書を当事者に送達しなければならない（破209Ⅲ・200Ⅳ）。

5 配当の実施

配当表に対する異議申立期間（破209Ⅲ・200Ⅰ）経過後，または配当表に対する異議申立てがなされた場合には，それについて裁判所の決定がなされた後に，破産管財人は，遅滞なく，配当率を定め，中間配当に参加することができる破産債権者に対してその通知を発しなければならない（破211）[208]。破産管財人は，その旨を裁判所に書面で報告しなければならない（破規68Ⅰ）。報告書には，優先的破産債権や劣後的破産債権などを一般の破産債権から区別し，優先的破産債権については，その優先権の順序（破98Ⅱ）にしたがって，配当率を記載しなければならない（破規68Ⅱ）。

なお，配当表に対する異議についての決定に対して不服申立手続が係属中であっても配当を実施できるかどうかについては，考え方の対立があるが，理論的には配当の実施は可能である[209]。

配当率は，優先的破産債権，一般の破産債権，劣後的破産債権および約定劣後破産債権のそれぞれについて決定される。具体的には，優先的地位にある者についてまず配当率を決定し，それが100％に達した後に，次の順位にある者について配当率を定める（破98・99・194Ⅰ）。同順位の破産債権の内部では，配当率は平等でなければならない（破194Ⅱ）。配当率の通知によって，各債権者の配当金請求権が具体化するので，その後はもはやこれを変更することはできない。したがって，その前に破産管財人に知られていない財団債権者は，配当金から弁済を受けられない（破209Ⅲ・203）[210]。

---

[208] 実務では，配当率のほかに配当額も通知している。大コンメンタール893頁〔深沢茂之〕，条解破産法〈第3版〉1453頁，注釈破産法（下）424頁。

[209] 学説については，注解破産法（下）586頁〔高橋慶介〕参照。最後配当の場合には，異議落着が要求されるが（破201Ⅰかっこ書），中間配当にはその要件がないことが理由になる。条解破産法〈第3版〉1454頁。ただし，実務的には異議の落着を待つことになろう（基本法296頁〔小島浩〕）。

[210] 財団債権者が，配当を受けた破産債権者に対して不当利得返還請求権を主張することも許されない。もちろん，最後配当後に新たな財産が発見され，追加配当がなされるべき場合は別である。条解破産法〈第3版〉1421頁。

6 配当金の交付

配当金は，各破産債権者が破産管財人の職務を行う場所において受け取る（破193Ⅱ本文）。持参債務の原則（民484Ⅰ，商516）を取立債務に変更している。持参債務の原則を適用すると，送金費用が確定するまで配当額が定められないためである。もっとも，破産管財人が現金を債権者に交付することはほとんどなく，破産債権者が届け出た銀行口座に振り込む方式が一般的である[211]。ただし，上記の原則との関係で，その費用は破産債権者が負担するのが本来である。配当を実施したときには，破産管財人は，その配当した金額を破産債権者表に記載しなければならない（破193Ⅲ）。

第3項 最後配当

破産財団に属する財産の換価が終了すると，最後配当がなされる。本書の見解としては，否認訴訟などが係属中であって，将来財団が増加する見込みがあっても，一応換価が終了したのであれば，最後配当を実施し，後の処理は追加配当に委ねるべきであるとしてきたが，有力説[212]にしたがって中間配当にとどめるとの説に改める。破産財団の規模が小さければ中間配当が省略されるので，最後配当が唯一の配当になる。もっとも，中間配当をなした時点ではその後の財産換価が予定されていたが，勝訴を見込んでいた否認訴訟において破産管財人が敗訴したなどの理由から，現実には，配当財団が形成されなかったときの処理に関しては，見解の対立がある。少なくとも中間配当の寄託金がある場合には（破214Ⅰ），その決着をつけるために最後配当手続を行うべきであり，

なお，残余財産の分配は，破産手続終結後の清算手続に委ねられるべきであるが，例外的に，未届出の劣後的破産債権者や株主に対する分配を認めるとの考え方もある。債権調査と配当466頁〔平岩みゆき〕。

211) もっとも，配当額が少額の場合には，費用がかかり，破産債権者も配当を強く望まないことがありうる。少額配当受領意思の確認制度（破111Ⅰ④・113Ⅱ）は，このような実情に対応するために現行法によって新設されたものである。送金手数料の負担を含めた実務については，基本構造246頁，条解破産法〈第3版〉1416頁，注釈破産法（下）387頁，破産管財の手引〈第2版〉331頁，[書式62]，200問357頁〔須藤英章＝柴田義人〕参照。

212) 最後配当に引き続いて破産手続終結決定（破220Ⅰ）がなされると，否認の請求または否認の請求を認容する決定に対する異議の訴えが当然に終了すること（破174Ⅴ・175Ⅵ）などを理由として，中間配当にとどめるべきであるとする考え方が有力である。条解破産法〈第3版〉1380頁，注釈破産法（下）354頁。

実務もこれにしたがっている[213]。なお，最後配当を実施するには，破産管財人は，裁判所書記官の許可をえなければならない（破195Ⅱ）。また，裁判所は，破産管財人の意見を聴いて，あらかじめ，最後配当をすべき時期を定めることができる（同Ⅲ）[214]。

1 配当に加えられる破産債権

配当に加えられるための基本的な資格は，中間配当の場合と同様である。しかし，最後配当としての性質上，以下の債権については，最後配当に関する除斥期間を基準として，配当手続への参加の許否を決する。これを打切主義と呼ぶ。破産債権者間の公平を確保し，手続の遅延を避けるためにとられる原則である。

第1に，異議等のある破産債権（法129条1項の有名義破産債権を除く）について，最後配当に関する除斥期間，すなわち最後配当の公告が効力を生じた日または届出債権者への通知をなしたことの届出[215]があった日（破197ⅠⅢ）から起算して2週間以内に，破産管財人に対し，当該異議等のある破産債権の確定に関する破産債権査定申立てにかかる査定の手続，破産債権査定異議の訴えにかかる訴訟手続または受継がなされた訴訟手続（破127Ⅰ）が係属していることを証明しないと，配当の手続に加えられない（破198Ⅰ）[216]。

---

213) その他の考え方としては，財団不足を理由とした破産手続廃止決定（破217Ⅰ）をなすとする説，中間配当を最後配当とみなして破産手続終結決定（破220Ⅰ）をなすとする説，常に形式的な最後配当（最後配当を行わないことの許可を申請し，配当額を零円とする配当表を作成するなど）をなすべきであるとする説（最後配当手続履践説と呼ばれる）などがある（注解破産法（下）598頁〔高橋慶介〕，基本法291頁〔小島浩〕，破産法大系Ⅰ384頁〔高木裕康〕。実務に関しては，実務上の諸問題222頁，条解破産法〈第3版〉1381頁，破産管財の手引〈第2版〉343頁，220問433頁〔堀野桂子〕参照）。

214) 計画的な破産手続の進行を通じて，できるかぎり速やかに最後配当実施の目途を立てる趣旨である。したがって，原則としては，破産手続開始，遅くとも破産財団の換価に破産管財人が着手する時期までに最後配当の時期を定めることが望まれる。また，この定めは，裁判の形式としては，決定にあたるが，その性質上，合理的理由が認められれば，破産管財人の意見を聴いた上で，時期を変更することも許される。条解破産法〈第3版〉1383，1384頁，注釈破産法（下）356頁。最後配当の許可申立書については，［書式64］参照。

215) 除斥期間等の起算日確定のための届出書については，［書式63］参照。

216) 証明方法としては，それぞれの手続の係属証明，受付印のある受継書面などが考えられる。条解破産法〈第3版〉1399頁，注釈破産法（下）370頁。なお，除斥期間経過後の破産債権査定申立て（破産管財の手引〈第2版〉327頁参照）は不適法である。東京地判平成23・9・29金法1934号110頁，注釈破産法（下）369頁。

第2に，停止条件付債権および将来の請求権は，中間配当の場合には配当額が寄託されるが，最後配当に際しては，除斥期間（破198Ⅰ）内にその発生が確定しないと配当から排斥される（同Ⅱ）[217]。中間配当においてこの種の債権者のために寄託された金銭は，他の債権者への配当に充てられる（破214Ⅰ④・Ⅲ）。停止条件付債権者などが相殺のために寄託請求したことにより寄託された弁済額（破70）についても同様である（破201Ⅱ）。

第3に，別除権者の不足額について，中間配当においては，権利実行着手の証明および不足額の疎明によって配当額の寄託がなされるが（破214Ⅰ③），最後配当においては，除斥期間内に被担保債権の全部もしくは一部が破産手続開始後に担保されないこととなったことを証明し（本書488頁），または当該担保権の行使によって弁済を受けることができない債権の額を証明しないと，同じく配当から排斥される（破198Ⅲ）[218]。別除権者のために寄託された金銭が他の債権者に配当されることも，第2の場合と同様である（破214Ⅰ③・Ⅲ）。準別除権者についても，同様である（破198Ⅴ）。

根抵当権の被担保債権については，当該根抵当権を有する破産債権者が，破産管財人に対し，当該根抵当権の行使によって弁済を受けることができない債

---

[217] 実際上は，除斥期間内に行使可能となることが確実な債権を除いて，配当に加えるべき額を零円として配当表に記載し，後は，当該破産債権者からの異議申立て（破200Ⅰ）を待って，配当表を更正すべきである。異議等のある破産債権や別除権者の不足額についても，同様の取扱いをすべきである。ただし，配当表に記載しない方式がとられることもある。裁判所職員総合研修所監修・前掲書（注206）270頁，条解破産法〈第3版〉1386，1387頁，注釈破産法（下）370頁。なお，多数の消費者が破産債権者となる事件などにおける打切主義の問題点を指摘するものとして，破産法大系Ⅲ475頁〔野村剛司〕がある。

[218] 不足額の証明は，不動産競売手続における配当表（民執85）の提出などによることになるが，競売手続が遅滞すると，実際上その証明が不可能になり，別除権者が配当から排斥される事態が起きる。「破産手続開始後に担保されないこととなったこと」とは，このような事態の発生を避けるために，破産管財人と別除権者の合意によって別除権の基礎たる担保権によって担保される範囲を決定することを認めたものである。一問一答285頁，本書487頁参照。証明の方法については，注釈破産法（下）373頁，220問421頁〔坂川雄一〕参照。
　なお，別除権者から不足額の確定が証明されない限り，破産管財人は，それを配当に加える必要はないが，破産管財人が自ら目的物の任意売却などに関与し，職務上知りえた事実等から自ら不足額を認定できるときには，不足額がないものとして配当を実施することは，破産管財人の善管注意義務（破85）違反となる。札幌高判平成24・2・17金法1965号130頁。本来は，不足額の証明責任が別除権者にあることを考えれば，認定には慎重さが求められよう。注釈破産法（下）374頁。

権の額を証明しない場合においても，これを配当表に記載しなければならない（破196Ⅲ前段）。この場合には，最後配当の許可があった日における[219]被担保債権のうち，極度額を超える部分を最後配当の手続に参加できる破産債権の額とする（同後段）。そして，最後配当の除斥期間内に不足額の証明があった場合を除いて，極度額を超える部分を不足額とみなす（破198Ⅳ）。根抵当権の特質を考慮して，不足額証明の困難さを軽減するためである。

なお，打切主義とは区別されるが，解除条件付債権は，除斥期間内に条件が成就しないと，配当を受けることとなり，中間配当にあたって立てられた担保（破212Ⅰ）は効力を失って（同Ⅱ），解除条件付債権者に返還されるし，担保を供しないために寄託された金銭は，解除条件付債権者に支払われる（破214Ⅰ⑤・Ⅳ）。なお，解除条件付債権者が相殺のために提供した担保，および寄託した金銭（破69）についても同様に扱われる（破201Ⅲ）[220]。

2 配当表

配当表の作成および確定のための手続も，中間配当の場合とほぼ同様である。破産管財人は，最後配当の配当表（破196Ⅰ）を裁判所に提出した後，遅滞なく，最後配当の手続に参加することができる債権の総額[221]および最後配当を

---

[219] 論理的には，最後配当に関する除斥期間の経過時を基準時とすることとなるが，配当表作成の必要から最後配当の許可の時点としている。なお，根抵当権を実行した破産債権者から確定不足額の証明がなされたときには，配当表の更正の可能性がある。大コンメンタール847頁〔福永浩之〕，条解破産法〈第3版〉1390頁。

なお，極度額を超える部分とそれ以外の部分との配当額の振り分けについては，根抵当権が実行された場合において配当金が被担保債権のすべてを消滅させるに足りない場合に法定弁済充当の規律（民489〜491）が適用されるとの判例法理（最判平成9・1・20民集51巻1号1頁）を前提として，最後配当の許可があった日における根抵当権の被担保債権に対して極度額相当の配当金を法定弁済充当すると仮定し，これによって弁済を受けることができないと仮定される部分を極度額を超える部分として最後配当の対象とする。一問一答1277頁，基本構造265頁〔福永有利発言〕，条解破産法〈第3版〉1392頁，注釈破産法（下）364頁。

[220] ただし，配当を実施した後，破産手続終了までに解除条件が成就すれば，破産財団に対する不当利得として，配当分を破産管財人に返還せねばならず，破産手続終了後に解除条件が成就した場合には，破産者に対する不当利得返還義務が生じ，これらは追加配当の対象となる（山木戸98頁，注解破産法（下）603頁〔高橋慶介〕，条解破産法〈第3版〉1413頁）。

これに対し，豊島＝上田・前掲論文（注59）41頁は，他の破産債権者に対する関係で不当利得となるとし，各破産債権者が本来の配当金額と現に受けた配当額との差額を個別に請求すべきであるとする。

[221] 最後配当の手続に参加することができる債権の額（破196Ⅰ③）は，中間配当がなさ

することができる金額を公告するか，届出をした破産債権者に通知しなければならない（破197Ⅰ）[222]。通知（破規12，民訴規4Ⅰ）は，その通知が通常到達すべきであった時に，到達したものとみなす（破197Ⅱ）。破産管財人は，通知が通常到達すべきであった時を経過したときは，遅滞なく，その旨を裁判所に届け出なければならない（同Ⅲ）。最後配当に関する除斥期間は，公告が効力を生じた日（破10Ⅱ）またはこの届出がなされた時点から進行する（破198Ⅰ）。

ただし，配当表の更正事由については，法199条1項1号および2号が規定するもののほかに，別除権者の破産債権の不足額について最後配当に関する除斥期間内に証明があったものが加わる（破199Ⅰ③）。準別除権者についても同様である（同Ⅱ）。また，中間配当の場合には，破産管財人から破産債権者に対して配当率が通知される（破211）のに対して，最後配当の場合には，配当額の通知がなされる（破201Ⅶ）。配当額の通知を発する前に，新たに最後配当に充てることができる財産があるに至ったときは，破産管財人は，遅滞なく，配当表を更正しなければならない（同Ⅵ）。配当額の通知後は，配当額が確定するので，新たに生じた財産は，その額に応じて，追加配当の財源（破215Ⅰ）とするなどの処理がなされる。

3 配当の実施

中間配当の場合には，配当表に対する異議があっても，それに対する決定がなされれば，たとえ不服申立手続が係属中でも配当を実施できるが，最後配当においては，期間中に異議が提出されないか，または異議手続が終了してからでないと配当を実施できない（破201Ⅰ）[223]。配当額の通知を発する前に破産管財人に知れなかった財団債権者が，その配当財団から弁済を受けられないのは，

れた場合であっても，それを減額することなく，破産債権全額を意味する。条解破産法〈第3版〉1391頁。手続開始時現存額主義（破104Ⅱ Ⅳ．本書313頁）との関係で，債権全額を基準として配当を実施すると，超過配当になる場合であっても差し支えないとするのが判例（前掲最決平成29・9・12（注59））である。

[222] 東京地裁破産再生部では，通知を原則とし，債権者多数の事件においては，官報公告によっている。破産管財の手引〈第2版〉319頁，［書式65, 66, 68］。これに対し，大阪地裁では，公告を基本としている。注釈破産法（下）367頁。なお，破産債権者の代理人弁護士に対する通知を有効とした裁判例として，東京地判平成29・11・17金法2094号87頁があり，妥当な判断である。

[223] 異議手続が終了した以上，配当について他の破産債権者が不当利得返還請求などをすることも許されない（注解破産法（下）584頁〔髙橋慶介〕，基本法300頁〔前田博之〕，条解破産法〈第3版〉1409頁）。

中間配当の場合と同様である（破203）。

　配当金の交付方法は，中間配当の場合と同様である。これに対して，最後配当までに確定しない債権に対する配当および破産債権者が受け取らない配当は，供託される（破202）。寄託と異なって，供託は債権者の利益のためになされ，破産管財人はこれによって支払の責任を免れる。供託の対象となるのは，第1に，異議等のある破産債権であって，最後配当の配当額の通知を発したときに，なお破産債権確定手続が係属するものに対する配当額である（同①）。第2は，租税等の請求権等であって，配当額の通知時に審査請求その他の不服申立手続が係属するものに対する配当額である（同②）。第3は，破産債権者が受け取らない配当額である（同③）。破産債権者の住居所不明の場合，および破産債権の帰属に争いがある場合を含む[224]。

第4項　簡易配当

　簡易配当は，最後配当に代わるものであり，除斥期間の短縮（破205後段・198Ⅰ），配当表に対する異議の手続における即時抗告の不許（破205前段かっこ書），あるいは異議手続終了後の配当額の再度の通知の省略（破205前段かっこ書）などの形で，手続を簡略化し，簡易，かつ，迅速に破産債権に対する配当を実施するための手続である[225]。中間配当を実施した場合には，簡易配当は許されない（破207）。

　簡易配当は，破産管財人の申立により，裁判所書記官の許可をえて行われるが，具体的には，次の3つの場合に許される（破204Ⅰ柱書）[226]。第1は，配当可能金額が1000万円に満たないと認められる場合である（同①）。これを少

---

[224] 法202条1号および2号の供託は執行供託であり，3号の供託は弁済供託である。3号の供託後満10年が経過すると，消滅時効が完成し，供託金は国庫に編入される（以上について，注解破産法〔下〕607頁〔高橋慶介〕，基本法302頁〔前田博之〕，条解破産法〈第3版〉1419頁参照）。

[225] 制度創設の経緯と趣旨について，大コンメンタール870頁〔前澤達朗〕，条解破産法〈第3版〉1423頁参照。

[226] この3類型のいずれかにあたれば，簡易配当を許可することができるから，開始時に届出破産債権者が簡易配当について異議を述べても，少額型として簡易配当の許可をすることは可能である。大コンメンタール875頁〔前澤達朗〕，条解破産法〈第3版〉1424頁。実務におけるそれぞれの利用については，基本構造249頁，新版破産法442頁，大コンメンタール871頁〔前澤達朗〕，条解破産法〈第3版〉1426頁，注釈破産法〔下〕397頁，破産管財の手引〈第2版〉317，318頁，〔書式58，73〕，220問418頁〔清水良寛〕参照。

額型と呼ぶ。第2は，裁判所が破産手続開始の際に，簡易配当を実施することに異議のある破産債権者は異議を述べるべき旨を公告および通知し（破32 I ⑤・Ⅲ），届出破産債権者が異議を述べなかった場合である（破204 I ②)[227]。これを開始時異議確認型と呼ぶ。第3は，裁判所書記官が相当と認める場合である（同③）。この場合には，簡易配当に対して異議を述べる機会が後に保障される（破206）。これを配当時異議確認型と呼ぶ。

　裁判所書記官の許可をえた破産管財人は，配当表を作成し，裁判所に提出した後（破196 I），遅滞なく，届出破産債権者に対する配当見込額を定めて，簡易配当の手続に参加することができる債権の総額，簡易配当をすることができる金額および配当見込額を届出破産債権者に通知しなければならない（破204 Ⅱ)[228]。公告はなされない（破205かっこ書による同197の適用排除）。なお，配当時異議確認型の場合には，簡易配当について異議のある破産債権者は裁判所に対して所定の期間内に異議を述べるべき旨も通知される（破206前段)[229]。通知は，その通知が通常到達すべきであった時に，到達したものとみなす（破204Ⅲ）。その時が経過したときは，破産管財人は，遅滞なく，その旨を裁判所に届け出なければならない（同Ⅳ，破規67・64)[230]。

　少額型および開始時異議確認型の場合には，破産管財人の届出から1週間の除斥期間（破205・198 I。最後配当の場合には，2週間である）を経て，配当表に対する1週間の異議申立期間が開始する（破205・200 I）。これに対して，配当時異議確認型の場合には，破産管財人の届出から1週間の異議申述期間が設けられ，この期間内に届出破産債権者が簡易配当に対して異議を述べると，裁判所書記官は，簡易配当の許可を取り消さなければならず（破206後段），最後配当の手続が行われる。異議がなかった場合には，少額型等と同様に，配当表に対する1週間の異議申立期間が開始する。

　期間内に配当表に対する異議申立てがなされると，裁判所書記官から破産管

---

[227] 異議申述の方式について規則66条1項，異議があった場合の措置について，同条2項が規定する。これらの規定の趣旨については，条解破産規則163頁参照。
[228] ［書式59，60，74］。
[229] 異議申述の方式について規則66条3項参照。
[230] 簡易配当に関する除斥期間は，破産管財人の届出の日から，異議申述期間と同時に進行を開始し，異議申述期間が経過すれば，除斥期間も満了する。大コンメンタール876頁〔前澤達朗〕，条解破産法〈第3版〉1435頁。

財人に対するその旨の通知を経て（破規67・65），異議申立てについての裁判がなされる（破205・200Ⅱ）。ただし，異議申立てについての裁判に対する不服申立ては許されない（破205かっこ書による200Ⅲ Ⅳの適用排除）。異議申立てがなく配当異議申立期間が経過した後，または異議申立てについての決定がなされた後，破産管財人は，配当額を定め，最後配当と同様の手続によって簡易配当を実施する（破205・201Ⅰ～Ⅵ）[231]。ただし，配当に参加できる破産債権者に対する再度の通知は行われない（破205かっこ書による同201Ⅶの適用排除）。

第5項 同意配当

同意配当は，最後配当に代わるものであり，破産管財人が定めた配当表等について届出破産債権者の同意をえて，公告や通知の省略，さらに配当異議手続の不実施など，配当手続を簡易配当よりさらに簡略化するものである[232]。なお，中間配当を実施した場合でも，同意配当を行うことは許される（破207参照）。

裁判所書記官は，破産管財人の申立てにもとづいて，最後配当に代えて，同意配当を許可することができる（破208Ⅰ前段）。破産管財人の申立ては，届出破産債権者の全員が，破産管財人が定めた配当表，配当額ならびに配当の時期および方法について同意しているときに限り，することができる（同後段）[233]。裁判所書記官の許可がえられれば，破産管財人は，同意された内容および方法にしたがって，届出破産債権者に対して配当を実施することができる（同Ⅱ）。配当表の内容は，最後配当の場合（破196ⅠⅡ）と同様であり，あらかじめ配当

---

231) 具体的手順については，破産管財の手引〈第2版〉320, 328頁参照。また，法人とその代表者について併行して配当手続を実施する場合の実務処理について，実践マニュアル467頁参照。
232) 実務については，条解破産法〈第3版〉1438頁，注釈破産法（下）411頁，破産管財の手引〈第2版〉317頁参照。
233) 破産管財人が，届出破産債権者に対して，配当表を添付した上で，配当額などを具体的に記載して同意書の書式を送付し，破産債権者がそれに署名押印して返送し，破産管財人が同意書を裁判所書記官に提出することになる。条解破産法〈第3版〉1439頁。
　なお，同意配当の方式をとることによって，法定の配当順位（破194）を変更できるかという問題，たとえば，一般の破産債権のうち一部のものを優先的破産債権と同順位で，または優先的破産債権に次ぐ順位で配当を実施することの許容性である。大コンメンタール885頁〔前澤達朗〕は，これを肯定し，本書も賛成する。ただし，全届出債権者から同意をうるためには，順位の変更についての合理的説明が必要になろう。

表を作成して裁判所に提出する（破208Ⅲ）。また，裁判所書記官による同意配当の許可時に破産管財人に知れていない財団債権者は，同意配当をすることができる金額をもって弁済を受けることができない（破208Ⅲ・203）。

第6項　追加配当

通常の場合には，最後配当，またはこれに代わる簡易配当や同意配当によって配当手続が終了する。しかし，最後配当額の通知を発した後（最後配当の場合），配当異議の除斥期間経過後（簡易配当の場合）または裁判所書記官の許可後（同意配当の場合）に新たに配当に充てるべき相当の財産が生じると，破産管財人は，裁判所の許可をえて，さらに配当を行わなければならない（破215Ⅰ前段）。すでに破産手続終結決定がなされた場合も同様である（同後段）。なお，最後配当において配当額の通知を発する前，簡易配当において配当異議の除斥期間経過前に相当の財産があるに至った場合は，配当表の更正の手続による（破201Ⅵ・205。本書755，762頁）。

1　追加配当に充てられるべき財産

追加配当の財源となる財産については，4種類のものが区別される。第1は，届出破産債権に対して破産管財人などから異議等が提出されて，債権確定手続が係属中の破産債権について供託されていた金銭で（破202①②），手続の結果が届出破産債権者の側の敗訴に確定した場合である。第2は，破産手続終了までに否認訴訟などにおいて破産管財人が勝訴し，破産財団に回復される財産である。第3は，破産管財人の錯誤などを理由として破産債権者から返還される配当金や税金の還付金などである。第4は，最後配当額の通知後などに新たに発見された財産である。

以上の財産のうち，第4の財産の範囲については見解の対立がある。すなわち，法215条1項後段の文言を尊重すれば，配当額の通知後などに限らず，破産手続終結決定がなされた後に発見された財産も追加配当の財源になると解されるが，通説は以下のような理由からこれを否定する。すなわち，破産手続終結決定後は，破産者の管理処分権が回復され，逆に破産管財人の管理処分権は消滅するから，かりに財産が発見されたとしても，破産管財人はそれを配当財源とすることはできない，破産手続終結決定後も破産管財人に財産管理の義務を課するのは不当である，また，追加配当の財源とすることは，終結決定後に

破産者と取引した者の地位を害するなどの理由である[234]）。

　もちろん，破産手続終結決定後に破産管財人が積極的に追加配当の財源を探す義務を負う理由はないが，破産者が隠匿していた財産がたまたま発見された場合などにおいても，およそ追加配当の可能性を否定するのは妥当ではない。破産手続開始時に破産者に帰属していた財産である限り，破産手続中に破産管財人に発見されなかったとしても，なお潜在的に破産管財人の管理処分権が及んでいると解されるからである。もっとも，破産手続終結の効果として破産者の管理処分権復活自体を否定することはできないから，破産者がすでに当該財産を第三者に譲渡している場合にまで，それを追加配当の財源とすることはできないが，発見された財産がなお破産者に帰属しているような場合には，破産管財人の潜在的管理処分権が顕在化するものとして，これを追加配当の財源とすべきである[235]）。

234）山木戸 261 頁，谷口 323 頁，宗田親彦「配当」裁判実務大系（6）423, 442 頁，債権調査・配当 441 頁〔岡伸浩〕など。これに対して，青山ほか 220 頁は，本書と同様に配当可能性を認める。

235）基本法 303 頁〔伊藤眞一郎〕，新版破産法 451 頁〔松井洋〕。東京地判平成 24・5・16 判時 2169 号 98 頁も，このような考え方を基礎としている。なお，破産者が財産を第三者に譲渡し，その対価をえているときには，破産管財人が破産者に対して不当利得返還請求権を行使することが考えられる。これに対して近時の有力説（大コンメンタール 902 頁〔深沢茂之〕，条解破産法〈第 3 版〉1466 頁）は，最判平成 5・6・25 民集 47 巻 6 号 4557 頁〔倒産百選 21 事件〕の「破産管財人において，当該財産をもって追加配当の対象とすることを予定し，又は予定すべき特段の事情があるときには，破産管財人の任務はいまだ終了していないので，当該財産に対する管理処分権限も消滅しないというべきであるが，右の特段の事情がない限り，破産管財人の任務は終了し，したがって，破産者の財産に対する破産管財人の管理処分権限も消滅すると解すべきである」との判示を基礎として，追加配当が予定され，または予定すべき財産に限るべきであるとする。実際上は，このような考え方によらざるをえない。破産管財の手引〈第 2 版〉355 頁，220 問 231 頁〔小島伸夫〕，437 頁〔坂川雄一〕，破産法大系 I 386 頁〔高木裕康〕，債権調査・配当 464 頁〔平岩みゆき〕参照。特段の事情の有無に関する判断に際しては，財産発見の経緯や理由，破産者の関与の程度や帰責性などを考慮すべきである。破産法大系 I 428 頁〔石田明彦〕，注釈破産法（下）437 頁，中島弘雅「破産手続終結による破産者の財産管理処分権の回復について」立命館法学 369・370 号 520 頁（2017 年）。破産手続終了後に発生した保険事故にもとづく保険金請求権は，この基準からみれば，追加配当の財源とすべきではない。現代型契約と倒産法 277 頁〔神原千郷ほか〕。

　なお，財団不足による廃止（破 216 I．本書 776 頁）後に財産が発見された場合にも，類似の問題が発生する。この場合には，破産債権の調査確定手続が行われていないことが多いと思われるが（本書 185 頁），発見財産が相当額を超えるときは，廃止決定を取り消し（破 13，民訴 349），債権調査を進めるのが本来の形であろう。破産法大系 I 430 頁〔石田明彦〕，注釈破産法（下）438 頁参照。問題となった実例として，東京地判令和元・

なお、追加配当に充てるべき財産は、配当手続の費用などを考慮して、相当のものでなければならない。相当の程度に達しない場合には、当該事件の事情を考慮して、破産管財人に対する追加報酬として支給することも許される[236]。

2 追加配当の手続

破産管財人は、裁判所から追加配当の許可をえたときは、遅滞なく、配当手続に参加できる破産債権者に対する配当額を定め（破215Ⅳ）、それらの破産債権者に通知しなければならない（同Ⅴ）[237]。公告の必要はない（旧破283Ⅱ参照）。追加配当は、最後配当、簡易配当または同意配当について作成した配当表によってなされる（破215Ⅲ）。追加配当を実施した場合には、破産管財人は、遅滞なく、裁判所に書面による計算の報告をしなければならない（同Ⅵ）。その場合に、破産管財人が欠けたときは、計算の報告は、後任の破産管財人がしなければならない（同Ⅶ）。なお、追加配当に際しても、給料の請求権等の破産債権者で、弁済を受けた者（破101Ⅰ）および外国で満足を受けた者（破109）の配当における劣後化の規定（破201Ⅳ）、少額配当についての規定（同Ⅴ）、配当額の供託の規定（破202）、ならびに破産管財人に知れていない財団債権者の取扱いに関する規定（破203）が準用される（破215Ⅱ）。

第7項　配当による破産手続終結

配当が終了すると、破産手続はその目的を達したとみなされるので、手続を終結する。

1 破産管財人による計算報告

最後配当によってその任務を終了したときは、破産管財人は、遅滞なく、計算の報告書を裁判所に提出しなければならない（破88Ⅰ）[238]。破産管財人が欠けたときは、後任の破産管財人が計算の報告書を提出しなければならない（同Ⅱ）。また、破産管財人または後任の破産管財人は、債権者集会への計算の報告を目的として、裁判所に対して債権者集会招集の申立て（破135Ⅰ本文）をし

7・16LEX/DB25581704がある。
236)　実務上の諸問題223頁。破産者による清算に委ねることもある（破産・民事再生の実務［破産編］522、566頁）。
237)　追加配当の許可申立ては、裁判所に対するものであり（［書式71］）、通知は、個々の破産債権者に対するものである（［書式72］）。
238)　［書式75］。配当額の供託がなされた場合には（破202参照）、供託書を別添する。

なければならない（破88Ⅲ）。破産者，破産債権者または後任の破産管財人（破産管財人が欠けた場合の後任の破産管財人を除く）は，この債権者集会の期日において，報告される計算に対して異議を述べることができる（同Ⅳ）。計算の報告に関する破産管財人の義務は，善管注意義務（破85Ⅰ）の具体的発現の1つであり，管財業務遂行の適正さを確保するために課されるものである。したがって，破産管財人の報告も，計算に対する破産債権者などの異議権を実質的に保障するものでなければならず，破産管財人が債権者集会の3日前までに計算の報告書を裁判所に提出しなければならないとされるのも（破88Ⅴ），このためである。計算の報告書の内容も，金銭出納の計算だけではなく，管財業務の全般が理解されるものでなくてはならない。

計算の報告に対して破産債権者などから異議が提出されないと，計算報告が承認されたものとみなされ（同Ⅵ），破産管財人の責任が解除される（本書219頁）。異議が提出されても，争いの解決は異議申立人と破産管財人との間の損害賠償請求訴訟などに委ねられ，破産手続終結決定をするのの妨げにならない。

ただし，緊急処分の任務は残る（破90Ⅰ）。破産手続開始決定の取消しまたは破産手続廃止の決定が確定した場合に，破産管財人は，財団債権を弁済しなければならないとされるのも（同Ⅱ），任務終了後の財産の管理に属する。

以上に対して，破産管財人または後任の破産管財人は，債権者集会招集の申立てに代えて，書面による計算の報告をする旨の申立てを裁判所にすることができる（破89Ⅰ）。裁判所は，この申立てがなされ，かつ，計算の報告書が提出されたときは，その提出があった旨，およびその計算に異議があれば，一定の期間内にこれを述べるべき旨を公告しなければならない（同Ⅱ前段）。この場合には，異議提出期間は，1月を下ることができない（同後段）。期間内に異議が述べられなかった場合の効果は，債権者集会が開かれた場合と同様である（同Ⅲ Ⅳ）。

2　破産手続終結決定

裁判所は，最後配当，簡易配当または同意配当が終了した後，計算の報告のための債権者集会（破88Ⅳ）が終了したとき，または計算の報告書に対する異議提出期間（破89Ⅱ）が経過したときは，破産手続終結決定をしなければならない（破220Ⅰ）。異議の提出は，決定をすることの妨げにならない。決定をす

ると，裁判所は，直ちに，決定の主文および理由の要旨を公告し，かつ，これを破産者に通知しなければならない（同Ⅱ）。この決定に対する不服申立ては認められない（破9）。残余財産の問題は，追加配当手続の中で扱われるからである。

破産手続終結決定の公告によって破産手続終結の効果が生じ，したがって，破産者に対する関係では，破産手続開始にもとづく人的効果（破37等）も消滅するし，残余の財産があれば，それについての破産者の管理処分権が回復する（破78Ⅰ参照）[239]。また，破産債権者に対する関係では，個別的権利行使の制限（破100Ⅰ）も解除される。もっとも後に述べるように，免責手続が開始されているときには，なお個別的権利行使に対する制限が継続し（破249Ⅰ），免責が付与されれば，権利行使の可能性は消滅する（破253Ⅰ柱書本文参照）[240]。

3　破産手続終結と消滅時効との関係

破産者に対する債権の消滅時効は，破産債権届出によって完成猶予の効果が生じ（民147Ⅰ④），その効果は，破産手続終了まで継続する[241]。そして，破産債権者表の記載の効果たる破産者に対する確定判決と同一の効力にもとづいて（破221Ⅰ前段），時効期間が10年になり（民169Ⅰ。最判昭和44・9・2民集23巻9号1641頁），時効の更新の効果が生じる（民147Ⅱ）。したがって，破産債権については，破産手続終結の公告によって破産手続が終了したときから，10年の消滅時効が新たに進行を開始する。また，破産債権の消滅時効についてこの

---

[239] 破産者が法人であるときには，破産手続終結の効果として法人格が消滅し（破35，一般法人148⑥・202Ⅰ⑤参照），破産手続終結の登記がなされ（破257Ⅷ Ⅰ），その登記記録は閉鎖される（商登則117Ⅲ①）。残余の財産があれば法人格の存続を認め，清算手続を行うことになる（会社475①かっこ書参照）。

　また，破産手続終了前でも破産管財人が放棄した財産について清算手続を行うことが必要になる場合がある。条解破産法〈第3版〉1519頁。

　帳簿の保存義務は，破産法人の元代表者または商人である破産者本人に移ることになるが，引渡しができない場合には，一定期間（東京地裁破産再生部の場合には3年），破産管財人が破産財団の管理に関する費用（破148Ⅰ②）をもって保管する。破産管財の手引〈第2版〉354頁，220問233頁〔鶴巻暁〕，実践マニュアル487頁。医療法人の診療録についても，同書125頁参照。その他，破産者の帳簿類などの取扱いについて，条解破産法〈第3版〉1483頁，注釈破産法（下）489頁，破産法大系Ⅰ406頁〔石田明彦〕参照。

[240] 破産債権の現在化の効力は残存し（本書291頁注60），また，金銭化の効力も，いったん配当がなされた以上，残存すると解すべきであろう。

[241] 最判昭和53・11・20民集32巻8号1551頁〔会社更生〕，前掲最判平成7・3・23（注3），前掲最判平成9・9・9（注3）。債権届出が不適法として却下されても（破13，民訴137Ⅱ），完成猶予の効果は生じる（民147Ⅰ柱書かっこ書・④）。

ような効果が生じることにともなって，破産債権について保証人が存在するときには，保証債権の消滅時効についても，同様に時効の完成猶予効および更新の効果が生じる[242]。以上のことは，破産手続終結決定以外の事由による破産手続終了の場合も同様である。

ただし，いわゆる同時破産手続廃止の場合や異時破産手続廃止で債権調査がなされない場合（本章注36）には，破産債権の届出や確定もありえないことから，破産債権についての消滅時効の完成猶予や更新，時効期間の延長の効果も生ぜず，従来通り消滅時効が進行し，消滅時効が完成すれば，破産債権に付された保証債権も保証債務の付従性によって消滅する。なお，破産者が法人である場合には，破産手続終結の効果としてその法人格が消滅し，したがって債務も消滅するが[243]，この場合には，破産者の法人格消滅にかかわらず，なお破産債権に付された保証債権が存続するのかどうかが，保証債務の付従性の点から問題となる。しかし，この点については，破産法253条2項の規定の趣旨を考慮して，保証人の債務は影響を受けないとの考え方が確立されている（本書781頁注1）。その結果として，保証債権は，独立の債務として存続することとなる[244]。

---

242) 最判昭和43・10・17判時540号34頁，最判昭和46・7・23判時641号62頁。前者は，「民法457条1項は，主たる債務が時効によって消滅する前に保証債務が時効によって消滅することを防ぐための規定であり，もっぱら主たる債務の履行を担保することを目的とする保証債務の附従性に基づくものであると解されるところ，民法174条の2の規定によって主たる債務者の債務の短期消滅時効期間が10年に延長せられるときは，これに応じて保証人の債務の消滅時効期間も同じく10年に変ずるものと解するのが相当である。」と判示する。

243) 最判平成15・3・14民集57巻3号286頁。同時破産手続廃止（破216Ⅰ）および異時破産手続廃止（破217Ⅰ）の場合も同様である。債務の消滅にともなって，破産債権や財団債権の残額について税法上の貸倒損失として損金の額に算入することができる。中村慈美「事業再生と税制」松嶋古稀444頁。

244) したがって，破産者の法人格消滅にともなって消滅した破産債権について消滅時効の進行や完成を観念できない以上，保証債権について，保証人が主債務についての消滅時効を援用できない。前掲最判平成15・3・14（注243）は，「会社が破産宣告を受けた後破産終結決定がされて会社の法人格が消滅した場合には，これにより会社の負担していた債務も消滅するものと解すべきであり，この場合，もはや存在しない債務について時効による消滅を観念する余地はない。この理は，同債務について保証人のある場合においても変わらない。したがって，破産終結決定がされて消滅した会社を主債務者とする保証人は，主債務についての消滅時効が会社の法人格の消滅後に完成したことを主張して時効の援用をすることはできないものと解するのが相当である。」と判示する。

これに対して破産管財人が放棄した財産が存在するために，破産手続終了後に破産法人

第4節　配当終結以外の破産手続終了原因

　破産債権者に対する配当によって終了するのが破産手続の本来の姿であるが，法律上は，そのほかにいくつかの手続終了原因が存在する。それらを大別すると，第1に，破産手続より優先する他の手続，たとえば再生手続や更生手続が破産手続係属中に開始されることによって，劣後的地位にある破産手続が中止され，再生計画認可決定の確定や更生計画認可決定によって失効する場合が挙げられる（民再39Ⅰ・184，会更50Ⅰ・208）。また，破産手続の廃止に全債権者が同意する，いわゆる同意破産手続廃止も（破218），考え方としては，この類型に近い。

　第2は，破産財団の内容が十分でなく，破産手続の費用を償うのに不足し，破産債権者に対する配当の可能性がないために，手続を終了せざるをえない場合である。破産手続開始の時点で行われる同時破産手続廃止（破216Ⅰ），および手続がいったん開始された後に行われる異時破産手続廃止（破217Ⅰ）がこれに属する。

　第1または第2の類型のいずれであっても，破産手続は将来に向かってのみその進行を止めるものであり，手続が遡及的に効力を失う破産取消し（破33Ⅲ）と区別される[245]。以上，配当を前提とした破産手続の終結，他の手続の開始による破産手続の終了，および破産手続廃止を含めて，破産手続が将来に向かって終了するすべての場合を包括して，旧法下では破産手続の解止と呼ばれたが，現行法はこれを破産手続の終了と呼ぶ。

　これらの終了事由の中で，まず同意破産手続廃止を説明し，その後に財団不足を原因とする破産手続廃止の中で，すでに第1部第1章（本章196頁以下）で説明した同時破産手続廃止を除いた異時破産手続廃止について説明する[246]。

　　の清算手続が行われ，法人格が存続するときには，消滅時効の援用が許されると解する余地がある。破産法大系Ⅰ405，407頁〔石田明彦〕参照。
　　　物上保証人の場合にも，破産法253条2項の規定の趣旨から，その責任に影響は及ばない。そして物上保証の内容である担保権の消滅時効は，民法166条2項による。
245)　ただし，取消しを含めて破産手続の終了という概念を用いることもある。条解破産法〈第3版〉1471頁。同書1473頁には，各種の終了事由の全体像が図示されている。
246)　その他に，外国倒産処理手続の終了にともなって，それと競合するために中止されていた国内倒産処理手続が失効して，終了する場合がある（外国倒産61Ⅰ・57Ⅱ・56Ⅰ③）。

第1項　同意破産手続廃止

　破産者が債権届出期間内に届け出た破産債権者の全員の同意をえた場合[247]，または同意をしない破産債権者に対して他の破産債権者の同意をえて破産財団から裁判所が相当と認める担保を供した場合には，破産手続廃止の申立てをすることができる（破218 I）。したがって破産者は，債権届出期間経過後であれば，破産手続の終了に至るまでいつでも申立てをなすことができる。不同意破産債権者に対する担保が相当か否かは裁判所が定める[248]。決定に対する不服申立ては許されない。なお，破産者が免責許可の申立てをしているときには，同意破産手続廃止の申立てをすることはできない（破248Ⅵ．本書787頁）。

　同意をえなければならない破産債権者の範囲は，債権届出期間内に届け出た破産債権者である[249]。したがって，債権届出期間経過後に届け出た債権者（破119 I・122 I 参照）は同意をうる対象に含まれないが，廃止申立てについての意見申述期間内に意見を述べることは許される（破218Ⅳ）[250]。また，届出期

---

247) 同意は破産者に対するものではなく，裁判所に対するものである。また債権届出期間内に届出がない場合，届け出られた債権がすべて取り下げられた場合にも，同意破産手続廃止に準じて，破産者は廃止の申立てをすることができる。この場合には，職権による破産手続廃止も可能である。本書677頁。

248) 担保は，破産手続続行を前提とした不同意債権者の利益を守るためのものであるから，その相当性は，予想配当額が基準となる。これに対して，不同意債権者の届出債権全額を基準とする考え方も有力である（注解破産法（下）762頁〔谷合克行〕）。しかし，不同意債権者には破産債権者表による強制執行が保障されているのであるから（破221），債権全額を担保によって保障する必要はない。

　なお，担保提供に対する他の債権者の同意がなされると，破産者は，その限りで破産財団所属財産についての管理処分権を回復し，担保の提供を行うことができる。他の債権者の同意は，廃止に対する同意と異なって，破産者を相手方とするものである（注解破産法（下）761頁〔谷合克行〕）。担保は現実に提供されるのが原則であるが，特定明示されていれば（名古屋高決昭和51・5・17判時837号51頁〔新倒産百選101事件〕），提供の申出でも足りる。条解破産法〈第3版〉1507頁。

249) したがって，別除権者については，不足額が証明された場合以外は（破108），同意をうる対象とならない（前掲名古屋高決昭和51・5・17（注248），注解破産法（下）759頁〔谷合克行〕，条解破産法〈第3版〉1505頁，破産法大系 I 415頁〔石田明彦〕）。

250) 多数説は，債権届出期間後の届出破産債権者であっても意見申述権（旧法351条1項では，異議申立権）が認められる以上，これらの者も同意権者とすべきであると説く。しかし，法律の文言を拡張してまで債権届出期間経過後の届出破産債権者に同意権を与える理由は乏しい（大阪高決昭和38・4・30高民16巻3号184頁，基本法342頁〔道下徹〕，大コンメンタール933頁〔瀬戸英雄〕，条解破産法〈第3版〉1505頁）。現行法は，異議申立権に代えて，意見申述権を認めるにとどめたから，多数説の考え方が成立する余地は

間内に届け出た債権者であるが，なお，未確定の破産債権者については，同意を要するかどうかを裁判所が決定する（同Ⅱ）。決定に対する不服申立ては許されない。

1 廃止の手続

破産手続廃止に関する破産債権者の同意の性質は，破産手続の続行を求める利益を放棄する旨の裁判所に対する意思表示と解される。したがって，同意は債権そのものの放棄を意味するわけではない。また，同意に条件を付けることは，手続を不安定にするので許されない。撤回もできない。いったん廃止決定が確定してしまえば，錯誤などを理由として同意の取消しを主張することもできない。

破産者が廃止の申立てをなすについては，同意書など，必要な条件を具備することを証する書面を提出しなければならない（破規1Ⅰ・2Ⅰ～Ⅲ）。また，法人または信託財産の場合には，あらかじめ法人または信託財産継続の手続をとらなければならない（破219・244の13Ⅲ）251)。相続財産破産においては，各相続人が廃止の申立てをすることができ，信託財産破産においては各受託者等が廃止の申立てをすることができる（破237・244の13Ⅲ）。

申立てを受けた裁判所は，その旨の公告をなし（破218Ⅲ・10ⅠⅡ），利害関係人は，申立てに関する書類について閲覧等ができる（破11）。そして，届出破産債権者は，その公告が効力を生じた日から起算して2週間以内に廃止申立てについて裁判所に意見を申し述べることができる（破218Ⅳ）。意見の内容としては，破産手続廃止についての同意が欠けていること，あるいは同意につい

ない。もちろん，事実上の同意取得は別である。
251) 継続の手続とは，株式会社の場合の特別決議（会社466・309Ⅱ⑪），持分会社の場合の総社員の同意（会社637），一般社団法人・財団法人の場合の法定多数決（一般法人146・49Ⅱ④・200Ⅰ・189Ⅱ③）など，定款その他の基本約款の変更に関する規定にもとづく手続をいう。
　継続の手続がとられないと，法人が破産手続開始によって解散する以上（一般法人148⑥・202Ⅰ⑤，会社471⑤・641⑥等。条解破産法〈第3版〉1514頁には各種法人についての一覧がある），同意破産手続廃止が無意味になるためである（基本法343頁〔道下徹〕）。信託財産についても同様である（信託163⑦参照）。ただし，清算中に破産した法人については，清算手続を続行するために法人継続の手続をとる必要はない（注解破産法（下）763頁〔谷合克行〕，注釈破産法（下）485頁）。
　なお，旧法は，法人の廃止の申立てについて理事の全員一致を要求していたが（旧破356・291），現行法では，通常の意思決定の方法によれば足りる。条解破産法〈第3版〉1509頁。

て意思表示の瑕疵が存在することなどが考えられるが[252]，書面によって，意見の理由を明らかにしなければならない（破規71Ⅰ・Ⅱ後段）。

　2週間の意見申述期間の経過後に裁判所は，破産手続廃止に必要な条件が整っているかどうかを判断し[253]，破産手続廃止決定または廃止申立棄却決定をなす。裁判所は，破産手続廃止決定をしたときは，直ちに，その主文および理由の要旨を公告し，かつ，その裁判書を破産者および破産管財人に送達しなければならない（破218Ⅴ・217Ⅳ）。廃止申立棄却決定をしたときは，その裁判書を破産者に送達しなければならない（破218Ⅴ・217Ⅴ前段）。送達代用公告の規定（破10Ⅲ本文）は適用しない（破218Ⅴ・217Ⅴ後段）。破産手続廃止決定は，確定しなければ，その効力を生じない（破218Ⅴ・217Ⅷ）。

　破産手続廃止決定および廃止申立棄却決定に対しては，破産債権者，財団債権者，破産管財人または破産者による即時抗告が許される（破218Ⅴ・217Ⅵ）。即時抗告の結果として，破産手続廃止決定を取り消す決定が確定したときは，当該廃止決定をした裁判所は，直ちに，その旨を公告しなければならない（破218Ⅴ・217Ⅶ）。

2　破産手続廃止決定確定の効力

　廃止決定が確定すると，破産手続終結決定がなされたのと同様に破産手続終了の効果が生じる。したがって，裁判所は，登記・登録の嘱託（破257Ⅶ・258Ⅱ・262），官庁等への通知（破規9Ⅱ），および郵便物等管理嘱託取消し（破81Ⅲ）などを行う。また，破産管財人の任務も終了するので，破産管財人は，財団債権者に弁済または供託し（破90Ⅱ）[254]，その後に任務終了による計算の報

---

[252]　したがって，同意債権者にも意見申述権が認められる（基本法344頁〔道下徹〕）。なお，旧法は，破産債権者などに対する意見聴取を必要的なものとしていたが（旧破352），現行法では，必要的ではない。また，同意を求められない債権届出期間経過後の届出破産債権者の多数が同意しない旨の意見を述べたときの取扱いについては議論があるが，同意破産手続廃止の趣旨に反するとして，申立てを棄却することも考えられる。条解破産法〈第3版〉1510頁。

[253]　破産管財人の意見聴取は必要的ではないが（旧破352参照），実際上は不可欠であろう。条解破産法〈第3版〉1510頁。

[254]　財団債権弁済の原資は破産財団所属財産であり，その限りで廃止決定後も破産管財人の管理処分権は残存する（注解破産法（下）777頁〔谷合克行〕，条解破産法〈第3版〉1500，1512頁）。もっとも，破産者が弁済原資を提供することは差し支えない（基本法345頁〔道下徹〕）。いずれにしても，破産管財人は財団債権の弁済について責任を負うが，完全な弁済ができないと判断されるときには，裁判所は廃止を認めるべきではない。大コンメンタール936頁〔瀬戸英雄〕，条解破産法〈第3版〉1508頁。もちろん，財団債権者

告などの措置をとる（破88・89）。

　破産手続廃止決定が確定すると，破産財団所属の財産についての破産者の管理処分権が回復する。もっとも，その回復には遡及効がないので，すでに破産管財人が行った管理処分行為の効力は何ら影響を受けない。管理処分権の回復とともに，破産者は当然に復権する（破255Ⅰ②）。ただし，財団不足による廃止の場合と異なって，免責の申立てをなすことは認められない（破248Ⅶ①参照）。破産財団に関する訴訟は，破産者が受継する（破44ⅤⅥ）。

　廃止にともなって，破産債権者に対する個別的権利行使の制限（破100Ⅰ）も解除される。したがって，債権者は破産者に対する強制執行などを許されるし，その際に破産者が異議を述べなかった破産債権者表を債務名義として用いることもできる（破221）。これに対して，破産手続開始前に強制執行が開始されており，それが破産手続開始によって失効した場合に（破42Ⅱ本文），廃止によって強制執行手続が復活し，債権者がそれを続行できるか否かについては争いがある。しかし，破産手続開始にもとづく効力は，強制執行手続などの中断ではなく失効であり，しかも廃止には，取消しの場合と異なって，遡及効が存在しないのであるから，当然に強制執行手続が復活すると解することはできない[255]。

第2項　財団不足による廃止

　破産手続開始の時点で財団不足が明らかになっている場合には，破産手続開始決定はなされるが，破産管財人が選任されることはなく，破産手続開始と同時に手続が廃止される（破216Ⅰ）。これは，同時破産手続廃止と呼ばれる。これに対して破産手続開始の後に，破産財団（法定財団）をもって破産手続の費用を支弁するのに足りないと裁判所が認めたときには，破産管財人の申立てまたは職権によって破産手続廃止の決定をしなければならない（破217Ⅰ前段）。

　　が同意すれば別である。破産法大系Ⅰ416頁〔石田明彦〕。
　　なお，争いある財団債権について供託がなされた場合には，後の管理処分権を回復した破産者と財団債権者との間の争いに委ねられる。
[255]　学説については，注解破産法（下）756頁〔谷合克行〕。条解破産法〈第3版〉1502頁は，強制執行が取り消されず，停止にとどめられる不動産執行では，続行の可能性を認める。
　　また，廃止にともなう強制執行を避けるための方策として，同意債権者との間の不執行の合意については，大コンメンタール937頁〔瀬戸英雄〕，注釈破産法（下）484頁。

これを財団不足による廃止，事後廃止，または異時破産手続廃止と呼ぶ。

異時破産手続廃止が行われる原因の1つとしては，当初存在すると予想された財産が存在しなかったり，その価値が滅失したりする場合が考えられる。たとえば第三者からする取戻権の行使，あるいは否認訴訟の敗訴などである。また，それ以外にも，破産手続開始当時にある程度存在した財産が，給料債権や租税債権などの財団債権の弁済に費消されてしまい，結局財団不足に陥った場合とか，破産手続開始当時に財産の有無が明白でなかったために，とりあえず申立人に費用を予納させて手続を開始したが，やはり財産が発見されなかった場合などが考えられる。

もっとも，配当の見込みは破産手続開始の要件ではないので，当初から多額の財団債権があり，配当が見込めない事案で，資産の換価と調査の結果，想定通り財団債権の一部の按分弁済をしうるにとどまるような事例も，異時破産手続廃止の対象となりうる。なお，優先的破産債権への配当のみが可能であり，一般破産債権への配当が不可能であることが明らかな事案で，破産管財人との間の和解によって優先的破産債権を財団債権とし，異時廃止とする実務があるといわれるが，あくまで便宜的処理であろう。

裁判所は，破産財団が手続費用を償うに足らないと認めたときには，破産管財人の申立てにより，または職権にもとづいて，あらかじめ債権者集会において破産債権者の意見を聴いた上で，破産手続廃止決定をしなければならない（破217Ⅰ後段）。ただし，裁判所は，相当と認めるときは，債権者集会の期日における破産債権者の意見聴取に代えて，書面によって破産債権者の意見を聴くことができる（同Ⅱ前段)256)。この場合においては，債権者委員会や破産債権者による債権者集会の申立て（破135Ⅰ②③）は，することができない（破217Ⅱ後段）。

破産債権者の意見を聴くのは，費用の予納をして，手続の続行を求める機会を破産債権者に与えるためである。したがって，手続費用を支弁するに足りる金銭の予納がなされれば，裁判所は廃止決定をする必要はない（同Ⅲ)257)。

256) 書面による意見聴取の方法については，具体的な定めはないが，債権者集会に代替する実質をもつ必要がある。大コンメンタール927頁〔瀬戸英雄〕，条解破産法〈第3版〉1497頁。また，破産手続開始の時点で廃止のための債権者集会の期日も指定する実務（一括指定・続行方式）については，注釈破産法（下）471頁参照。
257) 手続費用の予納がなされても，将来にわたって破産債権者への配当可能性が見込まれ

破産手続廃止決定がなされると，裁判所がその主文および理由の要旨を公告し，かつ，裁判書を破産者および破産管財人に送達しなければならない（破217Ⅳ）。破産手続廃止決定に対しては，即時抗告が認められるが（同Ⅵ），即時抗告権者は，廃止について法律上の利害関係をもつ者，すなわち破産者，破産債権者，申立てをしていない破産管財人および財団債権者である。即時抗告期間は，公告が効力を生じた日（破10ⅠⅡ）から起算して2週間である（破9後段）。破産手続廃止決定を取り消す決定が確定したときは，当該破産手続廃止決定をした裁判所が，直ちに，その旨を公告しなければならない（破217Ⅶ）。破産手続廃止決定は，確定しなければ効力を生じない（同Ⅷ）[258]。

破産手続廃止申立棄却決定がなされると，裁判所は，その裁判書を破産管財人に送達しなければならない（破217Ⅴ前段）。送達代用公告の規定（破10Ⅲ本文）は適用しない（破217Ⅴ後段）。申立棄却決定に対する即時抗告権者は，破産管財人のみである[259]。

その他の手続および効果については，以下に説明する特別の事項を除けば，同意破産手続廃止の場合と同一である。

財団不足による廃止の場合には，破産手続廃止決定が確定しても破産者が当然に復権するわけではない。免責許可決定の確定によって復権するか（破255Ⅰ①），弁済その他の方法によって破産債権者の債務の全部についてその責任を免れたことを前提として，復権の申立てをなすことによって（破256Ⅰ），はじめて復権が認められる。

破産者が法人の場合には，同意破産手続廃止であれば，法人継続の手続がとられるが（破219），異時破産手続廃止の場合には，破産手続開始にもとづく解散の効果が存続する（一般法人148⑥・202Ⅰ⑤，会社471⑤・641⑥等）。しかし，

ないときには，裁判所は廃止決定をなすこともできる（注解破産法（下）774頁〔谷合克行〕，大コンメンタール927頁〔瀬戸英雄〕，条解破産法〈第3版〉1476，1496頁，注釈破産法（下）470頁，破産法大系Ⅰ409頁〔石田明彦〕）。ただし，破産手続を続行すべき特別の事情が認められる場合もあろう。

[258] 債権者から破産管財人に対して税法上の損金処理のために異時廃止の証明が求められることがある。そのための手続について破産管財の手引〈第2版〉310頁，［書式77］参照。

[259] 条解破産法〈第3版〉1499頁。裁判書が破産管財人のみに送達されることを根拠とする。これに対して，大コンメンタール930頁〔瀬戸英雄〕は，破産者および破産債権者にも即時抗告権を認める。

異時破産手続廃止がなされる場合でも常に財産が皆無とはいえないし，また，廃止決定後に残余財産が発見されることもありうる。そのような場合には，解散法人について清算手続を行う必要がある（一般法人206①かっこ書，会社475①かっこ書・644①かっこ書等）。

この清算手続において誰が清算人になるかに関して議論の対立がある。判例は，株式会社が破産すると，株式会社と取締役との間の委任関係が終了するので（会社330，民653②），従前の取締役は清算人となりえず，株主総会において新たに清算人が選任されるか（会社478Ⅰ③），利害関係人の請求によって裁判所が清算人を選任しなければならないとする（同Ⅱ）。しかし，学説の多くは判例に反対し，破産によって当然に委任関係が終了するわけではないと主張する[260]。

その結果，破産手続廃止後には，通常の清算手続の場合と同様に，会社法478条1項1号が適用され，通常は，取締役が清算人となる。学説の実質的根拠は，僅少の残余財産について改めて清算人を選任することは不合理であるから，従来の取締役に清算を行わせるのが妥当であるという点にある。常に新たな清算人の選任が要求されるのは煩瑣であり，重要な財産が存在するときには，株主総会で清算人を選任したり，債権者が特別清算の申立てをすることによって対応できるので，学説の多数説に賛成する。

なお，廃止決定後の清算手続において債権者が破産債権者表を債務名義（破

---

[260] 判例は，最判昭和43・3・15民集22巻3号625頁〔倒産百選〈第4版〉87事件〕，最決平成16・10・1判時1877号70頁〔倒産百選59事件〕。判例に賛成するのは，霜島150頁，破産法大系Ⅰ425頁〔石田明彦〕，反対する学説は，山木戸290頁，谷口333頁，注解破産法（下）755頁〔谷合克行〕，条解破産法〈第3版〉648，1519頁，富永浩明「破産手続開始決定を受けた株式会社の代表者について」加藤哲夫古稀508頁など。この問題は，直接には，破産手続廃止に関して議論されているが，配当終結後に残余財産が発見され，しかも，それが追加配当の対象とならない場合にも，同様の問題が発生する。詳細については，伊藤眞「判例評釈」判時1291号（判例評論359号）221頁（1989年）参照。

学説のような立場では，商法旧417条1項本文にいう「破産手続開始ノ決定」による場合とは，現に破産手続が行われている場合を指すことになるが，この点は，会社法475条1号かっこ書が「破産手続開始の決定により解散した場合であって当該破産手続が終了していない場合を除く」と規定したことによって，その趣旨が明らかにされた。

なお，実務においては，判例を前提として，事情を知っている従前の破産管財人が残余不動産の売却のために清算人になることがあり，スポット清算人と呼ばれる。220問235頁〔谷津朋美〕，実践マニュアル487頁，名津井・前掲論文（注134）303頁。また，破産財団から放棄された不動産について別除権者が競売手続を進めるために，破産法人の特別代理人を選任する（民執20，民訴35・37）実務がある。破産法大系Ⅰ316頁〔小畑英一〕。

221）として残余財産に対して強制執行をすることができるかどうかが問題となるが，清算人に対して任意弁済を禁じ，総債権者に対する公平な弁済責任が義務づけられている場合には（会社500Ⅱ・661Ⅱ），その趣旨に反するものとして強制執行を禁止すべきである[261]。

---

[261] ただし，判例（大判大正7・4・20民録24輯751頁）は，傍論ながら強制執行を認め，学説の考え方は分かれている（注解破産法（下）781頁〔谷合克行〕，新版注釈会社法（13）307頁〔中西正明〕，条解破産法〈第3版〉1502頁）。

第7章 免責および復権

　破産法は，破産者の財産を破産債権者に公平に配分するとともに，個人である破産者については，自由財産を基礎として経済的再出発を促す役割を果たすことを予定している（破1）。そのための制度が免責および復権である。免責は，破産者を破産債権者による追及から解放することによって自由財産にもとづく生活や事業活動を可能にし，破産者の経済的再生を図るものであるし，復権は，破産手続開始にもとづく資格制限などから破産者を解放し，破産者が社会的・経済的諸活動に従事することを可能にするためのものである。

第1節　免　　責

　破産者の経済的再生は，破産手続の終了に引き続いて，破産債権の全部または一部について破産者の責任を免れさせる手続によって実現される。民事再生においては，再生計画認可決定の確定にともなって，再生計画の定めにしたがって免責などの効果が生じ（民再178Ⅰ本文），会社更生においても，更生計画認可決定にともなって，計画に定められた権利以外のすべての更生債権などについて会社はその責任から解放される（会更204Ⅰ）。これに対して破産手続（破2Ⅰ）においては，もっぱら破産債権者の権利実現が図られ，手続終了後の破産者の債務負担を軽減するための手続は含まれていない。したがって，破産手続において破産債権者たるべきすべての債権者に対して100％の配当がなされない限り，破産者は手続終了後もなお破産債権者に対する弁済をなすべき責任を負う。届出破産債権に対して100％の配当がなされても，他に破産債権の存在可能性がある以上，免責を受ける利益はある。

　もっとも，法人破産の場合には，このことは深刻な問題とならない。法人については，破産手続の終了とともにその人格が消滅するのが原則であるから（破35，会社471⑤，一般法人148⑥・202Ⅰ⑤参照）[1]，手続終了後の破産法人の経

---

1) 破産手続終結決定による法人格の消滅にともなって，主債務者たる法人の債務負担が消滅し，したがって，保証人が主債務についての消滅時効を援用する余地がないことを判示

済的再生を考える必要はない。しかし，個人の場合には事情が異なる。手続終了後に債務負担を残したままでは，破産者は再び経済的破綻に陥る蓋然性が大きい。したがって，破産手続終了をきっかけとして破産者に経済的再生の機会を与えようとするのであれば，何らかの手段によって手続終了後の破産者の債務負担を軽減する必要がある。破産手続に付随して行われる免責手続，いわゆる破産免責は，この必要に応えようとするものである。

昭和27年（1952年）に旧会社更生法が制定され，株式会社について更生の手段が強化されたのにともなって，個人についても経済的再生手段を整備しようとする目的で，同年に旧破産法の一部改正が行われ，免責手続が導入された。しかし，会社更生手続がその後盛んに利用され，昭和30年代から40年代にかけてその濫用が批判されたのと比較すると，破産免責の申立ては著しく少なく，ほとんど機能しない制度といわれてきた。なぜ免責が利用されなかったかについては，国民意識などの要素が挙げられたが，基本的にはわが国における消費者信用の未発達が原因であったと思われる。

したがって，昭和50年代に入って消費者信用が急激に成長を始めると，それにともなって支払不能状態に陥る債務者の数も爆発的な増加をみせ，それらの債務者が債務負担から解放され，経済的に再生するための手段として自己破産および免責許可の申立てを行う傾向が顕著となった。免責制度については，かつては積極的な評価と消極的な評価とが対立していたが，現在では，個人債務者の経済的再生を図るための最も有効な制度としてわが国に定着したものと思われる[2]。

するものとして，最判平成15・3・14民集57巻3号286頁がある。保証人自身の責任は，個人破産における破産免責の効力の主観的範囲の制限に関する規定（破253Ⅱ），再生計画や更生計画にもとづく免責の効力の主観的範囲の制限に関する規定（民再177Ⅱ，会更203Ⅱ），あるいは保証制度の趣旨などを考えると，この場合においても，独立に存続することになろう。本判決に関する松浦重雄調査官解説（最高裁判所判例解説平成15年度（上）民事篇168頁），注釈破産法（下）488頁参照。

2) 平成20年における免責事件新受件数は，129,760件であり，既済事件数は，134,301件である。既済事件のうち131,697件で免責が許可されている。平成21年以降は，新受事件数および既済事件数ともに漸減し，平成25年では，新受事件71,529件，既済事件74,695件となっているが，許可の比率には大きな差異はない（最高裁判所調べ。平成25年の数値は速報値である）。近年は，個人の自己破産申立てにともなって免責許可の申立てがなされたものとみなされるために（破248Ⅳ本文。本書788頁），免責申立事件数そのものは統計上示されていない。しかし，個人の自己破産申立件数（令和元年度では73,095。裁判所ウェブサイトによる）がそれに近いものと考えられる。

旧破産法と比較すると，現行破産法は，個人債務者について，破産手続開始申立てがあった日から免責許可の申立てができること（破248 I。本書786頁），破産手続開始申立てにもとづいて免責許可申立てを擬制すること（同IV本文。本書788頁），破産手続開始申立書に添付する債権者一覧表を免責許可申立てに際して提出すべき債権者名簿とみなすこと（同V。本書789頁），免責許可手続中の強制執行の禁止（破249。本書803頁）などの規律を設けることによって破産手続と免責手続との一体的運用を図り，また，破産犯罪と免責不許可事由とを切り離すこと（破252 I各号参照。本章注28），免責不許可事由が認められる場合においても裁判所の裁量にもとづく免責許可の可能性を明らかにすること（破252 II。本書802頁）などによって，破産者の経済的再生を図る手段としての免責制度の機能を強化している[3]。

第1項 免責の理念

免責の理念に関しては，歴史的にみると，2つの異なった考え方が対立する。第1は，破産制度の主たる目的が債権者の権利実現にあることを前提とし，破産債権者の利益実現に誠実に協力した破産者に対して，その特典として免責を与えるという考え方である。免責制度は英米法に起源をもつものであるが，その出発点はこのような考え方にあったとみてよい。しかし，消費者破産が増加し，破産者の経済的再生を考えなければならないようになると，第2の考え方，すなわち免責を破産者の経済的再生の手段であるとする考え方が有力に主張されるようになった。この考え方の下では，破産債権者に対する配当が実現されたかどうかとかかわりなく，したがって破産債権者の利益実現に寄与したとはいえない破産者でも，積極的に不誠実な行為をした者でなければ，その再生のために免責を与えるべきであるといわれる。

今日では，免責の理念についてこの2つの考え方が対立しているが[4]，その

なお，免責制度についての積極的評価を代表するものとして，宮川・各論Iがあり，消極的評価を代表するものとして，井上薫・破産免責概説（1991年）がある。母法となったアメリカ法や他の法制に関する文献については，条解破産法〈第3版〉1666頁参照。

[3] そのほか，旧法下では，条件付免責や一部免責（本書789，790頁）に対する消極的評価が有力であったことから，その立法化が見送られたことも，これらが個人債務者の経済的再生に資するものではないとの立法者の判断にもとづいている。条解破産法〈第3版〉1673，1759頁参照。

[4] 詳細は，宮川・各論I 15，138頁以下，伊藤・研究10頁以下，上北武男「免責手続に

いずれを強調するかによって，免責不許可事由の解釈およびその審理の方式などに影響が生じる。前者では，不許可事由を厳格に解することになろうし，また不許可事由の有無についての裁判所の審理も糾問的になる。さらに，一部免責や条件付免責に象徴されるように，同時破産手続廃止の対象となる破産者については，自由財産から何らかの弁済をさせた後に免責を与えるべきであるとの考え方につながりやすい。これに対して後者では，不許可事由に該当する事実があっても，それが積極的に破産者の不誠実性を示すと解されない限り，免責を付与するという立場をとりやすいし，審理に際しても，破産債権者からの異議が提出されなければ，裁判所があえて職権で不許可事由を探知する必要はないとされる。また，一部免責によって破産者の債務負担を残すことや，新得財産からの弁済を免責の条件とすることに対しては，免責制度の本旨に反するとの批判がなされる。

消費者信用産業の急速な発展にともなって，個人，特に消費者の破産が激増している現状を踏まえれば，破産者の経済的再生は，破産者自身にとってはもちろん，その家族，さらに社会全体にとっても喫緊の課題であると思われる。もちろん，破産犯罪などにあたる行為を犯している破産者についてまで免責を認めることは，健全な社会の構成員としてもつべき倫理観を崩壊させる危険があるが，不誠実な行為を行っていない破産者については，その再生のために積極的に免責を付与すべきものである[5]。自由財産からの弁済を条件として免責を認めることは，免責制度の本旨に反するし，また，債務の一定割合についてのみ免責を認めたりすることは，結局のところ破産者の経済的再生を困難にし，免責制度の目的を見誤ったものといわざるをえない。

おける債権者の権利」実務と理論322頁，中島I 497頁，杉本和士「破産免責の過去・現在・未来」加藤哲夫古稀438頁参照。山内八郎「破産免責の実務的研究（上）」判タ497号27, 29頁（1983年）が，免責を破産者に与えられた特権とするのも同趣旨かと思われる。一方，判例は，免責を誠実な破産者に対する特典とする考え方に立つ（最大決昭和36・12・13民集15巻11号2803頁〔倒産百選84事件〕）。学説として特典説を強調するものとして，井上・前掲書（注2）11頁がある。現行法下の実務は，基本的にはこの判例を基礎としつつ，免責の再生機能を考慮に入れる立場と理解される（実務上の諸問題244頁，浦野雄幸「最近破産事情(3)」NBL 353号12, 17頁（1986年），小川秀樹「破産免責を巡る諸問題」田原古稀（下）499頁，注釈破産法（下）627頁）。

5) 免責不許可事由が認められる破産者についても，裁判所の裁量による免責付与が認められることを明らかにした法252条2項の規定は，このような考え方を前提とするものと理解される。基本構造512頁，破産実務の基礎325, 328頁。

債務負担の原因や動機を問わず，自己の支払能力を超えた債務を負担する者を債務負担から解放し，その経済的再生を図ることは，当該債務者やその家族の利益だけではなく，社会公共の利益からみても正当なものである。後に述べるような免責不許可事由に該当する行為を行った債務者についても，このこと自体は変わるところがない。ただ，免責不許可とせざるをえないような債務者については，免責によって直ちに債務からの解放を認めることが，その者の経済的再生にとっても有益ではなく，また社会公共の視点からみても正当とみられないところから，民事再生など他の手段によって債務の軽減を図りつつ，経済的再生を実現すべきであるという違いがあるにすぎない。免責制度に懐疑的な論者の中には，この種の債務者を多重債務の頸木に繋ぎ続けるべきであるとする意見もみられるが，そうした考え方は，この種の債務者を反社会的行動に走らせるおそれさえ生じさせるものであり，制度の設計や運営にあたる者としては，より慎重な考慮を要する。

第2項　免責手続の合憲性

破産免責は，破産債権者の権利を免責許可決定という裁判によって変更する性質をもつところから，私人の財産権の制限としての合憲性（憲29Ⅰ）が問題となる。しかし判例は，次のような理由から免責手続の合憲性を認める[6]。すなわち，免責は，破産清算後における債権者の追及を遮断し，破産者を経済的に再生させる目的をもち，かつ，不誠実な破産者については免責不許可事由が定められ，さらに一定の債権が非免責債権とされるなど，その要件および効果について合理的制限が設けられているから，公共の福祉のために憲法上で許された必要，かつ，合理的な財産権の制限として認められるとする。この考え方は，学説によっても一般に支持されている[7]。

第3項　免責審理の手続

旧法下における立法論としては，免責手続を破産手続の一部とし，個人の自

---

[6] 前掲最大決昭和36・12・13（注4）。なお，旧会社更生法241条や242条（現会更204・205）などについて同旨のことを説くものとして，最大決昭和45・12・16民集24巻13号2099頁〔倒産百選2事件〕がある。

[7] 大コンメンタール1057頁〔花村良一〕，条解破産法〈第3版〉1668頁。

己破産の場合には，破産手続開始申立ての中に当然に免責許可の申立ても含まれているものとして取り扱い，破産原因の審理などに際して同時に免責不許可事由の審理も行うことが考えられ，また，このような制度をとったほうが，後に述べるような破産手続と免責手続との谷間から生じる問題の発生を避けることができるとの主張が有力であった。現行法は，このような議論を踏まえ，破産手続と免責手続とをそれぞれ独立のものとする建前は維持しているが（破2Ⅰかっこ書・248Ⅰ参照），一方で，個人債務者が破産手続開始申立てをした場合には，反対の意思を表示していない限り，同時に免責許可の申立てをしたものとみなし（同Ⅳ），他方で，免責審理期間中の破産債権者による強制執行等を禁止することによって（破249Ⅰ），実質的に両手続を一体のものとする措置を講じている。

1 免責許可の申立て

個人である債務者（破産手続開始決定後は，破産者）は，破産手続開始申立て（債権者による申立てを含む）があった日から破産手続開始決定が確定した日以後1月を経過する日までの間に，破産裁判所に対し，免責許可の申立てをすることができる（破248Ⅰ）[8]。旧法366条ノ2は，破産宣告によって手続が開始された後，破産手続の終了まで免責の申立てができることを原則とし，同時破産手続廃止決定の場合には，決定確定後1月以内は，免責の申立てを認めていたが，これと比較すると，破産手続開始申立て後は，破産手続開始前であっても免責許可の申立てができることとしたところに，現行法の特徴がある[9]。

もっとも，破産者がすでに同意破産手続廃止の申立て（破218Ⅰ）をしてい

---

[8] 破産者が破産手続開始後に死亡して，相続財産破産が行われる場合（破227），相続財産自体が破産者となるから，破産者でない相続人が免責の申立てをすることはできず，相続人は，限定承認や相続放棄によって自己の固有財産を守るべきである（高松高決平成8・5・15判時1586号79頁〔倒産百選〈第3版〉52A事件〕）。すでに免責手続が開始されているときでも，当然に終了する。220問230頁〔菅野昭弘〕。

なお，申立ては書面でしなければならず（破規1Ⅰ），申立書には，当事者の表示，申立ての趣旨および理由など（破規2）のほかに，対応する破産事件の表示をしなければならない（破規74Ⅰ）。追完の理由についても同様である（同Ⅱ）。

[9] 旧法と比較すると，現行法は，免責許可申立てのできる時期を破産手続開始申立時まで拡張し，他方，その終期は，破産手続解止（終了）時までを原則とするのに代えて，破産手続開始決定確定時から1月を経過する時までに短縮している。これは，前述のように，破産手続と免責手続とを一体化し，迅速な免責手続の進行を図ることが個人債務者の利益にも合致するという判断にもとづいている。

るときには,その申立てを棄却する決定が確定した後でなければ,免責許可の申立てはできないし（破248Ⅶ①),破産者が再生手続開始の申立てをしているときには,その申立てを棄却する決定,再生手続廃止または再生計画不認可の決定が確定した後でなければ,免責許可の申立てはできない（同②）。これらの申立てにもとづく手続の目的が,免責の前提となる破産清算を回避するところにあるとみなされるところから,このような制限が設けられたものである。したがって,すでに免責許可の申立てがなされているときには,同意破産手続廃止の申立て（破218Ⅰ）または再生手続開始の申立てをすることはできない（破248Ⅵ)[10]。

また,債務者がその責めに帰することができない事由によって申立期間内に免責許可の申立てをなすことができなかった場合には,その事由の消滅した後1月以内に限って申立てをなすことが認められる（同Ⅱ)[11]。免責許可の申立書

---

[10] ただし,同意破産手続廃止などの申立てまたは免責許可の申立てを取り下げる可能性は存在する。条解破産法〈第3版〉1687頁。なお,破産手続において100％配当がなされても,免責許可申立てを求める利益を否定すべきでない（本書781頁）。

[11] 旧法366条ノ2第6項〔平成11年改正前旧5項〕では,現行法248条2項と類似の要件の下に免責申立ての追完が認められていた。その解釈に関して,以下のような裁判例がある。

ある破産者に対する破産宣告および同時破産手続廃止決定が9月2日になされ,それらの決定が同月6日に新聞に,10日に官報に公告されたが,破産者はそれを知らず,11月15日になされた送達によってはじめて決定の事実を知り,その直後に免責の申立てをなした場合には,申立ては,決定から1月以内になされたとみられないとし,かつ,追完も許されないとするのが下級審裁判例である（大阪高決昭和50・10・8下民26巻9〜12号916頁〔倒産百選〈第3版〉94事件])。その理由は,公告は送達の効力を有するから（旧破118Ⅱ),廃止決定に対する不服申立期間は,9月2日から起算され,不服申立てがなければ同決定は2週間を経過した9月24日の経過によって確定する,そして免責申立てが許されるのはその後1月以内であるから,本件の申立てはその期間を徒過したものである,また期間を徒過したことについて特段の事情も認められないから,追完を許す理由もないというものである。

さらに,追完に代えて,再度の破産手続開始申立てをすることも不適法とされ（静岡地富士支決昭和63・4・22判時1288号135頁),たとえ破産手続開始を受けても,免責申立てが不適法とされる（仙台高決平成元・6・20判タ722号274頁。詳細については,栗田隆「免責を受けられなかった破産者の再破産」関大法学論集43巻1・2号799頁（1993年),条解破産法〈第3版〉1681頁参照)。

これに対して,東京高決平成25・3・19金法1973号115頁は,債権者申立ての前破産事件において免責許可申立ての期間を徒過した破産者が,その後も債権者による追及が続いていることなどから,自己破産の申立てを経て,免責許可の申立てをした事案について,「その申立てが濫用にわたるなどの特段の事情のない限り」適法であるとして,免責許可の原決定を支持している。

には，その事由およびその事由が消滅した日を記載しなければならない（破規74Ⅱ）。

さらに，債務者が破産手続開始の申立てをした場合には，当該申立てと同時に免責許可の申立てをしたものとみなす（破248Ⅳ本文）。ただし，当該債務者が破産手続開始の申立ての際に反対の意思表示をしているときは，この限りではない（同但書）。経験則上，個人債務者が自ら破産手続開始申立てをなす場合には，その目的は，破産免責をうることにあると考えられるところから，特に反対の意思が表示されない限り，免責許可の申立てを擬制したものである。これによって，実際上，破産手続と免責手続とは一体のものとして運用される[12]。

免責許可の申立ては，書面でなされる（破規1Ⅰ）[13]。申立てに際しては，手

破産者が官報公告について注意を払い続けることを要求するのは酷であり，送達が遅れた場合には，そのこと自体をもって追完を認めるべきであるとするのが，旧法下の多数説であった（注解破産法（下）810頁〔白川和雄〕，基本法357頁〔藤田敏〕，伊藤・研究14頁，山内・前掲論文（注4）（下）判タ501号34,35頁（1983年）参照）。現行法の下では，破産手続開始申立てにもとづく免責許可申立ての擬制（破248Ⅳ）によって，このような事態が生じることは稀なものとなろう。しかし，万が一上記のような事態が生じたときには，帰責事由を過度に厳格に解すべきではない。条解破産法〈第3版〉1681頁参照。また，債権者申立ての破産の場合には，こうした事態の発生がありうることに注意すべきである。

債権者申立ての破産事件などにおいて免責許可申立ての機会を逸した破産者が，手続終了後に再度の破産手続開始申立てをなし，免責許可を求めることについては，破産手続開始申立て自体の適法性をめぐって議論があるが，破産原因（破15Ⅰ）の存在が認められ，かつ，破産手続開始の条件（破30Ⅰ）が満たされているかぎり，これを当然に不適法とする理由はなく，また，免責許可の是非も，再度の破産手続の時点における免責不許可事由の存否および裁量免責を付与すべきかどうかの判断に委ねれば足りる。詳細は，破産法大系Ⅲ52頁以下〔内田博久〕参照。

12) 反対の意思を表示したときであっても，擬制の効果が生じないだけであって，免責許可申立権の放棄とみなされるわけではないから，その後に免責許可の申立てをすることは可能である。逆に，反対の意思を表示せず，擬制の効果が働くときであっても，別途に免責許可の申立てをすることは可能であると解されている。基本構造517頁。

実務上は，破産手続開始申立書の書式に免責許可申立ても併記されている。申立マニュアル380頁，注釈破産法（下）644頁参照。

13) 申立書およびその他の免責手続において当事者や利害関係人から裁判所に提出される書面には，破産事件の表示（事件番号）を記載しなければならない（破規74Ⅰ）。免責事件の管轄が，当該破産事件を担当する裁判体ではなく，破産裁判所（破2Ⅲ）であるところから，当該免責事件と当該破産事件との関係を明らかにし，審理資料などの効率的利用を図る趣旨である（条解破産規則176頁参照）。ただし，破産手続開始申立てと同時に免責許可申立てをする場合，および破産手続開始申立てによって免責許可申立てが擬制される場合には，未だ破産事件の表示が明らかではないので，免責許可の申立書においてそれを示す必要はない（破規74Ⅰかっこ書参照）。

数料（民訴費3Ⅰ・別表第1項17ホ）の納付とともに，手続費用を確保するために一定額の予納金の納付（民訴費11・12）が要求される。ただし，この場合には，費用の仮支弁の取扱いはなされない（破2Ⅰ・23Ⅰ参照）。もっとも，免責手続に関する予納金額は，破産手続と比較して低額であり，かつ，破産手続と並行して審理がなされるところから，免責手続の利用に関して深刻な問題とならない。

　免責許可の申立てに際して債務者は，破産債権となるべき債権（租税等の請求権および使用人の給料の請求権等を除く[14]）を有する者の氏名等，ならびにその有する債権および担保権の内容を記載した債権者名簿を提出しなければならない（破248Ⅲ本文，破規74Ⅲ・14Ⅰ②③）。ただし，申立てと同時に債権者名簿を提出することができないときは，当該申立ての後遅滞なくこれを提出すれば足りる（破248Ⅲ但書）[15]。また，破産手続開始申立てによって免責許可の申立てが擬制される場合には（同Ⅳ本文），破産手続開始申立てに際して提出される債権者一覧表（破20Ⅱ）をここでいう債権者名簿とみなす（破248Ⅴ）。虚偽の債権者名簿を提出することは，免責不許可事由とされ（破252Ⅰ⑦），また悪意で債権者名簿に記載しなかった債権は，非免責債権とされる（破253Ⅰ⑥）。

　裁判所は，免責許可の申立てをした債務者または破産者に対して，免責不許可事由の有無等の調査のために必要な資料の提出を求めることができる（破規75Ⅰ）。

2　一部免責許可の申立て

　すでに破産手続開始審理の段階から免責不許可事由の存在が予想されるような場合には，不許可決定を避けるために，破産者が破産債権者に対する誠実性を示すことを目的として，破産債権者全体についてその債権額の一部についてのみ免責許可の申立てをなし，残部については免責の対象としないこと（割合的一部免責と呼ばれる），あるいは特定の破産債権者を除外して免責を求めるこ

---

[14] これらの債権は，その破産債権部分と財団債権部分との区別（破148Ⅰ③・149参照）が容易ではないこと，非免責債権であるために（破253Ⅰ①⑤），意見聴取の対象ともされていないこと（破251Ⅰかっこ書）が，その理由である。条解破産規則178頁。これら以外の非免責債権も意見聴取の対象外ではあるが（破251Ⅰかっこ書），債権者名簿への記載を要する。
[15] 申立ての時点で正確な債権者名簿を調製できないために，不正確なものを提出し，免責不許可事由（破252Ⅰ⑦）や非免責債権（破253Ⅰ⑥）の問題が生じるのを避けるためである。

と（特定債権の免責除外と呼ばれる）などが考えられる。この種の申立てを一部免責の申立てと呼び，旧法下の実務として行われた時期があり，その適法性については議論の対立があった。

これを肯定する学説は，不許可事由の存在が疑われる破産者についての救済などを強調するが，否定する学説は，実際上で破産債権者から破産者に一部免責の申立てをなすように圧力がかけられる危険があること，特定の破産債権者を除外する一部免責は，破産債権者間に不公平が生じること，債務の一定割合のみを免責するのでは，支払不能状態からの回復が図れないこと，条文の文言（旧破366ノ12柱書本文，現破253Ⅰ柱書本文）と調和しないことを挙げる。現行法の解釈として本書も，一部免責許可の申立てを不適法と解する[16]。また，破産者が免責許可の申立てをなしたのに対して，裁判所が債務の一部についての

---

[16] 一部免責許可申立てを適法とし，または免責申立てに対して債務の一部のみについて免責を許可することを適法とする裁判例として，名古屋地一宮支決平成元・9・12金法1236号34頁，東京地決平成5・7・6判タ822号158頁，高知地決平成7・5・31判タ884号247頁などがあり，学説としても有力説である（道下徹「サラ金債務者の自己破産の現状と問題点」自正34巻10号30，35頁（1983年），栗田隆「破産者の免責制度について」民訴雑誌32号74，86頁（1986年），酒井一「一部免責の可否と基準について」判タ844号30頁（1994年），村上敬一「破産者の一部免責をめぐって」民訴雑誌41号74，82頁（1995年），松下淳一「一部免責決定について」学習院大学法学会雑誌32巻1号45，66頁（1996年））。

これに対して不適法とする学説も有力である（宮川・総論273頁，実務上の諸問題248頁，基本法358頁〔藤田敏〕，注解破産法（下）810頁〔白川和雄〕，伊藤眞「消費者信用と債務整理手続」民訴雑誌33号121，124頁（1987年）など）。裁判例としては，特定類型の債権者に対する一部免責を不適法とするものがある（高松高決平成8・9・9判時1587号80頁）。旧法下の実務も，一般的には一部免責の考え方を採用しておらず（破産・和議の実務（下）191頁以下），現行法下でも行われていない（条解破産法〈第3版〉1673頁）。

なお，一部免責に類するものとして，破産者の自由財産から一定額を積み立てさせ，債権者に按分弁済させた上で，裁量免責決定をするという，免責積立てが実施された時期もあったが，これも現在では一般的ではない。破産管財の手引〈第2版〉359頁。ただし，免責不許可事由に該当する事実が重大な事案について，一部の裁判所では，免責観察型として，破産管財人が破産者の家計管理状況等を観察，指導，監督することを通じ，その結果を裁量免責の考慮要素とすることが行われている。その場合には，破産者が追加積立を行い，破産手続開始申立代理人を通じて，破産債権者に配分することがある。220問467頁〔鈴木嘉夫〕，実践マニュアル495頁，運用と書式345頁。しかし，免責制度の趣旨からして，裁量免責を補完する，あくまで例外的なものにとどめられるべきであろう。

もっとも，破産者が特定の債権者との合意を前提として，その者の債権を名簿に記載しない場合（名簿落ちなどと呼ばれている）には，なお問題が生じるが，この債権者に対しても免責の効力が及ぶと解すべきである（破253Ⅰ⑥かっこ書参照）。

み免責を付与することも、上と同様の理由から違法と考えられる[17]。

3 免責の審理

免責許可の申立てがなされると、裁判所は、破産管財人に、免責不許可事由（破252Ⅰ各号）の有無または裁量許可の可能性の判断にあたって考慮すべき事情（同Ⅱ）についての調査をさせ、その結果を書面または口頭で報告させることができる（破250Ⅰ、破規1Ⅲ）[18]。破産者は、これらの事項について裁判所が行う調査または破産管財人が行う調査に協力しなければならない（破250Ⅱ）。また、裁判所は、免責許可の申立てをした者に対して、それに関する判断にあたって考慮すべき事情についての調査のために必要な資料の提出を求めることができ（破規75Ⅰ）、相当と認めるときは、免責不許可事由の有無等の調査を裁判所書記官に命じて行わせることができる（同Ⅱ）。

裁判所は、破産手続開始決定のあった時以後、破産者について免責許可の決定をすることの当否について、破産管財人および破産債権者（破253条1項各号に掲げる非免責破産債権者を除く）[19]が裁判所に対し意見を述べることができる期間を定めなければならない（破251Ⅰ）[20]。期間を定める決定をしたときは、裁

---

[17] 立法論として検討の対象とされたが（検討事項第2部第2 2(5)イb）、採用されなかった。基本構造534頁。
[18] 旧法366条ノ4第1項は、裁判所の調査の方法として、期日を定めて破産者を審尋することを要求していたが、現行法の下では、必ずしも期日を開く必要はなく、適宜の方法で調査を行えば足りる（一問一答329頁、基本構造525頁参照）。破産管財人の調査報告書や免責許可申立関係書類は、利害関係人による閲覧等の対象となる（破11ⅠⅡ）。なお、旧法下の実務では、破産管財人が選任される事件では、必ず調査を命じていたが（石口俊一「免責手続と破産管財人」実務と理論324頁参照）、現行法下でも、同様の取扱いがされている。調査の実情、内容および報告について、基本構造530頁、条解破産法〈第3版〉1700～1702頁、注釈破産法（下）658頁、破産管財の手引〈第2版〉356、358頁、〔書式79〕参照。

また、この調査にかかる費用や報酬は、原則として破産管財人本来の職務遂行にかかる報酬の中に含まれる。条解破産法〈第3版〉1701頁。
[19] 破産債権届出の有無を問わないが、記録上明らかでない破産債権者が意見の申述をするについては、破産債権の疎明を要する（基本法360頁〔藤田敏〕）。なお、ある破産債権者が免責債権と非免責債権の双方を有する場合には、意見を述べることができる。基本構造532頁。非免責債権にあたるかどうかが判然としない場合には、意見申述を認めるのが妥当であろう。注釈破産法（下）661頁。
[20] 旧法366条ノ7は、免責の申立てに対する破産債権者などの異議権を定め、これを前提とする立法論として、破産債権者の異議がない場合には、免責不許可事由の審査を省略し、裁判所または裁判所書記官が免責を付与するとの考え方もある（検討事項第2部第2 2(6)ア・イ）。これを簡易免責手続と呼ぶことがあるが、その問題点については、高田

判所は,その期間を公告し,かつ,破産管財人および知れている破産債権者にその期間を通知しなければならない(同Ⅱ)。通知の方法は普通郵便によってなされている。期間は,公告が効力を生じた日から起算して,1月以上でなければならない(同Ⅲ)。破産債権者などによる意見の申述は,期日においてする場合を除いて[21],書面でしなければならず(破規76Ⅰ),申述は,免責不許可事由(破252Ⅰ各号)に該当する具体的な事実を明らかにしてしなければならず(破規76Ⅱ),破産者の不誠実性を抽象的に主張するものでは足りない。

なお,免責の審理についても,裁判所は必要があれば職権で調査をし,また口頭弁論を開くことも可能である(破8・3第2かっこ書)。

破産者が,破産手続において裁判所が行う調査において,説明を拒み,または虚偽の説明をしたことは,免責不許可事由となる(破252Ⅰ⑧)[22]。個別的な説明義務等(破40Ⅰ①・41・250Ⅱ)に違反した場合も同様である(破252Ⅰ⑪)。

4 免責についての裁判および不服申立て

免責許可の申立てを不適法として却下する場合を除くと,裁判所は,免責不許可事由(破252Ⅰ各号)のいずれにも該当しない場合には,免責許可の決定をする(同Ⅰ柱書)[23]。しかし,いずれかの免責不許可事由に該当する場合でも,常に不許可決定をなさなければならないものではなく,破産手続開始決定に至った経緯その他一切の事情を考慮して免責を許可することが相当であると認めるときは,裁判所は免責許可決定をなすことができる(同Ⅱ)。

賢治「免責審理の要否の基準としての債権者の異議」大阪市大法学雑誌45巻3・4号307,325頁(1999年),基本構造535頁参照。

法251条が定める意見聴取は,あくまで裁判所の判断資料をうるためのものであり,異議権ではない。意見の理由明示義務(破規76Ⅱ)もこれを前提とするものである。したがって,破産債権者などの異議の有無によって免責の許否を左右する趣旨のものではない。一問一答328頁,条解破産法〈第3版〉1705頁参照。また,免責不許可事由と罰則が切り離されたことなどから,検察官の意見申述権(旧破366ノ7Ⅰ)は設けられていない。その他,異議申立期間の定めに関する現行法の考え方については,基本構造526頁参照。

21) 期日が開かれる場合の審理の方法については,審尋期日の実務運用については,藤田敏「免責申立事件の審理」実務と理論326,315頁,高田・前掲論文(注20)315頁,条解破産法〈第3版〉1706頁参照。
22) 旧法は,破産者が正当な事由なしに期日に出頭せず,または出頭しても陳述を拒んだときには,裁判所は免責の申立てを却下できるし(旧破366ノ10Ⅰ),その場合には,破産者は同一の破産について再び免責の申立てをすることができないとしていたが(同Ⅱ),現行法は,簡明に,破産者の調査協力義務違反として免責不許可事由を定めたものである。
23) 法律上は,破産手続係属中であっても免責許否の決定をすることはできるが,判断の資料との関係で,破産手続終了段階が一般的である。条解破産法〈第3版〉1735頁。

この意味で，免責の許否については，裁判所の裁量の余地が認められている。免責不許可事由は，破産者が破産手続開始前に破産債権者の利益を害する行為をしたこと，あるいは破産手続中に手続上の義務に違背し，破産債権者の利益を害したことなどを根拠とするものであるが，たとえこうした事由に該当する場合であっても，なお債務負担からの解放を図ることが破産者の経済的再生に適切であると判断する場合に，裁判所が免責を付与することを認めるのが，裁量による免責の本旨である[24]。

裁判所は，免責許可の決定をしたときは，直ちに，その裁判書を破産者および破産管財人に，その決定の主文を記載した書面を破産債権者に，それぞれ送達しなければならない（破252Ⅲ前段）。こうした措置がとられるのは，免責が破産者および破産債権者の権利に重大な影響をもつものであり，不服申立ての機会を保障するためである。なお，破産者および破産管財人に対する裁判書の送達に関しては，送達代用公告の規定（破10Ⅲ本文）は適用しない（破252Ⅲ後段）。免責不許可の決定をしたときは，裁判所は，直ちに，その裁判書を破産者に送達しなければならない（同Ⅳ前段）。この場合にも，送達代用公告の規定（破10Ⅲ本文）は適用しない（破252Ⅳ後段）。

---

[24] 旧法下のものではあるが，裁量権の行使にあたって考慮すべき事項を整理したものとして，山内八郎「破産免責に関する判例法理（中）」判タ802号27，37頁（1993年），姉川博之「裁量免責と裁量事項」実務と理論346頁がある。実際上は，破産債権者から異議（現行法では，反対の意見）が出されないにもかかわらず免責不許可決定がなされることは多くない。そこで，異議申立てをした破産債権者に対して破産者が弁済をなし，異議申立てを取り下げさせるなどの行為が行われることがある。これが直ちに免責取消事由（破254Ⅰ）になるとはいいがたいが，実質的には偏頗弁済であり，好ましいものではない（基本法361頁〔藤田敏〕）。

また，免責不許可事由の存在が窺われる破産者について，条件付免責，すなわち破産者が一定の期間内に一定の金額を弁済することを条件として免責を許可するとの考え方が旧法下で存在し（破産・和議の実務（下）189頁），立法論としても検討されたが（検討事項第2部第22(5)イa），破産者を債務負担から解放し，自由財産を基礎とした再出発を保障する免責制度との関係が問題である。むしろ，この種の債務者については，債務の一定額の返済を予定する民事再生手続へ誘導することが望ましい。

関連する問題として，条件付免責をうるために給料収入の一部を積み立てている際に給料債権の差押えがなされ，条件の履行が困難になっても，そのことは差押えの範囲を変更する理由とならないとする裁判例（破産・和議の実務（下）206頁参照），および差押命令取消しの理由とならないとの裁判例（東京高決平成10・8・31判時1663号111頁）があるが，この方式の限界を示すものである。現行法下の実務でも一般的ではない。条解破産法〈第3版〉1672頁。

免責許可の申立てについての裁判に対しては，即時抗告をすることができる（同Ⅴ）[25]。抗告期間は，免責許可決定の場合は，破産管財人が裁判書の送達を受けた日，または破産債権者が決定の主文を記載した書面の送達を受けた日から起算して1週間（破13，民訴332）であるが，破産債権者に対して送達代用公告がなされたときには（破252Ⅲ後段参照），その効力が生じた日から起算して2週間（破9後段）となる。

これに対して，免責不許可決定の場合は，送達代用公告がなされないので，破産者が送達を受けた日から1週間である（破13，民訴332）[26]。即時抗告についての裁判があった場合には，その裁判書を当事者に送達しなければならない（破252Ⅵ前段）。この場合にも，送達代用公告の規定（破10Ⅲ本文）は適用しない（破252Ⅵ後段）。即時抗告には執行停止効があるので（破13，民訴334Ⅰ），免責許可決定は，確定しなければその効力を生じない（同Ⅶ）。確定した場合には，破産債権者表があるときは，裁判所書記官は，これに免責許可決定が確定した旨を記載しなければならない（破253Ⅲ）[27]。

第4項　免責不許可事由

免責不許可事由（破252Ⅰ各号）は以下のように整理される[28]。第1は，破産

---

[25] 利害関係を認められる即時抗告権者は，免責不許可決定に対しては破産者，免責許可決定に対しては破産債権者および破産管財人（その地位が存続している場合）である。非免責債権者も含まれる。条解破産法〈第3版〉1735頁，注釈破産法（下）686頁。

[26] 本文に述べた通り，免責許可決定の裁判書の送達については，送達代用公告の規定が適用されず，破産管財人による抗告期間が1週間となり，免責許可決定の主文を記載した書面の破産債権者に対する送達については，同規定が適用され，送達代用公告がなされれば，抗告期間が2週間となるが，最決平成12・7・26民集54巻6号1981頁〔倒産百選87事件〕の考え方をあてはめれば，免責許可決定の送達を受けた破産債権者および破産管財人についても，集団的処理の要請から，抗告期間が一律に2週間となると考えるべきである（同判決についての千種秀夫裁判官の補足意見参照）。

[27] 旧法下では市区町村長に対する通知がなされたが（注解破産法（下）830頁〔池田辰夫〕），現行法下では行われない。

[28] 旧法366条ノ9第1号は，不当な破産財団価値減少行為などの免責不許可事由を詐欺破産罪（旧破374）などの破産犯罪類型として規定していたが，免責不許可事由と破産犯罪類型を結び付けるべき合理的理由はなく，かえって有罪判決の要否など解釈上の無用な混乱を生じさせるおそれがあるので，現行法は，行為自体の内容に即して，免責不許可事由を規定している。一問一答343頁参照。

なお，条解破産法〈第3版〉1711頁では，第1の類型を財産上の行為と手続上の行為に分け，全体で4類型としている。また，免責不許可事由の審理に関しては，原雅基「東

者が意図的に破産債権者を害する行為をなしたとみなされる類型であり，不当な破産財団価値減少行為（同①），不当な債務負担行為（同②），不当な偏頗行為（同③），浪費または賭博その他の射幸行為（同④），詐術による信用取引（同⑤），帳簿隠滅等の行為（同⑥）および虚偽の債権者名簿提出行為（同⑦）がこれにあたる。第2は，破産法上の義務の履行を怠り，手続の進行を妨害する行為の類型であり，調査協力義務違反行為（同⑧），管財業務妨害行為（同⑨）およびその他の義務違反行為（同⑪）がこれにあたる。第3は，免責制度にかかわる政策的事由であり，7年以内の免責取得などの事実がこれに属する（同⑩）。

1 不当な破産財団価値減少行為（破252Ⅰ①）

債権者を害する目的[29]で，破産財団に属し，または属すべき財産の隠匿，損壊，債権者に不利益な処分その他の破産財団の価値を不当に減少させる行為をしたことがこれにあたる。行為類型としては，いずれも責任財産の価値を減少させる行為であり，破産手続開始の前後を問わない。隠匿や損壊は，行為の性質自体から債権者を害する目的を認めて差し支えないが，廉価売却などの不利益処分については，資金繰りの必要に迫られて行ったものではなく，債権者を害する積極的目的が要求される[30]。また，行為の結果たる財産価値の減少も，

京地裁破産再生部における近時の免責に関する判断の実情」判タ1342号4頁（2011年），平井直也「東京地裁破産再生部における近時の免責に関する判断の実情（続）」判タ1403号5頁（2014年）参照。

[29] 単に自己の利益を図るため，たとえば地位や名誉を守るための物の隠匿は含まれない。条解破産法〈第3版〉1713，1714頁，注釈破産法（下）667頁。具体例については，破産実務の基礎342頁参照。

[30] 詐害行為否認の要件である「破産者が破産債権者を害することを知ってした行為」との関係が問題となるが，免責不許可事由にかかる債権者を害する目的とは，行為の結果として責任財産が減少し，債権者の満足が低下することを認識していただけではなく，より積極的に，債権者の満足を低下させようとする害意を意味する（注釈破産法（下）67頁。具体例として，東京地決平成24・8・8判時2164号112頁がある）。また，法外な廉売や贈与がなされれば，その目的が認定されよう。最大判昭和45・7・1刑集24巻7号399頁，東京高決昭和45・2・27高民23巻1号24頁，条解破産法〈第3版〉1713，1715頁参照。ただし，行為の態様としては，価値の毀損を防ぐ措置をとらないなどの不作為も含まれる。条解破産法〈第3版〉1715頁参照。支払不能の時期に至って，保険契約を解約し，解約返戻金を費消した事案について，破産管財の手引〈第2版〉358頁参照。

なお，詐欺破産罪の1つである「債務の負担を仮装する行為」（破265Ⅰ②）は，直接には，非免責事由として規定されていないが，消極財産である債務の仮装によって破産財団を減少させるおそれがあるという意味で，法252条1項1号の不許可事由にあたるとする見解が有力である。基本構造539頁。

実質的に債権者の利益を侵害する程度のものでなければならない。

2 不当な債務負担行為（破252Ⅰ②）

破産手続の開始を遅延させる目的で，著しく不利益な条件で債務を負担し，または信用取引により商品を買い入れてこれを著しく不利益な条件で処分したことがこれにあたる。経済的危機に瀕した債務者は，破産手続開始を免れるために，借入れを行ったり，クレジットカードなどによって買い入れた商品を換金して資金を捻出するなどの行為をすることが多い。こうした行為は，一方で経済的合理性を欠く債務負担を増加させ，他方で，公平な清算手続である破産手続の開始を遅延させるという意味で，破産債権者の利益を害することから，免責不許可事由の1つとされたものである。

この不許可事由にあたるとされるためには，まず破産手続開始を遅延させる目的が必要である。すなわち，すでに破産手続開始原因たる支払不能状態が発生しているにもかかわらず，それを糊塗するために借入れや信用取引を行ったことが第1の要件である。第2に，著しく不利益な条件での債務負担または処分行為でなければならない[31]。「著しく不利益な」とは，債務者にとっての経済的合理性に欠けることを意味する。出資法の上限金利を超える借入れや買い入れた商品の著しい廉価処分などが代表的なものである。

3 不当な偏頗行為（破252Ⅰ③）

特定の債権者に対する債務について，当該債権者に特別の利益を与える目的または他の債権者を害する目的での，担保の供与または債務の消滅に関する行為であって，債務者の義務に属せず，またはその方法もしくは時期が債務者の義務に属しないものがこれにあたる。この種の行為は，非義務偏頗行為として否認の対象ともなりうるが（破162Ⅰ②），否認の場合と異なって，支払不能などを基準とする時期的要件が存在するわけではない。しかし，債務者の資力が十分であれば，義務に属しない担保の供与等の行為がなされたとしても，当該債権者に特別の利益を与える目的または他の債権者を害する目的があると認められないから，この不許可事由が存在するとされるのは，当該行為が支払不能時期になされた場合に限られる[32]。

---

[31] 具体例については，破産実務の基礎340頁参照。処分行為とは，必ずしも法的な意味での権利移転に限定されないから，所有権留保売買の目的物を転売するなどの行為も含まれる。条解破産法〈第3版〉1717頁，注釈破産法（下）668頁。

4 浪費または賭博その他の射幸行為（破252Ⅰ④）

　浪費または賭博その他の射幸行為をしたことによって著しく財産を減少させ，または過大な債務を負担したことがこれにあたる。浪費は，単に不要不急の支出を意味するものではなく，支出の程度が社会的に許されうる範囲を逸脱することを意味し[33]，その結果として，責任財産を著しく減少させ，または消極財産である過大な債務を負担し，破産債権者の利益を害するものでなければならない。賭博その他の射幸行為についても，それ自体が著しい財産減少や過大な債務負担の原因とはいえない場合，あるいは，すでに支払不能状態に陥ってから，多額とはいえない射幸行為をした場合には，この不許可事由にあたるとはいえない[34]。また，射幸行為が過大な債務負担の原因とみられる場合であっても，それが債権者からの取立てに追われてやむなく行われたときには，破産者の不誠実性が存在しないとして，裁量免責の余地がある[35]。

---

[32] これに対して条解破産法〈第3版〉1719頁は，非義務偏頗行為としての特質（破162Ⅰ②）を重視して，支払不能に至る蓋然性が認められる時期を含むとし，破産実務の基礎341頁は支払不能といった危機時期に至る状況で行われたことを要するとする。

[33] この意味で，浪費は相対的基準にもとづく評価概念であるが（納谷廣美「免責不許可事由としての浪費・賭博その他の射倖行為（破375条1号）」実務と理論331頁），裁判官は，自らの価値観だけではなく，現代の消費社会において一般に通用している価値観を考慮して，浪費に該当するか否かを決すべきである。三上615頁。浪費を認定し，かつ，裁量による免責もできないとした例として，仙台高決平成4・5・7判タ806号218頁があり，浪費を認定しながらも，債務負担の原因や債務の支払状況などを考慮して免責を認めたものとして，東京高決平成8・2・7判時1563号114頁〔倒産百選86①事件〕，福岡高決平成9・2・25判時1604号76頁，福岡高決平成9・8・22判時1619号83頁〔倒産百選86②事件〕がある。その他の裁判例については，条解破産法〈第3版〉1720頁，具体例については，破産実務の基礎336頁参照。

　また，法人とその代表者についてともに破産手続が開始したときに，法人の代表者の免責事件において，代表者による法人の財産の浪費行為が不許可事由にあたるかという問題がある。しかし，その浪費が代表者自身の利益のためになされ，代表者に対する法人の損害賠償請求権を発生させたと認められるような場合を除けば，免責不許可事由になるものでない。注釈破産法（下）670頁。

[34] 東京高決昭和60・11・28判タ595号91頁〔新倒産百選86①事件〕。これに対して，福岡高決平成8・1・26判タ924号281頁〔倒産百選A17事件〕は，射幸行為を不許可事由とし，かつ，裁量免責も許されないとする。

[35] 不誠実性を認定した例としては，東京高決昭和62・6・17判時1258号73頁，仙台高決平成4・7・8判タ806号218頁，東京高決平成13・8・15金商1132号39頁，横浜地相模原支決平成17・1・14判タ1187号344頁がある。また，最決令和元・11・28（小林宏司＝浅野良児「許可抗告事件の実情――令和元年度」判時2452号12頁（2020年））も，免責不許可事由が存在する破産者について裁量免責を否定した原決定を是認しているが，破産管財人への説明などに関する不誠実な対応を重視したものと思われる。

5 詐術による信用取引（破 252 I ⑤）

　破産手続開始申立てがあった日の1年前の日から破産手続開始決定があった日までの間に，破産手続開始原因となる事実があることを知りながら，当該事実がないと信じさせるため，詐術を用いて信用取引により財産を取得したこと[36]がこれにあたる。

　この事由の解釈に関しては，破産者の詐術がいかなる内容を含むかが問題となる。免責不許可事由が破産者の不誠実性の徴表であるとする立場を前提とすれば，客観的に支払不能の状態にある破産者が，単にその事実を相手方である債権者に告知しないままに借入れを行ったとか，借入れにあたって負債内容を正確に表示しなかったという程度では，詐術を用いたというには足りない。むしろ，債務者が負債内容について尋ねられた際に，積極的に虚偽の事実を告知したとか，資産・収入が存在するように債権者に誤信させるために積極的行為が行われた場合に，はじめて詐術が認められる[37]。また，たとえ詐術が認定されたとしても，それが軽微であり，かつ，十分な信用調査を行わなかったなど債権者の側に重大な過失が認められれば，裁判所は，裁量によって免責を許可することができる。債務者は与信を申し込むに際して，その資産・負債の状態を開示する義務を負うが，同時に債権者も，その点について調査することを期待されるからである。実務の運用も，ほぼこの考え方に沿って行われている[38]。

---

[36] 財産の取得には，エステティックサロンなどにおいて役務の提供を受ける行為にも類推適用する余地がある。条解破産法〈第3版〉1724頁。

[37] 大阪高決平成2・6・11判時1370号70頁〔倒産百選85①事件〕，注解破産法（下）817頁〔白川和雄〕，宮川・各論 I 200頁，条解破産法〈第3版〉1723頁，注釈破産法（下）673頁，破産実務の基礎339頁。これに対して，不作為であっても詐術となりうるとするものとして，破産・和議の実務（下）184頁がある。作為を理由として詐術を肯定した例として，福岡高判平成5・7・5判時1478号140頁がある。もっとも，詐術の態様が消極的または受動的であることは，裁量免責を許すべき事情として考慮すべきであるから，両説の差異は大きなものとはならない。

[38] 大阪高決昭和58・9・29判タ510号117頁〔新倒産百選87①事件〕，大阪高決昭和58・10・3判タ513号179頁，大阪高決昭和58・11・4判タ516号124頁〔新倒産百選87②事件〕，大阪高決昭和59・9・20判タ541号156頁，福岡高決昭和60・2・1判タ554号205頁，札幌高決昭和60・6・10判タ565号118頁など。学説としては，基本法362頁〔山垣清正〕，注釈破産法（下）673頁などがある。
　なお，立法論としては，詐術にもとづく行為を免責不許可事由とすることをやめ，詐術の結果たる債権者の債権を非免責債権とする提案がある（松下・前掲論文（注16）64頁，基本構造541頁参照）。

6 帳簿隠滅等の行為（破252Ⅰ⑥）

業務および財産の状況に関する帳簿，書類その他の物件を隠滅し，偽造し，または変造したことがこれにあたる。これらの行為が破産財団たるべき財産の管理を困難にし，破産債権者の利益を害するところから，免責不許可事由とされたものであるが，隠滅，偽造または変造という概念は，いずれも債務者の積極的意思を前提とするものであり，無知無能による商業帳簿不備は，不許可事由とはならない[39]。

7 虚偽の債権者名簿提出行為（破252Ⅰ⑦）

虚偽の債権者名簿（破248条5項によって債権者名簿とみなされる債権者一覧表を含む）を提出したことがこれにあたる。虚偽の債権者名簿の意義に関しては，非免責債権（破253Ⅰ⑥）との関係が重要である。破産者が，その過失によって債権者名簿に記載すべき債権者名を一部脱落させた場合には，当該債権者が非免責債権となるにとどまる。したがって，免責不許可事由として虚偽の債権者名簿と評価されるためには，単に債権者名が一部脱落しているだけではなく，破産者が破産債権者を害する目的で特定の債権者名を秘匿したり，または架空の債権者名を記載したりして，債権者名簿自体が虚偽のものとみなされる必要がある[40]。

8 調査協力義務違反行為（破252Ⅰ⑧）

破産手続において裁判所が行う調査（破8Ⅱ）において説明を拒み，または虚偽の説明をしたことがこれにあたる。裁判所は，自ら調査し，または破産管財人に免責不許可事由などに関する調査をさせることができるところ（破250

---

[39] 大阪高決昭和55・11・19判時1010号119頁〔新倒産百選86A事件〕，注釈破産法（下）674頁。なお，商業帳簿の意義については，大阪高判平成3・3・28高刑44巻1号31頁〔倒産百選〈第4版〉A11事件〕がある。電磁的な媒体上の記録も含まれる（最判平成14・1・22刑集56巻1号1頁）。また，商業帳簿以外の家計簿など，破産者の財産の変動や資金の出入を記録するものもすべて対象となる。
　また，行為の時期については，支払不能期に限られるものではないが，破産手続開始が想定しうるという理由から，支払不能に陥るおそれが認められる時期を含む。条解破産法〈第3版〉1725頁。

[40] 伊藤・研究19頁，注解破産法（下）818頁〔白川和雄〕，注釈破産法（下）675頁，破産実務の基礎345頁。裁判例として，名古屋高決平成5・1・28判時1497号131頁，最決平成15・6・24実情159頁が是認した原決定がある。債権者名簿への記載によって債権者自身の信用が毀損されることをおそれて，破産者に対して自らを記載しないように慫慂し，破産者がこれに応じた場合には，手続妨害目的が認められないために，この不許可事由にはあたらない。条解破産法〈第3版〉1726頁。

Ⅰ），それに対して説明を拒み，または虚偽の説明をすることは[41]，破産者の不誠実性を現すものであるから，これを免責不許可事由としたものである。

9 管財業務妨害行為（破 252 Ⅰ ⑨）

不正の手段により，破産管財人，保全管理人，破産管財人代理または保全管理人代理の職務を妨害したことがこれにあたる。破産管財人等に対する職務妨害罪（破 272）該当行為はもちろん，理由なく破産財団所属財産の引渡しを拒んだり，処分禁止の保全処分に反して財産を処分するなどの破産者の行為が典型的なものである。破産管財人などの補助者に対する職務妨害も，破産管財人などに対する職務妨害と評価されることがあろう。

10 破産法上の義務違反行為（破 252 Ⅰ ⑪）

破産者の説明義務（破 40 Ⅰ ①），重要財産開示義務（破 41）または免責についての調査協力義務（破 250 Ⅱ）その他破産法に定める義務に違反したこと[42]がこれにあたる。これらの行為が直接に破産債権者の利益を害するわけではないが，破産手続の円滑な進行を妨害し，破産財団の形成を妨げる点で，間接的に破産債権者の利益を損なうからである。

破産者の行為がこの類型に該当するときにも，それが不誠実性の徴表とまでは認められないときには，裁判所が裁量によって免責を許可する余地を認めるべきである。たとえば，破産手続開始当時に退職金債権をもち，破産手続開始後に退職金を受け取ったにもかかわらず，破産者がその退職金債権を破産財団に属する財産として裁判所に陳述しなかった事案においても，それが当然に重

---

[41] 大阪高決昭和 60・6・20 判タ 565 号 112 頁〔説明拒絶〕，東京高決平成 7・2・3 判時 1537 号 127 頁〔倒産百選 A18 事件〕〔虚偽説明〕，東京高決平成 16・2・9 判タ 1160 号 296 頁〔虚偽説明〕。虚偽の説明は，積極的な虚偽の告知のほか，説明すべき事項を明らかにしないことを含むが，刑事訴追を受けるおそれがあるなど，正当な事由のある黙秘は，これにあたらない。注釈破産法（下）676 頁。その他の具体例については，破産実務の基礎 344 頁参照。

法人の代表者が法人の破産手続に関して調査協力義務に違反し，管財業務妨害行為をなし，説明義務などを怠ったことを，代表者個人の破産手続における免責不許可事由とすべきかどうかが，実務上で問題となることがあるといわれる（破産法大系Ⅲ 47 頁〔内田博久〕）。代表者としての民事および刑事の責任は別として，法人破産における義務違反を直ちに個人破産における義務違反として免責不許可事由とすべきではない。東京高決平成 2・12・21 東高民時報 41 巻 9〜12 号 106 頁参照。

[42] その他の義務違反の例としては，居住等の制限義務（破 37 Ⅰ）違反，債権調査期日出頭義務（破 121 Ⅲ）違反，保全処分（破 28）違反などがあげられる。条解破産法〈第 3 版〉1732 頁，注釈破産法（下）678 頁。

要財産開示義務違反として免責不許可事由にあたるときでも，退職金債権が破産財団所属の財産である点について，破産者に適切な判断を期待できたかどうかなどの事情を考慮し，破産者の不誠実性を示す徴表となるかどうかを判断すべきである[43]。

11 7年以内の免責取得など（破252 I ⑩）

当該破産者について以前に免責許可の決定が確定している場合に，その確定の日から7年以内に再び免責許可の申立てがあったこと[44]が，これにあたる（同⑩イ）。特定の破産者が繰り返し免責を受けることは，債権者の利益を害するし，また破産者の真の経済的再生にもつながらないという点から定められた，政策的な免責不許可事由である。もちろん，7年以内の免責取得が絶対的に排除されるわけではなく，次に述べる裁量免責の可能性は残されている。

給与所得者等再生における再生計画が遂行された場合においては（民再239 I），再生計画認可決定の確定の日から7年以内の申立てについては，免責の許可がえられない（破252 I ⑩ロ）。また，小規模個人再生や給与所得者等再生においていわゆるハードシップ免責をえた場合において（民再235 I・244），当該免責決定にかかる再生計画認可決定確定の日から7年以内の申立てについても免責の許可がえられない（破252 I ⑩ハ）[45]。

---

[43] 福岡高決昭和37・10・25下民13巻10号2153頁〔倒産百選〈初版〉29事件〕，福岡高決昭和37・10・31金法324号6頁は，退職金債権の不陳述を免責不許可事由としているが，本文に述べたような事情を考慮すべきである（注解破産法（下）818頁〔白川和雄〕）。

[44] したがって，前の免責許可決定が確定した日から7年以内に破産手続開始申立てをなし，その際に免責許可を申し立てない旨の意思を表示し（破248Ⅳ但書），その後の免責許可申立期間（破248 I）内に7年が経過したときには，免責許可申立てが許される。条解破産法〈第3版〉1729頁。7年以内の免責許可申立てについて裁量によって免責を許可できる例としては，2回目の破産に至った事情が第1回目と大きく異なり，再び免責によって経済的再出発を促すことが社会的に是認される場合などが考えられる。破産法大系Ⅲ49頁〔内田博久〕，破産実務の基礎346頁参照。

[45] これに対して，通常の民事再生手続の再生計画認可決定確定によって免責を受けたことは（民再178 I），7年以内に破産免責を受けることの障害にならない。簡易再生や同意再生，および小規模個人再生における通常の免責についても，同様である。本文に掲げた免責は，再生債権者の議決を前提とするものではなく，その意味で破産免責と類似の性質をもつことが，このような違いの基礎となっている。ただし，立法論からの批判として，基本構造543頁参照。

また，給与所得者等再生等に関する7年間の制限も，再生計画認可決定確定の日から起算されるために，再生計画の遂行時やハードシップ免責付与時からみれば，破産免責が制

12　裁量免責（破252Ⅱ）

　以上に掲げた免責不許可事由のいずれかに該当する場合であっても，裁判所は，破産手続開始決定に至った経緯その他一切の事情を考慮して免責を許可することが相当であると認めるときは，免責許可決定をすることができる。裁判所が裁量免責の可否を判断するにあたっては，不許可事由該当行為の程度のみならず，破産原因が生じるに至った経緯，あるいは破産者の今後の生活設計などの要素を総合的に考慮し，破産免責によって破産者の経済的再生を図ることが，破産者自身にとっても，また社会にとっても好ましくないと判断される場合に限って，免責を不許可とすべきである[46]。

　限される期間は，4年程度（具体的期間については，条解破産法〈第3版〉1729，1730頁参照）である。一問一答346頁参照。

46)　条解破産法〈第3版〉1732頁，注釈破産法（下）680頁。裁量免責を認めた旧破産法下の裁判例として，仙台高決平成5・2・9判時1476号126頁①事件〔倒産百選85②事件〕があり，浪費（旧破366ノ9②・375①，現破252Ⅰ④相当）に該当する事実が認められるにもかかわらず，支払不能に至った動機とその経緯，破産者ができる限り債権者に対する弁済に努力していることなどを考慮している。裁量免責にあたって考慮すべき具体的事情については，条解破産法〈第3版〉1733頁，注釈破産法（下）680頁，破産実務の基礎328，337頁参照。実務上では，不許可事由が存在しても，それが著しいものでない限り，裁量免責が認められる蓋然性が高いと言われる。破産・民事再生の実務［破産編］600頁，220問465頁〔河野ゆう〕，破産法大系Ⅲ49頁〔内田博久〕。いったん詐害行為をした者がその後に破産管財人の調査に協力したときでも，裁量免責を認めなかった裁判例として，東京高決平成26・3・5判時2224号48頁〔倒産百選A19事件〕があり，浪費や過大な債務負担が認められる破産者について裁量免責を否定した原決定を是認した最決平成29・12・20実情897頁がある。

　判断が分かれる事案であるが（加藤新太郎「詐害目的で資産移転行為をした者が事後的に破産管財人の調査に協力した場合における裁量免責の可否」NBL1101号81頁（2017年）），違法行為について破産者が刑事罰を受けていることや，被害者の損害賠償請求権が非免責債権（破253Ⅰ②）となりうることを考えれば，破産管財人に対する調査協力や破産財団たるべき財産の回復を積極的に評価し，免責を認める余地があろう。破産管財人の調査に対する協力などを評価して裁量免責を認めた原決定を是認したものとして，最決平成27・7・1実情813頁がある。

　調停離婚をした破産者が申立ての際に旧姓を用いたこと，元夫からの財産給付を申告しなかったことが法252条1項8号および1号の事由に当たるとし，裁量免責も否定した千葉地八日市場支決平成29・4・20判タ1439号176頁があるが，給付金の使途などを考慮すれば，判断の分かれる事案であろう。

　ただし，同時廃止事案では，破産管財人の調査結果や意見を聴くことができないため，裁量判断の資料が限定されることを指摘する裁判例として，東京高決平成26・7・11判タ1407号109頁がある。そのことを背景とする破産管財人の役割の重要性については，注釈破産法（下）684頁参照。また，免責が不許可とされた破産者の状況を紹介するものとして，大迫惠美子「破産管財人による免責調査の実際」事業再生と債権管理153号143頁

第5項　免責審理期間中の強制執行の禁止および中止

　免責審理期間中の破産債権にもとづく強制執行は許されない（破249）。破産手続係属中は破産債権者が破産者に対して強制執行を行うことは許されない（破100Ⅰ参照）。しかし，破産手続開始申立てと同時に免責許可の申立てがなされたときであっても，免責審理期間中に破産手続が終了すれば，強制執行の禁止が解除されるし，また，同時破産手続廃止決定後に免責許可の申立てがなされるときには，そもそも免責審理期間中に強制執行禁止の効果が働かない。自己破産事件の多くは，同時破産手続廃止によって終了するが，同時破産手続廃止決定確定から免責許可決定確定まで一定の期間を要するとすれば，その期間内に債権者が強制執行を試みることが考えられる。

　旧法においても，また現行法においても，破産手続と免責手続がそれぞれ独立のものとされていることが，このような問題を生じさせる原因であるが，旧法下の下級審裁判例および有力説は，立法論としてはともかく，解釈論としては強制執行を中止せしめる理由はないとしていた[47]。しかし，破産免責制度の目的は，自由財産，特に破産手続開始後の新得財産に対する破産債権者の追及を遮断し，破産者の経済的再生を図るところにあるにもかかわらず，免責審理期間中の強制執行を許すことは，この目的の実現を妨げる結果となる。また，破産債権者が強制執行によってその債権の満足をえた後に免責許可決定が確定したときに，その満足は，免責の効力に反するものとして不当利得となるかどうかが問題となるが，旧法下の判例・有力説は不当利得の成立も否定するので[48]，破産免責の制度目的との矛盾はますます深刻なものとなっていた。

（2016年）がある。
[47]　伊藤・破産法〈第3版補訂版〉477頁，条解破産法〈第3版〉1689頁参照。
[48]　不当利得の成否については，下級審裁判例は，免責決定確定後に執行によってえた満足が不当利得となるとしたが（鳥取地判昭和62・6・26判時1258号121頁，広島高松江支判昭和63・3・25判時1287号89頁〔新倒産百選90事件〕），最判平成2・3・20民集44巻2号416頁〔倒産百選〈第3版〉95事件〕は，不当利得の成立を否定した。
　これに賛成するものとして，渡部晃「破産免責と不当利得返還請求権（上）（下）」NBL452号6頁，454号38頁（1990年），反対するものとして，栗田隆「破産債権者による免責手続中の権利実行」NBL449号6頁（1990年），伊藤眞「免責審理期間中における執行と不当利得の成否」金法1261号6頁（1990年），遠藤功「破産解止後免責手続中の個別執行による破産債権の満足と免責確定による不当利得の成否」実務と理論356頁などがある。

破産手続と免責手続とは，手続としては区別されるものであるが，実質的には，破産清算後の新得財産を基礎として経済的再出発の機会を破産者に与えようとするのが免責手続の目的であることを考えれば，両者は一体のものとみなされるから，免責審理期間中の破産債権者による強制執行は，この目的に背馳する。免責許可決定の確定によって破産債権者に対する責任が免除されることを考えれば，それまでの間隙を縫って破産債権者が強制執行を行うのは，手続の不備を理由として不当な利得をえようとするものと評価される。

　本書では，旧法下の解釈論としても，免責審理期間中の旧破産債権者による強制執行を阻止するために，免責手続係属の事実を執行障害事由として扱い，新得財産に対する強制執行に対して破産者が執行異議（民執11）または執行抗告（民執10）を申し立てることを認めるべきであると主張していたが，現行法の立法者は，このような考え方を明文の規定として取り入れたものである。

　免責許可の申立てがあり，かつ，同時破産手続廃止決定（破216Ⅰ），異時破産手続廃止決定（破217Ⅰ）または破産手続終結決定（破220Ⅰ）があったときは，免責許可の申立てについての裁判が確定するまでの間は，破産者の財産に対する破産債権にもとづく強制執行等[49]（強制執行，仮差押え，仮処分もしくは外国租税滞納処分，もしくは破産債権を被担保債権とする一般の先取特権の実行もしくは民事留置権による競売[50]），破産債権にもとづく財産開示手続もしくは第三者か

---

[49] 破産債権にもとづく強制執行等であれば，免責債権か非免責債権かを問わず，強制執行禁止等の対象となる。これは，執行裁判所が両者の区別をすることが容易でないなどの理由による。基本構造520頁，条解破産法〈第3版〉1691頁，注釈破産法（下）649頁，大阪高判平成12・11・1金法1610号91頁参照。なお，財団債権にもとづく強制執行等が許されるかどうかは，法249条の問題ではなく，財団債権についての破産者の責任（本書345頁）をどのように考えるかによる。基本構造522頁，条解破産法〈第3版〉1691頁。

　執行裁判所は，強制執行等が破産債権にもとづくものであると判断すれば，それを却下しなければならず，それを看過して執行処分や保全処分がなされたときは，執行異議（民執11），執行抗告（民執10）あるいは保全異議（民保26）や保全抗告（民保41）による取消しの対象となる。さらに，執行が完了して，債権者が満足を受けたときは，不当利得の問題となる。条解破産法〈第3版〉1693頁。執行の中止を求めるための具体的運用については，注釈破産法（下）652頁参照。

[50] 民事留置権は破産財団に対する効力を失うが（破66Ⅲ），破産手続終了時に目的物が破産者の財産中に現存していれば，その実行が禁止される。これに対して商事留置権は，破産手続中においてもその実行が可能であるところから（破65Ⅰ・66Ⅰ），禁止の対象としないが，その実行は，形式競売となる。条解破産法〈第3版〉1693頁，小川・前掲論文（注4）505頁。

らの情報取得手続の申立てまたは破産者の財産に対する破産債権にもとづく国税滞納処分はすることができず[51]，破産債権にもとづく強制執行等の手続または処分で破産者の財産[52]に対してすでになされているものならびに破産者についてすでになされている破産債権にもとづく財産開示手続および第三者からの情報取得手続は中止する（破249Ⅰ)[53]。免責許可決定が確定したときは，中止した破産債権にもとづく強制執行等および破産債権にもとづく財産開示手続等は失効する（同Ⅱ)[54]。

　もっとも，免責不許可決定がなされる可能性，および破産債権者の中には非免責破産債権者（破253Ⅰ各号）も含まれる可能性を考えると，強制執行の着手を禁止された破産債権者が，消滅時効の完成猶予および更新の機会を失うことに対する配慮が必要になる。そのために，非免責破産債権については，免責許可の申立てについての決定が確定した日の翌日から2月を経過する日までは，

---

51) 租税債権にもとづく交付要求は禁止の対象とならない。一問一答338頁，条解破産法〈第3版〉1694頁，小川・前掲論文（注4）504頁参照。また，中止を求める手続については，220問107頁〔三枝知央〕参照。以上に対し，破産債権にもとづく国税滞納処分ですでになされているものは中止しない（条解破産法〈第3版〉1696頁）。

　さらに，免責審理手続中に破産債権を自働債権とする相殺が許されるかという問題がある（免責許可決定確定後の破産債権を自働債権とする相殺については，本書807頁参照）。破産手続において当該破産債権を自働債権とする相殺が許されるかどうかが基準となり，自由財産など，破産財団に属しない債権を受働債権とする相殺（本書517頁），法71条および72条によって禁止される相殺は，免責審理期間中においても許されない。小川・前掲論文（注4）508頁，注釈破産法（下）650, 692頁。

52) ここでいう破産者の財産は，破産手続終結まで破産財団を構成していた財産，破産手続下の自由財産，破産手続開始決定後の新得財産のすべてを含む。条解破産法〈第3版〉1692頁，注釈破産法（下）648頁。

53) 強制執行等の手続は，いったん破産手続開始によって破産財団に対しては効力を失うが（破42Ⅱ本文)，破産手続終了後は続行できる可能性が生じるところ，その続行を許さない。これに対して，破産債権にもとづく財産開示手続は絶対的に失効するから（破42Ⅵ)，法249条によって中止するのは，同時破産手続廃止決定によって破産手続が終了する場合に限られる。条解破産法〈第3版〉1696頁。

54) 失効した強制執行等の取消しを求めるための手続として，免責許可決定を取消文書（民執40Ⅰ・39Ⅰ⑥）として提出すれば足りるか，免責許可決定の効力（破253Ⅰ柱書本文）を前提として，別途に請求異議の訴え（民執35）を提起しなければならないかについて，考え方が分かれる。後者の考え方は，免責債権にもとづく強制執行等と非免責債権にもとづく強制執行等とを執行裁判所が区別することが困難なことを理由とするが，法249条2項にもとづく失効は，両者を区別していないのであるから，前者の考え方をとるべきであり，個別に請求異議の訴えの提起を要求するとの考え方は，法の趣旨に反する。基本構造523頁，条解破産法〈第3版〉1697頁，220問107頁〔三枝知央〕参照。

時効が完成しないこととし（破249Ⅲ柱書・①）55)，それ以外の破産債権については，免責許可の申立てを却下した決定または免責不許可決定の確定の日の翌日から2月を経過する日までは，時効が完成しないこととされる（同②）。

第6項　免責の効果

　免責は，破産債権者が破産者に対してその債権の弁済を求める可能性を消滅させることによって，破産者の経済的再生を図ろうとするものであるが，その目的を実現するために，法は，免責許可決定確定の効果として（破252Ⅶ），破産者は，破産手続による配当を除き56)，破産債権についてその責任を免れると規定する（破253Ⅰ柱書本文）。破産債権者表に免責許可決定の確定の旨を記載するのも（破253Ⅲ），破産債権についての破産債権者表の執行力を排除するための措置である。

1　債務の消滅

　破産者が破産債権についてその責任を免れることの解釈として，旧法以来2つの考え方が対立している。第1は，条文の文言を重視し，債務そのものは消滅せず，ただ責任が消滅するので，債務は自然債務として残るとする考え方であり，従来の多数説である。これを前提とすれば，破産債権者は，免責後は破産債権について強制執行による満足を受けることができなくなるが，破産者から任意に弁済を受ける権利は認められる。第2に有力説は，免責の効果として債務そのものが消滅すると解し，したがって破産債権者は，破産者に対して任意の弁済を求めることもできず，それにもかかわらず破産者から受領した弁済は不当利得にあたるとする57)。本書では，以下のような理由からこの有力説を

---

55)　罰金，科料，追徴金については，刑の時効（刑32）も伸長の対象となる。条解破産法〈第3版〉1697頁。

56)　したがって，破産手続終結前に免責許可決定が確定したときであっても，それによって配当が影響を受けることはない。条解破産法〈第3版〉1740頁。また，別除権の被担保債権たる破産債権について免責の効力が生じても，そのことは，別除権の行使によって回収できる被担保債権額には影響しない（民再177Ⅱ，松下・入門153頁，条解破産法〈第3版〉1740頁参照）。

57)　多数説は，山垣清正「破産免責の効力」金法1214号6頁（1989年），山木戸300頁，石原668頁，注解破産法（下）822頁〔池田辰夫〕，条解破産法〈第3版〉1739頁，破産法大系Ⅲ69頁〔杉山悦子〕など。免責の対象となった債権者が詐害行為取消権を行使することを許さないとした判例（最判平成9・2・25判時1607号51頁〔倒産百選91事件〕）や，免責された債務について消滅時効の進行を否定した判例（最判平成11・11・9民集

採用する。

　第1に，自然債務説は，その根拠として「破産債権について，その責任を免れる。」との文言（破253Ⅰ柱書本文）のほかに，免責の効果が保証人などに及ばないこと（同Ⅱ）を根拠として援用する。すなわち，免責が保証人などに対する破産債権者の権利に影響を及ぼさず，保証債務が存続する以上，主債務たる破産者の債務も存続するとしないと，保証債務の付従性に反するというのである。確かに，破産者の主債務が消滅すれば，保証債務は付従性によって消滅するのが民法の原則であるが（民448参照），法253条2項は，立法的にその例外を定めたと解することもできるので，この点は債務消滅説をとることの決定

53巻8号1403頁〔倒産百選A20事件，倒産百選〈第5版〉89事件〕），最判平成30・2・23民集72巻1号1頁も，自然債務説を前提としている。非免責債権を代位債権とする債権者代位訴訟の訴えの利益を否定した東京高判平成20・4・30金商1304号38頁も同様の考え方にもとづいている。なお，関連する近時の判例として，最決令和3・6・21民集75巻7号3111頁がある。同決定は，民事執行法188条が準用する同法68条が債務者による買受けの申出を排除する趣旨を説示した上で，債務者が免責を受けた以上，免責の効力を受ける債権者は，債務者の相続人に対して債務の強制的実現を図ることができなくなるから，相続人は同法68条にいう債務者に該当しないと判示している。
　これに対して，債務消滅を主張する有力説は，兼子一・強制執行法・破産法267頁（1965年），伊藤・研究21頁，浦野・前掲論文（注4）（5）NBL 355号13，19頁（1986年），堤龍弥「免責の効力」実務と理論360，361頁など。破産債権を自働債権とする相殺については，債務消滅説はこれを否定するが，自然債務説でも，新得財産に属する債権を受働債権とする相殺については，これを否定する（注釈破産法〔下〕823頁〔池田辰夫〕，基本法364頁〔山垣清正〕，条解破産法〈第3版〉1742頁，小川・前掲論文（注4）512頁）。
　また，第3の見解として，免責の対象とされた債務自体の存続を認めつつ，債務者の一般財産による担保の裏付けが消滅し，裁判上はもちろん，裁判外の請求も許されないとする有力説がある。中島Ⅰ512頁，条解破産法〈第3版〉1739頁参照。
　なお，会社更生法204条1項柱書による更生計画認可の決定にもとづく免責についても同様の議論があり（伊藤・会更法・特清法685頁注195），東京高判平成25・5・17金法1989号142頁は，公正取引委員会が課す課徴金について，それが更生手続開始前の行為に起因することを理由として更生債権とする前提に立って，それが免責の効果として自然債務になると判示する。そして，本件では，いったん納付された課徴金を公正取引委員会が返還している事実がある。納付が任意弁済にあたらないとの判断によるものであろう。白石忠志「課徴金と会社更生法」公正取引754号65頁（2013年）参照。
　なお，課徴金は，刑罰ではなく，行政庁が課す経済的負担であるから（村上政博ほか編著・条解独占禁止法324頁〔石田英遠ほか〕（2014年）），届出の有無を問わず免責の対象から除外される再生手続開始前の罰金等，更生手続開始前の罰金等の請求権（民再178Ⅰ但書，会更204Ⅰ③）とは区別される。ただし，同じく課徴金であっても，金融商品取引法上のものは過料の請求権とみなされるので（金商185の16），罰金等の請求権として扱われる。

的な障害となるわけではない。

　第2に，自然債務説の根拠として，たとえ免責をえても，破産者の義務を全面的に免除してしまうのは好ましくなく，これを道徳的義務として残存させ，破産者による自発的支払を期待するという思想がある。しかし，消費者信用における債権者と債務者との力関係などからみて，破産債権者に対する債務を自然債務として残すことは，破産者の真に自発的な履行を促す効果よりも，破産債権者が裁判外の圧力によって，破産者に対して事実上弁済を要求したり，あるいは自然債務として残っているものを更改の合意によって通常の債務として復活させるよう要求したりする危険を生じさせ[58]，免責によって破産者の経済的再生を図る制度目的の実現そのものが阻害されるおそれがある[59]。

　なお，免責許可決定が確定した後であっても破産者は，その正本を提出することによって強制執行の停止または取消し（民執39・40）を求めることはできず，債務または責任の消滅を理由として請求異議の訴え（民執35Ⅰ）を提起し，その勝訴判決をもって（民執39Ⅰ①）または執行停止命令をもって（民執36Ⅰ・39Ⅰ⑦）強制執行の停止・取消しを求めるべきであるとする考え方が有力である[60]。この考え方は，免責の効果を実体法上の債務免除（民519）などと同視

---

[58]　破産債権について免責許可決定確定前になされた弁済の合意には，債務消滅か自然債務かはともかくとして免責の効力が及ぶが（名古屋地判昭和55・12・12判タ440号139頁〔新倒産百選91事件〕），免責許可決定確定後になされた弁済の合意も，債務消滅説をとれば当然であるが，自然債務説でも，免責制度の本旨に反するものとしてその効力を否定される（横浜地判昭和63・2・29判時1280号151頁〔倒産百選90事件〕，基本法364頁〔山垣清正〕，納谷廣美「免責債務の支払約束及び弁済の効力」実務と理論366，367頁），条解破産法〈第3版〉1740頁。

　これに対して，破産法大系Ⅲ76頁〔杉山悦子〕は，新規の信用供与の見返りとしてなされるなど，破産者の経済的再生に資する場合には，合意の効力を認めてよいとする。すでになされた弁済については，自然債務説では，その任意性を基準とすることになろう。220問475頁〔松井和弘〕，破産実務の基礎332頁。

[59]　そのほか，旧法下では，免責審理期間中の強制執行が許されるとの考え方が多数であったこととの関係で，自然債務説をとると，強制執行によってえた満足が，後に免責許可決定が確定したときでも，不当利得とならないという問題が指摘された。伊藤・破産法〈第3版補訂版〉480頁参照。しかし，現行法の下では，強制執行が禁止されたので（破249），禁止に反して行った強制執行による満足は，たとえ自然債務説をとっても，不当利得とされる。

[60]　大阪高決平成6・7・18高民47巻2号133頁〔倒産百選〈第3版〉98事件〕，大阪地判平成7・6・30判タ894号267頁，東京高決平成26・2・25金法1995号110頁，井上・前掲書（注2）426頁，木納敏和「同時破産廃止及び免責決定と破産債権の行使をめぐる諸問題」判タ885号20，31頁（1995年），破産・和議の実務（下）205頁，条解破産法

するものであり，これを前提とすると，破産者は，強制執行に対して個別的に請求異議の訴えや不当利得返還請求訴訟を提起することを余儀なくさせられるが，免責制度の本旨および集団的債務または責任免除手続としての免責手続の性質を無視した議論といわざるをえない。強制執行の停止・取消文書（民執39 Ⅰ・40 Ⅰ）の中に免責許可決定が掲げられていないことについては，立法的解決が望まれるところであるが，現行法の下においても民事執行法39条1項6号文書を拡張して，免責許可決定を執行停止・取消文書として扱うことが，制度全体と調和する[61]。

2 非免責債権

免責の効果は，財団債権には及ばないが，破産債権についてはそのすべてに及ぶのが原則である（破253 Ⅰ柱書本文）。しかし，法は，政策的理由から，一定の債権について免責の効果が及ばない旨を規定する（同但書）。これらの債権が非免責債権と呼ばれる。

第1は，租税等の請求権（破97④参照）である（破253 Ⅰ①）。破産者に対する租税債権の中で財団債権とされているもの（破148 Ⅰ③等）は，本来免責の対象とならない。そこで，ここでいう租税債権は，優先的破産債権となるもの（破98 Ⅰ）および劣後的破産債権となるもの（破99 Ⅰ①・97③〜⑤）に限られる。また，共助対象外国租税の請求権は，免責の対象となるが（破253 Ⅰ①かっこ書），その効力は，共助（租税約特11 Ⅰ）との関係においてのみ主張することができ

〈第3版〉1741頁，注釈破産法（下）453頁，谷口哲也「破産免責後の強制執行に関する考察」清和法学研究21巻2号46頁（2016年）。

[61] 有力説や裁判例の根拠として，執行債権が非免責債権にあたるかどうかの判断は，実体的権利の性質にかかるものであり，これを執行機関に行わせるべきものではないと主張される。しかし，免責許可決定とともに，当該執行債権が非免責債権にあたらないことが明白であることを破産者が証明したときに執行停止・取消しを認めるとすれば，問題の解決が図られる（髙地茂世「破産免責と強制執行」早法72巻4号249，273頁（1997年），松村和德「債務者の免責許可決定の確定と強制執行手続の開始を妨げる事由」金法2031号51頁（2015年）参照）。

なお，関連するものとして，破産債権者表に記載された確定した破産債権（本書693頁参照）が非免責債権に該当し，強制執行の実施を求める資格を有するかどうかは，執行文付与の訴え（民執33）によることはできず，執行文付与機関である裁判所書記官の判断に適するとした判例（最判平成26・4・24民集68巻4号380頁〔倒産百選89事件〕）がある。その意義について，注釈破産法（下）692頁参照。最終的解決方法としては，債権者が非免責債権であることの確認を求める訴えを提起することが考えられる。谷口・前掲論文（注60）38頁。

る（破253Ⅳ）。

　財団債権とされる租税債権については，破産者が破産手続終了後も責任を負うのかどうかについては，争いがあるが，この問題は，免責の問題ではなく，すでに説明した財団債権の債務者をどう考えるかにかかわる。

　通説は，一般的には財団債権の債務者を破産財団そのものとしつつも，租税のように本来は破産者の人的債務であるものについては，破産者自身も責任を負うとする[62]。その結果，租税債権は，一方で破産手続において財団債権という優越的地位を与えられるとともに，他方で破産手続終了後も破産者に対する責任を追及できる。しかし，免責によって破産者を破産債権者からの追及から解放しても，このような結果が是認されるのでは，破産者の経済的再生が妨げられるとして，最近の有力説は，財団債権たる租税については破産財団のみが責任を負うとし，破産者自身の責任を否定する[63]。

　破産手続開始前の原因にもとづく租税債権で一定範囲のもの（破148Ⅰ③）は，本来は破産債権であるにもかかわらず財団債権という優越的地位を与えられたのであるから，そのこととの均衡上で破産手続終了後の破産者の責任を否定することが公平に合致するし，破産手続開始後の原因にもとづく租税債権で財団債権とされるものは，破産財団の管理・換価にともなって生じるものであって（同②），そもそも破産者の負担とすべきではないので，本書もこの有力説にしたがう。使用人の給料等で財団債権とされるもの（破149）についても，その優先的地位の付与を考慮すれば，同様の取扱いをすべきである。

　第2は，破産者が悪意で加えた不法行為にもとづく損害賠償請求権である（破253Ⅰ②）。この種の損害賠償請求権をも免責の対象とするのは，加害者に対する制裁面からも好ましくないというのが，非免責債権の趣旨である。悪意の意味について，伝統的には，単なる故意（民709）ではなく，積極的な害意

62）　遠藤功「財団債権の債務者」演習破産法368頁（1973年），注解破産法（上）213頁〔斎藤秀夫〕，条解破産法〈第3版〉1740頁参照。岡正晶「個人破産と所得税」金子宏先生古稀祝賀・公法学の法と政策（上）357頁（2000年）は，立法論として検討の余地があるとする。

63）　山内八郎「破産法上の租税請求権等の取扱い」判タ514号128, 135頁（1984年）。論者によると，一方で財団債権たる債権について破産者の人的責任を認め，他方で財団債権たることを理由として免責の対象とならないとすることは，理論的一貫性に欠けるという。もっとも，財団債権たる租税も満足を受けられない現実があることを考えると，再考の余地もあろう。

を要すると解されてきた[64]。旧法下の解釈論としては，故意によるものも含むとする解釈が有力であったが，現行法は，新たな非免責債権の類型として，3号を設けたので，2号については，積極的害意を意味するという解釈をとるべきである[65]。

　第3は，破産者が故意または重大な過失により加えた人の生命または身体を害する不法行為にもとづく損害賠償請求権で，悪意で加えた不法行為にもとづく損害賠償請求権にあたらないものである（破253Ⅰ③）。人の生命または身体は，法の保護法益の中でもっとも重要なものであり，たとえば暴走運転などのように重過失による不法行為については，損害賠償請求権を免責の対象とすることは，被害者に対する救済の面からも，また加害者に対する制裁の面からも好ましくないというのが，この非免責債権の趣旨である[66]。

---

64) 中田267頁，山木戸300頁，谷口339頁，基本法365頁〔山垣清正〕など。悪意による不法行為にあたらないとした裁判例として，大分地判平成4・8・4判タ794号263頁がある。逆に，カード利用による飲食も，その程度が極端であり，かつ，支払不能によって債権者に損害を与えることを認識していたときには，悪意による不法行為とされることがある（東京地判平成8・9・30金商1023号38頁，東京地判平成9・10・13判タ967号271頁，東京高判平成10・2・25金商1043号42頁）。

　また，商品等の購入が悪意による不法行為を構成するとした原判決を是認した判例として，最判平成12・1・28金商1093号15頁〔倒産百選88事件〕がある。東京地判平成20・7・22判時2025号67頁，千葉地判平成27・4・9判時2270号72頁も，不法行為の成立を認定した上で，それが悪意によるものとして，非免責債権に該当する旨を判示している。逆に，大阪地判平成27・8・27裁判所ウェブサイトは，著作権侵害を内容とする不法行為にもとづく損害賠償請求権について，加害者自らの利益を図る目的があっても，被害者に対する積極的害意とは評価できないとして，悪意を否定している。そのほかの裁判例について，条解破産法〈第3版〉1744頁参照。

　さらに，乳児のうつぶせ寝による窒息死に関連し，保育園経営者の重大な過失を認めた裁判例として，福島地郡山支判平成27・3・6判時2265号93頁がある。

65) 基本構造547頁，条解破産法〈第3版〉1744頁，注釈破産法（下）694頁。もっとも，使用者責任のように（民715），他人の行為について破産者が責任を負う場合には，その他人が悪意でも損害賠償請求権は非免責債権とならない。不貞行為にもとづく慰謝料請求権について積極的な害意までを認めることはできないとした東京地判平成28・3・11判タ1429号234頁がある。民法714条にもとづく不法行為責任についても，東京地判令和元・5・31LEX/DB25580091が同様の判示をする。民法509条（悪意による不法行為にもとづく損害賠償債務を受働債権とする相殺の禁止）との関係については，中田・債権総論476頁参照。

66) 一問一答347頁参照。非免責債権性を否定した裁判例として，大阪地判平成28・2・25交通事故民事裁判例集49巻1号281頁がある。また，保険会社が被害者に保険金を支払った結果として，被害者の加害者たる破産者に対する損害賠償請求権を代位取得したときに（商662Ⅰ），それが非免責債権となるかという問題がある（基本構造548頁）。財団

第4は，親族関係に係る一連の請求権である（同④イ～ホ）。すなわち，夫婦間の協力および扶助の義務（民752），婚姻費用分担義務（民760），子の監護に関する義務（民766等），扶養義務（民877～880），およびこれらの義務に類する義務であって，契約にもとづくものに係る請求権である[67]。これらの義務にもとづく請求権は，それ自体は財産上の請求権ではあるが，人の生存を確保し，また幸福を追求する上で（憲13参照）不可欠なものとしての性質をもつので，非免責債権とされたものである。

　第5は，雇用関係にもとづいて生じた使用人の請求権および使用人の預り金の返還請求権である（破253Ⅰ⑤）。使用人の給料等の請求権で財団債権とされるもの（破149）は，そもそも免責の対象とならない。しかし，租税等の請求権の場合と同様に，財団債権たる請求権については，破産者自身の責任は否定されるというのが本書の立場である[68]。

　これらの債権が非免責債権とされるのは，個人事業者の破産を想定したものである。雇用関係にもとづく使用人の請求権のうち，財団債権とされないものは，優先的破産債権とされるが（破98Ⅰ），使用人保護の趣旨から，この部分は非免責債権とされている。また，預り金返還請求権は，一般の破産債権であ

　　債権たる債権を支払った第三者がその地位を承継できるかという問題（本書331頁参照）と関連する。
　　　免責制度の趣旨からいえば，代位取得者が非免責債権者の地位を主張することを否定すべきであるが（破産法大系Ⅲ83頁〔杉山悦子〕，注釈破産法（下）697頁），加害者に対する制裁という性質が強い非免責債権（破253Ⅰ③）については，区別して考えることもできよう。小川・前掲論文（注4）520頁参照。
　　　なお，現行民法167条が「人の生命又は身体の侵害による損害賠償請求権の消滅時効」について特則を設け，同724条の2が「人の生命又は身体を害する不法行為による損害賠償請求権の消滅時効」について特則を設けているのは，生命・身体という法益の重要性を考慮した点で（潮見・概要49頁），非免責債権の考え方と共通性がある。
67)　具体例については，基本構造549頁，条解破産法〈第3版〉1745頁参照。免責許可決定確定前の扶養料，婚姻費用分担請求権，監護費用も含まれる。これに対し，離婚に伴う慰謝料請求権は，法253条1項3号に含まれる場合のみ，非免責債権となり，財産分与請求権は，それを破産債権とすれば，免責の対象となる。なお，破産手続開始後に発生する婚姻費用や養育費請求権は，破産債権とならず，破産者の新得財産を引き当てとする。以上について，森宏司「家事調停・審判手続中の当事者破産」伊藤古稀1161，1170頁，注釈破産法（下）695頁参照。
68)　これに対して，条解破産法〈第3版〉1747頁は，破産手続開始前の原因にもとづくものであって，本来優先的破産債権となるべき使用人の請求権は，それが財団債権であっても，破産者の責任を否定すべき理由はないとする。

るが，それについて責任を徹底させるために，その全額が非免責債権とされる[69]。

　第6は，破産者が知りながら債権者名簿に記載しなかった請求権である（破253Ⅰ⑥）。ある債権者名を破産者がその債権者名簿に記載しないと，免責についての意見申述期間の通知（破251Ⅱ）がなされず，免責に対する意見申述権を行使する機会が事実上奪われる。このような債権者について免責の効果を発生させるのは適当でないので，法はこれを非免責債権としたのである。ただし，債権者が破産手続開始の事実を知っていた場合には，自ら免責の審理に参加することができたはずであるから，免責の効果が生じる（破253Ⅰ⑥かっこ書）[70]。

　第7は，罰金等の請求権（破97⑥）である（破253Ⅰ⑦）。これらの債権は，他の破産債権者との関係では，劣後的破産債権者とされるが（破99Ⅰ①），破産者との関係では，その人格的責任の側面を重視して非免責債権とされる。

3　保証人等に対する免責の効果

　免責の効力は，保証人その他破産者とともに破産債権者に対して債務を負担する者のために及ばないし，また，物上保証人などに対する破産債権者の権利も，免責による影響を受けない（破253Ⅱ）[71]。これらの人的・物的担保は，主

---

[69]　旧法366条ノ12第4号は，預り金の返還請求権に加え，身元保証金返還請求権を非免責債権としていたが，実情を踏まえ，現行法はこれを削除した。

[70]　また，債権者名簿への不記載がむしろ債権者の側の責めに帰すべきものと認められる場合，たとえば長期間債権者からの履行請求がなされなかったために破産者がそれを失念して債権者名簿に記載しなかったときには，同かっこ書を類推適用して，当該債権について免責の効果を認めてよい（神戸地判平成元・9・7判時1336号116頁，東京地判平成15・6・24金法1698号102頁，石口俊一「免責申立ての方式等」実務と理論320，321頁，条解破産法〈第3版〉1748頁）。

[71]　消滅時効に関していえば，破産債権届出による時効の完成猶予，完成猶予の効果の継続および破産債権者表の記載の効果としての時効の更新および時効期間の延長は，本書671，693頁に述べた通りであるが，免責の効果として破産債権についての破産者の責任が消滅することにともなって，保証債権についての消滅時効が何らかの影響を受けるかどうかが問題となる。
　この点について前掲最判平成11・11・9（注57）〔倒産百選A20事件，倒産百選〈第5版〉89事件〕は，「免責決定の効力を受ける債権は，債権者において訴えをもって履行を請求しその強制的実現を図ることができなくなり，右債権については，もはや民法166条1項に定める『権利ヲ行使スルコトヲ得ル時』を起算点とする消滅時効の進行を観念することができないというべきであるから，破産者が免責決定を受けた場合には，右免責決定の効力の及ぶ債務の保証人は，その債権についての消滅時効を援用することはできないと解するのが相当である。」と判示する。
　この考え方の下では，破産債権について消滅時効の進行が観念できない以上，消滅時効

たる債務者の破産においてこそ，その意味をもつのであるから，当然の規定ともいえる。ただ，消費者破産の場合には，多くの場合に破産者の親族や友人が保証人となっており，これらの者に免責の効果が及ばないことが破産者に対する間接的な圧力となり，結局破産者の経済的再生という目的が達せられないことがあるので，立法論としては検討の余地がある[72]。

4 免責の国際的効力

国際破産に関する問題の1つとして，わが国における免責許可決定の対外的効力，および外国免責許可決定の対内的効力が問題となる。免責許可決定が破産手続とは独立の裁判であるとすれば，それ自体について外国裁判の承認など（民訴118参照）を考えれば足りるが，免責手続と破産手続とが一体のものであるか，少なくとも免責手続が破産手続開始の効力を前提とするものであることを考慮すれば，破産手続開始の国際的効力に関する原則にしたがって，免責許可決定の国際的効力を決すべきである。

第1に，わが国の免責許可決定の対外的効力については，破産手続開始の対外的効力が認められること（破34Ⅰかっこ書）を前提とすれば，免責許可決定

の対象となりえず，したがって，破産債権についての消滅時効の完成猶予および更新と時効期間の10年への延長（民147・169Ⅰ）を前提とした保証債権の消滅時効は，独立に進行することとなり，たとえ破産債権の時効期間が経過したとしても，保証人はそれを自らのために援用すること（民145かっこ書参照）はできない。ただし，免責許可決定確定前にすでに主債務についての消滅時効が完成していたときには，保証人がそれを援用することは許されるといわれる。条解破産法〈第3版〉1749頁参照。

また，破産手続が同時破産廃止によって終了した場合には，破産債権の届出や確定もありえないことから，破産債権についての消滅時効の完成猶予や更新，延長の効果も生ぜず，保証債権については，免責の効果とかかわりなく従来通り消滅時効が進行することとなる。

前掲最判平成30・2・23（注57）が，免責の効力を受ける債権については，民法166条1項2号にいう「権利を行使することができる時」を起算点とする消滅時効の進行を観念することできず，時効による消滅の余地がなくなるために，その消滅可能性を前提とする民法396条の適用はなく，抵当権は，民法166条2項所定の20年の消滅時効にかかるとするのも，被担保債権の時効消滅の可能性がなくなったときには，抵当権そのものについて時効消滅を判断すべきであるとする点で，上記の平成11年判決と共通の発想がみられる。債務者および抵当権設定者の地位を考えても（山本庸幸裁判官の補足意見参照），妥当な結論である。

72) 伊藤・研究31頁，注解破産法（下）827頁〔池田辰夫〕，伊達聡子「最近のアメリカ合衆国消費者倒産法制の動向（下）」判タ634号27，40頁（1987年）など参照。民事再生においても，原則は破産免責の場合と同様であるが（民再177Ⅱ），例外として，住宅資金特別条項を定めた再生計画については，権利変更の効力が保証人などに及ぶとされている（民再203Ⅰ）。詳細については，条解民事再生法1069頁〔山本和彦〕参照。

についても対外的効力を認め，債務または責任消滅の効果は，破産手続の結果として破産債権について生じた効果として外国においても主張できるとすべきである[73]。もっとも，国内における強制執行と異なって，わが国の免責許可決定は外国における強制執行を当然に中止せしめる効力をもちえないから，破産者は，外国財産に対する強制執行が行われたときには，債務消滅などの実体的効果を主張して，強制執行を中止する裁判を外国において求めざるをえない[74]。

第2に，外国における免責許可決定の対内的効力については，旧破産法平成12年改正前は，外国破産の対内的効力が否定されることを理由として（旧破3Ⅱ），わが国における効力を否定するのが判例であった[75]。しかし，旧法3条2項が廃止され，それに代わって，外国倒産処理手続の承認援助に関する法律（外国倒産法。平成12年法律129号）が制定された現在，このような理由から外国免責許可決定の対内的効力を否定することはできない。問題は，対内的効力を認めるために，外国倒産処理手続の承認を経なければならないか，それとも，外国判決に準じて（民訴118），外国免責許可決定の効力を自動的に承認してよいかどうかである[76]。

破産手続と免責手続は，実質的に一体のものと考えられること，いくつかの国では，破産手続の結果として自動的に免責の効果を認めていること，外国倒産法の目的には，国際的に整合のとれた財産の清算のみならず，債務者についての経済的再生を図ることも含まれていることを考慮すると，外国免責許可決定または免責の効果を伴う外国倒産処理手続については，外国倒産処理手続の承認（外国倒産17以下）を経てはじめてその対内的効力が認められるとすべきである。

第7項　免責の取消し

いったん免責許可決定が確定した後であっても，一定の事由が認められれば，

---

[73]　属地主義をとっていた旧法3条1項（平成12年改正前）における議論については，伊藤・破産法〈第3版補訂版〉484頁参照。
[74]　外国の裁判によって強制執行の中止が命じられなかったときに，不当利得の成立を主張することは，旧法例11条（現法適用14）との関係で困難である（道垣内正人「免責裁判の渉外的効力」ジュリ986号77，78頁（1991年））。
[75]　大判明治35・6・17民録8輯6巻85頁〔新倒産百選120事件〕。
[76]　後者の考え方をとるものとして，条解破産法〈第3版〉1750頁がある。

裁判所は，破産債権者の申立てによりまたは**職権**で免責取消しの決定をすることができる（破254Ⅰ）。

取消事由の第1は，詐欺破産罪（破265）についての有罪判決の確定である（破254Ⅰ前段）。詐欺破産罪は破産犯罪の中で特に破産者の悪性が強いので，法はこれを免責取消事由としたものである。ただし，免責を取り消すためには，必ず刑事裁判所による有罪判決が確定していなければならない[77]。また，他の破産犯罪については，たとえ有罪判決が確定しても取消事由とはならない。第2の取消事由は，破産者の不正の方法によって免責許可決定がされたことである（同後段）。

その例としては，破産債権者または破産管財人に対する詐欺，脅迫，贈賄，特別利益の供与などの方法が考えられる[78]。したがって，破産者が免責をうるにあたって，特定の破産債権者からの反対の意見申述を防ぐために，その者に対する特別利益の供与を秘密裏に約束する場合などには，この取消事由が認められる[79]。ただし，この取消事由を主張する場合には，破産債権者は，免責許可決定があった後1年以内に取消しの申立てをしなければならない（破254Ⅰ）。

---

77) もっとも，詐欺破産罪の有罪判決が確定しているからといって，裁判所が必ず免責を取り消さなければならないものではない。たとえば，免責不許可事由（破252Ⅰ各号）の審理にあたって，詐欺破産罪該当行為の存在を認めたが，破産者の不誠実性が著しいものでないとして，裁判所が免責許可決定をなしたときには，後に有罪判決が確定しても，裁判所は免責の取消しをしないことができる（加波眞一「免責の取消」実務と理論370頁参照，条解破産法〈第3版〉1755頁）。

78) その他に，破産財団に属すべき財産を裁判所や破産管財人に明らかにせず，隠匿する行為が問題になることが多い。東京高決平成13・5・31金商1144号16頁，大阪高決平成15・2・14判タ1138号302頁。最決平成20・9・24実情420頁が是認した原決定も，破産管財人に対する説明義務違反の内容および程度が極めて重大であることなどを理由として，免責許可決定を取り消している。

また，利息制限法の制限を超える過払金返還請求権が債務者の重要な財産として認識されるにつれ（山下寛ほか「過払金返還請求訴訟をめぐる諸問題（上）（下）」判タ1208号4頁，1209号12頁（2006年）参照），その存在が明らかにならないままに同時破産手続廃止などの理由によって手続が終了し，免責許可決定が確定した後に，債務者が過払金の返還を受けた場合には，法254条1項後段または前段によって免責取消決定がなされる可能性がある。基本構造496頁。また，このような状況の下における過払金返還請求訴訟が信義則に反するものではないとした札幌高判平成17・6・29判タ1226号333頁があるが，免責の取消しを検討すべきである。条解破産法〈第3版〉1753頁，注釈破産法（下）701頁。

79) もっとも，これらの不正の行為と免責許可決定との間に直接の因果関係が要求されるものではない。条解破産法〈第3版〉1753頁。

取消手続は，破産債権者の申立て（上記第1および第2の取消事由の場合）[80]または裁判所の職権（上記第1の取消事由の場合）によって開始される。裁判所は，職権で必要な調査をなし，また口頭弁論を開いて審理をすることもできる（破8・3第2かっこ書）。裁判所は，免責取消しの決定をしたときは，直ちに，その裁判書を破産者および申立人に，その決定の主文を記載した書面を破産債権者に，それぞれ送達しなければならない（破254Ⅱ前段）。送達代用公告の規定（破10Ⅲ本文）は適用しない（破254Ⅱ後段）。免責取消申立てについての裁判および職権による免責取消決定に対しては，即時抗告が認められる（同Ⅲ）[81]。即時抗告についての裁判があった場合には，その裁判書を当事者に送達しなければならない（同Ⅳ前段）。この場合においては，送達代用公告の規定（破10Ⅲ本文）は適用しない（破254Ⅳ後段）。

即時抗告がなされず，免責取消決定が確定したときは（破13，民訴334参照），免責許可決定は，その効力を失う（破254Ⅴ）。その結果，いったん免責によって消滅した破産者の債務または責任が復活する。破産債権者表があるときは，裁判所書記官は，これに免責取消決定が確定した旨を記載しなければならない（同Ⅶ・253Ⅲ）。これによって，破産債権者表の執行力も回復する。

免責許可決定が取り消されても，当然に新たな破産手続が開始されるわけではない。しかし，新たな破産手続が開始されたときには，免責許可決定確定から同取消決定確定までの間に生じた原因にもとづく債権者には，他の債権者に対する優先権が与えられる（破254Ⅵ）。これは，旧破産債権者，破産手続開始から免責決定確定までの原因にもとづく債権者，免責取消決定確定後の原因にもとづく債権者の3種類の者に対する優先権である。この優先権は，免責許可決定確定後その取消決定確定までに，免責による旧債務の消滅を信頼して取引を行った債権者を新たな破産手続において保護する趣旨にもとづいて認められたものである[82]。

---

[80] 非免責破産債権者も含まれるが，すでに債権全額の配当を受けた優先的破産債権者は含まれない。条解破産法〈第3版〉1754頁，注釈破産法（下）701頁。

[81] 取消申立却下決定に対しては，申立破産債権者，取消決定に対しては，破産者が即時抗告権を有し，申立人以外の破産債権者や新債権者には法律上の利害関係は認められない。条解破産法〈第3版〉1755頁，注釈破産法（下）702頁。

[82] 本書〈第2版〉560頁では，これを実体法上の優先権としていたが，条解破産法〈第3版〉1757頁にしたがい，新たな破産手続における優先権と改める。

第2節 復　権

　復権とは，破産手続開始にもとづいて破産者に発生する人的効果，すなわち各種の資格あるいは権利についての制限を消滅させ，破産者の本来の法的地位を回復させることをいう（破255Ⅱ）。もっとも，人的効果のうちで居住制限などの効果（破37Ⅰ等）は，破産手続が終了すれば当然に消滅するし，また，破産法自体は非懲戒主義をとっているので，破産手続開始にともなう資格制限などは存在しないが，特別法においては，破産者の資格や権利についての制限を設けている例がかなりあり（本書194頁），しかもこれらの制限は，破産手続開始にもとづく効果であり，破産手続の終了によって当然には消滅しないので，ここに復権制度の意義がある。この意味で復権制度は，個人破産者再生のための制度として位置づけられる。ただし，同意破産手続廃止にもとづく復権（破255Ⅰ②）や再生計画認可決定の確定にもとづく復権（同③）の場合には，法人が継続するため（破219，民再173），復権によって法人も資格制限（建設業法8①など）から解放される。

　復権には，一定の要件が備われば，申立ておよび裁判を要しないで復権の効果が生じる当然復権と，破産者の申立てにもとづく裁判による復権とがある[83]。破産免責導入前は，裁判による復権のみが認められていたが，その要件が厳格で，破産者の再生を妨げるという批判があったことを考慮して，破産者の経済的再生を目的とする免責制度の採用とともに，当然復権の制度が新設された。

第1項　当　然　復　権

　当然復権は4種類の事由にもとづいて認められる（破255Ⅰ柱書前段）。

1　免責許可決定の確定（破255Ⅰ①）

　免責は破産者を経済的に再生させるためのものであるので，その目的を達するために，法は免責の効果と復権とを結び付けている。もっとも，免責が取り

---

[83]　破産債権の届出がなかった場合や届出破産債権に異議が述べられ，結果として破産債権が存在しないこととなる場合などの取扱いとして，同意破産手続廃止決定をするのであれば（本書773頁），当然復権（破255Ⅰ②）を認めることとなるし，異時廃止決定をして，免責の手続がとられないのであれば，申立てにもとづく復権による必要が生じる。注釈破産法（上）710頁。

消されると，復権も将来に向かってその効力を失う（同Ⅲ）。

2 同意破産手続廃止決定の確定（破 255 Ⅰ②）

同意破産手続廃止にも，破産債権者全員の意思によって破産手続を廃止し，破産者を再生させようとする趣旨が認められるので，当然復権の事由とされている。

3 再生計画認可決定の確定（破 255 Ⅰ③）

ある債務者についていったん破産手続が開始された後に再生手続が開始されたときには，破産手続は中止され（民再 39 Ⅰ），再生計画認可決定確定によって失効するが（民再 184 本文），それとともに破産手続開始による人的効果から破産者を復権させ，その再生を目的とするものである。ただし，この場合にも再生計画取消決定の確定によって復権は，将来に向かってその効力を失う（破 255 Ⅲ）。

4 破産手続開始後 10 年の経過（破 255 Ⅰ④）

破産手続開始決定後破産者が詐欺破産罪について有罪の確定判決を受けることなく 10 年を経過したことが，復権の事由とされる。たとえ免責をえない破産者であっても，破産手続開始決定後長期にわたって資格制限を継続することは，その経済的再生を妨げる結果となると考えられるためである。

以上の 4 種類の事由が生じると，破産手続開始の決定にともなう公私の資格制限はすべてその効力を失う（破 255 Ⅱ）。ただし，免責取消決定の確定または再生計画取消しの決定（民再 189。本書 1168 頁）が確定したときは，免責許可決定の確定または再生計画認可決定の確定にもとづく復権（破 255 Ⅰ①③）は，将来に向かって失効する（同Ⅲ）[84]。

第 2 項 申立てによる復権

当然復権の事由に該当しない場合であっても，破産者が弁済その他の方法によって破産債権者に対する債務の全部についてその責任を免れた場合には，なお資格制限等を継続するのは適当でないので，破産者の申立てにもとづいて裁判による復権が与えられる（破 256 Ⅰ）。復権の審理において裁判所は，職権で

---

[84] 法 255 条 1 項 1 号または 3 号によって復権した者について，復権の効力が失われた場合であっても，同項 4 号にもとづく復権のための期間が影響を受けるわけではない。条解破産法〈第 3 版〉1761 頁。

必要な調査をなし，また必要に応じて口頭弁論を開くことができる（破8・3第2かっこ書）。

1　復権の原因

復権が認められるためには，破産者が破産債権者全員に対する債務についてその責任を免れたことを要する。ここでいう破産債権者とは，届出をなさなかった者も含む。また，責任を免れる原因としては，弁済（第三者弁済を含む），免除，消滅時効など債務の消滅原因の他に，不執行の特約も考えられる。

2　復権の手続

復権手続は，破産者が破産裁判所に対して復権の申立てをなすことによって開始される。申立ては，書面によって行い（破規1Ⅰ），所定の事項を記載しなければならない（破規2Ⅰ Ⅱ）。また，申立書には，破産債権者に対する責任を免れたことを証する書面を添付しなければならない（同Ⅲ）。申立てについては，手数料および手続費用の予納が必要である（民訴費3Ⅰ・別表第1項17ホ・11・12）。申立てがなされると，裁判所はその旨を公告しなければならない（破256Ⅱ）。利害関係人は，申立関係書類の閲覧等をすることができる（破11ⅠⅡ）。破産債権者の側からは，公告が効力を生じた日から起算して3月以内に復権申立てに対する意見を理由を付して書面で述べることができる（破256Ⅲ，破規77ⅠⅡ）。

裁判所は，復権申立てについての裁判をしたときは[85]，その裁判書を破産者に，その主文を記載した書面を破産債権者に，それぞれ送達しなければならない（破256Ⅳ前段）。この場合において，裁判書の送達については，送達代用公告の規定（破10Ⅲ本文）は適用しない（破256Ⅳ後段）。復権申立てについての裁判に対しては，即時抗告が認められる（同Ⅴ）[86]。即時抗告についての裁判があった場合には，その裁判書を当事者に送達しなければならない（同Ⅵ前段）。この場合においては，送達代用公告の規定（破10Ⅲ本文）は，適用しない（破256Ⅵ後段）。

復権の効力は，復権の決定の確定した時に生じる（破255Ⅰ柱書後段）。破産

---

[85] 裁判所は，復権の原因が認められれば，復権の決定をしなければならない。詐欺破産罪について有罪判決がなされていても変わりはない。条解破産法〈第3版〉1763頁，注釈破産法（下）709頁。

[86] 復権申立却下決定に対しては，破産者に，復権決定に対しては，破産債権者および破産管財人（その地位が存続している場合）に即時抗告申立権が認められる。

者は，その確定証明書の交付を受けて，破産者にかかる資格や身分制限を所管する官庁等に提出して，制限の除去を求めることとなる[87]。

---

[87] 申立てにより復権の決定が確定したときには，本籍地の市区町村長に対して通知がされる。本書189頁注249参照。

第8章 破産犯罪

　破産手続開始の前後には，破産者の様々な行為によって破産債権者の利益が害されることがある。たとえば，破産者が破産手続開始前に一部の財産を隠匿したり，代金支払の意思をもたずに商品を買い入れ，それを他に転売する，あるいは特定の債権者の利益を図るために重要な財産を代物弁済に充てるなどの行為が考えられる。破産債権者の利益実現のためには，これらの行為について破産管財人が否認権を行使して，逸出した財産を破産財団に取り戻す可能性がある。

　しかし，破産債権者の財産権を侵害する強度の違法性が認められる場合には，これらの行為の私法上の効果を否定するだけではなく，犯罪として刑事罰を科すことによって，違法行為の抑止を図る必要がある。また，破産者が破産手続上の義務に反したり，破産管財人がその職務遂行に際して不正の行為を行うことに対しても，刑事罰によってそれに対処すべき場合がある。もちろん，これらの行為が詐欺罪や背任罪を構成するときには，刑法などにもとづく刑罰が科されることは当然であるが，破産に関する違法行為を抑止するためには，それだけでは十分でないので，法は，一定類型の行為を破産犯罪として規定し，これに対する刑罰を定めている。

第1節　破産犯罪の種類および保護法益

　破産犯罪は，3つの類型に区分される。第1は，破産債権者の財産上の利益を保護法益とする実質的侵害罪であり，詐欺破産罪および特定の債権者に対する担保の供与等の罪（破265・266）がこれに属する。第2は，破産手続の適正な遂行を保護法益とする手続的侵害罪であり，破産管財人等の特別背任罪（破267），破産者等の説明および検査の拒絶等の罪（破268），重要財産開示拒絶等の罪（破269），業務および財産の状況に関する物件の隠滅等の罪（破270），審尋における説明拒絶等の罪（破271），破産管財人等に対する職務妨害の罪（破272），収賄罪（破273）および贈賄罪（破274）がこれに属する。第3は，破産

者の経済的再生を保護法益とする罪であり，破産者等に対する面会強請等の罪（破275）がこれに属する[1]。このように直接の保護法益こそ異なるが，いずれの場合であっても，処罰の目的は破産手続の目的を妨げる強度の違法性を持つ行為に対して刑事罰による制裁を加えるという点に求められる。

実質的侵害罪である詐欺破産罪の罪質について，かつてはこれを破産原因罪とする見解が支配的であった。すなわち，破産そのものを悪とする懲戒主義的思想の影響を受けて，詐欺破産罪に該当する行為が破産原因を作り出すことに違法性の根拠を求めるものである。したがって，この見解の下では，詐欺破産罪の保護法益は破産の防止とされる。しかし，債務者が経済的破綻状態に陥ること自体が法的非難の対象となるとはいえず，むしろ破綻に際して，迅速・適正に破産手続を開始することが債権者，債務者，および社会の利益に合致するのであり，破産原因を作ること自体が悪であるという懲戒主義的思想は過去のものとなっている。そこで最近の考え方は，破産手続の適正な実施によって確保される総債権者の財産的利益を詐欺破産罪の保護法益とし，また判例もこれを採用する[2]。

第2節　各種の破産犯罪

破産犯罪のうち，実質的侵害罪と手続的侵害罪とは，破産手続の適正な実施

---

1) 旧法と比較した場合の現行法の特徴は，次のように整理される（佐伯仁志「倒産犯罪」ジュリ1273号96頁（2004年），基本構造566頁以下による）。第1に，詐欺破産罪（旧破374・376・378）と過怠破産罪（旧破375・376）の区別が廃止されたこと，第2に，財産犯的な性格を有する実質的犯罪と手続の適正を侵害する手続的犯罪が整理されたこと，第3に，破産者の経済的再生を保護法益とする罪を新設したことである。なお，条解破産法〈第3版〉1829, 1830頁では，より広い視点から破産犯罪の類型を整理し，旧法との比較表を掲載している。また，破産犯罪規定の沿革および実情についても，同書1832, 1833頁参照。

2) 破産原因罪とする学説は，加藤・研究10巻323頁以下。これに対して近時の通説は，注解破産法（下）853頁〔阿部純二〕，注釈特別刑法5巻Ⅰ679頁〔亀山継夫〕，芝原邦爾「破産犯罪（詐欺破産罪・過怠破産罪）」法時59巻2号86, 87頁（1987年），小池一利「破産犯罪」実務と理論312頁，基本法375頁〔内田文昭〕，小川新二「倒産法における刑事罰則の概要（上）」NBL 594号6, 7頁（1996年），破産法大系Ⅲ487頁〔橋爪隆〕など。また，最決昭和44・10・31刑集23巻10号1465頁が，旧法374条1号（現722651④）にいう不利益処分の意義に関して，債務者の全財産を確保して総債権者に対する公平かつ迅速な満足を図ろうとする破産制度の目的を害することと判示しているのは，通説の理解にしたがったものと考えられる。

を図るという目的こそ共通にしているが，それぞれの保護法益は，総債権者の財産的利益保護と適正な手続遂行の確保という異なった内容をもっている。また，2つの類型内部でも，行為の態様などに応じていくつかの犯罪類型が区別される。さらに，破産者の経済的再生を保護法益とする罪は，破産債権者の利益ではなく，破産者の利益保護を目的とする。なお，破産犯罪が処罰されるのは，既遂の場合のみである。

また，一定の破産犯罪については，国外犯の規定（破276）および両罰規定（破277）が設けられている。国外犯のうち，詐欺破産罪（破265），特定の債権者に対する担保の供与等の罪（破266），業務および財産の状況に関する物件の隠滅等の罪（破270），破産管財人等に対する職務妨害の罪（破272），贈賄罪（破274）の5つの罪については，これらが国家の司法権の作用としての破産手続の機能にかかるとの理由から，日本国外においてなされた行為にも適用する（破276Ⅰ，刑2）。また，破産管財人等の特別背任罪（破267）および収賄罪（破273Ⅰ～Ⅳ）については，その犯罪主体が公務員に準じる地位にあることから，公務員の国外犯の例（刑4）の例にしたがう（破276Ⅱ）。さらに，破産債権者等の収賄罪（破273Ⅴ）の罪についても，国外犯が処罰の対象となる（破276Ⅲ）[3]。

両罰規定の対象になるのは，詐欺破産罪（破265），特定の債権者に対する担保の供与等の罪（破266），説明および検査の拒絶等の罪（破268。ただし，同条1項を除く），重要財産開示拒絶等の罪（破269），業務および財産の状況に関する物件の隠滅等の罪（破270），審尋における説明拒絶等の罪（破271），破産管財人等に対する職務妨害の罪（破272），贈賄罪（破274）および破産者等に対する面会強請等の罪（破275）である。これらの罪については，行為者である法人の代表者または法人もしくは人の代理人，使用人その他の従業者を罰するほか，その法人または人に対しても，それぞれの罪について定められる罰金刑を科する（破277）[4]。

---

[3] それ以外の破産犯罪については，国内犯のみが処罰の対象となるが，国内犯とみなされるかどうかの基準については，条解破産法〈第3版〉1924頁参照。

[4] 破産管財人等の特別背任罪（破267），説明義務者の説明拒絶・虚偽説明罪（破268Ⅰ）および破産管財人等の収賄罪（破273）については，両罰規定の定めがない。これは，各罪の特質から，行為者のみを処罰すれば足りると考えられたことによる。条解破産法〈第3版〉1925頁。

第1項 詐欺破産罪

詐欺破産罪（破265）は，破産債権者の利益を保護することによって破産手続の適正な実施を確保しようとする[5]。ただし，この罪は，行為者が所定の行為をすることによって成立し，破産債権者に実害が発生することは必要でないから，いわゆる抽象的危険犯である[6]。

1 行為の主体

行為の主体は，個人である。その個人自身が債務者であっても，法人たる債務者の理事等であっても，また第三者であってもよい[7]。ただし，その個人が法人などの代表者などである場合には，両罰規定によって法人などに対しても罰金刑が科される（破277）。行為時に債務者が破産手続開始決定を受けている必要はないが，後に述べるように，破産手続開始が客観的処罰条件とされている。

2 故意および行為の目的

詐欺破産罪が成立するためには，行為者に，故意に加えて，行為の目的，すなわち債権者を害する目的が認められることを要する（破265Ⅰ柱書前段）。故意の内容は，法265条1号から4号までに列挙された行為の認識である。客観的処罰要件たる破産手続開始決定の認識は必要ではない[8]。

また，主観的違法要素たる債権者を害する目的とは，特定債権者でなく総債権者を害する目的と解され，行為者が破産に至る蓋然性のある状況を認識していることを内容とする[9]。

---

[5] 類似の処罰規定としては，強制執行妨害目的財産損壊等（刑96の2）や国税徴収法187条がある。条解破産法〈第3版〉1835頁。

[6] 破産法大系Ⅲ489頁〔橋爪隆〕など。これに対して大コンメンタール1134頁〔高崎秀雄〕は，具体的危険犯説をとり，条解破産法〈第3版〉1847頁は，具体的危険犯に近いとする。

[7] 旧破産法は，債務者が主体となる場合（旧破374），債務者の法定代理人や理事などが主体となる場合（旧破376）および第三者が主体となる場合（旧破378）とを区別していたが，現行法は，これらの主体に共通するものとして詐欺破産罪を規定している。一問一答363頁，条解破産法〈第3版〉1838頁参照。

[8] 前掲最決昭和44・10・31（注2）では，旧破産法374条の詐欺破産罪に関して，「破産宣告の確定に至るべきことを予知ないし認識しながら」と判示するが，今日では，本文に述べた解釈が一般的である。条解破産法〈第3版〉1847頁。

[9] 旧法374条柱書は，主観的違法要素として，自己もしくは他人の利益を図る目的，または債権者を害する目的を規定していた。しかし，図利目的は，加害目的との関係が明確で

3 行為の時期

詐欺破産罪の対象となる行為は，破産手続開始の前後を問わない（破265Ⅰ柱書前段）。もっとも，債務者の財産の隠匿等の行為（同①）に関しては，破産原因罪として把握する立場から破産手続開始前のものに限られるという考え方もあったが[10]，現行法の解釈としては，詐欺破産罪の保護法益を総債権者の財産的利益と捉えるので，破産手続開始後の行為も含まれる。ただし，「債権者を害する目的」との関係から，破産手続が開始しているか，または現実に破産手続が開始するおそれのある客観的状態，すなわち破産原因である支払不能（破2Ⅺ・15Ⅰ。本書117頁）もしくはその前提事実である支払停止（破15Ⅱ。本書121頁），または法人についての債務超過（破16Ⅰ。本書125頁）の状態や事実が発生しているか，もしくは発生の蓋然性が極めて高い客観的状態と認められる時期でなければならない[11]。

4 行為の類型

上記の要件を満たし，以下の5つの類型のいずれかに該当する行為をした者は，債務者（相続財産の破産にあっては，相続財産，信託財産の破産にあっては，信託財産）について破産手続開始決定が確定したときは，10年以下の懲役もしくは1000万円以下の罰金に処し，またはこれを併科する（破265Ⅰ柱書前段）[12]。

第1の類型は，債務者の財産（相続財産の破産にあっては，相続財産に属する財産，信託財産の破産にあっては，信託財産に属する財産）を隠匿し，または損壊する行為である（同①）。ここでは，破産財団に属しまたは属すべき財産[13]を事

ないなどの理由から，現行法では，削除されている。一問一答361頁，佐伯・前掲論文（注1）100頁，条解破産法〈第3版〉1845頁参照。

なお，法266条にいう目的との関係で，他の債権者を害し，特定の債権者の利益を図る目的は含まれない。条解破産法〈第3版〉1845頁。

また，事業の窮境を打開するための方策として相当程度の危険のある取引をすることは，破産に至る蓋然性のある状況を認識しているとはいえないために，加害目的は否定すべきである。条解破産法〈第3版〉1846頁。

10) 大阪高判昭和52・5・30高刑30巻2号242頁。事案は，第三者の詐欺破産罪（旧破378）に関して，破産管財人がなした行為が対象となるかどうかが争われたものである。
11) 条解破産法〈第3版〉1844頁。これらの状態や事実についての認定例も同書同頁参照。
12) 1つの目的を実現するために数個の行為が行われた場合の罪数，隠匿行為の一部が説明および検査拒絶等の罪（破268）などの行為にあたる場合の観念的競合（刑54Ⅰ前半部分），一個の行為が詐欺破産罪に該当すると同時に，詐欺再生罪（民再255）や詐欺更生罪（会更266）に該当する場合の択一的関係，刑法上の罪との観念的競合などについては，条解破産法〈第3版〉1859頁，注釈破産法（下）790頁参照。

実的な侵害によって責任財産を減少させる行為が対象とされている。隠匿とは，破産管財人による財産の発見を困難にする行為，すなわち物理的にまたは情報の操作などによって所在不明にする行為を意味する[14]。損壊とは，物に対する物理的損傷など事実的行為によって財産的価値を減少させる一切の行為を含む。

　第2の類型は，債務者の財産の譲渡または債務の負担を仮装する行為である（同②）。これらの仮装行為も，責任財産を減少させるという結果においては，隠匿に類するが，破産財団に属すべき財産の譲渡や破産債権や財団債権となるべき債務負担という法的行為によってその結果を生じさせる特徴を捉えたものである。担保の供与が仮装である場合も，財産の譲渡に含まれる。

　第3の類型は，債務者の財産の現状を改変して，その価格を減損する行為である（同③）。この行為は，責任財産を減少させるという結果においては，損壊に類するが，物理的に価値を毀損するのではなく，更地に墓を建てるとか，廃棄物を置くなどの行為をすることによって，財産の経済価値を毀損するところに特徴がある。近時の実情を踏まえて現行法が新たに設けた行為類型である。財産は，有体物に限られず，電子媒体上の情報などの無体物も含まれる。

　第4の類型は，債務者の財産を債権者の不利益に処分し，または債権者に不利益な債務を債務者が負担する行為である（同④）。第2類型が仮装行為であるのに対して，この類型は，法律上有効な処分行為や債務負担行為を対象とする[15]。無償贈与や法外な廉価売買，無償またはこれと同視される用益物権や賃

---

13)　現有財産および法定財団を意味する。破産者が詐取した財産であっても，それを隠匿する等の行為は，処罰の対象になりうる。条解破産法〈第3版〉1848頁。財産を処分した事実は明らかであるが，処分の相手方等に関する説明を拒絶することは，説明義務違反（破268Ⅰ）にあたるだけではなく，隠匿とみなされる可能性もある。

14)　具体例については，条解破産法〈第3版〉1850頁，注釈破産法（下）780頁，東京地判平成30・3・16裁判所ウェブサイトおよびその控訴審である東京高判平成30・12・20東京高等裁判所（刑事）判決時報69巻1～12号130頁，東京地判平成30・7・20 LEX/DB 25561009参照。郵便物の宛先を変更するなどの行為も情報の操作に含まれるが，債権者を害する目的の認定は，微妙な場合がある。佐藤鉄男「財産情報をめぐる破産者と管財人の関係——破産者のジレンマ」中央ロー・ジャーナル15巻2号107頁（2018年）参照。

15)　不利益な処分が，偏頗行為を含むかどうかについては，旧法374条1号の詐欺破産罪に関して，判例・学説上で議論が対立していた。かつての判例は，支払停止後の特定債権者に対する弁済は，たとえそれが弁済期の到来した債権に対する本旨弁済であっても，一般の破産債権者に対する配当を減少させる結果となるから，不利益処分にあたるとしていたが，非本旨弁済が過怠破産罪の対象とされていたにすぎないのに（旧破375③），それより破産債権者に対する詐害性が低い本旨弁済を詐欺破産罪の対象としてより重く罰するのが不当であるなどの批判がなされた。

借権の設定，あるいは経済的合理性に欠ける債務負担などがこの類型に含まれる。債務には，金銭債務だけではなく，賃借人としての債務とか担保提供債務も含まれる。また，不利益かどうかは，債務の弁済期限，利率，担保などの条件を取引社会の通念に照らして判断する。ただし，主観的違法要素として債権者を害する目的が必要であるので，破産状態を認識しながら，相当性の限度を超える不利益な処分等を行うものでなければならない。なお，この類型の行為は，必ず相手方を要する行為であることから，必要的共犯（一方当事者への罰則規定を欠く対向犯）として相手方が不可罰となるとの解釈を避けるため，情を知って，行為の相手方となった者も処罰する（破265Ⅰ柱書後段)[16]。

第5の類型は，債務者について破産手続開始決定がされ，または保全管理命令が発せられたことを認識しながら，債権者を害する目的で，破産管財人の承諾その他の正当な理由がなく，その債務者の財産を取得し，または第三者に取得させる行為である（同Ⅱ）。破産手続開始決定や保全管理命令があると，債務者の財産は，破産管財人や保全管理人の管理下に置かれ（破78Ⅰ・93Ⅰ本文），その現実の占有に属する財産を債務者や第三者が自らの占有に移したりすることは，窃盗罪（刑235）などに問われる。しかし，破産管財人などの現実の占有に属しない財産については，たとえ破産財団に属すべき財産であっても，窃盗罪などが成立しないために，特別の罰則が設けられたものである[17]。したが

判例も，この批判を受けて，本旨弁済は詐欺破産罪に該当しないとの考え方に変わった（かつての判例は，大判昭和10・3・13刑集14巻223頁であり，それを変更した判例は，最判昭和45・7・1刑集24巻7号399頁〔倒産百選〈初版〉101事件〕である。学説については，伊藤・破産法〈第3版補訂版〉492頁参照）。伊藤・破産法〈新版〉419頁では，本旨弁済であっても偏頗行為である以上，債権者に不利益な行為であり，他の要件が満たされれば詐欺破産罪の成立を否定すべきではないとして，判例に反対の立場をとった。

しかし，現行法は，過怠破産罪を廃止し，特定の債権者に対する担保供与等について特別の規律を設け，義務のない場合に限って処罰の対象としているところからみると，なお本旨弁済や義務にもとづく担保供与を不利益な行為として詐欺破産罪の対象とするのは困難と思われるので，説を改める。詐欺再生罪（民再255Ⅰ④）について，このような考え方をとるものとして，東京地判平成26・4・30判タ1417号371頁がある。

16) 佐伯・前掲論文（注1）100頁。相手方が共同正犯または教唆犯もしくは幇助犯となる可能性もある。条解破産法〈第3版〉1855, 1859頁，注釈破産法（下）786頁。
17) 佐伯・前掲論文（注1）101頁，条解破産法〈第3版〉1856頁。もちろん，ある行為が窃盗罪にあたるとともに，詐欺破産罪にあたることもありうるが，その場合には，観念的競合（刑54Ⅰ前半部分）になる。また，破産管財人等への管理処分権の移転は，破産手続開始決定等の確定を必要としていないため，ここでは，客観的処罰条件たる破産手続開始決定等の確定が要求されない。一問一答363頁，条解破産法〈第3版〉1838, 1855

って，刑法上の財産犯に要求される不法領得の意思は不要である。

5 客観的処罰条件

詐欺破産罪が成立するためには，その該当行為が存在するほかに，破産手続開始決定が確定することを要する（破265 I 柱書。ただし，同条2項の場合を除く）。これは旧法以来のものであるが，かねてから立法論的批判があり，倒産事件の一部についてのみ破産手続開始がなされる現状では，処罰要件が限定されすぎるので，客観的処罰条件を廃止するか，破産原因たる支払不能などを処罰要件とするのが合理的であるとの指摘がなされていた。現行法の立法過程においても，客観的処罰条件を廃止する考え方が有力であったが，たとえ違法な行為が行われた場合であっても，破産手続という公の手続が開始されない限りは，刑事司法が介入すべきではないなどの理由から，客観的処罰条件が維持されている[18]。

債務者の行為と処罰要件たる破産手続開始との間には，因果関係があることを必要としないが，事実上の牽連関係は要求される[19]。事実上の牽連関係とは，詐欺破産行為時に存在した破産のおそれが，いったん解消されることなく，そのまま引き続いて破産手続開始に至ったという意味である。

第2項 特定の債権者に対する担保供与等の罪

債務者（相続財産の破産にあっては，相続人，相続財産管理人，相続財産清算人または遺言執行者を，信託財産の破産にあっては，受託者等を含む）が，破産手続開始の前後を問わず，特定の債権者に対する債務について，他の債権者を害する目的で，担保の供与または債務の消滅に関する行為であって債務者の義務に属せ

頁参照。
　　また，破産管財人の承諾などの正当な理由があるときには，犯罪の成立が否定されるが，別除権の目的であること自体が正当な理由になるわけではない。これに対して，取戻権の目的財産は，原則として債務者の財産ではないので，処罰の対象とならないが，別に威力による職務妨害罪（破272）としての処罰の可能性はある。条解破産法〈第3版〉1857頁。
18) 一問一答364頁，佐伯・前掲論文（注1）99頁，基本構造563頁，条解破産法〈第3版〉1857頁，破産法大系Ⅲ496頁〔橋爪隆〕，注釈破産法（下）772頁参照。なお，破産手続開始決定の確定時より前に詐欺破産行為がなされたときには，公訴時効の起算点（刑訴253）は，開始決定の確定時になる。条解破産法〈第3版〉1858頁。
19) 前掲最決昭和44・10・31（注2），条解破産法〈第3版〉1858頁，破産法大系Ⅲ500頁〔橋爪隆〕，511頁〔佐藤弘規〕，注釈破産法（下）789頁。事実上の牽連関係を認めた裁判例として，東京地判平成8・10・29判時1597号153頁がある。

ずまたはその方法もしくは時期が債務者の義務に属しないものをし，破産手続開始決定が確定したときは，5年以下の懲役もしくは500万円以下の罰金に処し，またはこれを併科する（破266）。債権者間の平等や公平という破産手続の理念に著しく反する行為を処罰の対象とするものである。したがって，ここでいう他の債権者とは，担保の供与または債務の消滅の相手方以外の債権者を意味する[20]。行為の時期については，詐欺破産罪の場合と同様に，現実に破産手続が開始するおそれのある客観的な状態が必要と解される[21]。

ここで対象とされている行為は，いわゆる非義務偏頗行為[22]であり，偏頗行為否認の対象とされ（破162Ⅰ②），また免責不許可事由ともされているが（破252Ⅰ③），ここでは刑事罰の対象とするところから，他の債権者を害する目的という主観的違法要素が要件とされている[23]。この場合にも客観的処罰条件としての破産手続開始決定の確定が必要である。

なお，当該行為が自らの義務に属しないものであることの認識があれば，故意が肯定され，自らについて現実に破産手続が開始するおそれがある客観的状

---

[20] 相手方となる債権者は，必要的共犯（一方当事者への罰則規定を欠く対向犯）にあたり，弁済や担保の受領という，通常予想される関与行為にとどまるかぎり，処罰の対象とならない。もちろん，その程度を越えたときには，教唆犯，幇助犯または身分なき共同正犯となる可能性がある。条解破産法〈第3版〉1868頁，注釈破産法（下）798頁。

[21] これに対して，破産手続開始後に破産者が特定債権者に対して弁済などをする行為は，その違法性が著しいことを考えても（破47Ⅰ参照），詐欺破産罪（破265Ⅱ）とすべきであり，これを強請した債権者は，その共同正犯となるとの見解が有力である。条解破産法〈第3版〉1869頁。

[22] 期限前弁済や事前の特約なしに行われる担保供与が典型である。自然債務に対する弁済も，これにあたる。弁済期が到来した債務に対する代物弁済は，対価の均衡が認められるときでも，その方法が義務に属しないために処罰の対象となりえ，過大な代物弁済は，それ自体が義務に属しないとされる可能性があり，また，著しく過大な代物弁済は，むしろ詐欺破産罪（破265Ⅰ④）に該当しうる。条解破産法〈第3版〉1866頁。

[23] 類似の行為は，旧法375条3号で過怠破産罪とされていた。なお，同じく過怠破産罪とされた，浪費または賭博その他の射幸行為については，これを刑事罰の対象とすることに疑問があり，また構成要件としても明確性を欠くなどの理由から廃止された。一問一答362頁，佐伯・前掲論文（注1）101頁，条解破産法〈第3版〉1861頁。

なお，代物弁済など，方法が義務に属しない債務消滅行為は，非義務偏頗行為否認の対象にはならないが（破162Ⅰ②。本書593頁参照），上記の通り，処罰の対象にはなりうるとはいえ，慎重な運用を望む意見が有力である。基本構造566頁，条解破産法〈第3版〉1866頁，注釈破産法（下）795頁参照。

また，債務者が自由財産をもってする弁済には，「他の債権者を害する目的」が認められない。基本構造567頁，条解破産法〈第3版〉1866頁。注釈破産法（下）794頁は，違法性の不存在を理由とする。

態であることの認識が重なれば，主観的違法要素である，他の債権者を害する目的が肯定される。破産手続開始決定の確定の認識は不要である。

第3項　破産管財人等の特別背任罪

　破産管財人（破74Ⅰ。本書210頁），保全管理人（破91Ⅰ。本書226頁），破産管財人代理（破77Ⅰ。本書216頁）または保全管理人代理（破95Ⅰ。本書226頁）が，自己もしくは第三者の利益を図り，または債権者に損害を加える目的で，その任務（破産管財人について本書211頁，保全管理人について本書226頁，破産管財人代理について本書216頁，保全管理人代理について本書226頁）に背く行為をし，債権者に財産上の損害を加えたときは，10年以下の懲役もしくは1000万円以下の罰金に処し，またはこれを併科する（破267Ⅰ）。破産管財人または保全管理人が法人であるときは，特別背任罪の規定は，その職務を行う役員または職員に適用する（同Ⅱ）[24]。これは，刑法の背任罪（刑247）の特別規定である。破産管財人等は，実質的な意味で本人にあたる債権者の利益のためにその職務を行う者であるが，裁判所によって任命され，破産制度の目的を実現するために中心的な役割を果たすことが期待されていることが，法定刑加重の根拠と考えられる[25]。客観的処罰要件としての破産手続開始決定の確定は不要である。

　本罪については，背任罪（刑247）や特別背任罪（会社960）と同様に，図利・加害目的の存在が構成要件の1つとされているが，図利もしくは加害またはその両者の認識があることに加え，行為の動機が総債権者の利益を図ることでないことが認められれば，図利・加害目的が肯定される[26]。また，故意は，破産管財人などの任務とそれに違背することの認識を意味する。

　なお，この罪は，抽象的危険犯ではなく，債権者に財産上の損害が発生することを要し，行為の結果として，破産財団に属する財産が減少したり，または属すべき財産が増加しなかったりすることが必要である。また，背任行為の相

---

[24]　法人が破産管財人または保全管理人となるときは（破規23Ⅱ・29参照），その職務を行う者のみが処罰の対象となり，両罰規定（破277）の適用はなく，法人は処罰されない。破産法大系Ⅲ519頁〔佐藤弘規〕，注釈破産法（下）802頁。

[25]　本書822頁では，破産管財人等の任務違反が中核となっている点に着目し，この罪を手続的侵害罪としているが，総債権者の財産的利益の確保を重視し，実質的侵害罪とする考え方も有力である。条解破産法〈第3版〉1871頁，注釈破産法（下）801頁。

[26]　背任罪や特別背任罪に関する議論との関係については，条解破産法〈第3版〉1873頁参照。

手方の共同加功行為が認められれば，その者は，身分のない共同正犯として処罰の対象となるが（刑65Ⅰ），通常の背任罪（刑247）の刑が科される（刑65Ⅱ）[27]。

第4項　情報収集を阻害する罪

破産手続を適正，かつ，迅速に進めるためには，破産者などの関係人が裁判所や破産管財人などに対して必要な情報を提供することが必要である。そのために法は，様々な規定を設け，破産者などに対して情報提供を義務づけているが，破産者などがこれを妨害する行為をした場合には，一定の要件の下に刑事罰の制裁を科すこととしている。

この類型に属する第1は，説明および検査の拒絶等の罪である。破産管財人などに対して説明義務を負う破産者などの者が説明を拒み，または虚偽の説明をしたときには，3年以下の懲役もしくは300万円以下の罰金に処し，またはこれを併科する（破268ⅠⅡⅣ）[28]。破産者などが，破産管財人などによる検査を拒んだときも，同様に処罰される（同ⅢⅣ）[29]。

第2は，重要財産開示拒絶等の罪である。その所有する財産の内容を記載した書面を裁判所に提出することを義務づけられる（破41・244の6Ⅳ）[30] 破産者

---

[27] そのほか罪数や他罪との関係について，条解破産法〈第3版〉1877頁，注釈破産法（下）807頁参照。

[28] 破産管財人に対する虚偽の説明に関する具体例として，前掲東京地判平成30・3・16（注14）および前掲東京高判平成30・12・20（注14），前掲東京地判平成30・7・20（注14）がある。不利益供述の強要禁止（憲38Ⅰ）との関係が問題となるが，手続が刑事資料の収集を目的とするものではないこと，破産手続の適正な遂行のために説明義務の高度の必要性があることなどを総合的相対的に判断することによって（最大判昭和47・11・22刑集26巻9号554頁），合憲性が認められる。条解破産法〈第3版〉1886頁，注釈破産法（下）813頁。また，弁護士や公認会計士などの守秘義務と説明義務が衝突する場合には，対象事項の内容などを考慮して，守秘義務が説明義務に優先するかぎり，説明拒絶罪の違法性が阻却される。条解破産法〈第3版〉1887頁。

[29] 説明義務や検査受忍義務の主体，その根拠，行為の態様，両罰規定の適用などについては，条解破産法〈第3版〉1882～1884頁に図表化されている。
　なお，検査拒絶については，住居の不可侵（憲35Ⅰ）との関係が問題となるが，注28に述べた不利益供述の強要禁止と同様に，総合的相対的判断から合憲性が認められる。弁護士などの守秘義務との関係についても，同様である。条解破産法〈第3版〉1889頁。そのほか，罪数や他罪との関係についても，同書1890頁，注釈破産法（下）814頁参照。

[30] 破産手続開始申立時の添付書類としての財産目録（破規14Ⅲ⑥）をもって法41条の書面として扱う実務との関係について，基本構造569頁参照。

（信託財産の破産にあっては，受託者等）が，書面の提出を拒み，または虚偽の書面を裁判所に提出したときは，3年以下の懲役もしくは300万円以下の罰金に処し，またはこれを併科する（破269）。

第3は，業務および財産の状況に関する物件の隠匿等の罪である。破産手続開始の前後を問わず，債権者を害する目的で，債務者の業務および財産（相続財産の破産にあっては，相続財産に属する財産，信託財産の破産にあっては，信託財産に属する財産）の状況[31]に関する帳簿，書類その他の物件を隠滅し，偽造し，または変造した者は，債務者（相続財産の破産にあっては，相続財産，信託財産の破産にあっては，信託財産）について破産手続開始決定が確定したときは，3年以下の懲役もしくは300万円以下の罰金に処し，またはこれを併科する（破270前段）。法155条2項の規定によって閉鎖された破産財団に関する帳簿を隠滅し，偽造し，または変造した者も，同様とする（同後段）。

破産管財人が破産財団の管理・換価を進めるにあたっては，債務者の業務および財産に関する帳簿などによって破産財団の内容を正確に把握することが不可欠である。ここに掲げられている行為は，それを不可能または困難にするおそれを生じさせるものであるので，処罰の対象とされたものである[32]。処罰のためには，主観的違法要素たる債権者を害する目的と，客観的処罰条件たる破産手続開始決定の確定が必要である。

第4は，審尋（破13，民訴87Ⅱ・187）における説明拒絶等の罪である。債務

---

[31] 債務者の業務および財産に関するものに限られ，債務者の子会社等の業務および財産に関するものは，破産管財人等の検査の対象となり（破83ⅡⅢ），その拒絶は処罰の対象となるが（破268Ⅳ），法270条による処罰の対象には含まれない。条解破産法〈第3版〉1897頁。

[32] 旧法においては，詐欺破産罪の一類型として，商業帳簿の不作成等の行為が処罰の対象とされていた（旧破374③④）。現行法は，この種の行為が財産の隠匿等の手段として行われたときには，詐欺破産罪の対象とすることを前提とし，そうでない場合にも，本条にあたる行為について処罰の対象とすることとしたものである。一問一答361頁，条解破産法〈第3版〉1894頁参照。

なお，債権者を害する目的との関係で，行為が帳簿，書類その他の物件を隠滅などする行為は，現実に破産手続が開始するおそれのある客観的状態においてなされることが必要である。これに対して，閉鎖された帳簿等を隠滅などする行為は，破産手続開始後の時期に限られる。

また，罪数，他罪との関係については，条解破産法〈第3版〉1899頁，注釈破産法（下）820頁参照。

者が，破産手続開始申立て（債務者以外の者がしたものを除く[33]）または免責許可の申立てについての審尋において，裁判所が求めた事項について説明を拒み，または虚偽の説明をしたときは，3年以下の懲役もしくは300万円以下の罰金に処し，またはこれを併科する（破271）。上記の第1ないし第3の類型の罪は，破産手続開始とともに破産管財人が選任されていることを前提とするが，ここでいう説明拒絶等は，破産手続同時廃止決定によって破産管財人が選任されずに破産手続が終了し，免責審理手続が開始されるときにも処罰の対象となる。

第5項　破産管財人等に対する職務妨害の罪

偽計または威力を用いて，破産管財人，保全管理人，破産管財人代理または保全管理人代理の職務を妨害した者は，3年以下の懲役もしくは300万円以下の罰金に処し，またはこれを併科する（破272）。破産管財人等の職務に対して妨害行為をすることは，業務妨害罪（刑233・234）として処罰の対象となりうる。しかし，破産手続の適正な遂行は，破産管財人等の職務にかかっており，その妨害に対して特別の刑事罰を科すのが適当であるとの判断にもとづいて，現行法によって創設されたものである[34]。

第6項　贈収賄罪

贈収賄罪は，手続的侵害罪の1つである。公正にその職務を行うべき破産手続の機関としての立場にある破産管財人，保全管理人，破産管財人代理または保全管理人代理（破産管財人等と呼ぶ）が，その職務に関し，賄賂を収受し，またはその要求もしくは約束をしたときは，3年以下の懲役もしくは300万円以下の罰金に処し，またはこれを併科する（破273Ⅰ）。この場合に，その破産管財人等が不正の請託，すなわち不正もしくは不当な行為を行い，または正当な行為を行わないことの依頼を受けてこれを承諾したときは，5年以下の懲役もしくは500万円以下の罰金に処し，またはこれを併科する（同Ⅱ）。

---

[33] 債権者申立て（破18）や法人の理事などの申立て（破19）の場合には，債務者が破産手続開始を争うこともありうるので，説明拒絶等を処罰の対象とすることは適当でないためである。条解破産法〈第3版〉1901頁，注釈破産法（下）822頁。

[34] 個別執行の場面における執行官等の職務に対する妨害を処罰の対象とする規定（刑96の3Ⅰ）と対応している。一問一答366頁，条解破産法〈第3版〉1904頁参照。
　そのほか，罪数や他罪との関係については，条解破産法〈第3版〉1906頁参照。

破産管財人または保全管理人が法人である場合については、その職務を行う役員等についての規定が設けられている（同ⅢⅣ）[35]。また、破産債権者もしくは代理委員またはこれらの者の代理人、役員もしくは職員が債権者集会の期日における議決権の行使などに関して、不正の請託を受けて、賄賂の収受などの行為をすることも処罰の対象となる（同Ⅴ）[36]。以上、いずれの場合についても、収受した賄賂に関して没収および追徴の規定が置かれている（同Ⅵ）。また、収賄者に対応して、贈賄者側についても、処罰の規定が置かれている（破274）。

第7項　破産者等に対する面会強請等の罪

個人である破産者（相続財産破産にあっては、相続人）またはその親族その他の者に破産債権（免責手続の終了後にあっては、免責されたものに限る）を弁済させ、または破産債権について破産者の親族その他の者に保証をさせる目的で[37]、破産者またはその親族その他の者に対し、面会を強請し、または強談威迫の行為をした者は[38]、3年以下の懲役もしくは300万円以下の罰金に処し、またはこれを併科する（破275）。

破産債権者は、破産手続中は個別的権利の行使を禁じられているが（破100Ⅰ．本書297頁）、それにもかかわらず面会を強請するなどの実力によって、破産者やその関係者から弁済や保証を求める行為を処罰の対象とし、破産者の経済的再生を妨げる行為を排除するために、現行法が新設した破産犯罪の類型である。処罰の対象となる行為は、免責手続中のもの、さらに免責手続終了後の

---

35) 両罰規定（破277）の対象とならないために、法人は処罰されない。注釈破産法（下）829頁。
36) 破産債権者等の議決権は、それらの者自身の利益のために行使されるものであるから、不正の請託がない場合までを処罰の対象とするのは行き過ぎであるとの判断にもとづいている。一問一答367頁、条解破産法〈第3版〉1908頁。不正の請託の判断基準については、注釈破産法（下）834頁参照。
37) 財団債権のうち破産手続開始前の原因にもとづくもの（破149Ⅰなど）については、破産債権と同様に扱うべきであるとする有力説がある。条解破産法〈第3版〉1919頁。
38) 面会強請とは、相手の意思に反して面会を要求する行為、強談とは、相手に対して言語をもって強いて自己の要求に応じるよう迫る行為、威迫とは、相手に対して言語、動作をもって気勢を示し、不安、困惑を生じさせる行為を意味する。一問一答368頁、条解破産法〈第3版〉1921頁、注釈破産法（下）839頁参照。そのほか、罪数や他罪との関係についても、条解破産法〈第3版〉1921頁、注釈破産法（下）841頁参照。

ものも含むが，免責手続終了後は，免責許可決定がされなかった場合の破産債権および非免責債権にもとづく行為は処罰の対象とならない。これらの行為に対する処罰は，破産犯罪の対象とせず，刑事罰一般に委ねる趣旨である。

第 2 部　民事再生法

第 1 章　再生手続の理念等

　民事再生手続（以下，再生手続と呼ぶ）の目的等は，第 1 部序論に説明したとおりであるが，以下，若干の点を補説する[1]。

第 1 節　再生手続の理念および基本構造

　民事再生は，民事再生法および民事再生規則によって規律される倒産処理手続であり，その目的および理念ならびに基本構造は，以下のように整理される。
　裁判上の倒産処理手続の 1 つとして，民事再生が債務者の事業または経済生活の再生を図るものである以上，利害関係人の権利の取扱いに関して，公平，平等，衡平および手続保障の理念が妥当することはいうまでもない（本書 23 頁）。しかし，それらの理念の具体的現れ方には，民事再生の目的を反映して，他の倒産処理手続にはみられない特徴がある。
　公平に関しては，実体法上同じ性質をもつ権利について手続上平等な取扱いを，異なる性質をもつ権利についてその差異に応じた取扱いをすることを基本とする。再生計画による権利変更に際して，再生債権者が原則として平等に取り扱われること（民再 155 I 本文），一般の優先権を持つ債権が一般優先債権と

---

[1] 東京地裁破産再生部を中心とした民事再生事件の現況および標準スケジュールについては，民事再生の手引〈第 2 版〉7～16 頁，破産・民事再生の実務［再生編］7, 11 頁，運用指針 7～25 頁，事業再生 ADR（本書 49 頁）から移行の場合の短縮スケジュールについて，同書 122 頁参照。また，各地の裁判所における開始申立てから認可決定までの所要日数などについては，畑宏樹＝近藤隆司「再生手続に要する期間――再生手続開始の申立てから再生計画案の認可まで」NBL 993 号 82 頁（2013 年），150 問 67 頁〔宮崎信太郎〕，404 頁参照。さらに，再生債務者代理人，監督委員，管財人，債権者委員会など，再生手続の機関に求められる役割と規律については，鹿子木康「再生事件における適正な手続進行を確保するための工夫」松嶋古稀 154 頁参照。

され（民再122 I），再生手続によらず随時弁済を受けること（同Ⅱ），特定財産上の担保権者が別除権者とされ（民再53 I），手続外の権利行使が保障されること（同Ⅱ）などは，平等および公平の理念を具体化したものである。また衡平の理念は，個別化的正義の視点から公平原則を修正するものであるが（本書1頁注1参照），少額債権などについて権利変更に関する差を設けることが認められているのは（民再155 I 但書），衡平の理念の現れである。再生債務者を主要な取引先とする中小企業者の債権に対する特別な取扱いが認められていることも（民再85Ⅱ），衡平の理念を反映したものである。

　手続保障の理念の現れ方についても，民事再生の特徴が認められる。清算価値の配分を目的とする破産と比較して，再生型手続の場合には，将来収入の算定や配分方法について判断の分かれる余地が大きく，手続の中で利害関係人による意思決定を求めなければならない必要がある。会社更生では，この必要を満たすために利害関係人をその権利の性質に応じて組分けし，組ごとの意思決定がなされる（会更196 I Ⅱ Ⅴ）。これに対して民事再生においては，手続を簡易迅速に進めるために，特定財産上の担保権者や一般の優先権者を手続に組み込んでその権利を変更することを予定しないので（民再53Ⅱ・122Ⅱ），約定劣後再生債権に関する例外（民再172の3Ⅱ本文）を除いて，組分けがなされず，再生債権者のみによって再生計画についての賛否の意思決定がなされる（民再172の3 I）。

　また，民事再生における債権者集会は必要的ではなく（民再114参照），再生計画案の議決も書面によることが許される（民再169Ⅱ②・171）。これは，債権者集会開催による手続保障が形式的なものに流れることを避け，むしろ債権者などの利害関係人に対する情報公開を充実させ（民再16等参照），必要に応じて債権者集会を招集したり，場合によっては，債権者委員会（民再117）の活動を通じて，債権者の意思を手続に反映させようとする立法者意思の現れである。

　さらに債権者の意思決定の方式自体についても，通常の決議（民再170～172の3）の他に，①あらかじめ一定多数の債権者の同意があることを前提として（民再211 I），決議のための手続を簡略化する簡易再生，②あらかじめすべての債権者の同意があることを前提として（民再217 I），決議そのものを省略する同意再生，③将来における収入見込みが確実である個人債務者（民再221 I）

について，決議要件などを緩和する小規模個人再生，および④将来における収入額が確実に予測できる個人債務者（民再239 I）について，決議そのものを省略する給与所得者等再生という，多様な方式が認められる。

第2節　民事再生法および民事再生規則の制定過程

　民事再生法施行までは，再生型手続を規律する一般法として旧和議法が存在した（民再附則2参照）。和議能力は，自然人および法人等一般について認められ，その意味で和議は，再生型倒産処理法制の基本となるものであったが，いくつかの制度的問題点のため，自然人についても法人についても，また消費者についても事業者についても，その機能が十分に発揮されたとは言い難かった[2]。

　和議に関する制度的問題点としては，①開始原因が「破産ノ原因タル事実アル場合」とされ（旧和12 I），手続開始が遅きに失すること，②和議開始申立時に和議条件の申出が要求され（旧和13 I），十分な根拠をもたない和議条件が立案されがちなこと，③特定財産上の担保権が別除権とされ（旧和43参照），再建のためにその権利行使を制約する可能性に欠けること，④出席債権者の過半数・総債権の4分の3という和議可決の要件（旧和49，旧破306 I）が厳格にすぎること，⑤和議債務者（旧和32），整理委員（旧和21等），和議管財人（旧和32）など，和議手続における機関の役割分担が不明確であること，⑥否認制度がなく，詐害行為または偏頗行為に対する手段に欠けること[3]，⑦債権確定手続を欠き，履行確保の面などで不安が残ること，⑧認可決定確定後の履行確保手段に欠けることなどが指摘された。

　倒産法制全体についての見直し作業は，平成8年10月から法制審議会倒産法部会において開始されたが，経済情勢などを考慮し，再生型法制の整備を先行させることが決定され，平成11年8月26日に法制審議会総会において「民事再生手続（仮称）に関する要綱」が決定され，法務大臣に答申された。これにもとづいて法案の立案作業が進められ，平成11年12月22日法律第225号

---

2) 民事再生法逐条研究10頁参照。
3) 和議債権者の否認権（旧和33）は，詐害行為または偏頗行為に対する否認権とは別のものである。

として公布され，平成12年4月1日より施行されたのが，民事再生法である[4]。これにあわせて，法の包括委任規定およびその他の個別委任規定にもとづいて，手続の細則等を定める民事再生規則（平成12年最高裁判所規則3号）も，平成12年1月31日に公布，同年4月1日より施行された。これに引き続いて，民事再生法の適用対象となる個人債務者のうち，継続的または反復的収入をうる見込みがある者および給与等の定期収入をうる見込みがある者について手続の特則，ならびにこれらの者を主たる適用対象として想定した住宅資金貸付債権に関する特則を定める改正案が立案され，平成12年11月21日に成立し（平成12年法律128号），平成13年4月1日より施行された。これにあわせて民事再生規則の改正も行われ，同じく4月1日より施行された。

また，国際倒産に関しても，「外国倒産処理手続の承認援助に関する法律」が成立し（平成12年法律129号），平成13年4月1日より施行され，それにともなって民事再生法の国際倒産関係規定にも所要の改正が加えられた。「外国倒産処理手続の承認援助に関する規則」の成立および施行も破産の場合（本書77頁）と同様である。

さらに，平成14年には，住宅資金貸付債権に関する許可弁済制度が創設され（民再197Ⅲ），また，新会社更生法の制定にともなって，書面等投票制度（民再169Ⅱ②・171等）が設けられた。平成16年改正においては，小規模個人再生および給与所得者等再生の開始要件の緩和（民再221Ⅰ・239Ⅰ参照），最低弁済額要件の見直し（民再231Ⅱ③④・241Ⅱ⑤），新破産法の制定にともなう，否認権などに関する改正や個人再生手続における非免責債権制度の創設（民再229Ⅲ・244）などがなされ，民事再生規則についても，所要の改正が行われている。その後にも，会社法の制定や改正にともなう改正や外国租税債権の取扱いに関する改正（本書79頁），民法の改正にともなう整備法による改正（本書80頁）がなされている。

---

4) 立法の経緯については，花村3頁，民事再生法逐条研究4頁に詳しい。また，現在に至るまでの改正の経緯については，詳解民事再生法〈初版〉12頁以下〔髙山崇彦〕が詳しい。

第2章　再生手続の開始

　再生手続は，債務者，債権者，または法律上破産手続開始または特別清算開始申立ての義務を負う者の申立てにもとづいて（民再21・22），裁判所[1]が決定の形式による裁判で再生手続開始決定をなすことによって（民再33Ⅰ），開始される（同Ⅱ）。裁判所は，申立てが適法であれば，当該債務者について開始決定をすべきかどうかを判断する。申立ての適法性は，申立権，申立債権の疎明（民再23Ⅱ）および費用の予納（民再24Ⅰ）という申立人にかかわる事項，再生能力という債務者にかかわる事項，および再生手続開始原因事実の疎明（民再23Ⅰ）という開始原因にかかわる事項とに分けられる。これらの手続的要件が満たされていることを前提として，裁判所は，再生手続開始原因および再生手続開始の条件という実体的要件について判断する。

　以下，第1節および第2節では，債務者にかかる事項を総括して，手続的要件に属する再生能力および実体的要件に属する再生手続開始原因を，第3節では，同じく実体的要件に属する再生手続開始の条件を，さらに第4節では，申立人にかかわる手続的要件に属する申立権などについて説明する。

第1節　再　生　能　力

　再生能力とは，その者についての再生手続開始申立てがされ，再生手続開始決定を受け，再生債務者（民再2①）となりうる資格を意味する。再生能力をいかなる者に認めるかについては，明文の規定がなく，民事訴訟法の当事者能力に関する規定にしたがって（民再18），能力の有無が判断される。民事訴訟法上当事者能力が認められるのは，個人（自然人），法人，および法人でない社団等であるが（民訴28・29），再生手続においても，個人および法人に再生能力

---

[1]　民事再生法の規定上では，「裁判所」という用語と「再生裁判所」という用語の双方が用いられ，「裁判所」は，再生事件が係属する裁判体を，「再生裁判所」（民再135Ⅱ・145Ⅱ等）は，当該裁判体が属する官署としての裁判所を意味する（民事再生法逐条研究150頁，松下・入門22頁）。

が認められる。法人格のない社団または財団に再生能力が認められるか否かについては，第3項において説明する[2]。

第1項 個　　人

自然人は，民事再生法上では個人と呼ばれる（民再4Ⅰ前半部分等）。個人は，再生能力を認められ，さらに，第10章「住宅資金貸付債権に関する特則」，第13章「小規模個人再生及び給与所得者等再生に関する特則」は，個人についてのみ適用される（民再196①本文・221Ⅰ・239Ⅰ）。ただし，再生手続が係属中に再生債務者たる個人が死亡した場合には，相続財産には再生能力が認められないところから[3]，再生手続が終了する[4]。

外国人も再生能力に関して日本人と同じ地位を有する。旧破産法平成12年改正前2条但書は，いわゆる相互主義をとっていたことから，外国人に破産能力が認められるかどうかについて学説上の対立が存在したが（本書89頁），民事再生法は，破産法3条および会社更生法3条とともに，内外人平等主義を採用している（民再3）。

第2項 法　　人

法人には，その組織形態，目的を問わず再生能力が認められる[5]。外国法人

---

2) 信託財産の再生能力については，本書105頁注46参照。また，受託者の再生については，稲生隆浩「自己信託を活用した（プレ）DIPファイナンスの活用と諸問題」加藤哲夫古稀367頁が詳しい。
3) 花村24頁，条解民事再生法82頁〔園尾隆司〕。園尾隆司「債務者の死亡と倒産手続」田原古稀（下）489頁。園尾論文は，立法論として，破産法226条にならって，続行申立てがない限り，倒産終了の規定を置くことを提案する。また，個人再生手続の各段階における債務者の死亡に関して詳説するものとして，個人再生の実務Q&A120問183頁〔森田泰久〕がある。
4) 必要な場合には，相続財産破産の手続（破222以下。本書93頁）が開始される。
5) 金融機関などのようにその事業の再生について特別の手続が設けられているものであっても（金融機関更生特例法），再生能力が否定されるものではない。もちろん，特別の手続による方が債権者の利益に適合するなどの理由から，再生手続開始申立てが棄却される可能性はある（民再25②類推）。
　なお，医療法人の再生事例を紹介するものとして，佐藤崇文「民事再生法における管財人の権限──介護老人保健施設の事業再生事例を素材に」NBL 809号49頁（2005年），学校法人の再生事例を紹介するものとして，住田昌弘「大学の再生──萩国際大学の民事再生手続」NBL 835号22頁（2006年）がある。第三セクターについては，山本健司＝中西敏彰「赤字第三セクターの処理」諸問題29頁参照。また，150問362頁〔荒井俊行〕，

も同様である（民再3）。破産能力については，公法人の破産能力を否定する議論が有力であるが（本書90頁参照），民事再生の場合には，破産と異なって，手続終了にともなって法人格の消滅が予定されるわけでもなく，公法人の再生能力を否定する理由がない。ただし，国家や地方公共団体のような本源的統治団体については，債権者の多数決によって事業の再生を図るという民事再生の目的になじまないから，再生能力を否定すべきである[6]。

第3項　法人でない社団または財団

　法人でない社団または財団で代表者の定めがあるもの（民訴29）について破産能力が認められるかどうかについては，争いがあるが，本書ではこれを肯定する（本書115頁）。これを前提としたときに，この種の団体について再生能力を認めるべきかどうかが問題となる。民事再生は，債務者の事業または経済生活の再生を目的とするものであるから，本来予定されているのが，債権債務の帰属主体としての債務者であることは明らかであるが，このことは破産の場合も同様であり，また，構成員の債務について法人でない社団等が再生債務者となって再生計画による権利の調整をする必要は存在すると考えられるから，再生能力を肯定すべきである[7]。

第2節　再生手続開始原因

　再生手続開始原因は，第1に，債務者に破産手続開始の原因となる事実の生

365頁〔縣俊介〕，369頁〔富永浩明〕，372頁〔小畑英一〕，378頁〔浅沼雅人〕，380頁〔綾克己〕，384頁〔髙木裕康〕，387頁〔髙井章光〕，390頁〔杉山真一〕，395頁〔三森仁〕は，私立学校，病院，老人ホーム，小売り・ショッピングセンター，ゼネコン，不動産デベロッパー，ホテル・旅館，消費者金融，第三セクター，ゴルフ場という各種業態に応じて，再生手続上の留意点を説明する。

[6] ただし，破綻に瀕した地方自治体の財政再生のための制度のあり方を検討する動きがある。総務省ウェブサイト掲載の「債務調整等に関する調査研究会」資料参照。

[7] 詳解民事再生法27頁〔高田裕成〕，概説404頁。再生計画の基礎となる債務者の資産は，構成員に帰属する資産のうち，実質的に社団等の資産とみなされるものであり，再生債権は，構成員に対する債権のうち，実質的に社団等の負債とみなされるものである。
　なお，相続財産については，旧和議法12条2項が和議能力を否定していたが，民事再生法は，これに対応する明文の規定を設けていない。立案担当者の意図は，相続財産について再生能力を認める実益に乏しいと判断され，法人格のない相続財産の再生能力は当然に否定されるというものである。民事再生法逐条研究21頁。

じるおそれがあるときであり（民再21Ⅰ前段），第2に，債務者が，事業の継続に著しい支障を来すことなく弁済期にある債務を弁済できないときである（同後段）。以下，第1の原因を破産原因前兆事実，第2の原因を事業継続危殆事実と呼ぶこととする。いずれの事実も近い将来において債務者の経済生活や事業の破綻が相当程度の蓋然性をもって予測されることを基礎づけるものであるが，破産原因前兆事実は，支払不能または債務超過という破産原因（破15Ⅰ・16Ⅰ）が将来において発生する相当程度の蓋然性があることを基礎づけるものであり，事業継続危殆事実は，債務の弁済が今後の事業の継続を困難にすることを基礎づける事実である[8]。

したがって，破産原因前兆事実は，債務者の支払能力の面から破綻の蓋然性をみるものであるのに対して，事業継続危殆事実は，事業の継続可能性から破綻の蓋然性をみるものであるということができる。債務者が開始申立てをする場合には，いずれも開始原因となるのに対して，債権者が開始申立てをする場合には，破産原因前兆事実のみが開始原因とされているのは（民再21Ⅱ），このような違いを考慮したものにほかならない[9]。

第1項 破産原因前兆事実

破産手続開始原因たる事実は，支払不能および債務超過（破15Ⅰ・16Ⅰ）の2つであり，前者については，「債務者が，支払能力を欠くために，その債務のうち弁済期にあるものにつき，一般的かつ継続的に弁済することができない状態」と定義され（破2ⅩⅠ。民424の3Ⅰ①かっこ書），後者については，「債務者が，その債務につき，その財産をもって完済することができない状態」と定義される（破16Ⅰかっこ書）。また，支払停止とは，弁済能力の欠乏のために弁済期の到来した債務を一般的かつ継続的に弁済することができない旨を外部に表示する債務者の行為とされるが，それ自体が破産手続開始原因ではなく，支払

---

[8] 事業者に関していえば，会社更生法17条1項（旧会更30Ⅰ）の規定も，実質的内容は異ならない。旧会社更生法30条1項前段（現17Ⅰ②相当）の解釈について，条解会更法（上）296頁，松田41頁，伊藤・会更法・特清法43頁参照。裁判例として，札幌地決平成12・5・15金商1094号39頁がある。なお，破産原因前兆事実は，小規模個人再生や給与所得者等再生の開始要件（本書1192, 1223頁）としては，困窮要件と呼ばれ，これについての裁判例として，福岡高決平成18・11・8判タ1234号351頁がある。
[9] 新注釈民事再生法（上）105頁〔髙井章光〕参照。

不能を推定する事実とされる（破15Ⅱ）。もっとも，推定規定の趣旨を考えると，支払停止が生じるおそれが認められれば，支払不能が生じるおそれがあるものと扱ってよい[10]。

支払不能または債務超過の事実は，現に発生している必要はなく，発生のおそれがあれば足りる。ここでいうおそれとは，単なる可能性をいうのではなく，会社の事業収益の予測や資金調達の見込みなどを総合的に考慮して，相当の蓋然性が認められることをいうが，その蓋然性が高度のものにまで高まっている必要はない[11]。

第2項　事業継続危殆事実

事業の継続に著しい支障を来すことなく弁済期にある債務を弁済できないとき（民再21Ⅰ後段），すなわち事業継続危殆事実は，破産原因前兆事実と異なり，債務者の客観的支払能力や財務状態の視点からではなく，資金繰りという事業継続の視点から手続開始原因をとらえるものであり，再生型手続の特質を端的に表すといえる。たとえば，弁済期到来の迫った金融債権があり，債務者の手持ち資金をその弁済に充てると，商取引債権に対する弁済資金が不足することとなり，取引拒絶の蓋然性が高まると事業の継続が危ぶまれるという状況を想定したとき，これ自体が破産原因前兆事実の1つである，支払不能発生のおそれにあたるとはいえない。

しかし，この状況を放置すれば，財務状態はますます悪化し，次の段階としては，破産原因前兆事実が発生し，最後には，破産手続開始原因が生じること

---

[10] 支払不能および債務超過の解釈に関しては，条解破産法〈第3版〉41，128頁，本書117，125頁参照。債務超過の判断の前提となる財産評価の基準としては，債務者の事業が継続している以上，時価とすべきであろう。これは，詐害行為否認の要件にかかわる場合にも，同様である（本書579頁注211参照）。

なお，支払停止は，再生手続においては，主として相殺禁止（民再93Ⅰ③・93の2Ⅰ③）や否認（民再127Ⅰ②・129など）との関係で問題となるものであるが，破産の場合と同様に（本書121頁注78），債務者が債権者に対して債務免除等を要請する行為は，資力回復の合理的見込みをともなうものであるかぎり，原則として，支払停止とみなされない。

[11] 具体的判断は事案の特質に応じてなされることになるが，支払不能などの発生蓋然性が確実に見込まれる状況に立ち至っているときには，むしろ破産手続開始原因の発生が肯定される可能性がある。本書119頁参照。なお，実務上は，開始原因として債務超過を認定する例がほとんどであるといわれる。会社更生の実務〈新版〉（上）91頁〔村松忠司＝北川伸〕。

となる。このような事象の連鎖に着目し、債務者が将来の破綻可能性を客観的資料に基づいて証明することができるもっとも初期の事象として、事業継続危殆事実を再生手続開始原因としているのであり、いいかえると、これは、事業価値保全を目的とする手続開始原因ということができる[12]。これに対して、債権者が、事業継続危殆事実を理由として手続開始申立てをすることが認められないのは（民再21Ⅰ後段参照）、これらの利害関係人に申立権を認める主たる理由は、それらの者自身の権利保全にあり、債務者の事業価値保全の責任は、債務者自身にゆだねられていることによる。

第3項　外国倒産処理手続がある場合

再生債務者について外国倒産処理手続がある場合には、再生手続開始原因たる事実があるものと推定する（民再208）[13]。外国倒産処理手続とは、外国で開始された手続で、破産手続または再生手続に相当するものをいい（民再207Ⅰ第1かっこ書）、再生債務者の経済的破綻または危機を前提として、司法手続またはこれに類する手続によって清算または再生を行うものを意味する。推定を破るための証明は、申立人の種類によって異なる。債務者が申立人である場合には、破産原因前兆事実および事業継続危殆事実の双方についてその不存在を証明しないと、推定が破れないが（民再21Ⅰ前段参照）、債権者または外国管財人が申立人の場合には、破産原因前兆事実の不存在を証明すれば足りる（民再21

---

[12] 条解会更法（上）297頁は、「この開始原因は、一般には、破産原因たる支払不能（およびそれを推定させる支払停止）や債務超過が生じるよりかなり以前の状態を意味することとなる」と指摘する。重要な事業用資産を売却しなければ、債務の弁済資金が捻出できない状況もこれに属する。指標としては、継続的な営業損失の発生、営業債務の返済の困難性、新たな資金調達の困難性、事業活動に不可欠な重要な資産の毀損など、会計上の継続企業注記に該当する継続企業の前提に重要な疑義を生じさせるような事象（横瀬元治「会社更生手続と株主持分」松嶋古稀425頁）が参考になる。ただし、売却した資産を賃借することができる場合など、事業継続の障害にならない場合には、事業継続危殆事実に該当しない。

[13] この推定は、立証を容易にして、迅速に再生手続を開始する目的をもち、破産法17条および会社更生法243条と趣旨を共通にする。当該外国倒産処理手続が承認（外国倒産22）されている必要はない。条解破産法〈第3版〉132頁参照。

なお、アメリカ連邦倒産法第11章手続のように、債務者申立ての場合には、手続開始原因の審査なく開始する手続についても、推定の根拠とすべきかどうかという問題がある。肯定と否定の両説がありうるが（新注釈民事再生法（下）325頁〔柴田義人〕、条解民事再生法1088頁〔安達栄司〕）、並行倒産の開始を円滑にするという理由から、肯定説をとる。もちろん、反対証明の余地はある。

Ⅱ・209Ⅰ前段参照)。

第3節　再生手続開始の条件

　再生手続開始原因の存在が認められても，一定の事由（民再25各号）があると，裁判所は，再生手続開始申立てを棄却しなければならない（同柱書）。これらの事由の不存在を再生手続開始の条件と呼ぶ。

　第1は，再生手続の費用の予納がないときである（同①）。費用の予納がなされないと，監督委員の選任など裁判所が手続を進めるために必要な行為をすることができず，手続開始の意味が見いだせないからである。

　第2は，当該債務者について破産手続または特別清算手続が係属し，その手続によることが債権者一般の利益に適合するときである（同②）[14]。再生手続は事業や経済生活の再生によってえられる財貨を債権者に配分することを内容とするが，破産または特別清算によって債務者の財産の清算価値を配分する方

---

[14]　再生手続開始申立てが競合することは，更生手続開始の条件としては判断の対象となるが（会更41Ⅰ②），更生手続開始申立てが競合することは，再生手続開始の条件として判断の対象とはならない（民再25②参照）。東京高決平成17・1・13判タ1200号291頁〔倒産百選7事件〕。実務的には，債権者による破産手続開始の申立てに対抗して債務者が再生手続開始の申立てをする場面で問題となることが多い。破産・民事再生の実務〔再生編〕101頁，運用指針134頁。

　なお，債権者一般の利益の概念は，この場合以外にも用いられるが（民再31Ⅰ・85の2・169Ⅰ③・174Ⅱ④・235Ⅰ③・246Ⅱ，破102・186Ⅰ，会更41Ⅰ②・47の2・185Ⅰ・246Ⅱ・248Ⅱなど），手続の進捗状況に照らした債権者の利益実現，債権者に分配されるべき最低限の価値たる清算価値の保障（本書45頁），手続相互間の調整原理など多様な意味を含んでいる。佐藤鉄男「倒産法における債権者の一般の利益」伊藤古稀886頁，高田賢治「倒産法における債権者の一般の利益」今中傘寿504頁参照。

　ただし，手続開始の条件として継続事業価値が清算価値を上回ることを示すことが求められるわけではなく，破産手続などの開始申立てがなされ，または開始決定がされているときにおいて，事業継続によって実現が期待される価値に具体性が乏しく，清算価値を下回ることが明らかなときに限って，再生手続開始申立てを棄却することになろう。高田賢治「清算価値保障原則の再構成」伊藤古稀903頁参照。同「破産債権の金銭化と清算価値保障原則」民事特別法の諸問題6巻417，433頁は，破産手続から再生手続への移行の場面についてこれを敷衍し，清算価値保障原則を前提としつつも，手続の進捗状況や債権者の意向等を踏まえて，債権者一般の利益を判断すべきとする。

　また，債権者一般の利益は，通常は債権者全体の利益と重なり合うが，概念上は区別すべきものであり，投機などに起因する破産財団所属財産の価値上昇を期待する債権者と迅速な配当を望む債権者とが混在するような事案では，破産手続本来の目的（破1）を考えれば，迅速な配当の実施を債権者一般の利益と評価すべきである。

が債権者一般にとってより多くの利益をもたらすと認められるときには，再生手続を開始する意味がない。いいかえれば，再生手続による配分は，破産などによる配分を上回るものでなければならないことを意味し，講学上の清算価値保障原則を現したものである。

　第3は，再生計画案の作成もしくは可決の見込みまたは再生計画認可の見込みがないことが明らかであるときである（同③）。手続開始の段階から再生計画成立の見込みがないことが明らかであるにもかかわらず，再生手続を開始することは，いたずらに破綻を先延ばしし，債権者その他の利害関係人に不利益を生じさせるものであるから，このような事由が存在しないことを手続開始の条件としたものである。旧会社更生法38条5号が「更生の見込みがないとき」を申立棄却原因としているのと比較すると，手続開始の段階において再生の見込みの有無という実体判断を裁判所に行わせることが合理的ではなく，ひいては，手続開始そのものに消極的になるおそれがあることを考慮して，再生計画案作成等の見込みという手続的判断に代えたものである[15]。

　また，裁判所がこれを理由として開始申立てを棄却するのは，作成等の見込みがないことが明らかな場合に限られるから，手続開始申立書の記載（民再規

---

[15] 民事再生法逐条研究40頁参照。このような考え方がとられた背後には，裁判所の過度に後見的な関与を排除し，債務者と債権者の自主的再建の意欲を尊重するとの考え方がある。園尾隆司「民事再生手続における裁判所の役割」民事再生法の理論と実務（上）75頁参照。なお，現行会社更生法41条1項3号は，再生手続と同様に，更生計画案の作成等の見込みがないことが明らかであるときという手続的要件を規定している。ただし，更生計画案等については，再生計画案等と異なって，「事業の継続を内容とする」ものに限っているのは，手続の適用対象や利害関係人に与える影響を考慮したものと考えられる。

　なお，東京高決平成12・5・17金商1094号42頁は，事業収入の確保が期待できないことなどから，再生計画案の作成の見込みが欠けることを理由として，また，東京高決平成13・3・8判タ1089号295頁〔倒産百選8事件〕は，総議決権額の過半数を超える議決権を有する再生債権者が再生手続に反対の意思を明らかにしていることを理由として，再生計画案が可決される見込みがないものとしている。これに対して，前掲東京高決平成17・1・13（注14）は，再生計画認可の障害となりうる事由が認められるときであっても，状況の変化の可能性を考えると，認可の見込みがないことが明らかであるとはいえないとする。実務上の運用については，破産・民事再生の実務［再生編］102頁，倒産・再生訴訟440頁〔古谷慎吾〕参照。

　また，COVID-19（新型コロナウイルス感染症）の影響によって事業の継続が困難になっているが，各種融資，給付金，あるいは債務の期限猶予などによる事業の再開が期待できる場合については，見込みの有無についても柔軟な判断が求められる。コロナ禍の倒産実務研究会「新型コロナウイルス感染症（COVID-19）の感染拡大下における事業再生手続についての提言（上）」銀行法務21　862号8頁（2020年）参照。

12・13）や申立書の添付書面（民再規14）などの資料から，たとえ手続を開始しても合理的基礎にもとづいた再生計画案作成等の見込みが存在しないことが明らかな場合にのみ，開始申立てが棄却される。

　第4は，再生手続開始申立てが不当な目的でされたとき，その他申立てが誠実にされたものでないときである（民再25④）。この事由は，旧会社更生法38条2号，3号および7号の実質を統合したものとされるが[16]，申立ての不当性とは，申立人の目的が法の目的（民再1）と合致しないことを意味する。例えば，事業の継続や再生が社会的に是認されない場合には，債務者の申立てが不当とされるし，また，債務者の行為態様に着目して，申立ての誠実性が否定される場合がある[17]。

---

[16] 花村88頁。現行会社更生法41条1項4号は，民事再生法25条4号と同様の規定となっている。

[17] 札幌高決平成15・8・12判タ1146号300頁，名古屋高決平成16・8・16判時1871号79頁，高松高決平成17・10・25金商1249号37頁では，再生手続開始申立前に取込詐欺的行為がなされたことなどを理由として，申立てが誠実性を欠くものとしている。これに対して，前掲東京高決平成17・1・13（注14）では，誠実性を欠くという主張が排斥されている。また，同決定では，再生債務者について，いったん再生計画不認可決定が確定しているときにも，再度再生手続開始申立てをなすことが当然に排斥されるものではない旨も判示されているが，特段の事情が認められない限り，誠実性に欠けるといわざるをえない。倒産・再生訴訟32頁〔富永浩明〕。
　もちろん，再生計画認可後に計画の履行が困難になり，また，再生手続開始後の債権についても権利変更の必要が生じたために，再度の再生手続開始申立てをなすことは適法であり，民事再生法190条は，それに対処するための規律である。ただし，新たな再生手続の再生計画では，第1回再生手続の再生債権と第2回再生手続の再生計画との間の弁済額の調整が必要になる。本書1254頁，民事再生の手引〈第2版〉448頁参照。再生計画不認可決定確定後の再度の再生手続開始申立ても当然に不適法とはいえない。最決平成17・8・18実情255頁参照。なお，再度の再生手続開始申立事件における再生計画案の弁済率などの特質を説明するものとして，運用指針387頁がある。
　さらに，東京高決平成19・7・9判タ1263号347頁は，裁判所や監督委員に対して資料提出を怠るなどの行為があっても，それだけでは誠実性に欠けるとはいいがたいと判示するが，あえてこのような行為をする債務者に対して再生手続を開始すべき理由は見あたらない。また，東京高決平成19・9・21判タ1268号326頁は，経営者が担保設定にかかる文書を偽造して融資を受けた場合であっても，融資自体が通常の資金繰りのためになされたものであれば，誠実性に欠けるとはいえないと判示する。
　しかし，反社会的手段を用いて継続された事業活動の再生のために，裁判上の手続を利用させるべきかどうか，疑問の余地がある。これに対して，条解民事再生法121頁〔瀬戸英雄＝上野尚実〕は，経営者自身に民事または刑事の責任を問われるような行為があったとしても，そのことが直ちに申立ての不誠実性につながらないとする。ただし，非免責債権とされる可能性がある故意による不法行為にもとづく損害賠償請求権が高い比率を占める事案では，不当な目的とされてもやむをえないこともあろう。最決平成16・1・20実情

再生手続開始原因の存在が認められ，かつ，法25条各号に規定される事由が存在せず，開始の条件が満たされれば，裁判所は，再生手続開始決定をしなければならない（民再33Ⅰ）。ただし，民事再生と会社更生との関係について述べるように（本書1241頁），裁判所が再生手続に対して中止命令を発した場合（会更24Ⅰ①），または更生手続開始決定がなされたことによって再生手続開始手続が中止される場合は（会更50Ⅰ後半部分），再生手続を開始することはできない。

207頁参照。

　近時の裁判例である東京高決平成24・9・7金商1410号57頁〔倒産百選9事件〕は，再生債務者が自ら負担する連帯保証債務の否認を目的とする開始申立てを不当な目的にもとづくものとして棄却しているが，申立権の濫用というよりは，再生手続の目的に合致しない事案であるとの判断によるものであろう。伊藤尚「民事再生申立ての濫用（否認権の行使のみを目的とした再生申立て）——東京高決平24.9.7を契機として」金法1969号17頁（2013年）は，もっぱら否認権の行使のみを目的とした申立てとして，濫用とされるのは，異常かつ例外的な場合に限られ，本件がそれに該当するかどうかについては，検討の余地があるとする。増市徹「判例研究」金法1977号63頁（2013年）も同旨。

　山本和彦「再生申立権の濫用について——東京高決平成24.9.7を手掛かりとして」NBL994号19頁（2013年）は，本件の事案がいかなる意味でも申立権の濫用類型に該当しないとする。そして，同一事案に関する東京地判平成25・11・6金商1429号32頁は，否認権の行使を目的とするからといって不当な目的にもとづく申立てとはいえず，上記東京高裁決定は妥当な判断とはいえないとして，申立人の不法行為責任を否定している。

　専ら担保権消滅許可制度の利用を目的とするものと評価される再生手続開始申立てについても，同様に，具体的事案の内容を考慮すべきであろう。東京高決平成24・3・9判時2151号9頁〔倒産百選〈第5版〉11事件〕は，申立ての不当性を肯定する。

　また，不当性に関連して，清算目的の再生手続開始申立てを許容すべきかどうかが議論される。手続開始後直ちに清算を開始するのは，原則からは再生手続の目的に沿ったものと認められないが，一定期間事業組織の全部または一部を維持し，その後の選択肢として清算を計画することは，不当なものとはいえない。破産法大系Ⅰ28頁〔多比羅誠〕参照。債権者をはじめとする利害関係人の利害について，破産との場合の比較も踏まえ，個別の事案ごとに慎重に検討する必要があろう（具体例について運用指針402頁参照）。法25条3号にあたるとして清算目的の再生手続開始申立てを棄却した原決定を是認した最決平成15・5・30実情160頁もあるが，金融業，経営コンサルタント等の事業を目的とする会社であって，出資法違反で警察の捜索を受けた後に再生手続開始の申立てをしたという特殊な事案で，事業組織の暫定的維持が困難であったとも推測できる。事業組織が完全に活動を停止しているにもかかわらず，再生手続開始を認めた事例も存在するが（中島弘雅「破産債権確定後の破産会社に対する再生手続開始の可否」多比羅喜寿151頁），破産手続による終結が社会的に是認しがたいと評価される例外的な事案である。清算的計画を認める規定を検討すべきであるとするものとして，藤本利一「いわゆる計画外の事業譲渡の正当性」多比羅喜寿245頁がある。

第4節　再生手続開始手続

　民事再生は，債務者と債権者との間の民事上の権利関係を適切に調整し，もって当該債務者の事業または経済生活の再生を図ることを目的とするものであるから，それに直接の利害関係を有する者の申立てにもとづいて，裁判所が手続を開始する。

第1項　再生手続開始申立権者

　再生手続開始の申立権者は，原則として債務者および債権者である（民再21 I・II）。ただし，法人の理事またはこれに準じる者が破産手続開始または特別清算開始の申立義務を課されている場合には（一般法人215 I，会社484 I・511 II等），これらの者は，それに代えて再生手続開始の申立てをすることができる（民再22）。また，通常再生の特則である小規模個人再生および給与所得者等再生については，制度の趣旨から債務者にのみ申立権が認められる（民再221 I・239 I）。

1　債務者

　債務者は，破産手続の原因となる事実の生じるおそれがあること（民再21 I前段），または事業の継続に著しい支障を来すことなく弁済期にある債務を弁済することができないこと（同後段）を理由として，再生手続開始を申し立てることができる。手続の目的が債務者の事業または経済生活の再生にあることから，債務者を申立権者としたものである。債務者が申立てをする際の意思決定の方式は，実体法の準則にしたがう。したがって，一般社団法人または一般財団法人で理事会が設置されている場合には，理事会の決議にもとづいて代表理事などが再生手続開始の申立てをなし（一般法人77 IV・90 II①），株式会社で取締役会設置会社の場合には，取締役会の決議にもとづいて代表取締役などが再生手続開始の申立てを行う（会社349 IV・362 II①）[18]。

---

[18]　旧和議法は，意思決定についての特則として，理事またはこれに準ずべき者の全員一致を要求していた（旧和12但書）。しかし，これによってかえって適時の申立てが妨げられるとの批判を考慮して，民事再生法にはこのような特則が設けられていない（花村81頁，民事再生法逐条研究38頁）。株式会社の場合の取締役会決議については，150問32頁〔松本和人〕参照。なお，申立てに際して代理人たる弁護士から債務者への説明事項な

社団法人の構成員，たとえば一般社団法人の社員や株式会社の株主には，再生手続開始の申立権が認められない。これらの者の利益が再生手続による影響を受けることはありうるし，また，株主については，再生計画の内容によっては，利害関係を認められ，個別的な手続事項に関与することは許されるが（民再43Ⅵ・166Ⅳ・166の2Ⅳ等），会社更生（会更165Ⅰ・167Ⅰ①等）と異なって，株主が手続に参加して，再生計画による価値の配分を受けることが予定されていないからである[19]。

2 債権者

債務者に破産の原因たる事実の生じるおそれがあるときは，債権者も再生手続開始の申立てをすることができる（民再21Ⅱ）。債権者に申立権が与えられるのは，再生手続が清算価値を超える価値の配分を目的とするところから，債権者にもその配分を求める利益が認められるためである。したがって，ここでいう債権者は，再生計画による価値の配分を求める地位を有する再生債権者（民再84・85Ⅰ）に限られ，たとえ手続開始前の原因にもとづく債権者であっても，手続外で権利行使をする一般優先債権者（民再122）を含まない[20]。

なお，再生債権とされるためには，財産上の請求権であれば足り，金銭債権である必要はない。また，会社更生法17条2項1号は，資本金の額の10分の1以上にあたる債権を有する債権者であることを手続開始申立権の要件としているが，再生手続にはこのような制限は存在しない[21]。なお，債権者による再

どについては，150問17頁〔朝田規与至〕，運転資金確保など申立てに際しての留意事項については，同書34頁〔綾克己〕参照。
[19] 民事再生法逐条研究37頁参照。
[20] 破産・民事再生の実務［再生編］53頁。一般優先債権者に開始申立権を認める説（新注釈民事再生法（上）103頁〔髙井章光〕）は，法文上で債権者について限定がないこと，あるいは再生債権者に対する弁済によって，一般優先債権に対する弁済が確保されないおそれがあることを理由としてあげる。しかし，開始申立権を認めるか否かは，再生計画による弁済そのものに利害関係を有するかどうかによって決すべきである。

なお，別除権者の被担保債権は，再生債権としての性質をもつが，その行使は不足額に限定される（民再88本文）。したがって，不足額の発生が予定されないような被担保債権にもとづいて再生手続開始の申立てをすることは，不当な目的（民再25④）とされる可能性がある。
[21] 会社更生法の趣旨は，主として申立権の濫用を抑止するところにあるが，再生手続では開始原因等の疎明（民再23）や費用の予納（民再24）によって濫用を抑止しうること，再生能力を限定しないため，資本額が基準として用いられないことが理由である（花村81頁）。

生手続開始の申立てには，裁判上の請求としての時効の完成猶予および更新の効力が認められることは（民147Ⅰ①），破産手続開始申立ての場合と同様である（本書134頁参照）。

3 その他の申立権者

法人の機関が，法人を代表してではなく，法人の機関たる資格において破産または特別清算の申立義務を課されている場合がある（一般法人215Ⅰ，会社484Ⅰ・511Ⅱ等）。これらの機関は，破産手続開始等の申立てに代えて，再生手続の開始申立てをすることができる（民再22）。破産等に対する民事再生の優先性を背景として，これらの機関に手続の選択権を与える趣旨である[22]。

外国管財人は，破産の原因たる事実が生じるおそれのあることを理由として，再生債務者について再生手続開始の申立てをすることができる（民再209Ⅰ・21Ⅰ前段）。ある債務者についてすでに外国において倒産処理手続が開始され，外国管財人が選任されている場合に，外国管財人としては，外国倒産処理手続の承認を求めて，内国財産を管理処分する方法と（外国倒産17以下），わが国において倒産処理手続を開始させ，相互に協力しつつ手続を進める方法（民再207・209・210）とがある。外国管財人の再生手続開始申立権は，後者の方法のために認められたものである。再生手続開始原因の存在は，外国倒産処理手続の係属にもとづいて推定される（民再208）。

その他，債権者全体の利益や公益を代表する立場から，監督官庁に申立権を認めることも検討されたが，監督官庁の権限にも様々なものがあり，一律に申立権を認める合理性がないなどの理由から採用されるにいたらなかった[23]。

第2項 再生手続開始申立ての手続

再生手続開始の申立ては，管轄ある裁判所（民再4・5）に対して一定事項を記載した申立書を提出することによってなされる（民再規12Ⅰ）。申立書の必要

---

22) 破産管財人の申立権（民再246Ⅰ）も，同様の考え方にもとづくものである。実例について運用指針135頁参照。
23) 監督官庁の申立権を認める例として，金融機関更生特例法377条，446条等があり，通告権を認めた例として，商法旧381条2項（会社整理）および旧431条3項（特別清算）があった。しかし，通告権については，裁判所が開始原因の有無を判断するのに十分な資料を収集できないなどの批判が多く，会社法における特別清算についても，この種の規定は設けられていない。萩本ほか59頁。

的記載事項は，①申立人の氏名住所等，②再生債務者の氏名住所等，③再生手続の開始を求める旨の申立ての趣旨，④再生手続開始の原因となる事実，⑤再生計画案の作成の方針についての申立人の意見[24]からなる。これらの記載事項の全部または一部を欠くと，補正が命じられるし，それに応じないと，申立書が不適式として却下される（民再18，民訴137ⅠⅡ）。

また，申立書には，実質的記載事項として，債務者の資産，負債その他の財産の状況や，再生手続開始の原因となる事実が生じるに至った事情などを記載することが求められ（民再規13），また貸借対照表や損益計算書などの書類を添付することが求められる（民再規14）。これらは，裁判所が再生手続開始決定を行い，その後の手続を進めるために不可欠の情報を内容とするものであり，その不記載や不添付が直ちに申立書を不適式とするものではないが，記載や添付は再生債務者の責務（民再規1Ⅰ）に属する[25]。

再生手続開始申立てには，1万円の手数料の納付が要求される（民訴費3Ⅰ別表第1項12の2）。納付がなされないときには，納付が命じられるし，なお納付がなされなければ，申立書が却下される（民再18，民訴137Ⅰ後段・Ⅱ）。

申立てについては，その適法要件として，再生手続開始の原因となる事実の疎明が要求される（民再23Ⅰ）。疎明を求めることによって，まったく理由のない申立てを早期に排除するためである[26]。もちろん，裁判所が開始決定をなす段階では，開始原因事実の証明が必要になる[27]。また，申立人が債権者である場合には，それに加えて，その債権の存在をも疎明しなければならない（同Ⅱ）。いずれの場合にも，疎明がなされないと，申立てが不適法として却下される。

1　費用の予納

破産の場合と同様に，再生手続を進めるためには，送達，公告等の費用，監

---

24) 意見の記載は，できる限り，予想される再生債権者の権利の変更の内容および利害関係人の協力の見込みを明らかにしてしなければならない（民再規12Ⅱ）。
25) 申立書の書式，記載事項および添付書類などについては，民事再生の手引〈第2版〉26頁，破産・民事再生の実務［再生編］49頁，民事再生の実務28頁〔千賀卓郎〕，150問40頁〔関口博〕，運用指針67頁参照。
26) 破産では，債務者の申立てについては破産原因の疎明が要求されないが（破18Ⅱ参照），民事再生法は，会社更生法20条にならって，疎明を必要とした。
27) 審査の実情については，森宏司「大阪地方裁判所における民事再生手続開始要件の審査」判タ1067号98頁（2001年）参照。

督委員の報酬など，様々な費用を要する。これらの費用は，本来は共益債権として（民再119①～④）再生債務者財産から支弁されるべきものであるが，当面の支出に備えて，申立人に予納させる（民再24Ⅰ）。破産においては，申立人の資力等を考慮して，申立人および利害関係人の利益の保護のため特に必要と認めるときは，裁判所が手続費用について国庫仮支弁を許すことができるが（破23Ⅰ．本書148頁），再生手続においては，国庫仮支弁の制度を設けず，一律に予納を求めることとしたものである[28]。予納は手続開始の条件であり，予納がなされないと申立ては棄却される（民再25①）。なお，費用の予納に関する決定に対しては，即時抗告が認められる（民再24Ⅱ）[29]。

裁判所が予納金の額を定める際の考慮要素としては，再生債務者の事業の内容，資産および負債その他の財産の状況などがあげられる（民再規16Ⅰ前段）。再生債権者が再生手続開始申立てをして，手続費用を予納する場合であっても，手続費用の最終的負担者は再生債務者であるから（民再119①～④），裁判所はそのことをも考慮して，予納金額を定めなければならない（民再規16Ⅰ後段）[30]。予納金額決定について主として問題となるのは，機関の報酬と送達公告費用であり，特に監督委員などの機関の報酬については，当該機関に求められる職務内容とのかかわりがある[31]。

予納金額は，手続開始までの費用と開始後の費用に対応する額を一括して定めることもできるが，一部のみを定めることもできる。その場合に開始決定時までに予納した費用が不足するときには，裁判所は追納を命じることができる

---

[28] ただし，申立人の資力が十分でない場合には，費用を分割して納付することを認める場合がある。新注釈民事再生法（上）115頁〔中山孝雄〕，民事再生の手引〈第2版〉41頁，運用指針78頁。
[29] 予納に関する決定にしたがわなかったときは，再生手続開始申立てを棄却するが（民再25①），再生手続開始申立人としては，予納に関する決定と再生手続開始申立棄却決定の双方に対する即時抗告が認められることになる。立法論としては，再生手続開始申立棄却決定に対する即時抗告の中で予納に関する決定の当否を争わせることが考えられる（条解民事再生法33頁〔園尾隆司〕，114頁〔重政伊利〕，倒産・再生訴訟584頁〔園尾隆司〕。民訴137参照）。
[30] 実際には，開始決定までに要する費用のみを申立債権者に予納させる可能性を意味する（民事再生法逐条研究40頁，条解民事再生法110頁〔重政伊利〕）。
[31] 民事再生法逐条研究39頁参照。実際の予納金額決定基準は，比較的事件数の多い裁判所において公表されている。新注釈民事再生法（上）114頁〔中山孝雄〕，民事再生の手引〈第2版〉39頁，破産・民事再生の実務〔再生編〕55頁，運用指針60,77頁。

（民再規16Ⅱ）[32]。

2 事前相談および事前説明

再生手続開始申立てがなされると，債務者の事業が危機に瀕している事実が広く知られる可能性があり，債権者の個別的権利行使などを抑止するために適時に保全処分発令などの措置をとる必要がある（民再26〜31）。したがって裁判所は，申立てが適式に行われることを確保し，債務者の事業等の内容などに関する情報をあらかじめ把握しておかなければならない。こうした必要を満たすために行われる実務慣行が事前相談と呼ばれるものである。従来会社更生について指摘されていたような問題点，すなわち事前相談が事実上の開始決定手続として機能して，手続を不透明なものとしているとの批判に対しては十分に留意しなければならないが，申立ての効果として自動停止の制度がとられていない以上，申立後の手続を円滑に進めるための資料収集目的での事前相談までを違法視することはできない。また，必要に応じて利害関係人に対する事前説明が必要な事案もある[33]。

3 労働組合等の意見聴取

裁判所は，再生手続開始の申立てがあった場合には，当該申立てを棄却すべ

---

[32] 追納命令は開始申立ての棄却可能性を前提とするものであるから（民再25①参照），開始決定後は，これを発することはできない。開始決定後の費用については，共益債権として支弁するのが本来であるが，必要があれば，民訴費用法12条1項にもとづく予納命令の可能性がある（条解民事再生規則39頁，条解民事再生法112頁〔重政伊利〕）。

[33] 申立てにもとづいて即日，再生手続開始決定がなされ，あわせて監督命令が発令された事例（大阪地決平成12・4・7金法1578号86頁等）は，事前相談が前提となっているものと思われる。現行法下の実務については，条解民事再生法162頁〔園尾隆司〕，民事再生の手引〈第2版〉116頁，［書式2-1-1〜2-1-6］，藤本利一ほか「〈座談会〉民事再生手続の再活性化に向けて（上）」NBL1109号27頁（2017年）参照。

ただし，事前相談において再生計画作成の見込み等について実質的判断がなされたり，そのことを前提として，民事再生に代えて破産などの清算型手続開始申立てが裁判所から慫慂されたりすることは，手続の本質的構造との関係で問題が指摘される（民事再生法逐条研究42頁）。最近の東京地裁破産再生部の運用では，事前相談を必要的なものとはせず，保全処分の発令内容や時期を把握するために必要な事項を記載した「再生事件連絡メモ」の提出および裁判所書記官による事情聴取を原則とし，特別の必要が認められる事件についてのみ事前相談を実施している。破産・民事再生の実務［再生編］40頁，150問39頁〔阿部弘樹〕，運用指針58頁。

また，メインバンク，主要取引先，従業員，スポンサー候補などに対する事前説明については，150問20頁〔柴原多〕，債権者側の視点からする対応については，150問62頁〔阿部信一郎〕が詳しい。

きことまたは再生手続開始の決定をすべきことが明らかである場合を除いて，当該申立てについての決定をする前に，労働組合等の意見を聴かなければならない（民再24の2）。事業の再生を図る上で，従業員や労働組合等の協力が重大な意義を持っていることを考慮したものである。なお，ここでいう労働組合等とは，従業者の過半数で組織する労働組合か，それに該当するものがない場合には，従業者の過半数を代表する者を指す（同かっこ書）。

4 再生手続開始申立ての取下げ

再生手続開始決定がなされ，その効力が生じると（民再33ⅠⅡ），全利害関係人のために手続が進行を開始するから，開始申立ての取下げは意味をもたない。これに対して，開始決定前は，申立ての取下げは制限されないのが原則である（民再32前段）。しかし，破産など他の手続の中止命令（民再26Ⅰ），包括的禁止命令（民再27Ⅰ），保全処分（民再30Ⅰ），担保権の実行手続の中止命令（民再31Ⅰ），監督命令（民再54Ⅰ）もしくは保全管理命令（民再79Ⅰ），否認権のための保全処分（民再134の4Ⅰ）または抵当権の実行手続の中止命令（民再197Ⅰ）が発令された後は，申立ての取下げには裁判所の許可を要する（民再32後段）。

これらの処分がなされたことは，開始決定にもとづいて生じる効力の全部または一部が前倒し的に生じ，利害関係人の権利行使が制約されることを意味するから，申立人の意思のみにもとづいて申立ての取下げを認めることは不合理だからである。加えて，いわゆる保全処分の濫用を抑止するためにも，取下げに裁判所の許可を要求する理由がある[34]。裁判所が申立ての取下げを許可するのは，自己破産申立ての前提として，再生手続開始申立てを取り下げる場合や，実質的に再生計画の内容と同様の合意が存在し，それを前提として，あえて再生手続の開始を求めないことについて全利害関係人の同意が存在する場合など，例外的な場合に限られる。

---

[34] 民事再生法32条の基礎となった旧会社更生法44条（現会更23）は，保全処分濫用論を意識した昭和42年改正によって追加されたものである（条解会更法（上）436頁）。しかし，管財人が必置とされる更生手続に比較すると，再生債務者が業務遂行権および財産管理処分権を保持することを原則とする再生手続においては（民再38Ⅰ），保全処分のみを利用し，申立てを取り下げることによって手続開始を回避しようとする濫用現象は少ないものと思われる。小海隆則「再生債務者の財産の保全」民事再生法の理論と実務（上）173頁参照。なお，条解民事再生法157頁〔園尾隆司〕では，債権者申立て事件では，債務者申立て事件と異なって，調査委員による調査が先行することから，取下げが制限される事案は多くないという。

第3項 再生手続開始決定前の中止命令および保全処分

開始決定によって再生手続が開始されても，再生債務者は業務遂行権および財産管理処分権を保持するが（民再38 I），その行使は，再生手続の機関として債権者に対して公平かつ誠実に行われなければならない（同 II）。また，業務遂行権および財産管理処分権の行使について，個別的制限を課される場合もある（民再41・42）。これに対応して，債権者についても，再生計画にもとづく集団的満足を実現するために，個別的権利行使や満足が制限される（民再85 I等）。しかし，開始決定前の段階であっても，再生手続開始申立てによって債務者の経済的危機が広く知られている以上，必要に応じて個別的権利行使を制限しなければ，再生手続の目的を実現することは期待できない。再生手続によらない自由な権利行使を認められる担保権であっても（民再53 II），その実質的利益を侵害しない限度において権利の行使を制限する必要も生じうる。再生債務者の側についても，開始決定前にその管理処分権などを制限することによって，再生手続の実効性を確保する必要性が認められる。

なお，この必要性を満たし，または再生手続の目的を実現するために再生手続開始前に裁判所が発令することが許される命令としては，他に，保全管理命令，監督命令および調査命令があるが，それぞれ再生手続の機関に関連して説明する（本書896，904，908頁）。また，再生債務者財産の増殖の手段である否認権行使の実効性を確保するための手段である否認権のための保全処分（民再134の4）の内容は，破産法のそれとほぼ同様であるから，本書171頁の記述に譲り，類似の目的を持つ，法人の役員の財産に対する保全処分（民再142）については，本書1025頁において説明する。

1 中止命令および包括的禁止命令（民再26・27～29）

債権者に認められた法律上の権利行使であっても，それが再生手続の目的と抵触し，かつ，再生手続によらせる方が債権者一般および再生債務者の利益に資すると認められる場合には，再生手続開始前の段階において，それらの権利行使を禁止または中止させ，開始決定の効果としての禁止または中止（民再39 I），さらに再生計画認可決定確定の効果としての失効（民再184本文）に接続させる必要がある。これが中止命令および禁止命令の趣旨である。

(1) 他の手続の中止命令等（民再26）

裁判所は、再生手続開始の申立てがあった場合において、必要があると認めるときは、利害関係人の申立てまたは職権で、再生手続開始申立てについて決定があるまでの間、以下の手続の中止を命じることができる（民再26Ⅰ柱書本文）。

中止命令の対象となるのは、第1に、再生債務者についての破産手続または特別清算手続である（同Ⅰ①）。その根拠となるのが、これらの手続に対する再生手続の優先性であることは、すでに説明したとおりである（本書130頁）。中止命令の効力については、破産手続を例にとれば、以下のように考えられる。すなわち、中止命令は、破産手続の進行を停止させる効力を有するにとどまり、破産手続開始決定の効力を失効させるものではない。このことは、強制執行等に対する中止命令と別に取消命令（同Ⅲ）が規定されているところからも明らかである。したがって、中止された破産手続が失効し、破産管財人がその権限を失うのは、再生計画認可の決定の確定の結果であり（民再184本文）、それまでは、破産手続開始決定や破産管財人の権限は、中止命令や再生手続開始決定の効力によって凍結されているものと解される[35]。

そして、中止命令の効力が生じたときには、破産管財人や破産手続の裁判所は、積極的に破産手続を進行させる行為、たとえば双方未履行双務契約の解除、担保権消滅許可申立て、否認権の行使などをすることは許されない。しかし、再生手続が開始される場合、または中止命令の取消し（民再26Ⅱ）などの事由によって破産手続が再び進行する場合に備えて、再生債務者（破産者）の財産を保全するための行為をすることは、破産手続に対する中止命令によって排除されるものではないと解すべきである。

第2に、再生債権にもとづく強制執行、仮差押えもしくは仮処分または再生債権を被担保債権とする留置権（商事留置権を除く）による競売手続（再生債権にもとづく強制執行等と呼ばれる）で、再生債務者財産に対してすでになされているものである（同Ⅰ②）。ただし、申立人である再生債権者に不当な損害を及ぼすおそれのない場合に限られる（同Ⅰ柱書但書）。強制執行などの手続による個別的満足が再生計画による集団的満足に置き換えられなければならないこと

---

[35] それに代わって、財産の管理処分等は、再生債務者や再生手続の保全管理人の権限に委ねられると解される。

は，再生債権者として受忍しなければならないところであるが，それ以外に再生債権者にとって特別な損害が発生するおそれのあるときには，中止命令を否定する趣旨である[36]。このようなおそれが存在しないことが中止命令発令のための加重要件とされているが[37]，事実の性質上，再生債権者の側に主張および立証の必要がある。なお，中止命令の対象から商事留置権にもとづく競売が除外されているのは，これが別除権の実行（民再53Ⅰ）とされるためである。

再生債務者財産に対する再生債権にもとづく強制執行等が中止命令の対象であるから，取戻権にもとづく引渡執行，共益債権（民再119・120ⅢⅣ）や一般優先債権（民再122Ⅰ）にもとづく強制執行，取締役の職務執行停止などの組織法上の仮処分（会社917参照），あるいは連帯債務者など第三者の財産に対する強制執行は，いずれも中止命令の対象とならない。

第3は，再生債務者の財産関係の訴訟手続であり（民再26Ⅰ③），第4は，再生債務者の財産関係の事件で行政庁に係属しているものの手続である（同④）。これらは，開始決定にもとづく訴訟手続等の中断に対応するものであり，個人である再生債務者の身分関係にかかる訴訟手続などは中止の対象とならない。株主総会決議取消しの訴え（会社831）なども同様であるが，決議の内容が財産関係にかかわるときには，中止の余地がある[38]。

第5は，共助対象外国租税の請求権にもとづく外国租税滞納処分で再生債権にもとづく手続である。外国租税滞納処分は，共助の対象となる外国租税等の請求権の実行のために国税滞納処分の例によって行うものであるが（租税約特11。本書77頁参照），すでにされている外国租税滞納処分も再生手続開始によって失効すること（民再39Ⅰ）を反映して，中止命令の対象としている（民再26Ⅰ⑤）。なお，強制執行等に対する中止命令の場合と同様に，外国租税滞納処分を行う者に不当な損害を及ぼすおそれがない場合に限る（民再26Ⅰ柱書但書）。

中止命令申立権者は，開始決定後の手続の遂行に利害関係または職務上の関

---

36) 緊急に強制執行をしなければ再生債権者自らが倒産するおそれなどが例としてあげられる。中止命令の書式および強制執行を停止するための手続などについては，民事再生の手引〈第2版〉79頁，［書式2-4-1］参照。
37) 花村91頁は，旧会社更生法37条1項但書に関する有力な解釈を前提として，このような立法の決断がされたとする。
38) 小海・前掲論文（注34）192頁，東條敬「倒産法における保全処分」新・実務民事訴訟講座（13）53頁は反対。

係をもつ者であり，再生手続開始申立人，再生債務者，再生債権者の他に，監督委員や保全管理人も含まれる。中止命令発令の要件は，裁判所が必要があると認めることであるが，具体的には，開始決定まで当該手続を進行させると，再生手続の目的達成が困難になることを意味する[39]。

　中止に関する裁判は，口頭弁論を経ないですることができ（民再 8 I），決定の形式でなされる。裁判所は，職権で，必要な調査をすることができる（同 II）。また，裁判所は，中止命令を変更し，または取り消すことができる（民再 26 II）。さらに，再生債務者の事業の継続のために特に必要であると認めるときは[40]，再生債務者または保全管理人の申立てによって，担保を立てさせて再生債権にもとづく強制執行等の取消しを命じることができる（同 III）。

　中止命令，中止命令変更または取消決定，および強制執行等取消命令に対しては，即時抗告をすることができるが（同 IV），即時抗告は執行停止の効力を持たない（同 V）。これに対して中止命令申立却下決定に対しては，不服申立てが許されない（民再 9 前段参照）。即時抗告の対象となる裁判，および即時抗告についての裁判の決定書は，当事者[41]に送達しなければならない（民再 26 VI）。ただし，公告をもって送達に代えることができる（民再 10 III 本文）。

　以上に述べた中止命令は，再生手続開始の申立てについて決定があるまでの間その効力をもつものであるから，決定がなされ，または決定がなされる可能性が消滅すると，中止命令も失効する。再生手続開始決定，開始申立却下または棄却決定および開始申立ての取下げがこれにあたる。ただし，再生手続開始決定の場合には，開始決定にもとづく中止の効力が代わって生じる（民再 39 I）。また，開始申立却下または棄却決定に対して即時抗告が提起された場合には，新たに中止命令発令の可能性がある（民再 36 II）[42]。

---

39) したがって開始決定に至る見込みがないことが明らかであれば，必要性の要件に欠けるが，再生の見込みがあることが必要性の要素をなすものではない。

40) 原材料や仕掛品に対する差押えのように，それを取り消して目的物を再生債務者が用いなければ，事業の継続が不可能になるような場合が想定される（花村 92 頁，松下・入門 26 頁，概説 408 頁）。

41) 当事者としては，中止命令申立人，申立人でない再生債務者またはこれに代わる破産管財人等，中止される手続（民再 26 I ②〜④）の相手方当事者が考えられる（花村 94 頁）。

42) 小海・前掲論文（注 34）192 頁。

(2) 再生債権にもとづく強制執行等の包括的禁止命令（民再27）

手続開始前に債権者によって行われる個別的権利行使を抑止するための手段としては、それぞれの権利行使に対する中止命令（民再26、破24、会更24、会社512）が設けられる。しかし、多数の債権者が多様な資産に対して強制執行を試みるような事例を想定すると、抑止の実効性を確保するためには、対象財産、手続、または時期を問わず、権利行使を一律に禁止すべきであるとの考え方が存在する。アメリカ法にみられる手続開始申立ての効果としての自動停止は、これを代表するものであり[43]、民事再生法の立案段階では、その導入を求める意見も有力であった。しかし、その濫用を危惧する声も大きく、自動停止のもつ利点に配慮しつつ、厳格な要件を設けて、裁判所の判断を介在させることによって、濫用に対する危惧を払拭したものである[44]。

ア　包括的禁止命令の発令

包括的禁止命令は、再生手続開始申立てから申立てについての決定があるまでの間に行われる再生債務者財産に対する再生債権にもとづく強制執行等を対象とするものであり、利害関係人の申立てまたは職権にもとづいて発令される（民再27Ⅰ）。外国租税滞納処分も同様である（同）。

包括的禁止命令発令の要件は、第1に、中止命令（民再26Ⅰ）によっては再生手続の目的を十分に達成することができないおそれがあると認めるべき特別の事情があることである（民再27Ⅰ本文）。特別の事情の例としては、広い地域にわたって多数の資産を有する再生債務者について多数の個別執行がされ、またされることが予測されるときに、個別的に中止命令をえるのでは事務量が膨大なものになり、事業の継続が困難になって、再生手続の目的を達成しがたい場合などがあげられるが[45]、特別の事情を判断する基準としては、目的財産の包括性、債権者の包括性および対象手続の包括性という、包括的禁止命令の3つの特徴を考慮すべきである。上記の例は、目的財産の包括性と債権者の包括性を重視したものであるが、預金債権など重要な資産に対する差押えなどが予測され、それが事業の継続に重大な影響を与えるおそれが認められるときにも、

---

[43] 髙木新二郎・アメリカ連邦倒産法59頁（1996年）など参照。
[44] 自動停止と比較した包括的禁止命令の特色については、民事再生法逐条研究44頁、新注釈民事再生法（上）129頁〔髙木裕康〕参照。
[45] 民事再生法逐条研究45頁、新注釈民事再生法（上）130頁〔髙木裕康〕参照。

特別の事情の存在を肯定する余地がある[46]）。

　包括的禁止命令発令の第2の要件は，事前にまたは同時に，再生債務者の主要な財産に関して保全処分（民再30Ｉ）がなされていること，または監督命令（民再54Ｉ）もしくは保全管理命令（民再79Ｉ）が発令されていることである（民再27Ｉ但書）。包括的禁止命令は，その効果として再生手続の目的を達成するために再生債務者の総財産を包括的に個別執行から隔離するものであり，再生手続開始決定の効果の前倒しを意味するから，それによってかえって再生債権者の利益が損なわれることがあってはならない。保全処分などによって再生債務者財産が保全されることを要件とするのは，このような理由によるものである。

　包括的禁止命令は，すでに開始されているものおよび将来に開始を予想される強制執行等全体について執行障害事由となる。したがって，再生債権にもとづいて再生債務者財産に対して行われている強制執行等は，当然に中止される（民再27Ⅱ）。外国租税滞納処分も同様である（同）。

　イ　包括的禁止命令に関する手続

　包括的禁止命令の変更または取消し（民再27Ⅲ）や中止された強制執行等や外国租税滞納処分の取消し（同Ⅳ）が認められること，また，包括的禁止命令，包括的禁止命令変更または取消決定および強制執行等取消命令に対する即時抗告（同Ⅴ）が許されること，ならびに即時抗告が執行停止の効力を有しないことは（同Ⅵ），他の手続の中止命令等（民再26）と同様である。

　包括的禁止命令申立却下決定は，相当と認める方法で申立人に告知されるが（民再18，民訴119），包括的禁止命令および包括的禁止命令変更または取消決定は，利害関係人に重大な影響を与えるところから，公告され[47]，かつ，その裁判書を再生債務者（保全管理人が選任されている場合には，保全管理人）および申立人に送達し，決定の主文を知れている再生債権者および再生債務者（保全管

---

[46]　具体例および書式については，条解民事再生法134頁〔永石一郎〕，民事再生の手引〈第2版〉82頁，〔書式2-4-2〕，運用指針111頁参照。実務上では，特定の再生債権者に対する，または特定の財産を対象とした包括的禁止命令も許されるとされている。新注釈民事再生法（上）132頁〔髙木裕康〕。ただし，東京地裁の運用は，特定の再生債権者については消極である。破産・民事再生の実務［再生編］79頁。

[47]　実務上は，再生手続開始決定までの期間が短いことなどから，公告がなされない例があるといわれる。新注釈民事再生法（上）135頁〔髙木裕康〕。

理人が選任されている場合）に通知しなければならない（民再28Ⅰ）。通知は，相当と認められる方法によるから（民再18，民訴3，民訴規4），普通郵便のほか，電話，ファクシミリなどによって行うことができる。また，再生債務者または保全管理人，および申立人に対する決定書の送達については，公告をもってこれに代えることは許されず（民再10Ⅲ但書），送達は民事訴訟法の規定（民訴第1編第5章第4節）にしたがって行われる（民再18）。

包括的禁止命令および包括的禁止命令変更または取消決定の効力は，再生債務者に対する裁判書の送達がなされた時から生じる（民再28Ⅱ）。包括的禁止命令などの効力を各利害関係人への告知にかからせ（民訴119），効力発生の時点が各別となることは，包括的禁止命令制度の趣旨と調和しないので，再生債務者への送達を基準時として，一律に効力を生じさせるものである[48]。他方，包括的禁止命令は，再生手続開始決定，再生手続開始申立却下または棄却決定，開始申立ての取下げによって失効する。ただし，再生手続開始申立却下または棄却決定に対する即時抗告がなされた場合には，なお包括的禁止命令申立ての余地がある（民再36Ⅱ・27～29）。

強制執行等の取消命令（民再27Ⅳ）および即時抗告（同Ⅴ）についての裁判は，その決定書を当事者に送達しなければならない（民再28Ⅲ）[49]。なお，即時抗告にもとづいて包括的禁止命令を変更し，または取り消す決定は，公告および送達がなされるので（同Ⅰ），3項にもとづく送達の対象から除外される（同Ⅲかっこ書）。

　ウ　包括的禁止命令の解除

包括的禁止命令は，再生の基礎となる再生債務者財産を維持しようとするものであり，その発令にあたっては，再生手続の目的達成にとっての必要性のみが判断の対象となる。しかし，禁止の対象となる強制執行等の申立人たる再生債権者にとって禁止命令によって不当な損害を生じるおそれが認められるときには，当該再生債権者の申立てによって，その者に限って，包括的禁止命令を解除することができる（民再29Ⅰ前段）。外国租税滞納処分についても同様であ

---

[48]　その結果として，再生債権者に対する決定主文送達前に執行禁止の効力を生じる可能性があるが，すでに決定書の送達を受けた再生債務者または保全管理人がその効力を主張することが期待されるから，不相当に執行手続が進行するおそれはない（花村102頁）。

[49]　送達代用公告の規定（民再10Ⅲ本文）は，適用されうるが，裁判の性質を考えると，送達を行うことが望ましい場合が多いと思われる。花村103頁参照。

る（同）。解除の申立てをすることができる再生債権者は、禁止命令前に強制執行等の申立てをした者だけではなく、解除後に強制執行等をしようとする者を含むが、その者は、まず強制執行等の申立てをした上で解除の申立てをしなければならない[50]。

禁止が解除された再生債権者は、強制執行等（民再27Ⅱ）を開始することができ（民再29Ⅰ後段前半部分）、また禁止の効果として中止された強制執行等を続行する（同後半部分）。外国租税滞納処分についても同様である（民再29Ⅰ後段）。

解除の申立てについての裁判に対しては、再生債務者、保全管理人または解除の申立てをした再生債権者が即時抗告をできるが（民再29Ⅲ）、即時抗告は執行停止の効力を有しない（同Ⅳ）。解除の申立てについての裁判、および即時抗告についての裁判の決定書は、当事者に送達される。この送達については、送達代用公告の規定（民再10Ⅲ本文）は適用しない（民再29Ⅴ）。

解除の要件である不当な損害とは、強制執行等の中止命令の場合（民再26Ⅰ柱書但書）と同様に、再生計画による集団的満足を受忍する以上に、再生債権者の側に重大な不利益が生じることを意味する。強制執行等を実施しなければ、再生債権者の側が倒産するおそれがある場合などがこれにあたる[51]。不当な損害が生じるおそれについては、解除申立人が主張および立証をしなければならない。

解除の効果は、申立人たる再生債権者について属人的に生じる。したがって、その者は、包括的禁止命令発令前の強制執行等を続行できるにとどまらず、新たに強制執行等を申し立てることができるが、新たな強制執行等に対しては、中止命令（民再26Ⅰ②）の可能性がある。また、当該再生債権者について禁止が解除されたからといって、他の再生債権者が同一目的物について強制執行等を実施できるものではない。

---

50) 松下淳一「保全処分」民事再生法——理論と実務（金商増刊1086号）80頁、小海・前掲論文（注34）200頁。これに対して花村105頁は、解除の決定を受けた上で強制執行等の申立てをする意思を有している再生債権者を意味するとする。

51) したがって、必ずしも再生計画による集団的満足を強制されない、中小企業者の再生債権（民再85Ⅱ）や少額再生債権（同Ⅴ）については、債権の属性自体を解除の判断要素とすることが許される（花村106頁）。

エ　包括的禁止命令と時効

包括的禁止命令が発せられたときは，再生債権については，当該命令が効力を失った日の翌日から2月を経過する日までの間は，時効は完成しない（民再27Ⅶ）。再生債権にもとづく強制執行等が禁止され，時効の完成猶予のための措置（民148Ⅰ・149）をとることができないため，命令失効から2月を経過するまで時効の完成を猶予する趣旨である。包括的禁止命令の効力が失われる事由としては，職権による取消し（民再27Ⅲ），即時抗告による取消し（同Ⅴ），あるいは再生手続開始申立てについての決定などがある。また，ある再生債権者について包括的禁止命令が解除されたときは，当該再生債権者については，命令失効の日が解除決定の日に読み替えられる（民再29Ⅱ）。解除決定後は，当該再生債権者は差押えなどによって消滅時効の完成猶予の効果をえられるからである。

2　仮差押え，仮処分その他の保全処分（民再30）

強制執行等に対する中止命令や包括的禁止命令は，再生債権者からの個別的権利行使を抑止し，再生債務者財産を保全することを目的とする。これに対して仮差押え，仮処分その他の保全処分は，再生手続開始申立てからそれについての決定がなされるまでの期間について再生債務者の管理処分権行使を制限し，その財産を保全することを目的とする。再生手続上の保全処分は，倒産保全処分の一種として，破産手続上の保全処分（破28）や会社更生手続上の保全処分（会更28）と基本的な考え方を共通にする。

(1)　保全処分の内容および発令手続

裁判所は，再生手続開始の申立てがあった場合には[52]，開始申立人，再生債務者，再生債権者などの申立てによってまたは職権で，開始申立てについて決定があるまでの間，再生債務者の業務および財産に関し，仮差押え，仮処分その他の必要な保全処分を命じることができる（民再30Ⅰ）。典型的な保全処分の例としては，弁済禁止保全処分などが考えられる[53]。旧破産法の下では，強

---

[52] 実際には，開始申立てと保全処分申立てが同時になされることがほとんどである。これらの保全処分の具体的内容については，小海・前掲論文（注34）180頁，民事再生の手引〈第2版〉46，49頁，［書式2-2-1］，［図表2-2-1］，150問46頁〔廣田善康〕，406頁参照。

[53] 破産における保全処分（破28Ⅰ）の場合には，弁済禁止と並んで，財産の処分禁止が典型的なものとして想定されるが，再生手続においては，開始申立後も事業などの継続が

制執行等の中止を命じる保全処分や否認権行使を前提とする第三者に対する処分禁止の仮処分などが議論されたが，民事再生法では，破産法と同様に，前者については，強制執行等に対する中止命令（民再26Ⅰ②）が，後者については，否認権のための保全処分（民再134の4Ⅰ）が設けられている[54]。再生手続開始決定があったときに，否認権限を有する監督委員または管財人が保全処分にかかる手続を続行する場合の規律（民再134の5）も，破産法172条について述べたところ（本書173頁）と同様である。

　裁判所は，保全処分の発令に際して，その必要性を判断する。必要性の判断

　　予定されるために，財産の処分に関しては，監督命令（民再54Ⅰ）において，財産の処分や金銭の借入れについて，監督委員の同意をうることを要するものとする（同Ⅱ）ことが通常である。新注釈民事再生法（上）141頁［髙木裕康］，松下・入門29頁，民事再生の手引〈第2版〉58頁。東京地裁および大阪地裁における定型的保全処分については，条解民事再生法143頁〔永石一郎〕，破産・民事再生の実務［再生編］81頁，運用指針82頁参照。ただし，債権譲渡の通知（民467Ⅰ）や債権譲渡登記の申請（動産債権譲渡特8Ⅱ）を禁じる保全処分は，処分禁止の保全処分の1つとして考えられる。保全処分に違反してなされた通知や登記申請は，その効力を否定される。運用指針87頁参照。

　　また，弁済禁止の対象外とされた債務，たとえば保全処分発令日以降に生じた債務については，再生債務者がこれを支払うことができるが，いったん再生手続が開始されれば，再生債権としての弁済禁止の効果（民再85Ⅰ）が生じることには変わりはないので，弁済が完了しない場合には，共益債権化の許可または承認（民再120ⅠⅡ）をうる必要がある。条解民事再生法615頁〔清水建夫＝増田智美〕。

　　なお，商取引債権を弁済禁止保全処分の対象外とすることも考えられるが，東京地裁破産再生部では，開始申立てから開始決定までの期間が短いことから法85条5項後段の問題とすれば足りることを反映して，包括的に対象外とする取扱いはしていない。民事再生の手引〈第2版〉52頁，運用指針84，89頁参照。ただし，申立時に必要が認められるときは，弁済禁止の除外債権が増加される場合があり，申立後に必要となったときは，弁済禁止保全処分の一部取消しがなされる場合がある。同53頁，［書式2-2-2］。実例を紹介するものとして，千葉恵介「弁済禁止の保全処分の例外」事業再生と債権管理156号18頁（2017年）がある。非金銭債務の取扱いについて，運用指針85頁参照。

　　また，産業競争力強化法平成30年改正60条にもとづいて，あらかじめ事業再生ADRなど私的整理の手続実施主体の確認を経た商取引債権を弁済禁止保全処分の対象から除外する可能性が認められた。本書50頁参照。

54）　その趣旨および手続構造は，破産について述べたところとほぼ同様である（本書171頁）。なお，再生債務者および監督委員の申立権については，議論がある。基本構造431，432頁。監督委員については，再生手続開始前に否認権行使権限を付与できないこと（民再56Ⅰ参照）との関係が問題となる。

　　なお，弁済禁止保全処分の効力は，再生手続開始後はその効力（民再85Ⅰ）に吸収される。ただし，最判平成20・12・16民集62巻10号2561頁〔倒産百選77事件〕における田原睦夫裁判官の補足意見では，やや異なった考え方が示されている。ニューホライズン437頁参照。

は，再生手続の目的を達するために特定内容の保全処分が必要かどうかにかかるが，実質的には，再生の見込みの判断と関係する。旧和議手続においては，和議成立の見込みを疎明させるために，和議条件の提示，およびそれに対する一定数以上の債権者の同意を条件として保全処分を発令するとの実務慣行が存在した。しかし，再生手続においては，開始申立時に再生計画案を提示することは必要ではなく，また，再生手続開始の条件についても，再生計画案作成等の見込みがないことが明らかなときとされているから（民再25③），再生手続開始申立書（民再規12・13），添付書類（民再規14），保全処分発令申立書などから，再生計画案作成等の見込みがないことが明らかでない限り，直ちに保全処分を発令することが望ましい[55]。

裁判所はいったん発令した保全処分を変更し，または取り消すことができる（民再30Ⅱ）。保全処分およびその変更または取消決定に対しては，即時抗告ができるが（同Ⅲ），即時抗告には執行停止の効力がない（同Ⅳ）。保全処分および保全処分変更または取消決定ならびに即時抗告についての裁判があった場合には，その裁判書が当事者に送達される（同Ⅴ前段）。送達を受ける当事者は，再生債務者など特定の者であるので，公告をもって送達に代える（民再10Ⅲ本文）ことは許されない（民再30Ⅴ後段）。保全処分の効力は，再生手続開始の申立てについて決定があるまでの間に限られ，したがって，開始決定，開始申立却下または棄却決定，開始申立取下げによって失効することは，中止命令および包括的禁止命令の場合と同様である。

なお，再生債務者財産（再生債務者が有する一切の財産をいう）に属する権利で登記がされたものに関し仮差押えや仮処分などの保全処分（民再30Ⅰ・36Ⅱ）があったとき，登記のある権利に関し否認権のための保全処分（民再134の4Ⅰ Ⅶ）または法人の役員の財産に対する保全処分（民再142ⅠⅡ）があったときには，裁判所書記官は，職権で，遅滞なく，当該保全処分の登記を嘱託しなければならない（民再12Ⅰ）。処分禁止の効果を公示し，取引の安全を図るための

---

[55] 小海・前掲論文（注34）178頁では，申立書や添付書類の審査に加えて，申立てや関係人の審尋を行い，申立てから1週間程度の間に保全処分が発令されるとする。もちろん，事案の性質によることであり，過度の一般化は避けるべきであるが，一応の審査の結果として再生計画案作成等の見込みがないことが明らかでない限り，直ちに保全処分を発し，速やかに開始決定についての裁判を行うことが望ましい（破産・民事再生の実務［再生編］81頁）。

措置である。これらの保全処分の変更もしくは取消しがあった場合または効力を失った場合も，同様である（同Ⅱ）。

  (2) 弁済禁止保全処分に反する弁済等の効力（民再30Ⅵ）

  保全処分の内容として弁済その他の債務を消滅させる行為が禁止されたにもかかわらず，再生債務者がこれに反して弁済等の行為をなした場合に，再生債権者は，再生手続の関係においては，その効力を主張することができない（民再30Ⅵ本文）。ただし，当該再生債権者が行為の当時，保全処分について悪意であったときに限られる（同但書）[56]。悪意の証明責任は，返還請求をする再生債務者等の側にある。弁済等は，再生手続の関係において無効とされるものであるから，再生手続が開始されなければ，弁済は有効である[57]。

3 担保権の実行手続の中止命令（民再31）

  再生債務者財産上の担保権実行としての競売のうち，民事留置権にもとづく競売は，強制執行等の中止命令の対象となるが（民再26Ⅰ②），商事留置権，特別の先取特権，質権または抵当権にもとづく競売は，別除権の実行とみなされ，再生手続開始の前後を問わず，制限を受けないのが原則である（民再53ⅠⅡ）。しかし，これらの担保権の目的物となっている財産が事業の再生等にとって不可欠な場合もあり，別除権の目的物の受戻し（民再41Ⅰ⑨）や担保権消滅許可（民再148）などによって目的物を再生のために利用できる可能性もある[58]。立法者は，このような可能性を考え，開始決定の前後を通じて担保権の実行手続の中止を命じうるものとした（民再31）。

---

[56] 従来から破産手続上や会社更生手続上の弁済禁止保全処分の効力に関して解釈論として説かれてきたところを（本書159頁）立法化したものである。

[57] 開始後に手続が廃止されれば（民再191〜194），弁済の無効を主張する余地はなくなる。ただし，引き続いて破産手続が行われるときは（民再249以下），破産手続との関係でも無効とすべきである（松下・前掲論文（注50）78頁）。

[58] したがって，目的物は，再生債務者財産に属するものでなければならず，第三者が再生債務者のために物上保証をしている財産は含まれない（福岡高決平成18・2・13判時1940号128頁）。もっとも，再生手続開始の時において再生債務者財産に属する担保目的物であって（民再53Ⅰ），その後に再生債務者等による任意売却などによって再生債務者財産に属しないこととなったものについては，別除権が認められるから（同Ⅲ），中止命令の対象から当然に除外されるとはいえないが，特段の事情が存在しない限り，再生手続遂行のために担保権の実行を中止する必要性が否定されよう。新注釈民事再生法（上）148頁〔三森仁〕。

(1) 中止命令の要件

中止命令発令の要件は，再生手続開始の申立てがあったことを前提として，第1に，担保権実行手続中止が再生債権者一般の利益に適合することである（民再31Ⅰ本文）。これは，担保権実行手続を中止させることによって事業の維持再生が可能になり，その結果として生まれる収益の配分が，再生債務者の資産を解体清算した場合の配当を上回ることを意味する。ただ，別除権協定の締結によって再生債務者財産の増殖が期待できるときなどは，当該財産の維持自体が再生債務者の事業に不可欠といえなくとも，再生債権者一般の利益にかなうというべき場合もあろう。

第2の要件は，競売申立人に不当な損害を及ぼすおそれがないものと認められることである（同本文）。競売申立人たる担保権者は，被担保債権の範囲で目的物の担保価値を優先的に把握している。したがって，中止期間内の目的物の減価などによって優先弁済権が実質的に侵害されるときは，不当な損害を及ぼすおそれが存在する。裁判所としては，目的物が十分な担保余力を持つか，減価のおそれがないと認められる場合に限って，中止命令を発令すべきである[59]。第3の要件としては，被担保債権は再生債権でなければならない（同但書）。被担保債権が共益債権または一般優先債権であるときには，手続によらない随時弁済が再生債務者等に義務づけられているところから（民再121Ⅰ・122Ⅱ），これらを被担保債権とする担保権の実行としての競売を中止させることは不適当と判断されたためである[60]。

---

[59] 不当な損害概念は，強制執行等の中止命令（民再26Ⅰ柱書但書）や包括的禁止命令（民再29Ⅰ前段）の場合にも用いられているが，担保権実行中止命令の場合には，担保権者が本来再生手続によらない権利行使を保障されていることをも考慮すべきであろう（松下・前掲論文（注50）81頁）。詳細については，新注釈民事再生法（上）158頁〔三森仁〕，伊藤眞「集合債権譲渡担保と民事再生手続上の中止命令」谷口古稀452頁，中森亘ほか「〈パネルディスカッション〉再生手続における担保権の取扱い——中止命令と担保権消滅請求制度への提言を中心に」事業再生と債権管理140号42頁（2013年）参照。集合債権譲渡担保の実行に対する中止命令の場合には，別除権協定（本書991頁）の成立を予定し，取立金を分別管理させる実務がとられている。森純子「民事再生手続における集合債権譲渡担保の実行中止命令について」高橋古稀1385頁。

[60] 唯一の例外は，再生債務者が他に換価の容易な財産を十分に有することを要件とする，一般優先債権を被担保債権とする一般の先取特権の実行の中止または取消しであるが（民再121Ⅲ・122Ⅳ），これも再生手続開始後に限られる。

(2) 中止命令の手続

中止命令は，再生手続開始申立人，再生債務者等または保全管理人，再生債権者などの利害関係人の申立てにより，または職権にもとづいて発令される。命令の内容は，相当の期間[61]にわたる別除権たる担保権実行としての競売手続の中止である（民再31Ⅰ本文）。相当の期間とは，再生債務者等が担保権者と交渉し，目的物の取扱いについて和解などによる解決を図るための時間的猶予を意味する。

中止命令を発するにあたっては，裁判所は，競売申立人の意見を聴かなければならない（同Ⅱ）。意見を聴かないままに発令された中止命令は違法である[62]。また，裁判所は，中止命令を変更し，または取り消すことができる（同Ⅲ）。中止命令および変更決定に対しては，競売申立人に限って即時抗告ができる（同Ⅳ）。即時抗告には，執行停止の効力がない（同Ⅴ）。変更決定や取消決定に対する再生債務者等からの即時抗告が認められないのは，中止命令申立却下決定に対する即時抗告が認められないのと同様に，担保権者の利益を重視したためである。

中止命令，変更決定，および即時抗告についての裁判の裁判書は，当事者に送達され，公告をもって送達に代えることはできない（同Ⅵ）。

(3) 中止命令の効力

中止命令は，担保権実行についての一時停止文書（民執183Ⅰ⑥・192・193Ⅱ）に該当し，これが提出されることによって競売手続が中止する。この中止命令は，強制執行等の中止命令や包括的禁止命令と異なって，再生手続の開始申立てについての決定があるまでの期間を対象とするものではなく，開始決定があっても相当の期間が経過するまでは失効しない。もちろん，開始申立却下または棄却決定が確定したり，再生手続廃止決定が確定したりすれば別である。

---

61) 東京地裁では，3ヵ月と定めることが多く，また，1～2ヵ月程度と定めた上で，伸張を検討することもある。民事再生の手引〈第2版〉86頁，［書式2-4-3］参照。中止命令に対する即時抗告の棄却につき抗告の許可がされた事案で，期間経過によって中止命令が失効しているため抗告の利益がないとして却下した最決平成14・9・27実情132頁，中止命令の申立てを却下した原決定について抗告の許可がされた事案で，中止命令が定めた期間の経過によって抗告の利益がないとして却下した最決平成15・4・11実情162頁がある。
62) 東京高判平成18・8・30金商1277号21頁（不受理決定として最決平成19・9・27金商1277号19頁）。

(4) 競売手続以外の担保権実行手続に対する適用または類推適用可能性

民事再生法立法当初においては，中止命令の対象は，「担保権の実行としての競売の手続」とされていたが，現在では，「担保権の実行手続」とされている。この文言からすれば，競売手続以外の担保権実行手続に対しても，中止命令発令の余地が認められると解されるが[63]，他方，中止命令の要件の1つとしては，「競売申立人に不当な損害を及ぼすおそれがないものと認めるとき」と規定され，中止命令の対象は，依然として担保権実行としての競売に限定されるとの解釈もありうる。したがって，競売手続以外の担保権実行手続に対して中止命令を発しうるかどうかは，解釈問題に属するが，抵当権や動産売買先取特権にもとづく物上代位としての債権差押えが対象に含まれることは，ほぼ異論なく承認されている[64]。

さらに，担保権実行に対する中止命令の規定が，譲渡担保あるいは所有権留保などの非典型担保に類推適用されるかどうかについては，考え方が分かれる[65]。規定の趣旨を考えれば，非典型担保の目的物についても，これを事業再生等のために役立てる必要がありうることは，典型担保の場合と同様であるし，また，非典型担保権者といえども，その権利の本質は担保権に他ならないことを考えれば，類推適用をまったく否定する理由はない[66]。他方，実行および中

---

63) 担保不動産収益執行（民執180②）も含まれうる。概説413頁。
64) 新注釈民事再生法（上）150頁〔三森仁〕，破産・民事再生の実務［再生編］89頁，倒産・再生訴訟454頁〔片山健〕，運用指針115頁。動産売買先取特権にもとづく物上代位について，京都地決平成13・5・28判タ1067号274頁（ただし，中止命令申立て否定），抵当権にもとづく物上代位について，大阪高決平成16・12・10金商1220号35頁（ただし，中止命令申立て否定）。また，抵当権にもとづく賃料債権への物上代位のように，典型担保の実行ではあるが，法31条1項がいう競売申立てに属さないものも問題となる（民事再生法逐条研究48頁参照）。
65) 旧会社整理における競売手続中止命令（商旧384）に関して，新版注釈会社法（12）162頁〔青山善充〕，現行法下の積極説として，条解民事再生法148頁〔高田裕成〕，破産・民事再生の実務［再生編］89頁，倒産・再生訴訟380頁〔松下祐記〕，150問220頁〔小笹勝章〕参照。消極説として，西謙二「民事再生手続における留置権及び非典型担保の扱いについて」民訴雑誌54号70頁（2008年）がある。

下級審裁判例（前掲東京高判平成18・8・30（注62），大阪高決平成21・6・3金商1321号30頁［倒産百選60事件］，福岡高那覇支決平成21・9・7判タ1321号278頁）も，類推適用の可能性を認め，実務（東京地裁民事第20部および大阪地裁第6民事部）では，集合債権譲渡担保などについて類推適用を前提とした運用を行っている。倒産と訴訟366頁〔池上哲朗〕，民事再生の手引〈第2版〉88頁，［書式2-4-4］，森・前掲論文（注59）1377頁，民事再生の実務84頁〔千賀卓郎〕。

止手続が法定されている競売手続と比較すると，非典型担保の実行手続には多

66) ファイナンス・リース契約にもとづくリース会社の権利を別除権とすることを前提にすれば（大阪地決平成 13・7・19 判時 1762 号 148 頁〔倒産百選 62 事件〕，東京地判平成 15・12・22 判タ 1141 号 279 頁），中止命令の適用には類推適用が考えられるが，リース会社の担保権実行が目的物の取戻し後の清算完了まで継続するとみられるかどうかという問題がある。新注釈民事再生法（上）153 頁〔三森仁〕，遠藤元一「リース契約における倒産解除特約と民事再生手続（上）」NBL 893 号 18 頁（2008 年）。目的物の価値がリース会社に確定的に帰属する時点という意味で，清算通知・処分時説が妥当である。印藤弘二「ファイナンス・リースに対する民事再生手続上の中止命令の類推適用について」田原古稀（下）566 頁。リース会社による解除前の中止命令の可否についても，同論文 574 頁参照。清算金が発生しない場合の取扱いについては，ニューホライズン 227 頁参照。
　その他，集合物譲渡担保に対する中止命令の可能性について，新注釈民事再生法（上）155 頁〔三森仁〕，松下・入門 102 頁，150 問 204 頁〔籠地信宏〕参照。もっとも，集合債権譲渡担保のように，再生債務者の事業の状況によって担保目的物の価値が変動する場合には，担保権者に対して不当な損害を及ぼすおそれの判断に際して，再生債務者の事業が継続し，担保目的物が補充されることに高度の蓋然性が認められるとき，また，その蓋然性が認められないときには，目的物についての再生債務者の処分を認めないことを条件として中止命令を発するなどの措置を執ることが必要になる。伊藤・前掲論文（注 59）459 頁。このような措置を執らなかった中止命令が違法とされた例として，前掲東京高判平成 18・8・30（注 62）（原審東京地判平成 16・2・27 金法 1722 号 92 頁〔倒産百選〈第 4 版〉A8 事件〕）がある。
　東京地裁および大阪地裁の実務でも，中止命令発令の条件として，再生債務者が回収した金員を運転資金等に費消することを認めず，別途保管することを誓約する旨の上申書提出を求める運用がなされている。倒産と訴訟 373 頁〔池上哲朗〕，倒産・再生訴訟 458 頁〔片山健〕，藤本ほか・前掲座談会（注 33）33 頁〕参照。また，実行概念との関係で，譲渡担保権者が，第三債務者に対し自らへの支払いを求める実行通知を発することによって，対象債権が確定的に譲渡担保権者に帰属して実行が完了し，それ以後の中止命令の可能性はないと考えられるが（内田貴「倒産と非典型担保」倒産法の実践 103 頁），異なった考え方もある。山本克己「集合債権譲渡担保と再生法上の実行中止命令——解釈論的検討」事業再生と債権管理 140 号 20 頁（2013 年），中森ほか・前掲パネルディスカッション（注 59）37 頁。
　実行通知前の中止命令の可否についても，同 40 頁，森・前掲論文（注 59）1382 頁参照。更生手続と異なって，担保権の実行が包括的禁止命令の対象とされない再生手続においては（民再 27 I，会更 25 I 参照），一般的に担保権実行の事前禁止の余地を認めることは困難であるが，債権譲渡担保のように，第三債務者に対する通知と同時に実行が終了するような場合には，失期事由の発生など，実行の蓋然性が高まった段階を実行と同視することも許されよう。
　なお，担保権者に対する審尋については，まず 1 カ月程度の短期間を定めた中止命令を発令した後に審尋を行い，担保権に生じうべき不当な損害について判断した上で，それが認められなければ，期間を延長した中止命令を発令するという，いわゆる 2 段階方式がとられているという。伊藤眞「集合債権譲渡担保と民事再生手続上の中止命令」谷口古稀 459 頁，民事再生の手引〈第 2 版〉89 頁，倒産と訴訟 375 頁〔池上哲朗〕，中森ほか・前掲パネルディスカッション（注 59）49 頁，ニューホライズン 439 頁，森・前掲論文（注 59）1386 頁，運用指針 118，120 頁。これを踏まえた立法提言として，判例・実務・改正

様なものがあり，中止命令がどのような法律効果をもつのかについても，一義的に確定しがたいという問題がある[67]。もっとも，譲渡担保権の実行として担保権者が処分のために目的物の引渡を求める訴えを提起したときに，中止命令の存在が引渡請求権の行使を阻止する効果をもつとの構成をすることも可能であるから，結論としては，類推適用を肯定するべきである。

第4項　再生手続開始決定

適法な申立権者から申立てがなされ，その者が主張することができる手続開始原因の存在が証明され，かつ，手続開始の条件が満たされているときには，裁判所は，再生手続開始をなす（民再33Ⅰ）[68]。開始決定については裁判書を作成し，裁判書には，決定の年月日時を記載しなければならない（民再規17）。開始決定は，その確定を待たず，決定の時からその効力を生じる（民再33Ⅱ）[69]。再生手続開始決定の効力としては，債権者に対する関係では，再生債権者に対する弁済禁止（民再85Ⅰ）や再生債権者による個別執行や他の倒産処理手続の中止など（民再39Ⅰ）が中心となる。

また，債務者に対する関係では，その業務遂行権および財産管理処分権こそ制限を受けないものの（民再38Ⅰ），再生債務者は再生手続の機関として，公平かつ誠実に，その権利を行使し，再生手続を追行する義務を負う（同Ⅱ）。再生手続の円滑な進行に努め，進行に関する重要事項を再生債権者に周知させ

提言333頁〔三枝知央＝清水靖博〕，中島弘雅「包括的債権譲渡担保権の倒産上の取扱い」倒産法の実践161頁参照。

[67]　例えば，債権譲渡担保の実行に対して中止命令を発した後に，第三債務者が譲渡担保権者に弁済したときに，弁済の効果をどのように考えるかという問題がある（民事再生法逐条研究50頁）。弁済禁止保全処分の効果を類推して（民再30Ⅵ），第三債務者の善意悪意で区別することも考えられる。また，担保権実行としての引渡執行に関しては，担保権実行に対する中止命令に加えて，強制執行に対する中止命令（民再26Ⅰ②）を発令することも考えられる。新注釈民事再生法（上）161頁〔三森仁〕。その他，集合動産譲渡担保やファイナンス・リースも含めて，実行着手前の中止命令や実行通知後の中止命令発令の可否について，倒産と訴訟376頁〔池上哲朗〕，判例・実務・改正提言336頁〔三枝知央＝清水靖博〕参照。

[68]　開始申立てから開始決定までの期間は，おおむね1週間程度である。新注釈民事再生法（上）168頁〔中村隆次〕。債務者申立て事件および債権者申立て事件のそれぞれにおける審理の実情については，条解民事再生法160頁〔園尾隆司〕，破産・民事再生の実務［再生編］96頁参照。

[69]　決定時が，決定書記載の年月日時によって証明される言渡時または告知時を指すことについて，本書182頁注231参照。

るように努めること（民再規1 I II）も，機関としての再生債務者の義務であり，その義務は申立てにともなって生じるものである。これらの効果の詳細については，それぞれの箇所で説明する。

1 同時処分事項

裁判所は，再生手続開始決定と同時に，再生債権の届出をすべき期間（債権届出期間）および再生債権の調査をするための期間（債権調査期間）を定める（民再34 I）。これを同時処分事項と呼ぶ。債権届出期間は，原則として再生手続開始決定日から2週間以上4月以下（知れている再生債権者で日本国内に住所，居所，営業所または事務所がないものがある場合には，4週間以上4月以下），債権調査期間は，債権届出期間から調査期間の初日との間に1週間以上2月以下の期間をおき，1週間以上3週間以下の期間が定められる（民再規18 I）[70]。債権届出期間から一般調査期間まで猶予期間がおかれたのは，再生債務者等が届け出られた債権について調査を行い，認否書を作成，提出する負担（民再101 I V）を考慮したものである。

また，同時処分の1つとして，再生債権者の数が多数である場合の通知および呼出しの省略の決定がある（民再34 II）。すなわち，知れている再生債権者の数が千人以上であり，かつ，相当と認めるときは，裁判所は，債権届出期間を変更した場合における変更の事実の通知（民再35 V本文・III①），再生手続開始決定の取消決定が確定した場合の取消決定の主文の通知（民再37本文）について，知れている再生債権者に対する通知をせず，かつ，届出再生債権者（民再102 I）を債権者集会[71]の期日に呼び出さない旨の決定をすることができる。これらの通知や呼出しを省略することによって，手続費用の負担を軽減し，結果として再生債権者の利益を図ることを目的とする。ただし，再生債権者のための周知措置として，裁判所は，日刊新聞紙への掲載またはインターネットの利用等の方式であって裁判所が定めるものによって，再生債務者等が，個別的

---

70) 特別の事情がある場合には，例外の取扱いが認められる（民再規18 I 柱書）。たとえば，極めて多数の再生債権者が存在する場合であって，調査に相当の時間や手間を要することが予想されるときである。条解民事再生規53頁。
　　なお，東京地裁破産再生部における開始決定後の手続の流れについて，民事再生の手引〈第2版〉116頁，［図表3-1-1］，［書式3-1-1］参照。

71) もっとも，再生計画案の決議をするための債権者集会は，再生手続の中核的な意義を有するので，呼出し省略の対象からは除外される（民再34 II かっこ書）。

通知を省略する事実等や債権者集会の期日を周知させるための措置を執るものとすることができる（民再規18Ⅱ）。

2 付随処分事項

裁判所は，再生手続開始決定後直ちに以下の処分を行う。これを付随処分と呼ぶ。その趣旨は，破産法32条による処分と同様であり，利害関係人に再生手続開始の事実を知らしめ，適切な権利行使の機会を保障するなどにある。

付随処分の第1は，再生手続開始決定主文，債権届出期間および債権調査期間の公告である（民再35Ⅰ①②）。これに加えて，再生債務者が発行した社債等（民再169の2Ⅰ柱書第1かっこ書）について社債管理者等（同第3かっこ書）がある場合における当該社債等についての再生債権者の議決権は，法169条の2第1項各号のいずれかに該当する場合（同条3項の場合を除く）でなければ行使することができない旨も公告しなければならない（民再35Ⅰ③）。この種の社債等についての再生債権者自身による議決権行使の制限を明らかにするためである（本書1101頁参照）。したがって，社債管理者等がなく，社債等についての再生債権者自身による議決権行使が制限されない場合には，公告の必要はない（同Ⅰ柱書但書）。

また，多数債権者事件について通知および呼出しを省略する決定（民再34Ⅱ）があったときは，裁判所は，上記の事項に加えて，通知および呼出しを省略する旨をも公告しなければならない（民再35Ⅱ）。

第2に，再生債務者および知れている再生債権者に公告の対象事項を通知[72]しなければならない（同Ⅲ①）。また，監督委員，管財人または保全管理人[73]が選任されている場合には，これらの者に対しても通知がなされる（同②）。ただし，知れている再生債権者に対する通知に関しては，再生債務者財産が約定劣後再生債権に優先する債権を完済することができない状態にあることが明らかであるときは，知れている約定劣後再生債権者に対する通知は不要である

---

[72] 立法当初の送達が通知に改められた理由については，新注釈民事再生法（上）177頁〔武笠圭志〕参照。また，社債管理者が不在の場合の振替社債の社債権者等のように，債権者の把握が困難な事件の取扱いについては，ニューホライズン156頁参照。

[73] 再生手続開始決定とともに選任の裁判がその効力を失う（民再79Ⅰ前段・33Ⅱ）保全管理人に対する通知が規定されるのは，任務終了後も再生債務者等が財産を管理することができるに至るまで必要な処分をする義務を負うことがある（民再83Ⅰ・77Ⅲ）ためである（花村120頁）。

(同Ⅳ)。約定劣後再生債権は，破産清算における約定劣後破産債権（破99Ⅱ）に相当するものであるが，再生債務者財産が債務超過の状態にあるときには，再生手続に関する利害関係が薄いとみなされることが，通知省略の理由である。

同時処分事項たる債権届出期間に変更が生じたときは，同様に公告および通知がなされる（民再35Ⅴ本文）。ただし，多数債権者事件における通知および呼出しを省略する旨の決定がなされたときは（民再34Ⅱ），知れている再生債権者に対しては，変更の通知をすることを要しない（民再35Ⅴ但書）。

なお，法人である再生債務者について再生手続開始決定があった場合において，その法人の設立または目的である事業について官庁その他の機関の許可があったものであるときは，裁判所書記官は，再生手続開始決定があった旨をその官庁その他の機関に通知しなければならない（民再規6Ⅰ）。再生手続開始決定取消決定などについても同様である（同Ⅱ）。これらの官庁などが適切な監督を行うことを可能にするための措置である[74]。

付随処分の第3は，法11条に定める登記の嘱託である。再生債務者が一定の行為をする場合には，裁判所の許可を要するとされる場合があること（民再41Ⅰ）などから，再生手続開始の事実を公示し，取引の安全を保護するための措置である[75]。法人である再生債務者については，裁判所書記官は，その職権で，再生手続開始決定後遅滞なく，再生手続開始の登記を再生債務者の本店または主たる事務所所在地を管轄する登記所に嘱託しなければならない（民再11Ⅰ本文）[76]。

ただし，再生債務者が外国法人であるときは，外国会社にあっては日本における各代表者（日本に住所を有するものに限る）の住所地（日本に営業所を設けた外国会社にあっては，当該各営業所の所在地），その他の外国法人にあっては各事務

---

[74] 旧破産法125条と同趣旨の規定であるが，裁判所書記官固有の権限とされている点に違いがある。設立や事業についての許可の例については，条解民事再生規則18頁参照。

[75] 新注釈民事再生法（上）54頁〔大寄麻代〕。登記嘱託事項および手続については，破産・民事再生の実務［再生編］115頁参照。

[76] 従来は，各営業所などの所在地の登記所にも嘱託しなければならないこととされていたが，会社法930条2項によって，支店の所在地における登記事項が限定されたため，再生手続開始にもとづく登記嘱託の相手方も本店所在地の登記所に限定された。一般社団法人および一般財団法人の従たる事務所の所在地における登記についても同様であり（一般法人312Ⅱ），再生手続開始にもとづく登記嘱託の相手方が主たる事務所所在地の登記所に限定されている。

所の所在地を管轄する登記所に嘱託しなければならない（同但書）。

なお，その際に特別清算開始の登記があるときは，登記官が職権でその登記を抹消しなければならない（同Ⅵ）。再生手続の特別清算手続に対する優先性（民再39Ⅰ参照）にその根拠がある[77]。

これに対して，再生債務者財産に属する権利について再生手続開始にもとづく登記がなされないことは，破産手続開始の場合と同様である（本書188頁参照）。また，個人破産者については，当該破産者に関する登記および破産財団に属する権利の登記につき，裁判所書記官が，職権で，破産手続開始の登記を嘱託しなければならないが（破258Ⅰ。本書188頁参照），再生手続開始決定の場合には，そのような措置は執られない。再生手続開始決定自体が個人再生債務者の管理処分権に影響を与えるものでないことがその理由である（民再38Ⅰ。64Ⅰかっこ書参照）。

第5項　再生手続開始申立てについての裁判に対する不服申立て

再生手続開始申立てについての裁判，すなわち再生手続開始決定，再生手続開始申立棄却決定，再生手続開始申立却下決定または再生手続開始申立書却下命令[78]に対しては，利害関係人が即時抗告の方法によって不服を申し立てることができる（民再9・36Ⅰ）。抗告期間は，再生手続開始決定の場合には，公告が効力を生じた日から2週間であり（民再9），再生手続開始申立棄却決定のように，公告がなされない場合には，裁判の告知を受けた日から1週間である（民再18，民訴332）。

---

[77] 特別清算にもとづく保全処分によって再生債務者財産に属する権利について登記がなされているときに（会社938ⅢⅣ），裁判所書記官がその抹消登記を嘱託しなければならないのも（民再12Ⅲ，民再規8Ⅰ③），同様の理由による。ただし，再生手続開始決定を取り消す決定が確定したときは，裁判所書記官は，職権で，遅滞なく，抹消された登記の回復を嘱託しなければならない（民再12Ⅳ，民再規8Ⅰ④）。特別清算の手続が復活するためである。

[78] 再生手続開始決定をした裁判所が，その裁判の更正決定として（民再18，民訴333），当該再生手続開始決定を取り消したときに，この更正決定を再生手続開始申立てについての裁判と解し，即時抗告を認めるべきかどうかという議論がある。取消後の再生手続開始申立棄却決定などに対して即時抗告を認めれば足りる。条解民事再生法178頁〔園尾隆司〕。

なお，即時抗告の対象となる再生手続上の各種裁判，抗告権者等については，破産・民事再生の実務［再生編］118頁に一覧表がある。

1 即時抗告権者

　不服申立てを認められる利害関係人の範囲は，裁判の内容によって異なるが，基本的な考え方は，破産の場合と同様である（本書200頁）。再生手続開始決定に対しては，債権者申立ての場合には，他の債権者および債務者が利害関係人となる。他の債権者は，個別的権利実行を制約されるし，債務者は，業務遂行権および財産管理処分権こそ認められるものの（民再38Ⅰ），手続遂行上様々な制限を受けるからである。債務者申立ての場合には，債権者が利害関係人として即時抗告権をもつ。問題は，再生手続によらない権利行使を認められる一般優先債権者（民再122ⅠⅡ）や別除権者（民再53ⅠⅡ）である。これらの者も，その権利行使について再生手続によって何らの制限を受けないというわけではないが（民再122Ⅳ・121Ⅲ・148以下），不服申立ては，それらの制限を課す裁判に対して認めれば足り，再生手続開始決定そのものに利害関係をもつとはいえないから，即時抗告権を否定すべきである。

　再生手続開始申立棄却決定に対しては，申立人である債務者または債権者が即時抗告権を認められる。ある債権者による開始申立てを棄却した決定に対して他の債権者に即時抗告権を認めるべきかどうかについては，考え方が分かれうるが，否定すべきである[79]。

2 抗告審の審判

　抗告審の審判手続も，基本的には，破産手続の場合と同様である（本書202頁）。ただし，他の手続の中止命令等（民再26〜30）の規定は，再生手続開始申立てを棄却する決定に対して即時抗告がなされた場合に，抗告審について準用する（民再36Ⅱ）。中止命令等は，原審における再生手続開始申立てについての決定，すなわち再生手続開始決定または開始申立棄却決定があると，その効力を失う（民再26Ⅰ柱書本文・27Ⅰ本文・30Ⅰ参照）。開始決定があった場合には，開始決定にもとづく効力（民再39等）に引き継がれるが，開始申立棄却決定がなされたときは，抗告審が再生手続開始決定をすべきであるとの判断に至ったときに備えて，中止命令等の発令可能性を認めたものである。保全管理命令に

---

[79] 新注釈民事再生法（上）179頁〔武笠圭志〕，倒産・再生訴訟569頁〔園尾隆司〕。再生手続においては，債権者の開始申立権が例外的なものと考えられることなどがその理由である。なお，開始申立てが却下または棄却された場合の申立人（債務者）側の対応については，150問71頁〔清水祐介〕参照。

ついても、同様の可能性が認められている（民再79Ⅲ）。

　原審の再生手続開始決定に対して、抗告審がそれを取り消して、開始申立てを棄却する決定が確定すると、再生手続は終了する[80]。原審が再度の考案（民訴333）にもとづく取消決定を行った場合も同様である。それにともなって、再生手続開始決定をした裁判所[81]が、直ちにその主文を公告し、再生手続開始決定の主文などの通知を受ける者（民再35ⅢⅣ）にその主文を通知しなければならない（民再37本文）。ただし、多数債権者事件において通知および呼出しを省略する旨の決定がなされたときは（民再34Ⅱ）、知れている再生債権者に対しては、その通知をすることを要しない（民再37但書）。

　原決定が再生手続開始申立却下または棄却決定であるのに対して、抗告審が再生手続開始を相当とするときは、原決定を取り消した上で、抗告審が再生手続開始決定をなす。ただし、同時処分および付随処分は、事件を原審に差し戻して、原審に委ねるのが適当である（本書204頁）。

---

[80] 開始決定にもとづく手続上の効果、たとえば訴訟手続の中断（民再40Ⅰ）や強制執行等の中止（民再39Ⅰ）などは、当然に消滅し、これらの手続が続行される。これに対して、再生債務者等が開始決定後になした私法上の行為の効力は、開始決定の取消しによって影響を受けない。新注釈民事再生法（上）180頁〔中村隆次〕、条解民事再生法184頁〔園尾隆司〕。

[81] 取消決定をした裁判所でなく、開始決定をした裁判所が公告等をすることについて、花村125頁参照。

第 3 章　再生手続の機関および利害関係人

　債務者の事業等から生み出される収益を再生債権者に対して公平に配分するという,再生手続の目的を実現するためには,そのために必要な様々な行為をなし,それらの行為が適正になされるための監督をなす機関の活動が求められる。再生手続において中心となる機関は,再生債務者であるが（民再38Ⅰ),場合によっては,再生債務者に代わって財産管理処分権等を行使する機関たる管財人（民再66）や,保全管理人（民再81Ⅰ）が任命されることがあり,再生債務者の財産管理等を監督する必要がある場合には,裁判所が監督委員を任命し（民再54ⅠⅡ),再生債務者の財産や業務の状況を調査する必要がある場合には,調査委員を任命する（民再62ⅠⅡ)。

　これらの機関は,いずれも裁判所[1]の監督に服するので,裁判所も再生手続の機関としての性質をもつ。さらに,再生債権者としての意思決定をしたり,そのための判断資料を収集することを目的とする機関として債権者集会があり（民再114),再生債権者の利益を代表して,再生手続の進行に関与する機関として,債権者委員会がある（民再117）。

第 1 節　再生債務者および再生債務者代理人

　再生債務者は,再生手続が開始された後も,開始前と同様に,自らの業務遂行権または財産管理処分権を行使できるが（民再38Ⅰ),開始前は,自らに帰属する実体法上の権利義務の主体としてこれらの権能を行使するのに対して,開始後は,再生手続の機関として財産管理処分権等を行使する[2]。したがって,

---
[1]　裁判所と再生裁判所の区別については,本書841頁注1参照。
[2]　詳細については,伊藤眞「再生債務者の地位と責務（中）」金法1686号113頁（2003年）参照。新注釈民事再生法（上）182頁〔三森仁〕,松下・入門34頁,概説425頁,有住淑子「再生債務者の法的地位」櫻井古稀7頁,田頭章一「再生債務者の『第三者性』」櫻井古稀71頁,佐藤鉄男「倒産三法における機関の位置づけ」福永古稀664頁,中島弘雅「監督委員の地位・監督委員による否認権行使」講座（3）305頁,民事再生の手引〈第2版〉129頁も,再生債務者の機関性を肯定する。また,岡伸浩・信託法理の展開と法主体431頁（2019年）は,自己信託の受託者として機関性を位置づける。もっとも,

再生債務者は，債権者に対して，公平かつ誠実にこれらの権能を行使し，再生手続を追行しなければならない（同Ⅱ。以下，公平誠実義務と呼ぶ）3)。再生債務者が，再生手続の円滑な進行に努め，進行に関する重要な事項を再生債権者に周知させるように努めなければならない責務を負うとするのも（民再規1ⅠⅡ。

 再生手続開始申立てをした以上，開始決定前でも債務者およびその代理人は，公平誠実義務を負う再生手続の機関となることを想定し，これらの権能を行使すべきであるといえよう。財産保全などの具体的措置について150問52頁〔松尾幸太郎〕，55頁〔木野村英明〕，58頁〔簑島弘幸〕参照。
 これに対して，管財人が選任されている場合には，再生債務者の機関性が失われる。再生債権の届出に対する再生債務者の異議（民再102Ⅱ）は，再生債権の確定を妨げる効力がなく（民再104Ⅰ参照），不認可決定が確定した場合の再生債権者表の執行力を排除する意味しか有しないのは（民再185Ⅰ但書），このことを示すものである。
 なお，再生債務者が法人である場合には，業務遂行権や管理処分権を行使するのは，取締役などの法人の機関であり，取締役などは，法人の機関としての地位を基礎として，再生手続の機関としての再生債務者の権限を行使する。したがって，取締役の地位自体の存否は，会社法など法人組織一般に関する規律によって決せられる。田原睦夫「民事再生手続と会社の機関」河合古稀107頁。取締役は，一方では，会社に対する善管注意義務（会社330，民644）や忠実義務（会社355）を負うことになるが，再生手続が係属する限り，その機関として再生債権者に対する公平誠実義務を優先させるべきである。伊藤・前掲論文116頁。これに対し，加藤哲夫「株式会社である再生債務者の公平誠実義務・再論」上野古稀565頁は，善管注意義務などが公平誠実義務の遂行過程に内包されるとする。
3) 同趣旨のものとして，特別清算における清算人の義務など（会社523）があるが（加藤哲夫・諸相220頁，新注釈民事再生法（上）188頁〔三森仁〕），法人である再生債務者において公平誠実義務を負担する者が誰か，法人の機関としての義務とどのような関係に立つかなどの問題がある。高田賢治「DIPの法的地位」今中古稀167頁，加藤哲夫「日米における『再生債務者・DIP』論の一断面」民訴雑誌61号13頁（2015年）参照。
 公平誠実義務違反の例としては，不相当に過大な専門家報酬の支払い，再生債務者財産の過小評価，事業譲渡の対価の不相当性などがあげられるが（民事再生の手引〈第2版〉131頁，運用指針149頁），いずれも，再生債権者の利益を害する行為である。さらに，このような消極的な義務にとどまらず，事業者である再生債務者の場合には，継続事業価値を維持し，再生債権者に対して配分する積極的な義務を包含する。岡・理論研究257頁，岡・前掲書（注2）433頁，中西正「『再生債務者＝D.I.P.』概念の再検討」プレーヤー190頁，伊藤・前掲論文（注2）116頁，北島（村田）典子「民事再生法と事業の再生（2・完）」民商156巻4号755頁（2020年）参照。三上二郎「スポンサー選定における管財人および再生債務者の義務」伊藤古稀1110頁は，さらにこれを敷衍し，スポンサー選定（本書1095頁）との関係で，公平誠実義務の内容として最大事業継続価値追求努力義務を説く。もっとも，論者がいう努力義務は，事業譲渡などの入札価格のみを基準とするものではなく，事業の継続や雇用の確保との調和を前提とする。議論の詳細については，三笘裕ほか「倒産局面でのスポンサー選定における再生債務者等の行為規範（上）」金商1590号9，13頁（2020年）参照。
 なお，再生債務者が事業価値の再構築について責任を負う以上，公平誠実義務が再生債権者に対する弁済極大化義務と同視されるものではない。藤本利一「再生計画案策定に関わる再生債務者の役割」民事特別法の諸問題6巻400頁参照。

以下，円滑進行・情報開示責務と呼ぶ），公平誠実義務を手続進行上に反映させたものである[4]。再生債務者が公平誠実義務を果たすについては，監督委員や裁判所の監督を受け，またその違反が重大であるときには，管理命令による管財人選任（民再64Ⅰ）の理由となる[5]。

　再生債務者が，再生手続の機関としてこれらの義務および責務を負う以上，代理人たる弁護士も，その遂行に努めなければならない[6]。通常の場合，再生債務者の代理人は，当初は，再生手続開始申立代理人として手続に関与する。その段階では，依頼者たる債務者の利益を実現することが第1次的な代理人としての義務であるが，機関たる再生債務者の代理人となったときには，公平誠実義務等が履行されるよう，再生債務者に助言し，自ら代理人としての行為をなし，場合によっては，再生債務者に対する裁判所の監督権発動を促す必要もある。

　したがって，申立段階でも，いったん開始決定がなされたときには，単に財産管理処分権等の行使が認められるだけではなく，公平誠実義務等が課され，

---

[4] 会社更生規則や破産規則には，対応する規定が存在しないのは，再生手続における再生債務者の地位を反映したものである。条解民事再生規則2頁。

[5] それに加えて，公平誠実義務違反が，再生債務者の義務違反を理由とする手続廃止原因（民再193Ⅰ）となるかどうかという問題がある。しかし，法193条1項各号の義務違反は，個別具体的なものであること，および公平誠実義務違反には管理命令発令などによって対処する方が再生債権者の利益にも資することなどを理由として，これを否定すべきである。さらに，公平誠実義務違反行為の効力に法41条2項を類推適用するとの考え方もあるが，公平誠実義務のような一般的義務の違反について，同条の類推適用を認めるのは無理がある（民事再生法逐条研究54頁，民事再生の手引〈第2版〉135頁参照）。

[6] 伊藤・前掲論文（注2）（下）金法1687号38頁参照。弁護士職務基本規程21条にいう依頼者は再生債務者であるが，機関としての再生債務者が再生債権者の利益を実現すべき義務を負うため，申立代理人も同様の義務を果たさなければならない。また，開始決定後の報酬は，共益債権となることも（民再119②），再生債務者代理人の地位を反映したものである。申立代理人の責務と報酬のあり方を明らかにするものとして，大阪地決平成13・6・20金法1641号40頁，民事再生の手引〈第2版〉136頁），条解民事再生法619頁〔清水建夫＝増田智美〕，徳田和幸「DIP型手続・再生債務者の地位」講座（3）288頁がある。
　我妻学「民事再生手続における再生債務者代理人の業務と報酬」伊藤古稀1279頁は，特に再生手続開始前までの報酬の相当性を確保する必要があり，業務内容と報酬額を裁判所や監督委員に開示すべきであるとする。監督委員は，報酬額が高額に過ぎると判断するときにそれを指摘するなどの措置をとることになろう。島岡大雄「民事再生事件の履行監督と民事再生から破産への移行（牽連破産）事件の処理における一裁判官の雑感（上）」銀行法務21 810号35頁（2017年）参照。

再生手続の機関としての行動が求められる旨を再生債務者に理解させなくてはならない。また，再生債務者に否認対象行為が存在したり，代表者に損害賠償責任の原因となる行為が存在したりする場合には，それを明らかにするよう再生債務者を説得し，やむをえない場合には，それらを裁判所や監督委員に告知しなければならない[7]。

第1項　再生債務者の職務

再生債務者の職務は，その資産等を基礎とする収益を再生債権者に公平に配分することを通じて，自らの事業または経済生活の再生を図ることにある。そのために具体的になすべき行為としては，一方で，負担する債務を確定するための行為をなす（民再101）とともに，他方で，双方未履行双務契約の解除（民再49 I）などを通じて，財産関係を整理し，その両者を基礎として，事業等の再生のための再生計画案を作成および提出し（民再163 I），認可された再生計画についてその遂行を義務づけられる（民再186 I）。

第2項　再生債務者に対する監督

裁判所は，再生債務者が一定の行為をなすについて裁判所の許可を要するものとすることができる。第一は，財産の処分等一定の行為のうち裁判所が指定するもの，およびその他裁判所が指定する行為[8]をするについて，裁判所の許

---

[7] 議論の詳細については，新注釈民事再生法（上）196頁〔三森仁〕，安木健「倒産処理実務と弁護士の利益相反」今中古稀514頁，150問85頁〔田川淳一〕，運用指針29頁参照。アメリカ法に関して，我妻学「民事再生手続における再生債務者の代理人の地位と責務」谷口古稀879頁参照。具体的には，弁護士としての依頼者の秘密保持義務（弁護士職務基本規程23条）との抵触が問題となるが，開始決定後は，機関としての再生債務者の代理人であること，債務者も再生手続開始申立てを委任することによって，秘匿利益を放棄しているとみられるから，抵触は生じない（民事再生法逐条研究57頁参照）。

松下祐記「再生債務者代理人の地位に関する一考察」伊藤古稀1094頁，同「債務者代理人」民訴雑誌61号103頁（2015年）は，代理人を機関に準じた地位にあるものとし，再生債務者に対する受任者としての善管注意義務と並んで，再生債権者に対しても信認義務を有するとし，両者が衝突する場面では，原則として信認義務が優先するという。

なお，開始前の借入金等の共益債権化（民再120 I Ⅲ）との関係で，再生債務者代理人の説明義務が問題となった裁判例として，東京地判平成19・1・24判タ1247号259頁がある。

[8] 例としては，スポンサーやフィナンシャル・アドバイザーの選定があげられる。条解民事再生法225頁〔相澤光江〕。

可を要するものとする場合である（民再41 I ①〜⑩）。この許可をえずに再生債務者がなした行為は無効であるが（同II本文），その無効は善意の第三者に対抗できない（同但書）。ある行為を要許可行為として指定するかどうかは，裁判所の判断に委ねられるが，裁判所は，行為の内容，行為の結果として生じうべき影響，管財人の執務態度などを総合的に考慮して，その判断を行う。もっとも，実際には，監督命令によって監督委員が選任され，裁判所の許可事項に相当する事項が監督委員の同意事項とされるので[9]，裁判所が要許可事項の指定によって，直接に再生債務者に対する監督を行うことは多くはない。

再生債務者がその営業または事業の全部または重要な一部の譲渡をする場合や再生債務者の子会社の株式または持分の全部または一部の譲渡で一定の範囲に属する場合には，必ず裁判所の許可をえなければならない（民再42 I 前段。本書1056頁）。裁判所は，当該再生債務者の事業の再生のために必要であると認める場合に限り，許可をすることができる（同後段）。事業の再生は，再生手続本来の目的であるところ（民再1），再生債務者の人格と切り離して事業の再生を図ることは，再生のあり方そのものにかかわるところから，必要的許可事項とされたものである[10]。

裁判所は，許可をする場合には，知れている再生債権者の意見またはこれに代わる債権者委員会の意見，および労働組合等の意見を聴かなければならない（民再42 II III）。許可をえないでした営業譲渡行為や再生債務者の子会社の株式または持分の全部または一部の譲渡で一定の範囲に属するものの無効，および善意の第三者の保護は，財産処分等の場合と同様である（同IV・41 II）。

---

[9] 条解民事再生法221頁〔相澤光江〕，304頁〔高見進〕。
[10] 関連するものとして，本書では詳述しないが，事業譲渡にかかる重要な問題として，労働契約の承継があり，類似の手法である会社合併や会社分割と比較すると，法制面（「会社分割に伴う労働契約の承継等に関する法律」等）でも，また実際面でも相当の差異がある。詳説倒産と労働280頁〔相澤光江〕，292頁〔岩崎通也〕，309頁〔金久保茂〕，321頁〔樋口収〕，333頁〔中原健夫〕など参照。
　また，ここで想定しているのは，再生手続開始後の営業等の譲渡であるが，開始申立てから開始決定までの期間における営業等の譲渡の可否については，議論がある。株主総会の特別決議（会社467 I ①②・309 II ⑪）に加えて，監督委員の同意などの手続を経れば可能であるが，開始申立てが棄却される可能性を考えると，早期に開始決定をした上で，営業等の譲渡を行うことが適切であろう。条解民事再生法229頁〔松下淳一〕。

第3項　再生債務者の任務終了

再生計画認可決定が確定すれば，再生債務者は再生計画の遂行義務を負う（民再186 I）。もっとも，管財人または監督委員が選任されていないときは，再生計画認可決定に引き続いて再生手続終結決定がなされるから，機関としての再生債務者の任務は終了する（民再188 I）。監督委員が選任されているときであっても，再生計画が遂行されたとき，または再生計画認可決定確定後3年を経過したときは，再生手続終結決定がなされるから（同Ⅱ），その時点で機関としての再生債務者の任務は終了する。その他，再生計画の取消し（民再189）にもとづく再生手続の終了，再生計画認可前後における再生手続廃止決定（民再191～194）によっても，再生債務者の任務は終了する。管財人が選任された場合も，機関としての再生債務者の任務は終了する（民再38Ⅲ・64 I・66）。

第4項　再生債務者の法律上の地位

再生手続開始前は，再生債務者は，自らの利益のためにその財産管理処分権等を行使する。しかし，開始後は，自らの経済活動を維持し，その結果としてえられる収益を再生債権者の間に公平に配分し，事業等の再生を図るために管理処分権等を行使する。この意味で，人格や法人格は同一であっても，手続開始前後における再生債務者の地位は異なる。破産管財人の法律上の地位については考え方の対立があるが（本書221頁），再生債務者については，人格の同一性が存在することから，再生手続の内部的法律関係における地位を議論する意味はない。これに対して，職務遂行にあたっての指導理念，および外部者との実体的法律関係について再生債務者の地位をどのように考えるかという点では，その法律上の地位を検討しなければならない（本書958頁）。

このような視点から再生債務者の法律上の地位を考えると，私法上の職務説がもっとも合理的な説明である。私人たる再生債務者は，再生債務者財産たる権利義務の主体であり，本来はその資格にもとづいて管理処分権等を行使するが，再生手続開始後は，再生手続の機関の職務としてその権能を行使する。公平誠実義務（民再38Ⅱ）や円滑進行・情報開示責務（民再規1 I Ⅱ）は，その職務遂行について課されるものであり，再生債務者は，再生債権者に公平な満足

を与えることを通じて，事業等の再生を図る職務を負う。

　外部者との実体法律関係においても，否認権の行使こそ認められないものの（民再135 I Ⅲ参照），再生手続開始時までに対抗要件を備えなかった権利変動は，再生手続の関係においてはその効力を認められないとか（民再45 I 参照），双方未履行双務契約について解除か履行請求かの選択権が認められるとか（民再49 I），一定要件の下に再生債権者による相殺が禁止されるとか（民再93），あるいは一定要件の下に担保権消滅許可の申立てが認められるとか（民再148以下），いずれも再生手続開始前には認められなかった実体法上の法律効果や権能であり，再生手続遂行の職務を負う再生債務者に認められた特別の地位と解すべきである[11]。

第 2 節　管　財　人

　再生手続は，再生債務者自らが業務遂行および財産管理を行うことを原則とするが，その財産管理が失当であるときその他再生債務者の事業再生のために特に必要があると裁判所が認めるときは[12]，利害関係人の申立てによりまたは職権で，再生手続開始決定と同時にまたはその決定後，法人である再生債務者[13]の業務および財産に関して，管財人による管理を命じることができる（民

---

11) 議論の詳細については，新注釈民事再生法（上）184頁〔三森仁〕，松下・入門50頁，宗田親彦「再生債務者の法的地位——再生団体理論」櫻井古稀53頁，参照。

12) 再生債務者の役員に重大な背任行為の疑いがある，プレパッケージ型の事案で，事業譲渡の対価決定の過程に疑念が持たれる，巨額の粉飾決算が認められる，経営者に対する債権者の信頼が失われている，債権者申立てであるなどが，管理命令発令が認められうる例として説かれる。新注釈民事再生法（上）362頁〔籠池信宏〕，条解民事再生法337頁〔高田賢治〕，中本敏嗣「民事再生事件処理における裁判所の関与の在り方」田原古稀（下）554頁。具体例については，進士肇「ある管理型民事再生案件について」多比羅喜寿216頁，150問60頁〔進士肇〕，190頁〔宮本圭子〕が詳しい。

　実際には，債務者による開始申立てに対して萎縮効果をもたらさないよう配慮して，監督委員の意見を踏まえ，再生債務者の納得をえて管理命令を発令している。破産・民事再生の実務〔再生編〕212頁，運用指針35頁。

13) 管理命令が，法人である再生債務者についてのみ認められ，個人が対象とされていないのは，①個人の経済生活再生のために管財人が必要になる事案が想定しにくいこと，②事業者たる個人の場合には，その者自身の信用が基礎となっていることが多く，管財人がこれに代わることが考えにくいこと，③事業用の財産と私生活上の財産とを峻別することが困難であり，全財産を管財人が管理処分することは，個人債務者の経済生活を困難にすることなどの理由による（花村193頁）。

再64Ⅰ)。管理命令において選任されるのが管財人であり（同Ⅱ），再生債務者の業務遂行権および財産管理処分権は，管財人に専属する（民再66）。その結果として，再生債務者財産に関する訴訟の当事者適格が管財人に移転し（民再67Ⅰ），また中断・受継などの効果が生じる（同Ⅱ以下・69）。

なお，管理命令発令後に再生債務者がなした法律行為は，再生手続との関係ではその効力を主張することができないなど，破産手続と同様の規律が存在する（民再76）。法人である再生債務者の理事等が，管理命令発令後は報酬を請求できないとするのも（民再76の2），財産管理処分権等が管財人に専属することの反映である。

管財人たる資格は，自然人および法人の両者について認められる（民再78・54Ⅲ）。いずれの場合であっても，その職務を行うのに適した者のうちから選任しなければならない（民再規27Ⅰ・20Ⅰ）。通常は，事業経営に精通し，または高度な法律知識を有している弁護士から選任されるが，このような条件を満たす実務家であれば，弁護士以外の者を選任することも考えられる[14]。調査委員と異なって（民再規26Ⅰ），監督委員の場合と同様に，利害関係のないことは法律上の要件ではないが（民再規27Ⅰ・20Ⅰ）[15]，利害関係の存在によって適切な職務遂行を期待できない者が排斥されるのは当然である。

第1項 管理命令および管財人の選任

裁判所は，管理命令を発令しようとするときには，再生債務者を審尋しなければならない（民再64Ⅲ本文）。再生債務者がもつ財産管理処分権等が剥奪されるという，重大な法律効果が生じるためである。ただし，急迫の事情があるときには，この限りではない（同但書）。審尋を実施することによって，再生債務者財産が隠匿され，または不必要な債務負担がなされたりするおそれが認められる場合を想定したものである。

なお，法人格のない社団についても管理命令を発する余地はないとするのが立案担当者の見解であるが（同書同頁），法人格のない社団について再生能力を認めること（本書843頁）との対比で考えれば，類推適用によって管理命令を発することを肯定すべきである。

[14] 監督委員と同様に，事業経営に精通し，または高度な法律知識等を有している実務経験の豊富な者が選任されることが望ましいといわれる。条解民事再生規則57頁。

[15] 利害関係の不存在を選任の要件としなかったのは，旧会社更生法94条および43条1項と同様に，適任者の選任を容易にするためである（条解民事再生規則69頁）。

裁判所は，管理命令において1人または数人の管財人を選任しなければならない（民再64Ⅱ）。また，裁判所は，いったん発令した管理命令を変更または取り消すことができる（同Ⅳ）。取消しは，管理命令が不要となった場合に，変更は，管財人を交替させたり，追加する場合に行われる。管理命令および変更または取消決定に対しては，即時抗告が認められるが（同Ⅴ），執行停止の効力はない（同Ⅵ）。即時抗告期間は，2週間である（民再9後段・65ⅠⅡ）。

　裁判所は，管理命令を発令したときは，それが再生手続開始決定と同時にする場合を除いて，管理命令を発した旨，管財人の氏名または名称，再生債務者の財産の所持者および再生債務者に対して債務を負担する者（財産所持者等）が再生債務者にその財産を交付し，または弁済をしてはならない旨を公告しなければならない（民再65Ⅰ）。管理命令によって，再生債務者の財産管理処分権等に重大な影響を生じるところから，第三者の利益を保護するための措置である[16]。公告による告知擬制の規定の適用も排除される（同Ⅵ）。

　これに対して，再生手続開始決定と同時に管理命令が発せられたときには，再生手続開始の公告において，管理命令にかかる事項が掲げられる（同Ⅱ）。事務処理上の合理性と利害関係人の便宜を考慮したものである。管理命令を変更し，または取り消す旨の決定がなされたときは（民再64Ⅳ），その旨も公告される（民再65Ⅲ）。管理命令，管理命令変更または取消し決定，即時抗告（民再64Ⅴ）についての裁判書は，当事者に送達しなければならない（民再65Ⅳ）。当事者とは，再生債務者および管財人，ならびに管理命令の申立人を意味する。

　管理命令が発令された場合には，公告されるべき事項を，管理命令変更もしくは取消決定がなされた場合または管理命令発令後に再生手続開始決定を取り消す決定が確定した場合には，その旨を，知れている財産所持者等に通知しなければならない（同Ⅴ）[17]。また，管理命令の発令およびその内容は，登記される（民再11ⅡⅢ②）。

　法人が管財人に選任されたときには，職務執行者を裁判所に届け出，かつ，再生債務者に通知することが当該法人に義務づけられる（民再規27・20Ⅱ）。ま

---

[16] 財産所持や債務負担の事実を管財人に届けるべき旨の命令（旧破143Ⅰ④後段，旧会更47Ⅰ④後段）は，その実効性に乏しいとの理由から規定されていない（花村197頁）。
[17] 再生手続開始決定取消決定が確定した場合には，その主文が知れている再生債権者等にも通知される（民再37・35Ⅲ）。

た，裁判所書記官は，管財人に対して選任証明書を交付し（民再規27・20Ⅲ），管財人は，その職務執行にあたり，利害関係人の請求に応じて，それを提示しなければならない。

第2項　管財人の職務

管財人の職務は，再生債務者に代わって，その業務を遂行，財産を管理処分し（民再66），再生債権の調査（民再100），財産価額の評定（民再124Ⅰ），担保権消滅許可申立て（民再148Ⅰ），再生計画案の提出（民再163Ⅰ），再生計画の遂行（民再186Ⅰ），再生計画変更の申立て（民再187Ⅰ），再生手続終結の申立て（民再188Ⅲ），再生手続廃止の申立て（民再192〜194），簡易再生・同意再生の申立て（民再211Ⅰ・217Ⅰ）などの手続上の権限を行使し，義務を履行することからなる。法文上，再生債務者等とは，管財人が選任されている場合にあっては，管財人を意味する（民再2②）。ただし，否認権の行使権限にみられるように（民再135ⅠⅢ），管財人は，再生債務者財産の管理処分に関して，再生債務者以上の権限を与えられる。

管財人が数人あるときは，共同職務執行が原則であるが（民再70Ⅰ本文），裁判所の許可をえて，それぞれ単独にその職務を行い，または職務を分掌することができる（同但書）。数人の管財人が選任されるのは，比較的大規模な再生事件と思われるが，再生計画案の策定など事件処理の根幹にかかわる事項は別として，業務執行や財産管理については，職務分掌を行うことが適当な場合が多い。ただし，第三者の意思表示は，管財人の1人に対してすれば足りる（同Ⅱ）。

管財人は，必要があるときは，その職務を行わせるために，自己の責任で1人または数人の管財人代理を選任することができる（民再71Ⅰ）。この代理人は，常置代理人と呼ばれ，個別行為に限らず，管財人に代わってその権限を包括的に行使することができる[18]。選任については，裁判所の許可をえなければならない（同Ⅱ）。

管財人および管財人代理は，その職務の執行について費用の前払いおよび報

---

[18] 数人の管財人代理が選任されたときは，管財人と同様に職務の分掌をさせることができる（花村212頁）。会社更生法70条についても（条解会更法（中）249頁），破産法77条に関しても，同様に解される。

酬を受けることができる（民再78・61Ⅰ，民再規27Ⅰ・25)[19]。報酬等の決定に対しては，利害関係人による即時抗告が認められる（民再78・61Ⅳ)。

1 再生債務者財産の管理処分

管財人は，就職の後直ちに再生債務者の業務および財産の管理に着手しなければならない（民再72)。管理のために管財人は，再生債務者やその理事等に対して，業務および財産の状況について報告を求め，再生債務者の帳簿，書類その他の物件を検査することができる（民再78・59)。裁判所は，信書の送達の事業を行う者に対して，再生債務者にあてた郵便物等を管財人に配達すべき旨を嘱託することができる（民再73Ⅰ)。これも，管財人の業務および財産管理を容易にするための措置である[20]。ただし，裁判所は，再生債務者の申立てによりまたは職権で，管財人の意見を聴いて，嘱託を取消し，または変更することができるし（同Ⅱ），再生手続が終了したとき，または管理命令が取り消されたときは，裁判所は嘱託を取り消さなければならない（同Ⅲ)。

また，配達嘱託の有無とはかかわりなく，管財人は，再生債務者にあてた郵便物等を受け取ったときは，これを開いてみることができる（民再74Ⅰ)。再生債務者は，管財人に対して受け取った郵便物等の閲覧を求め，また再生債務者財産に関しない郵便物等の交付を求めることができる（同Ⅱ)[21]。

管財人は，善良な管理者としての注意をもってその職務を行わなければならず，その注意義務を怠ったときには，利害関係人に対して損害賠償義務を負う（民再78・60)。

2 管財人の業務執行権と組織上の権限

管財人には，再生債務者財産の管理処分権[22]だけではなく，再生債務者の業

---

[19] 費用および報酬は，予納金の中から支弁され，予納金が不足すれば，共益債権（民再119④）として支払われる。監督委員や保全管理人など，他の機関の場合も同様である。

[20] 電報の配達嘱託（旧破190Ⅰ，旧会更175Ⅰ）は，現代の情報伝達手段の実情にあわないため，採用されなかった（花村214頁)。他方，電子メールについては，本条の類推適用可能性を認める必要がある（小林久起「管理型手続」民事再生法——理論と実務（金商増刊1086号）36，39頁)

[21] 再生債務者財産に関しない郵便物等の例としては，株主総会など組織的・社団的関係に関するものがあげられるが（花村217頁)，社団の関係に関するものでも，同時に財産管理に関係するものであれば，交付請求の対象とはならない。

[22] 管理命令発令後には，再生債務者財産に属する債権について再生債権者が提起した債権者代位訴訟は不適法になる。東京高判平成15・12・4金法1710号52頁〔倒産百選A14事件〕。

務執行権も専属する（民再66）。これは，破産管財人と異なって（破78Ⅰ），管財人が業務を遂行することによって再生債務者の事業の再生を図り，それによって実現される収益を再生債権者に公平に配分する職務を負うためであり，その点で更生手続における更生管財人と性質を同じくする（会更72Ⅰ）。株式会社たる再生債務者の場合には，管理命令が発令されない限りは，業務執行権は，取締役または取締役会に属するが（会社348Ⅰ・362Ⅱ），管財人が選任されることによって，取締役会等の権限は消滅する[23]。

　問題は，管財人が法人たる再生債務者を代表する権限をもつかどうかであるが，旧会社整理の管理人の権限が代表権を含むものとして規定されていること（商旧398Ⅱ）と比較すると，文言上は，管財人の代表権が認められないように思われる。また，代表権が認められなくとも，法定の管理処分権等の行使の効果として管財人の行為の効力は再生債務者にも及ぶ。これに対して，従来の代表者である代表取締役や理事の代表権の行使は，管財人の権限と抵触するかぎりで，再生債務者について効力を生じない。したがって，管財人には，法人の代表機関としてではなく，法定の管理処分権を認めれば足りる[24]。

　これに対して，組織上の権限については，民事再生法が再生手続による組織変更を行うことを原則として予定していないので，管財人の権限にも含まれない。したがって，役員の選任（会社329Ⅰ），解任（会社339Ⅰ），募集事項の決定（会社199Ⅰ等），社債を引き受ける者の募集（会社362Ⅳ⑤），定款変更（会社466），あるいは合併（会社748以下）など，組織変更行為を管財人がその権限の行使として行うことはできず，また，そのための取締役会や株主総会を招集する権限も有しない。

　もちろん，株主総会決議に代わる裁判所の許可による事業等の譲渡（会社467Ⅰ①～②の2に関する民再43）や，再生計画にもとづく資本金の額の減少（民再154Ⅲ・161Ⅲ）のように，法が特別に管財人の権限を認めている場合には別である。これらの組織上の事項に関しては，管理命令発令後も再生債務者の権限が存続するが，その権限も管財人の業務執行・財産管理処分権と抵触する限

---

23) もっとも，管理命令は取り消される可能性もあるので（民再64Ⅳ），取締役などの権限が復活する可能性があるという指摘がなされる。田原・前掲論文（注2）111頁。
24) これに対して，小林・前掲論文（注20）39頁，新注釈民事再生法（上）369頁〔籠池信宏〕は，管財人の代表権を認める。

りでは制約される[25]。

第3項　管財人に対する監督

　管財人は，裁判所の監督に服する（民再78・57Ⅰ）。この監督権の行使として，裁判所は，裁判所書記官に命じて，報告書の提出を促すことその他の監督に関する事務を行わせることができる（民再規27Ⅰ・23Ⅰ）。また，裁判所は，重要な事由があるときは，利害関係人の申立てによりまたは職権で，管財人を審尋した上で，管財人を解任することができる（民再78・57Ⅱ）。管財人の側からも，正当な事由があるときは，裁判所の許可をえて辞任することができる（民再規27Ⅰ・23Ⅱ）。

　このような一般的監督に加えて，裁判所は，管財人が一定の行為をなすについて裁判所の許可を要するものとすることができる。第一は，財産の処分等一定の行為のうち裁判所が指定するもの，およびその他裁判所が指定する行為をするについて，裁判所の許可を要するものとする場合である（民再41Ⅰ①〜⑩）。この許可をえずに管財人がなした行為は無効であるが（同Ⅱ本文），ただしその無効は善意の第三者に対抗できない（同但書）。ある行為を要許可行為として指定するかどうかは，裁判所の判断に委ねられるが，裁判所は，行為の内容，行為の結果として生じうべき影響，管財人の執務態度などを総合的に考慮して，その判断を行う。

　管財人が再生債務者の営業または事業の全部または重要な一部の譲渡をする場合には，必ず裁判所の許可をえなければならない（民再42Ⅰ前段。本書1057頁）。裁判所は，当該再生債務者の事業の再生のために必要であると認める場合に限り，許可をすることができる（同後段）。事業の再生は，再生手続本来の目的であるところ（民再1），再生債務者の人格と切り離して事業の再生を図ることは，再生のあり方そのものにかかわるところから，必要的許可事項とされ

---

[25] 佐藤崇文「民事再生法における管財人の権限――介護老人保健施設の事業再生事例を素材に」NBL 809号49頁（2005年）。具体的には，事業譲渡，社債の発行，減増資などがこれにあたる（小林・前掲論文（注20）40頁），条解民事再生法346頁〔髙田賢治〕，進士・前掲論文（注12）222頁，150問196頁〔中井康之〕参照。したがって，裁判所の許可による場合以外には，再生債務者は，管財人の同意をえて，これらの行為を行うことになる。また，再生手続終了後のスポンサーへの経営権の承継方法については，150問192頁〔宮本圭子〕参照。

たものである[26]。裁判所は，許可をする場合には，知れている再生債権者の意見またはこれに代わる債権者委員会の意見，および労働組合等の意見を聴かなければならない（民再42Ⅱ Ⅲ）。許可をえないでした営業譲渡行為等の無効，および善意の第三者の保護は，財産処分等の場合と同様である（同Ⅳ・41Ⅱ）。

なお，以上に述べた裁判所の許可とは別に，株式会社である再生債務者の事業譲渡等については，株主総会の特別決議を要するが（会社467Ⅰ①〜②の2・309Ⅱ⑪），会社が債務超過に陥っているときには，会社財産について株主の実質的持分がなく，したがって，事業譲渡の可否をその意思決定に委ねるべき必然性がないところから，裁判所は，当該事業の全部の譲渡または事業の重要な一部等の譲渡が事業の継続のために必要である場合に限って，株主総会の決議に代わる許可（代替許可と呼ばれる）を与えることができる（民再43Ⅰ）[27]。

また，管財人は，裁判所の許可をえなければ，再生債務者の財産を譲り受け，再生債務者に対して自己の財産を譲り渡し，その他自己または第三者のために再生債務者と取引をすることができない（民再75Ⅰ）。管財人は，再生手続の機関として忠実に事業の再生を図る義務を負うが，この種の自己取引がその義

---

[26] 事業譲渡にかかる労働契約の承継については，本章注10参照。
再生計画認可決定が確定した後も，再生手続が係属する場合に（民再188Ⅱ Ⅲ），営業等の譲渡に関して裁判所の許可が必要かどうかについては，本書1058頁参照。
[27] 法42条1項後段にもとづく裁判所の許可の要件である「事業の再生のために必要であると認める場合」と，法43条1項但書にもとづく裁判所の許可の要件である「事業の継続のために必要である場合」との差異は，会社が債務超過の状態に陥っているときには，事業の再生についての積極的判断ができない場合であっても，事業の継続自体を重視して，裁判所が代替許可を与えうることを意味する。伊藤眞「再生債務者の地位と責務（下）」金法1687号37頁（2003年）参照。なお，棚橋洋平「代替許可における株主の地位」加藤哲夫古稀505頁は，株主の利益を重視する視点から，債務超過要件と事業継続のための必要性要件とを相関的に捉えるべきであるとする。債務超過の程度が著しいときには，事業価値毀損のおそれも高いであろうから，事業継続のために早期に事業譲渡をする必要性も大きいといえよう。
アメリカ法の第11章手続における363条セールと呼ばれる実務は，代替許可による事業譲渡に近い。山本研「アメリカにおける早期事業再生の手法」上野古稀658頁，工藤敏隆「民事再生手続における計画外事業譲渡の許可要件について」加藤新太郎古稀471頁参照。
なお，事業譲渡などによる企業結合は，一定の取引分野における競争を実質的に制限することにならないかどうかとの視点から，公正取引委員会による審査の対象となる。詳細については，品川武ほか「〈パネルディスカッション〉倒産手続と企業結合審査（上）（下）」NBL 1052号24頁，1053号16頁（2015年）参照。このことは，合併や会社分割などの手法による企業結合，また，再生計画による企業結合についても，同様に妥当する。

務と抵触するおそれがあることを考慮して，要許可行為としたものである。許可をえないでなされた行為は，無効であるが，その無効を善意の第三者に対抗することはできない（同Ⅱ）。類似のものとして，管財人は，その選任後，再生債務者に対する債権または再生債務者の株式その他の再生債務者に対する出資による持分を譲り受け，または譲り渡すには，裁判所の許可を受けなければならないとの規律がある（民再78・61Ⅱ）。これも事業の再生を通じて，再生債権者の利益を図るべき管財人の職務とこれらの行為の結果とが抵触するおそれがあることを考慮したものである。管財人が許可なくこれらの行為をしたときには，費用および報酬の支払を受けることができない（民再78・61Ⅲ）。

第4項　管財人の法律上の地位

　再生債務者と管財人は，同じく再生債務者財産について管理処分権，事業について業務遂行権を行使する主体であり，両者はともに，再生手続の機関としての性質を持ち，法文上では，「再生債務者等」（民再2②）と総称される。しかし，再生債務者が，手続開始前からその財産および事業の主体であり，ただ，手続開始後は，再生手続の機関としての職務を行うのに対して，管財人は，管理命令によってはじめてその財産管理処分権および業務遂行権を付与され，再生手続の遂行のためにその権能を行使する主体である点に両者の違いがある。したがって，再生債務者の法律上の地位については，私法上の職務説が妥当であるが，管財人については，破産管財人や更生手続の管財人と同様に，債務者財産およびそれを基礎とした事業についての管理機構として，管財人に就任する私人とは区別された意味で，法人格を認めるべきであり，管理機構人格説を採用すべきである（共益債権の債務者について，本書224頁参照）。

　もちろん，同じく管理機構といっても，清算のためにその財産管理処分権を行使する破産管財人とは，職務内容が異なるし，また，事業の再生を職務内容とする点では，更生管財人に近いが，株式会社の組織形態の変更を職務内容としない点で，更生管財人とも区別される。

第5項　管財人の任務終了

　管理命令が取り消されれば（民再64Ⅳ），管財人の任務は終了する。辞任および解任の場合（民再78・57Ⅱ，民再規27Ⅰ・23Ⅱ）も同様である。

その他，再生計画が遂行されたなどの事由にもとづいて再生手続終結決定がなされたとき（民再188Ⅲ Ⅳ），再生手続終了前に再生計画取消決定が確定したとき（民再189Ⅷ・188Ⅳ），再生手続廃止決定が確定したとき（民再195Ⅶ・188Ⅳ）のいずれの場合にも，管理命令の失効にともなって管財人の任務が終了する。任務が終了した場合には，管財人または後任の管財人は，遅滞なく，裁判所に計算の報告をしなければならない（民再77ⅠⅡ）[28]。急迫の事情があるときは，管財人またはその承継人は，後任の管財人または再生債務者が財産を管理することができるに至るまで，必要な処分をしなければならない（同Ⅲ）。

また，再生手続開始決定を取り消す決定，再生手続廃止決定もしくは再生計画不認可決定が確定した場合，または再生手続終了前に再生計画取消決定が確定した場合には，職権によって破産手続開始決定をすべきとき（民再250Ⅰ）等を除いて，管財人は，共益債権および一般優先債権を弁済し，これらの債権のうち異議のあるものについては，その債権を有する者のために供託をしなければならない（民再77Ⅳ）。共益債権および一般優先債権は，手続によらないで随時弁済すべきものであり（民再121Ⅰ・122Ⅱ），管理機構としての管財人がその弁済について責任を負っているから，上記の理由によって再生手続が終了するときには，その責任を果たした後に再生債務者に財産の管理処分権を引き継がせる趣旨である。

第3節　保全管理人

再生債務者は，再生手続開始の前後を通じて，財産管理処分権および業務執行権を行使するのが原則である。開始決定後は，管理命令が発令されれば，これらの権能は管財人に専属するが，開始決定前については，このような可能性がない。しかし，再生手続開始申立てから開始決定までの期間でも，再生債務者の管理処分等が不適切であれば，財産が散逸したり，また継続事業価値が毀損したりするおそれがある。

---

[28] 管財人の計算報告義務の性質が，裁判所に対する一般的報告義務（民再125Ⅱ）と同じ性質のものであり，任務終了時の最終の月間報告書などで足りること，反面，計算報告義務を履行したからといって，管財人の責任免除効などの実体法的効力が生じるものでないことについて，深山卓也「再生手続・更生手続における管財人の計算報告義務について」民事手続法213頁参照。

こうしたおそれに対しては，強制執行などに対する中止命令（民再26Ⅰ②），強制執行等の包括的禁止命令（民再27Ⅰ），仮差押え，仮処分その他の保全処分（民再30Ⅰ）によって対処することも考えられるが，再生債務者に管理処分等を委ねておくこと自体が上のおそれを生じさせていると認められるときには，その管理処分権等を剥奪し，これを管理機関に与える必要がある。保全管理命令による保全管理人の選任は，このような必要を満たすための処分である。

第1項　保全管理命令および保全管理人の選任

裁判所は，再生手続開始の申立てがあった場合において，法人である再生債務者の財産の管理または処分が失当であるときその他再生債務者の事業の継続のために特に必要があると認めるときは，利害関係人の申立てによりまたは職権で，再生手続開始の申立てについて決定があるまでの間，再生債務者の業務および財産に関し，保全管理人による管理を命じる処分をすることができる（民再79Ⅰ前段）[29]。管財人の場合には，事業の再生のために特に必要が認められることが管理命令発令の要件であるが，保全管理人の場合には，事業の継続のために特に必要が認められることが要件である。法人である再生債務者の理事や取締役に事業の運営を委ねたのでは，その継続が危ぶまれるような場合を指す[30]。保全管理命令発令に際しては，原則として再生債務者を審尋しなければならない（同後段・64Ⅲ）。

保全管理命令については，1人または数人の保全管理人を選任すること（民再79Ⅱ），保全管理命令変更または取消しの可能性があること（同Ⅳ），保全管理命令および変更または取消決定に対して即時抗告が認められること（同Ⅴ），即時抗告は執行停止の効力を持たないこと（同Ⅵ），保全管理命令および変更または取消決定の公告がなされること（民再80Ⅰ），保全管理命令，取消し・

---

[29] なお，保全管理命令の対象である再生債務者については，法人であることを除けば，法文上特段の限定はなく（民再79Ⅰ参照），破産者も含まれると解すべきである。したがって，再生手続の裁判所が破産手続に対する中止命令（民再26Ⅰ①）に加えて，保全管理命令を発令した場合には，破産者である法人の事業経営権および財産管理処分権は，保全管理人に専属し，保全管理命令がその効力を維持する限り，破産管財人は，その権限を行使することはできないと解される。また，保全管理命令の発令がない場合の中止命令の効力については，本書859頁参照。

[30] 具体例については，新注釈民事再生法（上）413頁〔印藤弘二〕，破産・民事再生の実務〔再生編〕212頁参照。

変更決定，即時抗告についての裁判書が当事者に送達されること（同Ⅱ），公告について法10条4項の適用が排除されること（同Ⅲ）は，管理命令の場合と同様である。なお，再生手続開始申立てが棄却されたときでも，それに対する即時抗告（民再36Ⅰ）がなされたときには，新たに保全管理命令を発することができる（民再79Ⅲ）[31]。

第2項　保全管理人の職務，保全管理人に対する監督，保全管理人の法的地位

　保全管理命令が発令されると，再生債務者の業務遂行権および財産の管理処分権は，保全管理人に専属すること（民再81Ⅰ本文）は，管財人の場合と同様であるが，保全管理人が再生債務者の常務に属しない行為をするには，裁判所の許可をえなければならない（同但書）。これは保全管理命令の目的が再生債務者の事業価値の毀損や減耗を防ぐことにあり，通常は，保全管理人が常務の範囲でその職務を行えば，その目的を達成できると考えられるためである[32]。ただし，たとえ常務に属する行為であっても，裁判所が要許可事項として定めたときには，その許可を必要とする（民再81Ⅲ・41）。

　いずれの場合であっても，裁判所の許可をえないでした保全管理人の行為は無効であるが，善意の第三者には無効を主張することはできない（民再81Ⅱ但書・41Ⅱ但書）。

　また，再生債務者財産の管理処分権が保全管理人に専属することを反映して，再生債務者の財産関係の訴えに関する当事者適格が保全管理人に認められること，係属中の訴訟について中断が生じることなども，管財人の場合と同様である（民再83Ⅰ前段・ⅡⅢ）。

　保全管理人の職務執行に関する規律は，管財人の場合とほぼ同様であるが（民再83Ⅰ），手続が未だ保全管理段階にあることから，若干の違いがある（民

---

[31] 再生手続が廃止された場合に，職権破産宣告がなされるまでの間の財産の散逸を防ぐために，法79条3項を類推適用して，保全管理命令を発することを認める考え方が有力であったが（条解民事再生法〈初版〉292頁〔中島肇〕），現行破産法の制定にともない，民事再生法251条が新設されたことによって問題が解決された。

[32] 新注釈民事再生法（上）421頁〔印藤弘二〕，条解民事再生法398頁〔中島肇〕は，通常の規模の仕入れ，販売，債務の弁済などを常務に属するものとし，これに対して，事業譲渡，重要資産の譲渡，設備投資のための借入などを常務に属しないものとする。

再83条1項における73条の不準用等）。

　管財人の場合と同様に，保全管理人は，必要があるときは，その職務を行わせるため，自己の責任で1人または数人の保全管理人代理を選任することができる（民再82 I）。その際には，裁判所の許可をえなければならない（同Ⅱ）。保全管理人代理が数人ある場合であっても，管財人や保全管理人のような共同職務執行の原則（民再70 I 本文・83 I 前段）は適用されず，各人がそれぞれ単独で保全管理人代理としての職務を行うことができる。

　保全管理人が職務執行について善管注意義務を負うこと，裁判所の監督に服すること，費用の前払いおよび報酬を受けることなどは，管財人の場合と同様であり，また保全管理人代理が直接に裁判所の監督を受けず，保全管理人の責任でこれを監督することも，管財人代理の場合と同様である[33]。

　保全管理人は，管財人と比較すると，その権限が制約されている側面があるが（民再81 I 但書等），再生手続開始前において再生債務者の財産やその事業価値を保全するなどの職務を負った再生手続の機関であり，しかも保全管理人に就任した私人とは区別されるべきであるから，管財人と同様に，管理機構としての人格を認めるべきである。

第3項　保全管理人の任務終了

　保全管理命令が取り消されれば（民再79Ⅳ），保全管理人の任務は終了する。辞任や解任の場合についても，管財人と同様に，任務が終了する。また，再生手続開始申立取下許可の裁判（民再32後段），再生手続開始申立棄却決定または再生手続開始決定によって保全管理命令が失効すれば，保全管理人の任務も終了する。任務終了に際して計算報告義務が課されるのは，管財人の場合と同様である（民再83 I 前段・77 I Ⅱ）。

第4節　裁判所

　再生手続開始決定をはじめとして，再生手続に関する種々の裁判を行い，債

---

[33]　ただし，報酬については，監督委員と同様に，予納金などから直接に支払を受けることができる（民再83 I 前段・61）。詳細については，条解民事再生法406頁〔中島肇〕参照。

権者集会の指揮など自らその手続を主宰し，または手続を遂行する機関である再生債務者等などを監督する職務を負う機関が裁判所である[34]。再生事件は，地方裁判所の職分管轄に属する（民再5）。なお法は，現に再生手続（民再2④）を担当する裁判体を単に裁判所と呼び（民再21Ⅰ・33・114・116・169・174等），その裁判体が所属する官署としての裁判所を意味する再生裁判所と区別している。再生裁判所は，再生手続上で生じる各種の訴え等についての管轄裁判所として規定されている（民再17Ⅲ・106Ⅱ・135Ⅱ・137Ⅱ・145Ⅱ・149Ⅲ・183Ⅲ・248・249Ⅰ）[35]。

再生裁判所を含め，現行法上の裁判所の職務は，4つに分けられる。第1は，再生手続の開始や終了にかかわる裁判を行うことである（民再33Ⅰ・188Ⅰ～Ⅲ・191～194）。

第2は，監督委員，調査委員，管財人あるいは保全管理人の選任（民再54Ⅰ・62Ⅰ・64Ⅰ・79Ⅰ）や債権者集会の招集・指揮（民再114・116），再生債権届出の受理（民再94），再生計画案の受理（民再163ⅠⅡ），再生計画案を決議に付する旨の決定（民再169Ⅰ），再生計画の認可または不認可の決定（民再174ⅠⅡ）など，再生手続の実施を内容とする職務である。

第3は，再生債務者等，監督委員，調査委員などの手続機関に対する監督をなすことである（民再41Ⅰ・57・63・78・83Ⅰ，民再規23・23の2・26Ⅱ・27Ⅰ）。

第4は，再生債権者など利害関係人間の権利義務に関する争いを裁判によって解決することである（民再105・106Ⅱ・135Ⅱ・137Ⅱ・143・145Ⅱ・149Ⅲ等）。これらの職務のうち，第1および第4は，再生事件に関する裁判機関としての職務であり，第2および第3は，再生手続の実施にかかる手続機関としての職務である。

---

34) 裁判所を構成する裁判官についての除斥および忌避の問題がある。再生手続に民事訴訟法の規定の準用があることからも（民再18，民訴23以下），また再生手続が非訟事件としての性質を持つことからも（非訟11以下），除斥および忌避の可能性を排除することはできないが，簡易却下（非訟13Ⅴ）などの適用を検討する必要がある。条解民事再生法79頁〔園尾隆司〕。その他，訴訟費用および訴訟救助に関する規定，裁判に関する規定，中断および中止に関する規定などの準用の有無について，同書80頁〔園尾隆司〕参照。
35) 両者の区別は，訴えなどの審判は，現に再生手続を担当する裁判体に行わせるのではなく，官署としての裁判所に属する他の裁判体に行わせる余地を認めるのが適当であるとの判断にもとづくものであるが，必ずしも裁判所内部の事務分配を拘束するものではない。民事再生法逐条研究150頁参照。

第1項　土地管轄

　再生事件の管轄はすべて専属的であって（民再6），合意管轄は認められない。管轄は，職分管轄と土地管轄に分けられるが，職分管轄に関しては，再生事件は地方裁判所の管轄に属する（民再5）。これに対して，土地管轄は次のように分かれる。なお，複数の裁判所が管轄権をもつときには，先に再生手続開始申立てのなされた裁判所が専属管轄をもつ（民再5Ⅹ）。

1　原則的土地管轄

　再生債務者が営業者であるとき，営業者で外国に主たる営業所を有するとき，営業者でないとき，または営業者であっても営業所を有しないときの土地管轄に関する規定（民再5Ⅰ）は，破産の場合（破5Ⅰ。本書228頁）と同様である。

2　補充的土地管轄

　補充的土地管轄に関する規定（民再5Ⅱ）の内容も，破産の場合（破5Ⅱ。本書229頁）と同様である。

3　親子会社等についての関連土地管轄

　親子会社等の密接な組織関係があり，かつ，経済的にも関連した事業活動を営んでいる複数の法人について一体的手続を進めることが望ましいという観点から，競合管轄としての関連土地管轄を認める規定（民再5Ⅲ）の内容も，破産の場合（破5Ⅲ。本書229頁）とほぼ同様である。ただし，破産手続の場合には，親法人または子株式会社について破産事件，再生事件または更生事件（破産事件等）が係属しているときに，関連土地管轄が認められるが，再生手続の場合には，その性質上，再生事件または更生事件（再生事件等）が係属する場合にのみ，関連土地管轄が認められる[36]。

　なお，孫会社と親法人の間の関連土地管轄が認められることも（民再5Ⅳ），破産の場合（破5Ⅳ。本書230頁）とほぼ同様である。

---

[36] 基本構造46頁。なお，親法人の種類については限定がないが，子法人は株式会社のみが対象とされている（民事再生法逐条研究22頁）。したがって，子法人が財団法人などである場合には，法5条3項による関連土地管轄は認められず，一体的処理の必要性が高い場合には，移送（民再7）によって対処することとなる。詳解民事再生法172頁〔河合裕行〕。また，係属については，先行事件が係属している場合だけではなく，同時に申立てがなされた場合も含むものとして運用されている。破産・民事再生の実務［再生編］36頁。

また、ある会計監査人設置会社と他の法人との間に連結決算書類が作成されているなどの場合における、当該株式会社と当該他の法人との間の関連土地管轄が認められることも（民再5Ⅴ），破産の場合（破5Ⅴ。本書230頁）とほぼ同様である。ただし，再生手続の場合には，その性質上，再生事件または更生事件（再生事件等）が係属する場合にのみ，関連土地管轄が認められる。

法人と法人の代表者との間の関連土地管轄が認められることも（民再5Ⅵ），破産の場合（破5Ⅵ。本書230頁）とほぼ同様である。ただし，再生手続の場合には，その性質上，法人につき再生事件または更生事件（再生事件等）が係属する場合，または代表者につき再生事件が係属する場合にのみ，代表者または法人に関連土地管轄が認められる。

さらに，連帯債務者相互間，主債務者と保証人相互間および夫婦相互間についても，一方について再生事件が係属する地方裁判所にも他方の再生手続開始申立てをすることが認められる（民再5Ⅶ。破5Ⅶ参照）。

4　大規模事件についての土地管轄の特則

債権者の数が多数に上るような大規模再生事件においては，人的体制が整い，また事件処理に関する知見等が集積されている裁判所が管轄裁判所となるのが望ましいことは，破産の場合と同様である。このような理由から，法は，破産の場合（破5ⅧⅨ。本書231頁）と同様の趣旨から，再生債権者の数が500人以上であるときの高等裁判所所在地管轄の地方裁判所，また1000人以上であるときの東京地方裁判所または大阪地方裁判所の競合管轄を認めている（民再5ⅧⅨ）。

5　移　　送

管轄違いの裁判所に再生手続開始申立てがなされた場合には，移送が可能である（民再18，民訴16Ⅰ）[37]。しかし，開始申立てがなされた裁判所が管轄裁判

---

[37] 移送がなされず，再生手続開始決定がされたときに，専属管轄違反を理由として即時抗告（民再36Ⅰ）が許されるかどうかが議論されるが，これを否定する理由に乏しい。条解民事再生法30頁〔園尾隆司〕，詳解民事再生法175頁〔河合裕行〕，倒産・再生訴訟582頁〔園尾隆司〕。ただし，移送申立ての却下決定に対する即時抗告を否定すべきであるとの理由から，否定説も存在する。新注釈民事再生法（上）35頁〔林圭介〕。

専属管轄違反を理由とする移送決定に対しては，法9条前段にいう「この法律に特別の定めがある場合」にあたらないとして，即時抗告の可能性を否定するのが，否定説（新注釈民事再生法（上）34頁〔林圭介〕，条解民事再生法29，77頁〔園尾隆司〕）である。しかし，この場合の移送決定は，民事訴訟法16条1項の規定にもとづくものであることを

所である場合であっても，利害関係人の利益を考慮して，適正，かつ，迅速な手続の進行を図るために，より適切な裁判所に再生事件を移送する可能性を認める必要がある。このような理由から法は，破産の場合（破 7。本書 232 頁）と同様に，著しい損害または遅滞[38]を避けるために必要があると認めるときは，裁判所が職権で事件を他の裁判所（民再 7 各号）に移送することができるとしている（同柱書）。

第 2 項　国際再生管轄

立法当初の民事再生法には国際再生管轄に関する規定が設けられていなかったが，平成 12 年改正によって旧破産法や旧会社更生法に国際倒産管轄に関する規定が設けられたことにあわせて，現在の法 4 条が整備された（本書 234 頁）。

国際再生管轄に関する規定の内容は，国際破産管轄に関する破産法の規定（破 4）の内容とほぼ同様である[39]。債務者が個人である場合には，日本国内に営業所，住所，居所または財産を有するときに限り，法人その他の社団または財団である場合には，日本国内に営業所，事務所または財産を有するときに限り，日本の裁判所の国際再生管轄が認められる（民再 4 Ⅰ）。財産の所在地に関しては，民事訴訟法の規定によって裁判上の請求をすることができる債権は，日本国内にあるものとみなされる（同Ⅱ）。

このような基準から国際再生管轄が決定されるために，国際破産の場合と同様に，並行再生および再生手続の国際的効力の問題が生じる。それらについては，第 2 部第 4 章第 1 節で扱う。

考えれば，同法 21 条の適用を排除することは不合理である。そのほか，再移送の可能性について，破産・民事再生の実務［再生編］39 頁参照。
38)　著しい損害とは，再生債務者や再生債権者などの利害関係人の利益に着目したものであるのに対して，著しい遅滞とは，手続全体に着目したものである。しかし，実際には，再生債務者財産や再生債権者の所在などの諸要素を総合勘案して，移送の是非を決することになる。条解会更法（上）172 頁参照。
　　なお，裁量移送をすることができる裁判所に申立てがなされたときに，自庁処理をすることを認めるべきとの立法論として，倒産・再生訴訟 583 頁〔園尾隆司〕がある。
39)　国内財産の所在を理由として外国法人についての国際再生管轄を認めた例として，運用指針 521 頁参照。これと比較して，会社更生法は，「株式会社が日本国内に営業所を有するときに限り」，国際更生管轄を認め，財産の所在などを理由とする管轄を排除している（会更 4）。これは，更生手続の実効性を確保しようとするためである。新しい国際倒産法制 427 頁，山本・国際倒産法制 138 頁参照。

第3項　裁判所書記官

　破産手続と同様に，再生手続においても裁判所書記官は，手続運営全般にわたって重要な役割を果たしている。法および規則は，そのうちのあるものを裁判所書記官固有の権限とし，また裁判所の権限に属する事項に関する事務を裁判所書記官が取り扱うものとしている。前者の例として，登記等の嘱託（民再11・12・15），再生債権の確定に関する訴訟の結果の記載（民再110），再生手続開始決定等の官庁への通知（民再規6），債権調査の際の異議の通知（民再規44）があり，後者の例として，公告に関する事務（民再規5），再生手続開始原因等に関する事実調査（民再規15），監督委員等に対する監督の事務（民再規23Ⅰ・26Ⅱ・27Ⅰ）などがある。

第5節　監督委員

　裁判所は，再生手続開始の申立てがあった場合において，必要があると認めるときは，利害関係人の申立てによりまたは職権で，監督委員による監督を命じる処分（監督命令）をすることができる（民再54Ⅰ）。民事再生手続においては，再生債務者が業務の遂行および財産の管理を行うのが原則であるが（民再38Ⅰ），監督委員は，それが適正になされるように監督する職務を負う，再生手続の機関である[40]。監督命令が発せられれば，裁判所が指定する行為については，再生債務者は，監督委員の同意をえなければならないという点で，その権限が制約されるが，業務遂行権や財産管理処分権そのものが剥奪されるものではない点で，管財人を任命する管理命令と区別される。したがって，特別の

---

[40]　監督委員は，裁判所によって選任され（民再54Ⅰ），裁判所の監督を受け（民再57Ⅰ），裁判所への報告義務を負うが（民再125Ⅲ），裁判所の補助機関ではなく，独立の判断によって職権を行使する，再生手続の機関である（条解民事再生法302頁〔髙見進〕，渡邉敦子「民事再生手続における監督委員の地位と職務」櫻井古稀113頁）。類似のものとして，旧破産法による監督委員の制度がある（本書209頁注4）。しかし，監査委員は，破産管財人の職務執行を監督する職務を負うものであること，破産債権者によって選任されるものであることなどの点で，監督委員との違いがある。

　旧会社整理における監督員との関係などについては，新注釈民事再生法（上）323頁〔石井教文〕参照。監督命令における同意事項，その他の職務については，民事再生の手引〈第2版〉61頁，［書式2-3-1～2-3-3］参照。

規定（民再56）がある場合を除いて，監督委員には，財産の管理処分権は認められない。

第1項　監督命令および監督委員の選任

監督命令は，再生手続開始の申立てがあれば，再生手続開始の前後を問わず，必要に応じて発令される（民再54Ⅰ）。ここでいう必要性は，再生債務者の手続遂行能力などの要素を基礎として具体的に判断されるべきものである。もちろん，管理命令の要件である「再生債務者の財産の管理又は処分が失当であるとき」（民再64Ⅰ）とは区別されるが，再生債務者の経営組織の状況などを考慮したときに，裁判所による監督（民再41Ⅰ等）のみでは不安を感じる場合に，監督命令の必要性が認められる[41]。監督命令を発したときは，その旨を公告し（民再55Ⅰ前段），あわせて当事者に送達する（同Ⅱ）。公告による告知の効力（民再10Ⅳ）は生じない（民再55Ⅲ）。監督委員の変更または取消し[42]の場合も同様である（民再54Ⅴ・55Ⅰ後段・Ⅱ）。監督命令やその変更または取消決定に対しては，即時抗告による不服申立てが許されるが，執行停止の効力はない（民再54Ⅵ Ⅶ）。即時抗告権者は，再生債務者や再生債権者などの利害関係人であり，その期間は公告が効力を生じた日から起算して2週間である（民再9）。

監督委員は，「その職務を行うに適した者」の中から選任される（民再規20Ⅰ）[43]。法人であっても差し支えないが（民再54Ⅲ，民再規20Ⅱ），実際には弁護

---

[41] 法施行直後から，監督委員を原則として全件について選任する取扱いが行われているが（民事再生法逐条研究66頁），例外もありえよう（松下・入門49頁参照）。裁判所による差異もある（上江州純子「再生手続の機関・費用――実証データからみえる手続機関の役割」NBL 995号76頁（2013年））。また，手続開始前に選任される監督委員については，手続開始原因の調査を行わせるという実務運用もあるが（新注釈民事再生法（上）311頁〔石井教文〕），本来の姿としては，調査命令（民再62）に委ねられるべきものである。その他，監督委員の職務遂行の実際と考え方については，今泉純一「監督委員に関する若干の考察」今中古稀189頁，第二東京弁護士会倒産法制等民事法制検討委員会「民事再生手続の監督委員（1）」NBL 860号10頁（2007年），運用指針31, 92頁が詳しい。150問167頁〔森恵一〕は，事案の特質などを踏まえた積極的な監督委員像と消極的な監督委員像がありうるとする。また，手続開始の条件（民再25③。本書847頁）との関係での監督委員の職務については，150問168頁〔中森亘〕参照。

[42] 変更は，再生計画認可後に同意権限を縮小する形で，取消しは，再生債務者の誠実性と信頼性が十分確認できた場合に行われるのが典型例である。新注釈民事再生法（上）329頁〔石井教文〕。

[43] 調査委員の場合（民再規26Ⅰ）と異なって，「利害関係のない」ことは要件ではない。条解民事再生規則57頁。しかし，選任後は，監督委員の職務の公正さを損なうおそれの

士が選任されるのが通常である。監督委員は，1人または数人が選任されるが（民再54Ⅱ），数人あるときは，共同職務執行が原則である（民再58本文）。ただし，職務分掌は許される（同但書）。裁判所書記官は，監督委員に対し，その選任を証する書面を交付しなければならない（民再規20Ⅲ）。

第2項　監督委員の職務，監督委員に対する監督，監督委員の法的地位

　監督委員の主たる職務は，裁判所によって指定された事項を再生債務者が行うについて同意を与えることである（民再54Ⅱ）。同意をえないで再生債務者が行った行為は，無効とする（民再54Ⅳ本文）。ただし，善意の第三者に対しては，無効を主張することができない（同但書）。監督委員が裁判所に代わって再生債務者の活動を監督する機関であるところから，要同意事項は，裁判所の要許可事項（民再41Ⅰ）を基準として決定される[44]。要同意事項についての同意の申請および監督委員の同意は，書面でしなければならず（民再規21Ⅰ），同意

　ある利害関係を持つことについては，慎重でなければならない。再生債務者に対する債権や株式の取得について裁判所の許可を要するとする規定（民再61ⅡⅢ）は，このような考え方にもとづくものである。

44)　再生債権の届出に対する認否書や再生計画案の作成を同意事項とすべきかどうかについては，考え方が分かれるが，これらの事項は再生債務者自身の責任において行うべきものであり，監督委員は再生債務者の補助機関ではないので，否定すべきである。民事再生法逐条研究69頁，新注釈民事再生法（上）326頁〔石井教文〕，条解民事再生法304, 307頁〔高見進〕。ただし，再生計画案について再生債権者が賛否の判断をする資料として意見を述べることは，監督委員の本来的職務に属することであり，それに付随するものとして，債務者に対する指導もありえよう。民事再生の手引〈第2版〉70頁，破産・民事再生の実務［再生編］201頁参照。

　その点を含め，監督委員の職務遂行のあり方を包括的に検討したものとして，第二東京弁護士会倒産法制等民事法制検討委員会「民事再生手続の監督委員（1）～（4）」NBL860号～863号（2007年），条解民事再生法320頁〔多比羅誠〕，中島・前掲論文（注2）288, 308頁，中本・前掲論文（注12）540頁，150問173頁〔木村真也〕がある。実務運用上は，再生手続開始の当否に関する意見書の提出，再生債務者の財務状況の調査，事業譲渡先等のスポンサー選定過程の適正さの監督，別除権協定など要同意行為についての判断，共益債権化の承認（運用指針94頁），再生計画案についての意見書の提出，認可後の再生債務者に対する監督が，監督委員の主たる職務である。破産・民事再生の実務［再生編］201頁，島岡大雄「民事再生事件の履行監督及び牽連破産事件の処理について」多比羅喜寿508頁，150問170頁〔西川精一〕，175頁〔野村剛司〕，177頁〔阪口彰洋〕，179頁〔桐山昌己〕，181頁〔上田裕康〕，184頁〔木村圭二郎＝林祐樹〕。再生計画案の決議について不正の方法（民再174Ⅱ③。本書1113頁）が疑われる場合の対応も含まれる。150問309頁〔赤堀有吾〕。

をえたときは，再生債務者は，遅滞なく，その旨を裁判所に報告しなければならない。

そのほかの監督委員の職務としては，再生債務者からの報告を受けること（民再規22），手続開始前の借入金等によって生じた債権の共益化について，裁判所の許可に代わる承認をすること（民再120 I II，民再規55），再生債務者やその機関，あるいは従業員などに対して，業務および財産の状況についての報告を求め，帳簿等の物件を検査すること（民再59 I II），再生債務者の子会社等に対して同様の行為をすること（同III IV），そのために必要があるときは，裁判所の許可をえて鑑定人を選任できること（民再規24），否認権行使の権限付与を受けて，必要な行為をすること（民再56），再生計画案の作成の方針その他再生手続の進行に関し必要な事項について，裁判所と再生債務者との間で協議を行うこと（民再規23の2），再生計画の遂行の監督（民再186 II），再生計画の変更申立て（民再187 I），再生手続終結の申立て（民再188 II），再生手続廃止の申立てや意見陳述（民再193・194，民再規98）などがあげられる。

これらの職務を遂行するについて，監督委員は，善管注意義務を負い（民再60 I），その懈怠については，利害関係人に対する損害賠償義務が課される（同II）。また，監督委員は，職務執行について裁判所の監督に服する（民再57 I）[45]。監督委員が，裁判所の定めるところにより，再生債務者の業務および財産の管理状況その他裁判所の命じる事項を裁判所に報告しなければならないとされるのは（民再125 III），裁判所の再生債務者に対する監督とともに，監督委員に対する監督権行使の資料となる。

監督委員は，上記のような職務を果たす再生手続の機関としての法的地位を有し，費用の前払いおよび裁判所が定める報酬を受けることができる（民再61 I）。報酬額は，その職務と責任にふさわしいものでなければならない（民再規25）。裁判所の定めに対しては，監督委員または利害関係人から即時抗告をもって不服を申し立てることができる（民再61 IV）。

第3項　監督委員の任務終了

監督委員の任務は，裁判所の許可にもとづく辞任（民再規23 II），任務懈怠に

---

[45] 裁判所は，監督に関する事務を裁判所書記官に命じて行わせることができる（民再規23）。

よる解任（民再57Ⅱ），監督命令の取消し（民再54Ⅴ）の他に，再生手続終結決定（民再188Ⅳ），再生計画取消決定の確定（民再189Ⅷ・188Ⅳ），あるいは再生手続廃止決定の確定によって監督命令が失効すること（民再188Ⅳ・189Ⅷ・195Ⅶ）にともなって終了する。

第6節　調　査　委　員

　裁判所は，再生手続開始の申立てがあった場合において，必要があると認めるときは，利害関係人の申立てによりまたは職権で，調査委員による調査を命ずる処分をすることができる（民再62Ⅰ）。

第1項　調査命令および調査委員の選任

　調査委員による調査は，裁判所が再生手続に関わる裁判などをするに際して必要な資料をうるためのものである。調査命令の発令は，再生手続開始の前後を問わないが，開始前には，開始決定の是非を判断するための資料をうるための調査が中心となる。もっとも，監督委員が選任されている場合には，監督委員による調査がなされうるので（民再59），重ねて調査委員を選任する必要性に乏しい[46]。

　調査命令は，その職務を行うに適した者で利害関係のないもののうちから（民再規26Ⅰ），1人または数人の調査委員を選任し，かつ，調査委員が調査をすべき事項および調査結果を裁判所に報告すべき期間を定めて，発令される（民再62Ⅱ）。いったん調査命令が発令されても，調査事項を変更するなど調査命令を変更し，また必要がなくなった場合には，調査命令を取り消すことができる（同Ⅲ）。調査命令および変更や取消しの決定に対しては，即時抗告が認められるが（同Ⅳ），執行停止の効力はない（同Ⅴ）。調査命令等の裁判の裁判書は，当事者に送達する（同Ⅵ）。

　調査委員は，個人のみならず法人であっても差し支えない（民再63・54Ⅲ，

---

[46]　調査委員選任の実情については，新注釈民事再生法（上）314頁〔石井教文〕，352頁〔森川和彦〕，民事再生の手引〈第2版〉104，106頁，［書式2-6-1］，150問198頁〔小松陽一郎〕，運用指針34頁参照。実務上は，監督命令と異なって，登記や公告の必要がないところから，再生債権者申立ての事件などで活用されている。破産・民事再生の実務［再生編］207頁。

民再規26Ⅱ・20Ⅱ）。裁判所書記官は，調査委員に対してその選任を証する書面を交付しなければならない（民再規26Ⅱ・20ⅡⅢ）。

第2項　調査委員の職務，調査委員に対する監督，調査委員の法的地位

　調査委員は，調査命令に定められた事項について調査を実施し，定められた期間内に裁判所に対して報告をしなければならない。必要があるときは，裁判所の許可をえて鑑定人を選任することができる（民再規26Ⅱ・24）。数人の調査委員が選任された場合には，共同してその職務を行う（民再63・58本文）。職務を行うために調査権限が認められることは，監督委員と同様である（民再63・59）。報告書は，利害関係人による閲覧謄写等の対象になるが（民再16Ⅰ），場合によっては閲覧等が制限されることがありうる（民再17Ⅰ②）。

　調査委員は，その職務の遂行について裁判所の監督に服する（民再63・57Ⅰ，民再規26Ⅱ・23Ⅰ）。解任の可能性があることも，監督委員と同様である（民再63・57Ⅱ）。また，職務遂行にあたっては，善管注意義務が課され，その違反にもとづいて損害賠償責任が生じる（民再63・60）。報酬等の取扱いも，監督委員に準じる（民再63・61，民再規26Ⅱ・25）。

　調査委員の職務は，裁判所に命じられた事項について調査および報告を行うという点に限られたものではあるが，その職務の遂行に関する限り，裁判所の補助者ではなく，再生手続の機関としての性質を持つ[47]。費用の前払いおよび報酬請求権を認められることや（民再63・61），職務の遂行について善管注意義務を課されていること（民再63・60）などは，その機関性を示すものである。

第3項　調査委員の任務終了

　調査委員の任務は，裁判所の許可にもとづく辞任（民再規26Ⅱ・23Ⅱ），任務懈怠による解任（民再63・57Ⅱ），調査命令の取消し（民再62Ⅲ）の他に，命じられた事項についての調査報告にともなって終了する。

---

[47]　これに対して，民事再生の手引〈第2版〉105頁は，監督委員との差異に着目して，裁判所の補助機関とする。

第7節　債権者集会および債権者委員会

　再生手続は，再生債務者と再生債権者の権利関係を適切に調整し，もって当該債務者の事業または経済生活の再生を図ることを目的としている（民再1）。権利関係の調整が適切に行われるか否かは，手続の遂行主体である再生債務者等や，それを監督する立場にある裁判所や監督委員の判断によるところが大きいが，最終的には，再生債権者自身の意思を問う必要がある。また，その前提として，再生債権者に対して判断の前提となる情報を開示する必要も大きい。債権者集会や債権者委員会は，このような目的のために設けられた再生手続の機関[48]である。

第1項　債権者集会

　債権者集会は，再生債権者によって構成される機関であり，その最も重要な職務は，再生計画案についての決議を行うことである（民再169Ⅱ①③・170・172・187Ⅱ）。また，再生債権者の利益を確保するためには，再生債務者の財産や事業の内容を含め，再生手続の進行状況について十分な情報が適切に開示されることが必要であり，法は，財産状況報告のための債権者集会（民再126）をはじめとして，必要に応じて債権者集会を開催することを予定している。もっとも，総再生債権者が一堂に会する形での集会が，再生債権者の意思形成や再生債権者への情報提供の方法として常に最適であるとはいえず，法は，債権者集会の開催を必要的なものとはせず，情報提供については，文書の閲覧（民再16），再生債務者による情報開示（民再規1Ⅱ）や債権者説明会（民再規61Ⅰ）

---

[48]　法文上では，再生手続の機関とされているのは，法第3章に規定される，監督委員，調査委員，管財人および保全管理人の4つであり，再生債務者，債権者集会および債権者委員会は機関として規定されていない。しかし，法律上の権限を認められて再生手続の遂行に関与し，その前提として意思決定を行うことが予定される主体には，理論上の機関性を認めるべきである。この意味で，再生債務者，債権者集会および債権者委員会は，機関としての性質を有する。
　これに対して，債権者説明会（民再規61）は，再生債権者に対する情報提供の場であり，機関性が認められない。なお，詳解民事再生法110頁〔小海隆則〕は，債権者集会の機関性に疑問を提示する。開始決定前後における債権者説明会の役割について，民事再生の手引〈第2版〉117頁，運用指針44，142頁参照。

などをもって行い，再生計画案に関する決議については，書面等投票によって行うこと（民再169Ⅱ②③・171・187Ⅱ）を認めている[49]。

また，個人再生手続のうち，給与所得者再生では，再生計画について再生債権者の意思決定を経ることが要求されず（民再240・241参照），小規模個人再生でも，書面等投票による決議のみが予定されているので（民再230Ⅲ），債権者集会の役割は大幅に縮小されている。もっとも，簡易再生の場合には，債権者集会の開催は必要的である（民再212ⅡⅢ）。

1 債権者集会の招集

裁判所は，再生債務者等もしくは債権者委員会の申立てまたは知れている再生債権者の総債権について裁判所が評価した額の10分の1以上に当たる債権を有する再生債権者の申立てがあったときは，債権者集会を招集しなければならない（民再114前段）。これらの申立てがない場合であっても，裁判所は，相当と認めるときは，職権で債権者集会を招集することができる（同後段）。したがって，債権者集会の招集権者は裁判所であり，再生債務者等，債権者委員会および10分の1以上の債権額の再生債権者には，招集申立権が認められる[50]。招集申立書には，会議の目的である事項および招集の理由を記載しなければならない（民再規48）。

裁判所は，期日を定めて，再生債務者，管財人，届出再生債権者[51]および再生のために債務を負担または担保を提供する者があるときは，その者を呼び出さなければならない（民再115Ⅰ本文）[52]。担保提供者などが呼出しを受けるのは，再生計画の履行の確実性に影響を与えるためである[53]。また，裁判所は，債権者集会の期日および会議の目的である事項を公告しなければならない（同Ⅳ）。ただし，大規模事件における通知・呼出し省略の決定がなされたときは

---

49) 実情に関しては，民事再生法逐条研究96頁，新注釈民事再生法（上）623頁〔武笠圭志〕，条解民事再生法588頁〔園尾隆司〕参照。
50) 適法な申立てがなされた以上，裁判所は債権者集会を招集しなければならないが，集会を開催すべき合理的理由がなく，かつ，いたずらに手続費用がかかると見込まれる事案では，申立権の濫用として，集会を招集しないことも許される。
51) 自認債権者（民再101Ⅲ）は，議決権がなく（民再104Ⅰかっこ書），議決権を行使することができない届出再生債権者（民再115Ⅱ）にあたり，呼び出さないことができる。
52) 平成16年改正前は，呼出しは必ず呼出状の送達によることとされていたが（旧民再115後段），現行法の下では，民事訴訟法の一般規定により（民再18，民訴94Ⅰ），普通郵便やファックスなど相当と認める方法によって行えば足りる。
53) 新注釈民事再生法（上）625頁〔武笠圭志〕。

(民再34Ⅱ)，再生計画案の決議のための債権者集会の期日を除いて，届出債権者に対する呼出しは不要である（民再115Ⅰ但書）。また，議決権を行使することができない届出再生債権者（民再87Ⅱ)[54]は，呼び出さないことができる（民再115Ⅱ）。

債権者集会の期日は，労働組合等[55]に通知される（民再115Ⅲ）。労働組合等は，債権者集会の構成員ではないが，再生手続の帰趨について重大な利害関係を有するところから，これに対する情報提供の機会として期日の通知を定めたものである[56]。

もっとも，いったん債権者集会の期日が定められ，その期日において延期または続行期日の言渡しがあったときは，呼出し，労働組合等に対する通知および公告はなされない（同Ⅴ）。

2 債権者集会の議事および議決権

債権者集会は，裁判所が指揮する（民再116）。実務上は，再生計画案についての決議のための債権者集会が中心となるが，指揮の内容は，それぞれの資格にもとづいた出席者の確定，監督委員や調査委員の出席および意見陳述（民再規49ⅠⅡ），議事の進行，決議の指揮および集会の秩序維持を含む[57]。

再生計画案についての決議のための債権者集会などでは，議決権を有する者のみがその額をもって決議に参加することができる。議決権を有するのは，再生債権（民再84ⅠⅡ）を有する債権者であって，再生債権の届出をすることによって再生手続に参加した者である（民再86Ⅰ・94Ⅰ）。ただし，劣後的取扱いを受ける再生債権（民再84Ⅱ），罰金，科料等（民再97①），共助対象外国租税の請求権（民再26Ⅰ⑤）については，議決権が認められない（民再87Ⅱ）。再生債務者が再生手続開始の時においてその財産をもって約定劣後再生債権に優先する債権に係る債務を完済することができない状態にあるときの約定劣後再生債権も同様である（同Ⅲ）。権利の性質上，これらの権利の主体を他の再生債

---

54) その他，債権調査手続において債権がないことが確定された届出再生債権者も含まれる。
55) 労働組合等とは，再生債務者の使用人その他の従業者の過半数で組織する労働組合，これがないときは，従業者の過半数を代表する者を指す（民再24の2かっこ書）。
56) 花村321頁参照。なお，通知（民訴規4Ⅰ）は，電話，ファクシミリなど相当と認める方法による。
57) 条解民事再生法593頁〔野口宣大〕。運営の実情については，詳解民事再生法120頁〔小海隆則〕参照。

権者とともに権利変更などを内容とする決議に加えることが合理性を欠くためである。

また，別除権者についても，再生手続によらず優先弁済権を行使できる部分を除いた不足額部分に限定して（民再88本文），外国で弁済を受けた再生債権者については，その部分を除いて（民再89Ⅲ），議決権を行使できる。

議決権額に関する規律は，原則としては再生債権額による（民再87Ⅰ④）。しかし，債権額全額を議決権額とすることが他の再生債権者との公平に反する場合や，確定した債権額がない場合については，特別の規律が存在する。

　　ア　再生手続開始後に期限が到来すべき確定期限付債権で無利息のもの（民再87Ⅰ①）

これについては，再生手続開始の時から期限に至るまでの期間の年数（その期間に1年に満たない端数があるときは，切り捨て）に応じた債権に対する法定利息（民404）を債権額から控除した額を議決権額とする。再生手続開始後の利息について議決権を認めないこと（民再87Ⅱ）に対応して，中間利息相当分を議決権額から控除する趣旨である[58]。

　　イ　金額および存続期間が確定している定期金債権（同Ⅰ②）

この場合には，各定期金についてアで述べた方法で中間利息相当分を控除した額の合計額か，法定利率（民404）によるその定期金に相当する利息を生ずべき元本額か，いずれか少ない方の額が議決権額になる[59]。

　　ウ　再生手続開始時の評価額によるもの（同③）

これに属する権利としては，5種類のものがある[60]。第1は，再生手続開始後に期限が到来すべき不確定期限付債権で無利息のものである（民再87Ⅰ③イ）。評価の方法は，統計等によって期限の到来時を想定し，確定未到来期限付債権の場合と同様に（同Ⅰ①），中間利息相当分を控除する。

第2は，金額または存続期間が不確定である定期金債権である（同Ⅰ③ロ）。

---

58) 計算方式については，新注釈民事再生法（上）465頁〔中井康之〕，本書310頁参照。なお，再生手続では，破産手続と異なって，現在化（破103Ⅲ）に対応する規定が存在しないことが，前提となっている。
59) 具体的算定方式については，条解会更法（中）412頁，新注釈民事再生法（上）466頁〔中井康之〕参照。
60) 権利の具体例は，条解会更法（中）414頁，新注釈民事再生法（上）466頁〔中井康之〕参照。

定期金債権の金額または存続期間を想定して，これらが確定している定期金債権に準じた評価をすべきである。

第3は，非金銭債権である（同Ⅰ③ハ）。目的物の評価額などを基準として議決権額の評価をすべきである。なお，破産手続と異なって（破103Ⅱ①イ），再生手続においては，再生債権そのものが金銭化されることはない。

第4は，額不確定の金銭債権または外国通貨金銭債権である（民再87Ⅰ③ニ）。破産法103条2項1号ロにいう額不確定金銭債権の意義について考え方の対立があることは，すでに述べた通りである（本書293頁）。したがって，通説の考え方を当てはめれば，将来の収益分配請求権のような，客観的にも金額が確定されていない債権が評価によって議決権額を定める対象であるのに対して，本書のような少数説では，将来損害が顕在化するような損害賠償請求権であっても，評価によって議決権額が定められる。

第5は，条件付債権である（同Ⅰ③ホ）。停止条件付債権および解除条件付債権のいずれについても，条件成就の蓋然性を評価して，議決権額が定まる。保証人の求償請求権など，法定の条件にかかる将来の請求権についても同様である（同Ⅰ③ヘ）。

議決権額は，以上のような基準によって定まるが，手続としては，再生債権者が再生債権の内容とともに，必要な評価などを行った上で議決権額を届け出（民再94Ⅰ，民再規31Ⅰ柱書），それが再生債権者表に記載され（民再99Ⅱ，民再規36Ⅱ柱書），再生債務者等が認め（民再101ⅠⅡⅥ参照），また他の再生債権者による異議がなかったものは，議決権額が確定し（民再104Ⅰ・170Ⅰ但書），その額で議決権の行使が認められる（民再170Ⅱ①・171Ⅰ①）。これに対して，再生債務者等または他の届出再生債権者は，債権者集会の期日において届出議決権額について異議を述べることができる（民再170Ⅰ本文）。異議がなければ，届出にしたがった額での議決権行使が認められるが（同Ⅱ②），異議があれば，議決権行使の可否と議決権額を裁判所が定める（同Ⅱ③）。この決定に対する不服申立ては認められないが[61]，裁判所は，利害関係人の申立てによりまたは職権で，いつでもその決定を変更することができる（同Ⅲ）。

なお，再生計画案の決議について債権者集会が開かれない場合（民再169Ⅱ

---

61) 東京高決平成13・12・5金商1138号45頁参照。

②）の議決権額（民再171Ⅰ柱書）は，すでに確定している届出再生債権者（民再104Ⅰ）については，それにより（民再171Ⅰ①），それ以外の届出再生債権者については，議決権行使の可否および額を裁判所が定める（同②）。この決定に対する不服申立ては認められないこと，および裁判所による変更の余地があることは，上記の場合と同様である（同Ⅱ）。

以上に対して，債権調査手続が行われない簡易再生の場合には，届出再生債権者の議決権は確定されない。したがって，議決権額は，債権者集会における再生債務者等または他の届出再生債権者の異議の有無，および異議が提出された場合の裁判所の決定（民再170Ⅰ本文・Ⅱ③・Ⅲ）によって定められる。

その他，再生計画案の決議にかかる議決権行使に関する規律については，第2部第8章第2節第2項（本書1098頁以下）において説明する。

3　議決権の行使

議決権者および議決権の額は，以上に述べたところにしたがって決定されるが，集会の期日における議決権行使であれ，また書面等投票であれ（民再169Ⅱ①～③），決議が行われる時点によって，届出再生債権の譲渡などにともなう議決権者の変動が生じる可能性がある。決議が行われる時点での届出再生債権者が議決権者となるのが基本であるが，特に再生計画案に関する決議は，再生手続の中核となるものであり，その直前まで議決権者の変動が生じうることは，手続の円滑な進行を妨げるおそれがある。この問題を解決するために設けられたのが，基準日による議決権者の確定制度である（民再172の2）。

すなわち，裁判所は，相当と認めるときは，再生計画案を決議に付する旨の決定（民再169Ⅰ）と同時に，基準日を定めて，基準日における再生債権者表に記載されている再生債権者を議決権者と定めることができる（民再172の2Ⅰ）。裁判所は，基準日を公告しなければならない。この場合において，基準日は，当該公告の日から2週間を経過する日以後の日でなければならない（同Ⅱ）。この場合には，債権者集会の期日は，特別の事情がある場合を除き，当該基準日の翌日から3月を超えない期間をおいて定めるものとする（民再規90Ⅰ）[62]。

その他，決議事項に関して特別利害関係を有する者の議決権を否定すべきか

---

[62]　基準日の制度は，会社更生法194条に倣って，平成16年改正によって付加されたものである。制度の趣旨については，一問一答新会社更生法207頁，運用については，会社更生の実務〈新版〉（下）300頁〔名島亨卓＝目黒大輔〕参照。

どうかという問題があるが，議決権を否定した旧破産法179条2項に対応する規定が現行破産法に存在しないこと，民事再生法にもその趣旨の規定が設けられなかったことを考えれば，議決権を否定する理由はない[63]。

第2項　債権者委員会

再生債務者等が手続を遂行し，また裁判所や監督委員がそれを監督する上で，再生手続の受益者である再生債権者の意見を聴き，それを再生計画案の内容に反映させるなどのことは，手続の適正，かつ，円滑な進行のために不可欠である。そのための手段としては，債権者集会や債権者説明会があるが，多数の再生債権者が存在するような事案では，これらの制度が十分に機能しないおそれがある。そこで，少数の再生債権者が全体の利益を代表して，裁判所，再生債務者等または監督委員に対して意見を述べるために作られた制度が債権者委員会である[64]。

1　債権者委員会の手続関与

裁判所は，再生債権者をもって構成する委員会がある場合には，利害関係人の申立てにより，当該委員会が，法律に規定された事項について再生手続に関与することを承認することができる（民再117Ⅰ本文）。委員会は，再生手続開始前に組織されたものであっても，また開始後に組織されたものであっても差し支えないが，いずれにしてもあらかじめ組織されていることを前提に，利害関係人[65]が裁判所に対して手続関与承認の申立てをなす。申立てに際しては，委員会の構成など，承認の要件の判断に関わる事項を明らかにすることが求められる（民再規53）。

承認の要件は，第1に，委員の数が3人以上10人以内であること（民再117

---

[63]　詳解民事再生法123頁〔小海隆則〕，森恵一「債権者の手続関与のあり方」講座（3）350頁。破産法に関しては，本書243頁注100，会社更生法に関しては，条解会更法（下）54頁参照。

[64]　実際に債権者委員会が組織される例は少ないが，皆無というわけではない。民事再生法逐条研究99頁参照，アメリカにおける債権者委員会の制度や活動との比較について条解民事再生法597頁〔川嶋四郎〕参照。杉本純子「債権者機関（債権者集会・債権者委員会）」プレーヤー273頁，多様化する事業再生79頁〔柴田義人ほか〕は，債権者の意向集約と債権者への情報伝達機能を債権者委員会に果たさせるべきであるとする。

[65]　利害関係人としては，委員会構成員たる再生債権者が考えられるが，再生債務者や別除権者であっても差し支えない。新注釈民事再生法（上）633頁〔明石法彦〕。

Ⅰ①，民再規52），第2に，再生債権者の過半数が当該委員会の再生手続への関与について同意していると認められること（民再117Ⅰ②），第3に，当該委員会が再生債権者全体の利益を適切に代表すると認められることの3つである（同③）。第2の要件は，形式的な意味ではなく，実質から判断して過半数債権者の同意があると認められることを意味する[66]。第3の要件は，委員会が再生債権者全体の利益を代表することと[67]，その活動が適切に行われることを含んでいる。適切代表性の存在は，申立書の記載および添付書面によって明らかにしなければならない（民再規53Ⅰ④・Ⅱ①）。

裁判所が債権者委員会の手続関与を承認すると，裁判所書記官は，遅滞なく，再生債務者等に対して，その旨を通知しなければならない（民再118Ⅰ）。債権者委員会の手続関与の機会を保障するためである。なお，承認申立てを却下する決定または承認決定に対する不服申立ては認められないが（民再9前段参照），裁判所は，利害関係人[68]の申立てによりまたは職権で，いつでも承認を取り消すことができる（民再117Ⅴ）。

2 債権者委員会の権限および活動

債権者委員会の権限は，大別すると，意見陳述権，再生債務者等に対する報告書等の徴求権・報告命令申立権（民再118の2・118の3），債権者集会の招集申立権（民再114前段）および再生計画の履行の監督権の4つに分けられる。意見陳述権には，再生手続一般に関わるものと，特定の事項に関わるものがあ

---

66) したがって，民事再生規則53条2項2号にいう書面も，個々の債権者による同意書に限らず，委員会の議事録などで過半数債権者の同意が認定できるものであればよい。条解民事再生規則116頁，新注釈民事再生法（上）632頁〔明石法彦〕。

67) 更生手続における関係人委員会（会更117）の場合には，権利の性質に応じて，更生債権者委員会，更生担保権者委員会および株主委員会が含まれるが，再生手続の場合には，特定財産上の担保権者や一般優先権を持つ債権者が手続外に置かれるために（民再53Ⅱ・122Ⅱ），一種類の債権者委員会しか存在しない。関係人委員会については，川嶋四郎「関係人委員会の意義と任務」判タ1132号137頁（2003年）参照。
　立法論としては，利害関係人の手続関与を強化するという視点から，「当該利害関係人全体の利益を適切に代表すると認めることができない等の合理的な事由のないこと」という消極要件に変更すべきとの提案もある。永井和明＝門口正人「再建型倒産手続における債権者の地位」松嶋古稀185頁。ただし，母体となる債権者との情報共有などの面で問題があることを指摘し，むしろ一定範囲の債権者が任意に組織する私的委員会の役割に期待するものとして，ニューホライズン491頁がある。

68) 取消申立ての利害関係人の範囲は，不適切な委員会の関与を排除するという意味で，承認申立ての利害関係人よりも広く，一般の優先権を有する賃金債権者や株式会社である再生債務者の株主も含まれる。新注釈民事再生法（上）633頁〔明石法彦〕。

る。前者は，裁判所，再生債務者等または監督委員に対する意見陳述権（民再117ⅡⅢ・118Ⅱ）を意味し，後者は，営業等の譲渡許可に関する意見陳述権（民再42Ⅱ但書）がこれにあたる。再生計画の履行の監督権は，再生計画にその旨の定めがある場合に認められるものであるが，主として，監督委員がおかれず，再生手続認可決定の確定とともに再生手続が終了する場合（民再186Ⅱ・188ⅠⅡ）に意味をもつ。この場合において，再生債務者が債権者委員会の活動費用の全部または一部を負担するときは，その負担に関する条項を再生計画に定めなければならない（民再154Ⅱ）。

債権者委員会の活動は，構成委員の過半数の意見による（民再規54Ⅰ）。ただし，意見陳述の活動については，その性質上，多数意見と少数意見とを併記することも許される[69]。なお，債権者委員会は，これを構成する委員のうち連絡を担当する者を指名し，その旨を裁判所に届け出るとともに，再生債務者等および監督委員に通知しなければならない（同Ⅱ）。また，構成する委員または運営に関する定めについて変更が生じたときは，遅滞なく，その旨を裁判所に届け出なければならない（同Ⅲ）。

委員会の活動に要する費用は，それを構成する委員が負担するのが原則であるが，活動が再生債務者の再生に貢献したと認められるときは，裁判所は，当該活動のために必要な費用を支出した再生債権者の申立てにより，再生債務者財産から，当該再生債権者に対し，相当と認める額の費用を償還することを許可することができる（民再117Ⅳ）。ここでいう費用には，会合費や消耗品費などの事務費用の他に，弁護士や公認会計士の費用・報酬も含まれる。

第3項 代理委員

再生債務者等が再生計画案の作成・決議および再生計画の認可を経て，再生計画を遂行する過程では，再生債権者との間で様々な交渉を行い，また再生債権者の側でも，再生債権の調査確定手続の中で，また再生計画案についての議決権行使など，種々の局面で手続に参加することが必要になる。手続参加の主体は，それぞれの再生債権者であるが，その権利行使を第三者に委ねるには，裁判上の行為という性質上，代理人に弁護士資格が要求される（民訴54Ⅰ本文，

---

[69] 詳解民事再生法129頁〔四宮章夫〕。

弁護士72本文)。しかし，行為の実質的内容を考えると，必ずしも代理人の資格を弁護士に限定する必然性はなく，また，複数の再生債権者が1人の代理人を選任すれば，手続の迅速な進行にも資する。このような理由から再生手続上の特別の制度として設けられたのが代理委員である[70]。

1 代理委員の選任等

再生債権者は，裁判所の許可をえて，共同してまたは各別に，1人または数人の代理委員を選任することができる（民再90Ⅰ）。代理委員の選任権者は再生債権者であり，解任権も再生債権者に属する（同Ⅵ。解任の届出について民再規29Ⅱ参照）。ただし，裁判所の許可がなければ，選任の効力は生じない。裁判所の許可が要求されるのは，代理委員の資格について特別の制限が存在しないこと，および，次に述べるように，代理委員に手続機関に準じる地位が与えられるためである。したがって，裁判所は，代理委員の権限の行使が著しく不公正であると認めるときは，許可を取り消すことができる（同Ⅴ）。

選任の態様は，数人の再生債権者が共同して，または各別に1人または数人の代理委員を選任する場合が典型的なものであるが，それ以外に，1人の再生債権者が1人の代理委員を選任することも許される。

裁判所は，再生手続の円滑な進行を図るために必要があると認めるときは，再生債権者に対し，相当の期間を定めて，代理委員の選任を勧告することができる（同Ⅱ）。しかし，これは勧告にすぎず，再生債権者に対する強制力はない。ただし，当該再生債権者がその勧告にしたがわず，かつ，共同の利益を有する再生債権者が著しく多数である場合において，代理委員の選任がなければ，再生手続の進行に支障があると認めるときは，その者のために裁判所が相当と認める者を代理委員に選任することができる（民再90の2Ⅰ）[71]。その際には，当該代理委員の同意をえなければならない（同Ⅱ）。この場合には，当該再生債権者（本人）の選任行為は不要であり，裁判所の選任と当該代理委員の同意によって，本人による選任が擬制される（同Ⅲ）。

---

70) 沿革は，旧会社更生法160条（現会更122）にならったものである。花村260頁，新注釈民事再生法（上）483頁〔中井康之〕参照。したがって，再生債権者が弁護士を自らの代理人として手続上の行為を行わせることは，代理委員制度の存在によって影響を受けるものではない。民事再生法逐条研究87頁参照。
71) 具体例については，法90条の2と同趣旨の規定である会社更生法123条に関して，伊藤眞ほか編・新しい会社更生法168頁〔永野厚郎〕（2004年）参照。

当該代理委員は，正当な事由があるときは，裁判所の許可をえて辞任することができるほか（同Ⅳ），再生債権者からの解任も可能と解されている[72]。

2 代理委員の権限および地位

代理委員は，本人である再生債権者のために，再生手続に属する一切の行為をすることができる（民再90Ⅲ）。再生計画案に対する議決権の行使はもちろん，再生債権の届出（民再94），再生債権の査定の申立て（民再105Ⅰ），査定の申立てについての裁判に対する異議の訴えの提起（民再106Ⅰ）などを含め，再生債権者の資格にもとづいて認められる一切の手続上の行為をすることができる。行為に際して，代理委員の権限は，書面で証明しなければならない（民再規29Ⅰ）。

本人のために数人の代理委員が存在する場合には，共同してその権限を行使するが（民再90Ⅳ本文），第三者の意思表示は，その1人に対してすれば足りる（同但書）。

代理委員の地位は，本人である再生債権者のための代理人としての側面と手続機関に準じる側面との2つに分けられる。代理人としての側面は，本人に対する善管注意義務など（民再90の2Ⅵ，民644など）に示されている[73]。また，再生債権者によって選任される代理委員は，本人に対して費用や報酬の請求権を有するのも（民648～650），代理人性の表れである。これに対して，裁判所によって選任された代理委員については，費用や報酬は，共益債権として再生債権者財産から支払われる（民再90の2Ⅴ）。これは当該代理委員が，本人の利益のためというよりも，手続の円滑な進行という利害関係人全体の利益のために活動することを前提としたものであり，代理委員の地位が手続機関に準じるものであることを示している。なお，代理委員が再生に貢献したと認められるときは，裁判所の決定によって債務者財産から費用の償還や報償金を共益債権として支払う可能性があるが（民再91Ⅰ），この規定が適用されるのは，実際には，再生債権者自身によって選任された代理委員に限られよう。

---

72) 法90条の2第3項によって，選任が擬制されることがその根拠である。新会社更生法の基本構造68頁，新注釈民事再生法（上）487頁〔中井康之〕参照。
73) 再生債権者が自ら代理委員を選任した場合には，本人と代理委員との関係は，民法の規定によって直接に規律されるし，裁判所の選任決定による場合には，法90条の2第6項の準用規定による。

第8節　再生手続の利害関係人

　裁判所，再生債務者等，監督委員，調査委員，債権者集会および債権者委員会などの機関は，再生債務者等を中心として，その手続遂行を監督し，再生計画の確定とその遂行に向かって，それぞれの職務を行う。これらの機関の職務遂行に際しては，再生手続の利害関係人の利益を不当に損なわず，また，利害関係人の利益が再生計画の中に適切に反映されるよう配慮しなければならない。この意味で，再生手続の利害関係人の範囲を明らかにし，それぞれがどのような利益を有しているかを把握することが重要である。

　なお，破産手続においては，破産者を利害関係人の1人としたが（本書249頁），これは，破産手続が固定主義をとる結果として，破産財団に属する財産の主体としての破産者と，自由財産の主体としての破産者とが分けられること（破34Ⅰ参照），特に個人である破産者については，破産手続終了後の経済的再生が問題となることなどを考慮したものである。これに対して，再生手続においては，再生債務者は，再生が目指される事業や経済生活の主体である（民再2①）とともに，手続遂行の中心となる機関であり（民再38Ⅰ Ⅱ），管理命令が発令されて，業務遂行権や財産管理処分権が管財人に吸収されても（民再64Ⅰ），再生手続の目的はあくまで再生債務者の事業再生であり，利害関係人の概念になじまない。

第1項　再生債権者

　再生債権者の概念には，実体上の意義と手続上の意義とがある。実体上の意義とは，再生債務者に対して再生手続開始前の原因にもとづいて生じた財産上の請求権で，共益債権または一般優先債権に該当しないものの主体を指し（民再84Ⅰ。ただし，同条2項のものが加わる），手続上の意義とは，届出によって再生手続に参加する地位の主体をいう（民再94Ⅰ）。再生債務者の自認する再生債権（民再101Ⅲ）の主体もこれに準じる。

　実体上の意義において再生債権者とされることは，第1に，再生手続外の権利行使が禁止されることを意味する（民再85Ⅰ）。その結果として，強制執行等の禁止や失効の効果が生じる（民再39Ⅰ）。第2に，再生計画認可の決定が

確定したときは，再生計画の定めまたは法の規定によって認められた権利を除き，再生債務者は，すべての再生債権について，その責任を免れる（民再178Ⅰ本文）。

手続上の意義において再生債権者とされることは，その有する再生債権をもって再生手続に参加できることを意味し（民再86Ⅰ），具体的には，再生計画案の決議をはじめとして各種の事項について債権者集会等における議決権（民再87Ⅰ）や，それに付随する各種の権能を行使できることを意味する。そして，再生計画認可の決定が確定したときは，再生債権者の権利はそれにしたがって変更され（民再179Ⅰ），権利の行使が認められる（同Ⅱ）。

第2項　一般優先債権者・開始後債権者・別除権者・相殺権者・取戻権者

破産手続上では，一般の先取特権その他一般の優先権がある債権は，優先的破産債権とされるが（破98Ⅰ．本書303頁），再生手続では，この種の債権は一般優先債権とされ（民再122Ⅰ），再生手続によらないで随時弁済がなされる（同Ⅱ）。しかし，このことは，一般優先債権の行使が再生手続によって何らの制約を受けないことを意味するものではない。一般優先債権にもとづく強制執行等が裁判所の命令によって中止または取り消される可能性があること（民再122Ⅳ・121Ⅲ），一般優先債権の承認が裁判所の許可事項たりうること（民再41Ⅰ⑧）などは，それを示すものである。したがって，一般優先債権者は，再生手続の利害関係人ということができる。

再生手続開始後の原因にもとづいて生じた財産上の請求権（共益債権，一般優先債権，または再生債権であるものを除く）である，開始後債権（民再123Ⅰ）についても同様である。再生手続に参加することはできないが，再生手続開始時から再生計画で定められた弁済期間が満了する時までの間は，権利の満足を受けられず（同Ⅱ），また強制執行等も禁止される（同Ⅲ）ことから，開始後債権者も再生手続の利害関係人となる。

再生債務者財産中の特定財産についての担保権を基礎とする別除権者（民再53Ⅰ）も，再生手続の利害関係人である。別除権者は，再生手続によらない権利行使を保障されているが（同Ⅱ），実行手続の中止命令によってその権利行使を制限される可能性があるし（民再31Ⅰ），担保権消滅許可申立ての対象と

されれば（民再148以下），担保権そのものを失う可能性がある。

　相殺権者についても，同様である。再生債権者は，原則として再生計画の定めるところによらない相殺権の行使機会を保障されているが（民再92Ⅰ），受働債権および自働債権については，債権者間の公平などの視点から一定の規律が設けられており（民再93・93の2），これに反すれば，相殺権の行使が許されない。したがって，相殺権者としての再生債権者も利害関係人に含まれる。

　取戻権者（民再52Ⅰ）も，破産手続について述べたのと同様の理由から，再生手続の利害関係人に含まれる（民再41Ⅰ⑧・52Ⅱ。本書251頁参照）。

第3項　共益債権者

　法119条などに規定される共益債権者は，再生手続によらないで，再生債権に先立って，随時弁済を受ける（民再121Ⅰ Ⅱ）。しかし，再生手続開始後において，裁判所は，共益債権にもとづく強制執行等の中止または取消しを命じることができ（同Ⅲ），また，共益債権の承認は裁判所の許可事項たりうること（民再41Ⅰ⑧）を考えれば，共益債権者も再生手続の利害関係人といえる。

第4項　株　　主

　再生債務者が株式会社である場合に，株主は，再生債務者の事業がどのような形で再生されるかについて，重大な利害関係をもつといってもよい。たとえば，再生債務者の下で事業の再生が成功すれば，株式の経済的価値は高まる。これに対して，再生のために新たな出資者を求めることになれば，既存の株主の地位は希釈化される。したがって，株主の地位は，再生計画の内容によって大きな影響を受けざるをえない。

　それにもかかわらず，株主は，一般的には再生手続の利害関係人とされていない。これは，更生手続における更生計画においては，株主の権利の変更に関する条項を定めなければならないとされ（会更167Ⅰ①・168Ⅰ⑤⑥），したがって，株主が手続に参加して（会更165Ⅰ・166Ⅰ），更生計画案についての議決を行う（会更196Ⅴ③）ことと対比される。ただし，更生手続開始時に債務超過の場合には株主は議決権を有せず，実務上株主の議決権が認められることは少ない。

　再生計画においては，株主の権利変更に関する定めは必要的記載事項ではな

く（民再154Ⅰ参照），再生計画案について株主が議決を行うことも予定されていない。このように，再生手続が事業再生のために株主の権利変更を行うことを必要的としていない理由は，再生計画案についての議決の簡素化などの手続合理性や，支配的株主の地位を維持する可能性を残すことによって，間接的に早期の再生手続開始申立てを促すなどの政策的理由によるものと考えられる[74]。そして，株主の権利に変更を与える会社組織法上の措置については，再生手続外の規律にこれを委ねるというのが，基本原則である。

しかし，再生計画において再生債権者の権利を変更しながら，出資者である株主の権利を温存するのは合理性に欠けること，新たな出資を受け入れるためには既存株主の権利を変更することが不可欠であることなどから，例外として，資本の減少および授権資本枠に関する定款変更についての商法の特則が置かれていた（民再旧154Ⅲ）。後に第2部第8章第1節第3項（本書1087頁以下）で説明するように，このような方向はその後さらに強化され，また実際の再生計画案においても，株主の権利の変更に関する条項が設けられることが多い[75]。このような点を考えれば，株主を再生手続の利害関係人として位置づけて差し支えない。

第5項　労働組合

再生債務者の労働組合や従業者の過半数を代表する者（労働組合等と呼ばれる。民再24の2かっこ書）は，2つの側面から再生手続に利害関係を有する。第1は，再生債権や共益債権となる賃金や退職金などの労働債権についての支払の確保である。もちろん，これらの債権の法律上の主体は，個々の労働者であるが，労働組合の目的からして（労組2柱書本文），これらの債権の支払の確保について労働組合は利害関係が認められる。第2は，再生債務者の事業の再生そのものについて，雇用の確保などの理由から労働組合が利害関係を有し，事業の再生には労働組合の協力が不可欠なことである。

このような理由から，法は，再生手続の開始段階に始まり（民再24の2），営業譲渡等の許可（民再42Ⅲ），債権者集会（民再115Ⅲ・126Ⅲ，民再規63Ⅱ），再生計画案（民再168・174Ⅲ），簡易再生（民再211Ⅱ・212Ⅲ後段），破産管財人に

---

74)　民事再生法逐条研究37頁，詳解民事再生法19頁〔山本克己〕，508頁〔山本和彦〕参照。
75)　新版再生計画事例集42頁以下参照。

よる再生手続開始の申立て（民再246Ⅲ）に至る事項について，労働組合等がそれぞれについて意見を述べる機会を与え，またそのための通知をすることを規定している。

第9節　再生事件に関する文書の閲覧等

　再生事件は非訟事件であり，訴訟記録の一般公開原則が妥当する訴訟事件（民訴91Ⅰ。伊藤・民訴法277頁参照）とは，その性質を異にする。しかし，再生債権者をはじめとする利害関係人がその手続上の権利を適切に行使するためには，再生債務者の財産や業務などに関する情報を入手する必要がある。法および規則は，そのための手段として利害関係人に文書の閲覧や謄写の請求権を認め（民再16，民再規9），他方，閲覧や謄写によって再生手続の遂行に著しい障害を生じるおそれが認められる場合には，その制限を設けている（民再17，民再規10）。これらの規律の内容は，破産手続とほぼ同一であるが（破11・12，破産規10・11。本書252頁），再生手続に特有の部分のみを以下に説明する[76]。

第1項　閲覧請求権者および閲覧請求対象となる文書等

　利害関係人は，裁判所書記官に対し，法の規定にもとづいて裁判所に提出され，または裁判所が作成した文書その他の物件（文書等）の閲覧を請求するこ

---

[76]　ただし再生手続または更生手続という事業再生型手続においては，事業価値の評価やその再構築について判断が分かれる場面が多く，利害関係人に対するより積極的な情報開示が望まれる。また，情報開示にあたっても，債権者委員会が組織されている場合，当該債権者が再生の行方を左右する影響力を持っている場合などに応じて，守秘義務の設定などを条件とする弾力的な取扱いをすべきであろう。永井＝門口・前掲論文（注67）188，191頁。再生手続および更生手続を通じて，開示の対象となる情報の種類や開示方法について包括的に検討したものとして，粟田口太郎「債権者に対する情報開示」金法1957号13頁（2012年），倒産と金融2頁以下の蓑毛良和，渡邉光誠，粟田口太郎，須藤英章論文，多比羅誠「金融実務からみた事業再生の課題」NBL 1013号34頁（2013年），ニューホライズン496頁があり，また，海外の社債権者に対する情報開示のあり方については，事業再生迅速化研究会〔第5PT〕「倒産実務の国際的側面に関する諸問題（下）」NBL 995号95頁（2013年）が詳しい。

　基本的視点として，法令上求められる情報開示以外の情報開示について，特定の債権者や一定範囲の債権者に限って情報開示を行うことが平等原則（本書936頁）の趣旨と矛盾するかどうかが問われるが，範囲を限定することが再生債務者財産の価値を維持増殖するための措置であると認められれば，問題はない。

とができる（民再16Ⅰ）。規則にもとづいて裁判所に提出され，または裁判所が作成した文書等についても同様である（民再規9Ⅰ）。

利害関係人の範囲は，すでに説明したところによるが（本書921頁），閲覧請求の対象とする文書との利害関係が具体的に疎明されなければならない[77]。閲覧請求の対象となる文書等は，法および規則にもとづいて裁判所に提出され（再生手続開始申立書や各種の許可申請書など），または裁判所が作成したもの（各種の裁判書や調書など）である[78]。したがって，申立代理人や監督委員が裁判所との協議のために事実上提出した書面などは，閲覧請求の対象となりえない[79]。もっとも，裁判所の職権の発動に関連して手続機関や利害関係人が裁判所に提出した文書や，裁判所が職権の発動に関連して作成した文書は，閲覧請求対象文書に含ませるべきである[80]。もちろん，閲覧請求対象文書に含まれないものであっても，裁判所が合理的裁量判断の下に一定の利害関係人に閲覧を認めることは差し支えない。

なお利害関係人は，閲覧請求にあたって，当該請求にかかる文書その他の物件を特定するに足りる事項を明らかにしてしなければならない（民再規9Ⅱ）[81]。その他，録音テープなどの取扱い（民再16Ⅲ）については，破産手続の場合

---

[77] もっとも再生債権者は，その者のために手続が行われるのであるから，利害関係が否定されることは考えられない。その他具体的疎明の方法については，早川浩二「再生事件記録の閲覧等」金法1594号51頁（2000年）参照。労働組合については，文書閲覧等に関する利害関係人性を否定する見解が有力であるが（条解民事再生法69，117頁〔園尾隆司〕），再生債権者としての労働債権者が存在する場合には，否定説でも実際上の差異は少ないと思われる。

[78] 具体例については，新注釈民事再生法（上）78頁〔中山孝雄〕，民事再生の手引〈第2版〉94頁，破産・民事再生の実務［再生編］62頁，150問65頁〔山宮慎一郎〕。法律上閲覧等の対象そのものではない，監督委員の意見書や公認会計士の調査報告書も閲覧等の対象文書に準じて扱われているという。

[79] 新注釈民事再生法（上）79頁〔中山孝雄〕，条解民事再生法70頁〔園尾隆司〕。

[80] 具体例としては，手続開始申立てを棄却すべきであるとして提出された意見書や再生計画案を決議に付さないことを求める再生債権者作成の上申書が前者の例であり，再生債権者の決議の参考のために監督委員に作成を命じた意見書が後者の例である。条解民事再生法70頁〔園尾隆司〕は，裁判所の裁量によるとする。また，再生計画案決議のために裁判所に提出された議決票について運用指針46頁参照。

[81] 特定の方法としては，文書名や提出者名，提出または作成の根拠となった規定等が考えられるが，請求の対象となっている文書を裁判所書記官が識別できる程度の特定で足りる。条解民事再生規則27頁。具体例について運用指針49頁。再生手続開始前の電話照会に対する裁判所の対応については，破産・民事再生の実務［再生編］67頁参照。

（破11Ⅲ。本書253頁）と同様である。

第2項　閲覧請求に対する制限

　閲覧請求については、第1に、手続の時期および利害関係人の種類に応じた制限があり、第2に、文書の種類に応じた制限がある。手続の時期および利害関係人の種類に応じた制限は、以下のようなものである。

　再生債務者以外の利害関係人は、強制執行等の中止命令（民再26Ⅰ）、包括的禁止命令（民再27Ⅰ）、財産保全処分（民再30Ⅰ）、担保権実行中止命令（民再31Ⅰ）、監督命令（民再54Ⅰ）もしくは保全管理命令（民再79Ⅰ）、否認権のための保全処分（民再134の4Ⅰ）、抵当権実行中止命令（民再197Ⅰ）または再生手続開始の申立てについての裁判がなされるまでの間は、文書等についての閲覧・謄写請求権を行使できない（民再16Ⅳ柱書本文・①）。再生債権者などの利害関係人が事前に閲覧等をすることによって、これらの命令などの実効性が損なわれるおそれがあるためである。ただし、当該利害関係人が再生手続開始申立人である場合には、そのおそれがないので、閲覧等が可能である（同柱書但書）。

　再生債務者については、再生手続開始申立てに関する口頭弁論もしくは再生債務者を呼び出す審尋の期日の指定の裁判または上記の命令、保全処分、処分もしくは裁判がなされるまでの間は、同様に閲覧等が制限される（同②）。その理由および再生債務者が再生手続開始申立人である場合に制限が解除されることも、上記の場合と同様である。

　次に、文書等の種類に応じた制限は、以下の通りである（民再17）。第1に（同Ⅰ①）、裁判所の要許可行為とされたもの（民再41Ⅰ・81Ⅲ）、営業等の譲渡（民再42Ⅰ）、監督委員による否認権限行使に関して要許可事項とされたもの（民再56Ⅴ）、保全管理人が常務に属しない行為をするについて要許可事項とされたもの（民再81Ⅰ但書）に関して、許可をえるために裁判所に提出された文書等、第2に（民再17Ⅰ②）、調査委員による調査結果報告（民再62Ⅱ）、個人再生委員による調査結果報告（民再223Ⅲ・244）、再生債務者等または監督委員による再生債務者の業務および財産の管理状況に関する報告（民再125ⅡⅢ）にかかる文書等については、その内容が再生手続の進行に重大な影響を与えうる機密情報が含まれている可能性がある。

そこで，これらの文書の中に，利害関係人の閲覧等によって再生債務者の事業の維持再生に著しい支障を生ずるおそれまたは再生債務者の財産に著しい損害を与えるおそれがある部分（支障部分）が存在することが，当該文書を提出した再生債務者等などによって疎明されたときは，その者の申立てによって閲覧等の請求ができる者の範囲を，申立人および再生債務者等に限ることができる（民再17Ⅰ柱書)[82]。閲覧等の制限の手続など（民再17Ⅲ～Ⅴ，民再規10）は，破産手続の場合とほぼ同様である（本書254頁参照）。

---

82)　閲覧等の制限申立書の書式や注意事項などについては，民事再生の手引〈第2版〉98頁，［書式2-5-1，2-5-2］。

第4章　再生債務者財産と再生債権等

　再生手続開始決定が効力を生じると（民再33ⅠⅡ），再生債務者（民再2①）が有する一切の財産は，再生手続の目的，すなわち「当該債務者とその債権者との間の民事上の権利関係を適切に調整し，もって当該債務者の事業又は経済生活の再生を図る」（民再1）ための基礎として用いられる。この意味での再生債務者が有する一切の財産を再生債務者財産と呼ぶ（民再12Ⅰ①第1かっこ書）。

　再生債務者財産の概念は，再生債務者の行為によらない再生債務者財産に関する権利取得の効力が否定されるとか（民再44Ⅰ），再生債務者財産に属する債権をもってする相殺が許されるとか（民再85の2），再生債務者財産に関して再生債務者等がした行為によって生じた請求権が共益債権になるとか（民再119⑤），あるいは再生債務者財産のために否認できるとか（民再127Ⅰ柱書），再生手続を貫く法律上の概念として用いられており，破産手続における破産財団概念に相当するものである。

第1節　再生債務者財産の意義と範囲

　再生債務者について再生手続開始決定がなされると，その前後を問わず，再生債務者に帰属する一切の財産が再生債務者財産とされ，機関としての再生債務者の管理処分権（民再38Ⅰ）または法人である再生債務者の管財人の管理処分権（民再66）に服する。破産財団が法定財団，現有財団および配当財団の3つに区別されるのと対比すると（本書256頁参照），再生債務者財産については，法定再生債務者財産および現有再生債務者財産の2つが区別される。再生債務者等の職務には，その管理下にある現有再生債務者財産を法定再生債務者財産と一致させることが含まれる。

　しかし，再生型手続としての特質から，再生債務者等の職務は，再生債務者財産を換価することではなく，その意味では，配当財団に対応する概念は存在しない。むしろ，再生債務者等の職務は，業務を遂行するなどの方法によって（民再38Ⅰ・66参照），再生債務者財産を基礎とする事業収益などの実現を図り，

再生債権者の権利変更などを内容とする再生計画の立案および遂行を通じて，再生の目的を実現するところにある。

再生債務者財産は，再生債務者に帰属する財産の集合体であり，それ自体に法人格が認められるものではなく，手続機関たる再生債務者や管財人の管理下に置かれる。その意味では，管理機構としての破産管財人の管理下にある破産財団と同様の性質を有する。

第 1 項　再生債務者財産の範囲

再生債務者財産は，再生債務者が有する一切の財産を内容とする（民再12Ⅰ①第1かっこ書）。このことは，再生債務者財産の範囲について時的または客観的限界が存在しないことを意味する。まず，時的限界についてみると，固定主義の原則の下に破産財団の範囲が破産手続開始時を基準時として画される（破34Ⅰ）のと異なって，再生債務者財産については，時的限界が存在しない。したがって，再生手続開始時の財産はもちろん，再生手続開始後に再生債務者に帰属する財産もすべて再生債務者財産に含まれる。破産財団に関する固定主義に対比すれば，膨張主義をとるといってよい。これは，再生型手続の特質による。

次に，客観的限界についてみると，破産手続にみられるような自由財産の概念が存在しない。手続開始後の新得財産を区別する必要がないことは，上に述べた通りであるが，差押禁止財産やその拡張としての自由財産（破34ⅢⅣ）も，再生手続には存在しない。もちろん，再生手続の前後を通じて再生債権などにもとづく強制執行が許される場合には，個人である再生債務者の最低生活を保護する必要は認められるが，それは強制執行一般の差押禁止財産に関する規律（民執131・132・152・153）に委ねれば足りると考えられるためである。また，管理命令によって管財人が任命されるのは，再生債務者が法人である場合に限られ（民再64Ⅰかっこ書），法人の自由財産を観念する余地がないところから（本書271頁），この場合にも，再生債務者財産の客観的範囲を限定すべき理由はない。

これに対し，信託財産は，受託者の再生において再生債務者財産とならないし（信託25Ⅳ），委託者の再生においても，信託譲渡が第三者に対抗できる形でなされているかぎり，再生債務者財産とならない。ただし，受託者の再生に

おいては，信託行為に別段の定めがある場合を除いて，受託者としての任務は終了せず，受託者の職務の遂行および信託財産に関する管理処分権は，再生債務者または管財人に帰属する（信託56ⅤⅥ）。したがって，この場合には，再生債務者等の管理処分権は，再生債務者財産にかかるものと信託財産にかかるものとに二分される。再生債務者財産については，再生債務者等は，再生手続にしたがい，再生計画にもとづいた弁済などをすることが求められるのに対し，信託財産については，信託契約にしたがって，受益権に対する支払いなどをすることとなり，再生手続による制約を受けることはない。これは，自己信託，すなわち信託宣言を通じて同一法主体が委託者と受託者の地位を併有する場合（信託3③）についても当てはまる。

第2項　再生債務者財産の国際的範囲——国際民事再生

　国際破産の場合と同様に（本書272頁），国際民事再生に関連する法律問題は，4つの領域に分けられる。第1は，国際再生管轄であり，ある事件についていずれの国が再生裁判権を行使するかについての規律である（本書903頁参照）。第2は，再生手続上の外国人の地位に関するものであり，再生外人法というべきものである。外国人の再生能力がこれに属する（本書842頁参照）。第3は，再生手続の準拠法であり，破産手続に関してすでに述べたところに準じる（本書273頁参照）。第4は，国内再生の外国財産に対する対外的効力，および外国倒産処理手続の国内財産に対する対内的効力の問題で，再生債務者財産の範囲を決定するものである。ここでは，第4の問題を扱う。

1　国内再生の外国財産に対する対外的効力

　ある債務者に対してわが国の裁判所が再生手続開始決定を行ったとき，その者の外国財産に対して再生債務者等の管理処分権が及び，外国財産が再生債務者財産とみなされるかどうかが，いわゆる対外的効力の問題である。外国財産とみなされるかどうかは，動産や不動産の場合には，その所在によって，債権の場合には，わが国において裁判上の請求をなしうるかどうかによって決定される（民再4Ⅱ）。

　対外的効力に関する属地主義と普及主義の対立は，すでに述べたところであるが（本書274頁），民事再生法も，平成12年改正によって，破産法および会社更生法とともに，属地主義から普及主義に転換した（民再38Ⅰかっこ書）。普

及主義の下では，再生手続開始決定にもとづく再生債務者等の管理処分権が外国財産にも及び，再生債権者に対する個別的権利行使の制限（民再85Ⅰ）が外国財産にも適用されることは，破産の場合と同様である。もっとも，実際には，再生手続が開始された後，特定の再生債権者が外国財産に対して権利行使をなし，その債権の全部または一部について満足を受ける事態が生じうる。この場合には，いわゆるホッチ・ポット・ルールの適用によって（本書275頁注34），一部の満足を受けた場合でも，その弁済を受ける前の債権全額をもって再生手続に参加することができるが（民再89Ⅰ），その者は，他の再生債権者が自己の受けた弁済と同一の割合の弁済を受けるまでは，再生手続により，弁済を受けることはできない（同Ⅱ）。

再生債権者の外国財産に対する権利行使には，外国の倒産処理手続から配当や弁済を受けることも含まれる。その場合には，いわゆる並行倒産の状態が生じているが，再生債務者等は，再生債務者についての外国倒産処理手続[1]における外国管財人[2]に対して，再生債務者の再生のために必要な協力および情報の提供を求めることができる（民再207Ⅰ）。逆に，再生債務者等は，外国管財人に対して，再生債務者の再生のために必要な協力および情報の提供をするよう努めるものとされる（同Ⅱ）[3]。

---

1) 外国倒産処理手続は，外国で開始された手続で，破産手続または再生手続に相当するものをいうと定義されるが（民再207Ⅰ第1かっこ書），清算型または再生型手続という実質を意味するものと解される。また，外国倒産処理手続が開始され，現在係属することを前提としているが，開始についても，柔軟に解すべきである。再生債務者についての手続という要件に関しても同様であり，親会社または子会社のような場合であっても差し支えない。
2) 外国管財人が占有債務者を含むことは法207条1項第2かっこ書から明らかである。本書276頁注36参照。
3) 破産法245条2項が，「外国倒産処理手続の適正な実施のために必要な協力及び情報の提供」を規定しているのに対して，民事再生法207条2項は，「再生債務者の再生のために必要な協力及び情報の提供」を規定している。しかし，前提となる外国倒産処理手続は外国破産手続を含んでいるのであるから（民再207Ⅰ第1かっこ書），ここでいう再生のために必要な協力および情報の範囲もゆるやかに解すべきである。条解民事再生法1086頁〔安達栄司〕は，再生債務者の事業または経済活動そのものに関する事項と日本の再生手続と外国倒産処理手続との効率的な同時進行を図るために必要な事項とに大別する。協力の内容として，外国財産の管理や換価を外国管財人に委ねるときに要する費用や報酬は共益債権として支払う。新注釈民事再生法（下）321頁〔坂井秀行＝柴田義人〕。

なお，協力や情報の提供は，再生債務者としての同一性を前提としているので，親子会社などの企業グループに対応できないという問題があるが，規定の趣旨を生かして，弾力

これらは，彼我の手続それぞれを適正に進めるための規律であるが，それに加えて，外国管財人は，債権者申立てに準じて，わが国の裁判所に再生手続開始申立てをすることができ（民再209Ⅰ・21Ⅰ前段）[4]，また，わが国の再生手続において，債権者集会に出席し，意見を述べることができ（民再209Ⅱ），再生計画案提出期間内（民再163ⅠⅢ）に再生計画案を作成して，裁判所に提出することができる（民再209Ⅲ。外国管財人の資格証明について民再規105ⅠⅢ参照）[5]。なお，再生手続開始申立てをした外国管財人に対しては，包括的禁止命令等の通知がなされるのは（民再209Ⅳ），破産の場合（破246Ⅳ。本書276頁）と同様である。

　さらに，外国管財人および再生債務者等の再生手続と外国倒産処理手続における債権届出権限（クロス・ファイリング）がある。その趣旨は，破産の場合と同様であり（本書277頁），外国管財人は，届出をしていない再生債権者であって，再生債務者についての外国倒産処理手続に参加しているものを代理して，再生債務者の再生手続に参加することができる（民再210Ⅰ本文）。ただし，当該外国の法令によりその権限を有する場合に限る（同但書，民再規105ⅡⅢ）。

　これは，外国管財人が有する代理権を再生手続において承認する趣旨である。同様に，再生債務者等は，届出再生債権者（民再101条3項にもとづくいわゆる自認債権者を含む）であって，再生債務者についての外国倒産処理手続に参加していないものを代理して，当該外国倒産処理手続に参加することができる（民再210Ⅱ，民再規106ⅠⅡ）[6]。これは，再生債務者等に法定代理権を認める趣旨

的な運用をすべきである。新注釈民事再生法（下）319頁〔坂井秀行＝柴田義人〕。
[4]　外国管財人による破産手続開始申立ての場合には，破産原因事実の疎明が要求されるが（破246Ⅱ），再生手続開始申立ての場合には，一般に疎明が求められる結果として（民再23Ⅰ），外国管財人にも疎明義務が課される。ただし，外国倒産処理手続の存在から再生手続開始原因の存在が推定されるので（民再208），実際上は疎明の必要はない。なお，外国保全管理人は，外国管財人に含まれないとされているが（条解民事再生法1091頁〔安達栄司〕），厳密な区別は難しいと思われる。
[5]　実際には，外国管財人と再生債務者等が協力して再生計画案を作成するのが通常であるといわれる。詳解民事再生法676頁〔田頭章一〕。
[6]　もちろん，届出再生債権者自身が外国倒産処理手続に参加することを妨げないが，その場合には，届出再生債権者はその旨を再生債務者等に通知することを義務づけられる（民再規106Ⅲ）。なお，いったん再生債務者等が外国倒産処理手続において届出をした後に，当該再生債権者自身が外国倒産処理手続に参加できるかという問題があるが，これを積極に解すべきである。

である[7]。代理人として参加した再生債務者等は、本人である届出再生債権者のために、外国倒産処理手続における一切の行為をすることができるが（同Ⅲ本文）、届出の取下げ等の行為をするには、特別の授権を要する（同Ⅲ但書）。

2 外国倒産処理手続の国内財産に対する対内的効力

再生手続開始決定の効力について属地主義が採用されていた時代には、国内再生の効力が外国財産に及ばないとされていたことを反映して、外国倒産処理手続の効力も、原則として国内財産に及ばないとされていた[8]。しかし、上記のように国内再生手続の効力が外国財産にも及ぶという普及主義に転換したことにあわせ、外国倒産処理手続の国内財産に対する効力についても、「外国倒産処理手続の承認援助に関する法律」および同規則に定める手続にしたがって、それを承認し、外国管財人の国内財産に関する権限を認めることとされた。承認援助手続の内容等については、本書278頁以下を参照されたい。

第2節 再 生 債 権

再生債権とは、再生手続に参加し（民再86Ⅰ）、再生計画による権利変更の対象となり（民再154・155・178・179等）、計画の遂行（民再186Ⅰ）によって満足を受ける地位を意味する。他の利害関係人の権利である共益債権、一般優先債権、開始後債権とは、手続外で満足を受けることが禁止され（民再85Ⅰ）、再生計画による権利変更の対象となる点で（民再178Ⅰ本文・179Ⅰ）区別される。再生債権は、破産手続における破産債権に相当するものであるが、清算を目的とする破産手続と再生を目的とする再生手続との差異などから、一般の優先権がある債権が再生債権とならないこと（民再122ⅠⅡ。破98Ⅰ参照）、劣後的破産債権（破99）に相当する債権の一部が開始後債権とされ（民再123Ⅰ）、再生債権に含まれないこと、現在化（破103Ⅲ）や金銭化（同Ⅱ①イ）の効力が生じないことなどの違いがある。

---

7) 代理の本人を届出再生債権者（自認再生債権者を含む）に限るのは、再生債務者等が、再生債権の内容を把握できるという理由からである。実際に、再生債務者等が再生債権者を代理して外国倒産処理手続に参加すべきかどうかの判断については、新注釈民事再生法（下）334頁〔坂井秀行＝柴田義人〕参照。
8) 平成12年改正前旧4条1項。その趣旨について、花村31頁参照。

第1項　再生債権の意義

再生債権とされるのは，原則として，再生債務者に対し再生手続開始前の原因[9]にもとづいて生じた財産上の請求権[10]であって，共益債権（民再119等）または一般優先債権（民再122Ⅰ）に該当しないものである（民再84Ⅰ）。これに加えて，再生手続開始前の原因にもとづくとはいえないものであっても，再生手続開始後の利息の請求権などが再生債権とされる（同Ⅱ）。

再生債務者に対する人的な請求権であること，再生手続開始前の原因にもとづいて生じたものであること，および財産上の請求権であることという要件の意義は，破産債権について述べたところとほぼ同様である（本書283頁参照）。付加的に再生債権とされているもののうち，再生手続開始後の利息の請求権（民再84Ⅱ①）は，再生手続開始日の利息を含むものであるが，破産手続においては劣後的破産債権とされる（破99Ⅰ①・97①）[11]。しかし，再生手続においては，再生計画の内容および再生計画案についての決議が再生債権者の権利行使の核心となるところから，決議の際の組分けを簡素化するという目的のために，劣後的再生債権という範疇を設けず，これを一律に再生債権としたものである[12]。

ただし，この種の請求権には議決権が否定され（民再87Ⅱ），また再生計画において劣後的取扱いをすることが許されていること（民再155Ⅰ但書）をみれば，実質においては，この種の請求権が劣後的地位に置かれているといっても

---

9)　再生手続開始前の原因について一部具備説（本書288頁）を説くものとして，東京地判平成17・4・15判時1912号70頁がある。

10)　破産債権の場合（破2Ⅴ）と異なり（本書292頁），学校等で授業を受ける権利，各種のサービスを受ける権利など，非代替的作為を目的とする権利も，金銭化されることなく再生債権として扱われる。条解民事再生法415頁〔杉本和士〕。建築請負人に対する瑕疵修補請求権などを含むアフターサービス請求権の再生債権性について，野城大介「アフターサービス請求権の処理――中堅ゼネコンの民事再生手続を通じて」銀行法務21 762号36頁（2013年）参照。

11)　会社更生手続では，かつては劣後的更生債権の概念が存在したが（旧会更121ⅠⅡ本文），現行法は，これを廃止し，民事再生法と同様に，更生債権として扱い，その上で議決権を否定し，再生計画上で劣後的扱いの対象となることとしている（会更136Ⅱ①～③・168Ⅰ柱書但書）。

12)　旧和議法44条1項は，この種の請求権を「和議債権トセス」としていたことから，和議条件による権利変更の対象とならないという問題を生じた。その他，立法の趣旨などを含めて民事再生法逐条研究78頁参照。

よい。法84条2項2号および3号が,「再生手続開始後の不履行による損害賠償及び違約金の請求権」および「再生手続参加の費用の請求権」を再生債権としているのも,同様の理由からである。なお,再生手続開始前の原因にもとづく再生債権の中には,約定劣後再生債権と呼ばれるものがあるが,これについては,再生債権の順位(本書943頁)に関して説明する。

再生債務者に対する財産上の請求権のうち再生債権とされないのは,再生手続開始前の原因にもとづくものであって共益債権または一般優先債権とされるもの,および再生手続開始後の原因にもとづくものであって,法84条2項各号の規定に該当しないものであるが,後者は,共益債権,一般優先債権または開始後債権のいずれかに分類される(民再123Ⅰかっこ書参照)。

第2項　再生債権の地位

再生債権の地位は,以下に述べる基本的地位(民再85Ⅰ)と例外的な取扱いの可能性(同Ⅱ～Ⅴ)の2つに分けられる。

1　再生債権の基本的地位

再生債権は,再生手続に参加することのできる地位であり(民再86Ⅰ)[13],その反面として,再生手続によるのでなければ,再生債務者財産から満足を受けることはできない。そのことは,再生債務者財産に対する強制執行等ならびに財産開示手続および第三者からの情報取得手続の禁止や中止・失効(民再39ⅠⅡ),あるいは弁済(債務の内容たる給付を実現する行為),代物弁済,供託,再生債務者の側からする相殺または再生債務者との合意にもとづく相殺,更改などによって再生債権を消滅させる行為が禁じられること(民再85Ⅰ)に現されている[14]。そして,再生計画の定めにしたがった権利内容の変更を経て(民再154Ⅰ①・179Ⅰ),再生債権に対する満足が実現される(民再179Ⅱ)のが原則であるが,中小企業者の再生債権や少額の再生債権に関しては,再生債権者たる

---

13)　再生手続参加は,再生債権について時効の完成猶予の効力を有する(民147Ⅰ④)。
14)　したがって,再生債務者財産所属の債権を差し押さえた再生債権者が,取立方法として第三債務者から手形を受け取った場合でも,再生手続開始決定後に手形金を取り立てたときには,手形金を不当利得として返還しなければならない。大阪高判平成22・4・23判時2180号54頁。

ただし,免除は再生債務者財産を減少させることはないので許される(民再85Ⅰかっこ書)。

中小企業者や再生債務者の事業再生にとっての合理的理由が認められれば，再生計画によらない弁済が許されている（民再85Ⅱ～Ⅴ）。

再生計画認可決定が確定すると，再生計画の定めまたは民事再生法の規定によって認められた権利を除いて，再生債務者は，すべての再生債権について，その責任を免れる（民再178Ⅰ本文）。この効果は，当該再生債権者が再生手続に参加したか否かを問わない。ただし，再生手続開始前の罰金等については免責されない（民再178Ⅰ但書）。罰金等も再生債権として届出の対象となるが（民再97①），再生計画による権利変更の対象とならないこと（民再155Ⅳ），および再生債務者に対する制裁的性質を持つことを重視したものである（破253Ⅰ⑦参照）。

2 例外的取扱い——商取引債権等に対する再生計画認可決定前弁済

再生債権に対する弁済等の債務を消滅させる行為は，再生計画の定めるところによらなければならないという原則に対する例外として，中小企業者の再生債権に対する弁済許可と少額の再生債権に対する弁済許可の二種類がある。これらはいずれも，再生計画による弁済の前倒しではなく，再生計画による弁済とはかかわりなく，当該債権の全部または一部の弁済を可能にするものであり，実質的な共益債権化としての性質を有する[15]。したがって，どのような種類の

---

[15] 旧会社更生法112条の2に関して，宮脇＝時岡105頁参照。昭和42年改正の立案段階では，法律上で共益債権とすることを求める意見も有力であったが，一律に共益債権とすることの合理性が疑われるために，弁済許可にもとづく個別，かつ，実質的な共益債権化にとどめたという。いずれにしても，破産法101条1項本文にもとづく給料の請求権等の弁済の許可が破産配当の前倒しである（本書301頁）のとは，性質が異なる。

ただし，民事再生の手引〈第2版〉183頁，破産・民事再生の実務［再生編］221頁は，中小企業者の再生債権に対する弁済（民再85Ⅰ）について，実質的な共益債権化ではなく，再生計画において予想される弁済額の限度で許可が与えられると説く。再生債権者間の平等を理由とするものであるが，法85条2項および5項の弁済許可は，公平の見地から平等原則の例外を設ける趣旨であり，いずれにせよ按分的平等は破られている以上，再生計画において予想される弁済額の限度に過度に拘束されるとすることは，規定の柔軟な運用を妨げることになろう。

なお，民事再生法85条2項および5項は，会社更生法47条2項および5項と同趣旨の規定であるが，破産法には，対応する規定が設けられていない。清算を目的とする破産手続においては，債権者平等の理念が徹底するためである。

また，法85条にいう弁済を代表するのは，金銭債務の履行であるが，弁済の概念は，非金銭債務の履行も含むところから（民483参照。我妻・債権総論213頁，奥田・債権総論487頁，中田・債権総論350頁，潮見・新債権総論Ⅱ3頁参照），破産のような金銭化の規律（本書292頁）が存在しない再生手続においては，たとえば，役務取引の対価を先

債権について，どのような要件の下に再生計画認可決定前の弁済を認めるかは，他の再生債権との間の平等原則を修正すべき合理的理由が存在するかどうかを立法者が考慮した結果である。ただし，約定劣後再生債権である再生債権については，弁済許可の制度は適用されない（民再85Ⅵ）。一般の再生債権に劣後する地位と矛盾するためである。

(1) 中小企業者の債権の再生計画認可決定前弁済（民再85Ⅱ）

再生債務者を主要な取引先とする中小企業者が，その有する再生債権の弁済を受けなければ，事業の継続に著しい支障を来すおそれがあるときは，裁判所は，再生計画認可の決定が確定する前でも，再生債務者等の申立てによりまたは職権で，その全部または一部の弁済をすることを許可することができる（民再85Ⅱ）。

ア 制度の趣旨

この規定は，昭和42年改正によって追加された旧会社更生法112条の2の内容を参考に導入されたものであり，中小企業者の再生債権を弁済禁止の対象から除外する実質的根拠としては，再生債権たる中小企業者の取引債権が弁済禁止となることによって連鎖倒産などの事態を招き，中小企業者の犠牲の下に再生債務者が生き残ることに対する批判，あるいは，弁済を許可することによって中小企業者との取引関係を良好に保てることなどがいわれるが，弁済許可の要件である「事業の継続に著しい支障を来すおそれ」とは，再生債務者の事業ではなく，中小企業者の事業を指すことを考えれば[16]，弁済禁止の効果として，その事業の継続が危機に瀕する中小企業者の保護にあると解される。相手方が大企業である場合にも，再生債務者が主要な取引先であれば，弁済禁止によって相当な影響を受けることはありうるが，それが直ちに，相手方の倒産や経営危機を招くおそれを生じるとは考えにくいために，弁済許可の対象からは

払いした相手方が当該役務の履行を求める請求権を再生債権として有する場合には，法85条2項または5項のいずれかの根拠にもとづいて，裁判所は，弁済すなわち再生債務者等が当該役務の提供をする許可を与えることができる。

このように考えるときには，法85条5項にいう少額とは，当該請求権の金額のみならず，評価額を意味すると解すべきである。

16) 宮脇＝時岡114，115頁参照。この要件の判断のためには，当該中小企業者の経理状態をも仔細に検討する必要がありうるが，企業の秘密をどこまで開示させるかという，微妙な問題があるという。いずれにしても，この要件の性質上，取引先たる中小企業者を概括的に判断するべきではなく，それぞれ事情に応じた個別的判断が必要になるという。

除外されている。
　再生債務者を主要な取引先とすることは，そのことの基礎となる事実であって，再生債務者が唯一の取引先であることを要するものではなく，複数の取引先の1つである場合でも，再生債務者に対する再生債権が弁済禁止となることによって，その中小企業者の資金繰りに決定的な悪影響を生じるような場合であればたりる。また，債権の種類としては，金銭債権が通常と思われるが，その他の財産上の請求権を排除する趣旨ではない。金銭債権についても，額の制限はなく，むしろ少額であれば，弁済禁止の対象外とする理由に乏しいことになろう。

　　イ　弁済許可の手続および要件
　弁済許可の裁判は，再生債務者等の申立てによってまたは裁判所の職権でなされる（民再85Ⅱ）。弁済許可の対象となる再生債権者は申立権を認められないが，再生債務者等は，再生債権者から申立てをすべきことを求められたときは，直ちにその旨を裁判所に報告しなければならない（民再85Ⅳ前段）。再生債務者等は，求められた申立てをしないこととしたときは，遅滞なく，その事情を裁判所に報告しなければならない（同後段）。再生債権者に申立権を認めていないのは，この制度の運用を再生債務者等および裁判所の合理的裁量判断に委ねる趣旨であり，再生債務者等の2つの報告義務は，裁判所がその判断権および再生債務者等に対する監督権を適切に行使するためである。
　許可の要件は，①当該再生債権者が再生債務者を主要な取引先とする中小企業者[17]であること，②当該再生債権者がその再生債権の弁済を受けなければ，その事業の継続に著しい支障を来すおそれがあることの2つである。後者は，再生債権の弁済禁止によって当該再生債権者の事業資金が枯渇し，倒産や廃業のおそれが生じることを意味する。いずれにしても，再生債務者に手持ちの弁済資金があるか，またはその資金を提供する第三者が存在することが前提となる。したがって，裁判所は，弁済の許可を与える場合には，再生債務者と当該中小企業者との取引の状況，再生債務者の資産状態，利害関係人の利害その他

---

[17]　中小企業基本法2条1項は，資本金の額や従業員数などを基準として中小企業者の範囲を定めている。ただし，これは一応の基準にとどまり，再生債務者の規模によって中小企業者の範囲も相対的になりうる。宮脇＝時岡113頁参照。実例については，運用指針168頁参照。

一切の事情を考慮しなければならない（民再85Ⅲ)[18]。

許可または不許可の裁判に対する不服申立ては認められない（民再9前段参照）。また，許可の裁判の効力は，再生債権についての弁済禁止の効果を解除し，再生債務者等に弁済の権限を与えるにとどまり，中小企業者の再生債権を共益債権化するものではないから，再生債権者の側から当該債権の弁済を求め，強制執行などの手段をとることは許されない。

なお，許可にもとづいて弁済をなした場合には，管財人は，再生計画案を裁判所に提出するときに，その事実を記載した報告書をあわせて提出しなければならない（民再規85Ⅰ①）。その事実を関係人に明らかにして，再生計画案に対する議決権行使の参考にするためである[19]。

(2) 再生手続を円滑に進行するための少額再生債権の再生計画認可決定前弁済（民再85Ⅴ前半部分）

少額の再生債権を早期に弁済することにより再生手続を円滑に進行できるときは，裁判所は，再生計画認可の決定が確定する前でも，再生債務者等の申立てによって，その弁済をすることを許可することができる（民再85Ⅴ前半部分）。

ア 制度の趣旨

いかに少額であっても，その者が再生債権者である以上，再生債権の届出を受けて，調査を行い，関係人集会における議決に参加させなければならない。しかし，そのための通知等に要する時間と費用を考えると，再生手続の進行を妨げるおそれが認められるような場合には，再生債務者等は，裁判所の弁済許可をえて，当該再生債権を消滅させ，円滑な手続進行を図ることができる。少額であれば，他の再生債権との間の実質的平等に反することもないからである[20]。

イ 弁済許可の手続および要件

裁判所は，再生債務者等の申立て（[書式3-6-1]）にもとづいて弁済許可の裁

---

18) 弁済は全部である必要はなく，このような事情を考慮した上で，一部についての許可をすることもありうる。
19) 条解民事再生規則182頁。
20) 少額の範囲を一律に決定することはできないが，実質的平等に反しない限度で再生債権の数を絞り込むという趣旨から，数十万円から数百万円程度が通常であろう。ただし，円滑に進行するという目的に照らせば，少額の判断基準には柔軟性を持たせるべきである。民事再生の手引〈第2版〉185頁や破産・民事再生の実務［再生編］222頁，会社更生の実務〈新版〉（上）222, 227頁〔鹿子木康＝氏本厚司〕，運用指針173頁参照。

判を行う。裁判所の職権による許可はない。また，中小企業者の再生債権に対する弁済の場合と異なって，弁済許可の求めがなされたことなどについての再生債務者等の裁判所に対する報告義務（民再85Ⅳ）も存在しない[21]。

許可の要件は，少額の再生債権の早期弁済が再生手続の円滑な進行に資することであり，その意味は上に述べた通りである。したがって，許可の内容としては，再生債権の発生原因やその属性を問わず，一定額以下のものについて画一的に弁済を認めるべきであり，また，再生債権の一部の弁済は，この制度の目的に沿わないので，許されない。ただし，再生債権のうち一定額の弁済後に残る部分の放棄を受けて当該一定額の弁済をすることは可能である。その他の手続に関しては，(1)に述べたところが妥当する。

(3) 再生債務者の事業の継続に著しい支障を生じることを避けるための少額再生債権の再生計画認可決定前弁済（民再85Ⅴ後半部分）

少額の再生債権を早期に弁済しなければ再生債務者の事業の継続に著しい支障を来すときは，裁判所は，再生計画認可の決定が確定する前でも，再生債務者等の申立により，その弁済をすることを許可することができる（民再85Ⅴ後半部分）。

ア　制度の趣旨

同じく，少額の再生債権についての弁済許可であっても，(2)と異なって，この場合は，再生債権の弁済禁止が再生債務者の事業の継続に著しい支障を来すことを避けるためであり，いいかえれば，再生債務者の事業価値の毀損を避けるために，少額債権の枠内に含まれることを条件として，弁済の許可を与えるものである。いわゆる商取引債権の保護または100％弁済と呼ばれる実務運用が，この制度適用の典型場面である。

すなわち，再生債務者の事業の継続に不可欠な取引先が手続開始前の商品の供給や役務の提供に基づく再生債権を有している場合に，それを弁済しなければ新規の取引を拒絶する蓋然性が高く，しかも，代わりの取引先が容易には見

---

[21]　中小企業者の再生債権に対する弁済許可の場合と異なって，弁済許可の対象となる再生債権者に対する優遇措置ではなく，再生手続の円滑な進行を図るという管財人業務の合理性にもとづく制度であることが，その根拠となっている。宮脇＝時岡132頁。英会話学校などにおける役務提供型契約におけるレッスンを受ける権利，施設利用権，ポイントサービスを受ける権利などについて，現代型契約と倒産法50，63頁〔金沢秀樹〕，150問150頁〔渡邊一誠〕参照。

出せないような状況において，この制度を利用して，再生債務者等が再生債権の全部または一部を弁済することによって，取引先の協力をえて，再生債務者の事業の継続を図るものである[22]。

　　イ　弁済許可の手続および要件

　弁済許可の要件は，対象なる再生債権を早期に弁済しなければ再生債務者の事業の継続に著しい支障を来すこと，および当該再生債権が少額といえること

---

[22]　上田裕康＝杉本純子「再建型倒産手続における商取引債権の優先的取扱い」銀行法務21　711号44頁（2010年），菅野博之「東京地方裁判所における会社更生事件の運用の実情と今後の展望」法の支配159号29頁（2010年），伊藤眞「新倒産法制10年の成果と課題——商取引債権保護の光と影」伊藤＝須藤8頁，実情について，杉本純子「共益債権・少額債権・債権の劣後化等」NBL 1004号61頁（2013年），判例・実務・改正提言197頁〔縣俊介＝朝田規与至〕，福岡真之介ほか「第一中央汽船の民事再生について——海運会社の国際的倒産事件の事例」事業再生と債権管理156号126頁（2017年），150問152頁〔中西敏彰〕，大阪地裁の事例について民事再生の実務121頁〔千賀卓郎〕参照。運用指針178頁以下には，東京地裁における許可事例の一覧が掲げられている。

　結局，商取引債権の保護の根拠は，事業価値保全にとっての不可欠性と当該取引先の代替困難性，および対象となる債権額が相対的に少額であって，再生手続の理念の1つである平等原則に本質的に背馳するものではないところに求められよう。難波孝一「事業再生ADRから会社更生手続に移行した場合の諸問題」松嶋古稀237頁，条解民事再生法435頁〔杉本和士〕，民事再生の手引〈第2版〉188頁参照。なお，産業競争力強化法平成30年改正61条（本書867頁参照）では，先行した事業再生ADRの中で手続実施主体が所定の要件の充足を確認している場合には，裁判所がそれを考慮して所定の要件の充足を判断するものとされている。例外的ではあるが，再生計画認可決定後の弁済が許可された例もある。高野哲也「商取引債権の保護——法85条5項後段に基づく弁済許可」事業再生と債権管理156号33頁（2017年）。これに対し，藤本利一「倒産法における債権者平等原則の意義」木内古稀630頁は，この制度の運用にあたっては，価値最大化原理を債権者平等原理に優先させるべきであると説く。私的整理（本書48頁）との関係で事業再生の手段としての民事再生の利用を促進するための視点として注目すべきである。

　また，事業に関わる事故によって多数の被害者を生じた事案において，それらの損害賠償請求権者に対する早期の一定額の弁済を行わないと，再生手続に対する社会的信頼が失われ，事業の継続に著しい支障を来すような場合も，事業価値の毀損を避けるという趣旨で，弁済許可の対象となりうると考えられる。スポンサーがDIPファイナンス（本書1081頁）の条件として商取引債権の100％弁済を求めているような事案でも，同様のことが妥当する。さらに，やや特殊なものであるが，米国における司法取引の結果として生じた被害者救済のための補償金支払債務について，その支払いが事業継続に不可欠であり，かつ，相対的に少額であるとの理由にもとづいて再生計画外での弁済がなされた例もある。小林信明ほか「タカタグループの民事再生——チャプター11を併用したグローバルな事業再生」事業再生・倒産実務全書775頁。

　なお，法85条5項後半部分による弁済許可と実質的に類似の役割を果たすものとして，将来の取引分（共益債権）の前払いなどがある。民事再生の手引〈第2版〉195頁，150問82頁〔山宮慎一郎〕。

である。前者は，当該商取引の継続が再生債務者の事業活動継続にとって不可欠であること，再生債権の弁済をしなければ相手方が将来の取引を拒絶する蓋然性が高く，かつ，代替する取引先が容易に見出しがたいことの2つからなり，弁済がなされれば，相手方が同一条件での取引継続を約束することが補助的要件になろう。

少額性に関しては，(2)の場合とは異なって，相当の幅が認められるべきであるが，この制度は，再生債権間の平等の例外をなすものであるから，再生債務者の負債総額との関係で少額であるいうだけでは足らず，金融機関など他の再生債権者の債権額との比較でも，相対的に少額といえるものでなければならない[23]。その他の手続に関しては，(1)に述べたところが妥当する。

第3項　再生債権の順位

再生債権の種類は，一般の再生債権と約定劣後再生債権の2つであり，破産債権が，優先的破産債権，一般の破産債権，劣後的破産債権，約定劣後破産債権の4つに分けられるのと異なる。これは，一般の優先権を有する債権が，一般優先債権として再生債権から外れ，また劣後的破産債権に相当する債権が，再生債権とされた上で劣後的取扱い（民再87Ⅱ・155Ⅰ但書）を受けるためである。このように再生債権の種類が単純化されたのは，再生計画案に対する議決の手続を単純化するためである[24]。

再生債権は，議決権に関しては，金銭化された債権額に比例して平等に扱われ（民再87Ⅰ），また，再生計画による権利変更に際しても平等に扱われるのが原則である（民再155Ⅰ本文）。ただし，不利益を受ける再生債権者の同意がある場合や，少額の再生債権を優先的に，逆に，手続開始後の利息等を劣後的

---

[23] もっとも，再生計画案可決の法定要件（民再172の3）をはるかに超えるほぼ議決権総額に近い再生債権者等の同意が認められるような事案では，少額性の要件を緩和することもありえよう。事例について，民事再生の手引〈第2版〉192頁。また，弁済を受ける商取引債権者の中に，その債権額が再生債権者たる金融債権者の債権額を上回る者が存在するときであっても，大部分の商取引債権が少額であり，かつ，商取引債権者に対する弁済が事業の継続に不可欠と認められるような場合には，弁済許可をすることもあろう。

[24] 立法当初の民事再生法には，再生債権は1種類しか存在しなかったが，平成16年制定の現行破産法および現行会社更生法の平成16年改正において，それぞれ約定劣後破産債権および約定劣後更生債権が創設されたのにともない，民事再生法にも約定劣後再生債権が導入された。

に，さらに内部者の再生債権を劣後させるなど，衡平を害しない場合には，再生債権の権利の取扱いについて差を設けることが許される（同但書）。

1 劣後的取扱いを受ける再生債権

再生手続開始後の利息の請求権，再生手続開始後の不履行による損害賠償および違約金の請求権（本書935頁参照），および再生手続参加の費用の請求権は，再生計画において劣後的取扱いをすることが許され（民再155Ⅰ但書），また議決権を否定される（民再87Ⅱ）。劣後的取扱いの根拠は，これらの請求権が，劣後的破産債権の場合と同様の性質を持つためである（本書306頁参照）。議決権を否定されるのは，これらの請求権が元本請求権などの本来の再生債権に付随するものであり，本来の再生債権にもとづく議決権を保障すれば足りるためである。

再生債権たる再生手続開始前の罰金等（民再97①）は，再生計画による権利変更や免責の対象とならない（民再155Ⅳ・178Ⅰ但書）反面，他の再生債権が再生計画によって弁済を受けた後でなければ，弁済を受けられないという劣後的地位に置かれる（民再181ⅢⅡ）[25]。罰金等についても議決権が否定されるのは（民再87Ⅱ），このような特質による[26]。

2 約定劣後再生債権

約定劣後再生債権とは，「再生債権者と再生債務者との間において，再生手続開始前に，当該再生債務者について破産手続が開始されたとすれば当該破産手続におけるその配当の順位が破産法第99条第1項に規定する劣後的破産債権に後れる旨の合意がされた債権」をいう（民再35Ⅳかっこ書）。したがって，約定劣後再生債権は，その実質において約定劣後破産債権に相当するものであり，同趣旨の制度である約定劣後更生債権（会更43Ⅳ①かっこ書）とともに，劣後債の取扱いについて合理的規律を定める目的から，平成16年改正によって創設されたものである[27]。合意内容として，劣後的破産債権に後れることが基準とされたのは，各種の倒産処理手続に共通の尺度として適しているためである。

約定劣後再生債権は，その性質上，再生計画において一般の再生債権との間

---

[25] 弁済を受けられない間は，時効も進行しない（民再39Ⅳ）。
[26] これに対して，再生手続開始後の罰金等は，共益債権となる（民再119②）。
[27] 中西正「更生債権関係」新会社更生法の基本構造232頁，本書311頁など参照。

に公正かつ衡平な差を設けなければならない（民再155Ⅱ）。ここでいう公正かつ衡平な差がどのようなものであるかについては，再生計画の内容に関して説明する。もっとも，約定劣後再生債権といえども，再生債務者財産を基礎とする将来価値の分配に関与しうる地位であるから，議決権は認められ（民再87Ⅰ），一般の再生債権とは別の組に分かれて再生計画案の可否が問われる（民再172の3Ⅱ本文）。権利の劣後性から，一般の再生債権者と議決権額に応じて平等に決議に参加させるのは不合理だからである。再生計画案が可決されなかった場合，または可決されないことが明らかな場合の権利保護条項の定め（民再174の2ⅠⅡ）に際しても，約定劣後再生債権は一般の再生債権と区別される。

ただし，再生手続開始時の再生債務者財産が，約定劣後再生債権に優先する一般の再生債権などにかかる債務を完済することができない状態にあるときは，約定劣後再生債権は議決権を有しない（民再87Ⅲ）。手続開始時の再生債務者財産の配分に関して実質的利害関係を持ちえないにもかかわらず，それを基礎とする将来価値の配分に関与させる合理性に欠けるためである。約定劣後再生債権に優先する一般の再生債権などにかかる債務を完済することができないことが明らかであるときは，再生手続開始等の公告事項の通知が不要とされること（民再35Ⅳ・37），再生計画によらない営業等の譲渡に関する裁判所の許可に際して意見聴取が不要とされること（民再42Ⅱ本文かっこ書），さらに，再生計画認可決定等に対する即時抗告の理由が制限されること（民再175Ⅱ）も，同様の理由による[28]。

第3節　一般優先債権

一般の先取特権その他一般の優先権がある債権は，それが共益債権である場合を除いて，一般優先債権とされ（民再122Ⅰ），再生手続によらず，随時弁済する（同Ⅱ）。一般の優先権のある債権は，再生債務者財産全体をその引き当てにしている点では，再生債権と同質のものであり，破産手続や更生手続では，優先的破産債権や優先的更生債権として，手続に参加する（破98Ⅰ，会更168Ⅰ②）。これに対して，再生手続においては，一般優先債権が，手続外で，その

---

[28]　その他，弁済許可の対象となりえないこと（民再85Ⅵ）や再生債務者等の自認の対象とならないこと（民再101Ⅳ）などの点で，一般の再生債権と区別される。

本来の弁済期にしたがって弁済を受けるのは，組分けによる決議の必要性（会更196 I 参照）が生じることによる手続の複雑化を避けるためである[29]。

　一般優先債権の代表例は，労働債権（民306②・308）や租税債権（税徴8）などであるが[30]，その発生は，再生手続開始の前後を問わない。そして，一般優先債権者は，再生債務者等からの任意弁済を受けうるだけではなく，強制執行もしくは仮差押えまたは一般の先取特権にもとづく担保権の実行をすることも許される[31]。ただし，裁判所は，それらの権利実行が再生に著しい支障を及ぼすなどの事情が存在するときは，その中止や取消しを命じることができる（民再122Ⅳ・121Ⅲ〜Ⅵ）。なお，再生計画においては，一般優先債権の弁済に関する条項を定めなければならないとされるが（民再154 I ②），これは，一般優先債権に対する弁済が再生計画の遂行可能性（民再174Ⅱ②）などに影響を及ぼしうるためであり，一般優先債権の権利内容を変更するためのものではない。

第4節　開始後債権

　再生手続開始後の原因にもとづいて生じた財産上の請求権で，共益債権，一

---

[29] したがって，再生手続が終了して破産手続に移行する場合には（本書1243頁），共益債権が財団債権となるのと比較して，一般優先債権は，当然には共益債権とならず，基礎となっている権利の性質によって財団債権部分と優先的破産債権部分とに分かれる（本書1248頁参照）。

　なお，年金掛金のうち，公的年金掛金については，一般の優先権が認められるので（厚年88），一般優先債権となる。これに対して，企業年金，特に過去の積立不足を解消するための特別掛金拠出請求権は，基金の事業主に対する請求権であるために，雇用関係にもとづくものとはいえず，再生債権にとどまる。詳説倒産と労働392頁〔下向智子〕参照。

[30] 租税保証人（関税9の6，税通50⑥）が代位弁済した結果として，求償権を一般優先債権として行使できるか，または一般優先債権たる租税債権を代位行使できるかという問題がある。前掲東京地判平成17・4・15（注9）は，これを否定する。これに対する疑問を呈するものとして，上原敏夫「納税義務者の民事再生手続における租税保証人の地位についての覚書」民事手続法197頁がある。

　労働債権について実際に，雇用関係にもとづくかどうかが問題となるのは，いわゆる諸手当である。具体例と結論については，詳説倒産と労働74頁〔神原千郷〕参照。なお，解雇予告手当は，労働の対価ではなく，解雇による不利益の回避という目的のために支給されるという性質から，雇用契約にもとづくものには該当しないと解されている。

[31] 一般優先債権としての労働債権にもとづく担保権実行について，労働委員会のバックペイの救済命令が「担保権の存在を証する文書」（民執193 I 前段）になりうるとするものとして，詳説倒産と労働69頁〔徳住堅治〕がある。

般優先債権または再生債権に該当しないものは，開始後債権と呼ばれる（民再123Ⅰ）。開始後債権の例としては，管財人が選任されている場合において，法人の理事等が組織法上の行為を行うこと等によって生ずる請求権で，その支出がやむを得ない費用（民再119⑦）に該当しないために，共益債権とならないものなどがあげられる[32]。

　破産の場合であれば，この種の債権は，破産財団に対する破産債権としての権利行使を認められず，破産者の自由財産に対して権利行使をする以外にない。しかし，再生手続の場合には，再生債務者財産の範囲について固定主義をとらないために，同様の取扱いをすることは不合理な結果を生じる。そこで，法は，この種の債権を開始後債権として，以下に述べるように実質的に劣後的取扱いをする。同じく再生型手続である更生手続の場合も同様である（会更134）。

　開始後債権は，再生手続が開始された時から再生計画で定められた弁済期間が終了する時（再生計画認可の決定が確定する前に再生手続が終了した場合にあっては再生手続が終了した時，その期間の満了前に，再生計画にもとづく弁済が完了した場合または再生計画が取り消された場合にあっては弁済が完了した時または再生計画が取り消された時）までの間は，弁済をし，弁済を受け，その他これを消滅させる行為（免除を除く）をすることができない（民再123Ⅱ）[33]。開始後債権にもとづく再生債務者財産に対する強制執行等ならびに財産開示手続および第三者からの情報取得手続の申立ても，この期間中は禁止される（同Ⅲ）。もっとも，知れている開始後債権があるときは，その内容に関する条項を再生計画において定めるが（民再154Ⅰ③），これは再生債権者への情報開示や破産手続などへの移行に備える趣旨であり，したがって，記載の有無を問わず，再生計画認可決定確定にもとづく免責の効力（民再178Ⅰ本文）は生じない。

---

[32] 花村344頁。その他にも，手続開始後の手形引受け等にもとづいて生ずる債権であって，支払人等が悪意であるために再生債権にならないもの（民再46参照），再生債務者等が裁判所の許可または監督委員の同意をえずに財産の処分等を行い，相手方が許可等について悪意である場合（民再41Ⅱ・56Ⅵ参照）の相手方の請求権などが例としてあげられる（新注釈民事再生法（上）676頁〔野村剛司〕，松下・入門88頁）。

[33] 松下淳一「民事再生法の立法論的再検討についての覚書」ジュリ1349号36頁（2008年）は，このような取扱いを時期的劣後と呼び，再生計画による弁済期間が短い場合には，有効に機能しないこと，むしろ，劣後的再生債権の概念を創設すべきことを説く。判例・実務・改正提言261頁〔杉本和士〕も，これに賛成する。

第5節　多数債務者関係と再生債権

多数債務者関係と再生債権の行使に関する規律は，破産手続の場合とほぼ同様であるので，以下その概略のみを説明する。

第1項　数人の全部義務者の再生

数人の全部義務者の全員，またはその中の数人について再生手続開始決定がなされたときに，債権者は，それぞれの再生債務者に対する再生手続開始時の債権額全額について，再生債権者として手続に参加できる（民再86Ⅱ，破104Ⅰ）[34]。これは，手続開始時現存額主義が再生手続にも妥当することを意味する[35]。したがって，再生手続開始後に他の義務者からの弁済等がなされても，その債権の全額が消滅しない限り，手続開始時の再生債権額を維持できる（民再86Ⅱ，破104Ⅱ）。物上保証人が再生手続開始後に債権者に対して弁済等をした場合にも，同様に取り扱われる（民再86Ⅱ，破104Ⅴ）。

第2項　保証人の再生

保証人について再生手続があったときは，債権者は，再生手続開始の時において有する債権の全額について再生手続に参加することができる（民再86Ⅱ，破105）[36]。催告および検索の抗弁権（民452・453）は働かない。また，数人の一部保証人の再生における債権者および他の保証人の再生債権行使についても，破産と同様である（本書326頁参照）。

---

[34] 手続への参加は，再生計画にもとづく弁済を受けることを意味し，必ずしも再生債権の届出に限られない。新注釈民事再生法（上）457頁〔中井康之〕。

[35] 現存額主義の意義や関連する問題については，本書313頁参照。また，それに関して生じうる超過弁済（本書316頁注106）の問題に処するための再生計画案の条項については，150問284頁〔佐藤三郎〕参照。

[36] もっとも，主債務者が約定通り弁済を続けている場合には，債権者に対して無条件に再生計画にもとづく満足を与えず，主債務者が弁済を怠ったことを条件として，弁済をする旨の定めをすることも許される（新注釈民事再生法（上）463頁〔中井康之〕，民事再生の手引〈第2版〉293頁）。

第3項　求償義務者の再生

　数人の全部義務者の全員または一部の者について再生手続が開始されると，再生債権者となるのは，本来の債権者だけではなく，全部義務者相互間でも，将来行うことがある求償権全額について再生債権者としての権利を行使することができる（民再86Ⅱ，破104Ⅲ本文）。もっとも，債権者が再生手続開始の時において有する債権の全額について再生債権を行使したときは，実質的に1つの債権の二重行使を避けるために，求償権者の再生債権行使は許されない（民再86Ⅱ，破104Ⅲ但書）。ただし，その場合であっても，求償権者が再生手続開始後に債権者に対して弁済等をしたときは，その債権の全額が消滅した場合に限り，求償権者は，その求償権の範囲内において，債権者の権利を再生債権者として行使することができる（民再86Ⅱ，破104Ⅳ）[37]。手続は，再生債権の届出名義の変更（民再96）による。

　求償権者の再生債権行使に関する規定は，物上保証人の求償権行使にも準用される（民再86Ⅱ，破104Ⅴ）。

第4項　法人またはその社員の再生

　合名会社および合資会社などの法人の無限責任社員は，会社の債務について無限責任を負うから（会社580Ⅰ・576ⅡⅢなど），法人の債権者にとっては，法人の債務について無限責任社員が保証人となっているのと同様にみられる。したがって，無限責任社員について再生手続が開始されたときは，当該法人の債権者は，再生手続開始の時において有する債権の全額について再生手続に参加することができる（民再86Ⅱ，破106）。

　これに対して，持分会社の有限責任社員（会社576Ⅰ⑤）や有限責任事業組合の組合員（有限組合11）のように，法人などの債務について未払出資額の限度で責任を負う者が破産したときには，実体法上では，法人などの債権者がその限度で債権の行使を認められる（会社580Ⅱ，有限組合15）にもかかわらず，社

---

[37] やや特殊なものであるが，再生債務者である宅建業者に対する購入者等の損害賠償請求権について宅地建物取引業保証協会が弁済業務保証金からの還付をなしたときに取得する還付充当金納付請求権を再生債権とした上で，法86条2項により準用される破産法104条4項を類推適用すべしとする有力説がある。深山卓也「宅建業法上の還付充当金納付請求権の再生手続における取扱い」田原古稀（下）608頁。

員などの再生手続において再生債権を行使することは認められず（民再86Ⅱ，破107Ⅰ前段），法人などが未払出資額そのものについて再生債権を行使する（民再86Ⅱ，破107Ⅰ後段）。

また，法人について再生手続が開始されたときは，法人の債権者は，法人の債務について有限の責任を負う者に対してその権利を行使することも認められない（民再86Ⅱ，破107Ⅱ）。有限責任の履行請求は，再生債務者等に委ねられるからである[38]。

第6節　共益債権

再生手続における共益債権は，破産手続における財団債権に対応する概念であり，基本的には，再生手続を遂行し，その目的（民再1）を実現するために再生債権者が共同で負担しなければならない費用としての性質を有する[39]。したがって，共益債権とされることの意義は2つに分けられる。

第1は，共益債権の再生債権に対する優先性であり（民再121Ⅱ），第2は，再生手続によらず，本来の弁済期にしたがった弁済義務が定められていることである（同Ⅰ）。また，破産の場合（破42ⅠⅡ）と異なって，再生手続開始決定の効力によって当然に共益債権にもとづく強制執行等が禁止され，また中止されるわけではないが（民再39Ⅰ参照），裁判所の命令による中止や取消しの可能性がある（民再121Ⅲ）。共益債権には，その実質的根拠からみれば，再生手続の遂行にともなって生じる費用や負担であって，再生債権者が共同で負担しなければならないものと，特別の政策的考慮にもとづいて共益債権とされているものの2種類があるが，法文の根拠からは，法119条にもとづく一般の共益債権とそれ以外の個別規定にもとづく特別の共益債権とに分けられる。

---

38) 趣旨については，本書327頁参照。
　これに対して自称有限責任社員の会社債務についての弁済責任の場合（会社589Ⅱ）には，法人が代わって権利行使をする余地はないところから，法人の債権者が，自称有限責任社員の再生手続において再生債権を行使し，また，法人の民事再生においても，再生債務者等ではなく，自称有限責任社員の責任を追及する。大コンメンタール453頁〔堂薗幹一郎〕，条解破産法〈第3版〉808頁。

39) 共益債権概念は更生手続と共通のものであるが（会更127等），その範囲については多少の異同がある。新注釈民事再生法（上）648頁〔柴野高之〕参照。

第1項　一般の共益債権

法119条にもとづく一般の共益債権には、以下のものが含まれる。

1 再生債権者の共同の利益のためにする裁判上の費用の請求権（民再119①）

再生手続開始申立ての費用，保全処分の費用，各種裁判の公告や送達費用，債権者集会開催にかかる費用など，再生手続遂行について裁判所が行う行為に関連して発生する一切の費用を含む。

2 再生手続開始後の再生債務者の業務，生活ならびに財産の管理および処分に関する費用の請求権（民再119②）

再生債務者の業務とは，事業者を想定したものであり，原材料の購入，従業員の給与等，事業施設の維持費等の一切の費用が共益債権になる[40]。生活とは，非事業者たる個人を想定したものであり，電気・ガス・水道料や家賃はもちろん，生活に要する一切の費用が共益債権になる[41]。また，財産の管理および処分に関する費用は，事業者または非事業者を問わず，所有建物の維持管理費や処分費用を含む。

3 再生計画の遂行に関する費用の請求権（再生手続終了後に生じたものを除く）（民再119③）

再生債務者自身が手続を遂行する場合には，再生計画認可決定の確定とともに再生手続終結決定がなされ（民再188Ⅰ），再生手続が終了するが，監督委員や管財人が選任されているときは，再生計画認可決定確定後も相当の期間再生手続が終了しないので（民再188ⅡⅢ），資本金額の減少や増加（会社447・450），定款変更（同466）等の手続費用，再生債権の弁済に要する費用などが共益債権として支払われる。

---

[40] あくまで再生手続開始後の業務にもとづいて発生するものでなければならない。年金掛金の請求権も含まれる。これに対し，再生手続において，年間最低保証ロイヤリティが権利設定の対価であり，当該契約が再生手続開始前になされたことを理由として同ロイヤリティについて共益債権性を否定したものとして，東京地判平成17・12・27判タ1224号310頁がある。

[41] 贅沢品購入や華美な祝いのためなどの債務負担が共益債権になるか，それとも開始後債権（民再123）となるかについては，考え方の対立があるが（条解民事再生法613頁〔清水建夫＝増田智美〕，新注釈民事再生法（上）650頁〔柴野高之〕参照），本号にいう生活を最低生活に限定する必要はないことや，取引の相手方の保護を考えれば，開始後債権とするのは，例外的な場合にとどめるべきである。また，再生債務者の日常生活に起因する損害賠償請求権の共益債権性について，松下・入門85頁参照。

4 各種の手続機関等の費用，報酬および報償金の請求権（民再119④）

監督委員，調査委員，管財人および保全管理人等の費用前払いおよび報酬請求権（民再61Ⅰ・63・78・83Ⅰ），裁判所が選任した代理委員の費用および報酬請求権（民再90の2Ⅴ），代理委員の費用償還請求権および報償金支払請求権（民再91Ⅰ），再生債権確定訴訟に関する再生債権者の訴訟費用償還請求権（民再112），再生に貢献する活動があったと認められる債権者委員会の費用償還請求権（民再117Ⅳ），個人再生委員の費用前払いおよび報酬請求権（民再223Ⅸ・244）がこれに含まれる。性質としては，再生手続遂行のために必要な費用の一種とみなされる。

5 再生債務者財産に関し再生債務者等が再生手続開始後にした資金の借入れその他の行為によって生じた請求権（民再119⑤）

本号の請求権は，実質において2号の請求権と重複することが多いが，業務の遂行に不可欠な借入れなどにもとづく請求権の地位を明らかにするために，特別の規定を設けたものである。典型例は，いわゆるDIPファイナンスがこれにあたる。ただし，取引によって生じたものに限らず，再生債務者等の行為であれば，不法行為にもとづく相手方の損害賠償請求権なども，本号の共益債権に該当する[42]。

6 事務管理または不当利得により再生手続開始後に再生債務者に対して生じた請求権（民再119⑥）

事務管理にもとづく費用償還請求権（民702Ⅰ）や不当利得返還請求（民703）は，再生手続開始後に生じたものは，再生債権者全体に利益や利得が生じているという理由から共益債権とされる。これに対して，再生手続開始前に生じたものは，再生債権である（民再84Ⅰ）。

7 再生債務者のために支出すべきやむを得ない費用の請求権で，再生手続開始後に生じたもの（前各号に掲げるものを除く）（民再119⑦）

本号の共益債権の例としては，管理命令が発せられている場合における，法人の組織法上の活動，たとえば株主総会の開催費用などがあげられる。管財人の権限がこの種の事項に及ばず，費用請求権が2号または3号に含まれないた

---

[42] 条解会更法（下）312頁，花村334頁，新注釈民事再生法（上）651頁〔柴野高之〕参照。東京高判平成21・6・25判タ1391号358頁は，再生手続開始後，不動産の明渡期限経過後の再生債務者による占有について，相当因果関係の範囲にある損害として賃料相当額と民事法定利率による遅延損害金が共益債権になる旨を判示する。

めである。したがって，やむを得ないとみなされるためには，その費用の支出が再生のために不可欠であることが必要である[43]。

第2項　特別の共益債権

法119条以外の規定にもとづく共益債権としては，以下のようなものがある。これらを特別の共益債権と呼ぶ。ただし，一般の共益債権と特別の共益債権との間には，破産手続の場合のような違い（破152Ⅱ．本書339頁）が存在しないから，もっぱら講学上の区別にすぎない。

1　相手方との公平の見地から共益債権とされたもの

法は，再生手続において再生債務者が負担する請求権のうち，その内容にしたがって，本来の弁済期に弁済しなければ相手方との公平に反すると判断されるものを共益債権としている。

その例としては，双方未履行双務契約について再生債務者等が履行を選択した場合の相手方の請求権（民再49Ⅳ），再生債務者等が解除の選択をした場合の相手方の反対給付または価額返還請求権（同Ⅴ，破54Ⅱ），継続的給付を目的とする双務契約において相手方が再生手続開始申立て後再生手続開始前にした給付にかかる請求権（民再50Ⅱ），第三者対抗要件が備えられた賃貸借契約等について賃貸人等が有する請求権（民再51，破56Ⅱ），再生債務者が再生手続開始申立て後，裁判所の許可をえて，再生手続開始前に資金の借入れや原材料の購入等，事業の継続に不可欠な行為をしたことによって生じる相手方の請求権（民再120Ⅲ）[44]，保全管理人が同様の行為をしたことによって生じる相手方の

---

[43]　花村335頁。条解会更法（下）316頁では，更生債権または更生担保権について，その支払がやむを得ないとすることは許されないとしている。

[44]　監督委員による承認の形態など，運用の実情について条解民事再生法623頁〔清水建夫＝増田智美〕，民事再生の手引〈第2版〉64頁，杉本・前掲論文（注22）58頁，千葉恵介「共益債権化の承認」事業再生と債権管理156号22頁（2017年）参照。
　いわゆるプレDIPファイナンス，すなわち再生手続開始申立前になされる借入れについても（条解民事再生法624頁〔清水建夫＝増田智美〕），法120条を拡張解釈し，制度化された私的整理（本書49頁）に限って，その申請を再生手続開始申立てに準ずるものとみなし，後に再生手続開始申立てに至ったときには，裁判所の許可または監督委員の承認をうることを条件として借入れ等の合意をなし，当該借入れが再生のために必要であったことを疑わせる特段の事情が認められないかぎり，許可または承認を与えることが考えられる。進士肇「DIPファイナンスをめぐる実情と法的問題」倒産と金融85頁，ニューホライズン112頁参照。金融機関側からみたDIPファイナンスの取組については，同書124頁以下に詳しい。もっとも，実務上では，再生手続開始申立後に同趣旨の契約を締結する

請求権（同Ⅳ），否認権行使の結果として生じる相手方の再生債務者に対する反対給付または価額償還請求権等（民再132の2Ⅰ②・Ⅱ①③）があげられる。

2 再生債権者が共同で負担すべき費用としての性質から共益債権とされたもの

再生手続開始決定によって中止した破産手続における財団債権（民再39Ⅲ①），再生手続開始決定によって失効した特別清算手続のために再生債務者に対して生じた債権およびその手続に関する再生債務者に対する費用請求権[45]（同②），再生手続開始決定にともなって中止した強制執行等の手続が続行された場合の再生債務者に対する費用請求権（同③），再生債務者の財産関係の訴訟手続を管財人が受継した場合における勝訴した相手方の再生債務者に対する訴訟費用償還請求権，または法人の役員の責任に関する査定の裁判に対する異議の訴えの当事者が再生債権者である場合における，勝訴した相手方の再生債権者に対する訴訟費用償還請求権（民再67Ⅴ），再生債務者等が受継した債権者代位訴訟（民423）において勝訴した相手方の再生債権者に対する訴訟費用償還請求権（民再40の2Ⅲ），監督委員や管財人が受継した詐害行為取消訴訟（民424）や先行した破産手続における否認訴訟等において勝訴した相手方の再生債権者または破産管財人に対する訴訟費用償還請求権（民再140Ⅱ），社債管理者等の費用および報酬請求権（民再120の2ⅢⅣ）[46]，担保権消滅手続にかかる価額決定請求手続に要した費用請求権で，再生債務者等が担保目的財産の価額に相当する金銭の納付をしないために消滅許可が取り消された場合において，価額決定の請求をした者が再生債務者に対して有する費用請求権（民再151Ⅳ）が，この類型の共益債権に属する。

第3項　共益債権の地位

破産手続における財団債権の債務者については，考え方の対立があるが（本書343頁），共益債権の債務者は，再生債務者である。管理命令が発令され，管

こともあろう。また，米国のDIPファイナンスを支えるスーパープライオリティおよびプライミングリーエンの制度については，三上二郎「米国連邦倒産法におけるスーパープライオリティの導入の当否について」同書109頁参照。

45) この債権や請求権は，特別清算手続における共益債権性をもつものを指す。花村130頁，条解会更法（上）588頁。

46) 詳細については，破産法の対応規定に関する本書341頁の説明を参照されたい。

財人が任命された場合でも（民再64Ⅰ），このことに変わりはない。

共益債権は，再生債権に先立って，再生手続によらずに随時弁済する（民再121ⅠⅡ）。同じく手続外での弁済を認められる一般優先債権（民再122Ⅱ）との間にも，再生手続上の優先劣後の関係はない[47]。

1 共益債権の地位をめぐる訴訟

ある債権者が，自らの債権が共益債権にあたることを主張し，再生債務者等が裁判所の許可をえるなどして，それを認めれば（民再41Ⅰ⑧），共益債権をめぐる紛争は発生しないが，債権者が共益債権性を主張するのに対して，再生債務者等がそれを否定し[48]，または債権の存否や内容を争う場合には，債権者側からの給付訴訟や共益債権性についての積極的確認訴訟，または再生債務者等の側からの消極的確認訴訟などが想定される。

その訴訟物については，共益債権たる実体法上の請求権とするか，共益債権支払請求権とするか，2つの可能性がある[49]。共益債権性に関する積極または消極の確認訴訟の場合はもちろん，債権者からの給付訴訟の場合であっても，審判の対象は，実体法上の請求権の発生原因たる事実に加え，共益債権性を根拠づける事実によって特定される以上，後者の考え方が妥当である。したがって，給付請求認容確定判決は，一定内容の給付請求権が共益債権であることを既判力によって確定するのに対して，請求棄却確定判決は，当該請求権が共益債権に該当しないことを確定する[50]。

---

[47] 「先立って」の意義については，優先劣後の関係を意味するとの理解（条解民事再生法631頁〔清水建夫＝増田智美〕）と，再生計画による履行を待たざるをえない再生債権に対して，随時弁済を受けられる共益債権の関係を意味するとの考え方（伊藤・会更法・特清法260頁）とがある。後者は，再生計画の不履行の場面で再生債権と共益債権とが競合しても，両者間に優劣関係はないことを根拠とする。

これに対して一般優先債権と共益債権との間には，競合関係が生じうるが（民再121Ⅰ・122Ⅱ参照），その優先劣後は，民法などの実体法による。なお，手続が破産に移行したときには，共益債権が財団債権となるが（民再252Ⅵ），一般優先債権は優先的破産債権となる（破98Ⅰ）。ただし，労働債権については，その保護のために財団債権の拡大規定が設けられている（民再252Ⅴ）。

[48] 争いが発生する典型的場面については，倒産と訴訟275頁〔加藤清和＝島岡大雄〕参照。

[49] 倒産と訴訟301頁〔加藤清和＝島岡大雄〕では，訴訟物を実体法上の請求権そのものとすると，財団債権性（共益債権性）に関する主張立証責任の帰属や既判力の範囲について問題を生じるとして，後者の考え方をとる。

[50] したがって，判決理由中で当該請求権の不存在が判示されていたとしても，その判断に既判力が生じるわけではなく，共益債権性の不存在を理由とする請求棄却判決と同様に，

2 共益債権にもとづく強制執行等

　共益債権にもとづく強制執行は禁止されない。破産財団のみが弁済の財源となる財団債権の場合と異なって，再生手続開始後の取得財産すべてを含む再生債務者財産に対する権利行使を禁止する理由がないからである。しかし，特定の財産に対する強制執行等が，再生に著しい支障を及ぼし，かつ，再生債務者が他に換価の容易な財産を十分に有するときは，裁判所は，再生手続開始後において，再生債務者等の申立てによりまたは職権で，担保を立てさせて，または立てさせないで，強制執行または仮差押えの中止または取消しを命じることができる（民再121Ⅲ）。共益債権者の利益を実質的に害さない限度で，再生のためにその権利を制限する趣旨である。共益債権には，非金銭債権も含まれるが，非金銭債権にもとづく仮処分は，中止または取消しの対象とならず，また非金銭執行も，本条の趣旨を考えると，対象に含まれないと解される。

　裁判所は，中止命令を取り消し，または変更することができ（同Ⅳ），強制執行等に対する中止または取消命令および中止命令取消または変更決定に対しては，即時抗告が認められるが（同Ⅴ），執行停止効はない（同Ⅵ）。

3 再生債務者財産不足の場合の弁済方法等

　再生債務者財産がすべての共益債権を弁済するのに不足であることが明らかになった場合については，破産や会社更生と異なって（破152，会更133Ⅰ），特別の規定がない。したがって，再生債務者等は，弁済期の順序にしたがって弁済すれば足り，強制執行の中で各種の共益債権が競合したときには，実体法の優先順序によって配当がなされる。また，管理命令が発令されている場合であって，再生手続廃止決定等の確定によって再生手続が終了し，かつ，手続が破産に移行しないときには，管財人は，任務終了に際して共益債権等を弁済するなどの措置をとらなければならないが（民再77Ⅳ），その際には，破産手続における優先順序を類推適用すべきである[51]。

　もっとも，共益債権の弁済ができない状態に陥っていることは，実際には，

共益債権性の不存在について既判力が生じるのみである。もちろん，そのような判決が確定しているにもかかわらず，なお債権の存在を主張することは，原則として信義則に反するといえよう。なお，当該請求権が再生債権であり，共益債権にあたらないとするときは，受訴裁判所は，訴え却下ではなく，請求棄却の本案判決をすべきである。倒産と訴訟305頁〔加藤清和＝島岡大雄〕。

51) 概説97頁参照。

再生計画案作成の見込みがないか，または再生計画遂行の見込みがないことが明らかであることを意味するから，再生手続が廃止され（民再191①・194），手続が破産に移行することになろう（民再250）。その場合には，共益債権は財団債権となる（民再252Ⅵ）。

第7節 再生と租税

　法は，再生手続における租税債権の取扱いについて，破産や会社更生と異なり，特別の規定を設けていない。その結果として，一般の優先権が認められる租税債権（税徴8）は，一般優先債権となり（民再122Ⅰ），再生手続によらないで，随時弁済する（同Ⅱ）。ただし，再生手続開始後の再生債務者の業務，生活ならびに財産の管理および処分に関する費用（民再119②）とみなされる法人税，所得税，消費税，固定資産税等は，共益債権となるから，同じく再生手続によらないで，随時弁済する（民再121Ⅰ）。一般優先債権または共益債権たる租税債権にもとづく滞納処分は，再生手続開始によって妨げられない（民再39Ⅰ参照）。また，共益債権や一般優先債権にもとづく強制執行等に対する中止・取消命令の規定（民再121Ⅲ・122Ⅳ）は，租税債権にもとづく滞納処分には適用されない[52]。

　再生手続から破産手続に移行した場合には，共益債権であった租税債権は財団債権となり（民再252Ⅵ），一般優先債権であった租税債権は，破産手続開始前の原因にもとづくものとして財団債権（破148Ⅰ③）または優先的破産債権（同98Ⅰ）となる（本書1247頁）。

　なお，共助対象外国租税債権の取扱いについては，本書77，1049頁を参照されたい。

---

[52] ただし，正当な事由が認められるときには，納税の猶予などの措置がとられることがある。150問74頁〔鶴巻暁〕参照。

第5章　再生債務者をめぐる財産関係の整理

　再生債務者等が再生手続を遂行するためには，再生手続開始前に再生債務者を一方の法主体として形成されている法律関係を整理し，法律関係から派生する相手方の権利を再生債権や共益債権として，また再生債務者の権利を再生債務者財産として確定する必要がある。このことは，清算と再生という手続目的の違いはあるが，破産と再生に共通する。また，このような実体法律関係の整理のために，法は，実体法規範を補充し，または修正する特別の規定を置いている。これを再生実体法と呼ぶとすれば，再生債務者等による法律関係の整理は，民法および商法などの実体法に加えて，再生実体法にもとづいて行われる。

第1節　再生債務者等の実体法上の地位

　再生手続においては，否認に関する特別の管理処分権を行使する監督委員（民再56ⅠⅡ）を別とすれば，財産管理処分権の主体として，再生債務者（民再2①・38Ⅰ）と管財人（民再64Ⅰ・66）の2種類のものが存在する。両者はいずれも再生債務者財産の帰属主体としての債務者とは区別される再生手続の機関であり[1]，再生債務者等と呼ばれる（民再2②）。その再生実体法における地位に関しても，特別の場合を除いては，差異がない。そして，再生債務者等の法的地位を決定するについても，破産管財人について述べた3つの基準（本書361頁）が基本的に妥当する。

　第1に，再生債務者財産の帰属に変わりがない以上，再生手続開始の前後を通じて，実体法律関係の主体は再生債務者とみなされるが，第2に，手続機関としての再生債務者等が再生債務者財産の将来価値を再生計画にしたがって再生債権者に配分する職務を負っていることを考えれば，管財人はもちろん，再生債務者にも，破産管財人と同様に，実体法律関係における差押債権者類似の

---

[1]　再生手続開始後の再生債務者が債権者に対し，公平かつ誠実に管理処分権等を行使し，再生手続を追行する義務を負う（民再38Ⅱ）とされるのは，これを示すものである。伊藤眞「再生債務者の地位と責務（中）」金法1686号113頁（2003年）。

地位が認められる[2]。第3に，民事再生法その他の法律が再生債務者等に対して特別の地位を認めている場合には，それを基準として実体的法律関係の内容が決せられる。

第1項 再生手続開始前に再生債務者が行った法律行為の再生債務者等に対する効力

再生手続開始前に再生債務者が行った法律行為は，否認（民再127以下）の対象とならない限り有効なものであり，相手方は，当該法律行為の効果を再生債務者等に対して主張しうる。しかし，実体法が，ある法律効果を善意の第三者に対して主張しえないとしていたり，あるいは対抗要件を具備しなければ第三者に対して法律効果を主張しえないとしている場合において，その第三者が差押債権者を含むと解されるときには，再生手続開始時を基準時として差押債権者類似の法律上の地位を認められる再生債務者等も，第三者として保護される。

---

[2] 再生債務者について差押債権者類似の地位を認めることについては，異論も考えられるが（徳田和幸「DIP型手続・再生債務者の地位」講座（3）286頁），手続機関としての再生債務者の地位を重視すれば，本文のような結論になる。また，管財人については，差押債権者類似の地位を認めることに疑問の余地はないとおもわれるが，再生債務者についてこれを否定することは，再生手続そのものの統一的運用を危うくする。条解民事再生法165頁〔園尾隆司〕も，再生債務者の第三者性を認める。これに対して，条解民事再生法190頁〔河野正憲〕は，管理処分権の保持（民再38 I）を主たる理由として，第三者性を否定するが，監督委員が選任されているときは，第三者性を認めるので（同193頁），現在の実務を前提とすれば，大きな差異は生じないと思われる。議論の詳細については，運用指針153頁参照。

なお，民法177条との関係で再生債務者の第三者を認めた裁判例として，大阪地判平成20・10・31判時2039号51頁〔倒産百選19事件〕，その控訴審としての大阪高判平成21・5・29判例集未登載（岡・後掲論文39頁によっている）があり，また，再生手続開始までに自ら対抗要件たる登録を備えない自動車所有権留保権者は，再生手続において別除権の主張をなしえないとした判例として，最判平成22・6・4民集64巻4号1107頁〔倒産百選〈第5版〉58事件〕がある。その意義について，本書480頁，伊藤眞「最二小判平22.6.4のNachleuchten（残照）──留保所有権を取得した信販会社の倒産手続上の地位」金法2063号43頁（2017年）（伊藤・古稀後著作集320頁）参照。

岡伸浩「再生債務者の法的地位と第三者性──公平誠実義務に基づく財産拘束の視点から」慶応法学26号35頁（2013年）（岡・理論研究268頁）は，再生手続の機関として，公平誠実義務（民再38 II）を負い，再生債権者の利益を実現するという拘束を受ける再生債務者の地位が第三者性の実体であり，民法177条などの関係で，再生債務者を第三者として認めるべきかどうかは，それぞれの実体法規の趣旨や目的に照らして決せられるとする。

この考え方を当てはめると，再生手続開始前に再生債務者がその財産を第三者に譲渡し，未だ対抗要件（民177・178・467Ⅱ，動産債権譲渡特3・4Ⅰなど）を備えない間に再生手続が開始された場合には，第三者は，その権利取得を再生債務者等に対して主張しえない。そのほかの点も，破産管財人について述べたところと同様である（本書366頁）。

また，実体法が善意の第三者を保護しており，その第三者に差押債権者が含まれると解される場合には，再生債務者等も第三者に含まれる。したがって，虚偽表示にもとづく無効，詐欺による取消し，錯誤取消し，解除にもとづく原状回復義務などを相手方が再生債務者等に対して主張する場合には，再生債務者等は，第三者としての地位を主張することができる（本書370頁）。善意・悪意は，再生手続開始時の再生債権者を基準とし，その中に1人でも善意の者があれば，再生債務者等は自らの善意を主張しうる。

第2項　再生手続開始後に再生債務者が行った法律行為の効力

再生債務者は，再生手続開始後もその財産についての管理処分権を保持しているので（民再38Ⅰ），裁判所の許可にかからしめられているもの（民再41Ⅰ）を別とすれば，再生手続開始後に再生債務者財産に関して行った法律行為の効力が否定されることはない。

しかし，法人である再生債務者について再生手続開始と同時に，または再生手続開始後に管理命令が発令され，管財人が選任されると（民再64Ⅰ Ⅱ），業務遂行権および財産管理処分権は管財人に専属するので，破産手続開始後の破産者の法律行為に関するのと同様の問題が生じる。

管理命令が発せられた後に再生債務者が再生債務者財産に関してした法律行為は，再生手続の関係においては，その効力を主張することができない（民再76Ⅰ本文）。ただし，相手方がその行為の当時管理命令が発せられた事実を知らなかったときは，この限りではない（同但書）[3]。善意・悪意については，管理命令に関する公告（民再65Ⅰ）の前後による推定が働く（民再76Ⅳ・47）。ここ

---

3) 法76条に対応する破産法47条1項および会社更生法54条1項が，善意の相手方を保護する例外を設けていないのは，再生債務者が手続開始後も管理処分権を保持することが原則である再生手続の特質を考慮し，相手方に不測の損害を与えることを防ぎ，再生を阻害する結果となることを避けるためである。花村220頁。

でいう法律行為の内容，再生手続の関係において無効とされることの意義などについては，破産法47条1項に関して述べたところが当てはまる（本書374頁）。

第3項　再生債務者の行為によらない再生手続開始後の権利取得

再生手続開始後，再生債権について再生債務者財産に関して再生債務者（管財人が選任されている場合にあっては，管財人または再生債務者）の行為によらないで権利を取得しても，再生債権者は，再生手続の関係においては，その効力を主張することができない（民再44Ⅰ）。再生手続開始の日に取得した権利は，再生手続開始後に取得したものと推定する（同Ⅱ）。この規律は，破産法48条に相当するものであるが，内容としては，会社更生法55条と同様に，再生債務者の行為によらない権利取得一般を対象とするのではなく，再生債権者による権利取得に限定しているところに特徴がある。

もっとも本書では，破産法の解釈についても，破産債権者間の平等を確保するための規律と理解し，破産債権者による権利取得に限定しているので（本書376頁），民事再生法の規定との間に差異は生じない。再生債務者の行為によらずに再生債権者が再生債務者財産について権利を取得する例としては，再生債権者たる商人や代理商が，再生手続開始後に有価証券などを第三者から受けとったことにもとづいて取得する商事留置権（商521，会社20等）があり，その権利取得は，再生手続の関係においては，その効力を認められない。

第4項　善意取引の保護

再生手続開始後に第三者が再生債務者財産について法律上の地位を取得した場合であっても，再生手続開始決定の効力として再生債務者等に差押債権者類似の地位が認められるなどの理由から，その地位を再生手続上主張することが否定される場合がある。しかし，第三者が再生手続開始について善意の場合にまでこのような原則を貫くことは，第三者に不測の損害を生じるおそれがある。以下は，それを避けるための善意取引の保護の制度である。その前提として，再生手続開始の公告前であれば善意が推定され，公告後であれば，悪意が推定される（民再47）。

1 再生手続開始後の登記・登録

　法律行為にもとづいて不動産などについて権利を取得しても，再生手続開始までに対抗要件たる登記を備えなければ，差押債権者類似の地位を認められる再生債務者等に対して，すなわち再生手続の関係においては，権利取得を主張することができない（民再45Ⅰ本文）。しかし，登記権利者が再生手続開始について善意でした登記については，その効力が認められる（同但書）[4]。不動産登記法105条1号の仮登記についても，同様である。また，権利の設定，移転もしくは変更に関する登録もしくは仮登録または企業担保権の設定等に関する登記についても，同様に扱われる（民再45Ⅱ）。その趣旨等については，破産法49条に関して述べたところが妥当する（本書378頁）。登記等の申請を登記権利者のみで行う場合だけではなく，再生債務者が権利者と共同申請して登記等を行っても，登記権利者が善意でなければ，登記等の効力は認められない。

2 再生手続開始後の手形の引受け・支払

　為替手形の振出人または裏書人である再生債務者について再生手続が開始された後に，支払人または予備支払人が引受または支払をした結果として，再生債務者に対して求償権を取得しても，それが再生手続開始後の原因にもとづくものであるとすれば，再生債権（民再84Ⅰ）の要件を満たさない。これは，支払人等の保護にかける結果になるので，その者が再生手続開始の事実について善意であったときに限って，再生債権者としての権利行使を認める（民再46Ⅰ）[5]。小切手および金銭その他の物または有価証券の給付を目的とする有価証券の場合にも，その支払等によって生じる求償権について，同様の取扱いがなされる（同Ⅱ）。善意・悪意については，再生手続開始の公告による推定が働く（民再47）。

　本条の趣旨等については，破産法60条について述べたところと同様である（本書384頁）。

3 管理命令発令後の再生債務者に対する弁済

　再生債務者財産所属の債権は，再生手続開始後も再生債務者の管理処分権に

---

[4] 対抗要件否認との関係などから，規定の合理性を再検討する必要があるとするものとして，条解民事再生法243頁〔畑瑞穂〕などがある。

[5] 悪意の場合には，開始決定後の原因にもとづくものとして開始後債権（民再123Ⅰ）になる。花村149頁。

服する（民再38Ⅰ）。したがって，再生手続開始後に当該債権の債務者が，再生債務者に対してする弁済は有効である。しかし，いったん管理命令（民再64Ⅰ）が発令されれば，再生債務者財産の管理処分権は，管財人に専属するから（民再66），その後に再生債務者に対してなされた弁済は，破産手続開始後の破産者に対する弁済と同様に，再生手続に対してその効力を主張できず，債務者は二重弁済を強いられる。

しかし，破産者に対する弁済について述べたのと同様の理由から（本書382頁），管理命令発令について善意でなされた弁済に限って，再生手続の関係においても，その効力が認められる（民再76Ⅱ）。善意・悪意については，管理命令の公告の前後による推定が働く（同Ⅳ）。もちろん，再生債権者の立場からすると，善意の弁済者が生じることは望ましくないので，管理命令に関する公告には，再生債務者への弁済を禁じる旨が記載されるし（民再65Ⅰ②Ⅱ），知れている債務者に対しては，その旨が通知される（同Ⅴ）。

弁済者が悪意のときには，一般原則にしたがって再生手続に対する弁済の効力は否定されるが，再生債務者財産が利益を受けた限度では，その効力が認められる（民再76Ⅲ。本書383頁）。

第5項　保全管理人の実体法上の地位

再生手続開始申立後に保全管理命令が発せられ（民再79Ⅰ），保全管理人が選任されると（同Ⅱ），再生債務者の業務の遂行および再生債務者財産についての管理処分権は，保全管理人に専属する（民再81Ⅰ本文）。それを前提とすると，再生債務者等の場合と同様に，物権変動等の効力を保全管理人に対して主張するためには，対抗要件の具備が求められるし，また，実体法の第三者保護規定の適用についても，保全管理人は管財人と同様に取り扱われる。

さらに，保全管理命令によって再生債務者の財産管理処分権が剥奪されるところから，管財人の場合と同様に，再生債務者が保全管理命令発令後に再生債務者財産に関してした法律行為の効力の制限（民再76Ⅰ），保全管理命令発令後の再生債務者にした弁済の効力の制限（同ⅡⅢ），および保全管理命令発令の前後による善意・悪意の推定（同Ⅳ）の規定が適用される（民再83Ⅰ）。ただし，未だ再生手続本体が開始されていないため，手続開始そのものによる効力，すなわち開始後の権利取得の効力（民再44），あるいは開始後の登記および登録

の効力（民再45）などの規定は適用されない。

　再生債務者財産に関する係属中の手続関係，すなわち訴訟手続および行政手続については，再生債務者財産に関する当事者適格が保全管理人に移転するところから，保全管理命令が発せられると，破産の場合と同様に（本書385頁），中断および受継等の規律が適用される（民再83ⅡⅢ・67ⅡⅢⅤ・68Ⅰ～Ⅲ）[6]。

第2節　契約関係の整理

　再生手続開始前に再生債務者が第三者と契約関係を結んでいた場合において，再生手続開始時において再生債務者側の義務のみが存在するのであれば，相手方はそれを再生債権として行使する（民再84Ⅰ）。また，相手方の義務のみが存在するのであれば，その履行を求める権利は，再生債務者財産に属し，再生債務者等がその権利を行使する。これに対して，双務契約上の双方の義務が未履行の状態で存在する場合（双方未履行双務契約）には，法49条以下の特別の規律によって契約関係を整理する。その趣旨や内容は，破産法53条以下について述べたところとほぼ同様である（本書388頁）。

第1項　双方未履行の双務契約関係

　双務契約について再生債務者およびその相手方が再生手続開始の時において共にまだその履行を完了していないときは，再生債務者等は，契約の解除をし，または再生債務者の債務を履行して相手方の債務の履行を請求することができる（民再49Ⅰ）。再生債務者等が解除を選択したときは，契約関係が消滅し，契約当事者の双方またはいずれかが契約上の義務を一部履行しているときには，原状回復義務が生じる。相手方のもつ原状回復請求権は，再生債務者等の特別の権能である解除権を行使した結果として生じたものであるので，公平を考慮して取戻権または共益債権の地位を与えられる（民再49Ⅴ，破54Ⅱ）。

　これに対して，再生債務者等の解除によって相手方に発生する損害賠償請求

---

　[6]　査定の裁判に対する異議の訴え（民再145Ⅰ）に関する中断の規定（民再67Ⅱ後段）は，査定の申立て自体が再生手続開始後になされるところから，準用があり得ないことなど，準用関係の詳細については，花村236頁，新注釈民事再生法（上）430頁〔印藤弘二〕参照。

権は，再生債権として扱われる（民再49Ⅴ，破54Ⅰ）。その趣旨は，すでに述べたところ（本書389頁）による。逆に，再生債務者等によって履行が選択されたときには，契約上の相手方の地位を尊重するという観点から，相手方の有する請求権は，共益債権とする（民再49Ⅳ）。

　再生債務者等による選択権行使自体には時間的な制約はないが，相手方は，再生債務者等に対して，相当の期間を定め，その期間内に契約の解除をするかまたは債務の履行を請求するかを確答すべき旨を催告することができる（民再49Ⅱ前段）。この場合において，再生債務者等がその期間内に確答をしないときは，解除権を放棄したものとみなされ（同後段），履行の選択がなされたのと同様に，契約関係が存続し，相手方の請求権は共益債権として扱われる。破産の場合には，確答をしないときには，契約の解除が擬制されるのに対して，再生の場合には，解除権の放棄が擬制されるのは，清算と再生という手続目的の差異を重視したためである。なお，再生債務者が契約の解除を選択するについては，裁判所の許可やそれに代わる監督委員の同意が求められることがある（民再41Ⅰ④・54Ⅱ）。

　ただし，双方未履行双務契約についての履行か解除かの選択権および確答の催告に関する規律は，労働協約には適用しない（民再49Ⅲ）。労働協約も双方未履行双務契約とみなされる可能性があるが，これは，会社更生法の規定（旧103Ⅳ，現61Ⅲ）にならったものである[7]。

　なお，相手方からの契約解除については，本書395頁に述べたところが再生手続にも妥当する。いわゆる倒産解除特約にもとづく解除は，清算型手続である破産以上に，再生手続型手続としての民事再生の目的実現を妨げるので，契約の性質上，解除を認めることに合理的理由が存在する特別の場合を除いて，その効力を否定すべきである[8]。

---

[7] 趣旨については，条解会更法（中）321頁参照。労働協約の一方的解約が事業の再生を妨げるおそれがあるという政策的判断による。

[8] これに対して，破産条項以外の約定解除権の行使は，その要件が再生債権の履行請求と関係のないものである限り，再生手続開始後に要件が充足された場合であっても，許される。東京地判平成17・8・29判タ1206号79頁。また，解除が再生債務者等の作為または不作為に起因する場合には，解除の結果としての原状回復請求権は，共益債権（民再119⑥）となる。

第2項　各種の双方未履行双務契約の取扱い

　以上の一般原則を前提とした上で，法は，各種の双方未履行双務契約に特有の規律を設けている。

1　継続的給付を目的とする双務契約

　相手方が再生債務者に対して一定の期間にわたって，反復継続して，物を供給したり，役務を提供する義務を契約類型がある。これを継続的給付契約と呼ぶ。その期間内に再生手続が開始されたとすれば，相手方については，開始前後の給付義務が未履行であり，再生債務者側については，その対価としての代金支払義務が未履行とみられる可能性があるから，再生債務者等に契約の解除か履行を求めるかの選択権が与えられる（民再49Ⅰ）。再生債務者等が解除を選択すれば，開始前の給付の対価や，解除にもとづく損害賠償請求権は，再生債権となる（民再84Ⅰ・49Ⅴ，破54Ⅰ）。

　再生債務者等が履行を選択した場合には，相手方が手続開始後に給付したものの対価が共益債権となることについては，問題がない（民再49Ⅳ）。これに対して，手続開始前の給付の対価については，考え方が分かれうるが（本書400頁），法は，旧会社更生法104条の2（現会更62）にならって，問題を立法によって解決した。すなわち，再生手続開始前の給付の対価たる代金債権について，開始申立前の給付にかかる対価分については，それが再生債権であるという前提に立ち，かつ，その弁済がないことを理由として相手方は再生手続開始後の給付義務の履行を拒絶できないとする（民再50Ⅰ）。そして，開始申立後再生手続開始前にした給付にかかる請求権は，共益債権とし（同Ⅱ），したがって，その不履行を理由とする手続開始後の給付義務の履行拒絶を認める。なお，月単位で給付の対価が算定されるような場合の継続的給付については，申立ての日の属する期間内の給付にかかる請求権も共益債権となる（同Ⅱかっこ書）。

　また，労務の供給を目的とする労働契約も，その法律上の性質としては，継続的給付を目的とする双務契約に含まれるが，労働者の基本権を考慮すると，上記の規律を適用するのは適当ではないので，適用が排除される（同Ⅲ）。

2　賃貸借契約

　賃貸借契約に関しては，賃借人の再生と賃貸人の再生とが考えられる。いず

れの場合であっても，賃貸借期間中に再生手続が開始されたときには，たとえ過去の未払賃料などがない場合であっても，将来にわたる双方の義務が残っており，賃貸借契約は双方未履行双務契約とみなされる。なお，ライセンス契約におけるライセンシーまたはライセンサーの再生についても，以下に述べるところが妥当する。

(1) 賃借人の再生

賃借人の破産については，かつては民法旧621条の規定があり，破産法の規定との関係が問題となったが，現行破産法の制定にともない，民法旧621条は削除された（本書403頁）。これに対して民事再生については，立法当初から民法に特別規定はなく，法49条の一般的規律にしたがって，賃借人たる再生債務者等が，契約の解除か履行かの選択をなす。解除が選択された場合には，敷金返還請求権は再生債務者財産となり，賃貸人の損害賠償請求権は再生債権となる（民再49Ⅴ，破54Ⅰ）。履行が選択されれば，賃貸人の賃料債権は，再生手続開始前の未払分も含めて，共益債権となる（民再49Ⅳ）。

(2) 賃貸人の再生

賃貸人について再生手続が開始されたときに，法49条が適用されるとすれば，賃借人は，再生債務者等の解除権行使によってその賃借権を失う結果となる。この問題は，破産手続においても生じるものであるが，現行破産法は，56条1項の規定を設け，賃借権その他の使用および収益を目的とする権利を設定する契約について破産者の相手方が当該権利につき登記，登録その他の第三者に対抗することができる要件を備えている場合には，破産管財人の解除か履行かの選択権を排除している（本書405頁）。対抗力を備えた賃借権などを保護するという要請は，破産と民事再生で変わるところはないので，破産法56条の規定は，再生手続にも準用される（民再51前段）。その結果，再生債務者たる賃貸人と賃借人との間で契約が存続することとなるが，賃料債権は再生債務者財産に属し，賃借人の権利は共益債権となる（民再51前段，破56Ⅱ）。

なお，再生手続開始前に賃借人が賃料を前払いしていた場合，また再生債務者が開始後の賃料債権をあらかじめ第三者に譲渡して，対抗要件を備えていた場合に，前払いや賃料債権の譲渡という処分が再生手続に対して効力を有するかが問題となる。平成16年改正前の51条は，旧破産法63条を準用する形で，これらの処分の効力を当期および次期のものに限定していたが，旧破産法63

条の規定が削除されるにともなって（本書408頁），再生手続においても準用規定が改められ，処分についての制限は消滅した。

類似の問題として，賃借人たる再生債権者が，再生債権を自働債権として[9]，賃料債権を受働債権として行う相殺の許容性がある。破産においては，この相殺についての制限が設けられていない（本書409頁）。しかし，民事再生や会社更生のような再生型手続においては，相殺によって賃料収入がえられないことが，再生の妨げとなることを考慮し，立法者は，相殺について一定の制限を設けている（民再92Ⅱ～Ⅳ，会更48Ⅱ～Ⅳ）。すなわち，再生債権者は，再生手続開始後にその弁済期が到来すべき賃料債務については，再生手続開始時における賃料の6月分に相当する額を限度として，債権届出期間内に限り，再生計画の定めるところによらないで，相殺をすることができる（民再92Ⅱ）[10]。

また，受働債権たりうる賃料債務について，弁済期に弁済をしたときは，再生債権者が有する敷金の返還請求権は，再生手続開始時における賃料の6月分に相当する額の範囲内におけるその弁済額を限度として，共益債権とする（同Ⅲ）[11]。ただし，6月分の範囲内で相殺をするときには，相殺によって免れる

---

[9] 自働債権となる再生債権としては，建設協力金返還請求権が代表的なものである。松下・入門121頁。なお，以下の記述は，敷金返還請求権と未払賃料等の関係について，当然充当の法理を踏まえて，両者の間の相殺があり得ないことを前提としている。八田卓也「倒産実体法の規律に関する理論的考察」ジュリ1349号56頁（2008年）参照。当然充当についても，相殺にかかる以下の規律が適用されるかどうかについては，150問144頁〔服部敬〕参照。

[10] 開始後の期限未到来の賃料債務を含むから，期限付債務を受働債権とする相殺（民再92Ⅰ）の範囲を限定したことになる。これに対して，未発生の賃料債務を将来の使用収益可能性を法定条件とする将来の請求権と捉え，条件不成就の機会を放棄できないとすれば，相殺の許容範囲の拡張と理解することととなる。条解民事再生法483頁〔山本克己〕。

[11] 再生手続から更生手続に移行する事案では，再生手続の6カ月分と更生手続の6カ月分を合計した，12カ月分が共益債権となるのかという問題がある。基本構造40頁。また，再生手続開始後において賃借人が賃料の不払と支払の双方を行ったときには，不払分について敷金が当然充当され，残敷金返還請求権のうち支払分の賃料6月分が共益債権となるという結果が予想される。当然充当が実質的に相殺と同様の意義を有するという視点から，法92条2項との関係を重視し，このような結論に対して疑問を呈するものとして，基本構造300頁，破産法大系Ⅱ323頁〔堂薗幹一郎〕がある。しかし，当然充当の法律上の性質が相殺と区別されるものであるとすれば，上記のような結果も不当とはいえない。

さらに，再生手続において賃貸物件が第三者に譲渡されたときに，敷金返還義務が譲受人に承継されるかという問題もあり，再生債権者間の平等の視点からこれに疑問を呈する有力説もある（山本和彦「倒産手続における敷金の取扱い（1）」NBL831号18頁（2006年））。しかし，賃貸人の地位の承継にともなって敷金返還債務も承継されるという判例法

賃料債務を控除した額が，共益債権化の上限となる（同Ⅲかっこ書）。以上の規律は，地代または小作料の支払を目的とする債務について準用する（同Ⅳ）。
敷金返還請求権に関する共益債権化の規定が設けられたのは，賃借人が別口の再生債権を有するときに，それを自働債権とする相殺をせずに賃料を弁済する場合，および別口の再生債権を有しない賃借人が賃料を弁済する場合のいずれにおいても，本来は再生債権である敷金返還請求権について共益債権化による利益を与えることを通じて，賃料の弁済を促そうとするものである。

たとえば，再生手続開始時およびその後の賃料が月額30万円であり，敷金額が200万円である賃貸借契約の賃借人が別に200万円の再生債権を有するとする。その再生債権者が再生債権と開始後の賃料債務とを相殺しようとすれば，受働債権の限度額は，6月分の180万円であり，再生計画によって配分を受ける別口の再生債権額は，残20万円になる。また，200万円の敷金返還請求権は，再生手続開始前の敷金契約にもとづくものとして再生債権になる（民再84Ⅰ）。しかし，その再生債権者が相殺権を行使せず，6月分の賃料を再生債務者等に対して弁済したとすれば，敷金返還請求権のうち弁済額に相当する180万円が共益債権となり，残額20万円と別口の200万円とが再生債権になる[12]。

ただし，3月分の賃料について相殺権を行使し，3月分の賃料を弁済したとすれば，90万円の限度で敷金返還請求権が共益債権化され，再生債権額は，敷金の残額110万円と別口の残額110万円となる[13]。このような規律が設けら

理（最判昭和44・7・17民集23巻8号1610頁）を前提とすれば，賃借人は，敷金返還債務の承継について保護すべき期待を有していると考えられるから，承継を認めるべきである。詳細については，伊藤眞「民事再生手続における敷金返還請求権の取扱い」青山古稀627頁，150問149頁〔野城大介〕参照。

また，共益債権化との関係で敷金返還請求権が再生計画によってどのような変更を受けるかという問題は，本書1083頁で扱う。

[12] もちろん，本文に述べたように，法92条3項自体は，かっこ書の場合を除いて，再生債権者が敷金返還請求権以外の再生債権をもたない場合にも適用されうるから，その場合に，賃借人が開始決定後6月分の賃料180万円を弁済したとすれば，それに相当する敷金返還請求権額180万円部分が共益債権化され，残額20万円が再生債権となる。
なお，賃貸物件の抵当権者が，賃料債権を物上代位によって差し押さえ，賃借人が抵当権者に対して賃料を弁済したときにも，敷金返還請求権の6月分の共益債権化が生じるかという問題がある（150問146頁〔北野知広〕）。法92条3項が本来予定する場面とは異なるが，賃料債権の弁済に変わりはないところから，共益債権化を認めるべきである。

[13] 共益債権部分と再生債権部分とについての再生計画における定め方については，会社更生法48条2項以下に関する，山本和彦「相殺権」新会社更生法の基本構造201頁参照。

れた理由は，再生債権者の側からみて，共益債権化される敷金の返還が確実であれば，相殺権を行使しなくとも実質的損害を被るおそれが少なくなり，賃料を支払うことで事業再生に協力する余地を生じさせるためである。

3 ファイナンス・リース契約

ファイナンス・リース契約における契約当事者の再生，特にユーザーについて再生手続が開始された場合の取扱いについては，破産について述べたところによる（本書413頁）。ただし，ファイナンス・リース契約を双方未履行双務契約とせず，リース会社の権利をリース目的物などについての担保権と構成するときには[14]，担保権消滅許可（民再148以下）の対象となるかどうかの問題が生じる。その点は，担保権消滅許可に関して説明する。

4 請負契約

請負契約の性質も双務契約であり，請負人の仕事が完成する前，かつ，報酬全額が支払われる前に請負人か注文者かのいずれかに対して再生手続が開始されたとすれば，双方未履行双務契約とみなされる。

(1) 注文者の再生

注文者の破産については，従来から様々な議論があり，現在でも，民法642条が特別の規定を設けている（本書417頁）。しかし，再生手続に関してはこのような特則が存在しないので，法49条に定める一般的規律が妥当する。したがって，再生債務者等は請負契約について解除か履行かの選択権を認められ，解除が選択されたときには，請負人の仕事の結果が注文者たる再生債務者に帰属するのであれば[15]，請負人は，報酬や費用について損害賠償請求権を再生債

---

[14] ユーザーが目的物について有する利用権についてリース業者が担保権を有するという構成をとり，再生手続開始申立てを理由とするリース業者の解除が別除権の行使にあたるとするものとして，東京地判平成16・6・10判タ1185号315頁がある。

　また，破産手続と異なり，再生手続においては，目的物件を再生債務者の事業のために使用し続ける必要がある場合も多いことから，弁済禁止保全処分の対象除外債権とする，リース会社との間で別除権協定を締結する，一部の共益債権化を認めるなどの柔軟な取扱いがされている。条解民事再生法616頁〔清水建夫＝増田智美〕，150問214頁〔小川洋子〕。共益債権化については，本書952頁参照。

[15] 出来高が請負人に帰属するのであれば，請負人はそれについて取戻権などを行使できる（民再49Ⅴ，破54Ⅱ）。

　なお，ゼネコン（注文者）の再生において，下請業者との請負契約の履行を選択したときに，再生手続開始後の施工の対価のみが共益債権（民再49Ⅳ）になるとすれば（本書419頁注112参照），下請業者の保護に欠け，再生債務者たるゼネコンの事業価値を損なうおそれが生じるが，その場合の対処は，法85条2項や5項にもとづく弁済許可（本書

権として行使する。建築請負契約について履行が選択された場合の所有権の帰属などについては，破産に関して述べたところによる（本書419頁）。

（2）請負人の再生

請負人の破産については，それを双方未履行双務契約とみなすかに関して，請負人の義務の特質に関わる議論があることは，すでに述べた通りである（本書420頁）。しかし，再生手続においては，再生債務者自身が手続を遂行する場合はもちろん，法人再生債務者について管財人が手続を遂行する場合であっても，双方未履行双務契約に関する法49条の規律が適用されることに問題はない[16]。再生債務者等によって請負契約が解除された場合には，通常は，出来高が注文者に帰属し，取戻権の行使が可能となり，他方，再生債務者等がそれに相当する報酬請求権を行使する[17]。

これに対し，再生債務者等が請負契約の履行を選択し，仕事を完成した場合には，請負契約にもとづく報酬請求権全体が再生債務者財産となり，再生債務者等がそれを行使する[18]。

5 保険契約

保険期間中に保険者または保険契約者について再生手続が開始されれば，保険契約が双方未履行双務契約とみなされるのは，破産について述べた通りである（本書424頁）。

936頁）によることになる（150問155頁〔中川利彦〕）。
[16] 最判昭和62・11・26民集41巻8号1585頁〔倒産百選80事件〕の基準を前提としても，法49条の適用が排除される場合は想定しがたい。本書422頁注118参照。
[17] 前払金の額が報酬額を上回るときは，逆に注文者が差額を共益債権として行使する（民再49Ⅴ・破54Ⅱ）。詳解民事再生法285頁〔徳田和幸〕。
[18] この点に関連して，再生債権を自働債権とし再生手続開始後の出来高に相当する報酬支払義務を受働債権とする相殺が法93条1項1号によって禁止されるかどうかという問題がある。報酬支払義務を仕事の完成を停止条件として発生するものとすれば，相殺禁止の対象となるが（本書1004頁），請負契約の成立時に発生するとみれば，再生手続開始前に発生したものとして相殺は許される。

しかし，注文者の再生において，再生手続開始後に請負人が行った仕事の報酬請求権が共益債権となることとの均衡からも，再生債務者たる請負人が再生手続開始後に行った仕事の報酬請求権を再生債権者による相殺の対象とすることは公平に反する。むしろ，再生債務者等の履行選択と再生債務者による仕事の完成によって負担した債務という実質を重視し，また相殺を許すことが再生債務者の事業の再生という再生手続の目的に反するところから，再生手続開始後の債務負担と同視して，相殺を禁止すべきである。

(1) 保険者の再生

再生手続に関しては，保険法96条などの特則の適用がない。したがって，法49条の一般原則にしたがって，再生債務者等が保険契約の解除か履行の選択をすることになる。更生手続に関しては，保険会社である保険者の更生において双方未履行双務契約に関する一般規定（会更61）の適用が排除されるが（更生特例439），再生手続に関しては，このような特則は設けられていない[19]。

(2) 保険契約者の再生

保険契約者について再生手続が開始された場合の取扱いは，破産手続と同様であり（本書424頁），再生債務者等が法49条にしたがって，解除か履行かの選択をする。履行が選択されたとき，保険者は被保険者に対して保険料の請求をすることができる。解除が選択されると，解約返戻金請求権が再生債務者財産に組み入れられるが，特に個人である再生債務者については，経済生活の再生（民再1）を考慮すると，解除の選択が一律に望ましいとはいえない。

6 市場の相場がある商品の取引に係る契約および交互計算

これらの契約関係は，一方当事者の信用や財産状態に重大な変化が生じたときは，迅速に終了させるのがその性質に合致する。手続の目的が再生であるにもかかわらず，法は，破産法の規定（破58・59）を準用し（民再51），再生手続開始とともにこれらの契約について解除を擬制し，または終了させ，当事者間の債権債務を決済することとしている（本書425頁）。スワップ・デリバティブ契約についても同様である（本書428頁）。

7 その他の契約

その他の契約としては，組合契約，特定融資枠契約，委任契約などがある。破産手続においては，これらの契約に関して民法などが特則を設けていることが多いが（本書429頁），特則が存在しない再生手続については，法49条などの一般規定によって取扱いが決定される。

---

[19] 保険契約者の権利について一般先取特権が存在し（保険業法117の2），これが一般優先債権（民再122）となるために，保険会社に再生手続が適用されることが想定しにくいためであるといわれる。概説237頁。過去の例でも，保険会社の破綻に適用されたのは，すべて会社更生法である。伊藤・会更法・特清法313頁参照。

第3節　再生と労働関係

　再生と労働関係については，破産の場合（本書436頁）と同様に，使用者の再生と労働者の再生とが分けられる。いずれの場合であっても，雇用期間中に再生手続が開始されたときは，雇用契約は双方未履行双務契約とみなされる。

第1項　労働者の再生

　雇用契約は，双方未履行双務契約とみなされるが，労働者について再生手続が開始されたときに，契約解除か履行かの選択権（民再49Ⅰ）を認める意義に乏しい。管理命令は個人である労働者には適用されないし（民再64Ⅰかっこ書），労働者である再生債務者自身は，自らの意思にもとづいて雇用契約の解約などを選択することが保障されているからである（本書436頁）。雇用契約が存続する場合の賃金や退職金などの労働債権は，すべて再生債務者財産に属する。ただし，再生計画上の取扱いについては，給与所得者等再生において特別の定めがある（民再241Ⅱ⑦）。

第2項　使用者の再生

　使用者の再生については，雇用契約の解約，賃金債権や退職金債権[20]の再生手続上の取扱い，あるいは解雇同意条項などを含む労働協約の再生債務者等に対する拘束力などの問題がある[21]。なお，雇用契約は，労働者側の労務提供義

---

[20]　なお，退職金と類似するものとして，年金一時金があるが，その請求権にどのような地位を与えるべきかについては，議論がある。給付義務の主体が基金という再生債務者と別の法主体であるときには，再生手続上の制約は加えられないが，いわゆる規約型で，再生債務者が給付義務の主体とみなされるときであっても，給付原資が外部の第三者によって運用されるなど，分別管理がなされているときには，再生手続による制約が課されないとする見解が有力である。詳説倒産と労働387頁〔下向智子〕。
　　もっとも，年金一時金債権が雇用関係にもとづくものとして，一般先取特権が認められれば，一般優先債権として，再生手続によらない権利行使が認められるので（民再122Ⅱ），破産手続とは問題状況が異なる（本書303頁参照）。

[21]　労働協約については，双方未履行双務契約としての解約は否定されるが（民再49Ⅲ。本書444頁），使用者たる再生債務者等と労働組合との間の合意による変更の余地はある。また，就業規則については，労働契約法の規定（労契9・10）にしたがうことになるが，再生手続の状況や遂行可能性のある再生計画案立案の必要性が勘案される。詳説倒産と労働274頁〔上野保〕。

務と使用者側の賃金支払義務が対立する双務契約であること（民623），その存続中に使用者について再生手続が開始した場合には，双方未履行双務契約とみなされることが，議論の前提となる。

　使用者の破産については，民法631条の特則があるが，民事再生法には，これに対応する規定がないので，法49条以下の規定にしたがって，雇用契約を整理する。使用者たる再生債務者等による雇用契約の解約すなわち解雇は，法49条1項を根拠としてなされるが[22]，いったん解雇権を行使する以上，労働者保護の必要性は通常の解雇の場合と変わらないので，解雇予告期間および解雇予告手当など労働基準法上の要件（労基20Ⅰ本文）を満たすことが要求される[23]。また，再生債務者等が解雇権行使の形式をとらず，いわゆる希望退職を

22）　もっとも，法49条による解雇に加えて，使用者が平常時から有する解雇権を管財人が行使することも可能であり（詳説倒産と労働129頁〔森倫洋〕，森倫洋「再建型倒産手続（民事再生・会社更生）における解雇について」田原古稀（下）649頁），その場合には，裁判所の許可（民再41Ⅰ④）が不要である反面，就業規則に定める解雇事由を要するなどの違いがある。

　労働者の側からは，解雇をするか，雇用契約の存続を選択するかについて確答すべきことを，相当の期間を定めて催告することができ，確答しないときは，再生債務者等が解雇権を放棄したものとみなされる（民再49Ⅱ）。この場合の相当の期間は，労働基準法の定め（労基20Ⅰ本文）を参考にすると，30日以上とすることが相当であるとされる（会社更生の実務〈新版〉（上）285頁〔佐々木宗啓＝氏本厚司〕）。

23）　30日の予告期間または予告手当の支払である。なお，使用者についての再生手続開始は，労働基準法20条1項但書にいう「やむを得ない事由」にはあたらない（条解会更法（中）313頁）。また，同法19条による制限も存在する。なお，解雇予告手当の支払は，共益債権（民再119②）としてなされる。その他，解雇権の行使に関する一般法理，すなわち解雇権の濫用や整理解雇の法理（労基旧18の2，労契16）も，再生債務者等による解雇権の行使に適用可能性がある（水元宏典「更生手続開始と労働契約」理論と実務107頁参照）。

　ただし，再生債務者等による解雇の場合にも，いわゆる整理解雇の4要件（4要素），特に解雇の必要性をどのように考えるかという問題がある。再生手続においては，事業部門の削減や再編が常態であり，それが再生計画によって客観的に確認されていることを解雇の必要性判断の前提とすべきである。詳細は，最近の裁判例（東京地判平成24・3・29労判1055号58頁，東京高判平成26・6・5労経速2223号3頁，大阪地判平成27・1・28判時2282号121頁，大阪高判平成28・3・24労判1167号94頁）を含め，詳説倒産と労働57頁以下，伊藤眞「事業再生手続における解雇の必要性の判断枠組み」倒産法改正展望11頁以下，同「事業再生と雇用関係の調整——事業再生法理と労働法理との調和を求めて」松嶋古稀110頁，詳説倒産と労働162頁〔池田悠〕，181頁〔髙井章光〕，207頁〔飯塚孝徳〕，220頁〔服部明人〕，241頁〔松村卓治〕，池田悠「会社更生手続下での整理解雇にかかる人選基準の合理性」論究ジュリ19号153頁（2016年）参照。

　また，詳説倒産と労働18頁〔荒木尚志〕は，整理解雇法理の適用に際して，解雇の効力は解雇の時点を基準として判断すべきであり，その後の業績回復などの事情が人員削減

募集し，労働者がこれに応じる場合であっても，実質的に解雇と同様にみなされる場合には，解雇権が行使されたものと取り扱われる。

　なお，雇用契約も継続的給付を内容とする双務契約の一種と考えられるが，労務の提供を内容とするという特質を考慮して，法50条1項および2項の適用は排除する（民再50Ⅲ）。したがって，労働者は，たとえ再生債務者等が雇用契約について履行の選択をしたときでも，再生手続開始前の賃金の不払等を理由として開始後の就労を拒むことができる（民再50Ⅰ参照）。

　労働債権の再生手続上の地位については，一般の先取特権（民306②・308）にもとづいて一般優先債権の地位が認められ（民再122Ⅰ），再生手続によらないで随時弁済されること（同Ⅱ）が基本となる。もっとも，再生手続開始後の労働の対価としての労働債権は，共益債権となる（民再119②）。また，再生手続開始前の原因にもとづく労働債権であっても，再生債務者等が雇用契約について履行の選択をした結果として共益債権となるものがありうる（民再49Ⅳ。本書441頁）[24]。

　廃止などの原因によって再生手続が終了した後に破産手続に移行したときには，共益債権たる労働債権が財団債権となり（民再252Ⅵ），一般優先債権たる労働債権が優先的破産債権となる（破98）ことが基本であるが，再生手続開始前3月間の給料債権は財団債権となる（民再252Ⅴ）。破産手続開始前の3月間の給料債権が財団債権となる（破149Ⅰ）こととすると，先行する再生手続において共益債権とされる部分と重なってしまい，労働債権保護の実質に反するために，3月間の間の期間を先行する再生手続開始時を基準として起算するものである。

の必要性の消滅に結びつけるべきではないと説く。
　これに対して，詳説倒産と労働135頁〔森倫洋〕，森・前掲論文（注22）670頁は，会社更生法61条（民再49）にもとづく解雇については，整理解雇の法理自体は適用されないが，解雇権濫用の法理（労契16）は適用があり，整理解雇の4要素は，その際に勘案されるという。議論の詳細については，池田悠「倒産手続下における有期雇用労働者の処遇」多比羅喜寿497頁参照。
24）詳説倒産と労働58頁〔岩知道真吾〕に一覧表としてまとめられている。

第4節　係属中の手続関係の整理

　実体的法律関係と同様に，再生手続開始前後における手続関係も再生手続の遂行のために，一定の規律に服する。再生債権の確定が再生手続に委ねられるところから，再生債権について係属する訴訟が中断するのがその代表的なものであるが，管理命令が発令されたときには，管理処分権が管財人に専属するために，再生債務者財産に関する訴訟が中断する。以下，各種の手続に分けて，再生手続の開始が手続関係に対して及ぼす影響を説明する。

第1項　係属中の訴訟手続等

　再生手続開始が係属中の訴訟手続に対していかなる影響を生じるかは，再生債務者が財産管理処分権を保持する場合と（民再38Ⅰ），管理命令にもとづいて管財人に管理処分権が専属する場合とに大別され，さらに，訴訟の目的がいかなるものであるかによって区別される。すなわち，再生債務者が管理処分権を保持する場合には，再生債権や再生債務者財産に関する当事者適格に変動はなく，再生債権の調査や確定などの手続の関係での影響があるにとどまるのに対して，管財人に管理処分権が専属する場合には，当事者適格そのものが変動することを前提としなければならない。もちろん，管理命令の有無を問わず，再生債務者財産に関する管理処分権と無関係な訴訟，たとえば個人の身分関係や法人の組織法上の争いについての訴訟に関しては，当事者適格の変動による影響を生じない（本書446頁）[25]。これに対して，債権者代位訴訟や詐害行為取消訴訟の係属中に債務者に対して再生手続開始決定がなされた場合のように，債務者が訴訟当事者でないにもかかわらず，再生手続開始の効力によって当事者適格が変動し，中断などの効果が生じることもある（民再40の2Ⅰ）。

1　管理命令がない場合

　管理命令がない場合には，再生債務者が再生手続開始の前後を通じて再生債務者財産についての管理処分権を保持するから（民再38Ⅰ），再生債務者財産

---

[25]　詳解民事再生法291頁〔三木浩一〕は，名誉毀損による謝罪広告請求訴訟を財産上の訴訟としつつ，その一身専属性を理由として，中断を否定する。これに対して，株主たる身分にかかわる訴訟は，再生債務者財産に関する訴訟とする。同290頁。

に関する訴訟についての当事者適格の変動は生じない。

(1) 再生債務者財産に関する訴訟

再生手続開始決定があったときは、再生債務者の財産関係の訴訟手続のうち、再生債権に関するもの以外は中断しない（民再40Ⅰ参照）。これは、上記のように、再生債務者財産についての当事者適格に変動がないことによる。その例としては、取戻権、別除権、共益債権あるいは一般優先債権に関わる訴訟が考えられる。

(2) 再生債権に関する訴訟

再生債務者の財産関係の訴訟手続のうち、再生債権に関するものは、再生手続開始によって中断する（民再40Ⅰ）。再生債権に関する再生債務者の当事者適格自体には変動がないが、中断するのは、再生債権の確定のために特別の手続が設けられているためである。再生債権に関する訴訟とは、その給付訴訟や不存在確認訴訟を指す。再生債権に関して再生手続開始当時行政庁に係属する手続、すなわち審査請求などについても、同様である（同Ⅲ）[26]。

再生債権は、再生手続によらなければその権利を行使することが許されない（民再85Ⅰ）。したがって、再生債権者は、再生手続開始後にその債権を裁判所に届け出（民再94など）、再生手続による調査を受ける（民再99以下）[27]。調査手続の中で再生債務者等が認め、他の再生債権者からも異議が提出されなかった場合には、再生債権の存在および内容が確定し（民再104Ⅰ）、中断した訴訟は終了する。

これに対して、再生債務者が認めなかったり、他の再生債権者から異議が提

---

[26] 例としては、公害被害にもとづく損害賠償責任裁定手続（公害紛争42の12）や建設工事紛争審査会における調停等の手続（建設25以下）があげられる。詳解民事再生法294頁〔三木浩一〕。

[27] 訴訟中断効（民再40Ⅰ）は、再生債権の届出の有無にかかわらないが、受継は、届出および異議が前提となっている（民再107Ⅰ・109Ⅰなど）。そこで、届出または受継申立てがなされなかった再生債権について中断中の訴訟をどのように処理すべきかという問題がある。届出の可能性がなくなった時点（民再95Ⅳ）をもって、再生手続による調査・確定の可能性が消滅したとして、法40条2項の趣旨に照らして、再生債務者が当然に受継するという考え方（再生計画案付議時受継説）が有力である。森宏司「破産・民事再生に伴う訴訟中断と受継」判タ1110号38頁（2003年）、詳解民事再生法293頁〔三木浩一〕、倒産と訴訟164頁〔住友隆行〕。

再生債務者は、受継した訴訟において免責の抗弁（民再178Ⅰ本文参照）を提出し、再生債権者は、法181条1項の事由を再抗弁として提出できる。倒産と訴訟163頁〔住友隆行〕。

出された場合には，査定の裁判（民再105）およびそれに対する異議の訴え（民再106Ⅰ）を経ることに代えて，中断中の訴訟について当該再生債権者が異議者等の全員を相手方として受継の申立てをすることが求められる（民再107Ⅰ）。中断中の訴訟状態を尊重する趣旨である。執行力ある債務名義または終局判決を備えた再生債権，いわゆる有名義債権については，異議者等の側から中断した訴訟を受継することを要する（民再109Ⅱ）。

追徴金や過料の請求については，通常の再生債権のような調査手続は行われず（民再113Ⅰ），審査請求や訴訟などの方法によって異議を主張することが求められるが（同Ⅱ），係属中の訴訟や行政手続があれば，中断し（民再40ⅠⅢ），異議を主張する再生債務者等が受継を義務づけられる（民再113Ⅲ）。

以上の中断および受継に関する規律は，再生債権の確定のために特別の手続が設けられていることを前提とするものであるが，小規模個人再生および給与所得者等再生（法第13章）では，再生債権の確定が予定されないので，再生手続開始決定にもとづく訴訟中断効が生じない（民再238による40の適用排除・245）。また，同じく再生債権の確定を予定しない簡易再生および同意再生（法第12章）の場合には，再生手続開始決定にもとづいて生じる訴訟中断効（民再40）について，簡易再生（民再211Ⅰ）または同意再生（民再217Ⅰ）の決定確定後までこれを維持する理由はないので，いったん中断した訴訟は，再生債務者等が受継する（民再213Ⅴ・219Ⅱ）。

また，訴訟手続の中断効は再生手続の目的を実現するためのものであるから，上記の受継がなされる前に再生手続が終了したときは，中断前の訴訟関係を復元する必要がある。この場合について，中断前の訴訟当事者であった再生債務者が当然に受継するとの規定（民再40Ⅱ）は，このような趣旨を表したものである。

(3) 債権者代位訴訟および詐害行為取消訴訟（債権者取消訴訟）等

再生債権者が提起した債権者代位訴訟（民423Ⅰ・423の7）もしくは詐害行為取消訴訟（民424Ⅰ）または破産法の規定による否認訴訟等が再生手続開始時に係属するときは，これらの訴訟は中断し（民再40の2Ⅰ），それぞれの性質にしたがって受継などの対象となる[28]。いずれも，これらの訴訟についての当

---

[28] 共益債権者や一般優先債権者が提起した債権者代位訴訟などは，中断の対象とならない。共益債権者などが再生手続外で権利を行使できることの帰結である（新注釈民事再生

事者適格の変動を理由とする。

ア 債権者代位訴訟（民423Ⅰ・423の7）

債権者代位訴訟の目的は，債務者の責任財産を保全することにあり，再生手続開始決定がなされることによって，責任財産保全に関する当事者適格が代位債権者から再生債務者に移転することが，訴訟手続中断（民再40の2Ⅰ）の根拠となっている。破産法45条1項と同趣旨の規定である（本書452頁）。法定訴訟担当として同様の目的を持つ株主代表訴訟（会社847）についても同様に解される[29]。

中断した訴訟は，再生債務者等が受け継ぐことができ，相手方も受継の申立てをすることができる（民再40の2Ⅱ）。受継後の訴訟において相手方が勝訴した場合の訴訟費用請求権は，受継前のものまでを含めて共益債権となる（同Ⅲ）。また，受継後に再生手続が終了したときは，当該訴訟は再び中断し（同Ⅳ），代位訴訟の当事者であった再生債権者が受継しなければならない（同Ⅴ前段）。当事者適格がその再生債権者に復帰するためである。この場合には，相手方も受継の申立てをすることができる（同Ⅴ後段）。これに対して受継がなされる前に再生手続が終了したときは，再生債権者は，当該訴訟手続を当然に受継する（同Ⅶ）。結果として，当事者適格に変動が生じなかったとみられるためである。

なお，いわゆる転用型債権者代位訴訟のうち現行民法423条の7が規定するものが中断し，再生債務者等が受継することについては，本書453頁注179を参照されたい。

イ 詐害行為取消訴訟等（民424等）

詐害行為取消訴訟も，債権者代位訴訟と同様に，責任財産保全についての当事者適格が変動するために，再生手続開始とともに中断する（民再40の2Ⅰ）。再生手続に先行する破産手続における否認訴訟や否認の請求認容決定に対する

法（上）209頁〔深山雅也〕）。これに対して，破産の場合には，財団債権者の提起した債権者代位訴訟なども中断の対象となる（破45Ⅰ）。

29) 詳細は，伊藤眞「株主代表訴訟の外延と倒産手続との交錯——会社の責任財産の保全と株主の地位」倒産法の実践20頁（伊藤・古稀後著作集231頁）参照。これに対し，条解民事再生法218頁〔河野正憲〕，772頁〔中島弘雅〕，倒産・再生訴訟246頁〔中森亘〕は，会社の機関たる株主の地位である株主権の行使が再生手続によって制限されるわけではないことを理由として，中断と受継を否定する。しかし，株主代表訴訟の目的が取締役に対する損害賠償請求権という会社財産の保全にある以上，本文のように解すべきである。

異議の訴えについても同様である（同）。そして，否認権限を有する監督委員（民再56Ⅰ）は，中断した訴訟を受け継ぐことができるし，相手方も受継の申立てをすることができる（民再140Ⅰ）。相手方が勝訴した場合の訴訟費用請求権は，共益債権とする（同Ⅱ）。

受継後に再生手続が終了したときは，当該訴訟は再び中断し（同Ⅲ），詐害行為取消訴訟の当事者であった再生債権者または否認訴訟などの当事者であった破産管財人が受継しなければならない（同Ⅳ前段）。当事者適格がその再生債権者などに復帰するためである。この場合には，相手方も受継の申立てをすることができる（同後段）。これに対して受継がなされる前に再生手続が終了したときは，再生債権者または破産管財人は，当該訴訟手続を当然に受継する（民再40の2Ⅶ）。結果として，当事者適格に変動が生じなかったとみられるためである。

さらに，監督命令（民再54Ⅰ）や監督委員に否認権限を付与する裁判（民再56Ⅰ）が取り消されると，否認訴訟などについての監督委員の当事者適格が失われるために，いったん監督委員が受継した訴訟手続が中断し（民再141Ⅰ①），その後に再び監督委員に否認権限を付与する裁判がなされた場合には，その監督委員が受継しなければならない（同Ⅱ前段）。相手方も受継の申立てをすることができる（同Ⅱ後段）。

2 管理命令がある場合

再生手続開始と同時に，または開始後に管理命令（民再64Ⅰ）が発令されると，再生債務者財産についての管理処分権は，管財人に専属する（民再66）。再生債務者財産関係の訴えについては，管財人を原告または被告とするのは（民再67Ⅰ），そのことを反映したものであるが，係属中の訴訟手続等に対しても，管理命令による当事者適格の変動によって以下のような結果が生じる。なお，中断および受継に関する基本的規律（民再67Ⅱ～Ⅴ）は，再生債務者財産に関する行政手続にも妥当する（民再69）。また，保全管理命令の訴訟手続等に対する影響も，以下に述べるところと基本的に共通する（民再83Ⅰ～Ⅲ）。

(1) 再生債務者財産に関する訴訟

管理命令が発せられた場合には，再生債務者財産関係の訴訟で再生債務者が当事者であるものは中断する（民再67Ⅱ前段）。管理命令がない場合には，再生債権に関するもののみが中断する（民再40Ⅰ）こととの違いは，上記の当事者

適格の変動による。法人の役員に対する損害賠償請求の査定の裁判に対する異議の訴え（民再145Ⅰ）にかかる訴訟手続で再生債権者が当事者であるものも中断する（民再67Ⅱ後段）[30]。

中断した訴訟は，再生債務者財産について当事者適格を認められる管財人においてこれを受け継ぐことができる（同Ⅲ前段）。相手方も受継を申し立てることができる（同Ⅲ後段）。管財人が自ら受継するかどうかについては，その判断に委ねられるが，相手方の申立てがあれば，受継しなければならない。受継した訴訟において相手方が勝訴したときには，相手方の再生債務者または再生債権者に対する訴訟費用請求権は，共益債権となる（同Ⅴ）[31]。ただし，再生債権に関するものは，調査・確定手続との関係で，管理命令発令の段階では当然には受継の対象とならない（同Ⅳ前段）。

中断した訴訟手続について管財人による受継があるまでに再生手続が終了したときは，再生債務者が訴訟手続を当然に受継する（民再68Ⅰ）。結果として，当事者適格に移転が生じなかったとみられるためである。管理命令が取り消された場合も同様である（同Ⅳ前段・Ⅴ前段）。これに対して，管財人が訴訟手続を受継した後に再生手続が終了し，または管理命令が取り消されたときは，訴訟手続は再び中断し（同ⅡⅣ前段），再生債務者は，その訴訟手続を受継しなければならず，相手方も受継の申立てをすることができる（同ⅢⅣ前段）[32]。

(2) 再生債権に関する訴訟

再生債権に関する訴訟手続が再生手続開始によって中断し（民再40Ⅰ），再生手続による調査・確定が図られることは，管理命令がない場合と差異がない。異議が提出された場合の手続は，再生債務者に代わって管財人が当事者として

---

[30] 査定の裁判に対する異議の訴えのうち，再生債務者を当事者とするものは，法67条2項前段によって中断する。これに対して再生債権者を当事者とするものは（民再143Ⅱ参照），再生債務者財産たる損害賠償請求権保全の当事者適格が管財人に専属するところから，法67条2項後段によって中断する。新注釈民事再生法（上）374頁〔籠池信宏〕。

[31] この規定は，旧会社更生法69条1項後段（現52Ⅲ），旧破産法69条2項（現44Ⅲ）に由来するものであり（花村205頁），再生債権者が共同で負担すべき費用としての性質を持つところに共益債権性の根拠がある。注解破産法（上）30頁〔永田誠一〕，条解会更法（上）601頁参照。

[32] 法68条3項かっこ書によって，再生計画不認可，再生手続廃止または再生計画取消しの決定の確定によって再生手続が終了した場合における否認の請求を認容する決定に対する異議の訴え（民再137Ⅰ）が受継の対象から除外されているのは，牽連破産における破産管財人の受継（民再254Ⅰ）や当然終了（同ⅢⅣ）という特別の規定があるためである。

受継するという点に違いがある。また，債権確定のために再生債務者がすでに訴えなどを提起し，または訴訟等を受継した後で管理命令が発令されたときは，当事者適格の変動にともなって中断するが（民再67Ⅱ前段），管財人はこれを受け継がなければならず（民再67Ⅳ前段），相手方も受継の申立てをすることができる（同後段）。

査定の申立てについての裁判に対する異議の訴え（民再106Ⅰ），有名義債権に対する異議にもとづく訴え（民再109Ⅰ），再生手続開始前の追徴金または過料についての不服申立て（民再113Ⅱ）による手続，異議等のある再生債権に関する訴訟で再生債権者の申立てによって再生債務者が受継した手続（民再107Ⅰ），有名義債権者に対する異議にもとづく訴訟で再生債務者が受継した手続（民再109Ⅱ），および追徴金または過料について異議者たる再生債務者によって受継された手続（民再113Ⅲ）がこれに属する[33]。管財人が受継した訴訟において勝訴した相手方は，訴訟費用請求権を共益債権として行使できる（民再67Ⅴ）。

なお，再生債権に関する訴訟が中断し，管財人による受継があるまでに再生手続が終了したり，管理命令取消決定が確定したりしたときは，再生債務者がそれを当然受継し（民再68ⅠⅣ前段），管財人がいったん受継した訴訟でも，再生手続が終了したり，管理命令取消決定が確定したりしたときは，再び中断し（同ⅡⅣ前段），再生債務者がそれを受継することを義務づけられる（同ⅢⅣ前段）。

(3) 債権者代位訴訟および詐害行為取消訴訟（債権者取消訴訟）等

管理命令が発令された場合には，再生債務者財産保全についての当事者適格も管財人に属することが，これらの訴訟の取扱いに関する基本となる。

　ア　債権者代位訴訟（民423Ⅰ・423の7）

再生債権者が提起した債権者代位訴訟は，再生手続開始によって中断し（民再40の2Ⅰ），開始決定とともに管理命令が発令されれば（民再64Ⅰ），管財人がこれを受継することができ，相手方も受継を申し立てることができる（民再

---

[33] 法67条4項の文言は，「第113条第2項前段の規定により提起され，……（第113条第2項後段において準用する場合を含む。）の規定により受継されたもの」と規定するが，条文の文言にやや誤解を生じやすい部分があり，本文では，その趣旨を「第113条第2項の規定により提起され，……第113条第3項の規定により受継されたもの」と解している。新注釈民事再生法（上）376頁注7〔籠池信宏〕参照。

40の2Ⅱ）。いったん再生債務者が債権者代位訴訟を受継した後に，管理命令が発令された場合には，訴訟が中断し（民再67Ⅱ前段），管財人がこれを受継しなければならない（同Ⅳ）。勝訴した相手方の訴訟費用請求権は，共益債権となる（同Ⅴ）。

管財人による受継があるまでに再生手続が終了したときは，再生債権者は，当該訴訟手続を当然受継する（民再40の2Ⅶ）[34]。受継後に再生手続が終了したときは，管理命令の裁判の取消しによってすでに中断している場合（民再68Ⅳ前段・Ⅱ）を除いて，債権者代位訴訟は再び中断する（民再40の2Ⅳ）。その場合には，訴訟は再生債権者によって受継される（同Ⅴ）。管理命令の裁判の取消しによってすでに中断した後に再生手続が終了した場合にも，再生債務者ではなく，再生債権者が訴訟手続を受継する（同Ⅵ）。

　イ　詐害行為取消訴訟等（民424等）

再生債権者が提起した詐害行為取消訴訟は，再生手続開始によって中断し（民再40の2Ⅰ），開始決定とともに管理命令が発令されれば（民再64Ⅰ），管財人がこれを受継することができ，相手方も受継を申し立てることができる（民再140Ⅰ）。いったん否認権限を有する監督委員が詐害行為取消訴訟を受継した後に，管理命令が発令された場合には，訴訟が中断し（民再141Ⅰ①），管財人がこれを受継しなければならない（同Ⅱ前段）。勝訴した相手方の訴訟費用請求権は，共益債権となる（民再119②）。

また，管財人による受継があるまでに再生手続が終了した場合，受継後に再生手続が終了した場合，管理命令の裁判が取り消された場合などにおける措置は，債権者代位訴訟について上記のアに述べたところと同様である。

再生手続に先行する破産手続において否認訴訟や否認の請求認容決定に対する異議の訴えがあれば，その訴訟は中断し（民再40の2Ⅰ），管財人が中断した訴訟を受け継ぐことができるし（民再140Ⅰ前段），相手方も受継の申立てをすることができる（同Ⅰ後段）[35]。

---

[34]　管財人による受継前に再生手続が終了した場合の再生債務者による当然受継を定めた法68条1項は適用されない（民再68Ⅰかっこ書）。なお，かっこ書にいう「同条第3項の規定により中断するものを除く。」との文言は，やや誤解を生じやすい部分があるが，「同条第4項の規定により中断するものを除く。」という趣旨に解する。新注釈民事再生法（上）378頁注2〔籠池信宏〕参照。

[35]　再生手続における否認権と詐害行為取消権や破産法上の否認権行使の状況が異なるこ

第2項　係属中の強制執行等

　個別執行としての強制執行等と倒産処理手続との関係についての基本的考え方は，破産に関して述べた通りである（本書457頁）。

　再生債務者は，再生手続開始とともに再生手続によらない権利行使を禁止されるから（民再85Ⅰ），再生債務者財産に対する再生債権にもとづく強制執行等（民再26Ⅰ②第2かっこ書）または財産開示手続もしくは第三者からの情報取得手続の申立てをすることはできず，すでに開始されている強制執行等の手続ならびに財産開示手続および第三者からの情報取得手続は中止する（民再39Ⅰ）[36]。外国租税滞納処分についても同様である（同）。破産の場合には，手続開始とともに強制執行手続等が失効する（破42Ⅱ本文・Ⅵ）のと比較すると，再生手続の場合には，中止にとどめられ，再生計画認可決定の確定とともに失効するのは（民再184本文），再生型手続の成功が必ずしも担保されていないためである[37]。また，破産においては，破産債権にもとづく強制執行等だけではなく，財団債権にもとづく強制執行等や一般の先取特権の実行等も失効する（破42Ⅱ本文）のに対して，再生においては，対象となるのは，再生債権にもとづく強制執行等や外国租税滞納処分に限られる。

　しかし，強制執行等の目的物が遊休資産であるなど，それを換価しても再生に支障を来さないと認めるときは，裁判所は，再生債務者等の申立てによりまたは職権で，中止した強制執行等の手続の続行を命じることができる（民再39Ⅱ前半部分）。外国租税滞納処分についても同様である（同）。強制執行が続行される場合でも，執行債権者である再生債権者は，それによって満足を受けることは認められないから（民再85Ⅰ），配当は実施されず，売却代金は再生計

　　とを理由として，管財人が受継を拒絶できるとする有力説がある（詳解民事再生法296頁〔三木浩一〕，新注釈民事再生法（上）693頁〔山本和彦〕）。しかし，本書では，破産における詐害行為取消訴訟の受継について述べた理由から（本書453頁注179），受継を義務的と考える。

[36]　債権差押命令にもとづく取立訴訟における和解と強制執行の中止との関係に関して，大阪地判平成17・11・29判時1945号72頁がある。また，大阪高判平成22・4・23判時2180号54頁は，債権差押命令にもとづく取立権が第三債務者からの代物弁済を受ける権限を含まないために，再生手続開始後の手形金相当額の受領が法39条1項に反する執行行為にあたるとして，再生債務者に対する不当利得の成立を認める。

[37]　再生手続開始にともなって破産手続が失効せず，中止にとどめられるのも同様の理由からである。条解民事再生法206頁〔河野正憲〕参照。

画にもとづく弁済原資として再生債務者等に交付されるべきである[38]。ただし,続行された強制執行等の費用は,共益債権となる(民再39Ⅲ③)。

これに対して,再生のために必要があると認めるときは,裁判所は,再生債務者等の申立てによりまたは職権で,担保を立てさせて,または立てさせないで,中止した強制執行等の取消しを命ずることができる(民再39Ⅱ後半部分)。外国租税滞納処分についても同様である(同)。再生債務者の預金債権が差し押さえられたときに,その資金が再生のために必要である場合などが典型例である。

---

[38] 破産の場合には,破産管財人が手続を続行するのに対して(破42ⅡⅤ),再生の場合には,執行債権者の地位自体には交代がないこと,しかし,再生に支障を来さないと認められることが続行の要件であるので,再生債権者には続行申立権が認められないことなどの違いがある(新注釈民事再生法(上)200頁〔深山雅也〕)。なお,破産においては,無剰余執行禁止の規律の適用が排除されているが(破42Ⅲ。本書461頁),再生においても同様に解すべきであろう。

第6章　再生債務者財産の法律的変動

　再生手続開始の効力にもとづいて実体および手続法律関係が確定されても，なお外部の第三者や再生手続の利害関係人の再生手続開始後の権利行使によって再生債務者財産に関する法律関係が変動する可能性がある。第三者等の側からの権利行使についてみれば，再生債務者財産に関する取戻権の行使（民再52），別除権の行使（民再53），相殺権の行使（民再92）などがあげられる。これに対して，再生手続の機関側からの権利行使としては，否認権の行使（民再135Ⅰ），法人の役員の責任の追及（民再142以下），担保権消滅許可申立て（民再148以下）がある。

第1節　取戻権

　取戻権とは，その目的物が再生債務者財産に属さないことを主張する権利を意味するが，破産の場合と同様に（本書465頁），その権利が民事再生法以外の実体法にもとづく場合と，民事再生法にもとづく場合とを分け，前者を一般の取戻権（民再52Ⅰ），後者を特別の取戻権（民再52Ⅱ，破63）と呼ぶ。さらに目的物自体の取戻に代えて，その価値の償還を求める代償的取戻権（民再52Ⅱ，破64）が分けられる。いずれについても，基本的には破産手続上の取戻権について述べたところが妥当するので，再生手続上の取戻権について概略のみを説明する。

第1項　一般の取戻権

　再生手続開始時を基準時として，再生債務者が占有していた動産や再生債務者名義の不動産等は，すべて機関としての再生債務者等の管理に服する（民再38Ⅰ・66）。しかし，再生手続開始前から第三者が再生債務者に対して，ある財産を自己に引き渡すことを求める権利をもっている場合には，再生手続開始による影響を受けることなく，第三者は，その権利を再生債務者等に対して主張することができる（民再52Ⅰ）。これを取戻権と呼ぶ。取戻権を行使するため

には，第三者がその権利について再生債務者等に対する対抗要件を備えていなければならないことなどは，破産手続について述べたのと同様である（本書465頁）。

1 取戻権の基礎となる権利

取戻権の基礎となりうる権利として，所有権，その他の物権，債権的請求権，信託契約上の権利，問屋の委託者の権利などがあり，また，議論の対象となっているものとして財産分与請求権がある（本書471頁）。

2 取戻権の行使

取戻権は，再生債務者財産に関するものであるから，それについて管理処分権をもつ再生債務者等を相手方として行使する。行使の方法としては，再生手続による必要はなく，訴訟上または訴訟外の適切な方法による。再生債務者等は，取戻権について争わないのであれば，目的物を任意に引き渡すことができる。ただし，再生債務者については，裁判所の許可またはこれに代わる監督委員の同意を要するとされる可能性がある（民再41Ⅰ⑧・54Ⅱ，民再規21）。逆に，再生債務者等の側から第三者が占有する目的物について，その引渡しなどを求めて訴訟を提起したときには，第三者が取戻権を抗弁として用いる。

第2項 特別の取戻権

以下に述べる特別の取戻権は，破産手続の場合と同様に，目的物についての実体法上の支配権とは別に，民事再生法が特別の考慮から創設したものである。

その例としては，売主の取戻権（民再52Ⅱ，破63Ⅰ）と問屋の取戻権（民再52Ⅱ，破63Ⅲ）とがある。詳細は，それぞれについて破産手続に関して説明したところと同様である（本書473頁）。ただし，問屋の取戻権に関しては，問屋と委託者との間の委任契約が委託者の破産によって当然に終了する（民653）のと異なって，委託者の再生によって当然には終了しないところから，双方未履行双務契約に関する規定（民再49）を準用する（民再52Ⅱが破63Ⅲを準用する際の読替規定による破53ⅠⅡの準用)[1]。

---

[1] 破産法制定前の解釈論については，詳解民事再生法〈初版〉313頁〔松下淳一〕参照。

第3項　代償的取戻権

　再生手続においても，破産手続におけるのと同様に，代償的取戻権が認められる（民再52Ⅱ・破64）。代償的取戻権を認める趣旨，および反対給付請求などに対する代償的取戻権の行使の態様などは，破産手続について述べたところと変わりがない（本書476頁）。なお，特別の取戻権について代償的取戻権が認められるかどうかについて，立法者はこれを予定していないが，解釈の余地があることは，破産について述べた通りである（本書479頁注31）。

第2節　別　除　権

　一般の先取特権など再生債務者の一般財産について実体法上の優先権を有する債権者には，一般優先債権として（民再122Ⅰ），再生手続によらない随時弁済が認められる（同Ⅱ）。これに対して，再生手続開始の時において再生債務者財産について，特別の先取特権，質権，抵当権または商法もしくは会社法の規定による留置権（以下，商事留置権）を有する者は，その目的である財産について別除権を有する（民再53Ⅰ）。別除権は，再生手続によらないで行使することができる（同Ⅱ）。担保権の目的である財産が，再生債務者等による任意売却などの事由によって再生債務者財産に属しないこととなった場合でも，当該担保権が存続する限り，担保権者は別除権を有する（同Ⅲ)[2]。

　特定財産を目的物とするこの種の担保権は，破産手続においても別除権の地位を与えられ，破産手続によらない権利行使が認められる（破2Ⅸ・65Ⅰ）。それは，清算を目的とする破産手続において，この種の担保権が有する特定財産についての優先弁済権を保護するためであるが，事業の再生などを目的とする再生手続においてこの種の担保権の優先弁済権が認められるのは，やや異なった理由による。本来であれば，更生手続における更生担保権と同様に，この種の担保権も手続内に組み込み，その優先弁済権の行使を制約しながら，計画によって担保目的財産を含む総財産を基礎として実現される将来収益の分配にあ

---

[2] なお，破産手続においては，準別除権の概念があるが（本書489頁），再生手続では，再生債務者財産と区別される自由財産がないこと，第2破産に対応する第2再生が考えられないことなどから，準別除権の概念が存在しない。

たって，優先弁済権を保護することも考えられるが（会更168Ⅲ参照），そのためには目的物の評価（会更2ⅹ本文参照）やそれを前提とした決議の際の組分けなどが必要になり，手続の複雑化が避けられない。それを回避するために立法者は，この種の担保権に別除権の地位を認め，ただ，別除権者の意思にもとづいて手続に参加する可能性を残すにとどめたものである。

　もっとも，別除権の目的物が事業の再生等にとって不可欠なものであり，その行使が再生手続の目的実現を妨げる危険がある。すでに説明した担保権の実行手続の中止命令（民再31Ⅰ）は，それに対処するためのものであり，また，後に説明する担保権消滅許可の制度（民再148以下）も，担保権の優先弁済権を保護しつつ，担保目的物を再生のために保全するためのものである。さらに，住宅資金貸付債権に関する特則（民再196以下）も，担保目的物が個人である再生債務者の所有に属し，自己の居住の用に供している住宅である場合に，それに対する抵当権の実行を制限し，被担保債権の変更を可能にするものであるから，別除権の地位に関する特別の手続であるということができる。

第1項　別除権の要件と内容

　別除権となるのは，再生手続開始の時において[3]再生債務者財産について存する特別の先取特権，質権，抵当権または商事留置権である。したがって，商事留置権以外の留置権，いわゆる民事留置権（民295など）は，別除権の基礎とならない。民事留置権については，再生手続開始前の中止命令によって（民再26Ⅰ②），または再生手続開始にともなって（民再39Ⅰ），その実行が禁止または中止される[4]。また，商事留置権は，破産手続では，特別の先取特権とみ

---

[3]　したがって，かつて再生債務者に属していたものであっても，再生手続開始時に第三者に属するものとなった財産についての担保権は，別除権とならない。会社分割との関係で，東京地判平成18・1・30金法1783号49頁参照。

[4]　ただし，破産手続のように失効するわけではないので（破66Ⅲ参照），留置権能自体は残ると解されており（東京地判平成17・6・10判タ1212号127頁），別除権の目的物の受戻し（民再41Ⅰ⑨）や担保権消滅許可（民再148）の対象ともならず，和解による解決しかないといわれる。松下・入門94頁，詳解民事再生法306頁〔山本和彦〕，新注釈民事再生法（上）296頁〔長沢美智子〕，粟田口太郎「民事留置権の取扱い」ジュリ1452号91頁（2013年），相澤光江「留置権の倒産法上の扱い」倒産法の実践178頁。解釈論としては，別除権の目的物の受戻しを類推適用することが考えられるが，再生債権についての弁済禁止効（民再85Ⅰ）との関係が問題となる。西謙二「民事再生手続における留置権及び非典型担保の扱いについて」民訴雑誌54号62頁（2008年）。

なされた上で（破66 I），別除権とされることから，留置権能の存続が議論されるが（本書483頁注35），再生手続では，留置権のままで別除権とされるので（民再53 I），このような問題を生じない[5]。

1 別除権の行使

再生手続によらない別除権の行使として，当該担保権本来の実行方法によることが許されるのは，破産手続の場合と同様である（本書484頁）。もっとも，破産手続においては，担保目的物の価値を適正に実現するために，その換価に破産管財人が介入する権限が認められているが（破154 I II・78 II ⑭・184 II・185 I II など），再生手続においては，手続の特質から，それらに対応する規定は置かれず，担保権の実行手続の中止命令（民再31 I）や担保権消滅許可（民再

---

[5] 商事留置権の具体例については，新注釈民事再生法（上）299頁〔長沢美智子〕参照。なお，破産手続と異なり，商事留置権を特別の先取特権とみなす旨の規定が存在しないことから（破66 I，本書483頁参照），手形の商事留置権者たる金融機関には，留置権能はあるが，優先弁済権が認められず，取立委任手形の取立金を銀行取引約定にもとづいて貸付金債権に弁済充当することは許されないとする裁判例がある（東京地判平成21・1・20金法1861号26頁）。

しかし，たとえ商事留置権者に優先弁済権が認められないとしても，少なくとも目的物の価値の範囲では，別除権者に対する任意弁済が禁じられていないことを考えれば（民再41 I ⑨・153参照），事前の弁済充当の合意も再生債権者の利益を害するものとはいえず，その効力を認めても差し支えないとの考え方もありうるところであり，最判平成23・12・15民集65巻9号3511頁〔倒産百選54事件〕は，銀行の計算上分別管理されている取立金に留置的効力が及ぶことを前提とし，銀行取引約定書4条4項にもとづく弁済充当権を別除権の行使に付随する合意にもとづくものと位置づけ，貸付金債権への充当を認めた。東京高判平成24・3・14金法1943号119頁も，これを前提とした判断をする。

商事留置権に特別の先取特権としての地位が認められる破産手続（破66 I）と異なって，再生手続上では商事留置権に優先弁済権が認められないにもかかわらず，別除権の行使に付随する合意にもとづく弁済充当権の行使によって事実上の優先弁済を受けることが正当化できるかについては，伊藤眞「手形の商事留置権者による取立金の弁済充当──『別除権の行使に付随する合意』の意義」金法1942号22頁（2012年），200問232頁〔中森亘〕，判例・実務・改正提言300頁〔田川淳一＝志甫治宣〕，359頁〔中島弘雅〕参照（ニューホライズン313頁，相澤・前掲論文（注4）193頁，150問213頁〔小堀秀行〕は，本判決の意義が手形交換制度という適正妥当な換価方法が確立されている目的物に限定されるべきであるとする）。植村京子「商事留置権に関する諸問題」ソリューション74頁は，弁済充当の合意は，法85条に反し，無効と解すべきものとする。

また，東畠敏明「銀行の保持する留置物としての手形取立金の優先回収と倒産法理についての実体的法律関係（銀行取引約定書の解釈）からのアプローチ（上）（下）」銀行法務21 740号16頁，741号22頁（2012年）は，弁済充当を別除権の行使として正当化することは困難であるとし，銀行取引約定にもとづいて認められる非典型担保の実行として法定相殺に準じる権利行使と捉えるべきであるとする。

148)によって再生の目的実現のために別除権の実行を制限または排除することが認められている[6]。

2 別除権者の再生債権行使

別除権たる担保権の被担保債権が再生債権であるときには，別除権の行使によって弁済を受けることができない債権の部分についてのみ，再生債権者としての権利行使が認められる（民再88本文・182本文）。この不足額主義は，破産手続の場合と同様である（破108Ⅰ本文。本書486頁）[7]。

もっとも，当該担保権によって担保される債権の全部または一部が再生手続開始後に担保されないこととなった場合には，その債権の当該全部または一部について，再生債務者としてその権利を行うことを妨げない（民再88但書）。したがって，別除権者は，担保権の全部または一部を放棄するとか，再生債務者等との合意（別除権協定）によって担保権の全部または一部を解放して，それに対応する被担保債権額を共益債権（民再119⑤⑦）または再生債権として行使することが可能になる[8]。また，担保権が抵当権などのように，被担保債権

[6) もっとも，リース会社の目的物に対する権利が担保権として，別除権の実行が認められるという前提に立ったときに（本書414頁），ユーザーが再生手続開始申立てをなしたことを理由とする解除特約の効力が否定されるとすれば（最判平成20・12・16民集62巻10号2561頁〔倒産百選77事件〕。本書414頁注105参照），リース会社は，どのようにして別除権を行使できるかという問題がある。上記判決における田原睦夫裁判官の補足意見は，再生手続開始申立てにもとづいてユーザーが残リース料総額について期限の利益を喪失しても，それに関する債務不履行状態および解除権の発生が弁済禁止保全処分の効力によって妨げられるが，再生手続開始とともに弁済禁止保全処分の効力が失われるので，別除権の行使が可能になるとする。

しかし，再生手続開始と弁済禁止保全処分の効力との関係に関する説示には疑問があり（本書867頁注54），むしろ，別除権の行使を認める規定（民再53Ⅱ）の趣旨に照らして，別除権者は，期限の利益喪失にもとづく債務不履行および解除の効力を主張することが許されると解すべきであろう（上記最判の原審である東京高判平成19・3・14判タ1246号337頁参照）。

7) 旧和議においては，議論があったことについて，新注釈民事再生法（上）468頁〔中井康之〕参照。

8) 別除権協定の意義については，松下・入門98頁，倉部真由美「別除権協定について」民事再生の実務と理論342頁，具体例については，新注釈民事再生法（上）472頁〔中井康之〕，詳解民事再生法322頁注22〔山本和彦〕，条解民事再生法459頁〔山本浩美〕，ニューホライズン448頁，小林信明「別除権協定が失効した場合の取扱い」倒産法の実践135頁，運用指針264，284頁参照，大阪地裁の扱いについて民事再生の実務263頁〔山本陽一〕参照。担保目的物を再生手続開始の時の物から別の物に変更することも，別除権協定の内容となりうる。集合動産・債権譲渡担保など担保権の種類に応じた別除権協定の内容については，多様化する事業再生252頁〔豊島ひろ江〕，150問203頁〔籠池信宏〕，

についての登記を要する場合に，法 88 条ただし書の適用を受けるためには，

208 頁〔佐藤昌巳〕が詳しい。また，破産における別除権協定については，破産・民事再生の実務［破産編］364 頁参照。

　別除権協定にもとづいて再生手続によらず弁済する債権の性質については，再生債権説と共益債権説とが対立し（山本和彦「別除権協定の効果について」田原古稀（下）625 頁），東京地判平成 24・2・27 金法 1957 号 150 頁〔倒産百選 A13 事件〕は，債権者代位権の行使との関係で（破産債権について本書 298 頁），共益債権性を否定し，別除権の目的物の受戻し（民再 41 I ⑨）の対象となる再生債権とし，山本和彦・前掲論文 639 頁，岡・理論研究 302 頁，倉部真由美「個人再生手続における別除権協定の問題点」春日古稀596 頁はこれを支持する。

　しかし，担保目的物の必要性や目的物の資産としての特質を再生債務者が考慮し，別除権者と交渉した結果としての別除権協定の内容には様々なものがありうる。別除権者に対する再生手続によらない弁済は，その者が把握している担保価値の範囲内にとどまること，別除権実行の抑止は，再生債務者財産にもとづく事業価値の維持を通じて，再生債権者一般の利益にも資することを考えれば，再生債権たる被担保債権の一部を確定し，それを共益債権として支払う旨の合意の効力を絶対的に排除すべきではない。中井康之「別除権協定に基づく債権の取扱い」ジュリ 1459 号 90 頁（2013 年），倒産・再生訴訟 269 頁〔伊藤眞〕，ニューホライズン 457 頁，木村真也「別除権協定の取扱いと規律——最判平成 26 年 6 月 5 日を踏まえて」事業再生と債権管理 150 号 151 頁（2015 年），運用指針 266 頁参照。

　これに対して，山本・前掲論文 626 頁以下では，合意によって再生債権を共益債権化することは許されないことなどを理由として，対象債権を再生債権にとどまるとし，ただ受戻し（民再 41 I ⑨）にあたることをもって，再生債権の弁済禁止の例外（民再 85 I 参照）をなすとする。しかし，すべての別除権協定をこの類型にあてはめることは，かえって再生手続の柔軟な運用にとって桎梏となるおそれがある。もちろん，合理性のない共益債権化は，裁判所の許可や監督委員の同意（民再 41 I ⑧・54 II）によって排除されよう。なお，共益債権説を前提としたうえで，破産手続へ移行する場合には別除権協定が失効する旨の特約等による処理の可能性を指摘するものとして，破産管財の手引〈第 2 版〉412 頁。

　また，これと並んで，別除権協定の中に含まれる不足額，すなわち被担保債権のうち別除権の行使によって満足を受けられない額に関する合意部分が，別除権協定の解除や再生手続から破産手続への移行によって失効し，別除権者は，協定に拘束されずに別除権の行使によって被担保債権の満足を受けられるか（復活説と呼ばれる），それとも合意部分に実体法的確定効が生じ，別除権協定の他の部分が解除や破産手続への移行によって失効しても，影響を受けないとするか（固定説と呼ばれる）という問題が議論される。

　不足額に関する合意は，再生計画による権利変更とは区別されるから，破産手続開始による原状回復（民再 190 I 本文）の対象ではなく，また，不足額確定の合意（民再 88 但書参照）として独自の意義を有するから，手続の安定のためにも，固定説が妥当であるとする立場（高松高判平成 24・1・20 判タ 1375 号 236 頁，中井・前掲論文 92 頁）と，別除権協定は，あくまで再生債権とされた不足額部分が再生計画による満足を受けることを前提とするものであり，破産手続に移行したときには，不足額に関する合意は効力を失うとする復活説を支持する立場があるが，最判平成 26・6・5 民集 68 巻 5 号 403 頁〔倒産百選 63 事件〕は，別除権協定中に設けられた解除条件条項に関する合理的意思解釈として，再生計画認可決定確定後，再生計画の履行完了前に，再生手続の廃止決定を経ずに破産手続が開始されたときにも，協定の効力が失われる旨を判示する。

　別除権協定が再生の目的を実現するための合意であることを重視する点で，復活説に親

被担保債権減額の登記を要するかについては，考え方が分かれる。理論的には，減額の登記がなされなくとも抵当権の内容は自動的に減縮すると考えることもできるが，手続運用の明確性を期するために，変更登記を要するとすべきである[9]。

不足額を再生債権として行使しようとする別除権者は，被担保債権そのものについての届出（民再94 I）に加えて[10]，あらかじめ予定不足額を見積もって，

和的であると考えられる（岡・理論研究300頁，倒産・再生訴訟270頁〔伊藤眞〕，印藤弘二「別除権協定失効の効果と既払金の取扱いに関する考察——最一小判平26. 6. 5を踏まえて」金法2024号10, 14頁（2015年））。協定の合意内容によるが，担保権の実行を回避し，担保目的物を基礎とする再生債務者の事業価値の保全を目的とする別除権協定の機能を確保するためにも，何らかの理由によって協定にもとづく弁済が履行されなかったときには，不足額に関する合意を失効させ，被担保債権が復活する可能性を認めるべきであろう。栗原伸輔「再生手続における合意による不足額の確定」伊藤古稀855頁，木村・前掲論文（事業再生と債権管理）159頁，木村真也「別除権協定」論究ジュリ35号103頁参照。

さらに，ニューホライズン462頁は，協定の対象となる債権が共益債権か再生債務者かという点と協定失効の効果に関する復活説と固定説という点を関連させて理解すべきであるとし，共益債権とする合意は，固定説を前提とする場合にのみ認められるとする。別除権協定に関する意思解釈の基準としては妥当であるが，監督委員の同意（民再54 II）などの所定の手続を経た場合には，復活説を前提としながら共益債権とする合意の可能性も排除すべきではない。

結局，債権の性質を再生債権とするか，共益債権とするか，協定失効の場合に固定説をとるか，復活説をとるかは，協定に表れた当事者の合意内容を基礎とするべきであるが，協定の締結には監督委員の同意（民再54 II）を要するとされることになるから，監督委員としては，別除権者が協定によって弁済を受けた額や不足額について再生計画によって弁済を受けた額との関係で，再生債権者一般の利益を不当に害しないよう合理的な精算条項が設けられているかどうかを確認した上で，判断すべきである。小林・前掲論文141頁参照。なお，監督委員の同意がない協定は無効である（民再54 IV本文）。木村・前掲論文（事業再生と債権管理）154頁，木村・前掲論文（論究ジュリ35号）101頁は，原則として精算を不要としつつ，協定の内容として精算条項を設けることを認める。

精算の方法については，印藤・前掲論文15頁が詳しいが，復活説を前提とする以上，協定による既払金および不足額についての再生計画による弁済額を控除した額を限度として，被担保債権の行使が認められることを前提に，精算条項を検討すべきであろう。

9) 破産法108条1項但書についても，同様の問題が生じる。基本構造255頁，詳解民事再生法312頁〔山本和彦〕参照。新注釈民事再生法（上）472頁〔中井康之〕も，登記不要説を妥当としつつ，登記・登録をすることが望ましいとする。
10) 破産の場合には，破産手続開始後の利息が劣後的破産債権となり一般破産債権と区別されるが（本書306頁），民事再生の場合には，再生手続開始後の利息も再生債権に含まれるので（民再84 II①），それが届出の対象となる。ただし，別除権の行使に際して優先弁済を受けられる利息の範囲については，実体法上の制限がある（民375）。

届出をしなければならない（同Ⅱ）[11]。届出を受けた裁判所書記官が作成する再生債権者表には，再生債権の内容そのものと予定不足額が記載され（民再99Ⅱ），再生債務者等の認否および再生債権者などによる異議の対象となる（民再100）。したがって，別除権者による届出については，被担保債権である再生債権そのものについての調査・確定の他に，予定不足額についての調査がありうる。前者は，通常の調査・確定手続によるが，予定不足額については，議決権額のみについて意味を有するので[12]，再生債務者等が争い，または他の再生債権者の異議があれば，裁判所が議決権の有無および額を定める（民再170Ⅱ③・171Ⅰ②）[13]。異議等がなければ，届け出た予定不足額にもとづく議決権が認められる。

別除権者が再生計画によって満足を受けられるのは，再生債権たる被担保債権が確定された上で，さらに担保権の実行や放棄，あるいは別除権協定によって不足額が確定した場合に限られる（民再182本文）。ただし，不足額の確定が遅れた場合に，計画の内容によっては，他の再生債権者に比較して別除権者が不利益を受けるおそれがある。その不利益の発生を避けるために，再生計画において，不足額が確定した場合における再生債権者としての権利の行使に関する適確な措置を定めなければならない（民再160Ⅰ）[14]。これは，適確措置条項

---

[11] 予定不足額とは，実質的には，被担保債権額から担保目的物の評価額を控除した額を意味する。なお，時効の完成猶予および更新の効果（民147Ⅰ④）は，予定不足額ではなく，届出債権全額について生じる。民事再生法逐条研究94頁参照。また，別除権者がこの届出をせず，一般再生債権としての届出をしたとしても，そのことによって別除権の行使が許されなくなるわけではない。東京高決平成14・3・15金法1679号34頁。

[12] 破産手続の場合には，不足額が確定した段階で配当が実施されるが（破198Ⅲ・214Ⅰ③。本書487頁），再生手続の場合にも，不足額が確定しなければ再生計画の定めによる弁済を受けられないので，予定不足額は，その点に関しては，意味を有しない。なお，不足額が届け出られた場合の認否については，民事再生の実務198頁〔宮澤貴史〕参照。

[13] 別除権者が，目的物の評価額を高く見積もって，不足予定額を届け出たのに対して，再生債務者等が目的物を低く評価して予定不足額がより高いものであるという理由から，届出予定不足額を認めないと主張することができるか，裁判所がその主張を認めて，届出予定不足額よりも高い議決権額を認めることができるかという問題がある（新注釈民事再生法（上）470頁〔中井康之〕，150問101頁〔石川貴康〕，102頁〔飯島章弘〕）。予定不足額についての争いは，もっぱら議決権の額に関するものであり，担保目的物の評価がそれによって確定されるものではないから，届出予定不足額より高い議決権額を認める理由はない。

[14] 適確な措置の例としては，不足額が確定した段階で，直ちに，すでに他の再生債権者に対してなされたのと同率の弁済をなすなどの条項が考えられる。新注釈民事再生法

と呼ばれる。

第2項　根抵当権の特則

　極度額の範囲内で目的物の交換価値を把握している根抵当権については，不足額の取扱いについて特別の措置を講じるべきかどうかが問題となる[15]。破産手続においては，極度額を超える部分をもって配当の基準とする可能性を認めることによって（破196Ⅲ・198Ⅳ），この問題を解決しているが，再生手続においても，以下のような特別の規律が設けられている。

　根抵当権者が再生債務者等と別除権協定を締結し，目的物の評価額の範囲内で根抵当権の順位と極度額に応じて不足額を確定すれば，それを基礎として再生計画による弁済を受けることができる（民再88但書）。

　別除権協定の締結がない場合でも，根抵当権の元本が確定している場合には[16]，再生計画において，極度額を超える部分について，権利変更の一般的基準（民再156）にしたがって，仮払いに関する定めをすることができる（民再160Ⅱ前段）。この場合においては，当該根抵当権の行使によって弁済を受けることができない債権の部分が確定した場合における精算に関する措置をも定めなければならない（同後段）。

　たとえば[17]，保証債務としての被担保債権が1億円である根抵当権の極度額が6000万円である場合に，再生計画における権利変更の一般的基準が90％の減免であれば，極度額を超える4000万円について10％部分である400万円の仮払いを受けることができる。その後に主債務者から根抵当権者に対して5000万円の弁済がなされたとすれば，被担保債権額は5000万円で，担保目的物から5000万円の回収が可能であれば，不足額は存在しないこととなるから，

　　（下）33頁〔加々美博久〕，詳解民事再生法317頁〔山本和彦〕。
[15]　被担保債権が極度額の範囲内である場合には，不足額が生じないから，根抵当権者が再生債権を行使することもあり得ない。ただし，破産と異なって，再生手続開始は根抵当権の元本確定事由ではないので（民再148Ⅵ，民398の20Ⅰ④参照），別除権協定によって，開始前の原因にもとづく再生債権と開始後の原因にもとづく共益債権とをあわせて被担保債権とすることも可能である。新注釈民事再生法（上）475頁〔中井康之〕，150問218頁〔南栄一〕。別除権協定がない場合には，共益債権が当然には被担保債権とならないことについて，田原睦夫「倒産手続と根抵当」谷口古稀476，491頁参照。
[16]　再生手続開始は根抵当権の元本確定事由ではないので，根抵当権者からの元本確定請求（民398の19Ⅱ）などが必要になる。
[17]　詳解民事再生法318頁〔山本和彦〕による。

400万円の仮払金を返還する精算が必要になる。逆に，被担保債権が1億円のままであり，目的物からの回収額が3000万円にすぎなかったとすれば，不足額は7000万円となるから，仮払いを受けた400万円に加えて，300万円の追加支払が精算として必要になる。

しかし，仮払いの措置は根抵当権者の利益を図ることが目的であるから，根抵当権がそれを望まない場合にまで，それを実施する理由はない。したがって，仮払条項を内容とする再生計画を提出する場合には，あらかじめ根抵当権者の同意をうることが求められる（民再165Ⅱ）。

第3項　各種の担保権と別除権

各種の担保権としては，根抵当権，動産売買先取特権およびそれにもとづく物上代位，所有権留保，仮登記担保，譲渡担保，売渡担保，手形の譲渡担保，集合物譲渡担保などがあるが，破産手続についての説明（本書490頁）が基本的に妥当する[18]。

ただし，集合動産や債権譲渡担保については，それが事業継続によって設定者が取得する動産や売掛債権などを担保目的物としているために，再生手続開始後に取得する目的物（開始後取得財産）について譲渡担保権の効力が及ぶかどうかが問題となる。更生手続の場合には，会社財産の管理処分権が管財人に専属するところから（会更72Ⅰ），手続開始前に設定された譲渡担保権の効力は，開始後取得財産に及ばないと解されるが[19]，再生手続の場合には，再生債務者が手続開始後も管理処分権を保持するところから，同様に解すべきかを検討しなければならない。

しかし，すでに述べたように，手続開始後の再生債務者は，再生手続の機関として業務を遂行し，また財産を管理処分するのであり（民再38ⅠⅡ参照），手続開始前の再生債務者と同視すべきではない。そのように解さなければ，再生

---

[18] 所有権留保売買について双方未履行双務契約性を否定した裁判例として，東京地判平成18・3・28判タ1230号342頁がある。

[19] 田原睦夫「集合動産譲渡担保の再検討」金融法研究資料編（5）150頁（1989年），伊藤眞・債務者更生手続の研究348頁（1984年）。ただし，近時は，開始後取得財産にも及ぶという解釈が有力になっている。蓑毛良和「会社更生手続・民事再生手続開始後に発生する将来債権の譲渡担保の効力」東京弁護士会編・法律実務研究22号57頁（2007年）参照。手続開始後も集合債権譲渡担保としての特質が維持されているか否かによって結論が異なろう。

手続において管財人が選任された場合との均衡を失する結果となる。したがって，別除権たる譲渡担保の効力は，開始後取得財産に及ばないと解すべきである[20]。もっとも，いわゆる DIP ファイナンスなどにおいて，担保権者が再生債務者等と別除権協定を締結し，手続開始後の融資などにもとづく共益債権を含めて，開始後取得財産を担保権の目的とすることは考えられる。

以上が本書初版において述べた考え方であるが，目的物が動産であれ，債権であれ，譲渡担保権者は，設定者である債務者が将来取得する目的物を含めて包括的に担保権を設定し，かつ，それについて登記などの対抗要件を備えているとすれば，再生手続が開始されたという事実をもって，担保権の効力がその後に債務者が取得する目的物に及ばないと解すべき理由は見いだしがたい。他方，集合動産や債権譲渡担保としての本質は，債務者がその目的物についての処分権限を与えられ，その結果として，集合物に含まれる目的物が循環するところにあるから[21]，譲渡担保権者がその権利の実行，すなわち債権の場合であれば，第三債務者に対する譲渡通知を発し，債務者の処分権限を剥奪するなどの行為をした後にまで，債務者が取得する目的物について譲渡担保の効力が及ぶとすることも不合理である。

このような視点から，従来の説を改め，手続開始とはかかわりなく，譲渡担保権者がその実行に着手すれば，その時点で目的物の範囲が固定し，以後債務者が取得するものについては，担保権の効力が及ばないが，実行に着手しない

---

[20] 保全管理命令（民再79 I）の発令を再生手続開始と同視できるかという問題があるが，管理処分権の移転を重視して，保全管理命令後の取得財産に及ばないと解する。また，担保権の性質をみても，集合物譲渡担保においては，設定者に目的物の処分権限を認めることによって，集合物たる動産や債権の具体的内容が変動することが予定されていることが，集合物担保としての本質をなしており，再生手続開始等の事由によって担保権者が設定者の処分権限を剥奪する以上，目的物は，その時点で設定者に帰属する動産や債権に固定化され，その後に設定者たる再生債務者が取得するものに及ばないと解すべきである。ただし，近時は，集合債権譲渡担保の効力が強化されるにともなって（最判平成19・2・15民集61巻1号243頁など参照），手続開始後の取得債権にも譲渡担保の効力が及ぶとする見解が有力になっている。蓑毛・前掲論文（注19）参照。

[21] 最判平成18・7・20民集60巻6号2499頁は，「構成部分の変動する集合動産を目的とする譲渡担保においては，集合物の内容が譲渡担保設定者の営業活動を通じて当然に変動することが予定されているのであるから，譲渡担保設定者には，その通常の営業の範囲内で，譲渡担保の目的を構成する動産を処分する権限が付与されており……上告人とA及びCとの間の各譲渡担保契約の前記条項（前記1(2)ウ，エ，(4)ウ）は，以上の趣旨を確認的に規定したものと解される」とする。

限り，債務者が取得する財産が譲渡担保によって捕捉され，反面，債務者は，すでに集合物に組み入れられている動産や債権についての処分権を有すると解することとする[22]。

第3節 相　殺　権

相殺権の機能については，破産手続に関して述べたところと同一である（本書513頁）。相殺権の行使に関する民事再生法の規律（民再92～93の2）は，再生債権を自働債権とし，再生債務者財産所属債権を受働債権とする相殺に関するものであるが，まず，それ以外の相殺について説明する。

第1項　再生債権を自働債権とする場合以外の相殺

第1に，再生債務者財産所属債権を自働債権とし，再生債権を受働債権とする相殺が考えられる。破産手続について述べたように（本書515頁），この種の

---

[22] 議論の詳細および関連する問題については，伊藤眞「倒産処理手続と担保権──集合債権譲渡担保を中心として」NBL 872号60頁（2008年），須藤正彦「ABLの二方面での役割と法的扱い」NBL 879号23頁（2008年），債権管理と担保管理を巡る法律問題研究会「担保の機能再論」金融研究27巻法律特集号39頁（2008年），伊藤達哉「倒産手続における将来債権・集合動産譲渡担保権の取扱い」金法1862号8頁（2009年），伊藤眞「集合債権譲渡担保と事業再生型倒産処理手続再考──会社更生手続との関係を中心として」曹時61巻9号1頁（2009年），ニューホライズン243，248頁，中島弘雅「包括的債権譲渡担保権の倒産上の取扱い」倒産法の実践166頁，三上466頁，森純子「民事再生手続における集合債権譲渡担保の実行中止命令について」髙橋古稀1375頁，倉部真由美「集合債権譲渡担保の再建型倒産手続における諸問題」論究ジュリ35号89頁，白石大「集合動産譲渡担保・所有権留保」論究ジュリ35号96頁，150問203頁〔籠池信宏〕参照。なお，手続開始後に取得する目的物が譲渡担保の効力によって捕捉されるとしたときに，更生手続においては，更生担保権の目的物評価（会更2X本文）との関係で，考え方の対立がみられるが（籠池信宏「将来債権譲渡担保と更生担保権評価（上）（下）」諸問題183頁，伊藤・会更法・特清法223頁，ニューホライズン249頁，中島・前掲論文172頁参照），基本は，開始時に譲渡担保権者が把握しているとみられる開始後取得財産の価値を基準とすべきである。
　また，関連する問題として，集合債権（将来債権）の発生の基礎となる再生債務者の事業を廃止したり，縮小したりすることが，担保価値維持義務違反になるかという問題がある。井上聡「将来債権譲渡担保と民事再生」ジュリ1446号70頁（2012年）。
　以上は，担保権者の側からの担保権実行を想定したものであるが，再生債務者等の側から担保権消滅許可の申立て（本書1063頁）をなしたときにも，申立時または許可決定時での固定化を認めるべきであろう。東京高決令和2・2・14金法2141号68頁参照。

相殺が常に他の再生債権者との平等を害するものとはいえず，かえってその利益になる場合がありうるところから，再生債権者一般の利益に適合するときは，再生債務者等は，裁判所の許可をえて相殺をすることができる（民再85の2）[23]。

第2に，共益債権と再生債務者財産所属債権との相殺が考えられる。これは，破産手続における財団債権と破産財団所属債権との相殺に対応する（本書518頁）。共益債権の性質（民再121ⅠⅡ）を考えると，再生債務者等の側からの相殺を制限する理由はない。共益債権者側からの相殺についても，財団債権にもとづく強制執行が禁止される（破42ⅠⅡ）のと比較して，共益債権にもとづく強制執行が当然に禁止されるわけではないこと（民再121Ⅲ参照）を考えると，相殺を制限する理由に乏しい。一般優先債権と再生債務者財産所属債権との相殺についても，同様に考えられる[24]。

第3に，開始後債権と再生債務者財産所属債権との相殺が考えられる。しかし，開始後債権については，再生手続開始から再生計画で定められた弁済期間が満了する時までの間は，弁済をし，弁済を受け，その他これを消滅させる行為（免除を除く）をすることができないのであるから（民再123Ⅱ），この期間中は，開始後債権者からも，また再生債務者等からも相殺をすることは許されない。

第2項　再生債権を自働債権とする相殺

再生債権を自働債権とし，再生債務者財産所属債権を受働債権とする相殺は，破産債権を自働債権とし，破産財団所属債権を受働債権とする相殺に対応するものであるが，自働債権たる再生債権については，破産手続の場合（破67Ⅱ前段）と異なって，債権そのものについて現在化（破103Ⅲ）や金銭化（破103Ⅱ）がなされず，法92条1項の「債権届出期間の満了前に相殺に適するようになったときは」との文言に照らし，相殺実行時に金銭債権としての本来の弁済期

---

[23] 一般の利益に適合する例としては，再生債権者が破産しており，配当が見込めないか，見込まれる配当率が，再生債務者からの再生計画による弁済率よりも低いような場合が考えられる。基本構造484頁，150問125頁〔安田孝一〕参照。

[24] 賃金債権に関する相殺禁止（労基17・24Ⅰ本文）などは，別の問題である。退職金債権について，個人再生の手引117頁，北村治樹「破産手続・民事再生手続における否認権等の法律問題　第5回・完　個人再生手続における処理について」曹時64巻12号30頁（2012年）。

が到来している必要がある。

　再生手続開始時に解除条件未成就の再生債権を自働債権とする相殺については，それ自体を制限する理由はないが，相殺後に解除条件が成就したときには，自働債権たる再生債権が発生しなかったとみなされるために，相殺の効力が生ぜず，相殺によって消滅したはずの債務を再生債務者に対して履行しなければならない。

　また，再生手続開始時に停止条件未成就の再生債権を自働債権とする相殺は許されず，破産手続の寄託請求（破70。本書523頁）のような制度が存在しないので，再生債権者は再生債務者に対する債務を無条件で履行しなければならない。ただし，債権届出期間内に停止条件が成就すれば，債権届出期間内に限って相殺が認められる（民再92Ⅰ前段）。なお，この場合には，再生手続開始後の他人の再生債権取得にもとづく相殺の禁止規定（民再93の2Ⅰ①）は適用されない。敷金返還請求権を自働債権とする相殺および敷金の賃料についての充当についても，同様であり，破産手続のような特別の規律（破70。本書523頁）は存在しない。

　これに対して，受働債権は，再生債権者が再生債務者に対して負担する債務であるから，自ら期限の利益を放棄して，弁済期を到来させ，相殺を行うことが許される（民再92Ⅰ後段）。ただし，再生手続開始後に期限が到来する賃料債務を受働債権とする相殺については，破産手続の場合と異なって，その範囲を再生手続開始の時における賃料の6月分に相当する額に限定する旨の規定が置かれている（同Ⅱ）。これは，再生債務者が賃貸人となっている物件について無制限に賃料債務との相殺を認めることが，再生債務者の再生可能性を害するとの立法者の判断によるものである。なお，相殺の受働債権たりうる6月分の賃料についても，再生債権者がその全部または一部について相殺を自制し，賃料を弁済したときには，その範囲内で再生債権たる敷金返還請求権を共益債権とすることによって（同Ⅲ），賃料の弁済を促す措置をとっている（以上について本書968頁参照）。

　再生手続開始時における解除条件付債権を受働債権とする相殺は許されない（同Ⅰ後段参照）。破産手続においては，破産債権者の有する相殺期待を保護するという理由から，解除条件成就の利益を放棄することによる相殺を認めるが（本書522頁参照），条件という事象の性質上，成就または不成就は不確定であ

り，不成就の場合には，再生債権者としては，その権利を再生手続上で行使する一方，再生債務者に対する債務を履行しなければならない。そうだとすると，再生債権者が解除条件成就の利益を放棄して相殺をすることは，再生債務者が有する当該債務履行に対する期待を侵害する結果となるので，債務者の事業の再生を目的とする再生手続においては，相殺を許さないというのが立法者の判断と理解すべきである。

さらに，再生手続開始時に停止条件未成就の債権を受働債権とする相殺は許されない（同Ⅰ後段参照）。破産手続においては，破産債権者の有する相殺期待を保護するという理由から，上記のように，停止条件不成就の利益を放棄することによる相殺を認めるが，条件という事象の性質上，成就または不成就は不確定であり，成就の場合には，再生債権者としては，再生手続においてその権利を行使する一方，再生債務者に対する債務を履行しなければならない。そうだとすると，再生債権者が停止条件不成就の利益を放棄して相殺をすることは，再生債務者が有する当該債務履行に対する期待を侵害する結果となるので，債務者の事業の再生を目的とする再生手続においては，相殺を許さないというのが立法者の判断と理解すべきである[25]。

1 相殺権行使の時期

再生債権を自働債権とし，再生債務者財産所属債権を受働債権とする相殺は，債権届出期間（民再94Ⅰ）満了前に相殺適状が発生していることを前提として，当該債権届出期間に限って，再生計画の定めるところによらないで，することができる（民再92Ⅰ前段）。この規定は，2つの意義を有する。

第1は，相殺権実行の基礎となる相殺適状を債権届出期間満了前のものに限

---

[25] 条解民事再生法479頁〔山本克己〕。信用金庫の出資金返還請求権について150問121頁〔今井丈雄〕。これに対し，山本和彦「経営者保険における会社の倒産と保険会社による相殺の効力」多比羅喜寿443頁は，再建型手続における停止条件付債権を受働債権とする手続開始後の相殺についても，最判平成17・1・17民集59巻1号1頁〔倒産百選64事件〕が妥当すると解し，相殺の合理的期待があれば相殺が認められるとした上で，保険会社による契約者貸付金返還請求権を自働債権とし，生命保険契約解約返戻金支払請求権を受働債権とする相殺について，停止条件不成就の利益の放棄による相殺期待の合理性を認め，相殺肯定説をとる。

なお，債権届出期間満了前に停止条件が成就した場合には，それが法93条1項1号にいう再生手続開始後の債務負担とみなされるかどうかの問題になるが，合理的相殺期待が認められる場合には，相殺を許すとの見解が有力である。破産・民事再生の実務〔再生編〕227頁。

定している点である。これは，相殺の担保的機能が無限定に拡大することを防ぐためである。受働債権に関しては，再生債権者が期限の利益を放棄することができるが，自働債権たる再生債権に関しては，本来の弁済期が債権届出期間満了前に到来していなければならない[26]。それにもかかわらず，再生手続開始申立てや再生手続開始を理由とする期限の利益喪失条項にもとづく弁済期の到来をもって，この要件を満たすものといえるかどうかが問題となる。多数説は，差押えと相殺の関係に関する判例などを根拠として，相殺適状の発生を認めるが[27]，相殺適状発生時期を限定している法の趣旨などを考えると，期限の利益喪失条項を根拠とする相殺適状の発生を否定し，本来の弁済期にしたがって，それが債権届出期間内に生じたかどうかを判断すべきであるとの考え方も成り立ちうる[28]。

　第2は，相殺権の行使が債権届出期間内になされなければならないという点である[29]。たとえ相殺適状が債権届出期間内に発生している場合であっても，相殺権の行使が遅れることは，再生計画の立案の基礎となる再生債権額や再生債務者財産の内容を不確定にし，再生手続の遂行を妨げるおそれがある。相殺権の行使を債権届出期間内に限るのは，このような理由による。ただし，相殺権は，再生債権者の地位そのもの（民再84Ⅰ）に認められた権能であり，再生債権者が再生手続に参加する（民再86Ⅰ）ことを前提とするものではないから，債権届出自体が相殺権行使の要件となるわけではない[30]。

[26] 停止条件付債権であっても，停止条件が成就していれば，相殺が許されるし，解除条件付債権であっても，解除条件が成就しない限りは，相殺が許される。ただし，後に解除条件が成就すれば，精算が必要になる。概説268頁。

[27] 関連する裁判例として，東京地判平成14・3・14金法1655号45頁，東京地判平成16・6・8金法1725号50頁がある。条解民事再生法480頁〔山本克己〕は，更生手続と異なって，再生手続において別除権の行使が認められていることとの均衡上，相殺権の行使を否定すべきではないとする。

[28] 伊藤・研究398頁，森田・債権回収法132頁，概説268頁参照。ただし，期限の利益喪失条項にもとづく相殺適状発生が否定されるときに，再生債権者に何らの優先的地位が認められないかの問題があり，断定を避ける。なお，条解更法（中）885頁は，差押と相殺に関する最判昭和39・12・23民集18巻10号2217頁の趣旨に沿って，自働債権の本来の弁済期が受働債権のそれよりも先に到来する場合には，相殺期待が存在するとして，期限の利益喪失条項の効力を認める。

[29] 債権届出期間（民再規18Ⅰ①参照）前の相殺についても議論があるが（条解会更法（中）883頁），特にこれを制限する理由がない。もちろん，相殺権そのものが法93条などによって制限される場合は別である。

[30] 条解会更法（中）883頁，伊藤・研究397頁。

2 相殺権の範囲の制限

相殺権の行使は，当該再生債権者が再生手続によらず，自らの債権を優先的に回収する効果をもたらす。したがって，その範囲が，再生手続開始時において合理的な相殺期待が発生していると認められる場合に限られることは，破産手続の場合と同様である（本書528頁）。合理的相殺期待に関する再生手続の規律は，以下のような内容に区分される。

第1に，相殺権の範囲が，再生手続開始時を基準として決定され，再生手続開始後に相殺の基礎たる債務を負担したり，債権を取得しても，それを基礎とする相殺は認められない（民再93Ⅰ①・93の2Ⅰ①）。この場合には，再生手続開始時を基準時とする画一的な再生債権者間の平等が基礎となっているから，債務負担や債権取得の原因に関する例外は認められない（民再93Ⅱ柱書・93の2Ⅱ柱書参照）。また，再生債務者に対して債務を負担する者が，他人の再生債権を自働債権として相殺を主張することも許されない（本書541頁注96参照）。

第2に，たとえ再生手続開始時に相殺権を取得している者でも，その取得が支払停止や再生手続開始申立て等の後の危機時期になされている場合には，債権者平等の理念に反するものとして，相殺が否定されることがある（民再93Ⅰ③④・93の2Ⅰ③④）。もっとも，この場合には，無条件に相殺が否定されるのではなく，一方で支払停止などの事実についての相殺権者の悪意を要求し，他方で，相殺権の取得原因について一定の例外を設けている（民再93Ⅱ・93の2Ⅱ）。

第3に，相殺期待の詐害的創出ともいうべき類型がある（民再93Ⅰ②・93の2Ⅰ②）。これは，現行破産法の規定に対応するものとして民事再生法に取り入れられたものであり，その趣旨は，破産法に関して説明したところによる（本書529頁）。

第1ないし第3の類型についての具体的規律内容は，破産手続の場合とほぼ同様であるので，民事再生手続上特に検討を要すべき点のみを以下に説明する。

(1) 受働債権たる債務負担の時期による相殺の禁止

受働債権たる債務負担の時期による相殺の禁止の内容は，以下の通りである。

　ア　再生債権者が再生手続開始後に再生債務者に対して債務を負担したとき（民再93Ⅰ①）

再生債権者が再生債務者に対して停止条件付債務を負担し，停止条件が再生

手続開始後，債権届出期間満了までに成就したときに，これが法93条1項1号に該当するものとして相殺を禁止すべきかどうかが問題となる。破産手続においては，停止条件付債務を受働債権とする相殺が許されていること（破67Ⅱ）などを理由として，相殺禁止の対象とならないとしたが（本書524頁），再生手続においては，前述のように（本書1001頁），停止条件付債務を受働債権とする相殺は許されない[31]。

　　イ　支払不能になった後に契約によって負担する債務を専ら再生債権をもってする相殺に供する目的で再生債務者の財産の処分を内容とする契約を再生債務者との間で締結し，または再生債務者に対して債務を負担する者の債務を引き受けることを内容とする契約を締結することにより再生債務者に対して債務を負担した場合であって，当該契約の締結の当時，支払不能であったことを知っていたとき（民再93Ⅰ②）

法93条1項2号による相殺禁止の趣旨などは，破産法71条1項2号について述べたところと共通する（本書532頁）。相殺禁止が適用されるための要件として，法93条1項2号前半部分については，支払不能期における債務負担原因契約の締結，専相殺供用目的の存在および支払不能についての再生債権者の悪意が要求されることも，破産手続と変わりがない。同号後半部分については，

---

[31]　本書〈第2版〉709頁では，停止条件付債務であっても，合理的相殺期待が認められる場合には，それを保護すべきであり，したがって，債権届出期間満了までに停止条件が成就したときは，相殺を許すべきであるとしていた。しかし，停止条件付債務は，債務発生の基礎たる法律関係こそ成立しているが，債務自体は再生手続開始時において未発生であることを考慮し，破産法67条2項と異なって，民事再生法92条1項は，条件付債務を受働債権とする相殺を許していないことから，相殺を禁止すべきであるとの考え方に改める。相殺権者が停止条件不成就の機会を放棄すれば相殺が許されるとの議論もあるが（ニューホライズン294頁参照），このような議論は，相殺禁止に関する規定の潜脱を認めることになろう。

東京地判平成23・8・8金法1930号117頁は，再生手続開始後の取立てにもとづく手形金返還債務を受働債権とする相殺について，「仮に本件取立金相当額の返還債務を停止条件付債務であると解したとしても，破産者の財産及び債権債務を清算し，債権者間に平等に弁済することを目的とする破産手続とは異なり……再生手続開始後に停止条件成就により負担した債務については，一律に民事再生法93条1項1号所定の相殺禁止の対象となると解するのが相当である」と判示する。なお，本判決は，控訴審判決である前掲東京高判平成24・3・14（注5）によって取り消されているが，それは手形取立金について商事留置権者である銀行が弁済充当権を認められるかという別の問題に関わるものであり（本書990頁），上記引用部分とは関わりがない。

ただし，相殺を制限すべきでないとする考え方として，上田純＝豊島ひろ江「割引済手形と破産・民事再生――近時の最高裁判決や銀行取引約定・商事留置権・相殺禁止規定を踏まえて」銀行法務21 765号41頁（2013年）がある。

支払不能期における債務引受契約の締結，および支払不能についての再生債権者の悪意が要件とされることも，同様である。

　　ウ　支払の停止があった後に再生債務者に対して債務を負担した場合であって，その負担の当時，支払の停止があったことを知っていたとき（民再93Ⅰ③）

　支払停止によって再生債務者の経済的破綻が広く外部に認識された後に，再生債務者から物を買い受けるなどの行為によって債務を負担し，それを受働債権とする相殺によって実質的価値が低下した再生債権の回収を図ることは，債権者平等の理念に反する。支払停止の事実，およびそれについての再生債権者の悪意の証明責任は，相殺の無効を主張する再生債務者等が負担すること，支払停止があった時において支払不能でなかったことを再生債権者が証明したときは，相殺が許されること（民再93Ⅰ③但書）は，破産法71条1項3号について述べたのと同様である（本書535頁）。

　　エ　再生手続開始，破産手続開始または特別清算開始の申立て（以下「再生手続開始の申立て等」という）があった後に再生債務者に対して債務を負担した場合であって，その負担の当時，再生手続開始の申立て等があったことを知っていたとき（民再93Ⅰ④）

　ウと同様に，再生手続開始の申立て等によって再生債務者の経済的破綻が明らかになり，それを知ってなした債務負担を受働債権とする相殺が，債権者平等に反するところから相殺を禁止する。再生手続に先行する破産手続開始申立てまたは特別清算申立てがあり，再生手続開始にともなって，これらの申立てにもとづく手続が中止されたり，失効したりしたときは（民再39Ⅰ），先行する申立てを基準時として相殺が禁止される（破産の場合については，本書1248頁参照）。

　　オ　3つの例外

　再生手続開始後の債務負担を理由とする相殺禁止（民再93Ⅰ①）は別として，上記のイないしエに説明した相殺禁止（同②～④）については，債務負担が一定の原因にもとづく場合には，詐害性が否定され，また債権者平等原則に反するものでないとされる。これが，法が規定する3つの例外である（民再93Ⅱ）。その内容は，債務負担が，法定の原因（同①），支払不能であったことまたは支払停止もしくは再生手続開始申立て等があったことを再生債権者が知った時

より前に生じた原因（同②），および再生手続開始申立て等があった時より1年以上前に生じた原因（同③）によることの3つであるが，それぞれの内容については，破産手続に関して説明したところ（本書538頁）による。

(2) 自働債権たる再生債権取得の時期による相殺の禁止

自働債権たる再生債権取得の時期による相殺の禁止の内容は，以下の通りである。

　　ア　再生債務者の債務者が再生手続開始後に他人の再生債権を取得したとき（民再93の2Ⅰ①）

相殺権の範囲が再生手続開始を基準時とするところから（民再84Ⅰ参照），債務負担の場合（民再93Ⅰ①）と同様に，手続開始後に取得した他人の再生債権を自働債権とする相殺を禁止する。その趣旨および適用範囲などについては，破産手続に関する説明が当てはまる（本書541頁）。

　　イ　支払不能になった後に再生債権を取得した場合であって，その取得の当時，支払不能であったことを知っていたとき（民再93の2Ⅰ②）

この場合の再生債権の取得は，再生手続開始前の支払不能期を含むので，その原因も，他人の再生債権を廉価で買い受けるような場合はもちろん，自らの行為によって債権を取得する場合も含まれる。その趣旨等については，破産手続について述べたところによる（本書548頁）。

　　ウ　支払の停止があった後に再生債権を取得した場合であって，その取得の当時，支払の停止があったことを知っていたとき。ただし，当該支払の停止があった時において支払不能でなかったときは，この限りでない（民再93の2Ⅰ③）

この相殺禁止は，破産法72条1項3号に対応するものであり，趣旨や要件等も破産手続に関して述べたところによる（本書549頁）。

　　エ　再生手続開始の申立て等があった後に再生債権を取得した場合であって，その取得の当時，再生手続開始申立て等があったことを知っていたとき（民再93の2Ⅰ④）

この相殺禁止は，破産法72条1項4号に対応するものであり，趣旨や要件等も破産手続に関して述べたところによる（本書550頁）。なお，ここでいう再生手続開始の申立て等が，再生手続開始申立ての他に，破産手続開始申立ておよび特別清算開始申立てを含むことは，法93条1項4号と同様である。

オ 4つの例外

受働債権たる債務の負担の時期による相殺禁止の場合（民再93Ⅱ）と同様に，再生手続開始前の再生債権の取得の時期による相殺禁止（民再93の2Ⅰ②〜④）については，4つの例外が認められる。その趣旨等については，破産手続に関して述べたところによる（本書550頁）[32]。

(3) 法93条および93条の2以外の根拠にもとづく相殺の制限

この種の相殺の制限として，相殺権の濫用および相殺の否認が考えられることは，破産手続について述べた通りである（本書553頁）。

3 相殺権の実行

再生債権者は，再生計画の定めるところによらないで，相殺をすることができる（民再92Ⅰ前段）。相殺権行使の前提として，債権の届出を要するかどうかについて考え方の対立があることは，破産手続について述べたが（本書556頁），再生手続においては，相殺権の行使を債権届出期間内に限るという，独自の規律が存在する。しかし，すでに述べた通り（本書556頁），相殺権の行使の前提としてあえて債権届出を要求する理由はなく，再生債権者は，自働債権たる再生債権の届出の有無を問わず，相殺権を実行できるものと解すべきである。したがって，再生債務者等が相殺の効力を争おうとすれば，再生債権者に対して受働債権の履行を求めて給付訴訟などを提起し，再生債権者は，相殺の抗弁を提出することとなる。再生債権者が自働債権の届出をなす場合の取扱いは，破産手続に関して述べたところによる（本書556頁）。

なお，破産手続においては，相殺権の行使時期について特別の制限がおかれていないところから，手続の迅速な進行を図るために破産管財人の破産債権者に対する催告権が認められているが（破73），再生手続では，法92条1項前段によって相殺権行使の時期が限定されるために，催告権に関する規定は置かれていない。

---

[32] 元請業者が下請業者の孫請業者に対する請負工事代金債務について立替払いをした結果として取得する求償権を自働債権とする相殺について，あらかじめ合理的期待が存在することを理由として，前の原因（民再93の2Ⅱ②）による再生債権の取得として，相殺を許したものとして，東京高判平成17・10・5判タ1226号342頁がある。

第4節 否　認　権

　否認権とは，再生手続開始前になされた再生債務者の行為，またはこれと同視される第三者の行為の効力を覆滅する形成権である（民再132Ⅰ）。破産においては，否認権は破産管財人に専属するが（破173Ⅰ），再生においては，否認権限を有する監督委員または管財人が行う（民再135Ⅰ Ⅲ）。

第1項　否認権の意義と機能

　再生手続開始前に再生債務者がなした行為は，保全処分等（民再30Ⅰ・79など）を度外視し，また対抗要件の欠缺や第三者保護のための実体規定の適用可能性を別とすれば，再生手続開始後も再生債務者等に対してその効力を主張できる。しかし，これらの行為が詐害行為性または偏頗行為性をもつときには，行為の効力を消滅させ，目的財産を再生債務者財産に回復して，再生計画を通じて，その価値を再生債権者に公平に配分するための制度が再生手続上の否認権であり，基本的性質は，破産手続上または更生手続上のそれと変わるところがない。否認権のうち，基本類型としては，詐害行為否認（民再127Ⅰ Ⅱ），その特殊類型である無償行為否認（同Ⅲ）および偏頗行為否認（民再127の3Ⅰ①②）が分けられること，それぞれの類型における否認の要件などは，破産の場合とほぼ共通であるが（本書562頁），否認権の行使に関しては，再生債務者財産について管理処分権を有する再生債務者による否認権行使が認められず，管理命令が発令されているときには，管財人，その発令がないときには，否認権限を付与された監督委員が否認権を行使するところから（民再135Ⅰ），再生手続独自の規律が設けられている。

　否認権行使をめぐる利害関係人についてみても（本書561頁），再生債権者や受益者が利害関係人に含まれることは，破産の場合と変わりはない。これに対して再生債務者については，特別な考慮を必要とする。破産者と異なって，再生債務者は，管理命令が発令されていない限り，業務遂行権および財産管理処分権を保持する。否認権限を付与された監督委員が否認権を行使した結果として再生債務者財産に回復される目的物についても，再生債務者が再生計画によってその価値を再生債権者に配分することとなる。したがって，監督委員によ

る否認権行使について手続機関たる再生債務者は利害関係人として位置づけられるし，運用としても，監督委員は否認権行使に際して再生債務者との協議などを行うことが望まれる。

第 2 項　否認の一般的要件

各否認類型に固有の要件の他に，否認の一般的要件として有害性，不当性および再生債務者の行為が要求されることは，破産の場合と同様である（本書563頁）。

第 3 項　否認の個別的要件

否認の個別的要件に関しては，詐害行為否認，偏頗行為否認および無償否認の3つに分けて説明する。なお，法127条以下については，現行民法の詐害行為取消権に関する規定にあわせて，整備法による文言の修正がなされているが，その点については，本書80頁を参照されたい。

1　詐害行為否認

詐害行為否認（民再127Ⅰ）については，行為の時期に応じて，2つの類型が分けられる。第1類型は，時期を問わず詐害行為を対象とするものであり，詐害行為および再生債務者の害意の2つが否認の積極要件であり，詐害についての受益者の善意が消極要件である（同①）。第2類型は，支払停止等（支払停止または再生手続開始，破産手続開始もしくは特別清算開始の申立て）後の詐害行為であり，詐害行為の存在が積極要件であり，支払停止等および詐害についての受益者の善意が消極要件である（同②）。

詐害行為や詐害意思の意義などについては，破産に関して述べたところによる（本書578頁）。債務消滅行為は，詐害行為否認の対象にならないのが原則であるが（民再127Ⅰ柱書かっこ書），詐害的債務消滅行為がその対象となること（民再127Ⅱ）も，破産の場合と同様である。また，再生手続開始申立ての日から1年以上前にした詐害行為は，支払停止後の行為であること，または支払停止の事実を知っていたことを理由として否認することはできないのは（民再131），再生手続と牽連性の薄い行為を否認の対象外とすることによって，受益者を保護する趣旨である。

相当の対価を得てした財産の処分行為について，詐害行為否認の特則が設け

られていることも（民再127の2），破産の場合と同様である（本書582頁）。すなわち，再生債務者の財産処分行為において相手方が相当の対価を支払っている場合には，以下の特別の要件が具備されている場合に限って，否認が認められる（同Ⅰ柱書）。

第1の要件は，不動産の金銭への換価その他の処分による財産の種類の変更により，再生債務者において隠匿等の処分をするおそれを現に生じさせることである（同Ⅰ①）。これは，詐害行為の特殊類型にあたる。第2の要件は，再生債務者が，当該行為の当時，対価として取得した金銭その他の財産について隠匿等処分意思を有していたことである（同Ⅰ②）。これは，詐害意思の特殊類型にあたる。第3の要件は，相手方が当該行為の当時，再生債務者の隠匿等処分意思について悪意であったことである（同Ⅰ③）。

もっとも，行為の相手方がいわゆる内部者である場合には，公平の見地から，隠匿等処分意思についての相手方の悪意を推定する（同Ⅱ柱書）。内部者たる相手方としては，法人である再生債務者の理事等（同Ⅱ①），株式会社の支配的持分権者（同Ⅱ②イ），株式会社の親法人（同ロ），株式会社以外の法人の支配的持分権者または親法人に準じる者（同ハ），および個人である再生債務者の親族または同居者（同Ⅱ③）が含まれる。

2 偏頗行為否認

支払不能または再生手続開始の申立て等（再生手続開始，破産手続開始または特別清算開始申立て）から再生手続開始までの時期を形式的危機時期とし，この時期になされた既存債務についての偏頗行為，すなわち担保の供与や債務の消滅にかかる行為については，再生債務者の詐害意思の有無にかかわりなく，再生債権者にとって有害なものとされ，否認の対象となる（民再127の3）。これを偏頗行為否認と呼ぶ。その基本的考え方は，破産の場合と同様である（破162。本書586頁)[33]。

なお，再生債務者が再生手続開始前の罰金等（民再97①）について，その徴収の権限を有する者に対してした担保の供与または債務の消滅に関する行為は，偏頗行為否認の対象とならない（民再128Ⅲ)[34]。

---

[33] 事例として，札幌地判平成17・4・15金商1217号6頁がある。

[34] 法128条3項は，破産法163条3項に対応するが，破産では，罰金等の請求権（破97⑥）のほか，租税等の請求権（同④）に対する担保の供与や債務消滅行為も偏頗行為否認

(1) 偏頗行為否認の基本要件

偏頗行為否認の基本要件として，対象となる行為は，既存の債務についてされた担保供与または債務消滅に限られる（民再127の3Ⅰ柱書かっこ書）。したがって，新規債務についての担保供与や債務消滅行為という，いわゆる同時交換的取引は，否認の対象とならない（本書590頁）。また，担保の供与は，その義務が存在することを前提とし，義務が存在しない場合には，否認の要件が緩和される（同②）。

行為の時期としては，偏頗行為は，再生債務者が支払不能になった後または再生手続開始申立て等があった後のものでなければならない（民再127の3Ⅰ①）。支払不能概念について解釈の余地があることは，破産について述べた通りである（本書591頁）[35]。

さらに，否認の成立のためには，以下の事実に関する受益者たる債権者の悪意が必要である（民再127の3Ⅰ①柱書但書）。第1に，支払不能後の行為である場合には，受益者が支払不能または支払停止について悪意でなければならない（同イ）。ただし，支払停止についての悪意に関しては，法131条の制限が働く。第2に，再生手続申立て等後の行為である場合には，申立て等について悪意でなければならない（同ロ）。ただし，受益者が内部者（民再127の2Ⅱ各号）である場合には，支払不能等についての悪意が推定され，その結果として，受益者が善意についての証明責任を負担する（民再127の3Ⅱ①）。また，支払不能後等の偏頗行為で義務に属しないもの，またはその方法もしくは時期が義務に属しないものについては，支払不能等についての悪意が推定される（同②）。

(2) 支払不能前30日以内の非義務偏頗行為

特約が存在しないにもかかわらず担保を供与するとか，弁済期が到来してい

の対象とならないとされている点に違いがある。

[35] 平成16年改正前の法127条1項1号にもとづいて偏頗弁済および担保提供の故意否認を認めた裁判例として，大阪地決平成12・10・20判タ1055号280頁および大阪地判平成15・3・20判タ1141号284頁がある。現行法下では，法127条の3第1項1号本文に関する裁判例としての意義がある。

ただし，破産手続の場合には，支払不能概念が手続開始原因と偏頗行為否認の要件として共通しているのに対し，再生手続の場合には，そこに一致が見られないことから（民再21Ⅰ前段，本書844頁参照），否認の機能が制限されていることを指摘し，立法論として検討の必要を説くものとして，破産法大系Ⅰ16頁〔伊藤眞〕がある。更生手続についても同様である。

ないにもかかわらず弁済をなすなどの，非義務偏頗行為は，再生債権者に対する詐害性が強いことに着目し，支払不能になる前30日以内にされたものも否認の対象になる（民再127の3Ⅰ②本文）。ただし，受益者の側で，行為の当時他の再生債権者を害することを知らなかったことを証明すれば，否認の成立が阻却される（同Ⅰ②但書）。

(3) 集合動産・集合債権譲渡担保の否認

集合動産・集合債権譲渡担保の否認可能性も，破産について述べたところが当てはまる（本書595頁）。すなわち，支払不能になった後などに締結された譲渡担保設定契約自体は，担保の供与として偏頗行為否認の対象となりうる（民再127の3）。また，譲渡担保設定契約自体が否認の対象とならないときであっても，集合物を構成する動産や債権について否認（民再127の3Ⅰ①・Ⅱ）の可能性があることは，破産について述べた通りである。

3 無償行為否認

支払停止等（民再127Ⅰ②かっこ書）があった後，またはその前6月以内に破産者がなした無償行為またはこれと同視すべき有償行為は否認の対象となる（同Ⅲ）。再生債務者の詐害意思や，支払停止等についての受益者の認識など，主観的要素は必要とされない。その趣旨および債務保証行為への適用可能性などについては，破産について述べたところによる（本書596頁）[36]。

第4項 否認に関する特別の要件

以上に説明した否認の一般的要件，および詐害行為否認や偏頗行為否認などの個別的要件にしたがって否認の成否が決定されるが，そのほかに，否認の対象となる法律関係の特質などを考慮して，法はいくつかの特別の要件を置いている。その内容は破産とほぼ共通であるので（本書600頁），以下，概略のみを述べる。

1 手形支払に関する否認の制限

再生債務者が約束手形の振出人または為替手形の支払人もしくは引受人であるときに，手形の所持人が再生手続開始決定前に再生債務者から手形金の支払

---

[36] 無償否認に関する判例理論を再生事件に適用した裁判例として，名古屋高判平成17・12・14 D1-Law判例ID 28110378（森恵一「民事再生手続における無償否認」NBL 834号42頁（2006年）参照）。

を受けたとすれば，偏頗行為否認（民再127の3）の対象となることが考えられる。しかし，手形の支払を受けた者がその支払を受けなければ，債務者の1人または数人に対する手形上の権利を失うべき場合には，否認の対象から除外される（民再128Ⅰ）。手形上の権利の意義や否認を認めない趣旨は，破産法163条について述べたところと共通である（本書600頁）。

その結果として否認が認められないことになるとき，これを予測する債権者が，支払停止等があったことを知り，または過失によってこれを知らず，再生債務者に約束手形を振り出させ，自己が受け取った手形を第三者に裏書譲渡し，第三者に再生債務者から弁済を受けさせることによって，間接的に自己の債権の回収を図ることが考えられる。このような場合に，その債権者から否認権限を有する監督委員または管財人に，第三者に対して再生債務者が支払った金額を償還させることができる（民再128Ⅱ）。その趣旨等は，破産法163条2項について述べたのと同一である（本書602頁）。

2　対抗要件具備行為の否認

権利変動の原因となる法律行為とは別に，それに付随して行われる対抗要件具備行為について否認可能性が認められることは，破産手続の場合と同様である（本書603頁)[37]。すなわち，支払停止等があった後に，権利の設定，移転または変更を第三者に対抗するために必要な行為がなされた場合に，その対抗要件具備行為が権利の設定などの原因行為から15日を経過した後に支払停止等を知ってなされたときには，否認の対象となる（民再129Ⅰ本文）。権利取得の効力を生じる登録についても同様である（同Ⅱ）。

対抗要件具備行為の否認の趣旨，再生債務者の行為の要否，あるいは集合債権譲渡担保などに関する15日の期間の起算点などは，破産手続について述べたところによる（本書608頁）。なお，対抗要件具備行為が再生手続開始申立ての日より1年前であれば，支払停止後の行為であることまたは支払停止を知ってしたことを理由とする否認は許されない（民再131）。

また，すでになされている仮登記（不登105）または仮登録にもとづいて本

[37) 集合債権譲渡担保について，予約の時点で債権譲渡の効力が生じたのと同視できるとの理由から対抗要件否認を認めた事例として，大阪地判平成13・10・11金法1640号39頁がある。本書610頁注282参照。
　なお，相手方の対抗要件具備行為を未然に防ぎ，対抗要件具備行為の否認の問題発生を避けるための方策については，本書604頁注267参照。

登記・登録がなされているときには，たとえ以上の要件を満たしても否認は成立しない（民再129Ⅰ但書）。その理由も破産について述べたのと共通である（本書611頁）。

さらに，支払停止等前の対抗要件具備行為や，支払停止等後の対抗要件具備行為で再生手続開始申立てから1年以上前のものは，法129条にもとづく否認の対象となりえないが，それらについて，詐害行為否認（民再127Ⅰ①）の可能性があることは，破産について述べた通りである（本書611頁）。

3　執行行為の否認

執行行為の否認とは，債務名義や執行行為が介在する場合であっても，再生債務者の行為について詐害行為否認や偏頗行為否認が可能であることを意味する。具体的には，第1に，否認しようとする行為について執行力ある債務名義があるとき，第2に，否認しようとする行為が執行機関の執行行為にもとづくときであっても，否認が成立しうる（民再130）。その具体的要件および対象行為などについては，破産について述べたところによる（本書623頁）。

4　支払停止を要件とする否認の制限

詐害行為否認の第2類型（民再127Ⅰ②），詐害的偏頗行為否認（同Ⅱ），偏頗行為否認（民再127の3）あるいは対抗要件具備行為の否認（民再129）においては，否認対象行為が支払停止後のものであること，または支払停止についての受益者の悪意が否認要件の1つとされている。しかし，再生債務者の一回的行為である支払停止を理由とする否認の範囲が合理的範囲を超えて遡ることを認めるのは，取引の安全を害するおそれがあるので，破産法166条と同様に（本書627頁），行為が再生手続開始申立て等の日から1年以上前にしたものであるときには，否認を認めないこととしている（民再131）。ただし，有害性が強い無償否認（民再127Ⅲ）は，この制限の対象外である（民再131かっこ書）。

5　転得者に対する否認

再生手続開始前に再生債務者から受益者に移転された財産がさらに第三者（転得者）へと移転されたとき，または当該財産について第三者が制限物権の設定を受けたときに，それらの第三者に対して否認権を行使することについて特別の要件を設けたのが，転得者に対する否認である（民再134）。その基本的考え方は，破産について述べたところによる（本書628頁）。

転得者に対する否認は，以下の3つの場合に認められる。第1は，受益者お

よび中間転得者のすべてについて否認原因が存在し，かつ，転得者が転得の当時，その前者に対する否認原因の存在を知っている場合である（民再134Ⅰ①）。

第2は，転得者が再生債務者の内部者（民再127の2Ⅱ。本書631頁参照）の場合である。ただし，転得者の側で，転得の当時それぞれ前者について否認原因があることを知らなかったことを立証したときは，否認の成立が阻却されていた（改正前民再134Ⅰ②）。整備法による改正134条1項2号では，「再生債務者がした行為が再生債権者を害することを知らなかった」ことを立証したときは，否認の成立が阻却される。これは，受益者の悪意についての転得者の悪意（いわゆる二重の悪意）が転得者に対する否認の要件から除外された（民再134Ⅰ①）ためである。

第3は，転得者が無償行為またはこれと同視すべき有償行為によって転得した場合において，それぞれの前者に対して否認の原因があるときである（同③）。このときには，転得者保護の必要性が薄いので，否認原因についての転得者の認識は問題とされない。ただし，善意の転得者に対して否認が成立する場合には，現存利益の償還のみが義務づけられる（同Ⅱ・132Ⅱ）。

なお，再生債務者の受けた反対給付に関する転得者の権利については，整備法による改正134条の2の規定が新設されている。その内容は，否認権の行使主体が否認権限を有する監督委員または管財人である点を別とすれば，整備法による破産法改正170条の2について述べたのと同様である（本書632頁注324参照）。相手方の債権に関する転得者の権利を規定する整備法による改正134条の3についても，整備法による破産法改正170条の3について述べたのと同様である（本書633頁注324参照）。

第5項　否認権の行使

否認権は，詐害行為または偏頗行為によって逸出した財産を再生債務者財産に回復する目的で，否認権限を有する監督委員または管財人によって行使される権利である（民再132Ⅰ・135Ⅲ）。その権利の性質は，破産について述べたところによる（本書633頁）。

1　否認権の行使主体

破産手続上の否認権が破産管財人によって行使される（破173Ⅰ）のと比較して，再生手続上の否認権は，否認権限を有する監督委員または管財人によっ

て行使される（民再135 I）[38]。すでに述べた通り，管財人は再生債務者財産の管理機構たる資格（民再66）にもとづいて否認権を行使する。監督委員は，同じく再生手続の機関であるが，その本来の職務は再生債務者に対する監督であり（民再54 I），再生債務者財産に対する管理処分権を有しない。しかし，裁判所が，利害関係人の申立てまたは職権[39]で，特定の行為について否認権を行使する権限を付与する裁判をすると（民再56 I），その権限の行使に関して必要な範囲内で，再生債務者財産についての管理処分権が与えられる（同II）[40]。したがって，否認権限を有する監督委員は，特定の行為についての否認権の行使に関して必要な範囲で，再生債務者に代わって（民再38III参照），再生債務者財産の管理機構として否認権を行使すると考えられる。管財人の任務終了の場合の規定が否認権限を有する監督委員に準用されるのは（民再56III），このことを示すものである。

裁判所は，否認権限付与決定を変更し，または取り消すことができる（同IV）。否認対象行為を別のものとするなどが変更の例であり，否認権限付与決定が取り消されれば，たとえ否認訴訟などが係属中であっても，監督委員の当事者適格が消滅するから，訴えが中断する（民再141 I 柱書・同①）。さらに，裁

[38] 再生債務者自身や再生債権者に否認権の行使を認めず，監督委員に特別に否認権限を付与するという仕組みを採用した理由や立案の経緯については，花村367頁，民事再生法逐条研究115頁，松下・入門62頁，条解民事再生法311頁〔多比羅誠〕参照。否認権限の付与のみを目的として監督委員を選任できるかどうかという問題についても，民事再生法逐条研究116頁参照。東京地裁破産再生部においては，否認の成立の見込み，認可決定3年以内に否認の判断が確定する見込み（民再188II参照），監督委員に対する追加報酬の負担能力などを勘案して，否認権限付与の判断をしている。民事再生の手引〈第2版〉224頁。

なお，今後の立法論については，倒産と訴訟480頁〔山本和彦〕，判例・実務・改正提言458頁〔小島伸夫＝大石健太郎〕参照。

[39] 実際には，監督委員の申立てによって職権の発動を促すことが多い。民事再生の手引〈第2版〉225頁，［書式3-8-1］。申立書や否認権限付与決定の書式について，破産実務の基礎238頁参照。

[40] たとえば，再生債務者による不動産の廉価売却を否認して移転登記抹消手続を請求する場合には，当該不動産の所有権および登記名義についての管理処分権が与えられるし，偏頗弁済を否認する場合には，弁済金についての管理処分権が与えられ，否認権限を有する監督委員への給付を求めることができる（民事再生法逐条研究117頁参照）。否認権限を有する監督委員の地位は，権利義務の帰属主体である再生債務者に代わって管理処分権を行使する法定訴訟担当である。松下・入門64頁，新注釈民事再生法（上）335頁〔石井教文〕。否認権行使に際しての実務上の留意点については，150問186頁〔印藤弘二〕，188頁〔野上昌樹〕参照。

判所は，必要があると認めるときは，否認権限を有する監督委員が訴えの提起，和解その他裁判所の指定する行為をするには裁判所の許可をえなければならないものとすることができる（民再56Ⅴ）。許可をえないでした行為は無効であるが，善意の第三者に対抗することができない（同Ⅵ・41Ⅱ）。要許可行為の範囲は，否認訴訟の提起など，否認権の行使自体にかかわるものの他，取り戻した財産の管理処分など関連する行為にも及ぶ。

2 否認権の行使方法

否認権は，訴えまたは否認の請求によって，否認権限を有する監督委員または管財人が行使する（民再135Ⅰ）。管財人は，抗弁によっても，否認権を行使することができる（同Ⅲ）。否認権限を有する監督委員が抗弁によって否認権を行使することが認められないのは，その者が再生債務者財産に関する一般的当事者適格を有せず，第三者が原告となって再生債務者財産に関する取戻権にもとづく給付訴訟などを提起するときに被告となる資格がなく，したがって，その種の訴訟において抗弁として否認権を行使することも予定されないためである[41]。ただし，後に述べるように，このような場合には，否認権限を有する監督委員が訴訟参加（民再138Ⅰ）をする余地がある。

(1) 訴えによる行使

再生債務者が行った詐害行為を否認して，財産の取戻しを請求するとか，偏頗行為の否認にもとづいて金銭の支払を請求する場合には，否認権限を有する監督委員または管財人が原告となり，受益者や転得者を被告として訴えを提起する。否認訴訟の性質についての考え方は，破産の場合と共通である（本書636頁）。訴えの提起については，和解などを含めて，裁判所の要許可事項とされることがある（民再41Ⅰ⑤⑥・56Ⅴ）。

否認訴訟は，再生裁判所の職分管轄に属する（民再135Ⅱ）。再生裁判所とは，破産裁判所（破2Ⅲ）と同様に，再生事件が係属している裁判体を含む官署としての裁判所を意味する。

なお，再生手続開始当時，再生債権者が提起した詐害行為取消訴訟（民424）

---

[41] これに対して，債権調査の過程において監督委員による否認権行使を認める必要があるとの認識から，再生債権届出に対して監督委員が異議を述べうること，およびそれを前提として，再生債権確定手続の中で抗弁として監督委員が否認権を行使しうることを認めるべきであるとする立法論がある（松下淳一「民事再生法の立法論的再検討についての覚書」ジュリ1349号38頁（2008年），判例・実務・改正提言121頁〔鈴木義和〕）。

または破産法の規定による否認訴訟もしくは否認の請求を認容する決定に対する異議の訴えが係属しているときは，これらの訴訟は再生手続開始とともに中断する（民再40の2Ⅰ）。そして，否認権限を有する監督委員または管財人は，否認訴訟の提起に代えて，これらの訴訟を受け継ぐことができる（民再140Ⅰ前段）。相手方から受継の申立てをすることも許される（同後段）。

(2) 抗弁による行使

第三者からの取戻訴訟や再生債権者からの債権確定訴訟において，管財人が防御方法として相手方の権利の発生原因たる法律行為を否認したりする場合がこれにあたる。また，再抗弁としての否認権の行使も考えられる（本書638頁）。

(3) 訴訟参加による行使

再生債務者財産に属する特定の権利について，再生債務者の管理処分権（民再38Ⅰ）と否認権限を有する監督委員の管理処分権の双方が成立することがある。その結果として，たとえば，再生手続開始前に締結された売買契約について，売主であった再生債務者が，再生手続開始後に錯誤取消しを主張して，目的物の返還を訴求する可能性と，否認権限を有する監督委員が当該売買契約に対する否認権行使を理由として，目的物の返還を訴求する可能性とが併存する。

　　ア　再生債務者を当事者とする訴訟への否認権限を有する監督委員の参加（民再138Ⅰ）

再生債務者と相手方との訴訟が先行すると，否認権限を有する監督委員が訴えを提起しても，二重起訴禁止（民訴142）に抵触して，訴えが不適法とされる。また，先行訴訟について請求棄却の判決が確定していると，後行訴訟がその既判力によって遮断される[42]。このような場合に，否認権限を有する監督委員は，再生債務者と相手方との間の先行訴訟に参加することができる（民再

---

42) いずれも，先行訴訟と後行訴訟の訴訟物が同一であることを前提としている。民事再生法逐条研究117頁参照。なお，訴訟物の同一性が問題となる事例については，松下・入門70頁，松下淳一「再生手続における監督委員の否認権行使について」民事手続法190頁参照。ただし，法律行為の錯誤取消しを理由とする再生債務者による移転登記抹消登記手続請求と否認権限を有する監督委員による当該法律行為の否認を理由とする否認の登記手続請求，登記名義を有する相手方から再生債務者に対する引渡請求と否認権限を有する監督委員による当該法律行為の否認を理由とする否認の登記手続請求など，訴訟物の同一性が疑われ，または否定される場面でも参加の可否を検討する必要がある。条解民事再生法741頁〔齋藤善人〕参照。イに述べる再生債務者の参加についても，同様の問題がある。条解民事再生法746頁〔齋藤善人〕参照。

138Ⅰ)。

　参加の性質に関しては，独立当事者参加（民訴47）か共同訴訟参加（同52）かについて考え方の対立があるが[43]，本書では，再生債務者財産の回復に関する共同性を重視して，共同訴訟参加と解する。いずれにしても当事者参加であるから，参加人たる否認権限を有する監督委員は，相手方に対する請求を定立しなければならない。また，参加申出の方式については，民事訴訟法43条，47条2項および3項の規定が準用され，参加後の審理については，合一確定を実現するために，同法40条1項から3項の規定が準用される（民再138Ⅳ）。

　　イ　否認権限を有する監督委員を当事者とする訴訟への再生債務者の参加（民再138Ⅱ）

　アの場合とは逆に，否認権限を有する監督委員による否認訴訟が先行するときにも，同一の訴訟物に関する再生債務者の訴えは，二重起訴禁止にあたる。そこで，再生債務者は，相手方に対する請求を定立し，当事者としてその訴訟に参加することができる（民再138Ⅱ）。

　参加の方式および審理の規律に関しては，アと同様である（同Ⅳ）。なお，先行する訴訟が，否認の請求を認容する決定に対する異議の訴え（民再137Ⅰ）および監督委員が受継した詐害行為取消訴訟等（民再140Ⅰ）である場合も，同様である（民再138Ⅱかっこ書）。

　　ウ　相手方による訴えの主観的追加的併合（民再138Ⅲ）

　イの場合において，否認訴訟の相手方は，その訴訟に勝訴しても，重ねて再生債務者から訴えを提起されるおそれがある[44]。そのおそれを解消するために，相手方が再生債務者を被告として目的物返還義務不存在確認訴訟などの訴えを提起しようとしても，やはり二重起訴禁止の法理が適用される。そこで，相手

---

[43]　民事再生法逐条研究118頁，松下・入門66頁，松下・前掲論文（注42）192頁，新注釈民事再生法（上）799頁〔山本和彦〕，山本克己「民事再生法上の否認権者と訴訟手続」福永古稀800頁，德田和幸「民事再生法上の監督委員と否認権限の付与」櫻井古稀348頁，中島弘雅「監督委員の地位・監督委員による否認権行使」講座(3)321頁，条解民事再生法744頁〔齋藤善人〕参照。定立される請求の内容等については，山本克己論文に詳しい。

[44]　訴訟物が同一であるとすれば，理論上は，否認訴訟に勝訴すると，錯誤取消しを理由とする再生債務者からの返還請求も既判力によって遮断される。しかし，この点については，訴訟物を別とする考え方もあり，再生債務者からの返還請求が常に遮断されるという保障はないところに，この制度の必要性が求められる。

方が否認訴訟の口頭弁論終結に至るまで，再生債務者を被告として，当該訴訟の目的である権利または義務にかかる訴えを併合して提起することができる（民再138Ⅲ）[45]。この場合にも，必要的共同訴訟に関する審理の特則が準用される（同Ⅳ・民訴40Ⅰ～Ⅲ）。

(4) 否認の請求による行使

破産の場合と同様に，否認権の積極的行使は，訴えの方法以外に，より簡易な決定手続による否認の請求によることが認められる（民再136）。否認の請求の手続は，破産手続の場合と同様である（本書638頁）。

否認の請求を認容する決定（[書式3-8-2]）に不服がある者は，その送達を受けた日から1月の不変期間内に，異議の訴えを提起することができる（民再137Ⅰ）。異議の訴えの手続は，それが再生裁判所の職分管轄に属する（同Ⅱ）他は，破産の場合と同様である（本書640頁）。ただし，訴訟の終了に関しては，差異がある。否認権限を有する監督委員が当事者である異議訴訟は，再生手続開始決定取消決定の確定または再生手続終結決定によって再生手続が終了したときは終了する（民再137Ⅵ前半部分）。再生手続が終了した以上，もはや異議訴訟を維持する理由はなく，また再生債務者による受継もありえないからである[46]。管財人が異議の訴えの当事者である場合も同様である（民再137Ⅶ）。これに対して，再生計画不認可，再生手続廃止または再生計画取消決定の確定によって再生手続が終了したときは中断する（民再137Ⅵ後半部分）。この場合には，牽連破産の破産管財人による受継の可能性があるので（民再254Ⅰ），異議訴訟が中断する。管財人が当事者となっている場合には，異議訴訟は同じく中断し（民再68Ⅱ），破産管財人による受継の可能性がある（民再254Ⅰ）。

(5) 否認訴訟等の中断・終了等

否認権限を有する監督委員や管財人が否認訴訟を提起したり，詐害行為取消訴訟等を受継した後に，否認権限付与決定や管理命令が取り消されたり，再生手続が何らかの原因によって終了したりする場合がある。これらの事由が否認訴訟の係属にどのような影響を与えるかについては，訴訟の性質がいかなるも

---

[45] 再生債務者がその意思にかかわらず先行訴訟の当事者とされるという意味で，講学上の訴訟引込みにあたる。花村377頁，松下・入門68頁，条解民事再生法748頁〔齋藤善人〕，伊藤・民訴法682頁。

[46] 否認の請求認容決定の効力も失われる。

のであるか，否認訴訟等の当事者が否認権限を有する監督委員であるか，管財人であるか，あるいは否認訴訟等を受継すべき適格者が存在するかなどを考慮した規律が設けられている[47]。

第1に，否認権限を有する監督委員が当事者となっているときに，監督命令（民再54Ⅰ）または否認権限付与決定（民再56Ⅰ）が取り消されると，否認訴訟，否認の請求を認容する決定に対する異議訴訟（民再137Ⅰ），否認権限を有する監督委員が参加した訴訟（民再138Ⅰ）または否認権限を有する監督委員が受継した詐害行為取消訴訟等（民再140Ⅰ）は中断する（民再141Ⅰ柱書・同①）。そして，その後に再び否認権限付与決定がなされたり，管財人が選任された場合には，その監督委員または管財人が中断中の訴訟を受継する（同Ⅱ前段）[48]。

管理命令が取り消されたときにも，否認訴訟等は中断し（民再68Ⅳ前段・同Ⅱ・141Ⅰ柱書・同②），再び監督委員に対する否認権限付与決定や管理命令が発令されれば，監督委員や管財人によって受継される（民再141Ⅱ）[49]。

第2に，何らかの事由によって再生手続が終了したときには，訴訟の性質，訴訟当事者および新たな適格者の有無によって，取扱いが以下のように分かれる。否認権限を有する監督委員または管財人が受継した詐害行為取消訴訟等（民再140Ⅰ）は，すでに中断している場合（民再141Ⅰ①）を除いて，再生手続終了とともに中断し（民再140Ⅲ），再生債権者または破産管財人が受継する（同Ⅳ）。次に，管財人が提起した否認訴訟は，再生手続終了とともに中断し（民再68Ⅱ），再生債務者が受継するが（同Ⅲ），再生債務者は否認権行使を攻撃防御方法として主張できない。否認権限を有する監督委員が提起した否認訴訟の係属中に再生手続が終了した場合については，明文の規定がない。管財人が提起した否認訴訟と同様に，中断と再生債務者による受継を認める，あるいは当然に終了するという考え方が分かれうるが，後者が正当である[50]。

---

[47]　詳解民事再生法384頁以下〔水元宏典〕参照。

[48]　山本克己・前掲論文（注43）では，監督委員に対する否認権限付与の裁判の効果として，監督委員が訴訟当事者の地位を当然に承継するとされる。

[49]　管財人による否認訴訟は，法141条2項の適用対象ではないが，法68条3項（同条4項によって管理命令の取消しの場合に準用）の規定によって再生債務者に受継させるべき理由を欠くので，法141条2項の類推適用として，本文に述べた結論を採る。山本克己・前掲論文（注43）809頁参照。

[50]　再生債務者による受継を認めるとすれば，再生債務者は，否認権行使以外の攻撃防御方法を提出する以外にないが，すでに否認訴訟に参加する機会が与えられていた以上（民

(6) 否認権の裁判外行使

訴えもしくは抗弁または否認の請求による以外に、否認権の裁判外行使が認められるかどうかについては、争いがある。本書では、破産について述べたように（本書641頁）、これを肯定する。

第6項　否認権の消滅

再生手続開始の日（再生手続開始の日より前に破産手続が開始されている場合にあっては、破産手続開始の日[51]）から2年間を経過したとき、また否認の対象となる行為の日から20年を経過したときは、否認権を行使することができない（民再139。整備法による改正139では10年）。2年または20年（同10年）の期間の性質が除斥期間であることなどについては、破産について述べた通りである（本書643頁）。

第7項　否認権行使の効果

訴えなどによる否認権の行使によって、対象行為の結果として逸出した財産は、当然に再生債務者財産に復帰する（民再132 I）。しかし、現実に管財人など（管財人または否認権限を有する監督委員）が当該財産を管理処分するためには、受益者などから任意に目的物の返還を受けるか、引渡しなどの強制執行をするとかの具体的行為が必要になる。また、目的物自体の返還が不可能または著しく困難な場合には、管財人などは、それに代えて価額の償還を求めることができる。

1　金銭給付の返還

弁済に対する偏頗行為否認などの場合には、相手方が管財人などに対して、再生債務者から受領したのと同額の金銭の返還義務を負い、また、これに加え

再138 II)、改めて受継を認める理由に乏しいというのが、その理由となる。詳解民事再生法386頁〔水元宏典〕参照。
　ただし、立法論としては、否認訴訟が係属中は再生手続が終了せず、監督命令も失効しないとの規律も考えられる。倒産と訴訟481頁〔山本和彦〕、園尾隆司「否認の手続と否認訴訟」倒産法の実践346頁。

51)　先行する破産手続が中止することがその根拠となっている。これに対して、先行する再生手続が更生手続開始決定によって中止され（会更50 I）、その後に更生手続廃止決定確定などの事由によって再生手続が続行されるときは（会更257参照）、続行する再生手続の開始時から2年間を起算する。

て，受領の日から起算した遅延利息を支払わなければならない。遅延利息の利率は，法定利率（民404）による（本書645頁）。

2　物または権利の返還

否認権行使の相手方が管財人などに対して物または権利の返還義務を負う場合に問題となるのは，それらの物または権利の移転などに関して登記または登録の制度があるときである。この場合には，管財人などは否認の登記（または登録）を申請するが（民再13Ⅰ・15），否認の登記の性質について特殊登記説をとるべきことは，破産について述べた通りである（本書646頁）。否認の登記（または登録）については，登録免許税は不要である（民再14・15）。

否認の登記は，再生手続の目的を実現するための否認の効果を公示するためのものであるので，否認の登記にかかる権利の登記，たとえば管財人が否認によって再生債務者財産に復帰した不動産の所有権を第三者に譲渡し，その登記をする場合には，否認の登記自体は登記官の職権で抹消される（民再13Ⅱ①）。否認された行為を登記原因とする登記または否認された登記も同様である（同②）。さらに，それらに後れる登記も登記官の職権によって抹消される（同③）。これに対して，否認された行為の後否認の登記がなされるまでの間に，当該行為を登記原因とする登記にかかる権利を目的とする第三者の権利に関する登記がなされているときは，登記官の職権で，否認の登記の抹消および登記にかかる権利の再生債務者への移転登記がなされる（同Ⅲ）。その趣旨および例は，破産について述べた通りである（本書647頁）。

否認の登記が記入されているときに，再生債務者について再生計画認可の決定が確定したときは，裁判所書記官が職権で，遅滞なく，当該否認の登記の抹消を嘱託しなければならない（同Ⅳ，民再規81⑥・Ⅱ）。これは，再生計画認可決定確定までに当該財産について売却等の処分がなされないことを前提とするものであり，当該財産を含む再生債務者財産にもとづく再生計画が確定して，もはや否認の効果が覆る余地はないとの考え方にもとづいている[52]。したがって，嘱託を受けた登記官は，職権で，否認された行為を登記原因とする登記または否認された登記（民再13Ⅱ②）およびそれに後れる登記（同③）を抹消しなければならない（同Ⅴ前段）。当該権利にかかるその後の処分を容易にするため

---

[52] 以下も含め，新注釈民事再生法（上）72頁〔大寄麻代〕参照。

である。

　否認された行為の後否認の登記がなされるまでの間に，否認された行為を登記原因とする登記（同Ⅱ②）にかかる権利を目的とする第三者の権利に関する登記がされているときは，登記官は，職権で，上記の登記抹消に代えて，否認された行為を登記原因とする登記または否認された登記にかかる権利の再生債務者への移転の登記をしなければならない（同Ⅴ後段）。第三者の権利を保護するための措置である。

　再生計画認可決定確定前に再生手続が終了した場合，すなわち再生手続開始決定取消決定もしくは再生計画不認可決定が確定したとき，または再生手続廃止決定が確定したときは，裁判所書記官は，職権で，遅滞なく，否認の登記の抹消を嘱託しなければならない（同13Ⅵ，民再規8Ⅱ）。否認の効果が失われるために，否認の登記を抹消して，受益者などの利益を保護するための措置である。

3　無償否認の例外

　無償否認（民再127Ⅲ）は，再生債権者を害することおよび支払停止等について受益者が善意であったときにも成立するが，善意の受益者にも完全な原状回復義務を負わせると酷な結果となるので，行為の当時，詐害の事実（整備法による改正132Ⅱでは，「害すること」）および支払停止等について善意であった者は，現に受けた利益のみを償還すれば足りる（民再132Ⅱ）。現に受けた利益の意義は，破産について述べたところと共通である（本書648頁）。

4　価額償還請求権

　破産の場合と同様に（本書650頁），否認権が成立するときであっても，目的物の返還が不可能もしくは困難なこと，または目的物が減価し，その返還だけでは再生債務者財産が原状に回復しないときには，目的物の返還に代えて，またはそれに加えて価額償還請求権が認められる。償還価額算定の基準時などは，破産の場合と共通である。

5　相手方の地位

　詐害行為にみられるように，否認対象行為の相手方が再生債務者に対して反対給付を行っているときには，目的物を再生債務者財産に返還させることにともなって，反対給付を相手方に返還する必要が生じる。以下の規律の内容は，破産の場合とほぼ共通である（本書653頁）。

(1) 反対給付の返還

　詐害行為（民再127 I）もしくは無償行為と同視すべき有償行為（同Ⅲ）または相当の対価を得てした財産の処分行為（民再127の2 I）が否認されたときに、第1に、再生債務者の受けた反対給付が再生債務者財産中に現存する場合には、相手方がその返還を請求できる（民再132の2 I ①）。反対給付の返還について相手方に取戻権を認める趣旨である。第2に、反対給付が再生債務者財産中に現存しない場合には、相手方は、共益債権者として反対給付の価額償還請求権を行使できる（同②）。

　しかし、再生債務者が反対給付として得た財産について行為の当時隠匿等の処分（民再127の2 I ①）をする意思を有し、かつ、相手方がそれについて悪意である場合には、反対給付によって生じた利益が再生債務者財産中に現存する場合に限って、相手方の現存利益返還請求権を共益債権とし（民再132の2 Ⅱ柱書・①）、反対給付によって生じた利益が現存しない場合には、反対給付の価額償還請求権が再生債権となる（同②）。利益の一部が現存する場合には、その限度で現存利益返還請求権が共益債権となり、その部分を控除した反対給付の価額償還請求権が再生債権となる（同③）。

　否認対象行為の相手方が内部者（民再127の2 Ⅱ）のいずれかであるときは、再生債務者の隠匿等の処分意思に関する悪意が推定される（民再132の2 Ⅲ）。

　以上の結果として、相手方が反対給付たる目的物の返還請求権を有するときや、その価額償還請求権を共益債権として行使できるときには、否認権を行使する管財人などは、財産そのものの返還に代えて、財産の価額から反対給付の目的物の価額や共益債権額を控除した額の償還を請求することができる（同Ⅳ）。その趣旨は、破産法168条4項と共通であり、簡明な決済を可能にするために管財人などに選択権を与えたものである（本書656頁）。

(2) 相手方の債権の復活

　弁済その他の債務消滅に関する行為が偏頗行為否認の対象とされ、相手方が再生債務者から受けた給付を返還し、またはその価額を償還した場合には、相手方の債権が復活する（民再133）。相手方が一部の給付を返還したときには、その割合に応じて債権も復活する。債権の復活にともなった担保の復活などについては、破産に関して述べたところと共通である（本書657頁）。

第5節　法人の役員の責任の追及等

　法人の事業が破綻に瀕するに至るまでの過程では，その役員に事業執行等についての違法行為が見られることが多い。破産の場合と同様に（本書661頁），違法行為に起因する役員に対する法人の損害賠償責任（会社423，一般法人111 I・198）は，再生債務者財産となるから，再生債務者等としては，それを行使することによって再生債務者財産を増殖することが求められる。しかし，訴訟手続による追及は時間を要し，実効性に欠けるおそれがあるために，決定手続による査定手続が設けられ，また，再生手続開始前後における損害賠償請求権の実現を担保するために保全処分の制度が設けられている[53]。

第1項　役員の財産に対する保全処分

　裁判所は，法人である再生債務者について再生手続開始決定があった場合において，必要があると認めるときは，再生債務者等の申立てによりまたは**職権**で，再生債務者の理事，取締役，執行役，監事，監査役，清算人またはこれらに準じる者（役員と呼ばれる。会社法上の会計参与や会計監査人は，準じる者として扱われる）の責任にもとづく損害賠償請求権について，当該役員の財産に対する保全処分をすることができる（民再142 I。申立ての方式について民再規68参照）。再生手続開始申立てから再生手続開始決定をするまでの間においても[54]，緊急の必要があると認めるときは，裁判所は，再生債務者，保全管理人の申立てによりまたは**職権**で，財産保全処分をすることができる（民再142 II）。また，

---

[53]　再生債務者が業務遂行権および財産管理処分権を保持することを原則（民再38 I）とする再生手続であるが，その役員の責任追及は，機関としての公平誠実義務（同 II）の発現として行われなければならない。実務上では，監督委員の役割が重要である。その他，再生手続開始申立人である弁護士の倫理上の問題も含めて，倒産と訴訟222頁〔岡伸浩＝島岡大雄〕，岡・理論研究91頁以下参照。

[54]　破産法の場合には，「破産手続開始の申立てがあった時から当該申立てについての決定があるまでの間においても」と規定されているために（破177 II），「破産手続開始の申立てを棄却する決定に対して第33条第1項の即時抗告があった場合」にも，保全処分およびこれに付随する手続がとられる旨を規定する（同 VII）。これに対して民事再生法の場合には，「再生手続開始の決定をする前でも」保全処分をすることができるとされているために（民再142 II），再生手続開始申立て棄却決定がなされ，それに対する即時抗告（民再36 I）があった場合には，当然に保全処分の可能性が認められる。

管財人が選任されていないとき,または保全管理人が選任されていないときは,再生債権者も,保全処分の申立てをすることができる(同Ⅲ)。

　この保全処分の目的,性質,被保全権利,発令の要件,保全処分の内容あるいは立担保の不要性などについては,破産について述べたところと共通である(本書662頁)。

　申立てまたは職権によって保全処分が発令されれば,裁判所書記官の嘱託にもとづいて当該財産について保全処分の登記がなされる(民再12Ⅰ②)。また,裁判所は,必要に応じて保全処分を変更し,または取り消すことができる(民再142Ⅳ)。変更または取消しについても,登記嘱託がなされる(民再12Ⅱ)。申立ての取下げ等の理由によって保全処分が失効した場合も同様である。

　再生手続開始前後の保全処分決定,その取消しまたは変更決定に対しては,即時抗告による不服申立てが認められるが(民再142Ⅴ),執行停止の効力はない(同Ⅵ)。これらの決定および即時抗告についての裁判があった場合には,その裁判書が当事者に送達される(同Ⅶ前段)。送達代用公告の規定(民再10Ⅲ本文)は適用しない(民再142Ⅶ後段)。

第2項　役員の責任の査定手続

　法人の役員に対する損害賠償請求権の有無およびその内容について,簡易な手続によって迅速に判断するために,法は損害賠償請求権の査定の手続を設けている(民再143・144)。他方,事柄の性質は,実体権である損害賠償請求権の存否・内容に関わるために,判決手続による判断を求める機会を保障する必要があり,そのために査定決定に対する異議の訴えが許される(民再145・146)[55]。

　裁判所は,法人である再生債務者について再生手続開始決定があった場合において,必要があると認めるときは,再生債務者等の申立てによりまたは職権で,役員の責任にもとづく損害賠償請求権の査定の裁判をすることができる

---

[55]　破産手続の場合と同様に(本書664頁注395),査定手続と株主代表訴訟(責任追及の訴え。会社847)との関係が問題となる。管財人が選任される場合だけではなく,機関としての再生債務者が,監督委員などの監督の下に査定の申立てをしたとすれば,それが株主代表訴訟に優先することを原則とすべきであろう。詳細は,新注釈民事再生法(上)823頁〔阿多博文〕参照。

　また,訴訟手続による役員の責任追及との関係で,査定申立ての方途を選ぶべきかどうかの判断基準については,民事再生の手引〈第2版〉236頁参照。

（民再143Ⅰ)[56]。管財人が選任されていないときは，再生債権者も査定の裁判の申立権を認められる（同Ⅱ)。申立人は，その原因となる事実を疎明しなければならない（同Ⅲ。申立書の記載等について民再規69参照)。また，職権によるときには，裁判所は手続開始の裁判をしなければならない（民再143Ⅳ)。申立ての事実および職権による手続開始決定の事実には，裁判上の請求としての時効の完成猶予および更新の効力が与えられる（同Ⅴ)。なお，この手続は再生手続に付随するものであるから，役員責任査定決定があるまでに再生手続が終了したときには，査定手続も終了する（同Ⅵ)[57]。

損害賠償請求を受ける役員に対する手続保障のために，査定に関する裁判をする際には，裁判所は役員を審尋しなければならないし（民再144Ⅱ)[58]，役員責任査定決定またはその申立てを棄却する決定には，理由を付さなければならない（同Ⅰ)。また，役員責任査定決定については，異議の訴えが認められ，申立人がそれに対する防御をする必要があるところから，決定の裁判書が，申立人や役員などの当事者に送達される（同Ⅲ前段)。送達代用公告の規定（民再10Ⅲ本文）は，適用されない（民再144Ⅲ後段)。

第3項　査定の裁判に対する異議の訴え

役員の責任に関する査定の裁判に不服がある者は，その送達を受けた日から1月の不変期間内に，異議の訴えを提起することができる（民再145Ⅰ)[59]。こ

---

[56] 事例として，東京地決平成12・12・8金法1600号94頁がある。東京地裁破産再生部における状況については，民事再生の手引〈第2版〉242頁参照。

[57] 和解による終了可能性もある。なお，責任免除に関する会社法などの規定との関係で，再生債務者である会社が債務超過の場合に限って和解を認めるとの有力説があるが，査定手続の特質を考えれば，そのような限定は不要である。新注釈民事再生法（上）828頁〔阿多博文〕。

[58] 民事訴訟の一般原則と異なって，任意的口頭弁論を開くことも許されない。本書666頁注397，新注釈民事再生法（上）827頁〔阿多博文〕。

[59] 査定申立て棄却決定に対して異議の訴えの提起が許されないこと，およびそれに関連する問題については，本書666頁注401，新注釈民事再生法（上）831頁〔阿多博文〕参照。なお，再生債権者にも申立権が認められていること（民再143Ⅱ）を前提として，査定申立てをした再生債権者以外の再生債権者も異議の訴えの当事者適格が認められるとする有力説がある。条解民事再生法782頁〔中島弘雅〕。しかし，異議の訴えの当事者適格は，査定申立ての裁判に対する不服を基礎としている以上，このような考え方には疑問がある。

　また，査定申立てに対して一部認容・一部棄却の裁判がなされ，それに対して役員が異議の訴えを提起したときに，出訴期間経過後でも，再生債務者等や再生債権者が反訴とし

の訴えについては，再生裁判所が管轄する（同Ⅱ）。訴えの原告は，査定の裁判に不服を申し立てる者であるから，役員が原告となるときは，査定の裁判の申立てをした者（民再143Ⅰ）を被告とし，一部認容の査定の裁判に対してその申立てをした者が原告となるときは，役員を被告とする（民再145Ⅲ）[60]。また，職権によってなされた査定の裁判に対する異議の訴えの場合には，役員が原告となるときは，再生債務者を被告とし，再生債務者等が原告となるときは，役員を被告とする（同Ⅳ）。

複数の提訴権者が存在するために，同一の役員の責任についての査定の裁判に対して数個の異議の訴えが同時に係属するときは，合一確定の要請を満たすために，必要的共同訴訟の規律（民訴40Ⅰ～Ⅲ）が準用される（民再146Ⅱ）[61]。したがって，審理のための口頭弁論も，1月の提訴期間を経過した後でなければ，開始することができない（同Ⅰ）。

異議の訴えの基本的性質は，査定の裁判の効力にかかる形成的宣言を求める形成訴訟であり，したがって，訴えを不適法として却下する場合を除いて，判決では，査定の裁判を認可し，変更し，または取り消す（同Ⅲ）。査定の裁判を認可し，または変更した判決は，強制執行に関しては，給付判決と同一の効力を有する（同Ⅳ）[62]。

再生手続が終了したときは，異議の訴えのうち，再生債務者が当事者となっているものについては，訴訟手続に影響を生じないが[63]，それ以外のものは中断し（同Ⅵ前段），再生債務者が受継する（同後段・68Ⅲ）。査定の手続は，再生手続終了とともに，終了するが（民再143Ⅵ），異議訴訟の段階にまで至ったものは，紛争解決のために，再生債務者に続行させる趣旨である。

ての異議の訴えを提起できるとし，再生債務者等や再生債権者の提起した異議の訴えにおける役員の反訴についても，同様に解する見解が有力である（条解民事再生法784頁〔中島弘雅〕，新注釈民事再生法（上）834頁〔阿多博文〕）。しかし，期間内に提訴の判断を求める出訴期間の制度趣旨からして，疑問がある。

[60] 異議の訴えによって査定決定が取り消された裁判例として，東京地判平成16・9・28判時1886号111頁がある。

[61] 一つの査定申立てにもとづく複数の役員に対する査定の裁判については，合一確定の必要がなく，これらの規律は適用されない。新注釈民事再生法（上）836頁〔阿多博文〕。

[62] 認可または変更判決自体が債務名義としての効力を持ち，仮執行宣言も付されうる関係から（民再146Ⅴ），認可または変更の宣言に加えて，給付義務の内容を判決主文において明確にすべきである。

[63] その後に破産手続に移行すれば，中断し（破44Ⅰ），破産管財人が受継する（同Ⅱ）。

なお,異議の訴えが1月の出訴期間内に提起されなかったとき,または出訴期間の徒過などの理由によって却下されたときは,査定の裁判は,確定給付判決と同一の効力,すなわち既判力と執行力とを認められる(民再147)[64]。

---

[64] 一部棄却の裁判に対して再生債務者等や再生債権者が異議の訴えを提起しても,役員に反訴の可能性との関係で(注59),一部認容部分についても確定判決と同一の効力が生じないとする見解が有力であるが(条解民事再生法789頁〔中島弘雅〕),そもそも反訴の可能性自体に疑問がある。
　また,既判力の客観的範囲は,査定の原因となった事実にもとづく当該役員に対する損害賠償請求権の有無および内容であり,それを超える問題は,信義則に委ねられる。

第7章　再生手続の進行

　再生手続は，再生債務者財産にもとづいて将来の実現を期待される価値の一定部分を，再生計画を通じて，再生債権者をはじめとする利害関係人に配分しながら，再生債務者の事業などの再生を図ることを目的とする（民再1参照）。この目的を実現するための再生計画案の策定のためには，一方で，再生債権者などの権利内容を調査・確定するとともに，他方で，再生債務者財産の内容を調査・確定し，再生に不要な資産を売却するとか，担保権の実行を抑止して，再生に必要な資産を確保し，あるいは再生のために営業を譲渡するなどの作業を経る必要がある。

第1節　再生債権の届出・調査・確定

　再生債権は，再生債務者に対して再生手続開始前の原因にもとづいて生じた財産上の請求権であり，共益債権または一般優先債権でないものであることを原則とする（民再84Ⅰ）。しかし，破産債権の場合と同様に（本書669頁），性質としては再生債権であっても，再生手続上で議決権などを行使し，また再生計画による弁済を受けるためには，その存在および内容が確定されたものでなければならない。そこで法は，再生手続の迅速な遂行のために，個別的にではなく，集団的な確定を図ることを目的として，再生手続内部に届出，調査および確定のための手続を設けている。

第1項　再生債権の届出

　再生債権者が再生手続上認められる様々な権能や地位，すなわち再生計画案の決議をはじめとする議決権（民再87Ⅰ），債権調査手続における異議権（民再102Ⅰ・103Ⅳ），再生計画において変更された具体権利内容（民再157・179），あるいは各種の申立権などを行使するためには（民再86Ⅰ），まず再生債権者と

しての届出をなし，その存在および内容が確定されることを要する[1]。もっとも，再生債権たること自体について生じる手続上の法律効果，たとえば個別的権利行使の禁止（民再85Ⅰ），再生計画による権利変更（民再156・181），あるいは免責（民再178）は，届出の有無にかかわりなく生じる。なお，再生手続開始前の罰金等についても届出義務が課されるが（民再97①，民再規35の2）[2]，議決権，再生計画による権利変更，届出期間経過による失権，再生計画による

---

1) 届出は，再生手続の手続にしたがってなされなければならず，再生手続に先行して再生手続を内容とする訴えを提起したからといって，再生債権の届出があったということはできない。広島高判平成24・5・30判タ1385号303頁〔会社更生〕。

　共益債権としての地位を主張するが，それが認められない場合に備えるなどの目的から，本来的地位が認められることを解除条件として再生債権の届出がなされる場合がある。実務慣行上，これを予備的債権届出と呼ぶが，その適法性については，条解会更法（中）402，564頁，詳解民事再生法455頁〔森宏司〕，最新実務会社更生179頁参照。適法性を認めた裁判例として，東京地判平成21・10・30判時2075号48頁がある。

　これに対して，ある債権を無条件に再生債権として届け出て，これが確定したときは，その後に当該債権を共益債権であると主張することはできないとしたものとして，大阪高判平成23・10・18金法1934号74頁があり，最判平成25・11・21民集67巻8号1618頁〔倒産百選49事件〕は，民事再生法95条の規定の趣旨から，再生計画案の付議決定がなされた以上，予備的届出である旨が付記されずに再生債権として届出がされた債権を共益債権として行使することはできないとしている。信義則を背景として，再生手続の安定を重視し，付議決定後は，無条件の届出を予備的届出に変更できない点を重視したものと理解される（理論構成および判例の意義に関する分析として，増田勝久＝飯田幸子「再生債権として届け出られた共益債権の扱い（最高裁平成25年11月21日判決の検討と理論の整理）」銀行法務21 790号32頁（2015年），島岡大雄「財団債権・共益債権の行使をめぐるいくつかの問題の若干の検討」加藤新太郎古稀506頁がある。事件は，民事再生法49条5項（破54Ⅱ後半部分）にもとづく共益債権に関するものであるが，他の種類の共益債権や一般優先債権についても，判旨の趣旨が妥当すると思われる。破産手続の財団債権や更生手続の共益債権について同様の問題が生じた場合の取扱いについて島岡・前掲論文510頁参照。

　ただし，十分な法的知識を備えない債権者が誤って再生債権としての届出をなし，不利益を受けることがないよう，再生債務者等が配慮すべき場合もあろう。高田賢治「労働債権についての情報提供努力義務」銀行法務21 790号39頁（2015年）参照。

　また，未届けの再生債権であっても，例外的に再生計画の定めによる権利を行使することが認められることがあり（民再101Ⅲ・179・181Ⅰ①②），また再生計画で定められた弁済期間満了後に弁済を受けることがある（民再181Ⅰ③・Ⅱ）。

　なお，共助対象外国租税の請求権をもって再生手続に参加するには，共助実施決定をえなければならない（民再86Ⅲ）。

2) 共益債権または一般優先債権であるものは除く（民再97①かっこ書）。なお，共助対象外国租税の請求権をもって再生手続に参加するには，共助実施決定をえなければならない（民再86Ⅲ）。その例については，条解民事再生法519頁〔岡正晶〕，新注釈民事再生法（上）560頁〔大川治〕参照。

弁済の時期については，特別の取扱いがなされる（民再87Ⅱ・155Ⅳ・178Ⅰ但書・181Ⅲ）。共助対象外国租税の請求権についても，特別の取扱いがなされる（本書1049，1083，1122，1125頁参照）。

また，届出には，再生手続上の効果とは別に，再生手続終了まで時効の完成猶予および更新の効果が認められる（民147Ⅰ④）。届出債権が認められずまたはこれに対して異議が述べられ，届出債権が確定しなかったときは，「確定判決又は確定判決と同一の効力を有するものによって権利が確定することなくその事由が終了した場合」にあたり，6カ月間の完成猶予効は生じるが（民147Ⅰ柱書かっこ書），更新の効果（民147Ⅱ）は生じない（本書671頁）。

1 届出の手続

届出は，再生債権について管理処分権をもつ者によってなされるべきことは，破産の場合と同様である（本書671頁）。代理人による届出も可能であるが，届出書に代理権を証する書面を添付しなければならない（民再規31Ⅳ）。代理委員（民再90Ⅰ）による届出も可能である[3]。

(1) 届出の方式

再生債権の届出は，写しを添付した書面によって（民再規2ⅠⅡ・32Ⅰ）[4]裁判所に対して行う（民再94Ⅰ）。届出の内容は，各再生債権の内容および原因，約定劣後再生債権であるときはその旨，議決権の額その他民事再生規則で定める事項である（民再規31Ⅰ各号）[5]。別除権者の場合には，予定不足額の届出も求められる（民再94Ⅱ）。再生債権が執行力ある債務名義または終局判決のあるものであるときは，届出書にその写しを添付しなければならない（民再規31

---

3) 手続に関しては，詳解民事再生法453頁〔森宏司〕，民事再生の手引〈第2版〉139頁，[書式3-3-1]参照。

4) 届出書の書式等については，運用指針194頁参照。写しは再生債務者等に送付され（民再規32Ⅱ），債権調査のための資料となる。

5) 内容とは，金銭債権か非金銭債権かの別にしたがって，債権の額，目的，弁済期，履行期，利率などを指し，原因とは，当該権利の発生原因事実を指す（詳解民事再生法454頁〔森宏司〕，新注釈民事再生法（上）551頁〔林圭介〕）。その他の届出事項は，再生債権者および代理人の氏名等である（民再規31ⅠⅡ）。

　内容等が記載されず，再生債権としての特定を欠く届出書に対しては，補正が命じられ，これに応じないと届出書が却下される可能性がある（民再18，民訴137）。役務提供権，ゴルフ会員権などの届出に関する注意事項について，民事再生の手引〈第2版〉144頁。また，相続人による届出について，同書152頁参照。届け出られた債権額が再生債務者が認識する債権額より少ない場合にも適切な対応が求められることについて，150問96頁〔村松剛〕参照。

Ⅲ)6)。

(2) 債権届出期間

債権届出期間は，裁判所が再生手続開始決定と同時に定める（民再34Ⅰ）。届出期間は，原則として，再生手続開始決定の日から2週間以上4月以下である（民再規18Ⅰ①。ただし，知れている再生債権者で日本国内に住所，居所，営業所または事務所がないものがある場合には，4週間以上4月以下である（同かっこ書））。この期間は，裁判所によって公告され（民再35Ⅰ②），かつ，再生債務者および知れている再生債権者等に対して通知するのを原則とする（同Ⅲ①）。

再生債権の届出は，債権届出期間内にしなければならない（民再94）。遅延した届出は，迅速な手続の遂行を妨げる結果となる。これは破産の場合も同様であるが（本書675頁），特に，民事再生や会社更生のような再生型手続の場合には，再生計画や更生計画の立案が後れるという重大な結果を生じるおそれがある。

破産においては，一般調査期間または一般調査期日を基準として，それに後れた届出については，責めに帰することができない事由によるものであり，かつ，その事由が消滅した後1月以内に限って，届出を認めているのに対して（破112Ⅰ），再生では，さらにこれを厳格にし，債権届出期間を基準として，それに後れた届出については，責めに帰することができない事由7)によるものであり，かつ，その事由が消滅した後1月以内に限り，届出の追完を認めているのは（民再95Ⅰ），このような理由による。1月の期間は，伸張し，または短縮することができない（同Ⅱ）。また，追完の可否の判断を迅速に行うために，追完の債権届出書には，債権届出期間内に届出をすることができなかった事由およびその事由が消滅した時期をも記載しなければならない（民再規34Ⅰ）。

ただし，再生債務者が双方未履行双務契約を解除した結果として生じる相手方の損害賠償請求権のように（民再49Ⅴ，破54Ⅰ），債権届出期間経過後に生じ

---

6) 破産の場合と異なって，証拠書類の添付は義務づけられないが（破規32Ⅳ。本書674頁），再生債務者等によって証拠書類の送付を求められれば，再生債権者はこれに応じなければならない（民再規37）。

7) 届出期間経過後の届出である以上，一般調査期間前であっても，「責めに帰することができない事由」が求められる（森倫洋「再生債権の調査・確定」講座（3）373頁）。金額が小さい場合や遅れが短い場合などは，ゆるやかに解してよい。条解民事再生法514頁〔岡正晶〕。実務上では，再生債務者に異議がないときは，一般調査期間前であれば，認否書に届出と認否の追加記載を認めている。民事再生の手引〈第2版〉148頁。

た再生債権については，その権利の発生した後1月の不変期間内に届出をしなければならない（民再95Ⅲ）。この場合には，届出書に当該債権が生じた時期を記載しなければならない（民再規34Ⅱ）。

しかし，いずれの場合であっても，再生計画案を決議に付する旨の決定（民再169Ⅰ）がされた後は，債権届出の追完をすることは許されない（民再95Ⅳ）。再生計画案が確定した段階になって，その基礎となる再生債権に変動を生じさせることが不合理なためである。

債権届出の追完がされたとき，それが適法と認められる場合には，裁判所は，特別調査期間を定める（民再103Ⅰ）。その費用は，届出再生債権者の負担になる（民再103Ⅱ）。これに対して，適法と認められない場合の措置については，考え方が分かれるが，却下決定をすべきである[8]。

(3) 届出事項の変更と取下げ

届出事項の変更に関する取扱いは，それが他の再生債権者の不利益になるものかどうかによって分かれる。再生債権額を増額するなど他の再生債権者の不利益になるものは，実質的に新たな債権届出と同視されるから，債権届出期間内であれば特別の制限を受けないが，債権届出期間経過後は，上記の規律に服する（民再95Ⅴ）。

これに対して，変更が他の再生債権者の不利益にならない場合については，さらに再生債権の内容の変更とその帰属主体の変更とが分けられる。再生債権の内容の変更のうち，債権額の消滅や減額は，実質的には，債権届出の全部または一部の取下げとみなされるが，手続としては，届出をした再生債権者がその旨を裁判所に届け出なければならない（民再規33Ⅰ）。再生債務者等の側からもその旨を届け出ることができる（同Ⅱ本文）。もっとも，再生債務者（管財人が選任されている場合を除く）からの届出については，届出再生債権者との間に利害関係の対立が存在するので，変更届出の対象となる再生債権者に対して，変更届出に異議があるときは一定の期間内に異議を述べるべき旨をあらかじめ通知した場合において，当該期間内に当該再生債権者の異議がなかったときに限る（同Ⅱ但書）。異議を述べる期間は，1週間を下ってはならない（同Ⅲ）。

---

[8] 詳解民事再生法458頁〔森宏司〕，森・前掲論文（注7）376頁。単に特別調査期間を定めないという処理も考えられるが，6カ月の時効の完成猶予期間の起算点（民147Ⅰ柱書かっこ書）を明らかにするために，却下決定をすべきであろう。

再生債権者または再生債務者等からの変更届出については，その内容に関する定めがあり（同Ⅳ），再生債権者からの変更届出については，写しの添付についての定めがあり（同Ⅵ），また再生債務者等からの変更届出については，証拠書類の写しの添付が求められる（同Ⅴ）。いずれの場合であっても，裁判所書記官は，変更届出の内容を再生債権者表に記載する（同Ⅶ）。

帰属主体の変更は，届出名義の変更と呼ばれる。届出後に債権譲渡，法定代位，あるいは任意代位などの原因によって再生債権の移転を生じたときには，債権届出期間が経過した後でも，届出名義の変更を受けることができる（民再96)[9]。届出書の記載事項や添付書類等については，規則の定めるところによる（民再規35)[10]。

なお，再生債権届出の取下げも，再生手続参加を撤回する旨の裁判所に対する意思表示として可能であり，その効果は，破産債権届出の取下げについて述べたところと共通である（本書677頁）。

2　再生債権者表の作成

届出を受けた裁判所の裁判所書記官は，届出があった再生債権および再生債務者等が自認する再生債権（民再101Ⅲ）について，再生債権者表を作成しなければならない（民再99Ⅰ）。作成時期については，一般調査期間の開始後遅滞なく作成するものとされる（民再規36Ⅰ）。再生債権者表には，各債権について，その内容（約定劣後再生債権であるかどうかの別を含む）および原因，議決権の額，別除権者が届け出た予定不足額（民再94Ⅱ）その他民事再生規則で定める事項（民再規36Ⅱ）を記載しなければならない。

再生債権者表作成の目的は，債権調査の対象や調査の結果を明らかにし（民再104Ⅱ），議決権の行使や再生計画立案の資料とすること，また確定債権について再生債権者に対する確定力（同Ⅲ）を付与すること，および再生債務者などに対する執行力を付与するところにある（民再180ⅡⅢ）。

---

[9]　ただし，再生計画認可決定が確定すれば，再生債権は，その定めによって変更されるから（民再179Ⅰ），もはや届出再生債権そのものの移転およびそれにもとづく名義変更は意味を持たず，変更された権利の移転のみが考えられる。詳解民事再生法462頁〔森宏司〕。これに対して，再生手続の終了時までは届出名義の変更等が許されるとする有力説がある。赫高規「再生債権認否書および再生債権者表をめぐる諸問題」今中古稀222頁。

[10]　実務上，債権譲渡などの場合には，新旧債権者の連名による届出が求められるので，旧債権者が名義変更届出に応じないときには，新債権者が自ら届出をなす一方，旧債権者の届出に対して異議を述べることになる。条解民事再生法518頁〔岡正晶〕。

再生債権者表の記載に誤りがあるときは，裁判所書記官は，申立てによりまたは職権で，いつでもその記載を更正する処分をすることができるし（民再99Ⅲ），さらに不服のある再生債権者は，裁判所に異議の申立てをすることができる（民再18，民訴121）。また，作成された再生債権者表は，利害関係人による閲覧等の対象となる（民再16）。再生債権者の異議権行使の機会を与えるためである。

第2項　再生債権の調査

再生債権の調査は，届出にもとづいて作成される再生債権者表に記載の各債権の内容等（民再99Ⅱ）について，再生債務者等が作成した認否書ならびに再生債権者および再生債務者（管財人が選任されている場合）の書面による異議にもとづいてなされる（民再100）。破産の場合には，手続の種類として調査期間および調査期日が分けられ，手続の方式として書面方式と口頭方式に分けられ，その両者が組み合わされるのと比較すると（本書681頁），再生においては，手続の簡素化のために調査期間における書面方式のみが採用されている。しかし，再生債務者等が認め，かつ，届出再生債権者の異議がなかったときは，その再生債権の内容または議決権の額は確定し（民再104Ⅰ），裁判所書記官による確定した再生債権についての再生債権者表の記載（同Ⅱ）は，再生債権者の全員に対して確定判決と同一の効力を有する（同Ⅲ）。破産式確定に準じて，これを再生式確定と呼ぶこととする。

再生債務者等が認めず，また届出再生債権者の異議が提出されると，その債権は再生債権者と異議者との間の査定手続および査定決定に対する異議訴訟を通じて確定される（民再105以下）。そして，再生計画認可の決定が確定したときは，再生計画によって認められた権利については，再生債権者表の記載は，再生債務者等に対して確定判決と同一の効力を有するものとして執行力を生じる（民再180Ⅱ・Ⅲ本文）。時効期間は10年となり（民169Ⅰ），再生手続終了時から新たにその進行を始める（民147Ⅱ）。

1　再生債務者等の認否および自認

再生債務者等による調査は，債権届出に対する認否と自認の2つの方法によって行われる。

(1) 再生債務者等による認否

　再生債務者等は，債権届出期間内に届出があった再生債権について，その内容および議決権についての認否を記載した認否書を作成しなければならない（民再101Ⅰ）[11]。また，再生債務者等は，届出期間経過後に届け出られた再生債権（民再95Ⅰ）または他の再生債権者の利益を害すべき届出事項の変更があった再生債権（同Ⅴ）についても，その内容および議決権（届出事項の変更があった場合には，変更後の内容および議決権）についての認否を認否書に記載することができる（民再101Ⅱ）。この認否は裁量的であるが，認否書にこの記載があれば，追完がなされた再生債権なども一般調査期間における調査の対象となり（民再102Ⅰ），特別調査期間を定める必要がなく（民再103Ⅰ但書），手続の迅速化を図れるためである[12]。

　認否書に，再生債権の内容または議決権についての認否の記載がないときは，再生債務者等においてこれを認めたものとみなす（民再101Ⅵ前段）。認否書に，届出の追完がなされた再生債権などについて，その内容または議決権のいずれかに関する認否の記載がない場合にも，これを認めたものとみなされる（同後段）[13]。

　再生債務者等は，一般調査期間前の裁判所が定める期限までに，認否書正本および副本（民再規38Ⅲ）を裁判所に提出しなければならない（民再101Ⅴ）。再

---

11) 認否書作成のための証拠書類送付や認めない債権についての理由付記について，民事再生規則に規定がある（民再規37・38Ⅰ）。なお，認否にあたって，再生債務者は，その公平誠実義務（民再38Ⅱ）に則した調査と判断が求められる。民事再生の手引〈第2版〉151頁。認否書については，[書式3-4-1]，運用指針206頁参照。
　また，争いが多発しがちである損害賠償請求権などについて認否の工夫を紹介するものとして，福岡真之介ほか「第一中央汽船の民事再生について──海運会社の国際的倒産事件の事例」事業再生と債権管理156号127頁（2017年）がある。さらに，敷金返還請求権について法92条3項による共益債権の範囲が確定しない場合に，暫定的に再生債権として認めない旨の認否をした上で，後日にそれを変更するなどの対応も考えられる。
12) 債権届出期間経過後に届け出られた債権について，追完事由の記載がされていない場合であっても，再生債務者等が認否を記載できるかという問題があり，これを認めるべきであるとする考え方が有力である。赫・前掲論文（注9）207頁。
13) 内容および議決権のいずれについても記載がなければ，この効果は生じない。本来，届出が追完された債権についての認否は裁量的だからである。新注釈民事再生法（上）571頁〔久末裕子〕。規定の趣旨は，破産法117条5項と同趣旨である（本書683頁参照）。
　なお，東京地裁破産再生部では，認めなかった再生債権について，再生債務者等から当該再生債権者に対して異議通知書を送付するように求めている。民事再生の手引〈第2版〉160頁，[書式3-4-2]。

生債務者がこの義務を怠ると，裁判所は，監督委員もしくは管財人の申立てによりまたは職権で，再生手続廃止の決定をすることができる（民再193Ⅰ柱書・③）。

なお，再生債務者等は，いったん「認めない」旨を認否書に記載したときであっても，その後に「認める」旨に変更することができる[14]。その場合には，当該変更の内容を記載した書面を裁判所に提出するとともに，当該再生債権を有する再生債権者に対し，その旨を通知しなければならない（民再規41ⅠⅢ）[15]。逆に，認否書に「認める」旨を記載した後に，それを「認めない」旨に変更することは許されない。確定の効果（民再104Ⅰ）とも矛盾するし，当該再生債権者に対して不測の不利益を与えるおそれもあるからである[16]。

(2) 再生債務者等による自認

再生債権者から届出がなされない再生債権は，再生債権者表に記載されず，

---

[14] 変更の許される時的限界については，再生計画案の修正や変更が許される期間（民再167但書・172の4）とする有力説および実務がある。再生債権者による異議の撤回についても，同様である。詳解民事再生法475頁〔森宏司〕，赫・前掲論文（注9）216頁，150問99頁〔若田順〕。これに対して，査定申立期間（民再105Ⅱ）の経過後は，再生債権としての手続参加が認められないことが確定したとして，「認める」旨への変更や異議の撤回を許さない見解も有力である（新注釈民事再生法（上）575頁〔久末裕子〕参照。基本構造163頁）。前者の考え方は，査定申立期間を徒過した再生債権者を変更や撤回によって救済するという意図にもとづくものと理解される。しかし，申立期間の徒過によって上記のような意味での確定効が生じるとすれば，後者の考え方が正当と思われる。基本構造166頁〔伊藤眞発言〕。

もちろん，査定の申立てなどの債権確定の手続がとられているときには，異議の撤回によって確定した再生債権となる。これに対して，申立期間が徒過しても，異議が撤回され，当該再生債権が修正または変更された再生計画案に表示されれば，弁済を受けられるのに対して，表示されないときには，再生計画による弁済期間満了後の弁済になるという有力説がある。森・前掲論文（注7）390頁。

なお，上記のこととは別に，債権調査期間前に認否書の誤りを修正できるかという問題があり，有力説はこれを積極に解する。赫・前掲論文（注9）211頁。

[15] なお，認否書に「認めない」旨の記載がなされたこと自体は，届出再生債権者に対して通知されない（他の再生債権者による異議の通知に関する民再規44，条解民事再生規則106頁参照）。したがって，届出再生債権者としては，認否書を閲覧し（民再16Ⅰ），自己の届出再生債権に対する再生債務者等の認否を確認する必要がある。詳解民事再生法471頁〔森宏司〕，森・前掲論文（注7）392頁。

[16] 民事再生法逐条研究93頁，詳解民事再生法470頁〔森宏司〕，新注釈民事再生法（上）576頁〔久末裕子〕。もちろん，一般調査期間開始後であっても，当該再生債権者の同意があれば別である。民事再生の手引〈第2版〉161頁。これに対し，調査期間経過前で，認否書が利害関係人の閲覧に供されるまでは，変更が許されるとする考え方も有力である。森・前掲論文（注7）377頁。

再生計画の定めの対象とならないために，失権する（民再178Ⅰ本文参照）。しかし，機関たる再生債務者は，手続開始前からの管理処分権を保持するものであることを考えると（民再38Ⅰ参照），届出がない再生債権であっても，その存在を再生債務者が知っているときには，これを当然に失権の対象とするのは，公平に反する。このような考慮にもとづいて，法は，届出がされていない再生債権であっても，再生債務者等がその存在を知っている場合には，当該再生債権について自認する内容等を認否書に記載することを義務づけ（民再101Ⅲ），調査や確定の対象とする。これに対して，再生債務者等がその記載をしなかった場合には，一種の制裁として，当該再生債権者が失権するのではなく，再生計画に定める，権利変更の一般的基準にしたがって当該権利が変更され（民再181Ⅰ柱書・③），弁済等において劣後的取扱いをすることとした[17]。これが自認債権制度の概要である。

　再生債務者等は，当該再生債権について自認する内容のほか，当該再生債権者の氏名や再生債権の原因など一定の事項を記載しなければならない（民再規38Ⅱ）。自認債権は，届け出られた債権と同様に，一般調査期間における調査やその後の確定手続の対象となり，再生計画にもとづく弁済を受けることができる。ただし，再生債権者みずからが届出をしていないのであるから，再生手続に参加して，議決権（民再87），他の再生債権に対する異議権（民再102Ⅰなど），あるいは再生計画案の提出権（民再163Ⅱ）などの権能を行使することは

---

[17] 再生債務者だけではなく，管財人も自認をすることはできるが（民再101Ⅲ参照），失権の除外事由になるのは，再生債務者の自認懈怠に限られる（民再181Ⅰ③参照）。失権の除外が，再生手続開始前から管理処分権を保持している再生債務者に対する制裁という性質を有するためである。自認債権に関する記載については，森・前掲論文（注7）392頁参照。

　なお，再生債務者が正確に自認できない状態にある過払金返還請求権について，自認義務に関する具体例とその理論的検討をしたものとして，山本和彦「過払金返還請求権の再生手続における取扱い」NBL 892号14頁（2008年）がある。また，建築請負人のアフターサービス請求権について，野城大介「アフターサービス請求権の処理──中堅ゼネコンの民事再生手続を通じて」銀行法務21 762号39頁（2013年）は，再生債務者の合理的かつ可能な調査によって存在が認識できるものに限るべきであるとする。

　立法論としての見直しについて，条解民事再生法421頁〔杉本和士〕，清水祐介「『知れている債権者』をめぐる考察（付・自認制度の廃止提言）」ソリューション341頁，中西正「倒産処理手続における瑕疵担保請求権の取扱い」銀行法務21 762号46頁（2013年）では，再生債権の届出の機会を確保するための措置を充実させ，届出のない再生債権への弁済の要件を柔軟に運用することなどを前提として，自認制度の廃止を提言する。

認められない[18]）。

　もっとも，約定劣後再生債権については，自認制度の適用対象とならない（民再101Ⅳ）。これは約定劣後再生債権の劣後性を反映したものであるが，再生計画による一般的基準にもとづく権利変更についても，再生債権と異なって，約定劣後再生債権については，届出のあったもののみが対象とされていることにも関連する（民再156かっこ書・181Ⅰ柱書かっこ書）。

2　債権調査期間における異議

　債権調査期間とは，届出再生債権について再生債権者が書面による異議をなすべき期間を意味する。債権調査期間には，一般調査期間と特別調査期間とがある。一般調査期間は，債権届出期間内に届出をした再生債権を中心とするものであり，開始決定と同時に定められ（民再34Ⅰ），債権届出期間の末日から1週間以上2月以下の期間をおき，1週間以上3週間以下の範囲内で定められる（民再規18Ⅰ②)[19]）。これに対して，特別調査期間は，債権者届出期間後の届出に関するものである（民再103Ⅰ本文）。

(1)　一般調査期間

　届出をした再生債権者（届出再生債権者)[20]）は，一般調査期間内に，裁判所に対し，他の届出再生債権[21]）の内容や議決権について，また自認債権の内容について書面で異議を述べることができる（民再102Ⅰ）。管財人が選任されている場合における再生債務者も，同様に，再生債権の内容について異議を述べることができる（同Ⅱ）。ただし，再生債務者の異議は，再生債権の確定を妨げる効力を有せず（民再104Ⅰ参照），再生計画不認可の決定が確定したときに，再生債権者表の記載が確定判決と同一の効力を生じることを妨げる効力を有するのみである（民再185Ⅰ但書）。

18）　したがって，再生債務者等によって自認されても，なお当該再生債権者が債権届出をなし，特別調査期間（民再103）における調査を求めることは許される。詳解民事再生法470頁〔森宏司〕，150問107頁〔野口祐郁〕。
19）　東京地裁破産再生部の標準スケジュールでは，申立日より10週から11週の1週間としている。民事再生の手引〈第2版〉162頁。
20）　否認権限を付与された監督委員（民再56Ⅰ）も，届出再生債権者に準じて，異議を述べることができるとする有力説があり（松下淳一「再生手続における監督委員の否認権行使について」民事手続法186頁），本書もこれに賛成する。
21）　届出再生債権の中には，債権届出期間内に届出をした債権と，届出期間後の届出であるが再生債務者が認否書に記載した債権（民再101Ⅱ）が含まれる。

一般調査期間を変更する決定をしたときは，その裁判書は，再生債務者，管財人および届出再生債権者（債権届出期間経過前にあっては，知れている再生債権者）に送達しなければならない（民再102Ⅲ）。送達は，通常郵便や信書便の方法によることができる（同Ⅳ・43Ⅳ）。その方法による送達がなされたときは，その郵便物等が通常到達すべきであった時に，送達があったものとみなす（民再102Ⅴ）。

異議を述べる書面には，異議を述べる事項および異議の理由を記載しなければならず（民再規39Ⅰ），また正本の他に副本を添付しなければならない（同Ⅱ・同38Ⅲ）。再生債権者が異議を述べるための前提として，再生債務者等の作成した認否書等は，裁判所における閲覧や謄写の対象となるが（民再16ⅠⅡ），閲覧または謄写は，提出された副本によってさせることができる（民再規42）。

再生債務者等は，一般調査期間内は，裁判所に提出した認否書等に記載されている情報の内容を表示したものを，再生債権者が再生債務者の主たる営業所または事務所において閲覧することができる状態に置く措置をとらなければならず（民再規43Ⅰ本文），それに加えて，インターネットによる提供等の適当な措置をとることができる（同Ⅱ）。ただし，再生債務者が営業所または事務所を有しない場合は，主たる営業所等に備え置く必要はない（同43Ⅰ但書）。また，再生債権者は，それらの措置の対象となる情報のうち自己の再生債権に関する部分の内容を記録した書面の交付を求めることができる（同Ⅲ）。

(2) 特別調査期間

債権届出期間経過後の届出または届出事項の変更で他の再生債権者の不利益になるものがあった場合には（民再95），裁判所は，届出等にかかる再生債権の調査をするための期間を定めなければならない（民再103Ⅰ本文）。これを特別調査期間と呼ぶ[22]。ただし，これらの再生債権の内容または議決権について再生債務者が，認否書に認否を記載している場合には，一般調査期間における調査の対象となるから（民再102Ⅰ・101Ⅱ），特別調査期間を定める必要はない

---

22) 特別調査期間の長さについて法や規則の明文の規定はないが，通常，1週間程度であるとされる。詳解民事再生法473頁〔森宏司〕。数人の届出再生債権者のために特別調査期間を定める必要がある場合には，併合して1つの期間を定めても差し支えない（同書471頁〔森宏司〕）。また，調査期間経過後に異議の追完（民再18，民訴97）ができるかどうかという問題があるが，手続の安定などの理由から消極に介すべきである。森・前掲論文（注7）378頁。

（民再103Ⅰ但書）。特別調査期間を定めた場合に，その決定書の再生債務者などへの送達の措置などがとられることは，一般調査期間と同様である（民再103Ⅴ・102Ⅲ～Ⅴ，民再規40）。

特別調査期間は，当該届出再生債権者のために定められるものであるので，それに関する費用は，その者の負担とする（民再103Ⅱ）。費用については，裁判所書記官によって予納が命じられ，その手続は破産の場合と共通である（民再103の2，民再規44の2，破120。本書685頁）[23]。

特別調査期間における調査の方法は，一般調査期間の場合と同様であり，対象となる再生債権の内容や議決権について他の届出再生債権者や再生債務者（管財人が選任されている場合に限り，対象は再生債権の内容に限る）が書面で異議を述べる方法によって行われる（民再103Ⅳ，民再規39・44）。ただし，特別調査期間にかかる再生債権については，新たに再生債務者等による認否が必要であるから，再生債務者等は，その再生債権の内容および議決権についての認否を記載した認否書を作成し，特別調査期間前の裁判所の定める期限までに，これを裁判所に提出しなければならない（民再103Ⅲ前段）。認否書に再生債権の内容または議決権について認否の記載がないときには，これを認めたものとみなす（同Ⅲ後段・101Ⅵ前段）。

(3) 異議の撤回

再生債権者が債権調査期間に提出した異議を撤回することは，原則として自由である。撤回に際しては，その旨を記載した書面を裁判所に提出するとともに，異議を述べた再生債権を有する再生債権者に対しその旨を通知しなければならない（民再規41Ⅱ Ⅰ）。裁判所への撤回書面には，副本を添付しなければならない（同Ⅲ・38Ⅲ）。異議の撤回時期については，再生債務者等の認否の変更に関して述べたのと同様の議論がある（本書1039頁）。

第3項　再生債権の確定

再生債権の調査において，再生債務者等が認め，かつ，調査期間内に届出再生債権者の異議がなかったときは，その再生債権の内容または議決権の額は確

---

[23] ただし，特別調査手続費用の低廉化にともなって，実務では，届出再生債権者から費用の予納を求めず，再生債務者の予納金から支出する扱いがあるという。条解民事再生法547頁〔重政伊利〕。

定する(民再104 I)。ただし,自認債権(民再101Ⅲ)の場合には,再生債権の内容のみが確定する(民再104 Iかっこ書)。調査の結果が裁判所書記官によって再生債権者表に記載されると(同Ⅱ),確定した再生債権の内容は,再生債権者表の記載にしたがって,再生債権者の全員に対して確定判決と同一の効力を有する(同Ⅲ)[24]。以後の再生計画案の立案や遂行についても,確定された再生債権の内容が基礎となる。再生手続の機関としての再生債務者等に対しても確定の効力が及ぶので,再生債権の存在や内容を否認することも許されなくなる。議決権の額についても,確定されたものにしたがう(民再170Ⅱ①)。

1 再生債権者表の記載に対する不服申立て

再生債権者表の記載に誤りがあるときは,それが明白であるか否かにかかわりなく,裁判所書記官は,申立てによってまたは職権で,いつでもその記載を更正する処分をすることができる(民再99Ⅲ)。更正処分に不服があれば,裁判所に対して異議の申立てができる(民再18,民訴121)。さらに,再生債権者表の内容について瑕疵があるときは,再生債務者等が再審の訴え(民再18,民訴338 I⑤⑥など)や請求異議の訴え(民執35)を提起できることも,破産の場合と同様である(本書691頁)。

2 再生債務者に対する再生債権者表の効力

再生債務者等,すなわち再生手続の機関としての再生債務者または管財人が認めなければ,再生債権の内容等は確定しない(民再104 I参照)。これに対して,管財人が選任されている場合の再生債務者は,機関としての地位をもたず,利害関係人にすぎないために,その異議(民再102Ⅱ・103Ⅳ)は,再生債権の内容等について確定遮断効をもたない(民再104 I参照)。ただし,再生計画不認可決定が確定した場合における再生債権者表の執行力を排除する効果を有する(民再185 I但書)。

3 異議等のある再生債権の確定手続

異議等のある再生債権の確定のための手続は,再生債権の査定の裁判(民再105),査定の裁判に対する異議訴訟手続(民再106),再生手続開始時に係属する訴訟の債権確定訴訟としての受継(民再107)および有名義再生債権を争う訴訟手続(民再109)の4つから構成される[25]。

---

[24] 破産について述べたのと同様に(本書690頁注57),ここでいう確定判決と同一の効力には,既判力が含まれる。

第1節 再生債権の届出・調査・確定　1045

(1) 再生債権の査定の裁判

　再生債権の調査において，再生債権の内容について[26]再生債務者等が認めず，または届出再生債権者が異議を述べた場合には，当該再生債権（異議等のある再生債権と呼ばれる）を有する再生債権者は，その内容の確定のために，当該再生債務者等および当該異議を述べた届出再生債権者（異議者等と呼ばれる）の全員を相手方として，裁判所に査定の申立てをすることができる（民再105Ⅰ本文）。ただし，再生手続開始時に係属する訴訟の債権確定訴訟としての受継（民再107）および有名義再生債権を争う訴訟手続（民再109）によるべき場合は除かれる（民再105Ⅰ但書）。

　査定の申立ては，異議等のある再生債権にかかる調査期間の末日から1月の不変期間内にしなければならない（同Ⅱ）[27]。申立書には，当事者の氏名または名称および住所ならびに代理人の氏名および住所（民再規45Ⅰ①），申立ての趣旨および理由（同Ⅰ②）を記載しなければならない（同Ⅰ柱書）。申立ての理由においては，申立てを理由づける事実を具体的に記載し，かつ，立証を要する事項ごとに証拠を記載しなければならず（同Ⅱ），証拠書類の写しを添付しなければならない（同Ⅲ）。また，相手方に対する副本の直送も義務づけられる（同Ⅳ）。ただし，査定申立てをなす再生債権者は，異議等のある再生債権の内容および原因について，再生債権者表に記載されている事項のみを主張することができる（民再108）。再生債務者等や他の再生債権者の異議権等の行使の機会を保障するためである[28]。

　査定申立てがなされると，裁判所は，異議者等を審尋の上（民再105Ⅴ），申

---

[25]　再生手続開始前に再生債務者と再生債権者との間で仲裁契約が締結されていたときに，これらの手続に代えて，仲裁手続によって異議等のある再生債権を確定することが許されるかどうかについては，本書707頁参照。

[26]　議決権について異議等が述べられた場合には，議決権を行使させるか否か，およびその額は，裁判所が定めるところによる（民再170Ⅱ③・171Ⅰ②）。なお，別除権者の予定不足額にもとづく議決権額に関し，それより多い議決権額を定めることは許されない。条解民事再生法511頁〔岡正晶〕，民事再生の手引〈第2版〉157頁。

[27]　この不変期間を徒過した場合には，再生債権の確定を求める方法がなくなり，届出がなかった状態と同様になるから，当該再生債権者の手続参加は否定される一方，免責（民再178Ⅰ本文）の効果は及ぶ。ただし，届出の事実自体は残るので，時効の完成猶予の効果は6ヵ月間は存続する。査定申立てに関する書式は，〔書式3-4-3，3-4-4〕，運用指針217頁。

[28]　主張の制限の詳細については，本書700頁参照。債権の同一性を否定し，変更を許さなかった裁判例として，仙台高判平成16・12・28判時1925号106頁がある。

立期間の徒過などを理由としてこれを不適法却下する場合を除いて，決定で，異議等のある再生債権について，その債権の存否およびその内容を定める（同Ⅳ）。たとえば，当該再生債権の全額が存在しないとの判断に達したときは，査定申立てを棄却するのではなく，その債権が存在しない旨の裁判を行う。査定申立てについての裁判書は，当事者に送達しなければならない（同Ⅵ前段）。送達代用公告の規定（民再10Ⅲ本文）は適用しない（民再105Ⅵ後段）。

(2) 査定の裁判に対する異議の訴え

査定の申立てについての裁判に不服がある者は，その送達を受けた日から1月の不変期間内に，異議の訴えを提起することができる（民再106Ⅰ）。これを査定の申立てについての裁判に対する異議の訴え（以下，単に異議の訴えとする）と呼ぶ。異議の訴えを認める理由，訴えの訴訟物および訴えの性質は，破産における異議の訴えについて述べたところが妥当する（本書696頁）。なお，提訴手数料は，再生計画によって受ける利益の予定額を標準として，受訴裁判所が定める（民再規46）。

異議の訴えは，再生裁判所の専属管轄に属する（民再6・106Ⅱ）。ただし，著しい損害または遅滞を避けるための移送が認められていることは，破産の場合（破126Ⅲ）と同様である（民再106Ⅲ。本書697頁）。

異議等のある再生債権を有する再生債権者が異議の訴えを提起するときは，異議者等の全員を共同被告とし，当該異議者等が訴えを提起するときは，当該再生債権者を被告とする（民再106Ⅳ）。共同訴訟関係の成立は，破産の場合と同様であり（本書697頁），判決が対世効を有するところから（民再111Ⅰ），必要的共同訴訟の特則（民訴40Ⅰ～Ⅲ）が準用される（民再106Ⅵ）。異議の訴えの口頭弁論は，1月の出訴期間経過後でなければ開始することができないとの規律（同Ⅴ）も，併合審判を担保するためのものである。

異議の訴えに対する判決は，出訴期間の徒過などの理由から訴えを不適法として却下する場合を除いて，査定の裁判を認可し，または変更する（同Ⅶ）。変更とは，たとえば，再生債権の内容を認定した裁判に対して異議者等が異議の訴えを提起したときに，再生債権が存在しないとの判断に至ったときは，査定の裁判を取り消すとともに，再生債権がない旨の査定をすることを意味する[29]。

(3) 異議等のある再生債権に関する訴訟の受継

ある再生債権を訴訟物とする訴訟が再生手続開始当時係属するときには，その訴訟は開始とともに中断する（民再40Ⅰ）。そして，当該再生債権の届出に対して異議等が提出されたときには，係属中の訴訟を再生債権確定の手続として続行させる。すなわち，当該再生債権者は，その再生債権の内容の確定を求めようとするときは，異議者等の全員を当該訴訟の相手方として，訴訟手続の受継の申立てをしなければならない（民再107Ⅰ）[30]。受継の申立ては，異議等のある再生債権にかかる調査期間の末日から1月内の不変期間内にしなければならない（同Ⅱ）[31]。受継の申立てをする再生債権者は，異議等のある再生債権の内容および原因について，再生債権者表に記載されている事項のみを主張することができる（民再108）。

(4) 有名義再生債権に関する特則

異議等のある再生債権について執行力ある債務名義または終局判決が存在するときには（有名義再生債権と呼ぶ），異議者等は，再生債務者がすることのできる訴訟手続によってのみ異議を主張することができる（民再109Ⅰ）。その趣旨は，破産について述べたところと共通する（本書702頁）。

　ア　執行力ある債務名義のある再生債権

執行力ある債務名義の意義，および再生手続開始後に再生債権者が執行文の付与を受けることができるか，それを受けた場合に，有名義再生債権として扱われるかについては，破産について述べたところによる（本書702頁）。

　イ　終局判決のある再生債権

終局判決の意義，あるいは仲裁判断や外国裁判所の確定判決の取扱いについても，破産について述べたところによる（本書703頁）。

---

29) その他の変更の態様としては，再生債権の内容の一部を変更するもの，再生債権がない旨の査定を取り消して，新たに再生債権の内容を認定するものなどが含まれる。花村304頁。

30) 破産の場合には，受継後に給付訴訟を優先的破産債権であることの確認訴訟に変更する必要が生じる場合があるが（本書700頁），再生の場合には，その種の債権が一般優先債権とされる関係で（民再122Ⅰ），このような問題を生じない。

31) 受継の申立てを懈怠すると，再生債権の届出がなかった場合と同様に，債権は未確定の状態で固定され，再生計画認可決定の確定によって失権する（民再178Ⅰ本文）。大阪高判平成16・11・30金法1743号44頁〔倒産百選〔第5版〕A14事件〕。ただし，付議決定後に再生計画案が否決され，手続が廃止となる場合には，免責の効力は生じないから，付議決定時に再生債務者が受継する。倒産と訴訟167頁〔住友隆行〕。

ウ　異議者等が開始すべき手続

　有名義再生債権者に対しては，再生債務者等などの異議者等は，再生債務者がすることのできる訴訟手続によってのみ，異議を主張することができる（民再109 I。本書704頁）。再生債権者が未確定の終局判決をもち，訴訟が係属中である場合には，異議者等は，当該再生債権者を相手方とする訴訟を受け継がなければならない（同 II）。

　異議者等がこれらの方法によって異議を主張するについても，出訴期間の制限（民再105 II）が課される（民再109 III）。出訴期間が徒過されると，再生債権者の異議はなかったものとみなされ，再生債務者等は当該再生債権を認めたものとみなされる（同 IV）。また，口頭弁論開始時期の制限（民再106 V），弁論および裁判の併合（同 VI）および主張の制限（民再108）についても，査定の申立てについての裁判に対する異議の訴えの場合と同様の取扱いがなされる（民再109 III）。

　(5)　再生債権の確定に関する訴訟の判決等の効力

　査定の申立てについての裁判に対する異議の訴えなど，再生債権の確定に関する訴訟についてした判決は，再生債権者の全員に対してその効力を有する（民再111 I）[32]。再生債権査定の申立てについての裁判がなされ，それに対する異議の訴えが出訴期間内に提起されなかったとき，または却下されたときにも，当該裁判は，再生債権者の全員に対して，確定判決と同一の効力を有する（同 II）。

　裁判所書記官は，再生債務者等または再生債権者の申立てにより，再生債権の確定に関する訴訟の結果（査定申立てについての裁判に対する異議の訴えが提起されなかった場合，または却下されたときは，当該裁判の内容）を再生債権者表に記載しなければならない（民再110）。

　なお，再生債務者財産が再生債権の確定に関する訴訟（査定についての裁判を含む）によって利益を受けたとき，すなわち異議者たる再生債権者が勝訴したときは，その者は，相手方に対する訴訟費用償還請求権（民訴61）とは別に，その利益の限度において[33]，再生債務者財産から訴訟費用の償還を共益債権と

---

[32]　一部の者のみを相手方とする判決の効力に関しては，本書708頁注95参照。
[33]　ここでいう利益とは，異議の対象となった再生債権が再生計画によって受けたであろう額を意味する。新注釈民事再生法（上）616頁〔日景聡〕。

して求められる（民再112）。

(6) 再生手続終了の場合における取扱い

再生債権の確定手続が係属中に再生手続が終了した場合の取扱いについては，本書1253頁以下で説明する。

第4項 罰金等および共助対象外国租税の請求権についての特例

再生債権である再生手続開始前の罰金等や共助対象外国租税の請求権は，その主体である国もしくは地方公共団体または外国国家が裁判所に届出をなすが（民再97），その公法的性質および請求権の確定について特別の手続が設けられていることを重視して，通常の調査・確定手続の対象とはならない（民再113Ⅰ）[34]。届出がなされた罰金等のうち，罰金，科料または刑事訴訟費用は，刑事訴訟手続中で確定され，その結果が再生債権者表に記載される（同Ⅴ・104Ⅱ）。これに対して，追徴金または過料については，その原因が審査請求，訴訟その他不服の申立てをすることができる処分である場合には，再生債務者等は，当該追徴金または過料について，当該不服の申立てをする方法で，異議を主張することができる（民再113Ⅱ）[35]。共助対象外国租税の請求権の原因である共助実施決定についても，同様である。

これらの請求権に関して再生手続開始当時訴訟が係属するときは，異議を主張しようとする再生債務者等は，その訴訟手続を受け継がなければならない（同Ⅲ前段）。これらの請求権に関し再生手続開始当時再生債務者の財産関係の事件が行政庁に係属するときも，同様である（同Ⅲ後段）。

不服申立てによる異議の主張（同Ⅱ），訴訟の受継（同Ⅲ前段）または行政庁係属事件の受継（同Ⅲ後段）は，いずれも追徴金等の届出があったことを知った日から1月の不変期間内にしなければならない（同Ⅳ）。また，主張制限（民再108），訴訟の結果の再生債権者表への記載（民再110）および判決の対世効（民再111Ⅰ）の規定は，これらの手続にも準用される（民再113Ⅴ）。

---

[34] 民事再生法113条に対応する破産法134条では，租税等の請求権も対象とされている。再生手続では，租税等の請求権が一般優先債権（民再122Ⅰ）となるために，罰金等の請求権に限られたのである。

[35] 異議権者は，再生債務者等のみであり，再生債権者を含まない。請求権の性質を重視したものと思われる。新注釈民事再生法（上）620頁〔大川治〕。

第2節　再生債務者財産の管理と業務の遂行

再生手続の目的である事業または経済生活の再生を図るためには，一方で再生計画による満足を受ける再生債権者の範囲や額を確定するとともに，他方で，再生の基礎となる再生債務者財産を将来の事業や経済生活の基礎として機能するよう適切に管理するのが，手続機関たる再生債務者等の職務となる。再生債務者（管財人が選任されていない場合に限る）や管財人に与えられる業務遂行権および財産管理処分権（民再38Ⅰ・66）は，この職務遂行のための権能である。清算を目的とする破産手続の場合には，破産財団所属の財産を換価することが破産管財人の管理処分権行使の目的である（本書711頁）のに比較し，再生手続の場合には，再生に不要な資産を換価するとか，再生債務者の下では再生が困難な事業を第三者に譲渡するなどの場合もあるが，可能なときには，再生債務者財産を再生債務者の管理下に置きながら事業等の再生を実現するための再生計画案を策定する。特に事業用資産は，それを放置すれば，価値の毀損が著しいので，再生債務者の業務遂行と財産管理とは，不可分一体のものとしてなされることが必要である。

第1項　再生債務者財産の管理

再生手続が開始されると，再生債務者は，管理命令が発令された場合を除いて，手続機関として再生債務者財産を基礎とする業務遂行権および財産管理処分権を行使する（民再38Ⅰ～Ⅲ）。また，管理命令が発令された場合には，管財人は，その業務遂行権および財産管理処分権（民再66）にもとづいて，就職の後直ちに再生債務者の業務および財産の管理に着手しなければならない（民再72）。

1　財産管理のための措置

再生債務者等は，再生手続開始後（管財人については，その就職の後）遅滞なく，再生債務者に属する一切の財産について再生手続開始の時における価額を評定しなければならない（民再124Ⅰ）。

(1) 価額評定の意義と基準

財産価額の評定は，民事再生のみならず，破産や会社更生においても行われ

るが，その意義は，それぞれの手続の特質に応じて異なる。破産における評定（破153Ⅰ）は，破産管財人が破産財団の金銭的価値を把握し，財団債権に対する弁済や破産債権者に対する配当の目途を立てるために行われる（本書718頁）。したがって，評定の基準は，破産財団所属財産が破産手続開始時において有する処分価値である。しかし，最終的には，処分価値は，破産管財人による財産の換価によって具体化されることになるから，評価によって明らかにされた処分価値は，あくまで破産手続遂行にとっての目安にすぎず，手続を規律する意義を有するものではない。

会社更生においても，管財人は，更生手続開始後遅滞なく，更生会社に属する一切の財産について，その価額を評定しなければならないとされ（会更83Ⅰ），その評定基準は，更生手続開始時の時価とされる（同Ⅱ）。また，更生担保権の目的物の価額についても，更生手続開始時における時価を基準とする（会更2Ⅹ）。

ここでいう時価の意義については，現在でも議論の対立がみられる[36]。しかし，目的物がもつ現在の交換価値であるにせよ，また目的物にもとづいて実現される将来の収益価値を現在価値に還元した価値であるにせよ，正常な事業組織の機能が存続することを前提としたものであることに変わりはない。そして，時価による評定は，更生債権者，更生担保権者あるいは株主など，異なる順位の利害関係人の間に配分されるべき価値を明らかにし，更生計画の内容が公正かつ衡平であるかどうか（会更199Ⅱ②）などを判断する際の基準となる[37]。

再生手続は，再生債務者の事業の再生を目的とするという点では，更生手続と共通性を有するが，約定劣後再生債権を除けば，再生計画の内容に関しては，再生債権者という1種類の利害関係人しか存在しないことを考慮すると，更生手続と異なって，再生債務者財産の価値を厳密に評定して，それが利害関係人の間に公正かつ衡平に配分されているかどうかを再生計画認可の要件とする必要はない。

再生債権者としては，開示されている情報を基礎として，再生計画案の内容

---

[36] 特に，旧会社更生法にいう継続企業価値（旧177Ⅱ・124の2）との関係が議論される。詳細については，新会社更生法の基本構造72頁，中井康之「更生手続における財産評定」判タ1132号144頁（2003年），事業再生研究機構財産評定委員会編・新しい会社更生手続の「時価」マニュアル3頁（2003年）参照。

[37] 中井・前掲論文（注36）147頁。

が合理的なものであるかどうか，それが遂行可能であって，自己の債権に対する弁済が期待できるかどうかを判断して，再生計画案に対する可否を決すれば足りるから，その前提として，かつての会社更生について説かれた「観念的清算」[38]，すなわち財産評定によって会社財産の継続企業価値を算定し，それを優先順位にしたがって各種の利害関係人に配分することが更生計画の内容となる考え方を，再生手続に持ち込む余地はない。また，特定財産についての担保権が別除権とされ（民再53 I），再生手続に参加することを義務づけられないから，その優先権の範囲を確定するために担保目的物の時価を評定する必要もない。

もっとも，再生手続は，再生債権者に対して破産手続以上の満足を与えるところに存在意義があり，再生手続の開始にともなって破産手続が中止され（民再39 I），再生計画認可決定の確定によって破産手続が失効するのも（民再184本文），そのことが根拠になっている。したがって，再生計画に関しては，その決議が再生債権者一般の利益に反することが不認可事由の1つとされ（民再174 II ④），その解釈として，いわゆる清算価値保障原則，すなわち再生計画による再生債権者の満足が破産の場合の配当を下回ってはならないとされていることとの関係で，再生債務者財産の清算価値による評定は不可欠のものである[39]。

再生債務者等による財産評定は，このような目的のために行われるものであ

[38] 兼子一＝三ケ月章・条解会社更生法〈第10版〉446頁（1965年）参照。
[39] 清算価値保障原則の基礎となる清算配当率の算定については，運用指針226頁参照。評定の機能としては，それ以外にも，事業の譲渡等（民再43 I），資本の減少（民再154 III・166 I II），募集株式の発行（民再162・166の2 III）に際しての債務超過の判断，別除権者による予定不足額届出（民再94 II）への対応，担保権消滅許可申立てに際しての目的物の価額（民再148 II ②）などがある。詳解民事再生法348頁〔中井康之〕，条解民事再生法643頁〔松下淳一〕，民事再生の手引〈第2版〉171頁，運用指針220頁。評定の実務については，林圭介「民事再生事件における財産評定の参考書式について」NBL 781号24頁（2004年），同「企業倒産における裁判所による再建型倒産手続の実務の評価と展望」ジュリ1349号45頁（2008年），民事再生の手引〈第2版〉174頁，150問108頁〔溝端浩人〕，運用指針222頁参照。

なお，基準時を再生手続開始時としているのは，評定の目的が，再生手続の開始にあたり，その後の再生債務者等の活動や利害関係人の判断の基礎となるべき再生債務者財産の客観的かつ確実な価値を明らかにしようとするためである。さらに，再生手続が早期に開始されたことによって財産価値が増加した部分（再生増価と呼んでいる）を清算価値から控除すべきであるとの学説が有力であるが（高田賢治「清算価値保障原則の再構成」伊藤古稀904頁），その部分の算定は容易ではないと思われる。

り，したがって，評定の基準は，「財産を処分するものとして」行う，いわゆる処分価額である（民再規56Ⅰ本文）[40]。もっとも，ここでいう処分がいかなる方法を意味するのかについては，なお考え方の対立がある[41]。民事執行法にもとづく強制競売のような，権利帰属者たる債務者の意思によらない強制的な売却にもとづく処分価額とする見解も有力であるが[42]，再生債務者等による処分を前提とするものであるから，そのように解すべき理由はない。もっとも，処分を想定する時期が限定されているところから，通常の市場価額とするのも行き過ぎであり，結局，通常の市場価額に早期の処分をすることによる減価を考慮した，いわゆる早期処分価額を基準とすべきである[43]。

ただし，必要がある場合には，処分価額による評定とあわせて，全部または一部の財産について，再生債務者の事業を継続するものとして評定することができる（民再規56Ⅰ但書）。必要がある場合の例としては，事業の全部または一部を譲渡するときに，当該事業財産の継続事業価値を評定し，その適正さを示すことなどがあげられるが，それに限らず，再生計画案にもとづく弁済率などの根拠を再生債権者に示してその納得をうることも，必要性の例として考えられる[44]。

(2) 評定の方法と結果

評定は再生債務者等の権限と責任に属する。監督委員が調査の一環として再生債務者財産の評価を行うことはありうるが（民再59Ⅰ参照），再生債務者等による評定は，それとは独立のものである。もちろん，再生債務者等は，公認会計士，税理士あるいは不動産鑑定士等の専門家を補助者として評定を行うことができる。なお，裁判所は，必要があると認めるときは，利害関係人の申立て

---

40) その他，再生債務者たる個人や非事業者たる法人については，継続事業価値による財産評定が不可能なこと，あるいは中小事業者の場合には，実際上継続事業価値による財産評定が困難であることなども理由としてあげられる。新注釈民事再生法（上）688頁〔服部敬〕。
41) 民事再生法逐条研究108頁，条解民事再生法644頁〔松下淳一〕，新注釈民事再生法（上）688頁〔服部敬〕など参照。
42) 松下・入門55頁，条解民事再生法644頁〔松下淳一〕。
43) 中井康之「倒産手続における財産評定」今中古稀406頁，不動産について，社団法人日本不動産鑑定協会「民事再生法に係る不動産の鑑定評価の留意事項について」判タ1043号82頁（2000年），運用指針224頁参照。
44) 条解民事再生規則124頁，新注釈民事再生法（上）689頁〔服部敬〕，条解民事再生法645頁〔松下淳一〕。

または職権で，評価人を選任し，再生債務者財産の評価を命じることができる（民再124Ⅲ）。必要があると認められる例としては，再生債務者等による財産評定の適正さに疑問が持たれる場合が考えられる。評価人による評価は，再生計画の認可をはじめとして，再生債務者等による評定の適正さが争われる場合の判断資料となる。

再生債務者等は，財産評定を完了したときは，直ちに再生手続開始の時における財産目録および貸借対照表を作成し[45]，これらを裁判所に提出しなければならない（同Ⅱ）。副本の添付も求められる（民再規56Ⅲ）。また，財産目録および貸借対照表には，その作成に関して用いた財産の評価の方法その他の会計方針を注記する（同56Ⅱ）。

(3) 裁判所への報告

再生債務者等は，再生手続開始後（管財人については，その就職の後）遅滞なく，再生手続開始に至った事情や再生債務者の業務および財産に関する経過および現状等を記載した報告書を裁判所に提出しなければならない（民再125Ⅰ。実務上125条報告書と呼ばれる）。財産状況報告集会が招集されないときには，再生手続開始決定の日から2月以内に報告書の提出が義務づけられ（民再規57Ⅰ），副本の添付も要求される（同Ⅱ・民再規56Ⅲ）。さらに，裁判所は，相当と認めるときは，報告書に，再生手続開始申立ての日前3年以内に終了した再生債務者の事業年度等の終了した日における貸借対照表等の会計書類を添付させる（民再規58Ⅰ）。会計書類には，その作成に関して用いた財産の評価の方法その他の会計方針を注記する（同Ⅱ・民再規56Ⅱ）。

また，裁判所は，再生債務者（管財人が選任されている場合を除く）に対して報告書の提出を促すことまたは再生手続の進行に関して問い合わせをすること，その他の再生債務者による再生手続の円滑な進行を図るために必要な措置を裁判所書記官に命じて行わせることができる（民再規59）。

なお，再生債務者等は，そのほかに，裁判所の定めるところによって，再生債務者の業務および財産の管理状況その他裁判所の命じる事項を裁判所に報告

---

[45] 簿外債務記載の必要性，資産評価損益の計上方法など，作成の際に求められる具体的内容については，条解民事再生規則124頁，新注釈民事再生法（上）693頁〔服部敬〕，民事再生の手引〈第2版〉178頁，［書式3-5-1，3-5-2］，150問113頁〔永嶋久美子〕参照。

しなければならない（民再125Ⅱ）。監督委員は，裁判所の定めるところによって，再生債務者の業務および財産の管理状況その他裁判所の命じる事項を裁判所に報告しなければならない（同Ⅲ）。

(4) 再生債権者に対する情報開示

再生債務者財産の現状等に関する再生債権者に対する情報開示として，財産状況報告集会において再生債務者等は，裁判所に報告する事項（民再125Ⅰ各号）の要旨を報告しなければならない（民再126Ⅰ）。財産状況報告集会の開催は必要的ではないが（本書910頁），開催の期日は，特別の事情がある場合を除き，再生手続開始決定の日から2月以内とされる（民再規60Ⅰ）。集会においては，裁判所は，再生債務者，管財人または届出再生債権者から，管財人の選任ならびに再生債務者の業務および財産の管理に関する事項について，意見を聴かなければならず（民再126Ⅱ），労働組合等は，それらの事項について意見を述べることができる（同Ⅲ）。

もっとも，財産状況報告集会が開催されるのは例外的であり，それに代わって，再生債務者財産の状況等に関する再生債権者への情報開示の手段として，債権者説明会（民再規61）が開催されることが多い。

さらに，財産状況報告集会の開催の有無とかかわりなく，再生債権者に対する情報提供の手段として，再生債務者等によって裁判所に提出された財産目録および貸借対照表（民再124Ⅱ）を再生債権者が閲覧したり，謄写したりすることができる（民再16）。閲覧または謄写は，提出された副本によってさせることができる（民再規62）。また，財産状況報告集会が招集されない場合には，再生債務者等は，裁判所に提出した報告書（民再125Ⅰ）の要旨を知れている再生債権者に周知させるため，報告書の要旨を記載した書面の送付，債権者説明会の開催その他の適当な措置を執らなければならない（民再規63Ⅰ）。労働組合等に対しても，同様の措置を執らなければならない（同Ⅱ）。

加えて，再生債務者等は，再生計画認可または不認可決定などの確定まで，裁判所に提出した財産目録等（民再124Ⅱ）および報告書に記録されている情報の内容を表示したものを，再生債権者が再生債務者の主たる営業所または事務所において閲覧することができる状態に置くなどの措置を執らなければならない（民再規64Ⅰ本文Ⅱ）。ただし，再生債務者が営業所または事務所を有しない場合は，このような措置を執る必要はない（同Ⅰ但書）。

(5) 財産の保管方法

裁判所は，金銭その他の財産の保管方法および金銭の収支について必要な定めをすることができる（民再規65）。たとえば，金銭について預入銀行を指定するとか，一定額の支出について裁判所の許可を要するなどの定めがこれにあたる[46]。

2 営業等の譲渡

再生債務者の営業や事業（営業等と呼ぶ）[47]を再生する方法としては，再生債務者財産を再生債務者のもとにとどめながら営業等の再生を図るものと，再生債務者財産を基礎とする営業等の全部または一部を第三者に譲渡し，第三者のもとで営業等の再生を図るものとがある[48]。しかし，営業等の譲渡は，再生債権者のみならず，株主など法人たる再生債務者の構成員の利害関係にも重大な影響を及ぼす。したがって，通常の再生債務者財産の処分のような，再生債務者等が自由にできることを原則とし，特に指定した事項についてのみ裁判所の許可や監督委員の同意をうる（民再41Ⅰ①・54Ⅱ）という監督のあり方を超えて，より厳格な監督が求められる（民再42）[49]。

---

[46] 条解民事再生規則138頁。

[47] 会社法は，従前の営業譲渡の語を事業譲渡に変えたが，用語の整理にすぎないとされている。江頭1009頁。再生手続では，株式会社である再生債務者については，事業の譲渡と表現し（民再43），それ以外の再生債務者を含む場合には，営業等の譲渡と表現しているので（民再42），本書でもその表現にしたがう。詳解民事再生法431頁〔山本弘〕。なお，会社法平成26年改正（会社467Ⅰ②の2）を反映し，法43条1項にもとづく許可の対象事項が「事業の譲渡」から「事業等の譲渡」に拡張されたことについては，注61参照。

[48] 営業等の譲渡に関する各種の規律の全体像については，遠藤賢治「倒産法における営業譲渡」櫻井古稀247頁，永石一郎「倒産と営業譲渡・会社分割」同261頁参照。また，営業等の譲渡がどのような法律効果を生じるかは，実体法の規律にしたがって決定される。雇用契約の承継の点からこの点を論じたものとして，中島弘雅「営業譲渡による倒産処理と労働者の権利保護」谷口古稀545頁がある。

営業等の譲渡によらず，再生債務者の下で自主再建を試みる場合の留意点については，150問270頁〔鈴木学〕参照。

[49] 会社分割（会社2②㉙㉚）は，法律的構成は営業等の譲渡と異なるが，実質においては類似する面がある。そこで，再生債務者が行う会社分割について，法42条を類推適用すべきであるとの見解が有力である（ただし，大阪地裁における消極的運用について民事再生の実務233頁〔山本陽一〕）。具体的手続について，民事再生の手引〈第2版〉216頁，破産・民事再生の実務［再生編］150頁，150問288頁〔佐長功〕，運用指針300頁参照。

なお，営業等の譲渡について，譲渡禁止特約が付されている場合であっても，法の定める手続によって営業等の譲渡を行うことができる。東京地判平成15・12・5金法1711号

株式会社である再生債務者についてみれば，原則として株主総会の特別決議によって事業譲渡にかかる契約の承認を受けなければならない（会社467 I 等）。同じく再生型である更生手続の場合には，株主が手続に参加するところから，原則としては，更生計画の定めによって事業譲渡を行い（会更46 I 本文），その例外が規定されている[50]。これに対して再生手続の場合には，株主が手続に参加することを予定していないために，事業の譲渡については，会社法による手続を践まなければならない。しかし，事業価値の毀損を防ぐために，早期に事業の譲渡を行うべき場合があり，また，会社が債務超過状態に陥っているときには，株主の実質的持分は失われており，その利益保護の必要性も大きいとはいえないので，事業の譲渡を容易にするための特別の規律が設けられている（民再43）。

再生手続開始後に，再生債務者等が再生債務者の営業等の全部または重要な一部の譲渡をするには，裁判所の許可をえなければならない（民再42 I 前段）。この場合において，裁判所は，当該再生債務者の事業の再生のために必要であると認める場合に限り，許可をすることができる（同後段）。再生債務者等が行う営業等の譲渡については，再生計画によるものと，再生計画外のものとに大別され，後者はさらにその時期によって区別される。

(1) 再生計画による営業等の譲渡

再生計画によって営業等の譲渡をすることについて明文の規定は存在しないが，それを否定すべき理由はない。ただし，再生計画案についての決議や裁判所の認可または不認可の決定という通常の手続に加えて，営業等の譲渡自体についての裁判所の許可（民再42 I）を要するかどうかについては，見解が分かれる[51]。結果において大きな違いはないが，法42条1項ないし3項の要件は，実質的には，再生手続認可決定の要件に含まれると解されるので，裁判所の許可を不要と解する。もっとも，再生債務者が株式会社である場合には，これに加えて，株主総会の特別決議（会社467 I ①②・309 II ⑪）などの手続を践むこと

43頁。

50) 神作裕之「更生計画外の営業譲渡」判タ1132号91頁（2003年），小塚荘一郎「更生計画による営業譲渡」同261頁，大橋正春「更生計画認可後の営業譲渡」同273頁参照。

51) 詳細については，新注釈民事再生法（上）236頁〔三森仁〕，詳解民事再生法439頁〔山本弘〕参照。東京地裁破産再生部でも，許可不要としている。民事再生の手引〈第2版〉198頁，破産・民事再生の実務［再生編］145頁，150問291頁〔辺見紀男〕。

が必要である。ただし，当該株式会社が債務超過に陥っているときには，後に説明する裁判所の許可（民再43Ⅰ）をもって株主総会の決議に代えることができる。

(2) 再生計画によらない営業等の譲渡

再生計画によらない営業等の譲渡は，その時期に応じて，再生手続開始申立てから開始決定まで，再生手続開始から再生計画認可決定確定まで，再生計画認可決定確定後の3つに分けられるが，まず再生手続開始から再生計画認可決定確定までの営業等の譲渡について説明する。

再生手続の目的である再生債務者の事業の再生は，本来であれば再生計画案についての決議を経て，裁判所の再生計画認可決定によって実現されるべきものである。債務者の事業組織の下での再生が困難であり，第三者の事業組織による以外にないと判断されるときは，営業等を譲渡することになるが，それも再生計画を通じて行うのが本則である。しかし，いったん再生手続が開始されれば，事案によっては，事業価値が急激に毀損されるおそれがある。このようなときには，再生計画案の決議や裁判所の認可を待たずに，早期に営業等の譲渡を行い，事業価値を保全することが再生に資すると考えられる。

ただし，それを認めるとすれば，営業等の譲渡の必要性や価額の適正さなどについて再生債権者の判断を問う機会が存在しないので，それに代わる措置を講じる必要がある。営業等の譲渡に関する裁判所の許可制度は，そのためのものである[52]。その意味で，裁判所の許可制度は，再生計画案に関する決議や再生計画の認可に代わる役割を果たすべきものであり，したがって，それとは別に営業等の譲渡についての規律が存在する場合，たとえば株式会社たる再生債務者に関する株主総会の特別決議の必要がある場合には，それを践まなければならない。

具体的には，再生手続開始後において，再生債務者等が再生債務者の営業[53]

---

52) 実際に民事再生申立事件のうち1割から2割程度の事件で営業等の譲渡の許可がされているといわれる。新注釈民事再生法（上）222頁〔三森仁〕。公正取引委員会への届出等，事業譲渡に必要な手続に関しては，相澤光江「事業譲渡と会社分割，増減資」講座(3) 433頁，平出晋一＝小幡陽弘「東京地裁における中小規模民事再生の実務」続・争点114頁，150問262頁〔権田修一〕参照。また，再生手続におけるM＆Aの方策としての事業譲渡，会社分割，増減資の長短についても，同論文452頁以下に詳しい。

53) 営業等の譲渡の意義に関しては，最大判昭和40・9・22民集19巻6号1600頁，江頭1010頁参照。なお，会社法平成26年改正（会社467Ⅰ②の2・309Ⅱ⑪）を反映して，再

等の全部または重要な一部の譲渡をするには，裁判所の許可をえなければならない（民再42Ⅰ前段）。裁判所の要許可事項とされるのは，営業等の全部または重要な一部の譲渡である。重要な一部の譲渡の意義については，会社法467条1項2号に関連する定義があるが，譲渡によって再生債務者の事業の存続に重大な影響を生じるかどうかを基準として判断する[54]。

再生手続開始前，特に保全期間中に営業等の譲渡をすることは，法が本来予定するところではないが，その許容性については考え方が対立する。事業価値の毀損を防ぐためには，早期の営業等の譲渡を認める必要は否定できない。また，株主総会の特別決議などの要件を満たしている以上，これを制限する根拠に乏しいともいえる[55]。しかし，保全期間中は再生債務者財産についての管理処分権は保全管理人に専属していることを考えると（民再81Ⅰ本文），再生債務者の行為のみで営業等の譲渡を認めることはできず，また保全管理人の権限に内在的制約が存在すること（本書898頁），さらに裁判所の許可についての明文の規定を欠くことを考えると，これを否定すべきである。

再生債務者が事業を継続することを内容とする再生計画認可決定が確定した後の営業等の譲渡についても，議論がある。監督委員または管財人が選任されていない場合には，認可決定の確定とともに再生手続が終結するから（民再188Ⅰ），それ以降の営業等の譲渡については，再生手続上の制約は存在しない。また，監督委員や管財人が選任されている場合でも，再生手続が終結すれば（同ⅡⅢ），同様に考えられる。これに対して，再生手続が終了していない場合には，再生計画変更（民再187）の手続による。再生計画による営業等の譲渡

生債務者の子会社等（会社2③の2）の株式または持分の全部または一部の譲渡が許可の対象事項に追加された。ただし，当該譲渡により譲り渡す株式または持分の帳簿価額が再生債務者の総資産額として法務省令（民事再生法施行規則）で定める方法により算定される額の5分の1（これを下回る割合を定款で定めた場合にあっては，その割合）を超えるときで，かつ，再生債務者が，当該譲渡がその効力を生ずる日において当該子会社等の議決権の総数の過半数の議決権を有しないときに限る（民再42Ⅰ②）。その趣旨は，本書79頁に述べた通りである。

54) 新注釈民事再生法（上）223頁〔三森仁〕，破産・民事再生の実務〔再生編〕145頁。
55) 詳細については，新注釈民事再生法（上）224頁〔三森仁〕参照。条解民事再生法229頁〔松下淳一〕，詳解民事再生法437頁〔山本弘〕は肯定する。民事再生の手引〈第2版〉200頁，破産・民事再生の実務［再生編］145頁，運用指針292頁では，早期に開始決定をすることによって対応すべきとする。

の場合と同様に，法42条1項による許可は不要である[56]。

(3) 裁判所の許可の要件

裁判所は，営業等の譲渡が再生債務者の事業の再生のために必要であると認められる場合に限って許可をすることができる（民再42Ⅰ後段）。ここでいう必要性とは，事業の一部譲渡の場合には，その対価を継続する事業の資金として活用するとか，全部譲渡の場合には，譲受人の下で事業の再生が可能であるなどの事情を意味する[57]。必要性以外に，譲渡代金の相当性などを裁判所の許可の要件とすべきであるとの考え方が有力であるが，不相当性が明らかな場合に不許可とする程度にとどめるべきであろう[58]。

(4) 裁判所の許可の手続

裁判所は，許可をする場合には，知れている再生債権者（再生債務者が債務超過のときには，約定劣後再生債権者を除く）の意見を聴かなければならない（民再42Ⅱ本文）[59]。ただし債権者委員会（民再117Ⅱ）があるときは，その意見を聴けば足りる（民再42Ⅱ但書）。また，労働組合等（民再24の2）の意見を聴くこと

---

56) もっとも，営業等の譲渡がなされる場合には，再生債権者に対して一括弁済がされることが通常であるから，収益弁済を内容とする再生計画が再生債権者の不利に変更されることにはならず（民再187Ⅱ参照），したがって，再生計画変更手続を不要とし，対価の適正さを確認するために，法42条1項の許可を得ればよいとするのが多数説である。詳解民事再生法438頁〔山本弘〕，条解民事再生法230頁〔松下淳一〕，新注釈民事再生法（上）225頁〔三森仁〕，島岡大雄「民事再生事件の履行監督及び牽連破産事件の処理について」多比羅喜寿511頁，運用指針291頁など。

57) 東京高決平成16・6・17金商1195号10頁〔倒産百選25事件〕。譲受人の事業遂行能力などは，それが明確に欠けている場合には，再生のための必要性の判断に含まれようが，例外的な場合にとどまる。その他の考慮要素について，民事再生法逐条研究61頁，民事再生の手引〈第2版〉200頁参照。

58) 条解民事再生法231頁〔松下淳一〕。譲受人（スポンサー）選定過程の公正性も含まれる。民事再生の手引〈第2版〉202頁，破産・民事再生の実務［再生編］148頁，運用指針293頁。その他，譲渡代金決定の手続などに関しては，新注釈民事再生法（上）228頁〔三森仁〕が詳しい。なお，事業譲渡が不当労働行為に該当する場合などには，許可を与えるべきではないとする意見（詳説倒産と労働35頁〔徳住堅治〕）がある。

59) 再生債権者多数の場合などにおける意見聴取の方法について，新注釈民事再生法（上）231頁〔三森仁〕，破産・民事再生の実務［再生編］148頁，運用指針294頁参照。相澤・前掲論文（注52）428頁は，債権者委員会の活用を説く。東京地裁破産再生部の実務では，事業譲渡を監督委員の同意事項に指定し，その同意をえた上で，再生債務者等が，裁判所の許可を停止条件とする事業譲渡契約を締結し，債権者説明会を開き，さらに意見聴取期日を開催（［書式3-7-1］）する方式がとられている。民事再生の手引〈第2版〉205頁。藤本利一「いわゆる計画外の事業譲渡の正当性」多比羅喜寿246頁は，アメリカ法と比較しつつ，債権者に対する情報開示の重要性などを説く。

も義務づけられる（民再42Ⅲ）[60]。

裁判所の許可をえないでなされた営業等の譲渡は，無効であるが，譲渡契約時に裁判所の許可がないことについて善意であった第三者に対しては，無効を対抗することはできない（民再42Ⅳ・41Ⅱ）。過失の有無は問題とならない。

(5) 株主総会の特別決議に代わる許可

株式会社たる再生債務者の事業について，事業の譲渡によってその再生を図ろうとするときには，再生計画によるものであるか否かを問わず，譲渡自体についての裁判所の許可（民再42Ⅰ）に加えて，株主総会の特別決議を経る必要がある（会社467Ⅰ①②・309Ⅱ⑪）。これは，株主が再生手続に参加することは要求されず，再生手続内で事業の譲渡についての株主の意思を問う手段が存在しないためである。しかし，一方では，事業価値の毀損を防ぐために事業の譲渡を速やかに行わなければならない場合があり，他方では，それに対応して特別決議を成立させることが容易でないという状況が考えられる。そこで，会社が債務超過に陥っており，株主権が実質的価値を失っていることを条件として，裁判所の許可をもって特別決議に代えることが認められる（民再43）[61]。

再生手続開始後において，株式会社である再生債務者が債務超過の状態にあるときは，裁判所は，再生債務者等の申立て（[書式3-7-2]）によって，事業の全部または重要な一部の譲渡（会社467Ⅰ①②）について，株主総会の特別決議による承認に代わる許可（代替許可と呼ぶ。民再43Ⅱかっこ書）を与えることができる（同Ⅰ本文）。代替許可をなすための第1の要件は，会社の債務超過である。債務超過の判断の前提となる資産の価値は，継続事業価値による[62]。

60) 労働組合等の意見聴取の態様について，民事再生法逐条研究62頁参照。
61) 法43条1項にもとづく許可は，法42条1項による許可とはその目的を異にするものであり，株式会社たる再生債務者が事業の譲渡をする場合には，両者の許可が必要になる。花村140頁，概説421頁，山本弘「現行倒産法制における営業譲渡の規律」福永古稀834頁。なお，金融機関等の事業譲渡等については，債務超過・債務超過のおそれがある支払停止・支払停止のおそれがある場合の代替許可という特別の制度がある（預金保険126の13）。
　なお，会社法平成26年改正（会社467Ⅰ②の2）を反映して，法43条1項にもとづく許可の対象事項が「事業の譲渡」から「事業等の譲渡」に拡張され，会社法467条1項2号の2にいう子会社の株式または持分の全部または一部の譲渡を含むことになった（本書79頁参照）。
　代替許可の手続に関しては，運用指針297頁参照。
62) 民事再生法逐条研究64頁，詳解民事再生法432頁〔山本弘〕，新注釈民事再生法（上）240頁〔三森仁〕など。この要件は，再生債務者たる株式会社の現状を前提として，株主

第2の要件は，事業の全部または重要な一部の譲渡が事業の継続のために必要であることである（同Ⅰ但書）。営業等の譲渡に関する許可の要件が，事業の再生のための必要性とされている（民再42Ⅰ後段）ことと比較すると，ここでいう事業の継続のための必要性は，株主総会の特別決議の省略を正当化するためのものであるから，速やかに譲渡を行わないと事業価値が著しく劣化するとか，廃業に追い込まれるおそれがあるなど，より厳格に解さなければならない[63]。

第3に，事業譲渡の時期が再生手続開始後のものであることが必要である。保全期間内の事業譲渡および再生計画認可決定確定後の事業譲渡については，法42条1項の許可に関して述べたところが妥当する。

代替許可決定があった場合には，その裁判書を再生債務者等に，その決定の要旨を記載した書面を株主に，それぞれ送達しなければならない（民再43Ⅱ）。代替許可決定は，再生債務者等に対する送達がなされた時から，効力を生じる（同Ⅲ。民訴119参照）。株主への書面の送達は，株主名簿に記載され，もしくは記録された住所または株主が再生債務者に通知した場所（民再規19Ⅰ）にあてて，通常の取扱いによる郵便または信書便の役務を利用して送付する方法によってすることができる（民再43Ⅳ）。その送達をした場合には，郵便物等が通常到達すべきであった時に，送達があったものとみなす（同Ⅴ）。裁判所書記官は，送達を受けるべき者の氏名，あて先および発送の年月日を記載した書面を作成しなければならない（民再規19Ⅱ）。

代替許可決定に対しては，株主は即時抗告をすることができる（民再43Ⅵ）。株主は，会社が債務超過の状態にあること[64]など，代替許可決定の要件のいずれについても，即時抗告の理由とすることができる[65]。代替許可決定は公告されないから，即時抗告は，1週間の不変期間内にしなければならない（民再18,

---

権が実質的価値を持っているかどうかを判断するためである。なお，合理的理由がないままに特別損失を計上して債務超過状態を作り出しても，代替許可の要件が満たされるとはいえない。前掲東京高決平成16・6・17（注57）参照。

63) 詳解民事再生法435頁〔山本弘〕，山本・前掲論文（注61）836頁，前掲東京高決平成16・6・17（注57）。これに対して条解民事再生法236頁〔松下淳一〕などは，よりゆるやかに解する。

64) 債務超過の状態であることを争って株主が即時抗告を提起したのに対して，これを認めたものとして，前掲東京高決平成16・6・17（注57）がある。

65) 松下・入門61頁。

民訴332。民再9参照)。

即時抗告は,執行停止の効力を有しない(民再43Ⅶ)。即時抗告によって代替許可決定が取り消されるまでの間になされた事業の譲渡の効力については,株主総会の特別決議が後に取り消された場合と同様に,事後的に無効とされる[66]。

代替許可決定がなされると,会社の事業の全部または重要な一部の譲渡について必要とされる株主総会の特別決議(会社467Ⅰ①②・309Ⅱ⑪)[67]は,不要になる。また,反対株主の株式買取請求の規定(会社469・470)は適用されない(民再43Ⅷ)。少数派株主の保護という制度の趣旨が当てはまらないためである[68]。

第2項　担保権消滅許可制度

各種の倒産処理手続における担保権消滅許可制度は,それぞれの手続の目的および基本構造を反映した特質を持っている(本書729頁)。再生手続における担保権消滅許可制度は,担保権目的物を含む再生債務者財産を再生の基礎として保持しなければならないという必要性を満たそうとするものであるが,同時に,更生手続と異なって,特定物を目的とする担保権には別除権の地位が認められ,手続に拘束されない権利の実行が認められている利益(民再53Ⅰ・Ⅱ)を本質的に損なうものであってはならない。

破産の場合と異なって(破187Ⅰ・188Ⅰ参照),担保権消滅許可申立てに対して担保権者が担保権実行や買受けの申出をもって対抗することは許されないこと,他方,会社更生の場合と異なって(会更109参照),再生債務者等が納付した目的物の価額に相当する金銭より担保権者に配当があることは(民再152Ⅰ・153),再生手続における担保権消滅許可制度の特徴となっている。したがって,再生のために担保目的物を再生債務者財産として保持しようとする再生債務者等は,担保権実行手続の中止命令(民再31Ⅰ本文)の利用可能性や担保権者の

---

66) 条解民事再生法237頁〔松下淳一〕,新注釈民事再生法(上)243頁〔三森仁〕。
67) 江頭872,908,1012頁参照。
68) 会社法の規定の文言上では,株主総会の特別決議の場合に限定されないところから,本文の趣旨を明らかにするために規定が設けられた。村松秀樹=世森亮次「会社法施行に伴う破産法・民事再生法・会社更生法の改正の概要」事業再生と債権管理111号85頁(2006年)。

意思にもとづく別除権協定の締結可能性などを考慮しつつ，必要な場合に担保権消滅許可制度の発動を求めることになる[69]。

再生手続上の担保権消滅許可制度は，再生債務者等による担保権消滅許可申立て（民再148，民再規70～74），目的物の価額に異議のある担保権者による価額決定の請求（民再149，民再規75～77），裁判所による価額の決定（民再150，民再規78～80），価額に相当する金銭の納付等（民再152，民再規81）および配当の実施（民再153，民再規82）からなる。なお，担保権消滅許可制度の法律構成としては，裁判所の許可を前提とし，価額に相当する金銭を裁判所に納付することを停止条件とする実体法上の形成権であり，その目的は，当該財産の上に存するすべての担保権を消滅させることにあるという説明がされている[70]。しかし，これに対しては，再生債務者財産についての管理処分権を有する再生債務者等が，目的物が有する収益価値を保全するために，別除権者の権利行使に介入し，別除権者に目的物の価額相当の金銭を交付することによって，その担保権を消滅させる再生手続上の権能を認めたものであるという，介入処分または介入権説が唱えられている[71]。

両説は，主として理論的な説明を目的とするものであるが，担保権消滅の効果が，裁判所の許可決定を前提とする代金納付によって生じること（民再152Ⅱ），消滅した担保権にかかる登記または登録の抹消について裁判所書記官による嘱託がなされること（同Ⅲ），および納付された金銭の配当が実施されること（民再153）を考慮すると，再生債務者等の担保権消滅許可の申立てにもとづく許可決定によって，担保目的物について観念的換価がなされ，その効果として担保権が消滅するものとみるのが相当であり[72]，介入権説を妥当とする。

1　担保権消滅許可の申立て

再生手続開始の時において再生債務者財産に属する財産[73]について特別の先

---

69)　立案の経緯や経済的合理性の見地から見た分析，あるいは制度運用の実情などについては，民事再生法逐条研究125頁，新注釈民事再生法（上）845頁〔木内道祥〕，民事再生の手引〈第2版〉244頁参照。
70)　花村402頁。
71)　民事再生法逐条研究129頁，詳解民事再生法406頁〔山本和彦〕など参照。
72)　民事執行法にもとづく強制競売や担保競売における消除主義（民執59Ⅰ・188）に相当する。
73)　再生債務者が物上保証人となっている場合も含まれる。また，実体上再生債務者の所有に属するものであれば足り，再生債務者の登記名義を必要とするものでないとする裁判

取特権，質権，抵当権または商事留置権（民再53Ⅰ参照）が存する場合において，当該財産が再生債務者の事業の継続に欠くことのできないものであるときは，再生債務者等は，裁判所に対して，当該財産の価額に相当する金銭を裁判所に納付して当該財産について存するすべての担保権を消滅させることについての許可の申立てをすることができる（民再148Ⅰ）。

(1) 消滅許可申立ての対象となりうる担保権

担保権消滅許可申立ての対象となりうるのは，再生手続開始の時に存在する典型担保のほかに，仮登記担保がある（仮登記担保法19Ⅲ）。それ以外の譲渡担保や所有権留保などの非典型担保が消滅許可申立ての対象となりうるか否かについては，一律にこれを否定する理由はない。下級審裁判例も，ファイナンス・リースにおけるリース会社の権利を，リース料債権を被担保債権とする担保権としているので[74]，担保権消滅許可申立ての対象となりうるものと解される。もっとも，担保権目的物の価額相当額が納付されたときに，どのような手続でそれを配当するか，また，不動産譲渡担保の場合に，移転登記の抹消が認められるかなどの問題が残されており，未だ考え方が確立されているとはいえない[75]。

例として，福岡高決平成18・3・28判タ1222号310頁（最決平成18・8・9実情310頁によって是認）がある（150問226頁〔三森仁〕参照）。破産手続上の担保権消滅許可（本書732頁）についても，同様である。条解破産法〈第3版〉1295頁，注釈破産法（下）273頁。

[74] 大阪地決平成13・7・19判時1762号148頁〔倒産百選62事件〕，東京地判平成15・12・22判タ1141号279頁，東京地判平成16・6・10判タ1185号315頁。いずれも，ユーザーが目的物の上に持つ利用権についてリース会社が担保権を有するとの法律構成を前提としている。ただし，解除権留保特約にもとづいて，再生手続開始前に解除がなされれば，ユーザーの利用権が消滅し，目的物は再生債務者財産に属しないものとなるという理由で，担保権消滅許可申立てが否定される。以上に対して，遠藤元一「リース契約における倒産解除特約と民事再生手続（上）」NBL 893号20頁（2008年）は，実効性の視点などから担保権消滅許可の対象とする意義が少ないと指摘する。

[75] 民事再生法逐条研究134頁。田原睦夫「担保権消滅請求制度の機能と課題」民事手続法と商事法務133頁（2007年）では，各種の非典型担保について，類推適用の可否が検討されている。譲渡担保について，所有権移転の形式をとることの特質などを理由として消極説を採るものとして，西謙二「民事再生手続における留置権及び非典型担保の扱いについて」民訴雑誌54号71頁（2008年）がある。なお，東京地裁破産再生部では，本文に述べた問題が生じない事案において，譲渡担保について積極的な運用をしている模様である。民事再生の手引〈第2版〉247頁，破産・民事再生の実務［再生編］193頁，倒産・再生訴訟469頁〔片山健〕，運用指針272頁。債権譲渡契約の内容からそれが譲渡担保の設定にあたるとし，担保権消滅許可の対象となるとした裁判例として，東京高決令和

また，対象となるのはすべての担保権に限られ，一部の担保権のみを対象とすることはできない。これは，担保権の実行可能性を排除して，目的物を再生債務者財産に確保するという目的を反映したものであり，また，目的物について観念的売却が行われるという法律構成の帰結でもある。

　これに対して用益権は消滅許可申立ての対象とならず，また，先順位の担保権がこの制度によって消滅する場合であっても，それに後れる用益権が消滅することはない[76]。

(2) 事業継続にとっての不可欠性

　担保権消滅許可が認められるのは，当該財産が再生債務者の事業の継続に欠くことのできないものであるときに限られる（民再148Ⅰ）。これを事業継続にとっての不可欠性と呼ぶ。これは，対象となる担保権者には，別除権者として換価権の行使時期を選択する利益が認められ，また再生債務者等の側から目的物を受け戻すためには，いわゆる担保権の不可分性の法理によって，被担保債権全額の弁済が必要であるにもかかわらず，担保権消滅許可申立ての時点での目的物の価額相当額を与えることによって担保権を強制的に消滅させようとするものであるから，上記のような担保権者の利益を凌駕する利益が存在しなければならないとの考え方にもとづくものである[77]。したがって，担保権を消滅させて遊休資産を処分し，その代金を事業を継続する資金として活用しようとする場合などは，目的物自体が事業継続にとって不可欠といえないので，消滅許可の要件にあたらない[78]。これに対して，営業等を譲渡する場合であっても，

2・2・14判タ1484号119頁がある。

76) 観念的売却という考え方であれば，強制競売の場合などと同様に（民執59Ⅱ），中間の用益権は消滅するという立法をすることも考えられないではない。しかし，用益権が存在する物件が事業の継続に不可欠であるという状況が考えにくいなどの理由から，このような考え方は採用されていない。民事再生法逐条研究137頁，民事再生の手引〈第2版〉248頁。したがって，財産の価額（民再148Ⅱ②）も，用益権の負担付で評価することとなる。ただし，抵当権者自身が担保目的物の価値を維持するために設定しているような，いわゆる併用賃貸借については，抵当権の消滅とともに消滅し，抹消登記嘱託の対象となりうるという考え方はありうる。民事再生法逐条研究138頁。

77) 事業継続にとっての不可欠性の判断には，提出される再生計画案の内容が密接に関連する。詳解民事再生法413頁〔山本和彦〕。したがって，再生計画案の可決の見込みがなければ，担保権消滅許可をすることはできない。

78) 新注釈民事再生法（上）851頁〔木内道祥〕，詳解民事再生法412頁〔山本和彦〕，倒産と訴訟387頁〔池上哲朗〕，破産・民事再生の実務［再生編］191頁，倒産・再生訴訟386頁〔松下祐記〕，465頁〔片山健〕など参照。最決平成15・4・11実情161頁は，この

目的物が事業継続に不可欠であり、担保権の実行可能性がそれを妨げるおそれが認められれば、消滅許可の対象になりうる[79]。

(3) 許可申立書の記載事項等

担保権消滅許可申立書には、以下の事項を記載しなければならない（民再148Ⅱ、民再規70）。すなわち、担保の目的である財産（民再148Ⅱ①）、その財産の価額（同Ⅱ②）、消滅すべき担保権（同Ⅱ③）、消滅すべき担保権の被担保債権額（同Ⅱ④）、消滅すべき担保権者の氏名等（民再規70Ⅰ①）、目的財産が再生債務者の事業の継続に不可欠である事由（同Ⅰ②）および再生債務者またはその

ような判断をした原決定を是認している。
　これに対して、条解民事再生法797頁〔小林秀之〕は、許可の要件を満たしうるとする。また、売却対象不動産について担保権消滅許可申立てを認めた裁判例として、名古屋高決平成16・8・10判時1884号49頁、東京高決平成21・7・7判時2054号3頁〔倒産百選61事件〕があり、後者は、土地購入代金を金融機関からの借入れ、その担保として金融機関のために抵当権を設定し、建売住宅として顧客に売却するに際して抵当権を抹消するという形での事業を営む再生債務者について、抵当権の消滅が事業用資産の売却のために不可欠であるという理由から、消滅許可申立てを認めている。抵当権の消滅自体は、その実行によっても可能であるが、実行の時期が確定しないことや実行による売得金が市場価格を下回る蓋然性が高いことなどが、この事案における不可欠性の判断の根拠となっているものと考えられる。
　その他の裁判例について民事再生の手引〈第2版〉249頁、中森亘ほか「〈パネルディスカッション〉再生手続における担保権の取扱い——中止命令と担保権消滅請求制度への提言を中心として」事業再生と債権管理140号57頁（2013年）参照。東京地裁破産再生部や大阪地裁倒産部では、資金使途などを考慮した柔軟な運用がなされているという。150問222頁〔上床竜司〕。
　商事留置権や集合動産譲渡担保の目的となっている原材料や商品についても、それらを用いた事業活動が困難になる場合には、担保権消滅許可を認めるものとして倒産と訴訟389頁〔池上哲朗〕がある。ただし、倒産・再生訴訟387頁〔松下祐記〕は、反対。
　なお、不可欠性は、担保権を消滅させることが事業の再生に寄与することを前提としているから、担保権の消滅が事業の継続にとって無益であると認められる事案では許すべきではない。最決平成15・7・11実情161頁参照。

[79] 田原・前掲論文（注75）130頁では、これまで担保権消滅が認められた事件のうちの相当数が、事業譲渡にともなうものであるとの指摘がされている。民事再生の手引〈第2版〉249頁も、担保権消滅許可の要件を満たすとする。
　なお、明文の要件ではないが、事業継続にとっての不可欠性と密接不可分のものとして、再生計画案可決の見込みが認められないときには、担保権消滅許可が許されないと解される。民事再生の手引〈第2版〉251頁。具体的には、再生計画案可決の蓋然性が高いとはいえない場合や、再生計画認可決定後の消滅請求の可否が問題となるが（150問223頁〔上床竜司〕）、可決の見込みや、消滅請求と計画遂行との関係などについての裁判所の判断に委ねられる。
　また、権利濫用の一般法理の適用として担保権者の利益を不当に害する申立てを排斥する余地もある。最決平成17・1・27実情256頁参照。

代理人などの電話番号等（同Ⅱ）である。消滅すべき担保権としては，目的財産上のすべての担保権を記載しなければならず，記載されなかった担保権は消滅しない（民再148Ⅲ第2かっこ書・152Ⅱ参照）。

　許可の申立てをするときには，目的財産の価額の根拠を記載した書面（民再規71Ⅰ①）[80]，商事留置権のように登記または登録をすることができない担保権の存在を証する書面（同Ⅰ②）の提出が義務づけられ（同Ⅰ柱書），登記または登録をすることができる目的財産についての登記事項証明書などの提出が求められることがある（同Ⅱ）。

　許可申立書の送達は，再生債務者等から提出された副本によってする（民再規72Ⅰ）。そして，担保権者全員に対して裁判書等の送達がされたときは，裁判所書記官は，その旨を再生債務者等に通知しなければならない（同Ⅱ）。その通知を受けるまでに，移転その他の事由によって申立書に記載された消滅すべき担保権を新たに有することとなった者があることを知ったときは，再生債務者等は，直ちにその旨を裁判所に届け出なければならない（民再規73）。また，許可申立てが取り下げられたときは，裁判所書記官は，裁判書等の送達を受けた担保権者に対して，その旨を通知しなければならない（民再規74）。

2　許否決定の手続

　再生債務者等から担保権消滅許可申立てがなされると，裁判所は，許否の決定を行う[81]。許可決定（[書式3-10-1]）があった場合には，その裁判書を，許可申立書面とともに，消滅すべき担保権者に送達しなければならない（民再148Ⅲ前段）。送達代用公告の規定（民再10Ⅲ本文）は，適用しない（民再148Ⅲ後段）。

　許可決定に対しては，即時抗告が認められる（同Ⅳ）。即時抗告の理由は，許可の要件にかかるものであるが，消滅許可の対象となりうる担保権かどうかや，事業継続についての不可欠性が中心となろう[82]。

---

80)　価額の根拠を示すことが義務づけられるのは，不当に低い価額での許可申立てがなされることを間接的に抑止し，また担保権者が書面を閲覧して，価額決定の請求（民再149Ⅰ）をするかどうかの判断資料とするためである。具体的には，民事再生の手引〈第2版〉253頁，運用指針275頁参照。

81)　決定に際して書面または口頭によって担保権者の意見を聴取するための手続は設けられていないが，実務運用としては，原則として意見を聴取すべきとする考え方が有力であり（詳解民事再生法414頁〔山本和彦〕），実務でも行われている。民事再生の手引〈第2版〉254頁，新注釈民事再生法（上）857頁〔木内道祥〕。

即時抗告についての裁判があった場合には，その裁判書を担保権者に送達しなければならない（同Ⅴ前段）。送達代用公告の規定は，適用しない（同Ⅴ後段）。

なお，消滅すべき担保権が根抵当権である場合には，その確定について特則が置かれている。破産手続開始の場合と異なって（民398の20Ⅰ④参照），設定者について再生手続が開始されても根抵当権の被担保債権の元本は確定しない。しかし，根抵当権を消滅許可の対象とするには，元本の確定が必要であるので，許可決定の裁判書等の送達（民再148Ⅲ）を受けた時から2週間を経過したときは，根抵当権の元本が確定する（同Ⅵ）。ただし，許可申立てが取り下げられ，または許可決定が取り消された場合には，元本確定の効力は失われる（同Ⅶ，民398の20Ⅱ）。

3　価額決定の請求手続

担保権消滅許可決定がその要件を欠いていると判断する場合には，担保権者は，即時抗告（民再148Ⅳ）をもって不服を申し立てることになるが，再生債務者等が提示した目的物の価額（同Ⅱ②）が不相当であると判断する場合には，担保権者は，裁判所に対して価額決定の請求をすることができる（民再149Ⅰ）。破産手続における担保権消滅許可の場合には，価額の相当性を争う担保権者は，担保権実行の申立てや買受の申出によって対抗することができるが（破187Ⅰ・188Ⅰ。本書734頁），再生手続における担保権消滅許可の場合には，目的物を事業継続のために保持することを目的としているので，価額決定の請求によって，担保権者が目的物の適正な価額を争う機会を保障しようとするものである。制度の目的等には違いがあるが，更生手続においても類似の規定が設けられている（会更105）。

（1）　価額決定の請求

担保権者は，担保権消滅許可申立書に記載された目的物の価額（申出額という）について異議があるときは，当該申出書の送達を受けた日から1月以内に，担保権の目的である財産について価額決定の請求をすることができる（民再149Ⅰ）。やむを得ない事由[83]がある場合に限り，許可決定をした裁判所は，担

---

82)　共同担保となっている複数の不動産のうちの一部についての担保権消滅許可申立てが，担保権者の利益を著しく害することを理由として，申立権の濫用とされる可能性もある。札幌高決平成16・9・28金法1757号42頁。

83)　申出額の適正さを判断するための調査などに時間を要するなどの事情が，やむを得ない事由の例としてあげられるが，担保目的物の管理に求められる合理的注意からしてやむ

保権者の申立てによって1月の期間を伸長することができる（同Ⅱ）。価額決定の請求についての管轄は，再生裁判所に専属する（同Ⅲ）[84]。価額決定の請求には，費用[85]の予納が求められ（同Ⅳ），予納がないと，再生裁判所は，価額決定の請求を却下する（同Ⅴ）。

価額決定の請求書には，再生事件の表示，当事者の氏名等，財産の表示および価額決定を求める旨を記載し（民再規75Ⅰ），許可決定の裁判書などの写しを添付しなければならない（同Ⅱ）。また，価額決定の請求をする担保権者が財産の評価をした場合において当該評価を記載した文書を保有するときは，再生裁判所に対して，その文書を提出するものとする（同Ⅳ）。なお，担保権者は，再生債務者等に対して，価額決定の請求をした旨を通知しなければならない（同Ⅲ）。

(2) 財産の評価

価額決定の請求があった場合には，再生裁判所は，請求期間の徒過や手続費用の予納がないことなどを理由として当該請求を却下する場合を除いて，評価人を選任し，財産の評価を命じなければならず（民再150Ⅰ），その評価にもとづいて決定で，財産の価額を定めなければならない（同Ⅱ）。再生裁判所は，必要があると認めるときは，再生債務者等に対して登記事項証明書や固定資産税価格証明書などの書面を提出させることができる（民再規76）。評価人による評価の資料とするためである。また，再生債務者等および価額決定の請求をした担保権者は，評価人の事務が円滑に処理されるようにするため，必要な協力を義務づけられるし（民再規78Ⅰ），評価人は，価額決定の請求をしなかった担保権者に対しても，財産の評価のために必要な協力を求めることができる（同Ⅱ）。

評価は，価額決定の時における[86]財産の処分価額を基準とする（民再規79Ⅰ）。

を得ないとされる場合でなければならない。新注釈民事再生法（上）862頁〔木内道祥〕。

84) 再生裁判所の意義およびそれが管轄裁判所とされる理由は，すでに述べた通りであるが（本書900頁），現に再生事件を担当する裁判体に配点しても，違法とはいえない。民事再生法逐条研究150頁。実際には，そのような運営がなされている。条解民事再生法804頁〔小林秀之〕。

85) 費用としては，評価人による評価（民再150Ⅰ）の費用が中心になる。新注釈民事再生法（上）864頁〔木内道祥〕。

86) 価額決定の請求がなされない場合における消滅許可申立てにおける申出額（民再148Ⅱ②）とは，基準時において差が生じる。民事再生法逐条研究160頁，条解民事再生法

処分価額の意義については，担保権者がその独自の権能として実現できる競売価額とする説が有力であるが[87]，担保権消滅許可を目的財産について管理処分権を有する再生債務者等による観念的売却として捉える本書の立場からは，いわゆる早期売却価額と理解する[88]。財産が不動産である場合には，評価に際して，不動産が所在する場所の環境等に応じ，取引事例比較法，収益還元法，原価法その他の評価の方法を適切に用いなければならない（同Ⅱ）[89]。財産が不動産でない場合も同様である（同Ⅳ前半部分）。なお，評価人には，評価書の提出が義務づけられる（同Ⅲ・Ⅳ後半部分，民執規30Ⅰ）。

(3) 価額決定の手続

価額決定の請求がなされた財産について担保権者が数人ある場合には，裁判所書記官は，その全員（価額決定の請求をした者を除く）に対して，価額決定の請求があった旨を通知しなければならない（民再規77Ⅰ）。ただし，数個の価額決定の請求事件が同時に係属するときは，その通知は，最初の価額決定の請求があったときにすれば足りる（同Ⅱ）。

また，担保権者が数人ある場合には，そのすべての担保権を消滅させて配当等を実施する関係から，価額は合一に確定する必要がある。そこで，担保権者の全員について価額決定の請求期間（民再149ⅠⅡ）が経過しなければ，再生裁判所は価額決定をなしえないし（民再150Ⅲ前段），数個の価額決定の請求事件が同時に係属するときは，事件を併合して裁判しなければならない（同Ⅲ後段）。そして，価額決定は，その請求をしなかった担保権者に対しても，その効力を有する（同Ⅳ）。

価額決定の請求についての決定（[書式3-10-2]）に対しては，再生債務者等および担保権者は，即時抗告をすることができる（同Ⅴ）。価額決定の請求を

812頁〔泉路代〕。
[87] 詳解民事再生法417頁〔山本和彦〕，新注釈民事再生法（上）868頁〔木内道祥〕など。
[88] 民事再生法逐条研究152頁，倒産と訴訟395頁，条解民事再生法809頁〔泉路代〕。不動産について，社団法人日本不動産鑑定協会・前掲論文（注43）82頁，運用指針280頁など参照。
[89] 当該財産に用益権が設定されており，それが消滅しないことを前提とすれば，評価も用益権の負担付のものとしてなされるという意見も有力であるが（民事再生法逐条研究162頁〔福永有利発言〕），担保権を実行した場合に担保権者がえられたはずの利益を奪うことは相当でないとの理由から，用益権の負担のないものとして評価をすべきであるとの考え方が多数である。花村415頁，詳解民事再生法417頁〔山本和彦〕，新注釈民事再生法（上）870頁〔木内道祥〕，条解民事再生法810頁〔泉路代〕。

しなかった担保権者にも即時抗告権が認められる。したがって，価額決定の請求についての決定または即時抗告についての裁判の裁判書は，再生債務者等およびすべての担保権者に対して送達しなければならず（同Ⅵ前段），送達代用公告の規定（民再10Ⅲ本文）は，適用しない（民再150Ⅵ後段）。送達がされたときは，裁判所書記官は，その旨を再生債務者等に通知しなければならない（民再規80Ⅰ）。

なお，価額決定の請求についての決定または即時抗告についての裁判の裁判書の送達を受けた者が，登記または登録がされている担保権者であることを確認するために，再生裁判所または抗告裁判所は，再生債務者等や担保権者に対して，当該財産の登記事項証明書等を提出させ（民再規80Ⅱ・71），また再生債務者等は，送達の通知（民再規80Ⅰ）までに，消滅すべき担保権を新たに有することとなるものがあることを知ったときは，その旨を再生裁判所または抗告裁判所に届け出なければならない（民再規80Ⅱ・73）。

(4) 価額決定請求手続の費用の負担

価額決定の請求手続の費用は，請求をなす者が予納するが（民再149Ⅳ），最終的な負担については，以下のように決定される。第1に，再生裁判所の決定によって定められた価額（民再150Ⅱ）が，再生債務者等による申出額（民再148Ⅱ②）を超える場合には，申出額が低廉にすぎたことを意味するから，費用は，再生債務者の負担とする（民再151Ⅰ本文前半部分）[90]。第2に，決定額が申出額を超えない場合には，申出額が相当以上であったことを意味するから，費用は，価額決定を請求した者の負担とする（同後半部分）。ただし，第1の場合でも，申出額を超える額が費用の額に満たないときは，当該費用のうち，その超える額に相当する部分は再生債務者の負担とし，その余の部分は価額決定の請求をした者の負担とする（同Ⅰ但書）。実質的にみれば，超える部分に相当する部分については，価額決定の請求が意味を持ったのに対して，その余の部分は意味がなかったとみられるからである[91]。なお，即時抗告にかかる手続に要

---

[90] もっとも，いわゆる担保割れの状態では，納付された金銭から費用請求権分を優先弁済すると，結果としては，担保権者に対する配当額が減少し，不足額が再生債権として行使されることになるので，実質は再生債務者が負担したことにならないという批判がある。詳解民事再生法427頁注52〔山本和彦〕，新注釈民事再生法（上）874頁〔木内道祥〕参照。再生債務者の地位をどのようにみるかによることになろう。

[91] 詳解民事再生法419頁〔山本和彦〕の例によれば，申出額800万円，決定額850万円，

した費用は，その即時抗告をした者の負担とする（同Ⅱ）。

以上の結果として，再生債務者の負担とされた費用について，費用請求権を有する者は，その費用に関し，納付された金銭（民再152Ⅰ）について，他の担保権者に先立ち弁済を受ける権利を有する（民再151Ⅲ）。しかし，再生債務者等が金銭の納付をしなかったために，裁判所が担保権消滅許可決定を取り消したときは（民再152Ⅳ），価額決定の請求にかかる手続費用も，即時抗告にかかる手続費用も，すべて再生債務者の負担とする（民再151Ⅳ前段）。金銭の不納付によって手続を終了させた再生債務者等に帰責性が認められるためである。この場合の再生債務者に対する費用請求権は，共益債権とする（同Ⅳ後段）。

4 価額に相当する金銭の納付等

目的財産の価額が確定したときは，再生債務者等は，それに相当する金銭を，裁判所の定める期限（民再規81Ⅰ）までに裁判所に納付しなければならない（民再152Ⅰ）[92]。納付すべき金額は，請求期間内に価額決定の請求がなかったとき，または価額決定の請求がすべて取り下げられ，もしくは却下されたときは，申出額（民再148Ⅱ②）であり，価額決定が確定したときは，その決定によって定められた額（民再150Ⅱ）である。納付期限が定められたときは，裁判所書記官は，再生債務者等に対して，これを通知しなければならない（民再規81Ⅱ）。納付期限の徒過は，担保権消滅許可決定の取消しという重大な結果を生じるので（民再152Ⅳ），再生債務者等が外国にいるなどの場合でも行わなければならない（民再規81Ⅳによる民訴規4Ⅴの準用排除）。

担保権者の有する担保権は，金銭の納付[93]があった時に消滅する（民再152Ⅱ）。消滅する担保権は，担保権消滅許可申立書に記載されたものである（民再

　費用額が70万円の場合，申出額を超える50万円部分に相当する費用額50万円は，価額決定請求の成果とみなし，再生債務者に負担させ，その余の費用20万円は，実益のない価額決定請求の費用として請求者に負担させる結果となる。民事再生の手引〈第2版〉262頁にも具体例が示されている。

92) 担保権者が実体法上の権利として再生債務者に対して対価請求権を取得する趣旨ではない。東京地判平成16・2・27判時1855号121頁。

93) 金銭の納付とは，価額相当額の金銭を一括して裁判所に納付することを意味する。事実上の借り換えなどの方式に関しては，詳解民事再生法420頁〔山本和彦〕，民事再生の手引〈第2版〉265頁参照。分割納付の可能性も議論の対象となっているが（中森ほか・前掲パネルディスカッション（注78）53頁），担保権者の利益や不履行の場合の法律関係が複雑になることから，消極に介すべきである。園尾隆司「再生手続における担保権の処遇――裁判実務の観点からみた立法への提言」松嶋古稀148頁参照。

148Ⅲ第2かっこ書参照)。仮登記担保や譲渡担保のように，登記・登録の外形上では担保権かどうかが一義的に明らかでないものについても，申立書に消滅すべき担保権として記載され，許可決定の対象となったものについては，消滅するものとして扱われ，次に述べる抹消登記嘱託の対象となる。ただし，権利者の側から担保権でないことを主張して，別訴によって登記の回復を求める余地は認められる。

担保権の消滅にともなって，裁判所書記官は，その担保権にかかる登記または登録の抹消を嘱託しなければならない（民再152Ⅲ）。嘱託は，嘱託書に，担保権消滅許可決定の裁判書の謄本を添付してしなければならない（民再規81Ⅲ）。

5 配当等の実施

価額に相当する金銭を担保権者に対してどのように交付または分配するかは，担保権者が複数存在する可能性を考えると，困難な問題がある[94]。それを解決するために再生手続では，民事執行法にもとづく不動産執行にならって，裁判所の責任において納付金を交付または配当することとした。

担保権者が1人である場合または担保権者が2人以上であって納付金をもってすべての被担保債権および再生債務者の負担すべき費用（民再151Ⅰ）を弁済することができる場合には，裁判所は，当該金銭の交付計算書を作成して，担保権者に弁済金を交付し，剰余金を再生債務者等に交付する（民再153ⅡⅢ，民執88・91・92。民執84Ⅱ参照）。それ以外の場合には，配当表にもとづいて，担保権者に対する配当を実施しなければならない（民再153ⅠⅢ，民執85・88～92）。弁済金交付または配当の実施のいずれについても，具体的手続は，不動産執行の場合と同様である（民再規82）[95]。

なお，再生債務者財産の上に設定されている担保権が共同担保の場合，たとえば数個の不動産上に共同抵当が設定されている場合には，納付金銭の割付などの問題が生じる。共同抵当の目的不動産のすべてについて担保権消滅許可申立てがなされるときには，割付配当の規律（民392Ⅰ）が適用される[96]。また，

---

[94] 再生債務者等がその判断にもとづいて各担保権者の優先順位にしたがって支払うという方式も考えられるが（民386参照），法律関係の安定性に欠け，再生手続の円滑な進行を妨げるおそれがある。新注釈民事再生法（上）881頁〔木内道祥〕。

[95] 実際には，民事および商事留置権の取扱いについての問題があるが（西・前掲論文（注75）64頁），不動産執行と同様に，留置的効力の故に事実上最優先の満足を受けられることになろう。

共同抵当の目的物の一方のみについて担保権消滅許可の申立てがなされたときには[97]，異時配当の規律（同Ⅱ）が適用される[98]。

---

96) その結果として，一方の不動産についてのみの後順位担保権者にも他の不動産の価額を争う利益が生じるから，許可決定の裁判書の送達（民再148Ⅲ）などの措置を執るべきである。なお，一括売却（民執61）が相当である複数の不動産については，一括売却を前提とした価額申出や価額決定がなされる。詳細については，民事再生法逐条研究140頁，詳解民事再生法421，427頁注60〔山本和彦〕参照。
97) 前掲札幌高決平成16・9・28（注82）は，一部のみを担保権消滅許可申立ての対象とすることが，残部について担保権者が把握する価値を著しく損なう場合には，権利濫用として許されないとする。
98) もっとも，共同抵当の目的物が，法人たる再生債務者所有の物件と法人の代表者たる第三者所有の物件という場合がある。担保権消滅許可申立ての対象となりうるのは，再生債務者所有の物件上の担保権のみであるが，許可申立てを否定する考え方（民事再生法逐条研究140頁〔福永有利発言〕）と，これを肯定した上で（150問225頁〔三森仁〕），第三者やその不動産の後順位担保権者にも価額決定の請求適格を認める考え方（詳解民事再生法426頁〔山本和彦〕）とがある。実際上の必要からいえば，後者の考え方にも理由があるが，法149条などの文言からみると，問題がある。

第8章　再生計画

　再生計画とは，再生債権者の権利の全部または一部を変更する条項その他再生債務者の事業または経済生活の再生を図るための基本的事項（民再154）を定めるものであり（民再2③），再生手続の根本規範である。
　再生債務者等およびその他の者が，再生債権者の権利変更や株式会社である再生債務者についての組織再編などを内容とする再生計画案を作成し，裁判所に提出すると，それが債権者集会の決議に付され，可決されると，裁判所が再生計画認可または不認可の決定をなし，認可決定が確定すると，再生計画の内容にしたがった権利変更等の効力が生じ，以後の再生手続は，再生計画の履行として進められる。

第1節　再生計画の条項

　再生計画の条項は，第1に，絶対的必要的記載事項，すなわちその記載がないと再生計画が不適法なものとして不認可の理由（民再174Ⅱ①）となるもの，第2に，相対的必要的記載事項，すなわち再生計画に記載しなければ所定の効力が生じないもの，第3に，それ以外の任意的記載事項とに分けられる。

第1項　絶対的必要的記載事項

　再生計画においては，(1) 全部または一部の再生債権者の権利の変更，(2) 共益債権および一般優先債権の弁済，(3) 知れている開始後債権があるときは，その内容の3つを必ず定めなければならない（民再154Ⅰ）。

1　全部または一部の再生債権者の権利の変更

　ここでいう再生債権者は，届出や確定の有無を問わず，手続開始後の利息等の請求権（民再84Ⅱ），約定劣後再生債権（民再35Ⅳ），手続開始前の罰金等（民再97①・181Ⅲ），共助対象外国租税の請求権（民再26Ⅰ⑤）を含む，すべての再生債権者を意味する。また，権利の変更とは，全部または一部の免除，期限の猶予，権利内容の変更（債権を株式に振り替える，いわゆるデット・エクィティ・ス

ワップ（DES）[1]など），第三者による債務引受や担保の提供など，再生債権の権利内容に関するあらゆる変更を含む[2]。

権利の変更についての定めの態様としては，まず，再生債権（約定劣後再生債権を含む）について，債務の減免，期限の猶予その他の権利変更に関する一般的基準を定める（民再156）[3]。一般的基準を定める意義は，権利の変更に関する基準を明らかにし，平等原則などに適合していることを示すことのほかに，届出のない再生債権等が一般的基準にしたがって変更される点にある（民再181Ⅰ）[4]。

再生計画には，一般的基準を踏まえて，全部または一部の再生債権者の権利の変更を個別的に定めなければならない。一部についてのみ定めることが許されるのは，再生手続開始前の罰金等で，共益債権または一般優先債権でないもの（民再97①）については，権利変更を定めることができないこと（民再155Ⅳ），少額再生債権者などについては，その権利を変更しない場合があること（同Ⅰ但書参照）による。

再生計画の権利を変更する条項においては，届出再生債権者および自認債権（民再101Ⅲ）のうち変更されるべき権利を明示し，かつ，一般的基準（民再

---

1) 事業再生研究機構税務問題委員会編・事業再生における税務・会計Ｑ＆Ａ 64頁〔富永浩明〕（2007年）参照。
2) 再生計画の内容や権利変更の類型については，新版再生計画事例集，民事再生の手引〈第2版〉271頁参照。また，同書311頁以下，鹿子木康「東京地裁における再生計画案の審査について（下）」NBL 979号69頁（2012年），運用指針326，331，354頁には，それぞれの類型のモデル案が示されている。
  なお，担保権，債権，株式という多様な権利の変更を内容とする更生計画においては（会更168Ⅰ），上位の権利と下位の権利との優先・劣後関係について絶対的優先説と相対的優先説との対立があるが（伊藤・会更法・特清法590頁），再生債権のみの権利変更を内容とする再生計画においては（民再154Ⅰ①），このような問題を生じない。水元宏典「更生管財人・再生債務者等の計画案作成における善管注意義務・公平誠実義務」プレーヤー 205頁。
3) 例としては，「再生債務者の元本および開始決定日の前日までの利息・損害金の合計額の13％に相当する額（以下，「弁済額」という）を，次の通り分割して支払う。……再生債権の開始決定日以降の利息・損害金の全額については，再生計画認可決定の確定の時に免除を受け，元本および開始決定日の前日までの利息・損害金の合計額の87％に相当する額については，上記の分割弁済を完了したときに免除を受ける」などの条項がある。新版再生計画事例集79頁，150問279頁〔小畑英一〕。
4) これに対して，更生手続では，届出のない更生債権はすべて免責の対象となり，一般的基準による変更の規定は設けられていない（会更204参照）。

156）にしたがって変更した後の権利の内容を定めなければならない（民再157Ⅰ本文）[5]。また，再生手続開始前の罰金等（民再155Ⅳ）や少額債権など（同Ⅰ但書）のように，権利内容に変更を加えず，再生計画によって影響を受けないものがあるときは，その権利を明示しなければならない（民再157Ⅱ）。これは，上記の再生債権の内容が確定していることを前提とするものであり，したがって，再生債権の調査確定手続が存在しない簡易再生，同意再生，個人再生には適用されない（民再216Ⅰ・220Ⅰ・238・245）。また，未確定の再生債権や別除権者の不足額（民再88本文）の未確定部分についても，適用対象とならないが，これに関しては，後に述べる特別の規定が置かれている。

変更後の権利の内容および変更されない権利の内容が記載された再生計画認可決定が確定すると，その条項が再生債権者表に記載され（民再180Ⅰ），確定判決と同一の効力を生じるとともに（同Ⅱ），再生債務者などに対する執行力を与えられる（同Ⅲ本文）。

(1) 権利の変更に関する平等原則

再生計画による権利の変更の内容は，再生債権者の間では平等でなければならない（民再155Ⅰ本文）。再生債権の基礎となる権利の間に優先劣後の関係が存在しないことを反映したものである。平等とは，金銭債権の場合であれば，弁済率や弁済期間などに照らし，再生債権者が受ける経済的利益が同一であることを意味する[6]。また，非金銭債権であれば，目的たる給付の財産的価値[7]

---

[5] 具体的な定め方については，新注釈民事再生法（下）26頁〔岡正晶〕参照。実例では，再生計画の別表として，各債権者について債権額，免除率，弁済額を定めた上で，各期限において支払うべき額を記載することが多い。新版再生計画事例集84頁。

　なお，再生債務者が知りながら自認しなかった再生債権については，届出がなされない限り，再生計画に記載されず，権利変更後の具体的内容は定められないが，権利変更の一般的基準にしたがった権利変更を受けて（民再181Ⅰ③。本書1124頁）再生債務者が弁済の責任を負う。これに対して，再生債務者が知らないために，自認せず，かつ，届出もなされない再生債権は，再生計画に記載されず，免責の対象となる（民再178Ⅰ本文。本書1122頁）。しかし，過払金返還請求権のように，再生債務者による自認および債権者による届出のいずれについても，客観的に困難な状況が存在する場合には，上記の知りながら自認しなかった再生債権と同様の取扱いをすべきことを示唆するものとして，山本和彦「過払金返還請求権の再生手続における取扱い」NBL892号16頁（2008年）がある。

[6] 再生債権者間で再生手続開始日の前日までの利息および遅延損害金の額に相当の差異がある場合，一律にその免除を定めることに問題を生じる。民事再生の手引〈第2版〉278頁，鹿子木康「東京地裁における再生計画案の審査について（上）」NBL 978号55頁（2012年）。

　また，同一の再生債権者が有する複数の再生債権をまとめて一本の再生債権とみなして

を基準として金銭債権との間の平等を判断することとなる[8]。

もっとも，平等原則の例外として，以下のようなものを法が認めている。

第1に，不利益を受ける再生債権者の同意がある場合には，その者に対する弁済率を低くするなどの不平等な取扱いが許される（同但書）。親会社や経営者が再生債権者となっているときに，再生債務者等が，交渉によってそれらの者の同意を取り付けて，不利益な取扱いをする場合などが，これにあたる。

第2に，少額の再生債権について別段の定めをする場合があげられる（同但書）。ここでいう別段の定めは，他の再生債権よりも弁済率や弁済期間などに

再生計画による権利変更および弁済の定めをすることがある。これを一本化条項と呼ぶことがあるが，再生計画において定められた弁済額は，各債権額に応じた按分計算によって充当されると解される。その場合に，ある再生債権について再生手続開始後に保証人による弁済がなされたときであっても，それが一部の弁済にとどまる場合には，再生手続開始時の債権額を基礎として按分計算をするのか（開始時現存額），再生計画による弁済基準時の債権額を基礎として按分計算をするのか（弁済時現存額）という問題がある。

手続開始時現存額主義（民再86Ⅱ，破104Ⅱ。本書313頁）の趣旨を踏まえれば，開始時現存額をもって一本化条項にもとづく弁済についての按分計算をすべきであり，保証人による弁済を受けた債権に対する按分計算にもとづく充当額が弁済時現存額を超えるときには，一本化条項の基礎となっている他の再生債権に対する弁済に充てることは再生計画において予定されていないとする，東京地判平成24・11・28金法1971号97頁，東京高判平成25・4・17判タ1391号354頁がある。一本化条項が，その基礎となる複数の債権を実体的に1つの債権とする趣旨ではないことを前提とすれば，妥当な結論である。

その他，親会社の再生手続において保証債務履行請求権を内容とする再生債権について，手続開始前に主債務者たる子会社から受けた弁済額を控除した額を基準として権利変更の対象とすることの適法性が問題になったことがある。不利益を受ける当該再生債権者の同意がない場合には，手続開始時現存額主義（本書948頁）との関係で適法性に問題を生じよう。中山孝雄「開始時現存額主義に関するいくつかの問題」多比羅喜寿338頁参照。

7) 議決権額（民再170Ⅱ③・171Ⅰ②など）が1つの参考となろう。
8) 平等原則違反があっても，それが軽微であり，実質的不公平が明白とまではいえないときには，再生計画を認可することが許される。東京高決平成13・9・3金商1131号24頁〔倒産百選〈第4版〉81事件〕。

ゴルフ場の再生事件について，債権者平等原則違反を判示するものとして，東京高決平成16・7・23金商1198号11頁〔倒産百選92事件〕（最決平成16・11・12実情208頁によって是認）があり，平等原則違反を否定するものとして，東京高決平成14・9・6判時1826号72頁がある。これに関する検討として，服部弘志「ゴルフ場事業者の再生手続における会員債権者の処遇と債権者平等の原則」今中古稀489頁，辻川正人「再生計画における債権者平等について」同284頁，民事再生の手引〈第2版〉281頁がある。特に，預託金請求権に関して退会会員と継続会員との間に弁済率の差を設けることや，将来の退会者が多数に上ったときの取扱いが問題となるが，一方で，事業の継続に対する寄与を評価するとともに，他方で，合理的範囲を超える実質的不平等が生じないような条項を設けることが必要である。150問294頁〔森直樹〕参照。

おいて有利な定めをすることを意味する[9]。そもそも，少額の再生債権について，有利な取扱いをすることを正当化する根拠としては，再生手続にとっての利益と少額再生債権者にとっての利益が考えられる。再生手続にとっての利益とは，議決権者の頭数を減らすことによって，手続費用を節減し，再生計画案についての可決を容易にすること（民再172の3Ⅰ①参照）や，少額の再生債権を早期に弁済することによって再生債務者の事業の継続にとっての支障を取り除くことなどを意味する。再生計画認可決定確定前の少額再生債権の弁済（民再85Ⅴ）は，このような考え方にもとづくものである。これに対して，少額再生債権者にとっての利益とは，早期の弁済や高い率の弁済を受けることによって権利の実質を確保できることなどを意味する。再生計画による権利変更に関する別段の定めの許容は，このような利益を考慮することを認めるものである[10]。

第3に，手続開始後の利息の請求権等（民再84Ⅱ）について劣後的取扱いを内容とする別段の定めをすることが許される（民再155Ⅰ但書）。これらの請求権等が他の再生債権に比較して劣後的性質を持っており（本書944頁），議決権も認められないこと（民再87Ⅱ）を考慮したものである。

第4に，以上の場合以外であっても，再生債権者の間に差を設けても衡平を害しない場合がある。ここでいう衡平とは，権利の性質や発生原因を考慮したときに，当該権利を他の再生債権者より有利に，または不利に扱うことに合理

---

[9] 別段の定めの例としては，再生債権額（たとえば50万円未満のもの）について全額を弁済するとか，免除後の金額を一括弁済するなどの条項がある。新版再生計画事例集70頁以下参照。なお，産業競争力強化法平成30年改正62条においては，先行した事業再生ADRにおいて手続遂行主体が少額性や事業継続にとっての不可欠性を確認した債権については，裁判所は，それを考慮して，別段の定めが衡平を害しないかどうかを判断するものとされている（本書19頁参照）。

[10] 弁済禁止保全処分からの除外や少額債権の弁済許可（民再85Ⅴ）の対象となった再生債権との平等を確保するために，他の債権者についても同額までは全額弁済を定める必要がある。民事再生の手引〈第2版〉278頁，150問79頁〔和田正〕。

また，少額債権についての優先的な取扱いにおいて，それを超える再生債権者との間の平等を確保するための方策として，いずれの再生債権者も同額までの満足を受けられるとし，それを超える部分を権利変更の対象とする，累積段階方式の合理性が説かれる。民事再生の手引〈第2版〉279頁，運用指針325頁。

その他，債権額と平等原則との関係については，いくつかの問題があるが（民事再生の手引〈第2版〉280頁），債権額の多寡にかかわらず一定割合の弁済率を適用する按分方式を基本とし，弁済期についても，債権額による有利不利が生じないように配慮すべきである。

的理由が認められることを意味する。有利に扱うことができる例としては，人身被害にもとづく損害賠償債権たる再生債権について，他の再生債権よりも弁済率を高め，また弁済期を繰り上げることがありうるし[11]，逆に不利に扱うことができる例としては，同意がない場合でも，親会社や内部者の再生債権についてのみ弁済率を低め，あるいは全額免除とすることがありうる[12]。さらに，再生手続開始申立前の私的整理段階において，主要債権者の合意を得て，再生債務者に対して事業再生のための資金を供給した者の債権を，他の再生債権より有利に扱うことも考えられる[13]。

---

[11] 開始決定に近接した時期に発生した債権を含め，優先的取扱いが許される再生債権を例示することを提案するものとして，判例・実務・改正提言533頁〔清水祐介＝金山伸宏〕がある。

[12] 注釈民再法（下）17頁〔岡正晶〕，詳解民事再生法501頁〔山本弘〕，条解民事再生法836頁〔松嶋英機〕，150問27頁〔山川萬次郎〕。劣後化の限度については，破産手続における劣後化が一般的に否定されていること（本書311頁）を前提とすれば，清算価値保障原則（本書1114頁）との関係で，当該権利者に対する破産配当を下回ることは許されない。山本和彦「清算価値保障原則について」青山古稀929頁参照。

 もっとも，親会社や内部者の地位にある者の再生債権を劣後化するかどうかについては，経済活動の実質に即した柔軟かつ総合的な判断が求められる。劣後化の義務を否定したものとして，東京高決平成22・6・30判タ1372号228頁，東京高決平成23・7・4判タ1372号233頁があり，その背景や根拠を説明し，劣後化を義務化すべき場合と許容できる場合とを区別するものとして，上田裕康「事業再生の進化と国際化」多比羅喜寿594，600頁がある。

[13] 産業活力再生特別措置法（平成11年法律131号・平成19年改正）53条では，特定認証紛争解決手続によって事業再生を図ろうとする事業者が，事業再生のために行う資金の借入れについて，あらかじめ特定認証紛争解決事業者によって法定の要件に適合していることの確認（産活52）をえた上で，再生計画案においてその資金の借入れにかかる再生債権と他の再生債権者との間に権利の変更の内容に差を設けている場合には，裁判所は，確認がなされていることを考慮して，衡平に反しないかどうかの判断をするものとしていた。更生手続においても，同様である（産活54）。

 これは，特定認証紛争解決事業者による確認を尊重することを通じて，再生手続開始申立てから開始決定までの融資，いわゆるDIPファイナンス（150問92頁〔三枝大央〕参照），または再生手続開始申立前の事業再生ADRなどの段階における融資，いわゆるプレDIPファイナンスを促進するための措置と理解される。現在では，これらの規定は，産業競争力強化法（平成25年法律98号）56条，57条，58条として引き継がれている。これを理由とする優先的取扱いの可能性について，経済産業省経済産業政策局産業再生課編・逐条解説産活法279頁（2011年），難波孝一「事業再生ADRから会社更生手続に移行した場合の諸問題」松嶋古稀245頁，具体的な再生計画における優先的取扱いについては，中井康之「事業再生ADRの手続上の諸問題」諸問題15頁，ニューホライズン104，420頁参照。

 さらに，山本和彦「事業再生ADRと法的倒産手続との連続性の確保について」松嶋古稀264頁，南賢一「事業再生の変遷とこれからの立法的・実務的課題」松嶋古稀413頁は，

(2) 約定劣後再生債権の取扱い

約定劣後再生債権は，当該再生債権者と再生債務者との間の合意によって，その債権を他の再生債権より劣後させることが定められているものであるから（民再35Ⅳ），再生計画における権利変更に関しても，他の再生債権との間に公正かつ衡平な差を設けることが義務づけられる（民再155Ⅱ）。約定の内容が劣後的破産債権に後れる旨の合意であることを考慮すれば（民再35Ⅳかっこ書参照），手続開始後の利息の請求権等（民再84Ⅱ・155Ⅰ）に劣後させることが，公正かつ衡平な差にあたるものというべきであり，通常は，100％免除の定めがなされることになる[14]。

(3) 債 務 の 期 限

再生計画において，事業収益など再生債務者の収入を基礎として債権者に対する弁済をする場合には，その期限も一定期間にわたるものとならざるをえない。しかし，合理的範囲を超えて長期間にわたることは，遂行可能性についての判断を困難にし，また債権者の権利を有名無実のものとするおそれがある。そこで，再生計画によって債務が負担され，または債務の期限が猶予されるときは，特別の事情がある場合を除いて[15]，再生計画認可決定確定から10年を超えない範囲で，その債務の期限を定めるものとされる（民再155Ⅲ）[16]。

(4) 権利変更をすることができない債権

再生手続開始前の罰金等については，再生債権としての届出は求められるが（民再97①），再生計画において減免その他権利に影響を及ぼす定めをすることができない（民再155Ⅳ）。これらの請求権の刑事制裁的性質を重視したもので

立法論として，事業再生ADRなど制度化された私的整理機関の認定を要件として，共益債権ないしこれと同様の取扱いをすべきことを提案する。

14) 約定劣後再生債権については，その届出がなければ，再生債務者等による自認の対象にもならず（民再101Ⅳ），また，一般的基準による権利変更の対象ともなることなく（民再181Ⅰ柱書かっこ書），免責の対象となる（民再178Ⅰ本文）。

15) 特別の事情としては，10年を超える期限を定めれば，事業収益による弁済率が大幅に高まることが期待されるときや，再生債権の本来の弁済期が10年を超えているときなどがあげられる。花村435頁，条解民事再生法837頁〔松嶋英機〕。なお，実際の再生計画では，期限を10年とするものが相当数存在する。新版再生計画事例集117，156，179頁など参照。また，ゴルフ場の預託金返還請求権について一定の据置期間経過後の退会を要件とする結果として10年を超えることになっても，プレー権の保持などが特別の事情と考えられる。民事再生の手引〈第2版〉288頁，運用指針378頁参照。

16) 旧会社更生法213条では20年，現行会社更生法168条5項2号では15年を原則としているが，10年とされたのは，再生債務者の事業の規模などを考慮したものである。

ある。罰金等は，再生計画で定められた弁済期間満了までは弁済を受けることができず（民再181ⅢⅡ），他方，再生計画認可決定が確定しても免責の対象とならない（民再178Ⅰ但書）という特別な地位を与えられる。そのため，罰金等の請求権には，議決権が否定される（民再87Ⅱ）。

これに対して，再生手続開始前の共助対象外国租税の請求権については，再生計画において減免その他権利に影響を及ぼす定めをすることはできるが，その際には，徴収の権限を有する者の意見を聴かなければならない（民再155Ⅴ）。

(5) 敷金返還請求権に関する権利変更の態様

敷金返還請求権は，それが再生手続開始前の敷金契約という原因にもとづく財産上の請求権であることから，再生債権として扱われるが，再生計画の効力発生後に具体化する敷金返還請求権に関する再生計画における権利変更の態様については，考え方の対立がある[17]。これは，敷金返還請求権が賃貸借終了後家屋明渡しまでの未払賃料や損害金等を控除して，なお残額があることを条件として発生するという判例法理[18]と関係する。

1つの考え方は，当然充当先行説と呼ばれるもので，明渡時における未払賃料等を敷金額から控除し，残額について一般的基準にしたがった権利変更がなされるべきことを再生計画に定めるべきであるとする。これに対して，権利変更先行説と呼ばれる考え方の下では，当初の敷金額について一般的基準にしたがった変更額を再生計画において定め，明渡時の未払賃料等は，その変更後の敷金額から控除すべきであるとする。

当然充当先行説は，充当後にはじめて具体的な敷金返還請求権が発生するという理論的根拠，再生計画効力発生前後で敷金返還請求権の権利変更の態様が異なるのは不当であるという実際的根拠を強調するが，平等原則（本書1078頁）との関係で，他の再生債権者と比較して，敷金返還請求権者に有利な取扱いを認める結果になること，権利変更後の具体的内容が再生計画において定まらず，遂行可能性の点で問題があること，また，判例法理も，明渡前でも条件付権利としての敷金返還請求権の存在自体は認めていることなどを考慮すると，

---

[17] これに対して，再生計画の効力発生前に明渡しがなされ，具体化している敷金返還請求権については，通常の再生債権に関する定めと変わるところはない。

[18] 最判昭和48・2・2民集27巻1号80頁など。

権利変更先行説を妥当とする[19]。

2　共益債権および一般優先債権の弁済

共益債権および一般優先債権の弁済についての定めも，絶対的必要的記載事項である（民再154 I ②）。これらの債権は，再生手続によらないで，随時に弁済するが（民再121 I・122 II），その額などを明らかにすることが，再生計画の内容や遂行可能性の判断に不可欠であるので，記載が義務づけられる。ただし，この定めは，将来弁済すべきものを明示すれば足り，すでに弁済したものについての定めまでは必要とされない（民再規83）[20]。

3　知れている開始後債権の内容

知れている開始後債権があるときは，その内容に関する事項を定めなければならない（民再154 I ③）。開始後債権（民再123 I）は，再生計画による権利変更の対象とならない反面，再生手続期間中はその権利行使が認められないが（民再123 II III。本書947頁），その内容に関する条項を再生計画において定めるのは，破産手続への移行などに備えて再生債権者への情報開示をするためであり，したがって記載の有無を問わず，再生計画認可決定確定にもとづく免責の効力（民再178 I 本文）は生じない。

第2項　相対的必要的記載事項

絶対的必要的記載事項と異なって，相対的必要的記載事項は，その事項に関する条項を定めなくとも，再生計画が不適法となるわけではないが，その事項についての効力を生じさせるためには，再生計画における定めが必要とされる。

1　債権者委員会の費用負担

裁判所が債権者委員会の再生手続への関与を承認し（民再117 I），債権者委員会が再生計画の履行の監督等の活動をする場合において，その活動費用の全

---

[19]　さらに，賃借人が再生手続開始決定後に賃料を支払ったことによって共益債権化された敷金返還請求権部分（民再92 III。本書968頁参照）が再生計画による権利変更の対象となるかという点についても，考え方の対立がある。しかし，いったん共益債権化された以上，その部分について再生計画による権利変更を考える余地はない。以上の詳細については，本文の説明部分を含め，伊藤眞「民事再生手続における敷金返還請求権の取扱い」青山古稀627頁参照。破産・民事再生の実務［再生編］160頁は，当然充当先行説を妥当としつつ，東京地裁破産再生部では，特定の見解を採用しているわけではないとする。150問143頁〔服部敬〕参照。

[20]　具体的な定め方については，新版再生計画事例集70頁以下参照。

部または一部を再生債務者が負担するときは，その負担に関する条項を再生計画に定めなければならない（民再154Ⅱ）。その負担が再生債権者の利益や再生計画の遂行可能性に影響しうるためである。したがって，この定めがない場合には，再生債務者の費用負担は許されない[21]。

2 未確定の再生債権者の権利

異議等のある再生債権で再生計画作成時にその確定手続が終了していないものがあるときは，再生計画においてその権利確定の可能性を考慮し，これに対する適確な措置を定めなければならない（民再159）。未確定の再生債権については，権利変更についての具体的定めをすることはできないが（民再157Ⅰ但書），再生計画に定めをしなければ，免責の対象となることから（民再178Ⅰ本文），確定した場合に備えて，一般的基準（民再156）にもとづく具体的な権利変更の内容を定める必要がある。

適確な措置とは，当該債権の存否および内容が確定した場合には，一般的基準に照らして，再生債権者間の平等・衡平（民再155Ⅰ）を満たすような定めをすることを意味する[22]。未確定の再生債権について適確な措置を定めないことは，平等原則（民再155Ⅰ本文）に違反する結果となる。

3 別除権者の権利に関する定め

別除権者（民再53Ⅰ）は，担保権の目的物について，再生手続によらずにその権利を行使できる（同Ⅱ）とともに，その行使によって満足を受けることができない部分についてのみ，再生債権の行使を認められる。別除権者が再生計画によって満足を受けるためには，この不足額の確定を要するが（民再182本文。確定の事由については，本書991頁参照），再生計画作成時までに確定していないものについても，再生計画において，不足額が確定した場合における再生債権者としての権利の行使に関する適確な措置を定めなければならない（民再160Ⅰ）。その趣旨は，未確定の再生債権に関する定め（民再159）と同様である。

---

[21] もっとも，再生計画に定めがないために債権者委員会みずからが負担せざるをえない費用について，各再生債権者に対する償還請求（民650Ⅰ）を認める考え方がある。詳解民事再生法505頁〔山本弘〕。

[22] 花村441頁。具体的には，未確定の再生債権を特定した上で，「確定したときは，一般的基準を適用する。ただし，確定した日においてすでに弁済期が到来している分割弁済金は，確定した日から2週間以内に支払う」などの例がある。新版再生計画事例集100，437頁，条解民事再生法846頁〔河野玄逸〕。

したがって、適確な措置の内容としては、不足額が確定した場合には、一般的基準（民再156）を適用して弁済を行う、すでに他の再生債権者について弁済期が到来している分割弁済金は、不足額確定の通知を受けた日から2週間以内に支払うなどの例が考えられる[23]。

4 債務の負担および担保の提供に関する定め

再生債権について人的または物的担保を提供する場合には、それに関する事項を再生計画に明示させ、一方で、再生計画の履行を確実にするとともに、他方で、再生債権者の担保設定者に対する権利実行を確保する必要がある。そのために、これらの者に関わる債務などの条項が再生債権者表に記載され（民再180Ⅰ）、その記載には、確定判決と同一の効力が認められ（同Ⅱ）、執行力も付与される（同Ⅲ本文）。

まず、人的担保については、再生債務者以外の者が債務を引き受け、または保証人となる等再生のために債務を負担するときは、再生計画において、その者を明示し、かつ、その債務の内容を定めなければならない（民再158Ⅰ）。また、物的担保についても、再生債務者または再生債務者以外の者が、再生のために担保を提供するときは、再生計画において、担保を提供する者を明示し、かつ、担保権の内容を定めなければならない（同Ⅱ）。このような内容の再生計画案を提出しようとする者は、あらかじめ、当該債務を負担し、または当該担保を提供する者の同意をえなければならず（民再165Ⅰ）[24]、また、これらの者は、債権者集会の期日に呼び出される（民再115Ⅰ本文）。

なお、ここでいう債務の引受等[25]や担保の提供は、再生計画によって新たに行われるものを意味し、従前からの人的または物的担保を対象とするものではない（民再177Ⅱ参照）。

5 再生計画によって影響を受けない権利の明示

手続開始前の罰金等（民再97①）、全額弁済される少額債権など（民再155Ⅰ但書参照）、再生債権者の権利で、再生計画による影響を受けないものがあるときは、その権利を明示しなければならない（民再157Ⅱ）[26]。

---

23) 新版再生計画事例集182、438頁、条解民事再生法850頁〔河野玄逸〕など。
24) あらかじめの同意がない場合でも、当然に再生計画が不認可とされるわけではない。東京高決平成15・7・25金商1173号9頁〔倒産百選95事件〕。
25) 債務の引受の中には、再生債務者の債務を免責する、免責的債務引受も含まれる。新注釈民事再生法（下）28頁〔加々美博久〕。

第3項　任意的記載事項

　任意的記載事項とは，その効力を生じさせるために再生計画への記載を要するものではないという点で，相対的必要的記載事項と区別される。したがって，再生債務者等は，再生計画外でこれらの事項を定めることも許されるが，再生計画に記載した場合には，それによって効力が生じ，また計画の遂行可能性などの判断も，これらの事項を前提としてなされることとなる。

1　資本金の額の減少等に関する条項

　株式会社である再生債務者の事業の再生のためには，資本構成を変更し，新たに株式を発行するなどして，新規資本の導入を図る必要があることが多い。しかし，再生手続においては，株主を利害関係人としていないために，資本構成の変更にかかる事項を再生計画に記載し，株主を含む利害関係人の決議および裁判所の認可によってその効力を発生させることは，本来予定するところではない。したがって，そのような必要がある場合には，再生債務者が会社法などの規定によって，再生計画外で行う以外にない。

　再生計画外での資本構成の変更が行われないこととなると，再生計画による債務の減免等の利益を既存株主が享受する結果となり，会社財産の分配について債権者に劣後すべき地位にある株主の権利を優遇するという，不合理な結果を生じさせるおそれがある。また，会社が債務超過に陥っているときには，株主の持分的地位はすでにその実質を失っているとみられるところから，資本構成の変更に関わる株主の利益を保護するための通常の手続を踏む必要はないと考えられる。このような考え方にもとづいて，法は，一定の条件の下に，資本構成の変更に関する事項を再生計画に定めることを許している。

(1)　資本金の額の減少等に関する事項を定める再生計画案の提出

　再生債務者の資本金の額の減少等に関する事項，すなわち再生債務者の株式の取得，株式の併合，資本金の額の減少または発行可能株式総数についての定款の変更に関する事項を内容とする再生計画案を提出しようとする者は，あらかじめ裁判所の許可をえなければならない（民再166Ⅰ）[27]。計画案の提出者は，

---

26)　記載例については，新注釈民事再生法（下）27頁〔岡正晶〕参照。
27)　債務超過の状態にあるとは認められないという理由から（民再166Ⅱ参照），再生計画案の提出に許可を与えなかった事例として，東京高決平成16・6・17金法1719号58頁，

再生債務者等に限られず，再生債務者（管財人が選任されている場合），届出再生債権者を含む（民再163 I II）。

　事業の再生のためには，資本構成を変更する必要があり，また従来の株主の責任を明確化するためにも，このような必要が認められるが，株主の意思を問うことなくこのような措置をとることが正当化されるのは，株主の権利が実質的価値を失っている場合に限られる。裁判所が，債務超過[28]，すなわち株式会社である再生債務者がその財産をもって債務を完済できない場合に限って，許可をすることができるとするのは（民再166 II），このような理由によるものである。

　許可の決定があった場合には，その裁判書を許可の申立てをした者に，その決定の要旨を記載した書面を株主に，それぞれ送達しなければならない（同III前段）。送達の方法等は，事業の譲渡に関する代替許可の場合と同様である（同III後段・43 IV V，民再規88）。裁判所の許可があれば，資本金の減少等に関する会社法上の手続（会社447 I 柱書・309 II ⑨など）は不要になる。なお，許可の決定に対しては，株主に即時抗告権が認められる（民再166 IV）。

　(2)　資本金の額の減少等に関する事項を定める再生計画の条項

　再生計画によって定めうる条項は，再生債務者の株式の取得，株式の併合，資本金の額の減少または発行可能株式の総数についての定款の変更に関するものである（民再154 III）。

　第1に，株式の取得とは，自己株式の消却[29]を行う前提となるものであり，

　許可を取り消した事例として，東京高決平成16・6・17金法1719号51頁〔倒産百選25事件〕がある。これに関連して，許可の決定に対して即時抗告（民再166 IV）がなされると，執行停止効が否定されていないこととの関係で（民再43 VII参照），再生計画案の提出や付議が許されなくなるという問題がある。松下淳一「民事再生法の立法論的再検討についての覚書」ジュリ1349号34頁（2008年）参照。問題を解決するための実務運用について条解民事再生法872頁〔園尾隆司〕，民事再生の手引〈第2版〉302頁参照。

28)　ここでいう債務超過の判断は，事業の譲渡の場合の許可（民再43 I）の場合と同様に，継続企業価値による資産の評価を前提とするが（民再規56 I 但書参照），稀に，清算価値による評価であれば債務超過でないときには，許可をすることはできない。新注釈民事再生法（下）57頁〔土岐敦司〕。なお，評価の基準時は，再生手続開始の時と解する（民再124 I 参照）。詳解民事再生法511頁〔山本弘〕。

29)　自己株式の取得および消却の意義については，江頭249，270頁参照。なお，新株予約権（会社2㉑）の取得については，規定が存在しないが，その行使（会社282 I）前であれば，新株予約権割当契約を双方未履行双務契約として解除する（民再49 I）可能性がある。倉橋博文「再生計画案について」事業再生と債権管理156号45頁（2017年）参照。

会社法本来の手続（会社155）によることなく，再生債務者が株式を強制的に取得することを意味する。具体的には，再生計画において，再生債務者が取得する株式の数（種類株式発行会社にあっては，株式の種類および種類ごとの数）（民再161Ⅰ①）および再生債務者が株式を取得する日（同②）を定めなければならない。再生債務者は，認可された再生計画の定めによって，株式を取得する（民再183Ⅰ）。取得した株式の消却は，会社法上の手続（会社178）による。

第2に，株式の併合とは，数個の株式を合わせてそれより少数の株式とする会社の行為を意味する[30]。これを募集株式の発行等とともに行えば，旧株主の権利を希釈化することができるという理由から，再生計画において，株式会社たる再生債務者の資本構成を変更するための手段としての意義を有する。株式の併合についても，本来であれば，会社法の手続を経なければならないが（会社180以下），あらかじめ裁判所の許可をうれば（民再166Ⅰ），再生計画によって行うことができる。再生計画案を提出する者は，併合の割合等の事項を定めなければならない（民再161Ⅱ，会社180Ⅱ各号）。

株式の併合の条項を定めた再生計画が認可され，その決定が確定すると，再生債務者は，その定めにしたがって株式の併合をすることができる（民再183Ⅱ前段）。この場合には，反対株主の株式買取請求に関する会社法の規定（会社116・117）および端株となる株式についての反対株主による買取請求ならびにそれを前提とする株式の価格の決定等の手続を定める会社法の規定（会社182の4・182の5）は，適用しない（民再183Ⅱ後段）。債務超過のために株式が実質的価値を有しないためである（後者は，会社法平成26年改正によって付加されたものである。本書79頁参照）。

第3に，資本金の額の減少は，分配可能額の増加をもたらし，株主や会社債権者の利害に影響を及ぼし，会社の基礎にかかわる事態を生じさせる[31]。そのために会社法上では，株主総会の特別決議を必要とするが（会社447Ⅰ・309Ⅱ⑨），すでに債務超過に陥っている株式会社では，その必要に欠けるために，再生計画によってこれを実現することを認める。実際には，いわゆる100パーセント減資，すなわち資本金の額の減少に際して既存株主の持株数を零にした

---

30) 江頭287頁。
31) 江頭720頁。資本金額を減少させて，欠損の額を消滅させれば，当期純利益が発生したときに，即座に分配可能額が発生すると説明される。

上で，募集株式の発行をするための手段として用いられる[32]。

再生計画によって株式会社である再生債務者の資本金の額の減少をするときは，減少する資本金の額や減少がその効力を生じる日を定めなければならない（民再161Ⅲ，会社447Ⅰ①～③）。この再生計画の認可決定が確定すると，株主総会の特別決議（会社447Ⅰ柱書・309Ⅱ⑨）を経ることなく[33]，再生債務者は，計画の定めによって資本金の額を減少することができる（民再183Ⅳ前段）。この場合には，債権者保護に関する会社法の規定（会社449・740）は適用されない（民再183Ⅳ後段）。また，資本金の額の減少無効の訴え（会社828Ⅰ⑤・Ⅱ⑤）を提起することはできない（民再183Ⅴ）。

第4に，発行可能株式総数についての定款の変更（会社113ⅡⅢ，466）は，資本金の額の減少をしても，株式の消却や併合をしなければ，発行済株式総数に変更を生じないから，募集株式の発行に支障を生じる可能性があることに対処するためのものである。再生計画によって株式会社である再生債務者が発行することができる株式の総数についての定款の変更をするときは，その変更の内容を定めなければならない（民再161Ⅳ）。このような定めをした再生計画が認可されれば，株主総会の特別決議（会社466・309Ⅱ⑪）を経ることなく，定款が変更される（民再183Ⅵ）[34]。

2 募集株式を引き受ける者の募集に関する定め

再生債務者たる株式会社が第三者から資本の提供を受けようとするときに，資本金の額の減少を行うとともに，募集株式の発行等（募集株式の発行または自己株式の処分。会社199Ⅰ柱書参照）について，第三者割り当ての方法によってそれを行おうとすると，株主総会の特別決議を要するとされることがある（会社199ⅡⅣ・309Ⅱ⑤・324Ⅱ②）。これは，募集株式の発行等が既存株主の利益に重

---

[32] 江頭723頁。いわゆる100％減資のための手法については，永石一郎「会社法制定と倒産手続における100パーセント減増資」別冊金融商事判例・新しい会社法制の理論と実務284頁（2006年），新版再生計画事例集44頁以下，150問286頁〔柴田祐之〕が詳しい。なお，100％減資を内容とする再生計画の効力が生じると，責任追及の訴え等（会社847）における原告適格が消滅する。東京地判平成16・5・13判時1861号126頁，東京地判平成16・10・14金法1749号101頁。

[33] 欠損の塡補目的で資本金額を減少する場合には，普通決議で足りるから（会社309Ⅱ⑨ロ。江頭722頁），再生計画によって普通決議が省略できることとなる。

[34] ただし，発行可能株式総数に関する定款の定めについての会社法上の制限（会社113ⅡⅢ）は，再生計画による定款変更の際にも適用される。新注釈民事再生法（下）39頁〔土岐敦司〕。

大な影響を与えるためである。しかし，会社が債務超過に陥っている場合には，株主の持分が実質的意義を失っているとみられるし，また，特別決議を要求することは，実際には，この方法による資金の調達を困難にするおそれがある。このような点を考慮して，再生計画によって募集株式を引き受ける者の募集をすることが認められている。

株式会社である再生債務者は，法166条の2第2項の規定による裁判所の許可があった場合には，再生計画において，譲渡制限株式である募集株式[35]を引き受ける者の募集（株主に株式の割り当てを受ける権利を与える場合（会社202Ⅰ）を除く）に関する事項を定めることができる（民再154Ⅳ）。その場合には，再生計画において，募集株式の数などの会社法199条1項に掲げる事項を定めなければならない（民再162)[36]。

このような内容を持つ再生計画案は，再生債務者のみが提出することができ（民再166の2Ⅰ），管財人や届出再生債権者には提出権はない（民再163ⅠⅡ参照)[37]。募集株式の引受けの募集による資本構成の変更について，再生債務者の自主的判断権を尊重するためである。再生債務者は，このような内容の再生計画案を提出しようとするときは，あらかじめ，裁判所の許可をえなければならず（民再166の2Ⅱ），裁判所は，株式会社である再生債務者が債務超過の状態にあり，かつ，当該募集株式を引き受ける者の募集が再生債務者の事業の継続に欠くことのできないものであると認める場合に限って，許可をすることができる（同Ⅲ)[38]。許可決定の裁判書は，許可の申立てをした再生債務者に，決定の要旨を記載した書面は，株主にそれぞれ送達され（民再166の2Ⅳ・166Ⅲ），株主は，会社が債務超過であることや募集株式を引き受ける者の募集が事業の継続に不可欠であることを争って，即時抗告をすることができる（民再

---

35) 譲渡制限株式である場合以外では，株主総会の決議を経ることなく，募集をすることが可能であるために（会社201Ⅰ・199Ⅳ・204Ⅱ参照），特例を設ける必要を欠くと判断された。村松秀樹＝世森亮次「会社法の施行に伴う破産法・民事再生法・会社更生法の改正の概要」金法1753号15頁（2005年）。
36) 本条については，民事再生法制定以来の改正の経緯がある。詳解民事再生法515頁〔山本弘〕，条解民事再生法859頁〔那須克己＝園尾隆司〕。
37) ただし，管財人については，再生債務者と連名であれば，この条項を設けた再生計画案を提出することができるとの考え方があり，実例も存在する。民事再生の手引〈第2版〉304頁。
38) ただし，事業をスポンサーに移転した上で，再生債務者である株式会社を解散・清算するために行われることもある。民事再生の手引〈第2版〉304頁。

166の2Ⅳ・166Ⅳ)。

　このような内容の再生計画が認可されると，株主総会の決議（会社199Ⅱ）によることなく，取締役の決定（取締役会設置会社である場合には，取締役会の決議）によって，募集事項を定めることができる（民再183の2Ⅰ前段）。再生債務者が種類株式発行会社であり，募集株式が譲渡制限株式であるときは，募集事項について種類株主総会の特別決議を要する場合（会社199Ⅳ）や，再生債務者である株式会社の募集株式が譲渡制限株式であり，それを引き受けようとする者がその総数の引受けを行う契約を締結するときにおいて，株主総会の特別決議を要する場合（会社205Ⅱ），その特別決議も不要になる（民再183の2Ⅰ後段）。募集株式の割当てに関する株主総会決議（会社204Ⅱ本文）についても，同様である。また，このような内容の再生計画が認可されると，取締役会の決議によって募集事項が決定されるために，公開会社において株主総会の決議によることなく募集株式の発行等が行われる場合の会社法上の手続（会社201Ⅲ～Ⅴ）が準用される（民再183の2Ⅱ）[39]。なお，募集株式を引き受ける者の募集による，発行済株式の変更の登記（会社915ⅠⅡ）をするについては，その登記の申請書に，再生計画認可の裁判書の謄本または抄本を添付しなければならない（民再183の2Ⅲ）[40]。

3　根抵当権の極度額超過額の仮払いに関する定め

　根抵当権の元本が確定し（民398の19・398の20など），根抵当権の被担保債権が極度額を超える場合には，その超過部分に相当する再生債権額が不足額（民再88本文）となる蓋然性が高いところから，権利変更の一般的基準（民再156）にしたがって，仮払いをする定めをすることができる（民再160Ⅱ前段）[41]。もっとも，仮払いは，以下に述べる精算の必要を生じる可能性があるので，そ

---

[39]　会社法201条3項および4項によれば，募集株式の募集事項の株主への通知や公告が必要とされることになるが，いわゆる100％減資がされる場合には，その意義が乏しいことなどを理由として，再検討を求める見解がある（森倫洋「民事再生法・会社更生法と会社法とが交錯する部分の諸問題等」事業再生と債権管理120号110頁（2008年））。

[40]　株主総会の特別決議を経ないで行われたことの適法性を証明する等の必要からである。新注釈民事再生法（下）154頁〔土岐敦司〕。募集株式の効力発生日（払込期日）の定め方との関係について，民事再生の手引〈第2版〉305頁参照。

[41]　この定めをしない場合には，法160条1項にもとづく根抵当権の不足額についての適確な措置によることになる。なお，不足額が確定していない場合については，民事再生の手引〈第2版〉297頁参照。

の定めをした再生計画案を提出しようとする者は，あらかじめ当該根抵当権者の同意をえなければならない（民再165Ⅱ，民再規87ⅠⅡ）。

ただし，元本確定後に被担保債権が増減し，その結果として不足額が変動する可能性があるので，そのための精算に関する措置を定める必要がある（民再160Ⅱ後段)[42]。

第2節　再生計画案の提出および決議

再生計画は，再生手続の根本規範であり，第1節で述べたように，再生債務者財産を基礎とする将来価値をどのような形で実現し，そのために再生債権者の権利をどのように変更するかを中核とするものであるから，再生債務者等などがその内容を再生計画案として提出し，それについての再生債権者の意思を問う必要がある。再生計画案の提出および決議は，そのための手続である。

第1項　再生計画案の提出

再生債務者等（民再2②）は，債権届出期間の満了後裁判所の定める期間内に，再生計画案を作成して裁判所に提出しなければならない（民再163Ⅰ）。再生計画案の提出は，手続機関としての再生債務者等の義務である[43]。したがって，再生計画案の提出義務は，再生債務者等の財産管理処分権および業務遂行権（民再38Ⅰ・66）ならびに再生計画遂行義務（民再186Ⅰ）と一体のものとして位置づけられる。

---

[42]　確定後の変動の理由としては，保証債務たる被担保債権について主債務者が弁済をすることによる減額，利息が加わることによる増額が考えられる。詳解民事再生法505頁〔山本弘〕。仮払条項の実例については，新版再生計画事例集174，235頁などに記載がある。

[43]　機関としての再生債務者の再生計画案提出を監督委員の要同意事項（民再54Ⅱ）とすることの是非については，考え方が分かれるが，監督委員の職務が再生債務者の業務遂行や財産管理に対する監督であることを考慮すると，否定すべきである。民事再生法逐条研究69頁，新注釈民事再生法（下）45頁〔小林信明〕。

なお，再生債務者等が期間内に再生計画案を提出しないときには，①提出期間を伸長する（民再163Ⅲ），②届出再生債権者等が提出した再生計画案（民再163Ⅱ）を決議に付する（民再169Ⅰ），③いずれの再生計画案も提出されないことを理由に再生手続を職権で廃止する（民再191②前半部分）という可能性がある。新注釈民事再生法（下）50頁〔小林信明〕。

もっとも，再生債務者（管財人が選任されている場合に限る）または届出再生債権者は，裁判所の定める期間内に，再生計画案を作成して裁判所に提出することができる（民再163Ⅱ）。これらの者は，再生手続の機関ではないが，利害関係を有するところから，独自の再生計画案提出権を認められる。また，外国管財人にも，再生計画案の提出権が認められる（民再209Ⅲ）。その結果として，再生債務者等提出の再生計画案とそれ以外の者が提出した再生計画案とが決議に付される可能性があるが，決議の方法については，後に説明する。

1　提出時期等

　提出時期は，債権届出期間の満了後裁判所の定める期間内である[44]。裁判所の定める提出期間の末日は，特別の事情がある場合を除いて，一般調査期間（民再34Ⅰ，民再規18Ⅰ②）の末日から2月以内の日としなければならない（民再規84Ⅰ）。具体的提出期間は，再生債務者の事業規模や再生債権者の数等の事情を考慮して，裁判所が定める[45]。裁判所の定めは，通常，再生手続開始決定と同時になされる。再生債務者や届出再生債権者による再生計画案提出期間も裁判所が定める[46]。

　裁判所は，申立てによってまたは職権で，これらの期間を伸長することができる（民再163Ⅲ）。再生手続の進行状況を踏まえて，再生計画案の作成および提出に柔軟に対処するためである。ただし，期間の伸長は，特別の事情がある場合を除いて，2回を超えてすることはできない（民再規84Ⅲ）。これは，合理的理由がないままに，再生手続が遷延することを防ぐためである。

　再生債務者等は，再生計画案を裁判所に提出するときは，すでに行った再生

---

[44]　旧和議の場合には，和議開始の申立てをするに際して和議条件の申出をしなければならないとされており（旧和13Ⅰ），これが和議手続の機能を妨げているとの批判があった。青山善充編・和議法の実証的研究233頁（1998年）。なお，再生計画案の提出時期，監督委員や裁判所による審査については，運営指針316頁以下参照。

[45]　再生手続開始決定の日から起算して，2月半ないし4月程度とされることが多い。新注釈民事再生法（下）48頁〔小林信明〕。

[46]　裁判所の定めに関する特別の規律は存在しないが，これらの者から提出される再生計画案は，再生債務者等が提出した再生計画案の対案としての実質を持つことが多いことを考慮して，再生債務者等の提出時期と同じまたはこれより短く定める例が多いといわれる。新注釈民事再生法（下）48頁〔小林信明〕。複数の計画案が提出された場合の調整方法については，破産・民事再生の実務［再生編］288頁，実例については，中山孝雄「複数計画案が提出された場合の民事再生手続上の諸問題」事業再生と債権管理156号57頁（2017年）参照。

債権者に対する弁済（民再85Ⅱ Ⅴ）などの事項を記載した報告書をあわせて提出しなければならない（民再規85 Ⅰ）。これらの事項を再生債権者に開示し（民再16 Ⅰ参照），再生手続が適正に進められたことを示して，再生計画案についての判断資料を与えるためである。

2 再生計画案の事前提出

いわゆるプレ・パッケージ型再生[47]にみられるように，再生手続開始申立前

---

[47] 中村清「倒産手続におけるスポンサー募集上の留意点」今中古稀254頁，150問264頁〔清水豊〕は，プレパッケージ型申立てにおけるスポンサー募集上の問題点と考え方を説明する。なお，スポンサーの役割や選定自体については，松嶋英機ほか「事業再生におけるスポンサー選定等をめぐる諸問題（上）（下）」銀行法務21 619号4頁，620号10頁（2003年），四宮章夫「会社更生とスポンサー」講座（3）257頁，澤野正明＝朝田規与至「スポンサー選定と更生計画案をめぐる諸問題」NBL 956号90頁（2011年），藤本利一「中小企業再生における事業譲渡の意義」銀行法務21 794号28頁（2015年）に詳しい。四宮論文および中原健夫「スポンサー選定手続」事業再生と債権管理156号36頁（2017年）では，自ら事業の経営を引き受ける事業スポンサーと出融資によって更生会社（再生債務者）を支援する金融スポンサーなどの区別，スポンサー決定手続としての競争入札，特定のスポンサーを想定したプレパッケージ型更生手続（再生手続）申立てに関する問題などが分析されている。入札手続やそれに関連するフィナンシャルアドバイザーなどについては，150問254頁〔山本正〕，256頁〔大場寿人〕，258頁〔野本彰〕参照。

近時は，再生債務者企業の規模や事業の特質などを考慮して，スポンサー選定の合理性を判断するための二重の基準説，すなわち競争的入札によるスポンサー選定に適さない場合には，選定の合理性そのものに欠けるところがないかどうかを監督委員や裁判所が判断し，競争的入札に適する場合には，適正な情報開示の上で（スポンサー選定のあり方77頁〔鐘ヶ江洋祐〕），それが実施されたかどうかをもって合理性の判断基準とする考え方が有力となっている。ニューホライズン467頁，スポンサー選定のあり方43頁〔髙井章光〕，髙井章光ほか「スポンサー選定手続の妥当性（上）（下）」NBL 1085号11頁，1086号60頁（2016年），山本和彦「事業再生の最近の潮流」金法2045号10頁（2016年），三笘裕ほか「倒産局面でのスポンサー選定における再生債務者等の行為規範（上）」金商1590号12頁（2020年），150問250頁〔上野保〕，252頁〔松村昌人〕参照。どのような理由にもとづいていずれの基準を採用したかの説明およびそれに対する評価は，第1次的には，監督委員の同意や裁判所の許可，最終的には，再生計画案の決議を通じて決定されることになろう。

なお，スポンサー候補者の属性について特段の制限はないが，反社会的勢力との関係が疑われる者が排除されるのは当然であり，また，経営の危機を招いた責任を負うべき者またはその関係者なども，民事再生手続に対する利害関係人や社会の信頼を確保するために排除すべきであろう。

さらに，プレパッケージ型の中核をなすスポンサー契約（その内容について150問260頁〔片上誠之〕）が更生手続（再生手続）開始前に締結されている場合に，それが管財人を拘束するか，いいかえれば，再生債務者等がスポンサー契約を維持することが公平誠実義務（民再38Ⅱ）に反しないか，双方未履行双務契約として解除すること（民再49Ⅰ）が求められるかなどについて，通称，お台場アプローチと呼ばれる考え方がある。これは，あらかじめスポンサーを選定しなければ事業が劣化してしまう状況にあること，スポンサ

から債務者と債権者との間で事業再生についての交渉が行われ，再生計画案の実質が固まっているときには，再生手続開始申立てと同時に再生計画案の提出が可能であり，簡易再生（民再211以下）や同意再生（民再217以下）によるなどして，手続を迅速に進めることが期待される。このような場合に，再生債務者等は，再生手続開始申立て後債権届出期間満了前に，再生計画案を提出することができる（民再164Ⅰ）これを事前提出と呼ぶ[48]。再生計画案が提出されると，裁判所は，再生手続開始にあたって公告すべき事項（民再35ⅠⅡ）とあわせて，当該再生計画案の内容を通知することができる（民再規86Ⅰ）。

事前提出に際しては，再生債権が確定していないために，権利の変更の一般的基準（民再156）のみを定め，個別的な届出再生債権者の権利に関する定め（民再157）や未確定の再生債権に関する定め（民再159）をせずに再生計画案を提出することができる（民再164Ⅱ前段）。この場合においては，債権届出期間

―選定のための手続が適正に行われていることなどの条件が満たされているときに，スポンサー契約の再生債務者等に対する拘束力を認めようとするものである。須藤英章「プレパッケージ型事業再生に関する提言」事業再生研究機構編・プレパッケージ型事業再生101頁（2004年），四宮・前掲論文271頁，民事再生の手引〈第2版〉204頁参照。

　しかし，事例によっては，債務者の厳しい事業環境や財産状態を含め様々な事情がありえ，プレパッケージ型再生を試みるに際し，上記アプローチで示されるすべての要件を満たすことは困難な事例や，入札に適しない事例も存するとの指摘もある。それを踏まえれば，上記は，スポンサー選定手続の適切性を判断するに際しては，要件でなく考慮要素として理解されるべきであり，再生債務者の事業環境などに配慮した柔軟な判断が求められる。運用指針130頁参照。

　さらに，山本・前掲論文（注13）267頁は，すでに事業再生ADRなどにおけるスポンサー候補が先行する場合には，再生手続などにおけるスポンサー入札に一定割合のプレミアムを要求するとか，先行するスポンサー候補に対して一定額の報奨金を支払うなどの立法論を提案する。柴野高之「スポンサーの保護」今中傘寿641頁も，事業価値保全の視点から適正なスポンサー選定の重要性を指摘し，スポンサーの競合が想定されない事案と想定される事案との特質に応じて，どのような条件が満たされれば，手続開始前に選定されたスポンサーを尊重すべきか，別のスポンサーが決定された場合の先行スポンサーに対する費用保障（ブレークアップフィー）のあり方などを論じる。なお，スポンサー契約の解除をめぐる紛争に関して東京高判平成27・7・30金商1475号10頁〔会社更生〕がある。

　以上に対応して，アメリカにおけるプレパッケージ型やプレアレンジ型を紹介分析するものとして，山本研「アメリカにおける早期事業再生の手法」上野古稀654頁，小林信明＝大川友宏「米国におけるプレパッケージ型チャプター11の実務」木内古稀743頁，大川友宏「M&A実務におけるリスク対応の潮流Ⅱ（2・完）米国ディストレストM&Aと日本への示唆」商事法務2144号42頁（2017年）がある。

48) 事前提出においては，再生計画案提出の段階では，再生債権が確定されていないために，確定の必要のない簡易再生や同意再生が利用されやすい。新注釈民事再生法（下）52頁〔長島良成〕，詳解民事再生法492頁〔森恵一〕。

の満了後裁判所の定める期間内に，これらの事項について，再生計画案の条項を補充し（同後段），補充にかかる条項を加えた再生計画案を作成して裁判所に提出しなければならない（民再規86Ⅱ）。ただし，簡易再生または同意再生においては，再生債権の確定が不要なため，補充の必要がない（民再216Ⅰ・220Ⅰ）。

3 再生計画案の修正

再生計画案の提出者は，裁判所の許可をえて，再生計画案を修正することができる（民再167本文）。修正は，提出した再生計画案の不備を補ったり，労働組合等の意見（民再168）を反映したり，経済情勢等の変化に対応したりするために行われる。修正の内容は，再生債権者にとっての有利不利を問わないが，提出されたものと本質的に異なる内容の修正は，新たな再生計画案の提出とみなされる[49]。

再生計画案の修正が許されるのは，再生計画案を決議に付する旨の決定がされるまでである（民再167但書）。もっとも，再生計画案の変更は，一定の要件の下に債権者集会においてすることが認められる（民再172の4）。また，再生計画認可決定があった後で，やむをえない事由によって再生計画を変更することもできる（民再187）。

提出された再生計画案に不認可事由（民再174Ⅱ）が存すると認められ，それを決議に付する決定をすることができないと考えられる場合（民再169Ⅰ③）などには，裁判所は，提出者に対して再生計画案を修正すべきことを命じることができる（民再規89）。提出者が修正命令にしたがわなければ，修正の効果は生じないが，再生計画案を決議に付する決定がなされないことになろう[50]。

---

[49] 新注釈民事再生法（下）57頁〔長島良成〕，破産・民事再生の実務［再生編］296頁。したがって，再生計画案の提出期間経過後は許されないと解されている。これに対して条解民事再生法879頁〔園尾隆司〕は，旧会社更生法196条の下での更生計画案の修正が決議のための債権者集会開催まで許されていたことと比較し，法167条にもとづく修正は，付議決定までに限られているから，より緩やかに認めてよいとする。本書〈第2版〉792頁の説を改め，これに賛成する。修正の手続等については，民事再生の手引〈第2版〉351頁，［書式5-2-1］，運用指針423頁。また，個人再生の場合の修正については，個人再生の手引〈第2版〉339頁。

　修正例については，倉橋博文＝井田大輔「再生債権者から再生計画案が提出された場合の対応」事業再生と債権管理156号48頁（2017年）参照。

[50] ただし，旧会社更生法197条2項と比較すると，規則上の規定にされていること，修正義務は定められていないことを理由として，過度に職権主義的にならないよう，慎重な運用を求めるものとして，条解民事再生法881頁〔園尾隆司〕がある。

4 労働組合等の意見聴取

　裁判所は，提出された再生計画案について，労働組合等（民再24の2）の意見を聴かなければならない（民再168前段）。再生計画案について修正があった場合においても，同様である（同後段）。労働組合等の意見の聴取義務が設けられたのは，再生にとって従業員の協力が不可欠であること，再生計画案の内容や遂行可能性について労働組合等が適切な情報を提供することが期待されることなどによるものであり，再生手続開始に関する意見聴取（民再24の2），営業等の譲渡に関する意見聴取（民再42Ⅲ），財産状況報告集会における意見陳述（民再126Ⅲ）と同様の考え方にもとづいている。

　労働組合等が再生計画案について意見を述べた場合には，その修正（民再167）などに反映される可能性がある。

第2項　再生計画案の決議

　再生債務者等などが提出した再生計画案は，決議という形で再生債権者の集団的意思決定に委ねられ，それが可決されたときには，再生債権者全体の意思にもとづく再生計画となり，再生手続の根本規範として成立し，裁判所の認可によって，その効力を生じる。

1 決議の議決権者

　再生計画案の決議において議決権を行使しうる者は，届出をなし，議決権を認められた再生債権者である[51]。再生債務者に対する債権者であっても，一般優先債権者（民再122），共益債権者（民再119）や開始後債権者（民再123）は，決議に参加しえないし，別除権を有する再生債権者は，その不足額に相当する議決権のみを行使しうる（民再88本文）[52]。再生債権者が外国で弁済を受けた

---

51) ただし，議決権は，届出再生債権者の権利であるから，放棄することは可能であり，放棄がなされると，その議決権は議決権総額（民再172の3Ⅰ②参照）から控除される。もっとも，自認債権には，議決権がないことを利用して，自認債権化させることによって同様の効果を上げられるという指摘もある。以上について，詳解民事再生法524，539頁注3〔森宏司〕。

　また，会社の代表者など，再生債務者と特別の関係がある者の議決権についても，それが確定している以上，否定することはできない。詳解民事再生法527頁〔森宏司〕。これに対して，特別利害関係人とみなされる者が他の債権者の利益と相反する個人的利益を追求して著しく不公正な再生計画を可決せしめたときには，不認可事由（民再174Ⅱ③）に該当する。阿多博文「再生手続における債権者の多数の同意と議決権の行使について」田原古稀（下）713頁。

場合にも，議決権行使について制限が課される（民再89Ⅲ）。また，罰金等や共助対象外国租税の再生債権者のように，届出再生債権者であるにもかかわらず，法の規定によって議決権を否定される者も存在する（民再87Ⅱ）。さらに，約定劣後再生債権は，再生債務者が再生手続開始の時においてその財産をもって約定劣後再生債権に優先する債権に係る債務を完済することができない状態にあるときは，議決権を否定される（民再87Ⅲ）。

(1) 議決権の確定

届出再生債権者の議決権の額は，債権調査の結果として再生債務者等が認め，かつ，調査期間内に届出再生債権者の異議がなければ，確定し（民再104Ⅰ），その額をもって議決権を行使できる（民再170Ⅱ①・171Ⅰ①）。債権者集会が開催された場合でも，再生債務者等または届出再生債権者は，その議決権について異議を述べることはできない（民再170Ⅰ但書）。債権調査によって確定しなかった再生債権については，債権者集会が開催されるときは，その期日において，再生債務者等または届出再生債権者が議決権について異議を述べることができ（民再170Ⅰ本文），異議がなければ，届出額によって議決権を行使できる（同Ⅱ②）。異議があれば，裁判所が議決権行使の可否および議決権額を定める（同Ⅱ③）[53]。裁判所は，利害関係人の申立てによってまたは職権で，いつでもその決定を変更することができる（同Ⅲ，民再規90の3）。

債権者集会が開催されない場合においては，集会における異議があり得ないので，裁判所が，議決権を行使させるかどうか，および議決権額を定める（民再171Ⅰ②）。裁判所による決定変更の可能性があることは，上と同様である（同Ⅱ）。

(2) 基準日による議決権者の確定

債権調査の結果などによっていったん議決権が確定しても，債権譲渡や代位などの原因によって届出再生債権の帰属が変動する可能性がある。このような場合には，新たに再生債権を行使しようとする者は，届出名義の変更を受ける

---

[52] いったん不足額が届け出られ（民再94Ⅱ），それが確定されれば，その後に不足額が変動しても議決権額は変動しない。詳解民事再生法525頁〔森宏司〕，阿多・前掲論文（注51）705頁。

[53] 議決権額決定の基準については，破産・民事再生の実務〔再生編〕308頁，民事再生の手引〈第2版〉362頁，運用指針431頁。この決定に対する不服申立ては認められず，裁量の範囲を逸脱するものでなければ，違法の問題も生じない。

ことができる(民再96)。しかし,決議の直前まで議決権者が確定しないと,円滑な手続の進行を妨げるおそれがある[54]。そこで,裁判所は,相当と認めるときは,再生計画案を決議に付する旨の決定(民再169Ⅰ)と同時に,一定の日(基準日)を定めて,基準日における再生債権者表に記録されている再生債権者を議決権者と定めることができる(民再172の2Ⅰ)[55]。

裁判所は,基準日を公告しなければならない(同Ⅱ前段)。この場合において,基準日は,当該公告の日から2週間を経過する日以後の日でなければならない(同Ⅱ後段)。

2 議決権の行使

議決権の行使は,提出された再生計画案に対する賛否の意思表示を意味する。したがって,議決権者は,代理人をもってその議決権を行使することができる(民再172Ⅰ)。代理人の権限は,書面で証明しなければならない(民再規90の4)[56]。

(1) 議決権の不統一行使

サービサー会社(債権管理回収業に関する特別措置法参照)が複数の債権者から債権回収の委託を受け,みずからが再生債権者の地位を取得しているような場合において,実質的な権利者の意向を尊重して,提出された再生計画案について,議決権額の一部については,同意の意思表示をなし,残部については,同意をしないという必要性がありうる。そこで,法は,議決権者がその有する議決権を統一しないで行使することができる,いわゆる不統一行使を認めることとした(民再172Ⅱ)[57]。代理人による議決権行使についても,不統一行使が許

---

54) 民事再生法172条の2と同趣旨の規定である会社更生法194条について,新会社更生法の基本構造163頁。
55) 基準日後に再生債権を取得した者は,議決権を行使できないが,届出名義の変更を受けることはできる。新注釈民事再生法〔下〕85頁〔綾克己〕。
56) 書面としては,委任状と印鑑証明書が代表的なものであるが,実務上では,弾力的な運用がなされている。新注釈民事再生法〔下〕82頁〔綾克己〕,条解民事再生法901頁〔野口宣大〕,破産・民事再生の実務〔再生編〕307頁。東京高決平成13・12・5金商1138号45頁。
  なお,議決権行使の前提となる議決権データの作成と裁判所への提出などについては,民事再生の手引〈第2版〉334頁参照。
57) 同趣旨の会社更生法193条2項とともに,会社法313条の前身である商法旧239条ノ4を参考として設けられた制度である。ただし,会社法上の議決権の不統一行使(江頭353頁)との間には,不統一行使の理由を明らかにする必要がないことなどの違いがある。新会社更生法の基本構造162頁。実例と書式について,民事再生の手引〈第2版〉345頁,

される（同Ⅲ）。ただし，決議の事務を円滑に進行するために，不統一行使をしようとする者は，再生計画案の付議決定において定める期限（民再169Ⅱ前段）までに，裁判所に対してその旨を書面で通知しなければならない。なお，不統一行使がなされた場合の議決権者の頭数要件に関しては，法172条の3第7項が特別の規律を設けている。

(2) 社債権者等の議決権の行使に関する制限

再生債務者が社債を発行しており，社債権者が再生債権者となる場合に，その議決権行使について，以下のような問題が生じうる。社債管理者（会社702以下）としては，債権届出については，債権保全行為としてこれを行うことができるが（会社705Ⅰ・706Ⅰ②かっこ書），再生計画案に対する議決権行使については，社債権者集会の決議によらなければ，これをすることができない（会社706Ⅰ）。社債管理補助者（会社714の2以下）としても同様である（会社714の4Ⅰ①・Ⅱ③・706Ⅰ②・714の4Ⅲ②）。しかし，社債の性質からいって，社債権者集会の決議が成立することには，相当の困難が予想されるし，また，社債管理者によらず，個々の社債権者が議決権を行使することも期待しがたい。

他方，議決権者である以上，議決権額に関しては，議決権を行使しない社債権者が再生計画案に同意しなかったものとして扱われるから（民再172の3Ⅰ②参照），結局，再生計画案の可決が困難になる。社債権者の多くが再生計画案に対して実質的に反対でない場合であっても，このような結果が生じるのは不合理であり，かえって社債権者の利益を損なうおそれがあるので，議決権を行使する意思のある社債権者のみに議決権の行使を認めることとし，不合理な結果の発生を防ごうとするのが，この制度の趣旨である[58]。

再生債権である社債または法120条の2第6項各号に定める債権（社債等という）を有する者は，当該社債等について社債管理者，社債管理補助者（当該

[書式5-1-7]，阿多・前掲論文（注51）710頁。具体例について，倉橋＝井田・前掲論文（注49）51頁参照。また，複数の計画案が付議される場合の不統一行使の頭数要件については，分割の割合に対応して，議決権者の間に不公平を生じないようにしなければならない。中山・前掲論文（注46）60頁，多様化する事業再生58頁〔坂本浩司〕，運用指針447頁参照。

58) 条解民事再生法893頁〔山田文〕，法169条の2と同趣旨の規定である会社更生法190条に関して，新会社更生法の基本構造156頁。また，社債権者の議決権行使に関する実務上の問題点とその解決のあり方を検討したものとして，瀬戸英雄「社債権者の事業再生手続への参加」民事手続法75頁がある。

社債等についての再生債権者の議決権を行使することができる権限を有するもの）または法120条の2第6項各号に掲げる者（社債管理者等という）がある場合には，次のいずれかに該当する場合に限って，当該社債等について議決権を行使することができる（民再169の2Ⅰ柱書）。

第1は，その者が当該社債等について再生債権の届出をしたとき，または届出名義の変更を受けたときである（同①）。この場合には，当該社債権者自身による積極的な再生手続参加の意思が認められるからである。

第2は，当該社債管理者等が当該社債について再生債権の届出をした場合であっても，再生計画案を決議に付する旨の決定があるまでに，裁判所に対し，当該社債について議決権を行使する意思がある旨の申し出をしたときである（同②，民再規90の2）。議決権行使の申出にも，再生手続参加についての積極的意思が認められるからである[59]。また，議決権行使の申出があった再生債権である社債等を取得した者は，申出名義の変更を受けることができ（民再169の2Ⅱ），この者も議決権行使を認められる（民再169の2Ⅰ②かっこ書，民再規90の2）。

しかし，再生債権である社債等にもとづく再生計画案についての議決権行使に関して，社債権者集会の決議（会社706Ⅰ・714の4Ⅲ）などが成立したときは，個々の社債権者は，これに拘束されるから，たとえ上記の第1または第2の要件が満たされているときであっても，個別的な議決権行使は許されない（民再169の2Ⅲ①）。また，社債管理者等が，社債権者集会の決議によることなく，再生手続に関する行為をすることができる場合（会社706Ⅰ但書・676⑧）などにも，同様の取扱いがされる（民再169の2Ⅲ②）。

3 再生計画案の付議

再生計画案が提出されると，裁判所は，一定の事由がある場合を除いて，当該再生計画案を決議に付する旨の決定（付議決定と呼ぶ。[書式5-1-1]）をする（民再169Ⅰ柱書）[60]。一定の事由とは，未だ決議をなす前提が調わないとき（同

---

[59] 議決権行使の申出の法的性質については，新会社更生法の基本構造158頁参照。また，個々の社債権者による議決権行使の申出との関係で，社債管理者が社債権者集会を招集すべき義務（会社717Ⅱ・704Ⅱ参照）を負うかなどについても，同書参照。

[60] 再生債務者等提出の再生計画案（民再163Ⅰ。再生債務者等案と呼ぶ）の他に，届出再生債権者が再生計画案を提出した場合（同Ⅱ参照。再生債権者案と呼ぶ）における付議のあり方については，考え方が分かれている。いずれの再生計画案も付議要件を満たして

Ⅰ①②),再生計画案に再生計画の不認可事由が認められるとき(同Ⅰ③),決議の対象となるべき再生計画案が存在しないとき(同Ⅰ④)の3つに分けられる[61]。

(1) 付議決定がなされない場合

第1は,決議をなす前提が調わないときである。すなわち,再生債権についての一般調査期間(民再101Ⅴ)が終了していないときは(民再169Ⅰ①),決議において議決権を行使する再生債権者を確定できないので,裁判所は,付議決定をすることができない。また,財産状況報告集会(民再126ⅠⅡ)における再

いることを前提として,再生債務者等案と再生債権者案のいずれを選ぶかを求める方式(選択方式と呼ぶ)と,再生債務者等案と再生債権者案それぞれについて賛否を問う方式(個別方式と呼ぶ)とがあるといわれるが(具体的手続とそれぞれの方式の長短について,髙木裕康「再生計画案提出に関する問題」民事再生の実務と理論201頁,条解民事再生法864頁〔奈良道博〕参照),再生債務者等案と再生債権者案とが原案と修正案の関係ではなく,それぞれ独立のものであるという前提に立てば,いずれの方式もありえよう。
ただし,債権者案については,再生債務者による遂行可能性などの問題があり,調整が望ましいが,事案によっては,管理命令の発令などが必要になることもある。民事再生の手引〈第2版〉380,386頁。
その上で,選択方式では,たとえば,再生債務者等案が再生債権の議決権総額の50%,再生債権者案が50%の賛成をえて,いずれも可決要件を満たさない(民再172の3Ⅰ②参照)などの事態が生じる蓋然性が高くなるのに対して,個別方式では,たとえば再生債務者等案が再生債権の議決権総額の80%,再生債権者案が77%の賛成をえて,それぞれ可決要件を満たした場合,いずれを再生計画とするかは,裁判所の認可決定によるなどの問題が生じる。
裁判所が複数の再生計画を認可することはありえないこと,再生計画の認可は,可決された再生計画案に認可事由が具備されていることを審査するものであり(民再174Ⅱ。本書1112頁参照),可決された複数の再生計画案のうちでより適切なものを裁判所が選択することを予定するものではないこと,法172条の3は,個別の計画案について賛否を問うことを想定しているが,複数の計画案が付議された場合には,いわば相対的優位についての判断を求めることまでを排除しているとは考えられないこと,選択方式の方が両案についての関係人の判断を直截に反映できること,選択方式をとった場合の共倒れの危険は,債権者集会の期日の続行(民再172の5。本書1110頁)の運用などによって回避しうることなどを踏まえれば,個別方式よりも選択方式が適切といえよう。破産・民事再生の実務〔再生編〕292頁,判例・実務・改正提言564頁〔鹿子木康〕,倒産・再生訴訟542頁〔鹿子木康=鈴木義和〕,中山・前掲論文(注46)59頁,多様化する事業再生55頁〔坂本浩司〕,民事再生の手引〈第2版〉384頁,150問307頁〔渡邊賢作〕,運用指針446,449頁参照。

61) 付議をしないことを明らかにするための排除決定をすることは必要的ではないが,複数の再生計画案が提出されているときには,決議の対象を明らかにするために,不認可事由のある再生計画案について排除決定をすることができる。詳解民事再生法530頁〔森宏司〕,条解民事再生法887頁〔園尾隆司〕,破産・民事再生の実務〔再生編〕292頁。

生債務者等による報告または再生債務者等の報告書（民再125Ⅰ）がないときは（民再169Ⅰ②），決議の前提となる情報の開示がなされていないという理由から，付議決定をすることができない。

　第2は，不認可事由の存在が認められるときである。すなわち，不認可事由（民再174Ⅱ各号）の存在が認められるときは[62]，付議決定にもとづいて再生計画案が可決されたとしても，結局は，再生計画が認可されないこととなるので，付議決定がなされない（民再169Ⅰ③）。ただし，不認可事由のうち，決議が不正の方法によって成立するに至ったとき（民再174Ⅱ③）は，その性質上，付議決定を排除する理由とならない（民再169Ⅰ③かっこ書）。

　第3は，決議の対象となるべき再生計画案が存在しないときである。すなわち，裁判所の定めた期間（民再163Ⅰ Ⅱ）もしくはその伸張した期間（同Ⅲ）内に再生計画案の提出がないとき，またはその期間内に提出されたすべての再生計画案が決議に付するに足りないものであるときは，再生手続廃止決定がなされるので（民再191②），付議決定はなされない（民再169Ⅰ④）。

(2)　付議決定の内容および付随措置

　裁判所は，付議決定において議決権者の議決権行使の方法を定める（民再169Ⅱ柱書）。議決権行使の方法としては，①債権者集会の期日において議決権を行使する方法（同Ⅱ①，民再規90Ⅰ），②書面等投票により裁判所の定める期間内に議決権を行使する方法（民再169Ⅱ②，民再規90Ⅱ～Ⅳ），③①または②の方法のうち議決権者が選択するものにより議決権を行使する方法（民再169Ⅱ③前段）のいずれかである[63]。③の方法によるときは，書面等投票期間の末

---

[62]　不認可事由の存在にかかる付議の判断に際しては，監督委員の調査報告が重要な判断材料となる。詳解民事再生法530頁〔森宏司〕。不認可事由のうち，遂行可能性（本書1113頁）が問題とされた実例については，中山・前掲論文（注46）58頁参照。

[63]　集会型と書面型のそれぞれの利点と問題点については，破産・民事再生の実務［再生編］312頁参照。

　議決票や代理権を証する書面の取扱いなど，議決権行使の具体的な手順や方法については，裁判所の合理的裁量が認められる。東京高決平成13・12・5金商1138号45頁，前掲東京高決平成14・9・6（注8）。実務では，債権者数が著しく多く，債権者集会の出席者の予測が困難な事件を除いて，債権者集会と書面等投票を併用する方式がとられている。条解民事再生法888頁〔園尾隆司〕，民事再生の手引〈第2版〉337頁，運用指針408頁。また，再生計画案についての説明のために，決議のための債権者集会に先立って，債権者説明会を行うことが多い。民事再生の手引〈第2版〉347頁，運用指針419頁。議決票の作成，発送などの実務については，破産・民事再生の実務［再生編］301頁。

　また，条解民事再生法889頁〔園尾隆司〕は，書面等投票の採用が多くない背景として，

日は，債権者集会の期日より前の日でなければならない（同Ⅱ③後段）。

ただし，裁判所が議決権行使の方法として書面等投票を定めたときであっても，債権者集会招集申立権者たる再生債務者等や再生債権者等（民再114前段）が，書面等投票の期間内に，決議のための債権者集会招集の申立てをしたときは，書面等投票の方法によるとの定めを取り消して，①または③の方法を定めなければならない（民再169Ⅴ）。これは，再生計画案変更の可能性（民再172の4）や債権者集会統行の可能性（民再172の5）などを考慮すると，債権者集会の方法による決議に利点が認められるためである。

また，裁判所は，付議決定において，再生債権者が議決権の不統一行使をする場合（民再172ⅡⅢ）における裁判所に対する通知の期限を定めなければならない（民再169Ⅱ柱書前段）。

さらに，裁判所は，付議決定に付随して，議決権の不統一行使の裁判所に対する通知の期限を公告し，かつ，当該期限および再生計画案の内容またはその要旨を再生債務者等や届出再生債権者など，債権者集会の期日の呼出しの対象となる者（民再115Ⅰ本文）に通知しなければならない（民再169Ⅲ）。また，裁判所は，議決権行使の方法として②または③の方法を定めたときは，その旨を公告し，かつ，議決権者に対して，書面等投票は裁判所の定める期間内に限ってすることができる旨を通知しなければならない（同Ⅳ）[64]。

(3) 付議決定の取消し

付議決定の取消可能性については，その前提として，付議決定の非訟事件の裁判としての性質を考えなければならない[65]。

債権者委員会を通じての情報開示や債権者委員会による監視が不十分であるという事情を指摘する。
64) 債権者集会招集通知書や議決票送付などの事務について，民事再生の手引〈第2版〉338, 345, 361頁，［書式5-1-2～5-1-6, 5-3-1］参照。
65) そもそも，再生手続に非訟事件手続法の準用が許されるかどうかも問題である。再生手続は，破産手続や更生手続と同様に，その性質上，訴訟事件ではなく，非訟事件であるとされている一方（倒産・再生訴訟423頁〔園尾隆司〕は，非訟的な特別の手続とする），法18条は，「再生手続に関しては，特別の定めがある場合を除き，民事訴訟法の規定を準用する」とし，非訟事件手続法の立案担当者は，事件の性質等に鑑み，同法第2編「非訟事件の手続の通則」の適用のない非訟事件として，民事再生手続などの倒産手続をあげているからである（金子修・一問一答 非訟事件手続法5頁（2012年））。

しかし，民事訴訟法の規定が包括準用されているのは，非訟事件としての再生手続全体であり，そこから派生する各種の裁判手続については，その性質を考慮した上で，非訟事件手続法の規定を準用することまでが否定されているものではない。

再生手続全体が非訟事件としての性質を有することからみれば，終局決定（非訟55）とは[66]，再生手続を完結する裁判，たとえば，再生計画不認可の決定（民再174Ⅱ），再生手続終結の決定（民再188Ⅰ），あるいは再生手続廃止の決定（民再191）を意味することとなり，再生手続の過程において行われる付議決定などの裁判は，終局決定以外の裁判（非訟62Ⅰ）にあたるものということになる。このような裁判の性質，また，終局決定の取消しまたは変更については，その決定における当事者およびその他の裁判を受ける者の陳述を聴取することが義務付けられる（非訟59Ⅲ）のに対して，終局決定以外の裁判にあたるときには，そのような聴取が必要とされないこと（非訟62Ⅰかっこ書）を考えれば，付議決定を終局決定以外の裁判にあたるとして，その取消しを認めるべきである（非訟62Ⅰ・59Ⅰ）。

　もっとも，付議決定を非訟事件の終局決定としても，なお，非訟事件手続法59条にもとづいてそれを取り消すことができると考えられる。付議決定は，再生手続の進行を踏まえ，再生計画案の内容を考慮した上で，裁判所が法定の要件の範囲内で裁量権を行使して，当該再生計画案についての議決権行使が可能となる法律関係を形成する裁判であり，その意味で終局決定に属するとしても，それが当初から不当であったことが判明した場合または事後的な事情の変更によって不当となった場合に，その取消しを認めるべき点において，非訟事件手続法59条の適用対象となるべきものということができる。

　その他に，付議決定を「非訟事件の手続の指揮に関する裁判」として，いつでも取り消すことができる（非訟62Ⅱ）とする考え方もありえようが，付議決定は，再生債権者が再生計画案についてその議決権を行使しうる状態を形成するという重大な法律効果を創出するものであり，また，付議の要件も法定されているところから（民再169Ⅰ），全面的に裁判所の裁量的判断に委ねられる，手続の指揮に関する裁判と同視することは妥当ではない。

　以上のことを前提とすれば，裁判所は，当初から付議決定をすることが不当であったことが後に判明した場合または事後的な事情の変更によって不当となった場合に付議決定を取り消すことができるが，取消しの事由として実際上問題となるのは，再生計画不認可の要件（民再174Ⅱ（③を除く））に該当する事由

---

66)　終局決定の意義については，金子・前掲書（注65）19頁参照。

が存在する場合（民再169Ⅰ③）であろう。

たとえば，議決権者たる再生債権者に対して十分な情報開示がなされないままに再生計画案が提出されているような事案では，それが「再生手続又は再生計画が法律の規定に違反し，かつ，その不備を補正することができないものであるとき」（民再174Ⅱ①）とまでいえないときであっても，再生計画の決議が再生債権者一般の利益に反するとき（本書1114頁）ということができよう。したがって，そのような事実が認められるときは，裁判所は，再生計画案について付議決定をすべきではなく，いったん付議決定をした後であっても，そのような事実が明らかになったときは，付議決定を取り消すべきである。

裁判所による付議決定は，形成的裁判として，提出された再生計画案について再生債権者が有効に議決権を行使しうる状態を創出する。しかし，上に述べた理由によって，付議決定が裁判所の職権によって取り消された場合には，その状態が消滅する結果として，すでに議決権の行使が進んでいるときであっても，その効果が失われ，新たな再生計画案提出などにもとづく再度の付議決定によって改めて議決権行使の機会が与えられることになる。なお，その際に必要があれば，再生計画案の提出時期を伸張（民再163Ⅲ）することができる。

4 再生計画案の決議

再生計画案が決議に付され，可決されると，再生手続の根本規範たる再生計画が成立する。

(1) 再生計画案の可決要件

再生計画案を可決するには，①議決権者の頭数要件[67]，すなわち議決権者（債権者集会に出席し，または書面等投票をしたものに限る）の過半数の同意（民再172の3Ⅰ①），および②議決権額要件，すなわち議決権者の議決権総額の2分の1以上の議決権を有する者の同意（同Ⅰ②）[68]が必要である（同Ⅰ柱書）[69]。

---

67) 会社更生における更生計画案の可決の要件としては（会更196Ⅴ），大規模事件における事務負担などの理由から，頭数要件が設けられていない。新会社更生法の基本構造160頁。なお，頭数要件に関して，決議が不正の方法によって成立したものと判断した裁判例として，東京高決平成19・4・11判時1969号59頁がある。社債権者に関する頭数要件の問題と解決策を示すものとして，ニューホライズン147，168頁がある。

68) 旧和議法では，4分の3とされていたが（旧和49Ⅰ，旧破306），不認可事由（民再174Ⅱ④）によって反対債権者の利益保護が図られていることなどを理由として，可決要件を緩和したものである。花村463頁，条解民事再生法905頁〔園尾隆司〕。

69) 頭数要件は，出席または書面投票をした者の数が基礎となる関係で，欠席等の議決権

(2) 約定劣後再生債権の届出がある場合

約定劣後再生債権については，それ以外の再生債権との間に，再生計画の内容に公正かつ衡平な差を設けること，すなわち劣後的取扱いをすることが必要とされている（民再155Ⅱ）。したがって，決議に際しても，約定劣後再生債権とそれ以外の再生債権とについて，上記の①および②の要件に関して，平等に議決権を行使させるのは，不合理な結果を生じる。そのために，約定劣後再生債権の届出がある場合には，再生計画案の決議は，それ以外の再生債権を有する者と約定劣後再生債権を有する者とに分かれて行う（民再172の3Ⅱ本文）。ただし，約定劣後再生債権者が議決権を行使できない場合（民再87Ⅲ）など，議決権を有する約定劣後再生債権者がないときは，組分けの必要はない（民再172の3Ⅱ但書）。また，組分けの必要があるときであっても，裁判所が相当と認めるときは[70]，組分けをしないで決議をさせることができる（同Ⅲ）。もっとも，裁判所は，再生計画案の付議決定をするまでは，組分けをしない旨の決定を取り消すことができる（同Ⅳ）。組分けをしない旨の決定またはその取消決定があった場合には，その裁判書を議決権者に送達しなければならない（同Ⅴ本文）。ただし，債権者集会の期日においてこれらの決定の言渡しがあったときは，送達の必要はない（同Ⅴ但書）。

約定劣後再生債権とそれ以外の再生債権を有する者とに分かれて再生計画案の決議をする場合には，それぞれの組において可決要件（民再172の3Ⅰ）が満たされなければならない（同Ⅵ）。

(3) 議決権の不統一行使の場合の可決要件

議決権の不統一行使（民再172ⅡⅢ）がなされた場合，可決に関する頭数要件の算定方法が問題となる。これに関する規律の内容は，以下のようなものである（民再172の3Ⅶ）[71]。

者は棄権扱いとなり，議決権額要件は，議決権総額が基礎となる関係で，欠席等の議決権者は反対扱いとなる。新注釈民事再生法（下）88頁〔富永浩明〕。頭数要件の廃止を求める立法論，およびそれに対する批判について，阿多・前掲論文（注51）694頁，判例・実務・改正提言566頁〔鹿子木康〕がある。なお，債権者側からみた同意または不同意の判断要素については，150問301頁〔加藤寛史〕参照。

70) 相当と認めるときの例として，約定劣後再生債権の債権者数または議決権額がわずかであり，かつ，再生計画案において約定劣後再生債権が破産配当として受けることが見込まれる額以上の支払が定められている場合があげられる。新注釈民事再生法（下）93頁〔富永浩明〕。

議決権の一部を同意するものとして行使し,残りを行使しなかった(放棄した)場合には,分母である債権者集会に出席し,または書面等投票をした議決権者の総数に1を,分子である同意をした議決権者の数にも1を加える。これに対して,議決権の一部を同意するものとして行使し,残りを積極的に同意しないものとして行使した場合には,分母である債権者集会に出席し,または書面等投票をした議決権者の総数には1を,分子である同意をした議決権者の数には0.5を加える。

(4) 債権者集会における再生計画案の変更

議決権行使の方法として,債権者集会が開かれる場合(民再169Ⅱ①③)には,再生計画案の提出者は,再生債権者に不利な影響を与えないときに限って[72],債権者集会において,裁判所の許可をえて,当該再生計画案を変更することができる(民再172の4)。変更は,債権者集会における可決を容易にするためになされるのが通例であり,不利な影響を与えるかどうかについて裁判所は,弁済期間や弁済額などについて実質的に判断する。また,変更によって計画の遂行可能性(民再174Ⅱ②)が失われるおそれがあるときなどは,許可を与えるべきではない。

(5) 債権者集会の期日の続行

再生計画案についての議決権行使の方法として債権者集会が開催され(民再169Ⅱ①③),かつ,当該再生計画案が可決されるに至らなかった場合においても,以下のいずれかの要件が満たされるときには,裁判所は,再生計画案提出者の申立て[73]によってまたは職権で,続行期日を定めて言い渡さなければならない(民再172の5Ⅰ柱書本文)。これは,決議についての集団的意思形成の場と

---

71) 一問一答396頁。分母に関しては,不統一行使をする者を1人の議決権者として扱い,分子に関しては,積極的な意思表示として同意のみがなされたときは,1人の議決権者として扱い,同意・不同意双方について積極的な意思表示がされたときは,同意の議決権者数が加重されることを防ぐために,0.5人の議決権者として扱う趣旨である。

72) 不利な影響を与えない例や変更の手続について,民事再生の手引〈第2版〉353頁,〔書式5-2-2〕,運用指針425頁参照。もっとも,議決権者全員の同意があれば,不利な影響を与える変更も裁判所の許可の対象となる。新注釈民事再生法(下)98頁〔富永浩明〕,条解会更法(下)266頁,条解民事再生法909頁〔園尾隆司〕。否認の奏功を条件とした追加弁済条項を内容とする計画案の変更許可を適法とした原決定を是認したものとして,最決平成18・10・31実情311頁がある。

73) 申立ては,債権者集会の期日において口頭ですることが許される(民再規91・90の3)。

いう債権者集会の特質を考慮し，再生計画案可決の可能性を探るための措置である74)。したがって，続行期日において当該再生計画案が可決される見込みがないことが明らかである場合は，期日の続行は行われない（同但書)75)。

期日の続行が認められる第1の場合は，可決の要件である頭数要件または議決権額要件（民再172の3Ⅰ）のいずれかが満たされたときである（民再172の5Ⅰ①)。第2の場合は，債権者集会の期日における出席議決権者の過半数であって出席した議決権者の議決権総額の2分の1を超える議決権を有する者が，期日の続行に同意したときである（同②）。この場合には，議決権額要件（民再172の3Ⅰ②）は，満たされていないが，さらに可決の可能性を探るべき合理的期待が存在するので，続行が認められる。なお，約定劣後再生債権者とそれ以外の再生債権者の組を分けて，再生計画案についての決議を行うときには（民再172の3Ⅱ本文），その双方の組において，いずれかの要件が満たされなければならない（民再172の5Ⅳ）。

続行期日が言い渡されたときは，再度の呼出しや公告をする必要はない（民再115Ⅴ）。続行期日における再生計画案の可決は，当該再生計画案が決議に付された最初の債権者集会の期日から2月以内にされなければならない（民再172の5Ⅱ）。もっとも，裁判所は，必要があると認めるときは，再生計画案の提出者の申立てによってまたは職権で，1月を限度として，続行期日までの期間を伸長することができる（同Ⅲ）。続行期日は，新たな期日であるので，改めて再生計画案についての決議を行う必要がある。

5 再生計画案が可決された場合の法人の継続76)

民事再生手続は，清算中もしくは特別清算中の法人または破産手続開始後の

---

74) 期日の続行が考えられる場合については，新注釈民事再生法（下）100頁〔富永浩明〕，条解民事再生法911頁〔園尾隆司〕，民事再生の手引〈第2版〉374頁，運用指針453頁参照。具体例については，倉橋＝井田・前掲論文（注49）54頁参照。また，再度の続行や法172条の5第1項1号と2号の競合が問題となる場合の取扱いについては，中山・前掲論文（注46）61頁参照。法が許容する範囲で，再生計画案提出者と再生債権者の意向を反映させる措置をとるべきである。

75) その結果，再生手続が廃止され（民再191③前半部分），破産手続に移行する可能性がある（民再249Ⅰ前段・250Ⅰ）。ただし，再生計画案を修正し，それが可決される見込みがあるときには，期日の続行が認められる。150問304頁〔本山正人〕。

76) 以下の叙述は，一般社団法人及び一般財団法人に関する法律（平成18年法律48号）成立に伴う法173条の改正（平成18年法律50号）を前提とするものである。詳細については，条解民事再生法913頁〔野口宣大〕参照。

法人である再生債務者についても開始されうる（民再26Ⅰ①・39Ⅰ・59Ⅰ③・76の2など）。しかし，これらの手続中の法人については，すでに解散の効果が生じ，清算の目的でのみ法人が存続しているところから，事業継続を内容とする再生計画案が可決されても，そのままでは，計画の遂行可能性がないものとして，再生計画不認可決定がされるおそれがある（民再174Ⅱ②参照）。そこで，これらの法人である再生債務者について再生計画案が可決されたときは，定款その他の基本約款の変更に関する規定にしたがって，法人を継続することができる（民再173）。継続の手続は，それぞれの法人の種類によって異なる（一般社団法人及び一般財団法人に関する法律150・204，会社466・309Ⅱ⑪など）。もっとも，再生計画によって，または再生計画によることなく営業等の譲渡をするときには（民再42・43参照），法人の継続も不要であり，またそのことが再生計画認可の判断に影響しない。

このように，法人の継続は，再生計画認可の判断に影響を及ぼすので，継続するかどうかが定まったときは，再生債務者等は，速やかに，その旨を裁判所に届け出なければならない（民再規92）。したがって，裁判所は，その届出がされたとき，または再生計画案の可決後相当の期間内にその届出がされないときに，再生計画の認可または不認可の決定をするものとされる（同93）。

第3節　再生計画の認可および確定

再生計画案が可決されると，再生手続の根本規範としての再生計画が成立するが，その効力は，裁判所による認可決定が確定することによって生じる（民再176）。したがって，再生計画案の可決は，再生計画の成立要件であり，認可決定の確定は，その効力要件である。

第1項　認可または不認可の決定

再生計画案が可決された場合には，裁判所は，不認可事由が存在する場合を除いて，再生計画認可の決定をし（民再174Ⅰ），不認可事由が存在する場合には，再生計画不認可の決定をする（同Ⅱ柱書）[77]。

---

[77] 類似の規定である会社更生法199条3項は，認可事由がすべて満たされている場合には，更生計画認可の決定をしなければならないと規定する。民事再生法174条1項および

1 再生計画不認可事由

再生計画不認可事由は，再生手続または再生計画の違法を問題とするもの（民再174Ⅱ①），再生計画の実質的内容を問題とするもの（同②④），および再生計画の決議の手続を問題とするもの（同③）に分けられる。

(1) 再生手続または再生計画が法律の規定に違反し，かつ，その不備を補正することができないものであるとき（民再174Ⅱ①）

再生手続が法律に違反するときとは，再生手続開始後になされる裁判所，再生債務者等などの行為に関する違法を含む。また，再生手続開始申立てについての取締役会決議が存在しない場合など，再生手続開始前の事由も含むと解される[78]。ただし，その違反の程度が軽微であるときは，不認可事由とならない。また，再生計画が法律の規定に違反するときとは，絶対的必要的記載事項（民再154Ⅰ）に不備があったり，平等原則（民再155Ⅰ本文）に違反する条項が存在する場合などを指す[79]。

(2) 再生計画が遂行される見込みがないとき（民再174Ⅱ②）

再生計画が遂行される見込みは，遂行可能性と呼ばれる。再生計画にもとづく弁済原資調達の見込みがない場合などが，典型的なものであるが，その他に，事業遂行に不可欠な不動産についての担保権者が再生計画に反対しており，しかも，その担保権に対して消滅許可を申し立てるだけの資金手当の見込みもないような場合もこれにあたる[80]。

2項との違いは，大規模な事業を営む会社を適用対象として想定する会社更生では，裁判所の後見的役割が重視されているためと説明される。新注釈民事再生法（下）110頁〔須藤力〕。条解民事再生法917頁〔三木浩一〕は，民事再生法の規定を消極要件主義，会社更生法の規定を積極要件主義と呼ぶ。

なお，実際には，不認可事由が認められる場合には，付議決定の審理の段階で事前に対処しているため，不認可決定がされる例は少ない。民事再生の手引〈第2版〉372頁。

[78] 新注釈民事再生法（下）110頁〔須藤力〕，詳解民事再生法542頁〔森恵一〕。不適法な申立てにもとづいて手続を開始した違法を意味する。その他，法律違反の具体例については，条解民事再生法918頁〔三木浩一〕参照。最決平成21・3・11実情470頁が是認した原決定では，主要な債権者に対する通知（民再35Ⅲ①）がされないままに進められた手続の違法を理由として不認可の決定がなされている。

[79] 事業の譲渡に関する代替許可の申立て（民再43Ⅰ）が不許可とされた点などについて，再生計画に法律違反があるとした裁判例として，東京高決平成16・6・17金商1195号17頁がある。その他の裁判例については，倒産・再生訴訟547頁〔鹿子木康＝鈴木義和〕参照。

[80] 詳解民事再生法543頁〔森恵一〕，条解民事再生法920頁〔三木浩一〕，民事再生の手引〈第2版〉369頁。債務免除益に対する課税の関係で遂行可能性が問題となった事案と

ただし，会社更生法199条2項3号が遂行可能性の存在を認可決定の要件とされているのと比較すると，再生手続の場合には，遂行可能性の不存在が不認可決定の要件とされている。したがって，裁判所は，遂行可能性の存在を積極的に認定する必要はなく，上記のような事情の存在が明らかな場合に限って，不認可決定をすれば足りる。

(3) 再生計画の決議が不正の方法によって成立するに至ったとき（民再174ⅡR③)

再生債務者等の再生計画案の提出者が，再生債権者に対して贈賄や特別な利益供与を約束するなどの方法によって（民再261Ⅴ・262Ⅱ参照)，決議を成立させる場合や，再生計画案の可決が信義則に反する行為にもとづいてされた場合などがこれにあたる[81]。

して，最決平成24・7・11実情643頁がある。
　なお，再生債権者提出の再生計画について，特にそれが事業譲渡を含む場合に，再生債務者がその意思がない旨を明らかにしているときに，遂行可能性がないと判断すべきかどうかという問題がある。小河原寧「通常再生手続において，差押債権者が再生計画案を提出した場合における裁判所の処理についての一考察」NBL 885号11頁（2008年）参照。場合によっては，管理命令の発令も考えられる。破産・民事再生の実務［再生編］293頁。付議決定についても，同様である。倒産・再生訴訟541頁〔鹿子木康＝鈴木義和〕。その他，遂行可能性に関する裁判例についても，同書554頁参照。
　また，再生計画によって事業譲渡をなし，譲受会社が権利変更後の再生債権について免責的債務引受けを行い，一定期間にわたって収益弁済をする旨の再生計画の適法性が疑われるのも（民事再生の手引〈第2版〉307頁)，なんら履行確保の担保がないためであり，遂行可能性の不存在にかかわるものと理解すべきである。

[81] 最決平成20・3・13民集62巻3号860頁〔倒産百選93事件〕。事案は，再生債務者会社の関係者が再生債権を譲り受けることによって，議決権者の過半数を占める状態を作出し，決議を可決せしめたというものである（類似の問題にかかわるものとして，最決平成24・9・27実情643頁がある)。再生計画案の可決に頭数要件が設けられていることとの関係などについては，服部敬「判例批評」民商139巻3号384頁（2008年)，条解民事再生法921頁〔三木浩一〕参照。信義則の類型としては，訴訟状態の不当形成の排除（伊藤・民訴法351）に属する。松下淳一「倒産法に関する近時の最高裁判例と信義則」多比羅喜寿57頁参照。もちろん，可決の前提条件を作出するために譲受けが行われたと認められたことが不正の方法と評価されたのであり，再生債権の譲渡一般が問題となるわけではない。田頭章一「再生計画の不認可要件としての『不正の方法』」加藤哲夫古稀488頁参照。再生債務者の公平誠実義務との関係については，150問267頁〔髙井章光〕参照。
　また，最決平成29・12・19民集71巻10号2632頁〔倒産百選94事件〕は，再生債務者が提出した債権者一覧表記載の再生債権について，法225条にもとづく届出の擬制の上，法230条8項によって議決権行使が認められ，住宅資金特別条項（民再196④。本書1142頁）を定めた再生計画案が可決され，裁判所がこれを認可した小規模個人再生の事案において，民再法202条2項4号には，再生計画案の可決が信義則に反する行為にもとづいて

(4) 再生計画の決議が再生債権者の一般の利益に反するとき（民再174Ⅱ④）

この要件は，清算価値保障原則と呼ばれ，再生型手続の特質を表すものである[82]。その内容は，再生計画によって配分される利益が，再生手続開始の時点

> された場合も含まれるとした上で，当該再生債権の不存在をうかがわせる事情が認められるときには，再生債務者が当該債権を債権者一覧表に記載することを通じて，再生計画案を可決に至らしめた疑いがあり，再生債務者の公平誠実義務（民再38Ⅱ）に照らし，信義則に反する再生債務者の行為にもとづいて再生計画案の可決がなされた疑いが存するとして，さらに審理を尽くさせるため本件を原々審に差し戻した原審（東京高決平成29・5・30金法2078号86頁）の判断を是認した。信義則の類型としては，訴訟状態の不当形成の排除（伊藤・民訴法351）に属する。松下淳一・前掲論文63頁参照。
> 　小規模個人再生において再生債権の存否および内容について実体的確定がなされないこと（本書1200頁）との関係については，同決定に付された木内道祥裁判官の補足意見，山本和彦「小規模個人再生における虚偽債権の届出と不認可事由――最三小決平29.12.19に関する若干のコメント」金法2085号10頁（2018年）参照。松下祐信「虚偽債権に基づく再生計画案の可決と不認可事由」加藤哲夫古稀638頁は，手続的確定を重視する視点から，不正の方法（民再202Ⅱ④）ではなく，虚偽債権が参加した決議を法律違反（同①・174Ⅱ①）の問題とすべきであるという。
> 　ただし，一般論としてはともかく，本件においては，異議申述期間における他の再生債権者からの異議もなく，個人再生委員（本書1196頁）の意見を踏まえて再生計画認可決定がなされていることを考えると，その段階で原決定のとおり認可がなされたことはやむをえなかったといえよう。また，差戻しを受けた原々審が，信義則違反の前提となる当該再生債権の不存在について，職権をもって調査するには，個人再生委員を通じるなどして，改めて当該再生債権の債権者および債務者から経緯を聴取ないし審尋するなど相当の対応が必要となろう。個人再生の実務Q&A 120問66頁〔森山善基〕参照。
> 　また，再生債務者等が，特定債権者に対して取引の継続や届出債権に対する認否の変更などを申し向け，賛成票を投じることを約束させるなどの行為も，特別な利益供与の約束という意味で不正の方法に該当しうると思われるが（服部敬「『不正の方法』により成立したことを理由とする再生計画の不認可」金法2125号19頁（2019年）は，議決権の行使に関する再生債務者等による利益供与を不正と評価する），当該条件での取引の継続自体が再生債権者全体の利益に資するとか，届出債権の存否や内容にかかる判断資料からみて，認否の変更が不合理とまではいえない場合にまで，それらの事実を直ちに不正の方法と評価することは行き過ぎであろう。具体的事案に即した判断を示したものとして，最決令和3・12・22裁判所ウェブサイトがある。

[82] 条解民事再生法922頁〔三木浩一〕。会社更生では明文の規定はないが，当然の前提とされている。理論と実務218頁〔中西正〕，222頁〔須藤英章〕，新会社更生法の基本構造167頁参照。また，監督委員が詐害行為取消訴訟を受継すれば（民再140Ⅰ参照），再生計画によって配分される利益がより大きくなることが期待されるにもかかわらず，受継をしないままに作成された再生計画について，債権者一般の利益に反するとしたものとして，前掲東京高決平成15・7・25（注24）がある。この考え方は，監督委員が否認権を行使すべき場合についても妥当するが，否認の成否には不確実性がともなうので，実際には，成立が明らかである場合に限られよう。なお，高田賢治「清算価値保障原則の再構成」伊藤古稀907頁は，これを再生債務者等の公平誠実義務違反として捉えるが，否認権の行使主体が監督委員であることとの関係が問題となろう。

で再生債務者財産を解体清算した場合の配分利益，すなわち破産配当を上回ることを意味する[83]。この要件が充足されているかどうかは，形式的な弁済率のみならず，実質的に判断する必要があり，第1回の弁済までの期間（いわゆる据置期間）が長期にわたる場合には，その点を考慮して，この要件に反するとされる可能性がある。なお，再生債務者財産の価額の評定（民再124Ⅰ）が，原則として処分価値によるものとされるのは（民再規56Ⅰ本文），清算価値保障原

　　なお，債権者一般の利益は，あくまで再生債権者一般を基準として判断すべきものであり，相殺期待を有する個別債権者の特別な利益などを問題にすべきでないことについては，服部・前掲批評（注81）389頁参照。また，再生債権者の中にビットコイン債権者と非ビットコイン債権者のように弁済期待の内容を異にする者が含まれている場合には，それぞれについて清算価値保障原則を満たす必要がある。具体的には，山本和彦「仮想通貨交換業者の倒産手続に関する若干の法律問題」民事特別法の諸問題6巻364頁参照。
　　その他，再生債権者の一般の利益に反するときとしては，再生計画の内容が清算価値保障原則に反する場合のみではなく，再生計画案の基礎たる事実が再生債権者に対して十分に開示されず，可決の決議が再生債権者の合理的な意思決定の結果とはみなされないような場合も含まれようが，そのような事情が不正の方法による決議成立と評価されることも考えられる。

83) ここで想定しているのは，再生債務者財産を解体清算する場合の総債権者に対する配当額であり，破産手続において有機的一体として再生債務者財産を譲渡する場合の価値は，清算価値ではなく，継続事業価値を意味するから，それを上回る必要はない。北島（村田）典子「民事再生法と事業の再生（2・完）」民商156巻4号762頁（2020年）参照。
　　また，清算価値算定の基準時としては，他に，再生計画認可時またはそれに近接する時とする考え方，再生手続開始時を原則としつつ，その後に清算価値が減少したときには，再生計画認可時とする考え方もある。山本和彦「清算価値保障原則について」青山古稀925頁，倒産・再生訴訟339頁〔藤本利一〕，藤本利一「『債権者一般の利益』概念の意義と機能」プレーヤー244頁，150問112頁〔佐々木英人〕。本書では，再生債務者等に対して再生手続開始時の清算価値の維持を求めるという視点から，本文の考え方を採用する。破産・民事再生の実務〔再生編〕276頁，倒産・再生訴訟557頁〔鹿子木康＝鈴木義和〕，民事再生の手引〈第2版〉370頁も再生手続開始時説をとる。ただし，再生計画を不認可とすることによって，かえって清算価値が低下すると見込まれる事案では，厳格に清算価値保障原則を適用すべき理由はない。判例・実務・改正提言545頁〔清水祐介＝金山伸宏〕，150問277頁〔小畑英一〕。個人再生の場合については，本書1211頁注39参照。
　　また，否認権行使との関係，特に回復される財産を再生債務者の運転資金等にあてることを予定するときには，清算価値保障原則との関係で検討を要する。民事再生の手引〈第2版〉234頁。個人再生の場合について，今中秀雄ほか「破産手続・民事再生手続における否認権等の法律問題 第2回 継続的給付の差押えがされた場合の否認等について」曹時64巻7号56頁（2012年）参照。その他，清算配当率の算定，再生計画による弁済率との比較などについても，民事再生の手引〈第2版〉275頁，鹿子木・前掲論文（注6）54頁，運用指針321頁参照。
　　他方，清算価値と再生計画によって配分される利益の比較は，弁済までに要する時間や履行の確実性を考慮して検討しなければならない。最決平成21・6・3実情471頁参照。

則遵守の判断資料を提供するためのものである。

2 再生計画の審理手続

再生計画案が可決されたときの認可または不認可の決定手続を開始すべき時期については，特別の規定が置かれていない[84]。実務上では，再生計画案可決後，債権者集会に出席した再生債務者等その他の者（民再115Ⅰ本文）および労働組合等（民再24の2）からの意見を聴取した後に（民再174Ⅲ参照），直ちに認可決定をすることが多いといわれる[85]。

認可または不認可の決定があった場合には，再生債務者等その他の者（民再115Ⅰ本文）に対して，その主文および理由の要旨を記載した書面を送達しなければならない（民再174Ⅳ）。労働組合等には，その決定があった旨を通知しなければならない（同Ⅴ）。

3 約定劣後再生債権の届出がある場合における認可等の特則

議決権者の中に再生債務者財産について異なった性質の権利を基礎とするものがあり，それによって，再生計画案の議決について権利の性質に応じた組分けがされる場合には，①すべての組において可決される，②すべての組において否決される，③いずれかの組において可決され，いずれかの組において否決されるという，3つの可能性がある。①の場合には，直ちに認可または不認可の決定がなされ（民再174ⅠⅡ），②の場合には，再生手続が廃止される（民再191③）。これに対して，③の場合には，1つの組による否決によって直ちに再生手続を廃止するとすれば，ある組が再生計画の成立について絶対的な拒否権を認められたのと同様の結果となる。他方，1つの組の否決にもかかわらず，他の組の可決を理由として認可決定をするのであれば，否決した組の議決権者の利益が損なわれるおそれがある。この二律背反を解決するための手段として，裁判所が再生計画案を変更して，不同意の組に属する債権者のために権利保護条項を定めて，再生計画を認可することができる[86]。

---

84) ただし，法人の継続に関する届出との関係での制限がある（民再規93）。
85) 詳解民事再生法545頁〔森恵一〕。
86) 権利保護条項の考え方は，米国連邦破産法の規定を参考として，旧会社更生法234条に取り入れられ（条解会更法（下）635頁），これが現行会社更生法200条に引き継がれた。民事再生法においては，立法当時は約定劣後再生債権の概念が存在せず，したがって，再生計画案の決議に関する組分けもなかったから，権利保護条項に関する規定も置かれなかった。しかし，平成16年の破産法改正にともなって，約定劣後再生債権の概念およびそれを前提とする決議の組分けに関する規定が新設されるとともに，権利保護条項に関す

(1) 権利保護条項の定めを内容とする再生計画案の変更および再生計画の認可

再生計画案についての決議を約定劣後再生債権の組とそれ以外の再生債権の組とに分かれて行う場合において、いずれかの組において同意（民再172の3 I）がえられなかったため再生計画案が可決されなかったときにおいても、裁判所は、再生計画案を変更し、その同意がえられなかった種類の債権を有する者のために、破産手続が開始された場合に配当を受けることが見込まれる額を支払うことその他これに準じて公正かつ衡平に当該権利を有する者を保護する条項を定めて、再生計画認可の決定をすることができる（民再174の2 I）。

約定劣後再生債権者を含め、再生債権者が確実なものとして把握しているのは、再生債務者財産の清算価値、すなわち破産配当額であるから、それに相当する額またはそれと等価の利益を再生債権者に付与するのであれば、不同意の組に属する再生債権者の利益を本質的に侵害するところはないというのが、権利保護条項の趣旨である。清算価値保障原則（民再174 II ④）を前提とすれば、再生計画によって再生債権者に与えられる利益は、破産配当額を超えるものであるが、それは将来の事業収益などを基礎とする不確実なものである場合が多い。そのために、ある組が再生計画案に同意しないことによってその受領を拒絶した場合に、再生手続が挫折することを防ぐことができるよう、裁判所が職権によって再生計画案を変更し、不同意の組に属する債権者全員に対して再生債務者財産の清算価値を与えることによって、再生手続の遂行を可能にすることが、この制度の趣旨に他ならない[87]。

権利保護条項を定めて、再生計画案を変更するかどうかは、裁判所の職権による。裁判所は、遂行可能性などを損なうことなく適切な権利保護条項を定めることが可能であり、かつ、再生手続を遂行させることが再生債権者や再生債務者の利益に合致すると認めるときに、権利保護条項を定めて、再生計画認可

る定めが設けられた。詳解民事再生法546頁〔森恵一〕。
[87] もっとも、権利保護条項の内容として清算価値を保障すれば足りるかどうかについては、立法論的な批判がある。新会社更生法の理論と実務241頁〔松下淳一〕、伊藤眞「会社更生手続における更生担保権者の地位と組分け基準」判タ670号24頁（1988年）参照。清算価値保障原則によって、権利保護条項の有無を問わず、清算価値が債権者に保障されているものと考えれば、権利保護条項はそれを超えるものを与えなければならないというのが批判の内容である。

の決定をする[88]。

　上記の措置は，いずれかの組において再生計画案についての同意がえられなかったことを前提とするものであるが，裁判所は，決議の前であっても，同意をえられないことが明らかな組があるときは，再生計画案の作成者の申立てによって，あらかじめ，その同意がえられないことが明らかな種類の債権を有する者のために権利保護条項を定めて，再生計画案を作成することを許可することができる（民再174の2Ⅱ前段）。これは，権利保護条項の事前の設定と呼ばれるが，ある組において同意がえられないことが明らかな場合にも，決議を待って権利保護条項を定める手間を省くためのものである。したがって，裁判所が許可を与えるためには，同意をえられないことが明らかである必要があり，それを確認するために，裁判所は，申立人および同意をえられないことが明らかな種類の債権を有する者のうち1人以上の意見を聴かなければならない（同Ⅲ）。

　(2)　権利保護条項を定めた再生計画案についての議決権

　権利保護条項を定めた再生計画案が提出されたときは，その同意をえられないことが明らかな種類の債権を有する者は，当該再生計画案の決議において議決権を行使することができない（同Ⅱ後段）。権利保護条項の事前の設定が，当該組の決議において同意がえられないことを前提としているためである。

第2項　不服申立て

　再生計画の認可または不認可の決定に対しては，利害関係人は即時抗告をすることができる（民再175Ⅰ）。裁判所の決定に対する即時抗告が認められるのは，法に特別の規定がある場合に限られるが（民再9前段），再生計画は，再生

---

[88]　条解民事再生法926頁〔三木浩一〕，条解会更法（下）643頁。権利保護条項を定めて再生計画案を変更するのは，裁判所の権限に属するが，実際には，再生債務者等にそれを補助させることも許される。条解会更法（下）640頁。もっとも，担保権が手続に組み込まれず，また，再生債務者が再生手続開始の時においてその財産をもって約定劣後再生債権に優先する債権に係る債務を完済することができない状態にあるときには，約定劣後再生債権が議決権を否定されるから（民再87Ⅲ），権利保護条項が定められることは，実際には，稀であろう。
　なお，権利保護条項を定めた再生計画について認可決定がされたときに，再生債権者などが不認可事由（民再174Ⅱ各号）を主張して，即時抗告（民再175Ⅰ）をすることは可能であるが，権利保護条項を定めること自体は，裁判所の裁量に属するものであるから，即時抗告の理由とならない。条解会更法（下）642頁。

手続の根本規範としての性質を持ち，認可または不認可の決定は，その効力発生にかかるものであるので，即時抗告が認められる。即時抗告権者は，再生計画の効力発生に利害関係を有すると認められる者である。

1 再生債権者

再生債権者は，再生計画の効力が発生するかについて，再生債務者と並んで，密接な利害関係を有する者であるから，決議において再生計画案に同意したか否かを問わず，再生計画の認可または不認可の決定に対して即時抗告をすることができる（民再175Ⅰ）[89]。届出再生債権者はもちろん，届出をしていない再生債権者にも即時抗告権が認められるが，その場合には，再生債権者であることを疎明しなければならない（同Ⅲ）[90]。即時抗告についての裁判に対して，特別抗告（民訴336）や許可抗告（民訴337）をする場合も同様である（民再175Ⅳ）。

ただし，約定劣後再生債権者については，再生債務者が再生手続開始時において再生債務者が再生手続開始の時においてその財産をもって約定劣後再生債権に優先する債権に係る債務を完済することができない状態にあるときには，約定劣後再生債権者の間に平等原則など（民再155Ⅰ）の違反があることを理由とする場合を除いて，即時抗告権が認められない（民再175Ⅱ）。この状態では，約定劣後再生債権には議決権も認められず（民再87Ⅲ），再生計画全体についての利害関係が否定されるためである。

2 再生債務者等

手続機関としての再生債務者等は，自らが再生計画案提出者であるときには，不認可決定に対して即時抗告権が認められるし[91]，再生債権者等が提出した再生計画については，その認可または不認可決定に対して即時抗告権が認められ

---

[89] もっとも，再生計画案に同意した再生債権者が認可決定に対して即時抗告をすることは，不服の利益に欠けるとか，信義則に反するとされる可能性はある。また，計画案に同意しなかった再生債権者が不認可決定に対して即時抗告をすることも否定されるべきである。ただし，条解会更法（下）673頁は，後者の場合にのみ即時抗告権を否定する。
　なお，別除権者は，再生債権者であれば，不足額をもって再生手続に参加しうるために（民再88），即時抗告権を認められる。
[90] 会社更生法202条3項と同趣旨の規定である。旧会社更生法237条1項但書は，届出をしなかった更生債権者等の即時抗告権を否定していたが，これを改めたことについて，花村476頁参照。
[91] 認可決定に対して即時抗告権が認められないことについて，条解会更法（下）676頁参照。

る。管財人が任命されているときの再生債務者についても，認可または不認可決定に対する即時抗告権が認められる。

3 その他の者

再生のために債務を負担し，または担保を提供する者（民再158）も，再生計画の効力を受けるために（民再177Ⅰ），認可または不認可の決定に対して即時抗告権を認められる[92]。これに対して，労働組合等（民再24の2）は，再生計画によってその権利に直接の影響を受ける立場にないので，即時抗告権を認められない。株主は，再生計画に資本の減少を定める条項があるときには，即時抗告権を認められる[93]。

第4節　再生計画の効力

再生計画は，再生手続の根本規範であるから，その内容にしたがって，再生債権などについての権利変更の効力が生じ，また，再生債務者等などの手続機関は，再生計画にもとづいて業務を遂行し，財産を管理処分する責務を負う。

第1項　再生計画の効力発生の時期

再生計画は，認可の決定の確定によって，効力を生じる（民再176）。したがって，認可決定に対して即時抗告が提起されなかったときは，1週間または2週間の即時抗告期間（民再9・18・174Ⅳ，民訴332）の満了とともに，再生計画の効力が発生し，即時抗告が提起されたときは，その却下または棄却の決定が確定したときに，効力が発生する[94]。

---

[92] 倒産・再生訴訟563頁〔鹿子木康＝鈴木義和〕。ただし，再生計画案に対する個別的な同意の機会を与えられていることから（民再165Ⅰ），即時抗告の理由は，その同意に意思表示の瑕疵がある場合などに限られよう。条解民事再生法930頁〔三木浩一〕。

[93] 前掲東京高決平成16・6・17（注79），条解民事再生法931頁〔三木浩一〕，倒産・再生訴訟565頁〔鹿子木康＝鈴木義和〕。

[94] 東京地裁破産再生部では，債権者集会において再生計画案が可決された場合，同日付で認可決定をなすことを原則とし，官報公告掲載までの2週間程度の期間を経て，即時抗告がなされなければ，4週間程度で確定する。民事再生の手引〈第2版〉390頁。確定後の事務手続について同書392頁以下参照。

これに対して更生手続では，確定を待たず，認可の決定の時から，効力を生じる（会更201）。再生手続では，再生債務者自身が手続遂行主体となるのが原則であるところから（民再38Ⅰ），計画の一部が履行された後に認可決定が即時抗告によって取り消されたと

第2項　再生計画の効力の内容

再生手続の根本規範たる再生計画の効力の内容は，以下のようなものである。

1　再生債権の免責

再生計画認可の決定が確定したときは，再生計画の定めまたは民事再生法の規定によって認められた権利を除いて，再生債務者は，すべての再生債権について，その責任を免れる（民再178Ⅰ本文）[95]。免責の効果によって，再生債務

きには，原状回復等について複雑な問題が生じるおそれがあることを考慮し，認可決定の確定によって再生計画の効力が生じるものとされた。花村477頁，条解民事再生法934頁〔三木浩一〕。

[95] 「責任を免れる」ことの意義については，破産法253条1項柱書本文，会社更生法204条1項柱書の場合と同様に，債務消滅説と自然債務説とが対立する。条解破産法〈第3版〉1738頁，大コンメンタール1086頁〔花村良一〕，伊藤・会更法・特清法685頁，本書807頁参照。条解民事再生法943頁〔三木浩一〕は，自然債務説を基礎としながら，手続中は債権の効力がすべて停止するために，債務の消滅と同様の効果が生じるとする。

ただし，再生債権者が債権届出をなさなかったことについて管財人の帰責性が認められるような事案では，管財人も含めた再生債務者等の自認義務（民再101Ⅲ）との関係が問題となるが，免責の効果を主張することが信義則に反するとされる場合がありうる（更生手続における過払金債権者について大阪地判平成20・8・27判時2021号85頁参照）。そのほか，関連裁判例については，内藤満「過払金債権と再建手続」NBL 881号6頁(2008年)，中島弘雅「消費者金融会社の民事再生をめぐる問題点──過払金債権の取扱いを中心に」民事再生の実務と理論316頁に紹介がある。

しかし，最判平成21・12・4判時2077号40頁〔倒産百選100事件〕は，旧会社更生法241条（現会更204，民再178Ⅰ相当）について，「管財人等が，被上告人〔更生会社──筆者注〕の顧客の中には，過払金返還請求権を有する者が多数いる可能性があることを認識し，あるいは容易に認識することができたか否かにかかわらず，本件更生手続において，顧客に対し，過払金返還請求権が発生している可能性があることや更生債権の届出をしないと失権することにつき注意を促すような措置を特に講じなかったからといって，被上告人による更生債権が失権したとの主張が許されないとすることは，旧会社更生法の予定するところではなく，これらの事情が存在したことをもって，被上告人による同主張が信義則に反するとか，権利の濫用に当たるということはできないというべきである。」と判示し，信義則の適用によって免責の効果が制限されることはないとしている。最判平成22・6・4判時2088号83頁〔会社更生〕も同様である。ここでいう信義則は，訴訟上の権能の濫用の禁止（伊藤・民訴法349頁）に対応する。松下淳一・前掲論文（注81）59頁参照。

再生債務者等による自認制度（民再101Ⅲ・181Ⅰ③。本書1039頁）がある再生手続においては，通常は，このような問題を生じる余地はないが，自認漏れがあった債権として劣後的取扱い（民再181Ⅰ③・Ⅱ）がされる場合には，同様に信義則の適用が問題となろう。もっとも，自認すべき義務も認められないような事案で，再生債権届出の懈怠に再生債権者の帰責性が認められる場合には，免責が認められる。東京高判平成24・6・28金法1990号130頁。

者は，原則として再生計画に定められた権利についてのみ責任を負担することになり，再生手続によってその事業または経済生活を再生させることが可能になる。ただし，共助対象外国租税の請求権については，免責の効果は，共助（租税約特11Ⅰ）との関係でのみ生じる（民再178Ⅱ）。

(1) 免責の対象となる債権

免責の対象となるのは，再生計画に定めのない，すべての再生債権（民再84ⅠⅡ）である。これに対して，再生手続開始前の原因にもとづく再生債務者に対する債権であっても，共益債権（民再119）および一般優先債権（民再122）は，免責されない。届出再生債権者および再生債務者によって自認された債権（民再101Ⅲ）は，再生計画に明示されるから（民再157），再生計画に定めのない再生債権とは，届出もなく，かつ，自認もされない再生債権を意味する。

(2) 免責の対象とならない債権

再生計画に記載されるかどうかにかかわらず，民事再生法の規定によって免責の対象とならないとされる再生債権としては，以下のようなものがある。第1は，再生手続開始前の罰金等である（民再178Ⅰ但書）。この種の請求権については，その届出が義務づけられているが（民再97①），届出をしても，減免その他権利に影響を及ぼす定めをすることはできず，また，免責の対象ともならない。ただし，弁済を受ける時期については，再生計画で定められた弁済期間が満了した時などの後になる（民再181Ⅲ）。この種の請求権の公的制裁としての性質に即したものである。

第2は，再生債権者がその責めに帰することができない事由[96]により債権届

また，最判平成23・3・1判時2114号52頁〔倒産百選99事件〕は，「届出のない再生債権である過払金返還請求権について，請求があれば再生債権の確定を行った上で，届出があった再生債権と同じ条件で弁済する旨を定める」再生計画は，「届出のない再生債権についても一律に民事再生法181条1項1号所定の再生債権として扱う趣旨と解され，上記過払金返還請求権は，本件再生計画認可決定が確定することにより，本件再生計画による権利の変更の一般的基準に従い変更され，その再生債権者は，訴訟等において過払金返還請求権を有していたこと及びその額が確定されることを条件に，上記のとおり変更されたところに従って，その支払を受けられるものというべきである。」とするが，法181条1項1号の要件を緩和する再生計画の定めを許容するものといえよう。

[96] 責めに帰することができない事由の解釈および運用について，新注釈民事再生法（下）134頁〔馬杉榮一〕は，債権届出の追完の場合（民再95Ⅰ）と異なって，厳格に解釈すべきであり，追完期間後に損害が顕在化する損害賠償請求権のように，権利の性質上，届出が期待できなかったものに限定すべきであるという。条解民事再生法942頁〔三木浩一〕も同旨。また，この種の再生債権の顕在化が再生計画の遂行可能性に影響する場合には，

出期間内に届出をすることができなかった再生債権で，その事由が届出の追完期間（民再95Ⅳ）内に消滅しなかったものである。この種の再生債権は，免責の対象とならず，権利変更の一般的基準（民再156）にしたがって変更される（民再181Ⅰ柱書・①)[97]。

第3は，再生計画案の付議決定後に生じた再生債権である（同Ⅰ②・95Ⅳ）。双方未履行双務契約の解除にともなって生じる相手方の損害賠償請求権（民再49Ⅴ，破54Ⅰ）などが代表的なものであるが[98]，第2のものと同様に，権利変更の一般的基準にしたがって変更される。届出期間内の届出が期待できないためである。

第4は，再生債務者[99]が知りながら自認しなかった再生債権である（民再

> 再生計画の変更（民再187Ⅰ）につながる。新注釈民事再生法（下）137頁〔馬杉榮一〕。
> 　再生債務者が認識していない再生債権者については，通知をすることは期待できず，また，海外の債権者のように公告を知る機会が乏しい再生債権者の場合には，事実上，再生手続の開始や再生債権届出についての情報をうることも困難な状況があろう。この点を重視すれば，「その責めに帰することができない事由」があるとして，免責の対象としないとの判断もありえよう。
> 　しかし，事業活動の国際化が一般化している現在，上記のような理由から免責を認めないとすることは，再生計画の遂行可能性を危うくし，ひいては，再生債務者の事業再生を困難にするおそれがある。むしろ，当該再生債権を再生債務者が知ることができず，また再生債権者の側で適時にその再生債権の発生を知らしめる機会が保障され，加えて再生債権発生の原因たる契約において債権者の側からの請求が義務づけられているような場合には，当該再生債権者の側がその機会を利用し，義務を履行していたのであれば，再生手続の開始を知らず，再生債権届出の機会を逸し，また再生債務者による自認の利益を失うこともなかったはずであるから，「その責めに帰することができない事由」があるということはできない。
> 　事業活動の国際化にともない，海外債権者が増加している現状と今後を考えれば，免責の要件である「その責めに帰することができない事由」という判断枠組については，従来からいわれている権利の性質のみならず，契約上の権利であっても，開始決定の通知がなされたかなどの一律の基準ではなく，当該再生債権者と再生債務者の具体的関係を考慮して，通知がなされなかったことや債務者が自認する機会を逸したことがいかなる理由によるものかなどを判断すべきであり，それが国際化時代における民事再生手続の機能を確保するために肝要であると考える。

97) 再生債権となる退職金債権について，この適用を認めた事例として，東京地判平成16・3・24判タ1160号292頁がある。
98) 否認の相手方の債権（民再133）など，その他の例については，新注釈民事再生法（下）135頁〔馬杉榮一〕，条解民事再生法956頁〔村上正子〕参照。
99) 自認の主体には，再生債務者だけではなく，管財人も含まれるが（民再101Ⅲ参照），法181条1項3号の趣旨は，再生債務者自身に対する制裁というところにあり，また管財人が故意に自認しないという場合は想定しがたいなどの理由から，管財人が自認しなかった場合は除かれ，免責の対象となる。花村487頁，条解民事再生法956頁〔村上正子〕。

181Ⅰ③)。この種の再生債権も免責されず，権利変更の一般的基準にしたがって変更されるが（同Ⅰ柱書），第2または第3のものと異なって，再生計画で定められた弁済期間が満了する時（その期間の満了前に，再生計画にもとづく弁済が完了した場合または再生計画が取り消された場合にあっては，弁済が完了した時または再生計画が取り消された時）までの間は，弁済をし，弁済を受け，その他これを消滅させる行為（免除を除く）をすることができない（同Ⅱ）[100]。この種の再生債権は，届出期間中に届け出ることを懈怠したものであるから，再生債務者等が自認を怠ったことに対する制裁として失権を否定するとともに，他の再生債権者に対して劣後的地位に置く趣旨である。

なお，第2ないし第4の再生債権であっても，届出のなかった約定劣後再生債権は，一般的基準にしたがった権利変更の対象とならず（民再181Ⅰ柱書かっこ書），免責される。約定劣後再生債権については，保護の必要が薄いと判断されたためである。

2 届出再生債権者等の権利の変更

再生計画認可の決定が確定したときは，届出再生債権者および自認債権者（民再101Ⅲ）の権利は，再生計画の定めにしたがって，変更される（民再179Ⅰ）。変更の内容は，債務の全部または一部の免除，期限の猶予，もしくは債務の株式への振替えなど，権利変更の一般的基準（民再156）に即して，各権利について定めた再生計画の条項（民再157）にしたがう[101]。この変更は，再

---

[100] 権利変更の一般的基準として，期限の猶予を内容とする分割払いが定められたときに，弁済期間満了後の弁済についても，さらに分割弁済となるのか，それとも一括弁済になるのかについては，考え方が分かれるが（民事再生法逐条研究202頁），権利変更の対象となる以上，前者の考え方を正当とする。

なお，ここでいう再生計画で定められた弁済期間が満了する時の意義について，再生計画中に弁済期が具体的には特定されていない条件付再生債権（敷金返還請求権など）が含まれているときに，再生計画で弁済期が特定されている再生債権の弁済期間満了を意味するか，条件付再生債権の条件成就を前提とした全再生債権の弁済期間満了を意味するかという問題があるが，後者の考え方は，この種の再生債権を過度に劣後的地位に置くことになるから，前者の考え方が正当であり，罰金等の請求権や開始後債権の弁済時期（本書1082，1160頁）についても，同様である。松下淳一「『再生計画で定められた弁済期間』の意義について」加藤新太郎古稀525頁以下参照。

[101] ゴルフ場の再生計画の継続会員の預託金返還請求権の権利変更にかかる条項にみられるように，一定の据置期間経過後，退会時に権利変更後の金額を弁済する方式の場合には，税務上，その損失をどのように計上するかで，再生債権者が法人の場合と個人の場合とで差異が存在する。民事再生の手引〈第2版〉289頁。

生手続内に限られたものではなく，権利自体の実体的変更を意味する。ただし，共助対象外国租税の請求権についての変更の効力は，共助（租税条約特11Ⅰ）との関係においてのみ主張することができる（民再179Ⅲ）。

　変更の基礎となっている再生計画が取り消されれば（民再189Ⅰ），変更の効力が失われ，再生債権者の権利は，原状に復する（同Ⅶ本文）。また，再生計画の履行完了前に，再生債務者について破産手続開始の決定または新たな再生手続開始の決定がされた場合にも，変更の効力が失われ，再生債権者の権利は，原状に復する（民再190Ⅰ本文。本書1254頁）[102]。

　ただし，変更された内容にしたがって権利行使が認められるのは，その権利が確定している場合に限られる（民再179Ⅱ）。査定や異議の訴え（民再105・106）が係属中の，未確定の権利についてその行使を認めると，権利の存在が否定された場合などに問題を生じるからである。これらの権利の保護のためには，再生計画中に適確な措置の定めがなされる（民再159）。

(1) 再生計画の条項の再生債権者表への記載等

　再生計画認可の決定が確定したときは，裁判所書記官は，再生計画の条項を再生債権者表に記載しなければならない（民再180Ⅰ）。再生債権者表には，各債権の内容や確定に関する事項が記載されているが（民再99ⅠⅡ・104Ⅱ・110），それを基礎として，各債権についての権利の変更を内容とする再生計画の条項が再生債権者表に記載される。そして，確定した再生債権についての再生債権者表の記載が，再生債権者全員に対して確定判決の効力を有する（民再104Ⅲ）のとは別に，再生債権にもとづいて再生計画の定めによって認められた権利については，その再生債権者表の記載は，再生債務者，再生債権者および再生のために債務を負担し，または担保を提供する者に対して，確定判決と同一の効力を有する（民再180Ⅱ）。ここでいう確定判決と同一の効力とは，再生手続内

---

[102] 新注釈民事再生法（下）126頁〔矢吹徹雄〕は，このことを捉えて，権利変更が解除条件付であると表現するが，再生計画が取り消されて，失効し，または他の手続が開始されることによって再生計画の効力が覆滅されると考えれば，十分であろう。

　なお，「原状に復する」ことについて，それが遡及効を意味するものであり，認可決定日以降の遅延損害金が一般の破産債権になると判示するものとして，東京地判平成20・10・21金法1859号53頁①事件，同平成20・10・30同②事件がある。また，立法論として，原状に復することなく，権利変更の効力を維持するべきである（会更241Ⅲ。伊藤・会更法・特清法740頁参照）との指摘がなされる。判例・実務・改正提言547頁〔清水祐介＝金山伸宏〕。

外での不可争性を意味し，既判力を内容とするものである[103]。

さらに，再生計画の定めによって再生債権に認められた権利で，金銭の支払その他の給付の請求を内容とするものを有する者は，再生債務者および再生のために債務を負担した者に対して，その再生債権者表の記載によって強制執行をすることができる（同Ⅲ本文）。これは，それぞれの権利について再生債権者表の記載が債務名義（民執22⑦）となることを意味する。また，会社更生の場合には，更生債権者表などにもとづく強制執行は，更生手続終結の後でなければできないが（会更240本文），民事再生では，そのような制限がなく，再生手続中であっても，履行期における履行がなければ，強制執行をすることができる[104]。ただし，再生のために債務を負担した第三者については，催告の抗弁（民452）や検索の抗弁（民453）が認められる（民再180Ⅲ但書）。

別除権者については，不足額（民再88本文）が確定した場合に限って，その債権の部分について，認可された再生計画の定めによって認められた権利，または権利変更の一般的基準にしたがって変更された後の権利を行使することができる（民再182本文）。再生計画において確定した不足額について定めがなされていれば，再生債権者表の記載にもとづく権利の実行が可能であるし，確定していない不足額について適確な措置（民再160Ⅰ）が定められていれば，それにもとづく権利の実行が可能である[105]。また，届出をしなかった再生債権で別除権によって担保されているものが，法181条1項各号のいずれかに該当するときは，一般的基準にしたがって変更された後の権利行使（民再181Ⅰ・Ⅱ）についても，不足額が確定した後でなければすることができない。

ただし，その担保権が根抵当権である場合において，再生計画に仮払いに関

---

103) 新注釈民事再生法（下）130頁〔矢吹徹雄〕。再生計画取消決定が確定したなどの場合にも，再生債権者が再生計画によってえた権利は影響を受けない（民再189Ⅶ但書・190Ⅰ但書）。なお，条解民事再生法950頁〔村上正子〕は，既判力否定説をとる。
　　また，確定判決の法律要件的効力（伊藤・民訴法605頁）の1つとして，消滅時効期間の10年への延長（民169Ⅰ）も再生債権に適用され（民再180Ⅱ），保証債務の消滅時効期間も10年となる。東京地判平成26・7・28判タ1415号277頁。
104) 管財人が必置の更生手続と異なって，再生債権者表にもとづく強制執行を再生計画の履行確保の手段として位置付けているためである。花村485頁。
105) 適確な措置にもとづく権利の実行も，不足額の確定が前提となるが，再生計画の円滑な進行という視点から，精算条項などを定めた仮払い（民再160Ⅱ）ができるかどうかが争われる（肯定説として新注釈民事再生法（下）145頁〔馬杉榮一〕，否定説として条解民事再生法961頁〔畑宏樹〕）。

する定めおよび精算に関する措置の定め（民再160Ⅱ）があるときは，その定めるところによる（民再182但書）．

(2) 株式の取得等に関する再生計画の条項の効力

再生手続においても，会社が債務超過に陥っている場合には，株式の取得等に関する条項を再生計画に定め，会社の資本構成を変更できる可能性があることは，すでに述べた通りである（本書1087頁）．認可決定が確定して，このような条項を含む再生計画の効力が発生すると，以下のような取扱いがなされる．

再生計画において再生債務者の株式の取得に関する条項を定めたときは（民再154Ⅲ），再生債務者は，再生計画において定めた日（民再161Ⅰ②）に，その株式を取得する（民再183Ⅰ）．自己株式の取得について要する株主総会の決議などを必要としない．

同じく，株式の併合に関する条項を定めたときは（民再154Ⅲ），認可された再生計画の定め（民再161Ⅱ，会社180Ⅱ各号）にしたがって，株式の併合をすることができる（民再183Ⅱ前段）．株主総会の決議などは不要である．再生債務者たる会社が債務超過の状態にあることから，反対株主の株式買取請求に関する規定（会社116・117・182の4・182の5）は，適用しない（民再183Ⅱ後段）．また，併合に際して，端数を生じる場合における競売に代わる売却についての裁判所の許可（会社235Ⅱ・234Ⅱ）に関しては，本来の管轄裁判所（会社868Ⅰ）に代わって，再生裁判所が管轄する（民再183Ⅲ）．

同じく，資本金の額の減少に関する条項を定めたときは（民再154Ⅲ），認可された再生計画の定めによって，資本金の額を減少することができる（民再183Ⅳ前段）．株主総会の決議などは不要である．また，この条項についての債権者の意思は，再生計画案についての決議という形で問われるから，債権者や社債権者の異議に関する会社法上の規定（会社449・740）は，適用しない（民再183Ⅳ後段）．なお，資本金の額の減少についての無効の訴え（会社828Ⅰ⑤・Ⅱ⑤）は，提起することができない（民再183Ⅴ）．債権者の意思は，再生計画案についての決議を通じて確認されるし，また法令への適合性は，認可または不認可の決定およびこれに対する即時抗告を通じて判断されるからである．

同じく再生債務者が発行することができる株式の総数についての定款の変更に関する条項を定めたときは（民再154Ⅲ），定款は，再生計画認可の決定が確定した時に再生計画の定めによって変更される（民再183Ⅵ）．株主総会の決議

などの手続を必要としない。

　以上の事項のうち，認可された再生計画の定めによる株式の併合（民再183Ⅱ），資本金の額の減少（同Ⅳ）または定款の変更（同Ⅵ）があった場合には，当該事項にかかる登記の申請書には，再生計画認可の裁判書の謄本または抄本を添付しなければならない（同Ⅶ）。これらの事項を登記官に明らかにするためである（本章注40参照）。

　(3)　募集株式を引き受ける者の募集に関する再生計画の条項の効力

　再生計画において，譲渡制限株式である募集株式を引き受ける者の募集に関する条項を定めたときは（民再154Ⅳ），株主総会の特別決議（会社199Ⅱ・309Ⅱ⑤）によることなく，取締役の決定（再生債務者が取締役会設置会社である場合には，取締役会の決議）によって，募集事項（会社199Ⅰ各号）を定めることができる（民再183の2Ⅰ前段）。すでに述べた通り（本書1090頁），再生手続中の株式会社が募集事項を決定する手続を簡易にし，資金の調達を容易にする趣旨である。

　また，再生債務者たる株式会社が種類株式発行会社（会社2⑬）であるときでも，募集事項の決定に関する種類株主総会の特別決議（会社199Ⅳ・324Ⅱ②）は不要である（民再183の2Ⅰ後段）。その趣旨は，上記と共通である。さらに，再生債務者たる株式会社が，申込者の中から譲渡制限株式である募集株式の割当てを受ける者を定め，かつ，その者に割り当てる募集株式を定めるときには，株主総会の特別決議を必要とするが（会社204Ⅱ本文・309Ⅱ⑤），再生計画による募集の場合には，同様の趣旨から，株主総会の特別決議は不要であり，譲渡制限株式である募集株式を引き受けようとする者がその総数の引受けを行う契約を締結する場合における株主総会の特別決議（会社205Ⅱ・309Ⅱ⑤）も不要である（民再183の2Ⅰ後段。本書1092頁参照）。

　以上に述べたように，再生計画による募集事項の決定については，株主総会の決議を要せず，取締役の決定または取締役会の決議によることとなるが，募集株式と引換えにする金銭の払込みまたはそれに代わる財産の給付[106]の期日

106）　再生債権を対価として，再生債務者の譲渡制限株式の募集に関する条項を定め（民再154Ⅳ），それにもとづいて取締役会などの決定によって再生債権者に，再生債権を対価として株式を与えることを，デット・エクィティ・スワップ（DES）と呼ぶ（倒産・再生の実務331，437頁，酒井俊和・ファイナンス法489頁（2016年）参照）。デット・エクィティ・スワップの内容は，再生債権を現物出資する株式の発行であるが，現物出資額の基

またはその期間（会社199Ⅰ④）の2週間前までに，会社は，株主に対し，当該募集事項（払込金額の決定の方法を定めた場合にあっては，その方法を含む）を通知しなければならない（民再183の2Ⅱ，会社201Ⅲ）。この通知は，公告をもってこれに代えることができる（民再183の2Ⅱ，会社201Ⅳ）。ただし，これらの通知または公告は，再生債務者たる株式会社が募集事項について，上記の期日の2週間前までに金融商品取引法4条1項から3項までの届出をしている場合その他の株主の保護に欠けるおそれがないものとして法務省令で定める場合には，適用しない（民再183の2Ⅱ，会社201Ⅴ，会社法施行規則40）。

3 中止した手続の失効

再生手続が開始すると，再生の基礎となるべき再生債務者財産を保全するために，再生債権にもとづく強制執行等の手続ならびに財産開示手続および第三者からの情報取得手続は中止するが（民再39Ⅰ），再生計画認可の決定の確定とともに，中止された手続は失効する（民再184本文）。再生計画によって再生債権者の権利が免責され（民再178Ⅰ本文），または変更され（民再179Ⅰ），変更された権利の実現は，再生債務者等による再生計画の履行に委ねられる以上（民再186），中止された手続を維持する意義がないからである。なお，失効とは，手続が遡及的に効力を失うことを意味するが，手続開始の結果として具体的な処分がなされているときには，それを除去する必要がある[107]。

準となる再生債権の時価と簿価との差が債務免除とみなされ，それに対応する繰越欠損金が存在しない場合には，課税の対象となる可能性がある。詳細は，ニューホライズン122頁参照。また，発行される株式の具体例については，中川浩輔＝中村謙太「事業再生局面での種類株式の活用」商事法務2127号33頁（2017年）参照。

なお，DESに際して，債権者が金融機関から資金を調達し，それを債務者に出資して，株式の発行を受け，債務者は，出資金をもって債権者に返済し，債権者は，それを金融機関に返済する方式をとることがある。これを金銭出資型のデット・エクィティ・スワップまたは疑似DESと呼ぶことがある（酒井・前掲書489頁）。疑似DESは，実質的に債権を株式に振り替える点で，DESと同様に，債務者の財務負担を軽減する効果を有し，かつ，債務者が当該債権の弁済を行うために，債務免除益に対する課税の問題を生じない（倒産・再生の実務439頁，ニューホライズン130頁参照）。債務免除益に対する課税への対処一般については，150問297，299頁〔植木康彦〕参照。

もっとも，私的整理（本書48頁）においては，この方式をとることができるとしても，再生手続や更生手続においては，対象となる再生債権や更生債権の全額弁済をすることと，対象債権者以外の債権者との平等が問題となろう。また，私的整理から法的整理手続に移行する事案では，偏頗行為否認との関係も問題になる。ニューホライズン131頁参照。

107) 破産手続が失効するにともなって，裁判所書記官が法人破産の登記の抹消を嘱託する（民再11Ⅷ），再生債務者に属する権利で登記がされたものについて破産手続開始の登記

ただし，法39条2項の規定によって続行された手続は，失効しない（民再184但書）。すでに述べたように（本書984頁），続行された手続は，再生債務者財産の換価の手段として行われるものであるから，その結果としてえられる金銭などは，再生計画の基礎となるからである。

4 再生計画の効力の主観的範囲

再生計画は，再生債務者，すべての再生債権者および再生のために債務を負担し，または担保を提供する者のために，かつ，それらの者に対して効力を有する（民再177Ⅰ）。ここでいう効力とは，再生計画による権利の変更や設定，株式会社の組織の変更，あるいは再生債権の免責など，再生計画にもとづいて認められるすべての実体法上の効果を含む[108]。

(1) 再生計画の効力の及ぶ者

再生計画の効力が及ぶ者とは，再生計画の条項にかかる権利義務や法律関係の主体たる者を意味する。再生債務者は，再生債務者財産の帰属主体，再生債権の債務者，あるいは株式会社たる組織の主体として効力を受け，再生債権者も，届出などによる手続参加の有無を問わず，権利変更や免責の対象となる再生債権の主体として効力を受ける。さらに，再生のために債務を負担し，または担保を提供する者について再生計画の効力が及ぶのも，それらの者が再生計画に定める人的保証や物上保証を通じて，保証債務や担保権の負担を負うからに他ならない。

(2) 再生計画の効力が及ばない者

再生計画の効力が及ばないのは，別除権者（民再53Ⅰ）が有する担保権，再生債権者が再生債務者の保証人その他再生債務者とともに債務を負担する者に対して有する権利および再生債務者以外の者が再生債権者のために提供した担保である（民再177Ⅱ）[109]。

があることを知ったときにその登記の抹消を嘱託する（民再12Ⅴ，民再規8Ⅰ⑤），再生債務者等が執行取消しの申立てをする（民執40・183Ⅱ・195），裁判所書記官が差押えの登記等の抹消を嘱託する（民執54Ⅰ・188・195），などがこれにあたる。その他，実務の取扱いなども含めて，新注釈民事再生法（下）155頁〔馬杉榮一〕，条解民事再生法971頁〔畑宏樹〕参照。

[108] 条解会更法（下）697頁，条解民事再生法936頁〔三木浩一〕参照。法177条1項は，認可決定という裁判の効力の主観的範囲を定めたものではなく，認可決定の確定によって効力を生じる再生手続の根本規範たる再生計画にもとづく実体法上の効力を定めたものである。

第1に，別除権者は，その被担保債権たる再生債権が再生計画によって変更されたときには，本来であれば，担保権の付従性によって，担保権の行使によって満足を受けることができる被担保債権の範囲も変更されるはずであるが，再生手続によらないで，その権利を実行することができる（民再53Ⅱ）結果として，被担保債権の範囲に影響を受けることはない[110]。

第2に，再生債権者が保証人や連帯債務者など，再生債務者とともに債務を負担する者に対して有する権利についても，保証債務の付従性などの理由により，再生債権が再生計画によって変更されたときは，保証債務や連帯債務の内容もその影響を受けるはずであるが（民448など），この場合にも影響が否定される。再生計画による権利の変更は，あくまで再生債務者の再生のために認められるものであり，その限度を超えて債権者の権利に対する不利な影響を生じさせるべきではないからである[111]。

第3に，再生計画による権利変更などの効力は，再生債務者以外の第三者が再生債権者のために提供した担保にも影響を及ぼさない。物上保証人などがこ

---

109) 破産法253条2項および会社更生法203条2項も，同趣旨の規定である。中西正「再生計画の権利変更と保証人の地位」井上追悼515頁は，法177条2項の趣旨について，主債務者の倒産によって生じた損失を第一次的には保証人に負担させるという，保証債務のリスク管理機能として説明する。
　なお，ここで問題としているのは，再生計画の定めによる効力であり，再生計画の定めにしたがって再生債権者が全部または一部の満足を受ければ，それが保証人や物上保証人に対する権利行使の範囲に影響するのは当然である。

110) これに対する例外として，住宅資金特別条項（民再196以下。本書1158頁）がある。

111) 影響が及ばないのは，再生債権者の保証人などに対する権利であり，保証人が保証債務履行後に債権者に代位して行使する再生債権や，保証人が主債務者たる再生債務者に対して行使する再生債権たる求償権は，再生計画による権利変更の対象となる。新注釈民事再生法（下）120頁〔矢吹徹雄〕。関連する裁判例として，東京高判平成28・10・5金商1506号10頁がある。
　なお，デット・エクィティ・スワップ（DES）（注106）については，同注なお書きに述べたことを前提とすると，株式が与えられた時点で，再生債権が消滅し，それにともなって保証人などの責任も解除されることになる（新注釈民事再生法（下）121頁〔矢吹徹雄〕）。これに対して，再生債権者が取得した株式の譲渡や配当によって利益を得た時点で，再生債権の消滅および保証人などの債務の消滅の効果が生じるという考え方もある（条解会更法（下）717頁，条解民事再生法939頁〔三木浩一〕）。
　また，東京高判平成29・6・22判時2383号22頁は，主たる債務者である再生債務者が再生計画の遂行として分割弁済をしたときは，保証債務全体について債務承認としての時効の中断（民旧147③。現行民法152条にいう時効の更新）の効力が生じるとしている。民法457条1項の解釈として，法177条2項の趣旨である再生債権者の保証人に対する権利保護を重視したものと理解できる。

の第三者の例にあたるが，その趣旨は，第2の場合と同様である。

なお，法177条2項は，再生計画の定めによる効力の主観的範囲を制限したものであるが，再生債権者が債権の届出をなさず，再生債務者も自認（民再101Ⅲ）しなかったことによって，再生計画に定められず，また法の規定（民再181など）によっても認められず，免責の対象となる再生債権（民再178Ⅰ本文）についても，免責の効力が上記の担保権者や人的または物的担保提供者に及ばないかどうかが議論される。免責の効力も再生債務者の再生のために認められたものであることを考えれば，上記と同様に，これらの者には免責の効力の影響が及ばないと解すべきである[112]。

第5節　再生計画不認可の決定の確定

再生計画不認可決定に対して不服申立てがなされず，または即時抗告が却下されたことによって，不認可の決定が確定したときには，再生手続は終了する（民再77Ⅳ・249Ⅱ・250Ⅰ参照）。これを不認可決定確定にもとづく手続終了効と呼ぶ。この場合には，再生手続がその目的を達することなく終了したものであるから，再生計画の基礎となる効果，たとえば，再生債権者間の債権者表記載の効力（民再104Ⅲ）を維持すべき理由はないが，不認可決定の確定までになされた行為の効力のすべてを当然に覆滅する理由はなく，すでに手続機関としての再生債務者等が行った行為の効力は影響を受けないし，また，終了後の再生債権者の権利の実現などの関係で意義を有すべきものについては，その効力を認めるべきである。

再生手続が終了すれば，再生債権者は，個別的にその権利を行使しうる状態になる。したがって，再生手続における債権調査および確定手続の結果として，再生債権の内容が確定し，かつ，再生債務者[113]がそれについて異議（民再102Ⅱ・103Ⅳ）を述べていない場合には，再生債務者に対する関係で[114]，再生債

---

112)　条解民事再生法939頁〔三木浩一〕，新注釈民事再生法（下）120頁〔矢吹徹雄〕，詳解民事再生法556頁〔佐藤鉄男〕。破産免責の効果との関係については，本書813頁参照。

113)　ここでいう再生債務者は，手続機関としての再生債務者ではなく，管財人が選任されている場合の再生債務者である。したがって，管財人が選任されていないときは，法102条2項または103条4項にもとづく異議はありえず，再生債権が確定すれば，当然に再生債務者に対する再生債権者表の確定判決と同一の効力が認められる。花村496頁。

権者表の記載に確定判決と同一の効力，すなわち既判力[115]と執行力が認められる（民再185 I II）。

第6節　再生計画認可後の手続

再生計画認可決定が確定すると，その内容にしたがった権利変更などの効力が生じ，再生債務者等は，事業または経済生活の再生を実現するために，速やかに，再生計画を遂行する義務を負う（民再186 I）。

第1項　再生計画遂行の主体

再生計画の遂行の義務を負うのは，手続機関たる再生債務者等[116]（民再2②）である。再生債務者等は，業務遂行権および財産管理処分権を有し（民再38 I・66），債権者に対し，公平かつ誠実に，それらの権利を行使し，再生手続を追行する義務を負うが（民再38 II・78・60 I），再生計画の遂行義務は，その基本的義務の現れである。

再生計画の遂行とは，再生計画に定められたすべての事項に関わるものであり[117]，債務の弁済などの財産的事項のみならず，資本金の額の減少，募集株式を引き受ける者の募集，発行可能株式総数についての定款の変更などの組織

---

114) 再生債権確定にもとづく確定判決と同一の効力（民再104 III・111 II）の主観的範囲が，再生債務者等を含むと解すれば（花村496頁），法185条1項は，再生債務者に限って，その効力を再生計画認可不認可の決定後も存続させるという意義を有する。

115) 既判力を認めない説も有力であるが（条解民事再生法974頁〔畑宏樹〕など），法185条2項との関係から考えても，1項にいう確定判決と同一の効力を執行力に限定すべき理由はない。新注釈民事再生法〈下〉159頁〔馬杉榮一〕。

116) 再生債務者自身が再生計画遂行の義務を負うときには，申立代理人の責務が説かれるが（詳解民事再生法560頁〔森恵一〕），これは，機関としての再生債務者の再生計画遂行について受任者たる再生債務者の代理人としての義務が存続するものと理解すべきである。島岡大雄「民事再生事件の履行監督と民事再生から破産への移行（牽連破産）事件の処理における一裁判官の雑感（上）」銀行法務21 810号32頁（2017年）参照。

117) 島岡・前掲論文（注116）36頁参照。ただし，再生計画の遂行可能性を示すための説明事項，たとえば，事業計画の内容や弁済資金の調達方法などについては，その記載通りの遂行ができなかったとしても，直ちに再生計画の取消しの原因（民再189 I ②）となるものではない。民事再生の手引〈第2版〉394頁。他方，再生債権に対する計画上の弁済が履行されているが，別除権協定にもとづく別除権者への弁済が不履行となっていることも，それが計画の遂行可能性に影響を与えるものであれば，再生手続廃止の原因（民再194）となりうる。同438頁〔佐野友幸〕。

的事項を含む。組織的事項のうち，定款の変更のように，再生計画の定めによって当然に効力を生じるものについては（民再183Ⅵ），再生債務者等が特別の行為をする必要はなく，ただ変更登記（同Ⅶ）などの付随的行為をする義務が存するにすぎない。これに対して，株式の併合（同Ⅱ），資本金の額の減少（同Ⅳ），募集株式を引き受ける者の募集（民再183の2）などについては，取締役や取締役会の決定をなし，それにもとづいて所要の行為をするなどの必要がある。

　もっとも，再生債務者ではなく，管財人が再生計画の遂行機関となる場合には，管財人が自らの権限として，これらの組織的事項を遂行することはできないから，取締役などの再生債務者の機関に対して，所要の行為をするように求めることとなる[118]。再生債務者の機関がその求めに応じた行為をせず，再生計画が遂行される見込みがないことが明らかになったときには，管財人は，再生手続廃止の申立てをすることができる（民再194）。

第2項　再生計画遂行の監督の主体

　再生計画遂行の監督の主体は，まず，遂行の主体が再生債務者であるか，管財人であるかによって分けられ，再生債務者が遂行の主体であるときには，監督委員が選任されているかいないかによって分けられる。

　第1に，再生債務者が遂行の主体であり，監督委員が選任されているときは，当該監督委員は，再生債務者の再生計画遂行を監督する（民再186Ⅱ）。監督委員は，裁判所の監督に服する（民再57Ⅰ）。監督委員は，遂行状況について再生債務者から報告を受け，あるいは資料の提出を求めるなどの方法によって監督を行う。再生債務者が再生計画の履行を怠ると，再生債権者の申立てにもとづいて再生計画が取り消されうるし（民再189Ⅰ②），遂行の見込みがないことが明らかになったときは，監督委員の申立てによって再生手続が廃止される

---

[118]　更生手続においては，更生計画の定めまたは認可後の裁判所の決定によって，更生会社の機関が更生計画の遂行機関となり，管財人は監督機関となることが認められるが（会更72ⅣⅤ），再生手続には，これに対応する規定がないので，同様の結果を実現しようとすれば，管理命令を取り消して（民再64Ⅳ），再生債務者を再生計画の遂行機関とし，あわせて監督命令を発令して，監督委員に再生債務者による再生計画の遂行を監督させることになる。詳解民事再生法560頁〔森恵一〕。遂行を怠った場合の制裁または不利益については，条解民事再生法979頁〔須藤英章〕参照。

（民再194）。このような事態に立ち至らないために，再生債務者に対して適切な指摘をなし，必要なときには，裁判所と協議をするなどのことも，監督委員としての注意義務（民再60Ⅰ）に属する[119]。監督委員による監督は，再生計画が遂行され，または再生計画認可決定の確定後3年を経過し，再生手続終結決定がされるまで継続する（民再188Ⅱ）。

第2に，再生債務者が再生計画遂行の主体であり，監督委員が選任されていないときは，再生手続は，再生計画認可決定の確定にもとづく再生手続終結決定によって終結する（民再188Ⅰ）。したがって，その後の再生計画遂行を監督する機関は，存在しない[120]。

第3に，管財人が再生計画遂行の主体であるときは，裁判所が遂行を監督する（民再78・57Ⅰ）。裁判所の監督は，再生計画が遂行され，または再生計画が遂行されることが確実であると認められて，再生手続終結決定がされるまで継続する（民再188Ⅲ）。

第3項　担保提供命令

裁判所は，再生計画の遂行を確実にするため必要があると認めるときは，再生債務者等または再生のために債務を負担し，もしくは担保を提供する者に対し，再生計画の定めによって認められた権利を有する者などのために，相当な担保を立てるべきことを命じることができる（民再186Ⅲ柱書）[121]。担保提供命令に対する違反については，過料の制裁がある（民再266Ⅰ）。

担保提供命令の受益者たりうる者は，再生債務者等による履行の相手方であ

---

[119] 東京地裁破産再生部における監督委員による監督の態様については，民事再生の手引〈第2版〉397頁，［書式6-1-1，6-1-2］，運用指針469頁，再生債務者代理人の役割については，運用指針468頁参照。また，監督委員が選任されているときであっても，事案によっては，債権者自身，債権者委員会が遂行の監督に参画する必要があることを指摘するものとして，島岡・前掲論文（注116）（下）銀行法務21 811号42頁（2017年）がある。

[120] この点を考慮して，実務では，全件について監督委員を選任することが行われている。新注釈民事再生法（下）172頁〔伊藤尚〕。また，再生計画認可決定確定後の再生債務者代理人に期待される役割について，島岡大雄「民事再生事件の履行監督及び牽連破産事件の処理について」多比羅喜寿509頁，個人再生の実務Q&A 120問244頁〔松本賢人〕参照。

[121] 担保提供命令は，旧会社更生法248条2項に由来するものである。なお，同条1項は，担保提供命令と並んで，遂行命令を規定していたが，遂行命令の意義については疑義が呈されていたところから（条解会更法（下）807頁参照），現行会社更生法209条も，担保提供命令（同Ⅳ）のみを引き継いでいる。

り，具体的には，再生計画の定めまたは民事再生法の規定によって認められた権利を有する者（民再186Ⅲ①），異議等のある再生債権でその確定手続が終了していないものを有する者（同②），または別除権の行使によって弁済を受けることができない債権の部分が確定していない再生債権を有する者（同③）の3種類の者を意味する。

担保提供命令の要件は，再生計画の遂行を確実にするため必要があると認められることである。再生計画の遂行可能性がない場合には，再生計画不認可の決定がなされること（民再174Ⅱ②），また遂行可能性に危惧が存在する場合には，再生計画において人的または物的担保に関する定めがなされること（民再158）などを考慮すれば，ここでいう必要があるときとは，主として，認可決定後の事情の変更によって，または債務の一部の不履行の発生によって，権利者の権利の実現の不安が増大したことを指すものと解すべきである[122]。

なお，担保提供の方法や担保の取消しなどについては，民事訴訟法の規定が準用される（民再186Ⅳ）。

第4項 再生計画の変更

再生債権者による決議にもとづいて成立し，裁判所の認可決定の確定によって効力を生じる再生計画は，再生手続の根本規範であり，再生債務者等は，その遂行をする義務を負う（民再186Ⅰ）。しかし，取引環境の変化などの外的要因によって，計画通りの遂行が不可能または困難になったときに，常に再生計画の取消し（民再189Ⅰ②）や再生手続の廃止（民再194）によって，破産手続に移行するのは（民再249・250），かえって再生債権者をはじめとする利害関係人の利益を害するおそれがある。そこで，このような場合に，再生計画の内容を変更し，それについて再生債権者の意思を問い，裁判所の決定によって変更の効力を生じさせることが認められている[123]。

1 変更の要件

再生計画の変更が許されるための基本的要件は，再生計画認可の決定があっ

---

[122] 条解会更法（下）813頁，詳解民事再生法566頁〔森惠一〕。
[123] 実例を紹介するものとして，永石一郎＝渡邉敦子「民事再生事件において再生計画変更を行った事例」NBL 807号18頁（2005年）がある。また，再度の再生手続との関係については，本書1166頁注2参照。

た後やむをえない事由で再生計画に定める事項を変更する必要が生じたことである（民再187Ⅰ）。これを分析すると，やむをえない事由の存在が第1の要件であり，再生計画案策定時に予測できなかった経済情勢の変化や取引先の倒産などが代表的なものである[124]。第2の要件は，再生計画に定める事項を変更する必要が生じたことである。事業資金を確保するために再生債権者の権利をその不利に変更するなどが典型的なものであるが，弁済期の繰り上げなど有利な変更であっても，再生計画に定める事項を変更する必要が認められる。

2 変更の内容

変更の内容が，再生計画の内容のうち，絶対的必要的記載事項（本書1076頁）たる再生債権者の権利の変更，すなわち弁済率や弁済期間などの事項，および相対的必要的記載事項（本書1084頁）たる未確定の再生債権者の権利に関する適確な措置を含むことは争いがないが，任意的記載事項（本書1087頁）たる組織法上の事項，たとえば，資本金の額の減少（民再154Ⅲ・161Ⅲ・183Ⅳ）については，それが会社法の手続によっても可能であるという理由から，再生計画の変更の内容たりうるとする考え方が有力である[125]。

これらの組織法上の事項について，再生債務者たる株式会社が会社法の手続によって行うことが可能であるにもかかわらず，再生計画によって行うことを認めたのは，実際には会社法の手続をとることが困難であるなどの判断にもとづくものであるが，そのような事情は，再生計画認可決定確定後でも存在しうるから，変更の内容たりえないとするのは，行き過ぎである[126]。

なお，変更の内容も再生計画の内容となるものであるから，平等原則（民再

---

124) その他に，将来収益についての見込みが外れたことがやむをえない事由にあたるかどうかが議論される。小規模個人再生における再生計画の変更を定める法234条1項の文言と比較すれば，予測可能性を過度に厳格に解すべきではなく，合理的基礎にもとづく見込みが外れたことは，それをやむをえない事由として認めてよい。民事再生法逐条研究214頁，民事再生の手引〈第2版〉409頁，運用指針476頁。

125) 条解民事再生法983頁〔須藤英章〕。更生手続では，更生計画の定めによらなければ，更生会社の組織に関する基本的事項を変更できない（会更45Ⅰ）こととの違いを根拠とする。この考え方によれば，いったん再生計画の定めにしたがって資本金の額の減少を行った後に，再び資本金の額の減少を行おうとすれば，会社法の手続によるしかないこととなる。なお，新注釈民事再生法（下）175頁〔伊藤尚〕は，再生計画の変更によっても，また会社法所定の手続によることもできるとする（会更45参照）。民事再生の手引〈第2版〉411頁も同様の考え方である。

126) 民事再生法逐条研究216頁においても，必要的記載事項か任意的記載事項かで変更の対象事項を区別するのは合理的でないとの指摘がある。

155Ⅰ）や債務の期限の猶予についての制限（同Ⅲ）や清算価値保障原則（民再174Ⅱ④）を満たしていなければならない[127]。

3 変更の手続

再生計画の変更は，再生手続終了前に限って[128]，再生債務者，管財人，監督委員または届出再生債権者の申立てによって裁判所が行うことができる（民再187Ⅰ）。申立ては書面で行い（民再規2Ⅰ，［書式6-2-1］），申立書には，再生計画の変更を求める旨およびその理由などを記載し（民再規94ⅠⅡ），同時に，変更計画案を提出しなければならない（同Ⅲ，［書式6-2-2］）。

変更の内容が再生債権者に不利な影響を及ぼすものと認められる再生計画の変更の申立てがあった場合には，再生計画案の提出があった場合の手続に関する規定を準用する（民再187Ⅱ本文，民再規94Ⅳ）。不利な影響を及ぼすものと認められるかどうかは，現計画と比較して，変更の法的効果が再生債務者の権利や地位を質的ないし量的に減少させ，あるいは減少させるおそれを生じるかどうかを基準として，判断する[129]。弁済率の削減や弁済期間の延長が不利な影響にあたることは，疑いがないが，繰上一括弁済と弁済率の削減とを組み合わせたものが不利な影響にあたるかどうかなどの問題がある[130]。

不利な影響を及ぼすものと認められない場合には，裁判所の変更決定のみによって変更計画の効力が生じる（民再187Ⅰ）[131]。これに対して，不利な影響を及ぼすものと認められる場合には，原再生計画の場合と同様に，再生計画案についての決議および裁判所の認可を経て，変更計画の効力が生じる（同Ⅱ本文）[132]。ただし，再生計画の変更によって不利な影響を受けない再生債権者は，

---

127) 期限の猶予に関する10年の起算点は，変更前の再生計画認可決定の確定時となるが，実際には，「特別の事情がある場合」（民再155Ⅲ）と認められる可能性がある。詳解民事再生法563頁〔森恵一〕。
128) 管財人も監督委員も選任されていないときには，再生計画認可決定の確定とともに再生手続終結決定がなされるから（民再188Ⅰ），再生債務者が再生計画の変更申立てをすることができるのは，認可決定から終結決定までの期間に限られる。条解民事再生法983頁〔須藤英章〕。
129) 条解会更法（下）969頁，新注釈民事再生法（下）177頁〔伊藤尚〕。
130) 再生債権者の意見などを聴取して，裁判所が実質的判断をする以外にない。民事再生の手引〈第2版〉414頁，運用指針481頁。また，資本金の額の減少などの組織上の事項については，原則として，不利な影響には含まれないものと解する。
131) 具体例，変更手続について，民事再生の手引〈第2版〉420頁，運用指針478頁参照。
132) 決議の方法や手続，監督委員の意見書，変更決定などについて民事再生の手引〈第2版〉414頁，［書式6-2-3～6-2-6］参照。

手続に参加させることを要せず，また，変更計画案について議決権を行使しない者（変更計画案について決議をするための債権者集会に出席した者を除く）であって，従前の再生計画に同意したものは，変更計画案に同意したものとみなす（同Ⅱ但書）。

変更決定に対しては，利害関係人による即時抗告が認められ（民再187Ⅲ・175），計画変更の効力は，変更決定の確定によって生じる（民再187Ⅲ・176）。

第7節　住宅資金貸付債権に関する特則

住宅は，個人の経済生活にとっての本拠である。そして，現代においては，多くの個人が住宅購入資金について金融機関から融資を受け，金融機関の貸付債権またはその関連会社である保証会社の求償権を担保するために，住宅上に抵当権を設定することが多い。そのような状況にある個人が再生債務者となったときに，住宅ローンに債務不履行が発生しているとすれば，別除権たる抵当権が実行され，住宅が失われるおそれがある。また，抵当権が実行されない場合であっても，住宅ローンの履行が負担となって，履行可能性のある再生計画案が立案できなかったり，再生計画が履行不能に陥り，結局，再生手続が失敗に終わる可能性がある。他方，別除権としての権利行使を保障されている住宅資金貸付債権については，抵当権そのものを消滅させたり，被担保債権を減免することは，再生手続の構造そのものと矛盾することになりかねない。

一方で，経済生活の再生の本拠となる住宅の保有を保護し，他方で，住宅上の抵当権によって担保されている住宅資金貸付債権者の利益を不当に侵害しないという2つの要請を調和させるという目的で設けられた制度が，住宅資金貸付債権に関する特則である[133]。なお，この特則は，個人である再生債務者が再生手続を利用できるすべての場合，すなわち個人再生に関する特則である小

---

133) この特則は，制定当時の民事再生法には存在せず，小規模個人再生および給与所得者等再生とともに，平成12年の改正によって制定されたものである。改正の経緯および理由については，始関3，12頁参照。また，現在までの利用状況については，新注釈民事再生法（下）224頁〔小松陽一郎〕参照。もちろん，通常再生であれ，個人再生であれ，特則を利用するかどうかは，再生債務者の判断による。利用しない場合の留意点や別除権協定の可能性について，個人再生の実務Q&A 120問226頁〔鈴木嘉夫〕，232頁〔尾田智史〕参照。

規模個人再生や給与所得者等再生に限らず，通常の再生手続，簡易再生または同意再生のすべての手続に適用されうるものであるが，実際には，個人再生の場合に適用されることが多いと思われる。

第1項　住宅資金貸付債権に関する特別手続の構造

　住宅資金貸付債権に関する特別手続の中核は，再生計画における住宅資金特別条項の定めである。住宅資金特別条項の定めは，住宅資金貸付債権の元利金の支払について，一定の範囲で期限の猶予を認めるものであり（民再199），それを内容とする再生計画の効力によって住宅上の抵当権等の担保権にも効力が及ぶ（民再203Ⅰ）。そして，その目的を達するために必要と認められる場合には，別除権行使（民再53Ⅱ）についての例外として，住宅上の抵当権実行に対する中止命令が認められている（民再197Ⅰ）。

1　住宅資金貸付債権に関する特別手続の適用対象

　この特別手続の適用対象となるためには，再生債務者が住宅を保有していなければならない。住宅とは，個人である再生債務者が所有し[134]，自己の居住の用に供する[135]建物であって，その床面積の2分の1以上に相当する部分がもっぱら自己の居住の用に供されるものをいう（民再196①本文）[136]。ただし，これにあたる建物が2以上ある場合には，これらの建物のうち，再生債務者が主として居住の用に供する1の建物に限る（同但書）。この特別手続は，生活の本拠としての住宅を保護することを目的とするからである。

　特別手続においては，住宅資金貸付債権に関する再生計画の効力を住宅の上に設定された抵当権に及ぼすことになるが，抵当権は，住宅だけではなく，その敷地（住宅の用に供されている土地[137]または当該土地に設定されている地上権[138]）を

---

[134]　区分所有はもちろん，共有も含まれる（条解民事再生法1027頁〔山本和彦〕，個人再生の実務Q&A120問218頁〔小関伸吾〕）。また，親子ローンの取扱いについては，始関94頁，個人再生の実務Q&A120問203頁〔坂川雄一〕参照。

[135]　家族などとともに居住の用に供する場合であっても差し支えない。また，転勤等の事由によって現に居住していなくとも，本来の目的が自己の居住に供するものであれば，ここに含まれる。新注釈民事再生法（下）234頁〔江野栄〕，条解民事再生法1027頁〔山本和彦〕，個人再生の手引〈第2版〉400頁，個人再生の実務Q&A120問198頁〔松尾吉洋〕。

[136]　この点を明らかにするために，再生計画案の提出に際して，住宅のうちもっぱら再生債務者の居住の用に供される部分および当該部分の床面積を明らかにする書面の提出が求められる（民再規102Ⅰ⑤）。

いう。民再196②）をも目的としていることが通常であるために，敷地を目的物とする抵当権も再生計画の効力を及ぼす対象となる。

2 住宅資金貸付債権の意義

　住宅資金特別条項は，再生債権である住宅資金貸付債権について期限の猶予などの変更を加えることを内容とするが，ここでいう住宅資金貸付債権とは，住宅の建設もしくは購入に必要な資金（住宅の用に供する土地または借地権[139]の取得に必要な資金を含む）または住宅の改良に必要な資金の貸付け[140]にかかる分割払いの定めのある再生債権であって，当該債権または当該債権にかかる債務の保証人（保証を業とする者に限る。以下「保証会社」という)[141]の主たる債務者に対する求償権を担保するための抵当権が住宅に設定されているものをいう（民再196③。以下，この抵当権を住宅資金抵当権と呼ぶ)[142]。また，住宅資金貸付債権にかかる資金の貸付契約を住宅資金貸付契約と呼ぶ（同⑤）。

　上にいう住宅資金貸付債権の意義は，第1に，住宅の建設等の貸付の目的，第2に，分割払いの定めがあるという債権の性質，第3に，住宅上の抵当権の設定の3つに分けられる。第3の抵当権の設定は，住宅資金貸付債権そのものを被担保債権とする抵当権だけではなく，それについての保証会社の求償権を被担保債権とするものを含む。これは，住宅ローンの実際においては，求償権を被担保債権とする抵当権が設定される場合が多いこと，その場合に，抵当権の実行によって住宅が再生債務者から失われるのを防ぐためには，住宅資金貸付債権について期限の猶予を内容とする変更を加え，その効力を保証会社の求

---

137) 建物が物理的に存立する底地とは必ずしも一致しないことについて，始関61頁，条解民事再生法1029頁〔山本和彦〕，個人再生の実務Q&A120問201頁〔松尾吉洋〕参照。

138) 賃借権が含まれず，地上権のみとされているのは，賃借権が抵当権設定の対象となりえないためである（民369Ⅱ参照）。始関60頁。

139) 借地権は，地上権または賃借権を意味する（借地借家2①）。

140) 資金の一部流用があった場合や，住宅ローンの借換えについては，新注釈民事再生法（下）238頁〔江野栄〕，条解民事再生法1030頁〔山本和彦〕，個人再生の実務Q&A120問205頁〔鈴木嘉夫〕，208頁〔森本純〕参照。

141) 保証を事業目的とする会社だけではなく，従業員の福利厚生のために，反復または継続して保証を行っている企業も含まれる。始関66頁。また，住宅ローン保証保険の取扱いについても，始関89頁参照。

142) 詳解民事再生法655頁〔山本克己〕にならったものである。なお，仮登記担保権も抵当権と同様に扱われる（仮登記担保19Ⅲ）。始関84頁。問題となる事例については，個人再生の手引〈第2版〉393頁，個人再生の実務Q&A120問240頁〔鹿土眞由美〕。

償権を被担保債権とする抵当権に及ぼす必要があることにもとづいている。なお，抵当権の目的物が住宅に限定され，住宅の敷地が含まれていないのは，敷地のみを対象とする抵当権の設定がみられないことによる[143]。

3　住宅資金特別条項の意義

住宅資金特別条項とは，再生債権者の有する住宅資金貸付債権の全部または一部を，期限の猶予などを内容として変更する（民再199Ⅰ～Ⅳ）再生計画の条項をいう（民再196④）。住宅資金特別条項も，再生債権者の権利を変更する条項（民再154Ⅰ①）としての性質を持つが，対象となる再生債権が住宅資金貸付債権に限られていること（民再198ⅠⅡ），権利内容の変更が期限の猶予などに法定されていること（民再199Ⅰ～Ⅳ），またそれを定める再生計画の効力が住宅や敷地上の抵当権や住宅資金貸付債権にかかる債務の保証人等にも及ぶ点に特質がある。

なお，住宅資金特別条項を定める場合には，それが住宅資金特別条項である旨および住宅資金貸付債権を有する再生債権者の氏名，住宅および敷地の表示ならびにその上の抵当権の表示などを明示する必要がある（民再規99）。

第2項　抵当権の実行手続の中止命令等

再生債務者が住宅資金貸付債権にかかる債務の返済を遅滞している場合には，住宅またはその敷地上に設定されている抵当権が実行される可能性がある。住宅資金特別条項を定める再生計画の実効性を確保するためには，再生計画の効力が発生する前の抵当権の実行を防ぐ必要がある。また，再生債権である住宅資金貸付債権については，再生計画の定めるところによらなければ，弁済をすることが認められないが（民再85Ⅰ），そのことが，住宅資金貸付債権を履行遅滞に陥らせ，再生債務者が期限の利益を失うことによって，抵当権の実行を誘発するおそれがある。以下に述べる競売手続の中止命令と住宅資金貸付債権に対する弁済許可の制度は，これらの必要を満たし，また，おそれに対処する

---

143) 始関63頁，条解民事再生法1031頁〔山本和彦〕。ただし，住宅資金特別条項を定めた再生計画の効力は，敷地についての抵当権にも及ぶ（民再203Ⅰ前段）。
　そのほか，住宅上の抵当権の被担保債権として住宅ローンと事業用資金の借入れにもとづく債権が混在している場合，住宅の売買代金債権を被担保債権とする抵当権が設定されている場合などがあり，それぞれ住宅資金貸付債権を被担保債権とする抵当権の定義からは外れるが，実務上の工夫がなされている。破産・民事再生の実務〔再生編〕494頁。

ためのものである。

1 競売手続の中止命令

　裁判所は，再生手続開始の申立てがあった場合において，住宅資金特別条項を定めた再生計画の認可の見込みがあると認めるときは，再生債務者の申立てにより，相当の期間を定めて，住宅または再生債務者が有する住宅の敷地に設定されている，住宅資金貸付債権を被担保債権とする抵当権（民再196③）の実行手続の中止を命じることができる（民再197Ⅰ）。

　一般の手続における競売手続の中止命令は，再生債権者の一般の利益への適合性を基本的要件としていること（民再31Ⅰ本文）から理解されるように，目的財産を再生債務者に保持させることが，再生債務者の事業の継続などによって実現される継続事業価値の配分によって，再生債権者に利益をもたらすためのものである（本書869頁参照）。しかし，ここでの中止命令は，生活の本拠としての住宅を保持させるという再生債務者の利益を守るためのものであり，両者は目的が異なる。

(1) 中止命令発令の要件

　中止命令発令の要件は，住宅資金特別条項を定めた再生計画の認可の見込みがあると認められることである（民再197Ⅰ）[144]。したがって，再生債務者としては，中止命令を申し立てる段階で，住宅資金特別条項を定めた再生計画案の概要やその遂行可能性を基礎づける資料などを提出する必要がある（民再202Ⅱ参照）。

　また，中止命令の対象となりうる抵当権は，住宅または再生債務者が有する住宅の敷地に限られる。住宅資金特別条項を定めた再生計画の効力は，第三者たる物上保証人が自らの敷地上に設定した抵当権にも及ぶにもかかわらず（民再203Ⅰ），中止命令の対象は，再生債務者所有の敷地上の抵当権に限られる[145]。

---

[144] 競売申立人に不当な損害を及ぼすおそれがない（民再31Ⅰ本文）という要件は課されていない。住宅資金特別条項の内容が住宅資金貸付債権者に不当な損害を及ぼすおそれがないためである。新注釈民事再生法（下）242頁〔江野栄〕，条解民事再生法1033頁〔山本和彦〕。

[145] 中止命令の効力が拡大しすぎるのを防ぐための政策的判断による。始関76頁，条解民事再生法1035頁〔山本和彦〕。

(2) 中止命令の手続

　住宅資金特別条項を定めた再生計画案の提出権者が再生債務者のみに限られていることから（民再200Ⅰ），中止命令の申立人も再生債務者に限定される（民再197Ⅰ）。中止命令は，再生手続開始の申立てがあった後であれば，再生手続開始の前後を問わず発令できる。ただし，中止命令は，競売の申立てをあらかじめ禁止するものではないので，すでに抵当権にもとづく競売開始決定（民執181）がなされていることが前提となる。

　裁判所は，発令にあたっては，相当の期間を定めなければならない。相当の期間とは，再生債務者が住宅資金特別条項の定めを内容とする再生計画案を提出することを前提として，認可決定の確定までに担保権の実行が行われることを防ぐために必要な期間と解される[146]。

　中止命令のその他の手続は，一般の中止命令に関する規定に準じる（民再197Ⅱ・31Ⅱ～Ⅵ）。

(3) 中止命令の効果

　中止命令が発令されると，再生債務者は，その謄本を提出して，競売手続の停止を求めることができる（民執183Ⅰ⑥）。停止された競売手続は，相当期間が経過すれば，再び進行するが，住宅資金特別条項を定めた再生計画の効力が発生すると，その効力が住宅等の上の抵当権にも及ぶために（民再203Ⅰ前段），再生債務者が再生計画認可決定の謄本を提出することによって取り消される（民執183Ⅰ③・Ⅱ）[147]。

2　住宅資金貸付債権に対する弁済許可

　再生債務者は，再生債権たる住宅資金貸付債権について，再生手続開始後における弁済禁止（民再85Ⅰ）を解除するために，裁判所に対して，弁済許可の申立てをすることができる（民再197Ⅲ）。許可の要件は，住宅資金貸付債権の一部を弁済しなければ住宅資金貸付契約の定めによって当該住宅資金貸付債権

---

146)　始関74頁では，再生債務者が担保権者と交渉して，合意による解決を図るために必要な期間とする。条解民事再生法1034頁〔山本和彦〕は，認可決定が予定される時点までとする。

147)　取り消された手続の費用は，抵当権者の負担となる場合と再生債務者の負担となる場合がある。始関77頁。ただし，再生債務者の負担となる場合であっても，共益債権とはならず，再生債権にとどまる。巻戻し（本書1161頁）にともなう保証会社の抵当権実行費用について，大阪高判平成25・6・19金商1427号22頁。

の全部または一部について期限の利益を喪失することとなる場合において，住宅資金特別条項を定めた再生計画の認可の見込みがあると認めることである[148]。

第3項　住宅資金特別条項の対象となる権利

　住宅資金特別条項は，再生計画の定めによって住宅資金貸付債権の期限を変更し，その効果を住宅等に設定されている抵当権にも及ぼすことを目的とするものである。したがって，住宅資金特別条項の対象となる権利は，住宅資金貸付債権である（民再198Ⅰ本文）。しかし，以下に述べる場合には，住宅資金貸付債権について住宅資金特別条項を定めることができない[149]。

1　法定代位による住宅資金貸付債権の行使の場合（民再198Ⅰ第1かっこ書）

　保証人などは，弁済によって債権者の有する権利を行使することができる（民499・501）。しかし，保証人など，弁済をするについて正当な利益を有する者が保証債務などを履行することによって代位取得した住宅資金貸付債権について，住宅資金特別条項による弁済の繰延べを認め，その効力を住宅資金抵当権に及ぼすこととすると，保証人などの利益が不当に害されるおそれがあり，住宅資金特別条項の対象から除外されている（民再198Ⅰ第1かっこ書）[150]。ただし，代位弁済をした者が保証会社である場合には，さらに特則がある（同Ⅱ）。

　保証人などが代位弁済をした結果として行使する住宅資金貸付債権については，住宅資金特別条項が定められない（同Ⅰ第1かっこ書）。しかし，住宅ローンの場合には，保証会社による保証が付され，債務者に債務不履行や倒産処理手続開始の申立てなどの事由が発生すると，期限の利益を失って，住宅資金貸付債権者である金融機関が保証会社から代位弁済を受けるのが通例であり，上

---

148)　立案の経緯や規定の趣旨について，条解民事再生法1035頁〔山本和彦〕参照。したがって，すでに期限の利益を喪失しているときは，弁済許可をすることができない。新注釈民事再生法（下）245頁〔江野栄〕，個人再生の実務Q&A120問225頁〔福田あやこ〕。許可の手続については，個人再生の手引〈第2版〉129頁。

149)　具体例については，個人再生の手引〈第2版〉358頁参照。

150)　弁済によって再生債務者の資力不足を肩代わりした者を除外する趣旨であるから，債権譲渡によって住宅資金貸付債権を取得した者は，除外されない。新注釈民事再生法（下）247頁注1〔江野栄〕，条解民事再生法1039頁〔山本和彦〕，個人再生の実務Q&A120問217頁〔小関伸吾〕。

記の原則を貫くと，住宅資金特別条項の実効性が失われかねない。

このような点を考慮して，保証会社（民再196③第2かっこ書）に限っては[151]，すでに保証債務を履行した場合であっても，その全部を履行した日から6月を経過する日までの間に再生手続開始の申立てがされたときは[152]，本来の住宅資金貸付債権者（民再204Ⅰ本文参照）の権利について住宅資金特別条項を定めることができる（民再198Ⅱ前段）。ただし，下記の2および3の場合（同Ⅰ但書）には，住宅資金特別条項を定めることはできない（同Ⅱ後段）。

2 住宅資金抵当権以外の抵当権が住宅に設定されている場合（民再198Ⅰ但書前半部分）

住宅の上に住宅資金抵当権（民再196③）以外の担保権が存するときには，住宅資金貸付債権について住宅資金特別条項を定めることはできない（民再198Ⅰ但書前半部分）。この場合には，住宅資金特別条項を定める再生計画が認可され，住宅資金抵当権の実行が回避できたとしても，それ以外の担保権が実行される可能性があり，結局，再生債務者が住宅を失うおそれは残るからである[153]。再生債務者が住宅資金特別条項を定めた再生計画案を提出するときに，

---

[151] 住宅ローン保証保険にもとづく保険金の支払いも含む。新注釈民事再生法（下）251頁注13〔江野栄〕，条解民事再生法1040頁〔山本和彦〕。

[152] 6月の期間を限定したのは，保証債務履行の効果が覆されることによる保証会社の地位の不安定性，保証債務履行後の遅延損害金が計画の遂行可能性に対して与える影響などを考慮した結果である。始関86頁，条解民事再生法1040頁〔山本和彦〕。

この関係で，再生債務者は，再生計画案の提出の際に，保証会社が住宅資金貸付債権にかかる保証債務の全部を履行したときは，当該履行によって当該保証債務が消滅した日を明らかにする書面を提出する必要がある（民再規102Ⅰ⑥）。

[153] 始関80頁。もっとも，再生計画認可決定までに当該担保権を消滅させることができれば，住宅資金特別条項を定めることができると解されている。新注釈民事再生法（下）247頁〔江野栄〕，条解民事再生法1041頁〔山本和彦〕，個人再生の実務Q&A 120問213頁〔松井和弘〕，215頁〔髙橋敏信〕。

また，夫婦が別個の金銭消費貸借にもとづいて資金を調達の上，住宅を共有し，住宅のローン債務を被担保債権とする抵当権を住宅全体に設定するような，ペアローンと呼ばれる方式がある。この場合には，形式的にみれば，夫婦の一方が自らの共有部分について，他方の債務のための抵当権を設定していることになるから，住宅資金特別条項の定めが許されないようにみえるが，関係者に異論がなく，住宅資金特別条項を内容とする再生計画が認可されれば，他方の債務のための抵当権が実行されることがないとの理由から，これを許す実務運用もみられる。新注釈民事再生法（下）248頁〔江野栄〕，条解民事再生法1041頁〔山本和彦〕，個人再生の手引〈第2版〉384頁，木村真也＝余田博史「個人再生手続におけるペアローン案件の住宅資金特別条項および住宅ローン債務の連帯保証債務の取扱い」銀行法務21 733号20頁以下（2011年），破産・民事再生の実務［再生編］496頁，個人再生の実務Q&A 120問222頁〔野村剛司〕参照。類似のものとして，一個

住宅の登記事項証明書を提出するものとされるのは（民再規102 I ③），この点を明らかにするためである。

3 住宅以外の不動産にも住宅資金抵当権が設定されている場合においてその不動産の上に住宅資金抵当権に後れる担保権が存するとき（民再198 I 但書後半部分）

これは，住宅資金抵当権が住宅とそれ以外の不動産を共同抵当としている場合である。共同抵当の目的となっている他の不動産の競売が行われると，その不動産の後順位担保権者は，住宅資金抵当権に代位することができるから（民392 II），住宅資金貸付債権について住宅資金特別条項を定めることができるとすると，1の場合と同様に，代位をする担保権者の利益を害するおそれがある。したがって，この場合には，住宅資金特別条項を定めることはできない[154]。再生債務者が住宅資金特別条項を定めた再生計画案を提出するときに，住宅以外の不動産に住宅資金抵当権が設定されているときは，その不動産の登記事項証明書を提出するものとされているのは（民再規102 I ④），このためである。

これに対して，他の不動産に住宅資金抵当権よりも先順位の担保権が設定されているときには，代位の可能性がないために，住宅資金特別条項を定める可能性が排除されていない。ただし，先順位の担保権が住宅の敷地に設定されている場合には，その実行によって住宅についての土地利用権原が失われ，住宅資金特別条項を定めたことが無意味になるおそれがあるので，住宅の用に供されている土地を住宅の所有のために使用する権利を失うこととなると見込まれるときには，再生計画不認可の決定がなされる（民再202 II ③）。再生債務者が住宅資金特別条項を定めた再生計画案を提出するときは，住宅の敷地の登記事項証明書を提出するものとされているのは（民再規102 I ③），このためである。

4 住宅資金貸付債権者が数人あるとき（民再198 III）

住宅資金貸付債権を有する者が数人存在する場合には，そのうちの一部の者についてのみ住宅資金特別条項を定めても，他の者による抵当権が実行される

の金銭消費貸借契約にもとづく連帯債務者たる夫婦などが共有持分全部に一個の抵当権を設定するリレーローンなる方式もある。個人再生の実務Q&A 120問220頁〔山本淳〕。
154）もっとも，このような場合でも，法119条2号の請求権の意義を柔軟に解し，住宅資金貸付債権を共益債権とする別除権協定を締結して，住宅資金特別条項の定めのある再生計画と同様の効果を生じさせることができるとする有力説がある。個人再生の手引〈第2版〉251頁，個人再生の実務Q&A 120問84頁〔清水祐介〕，86頁〔日髙正人〕。

おそれがあり，結局，住宅資金特別条項の定めをする意味が認められない[155]。したがって，この場合には，全員を対象として住宅資金特別条項を定めなければならない。保証会社の代位弁済の効力が失われる結果（民再204Ⅰ本文），住宅資金貸付債権を有する者が数人となる場合を含む（民再198Ⅲ）。

第4項　住宅資金特別条項の内容

　再生計画における再生債権に関する権利変更の定めは，債務の減免や期限の猶予を含む広範囲なものであるが（民再156参照），同じく再生債権であっても，住宅資金貸付債権に関する権利の変更の定めは，以下に述べるように，期限の猶予を中心とする4つの類型に法定されている[156]。これは，住宅資金貸付債権者が，自ら抵当権を有するか，または抵当権を有する保証会社の保証を受けているという優先的な地位を持っており，別除権としての抵当権の実行は，本来は，再生手続によって制約されないという特質を有することを考慮したものである。

　なお，住宅資金特別条項は，一般の再生債権に関する再生計画による権利変更とは異なった内容を有するので，住宅資金貸付債権者と他の再生債権者との間には，平等原則（民再155Ⅰ）が適用されず（民再199Ⅴ），最長の弁済期間を10年とする制限（民再155Ⅲ）も適用されず（民再199Ⅴ），さらに，住宅資金特別条項は，住宅資金貸付債権の全額を弁済することを定め，別除権たる抵当権の実行を回避することを目的としているので，別除権者の権利行使を前提とする再生計画の定め（民再160・165Ⅱ）も適用されない（民再199Ⅴ）。

1　原則型①——期限の利益回復型（民再199Ⅰ）

　住宅ローンにおいては，債務者が元利金の支払を遅滞したり，再生手続開始の申立てをすることが元本の分割弁済に関する期限の利益喪失事由となり，債務者は，残元本全額とそれに相当する利息や遅延損害金を一括して支払わなく

---

[155]　なお，これとは別に，住宅資金貸付債権以外に再生債権が存在しない場合でも，住宅資金特別条項を定められるかという問題がある。これを肯定すべきことに異論はない。ただし，住宅資金貸付債権者には，議決権が認められないこと（民再201Ⅰ）から，裁判所は，住宅資金貸付債権者の意見を聴取した上で（同Ⅱ），直ちに再生計画の認可または不認可の決定をする。始関92頁，新注釈民事再生法（下）252頁〔江野栄〕。

[156]　法199条が定める4つの類型の名称は，新注釈民事再生法（下）257頁〔平澤慎一〕によっている。それぞれの類型に即した記載例については，個人再生の手引〈第2版〉371頁，個人再生の実務Q&A120問190頁〔山本淳〕。

てはならないのが通常である。しかし，住宅ローンの性質上，その額は巨額になることが多く，通常の条項によっては，遂行可能性のある計画を立てることができず，他方，再生債権そのものの減免を認めることも不適当である。そこで，住宅資金特別条項の原則的な類型は，いったん失われた期限の利益を回復させ，遅滞分を法定の期間に弁済した上で，その後の分は本来の約定にしたがって支払うというものになる[157]。

(1) 再生計画認可決定確定時までに弁済期が到来した元本等の弁済

再生計画認可決定の確定時までに弁済期[158]が到来する住宅資金貸付債権の元本，およびこれに対する再生計画認可決定確定後の住宅約定利息（住宅資金貸付契約による約定利息をいう），ならびに再生計画認可決定確定時までに生じる住宅資金貸付債権の利息および不履行による損害賠償については，その全額を，一般の再生債権について再生計画で定める弁済期間内に支払うことを定める（民再199Ⅰ①）。この弁済期間が5年を超える場合には，住宅資金特別条項における弁済期間は，最長でも再生計画認可決定確定の時から5年である（同第4かっこ書）。

この定めの実質は，再生計画認可決定時までに本来の弁済期が到来する元本，それに対する認可決定後の利息ならびに認可決定確定時までの利息および損害金という，認可決定確定時において再生債務者が住宅資金貸付債権者に負っている債務のすべてについて，期限の利益を回復させた上で，5年を超えない限度で，一般の再生債権についての再生計画による弁済期間（一般弁済期間と呼ばれる）に支払うというものである[159]。

(2) 再生計画認可決定確定時までに弁済期が到来しない元本等

再生計画認可決定の確定時までに弁済期が到来しない住宅資金貸付債権の元本[160]，およびこれに対する再生計画認可決定確定後の住宅約定利息を，住宅資金貸付契約における債務不履行がない場合についての弁済の時期および額に

---

[157] この条項を定めた再生計画の履行は容易ではないと思われるが，実際の利用状況については，新注釈民事再生法（下）259頁〔平澤慎一〕参照。
[158] 期限の利益喪失条項による弁済期の到来は除かれる（民再199Ⅰ①第1かっこ書）。
[159] これによって，5年の範囲内で再生債務者に期限の猶予を認めつつ，住宅資金貸付債権者が住宅資金貸付契約によって期待していた利益がほぼ完全に保護される結果となる。始関98頁。
[160] 債務者が期限の利益を喪失しなかったとすれば弁済期が到来しないものを含む（民再199Ⅰ②かっこ書）。

関する約定にしたがって支払うことを定める（民再 199 I ②）。再生計画認可決定確定後の元本等については，契約通りの履行をするという趣旨の定めである。

2 原則型②——正常返済型（民再 199 I）

住宅資金貸付債権に対する弁済許可（民再 197 Ⅲ）がなされれば，再生手続開始後も元本や利息についての弁済が続けられ，延滞分が存在せず，したがって，期限の利益を回復させて，延滞分についての定めをする必要はない[161]。しかし，このような場合であっても，住宅資金貸付債権の元本および利息の弁済については，住宅資金特別条項によって特別の定めをしないと，一般の別除権付再生債権と同様の取扱いをせざるを得なくなり，結局，再生計画の成立を困難にし，抵当権の実行によって住宅が失われるおそれを生じさせる。そこで，このような場合には，上記の (1) の定めが不要であるから，(2) の定めのみを住宅資金特別条項の内容とすることになる。

3 リスケジュール型（民再 199 Ⅱ）

原則型は，遅滞分については，期限の利益を回復し，5 年間の一般弁済期間に弁済をなすが，その後の分割払い分については，約定通りの弁済を行う定めをするものである。しかし，再生債務者の支払能力などの点から，そのような内容の再生計画に遂行可能性が認められず，したがって再生計画認可の見込みがない（民再 174 Ⅱ ②）場合には，住宅資金特別条項において，住宅資金貸付債権にかかる債務の弁済期を住宅資金貸付契約において定められた最終の弁済期（約定最終弁済期という）から後の日に定めることができる（民再 199 Ⅱ 柱書前段）。

(1) 支払の対象となる債権

支払の対象となる債権は，住宅資金貸付債権の元本ならびに利息および損害金の全額である。具体的には，住宅資金貸付債権の元本およびこれに対する再生計画認可決定確定後の住宅約定利息（民再 199 Ⅱ ①イ）と，再生計画認可決定確定時までに生ずる住宅資金貸付債権の利息および不履行による損害賠償（同ロ）からなる。

(2) 弁済期間の延長

弁済期間の延長については，住宅資金特別条項による変更後の最終の弁済期が約定最終弁済期から 10 年を超えず，かつ，住宅資金特別条項による変更後

---

[161] 実際上は，消費者金融等からの借入れによって住宅ローンの支払を続けている再生債務者が想定される。条解民事再生法 1047 頁〔山本和彦〕。

の最終の弁済期における再生債務者の年齢が70歳を超えないものでなければならない（民再199Ⅱ②）[162]。

(3) 弁済の態様

住宅資金貸付債権の元本およびこれに対する再生計画認可決定確定後の住宅約定利息（民再199Ⅱ①イ）については，一定の基準によって住宅資金貸付契約における弁済期と弁済期との間隔[163]および各弁済期における弁済額が定められている場合には，当該基準におおむね沿う[164]ものでなければならない（同③）。これに対して，再生計画認可決定確定時までに生じる住宅資金貸付債権の利息および不履行による損害金（同①ロ）の弁済の態様については，特段の制限がないから，その部分を先に弁済することも許される[165]。

4 元本猶予期間併用型（民再199Ⅲ）

リスケジュール型であっても，一般弁済期間においては，再生債務者は，一般再生債権と住宅資金貸付債権の元本等に対する弁済を行わざるをえず，収入の状況によっては，遂行可能な再生計画を成立させることが困難な場合が想定される。そこで，一般弁済期間内は，住宅資金貸付債権についてその元本の弁済負担を軽減しようとするのが，この型の特色である[166]。

リスケジュール型の特別条項（民再199Ⅱ）を定めた再生計画の認可の見込みがない場合には，一般弁済期間の範囲内で定める期間（元本猶予期間という）中は，住宅資金貸付債権の元本の一部および住宅資金貸付債権の元本に対する元本猶予期間中の住宅約定利息のみを支払うものとすることができる（同Ⅲ柱書前段）。実質的には，この期間中では，元本弁済の負担が軽減され，利息のみ

---

162) 弁済期間の延長についてのこのような制限は，金融機関と債務者との間の合意にもとづくリスケジュールの実際を参考にしたものである。始関100頁。また，住宅ローンの対象が定期借地権付建物であって，借地権の期限が近づくにつれて目的物の担保価値が急速に下落する場合の住宅資金特別条項の定め方については，始関103頁参照。

163) 弁済期の間隔に関する一定の基準とは，月賦払いや半年賦払いなどを意味し，弁済額に関する一定の基準とは，元利均等払いや元金均等払いなどを意味する。始関101頁。

164) 再生債務者の収入の変化などに応じて，月賦払いと半年賦払いの併用を月賦払いに変更するなどは，差し支えない。始関101頁。利息と遅延損害金の弁済を先行させ，元本の返済を後ろ倒しにする再生計画が法199条2項3号に反するかどうかが問題になったものとして，福岡高決平成27・3・20金法2040号89頁がある。

165) 逆に，最終弁済期に一括して支払うという定めも不可能とはいえないが，遂行可能性との関係で問題を生じる。始関102頁。

166) 実際上の利用可能性については，新注釈民事再生法（下）264頁〔平澤慎一〕，条解民事再生法1050頁〔山本和彦〕参照。

を支払えば足りることになるから，一般弁済期間を乗り切ることが容易になる。

ただし，このような定めをするためには，以下の要件のすべてを満たしていなければならない（同Ⅲ柱書後段）。第1に，元本猶予期間およびその後の再生計画による弁済期間内に住宅資金貸付債権の元本，利息および損害金のすべてを支払うものでなければならない（同Ⅲ①・Ⅱ①）。第2に，全体の支払についての延長期間についても，リスケジュール型と同様に，約定最終弁済期から10年を超えないこと，変更後の最終弁済期における再生債務者の年齢が70歳を超えないものでなければならない（同Ⅲ①・Ⅱ②）。第3に，元本猶予期間経過後に支払うべき元本とこれに対する再生計画認可決定確定後の住宅約定利息の弁済については，リスケジュール型と同様に，弁済期の間隔および各期の弁済額は，住宅資金貸付契約に定められた一定の基準におおむね沿うものでなければならない（同Ⅲ②）。

5 同意型（民再199Ⅳ）

以上のそれぞれの型については，住宅資金貸付債権者の本質的利益を侵害しないために厳格な要件の下に特別条項の内容が法定されているが，遂行可能な再生計画を成立させ，再生債務者の経済生活の再生を図るために，住宅資金貸付債権者が同意するのであれば，さらに踏み込んで，住宅資金貸付債権者の権利を変更することも可能である（民再199Ⅳ）。その例としては，約定最終弁済期から10年を超えて期限の猶予を与えることが例示されているが，それ以外にも，一般弁済期間中は，元本の弁済を完全に猶予するとか，遅延損害金を減免するなどの条項が利用されているといわれる[167]。

住宅資金貸付債権者の同意は，書面でしなければならず（民再規100Ⅰ），再生債務者は，同意内容にもとづく住宅資金特別条項を定めた再生計画案を提出するときは，その書面をあわせて提出しなければならない（同Ⅱ）。

第5項　住宅資金特別条項を定めた再生計画の成立および認可

住宅資金特別条項を定めた再生計画案は，再生債務者のみが提出することができる（民再200Ⅰ）。これは，住宅資金特別条項の目的が，生活の本拠たる住宅を保持するという再生債務者の利益保護にあることを反映したものである。

167）新注釈民事再生法（下）265頁〔平澤慎一〕，条解民事再生法1051頁〔山本和彦〕。

再生債務者は，この種の再生計画案を提出する場合には，あらかじめ，当該住宅資金特別条項によって権利の変更を受ける者，すなわち金融機関などの住宅資金貸付債権の主体たるべき者と協議をするものとする（民再規101Ⅰ）。協議を受けた金融機関などは，いずれの型の条項が当該再生債務者にとって適切かなどに関して，住宅資金特別条項の立案について，必要な助言をするものとする（同Ⅱ）[168]。また，再生債務者は，住宅資金特別条項を定めた再生計画案の提出に際して，住宅資金貸付契約や住宅の内容などを明らかにする書面の提出を求められる（民再規102）。

住宅資金特別条項を定める再生計画案の提出権者が再生債務者に限られることは，再生計画案の提出権そのものを再生債務者に限っている小規模個人再生および給与所得者等再生では（民再238・245による163Ⅱの適用排除），当然の結果になる。しかし，通常の再生手続では，再生計画案そのものは，届出再生債権者も提案権を有するところから（民再163Ⅱ），両者の間の調整が必要になる。以下では，通常の再生手続における住宅資金特別条項を定めた再生計画の成立および認可について説明し，小規模個人再生および給与所得者等再生におけるそれについては，それぞれの手続に関する説明に譲る。

1　住宅資金貸付債権についての調査および確定

住宅資金貸付債権も再生債権の1つであるところから，本来は再生債権としての調査および確定の手続に服する。しかし，住宅資金特別条項が定められる場合には，本来の約定にしたがって，その全額が支払われることが原則になるから，住宅資金特別条項を内容とする再生計画案を再生債権者による決議に委ねれば十分であり，住宅資金貸付債権についての調査や確定を行う必要はない。ただし，上に述べたように，通常の再生手続では，再生債権者による再生計画案提出の可能性もあることを考えれば，住宅資金貸付債権についても調査や確定をまったく不要とすることはできない。

(1)　住宅資金貸付債権に対する異議

届出再生債権者は，住宅資金貸付債権の内容に対して異議を述べることができ，異議が述べられて，通常の手続にしたがって住宅資金貸付債権の内容が確

---

[168]　事前協議および助言の実際については，新注釈民事再生法（下）271頁〔飯田修〕，条解民事再生法1055頁〔山本和彦〕，個人再生の手引〈第2版〉363頁，個人再生の実務Q&A 120問38頁〔柚原肇〕参照。

定されたときは，住宅資金特別条項の定めもそれを前提としてなされる（民再200Ⅱ柱書但書）。これに対して，以下の場合には，異議は効力を失い（同Ⅱ本文，民再規103)，債権調査手続は打ち切られ，住宅資金貸付債権についての確定効は発生しない（民再200Ⅲによる104ⅠⅢの適用排除）。これらの場合には，住宅資金貸付債権についての確定手続を行う必要は消滅するからである[169]。

第1に，いずれの届出再生債権者も裁判所の定めた期間またはその伸長した期間内に住宅資金特別条項の定めのない再生計画案を提出しなかったときである。この場合には，当該期間が満了した時に異議は失効する（民再200Ⅱ①）。

第2に，届出再生債権者が提出した住宅資金特別条項の定めのない再生計画案が決議に付されず，住宅資金特別条項を定めた再生計画案のみが決議に付されたときである。この場合には，付議決定（民再167但書）のときに異議は失効する（民再200Ⅱ②）。

第3に，住宅資金特別条項を定めた再生計画案および届出再生債権者が提出した住宅資金特別条項の定めのない再生計画案がともに決議に付され，住宅資金特別条項を定めた再生計画案が可決されたときである。この場合には，当該可決がされたときに異議は失効する（同③）。

(2) 住宅資金貸付債権者による異議

上記(1)に述べた事由によって異議が失効する場合には，住宅資金貸付債権は，確定手続の対象外となる。それを前提とすると，住宅資金貸付債権者が他の再生債権について異議を述べている場合に，その異議の効力を維持することは均衡を失する。そこで，再生債務者から住宅資金特別条項を定めた再生計画案が提出され，かつ，上記の第1ないし第3の理由によって住宅資金貸付債権に対する異議が失効することとなったときは，その時までに住宅資金貸付債権のみを有する再生債権者または住宅資金貸付債権にかかる債務の保証にもとづく求償権のみを有する再生債権者である保証会社が述べた異議は，失効する（民再200Ⅳ前段，民再規103）。この場合には，再生債権者表の確定力（民再104Ⅲ・180Ⅱ）は，異議を述べた者に及ばない（民再200Ⅳ後段）。

また，再生債務者によって住宅資金特別条項を定めた再生計画案が提出され，かつ，上記(1)の第1または第2の理由によって住宅資金貸付債権に対する

---

[169] ただし，再生債務者が住宅資金貸付債権の内容を争っている場合には，確定手続が行われる。始関108頁，条解民事再生法1058頁〔山本和彦〕。

異議が失効することとなったときは，住宅資金貸付債権者または保証会社は債権者集会において異議を述べることが禁じられる（同V）。

2 住宅資金特別条項を定めた再生計画案の決議

住宅資金特別条項を定めた再生計画案の決議においては，住宅資金特別条項によって権利の変更を受けることとされている者および保証会社は，住宅資金貸付債権または住宅資金貸付債権にかかる債務の保証にもとづく求償権については，議決権を有しない（民再201 I）。これは，住宅資金貸付債権またはそれと実質的に同視される保証会社の求償権は，一方で，住宅資金特別条項によって，原則的に元本，利息および損害金の全額についての弁済を与えられること，他方で，住宅資金貸付債権の額は，個人である再生債務者に対する一般の再生債権に比較すると，著しく多額になる場合が通常であり，住宅資金貸付債権者や保証会社の意向によって再生計画案についての決議が左右されるおそれがあることなどによるものである[170]。

もっとも，住宅資金特別条項を定める再生計画案の内容については，法定の要件があり（民再199 I～IV。本書1148頁），再生債務者は，再生計画案を提出する場合には，住宅資金貸付債権者らと事前の協議や必要な助言を受けるものとされている（民再規101 I II）。それに加えて，住宅資金特別条項を定めた再生計画案が提出されたときは，裁判所は，当該住宅資金特別条項によって権利の変更を受けることとされている住宅資金貸付債権者らの意見を聴かなければならない（民再201 II 前段）。住宅資金特別条項としての要件を満たしているか，再生計画としての遂行可能性が認められるかなどについての判断資料をうるためである。また，再生計画案の修正（民再167）があった場合にも，それが住宅資金貸付債権者らに不利な影響を及ぼさないことが明らかな場合を除いて，意見の聴取が義務づけられる（民再201 II 後段）。

なお，再生計画不認可事由が認められる場合を除いて，裁判所が再生計画案について付議決定をすることは，通常の再生計画案の場合と同様であるが，不認可事由は，法202条2項各号（4号を除く）による（民再201 III）。

---

170) 始関110頁，条解民事再生法1061頁〔山本和彦〕。債権者が住宅ローン債権者等しかいない場合には，決議が成立しないことになるが，可決されたもの（民再174 I・231 I 参照）として，認可の手続に入ってよいと解されている。新注釈民事再生法（下）252頁〔江野栄〕，条解民事再生法1061頁〔山本和彦〕，破産・民事再生の実務〔再生編〕499頁，個人再生の実務Q&A 120問195頁〔濱野裕司〕。

再生計画案に関する決議の方法については，住宅資金特別条項の定めのない再生計画案の場合と差異はない。

3 住宅資金特別条項を定めた再生計画の認可または不認可

住宅資金特別条項を定めた再生計画案が可決された場合には，裁判所は，不認可事由が認められるときには，不認可決定をなし，それ以外のときには，認可決定をなす（民再202ⅠⅡ柱書。同Ⅴによる174ⅠⅡの適用排除）。

(1) 再生計画の不認可事由

不認可事由には，通常の再生計画と共通のもの（民再202Ⅱ①④・174Ⅱ①～④）と，住宅資金特別条項を定めた再生計画に特有のもの（民再202Ⅱ②③）とがある。以下，後者について説明する。

　　ア　再生計画が遂行可能であると認めることができないとき（民再202Ⅱ②）

認可または不認可の決定にあたって，遂行可能性の有無が問題とされるのは，通常の再生計画案も同様であるが，通常の場合には，遂行される見込みがない場合に限って，再生計画不認可決定がなされる（民再174Ⅱ②）。これに対して，住宅資金特別条項を定めた再生計画の場合には，遂行可能性が積極的に認められない限り，不認可決定がなされる。これは，別除権としての抵当権の実行が認められる住宅資金貸付債権者の権利を変更し，その行使を制約するという住宅資金特別条項の特質を考慮したものである[171]。

　　イ　再生債務者が住宅の所有権または住宅の用に供されている土地を住宅の所有のために使用する権利を失うことになると見込まれるとき（民再202Ⅱ③）

典型例としては，住宅に対して租税債権等にもとづく滞納処分が開始されている場合があげられる。租税債権等の一般の優先弁済権のある債権は，その個別的権利行使について再生手続の制約を受けないので（民再122Ⅱ），滞納処分が続行されれば，結局，再生債務者は住宅を失い，住宅資金特別条項を定めた再生計画の意義が失われるからである。住宅の底地についても，同様のことが考えられる[172]。

---

171) 安定的な収入の確保や積立金の状況などを考慮して，遂行可能性を認めた裁判例として，前掲福岡高決平成27・3・20（注164）がある。
172) 個人再生の実務Q＆A 120問211頁〔髙橋敏信〕。住宅資金貸付債権の抵当権より先

(2) 認可または不認可決定の手続

　住宅資金貸付債権者など，住宅資金特別条項によって権利の変更を受けることとされている者は，再生債権の届出をしていない場合であっても，住宅資金特別条項を定めた再生計画案を認可すべきかどうかについて，意見を述べることができる（民再202Ⅲ）。住宅資金貸付債権者などに対する意見聴取義務は，再生計画案が決議に付される前に定められているが（民再201Ⅱ），再生計画案が可決された場合に，裁判所の認可または不認可の判断に際して，重ねて意見陳述権を認めたものである。

　なお，再生債権の届出をしていない住宅資金貸付債権などにも意見陳述権が認められることは，通常の再生計画の場合（民再115Ⅰ本文・174Ⅲ）と異なっている。これは，住宅資金貸付債権者などが，再生債権の届出の有無にかかわらず，抵当権の実行を認められているから，届出がないことを非難できない，あるいは保証会社による保証債務の履行を受けた後に再生計画の効力によって再び住宅資金貸付債権者となる場合（民再204Ⅰ参照）には，届出の余地がないことなどを考慮したものである。

　住宅資金特別条項を定めた再生計画の認可または不認可の決定があったときに，その主文および理由の要旨を記載した書面が，届出再生債権者だけではなく（民再174Ⅳ・115Ⅰ本文），住宅資金貸付債権者などで再生債権の届出をしていないものに対しても送達される（民再202Ⅳ）のも，同様の理由による。住宅資金貸付債権者などの利害関係人は，再生債権届出の有無を問わず，認可または不認可の決定に対して即時抗告をすることができる（民再175Ⅰ）。

第6項　住宅資金特別条項を定めた再生計画の効力

　再生計画の基本的効力（民再177以下）については，住宅資金特別条項を定めた再生計画の場合も，通常の再生計画のそれと変わるところはない。しかし，生活の本拠である住宅を再生債務者に保持させるという住宅資金特別条項の目的を達するために，別除権者，保証人，物上保証人に対しても再生計画の効力

順位の抵当権が実行されてしまい（民再198Ⅰ但書後半部分参照），再生債務者が底地の所有権を失い，かつ，法定地上権（民388）成立の可能性もない場合などもあげられる。始関114頁，新注釈民事再生法（下）284頁〔黒木和彰＝千綿俊一郎〕，条解民事再生法1065頁〔山本和彦〕。

が及ぶことなどに，この場合の再生計画特有の効力が現れる。

1 住宅等にかかる抵当権，保証または物上保証に対する効力

住宅資金特別条項を定めた再生計画認可決定が確定したときは，再生計画の効力範囲の限定に関する規定（民再177Ⅱ）は適用しない（民再203Ⅰ前段）。具体的には，この規定によって再生計画の効力を受ける権利は，住宅およびその敷地の上の抵当権（民再196③），住宅資金貸付債権などを有する者が保証人など，債務者とともに債務を負担する者に対して有する権利である[173]。

(1) 住宅およびその敷地の上の抵当権（民再203Ⅰ前段前半部分）

抵当権に対して再生計画の効力が及ぶという意味は，住宅資金貸付債権について期限の利益の回復や猶予を内容とする住宅資金特別条項を定める再生計画の効力が生じた場合には，抵当権の被担保債権もそのような変更を加えられた権利となり，それを前提としてのみ抵当権の実行が可能になるということである。これは，再生債務者に住宅を保持させるという住宅資金特別条項の目的実現のために，別除権たる抵当権には，再生計画の効力が及ばないとする法177条2項の例外になる。

敷地についての抵当権についても，それに再生計画の効力を及ぼさないと，法定地上権（民388）が成立しない限り，抵当権の実行によって住宅の存立基盤が失われるところから，再生計画の効力が及ぶ。敷地が第三者所有であり，その第三者が再生債務者に対する住宅資金貸付債権のために物上保証人として抵当権を設定しているときであっても，その抵当権が実行されると，物上保証人たる第三者が，住宅資金貸付債権者が有する住宅に対する権利を代位行使するなどの問題が生じることから，再生計画の効力が及ぶとされている（民再203前段前半部分）。

(2) 保証人および連帯債務者に対する効力（民再203Ⅰ前段後半部分）

住宅資金特別条項を定めた再生計画の効力は，住宅資金貸付債権についての保証人にも及ぶ。通常の再生計画と同様に，保証人に対して再生計画の効力が及ばないこととすると（民再177Ⅱ），住宅資金貸付債権者は，保証人に対しては，保証債務の履行請求をすることができ，その結果，保証人が住宅資金貸付

---

[173] これらの者に対しては，権利内容の変更を知らしめるために，再生計画認可決定の確定を通知しなければならない（民再規104）。その趣旨について，始関122頁，条解民事再生法1069頁〔山本和彦〕参照。

債権者に代位して（民500），住宅上の抵当権を実行できることとなり，結局，住宅資金特別条項を定めた目的を達しないからである。したがって，住宅資金貸付債権者の保証人に対する権利も，住宅資金特別条項において定められた期限の猶予等の変更を受ける[174]。

住宅資金貸付債権について再生債務者の他に連帯債務者が存在する場合には，連帯債務者に対しても，住宅資金特別条項を定めた再生計画の効力が及ぶ（民再203Ⅰ前段後半部分）。住宅資金特別条項による期限の猶予が，民法の原則とは異なり，連帯債務者に対しても効力を及ぼす趣旨である（同Ⅰ後段。民440参照）。

2 住宅資金貸付契約内容の移入

住宅資金特別条項を定めた再生計画は，住宅資金貸付債権についての弁済期間の延長など，実質的には，住宅資金貸付契約の内容を変更する効果を持つ。しかし，そのためには，期限の利益喪失や遅延損害金に関する約定など，住宅資金貸付契約の他の部分の内容を住宅資金特別条項に移入する必要が生じる。そこで，住宅資金特別条項によって変更された後の権利については，住宅資金特別条項において，期限の利益の喪失についての定めその他の住宅資金貸付契約における定めと同一の定めがなされたものとみなされる[175]（民再203Ⅱ本文）。ただし，住宅資金貸付債権者との間の合意によって，別段の定めが住宅資金特別条項中に記載されていれば，それにしたがって，住宅資金貸付契約の内容が変更される（同Ⅱ但書）。

3 開始後債権等の弁済時期

開始後債権および再生債務者が知りながら自認しなかった再生債権については，再生計画で定められた弁済期間中は弁済等をすることができない（民再123Ⅱ・181Ⅱ）。この弁済期間は，原則として10年以内である（民再155Ⅲ）。ところが，住宅資金特別条項を定めた再生計画の場合には，弁済期間は，住宅資

---

174) 物上保証人への類推適用も説かれる。条解民事再生法1070頁〔山本和彦〕。なお，期限の猶予の効力が及ぶことによって，保証会社の保証期間が延長される場合における保証料の追加について，始関124頁，条解民事再生法1070頁〔山本和彦〕参照。

175) 本来からいえば，住宅資金貸付契約の内容を住宅資金特別条項に記載すべきであるが，それが実務的に煩瑣であり，かえって誤りを生じるおそれがあるところから，このような法技術が採用された。始関126頁。また，住宅資金特別条項にもとづく弁済期間延長にともなう，火災保険契約の更新についても，始関127頁，条解民事再生法1070頁〔山本和彦〕参照。

金貸付契約における最終弁済期か（民再199Ⅰ②），さらに最終弁済期から10年を超えない範囲で延長されることとなり，著しく長期間にわたって，開始後債権等の弁済が禁止されることになる。このような不合理な結果の発生を避けるために，開始後債権等についての弁済禁止の期間は，住宅資金特別条項にもとづく弁済期間ではなく，住宅資金貸付債権以外の再生債権について定められた弁済期間とされている（民再203Ⅲ）。

なお，住宅資金貸付債権で届出がなされなかったものについては，そもそも再生計画にもとづく弁済期間中の弁済禁止の効果が及ばない（民再203Ⅳ前半部分）。住宅資金貸付債権については，抵当権や保証会社による保証が付されているために，再生債権としての届出をしなかったとしても，法181条2項による制裁を課すことが適当ではないためである。また，住宅資金特別条項の定めは，住宅資金貸付債権に対してその全額の弁済を行うことによって，抵当権の実行を回避することを目的としているために，別除権の行使による不足額について再生計画による変更後の権利を行使させるという規律（民再182）は，適用されない（民再203Ⅳ後半部分）。

4　履行済の保証債務に対する効力

住宅ローンの実務においては，債務者がローンの返済を遅滞すると，保証会社がローン債権者である金融機関に代位弁済をなし，その求償権にもとづいて住宅に対する抵当権を行使することが多い。このような事態の発生を避けるためには，保証会社が代位弁済をした後の求償権についても住宅資金特別条項を定めることができるようにしなければならないが，その結果として保証会社は，代位弁済に要した資金を抵当権の実行等によって短期間で回収することができなくなり，再生計画の定めにしたがって長期間の分割弁済を甘受させられる。

このような結果は，保証会社の事業にとって著しい負担となるので，法は，保証債務履行の効果を遡ってなかったものとみなし，代位弁済された資金を住宅資金貸付債権者が保証会社に返還し，住宅資金貸付債権を復活させた上で，それを住宅資金特別条項の定めによって変更するという法律構成を採用している。

(1)　保証債務履行前の法律関係への巻戻し（民再204Ⅰ）

住宅資金特別条項を定めた再生計画認可決定が確定した場合において，保証会社[176)]が住宅資金貸付債権にかかる保証債務を履行していたときは，当該保

証債務の履行はなかったものとみなす（民再204Ⅰ本文）。これを保証債務履行前の法律関係への巻戻しと呼ぶ[177]。

巻戻しの具体的内容は，第1に，履行によって消滅した保証債務が復活することである[178]。第2は，履行によって保証会社が取得した求償権が消滅し，代位によって取得した（民500）住宅資金貸付債権は，本来の住宅資金貸付債権者に復帰する。そして，住宅資金貸付債権は，住宅資金特別条項の内容（民再199）にしたがった変更を受け，その効力は，保証会社にも及ぶ（民再203Ⅰ前段）。第3に，保証債務の履行として住宅資金貸付債権者に交付した金銭等について，保証会社は，住宅資金貸付債権者に対して不当利得返還請求権を取得する[179]。

176）住宅貸付債権にかかる保証を業とする，すなわち反復継続する保証人を意味し，必ずしも狭義の保証会社に限られない。条解民事再生法1073頁〔山本和彦〕。

177）始関134頁，条解民事再生法1072頁〔山本和彦〕。巻戻しの法的性質については，民事再生法逐条研究339頁参照。また，以下に述べるような複雑な法律関係が発生するので，住宅資金貸付債権者との事前協議等（民再規101）が不可欠であるし，再生計画案についての意見聴取の対象には，保証会社も含めるべきである。新注釈民事再生法（下）284頁〔黒木和彰＝千綿俊一郎〕。巻戻しを予定する場合の債権者一覧表の記載方法について，個人再生の手引〈第2版〉381頁，個人再生の実務Q＆A120問236頁〔溝渕雅男〕。

178）保証会社が破産しているような場合には，再生債務者が新たな保証会社の保証を受けられるかどうかが，住宅資金特別条項を定めた再生計画の遂行可能性（民再202Ⅱ②）の問題となる。新注釈民事再生法（下）300頁〔黒木和彰＝千綿俊一郎〕。

179）不当利得返還請求権の額は，再生計画認可決定の確定によって保証債務の履行がなかったものとみなされた時点における住宅ローン債権の額（元本，利息および遅延損害金）相当額になる。始関137頁，条解民事再生法1075頁〔山本和彦〕。住宅ローン債権者が破産した場合の不当利得返還請求権の財団債権性については，始関143頁，条解民事再生法1076頁〔山本和彦〕参照。

その他，巻戻しにともなって生じる付随的な効果として，住宅資金貸付債権者から保証会社に移転された抵当権登記名義の抹消や，保証債務の履行によって消滅した団体生命保険の復活などに関する問題については，始関140，142頁，新注釈民事再生法（下）297頁〔黒木和彰＝千綿俊一郎〕，条解民事再生法1075頁〔山本和彦〕参照。

また，保証会社が弁済によって取得した抵当権にもとづく競売手続に着手し，それに対する中止命令（民再197。本書1143頁）の発令を経て，住宅資金特別条項を定めた再生計画認可決定が確定し，巻戻しの効果が生じたときに，競売手続の費用を共益債権として扱うべきかどうかという問題がある。競売手続の中止および取消し（本書1142頁）が再生計画による巻戻しの効果を確保するためのものであることを重視すれば，共益債権（民再119⑤または⑦）とする考え方も成り立ちえないではない（民再39Ⅲ②参照）。

しかし，大阪地判平成25・1・18判時2204号52頁および前掲大阪高判平成25・6・19（注147）は，競売手続費用にかかる請求の発生原因たる保証委託契約が再生手続開始前の原因にもとづく財産上の請求権（民再84Ⅰ）にあたること，再生債権者の共同の利益に資するものではないこと，再生債務者の利益というよりは保証会社の債権回収の費用で

これに対して，保証会社が当該保証債務を履行したことによって取得した権利にもとづき再生債権者とした行為に影響を及ぼさない（民再204Ⅰ但書）。ここでいう再生債権者としてした行為とは，保証会社が再生債権者として述べた異議などが考えられる[180]。

(2) 求償債権の一部弁済に対する効力

巻戻しがなされたときに，それ以前に再生債務者が保証会社の求償権に対して一部弁済をなしていたとすれば，巻戻しの効果として，求償権が消滅する以上，保証会社は弁済額を再生債務者に返還し，再生債務者は，これを改めて住宅資金貸付債権者に弁済することとなる。このような処理を簡明にするために，保証会社は，当該弁済額を巻戻しによって再び住宅資金貸付債権者となった者に交付し（民再204Ⅱ後段），再生債務者は，その弁済額を住宅資金貸付債権者に対して弁済することを要しないとされた（同Ⅱ前段）[181]。

5 未確定の住宅資金貸付債権に対する効力

再生計画において権利変更の対象となる再生債権は，調査確定手続を経て確定したものに限られるのが原則であり，それ以外の再生債権については，再生債務者は免責されるが（民再178Ⅰ本文），免責の効力は，担保権や保証人には及ばない（民再177Ⅱ）。しかし，この原則を住宅資金貸付債権に当てはめると，仮に免責がえられたとしても，抵当権が実行されて，再生債務者は住宅を失う結果になる。

このような結果の発生を避けるために，調査確定手続を経て確定に至らなか

あること，共益債権性を認めるべき明文の根拠に欠けることなどから，これを再生債権とし，あわせて，再生計画の一般的基準による権利変更の効力を受け（民再232Ⅱ），かつ，再生計画で定められた弁済期間が満了するまでの間は弁済を受けることができない（同Ⅲ）と判示する。詳細については，岡・理論研究305頁，石井教文「個人再生手続において『巻戻し』により競売手続が取り消された場合の競売費用の取扱い——大阪高裁平成25・6・19判決」金法2022号68頁（2015年），個人再生の実務Q＆A120問237頁〔新宅正人〕参照。

180) 異議は，再生計画案の可決とともに失効するが（民再200Ⅳ前段），異議にもとづく効力が残る（同後段）という趣旨である。
181) これに対して，再生債務者の保証会社に対する求償債務についてさらに保証をした第三者が存在し，その者が保証会社に一部弁済をした場合には，保証会社から不当利得として保証人に返還される。かりに保証人による弁済を再生債務者による弁済として扱うとすれば，保証人の求償権が発生し，保証会社の抵当権を代わって行使しうることになるため，住宅資金特別条項の目的を達しえないという問題が生じるためである。始関139頁，条解民事再生法1077頁〔山本和彦〕。

った住宅資金貸付債権についても，住宅資金特別条項の定めをすることを可能にし，その効力を担保権や保証人に及ぼす（民再203Ⅰ）必要がある。具体的には，住宅資金貸付債権について異議等が提出されたにもかかわらず，住宅資金貸付債権者が査定の申立て（民再105Ⅰ）をしなかった場合，住宅資金特別条項を定めた再生計画案以外の再生計画案が可決される可能性がなくなったことによって，他の再生債権者が述べた異議が効力を失った場合（民再200Ⅱ），および保証会社が保証債務を履行して，それについての巻戻しの効力（民再204Ⅰ）が生じた場合には，確定を前提として再生計画による変更後の権利の内容を定めなければならない旨の規定（民再157・159・164Ⅱ後段・179）を適用せず（民再205Ⅰ），住宅資金貸付債権者の権利は，住宅資金特別条項における権利変更の一般的基準（民再156・199Ⅰ～Ⅳ）にしたがって，変更される（民再205Ⅱ）。

第7項　住宅資金特別条項を定めた再生計画の取消し

　住宅資金特別条項を定めた再生計画の取消しについても，再生計画一般の取消しに関する法189条が適用されるが，再生計画の不履行を理由とする取消しに関しては，住宅資金貸付債権の特質を考慮して，以下のような特別の定めがある。

1　住宅資金貸付債権者の取消申立権の否定

　住宅資金特別条項を定めた再生計画によって住宅資金貸付債権について変更された権利の履行が怠られたときに，同債権者は，住宅資金貸付契約にもとづいて期限の利益を喪失させ，抵当権の実行などをすることができるから，再生計画全体の取消申立権を認める必要はなく，申立権を否定される（民再206Ⅰ）。

2　取消申立権者の資格

　再生計画の取消申立資格は，上記の通り，住宅資金特別条項によって権利変更を受けた住宅資金貸付債権者を除く再生債権者に限られるが，その申立資格は，未履行の再生債権総額の10分の1以上の再生債権を有する者に限られるのが本則である（民再189Ⅲ）。しかし，住宅資金貸付債権がこの未履行再生債権に含まれるとすると，その額が多額であるのが通例のため，実際上は，取消申立てが困難になる。そこで，住宅資金貸付債権以外の一般の再生債権の未履行総額の10分の1以上に当たる再生債権を有する債権者であることを申立ての資格としている（民再206Ⅰ）。

3 住宅資金特別条項を定めた再生計画の取消しの効果

　住宅資金特別条項を定めた再生計画の取消決定が確定し，取消しの効力が発生すると，住宅資金特別条項による権利変更を含め，再生計画によって変更された再生債権は，原状に復する（民再189Ⅶ）。住宅資金貸付債権についても，住宅資金特別条項の定めによる期限の猶予などの効力は失われ，住宅資金貸付債権者は，直ちに債権全額の弁済を請求し，抵当権の実行をすることも可能になる。

　もっとも，保証債務履行前への法律関係の巻戻しの効果（民再204Ⅰ本文）までが失われることになると，住宅資金貸付債権が再び保証会社に復帰することになり，法律関係が錯綜するおそれがある。そこで，再生計画による原状回復の効果の中に巻戻しの効果が含まれないこととし，原状に復した住宅資金貸付債権は，当初の住宅ローン債権者の下にとどまることとされている（民再206Ⅱ・189Ⅶ但書）。また，再生計画の履行完了前に再生債務者について破産手続開始決定または新たな再生手続開始決定がされた場合にも，再生計画によって変更された再生債権が原状に復するが（民再190Ⅰ本文），このときにも同様の問題が生じる。そこで，この場合にも，巻戻しについては，原状回復の効果が及ばないこととされている（民再206Ⅱ・190Ⅰ但書）。

第9章　再生手続の終了

　ある事件についての再生手続の係属が消滅することを再生手続の終了と呼ぶ。再生手続の終了原因としては，再生手続開始決定前の開始申立ての取下げ（民再32参照）を別として，再生手続終結決定による終結（民再188 I～Ⅲ），再生手続開始決定の取消決定の確定（民再37本文），再生計画不認可決定（民再174 Ⅱ）の確定，再生計画取消決定（民再189 I）の確定，再生手続廃止決定（民再191～194）の確定，更生計画認可決定（会更199 I）がなされたことにもとづく再生手続の失効（会更208本文），外国倒産処理手続の承認援助に関する法律57条2項および61条1項による失効がある。この中で，再生手続開始申立ての取下げ，再生手続終結決定による終結および更生計画認可決定による失効の場合を除いて，牽連破産が開始される可能性がある（民再249・250）。

第1節　再生手続の終結

　裁判所が再生手続の目的が達せられたと認めて，再生手続終結決定によって再生手続を終了させることを，再生手続の終結と呼ぶ。

第1項　再生手続終結決定の時期

　いかなる段階において裁判所が終結決定をなすべきかは，再生計画の遂行機関の種類および監督機関の有無によって異なる。

1　再生債務者が遂行機関であり，監督委員が選任されていないとき

　管財人が選任されず，再生債務者が再生計画の遂行機関であり，かつ，監督機関である監督委員が選任されていないときは，再生計画認可決定の確定とともに，裁判所が再生手続終結の決定をしなければならない（民再188 I）。監督委員が選任されていないときとは，当初から選任されなかった場合の他，監督命令が取り消された場合を含む[1]。

---

1) 再生計画認可決定前の監督命令取消しの他，認可決定にもとづく再生計画遂行中に監督の必要がなくなったと認められて，監督命令が取り消される場合を含む。新注釈民事再生

裁判所の再生計画認可決定が確定することによって手続が終結するのは、監督委員による監督を行わなくとも再生計画の遂行が期待されるとの立法者の判断にもとづくものである。もちろん、再生債務者が再生計画の履行を怠る可能性は否定できないが、その場合には、再生債権者は、再生債権者表の記載にもとづく強制執行（民再180Ⅲ本文）や再生計画の取消しの申立て（民再189Ⅰ②）をすることができる。

2　再生債務者が遂行機関であり、監督委員が選任されているとき

　再生債務者による手続遂行を監督するために監督委員が選任されている場合には、裁判所は、再生計画が遂行されたとき、または再生計画認可の決定が確定した後3年を経過したときに、再生債務者もしくは監督委員の申立てによりまたは職権で、再生手続終結の決定をしなければならない（民再188Ⅱ）[2]。3年を経過したときは、たとえ再生計画の履行が完了していなくとも、裁判所は、再生手続終結の決定をしなければならない[3]。

　　法（下）159頁〔小原一人〕、破産・民事再生の実務［再生編］334頁、福岡真之介ほか「第一中央汽船の民事再生について──海運会社の国際的倒産事件の事例」事業再生と債権管理156号130頁（2017年）、150問321頁〔髙橋直人〕。再生計画の定めに沿って合併の手続がとられ、監督が不要となったと認められる事案などがその例としてあげられよう。
2)　手続について、民事再生の手引〈第2版〉428頁、［書式6-3-1、6-3-2］参照。なお、遂行の意義に関して、再生債権に対する履行は完了しているが、共益債権や一般優先債権の履行が未了であるときが問題となる。民事再生の手引〈第2版〉426頁、破産・民事再生の実務［再生編］332頁。共益債権や一般優先債権の地位を考えても（民再121Ⅰ・122Ⅱ）、その履行が未了であれば、将来における履行が確実と見込まれる場合を除いて、再生計画が遂行されたとはいえない。運用指針495頁。一部の再生債権が未履行であるが、その履行が確実に見込める場合の運用について、150問321頁〔髙橋直人〕参照。
3)　旧和議の実情等に照らし、計画の遂行段階に入ってから2、3年間順調に推移すれば、その後の履行も期待できること、監督委員の負担やその活動費用の負担が重くなりすぎるのを避ける必要があることなどを考慮して、3年の期間が定められた。花村505頁、条解民事再生法986頁〔須藤英章〕。ただし、監督委員が否認権を行使した場合（民再56Ⅰ Ⅱ。本書1015頁参照）には、否認訴訟などが3年を超えて係属する可能性がある。この可能性に着目して、再生手続の終了についての例外を設けるべきであるとする立法論がある（松下淳一「民事再生法の立法論的再検討についての覚書」ジュリ1349号37頁（2008年））。
　運用としては、3年を経過する見通しとなったときに、管理命令を発令する可能性がある。民事再生の手引〈第2版〉428頁。その他、具体的手続について、同書同頁、［書式6-3-3、6-3-4］、再生計画の履行の状況などについて、藤本利一＝木川裕一郎「再生計画の履行と手続の終了」NBL 1008号72頁（2013年）参照。また、150問315頁〔野田隆史〕は申立代理人の役割（本書205頁）を示唆する。

3 管財人が遂行機関であるとき

　再生計画の遂行機関として管財人が選任されている場合には，裁判所は，再生計画が遂行されたとき，または再生計画が遂行されることが確実であると認めるに至ったときは，再生債務者もしくは管財人の申立てによってまたは職権で，再生手続終結の決定をしなければならない（民再188Ⅲ）。管財人を選任する管理命令は，再生債務者の財産の管理または処分が失当であるとき，その他再生債務者の事業の再生のために特に必要があると認めるときに発令されるのであるから（民再64Ⅰ参照），少なくとも遂行が確実になったと認めるまでは，再生手続を継続する趣旨である。もちろん，管理命令の取消し（同Ⅳ）にもとづく手続終結の可能性はある。

　「再生計画が遂行されることが確実であると認める」とは，弁済の形式的割合などによって一律に判断すべきではなく，計画の内容，再生債務者の事業規模，事業組織に対する信頼，また手続を終結しないことによる不利益などを総合的に考慮して判断する[4]。

第2項　再生手続終結決定の効果

　再生手続終結決定がなされると[5]，再生手続は終了し，監督命令および管理命令は，その効力を失う（民再188Ⅳ）。利害関係人に対して再生手続終結決定があったことを明らかにするために，裁判所は，再生手続終結決定の主文および理由の要旨を公告しなければならない（同Ⅴ）。法人である再生債務者について再生手続終結決定がなされたときは，裁判所書記官は，職権で，その旨の登記を再生債務者の営業所または事務所の所在地の登記所に嘱託しなければならない（民再11ⅠⅤ③）。また，監督官庁等への通知も義務づけられる（民再規6Ⅱ）。

　再生手続の終了にともなって，それに付随する手続である否認の請求やそれ

---

[4] 条解会更法（下）984頁。また，運用としては，管財人が選任されていないときであっても，監督の必要がない程度に再生計画の履行が確実になった場合などは，監督命令を取り消し（民再54Ⅴ），法188条1項によって終結決定をすることもある。民事再生の手引〈第2版〉431頁，運用指針499頁。

[5] 再生手続終結決定に対する即時抗告は認められず（民再9前段参照），決定がなされると直ちに効力が生じる。なお，再生計画遂行前に再生計画の遂行が確実であるとして再生手続が終結したときには（民再188Ⅲ），再生計画上で管財人の権限として定められている事項は，当然に再生債務者の権限として引き継がれる。

を認容する決定に対する異議の訴えの手続も終了する（民再136Ⅴ・137ⅥⅦ）。監督委員が提起した否認の訴え（民再135Ⅰ）は，監督命令の失効にともなって，終了する（本書1020頁参照)[6]。法人の役員に対する損害賠償請求権の査定の申立ての手続も終了するが（民再143Ⅵ），査定の裁判に対する異議の訴えについては，その特質から，中断し，再生債務者による受継の対象となる（民再146Ⅵ・68Ⅲ）。

　担保権消滅許可の申立て（民再148Ⅰ）も，再生手続の終了にともなって，申立適格が消滅し，却下される。価額決定の手続（民再149・150）も同様である。ただし，価額決定が確定し，裁判所が金銭の納付期限（民再152Ⅰ）を定めた後に再生手続終結決定がなされたときには，確定した手続の執行が残るのみであるという理由から，期限内に金銭を納付すれば，担保権が消滅すると解される[7]。

第2節　再生計画の取消し

　再生計画の取消しとは，再生計画認可決定の確定によって再生計画が根本規範としての効力を生じた後に，裁判所が，法定の事由（民再189Ⅰ各号）にもとづいてその効力を失わせる決定を行うことをいう[8]。したがって，取消しの効力が生じると，免責の効力（民再178Ⅰ本文）や権利変更の効力（民再179）は覆滅され，再生計画によって変更された再生債権は，原状に復する（民再189Ⅶ本文)[9]。なお，再生手続廃止（民再191～195）は，再生計画の効力発生を前提とするものではなく（民再191），また再生計画の効力発生後の廃止（民再194）においても，再生計画の効力自体を失わせるものでない点（民再195Ⅵ）などで，再生計画の取消しと区別される[10]。

---

6)　このような結果を避けるために，3年の期間経過にもかかわらず，再生手続終結決定をしないことが許されるかどうかについては，これを否定すべきである。詳解民事再生法556頁〔森恵一〕。

7)　詳解民事再生法556頁〔森恵一〕，新注釈民事再生法（下）160頁〔小原一人〕。

8)　旧和議における譲歩の取消しや和議の取消しとの対比については，詳解民事再生法558頁〔石井教文〕参照。

9)　再生債権が原状に復することと，税法上の損金処理との関係について，民事再生法逐条研究224頁参照。

10)　もっとも，取消事由たる再生計画の不履行（民再189Ⅰ②）と廃止事由たる「遂行さ

第1項　再生計画の取消事由

　再生計画の取消事由は，再生計画が不正の方法によって成立したこと，再生債務者等が再生計画の履行を怠ったこと，または再生債務者が許可や同意をえずに要許可・要同意事項（民再41Ⅰ・42Ⅰ・54Ⅱ）に該当する行為を行ったことの3つである（民再189Ⅰ各号）。これらの事由のいずれかが認められる以上，再生計画の効力を維持して，再生債権者に権利の変更を受忍させる理由がないとの判断にもとづく。このことは，再生計画取消決定が再生債権者の申立てにもとづいてなされること（同柱書）に示されている。ただし，いずれの場合であっても，再生計画取消決定は必要的ではなく（同柱書参照），裁判所は，当該事由の程度によっては，再生計画の効力を維持することが許される[11]。

1　再生計画が不正の方法によって成立したこと（民再189Ⅰ①）

　不正の方法による再生計画の成立とは，再生計画不認可事由の1つである，「再生計画の決議が不正の方法によって成立するに至ったとき」（民再174Ⅱ③）と同義であり，詐欺，脅迫，あるいは贈賄や特別利益の約束など，正義に反すると認められる行為の結果として，再生計画が成立したことを指す。

2　再生債務者等が再生計画の履行を怠ったこと（民再189Ⅰ②）

　再生債務者等が再生計画の履行を怠ったときには，再生債権者は，再生計画によって変更された権利について，再生債権者表の記載を債務名義として強制執行をすることができるが（民再180Ⅲ本文），それにとどまらず，再生計画による権利変更そのものの効力を失わせ，権利を原状に復することを認める趣旨である。これを取消事由とすることによって，再生債務者等の再生計画の履行を確保するという機能が期待できる[12]。

　再生計画の履行を怠ることの意義については，株式会社の組織変更に関する任意的記載事項の不履行は含まれず，変更後の再生債権者の権利に対する不履

　れる見込みがないことが明らかになったとき」（民再194）とは，実質上競合する可能性がある。民事再生法逐条研究222頁。

11)　裁判所は，再生計画の取消しが債権者一般の利益に反すると判断するときには，取消しの申立てを棄却することができる。民事再生法逐条研究228頁。

12)　再生計画取消しの実情については，新注釈民事再生法（下）167頁〔小原一人〕，関係者の対応策については，150問316頁〔瀬古智昭〕参照。

行のみを意味すると解される[13]。

3　再生債務者が許可や同意をえずに要許可・要同意事項に該当する行為を行ったこと（民再189 I ③）

再生債務者が，裁判所の許可をえずに要許可事項（民再41 I 各号・42 I）に該当する行為をなし，また，監督委員の同意をえずに要同意事項（民再54 II）をなすことは，再生の基礎を危うくする，重大な手続違反とみなされるので，再生計画の取消事由になる。

第2項　再生計画取消しの手続

裁判所は，再生債権者の申立てによって再生計画取消しの決定をするが（民再189 I 柱書），再生債権者の申立適格等については，法189条1項3号の事由を理由とする場合を除いて，以下のような制限がある。

1　再生計画が不正の方法によって成立したこと（民再189 I ①）を理由とする場合

この場合には，再生債権者であれば，取消申立適格を認められる。ただし，再生債権者が再生計画認可決定に対する即時抗告によってこの事由を主張したとき（民再174 II ③・175 I 参照），もしくはこれを知りながら主張しなかったとき[14]，再生債権者がこの事由があることを知った時から1月を経過したとき，または再生計画認可決定が確定した時から2年を経過したときは，することができない（民再189 II）。再生計画認可決定に対して再生計画の成立に関する瑕疵を争う機会を与えられた再生債権者に，重ねて再生計画の取消申立適格を認める必要はないこと，また成立の瑕疵によって長く再生計画の効力を不安定にするのは好ましくないことなどの判断にもとづいている。

---

13) 取消申立権者について履行を受けていない再生債権者に限定していること（民再189 III）が根拠とされる。したがって，再生債権者の側から組織変更の履行を確保しようとすれば，組織変更がなされないことを債務免除の解除条件とする再生計画案を求めるなどの方策が考えられる。民事再生法逐条研究227頁，条解民事再生法990頁〔須藤英章〕。経営陣の刷新について150問281頁〔森倫洋〕参照。

14) 即時抗告を提起した者が，この事由を知りながら主張しなかった場合だけではなく，この事由を知りながら，2週間の期間（民再9）内に即時抗告を提起しなかった場合を含む。新注釈民事再生法（下）163頁〔小原一人〕，条解民事再生法990頁〔須藤英章〕。

2 再生債務者等が再生計画の履行を怠ったこと（民再189Ⅰ②）を理由とする場合

この場合には，①再生計画の定めによって認められた権利の全部（履行された部分を除く）について裁判所が評価した額の10分の1以上に当たる権利を有する再生債権者であって，②その有する履行期限が到来した当該権利の全部または一部について履行を受けていないものに限って，取消しの申立てをすることができる（民再189Ⅲ）。①の要件は，申立適格を有する再生債権者を未履行部分について相当の利害関係を有する者に限る趣旨であり，②の要件は，再生計画の定めによって認められた権利に関して，自ら不利益を受けている者に限って，申立適格を認める趣旨である[15]。

3 取消申立手続

取消申立ては，書面によってしなければならない（民再規2Ⅰ）。申立書の記載事項（民再規95）には，再生計画取消しを求める事由を具体的に記載するなどの他，再生計画の不履行を取消しの理由とするときには，申立人の有する再生計画の定めによって認められた権利のうち履行期限が到来したもので履行を受けていない部分を記載しなければならない（同Ⅰ⑤）。

取消申立てを受けた裁判所は，申立人の適格の欠缺等を理由として申立てを却下する場合を除いて，取消事由の存否および取消しが再生債権者一般の利益に反しないかどうかを判断した上，申立てを棄却するか，再生計画を取り消すかの決定をなす。再生計画取消決定をしたときは，裁判所は，直ちに，その裁判書を申立てをした者および再生債務者等に送達し，かつ，その主文および理由の要旨を公告しなければならない（民再189Ⅳ）。

再生計画取消申立て棄却決定または取消決定に対しては，即時抗告が認められる（民再189Ⅴ）。取消決定の場合には，確定しなければ，その効力を生じない（同Ⅵ）。法人である再生債務者のうち，その設立または目的である事業について官庁その他の機関の許可があったものであるときは，裁判所書記官は，再生計画取消決定が確定した旨を官庁その他の機関に通知しなければならない（民再規6Ⅱ）。また，法人である再生債務者について，再生手続終了前に再生

---

[15] 花村512頁による。したがって，①の要件を満たしている権利者であっても，その権利の履行期が到来していなければ，②の要件を満たさない。なお，①の要件に関しては，共同申立人の権利を合算することも可能である。

計画取消決定が確定したときは，職権で，遅滞なく，再生債務者の本店等の所在地の登記所に再生計画取消しの登記を嘱託しなければならない（民再11Ⅴ②）。

4 再生計画取消決定の効果

再生計画取消決定の効果は，再生手続の終了などの手続的効果と再生債権者の権利などに関する実体的効果とに分けられる。

(1) 手続的効果

再生手続の終了前に再生計画取消決定が確定すれば，再生手続は，その目的を失って，当然に終了する。それにともなって，監督命令や管理命令も失効する（民再189Ⅷ後半部分・188Ⅳ）。また，再生手続に付随する手続である否認の請求や役員の責任にもとづく損害賠償請求権の査定の手続も当然に終了する（民再136Ⅴ・143Ⅵ)16)。ただし，否認の請求を認容する決定に対する異議の訴えが係属するときは，訴訟手続が中断し（民再137Ⅵ・68Ⅱ），その後の破産手続において破産管財人による受継の可能性がある（民再254Ⅰ Ⅲ Ⅳ）。役員の責任にもとづく損害賠償請求権の査定決定について異議の訴えが係属するときも，中断および受継の可能性がある（民再146Ⅵ・68Ⅲ）。

なお，再生手続終了にともなって，牽連破産が開始される可能性がある（民再249・250）。

(2) 実体的効果

再生計画取消決定が確定すると，再生計画によって変更された再生債権は，原状に復する（民再189Ⅶ本文）。再生計画によって変更された再生債権とは，再生計画によって変更された権利（民再179Ⅰ）の他に，再生計画に定められないことによって免責された権利（民再178Ⅰ本文）や一般的基準にしたがって変更された権利（民再181）など，再生計画認可決定の確定によって権利を変更されたものすべてを含む。再生計画取消決定の確定によって，これらの権利についての変更の効力は消滅し，変更前の権利内容に復する。それらの再生債権のうち，確定したものについては，再生債権者表の記載が再生債務者に対して確定判決と同一の効力を有し，再生債権者は，それにもとづいて再生債務者に対して強制執行をすることができる（民再189Ⅷ前半部分・185）。

---

16) これに対して，否認の効果，およびそれにもとづく登記の移転や目的物の占有復帰は，再生計画取消決定の確定によって影響を受けない。民事再生法逐条研究232頁，詳解民事再生法565頁〔石井教文〕，条解民事再生法992頁〔須藤英章〕。

ただし，再生計画取消決定の確定は，再生債権者が再生計画によってえた権利に影響を及ぼさない（民再189Ⅶ但書）。これは，再生計画の取消しが主として再生債務者等の側の事由にもとづくものを考慮し，再生債権者に対して不利益を与えないための特則である。その結果，取消決定確定時までに再生債権者が再生計画にもとづいて受けた弁済等は有効であり，また，再生計画によって設定された人的または物的担保（民再158）も影響を受けない。

原状に復帰するのは，再生債権者の権利のみであり，株式会社たる再生債務者の株式の取得（民再183Ⅰ）や定款の変更（同Ⅵ）は，影響を受けない[17]。

第3節　再生手続の廃止

再生手続の廃止とは，再生手続の終了形態の1つであり，再生手続開始後に，法定の事由にもとづく裁判所の決定によって，再生手続がその目的を達成することなく，将来に向かって終了することをいう[18]。廃止は，廃止決定がなされる手続段階に応じて，再生計画認可前の手続廃止（民再191・192），再生計画認可後の手続廃止（民再194），および認可決定の前後を通じた，再生債務者の義務違反による手続廃止（民再193）の3つに分けられる。

第1項　再生計画認可前の手続廃止

再生計画認可前の手続廃止は，さらに，認可の対象となる再生計画が成立しなかったことを理由とする手続廃止（民再191）と，再生手続開始申立て事由のないことが明らかになったことを理由とする手続廃止（民再192）とに分けられる。

1　再生計画が成立しなかった場合

再生計画は，再生手続の根本規範たる性質を有し，再生債権者の決議によっ

---

17)　民事再生法逐条研究229頁，条解民事再生法992頁〔須藤英章〕。これに対して，会社法の手続の特則として，株主総会の決議を経ることなく，株式会社たる再生債務者が，再生計画の定めによって，株式の併合や資本金の額の減少をすることができるとされている場合には（民再183ⅡⅣ），すでになされた株式の併合や資本金の額の減少は影響を受けないが，将来については，会社法の本則によることになろう。
18)　条解民事再生法1001頁〔我妻学〕，新注釈民事再生法（下）174頁〔佐長功〕，詳解民事再生法566頁〔石井教文〕，150問328頁〔渡辺裕介〕。

て成立し，裁判所の認可決定の確定によってその効力を生じる（民再176）。したがって，認可の対象たるべき再生計画が成立せず，または成立する見込みがないことが明らかになったときは，裁判所は，職権で，再生手続廃止の決定をしなければならない（民再191柱書）。

再生手続廃止決定がなされるべき第1の事由は，決議に付するに足りる再生計画案の作成の見込みがないことが明らかになったときである（同①）。決議に付する（民再169Ⅰ柱書）に足りるかどうかについては，再生計画不認可事由（民再174Ⅱ各号。ただし3号を除く）にかかる判断が中心となるが，その要件を満たす再生計画案の作成の見込みがない場合には，再生手続の目的が達成できないために，手続廃止決定がなされる[19]。また，再生計画案について，可決（民再172の3Ⅰ）の見込みがないことが明らかな場合も，これと同様に扱われる。

第2の事由は，裁判所の定めた期間（民再163ⅠⅡ）もしくはその伸長した期間内（民再163Ⅲ）に再生計画案の提出がないとき，またはその期間内に提出されたすべての再生計画案が決議に付するに足りないものであるときである（民再191②）。この事由の趣旨および決議に付するに足りないものの意義は，上に述べた通りである[20]。

第3の事由は，再生計画案が否決されたとき，または決議のための債権者集会の続行期日が定められた場合（民再172の5Ⅰ本文・Ⅳ）において，定められた期間（同ⅡⅢ）内に再生計画案が可決されないときである（民再191③）[21]。

2　再生手続開始申立て事由のないことが明らかになった場合

債権届出期間の経過後再生計画認可決定の確定前において，再生手続開始原

---

19) 具体例については，民事再生の手引〈第2版〉435頁，運用指針504頁。再生債務者財産の清算を内容とする再生計画案であっても，それが再生債権者一般の利益（民再174Ⅱ④）に反すると認められなければ，決議に付すことが許される。新注釈民事再生法（下）180頁〔佐長功〕，条解民事再生法1004頁〔我妻学〕。再生手続開始後の再生債務者による偏頗弁済も，その程度が清算価値保障原則（民再174Ⅱ④）や遂行可能性（同②）に影響するときは，廃止事由に該当する。東京高決平成22・10・22判タ1343号244頁〔倒産百選97事件〕，破産・民事再生の実務［再生編］342頁参照。
20) 期間経過後に決議に付するにたる再生計画案が提出されたときには，廃止決定をしないことも許される。条解民事再生法1006頁〔我妻学〕。
21) ただし，いったん債権者集会において再生計画案が否決されても，集会を続行して，変更した再生計画案（民再172の4）について再度決議を行うなどの措置が考えられる。条解民事再生法1006頁〔我妻学〕。

因たる事実（民再21Ⅰ）のないことが明らかになったときは，裁判所は，再生債務者，管財人または届出再生債権者の申立てによって，再生手続廃止の決定をしなければならない（民再192Ⅰ）。これが手続廃止事由とされている趣旨は，再生手続を実施する必要性に欠けるところにある。なお，債権届出期間の経過が要件とされているのは，再生債務者が弁済すべき債務の概要が明らかになるためであるが，再生手続開始原因たる破産手続開始原因前兆事実の有無等については，届出再生債権のみならず，共益債権も含め，再生債務者が負担するすべての債務を基礎としなければならない[22]。

再生債務者等が再生手続廃止の申立てをする場合には，廃止の原因たる事実を疎明しなければならない（民再192Ⅱ）[23]。

第2項　再生計画認可後の手続廃止

再生計画認可決定が確定した後に再生計画が遂行される見込みがないことが明らかになったときは，裁判所は，再生債務者等もしくは監督委員の申立てによってまたは職権で，再生手続廃止の決定をしなければならない（民再194）。再生計画が遂行される見込み，すなわち遂行可能性に関しては，再生計画認可または不認可の判断の段階では，「再生計画が遂行される見込みがないとき」（民再174Ⅱ②）が不認可の事由とされているので，いったんその「見込みがない」とはいえないと判断されても，その後に遂行可能性がないことが明らかになる場合がある。遂行が困難となった場合でも，再生計画の変更（民再187）によって対処できることもありうるが，共益債権の弁済も困難になった状況では，事業や経済生活の再生という手続の目的を達成することは不可能であり，再生手続を継続することは，かえって利害関係人の利益を害するおそれがあるので，再生手続の機関の申立てにもとづいて手続を廃止することを認めたものである。

---

[22] 新注釈民事再生法（下）185頁〔佐長功〕，詳解民事再生法568頁〔石井教文〕，条解民事再生法1010頁〔我妻学〕。旧会社更生法274条1項の文言との対比などを理由とする。なお，現行会社更生法237条1項は，民事再生法192条と同趣旨の文言となっている。

[23] したがって，「事業の継続に著しい支障を来すことなく弁済期にある債務を弁済することができない」との理由から再生手続が開始されている場合には，それに対応する事実の疎明が要求される。新注釈民事再生法（下）186頁〔佐長功〕。決定の手続については，条解民事再生法1011頁〔我妻学〕参照。

なお，手続の廃止は，再生手続の係属を前提とするものであるから，再生手続終結（民再188）や再生計画の取消し（民再189）によって再生手続が終了した後は，廃止の余地がないことはもちろんである。

裁判所は，再生債務者等もしくは監督委員の申立てによってまたは職権で，再生手続廃止の決定を行う。再生債権者は申立権者でないので，裁判所の職権発動を促すにとどまる。裁判所が，手続廃止の決定をするには，当該決定をすべきことが明らかである場合を除いて，あらかじめ再生債務者，監督委員，管財人および再生計画による変更を受けた権利を行使することができる者（民再179Ⅱ）のうち知れているものの意見を聴くものとされる（民再規98）。

第3項　再生債務者の義務違反による手続廃止

再生手続においては，再生債務者が業務遂行権や財産管理処分権を保持し（民再38Ⅰ），再生計画の遂行の責任を負っている（民再186Ⅰ）。また，法人たる再生債務者について管財人が選任される場合であっても，手続の目的そのものは，再生債務者の事業の再生にある。このことを前提として，再生債務者が以下に述べる重大な手続違反を犯した場合には，再生計画認可の前後を問わず，裁判所は，監督委員もしくは管財人の申立てによってまたは職権で，再生手続廃止の決定をすることができる（民再193Ⅰ柱書）。決定をする際には，再生債務者を審尋しなければならない（同Ⅱ）。

1　保全処分の違反（民再193Ⅰ①）

再生債務者が，その業務または財産に関して裁判所が命じた保全処分（民再30Ⅰ）に違反したことが，再生手続廃止の事由となりうる。弁済禁止の保全処分に違反して弁済をなしたり，処分禁止の仮処分に違反して財産を処分したりする行為が，これに当たる。これに対して，再生手続開始後の偏頗弁済禁止（民再85Ⅰ）に違反した弁済は，手続廃止の事由とならない。それについては，当該弁済金の回復が可能であるという理由があげられる[24]。

24）　これに対して，保全処分違反の弁済は有効となる可能性がある（民再30Ⅵ）。条解民事再生法1014頁〔我妻学〕，花村528頁。これらに関する立法論的批判として，民事再生法逐条研究240頁がある。また，弁済金の回復が可能であるといっても，偏頗弁済の額や理由などを考慮すれば，「決議に付するに足りる再生計画案の作成の見込みがないことが明らかになったとき」（民再191①。本書1174頁）と評価されることはある。150問311頁〔藤井哲〕。

2 要許可行為または要同意行為の違反（民再193Ⅰ②）

法41条1項，42条1項または54条2項に掲げる行為は，その結果が再生手続に重大な影響を及ぼすという理由から，裁判所の要許可行為または監督委員の要同意行為とされている。それにもかかわらず，再生債務者が，許可や同意をえずに，これらの行為をなしたことが重大な手続違反とみなされるために，再生手続廃止事由とされている[25]。

3 再生債権についての認否書提出義務の懈怠（民再193Ⅰ③）

再生債務者が裁判所が定めた期限（民再101Ⅴ・103Ⅲ）までに再生債権についての認否書を提出しないことは，再生手続の基本となる再生債権の調査や確定を妨げる重大な手続違反であるところから，再生手続廃止の事由とされている[26]。

第4項 再生手続廃止決定等

裁判所は，申立てまたは職権で再生手続廃止決定をする。再生手続廃止決定をしたときは，直ちに，その主文および理由の要旨を公告しなければならない（民再195Ⅰ）。廃止決定に対しては，即時抗告が認められる（同Ⅱ）[27]。議決権を有しなかった再生債権者が即時抗告をする際の疎明義務の規定（民再175Ⅲ）は，この場合の即時抗告，特別抗告（民訴336）および許可抗告（同337）の申立てについて準用する（民再195Ⅲ）。再生手続廃止決定を取り消す決定が確定したときは，再生手続廃止決定をした裁判所は，直ちに，その旨を公告しなければならない（同Ⅳ）。また，再生手続廃止決定が確定したときには，裁判所書記官による官公庁への通知がなされ（民再規6Ⅱ），再生債務者たる法人について裁判所書記官による再生手続廃止の登記の嘱託がなされ（民再11Ⅴ①），再生計画認可の決定が確定する前に再生手続廃止の決定が確定したときは，否認

---

25) 事例として，大阪地決平成13・6・20金法1641号40頁があるが，弁済自体について裁判所の許可や監督委員の同意が求められるわけではないことを理由とする異論がある。運用指針508頁。

26) 提出された認否書に重大な瑕疵があるときに，これを不提出に準じて，再生手続廃止事由とできるかについては，積極（詳解民事再生法569頁〔石井教文〕）と消極（条解民事再生法1015頁〔小林信明〕）の考え方が対立するが，瑕疵の程度によることになろう。

27) 即時抗告権者は，再生手続の廃止について法律上の利害関係を有する再生債権者（未届けを含む）および管財人であり，株主は含まれない。新注釈民事再生法（下）193頁〔小原一人〕，条解民事再生法1021頁〔小林信明〕。

の登記について登記抹消の嘱託がなされる（民再13Ⅵ）。

第5項　再生手続廃止決定の効果

再生手続廃止決定の確定は，再生手続を終了させるものであるが，具体的にどのような効果が生じるかは，手続の段階によって異なる。

1　手続的効果

再生手続廃止決定が確定すると，再生手続が終了するから，監督命令や管理命令は，失効し（民再195Ⅶ・188Ⅳ），牽連破産への移行可能性が生じる（民再249・250)[28]。しかし，再生手続が遡及的に失効するわけではないから，再生計画認可後の廃止の場合には，再生計画の遂行および民事再生法の規定によって生じた効力に影響を生じない（民再195Ⅵ)[29]。したがって，再生債権の免責（民再178Ⅰ本文），権利変更（民再179Ⅰ・181Ⅰ），再生計画にもとづく債務負担や担保提供（民再177Ⅰ），再生計画にもとづく定款変更等（民再183Ⅵ等），再生手続開始にともなって中止した手続の失効（民再184本文），再生計画の条項の再生債権者表記載の効力（民再180ⅡⅢ）などは，再生手続廃止後も存続する。

これに対して，再生計画認可前の廃止の場合には，その段階で確定されている再生債権については，再生債権者表の記載の効力が残る（民再195Ⅶ前半部分・185）。

2　実体的効果

実体的効力のうち，双方未履行双務契約の解除（民再49Ⅰ）や担保権消滅許可（民再148Ⅰ）は，その効果が確定的に生じた後に再生手続が廃止されても，その影響を受けることはない。これらの効果は，再生手続との関係で相対的に生じるものではなく，絶対的なものと考えられるためである。これに対して，否認については，その効果の相対性から（本書644頁注351），再生計画認可決定確定による権利変更が生じる前に再生手続が廃止されたときは，その効果が

---

28)　関連する裁判例として，大阪高判平成17・9・29判時1925号157頁がある。なお，東京地裁破産再生部の運用では，再生債務者が法人の場合には，全件を破産手続に移行させ，保全管理命令などを発令し，個人の場合には，必要に応じて包括的禁止命令（破25Ⅰ）などを発令しているという。民事再生の手引〈第2版〉440頁，運用指針516頁。個人再生について，個人再生の手引〈第2版〉465頁，また，申立代理人の留意点について，個人再生の手引〈第2版〉507頁。

29)　否認権行使の効果も影響を受けない。条解民事再生法1022頁〔小林信明〕。

覆ると解される（民再13Ⅵ参照）。なお，否認の請求手続は，再生手続廃止決定の確定とともに終了するが（民再136Ⅴ），否認の請求を認容する決定に対する異議の訴えの手続は，中断し（民再137Ⅵ・68Ⅱ），牽連破産において破産管財人により受継される可能性がある（民再254ⅠⅢⅣ）。役員の責任にもとづく損害賠償請求権の査定手続も，手続廃止にともなって終了するが（民再143Ⅵ），査定決定に対する異議の訴えは，中断および受継の可能性がある（民再146Ⅵ・68Ⅲ）。

第10章　簡易再生および同意再生

　再生手続は，再生債権の調査および確定の手続を経て，その存否および内容を確定し，再生計画によってその権利変更を確定するという構造をとっている。しかし，調査および確定の手続には，相当の時間を要すると予想されるところから，より簡易な手続の利用を可能にする制度が望まれ，また，私的整理が先行し，再生計画案の内容たるべき事項について大多数の債権者の間での合意が成立している場合には，調査および確定の手続を省き，権利変更の内容を確定しなくとも，再生手続の実効性を確保できるとの意見もあり，これらの要望や意見にもとづいて設けられたのが，簡易再生および同意再生に関する特則である[1]。

第1節　簡　易　再　生

　簡易再生の主たる特徴は，再生債権の調査および確定手続を省略するところにあり（民再211Ⅰかっこ書），以下に述べる要件等は，この特徴を反映したものである。

第1項　簡易再生の決定

　裁判所は，債権届出期間の経過後一般調査期間の開始前において，再生債務者等の申立てがあったときは，簡易再生の決定をする（民再211Ⅰ前段）。再生債権者に申立権を認めず，再生債務者等に限ったのは，再生債務者等の意思にかかわらず，再生手続による再生債権確定の利益を奪うことは適当でないと判

---

[1]　民事再生法逐条研究242頁，条解民事再生法1100頁〔腰塚和男〕，1120頁〔才口千晴＝山本和彦〕。もっとも，通常の手続が迅速に進められるところから，簡易再生や同意再生の申立件数は必ずしも多くないとの指摘もある。私的整理ガイドライン（本書49頁注73）との関係など，利用状況については，新注釈民事再生法（下）337頁〔多比羅誠〕，条解民事再生法1102頁〔腰塚和男〕，破産・民事再生の実務〔再生編〕375，379頁参照。
　私的整理（本書48頁）が進行しているにもかかわらず，参加債権者全員の合意成立が困難な事案において，簡易再生の利用を試みる動きも見られる。民事再生の実務15頁〔川畑正文＝中井裕美〕参照。

断されたためである[2]。また，申立ての時期が一般調査期間の開始前とされるのは，調査および確定手続を省略するという簡易再生の特質から当然のことであり，他方，債権届出期間経過後とされるのは，簡易再生を選択することについて，届出再生債権者の同意が必要とされるためである。

1 簡易再生の申立て

再生債務者等の申立ては，届出再生債権者の総債権（住宅資金特別条項を定めた再生計画案の場合には，特則がある。211Ⅳ）について裁判所が評価した額[3]の5分の3以上に当たる債権を有する届出再生債権者が，書面（民再規107Ⅰ〜Ⅲ）によって，再生債務者等が提出した再生計画案について同意し，かつ，再生債権の調査および確定手続（法第4章第3節）を経ないことについて同意している場合に限り，することができる（民再211Ⅰ後段）。この2種類の同意は，再生債権者の権利および再生計画による変更後の権利が確定されないまま再生手続が遂行されることについて，再生債権者の意思を尊重するためのものである。そのために，再生債務者等は，同意をえようとする場合には，届出再生債権者に対し，再生債務者の業務および財産の状況その他同意をするかどうかを判断するために必要な事項を明らかにするものとされる（民再規107Ⅳ）。

いったん同意をした届出再生債権者も，同意を撤回することは可能であり，5分の3以上の同意という要件は，簡易再生の決定の際に満たされていなければならない。

また，再生債務者等は，申立てをするに際して，労働組合等（民再24の2かっこ書）にその旨を通知しなければならない（民再211Ⅱ）。これは，労働組合等の再生計画案に関する意見陳述（民再168）の機会に関わる[4]。

2 簡易再生の決定

再生債務者等からの申立てが上記の要件を満たしている場合であっても，裁判所は，再生計画の不認可事由（民再174Ⅱ各号。第3号を除く。ただし，住宅資

---

2) 花村557頁。ただし，債権届出期間経過前の申立てについても，運用上の取扱いをする余地がある。条解民事再生法1104頁〔腰塚和男〕。
3) 別除権の再生債権について，その議決権額が不足額に限られること（民再88本文）との関係で，裁判所が評価する額を不足額に限るべきであるとの議論がある。条解民事再生法1103頁〔腰塚和男〕。
4) 再生計画案が事前提出され（民再164），すでに労働組合の意見陳述の機会が与えられている場合には，この通知は，簡易再生自体についての情報提供としての意味を持つ。新注釈民事再生法（下）347頁〔多比羅誠＝三枝知央〕。

金特別条項を定めた再生計画案の場合には，特則がある。民再211Ⅳ）のいずれかに該当する事由があると認めるときは，当該申立てを却下しなければならない（民再211Ⅲ）。不認可が予定される以上，当該再生計画案にもとづいて簡易再生の手続を進めることは意味がないからである5)。

　その場合を除いて，裁判所は，簡易再生の決定をなす（同Ⅰ）。それによって，一般調査期間に関する決定（民再34Ⅰ）は，その効力を失う（民再212Ⅰ）。再生債権の調査および確定の手続に関する規定（法第4章第3節。民再99〜113）は，適用されない（民再216Ⅰ）。

　簡易再生の決定に対しては，即時抗告が認められるが（民再213Ⅰ），簡易再生の決定が確定した場合には，再生手続開始決定にともなって中断していた，再生債権に関する訴訟手続等（民再40Ⅰ Ⅲ）は，再生債務者等においてこれを受け継がなければならない（民再213Ⅴ前段）。相手方も受継の申立てをすることができる（同Ⅴ後段）。これは，簡易再生において，再生債権の調査および確定手続が行われないためである。

　管理命令が発せられ，管財人が選任されている場合には，再生債務者の財産関係の訴訟手続は，再生債権に関するものを含めて，中断し（民再67Ⅱ），管財人においてこれを受け継ぐことができる。相手方も受継の申立てをすることができる（民再67Ⅲ・216Ⅱによる読替）。ただし，再生債権の調査および確定の手続の一環をなす査定の申立てについての裁判に対する異議の訴え（民再106Ⅰ）などについての管財人の受継に関する規定（民再67Ⅳ）は，適用しない（民再216Ⅰによる民再67Ⅳの適用排除）。

　裁判所は，簡易再生の決定と同時に，議決権行使の方法としての債権者集会の期日（民再169Ⅱ①）および議決権の不統一行使をする場合における裁判所に対する通知の期限（民再172Ⅱ Ⅲ）を定めて，再生債務者等が提出した再生計画案を決議に付する旨の決定をしなければならない（民再212Ⅱ Ⅴ）。再生計画案の決議は，必ず債権者集会の期日において議決権を行使する方法によらなければならず，書面等投票（民再169Ⅱ②）の方法は認められない（民再216Ⅰによる民再169・171の適用排除）。これは，再生債権の確定が行われないために（民再

---

5)　この段階で不認可事由の有無について判断されるために，簡易再生の決定と同時になされる再生計画案の付議決定（民再212Ⅱ）に際しては，不認可事由の有無についての判断が不要になる（民再216Ⅰによる同169Ⅰの適用排除）。

216 Iによる法第4章第3節（民再104）の適用排除），集会の期日において，再生債務者等または届出再生債権者が，議決権について異議を述べる機会を保障するためである。

債権者集会の期日は，特別の事情がある場合を除いて，簡易再生の決定の日から2月以内の日としなければならない（民再規108 I）。ただし，基準日を定めて議決権者を確定した場合（民再172の2 I）には，債権者集会の期日は，特別の事情がある場合を除いて，当該基準日の翌日から3月を超えない期間において定めるものとされる（民再規108 II・90 I）。

また，裁判所は，簡易再生の決定があった場合には，その主文，再生債務者等が提出した再生計画案を付議した債権者集会の期日，議決権の不統一をする場合の裁判所に対する通知の期限および当該再生計画案を公告するとともに，これらの事項を再生債務者，管財人や届出再生債権者など（民再115 I 本文）に通知しなければならない（民再212 III 前段）。あわせて，この場合には，当該債権者集会の期日を労働組合等に通知しなければならない（同後段）。その結果として，債権者集会の期日の呼出し等に関する規定（民再115 I～IV）は，適用しない（民再212 IV）[6]。

3 簡易再生の決定に対する不服申立て

簡易再生の申立てについての裁判に対しては，利害関係人たる再生債務者等および再生債権者は，即時抗告をすることができる（民再213 I）。ただし，即時抗告は，執行停止の効力を有しない（同II）。即時抗告の結果，簡易再生の決定を取り消す決定が確定した場合には，簡易再生の決定をした裁判所は，遅滞なく，一般調査期間を定めなければならない（同III）。本来の再生手続に戻るためである[7]。それにともなって，一般調査期間を変更する決定がされたときと同様に，一般調査期間を定める決定の裁判書の送達がなされる（同IV・102 III～V，民再規108の2）。

---

6) 法115条2項の適用が排除される結果として，通知（民再212 II 前段）は，議決権を行使することができない届出再生債権者に対してもなされる。新注釈民事再生法（下）353頁〔多比羅誠＝三枝知央〕。

7) これと比較して，簡易再生の決定が確定した後，再生計画案の不認可決定（民再174 II），再生計画の取消決定（民再189）または再生手続の廃止決定（民再191～194）が確定したときには，簡易再生は終了し，本来の再生手続に戻ることはない。条解民事再生法1115頁〔腰塚和男〕。

第2項　債権者集会における決議

　債権者集会に付議されるのは，簡易再生の申立てをした再生債務者等が提案した再生計画案のみである（民再214 I）。これは，簡易再生に対する再生債権者の同意が，当該再生計画案への同意と一体のものとなっているためである（民再211 I 参照）。裁判所は，財産状況報告集会における再生債務者等による報告（民再126 I）または裁判所への報告書の提出（民再125 I）がされた後でなければ，当該再生計画案を債権者集会に付議することはできない（民再214 II）[8]。決議に参加する再生債権者への情報開示のためである。

　決議のための債権者集会に出席しなかった届出再生債権者が簡易再生に関する同意（民再211 I）をしている場合には，可決の要件（民再172の3 VI）については，当該再生債権者は，当該債権者集会に出席して再生計画案に同意したものとみなす（民再214 III 本文）。合理的意思の推認を基礎としたものである。ただし，当該届出再生債権者が，決議のための債権者集会の開始前に，裁判所に対し，簡易再生に関する同意（民再211 I）を撤回する旨を記載した書面を提出したときは，この限りではない（民再214 III 但書）。

　その他の点は，通常の再生手続における決議のための債権者集会と同様である。

第3項　再生計画の効力

　簡易再生においては，再生債権の調査および確定手続が省略される。そのために，再生計画が成立し，裁判所の認可決定の確定によって効力を生じた場合でも，その効果として，すべての再生債権者の権利（約定劣後再生債権の届出がない場合における約定劣後再生債権および再生手続開始前の罰金等を除く）は，権利変更の一般的基準（民再156）にしたがって変更される（民再215 I）。ただし，共助対象外国租税の請求権についての変更の効力は，共助（租税条約特11 I）との関係においてのみ主張することができる（民再215 IV）。

　個々の再生債権者の権利の変更についての定めは，再生計画案の内容とされ

---

[8]　財産状況報告集会と決議をするための集会とを同一の日に引き続いて開催することは許される。新注釈民事再生法（下）357頁〔多比羅誠＝三枝知央〕，詳解民事再生法615頁〔笠井正俊〕。

ないから（民再216Ⅰによる民再157・159・164Ⅱ後段の適用排除），再生計画認可決定が確定しても，個々の権利についての変更内容は確定しない（民再216Ⅰによる民再179の適用排除）。

その結果として，別除権者の再生計画による権利行使（民再182本文），再生計画の取消申立ての要件（民再189Ⅲ），住宅資金特別条項を定めた再生計画の取消申立ての要件（民再206Ⅰ）については，調査および確定手続を経て再生計画に定められた権利に代えて，一般的基準にしたがって変更された権利が基準とされる（民再215Ⅱ）。

また，再生計画の記載には失権効がなく，届出などの有無とかかわりなく，すべての再生債権は，一般的基準にしたがって変更され（民再216Ⅰによる民再178・181Ⅰ Ⅱの適用排除），再生計画遂行の対象となる。これも，簡易再生において調査および確定の手続を設けていないことの反映である[9]。ただし，約定劣後再生債権についてのみは，届出がなければ，再生債務者は，その責任を免れる（民再215Ⅲ）。これは，約定劣後再生債権の劣後的地位を考慮したものである[10]。

その他，再生計画の変更が認められないこと（民再216Ⅰによる民再187の適用排除），再生債権についての再生計画の記載の確定力や執行力が認められないこと（民再216Ⅰによる民再180の適用排除），再生計画不認可決定確定などにともなう再生債権者表の記載の確定力や執行力が認められないこと（民再216Ⅰによる民再185・189Ⅷ・190Ⅱ・195Ⅶの適用排除），再生計画の遂行に関する担保提供命令が認められないこと（民再216Ⅰによる民再186Ⅲ Ⅳの適用排除），住宅資金特別条項を定めた再生計画案が提出された場合の異議に関する規定が適用されないこと（民再216Ⅰによる民再200Ⅱ Ⅳの適用排除），住宅資金特別条項を定めた再生計画認可決定の確定にもとづいて住宅資金貸付債権が一般的基準にしたがって変更される旨の規定が，法215条1項と重複するために，適用されないと

---

[9] 調査確定手続を経ていない以上，免責のような強力な効力を付与して，知れていない再生債権者の権利に重大な制約を課すことは困難であるという判断にもとづくものであるが（花村568頁，条解民事再生法944頁〔三木浩一〕，1114頁〔腰塚和男〕），政策的には，簡易再生においても，失権効を認めるという考え方が成り立たないわけではない。民事再生法逐条研究252頁。

[10] これに対して，再生手続開始前の罰金等は，一般的基準による変更を受けることはないが（民再215Ⅰかっこ書），再生計画による弁済期間中は弁済などを受けることはできない（民再181Ⅲ Ⅱ）。

されること(民再216Iによる民再205Ⅱの適用排除)も,調査および確定の手続を省略する簡易再生の特徴を示すものである[11]。

第2節 同意再生

　同意再生の主たる特徴は,届出再生債権者全員の同意があることを前提として,再生債権の調査および確定の手続,ならびに再生計画案についての決議を省略し,簡易再生よりもさらに簡易,かつ,迅速に再生計画の効力を生じさせるところにある。したがって,同意再生の決定は,実質的には,再生計画認可決定に該当する(民再219I参照)。以下に述べる要件等は,このような特徴を反映したものである。

第1項　同意再生の決定

　裁判所は,債権届出期間の経過後一般調査期間の開始前において,再生債務者等の申立てがあったときは,同意再生の決定をする(民再217I前段)。申立権者が再生債務者等に限られていること,申立ての時期が限定されているのは,簡易再生の場合と同様の理由による。

1　同意再生の申立て

　再生債務者等の申立ては,すべての届出再生債権者(住宅資金貸付債権者を除く。民再217V)が,書面(民再規110I・107I〜Ⅲ)によって,再生債務者等が提出した再生計画案について同意し,かつ,再生債権の調査および確定手続(法第4章第3節)を経ないことに同意している場合に限り[12],することができる(民再217I後段)。2種類の同意をうるための前提として,再生債務者等は,

---

[11]　通常再生に関する規則の適用排除を定める民事再生規則109条の内容も,同様の趣旨にもとづくものである。詳細については,新注釈民事再生法(下)363頁〔多比羅誠=三枝知央〕,条解民事再生法1116頁〔腰塚和男〕参照。

[12]　簡易再生の場合と異なって,同意の撤回は予定されていない。これに対して,当初は,届出再生債権者の総債権額の5分の3以上の同意にもとづく簡易再生の申立てをなし,その後に残りの届出再生債権者の同意を補充して,同意再生の申立てをすることができるかという,簡易再生から同意再生への移行可能性の問題,さらに簡易再生決定後に同意再生に切り換えることができるかという問題がある。前者については,積極に解すべきであるが,後者については,疑問が提示される。民事再生法逐条研究257頁。これに対して,詳解民事再生法622頁〔笠井正俊〕,条解民事再生法1126頁〔才口千晴=山本和彦〕は,いずれについても肯定する。

届出再生債権者に対し，再生債務者の業務および財産の状況その他同意をするかどうかを判断するために必要な事項を明らかにするものとされる（民再規110Ⅰ・107Ⅳ）。

裁判所は，財産状況報告集会における再生債務者等による報告または裁判所に対する報告書の提出がされた後でなければ，同意再生の決定をすることができない（民再217Ⅱ）。簡易再生においては，再生計画案付議の前提とされているものを，同意再生の特徴にあわせて，同意再生決定の前提としているものである。なお，申立てにあたって，再生計画認可または不認可についての労働組合等（民再24の2かっこ書）の意見陳述の機会（民再174Ⅲ）に関して，労働組合等への通知が再生債務者等に義務づけられている，（民再217Ⅵ・174Ⅲ・211Ⅱ）。

さらに，再生計画案が住宅資金特別条項を定めたものであるときは，それによって権利の変更を受けることとされている者が，認可すべきかどうかについて，意見陳述の機会を与えられる（民再217Ⅵ後半部分・202Ⅲ）。

2 同意再生の決定

再生債務者等からの申立てが上記の要件を満たしている場合であっても，裁判所は，再生計画の不認可事由（民再174Ⅱ各号。第3号を除く。ただし，住宅資金特別条項を定めた再生計画案の場合には，特則がある。民再217Ⅴ）のいずれかに該当する事由があると認めるときは，当該申立てを却下しなければならない（民再217Ⅲ）。理由は，簡易再生について述べたのと同様である。

却下の場合を除いて，裁判所は，同意再生の決定をなす（同Ⅰ）。それによって，一般調査期間に関する決定（民再34Ⅰ）は，その効力を失う（民再217Ⅵ・212Ⅰ）。再生債権の調査および確定の手続に関する規定（法第4章第3節。民再99〜113）は，適用されない（民220Ⅰ）。

同意再生の決定に対しては，即時抗告が認められるが（民再218Ⅰ），同意再生の決定が確定した場合には，再生手続開始決定にともなって中断していた，再生債権に関する訴訟手続等（民再40ⅠⅢ）は，再生債務者等においてこれを受け継がなければならず，相手方も受継の申立てをすることができる（民再219Ⅱ・213Ⅴ）。簡易再生と同様に，再生債権の調査および確定手続が行われないためである。

管理命令が発せられ，管財人が選任されている場合には，再生債務者の財産

関係の訴訟手続は、再生債権に関するものも含めて、中断し（民再67Ⅱ）、すべて管財人が受け継ぐことができる（民再220Ⅱによる民再67Ⅲの読替）。ただし、同意再生においては、債権の調査および確定の手続が存在しないために、査定の申立てについての裁判に対する異議の訴えなどに関する管財人の受継の規定は適用しない（民再220Ⅰによる同67Ⅳの適用排除）。

同意再生の決定があった場合には、その主文、理由の要旨および再生債務者等から提出された再生計画案を公告するとともに、これらの事項を再生債務者、管財人や届出再生債権者など（民再115Ⅰ本文）に通知しなければならない（民再217Ⅳ）。また、同意再生の決定があった旨は、労働組合等に通知される（民再217Ⅵ・174Ⅴ）。

3 同意再生の決定に対する不服申立て

同意再生の申立てについての裁判に対しては、利害関係人たる再生債務者等および再生債権者は、即時抗告をすることができる（民再218Ⅰ）[13]。ただし、即時抗告は、執行停止の効力を有しない（同Ⅱ）。

再生債務者が債務超過の状態にある場合には、約定劣後再生債権者は、再生計画の内容が約定劣後再生債権を有する者の間で平等原則（民再155Ⅰ）に違反することを理由とする場合を除いて、同意再生の決定に対して、即時抗告をすることができない（民再218Ⅲ・175Ⅱ）。この取扱いは、約定劣後再生債権者が、特別抗告（民再18、民訴336）および許可抗告（民訴337）をする場合にも準用する（民再218Ⅲ）。同意再生の決定が、再生計画認可決定の実質を有するためにおかれた準用規定である。また、議決権を有しなかった再生債権者が即時抗告をする際の再生債権者であることの疎明義務の規定（民再175Ⅲ）も、この場合の即時抗告等に準用する（民再218Ⅲ）。

即時抗告の結果、同意再生の決定を取り消す決定が確定した場合には、同意再生の決定をした裁判所は、遅滞なく、一般調査期間を定めなければならない（民再218Ⅲ・213Ⅲ）。本来の再生手続に戻るためである。それにともなって、一般調査期間を変更する決定がされたときと同様に、一般調査期間を定める決定の裁判書の送達がなされる（民再218Ⅲ・102Ⅲ～Ⅴ、民再規110Ⅱ）。

---

[13] 同意再生の決定が再生計画認可決定の実質を持つことを考えると（民再219Ⅰ）、再生計画認可決定の場合と同様に（本書1120頁）、株主に対して即時抗告権を認めることも考えられる。条解民事再生法1128頁〔才口千晴＝山本和彦〕参照。

第2項　同意再生の決定確定の効力

　同意再生の決定が確定したときは、再生債務者等が提出した再生計画案について、再生計画認可の決定が確定したものとみなす（民再219Ⅰ）。確定にともなって、再生計画案に記載された権利変更の一般的基準（民再156）によって、すべての再生債権者の権利（約定劣後再生債権の届出がない場合における約定劣後再生債権および再生手続開始前の罰金等を除く）は、変更される（民再219Ⅱ・215Ⅰ）。その意義等は、簡易再生について述べたのと同様である。

　また、通常再生において再生計画案が可決された場合の法人の継続に関する規定（民再173）が、同意再生決定が確定した場合に準用される（民再219Ⅱ）。なお、再生債権について中断した訴訟が再生債務者等によって受け継がれることは、前述の通りである。

　その他、再生債権の調査および確定手続、ならびに再生計画案についての決議を省略し、同意再生の決定の確定をもって再生計画認可決定の確定に代えるという同意再生の特質から、再生計画案に定める事項に関して、届出再生債権者等の権利に関する定め（民再157）、未確定の再生債権に関する定め（民再159）の適用が排除され（民再220Ⅰ）、再生計画案の提出および決議に関して、再生計画案の事前提出における条項の補充（民再164Ⅱ後段・157・159）、再生計画案の決議（法第7章第3節）の適用が排除され（民再220Ⅰ）、再生計画の認可等に関して、再生計画の認可または不認可の決定（民再174）、再生計画認可の決定等に対する即時抗告（民再175）の適用が排除され（民再220Ⅰ）、再生計画の効力に関して、再生債権の免責（民再178Ⅰ）、届出再生債権者等の権利の変更（民再179）、再生計画の条項の再生債権者表への記載等（民再180）、届出のない再生債権等の取扱いのうち手続開始前の罰金等を除く部分（民再181ⅠⅡ）の適用が排除され（民再220Ⅰ）、不認可決定の効力に関して、不認可の決定が確定した場合の再生債権者表の記載の効力（民再185・189Ⅷ・190Ⅱ・195Ⅶ）の適用が排除され（民再220Ⅰ）、再生計画の遂行に関して、担保提供命令（民再186ⅢⅣ）の適用が排除され（民再220Ⅰ）、再生計画の変更（民再187）の適用が排除され（民再220Ⅰ）、住宅資金特別条項に関して、住宅貸付債権の内容に関する異議（民再200ⅡⅣ）の適用が排除され（民再220Ⅰ）、また一般的基準にしたがった住宅資金貸付債権者の権利の変更（民再205Ⅱ）の適用が、重複するも

のとして,排除される(民再220Ⅰ)[14]。

---

[14] 通常再生に関する規則の適用排除を定める民事再生規則111条の内容も,同様の趣旨にもとづくものである。詳細については,新注釈民事再生法(下)384頁〔多比羅誠=清水祐介〕,条解民事再生法1131頁〔才口千晴=山本和彦〕参照。

第11章　個　人　再　生

　再生手続は，再生債務者が個人であるか法人であるか，またその経済的属性が消費者であるか，事業者であるかを問わず，事業または経済生活の再生を図ることを目的とする（民再1参照）。したがって，通常の再生手続はもちろん，簡易再生や同意再生などの特則も，個人である再生債務者と法人である再生債務者とを問わず適用されうる。しかし，個人である再生債務者については，いくつかの特質を見いだすことができる。

　第1に，消費者である個人の場合はもちろん，個人事業者についてみても，通常は，その経済活動の規模は限られたものであり，そのことは，債務の総額（民再221 I参照）などに示される。

　第2に，法人は，その事業の再生が成功しなければ，破産によってその法人格を消滅させることになるが（本書191頁），個人の場合には，人格の消滅はありえず，固定主義（本書259頁）と破産免責（本書781頁）とを組み合わせることによって，債務者の経済生活を再出発させることが，目的となる。しかし，破産清算は，住宅など，債務者本人およびその家族にとっての生活の本拠を失わせる結果となるので，再生手続によってその種の資産を保全しつつ，経済生活の再生を図る意義がある[1]。住宅資金特別条項を定める再生計画（民再199）は，それを示すものである。

---

1) 小規模個人再生と破産免責との関係，特に両者のいずれかを債務者が自由に選択することができることとした理由については，民事再生法逐条研究292頁，条解民事再生法1141頁〔中西正〕参照。これについてなお検討を要するとするものとして，松下・入門209頁参照。実務的な視点からの選択基準については，個人再生の実務Q＆A120問2頁〔服部一郎〕参照。同書7頁〔辻顕一朗〕には，東京地裁および大阪地裁における手続の流れが示されている。個人事業者に焦点を当てた選択基準については，同書33頁〔籠池信宏〕参照。

　また，個人再生手続では，再生計画認可決定の確定とともに手続が当然に終了し（民再233・244），履行確保の手続が存在しないために，東京地裁破産再生部では，再生計画の計画弁済として予定される額を分割予納金として手続中に個人再生委員に納付させ，個人再生委員が履行の可能性を点検・監督する，履行テストと呼ばれる実務運用が行われている。破産・民事再生の実務〔再生編〕423, 432頁，個人再生の実務Q＆A120問278頁〔中井淳〕。

第3に，債権者の側からみても，手続開始時における僅少な債務者財産の清算価値の配分を受けるよりも，手続開始後に債務者が取得する財産の一部から満足を受けることが，その利益につながる場合が多い。特に，安定した収入が見込まれる給与所得者等の場合には，この要素が強い（民再239 I 参照）。

　以上のような点を考慮して，立法者は，平成12年改正において，個人を適用対象とする小規模個人再生（民再第13章第1節）および給与所得者等再生（同章第2節）の2つの手続を創設し，あわせて，これらの手続において主として利用を予定する，住宅資金貸付債権に関する特則（民再第10章）を設けた[2]。なお，住宅資金貸付債権に関する特則は，個人再生に限らず，通常再生，簡易再生，同意再生を通じて，再生計画に適用されうるものであるので，第2部第8章第7節（本書1139頁以下）において解説した。

第1節　小規模個人再生

　個人である債務者のうち，将来において継続的にまたは反復して収入をうる見込みがあり，かつ，再生債権の総額（住宅資金貸付債権の額，別除権の行使によって弁済を受けることができると見込まれる再生債権の額および再生手続開始前の罰金等の額を除く）が5000万円を超えないものは，小規模個人再生を行うことを求めることができる（民再221 I）。

第1項　小規模個人再生の開始要件

　小規模個人再生を行うことを求める旨の申述は，再生手続開始の申立てに付随するものであり（民再221 II）[3]，したがって，裁判所が小規模個人再生を開始するためには，再生手続開始原因（民再21 I）を満たし，開始を妨げる事由

---

2) 個人再生手続の運用状況については，新注釈民事再生法（下）401頁〔小松陽一郎〕，個人再生の手引〈第2版〉2頁，標準スケジュールについては，同書22頁〔進藤光慶〕参照。また，再生債務者の公平誠実義務（民再38 II）や再生債務者代理人の責務（本書881頁）は，再生手続一般と同様に，個人再生手続にも妥当する。個人再生の手引〈第2版〉9, 12, 21, 174, 177頁。これに対して，監督委員の選任がなされないこと，否認権に関する規定の適用がないことなど，個人再生手続の特質については，個人再生の手引〈第2版〉74頁。
3) 開始申立ての管轄は，通常の再生事件の規定（民再4以下。本書901頁以下）にしたがう。具体例については，個人再生の実務Q&A120問30頁〔小川洋子〕参照。

(民再25各号) が存在しないこと[4]に加え，上記の3要件，すなわち，第1に，債務者が個人であること，第2に，将来において継続的または反復して収入をうる見込みがあること，第3に，再生債権（住宅資金貸付債権の額，別除権の行使によって弁済を受けることができると見込まれる額および再生手続開始前の罰金等の額を除く）の総額が5000万円を超えないことが必要である（民再221Ⅰ）。この中で，第2および第3の要件について説明する。

1　将来における継続的または反復的収入をうる見込み

小規模個人再生において原則的に予定される再生計画の内容は，再生債権者の権利について，弁済期が3月に1回以上到来する分割払いの方法により，最終の弁済期が再生計画認可決定確定の日から3年後とするものである（民再229Ⅱ①②）。個人である再生債務者の中で，そのような形での弁済が可能と考えられるのは，弁済をなすべき期間にわたって安定した収入が弁済原資となる場合に限られる。給与所得者の場合は，月単位などで継続的な収入がえられるし，個人事業所得者の場合は，ときに事業収入が途切れることがあっても，年単位でみれば，反復的な収入が期待されるので，この要件を満たすことになる[5]。

2　住宅資金貸付債権などを除いた再生債権総額が5000万円を超えないこと

小規模個人再生は，通常の再生手続と比較すると，期間や手続に関して多くの簡素化を図っているが，再生債権総額が多額になれば，再生債務者の収入を弁済原資とする限り，必然的に債務の減免を多額にせざるをえなくなり，再生債権者の利益保護という視点からも，手続の合理性が疑われる結果となる。もっとも，別除権の行使によって弁済を受けることができると見込まれる再生債

---

4) 給与所得者等再生の事案で，法21条1項前段にいう「破産手続開始の原因となる事実の生ずるおそれ」（困窮要件と呼ばれる）が認められないとした裁判例として，福岡高決平成18・11・8判タ1234号351頁がある。
　　再生債権のうちで，故意の不法行為にもとづく損害賠償請求権が高い比率を占めていることなどに照らして，法25条4号の事由があるとして，小規模個人再生および給与所得者等再生の申立てを棄却した事例として，札幌高決平成15・8・12判タ1146号300頁がある。これに対して，同号の事由にあたらないとした事例として，名古屋高決平成16・8・16判時1871号79頁がある。また，開始申立代理人による受任通知後の新規借入れや偏頗的弁済について，個人再生の実務Q&A120問53，55頁〔室木徹亮〕参照。
5) 個人事業者，アルバイト所得しかない者，障害年金受給者，専業主婦・主夫などについては，個人再生の手引〈第2版〉79，82頁，個人再生の実務Q&A120問10頁〔鬼頭容子〕，14頁〔八木宏〕参照。

権額，住宅資金貸付債権，再生手続開始前の罰金等は，再生債務者の弁済原資を他の債権者と分け合う関係にないので[6]，これらの3つの再生債権を除いた再生債権総額が5000万円[7]を超えないことが要件とされている。

第2項　小規模個人再生の開始手続

　小規模個人再生を行うことを求める旨の申述は，個人である債務者のみができる（民再221Ⅰ）。申述およびこれに関連する事項は，再生手続開始申立ての際に，申立書に記載してしなければならない（同Ⅱ，民再規112ⅠⅡ）。再生手続開始申立てが債権者による場合には，再生手続開始決定があるまでに，債務者が申述をしなければならない（民再221Ⅱかっこ書。関連する規律として民再規113参照）。

　申述をするには，債権者一覧表（民再221Ⅲ～Ⅴ，民再規114・115）を提出しなければならず，その他，再生債務者の収入を明らかにする書面などの提出が求められる（民再規112Ⅲ）[8]。

1　小規模個人再生の申述と通常の再生手続との関係

　小規模個人再生の開始要件は，第1項に述べた通りであり，再生手続の開始

---

[6] 始関156頁。
[7] 立法当初は，上限額が3000万円とされていたが，多重債務者の状況を踏まえ，小規模個人再生の利用可能性を拡大するために，平成16年改正によって，上限が5000万円に引き上げられた。また，表面上の再生債権総額が5000万円を超えていても，利息制限法にもとづく引直し計算の結果，5000万円以下になれば，要件を満たすことになる。新注釈民事再生法〈下〉410頁〔鈴木嘉夫〕，条解民事再生法1140頁〔中西正〕。その他，未払リース料債権や不法行為にもとづく損害賠償請求権債権などに関する5000万円要件の詳細は，個人再生の手引〈第2版〉86頁，個人再生の実務Q&A120問16頁〔眞下寛之〕，18頁〔眞下寛之〕，20頁〔小木正和＝今井丈雄〕に詳しい。
　なお，一般優先債権にあたる公租公課は，再生債権に含まれず，随時弁済することになるので（民再122ⅠⅡ。本書945頁），再生計画案を立てるためには何らかの形で滞納を解消する方策が必要になる。個人再生の実務Q&A120問22頁〔佐藤昌巳〕参照。

[8] 申立代理人の必要性と役割，受任にあたって留意すべき事項などを説明するものとして，条解民事再生法1146頁〔中西正＝木村真也〕，個人再生の手引〈第2版〉57，67頁がある。また，添付書類の提出や予納金に関する実務については，個人再生の手引〈第2版〉89，104，109，119頁，破産・民事再生の実務〔再生編〕406頁参照。
　受任通知，債権者に対する取引履歴開示要求，債権者一覧表の作成については，個人再生の実務Q&A120問60頁〔波多江愛子〕，64頁〔桑原義浩〕，77頁〔花田茂治〕，79頁〔入坂剛太＝川瀬典宏〕，81頁〔辻泰弘〕，83頁〔福田恵巳〕，93頁〔塩地陽介〕，94頁〔河野聡〕，債権者一覧表の記載漏れの処理については，個人再生の実務Q&A120問69頁〔中原昌孝〕参照。

要件が満たされても，小規模個人再生の開始要件が満たされないことがありうる。そこで，再生債務者は，申述に際して，小規模個人再生開始の要件（民再221ⅠⅢ）に該当しないことが明らかになった場合においても再生手続の開始を求める意思があるか否かを明らかにしなければならない（民再221Ⅵ本文，民再規112Ⅱ①）。ただし，債権者が再生手続開始申立てをし，債務者が小規模個人再生の申述をする場合には，その必要はない（民再221Ⅵ但書）。

　裁判所は，債務者の申述が小規模個人再生開始の要件に該当しないことが明らかであると認めるときは，再生手続開始決定前であれば，再生事件を通常の再生手続によって行う旨の決定をする（同Ⅶ本文）。ただし，再生債務者が，小規模個人再生の開始が認められなければ再生手続の開始を求める意思がない旨を明らかにしていたときは，裁判所は，再生手続開始の申立てを棄却しなければならない（同Ⅶ但書）。

　なお，小規模個人再生による再生手続を開始した後に，小規模個人再生の利用適格要件（民再221Ⅰ）に欠けることが判明した場合には，裁判所は，再生計画案の決議前であれば，手続を廃止し（民再191①②・230Ⅱ），再生計画案の可決後であれば，再生計画不認可の決定をする（民再231Ⅱ①②）。

2　小規模個人再生の開始決定

　再生手続開始の基本的要件を満たさない場合，または小規模個人再生の要件を満たさず，かつ，再生債務者が通常の再生手続開始を求める意思がないことを明らかにしているときは，裁判所は，再生手続開始の申立てを棄却する[9]。これに対して，再生手続開始の基本的要件を満たしており，小規模個人再生の要件を満たさない場合に，申立てが債権者によるとき，または再生債務者が上記の意思を有することを明らかにしているときは，裁判所は，通常の再生手続開始の決定をなす。そして，再生手続開始の基本的要件を満たしており，かつ，小規模個人再生の要件を満たす場合には，裁判所は，小規模個人再生の開始決定をなす（民再規116Ⅰ①）[10]。

---

9)　詳細については，個人再生の手引〈第2版〉140頁参照。
10)　ただし，給与所得者等再生の申立要件が満たされないことから，小規模個人再生の開始決定がなされる可能性が別にある（民再239Ⅴ本文，民再規116Ⅰ②）。
　なお，各種の手続に対する中止命令は，一般原則（民再26・27・31など）によるが，個人再生の場合の特質や書式については，個人再生の手引〈第2版〉132，168頁，個人再生の実務Q&A120問43頁〔神谷慎一〕。

小規模個人再生の開始決定にともなう同時処分や付随処分の内容は，通常の再生手続とやや異なる（民再238による民再34Ⅱ・35・37但書の適用排除。民再規135による民再規18Ⅱの適用排除）。同時処分として，裁判所は，債権届出期間のほか，届出があった再生債権に対して異議を述べることができる期間をも定めなければならない（民再222Ⅰ前段）。この場合においては，一般調査期間を定めることを要しない（同後段）。特別の事情がある場合を除いて，債権届出期間は，再生手続開始決定の日から2週間以上1月以下を原則とし（民再規116Ⅱ①），一般異議申述期間は，債権届出期間の末日と一般異議申述期間の初日との間には2週間以下の期間を置き，1週間以上3週間以下の範囲内で定めるものとされる（同Ⅱ②）。通常の再生手続における一般調査期間に代えて，一般異議申述期間という制度を設けたのは，後に述べるように，小規模個人再生における債権の調査および確定を簡易迅速に行うためである。

裁判所は，小規模個人再生開始決定をしたときは，直ちに，再生手続開始の決定の主文，債権届出期間および一般異議申述期間を公告しなければならない（民再222Ⅱ）。再生債務者および知れている再生債権者には，公告事項を通知しなければならない（同Ⅲ）。また，知れている再生債権者には，債権者一覧表に記載された事項（民再221ⅢⅣ）を通知しなければならない。債権届出期間に変更を生じた場合には，公告および通知がなされる（民再222ⅤⅡⅢ）。

第3項 小規模個人再生の機関――個人再生委員

小規模個人再生は，個人たる再生債務者を対象とするものであるから，管財人は選任されない（民再64Ⅰかっこ書参照）。したがって，常に再生債務者が手続機関として，業務遂行権や財産管理処分権を保持し（民再38Ⅰ），手続を遂行する。加えて，手続を簡素化するために監督委員や調査委員も選任されず，債権者集会や債権者委員会も存在しない（民再238による民再第3章第1節および第2節ならびに第4章第4節の適用排除。民再規135による民再規第3章第1節および第2節ならびに第4章第4節の適用排除）[11]。したがって，再生債務者は，裁判所

また，開始決定にともなって再生債権についての弁済禁止などの効果が生じることも，通常の再生手続と同様であるが，特に，家賃，水道光熱費，個人事業者の場合の買掛金などについて，偏頗行為否認や共益債権性との関係で問題が生じる。個人再生の手引〈第2版〉162，165頁，個人再生の実務Q&A120問45頁〔神谷慎一〕。

11) ただし，規則61条の適用は排除されていないので，債権者説明会を開くことは可能で

の監督の下に小規模個人再生手続を遂行することになるが，それを補助するための機関として設けられたのが個人再生委員である[12]。

裁判所は，小規模個人再生を行うことを求める旨の申述（民再221Ⅱ）があった場合において，必要があると認めるときは，利害関係人の申立てまたは職権で，1人または数人の個人再生委員を選任することができる（民再223Ⅰ本文）。したがって，個人再生委員の選任は裁量的であり，かつ，小規模個人再生手続の開始前でも可能である。ただし，再生手続開始後に再生債権の評価の申立てがなされたときは（民再227Ⅰ本文），その申立てを不適法として却下する場合を除いて，個人再生委員の選任をしなければならない（民再223Ⅰ但書）[13]。

裁判所は，個人再生委員を選任する決定を変更し，または取り消すことができる（民再223Ⅳ）。個人再生委員選任決定，変更決定または取消決定に対しては，即時抗告が認められるが（同Ⅴ），執行停止の効力はない（同Ⅵ）。即時抗告の対象となる裁判および即時抗告についての裁判があった場合には，その裁判書を当事者に送達しなければならない（同Ⅶ）。

1 個人再生委員の職務

個人再生委員の職務については，裁判所が次に掲げる事項の1または2以上を指定する（民再223Ⅱ柱書）。第1は，再生債務者財産および収入の状況を調査すること（同Ⅱ①），第2は，再生債権の評価（民再227Ⅰ本文）に関し裁判所を補助すること（民再223Ⅱ②），第3は，再生債務者が適正な再生計画案を作成するために必要な勧告をすること（同③）である。これらの職務からみると，

ある。条解民事再生規則288頁，条解民事再生法1217頁〔佐藤鉄男〕，新注釈民事再生法（下）518頁〔西脇明典〕。債権者説明会を開くことによって，財産状況の周知（民再規135による民再規63の適用排除）に代わる機能が期待できる。

[12] 始関168頁，条解民事再生法1153頁〔中西正〕，徳田和幸「DIP型手続・再生債務者の地位」講座第3巻292頁，個人再生の手引〈第2版〉33，39頁。

[13] この場合には，個人再生委員の職務として，再生債権の評価に関する裁判所の補助（民再223Ⅱ②）が必ず指定されることになる。個人再生委員の選任資格，選任あるいは選任手続については，条解民事再生法1156頁以下〔中西正〕，個人再生の手引〈第2版〉35，44頁参照。大阪地裁では，申立代理人がいれば，原則として個人再生委員が選任されないのに対して，東京地裁では，全件について，申立てを受け付けた当日に個人再生委員を選任しており，分割予納金の納付を確保することによって，再生計画認可決定確定後の履行テストを行っている。破産・民事再生の実務［再生編］423頁，個人再生の実務Q&A120問40頁〔新宅正人〕，266頁〔野村剛司〕。再生債務者代理人のいない本人申立事件における個人再生委員の活動について，個人再生の手引〈第2版〉47頁。

個人再生委員の法律上の地位は，裁判所の補助機関と考えられる[14]。

裁判所は，上記第1の調査を個人再生委員の職務として指定する場合には，裁判所に対して調査の結果の報告をすべき期間をも定めなければならない（同Ⅲ）。また，上記第1の調査を職務とする個人再生委員は，再生債務者またはその法定代理人に対して，再生債務者の財産および収入の状況について報告を求め，再生債務者の帳簿，書類その他の物件を検査することができる（同Ⅷ）。

2 個人再生委員に関するその他の事項

個人再生委員は，費用の前払および裁判所が定める報酬を受けることができる（民再223Ⅸ）。それ以外の，個人再生委員の資格，個人再生委員に対する監督，数人の個人再生委員の職務執行，個人再生委員の注意義務および報酬等[15]に関する規律は，監督委員に準じる（同Ⅹ，民再規117）[16]。

第4項 再生債権の届出および調査

小規模個人再生においては，手続の簡素化のために再生債権の確定がなされない（民再238による民再第4章第3節の適用排除）[17]。しかし，再生計画案の決議における議決権額や計画弁済総額が法定の基準（民再231Ⅱ③④）を超えているかどうかを判断するために，再生債権の届出にもとづく異議申述および評価の手続が設けられる。なお，約定劣後再生債権に関する規定は，その必要性が

---

[14] 法223条2項3号が，再生計画案を作成するために必要な「勧告をすること」とし，再生債務者の補助をする機関でない旨を明らかにしている。なお，個人再生委員選任および職務の実情については，民事再生法逐条研究303頁，新注釈民事再生法（下）426頁〔大迫恵美子〕，条解民事再生法1154頁〔中西正〕，個人再生の手引145, 150, 154, 181, 349, 352, 356頁，破産・民事再生の実務〔再生編〕422頁，個人再生の実務Q＆A120問268頁〔上田慎〕，271頁〔野田聖子〕，274頁〔本山正人〕参照。

[15] 個人再生委員の費用や報酬は，共益債権として支払われる（民再119④）。その職務の内容に応じた詳細について条解民事再生法1159頁〔中西正〕，破産・民事再生の実務〔再生編〕425頁，リース会社との別除権協定に関し個人再生の実務Q＆A120問88頁〔下山和也〕参照。

[16] 個人再生委員の供給源と報酬に関する実情については，新注釈民事再生法（下）430頁〔大迫恵美子〕参照。

[17] これは，手続内での確定と実体的な確定とを区別することを意味する。もっとも，両者の乖離が大きくなる場合については，再生計画案の内容などについて検討を要する。個人再生の手引〈第2版〉323頁。なお，再生債権の存在が確定判決と同一の効力をもって確定されないために（民再104Ⅲの適用排除），再生債権の届出によって時効の完成猶予の効力（民147Ⅰ④）が生じても，10年間の時効の更新（民147Ⅱ・169Ⅰ）の効力は生じない。手続の流れについては，個人再生の実務Q＆A120問58頁〔石田光史〕参照。

乏しいものとして適用が排除されている（民再238による民再37本文・42Ⅱ・85Ⅵ・87Ⅲ・89Ⅱ・94Ⅰ・155Ⅱ・156・174の2・175Ⅱの適用排除）。

1 再生債権の届出

小規模個人再生手続においても，通常の再生手続と同様に，債権届出期間が定められ（民再34Ⅰ・222Ⅰ），再生債権者は，その期間に書面による届出をすることが可能である（届出書の記載事項等について，民再規118参照）。債権届出期間内の届出（民再225条によるみなし届出を含む）に対して異議を述べることができる期間が，一般異議申述期間である（民再222Ⅱかっこ書）。また，届出の追完（民再95）による届出または届出事項の変更があった場合には，裁判所は，当該再生債権に対して異議を述べることができる期間（特別異議申述期間）を定めなければならない（民再226Ⅱ）。特別異議申述期間の決定書の送達等については，通常の再生手続における特別調査期間の規律に準じる（民再226Ⅳ・102Ⅲ～Ⅴ（103Ⅴ参照）・103Ⅱ，民再規121の2）。

再生債権者は，再生計画認可の要件である計画弁済総額（民再231Ⅱ③④）が法定の要件を満たしているかどうかの判断をするために，条件付債権や非金銭債権を含むすべての再生債権について，金銭による評価をして届出をしなければならない（民再224Ⅱ・221Ⅴ・87Ⅰ①～③）[18]。通常の再生手続では，条件付債権等は，議決権算定のためにのみ現在化や金銭化がされるにすぎないが（本書913頁），小規模個人再生の手続では，再生債権そのものも現在化や金銭化される点が異なる。そのために，再生債権者は，議決権の額の届出を要しない（民再224Ⅰ。94Ⅰ参照）。

また，再生債務者が小規模個人再生の申述をする際に，債権者一覧表を提出し（民再221Ⅲ），条件付債権等についても現在化や金銭化した評価がなされているところから（同Ⅴ），債権者一覧表に記載されている再生債権については，債権届出期間内に裁判所に当該再生債権の届出または当該再生債権を有しない旨の届出をした場合を除いて，当該債権届出期間の初日に，債権者一覧表の記載内容と同一の内容で再生債権の届出をしたものとみなされる（民再225）。

---

[18] 連帯保証債務も含まれる。個人再生の手引〈第2版〉319頁。なお，手続の各段階に応じた債権届出の一部取下げの可否および効果については，個人再生の実務Q&A120問187頁〔竹村一成〕参照。

2 届出再生債権に対する異議

通常の再生手続においては，再生債権の届出に対する再生債務者等の認否（民再101Ⅰ）および再生債権者の異議を通じて，再生債権の確定が図られるが，小規模個人再生においては，再生債権の確定を目的としておらず，再生計画案の決議についての議決権の額の確定を目的として，異議の手続が設けられている[19]。

(1) 異議権者および異議の方式

再生債務者および届出再生債権者は，一般異議申述期間内に，裁判所に対し，届出があった再生債権の額または担保不足見込額（民再221Ⅲ②）について[20]，書面で，異議を述べることができる（民再226Ⅰ本文。異議の方式について民再規121参照）[21]。ただし，再生債務者は，債権者一覧表に記載した再生債権の額および担保不足見込額であって，それについて異議を述べることがある旨を債権者一覧表に記載していないものについては（民再221Ⅳ参照），異議を述べることができない（民再226Ⅰ但書）[22]。債権者一覧表への記載は，通常の再生手続

---

[19] 再生債権の調査および確定に関する法第4章第3節の規定や再生債権に関する訴訟手続の中断に関する規定（民再40・40の2），あるいは住宅資金特別条項を定めた再生計画案の提出等に関する一部の規定（民再200Ⅱ Ⅳ）の適用が排除されるのは（民再238），そのためである。規則においても，同様の規定がある（民再規135による民再規33Ⅶ Ⅷ・第4章第3節・103の適用排除）。したがって，認否書（民再101Ⅰ）は作成されないが，東京地裁破産再生部の運用では，便宜のために，債権認否一覧表の提出を求めている。個人再生の手引〈第2版〉197頁，破産・民事再生の実務〔再生編〕452頁。
　他方，議決権の額の確定等の目的に限って異議や評価が行われるために，再生債権についての調査および確定を予定しない簡易再生および同意再生についての規定の適用が排除される（民再238による民再第12章の規定の適用排除。民再規135による民再規第12章の適用排除）。

[20] ただし，再生手続開始前の罰金等および債権者一覧表に住宅資金特別条項を定めた再生計画案を提出する意思がある旨の記載がされた場合における住宅資金貸付債権（民再198Ⅰ）は，異議の対象とならず（民再226Ⅴ），また住宅資金貸付債権（これにかかる債務保証にもとづく求償権を含む）のみを有する再生債権者は，異議権を行使することができない（同Ⅵ）。評価の対象にもならない（民再227Ⅹ）。これらの再生債権には，議決権が与えられず（民再87Ⅱ・201Ⅰ），再生計画にもとづく弁済に関して特別の地位を与えられ（民再181Ⅲ・203Ⅲ），計画弁済総額に関する再生債権総額にも含まれないこと（民再231Ⅱ②～④）を反映したものである。新注釈民事再生法（下）444頁〔新宅正人〕。

[21] 異議の書面には，異議を述べる事項および理由を記載しなければならないが，再生債務者の異議には，理由が不要である（民再規121Ⅰ但書）。

[22] 異議の留保と呼ばれる。その必要については，個人再生の手引〈第2版〉199頁，個人再生の実務Q&A120問71頁〔佐田洋平〕参照。

における自認債権（民再101Ⅲ）とは異なり（民再102ⅠⅡ参照），再生債務者による異議を排除する理由にはならないが，再生債権者への不意打ちを避けるために，異議を述べることがある旨の記載を要求するものである[23]。

　特別異議申述期間が定められた場合にも，再生債務者および届出再生債権者は，裁判所に対し，特別届出期間にかかる再生債権の額または担保不足見込額について，書面で，異議を述べることができる（民再226Ⅲ）。

　再生債務者または届出再生債権者が届出があった再生債権の額または担保不足見込額について異議を述べたときは，裁判所書記官は，当該再生債権を有する再生債権者に対し，その旨を通知しなければならない（民再規125）。

(2)　異議に関する判断資料

　再生債務者は，異議を述べるかどうかを判断するために必要があるときは，当該再生債権を有する再生債権者に対し，当該再生債権の存否および額ならびに担保不足見込額に関する資料の送付を求めることができ（民再規119Ⅰ），再生債権者は，速やかにこれに応じなければならない（同Ⅱ）。また，裁判所は，必要があると認めるときは，再生債務者に対し，届出があった再生債権について債権者一覧表の記載事項等（民再規114Ⅰ）を記載した書面の提出を求めることができる（民再規120Ⅰ前段）。この場合において，裁判所は，必要があると認めるときは，届出があった再生債権について再生債務者が異議を述べた事項または異議を述べようとする事項をも当該書面に記載することを求めることができる（同Ⅰ後段）。この書面には，副本を添付しなければならない（同Ⅱ・114Ⅱ）。債権者一覧表などの書類の閲覧等は，提出された副本によってさせることができる（民再規123）。

　また，異議を述べようとする届出再生債権者のための資料として，再生債務者は，一般異議申述期間の末日まで，債権者一覧表等の書面に記録されている情報の内容を表示したものを，再生債務者の主たる営業所もしくは事務所，再生債務者の代理人の事務所またはその他裁判所が相当と認める場所において再生債権者が閲覧することができる状態に置く措置を執らなければならず，再生債権者は自己の再生債権に関する部分の内容を記録した書面の交付を求めるこ

---

[23]　もっとも，東京地裁破産再生部では，自認債権の取扱いを認めている。破産・民事再生の実務［再生編］450，452頁。基準債権（民再231Ⅱ③第1かっこ書）との関係などについては，個人再生の手引〈第2版〉208頁。

とができる（民再規124 I II・43 II～IV）。
　(3) 異議の撤回
　異議の撤回は可能であるが，その旨を記載した書面を裁判所に提出するなど，撤回の方式に関する定めがある（民再規122）。
　(4) 異議の有無の効果
　異議を述べられた再生債権については，当該再生債権を有する再生債権者または異議者が評価の申立てをすることができ（民再227 I），申立てがなされると，評価の手続に入る。これに対して，再生債務者または届出再生債権者のいずれからも異議が述べられなかった届出再生債権は，無異議債権と呼ばれ（民再230 VIII第1かっこ書），届出のあった再生債権額または担保不足見込額に応じて，議決権を行使することができ（同VIII），再生計画による権利変更や弁済もそれを基準として行われる（民再232 I～III参照）。
　3　再生債権の評価
　評価の手続は，通常の再生手続における査定の手続と異なって，再生債権の存否や内容自体を確定するためのものではなく，議決権や計画弁済総額の適法性を確定するためのものである。したがって，評価の手続は，決定手続で完結するものとされている[24]。
　(1) 評価の申立て
　再生債務者または届出再生債権者が異議を述べた場合には，当該再生債権を有する再生債権者は，裁判所に対し，異議申述期間の末日から3週間の不変期間内に，再生債権の評価の申立てをすることができる（民再227 I本文）。ただし，当該再生債権が執行力ある債務名義または終局判決のあるものである場合には，当該異議を述べた者が評価の申立てをしなければならない（同I但書）。この場合に，不変期間内に評価の申立てがなかったとき，または申立てが却下されたときは，異議がなかったものとみなされる（同II）。
　評価の申立てをするときは，申立人は，その申立てにかかる手続の費用として裁判所の定める金額を予納しなければならず（同III），予納がないときは，裁判所は，評価の申立てを却下しなければならない（同IV）。申立ての方式は，再生債権の査定の申立ての方式に準じる（民再規126・45）。

---

[24] 評価の裁判に対する不服がある者は，民事訴訟によってその債権の存否や額などの確定を求めることができる。条解民事再生法1174頁〔中西正＝木村真也〕。

(2) 評価の審理および裁判

裁判所は，評価の申立てがなされたときは，それを不適法として却下する場合を除いて，個人再生委員の選任をしなければならない（民再223Ⅰ但書）。選任された個人再生委員は，再生債権の評価に関し裁判所を補助する（同Ⅱ②）。個人再生委員は，裁判所の評価のために必要な事項を調査し，判断資料を提供する職務を負うが（民再227ⅤⅧ参照），そのための手段として，再生債務者もしくはその法定代理人または再生債権者に対し，再生債権の存否および額ならびに担保不足見込額に関する資料の提出を求めることができる（同Ⅵ）。正当な理由なく資料の提出を拒むと，過料の制裁が課される（民再266Ⅱ）[25]。

個人再生委員の報告および意見を踏まえて，裁判所は，評価の申立てにかかる再生債権について，その債権の存否および額または担保不足見込額を定める（民再227Ⅷ）。これを評価済み債権と呼ぶ（民再230Ⅷ第2かっこ書）。条件付債権や非金銭債権である再生債権については，現在化や金銭化をして，評価額を定める（民再227Ⅸ・221Ⅴ・87Ⅰ①〜③）。

評価の裁判は，再生債権の議決権額などの手続上の取扱いのみに関するものであるから，不服申立ては認められない。

第5項　再生債務者の財産の調査と確保

小規模個人再生の対象となる個人は，消費者はもとより，事業者であっても，小規模事業者であることが通常である（民再221Ⅰ参照）。そのことを前提とすれば，再生債務者財産の管理等についても，手続を簡素化することが望ましい。

1　貸借対照表の作成の免除等

小規模個人再生においては，通常の再生手続において必要とされている貸借対照表の作成および提出（民再124Ⅱ）が不要とされ（民再228），財産目録（民再124Ⅱ）についても，再生手続開始申立書に添付した財産目録（民再規14Ⅰ④）の記載を引用することができる（民再規128）[26]。なお，裁判所に提出した

---

[25]　かつては，規則127条に制裁の告知に関する規定があったが，削除された。条解民事再生規則〈新版〉270頁参照。評価に関する個人再生委員の留意事項については，個人再生の手引〈第2版〉205頁，個人再生の実務Q&A120問276頁〔渋谷和洋〕。

[26]　財産目録の作成に関して用いた財産の評価の方法などの会計方針の注記も不要である（民再規135による民再規56Ⅱの適用排除）。なお，財産目録は，再生債務者資産の再生計画認可時の清算価値を明らかにし，再生計画による弁済の合理性を示すためのものであ

財産目録や財産の現状などに関する報告書[27]（民再125Ⅰ）については，再生手続廃止または再生計画認可もしくは不認可の決定が確定するまで，これらの書面に記録されている情報の内容を表示したものを，再生債務者の主たる営業所もしくは事務所，再生債務者の代理人の事務所またはその他の裁判所が相当と認める場所において再生債権者が閲覧することができる状態に置く措置を執らなければならない（民再規129Ⅰ。民再規135による民再規64の適用排除）。その措置は，再生債務者の主たる営業所等以外の営業所等において執ることもできる（民再規129Ⅱ・64Ⅱ）。

その他，財産状況報告集会が開催されないのも（民再238による民再126の適用排除。民再規135による同60の適用排除），手続の簡素化という理由にもとづく。

2 否認規定の適用排除

否認権は，詐害行為や偏頗行為によって再生債務者財産から逸出した財産を回復するための手段であるが，その行使については相当の時間を要するのが通常である。そのために，小規模個人再生においては，否認規定（法第6章第2節，規則第6章第2節）の適用が排除されている（民再238，民再規135）。小規模個人再生の手続開始後に重大な否認対象行為が明らかになった場合には，手続を廃止するか，再生計画を不認可とする以外にない（民再191①②・230Ⅱ・231Ⅱ①②）[28]。

第6項 再 生 計 画

小規模個人再生における再生計画も，通常の再生手続における再生計画に関する規律を基本とするものであるが[29]，個人のみを対象とすること，継続的ま

るから，そのことを考慮して作成する必要がある。条解民事再生法1176頁〔中西正＝木村真也〕，個人再生の手引〈第2版〉224頁，記載内容の詳細に関しては，個人再生の実務Q＆A120問107頁〔池上哲朗〕，109頁〔宮﨑純一〕，114頁〔柴田眞里〕，120頁〔野垣康之〕参照。

[27] 報告書の提出時期に関しては，規則135条によって同57条1項の適用が排除されているので，再生手続開始後遅滞なく提出することとなる（民再125Ⅰ）。記載事項等については，個人再生の手引〈第2版〉233頁。

[28] 否認によって回復されるべき財産額が加算されることを基礎とした再生計画でなければ，再生債権者一般の利益に反する（民再174Ⅱ④）というのが，不認可の事由になる。概説575頁，北村治樹「破産手続・民事再生手続における否認権等の法律問題 第5回・完 個人再生手続における処理について」曹時64巻12号30頁（2012年），個人再生の実務Q＆A120問51頁〔辻顕一朗〕。

たは反復的収入をうる見込みがあること，あるいは再生債権総額の上限が5000万円に限定されていること（民再221Ⅰ）を反映して，以下に述べる特別の規律が設けられている。

1 再生計画の条項

再生計画の条項に関する特則としては，権利変更の態様，平等原則の徹底，債務の期限の猶予期間に関する制限，担保や保証の排除および非減免債権の拡大の5つがある。

(1) 権利変更の態様

小規模個人再生では，再生債権の確定がなされないために，再生計画による権利変更についても，個別の再生債権の内容の変更は定められず（民再238による民再157・159・164Ⅱ後段の適用排除，民再規135による民再規86Ⅱの適用排除），権利変更の一般的基準（民再156。ただし，約定劣後再生債権に関するものを除く）が定められるにとどまる[30]。

(2) 平等原則の徹底

通常の再生計画における権利の変更に関しては，平等であることを原則としつつ，再生債権者間の衡平を害しない場合には，その例外を設けることが認められている（民再155Ⅰ）。これに対して，小規模個人再生においては，衡平の見地からの例外が認められず，形式的平等原則が貫かれる（民再229Ⅰ。民再238による民再155ⅠⅡの適用排除）。これは，小規模個人再生における再生債権の多くが，消費者信用取引にもとづく同質的なものであることなどを考えると，衡平の見地からの例外を設ける必要性に乏しいこと，例外を設けることによる争いが生じると，再生計画の迅速な成立や認可の妨げを生じるおそれがあることなどの理由による。

ただし，不利益を受ける再生債権者の同意がある場合または少額の再生債権の弁済の時期もしくは劣後的取扱いを受ける請求権（民再84Ⅱ各号）について

---

29) 別除権者についての適確な措置（民再160Ⅰ。本書994頁）の例について，個人再生の実務Q&A120問181頁〔石川貴康〕参照。

30) 一般的基準にしたがった権利変更の記載例については，個人再生の手引〈第2版〉298頁。ただし，東京地裁破産再生部では，便宜のために，再生計画による返済計画表の提出を求めている。個人再生の手引〈第2版〉326頁。また，清算価値保障原則との関係で，100％弁済の再生計画案を作成する必要がある場合について，個人再生の手引〈第2版〉330頁。

別段の定めをすることは許される（民再229Ⅰ）。第1の例外は，当該再生債権者自身の意思にもとづくものであり，第2の例外は，少額の再生債権について分割弁済をすることが，かえって手続を煩瑣にするという考慮にもとづくものであり[31]，第3の例外は，これらの請求権の性質による。

なお，住宅資金特別条項によって権利の変更を受ける者と他の再生債権者との間については，平等原則の適用はない（民再229Ⅳ前半部分）。住宅資金貸付債権については，住宅資金特別条項の定めによって権利変更がなされるためである（民再199）。

(3) 債務の期限の猶予期間に関する制限

再生債務者の権利を変更する条項における債務の期限の猶予については，少額の債権などの場合を除いて，2つの制限が存在する（民再229Ⅱ柱書）。

第1は，弁済期が3月に1回以上到来する分割払いの方法によることであり（同Ⅱ①），第2は，最終の弁済期を再生計画認可決定確定の日から3年後の日が属する月中の日（特別の事情がある場合には，再生計画認可決定確定の日から5年を超えない範囲内で，3年後の日が属する月の翌月の初日以降の日）とすることである（同Ⅱ②）。第1の要件は，再生債務者の継続的または反復的収入を基礎として，月払いまたは隔月払いのように，3月以内の定期的分割払いをしなければならないことを意味し，第2の要件は，遂行可能性のある再生計画を立案させるために，分割弁済期間を3年に法定し，再生債務者の収入額などの特別の事情がある場合に，それを最長5年まで延長することを認める趣旨である[32]。

なお，住宅資金特別条項については，これらの制限が働かない（民再229Ⅳ後半部分）。住宅資金貸付債権については，住宅資金特別条項による権利変更がなされるためである（民再199）。

(4) 担保や保証の排除

小規模個人再生は，再生債務者の継続的または反復的収入を基礎として，再生債権に対する分割弁済を通じて，経済生活や事業の再生を図ることを目的とするために，再生計画において，担保や保証を提供することを予定していない

---

31) 少額債権の基準や別段の定めの具体例については，個人再生の手引〈第2版〉309頁，破産・民事再生の実務［再生編］467頁，個人再生の実務Q&A120問179頁〔宮本勇人〕。

32) 再生債務者の将来収入の見込みなどから，特別の事情の存在が認められる例について，個人再生の手引〈第2版〉334頁，個人再生の実務Q&A120問170頁〔齊藤佑揮〕，計画認可後の繰上一括弁済の可能性について，同171頁〔塩野大介〕。

(民再238による民再158・165Ⅰの適用排除)。再生計画の遂行に関しても同様である(民再238による民再186Ⅲ Ⅳの適用排除)。

(5) 非減免債権の拡大

通常の再生計画においては、減免の対象とならないものは、再生手続開始前の罰金等に限定されているが(民再155Ⅳ)、小規模個人再生の再生計画においては、当該再生債権者の同意がある場合を除いて、以下のものについても、債務の減免の定めその他権利に影響を及ぼす定めをすることができない(民再229Ⅲ柱書)。いずれも、一般の財産上の請求権とは異なって、個人たる再生債務者の責任を減免することが不適当と判断される請求権であり、破産免責における非免責債権(破253Ⅰ各号)とその趣旨を共通にする(本書809頁参照)[33]。

第1は、再生債務者が悪意で加えた不法行為にもとづく損害賠償請求権である(民再229Ⅲ①)。第2は、再生債務者が故意または重大な過失により加えた人の生命または身体を害する不法行為にもとづく損害賠償請求権で、第1以外のものである(同②)。第3は、親族関係にもとづく法定または契約上の義務にかかる請求権である(同③)。

2 再生計画案の決議

小規模個人再生においては、再生債務者のみが再生計画案を提出できる(民再238による民再163Ⅱの適用排除。提出時期の定めに関して民再規130・84Ⅰ参照)[34]。再生債務者から提出された再生計画案を裁判所が再生債権者による決議に付し、再生債権者が決議によって可否を決するという点では、通常の再生手続と異なるところはないが、小規模個人再生の特質から、決議に関する通常の手続は排除される(民再238による民再第7章第3節(172を除く)の適用排除、民再規135による民再規第7章第3節(90の4を除く)の適用排除)一方、以下のような特別の規律が存在する。

(1) 再生計画案の付議の時期および要件

裁判所は、異議申述期間が経過し、かつ、再生債務者の裁判所への報告書(民再125Ⅰ)が提出された後に、再生計画案を決議に付す(民再230Ⅰ前段)。た

---

[33] 具体例については、個人再生の実務 Q&A120 問91頁〔吉原洋〕参照。
したがって、これらの請求権も通常の再生計画においては減免の対象となりうる。最決平成29・9・29実情472頁参照。

[34] 再生計画案の提出に関する東京地裁破産再生部の実務については、個人再生の手引〈第2版〉296頁。

だし，異議申述期間に再生債務者または届出再生債権者から異議が述べられた場合（民再226Ⅰ本文・Ⅲ）には，対象債権についての評価の申立てに関する3週間の不変期間（民再227Ⅰ）を経過するまでの間は，再生計画案の付議は許されない（民再230Ⅰ後段）。また，不変期間内に評価の申立てがあったときは，評価がされるまでの間は，付議は許されない（同Ⅰ後段第2かっこ書）。以上の制限は，届出再生債権者の議決権が確定し，かつ，報告書の提出によって再生債務者の財産状況が開示された後に，再生計画案についての届出再生債権者の意思を問う趣旨である。

しかし，再生計画案について不認可事由があると認められるときは，それについて届出再生債権者の意思を問うのは無意味であるから，付議は許されない（民再230Ⅱ）。ここでいう不認可事由には，再生計画一般についての不認可事由（第3号を除く民再174Ⅱ各号）の他に，住宅資金特別条項を定めた再生計画案の場合には，その不認可事由（民再202Ⅱ①～③），および小規模個人再生固有の不認可事由（民再231Ⅱ各号）を含む。

(2) 再生計画案の付議決定

付議の要件が満たされている場合には，裁判所は，提出された再生計画案を決議に付する旨の決定をする（民再230Ⅲ）。その際には，議決権行使の方法として書面等投票（民再169Ⅱ②）の方法によること，および議決権の不統一行使をする場合における裁判所に対する通知の期限（民再172Ⅱ後段）を定める（民再230Ⅲ）。債権者集会の期日における議決権行使（民再169Ⅱ①③）が排除されるのは，手続の簡素化のためである。

付議決定をした場合には，裁判所は，その旨を公告するとともに，議決権者に対して，議決権不統一行使の通知期限，再生計画案の内容またはその要旨および再生計画案に同意しない者は裁判所の定める期間内に書面によってその旨を回答すべき旨を通知しなければならない（民再230ⅣⅤ）。裁判所の定める期間は，付議決定の日から2週間以上3月以下の範囲内で定めなければならない（民再規131Ⅰ）。また，裁判所は，必要があると認めるときは，再生債務者に対し，再生計画案とともに，届出再生債権者（民再160Ⅰに規定する再生債権を有する者を除く）の権利のうち，変更されるべき権利および権利の変更の一般的基準（民再156）にしたがって変更した後の権利の内容ならびに再生計画の効力にもとづいて弁済しなければならない請求権（民再232Ⅳ），および当該請求権

のうち一般的基準（民再156）にしたがって弁済される部分の内容を記載した書面の提出を求めることができ（民再規130の2Ⅰ），提出された書面の内容をも議決権者に通知しなければならない（同Ⅱ）。これは，議決権者が自らの再生債権がどのように変更され，弁済を受けることになるかを判断するための資料を提供する趣旨である。

なお，回答は，不同意者を確認するためのものであるので，通知を受けた議決権者は，再生計画案に同意する場合にはその旨を裁判所に回答することを要せず，同意しない場合には，裁判所の定めるところによって，その旨を回答しなければならない（民再規131Ⅱ）。

(3) 再生計画案の決議

無異議債権，すなわち異議申述期間経過までに異議が述べられなかった届出再生債権（再生手続開始前の罰金等および住宅資金貸付債権を除く。民再230Ⅷ第1かっこ書）については，届出があった再生債権の額または担保不足見込額に応じて，評価済債権，すなわち裁判所が債権の額または担保不足見込額を定めた再生債権（民再227Ⅶ）については，その額に応じて，届出再生債権者が議決権を行使することができる（民再230Ⅷ）。

そして，回答期間（同Ⅳ）内に再生計画案に同意しない旨を書面で回答した議決権者が議決権者総数の半数に満たず，かつ，その議決権の額が議決権者の議決権の総額の2分の1を超えないときは，再生計画案の可決があったものとみなす（同Ⅵ）。通常の再生計画案についての可決要件が，出席等議決権者の過半数の同意および議決権総額の2分の1以上の議決権者の同意（民再172の3Ⅰ）という，積極的要件として規定されているのと比較すると，小規模個人再生の再生計画案の場合には，不同意の議決権者数および議決権額を問うという，消極的同意として構成されている。これは，同意徴求のための再生債務者の負担を軽減すること，および小規模個人再生において典型的に想定されている消費者金融関係の再生債権者にとっては，不同意の意思表示が容易であるなどの考慮にもとづいたものである[35]。

なお，議決権の不統一行使によって，その有する議決権の一部のみを不同意として行使したものがあるときは，当該議決権者1人について，議決権者総数

---

[35] 新注釈民事再生法（下）475頁〔平澤慎一〕。決議の際の再生債務者側の実務的留意点については，個人再生の実務Q&A120問174頁〔佐藤真吾〕参照。

に1を，再生計画案に同意しない旨を書面で回答した議決権者の数に2分の1を加算するものとされている（民再230Ⅶ。通常の再生計画の場合について，本書1109頁参照）。

3 再生計画の認可または不認可

小規模個人再生において再生計画案が可決された場合には，裁判所は，不認可事由が認められる場合を除いて，再生計画認可の決定をする（民再231Ⅰ。民再238による民再174Ⅰ・202Ⅰの適用排除）。不認可事由には，一般の不認可事由（民再174Ⅱ。本書1112頁），住宅資金特別条項を定めた場合の不認可事由（民再202Ⅱ。本書1156頁）および小規模個人再生に固有の不認可事由（民再231Ⅱ）の3種類がある[36]。住宅資金特別条項を定めた再生計画の場合には，これら3種類の不認可事由のいずれかが認められれば，裁判所は，不認可の決定をしなければならないし，住宅資金特別条項を定めない再生計画の場合には，一般の不認可事由または小規模個人再生に固有の不認可事由のいずれかが認められれば，不認可の決定をしなければならない。この中で，小規模個人再生に固有の不認可事由は，以下のようなものである。

(1) 再生債務者が将来において継続的にまたは反復して収入をうる見込みがないとき（民再231Ⅱ①）

継続的にまたは反復して収入をうる見込みは，小規模個人再生の基本的利用資格であり，手続開始の要件ともされているが（民再221Ⅰ），認可または不認可の決定に際して，その充足を確認する趣旨である。

(2) 無異議債権（民再230Ⅷ第1かっこ書）の額および評価済債権（同Ⅷ第2かっこ書）の額の総額が5000万円を超えているとき（民再231Ⅱ②）

小規模個人再生の開始決定にあたっては，再生債権の総額が5000万円を超えないことが要件とされているが（民再221Ⅰ），異議および評価を経た段階で，無異議債権および評価済債権の総額を基準とすることに代えたものである。ただし，開始決定の要件の場合と同様に，住宅資金貸付債権の額[37]および別除権

---

[36] 住宅資金特別条項を定めない場合と定める場合を含めた不認可事由としての履行可能性について，個人再生の手引〈第2版〉342, 346頁，個人再生の実務Q&A120問168頁〔横田大樹〕。法202条2項4号の不認可事由との関係では，本書1113頁注81参照。

[37] 住宅資金特別条項を定めている場合かどうかを問わない。定めている場合には，異議や評価の対象とならないから（民再226Ⅴ・227Ⅹ），無異議債権や評価済債権には含まれ

の行使によって弁済を受けることができると見込まれる再生債権の額は，総額から除かれる（民再231Ⅱ②かっこ書）38)。

(3) 計画弁済総額が最低弁済基準額を下回るとき（民再231Ⅱ③④）

これは，再生計画にもとづく弁済総額が最低弁済基準額を下回ることを不認可事由とするものである。通常の不認可事由である清算価値保障原則違反（民再174Ⅱ④）のみとすると39)，将来の収入は期待できるが，有力な資産を持たない再生債務者が，低額の弁済総額を内容とする再生計画案を提出したときでも，それが認可される可能性があり，いわゆるモラル・ハザードを招くおそれがあることを考慮したものである。最低弁済基準額は，継続的にまた反復して収入をうる見込みがある個人再生債務者が，小規模個人再生という簡易な手続を利用して事業や経済生活の再生を図る利益を享受するための要件といえる。以下，この要件を最低弁済基準額要件と呼ぶ。

最低弁済基準額要件の基礎となる概念が，基準債権である。基準債権とは，無異議債権および評価済債権から，別除権の行使によって弁済を受けることが

えず，定めていない場合には，含まれるが，これを含むとすると，5000万円の上限に抵触する事例が多くなり，また，住宅資金貸付債権は，それ自体に抵当権がついている場合でなくとも，求償権を被担保債権として抵当権を有する保証会社の保証が付いていることを考えると（民再196③），実質的には別除権付債権と変わらない。これが除外する理由である。始関233，234頁。

38) その趣旨等については，新注釈民事再生法（下）479頁〔飯田修〕参照。
39) 清算価値の算定については，破産を仮定した場合の破産財団額が基準となるが，その際に，自由財産（破34Ⅲ）は除外される。さらに，自由財産の拡張（同Ⅳ）が実務上で一般的になっている99万円の範囲内の財産をも控除すべきであるとする議論が有力である（野村剛司「自由財産拡張をめぐる各地の実情と問題点」自正59巻12号57頁（2008年））。詳細については，個人再生の手引〈第2版〉238頁。過払金，退職金，求償権，不動産，敷金の評価などについて個人再生の実務Q&A120問112頁〔久米知之〕，116頁〔兼光弘幸〕，118頁〔中川嶺〕，122頁〔髙橋直人〕，124頁〔村松剛〕，127頁〔森雄亮〕，166頁〔福田佐知子＝上升栄治〕。

なお，清算価値算定の基準時については，一般的には，再生手続開始時とされるが（本書1115頁），個人再生手続においては，再生計画の取消しを定めた法236条や242条（本書1217，1233頁）との関係で，再生計画認可時とする考え方が有力であるが，両者は別個のものと解すれば足りる。そのほか，清算価値の算定についての具体的問題については，破産・民事再生の実務［再生編］445頁，個人再生の実務Q&A120問104頁〔木内道祥〕，132頁〔小向俊和〕参照。個人再生では否認権の行使が想定されていないが（民再238。本書1204頁），否認対象行為が認められるときには，その価値をも考慮する必要がある。個人再生の実務Q&A120問141頁〔横路俊一〕。また，高田賢治「個人再生手続における清算価値の基準時」徳田古稀824頁は，評価対象財産の範囲の基準時を手続開始時とし，その評価の基準時を認可時とするが，法236条の文言との関係で問題があろう。

できると見込まれる再生債権および法84条2項各号に掲げる請求権を除いたものであり（民再231Ⅱ③第1かっこ書），再生計画によって平等な弁済を受けるべき債権としての実質を有する[40]。したがって，再生計画による弁済は，基準債権に対してなされることになるが，その弁済の総額を計画弁済総額と呼ぶ（同Ⅱ③第2かっこ書）[41]。

最低弁済基準額要件の考え方は，基準債権の総額が少額である場合には，計画弁済総額が基準債権総額を下回ってはならないものとし，基準債権総額が多額になるにともなって，計画弁済総額を増額することを要求するものである。多額の基準債権総額について少額の計画弁済総額を弁済することによって，基準債権の責任を免れることが上記のモラル・ハザードを生じさせるおそれがあるとの考え方によっている。

ただし，平成16年改正によって再生手続の利用資格が，再生債権の総額が5000万円を超えない再生債務者にまで拡大されたことにともなって，規律の内容が複雑になっている。以下では，まず，原則形態である無異議債権の額および評価済債権の額の総額（住宅資金貸付債権の額，別除権の行使によって弁済を受けることができると見込まれる再生債権の額および民再84条2項に掲げる請求権の額を除く。同231Ⅱ②かっこ書。以下，無異議債権等の総額と呼ぶ）が3000万円以下の再生債務者について，最低弁済基準額要件を説明し，それに引き続いて3000万円を超え5000万円以下の再生債務者について，最低弁済基準額要件を説明する。

　ア　無異議債権等の総額が3000万円以下の場合（民再231Ⅱ④）

この場合の最低弁済基準額要件の原則は，計画弁済総額が基準債権総額の5分の1または100万円のいずれか多い額を下回ってはならないことである（民再231Ⅱ④かっこ書を除く部分）。それに対する特則として，基準債権総額が100万円を下回っているときは基準債権総額が最低弁済基準額となるという例外

---

[40]　無異議債権，評価済債権，基準債権の関係と具体例については，個人再生の手引〈第2版〉215, 302頁。主債務者による弁済が継続し，債権者が保証債務履行を求めていない場合であっても，保証債務が基準債権に含まれる。個人再生の実務Q&A120問75頁〔染谷翼〕。保証人の再生計画については，同176頁〔三品篤〕，249頁〔権田修一〕参照。

[41]　算定の具体例については，個人再生の手引〈第2版〉305頁，破産・民事再生の実務〔再生編〕476頁，個人再生の実務Q&A120問164頁〔井口直樹〕。また，同230頁〔木内道祥〕は，保証会社の求償権について担保権を設定する形の住宅ローンにおいては，代位弁済の前後で基準債権の額と弁済率に差異が生じることを指摘する。

（同Ⅱ④かっこ書前半部分）と，基準債権総額が1500万円を超えるときは300万円が最低弁済基準額となるという例外（同後半部分）がある。

　これを適用すると，第1に，基準債権総額が100万円未満のときは，基準債権総額が最低弁済基準額となる（民再231Ⅱ④かっこ書前半部分の例外）。第2に，基準債権総額が100万円以上500万円未満のときは，最低弁済基準額が100万円となる（同Ⅱ④の原則）42)。第3に，基準債権総額が500万円以上1500万円以下のときは，基準債権総額の5分の1に相当する額が最低弁済基準額要件になる（同Ⅱ④の原則）43)。第4に，基準債権総額が1500万円を超えるときは，最低弁済基準額が300万円となる（同Ⅱ④かっこ書後半部分の例外）。

　　イ　無異議債権等の総額が3000万円を超え，5000万円以下の場合（民再231Ⅱ③）

　この場合には，計画弁済総額が無異議債権等の総額の10分の1以上であることが最低弁済基準額になる（民再231Ⅱ③）。たとえば，無異議債権等の総額が4000万円であれば，計画弁済総額が400万円以上でなければ，再生計画は認可されない。アの場合に基準債権総額が最低弁済基準額算定の基礎とされるのと比較すると，イの場合には，無異議債権等の総額が基礎とされている。両者の違いは，住宅資金貸付債権の額が控除されていないか（基準債権総額の場合），されているか（無異議債権等の総額の場合）にかかわる（同Ⅱ③第1かっこ書および同Ⅱ②かっこ書参照）。これは，このような高額の債務負担をしている再生債務者について，別除権である抵当権によって担保されていない住宅資金貸付債権の部分を含めて最低弁済基準額を算定すると，その額が高くなりすぎて，再生計画を認可することが困難なことを考慮したものである44)。

---

42)　基準債権総額の5分の1または100万円のいずれか多い額というのが要件であるが，基準債権総額がこの範囲の場合には，5分の1に相当する額よりも100万円の方が多くなるために，このような結果になる。
43)　その理由は，本章注42参照。
44)　たとえば，3000万円の住宅資金貸付債権のうち別除権の行使によって弁済を受けることができると見込まれる部分が2000万円であり，不足額が1000万円であるとすれば，基準債権額については，2000万円部分のみが控除され，1000万円部分は基準債権額に加えられる（民再231Ⅱ③第1かっこ書）。これに対して，無異議債権等の総額の場合には，住宅資金貸付債権の額そのものが控除されるから（同Ⅱ②かっこ書），1000万円部分も控除される結果になる。

(4) 債権者一覧表の記載に反して再生計画に住宅資金特別条項の定めがないとき（民再231Ⅱ⑤）

小規模個人再生を行うことを求める旨の申述に際して提出される債権者一覧表に住宅資金特別条項を定めた再生計画案を提出する意思がある旨を記載した場合には（民再221Ⅲ④），住宅資金貸付債権は，異議および評価の対象とならない（民再226Ⅴ・227Ⅹ）。それにもかかわらず，再生計画に住宅資金特別条項の定めがなければ，改めて異議などの手続を実施せざるをえなくなり，再生債務者についての重大な手続違反とみなされるので，これを不認可事由の1つとした趣旨である。

4 再生計画の効力等

通常の再生計画の場合と同様に，再生計画認可または不認可の決定に対しては，即時抗告が認められ（民再175Ⅰ），認可決定の確定によって，再生計画の効力が生じる（民再176）。ただし，小規模個人再生においては，再生債権の確定がなされないこと，また再生計画の内容として一定期間内の分割弁済が定められることなどの特質から，再生計画の効力についても，以下のような特別の規律が存在する。なお，共助対象外国租税の請求権についての変更の効力は，共助（租税約特11Ⅰ）との関係においてのみ主張することができる（民再232Ⅷ）。

(1) 債権の現在化および金銭化（民再232Ⅰ）

小規模個人再生は，再生債務者の収入を基礎として法定の弁済期間に分割払いを行うことによって（民再229Ⅱ），再生債務者をすべての債務から解放し，その再生を図る手続である。そのために，条件付債権や非金銭債権についても，現在化および金銭化した届出を要求し（民再224Ⅱ・221Ⅴ・87Ⅰ①～③），再生計画認可決定の確定の効果として，再生債権そのものが現在化および金銭化された権利に変更される（民再232Ⅰ）。

(2) 一般的基準にもとづく権利変更（民再232Ⅱ）

小規模個人再生においては，再生債権の確定を図らず，異議および評価の方法によって議決権の額のみを確定することとなっている。したがって，再生計画認可決定が確定した場合にも，再生債権についての免責の効力や個別的権利変更の効力は生じないこととし（民再238による民再178～180の適用排除），現在化および金銭化された再生債権を含めて，すべての再生債権の権利は，一般的基準（民再156）にしたがって変更されることとするにとどめている（民再232

Ⅱ。民再238による民再181ⅠⅡ・205Ⅱの適用排除)[45]。ただし，再生計画による減免の対象とならない再生債権（民再229Ⅲ各号・155Ⅳ）は，変更の対象から除外される（民再232Ⅱかっこ書後半部分）。

(3) 無異議債権および評価済債権（無異議債権等）以外の再生債権に関する劣後的取扱い（民再232Ⅲ）

　上に述べた通り，すべての再生債権は一般的基準にしたがって変更される。これには，債権者届出がなされず，また債権者一覧表にも記載されなかった債権や，異議にもとづく裁判所の評価において存在が認められなかった債権も含まれる。しかし，この種の債権についても，再生計画に定めた方法によって弁済をしなければならないこととなると，再生計画の遂行は困難になるおそれが生じる。そのために，変更された再生債権であって無異議債権等以外のものについては，再生計画で定められた弁済期間[46]が満了する時までの間は，弁済をし，弁済を受け，その他これを消滅させる行為（免除を除く）をすることができない（民再232Ⅲ本文）。弁済期間の満了前に，再生計画にもとづく弁済[47]が完了した場合または再生計画が取り消された場合にあっては，弁済が完了した時または再生計画が取り消された時までは，弁済を受ける等の行為をすることができない（同Ⅲかっこ書)[48]。

　ただし，当該変更にかかる再生債権が，再生債権者がその責めに帰することのできない事由により債権届出期間中に届出をすることができず，かつ，その事由が再生計画案の付議決定（民再230Ⅲ）前に消滅しなかったもの，または再生債権の評価の対象となったものであるときは[49]，無異議債権等と同様に弁済を受けることができる（民再232Ⅲ但書）。前者は，債権届出をしなかったことについて再生債権者に帰責事由が認められないことによるものであり，後者は，

---

45) 別除権者の再生計画による権利の行使（民再182），再生計画の取消申立資格（民再189Ⅲ）および住宅資金特別条項を定めた再生計画の取消申立資格（民再206Ⅰ）に関する読替規定（民再232Ⅵ）は，このことを前提とするものである。再生計画認可後に判明した債権の取扱いについて，個人再生の実務Q&A120問70頁〔中原昌孝〕参照。
46) 住宅資金特別条項にもとづく弁済期間を除く（民再232Ⅶ）。
47) 住宅資金特別条項にもとづく弁済を除く（民再232Ⅶ）。
48) 弁済を受ける場合に，一括弁済を受けられるのか，それとも，再生計画の定めによる場合と同様に，分割弁済になるのかについては，議論がみられるが，分割弁済と解すべきである。民事再生法逐条研究311，321頁，新注釈民事再生法（下）488頁〔付岡透〕，条解民事再生法1196頁〔佐藤鉄男〕。
49) 住宅資金特別条項によって変更された後の住宅資金貸付債権を含む（民再232Ⅶ）。

評価の対象となった再生債権について，その額がより多額である旨を主張できることを意味する。

　(4) 非減免再生債権の取扱い（民再232Ⅳ Ⅴ）

　非減免再生債権（民再229Ⅲ各号）については，無異議債権等にあたるかどうかによって，その取扱いが区別される。無異議債権等にあたるものについては，まず，弁済期間内に，一般的基準にしたがって弁済をし，かつ，再生計画で定められた弁済期間[50]が満了する時に，当該請求権の債権額から当該弁済期間内に弁済をした額を控除した残額につき弁済をしなければならない（民再232Ⅳ）。再生計画の遂行に過度な負担を生じさせず，かつ，非減免再生債権者に不利益を与えないための措置である。弁済期間満了時の残額弁済は，一括してなされる。

　これに対して，債権届出がなされず，無異議債権等にあたらないものについては，再生計画で定められた弁済期間[51]が満了する時に，当該請求権の債権額の全額について弁済をしなければならない（同Ⅴ本文）[52]。非減免再生債権としての性質を尊重しながら，無異議債権等にあたらないところから，弁済の時期については，劣後的取扱いをする趣旨である。ただし，届出をしなかったことが再生債権者の責めに帰すべき事由によらない場合など（同Ⅲ但書）には，無異議債権等と同様に扱われる（同Ⅴ但書）。

第7項　再生手続の終了

　再生手続の終了原因としては，小規模個人再生固有のものとして，再生計画認可決定の確定による終結（民再233）があり，通常の再生手続と共通のものとして，再生手続開始申立ての取下げ（民再32），再生手続開始申立棄却決定の確定（民再25），再生手続開始決定取消決定の確定（民再37），再生計画不認可決定の確定（民再231Ⅱ）および再生手続廃止決定の確定（民再191・192・

50）　住宅資金特別条項にもとづく弁済期間を除く（民再232Ⅶ）。再生計画案における具体的な定めについては，破産・民事再生の実務［再生編］460, 468頁参照。また，非減免債権に関連して問題となることが多い養育費請求権などの親族関係にもとづく請求権の取扱いについても，同書参照。

51）　住宅資金特別条項にもとづく弁済期間を除く（民再232Ⅶ）。

52）　もっとも，非減免債権について弁済禁止効（民再232Ⅲ本文）は働かないという理由から，再生債務者の側で，期限の利益を放棄して，弁済期間内に進んで弁済をすることは可能と解されている。新注釈民事再生法（下）489頁〔付岡透〕。

193・237）がある。また，再生手続開始申立ての取下げおよび再生計画認可決定の確定の場合を除いて，牽連破産の開始可能性があること（民再249・250Ⅰ）も，同様である。

1 再生手続の終結

小規模個人再生においては，再生手続は，再生計画認可決定の確定によって当然に終結する（民再233）。通常の再生手続と異なって，監督委員が存在しないところから，認可決定後の履行を監督する機関が予定されていないために（民再188Ⅱ参照），認可決定確定とともに終了することとされた（民再238による民再188の適用排除）[53]。また，通常の再生手続と異なって（民再188Ⅰ参照），裁判所による再生手続終結決定を要しない。再生手続終結にともなって，個人再生委員の職務も終了する。

2 再生手続の廃止

小規模個人再生においては，再生計画認可決定の確定によって再生手続が終結するために，再生手続の廃止による終了は，再生計画認可決定の確定前に限られる[54]。廃止事由としては，通常の再生手続と共通のもの（民再191・192・193）と，小規模個人再生に固有のものとがある。以下，後者について説明する。

第1に，不同意の旨を通知すべき期間内に（民再230Ⅳ）再生計画案に同意しない旨を書面によって回答した議決権者が，議決権者総数の半数以上となり，

---

[53] 継続的または反復的収入が見込まれ，債務総額が限定されているので，履行の不安が少ないこと，監督のための手続費用を再生債権者に対する弁済に振り向けるのが合理的なことなどが，その理由である。始関249頁。ただし，小規模個人再生では，再生債権の内容が確定されていないので，再生計画の定めにもとづく再生債権者表の確定力や執行力（民再180ⅡⅢ）が認められず（民再238による民再180の適用排除），再生債権者が再生計画にもとづく債務の履行を求めるためには，改めて債務名義を取得する必要がある。

[54] ただし，財産目録不実記載による廃止（民再237Ⅱ）については，再生計画認可後でも廃止が可能であるとの見解が有力であるが（条解民事再生法1214頁〔佐藤鉄男〕），再生計画認可決定の確定によって手続が終了することとの関係で疑問が生じよう。実際には，清算価値保障原則の違反を理由とする再生計画の取消し（民再236）によって，一般的基準にもとづく権利変更の効力（民再232）が失われる可能性がある。新注釈民事再生法（下）514頁〔山田尚武〕。清算価値の算定については，個人再生の手引〈第2版〉235, 241, 246, 249～266頁。その記載が不正確である場合の個人再生委員の対応については，個人再生の手引〈第2版〉268頁〔富永浩明〕。

そのほか，再生手続廃止などの事由によって牽連破産に移行する場合（民再250Ⅰ）の実務処理については，破産・民事再生の実務［再生編］506頁，破産実務の基礎355頁参照。

またはその議決権の額が議決権者の議決権の総額の2分の1を超えた場合には，裁判所は，職権で，再生手続廃止の決定をしなければならない（民再237Ⅰ前段）。なお，この場合にも，議決権の不統一行使に関する規律（民再230Ⅶ）を準用する（民再237Ⅰ後段）。

第2に，再生債務者が財産目録に記載すべき財産を記載せず，または不正の記載をした場合には，裁判所は，届出再生債権者もしくは個人再生委員の申立てによってまたは職権で，再生手続廃止の決定をすることができる（民再237Ⅱ前段。申立書の記載事項について民再規134参照）。決定をする際には，再生債務者を審尋しなければならない（民再237Ⅱ後段・193Ⅱ）。財産目録の記載は，清算価値保障原則（民再174Ⅱ④）との関係で重要な意味を持っており，その不実の記載が重大な手続違反とみなされるために，これを廃止事由としたものである。通常の再生手続における再生債務者の義務違反による廃止（民再193）に相当する。裁判所に裁量判断の余地があることも同様である。

第8項　再生計画認可後の手続

再生計画認可後は，再生債務者が再生計画にもとづいて分割弁済を行うことになるが[55]，一定の事由が生じ，または明らかになったときには，再生計画の効力を失わせ，または変更することがある。前者が再生計画の取消しであり，債務者の責めに帰すべき事由にもとづいて行われる。後者が，再生計画の変更および免責であり，やむをえない事由や債務者の責めに帰することができない事由によって，再生計画の遂行が著しく困難またはきわめて困難になったことにもとづいて行われる。

1　再生計画の取消し

通常の再生手続における再生計画の取消事由（民再189Ⅰ各号）は，小規模個人再生においても妥当するが，これに加えて，計画弁済総額が，再生計画認可の決定があった時点で再生債務者について破産手続が行われた場合における基準債権に対する配当の総額を下回ることが明らかになったことが，小規模個人再生に固有の再生計画取消事由とされる（民再236前段）。取消しは，再生債権者の申立てによって，裁判所の再生計画取消決定によって行われる（同）[56]。

---

[55]　再生計画認可後，その履行などに関する再生債務者代理人の責務と役割について，個人再生の手引〈第2版〉446，452頁，個人再生の実務Q&A120問28頁〔山田尚武〕。

ただし，通常の取消事由の場合と同様に，取消申立権の失権の可能性がある（民再236後段・189Ⅱ）。

この取消事由は，清算価値保障原則違反を内容とするものであるが，その点は，すでに再生計画の認可決定の段階で判断されることとなっている（民再231Ⅰ・174Ⅱ④）。しかし，再生債務者が財産を隠匿していたなどの事情が後日判明したときには，清算価値保障原則に違反して小規模個人再生を利用することによって，再生債務者が不当な利益をえたとみなされるために，再生計画の取消しが認められる。ただし，これは，あくまで再生計画認可決定のあった時点での清算価値保障原則を問題とするものであるから，その後の何らかの事情によって再生債務者が財産を取得したとしても，取消事由にはあたらない。また，取消事由が軽微であると判断すれば，裁判所は，取消申立てを棄却することができる。

再生計画取消決定確定の効果としては，一般的基準にもとづく権利変更など，再生計画の効力（民再232）が失われ，原状に復する（民再189Ⅶ本文）。ただし，再生債権者が再生計画によってえた権利に影響を及ぼさない（同Ⅶ但書）。

また，通常の再生手続における再生計画取消しの場合には，再生債権者表の記載に確定力や執行力が認められるが（民再189Ⅷ前半部分・185），小規模個人再生においては，再生債権者表も作成されず（民再238による民再第4章第3節の適用排除），再生債権が確定されていないために，このような効力は認められず（民再238による民再189Ⅷ・185の適用排除），再生債権者は，改めて債務名義を取得しなければならない。

なお，再生計画取消決定の確定後に職権による牽連破産開始の可能性がある（民再249・250Ⅰ）[57]。

2 再生計画の変更

再生計画認可決定があった後，やむをえない事情によって再生計画の遂行が困難になる場合がありうる。再生債務者がこうした状況に陥ったときに，再生計画の取消しや牽連破産に陥ることを避けるために，再生計画の変更が認めら

---

56) 取消申立ての手続については，個人再生の手引〈第2版〉474頁。
57) ただし，実務では，予納金の問題や小規模個人再生申立てに対する萎縮効果を避けるなどの理由から，職権破産開始には慎重であるといわれる。新注釈民事再生法（下）510頁〔佐藤昌巳〕，条解民事再生法1212頁〔佐藤鉄男〕。

れる（民再187 I）。しかし，再生計画の変更は，再生手続終了前に限られているために，小規模個人再生においては，ほとんどその機能を期待しえない（民再233参照）。そこで，小規模個人再生における再生計画の変更を可能にするために特則が設けられ，あわせて変更の内容に関しても，特別の規律がおかれている（民再238による民再187の適用排除。民再規135による民再規94の適用排除）。

(1) 再生計画の変更の要件

小規模個人再生においては，再生計画認可の決定があった後やむをえない事由で再生計画を遂行することが著しく困難となったときは，再生債務者の申立てによって，再生計画で定められた債務の期限を延長することができる（民再234 I 前段）。この場合においては，変更後の債務の最終の期限は，再生計画で定められた債務の最終の期限から2年を超えない範囲で定めなければならない（同後段）。

再生計画変更の申立てをすることができるのは，再生債務者のみである（民再187 I 参照）。変更申立ての時期は，再生計画認可の決定があった後であればよく，再生手続が終結していても差し支えない。また，変更申立ての要件は，第1に，再生計画の遂行が著しく困難となったこと[58]であり，第2に，それがやむをえない事由によることである[59]。

(2) 変更の内容

変更の内容として認められるのは，再生計画で定められた債務の期限の延長のみであり，計画弁済総額の減額などは許されない。変更による再生債権者への影響を最小限のものとし，変更の手続を簡素化するためである。また，債務の期限の延長についても，本来の期限から2年を超えない範囲という制限が課される[60]。

---

[58] 弁済原資の不足のため，生活費を切りつめても，不履行が継続的に生じると予想される場合などが，著しい困難の例としてあげられる。民事再生法逐条研究322頁，条解民事再生法1203頁〔佐藤鉄男〕。

[59] やむをえない事由とは，「責めに帰することができない事由」（民再235 I 柱書）とは区別されるが，勤務先の倒産による収入の低下や病気による支出の増大など（新注釈民事再生法（下）497頁〔服部一郎〕，条解民事再生法1203頁〔佐藤鉄男〕，個人再生の実務Q&A120問254頁〔篠田憲明〕），実際には，重なり合う場合が多いと思われる。

[60] 変更自体は複数回可能であるが，全体として2年を超える延長は許されない。始関254頁，条解民事再生法1203頁〔佐藤鉄男〕。

(3) 変更の手続

再生債務者による変更の申立ては，変更を求める旨やその理由などを記載した書面によって行い，同時に変更計画案を提出しなければならない（民再規132 I・II）。変更の申立てがなされると，再生計画案の提出があった場合の手続がとられる（民再234 II，民再規132 III）。具体的手続は，法230条に定めるところ（本書1208頁）による[61]。

変更の決定に対しては，即時抗告が認められ（民再234 III・175），変更計画の効力は，確定によって生じる（民再234 III・176）。

3 計画遂行が極めて困難になった場合の免責（ハードシップ免責）

やむをえない事由による収入減や支出増などによって再生計画の遂行が著しく困難になったときは，再生計画の変更が認められるが，さらに進んで，再生計画の遂行が極めて困難になったときは，再生計画の変更によって対処することもできない。これについて特別の措置を講じないとすれば，再生計画の取消しから牽連破産に進むことになる。しかし，そのような事態が再生債務者の責めに帰することのできない事由によるものであり，他方，再生計画の遂行が相当程度行われていることを条件として，残債務を免除して，再生債務者の経済生活の再生を図ろうとするのが，ハードシップ免責と呼ばれる制度である[62]。

(1) ハードシップ免責の要件

ハードシップ免責の基本的要件は，再生債務者がその責めに帰することができない事由によって再生計画を遂行することが極めて困難になったことである（民再235 I柱書前半部分）。責めに帰することができない事由の例としては，長期入院や失業による収入の喪失などがあげられるが，失業の場合には，再就職の努力をしているにもかかわらず，年齢や経済情勢などの理由によってそれが困難と判断されるときに，はじめて責めに帰することができないと認められる。また，再生計画の遂行が極めて困難とは，著しい困難を理由として再生計画の変更をなし，弁済期を繰り延べても，なお遂行が困難である状況を意味する[63]。

加重要件（民再235 I柱書後半部分）の第1は，再生計画にしたがって弁済を

---

61) 変更申立ての手続については，個人再生の手引〈第2版〉482，487頁。
62) 民事再生法逐条研究322頁。もっとも，再生計画の変更またはハードシップ免責によらず，再生計画履行期間中に再申立てがなされたときの取扱いの問題がある。破産・民事再生の実務［再生編］482頁参照。
63) 具体例については，個人再生の手引〈第2版〉491頁参照。

なすべき債権に対して，その4分の3以上の弁済を終えていることである（同ⅠおよびⒶ）。弁済をなすべき債権は，権利変更の一般的基準によって変更された（民再232Ⅱ）後の各基準債権（民再231Ⅱ③第1かっこ書），および無異議債権等以外の債権で債権届出期間徒過が再生債権の責めに帰することができない事由によるものなど（民再232Ⅲ但書・235Ⅰ①）ならびに非減免債権（民再229Ⅲ各号）で一般的基準にしたがって変更される部分（民再232ⅣⅤ但書）である（民再235Ⅰ②）。

加重要件の第2は，免責の決定をすることが再生債権者の一般の利益に反するものでないことである（同Ⅰ③）。これは清算価値保障原則にかかわるものであり，すでになされた弁済額の総額が再生計画認可時における再生債務者財産の清算価値を超えていることを意味する。加重要件の第3は，再生計画の変更をすることが極めて困難であることであり（同Ⅰ④），実質的には基本的要件を確認したものである。

(2) ハードシップ免責の手続

ハードシップ免責は，再生債務者の申立てにもとづく裁判所の決定によって行う（民再235Ⅰ柱書後半部分。申立書の記載事項および添付書面について民再規133参照）。申立てがあったときは，裁判所は，届出再生債権者（住宅資金特別条項によって権利の変更を受けた者を含む。235Ⅷ前半部分）の意見を聴かなければならない（同Ⅱ）。裁判所は，上記の要件が具備されていると認めれば，ハードシップ免責の決定をすることができる[64]。免責の決定があったときは，再生債務者および届出再生債権者（住宅資金特別条項によって権利の変更を受けた者を含む。同Ⅷ後半部分）に対して，その主文および理由の要旨を記載した書面を送達しなければならない（同Ⅲ）[65]。

ハードシップ免責申立てについての裁判に対しては，即時抗告をすることができる（同Ⅳ）。免責の決定は，確定しなければその効力を生じない（同Ⅴ）。

(3) ハードシップ免責の効果

免責の決定が確定した場合には，再生債務者は，履行した部分を除いて，再

---

[64] 「免責の決定をすることができる」（民再235Ⅰ柱書後半部分）とは，裁判所の権限を認めたものであり，裁量権を付与するものではないと解されている。新注釈民事再生法（下）506頁〔佐藤浩史〕，条解民事再生法1209頁〔佐藤鉄男〕。

[65] 手続の流れは，個人再生の手引〈第2版〉494, 498頁に詳しい。

生債権者に対する債務の全部についてその責任を免れる（同Ⅵ）。ただし、非減免債権（民再229Ⅲ各号）および再生手続開始前の罰金等は、免責の対象から除外される（民再235Ⅵかっこ書）[66]。また、共助対象外国租税の請求権についての免責の効力は、共助（租税約特11Ⅰ）との関係においてのみ主張することができる（民再235Ⅸ）。

責任を免れることの意味が、債務そのものの消滅を意味するか、自然債務に変質するかの考え方の対立は、破産法253条1項柱書本文について述べたのと同様である（本書806頁参照）。

これに対して、別除権者の担保権、再生債務者の保証人その他再生債務者と共に債務を負担する者に対して再生債権者が有する権利および再生債務者以外の者が再生債権者のために提供した担保には、免責の効果が及ばない（民再235Ⅶ）[67]。その趣旨は、破産法253条2項について述べたのと共通である（本書813頁）。

その他、ハードシップ免責をえたことによって、その基礎となる再生計画認可決定確定の日から7年以内は、給与所得者等再生を求めることができない（民再239Ⅴ②ロ）、破産免責を受けることができない（破252Ⅰ⑩ハ）などの制限が課される。これらの制度の目的がハードシップ免責の目的と重なり合うところがあるためである。

第2節　給与所得者等再生

小規模個人再生は、将来にわたって継続的または反復的に収入が見込め、かつ、再生債権総額が5000万円を超えない再生債務者について、再生計画において最低弁済額基準を定めることなどを前提として、簡易、かつ、迅速な再生を図ろうとする手続である。しかし、将来の収入のうち、どの程度の部分を最低弁済基準額を超える弁済に充てるかは、なお再生計画案を提案する再生債務者の判断に委ねられており、したがって、その判断を受け入れるかどうかにつ

---

66)　破産法253条1項の非免責債権も、再生債権とされるものはハードシップ免責の対象となる。条解民事再生法1209頁〔佐藤鉄男〕。

67)　住宅資金貸付債権にもハードシップ免責の効果が及ぶが、担保権には影響を生じない。個人再生の手引〈第2版〉502頁〔岸元則〕、個人再生の実務Ｑ＆Ａ120問257頁〔松本賢人〕。

いて，再生計画案についての決議という形で，再生債権者の意思を問う必要があった。

給与所得者等再生は，さらにこれを進めて，小規模個人再生の適用対象となりうる再生債務者のうち，定期的，かつ，安定的な収入がある再生債務者について，再生計画にもとづく弁済原資として可処分所得にもとづく最低弁済基準額を法定することによって（民再241Ⅱ⑦・Ⅲ），再生計画案についての決議そのものを省略するという特質をもつ[68]。

第1項　給与所得者等再生の開始要件

給与所得者等再生は，小規模個人再生の特則として位置づけられる。その開始のためには，基本的要件（民再21Ⅰ・25各号）および小規模個人再生開始の要件（民再221Ⅰ）に加えて，給与所得者等再生固有の開始要件（民再239Ⅰ・221Ⅰ）を満たすことが必要である。

1　給与またはこれに類する定期的な収入をうる見込み（民再239Ⅰ）

給与所得者等再生は，弁済原資について最低弁済基準額を法定するものであるために，将来の収入額が確実に把握できる再生債務者を対象とする。そのための第一の条件が収入の定期性である。週給制，月給制または年給制のいずれであるかを問わず，給与の場合には，その支払時期が定まっており，かつ，その支払が反復継続することが見込まれるので，この要件を代表する。いわゆるアルバイトやパートタイム労働であっても，その勤務が相当期間継続することが見込まれれば，収入の定期性の要件を満たすと考えられる。自営業者などの売買代金や請負代金の収入については，一般には定期性を認めることは困難であろう。また，専業主婦については，収入そのものの要件を満たさないと解されている[69]。

---

68) 始関22頁，松下・入門203頁，条解民事再生法1222頁〔田頭章一〕，個人再生の手引〈第2版〉410頁。小規模個人再生と給与所得等再生の選択について，同書414頁〔大迫恵美子〕。小規模個人再生との実際上の選択基準については，破産・民事再生の実務〔再生編〕402頁，個人再生の実務Q＆A120問5頁〔小堀秀行〕参照。過半数議決権を有する債権者の同意が見込めない事案では，給与所得者等再生を選択すべき場合もあるが，最低弁済基準額を考慮する必要がある。個人再生の実務Q＆A120問24頁〔大原弘之〕参照。個人再生手続において再生計画案が否決された後の給与所得者等再生についても同様である。同26頁〔柚原肇〕参照。

69) その他の例については，始関282頁，新注釈民事再生法（下）527頁〔野村剛司〕，個

2 収入の額の変動の幅が小さいと見込まれるもの（民再 239 I）

これを収入の安定性と呼ぶ。収入の定期性が認められても，その額が不安定であれば，一定期間に見込まれる可処分所得を基礎として最低弁済額を定めることができないので，給与所得者等再生の対象に適しない。もっとも，どの程度をもって「変動の幅が小さいと見込まれる」とするかは，相対的判断にならざるをえないが，可処分所得算定の判断基準（民再 241 II ⑦イ）から，年収換算で 5 分の 1 未満の額の変動であれば，安定性があると解されている[70]。

第 2 項　給与所得者等再生の開始手続

給与所得者等再生を行うことを求める旨の申述は，個人である債務者のみができる（民再 239 I）。申述およびこれに関連する事項は，再生手続開始申立ての際に，申立書に記載してしなければならない（同 II，民再規 136 I II）。再生手続開始申立てが債権者による場合には，再生手続開始の決定があるまでに，債務者が申述をしなければならない（民再 239 II かっこ書。関連する規律として民再規 137 参照）。

申述をするには，債権者一覧表（民再 244・221 III～V，民再規 140 前段・114・115）を提出しなければならず，その他，確定申告書や源泉徴収票の写しなど，再生債務者の収入を明らかにする書面などの提出が求められる（民再規 136 III）。

1 給与所得者等再生の申述と小規模個人再生または通常の再生手続との関係

給与所得者等再生の開始要件は，第 1 項に述べた通りであり，小規模個人再生の開始要件が満たされても，給与所得者等再生の開始要件が満たされないことがありうる。また，小規模個人再生の開始要件も満たされず，通常再生手続の開始要件のみが満たされることもありうる。そこで再生債務者は，給与所得者等再生の申述に際して，小規模個人再生の開始要件（民再 244・221 I III）に該当しないことが明らかになった場合においても通常の再生手続による手続の開始を求める意思があるか否か，および給与所得者等再生の手続を開始すべきでない事由（民再 239 V 各号）のいずれかに該当する事由があることが明らかに

人再生の手引〈第 2 版〉418 頁参照。生活保護受給者の場合には，収入の定期性は認められるが，可処分所得との関係で，認可されるべき再生計画を立てることが期待できないので，対象者たりえない。

70)　始関 278 頁，新注釈民事再生法（下）528 頁〔野村剛司〕，条解民事再生法 1223 頁〔田頭章一〕。

なった場合に，小規模個人再生による手続の開始を求める意思があるかどうかを明らかにしなければならない（民再239Ⅲ，民再規136Ⅱ①②）。ただし，債権者が再生手続開始申立てをし，債務者が給与所得者等再生の申述をする場合には，その必要はない（民再239Ⅲ但書）。

　裁判所は，債務者の申述が小規模個人再生の要件に該当しないことが明らかであると認めるときは，再生手続開始決定前であれば，再生事件を通常の再生手続によって行う旨の決定をする（同Ⅳ本文）。ただし，再生債務者が，通常の再生手続による手続の開始を求める意思がないことを明らかにしていたときは，裁判所は，再生手続開始の申立てを棄却しなければならない（同Ⅳ但書）。

　また，裁判所は，給与所得者等再生を開始すべきでない事由（同Ⅴ各号）があることが明らかであると認めるときは，再生手続開始の決定前に限って，再生事件を小規模個人再生によって行う旨の決定をする（同Ⅴ本文）。ただし，再生債務者が小規模個人再生による手続の開始を求める意思がない旨を明らかにしていたときは，裁判所は，再生手続開始の申立てを棄却しなければならない（同Ⅴ但書）。

　上にいう，給与所得者等再生を開始すべきでない事由とは，第1に，収入の定期性または安定性の見込みがないことであり（同Ⅴ①），第2に，給与所得者等再生またはこれに類似する手続を利用してから7年以内に給与所得者等再生の申述（同Ⅴ②）がなされていることである。具体的には，給与所得者等再生における再生計画が遂行されたときには，当該再生計画認可決定の確定の日から7年以内であること（同Ⅴ②イ），ハードシップ免責決定（民再235Ⅰ・244）確定のときには，当該免責にかかる再生計画認可決定確定の日から7年以内であること（民再239Ⅴ②ロ）または破産免責決定（民再252Ⅰ）確定のときには，当該決定の日から7年以内であること（民再239Ⅴ②ハ）のいずれかの場合である。

　なお，給与所得者等再生による再生手続を開始した後に，給与所得者等再生としての要件に欠けることが判明した場合には，裁判所は，再生計画不認可の決定をする（民再241Ⅱ④⑥）[71]。

---

[71]　小規模個人再生の場合（本書1207頁）と異なって，再生計画案の決議がないために，不認可事由を理由とする決議前の手続廃止はありえない（民再245による民再191の適用排除）。

2 給与所得者等再生の開始決定

裁判所は，再生債務者から給与所得者等再生の申述があった場合において，再生手続開始の基本的要件，小規模個人再生の要件および給与所得者等再生の要件のすべてが満たされていると認めるときは，給与所得者等再生により再生手続を開始する旨の決定をなす（民再規138Ⅰ）。同時処分として，裁判所は，債権届出期間のほか，届出があった再生債権に対して異議を述べる期間をも定めなければならず，その他の手続も小規模個人再生と同様である（民再244・222・221Ⅲ～Ⅴ，民再規118Ⅱ・138Ⅱ・116Ⅱ）。

第3項　給与所得者等再生の機関——個人再生委員

給与所得者等再生においても，小規模個人再生と同様に，監督委員や調査委員は設置されず，裁判所の監督を補助する機関として個人再生委員が選任される（民再244・223，民再規140・117）。個人再生委員の職務等は，小規模個人再生の場合と同様である（本書1197頁参照）。

第4項　再生債権の届出および調査

給与所得者等再生における再生債権の届出および調査の手続も，小規模個人再生に準じる（民再244・224～227，民再規140・118～126）。また，再生債務者が給与所得者等再生の申述をする際に，債権者一覧表を提出することなども，小規模個人再生と同様である（民再244・221Ⅲ～Ⅴ，民再規140・114）。

第5項　再生債務者の財産の調査と確保

再生債務者財産の管理等についても，小規模個人再生と同様に，貸借対照表の作成の免除や否認規定の適用排除などの形で，手続が簡素化されている（民再244・228・245・238）。

第6項　再　生　計　画

再生計画の条項について，個別の再生債権の内容の変更は定められず（民再245・238による民再157・159・164Ⅱ後段の適用排除，民再規141・135による民再規86Ⅱの適用排除），権利変更の一般的基準（民再156）が定められるにとどまること，平等原則が徹底されること（民再244・229。民再245・238による民再155ⅠⅢ

の適用排除),債務の期限の猶予期間に関する制限があること(民再244・229Ⅱ Ⅳ),担保や保証が排除されること(民再245・238による民再158・165Ⅰ・186Ⅲ Ⅳの適用排除),非減免債権が拡大されていること(民再244・229Ⅲ)は,小規模 個人再生と共通である。

1 再生計画案についての意見聴取

小規模個人再生と異なって,給与所得者等再生においては,再生計画案に ついての決議が不要であり(民再245に掲げる民再238による民再172を除く民再第7 章第3節の適用排除,民再245による民再172の適用排除,民再244による民再230の 不準用),再生債務者から適式に提出された再生計画案が裁判所の認可または 不認可決定の対象となるが,裁判所は,その前に再生債権者の意見を聴取しな ければならない。再生計画案についての決議が不要とされるのは,可処分所得 を基礎とする計画弁済総額の最低額が法定されているためであるが,再生債権 者は,再生計画の効力発生について重大な利害関係を有するために,不認可事 由の有無について意見を述べる機会を保障しようとするのが,意見聴取制度の 趣旨である。

(1) 意見聴取の決定

給与所得者等再生において再生計画案の提出があった場合には,裁判所は, 再生計画案を認可すべきかどうかについての届出再生債権者[72]の意見を聴く旨 の決定をしなければならない(民再240Ⅰ柱書)。ただし,以下に掲げる場合に は,意見聴取の決定をする必要はない。

第1は,再生計画案について何らかの不認可事由があると認めるときである (同①・241Ⅱ各号)。意見聴取は,認可によって影響を受ける再生債権者の利益 を保護するためのものであるから,あらかじめ不認可事由が認められれば,意 見聴取の必要がないからである。

第2は,異議および評価の手続が終了していない場合(民再240Ⅰ②)である。 再生計画案についての決議が存在しない給与所得者等再生では,異議および評 価は,議決権の額の確定のためではなく,計画弁済総額が最低弁済基準額を満 たしているかどうかの前提となる基準債権額を確定するために行われるが,い ずれにしても,その手続が終了する前には,再生計画について認可または不認

---

72) 労働組合等は意見を述べることはできない(民再245による民再174Ⅲの適用排除)。

可の判断ができないために，意見聴取の決定がなされない。具体的には，一般異議申述期間が経過していないか，またはその期間内に異議が述べられた場合において評価申立ての不変期間（民再244・227Ⅰ本文）が経過していないとき（民再240Ⅰ②），その不変期間内に評価の申立てがあったときは，評価がされていないとき（同Ⅰ②かっこ書），特別異議申述期間が定められた場合において，その期間が経過していないか，またはその期間に異議が述べられたときに評価申立ての不変期間（民再244・227Ⅰ本文）が経過していないとき（民再240Ⅰ③），その不変期間内に評価の申立てがあったときは，評価がされていないとき（同Ⅰ③かっこ書）がこれにあたる。

第3は，再生債務者による報告書（民再125Ⅰ）が裁判所に提出されていないときである（民再240Ⅰ④）。この報告書が，不認可事由の有無について届出再生債権者が意見を述べるために資料として不可欠であるという判断にもとづく。

なお，意見聴取の決定がなされると，債権の届出の追完や再生計画案の修正が許されなくなる（民再240Ⅲ・95Ⅳ・167但書）。

(2) 意見聴取の手続

意見聴取の決定をした場合には，裁判所は，その旨を公告し，かつ，届出再生債権者に対して，再生計画案の内容またはその要旨を通知するとともに，再生計画案について不認可事由（民再241Ⅱ各号）のいずれかに該当する事由がある旨の意見がある者は裁判所の定める期間（民再規139Ⅰ）内にその旨および当該事由を具体的に記載した書面を提出すべき旨を通知しなければならない（民再240Ⅱ，民再規139Ⅰ）。

通知を受けた届出再生債権者は，意見がない場合には裁判所に対して意見を述べることを要せず，意見がある場合には，裁判所から意見を述べるための用紙の送付を受けたときは，その用紙に不認可事由を具体的に記載して，これを裁判所に提出しなければならない（民再規139Ⅱ）。

2 再生計画の認可または不認可

届出再生債権者による意見陳述の期間（民再240Ⅱ）が経過したときは，裁判所は，不認可事由が認められる場合を除いて，再生計画認可の決定をする（民再241Ⅰ）。不認可事由には，一般の不認可事由（民再241Ⅱ①②[73]・174Ⅱ①②④。

---

73) 再生債権者の一般の利益に反すること（民再241Ⅱ②）は，給与所得者等再生に再生計画案についての決議が存在しないことから，特別に規定されているが，実質は，一般の

本書 1112 頁参照），住宅資金特別条項を定めた場合の不認可事由（民再 241 Ⅱ ①かっこ書③・202 Ⅱ ③。本書 1156 頁参照），小規模個人再生の不認可事由（民再 241 Ⅱ ⑤・231 Ⅱ ②〜⑤）および給与所得者等再生に固有の不認可事由（民再 241 Ⅱ ④⑥（239 Ⅴ ②）⑦）の 4 種類がある。住宅資金特別条項を定めた再生計画の場合には，これら 4 種類の不認可事由のいずれかが認められれば，裁判所は，不認可の決定をしなければならないし，住宅資金特別条項を定めない再生計画の場合には，一般の不認可事由，小規模個人再生の不認可事由または給与所得者等再生に固有の不認可事由のいずれかが認められれば，不認可の決定をしなければならない。この中で，給与所得者等再生に固有の不認可事由は，以下のようなものである。

(1) 再生債務者が，給与またはこれに類する定期的な収入をえている者に該当しないか，またはその額の変動の幅が小さいと見込まれる者に該当しないとき（民再 241 Ⅱ ④）

ここでいう収入の定期性および安定性の見込みは，給与所得者等再生の基本的利用資格であり，手続の開始要件ともされているが（民再 239 Ⅰ），認可または不認可の決定に際して，その充足を確認する趣旨である。

(2) 給与所得者等再生またはこれに類似する手続の利用から 7 年以内に給与所得者等再生の申述がなされていること（民再 241 Ⅱ ⑥・239 Ⅴ ②）

これも（1）と同様に，手続の開始要件とされている事項を認可または不認可の決定に際して確認する趣旨である。

(3) 計画弁済総額が，以下の区分に応じて，平均年収額から再生債務者およびその扶養を受けるべき者の最低限度の生活を維持するために必要な 1 年分の費用の額（必要生計費と呼ぶ）を控除した額（可処分所得と呼ぶ）に 2 を乗じた額以上の額であると認めることができないとき（民再 241 Ⅱ ⑦柱書）

これは，給与所得者等再生の再生計画認可に関わる中核的な事由であり，最低弁済基準額を可処分所得の 2 年分相当額に法定するものである[74]。可処分所

不認可事由（民再 174 Ⅱ ④）と同一である。条解民事再生法 1233 頁〔田頭章一〕。

74) これについて適合性を否定した裁判例として，福岡高決平成 15・6・12 判タ 1139 号 292 頁〔倒産百選 96 事件〕がある。算定方法について，個人再生の手引〈第 2 版〉421〜442 頁，個人再生の実務 Q＆A120 問 150 頁〔森川和彦〕，152 頁〔兒玉浩生〕，158 頁〔大植伸〕。

得算定の基礎となるのは，以下の区分に応じた平均年収額と1年分の必要生計費である。1年分の必要生計費の額は，再生債務者およびその扶養を受けるべき者の年齢および居住地域，当該扶養を受けるべき者の数，物価の状況その他一切の事情を考慮して政令で定める（民再241Ⅲ）[75]。平均年収額の算定は，以下の区分に応じてなされる。

　ア　再生債務者の給与またはこれに類する定期的な収入の額について，再生計画案の提出前2年間の途中で再就職その他の年収について5分の1以上の変動を生ずべき事由が生じた場合（民再241Ⅱ⑦イ）

この場合には，当該事由が生じた時から再生計画案を提出した時までの間の収入の合計額からこれに対する所得税等（民再241Ⅱ⑦イかっこ書）に相当する額を控除した額を1年間当たりの額に換算した額が平均年収額になる。収入額について過去に大きな変動があった再生債務者についても，将来の収入について定期性および安定性の見込みがあれば，給与所得者等再生の対象となるために，変動事由発生後の収入額を基礎として，平均年収額を算定するものである。

　イ　再生債務者が再生計画案の提出前2年間の途中で，給与またはこれに類する定期的な収入をえている者でその額の変動の幅が小さいと見込まれるものに該当することとなった場合（アに掲げる区分に該当する場合を除く）（民再241Ⅰ⑦ロ）

この場合には，これに該当することとなった時から再生計画案を提出した時までの間の収入の合計額からこれに対する所得税等に相当する額を控除した額を1年間当たりの額に換算した額が平均年収額になる。自営業者が廃業し，給与所得者になった場合などが典型的な例である[76]。

　ウ　それ以外の場合（民再241Ⅱ⑦ハ）

この場合には，再生計画案の提出前2年間の再生債務者の収入の合計額からこれに対する所得税等を控除した額を2で除した額が平均年収額になる。これ

---

75) 政令は，「民事再生法第241条第3項の額を定める政令」（平成13年3月16日政令50号）である。なお，必要生計費が最低限度の生活を維持するために必要な経費とされているところから，平均年収額の高い再生債務者は，最低弁済基準額たる可処分所得の2年分に相当する額が高額になり，大幅かつ急激にその生活水準を切り下げなければならなくなる。しかし，最低弁済基準額以上の額に相当する分割弁済は，原則として，3年間にわたって行うことになるから（民再244・229Ⅱ②），2年分の可処分所得のすべてを2年間で弁済原資としなければならないというわけではない。始関293頁。

76) 始関293頁。

が給与所得者等再生の対象となる再生債務者についての平均年収額算定の基本形である。

3 再生計画の効力等

再生計画の効力が認可決定の確定によって生じること（民再176），効力の内容として，債権の現在化および金銭化（民再244・232Ⅰ），一般的基準にもとづく権利変更（民再244・232Ⅱ），無異議債権等以外の再生債権に関する劣後的取扱い（民再244・232Ⅲ）および非減免再生債権の取扱い（民再244・232ⅣⅤ）が妥当すること，免責の効力が生じないこと（民再245・238による民再178の適用排除）は，小規模個人再生と共通である。

第7項 再生手続の終了

再生手続の終了原因としては，通常の再生手続と共通のもの，小規模個人再生と共通のもの，および給与所得者等再生に固有のものがある。小規模個人再生と共通のものとしては，再生計画認可決定の確定（民再244・233），財産目録の不実記載にもとづく再生計画認可決定確定前の再生手続廃止（民再244・237Ⅱ）がある[77]。

給与所得者等再生に固有のものの第1は，再生計画不認可事由（民再241Ⅱ各号）のいずれにも該当しない再生計画案の作成の見込みがないことが明らかになったときであり（民再243①），第2は，裁判所の定めた期間若しくはその伸長した期間内に再生計画案の提出がないとき[78]，またはその期間内に提出された再生計画案に不認可事由（民再241Ⅱ各号）のいずれかに該当する事由があるときである（民再243②）。いずれの場合であっても，裁判所は，職権で，再生手続廃止の決定をしなければならない（同柱書）。

第8項 再生手続認可後の手続

再生手続認可後の手続も，小規模個人再生と基本的に共通するが，再生計画の取消しに関しては，給与所得者等再生に固有の規律が置かれる。

---

77) 再生計画案に関する決議を前提とする廃止事由は適用されないが（民再244による民再237Ⅰの不準用。民再245による民再191の適用排除），法243条各号が定める実質は，法191条各号と大きな差異はない。
78) 東京地裁破産再生部において伸長を認めた例について，個人再生の手引〈第2版〉337頁。

1 再生計画の取消し

通常の再生手続における再生計画の取消事由（民再189 I 各号）は，給与所得者等再生においても妥当するが，これに加えて，計画弁済総額が，再生計画認可の決定があった時点で再生債務者について破産手続が行われた場合における基準債権に対する配当の総額を下回ることが明らかになったことが，給与所得者等再生における再生計画の取消事由の1つである（民再242前段）。ただし，この事由は，小規模個人再生における再生計画の取消事由（民再236前段）と実質的に共通する。

さらに，再生計画が可処分所得を基礎とする最低弁済額基準（民再241 II ⑦）を満たさないことが明らかになったことも，給与所得者等再生における再生計画の取消事由である（民再242前段）。再生債務者がその収入を偽ったりした場合がこれにあたる。

いずれの場合であっても，裁判所は，再生債権者の申立てにもとづいて，再生計画取消しの決定をすることができる（同前段）。ただし，通常の取消事由の場合と同様に，取消申立権の失権の可能性がある（同後段・189 II）。再生計画取消決定確定の効果などは，小規模個人再生と共通である。

2 再生計画の変更

やむをえない事由で再生計画を遂行することが著しく困難になったときに，再生計画の変更が認められること，また，その内容や手続は，小規模個人再生と共通である（民再244・234）。

3 計画遂行が極めて困難になった場合の免責（ハードシップ免責）

再生債務者の責めに帰することができない事由によって再生計画を遂行することが極めて困難になり，かつ，計画弁済総額の一定部分の弁済を終えていることなどを条件として，ハードシップ免責が認められることは，小規模個人再生と共通である（民再244・235）。

第12章 再生犯罪

破産犯罪と同様に（本書822頁），再生手続においても，再生手続開始前後になされる再生債務者などの行為で強度の違法性を帯び，再生手続の目的を実現するために刑事罰をもって抑止すべきものが存在する。これが再生犯罪である。

第1節 再生犯罪の種類および保護法益

再生犯罪は，3つの類型に区分される。第1は，再生債権者の財産上の利益を保護法益とする実質的侵害罪であり，詐欺再生罪（民再255）および特定の債権者に対する担保の供与等の罪（民再256）がこれに属する。第2は，再生手続の適正な遂行を保護法益とする手続的侵害罪であり，監督委員等の特別背任罪（民再257）[1]，再生債務者などの報告および検査の拒絶等の罪（民再258），業務および財産の状況に関する物件の隠匿等の罪（民再259），監督委員等に対する職務妨害の罪（民再260），収賄罪（民再261）および贈賄罪（民再262）がこれに属する。第3は，再生債務者の経済的再生を保護法益とする罪であり，再生債務者等に対する面会強請等の罪（民再263）がこれに属する。

なお，実質的侵害罪である詐欺再生罪の罪質についての理解は，詐欺破産罪について述べたところと共通する（本書822頁）。

第2節 各種の再生犯罪

再生犯罪のうち，実質的侵害罪と手続的侵害罪とは，行為の態様などに応じて，いくつかの犯罪類型とに区別される。なお，再生犯罪が処罰されるのは，既遂の場合のみである。また，一定の再生犯罪については，国外犯（民再264）および両罰規定（民再265）が設けられている。

---

[1] 背任罪（刑247）の保護法益が本人との信任関係にあると解されていることとの関係については，詳解民事再生法690頁〔塩見淳〕参照。

第1項 詐欺再生罪

詐欺再生罪（民再255）は，再生債権者の利益を保護することによって再生手続の適正な実施を確保しようとする。これが，いわゆる抽象的危険犯であることは，詐欺破産罪と同様である（本書825頁）。

1 行為の主体

行為の主体には，制限がなく，個人であれば誰でも行為主体たりうる[2]。再生債務者以外にも，その法定代理人や親族，あるいは再生債権者や管財人をも含む[3]。なお，行為時に債務者が再生手続開始決定を受けている必要はないが，再生手続開始決定の確定が客観的処罰条件とされている。

2 故意および行為の目的

詐欺再生罪が成立するためには，行為者に，故意に加えて，行為の目的，すなわち債権者を害する目的が認められることを要する（民再255Ⅰ柱書前段）。故意の内容は，法255条1項各号に列挙された行為の認識であり[4]，主観的違法要素たる債権者を害する目的の意義は，詐欺破産罪と共通である。

3 行為の時期

各号に掲げる行為の時期が，いずれも再生手続開始の時期の前後を問わないことも，詐欺破産罪の場合と同様である。

4 行為の態様

上記の要件を満たし，以下の5つの類型のいずれかに該当する行為をした者は，債務者について再生手続開始決定が確定したときは，10年以下の懲役もしくは1000万円以下の罰金に処し，またはこれを併科する（民再255Ⅰ柱書前段）。

---

[2] 平成16年改正前は，債務者の詐欺再生罪（旧210Ⅰ→旧246Ⅰ），債務者の法定代理人による詐欺再生罪（旧210Ⅱ→旧246Ⅱ）および第三者の詐欺再生罪（旧211→旧247）が分けられていたが，現行破産法の制定にともなって，これらが現255条に統合された。新注釈民事再生法（下）615頁〔大川治〕，条解民事再生法1297頁〔丸山雅夫〕。

[3] 詳解民事再生法686頁〔塩見淳〕。

[4] 故意の内容として，再生手続開始に至るおそれがあることの認識を要求する見解も有力であり（新注釈民事再生法（下）623頁〔大川治〕），その根拠として，最決昭和44・10・31刑集23巻10号1465頁が引用されることがあるが，同判決は，必ずしも故意の内容として上のおそれの認識を求めているものではない。

なお，債権者を害する目的を肯定した最近の裁判例として，東京地判平成29・3・15裁判所ウェブサイトがある。

第1の類型は，債務者の財産を隠匿し，または損壊する行為である（同Ⅰ①）。隠匿または損壊の意義は，詐欺破産罪の場合と同様である。

第2の類型は，債務者の財産の譲渡または債務の負担を仮装する行為である（同Ⅰ②）。譲渡や債務負担という法的行為によって再生債務者財産を減少させるという特徴を捉えたものである。

第3の類型は，債務者の財産の現状を改変して，その価格を減損する行為である（同Ⅰ③）。ここで対象とされている行為は，物理的な価値の毀損以外のもので，財産の経済価値を減損させるものである（本書827頁参照）5)。

第4の類型は，債務者の財産を債権者の不利益に処分し，または債権者に不利益な債務を債務者が負担する行為である（同Ⅰ④）。この行為の意義も，詐欺破産罪と同様である（本書827頁）。また，この類型の行為は，必ず相手方を要する行為であることから，情を知って行為の相手方となった者も正犯として処罰する（同Ⅰ柱書後段）6)。

第5の類型は，債務者について管理命令や保全管理命令が発せられたことを認識しながら，債権者を害する目的で，管財人の承諾その他の正当な理由がなく，その債務者の財産を取得し，または第三者に取得させる行為である（同Ⅱ）。管理命令や保全管理命令があると，債務者の財産は，管財人や保全管理人の管理下に置かれること（民再66・81Ⅰ本文）が可罰性の根拠となっている（本書828頁参照）。

5 客観的処罰条件

詐欺再生罪が成立するためには，その該当行為が存在するほかに，再生手続開始の決定が確定したことを要する（民再255Ⅰ柱書。ただし，同条2項の場合を除く）。これは，客観的処罰条件と呼ばれ，詐欺破産罪における破産手続開始決定の確定と同様のものである（本書829頁参照）。

第2項 特定の債権者に対する担保供与等の罪

債務者が，再生手続開始の前後を問わず，特定の債権者に対する債務につい

---

5) 仮装の担保権の設定は，債務の負担も仮装されている場合は別にして，物上保証のようなものについては，債務の負担の仮装（民再255Ⅰ②）ではなく，財産の譲渡を仮装する行為（同Ⅰ②）にあたる。新注釈民事再生法（下）619頁〔大川治〕。
6) 詳解民事再生法687頁〔塩見淳〕では，必要的共犯の他方当事者として，相手方が不可罰と解釈される余地を排除するためと説明する。

て，他の債権者を害する目的で，担保の供与または債務の消滅に関する行為であって債務者の義務に属せずまたはその方法もしくは時期が債務者の義務に属しないものをし，再生手続開始の決定が確定したときは，5年以下の懲役もしくは500万円以下の罰金に処し，またはこれを併科する（民再256）。

対象とされている行為が，いわゆる非義務偏頗行為であり，他の債権者を害する目的という主観的違法要素および再生手続開始決定の確定という客観的処罰条件が設けられているのは，破産犯罪の場合と同様である（本書830頁）。

第3項　監督委員等の特別背任罪

監督委員，調査委員，管財人，保全管理人，個人再生委員，管財人代理または保全管理人代理が，自己もしくは第三者の利益を図りまたは債権者に損害を与える目的で，その任務に背く行為をし，債権者に財産上の損害を加えたときは，10年以下の懲役もしくは1000万円以下の罰金に処し，またはこれを併科する（民再257Ⅰ）。監督委員，調査委員，管財人，保全管理人または個人再生委員が法人であるときは，特別背任罪の規定は，監督委員等の職務を行う役員または職員に適用する（同Ⅱ）。

監督委員等は，実質的な意味で本人にあたる再生債権者や再生債務者の利益のためにその職務を行う者であるが，裁判所によって任命され，再生手続の目的を実現するために中心的な役割を果たすことが期待されているところから，特別背任罪として，背任罪（刑247）の法定刑を加重している。

第4項　情報収集を阻害する罪

再生手続を適正，かつ，迅速に進めるためには，再生債務者などの関係人が裁判所や監督委員などに対して必要な情報を提供することが必要である。そのために法は，様々な規定を設け，再生債務者などに対して情報提供を義務づけているが，再生債務者などがこれを妨害する行為をした場合には，一定の要件の下に刑事罰の制裁を科すこととしている（民再258・259）。

この類型に属する第1は，報告および検査の拒絶の罪である。監督委員などに対して報告義務を負う再生債務者などの者[7]が報告を拒み，または虚偽の報

---

7) 再生債務者の従業者または従業者であった者を含む。破産手続においては，従業者または従業者であった者に説明義務が課されるのは，裁判所の許可がある場合に限られる（破

告をしたときには，3年以下の懲役もしくは300万円以下の罰金に処し，またはこれを併科する（民再258 I II IV）。再生債務者などが，監督委員などによる検査を拒んだときも，同様に処罰される（同III IV）。

第2は，業務および財産の状況に関する物件の隠匿等の罪である。再生手続開始の前後を問わず，債権者を害する目的で，債務者の業務および財産の状況に関する帳簿，書類その他の物件を隠滅し，偽造し，または変造した者は，債務者について再生手続開始の決定が確定したときは，3年以下の懲役もしくは300万円以下の罰金に処し，またはこれを併科する（民再259）。処罰の趣旨は，破産犯罪の場合と同様であり（本書833頁），処罰のためには，主観的違法要素たる債権者を害する目的と，客観的処罰条件たる再生手続開始決定の確定が必要である。

第5項 監督委員等に対する職務妨害の罪

偽計または威力を用いて，監督委員，調査委員，管財人，保全管理人，個人再生委員，管財人代理または保全管理人代理の職務を妨害した者は，3年以下の懲役もしくは300万円以下の罰金に処し，またはこれを併科する（民再260）。監督委員などの職務遂行に対して妨害行為をすることは，業務妨害罪（刑233後段・234）の対象となりうるが，再生手続の目的達成にとって監督委員などの機関の職務の重要性を考慮して，特別の犯罪類型を設けたものである[8]。

第6項 贈収賄罪

贈収賄罪は，手続的侵害罪の1つである。公正にその職務を行うべき立場にある監督委員，調査委員，管財人，保全管理人，個人再生委員，管財人代理または保全管理人代理が，その職務に関し，賄賂を収受し，またはその要求もしくは約束をしたときは，3年以下の懲役もしくは300万円以下の罰金に処し，またはこれを併科する（民再261 I）。この場合に，その監督委員等が不正の請

---

40 I 柱書但書），したがって，処罰もその場合にのみなされるが（破268 I），再生手続においては，このような限定がない（民再59 I 柱書参照）。これに対する立法論的批判として，新注釈民事再生法（下）636頁〔大川治〕参照。

[8] ここでの対象には，再生債務者が含まれていないが，再生債務者の地位の機関性（本書881頁）との関係が問題になる。基本構造568頁。もちろん，再生債務者についても業務妨害罪は成立しうる。

託を受けたときは，5年以下の懲役もしくは500万円以下の罰金に処し，またはこれを併科する（同Ⅱ）。監督委員，調査委員，管財人，保全管理人または個人再生委員（監督委員等という）が法人である場合においては，その職務を行う役員等についての規定が設けられている（同ⅢⅣ）。

また，再生債権者または代理委員などが債権者集会の期日における議決権の行使などに関し，不正の請託を受けて，賄賂を収受し，またはその要求もしくは約束をしたときは，5年以下の懲役もしくは500万円以下の罰金に処し，またはこれを併科する（同Ⅴ）。

以上，いずれの場合についても，収受した賄賂に関して没収および追徴の規定がおかれている（同Ⅵ）。

収賄者に対応して，贈賄者側についても，処罰の規定が置かれている（民再262）。

第7項　再生債務者等に対する面会強請等の罪

個人である再生債務者またはその親族その他の者に再生債権（再生手続が再生計画認可の決定の確定後に終了した後にあっては，免責されたものに限る）を再生計画の定めるところによらずに弁済させ，または再生債権について再生債務者の親族その他の者に保証をさせる目的で，再生債務者またはその親族その他の者に対し，面会を強請し，または強談威迫の行為をした者は，3年以下の懲役もしくは300万円以下の罰金に処し，またはこれを併科する（民再263）。再生手続は，再生債務者の経済的再生を目的とするところから，その目的を妨げる行為を処罰する趣旨である。処罰の対象となる行為は，再生手続中の行為および再生計画認可決定確定後の行為を含むが，後者については，非免責債権にもとづく行為は処罰の対象とならない。これらの行為に対する処罰は，再生犯罪の対象とせず，刑事罰一般に委ねる趣旨である。

第3部　倒産処理手続相互の関係

　第1部序論において述べたように，わが国の制度は，旧法以来の伝統を引き継いで，複数の倒産処理手続を併存させる複数手続型をとり，単一手続型をとっていない。しかし，同一の債務者についての再生型手続と清算型手続の二重係属は，目的自体の抵触を生じさせるし，また，再生型に属する再生手続と更生手続の二重係属は，手続の重複を招き，合理性に欠ける。

　したがって，複数手続型の倒産処理法制にとって第1の課題は，再生型手続たる民事再生および会社更生と，清算型手続たる破産との間の優先劣後関係に関する規律を設けることである。第1部第1章第1節（本書86頁以下）において述べた破産手続の開始に関する破産障害事由がこれにあたり，その他，民事再生法などに関連する規定が設けられている。また，再生型手続に属する民事再生と会社更生との間の優先劣後関係も，この課題に属する[1]。

　第2の課題は，再生型手続がその目的を達しなかった場合には，清算型手続たる破産による処理に委ねざるをえないが，再生型から清算型に移行する過程において債務者の財産の散逸などが生じることを防ぎ，先行手続と後行手続の区別を前提としながら，両者の間の連続性を確保することである。再生と清算という目的の差異こそあれ，いずれも倒産処理手続に属することに変わりはなく，継続事業価値実現のために保全されてきた債務者の財産を公平な清算に充てるための措置を講じることが，この課題の内容である。

　第3の課題は，第2の課題たる連続性の確保を前提として，先行手続から後

---

[1]　松下淳一「倒産処理手続相互の関係」ジュリ1273号106頁（2004年），条解民事再生法1249頁〔八田卓也〕，倒産と訴訟426頁〔小畑英一＝島岡大雄〕参照。倒産処理手続全体にわたる移行等の関係についても，同論文が詳しい。
　　なお，特殊なものとして，船舶の所有者等の責任の制限に関する法律（昭和50年法律94号）または船舶油濁損害賠償保障法（昭和50年法律95号）にもとづく責任制限手続の廃止による破産手続の中止がある（破263以下）。これは，責任制限手続を廃止することにともなって，その手続に参加している債権者（制限債権者）に破産手続に参加する機会を与えるために，破産手続を中止し（破263），債権届出期間を定めるなどの措置（破264，破産規83）を講じるものである。

行手続への移行を円滑に行い，利害関係人の合理的期待に反する結果を生じないようにすることである。たとえば，先行手続たる再生手続においてなされた再生債権の届出などを後行手続たる破産手続における破産債権の届出とみなすことができるかどうかとか，再生債権確定のために行われている裁判手続を破産手続に引き継ぐことができるかどうかとか，あるいは再生手続や更生手続における共益債権を破産手続における財団債権とみなすことができるかどうかなどの問題がある[2]。先行する再生手続において再生債務者等と別除権者の間で締結された別除権協定にもとづいて，対象債権の共益債権化の可能性を認め，それを後行の破産手続における財団債権として扱うことを許すかという問題（本書991頁）も，これに関連する。

第3の課題を考えるについては，一方で，債権者平等など，後行の手続の理念に反する結果とならないように留意し，他方で，先行手続において確定された利害関係人の地位が合理的な理由なく覆され，そのことが先行手続の機能不全につながらないように注意しなければならない。

第1節　倒産処理手続相互間の優先劣後関係

すでに破産障害事由（第1部第1章第1節第4項〔本書130頁以下〕）について述べたように，継続事業価値実現が清算価値実現に優先するなどの理由から，再生型たる再生手続や更生手続は，破産手続に優先する。そのことは，両者の申立てが競合した場合の破産手続に対する中止命令（民再26 I ①，会更24 I ①）に示される。また，再生手続や更生手続の開始決定による破産手続の当然中止の規定など（民再39 I，会更50 I），あるいは，再生計画認可決定の確定や更生計画認可決定による破産手続の失効（民再184本文，会更208本文）も，このような考え方にもとづくものである。

さらに，再生型たる再生手続と更生手続との間の優先劣後関係や，清算型たる破産手続と特別清算手続との間の優先劣後関係については，特別手続たる更

---

[2] なお，再生手続から更生手続への移行に伴う問題は，本書では扱わないが，宮川勝之他「民事再生手続から会社更生手続への移行に伴ういくつかの問題」銀行法務21　628号4頁（2004年）に詳しい。また，再度の再生手続（再生計画履行完了前の再度の再生手続申立て）については，150問338頁〔森智幸〕参照。

生手続や特別清算手続が，一般手続たる再生手続や破産手続に優先することが規定されている（会更24 I ①・50 I・208本文，会社512 I ①・515 I II）[3]。

　すでに破産手続が開始されているときに，破産管財人が裁判所の許可を得て，当該破産者について再生手続開始や更生手続開始の申立てをすることができるのも（民再246 I，会更246 I），再生型手続の清算型手続に対する優先性を示すものである[4]。再生型手続によることが債権者の一般の利益に適合すると認める場合に限り，裁判所は，破産管財人による再生手続開始や更生手続開始申立てを許可するとされていることは（民再246 II，会更246 II），再生型手続によって実現を期待される継続事業価値が破産手続による清算価値を上回ると判断されることを意味する[5]。

　したがって，破産管財人の申立てについての裁判所の許可は，再生手続開始や更生手続開始の条件（民再25②，会更41 I ②）についての判断を実質的に先取りするものとなるところから，裁判所は，申立てについての決定をする前に，労働組合等の意見を聴かなければならない（民再246 III，会更246 III）。申立てに際して，再生手続や更生手続開始の原因となる事実の疎明義務（民再23 I，会更20 I）が免除されていることも（民再246 IV，会更246 IV），同様の理由によるものである。

---

[3]　具体例については，150問43頁〔木下清午〕参照。もっとも，再生手続によることが債権者一般の利益に適合すると認めるときは，更生手続開始申立てが棄却される（会更41 I ②）。その例として，株式会社の事業再生手段としての更生手続の一般的優位性を認めつつも，再生手続の進捗状況，再生債務者や担保権者の意向等を考慮して，更生手続開始申立てを棄却すべきものとした，大阪地決平成18・2・16判タ1223号302頁，大阪高決平成18・4・26判時1930号100頁，東京地決平成20・5・15判時2007号96頁，東京地決平成20・6・10判時2007号96頁がある。

[4]　もちろん，債権者の申立権（民再21 II）は，破産手続開始によって影響を受けない。債務者の申立権も，会社更生法19条の規定などを前提とすれば，破産手続開始によって影響を受けないと解される。基本構造26頁，松下・前掲論文（注1）107頁，条解民事再生法1255頁〔八田卓也〕。

[5]　破産管財人による再生手続開始申立ては，破産者が法人である場合にも，個人である場合にも可能であるが，実際上は，法人である場合に限られるものと予想される。一問一答410頁。その他，破産手続から再生手続に移行する場合の規律については，150問340頁〔染谷翼〕に詳しい。

第2節　再生手続または更生手続から破産手続への移行

　再生型手続がその目的を達しない場合には，ほとんどの場合に，破産手続によって債務者の財産を清算する必要が生じる。したがって，再生型手続の遂行を監督する裁判所は，この必要性を満たすために適時に破産手続を開始することができる。この場合の破産手続を牽連破産と呼ぶ。

第1項　再生手続または更生手続終了後の職権にもとづく牽連破産[6]

　破産手続開始前の再生債務者について，再生手続開始申立てが棄却されたり，再生手続廃止などによって，再生手続がその目的を達せずに終了した場合において，破産手続開始原因たる事実の存在が認められるときには，裁判所が職権で破産手続開始決定をする権限を与えられ（民再250Ⅰ），また，破産手続開始後の再生債務者について，再生計画認可決定の確定によって破産手続が失効した後に，再生手続廃止決定（民再193・194）や再生計画取消決定が確定した場合に，裁判所が職権による破産手続開始決定を義務づけられるのは（民再250Ⅱ本文），上記の必要性を満たすためである。なお，会社更生法にも同趣旨の規定が設けられている（会更252ⅠⅡ）。

　もっとも，破産手続開始前の再生債務者について再生手続廃止などの決定がなされた場合であっても，それが確定するまでは職権による破産手続開始決定をすることができず，即時抗告手続中に再生債務者の財産が散逸するなどのおそれがある。そこで裁判所は，職権によって，他の手続の中止命令（破24Ⅰ），包括的禁止命令（破25Ⅱ），財産保全処分（破28），保全管理命令（破91）あるいは否認権のための保全処分（破171）などの保全処分等を命じることができる（民再251Ⅰ柱書・①）。破産手続開始後の再生債務者について再生計画認可決定の確定によって破産手続が効力を失った後に，再生手続廃止決定などによ

---

[6]　以下に述べる場合以外に，再生手続が終結し（民再188Ⅰ～Ⅲ），その後に新たに破産手続が開始されることも考えられる。これは，ここでいう牽連破産にはあたらないが，特に再生計画にもとづく履行が完了していないときには，実質的には，牽連破産と変わらない。このような場合の再生債務者代理人に求められる職務遂行については，破産管財の手引〈第2版〉420頁参照。

って職権による破産手続開始決定をすべき場合についても，同様である（同②）。職権による牽連破産開始決定をしないこととしたときは，これらの保全処分等は取り消される（同Ⅱ）7)。ただし，職権による牽連破産開始決定をすることが裁判所に義務づけられている場合（民再250Ⅱ）においては，保全処分等（民再251Ⅰ②）を取り消す余地はない（民再251Ⅱ参照）。

また，再生手続廃止決定などが即時抗告によって取り消されたときは，保全処分等は失効する（同Ⅲ）。なお，会社更生にも同趣旨の規定が設けられている（会更253）。

第2項　再生手続または更生手続終了前の破産手続開始申立てにもとづく牽連破産

破産手続開始前の再生債務者について，再生手続開始決定の取消し，再生手続廃止決定もしくは再生計画不認可決定または再生計画取消決定（再生手続の終了前にされた申立てにもとづくものに限る）があった場合には，それらの決定が確定する前であっても，再生裁判所に当該再生債務者についての破産手続開始申立てをすることが認められる（民再249Ⅰ前段）。それらの決定が確定し，再生手続が終了するまでは，破産手続開始申立ては許されないのが原則であるが（民再39Ⅰ），その原則を変更し，職権による牽連破産を待たずに，申立てにもとづく牽連破産を認め，破産手続への円滑な移行の可能性を認めるものである8)。

後に述べる一体性との関係では，終了する再生手続と申立てにもとづいて開

---

7) この場合には，保全処分等の取消決定に対して認められる即時抗告は認められない（民再251Ⅳ）。職権による牽連破産そのものが開始されないためである。なお，保全管理命令が発令された場合に，株主総会決議等の手続を経ないでする保全管理人による事業譲渡や双方未履行双務契約の解除を認める見解として，島岡大雄「民事再生事件の履行監督と民事再生から破産への移行（牽連破産）事件の処理における一裁判官の雑感（下）」銀行法務21　811号38頁（2017年），同「民事再生事件の履行監督及び牽連破産事件の処理について」多比羅喜寿515，517頁がある。
　保全管理人の職務については，150問330頁〔黒木和彰〕，保全管理人への引継ぎにおいて再生債務者の代理人が果たすべき役割については，150問327頁〔榎崇文〕，332頁〔森山善基〕参照。
8) 再生手続廃止決定に対する即時抗告や許可抗告がなされ，その確定までに相当の時間を要するような事案において，破産手続開始の申立てを許し，保全処分などを通じて，再生手続と破産手続を架橋する趣旨である。基本構造33頁。また，職権による破産手続開始決定（民再250）との関係については，条解民事再生法1267頁〔八田卓也〕参照。

始される破産手続との連続性を実現することを通じて，一体性を確保しようとするものである[9]。さらに，破産手続開始後の再生債務者について，再生計画認可決定の確定によって破産手続が効力を失った後に（民再184本文），再生手続廃止決定（民再193・194）や再生計画取消決定があった場合に，それらの決定の確定前に再生裁判所に再生債務者についての破産手続開始申立てをすることができるとされるのも（民再249 I 後段），同様の理由によるものである。ただし，いずれの場合であっても，破産手続開始決定は，再生手続廃止決定等が確定し，再生手続が終了した後でなければ，することができない（同Ⅱ）。それまでの期間における保全処分等は，破産手続開始申立人の申立てにもとづいて（破24以下）または職権により（民再251 I）なされる。

なお，会社更生法にも同趣旨の規定が設けられている（会更251 I Ⅲ）。

第3項　再生手続開始決定があった場合の破産事件の移送

以上は，再生手続終了後に職権または申立てにもとづいて牽連破産が開始される場合であるが，ある裁判所において破産手続開始の申立てがなされ，または破産手続が開始され，その後に別の裁判所において再生手続が開始されたことによって，破産手続が中止され（民再39 I），さらにその後に再生手続が失敗して廃止されるときには（民再191～193・237・243等），中止されている破産手続を速やかに続行することが望ましい。そのための措置として，破産事件を取り扱う裁判所は，当該破産事件を処理するために相当と認めるときは，職権で，あらかじめ当該破産事件を再生裁判所に移送し（民再248），再生手続終了後の破産手続の続行を円滑に行うための措置をとることができる[10]。移送によって，破産事件は，移送を受けた裁判所にはじめから係属していたものとみなされる（破13，民訴22Ⅲ）。

なお，会社更生法にも同趣旨の規定が設けられている（会更250）。

---

[9]　再生手続開始前に破産手続開始申立てがなされ，再生計画認可決定の確定による失効（民再184本文）前に再生手続が終了するときに，当該破産手続開始申立てにもとづく破産手続開始決定を行うことは，民事再生法249条とはかかわりなく可能であり，また終了する再生手続と開始される破産手続との連続性も認めることができる。一問一答414頁参照。

[10]　移送制度の趣旨や相当性の判断については，基本構造30頁，条解民事再生法1265頁〔八田卓也〕参照。一般的には，再生手続が相当程度進行していて，その裁判所が破産手続を進めるのが適当であるような場合が考えられる。

第3節　先行手続と後行手続との一体性の確保

　第2節に述べたような措置によって，再生手続または更生手続から破産手続への移行が確保しうるとしても，両者がそれぞれ独立のものであり，利害関係人の地位などが共通のものとして認められなければ，不公平な結果が生じる可能性があり，また円滑な移行が妨げられるおそれがある。そのような問題を解決するために，法は，以下のような措置を講じている。破産手続が先行し，再生手続または更生手続が後行の手続として開始されることによって，破産手続が中止または失効する場合にも，同様の問題がある。

第1項　財団債権の共益債権化および共益債権の財団債権化等

　まず，破産手続が先行する場合の財団債権の共益債権化について説明する。先行する破産手続は，再生手続開始決定によって中止され（民再39Ⅰ），再生計画認可決定の確定によって失効する（民再184本文）。その場合に，破産手続における財団債権を再生手続においてどのように取り扱うかという問題が生じる。破産債権者のための共益的支出という性質をもち，随時弁済が認められている財団債権が，再生手続において保護されないとすることは，不公平な結果となるので，再生手続開始決定によって共益債権とされる（民再39Ⅲ①）[11]。先

---

[11]　平成16年改正前は，再生計画認可決定の確定の効果として，失効した破産手続における財団債権が共益債権となると規定されていた（平成16年改正前民再184Ⅱ）。しかし，随時弁済を保障されている財団債権の満足が，再生計画認可決定の確定まで待たなくてはならないことが不合理であるとの判断にもとづいて，現行法のように改められたものである。松下・前掲論文（注1）108頁，基本構造34頁参照。

　なお，手続については，民事再生規則143条参照。

　再生手続開始によって破産手続が中止され，その後に再生計画認可決定確定に至らず，再生手続が終了し，破産手続に移行する場合に，当該債権は，いったん財団債権から共益債権に変わり（民再39Ⅲ①），再び共益債権から財団債権に代わることになるが（民再252Ⅵ），新たに移行する破産手続固有の財団債権との順位が問題となる。破産管財人の報酬など，手続費用性の高い財団債権（破148Ⅰ①②）に関しては，移行する破産手続における財団債権の優先性を認めるべきであろう。基本構造34頁。

　さらにこれを進め，破産財団の価値が先行する再生手続において形成されたとみられるときに，その形成原因となった事業活動の費用にかかる債権を先順位の財団債権（破148Ⅰ①②）として扱うとの考え方がある（木村圭二郎＝溝渕雅男「牽連破産事件における実務上の論点」続・争点166頁）。手続の一体性と公平の理念を重視するものと評価できる。藤本利一「牽連破産手続における優先的財団債権の射程」同172頁参照。

行する破産手続から会社更生に移行した場合についても，同趣旨の規定が置かれている（会更50Ⅸ①）。

次に，先行する再生手続もしくは更生手続が挫折し，牽連破産に移行した場合または中止されていた破産手続が続行される場合には，共益債権が財団債権として取り扱われる（民再252Ⅵ，会更254Ⅵ）。これも，両者を一体の倒産処理手続として扱うことによって，利害関係人間の公平と円滑な手続の移行を担保するための措置である[12]。

また，牽連破産における労働債権の優先性の確保のための措置として，破産手続開始日より前に再生手続開始決定があるときは，再生手続開始前3月間の給料の請求権について，これが財団債権とされている（民再252Ⅴ）。牽連破産開始日より3月を起算すると（破149Ⅰ参照），共益債権性にもとづいて財団債権とされる部分（民再119②・252Ⅵ）と重複することによって，労働債権保護の趣旨が害されることを考慮したものである[13]。

第2項　否認および相殺禁止の基準時等

破産手続における否認および相殺禁止の要件として，破産手続開始申立てが基準とされていることがある（破160Ⅰ②・71Ⅰ④等）。ところが，再生手続や更生手続から牽連破産に移行するときには，そもそも破産手続開始申立てが存在しない場合があるし，または破産手続開始申立てが存在する場合でも，それを

---

[12] 特に，先行した再生手続におけるDIPファイナンスによる共益債権の財団債権化が問題となる。基本構造36頁。そのほか，租税等の請求権と労働債権は，再生手続上では，一般優先債権（民再122）として扱われるが（本書945頁），破産手続では，財団債権（破148Ⅰ②③・149），優先的破産債権（破98Ⅰ）または劣後的破産債権（破99Ⅰ①・97③〜⑤）に分かれ，後2者となるときには，破産債権の届出が必要になる。破産管財の手引〈第2版〉409頁。

　なお，いったん再生手続が終結し（民再188Ⅰ〜Ⅲ），未だ再生計画にもとづく履行が完了していない段階で，新たな再生手続が開始された場合の共益債権の引継ぎ（民再190Ⅸ）も，同様の趣旨によるものである。これに対して，同様の段階で破産手続が開始されたときについては，共益債権の財団債権化の規定を欠くので，共益債権は，破産債権として扱わざるをえない。破産管財の手引〈第2版〉420頁，150問322頁〔森晋介〕。

[13] 基本構造36頁。破産管財の手引〈第2版〉411頁に再生手続開始前後における給料，退職金および解雇予告手当の取扱いが整理されている。

　なお，更生手続においては，更生手続開始前6月の使用人の給料の請求権が共益債権とされ（会更130Ⅰ），その結果として牽連破産においても財団債権として扱われるため（会更254Ⅵ），民事再生法に対応する規定は置かれていない。一問一答419頁。

基準として否認や相殺禁止の成否を決するのは，利害関係人間の公平に反し，むしろ先行する再生手続や更生手続における手続開始申立てを基準とする方が，公平を実現し，また破産財団の充実に資すると考えられる。

このような視点から，破産手続開始前の再生債務者に関して，先行手続たる再生手続と後行手続たる牽連破産（民再252Ⅰ①～④）に関しては，否認や相殺禁止の要件として破産手続開始申立てがかかわる破産法の規定（破産法の関係規定と呼ばれる）の適用については，再生手続開始申立て等は，当該再生手続開始申立て等の前に破産手続開始申立てがないときに限って，破産手続開始申立てとみなす（民再252Ⅰ柱書）[14]。

破産手続開始後の再生債務者に関しても，民事再生法193条もしくは194条

[14] 平成16年改正前は，再生手続開始原因たる事実（民再21Ⅰ）が破産手続開始原因たる事実と異なっており，したがって，再生手続開始申立てを破産手続開始申立てと同視できないとの理由によって，再生手続開始決定を支払停止または破産手続開始申立てとみなすこととしていた（改正前民再16Ⅱ）。しかし，再生手続自体における否認や相殺禁止の要件として，再生手続開始申立てが基準とされることがあることを考えると，このような理由は合理性を認められないとの考え方から，現行法のように改められたものである。一問一答415頁，基本構造38頁，150問334頁〔平岩みゆき〕参照。

　また，金融機関が顧客から約束手形の取立委任を受けた後に顧客が再生手続開始申立てをなし，引き続いて再生手続開始決定がなされ，その後に，金融機関が当該手形を取り立てて，取立金を保管中に，再生手続が廃止されて，職権による破産手続開始決定がされたときに，金融機関が，顧客に対する貸付金債権を自働債権とし，手形取立金返還債務を受働債権とする相殺をすることができるかという問題が考えられる。再生手続開始申立てが破産手続開始申立てとみなされる点（民再252Ⅰ柱書）に着目し，これは，破産手続開始申立て後の債務負担とみなされるから（破71Ⅰ④），金融機関と顧客との間の手形の取立委任が前に生じた原因（破71Ⅱ②。本書538頁参照）にあたるとすれば，相殺が許されることになる。

　しかし，このような解釈は，再生手続が継続する限りは，再生手続開始後の債務負担（民再93Ⅰ①）との理由から合理的なものとして認められなかった相殺期待が，再生手続が廃止されて，手続が破産手続に移行したことによって復活することを意味する。最判昭和61・4・8民集40巻3号541頁は，旧和議法にもとづく和議から破産手続に移行した事案における相殺禁止に関して，債務負担の原因が破産宣告の時より1年以上前に生じた原因として相殺が許されることとなる場合（旧破104②但書後半部分）でも，和議申立て後の債務負担という理由で相殺が禁止される以上，「和議手続と破産手続とを継続した一体のものとして把握」するという見地から，相殺を許さないものとしている。

　上記の問題についても，このような見地から考えれば，先行した再生手続と後行の破産手続との関係を継続した一体のものとして把握し，いったん相殺が許されない状態が発生した以上，それが復活することはないと考えるべきである（伊藤眞「再生手続廃止後の牽連破産における合理的相殺期待の範囲」門口退官210頁）。もっとも，このように考えると，先行する再生手続開始決定を破産手続開始決定と読み替えるのと同様の結果となり，それは立法者の意図と反するとの批判もありえよう。

の規定による再生手続廃止または再生計画取消決定（再生手続の終了前にされた申立てにもとづくもの）の確定にともなって，破産手続申立て（民再249 I 後段）または職権（民再250 II）によって牽連破産に移行した場合には，すでに再生計画認可決定の確定によって効力を失った破産手続における破産手続開始申立てが否認等の要件において基準とされる（民再252 III ①）。さらに，再生手続の終了後の申立てにもとづく再生計画取消決定確定にともなって，破産手続開始決定があった場合には，再生手続取消決定の申立てが破産手続開始申立てとして扱われる（同②）。会社更生法にも類似の規定が設けられている（会更254 I III）。

なお，破産手続における否認権の消滅時効については，破産手続開始の日から2年を経過したときは，行使することができないと規定されている（破176前段）。しかし，再生手続から牽連破産に移行した場合に，牽連破産の開始日を基準として2年の時効期間を起算すると，受益者などを長く不安定な地位に置く結果となり，利害関係人間の公平に反する。そこで法は，破産手続開始前の再生債務者について再生手続終了にともなって牽連破産が開始されたときには，再生手続開始決定日を破産手続開始決定日とみなし（民再252 II），破産手続開始後の再生債務者については，失効した当初の破産手続開始日をもって牽連破産の開始日とみなしている（同IV）。会社更生法にも類似の規定が設けられている（会更254 II IV）[15]。

逆に破産手続が先行し，その後に再生手続が開始された場合には，再生手続開始の日からではなく，破産手続開始の日から否認権の消滅時効期間が起算されるのも（民再139かっこ書），利害関係人に不合理な負担を生じさせるのを避けるためである。会社更生法にも類似の規定が設けられている（会更98かっこ書）。

第3項　債権届出の再利用

先行手続が再生手続であり，後行手続が破産手続である場合に，先行手続における再生債権の届出を後行手続である破産債権の届出とみなすこと，また逆に先行手続が破産手続であり，後行手続が再生手続である場合に，破産債権の届出を再生債権の届出とみなすことができれば，実際上，2つの手続を一体として取り扱ったのと同様の結果となり，手続の円滑な移行に資することができ

---

[15]　再生手続および更生手続における否認権行使の実情との関係については，基本構造39頁参照。

る16)。

　このような視点から，まず牽連破産（民再252Ⅰ①～④・Ⅲ）において裁判所は，終了した再生手続において届出があった再生債権の内容等の事情を考慮して相当と認めるときは，牽連破産の開始決定と同時に，再生債権としての届出をした破産債権者については，その破産債権の届出を要しない旨の決定をすることができる（民再253Ⅰ）17)。決定の内容は公告（破32Ⅰ）され，また知れている破産債権者に通知される（民再253Ⅱ）。決定の効果として，再生債権の届出をした者が，破産債権届出期間の初日に破産債権の届出をしたものとみなす（同Ⅲ）18)。ただし，再生債権と破産債権との取扱いの違いに応じて，届出内容に関する読替規定が置かれている（同Ⅳ Ｖ）。

　相当と認めるときの基準としては，内容に変動が予想されない再生債権が多数存在する場合には，積極の判断を，逆に債権の額等が変動していると予想される場合には，消極の判断をすることになる19)。もちろん，この決定がなされたときであっても，当該破産債権者が進んで届出をなした場合には，それにもとづいて破産債権の届出がなされたものと扱われる（同Ⅵ）。

　次に，先行手続である破産手続から後行手続である再生手続に移行する場合における，破産債権届出の再利用について説明する。裁判所は，再生手続開始決定をする場合において，すでに破産手続において届出があった破産債権の内容等の事情を考慮して相当と認めるときは，開始決定と同時に，破産債権として届出をした再生債権者は，当該再生債権の届出をすることを要しない旨の決定をすることができる（民再247Ⅰ）20)。相当と認めることができる基準や，再

16)　先行手続における債権調査の結果を後行手続において再利用することは認められない。ただし，再生債権者表や更生債権者表の記載に認められる確定判決と同一の効力（民再180Ⅱ・185Ⅰ・195Ⅷ，会更206Ⅱ・235Ⅰ・238Ⅵ）が，後行の手続に影響しうることは当然である。
17)　再生計画の履行完了前に再生債務者についてされる破産手続開始決定にかかる破産手続についても，以下と同様の取扱いが認められる（民再253Ⅶ）。
18)　手続については，民事再生規則142条2項参照。
19)　松下・前掲論文（注1）111頁，基本構造42頁参照。もっとも，再生手続の開始から破産手続の開始までに相当の期間が経過している場合には，再生手続開始後の利息や遅延損害金の取扱いの問題が生じるために，実務例は少ないといわれる。破産管財の手引〈第2版〉407頁，200問270頁〔舩木孝和〕，破産・民事再生の実務［再生編］356頁。
20)　優先的破産債権（破98Ⅰ）である旨の届出があった債権，共助対象外国租税の請求権および罰金等の請求権（破97⑥）は，除外される（民再247Ⅰかっこ書）。これらの権利は，再生債権とならないか（民再122），または一般の再生債権とは異なった取扱いがさ

生債権者が進んで届出をなした場合の取扱いなどは、再生債権の届出が破産債権の届出として再利用される場合とほぼ同様である[21]。

なお、更生手続から破産手続への移行および破産手続から更生手続への移行についても、ほぼ同趣旨の規定が設けられている（会更255・247）。

第4項　再生手続における裁判手続の破産手続における帰趨等

再生手続においては、再生債務者財産や再生債権に関する争いの解決のために裁判手続が設けられているが、それらのうちのあるものについては、再生手続の終了とともに終了し、また、あるものについては、破産手続に引き継がれる。なお、更生手続における裁判手続の破産手続における帰趨についても、基本的には同様の取扱いがなされる[22]。

1　否認権行使のための裁判手続の帰趨

否認権行使の方法として否認の請求がなされ、その手続係属中に再生手続が終了したときには、否認の請求手続は、当然に終了する（民再136V）。否認の請求は、簡易・迅速な審理手続によって否認の成否を決するためのものであるから、これを牽連破産に引き継がせる必要性に乏しいと判断された結果である。これに対して、否認の請求を認容する決定がなされ、それに対する異議の訴えが係属中に、再生計画不認可などの理由によって再生手続が終了したときには、訴訟手続は中断し（民再137Ⅵ・68Ⅱ）[23]、その後に牽連破産（民再252Ⅰ①～④・Ⅲ）の手続が開始されれば、破産管財人がこれを受継することができる（民再254Ⅰ前段）[24]。相手方にも受継申立権がある（同後段）。

れる（民再97①）ためである。条解民事再生法1260頁〔八田卓也〕。
[21]　基本構造43頁、条解民事再生規則〈新版〉297頁。手続については、民事再生規則142条1項参照。
[22]　基本的な考え方については、基本構造44頁、具体的な規律の内容については、別冊NBL編集部編・新破産法の実務Q＆A252頁（2004年）、倒産と訴訟431頁〔小畑英一＝島岡大雄〕、561頁〔松下淳一〕、150問336頁〔佐田洋平〕参照。さらに、立法論として、先行する手続における裁判手続を後行の手続に引き継ぐ場合の拡大を説くものとして、判例・実務・改正提言43頁〔多比羅誠＝高橋優〕がある。
[23]　再生手続開始決定取消決定の確定によって再生手続が終了するときには、訴訟手続は中断せず、当然に終了する（民再137ⅥⅦ）。取消しによって再生手続が開始されなかった場合にまで、否認に関する裁判手続を続行する可能性を認めるのは不合理だからである。一問一答424頁参照。
[24]　事例として、札幌地判平成17・4・15金商1217号6頁がある。

この場合には，否認の成否をめぐって訴訟手続の中で裁判資料が形成されているので，これを牽連破産における異議の訴えにおいて利用することを可能にするための措置である。受継される訴訟についての相手方の訴訟費用請求権は，財団債権とする（同Ⅱ）。また，破産管財人による受継がなされるまでに破産手続が終了したときには，上記の訴訟手続も終了する（同Ⅲ）。

ただし，破産手続開始前の再生債務者についての再生事件に関しては，破産手続開始にもとづく受継がなされるまでに長期間が経過することは望ましくないので，上記の中断の日から1月以内に牽連破産（民再252Ⅰ①~④）開始決定がなされないと，訴訟手続は終了する（民再254Ⅳ）。

2 役員の責任にもとづく損害賠償請求権に関する裁判手続の帰趨

損害賠償請求権の査定の手続は，先行の再生手続が終了した場合には，当然に終了する（民再143Ⅵ）。否認の請求の場合と同様に，簡易・迅速な審理のための手続を後行の破産手続に引き継ぐべき理由がないからである。これに対して，損害賠償請求権の査定の裁判に対する異議訴訟手続が係属中に再生手続が終了したときには，再生債務者が当事者であれば中断せず，その後，再生手続から破産手続に移行した場合には，訴訟手続は中断し（破44Ⅰ），破産管財人がこれを受継することができる（同Ⅱ）。

これに対して，管財人や再生債権者が当事者であれば，再生手続の終了とともに，訴訟手続は中断し（民再68Ⅱ・146Ⅵ前段），再生債務者が受継し（民再68Ⅲ・146Ⅵ後段），その後に再生手続から破産手続への移行にともなって，中断および破産管財人による受継の対象となる（破44ⅠⅡ）[25]。再生手続の終了後に再生債務者に当事者適格が認められるのは，否認権の場合と異なって，役員に対する損害賠償請求権が再生手続の係属の有無によって左右されない実体法上の権利であるためである。

3 再生債権の確定のための裁判手続の帰趨

再生債権の確定のための裁判手続のうち，査定の手続は，再生計画認可決定確定前に再生手続が終了した場合には，その目的を失って終了するが，認可決定確定後に再生手続が終了した場合には，引き続き係属する（民再112の2Ⅰ）。その場合に，管財人が当事者であれば，査定の手続はいったん中断し，再生債

---

[25] 再生債務者が受継しないままに手続が破産に移行したときも，破産法44条2項の類推によって破産管財人による受継の対象となる。一問一答426頁。

務者がそれを受継する（同Ⅱ・68ⅡⅢ）。さらにその後に手続が破産に移行したときには，係属する査定の手続は終了する（民再254Ⅴ）。再生手続における簡易・迅速な審理手続である査定の手続を破産手続に引き継がせる合理性に欠けるためである。

これに対して，再生手続における査定の申立てについての裁判に対する異議の訴えにかかる訴訟手続は，再生債務者等が当事者であれば，再生手続が終了しても，そのまま係属する（民再112の2Ⅳ参照）。ただし，管財人が当事者であれば，いったん訴訟は中断し，再生債務者が引き継がなければならない（民再68ⅡⅢ）。その後に牽連破産が開始されたときは，訴訟手続は中断し（破44Ⅰ），破産債権に関する訴訟として受継されることがある（破127Ⅰ）。

再生債務者等が当事者でない場合に，再生計画認可決定確定前に再生手続が終了すれば，訴訟手続は中断し（民再112の2Ⅳ），中断の日から1月以内に牽連破産が開始された場合には，破産債権に関する訴訟として受継されることがある（破127Ⅰ）。しかし，1月以内に牽連破産が開始されなかった場合には，訴訟手続は終了する（民再254Ⅵ Ⅳ）。再生債務者等が当事者でない場合で，再生計画認可決定確定後に再生手続が終了したときは，異議の訴えにかかる訴訟手続は，引き続き係属し（民再112の2Ⅳ），その後に牽連破産に移行した場合には，中断・受継の対象となる（破44Ⅰ・127Ⅰ）。

さらに，再生手続における債権調査において異議等の対象となった再生債権について，再生手続開始当時訴訟が係属する場合には，対象となった再生債権者による受継がなされるが（民再107Ⅰ・109Ⅱ），その訴訟において再生債務者等が当事者であるときには，再生手続の終了後も訴訟が引き続き係属する（民再112の2Ⅴ参照）。ただし，管財人が当事者であるときは，中断し，再生債務者が受継する（民再68ⅡⅢ）。その後に牽連破産に移行した場合には，中断・受継の対象となる（破44Ⅰ・127Ⅰ）。

再生債務者等が当事者でない場合には，再生計画認可決定確定前の再生手続終了か，確定後の終了かによって手続が分けられる。確定前の終了の場合には，訴訟手続は中断し（民再112の2Ⅴ），再生債務者が受継する（同Ⅵ・68Ⅲ）。再生手続開始前の状態に復帰させる趣旨である。その後に牽連破産に移行した場合には，中断・受継の対象となる（破44Ⅰ・127Ⅰ）。これに対して，確定後の終了の場合には，訴訟手続は引き続き係属し（民再112の2Ⅴ），その後に牽連

破産に移行した場合には，中断・受継の対象となる（破44 I・127 I）。

第5項 配当調整

再生計画の履行完了前に，再生債務者について牽連破産または新たな再生手続が開始された場合には，再生計画によって変更された再生債権は，原状に復する（民再190 I 本文）26)。この点は，更生計画認可後に更生手続が廃止されても，更生計画認可の効力に影響を及ぼさない（会更241 III）のと異なる。ただし，原状回復の効果は，再生債権者が再生計画によってえた権利に影響を及ぼさない（民再190 I 但書）27)。また，破産債権の額は，従前の再生債権の額から再生計画により弁済を受けた額を控除した額とする（同 III）。

たとえば，再生計画による権利変更の一般的基準として（民再156），再生債権の50％免除が定められ，甲の100の債権が50に変更されたときには，牽連破産における甲の債権額は100に復する（民再190 I 本文）。しかし，再生計画の履行としてなされた弁済，たとえば，甲に対する25の弁済は影響を受けない（同但書）。その結果として，牽連破産における甲の破産債権額は，原状に復した100から25を控除した75となる（同 III）28)。

他方，同じく旧再生債権者であり，80の債権が40に変更され，しかも，再生計画の履行としての弁済を受けていない乙は，原状に復した80の破産債権を行使する。また，旧再生手続開始後の原因にもとづく債権者丙は，破産手続開始時の債権，たとえば200を行使する。これらの者の間の公平からすると，甲が再生計画によって弁済を受けた25をそのまま保持させるのは，乙や丙との間の公平に反するので，計算上，甲が受けた25の弁済を破産財団に戻し，

---

26) 再生手続中に締結された別除権協定は，その後に開始された破産手続においても失効せず，被担保債権のうち担保される部分と不足額に関する合意の効力は覆らないという裁判例があったが（高松高判平成24・1・20判タ1375号236頁），最判平成26・6・5民集68巻5号403頁〔倒産百選63事件〕によって覆された。本書992頁参照。

27) 再生手続に対する信頼を保護するためである。これに対して，再生債務者が再生手続終了後に再生計画によらないで再生債権者に対してした担保の供与は，その効力を失う（民再190 V）。再生計画の履行完了前に再生債務者が再生計画によらないでした担保の供与を保護する必要は認められないからである。

28) すでに甲が変更後の50の権利について全部の弁済を受けている場合には，変更前の100が復活する結果として，甲の破産債権額は，残50となる。新たに開始された再生手続における再生債権についても同様である。もっとも，甲が旧再生手続で比較的多額の弁済を受けており，持ち戻し計算では現実の配当財団が形成できない場合も考えられる。

それについても甲，乙，丙間で平等な配当を実現するために，配当手続との関係では甲の破産債権額を原状に復した100とみなして，配当率の標準を定める（同Ⅳ本文）。しかし，現実には，甲は，すでに25の弁済を受けているのであるから，それを破産手続においてなされた配当と同視し，他の同順位の破産債権者，すなわち乙や丙が，甲が受けた25の弁済に相当する配当率，すなわち25％の配当を受けるまでは，甲は，配当を受けることはできない（同但書）[29]。

　以上は，旧再生手続の後に牽連破産が開始された場合の配当調整であるが，新たに再生手続が開始された場合[30]の再生債権の行使については，上の例でいえば，甲および乙の債権が原状に復して（同Ⅰ本文），それぞれ100と80となり，甲は，旧再生手続で受けた25の弁済を保持することができる（同但書）。そして，乙の80の債権および丙の200の債権と並んで，甲は，100の債権を再生債権として行使することができるが（同Ⅵ），新再生手続においては，乙および丙が自己の受けた弁済と同一の割合の弁済，すなわちそれぞれの再生債権額の4分の1の弁済を受けるまでは，甲は，弁済を受けることができない（同Ⅶ）。実質的には，牽連破産の場合と同様に，旧再生手続の再生計画にもとづいて弁済を受けた再生債権者とそれ以外の再生債権者との間の公平を確保するための規律である。弁済を受けた部分の議決権行使を許さないのも（同Ⅷ），同様の理由による。

　なお，配当調整とは次元を異にするが，新たな再生手続においては，従前の再生手続における共益債権は，共益債権とみなすのも（同Ⅸ），共益債権間の公平を確保することを通じて，旧再生手続から新再生手続への移行を円滑にするための規律である。

---

[29]　より詳細な配当調整の計算方法については，破産管財の手引〈第2版〉414頁，債権調査・配当479頁〔高尾和一郎〕，民事再生の手引〈第2版〉457頁以下参照。また，個人再生の場合の問題については，個人再生の手引〈第2版〉505頁。

[30]　新たな再生手続の意義について，旧再生手続開始後に生じた債権に関して再生手続開始申立事由が生じたことと解する立場もあるが（条解民事再生法996頁），そのように限定する理由はなく，旧再生手続の再生計画によって変更された権利について履行が不可能または困難になったことが原因となる場合も含まれる。

　新たな再生手続の進行，弁済調整，共益債権の取扱いなどについては，鹿子木康「再度の再生手続の申立て」多比羅喜寿157頁，個人再生の実務Q＆A 120問261頁〔片上誠之〕参照。

資　料

1　破産・免責事件数／再生事件数

　　1－1　破産事件数
　　1－2　破産事件数の推移
　　1－3　免責事件数
　　1－4　免責事件数の推移
　　1－5　通常再生事件数
　　1－6　通常再生事件数の推移
　　1－7　個人再生事件数
　　1－8　個人再生事件数の推移
　　1－9　再生事件終局区分別既済数

2　各手続の概要

　　2－1　破産手続の概要
　　2－2　民事再生手続（通常）の概要
　　2－3　個人再生手続の概要

1-1 破産事件数

年　次	新　受	既　済	未　済
平成元年	10,319	12,454	17,747
2年	12,478	13,619	16,606
3年	25,091	19,379	22,318
4年	45,658	33,908	34,068
5年	46,216	42,341	37,943
6年	43,161	41,379	39,725
7年	46,487	43,564	42,648
8年	60,291	52,044	50,895
9年	76,032	69,706	57,221
10年	111,067	101,447	66,841
11年	128,488	138,585	56,744
12年	145,858	148,266	54,336
13年	168,811	168,571	54,576
14年	224,467	223,770	55,273
15年	251,800	261,162	45,911
16年	220,261	227,053	39,119
17年	193,179	196,755	35,543
18年	174,861	175,735	34,669
19年	157,889	157,845	34,713
20年	140,941	139,101	36,553
21年	137,957	137,346	37,164
22年	131,370	134,767	33,767
23年	110,449	114,557	29,659
24年	92,552	95,543	26,668
25年	81,136	83,116	24,693
26年	73,368	75,779	22,262
27年	71,533	72,026	21,771
28年	71,840	71,315	22,296
29年	76,015	75,069	23,242
30年	80,012	78,516	24,738
令和元年	80,202	79,318	25,622
2年	78,104	79,348	24,378

(出典　各年度司法統計年報)

1－2　破産事件数の推移

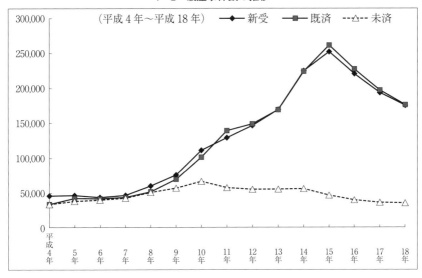

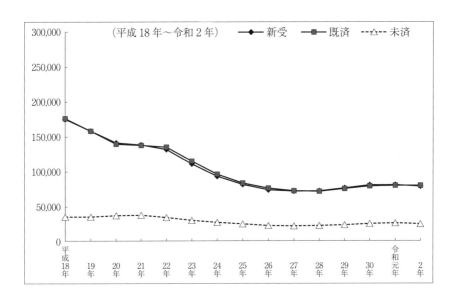

1-3 免責事件数

年次	区分	新受	既済		
			免責決定	不許可決定	取下げ
平成10年	総数	93,525	75,531	74,098	509	556
	自己破産	93,384	75,454	74,032	503	555
	貸金業関係	74,965	60,419	59,279	413	434
11年	総数	131,467	134,200	132,247	696	671
	自己破産	131,203	134,026	132,088	687	669
	貸金業関係	104,753	107,395	105,863	573	518
12年	総数	145,193	144,461	141,983	739	871
	自己破産	145,005	144,231	141,772	729	867
	貸金業関係	114,825	115,000	113,051	579	685
13年	総数	167,559	154,529	151,561	686	1,161
	自己破産	167,398	154,317	151,370	675	1,157
	貸金業関係	141,377	127,279	124,943	547	945
14年	総数	221,556	203,147	199,239	745	1,710
	自己破産	221,394	202,997	199,095	741	1,710
	貸金業関係	196,523	177,100	173,738	633	1,462
15年	総数	247,380	254,500	249,505	757	2,276
	自己破産	247,256	254,348	249,384	752	2,273
	貸金業関係	225,580	231,008	226,569	669	2,050
16年	総数	212,836	227,566	223,615	589	2,109
	自己破産	212,686	227,397	223,466	576	2,104
	貸金業関係	194,209	206,358	202,824	509	1,911
17年	総数	185,437	200,675	197,651	493	2,531
	自己破産	185,198	200,493	197,484	485	2,524
18年	総数	166,392	172,938	169,371	376	3,191
	自己破産	166,132	172,770	169,247	367	3,156
19年	総数	148,539	151,830	148,423	318	3,089
	自己破産	148,365	151,655	148,285	308	3,062
20年	総数	129,760	134,301	131,697	285	2,319
	自己破産	129,570	134,097	131,532	272	2,293
21年	総数	126,499	125,608	122,984	198	2,426
	自己破産	126,347	125,435	122,851	186	2,398

年						
22 年	総数	121,109	125,449	122,555	197	2,697
	自己破産	120,970	125,174	122,315	181	2,678
23 年	総数	100,568	107,879	105,169	174	2,536
	自己破産	100,399	107,738	105,055	167	2,516
24 年	総数	82,443	87,025	84,548	175	2,302
	自己破産	82,288	86,881	84,437	161	2,283
25 年	総数	81,136	83,116	80,992	140	1,984
	自己破産	80,625	82,645	80,529	120	1,816
26 年	総数	73,368	75,799	73,879	154	1,766
	自己破産	72,912	75,247	73,484	137	1,626
27 年	総数	71,533	72,026	69,919	135	1,972
	自己破産	71,077	71,380	69,447	119	1,814
28 年	総数	71,840	71,315	69,418	99	1,798
	自己破産	71,398	70,675	68,969	86	1,630
29 年	総数	76,015	75,069	73,203	126	1,740
	自己破産	75,640	74,499	72,801	105	1,593
30 年	総数	80,012	78,516	76,961	122	1,433
	自己破産	73,099	78,014	76,581	111	1,322
令和元年	総数	80,202	79,318	77,920	123	1,275
	自己破産	79,838	78,829	77,545	108	1,176
2 年	総数	78,104	79,348	78,113	111	1,124
	自己破産	77,763	78,906	77,780	99	1,027

(注1) 貸金業関係については，平成17年1月以降，統計がとられていない。
(注2) 既済の「取下げ」については，平成17年以降は，免責決定・不許可決定・取下げ以外の「その他」の終局事由を含んだ数値である。
(出典　裁判所データブック2004，平成16年以降のデータについては最高裁判所調べ)

1-4 免責事件数の推移

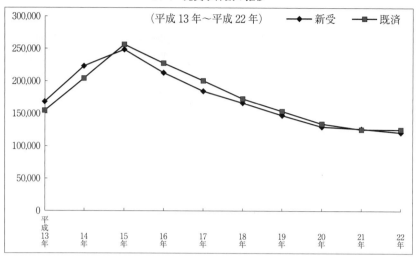

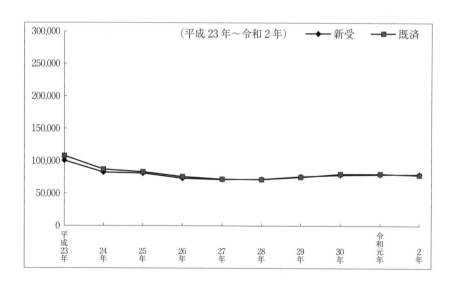

1-5 通常再生事件数

年 次	新 受	既 済	未 済
平成20年	859	731	1,601
21年	661	661	1,601
22年	348	565	1,382
23年	327	567	1,142
24年	305	615	832
25年	209	432	609
26年	165	291	483
27年	158	277	364
28年	151	196	367
29年	140	179	278
30年	114	157	235
令和元年	144	122	258
2年	109	152	215

(出典 各年度司法統計年報)

1-6 通常再生事件数の推移

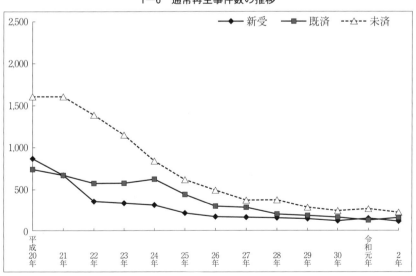

1-7 個人再生事件数

年次	区分	新受	既済	未済
平成19年	総数	27,672	27,428	11,660
	小規模個人再生	24,586	24,059	10,308
	給与所得者等再生	3,086	3,369	1,352
20年	総数	24,052	25,602	10,110
	小規模個人再生	21,810	22,976	9,142
	給与所得者等再生	2,242	2,626	968
21年	総数	20,731	21,388	9,453
	小規模個人再生	18,961	19,452	8,651
	給与所得者等再生	1,770	1,936	802
22年	総数	19,113	20,365	8,201
	小規模個人再生	17,665	18,801	7,515
	給与所得者等再生	1,448	1,564	686
23年	総数	14,262	16,799	5,664
	小規模個人再生	13,108	15,476	5,147
	給与所得者等再生	1,154	1,323	517
24年	総数	10,021	11,521	4,164
	小規模個人再生	9,096	10,507	3,736
	給与所得者等再生	925	1,014	428
25年	総数	8,374	8,800	3,738
	小規模個人再生	7,655	7,980	3,411
	給与所得者等再生	719	820	327
26年	総数	7,668	7,937	3,469
	小規模個人再生	6,982	7,254	3,139
	給与所得者等再生	686	683	330
27年	総数	8,477	8,124	3,822
	小規模個人再生	7,798	7,474	3,463
	給与所得者等再生	679	650	359
28年	総数	9,609	8,981	4,443
	小規模個人再生	8,848	8,242	4,062
	給与所得者等再生	761	739	381

資料1 破産・免責事件数／再生事件数

29年	総　数	11,284	10,339	5,388
	小規模個人再生	10,488	9,543	5,007
	給与所得者等再生	796	796	381
30年	総　数	13,211	12,286	6,313
	小規模個人再生	12,355	11,473	5,889
	給与所得者等再生	856	813	424
令和元年	総　数	13,594	13,479	6,408
	小規模個人再生	12,764	12,628	6,025
	給与所得者等再生	830	851	403
2年	総　数	12,841	12,712	6,557
	小規模個人再生	12,064	11,948	6,141
	給与所得者等再生	777	764	416

(出典　各年度司法統計年報)

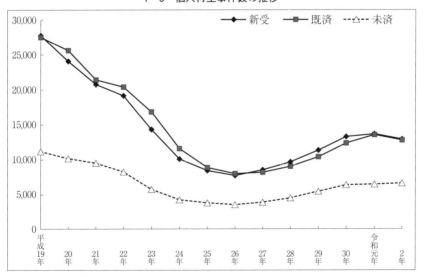

1−8　個人再生事件数の推移

1-9 再生事件終局区分別既済数

年次	区分	総数	再生手続廃止	再生計画不認可	再生計画取消し	再生手続終結	棄却又は却下	取下げ	その他
平成18年	総数	26,857	685	96	—	24,975	73	979	49
	通常再生	941	157	1	—	736	18	20	9
	小規模個人再生	21,774	423	81	—	20,490	40	709	31
	給与所得者等再生	4,142	105	14	—	3,749	15	250	9
19年	総数	28,242	694	109	—	26,383	63	963	30
	通常再生	814	155	2	—	607	20	25	5
	小規模個人再生	24,059	456	88	—	22,716	34	742	23
	給与所得者等再生	3,369	83	19	—	3,060	9	196	2
20年	総数	26,333	670	99	—	24,610	60	859	35
	通常再生	731	187	2	—	480	19	40	3
	小規模個人再生	22,976	434	81	—	21,719	34	680	28
	給与所得者等再生	2,626	49	16	—	2,411	7	139	4
21年	総数	22,049	696	70	—	20,355	47	850	31
	通常再生	661	173	—	—	445	15	20	8
	小規模個人再生	19,452	482	56	—	18,158	24	711	21
	給与所得者等再生	1,936	41	14	—	1,752	8	119	2
22年	総数	20,930	606	64	—	19,406	47	772	35
	通常再生	565	123	—	—	413	5	21	3
	小規模個人再生	18,801	429	57	—	17,594	34	657	30
	給与所得者等再生	1,564	54	7	—	1,399	8	94	2
23年	総数	17,366	492	56	—	16,106	34	633	45
	通常再生	567	106	2	—	436	5	16	2
	小規模個人再生	15,476	348	43	—	14,479	26	543	37
	給与所得者等再生	1,323	38	11	—	1,191	3	74	6
24年	総数	12,136	383	41	—	11,171	41	479	21
	通常再生	615	81	6	—	502	8	16	2
	小規模個人再生	10,507	283	29	—	9,763	28	386	18
	給与所得者等再生	1,014	19	6	—	906	5	77	1

資料1 破産・免責事件数／再生事件数

年	種別								
25年	総数	9,232	302	26	—	8,417	39	423	25
	通常再生	432	56	1	—	353	12	7	3
	小規模個人再生	7,980	224	21	—	7,342	22	352	19
	給与所得者等再生	820	22	4	—	722	5	64	3
26年	総数	8,228	283	33	—	7,490	30	371	21
	通常再生	291	48	—	—	233	4	6	—
	小規模個人再生	7,254	216	30	—	6,646	21	325	16
	給与所得者等再生	683	19	3	—	611	5	40	5
27年	総数	8,401	264	27	—	7,718	21	344	27
	通常再生	277	40	—	—	226	1	5	5
	小規模個人再生	7,474	211	22	—	6,910	19	291	21
	給与所得者等再生	650	13	5	—	582	1	48	1
28年	総数	9,177	285	25	—	8,477	20	333	37
	通常再生	196	36	—	—	149	1	7	3
	小規模個人再生	8,242	236	20	—	7,665	17	275	29
	給与所得者等再生	739	13	5	—	663	2	51	5
29年	総数	10,518	339	29	—	9,734	21	355	40
	通常再生	179	28	—	—	140	7	1	3
	小規模個人再生	9,543	290	25	—	8,879	13	300	36
	給与所得者等再生	796	21	4	—	715	1	54	1
30年	総数	12,443	398	25	—	11,452	34	493	21
	通常再生	157	23	1	—	122	5	4	2
	小規模個人再生	11,473	356	22	—	10,593	25	440	37
	給与所得者等再生	813	19	2	—	737	4	49	2
令和元年	総数	13,601	353	42	—	12,724	37	414	31
	通常再生	122	25	—	—	92	1	4	—
	小規模個人再生	12,628	312	41	—	11,860	32	355	28
	給与所得者等再生	851	16	1	—	772	4	55	3
2年	総数	12,864	375	26	—	11,988	33	412	30
	通常再生	152	25	—	—	118	4	3	2
	小規模個人再生	11,948	337	26	—	11,172	20	370	23
	給与所得者等再生	764	13	—	—	698	9	39	5

(出典　各年度司法統計年報)

2−1 破産手続の概要

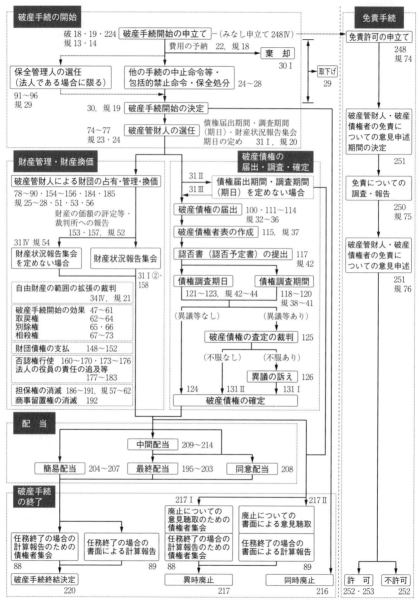

(出典) 松下淳一＝菱田雄郷編・倒産判例百選〈第6版〉(2021年, 有斐閣) 216頁

2—2 民事再生手続（通常）の概要

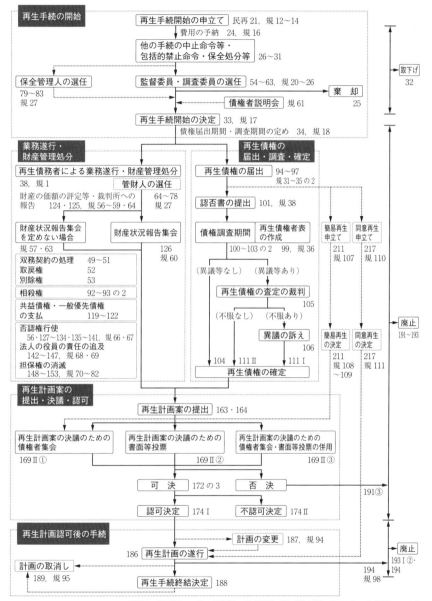

(出典) 松下淳一＝菱田雄郷編・倒産判例百選〈第6版〉(2021年, 有斐閣) 217頁

2—3 個人再生手続の概要

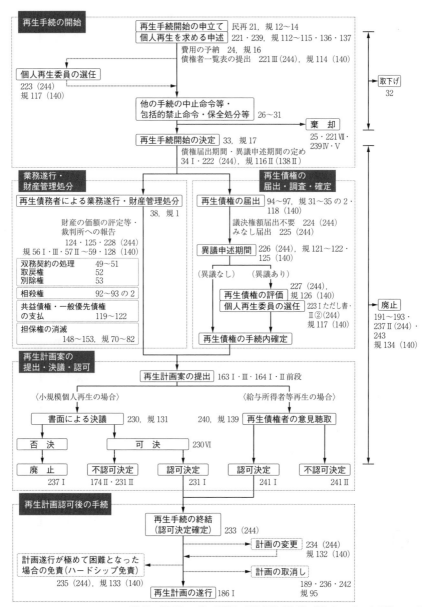

(出典) 松下淳一＝菱田雄郷編・倒産判例百選〈第6版〉(2021年, 有斐閣) 218頁

判例索引

〔大審院〕

大判明 34・12・7 民録 7-1278 ……………373
大判明 35・6・17 民録 8-6-85〔新倒産百選 120 事件〕……………………………………816
大判明 37・3・12 民録 10-309 ……………298
大決明 38・2・25 民録 11-268 ………………99
大判明 38・11・30 民録 11-1730 …………432
大判明 41・4・23 民録 14-477 ……………400
大連判明 41・12・15 民録 14-1276 ………367
大決大 3・3・31 民録 20-256 ………………151
大判大 4・2・16 民録 21-145 ………………192
大決大 5・1・26 民録 22-29 …………………201
大決大 5・11・8 民録 22-2078 ………………98
大判大 7・4・20 民録 24-751 ………………780
大判大 9・5・29 民録 26-796 ………………192
大判大 10・5・27 民録 27-963 ……………158
大判大 14・1・26 民集 43198 ………………433
大決大 15・5・1 民集 5-358〔倒産百選〈初版〉11 事件〕………………………………120
大判大 15・6・29 民集 5-602 ………………381
大判大 15・12・23 新聞 2660-15 …………530
大決大 15・12・23 民集 5-894 ……………201
大判昭 2・3・9 新聞 2672-8 ………………458
大決昭 3・10・13 民集 7-787〔倒産百選〈初版〉12 事件〕……………………………137
大判昭 3・10・19 民集 7-801 ………………222
大判昭 4・5・14 民集 8-523〔倒産百選〈初版〉53 事件〕……………………………529
大判昭 4・7・10 民集 8-717 ………………652
大判昭 4・10・23 民集 8-787 …………452, 635
大判昭 5・10・15 新聞 3199-14 ……………529
大判昭 5・11・5 新聞 3204-15 ……………642
大判昭 6・5・21 新聞 3277-15 ………374, 375
大判昭 6・9・16 民集 10-818 …………611, 616
大決昭 6・12・12 民集 10-1225 ………………95
大判昭 6・12・21 民集 10-1249 ……………642
大判昭 7・6・2 新聞 564586 ………………636
大判昭 7・12・21 民集 11-2266 ……………579
大判昭 7・12・23 法学 2-845 ………………583
大判昭 8・4・15 民集 12-637 ………………646
大判昭 8・4・26 民集 12-753 ………………589
大判昭 8・6・22 民集 12-1627 ……………644
大判昭 8・7・24 民集 12-2264〔新倒産百選 6 事件〕…………………………………202, 712
大判昭 8・7・31 大審院裁判例(7)民事 199 …197
大判昭 8・11・30 民集 12-2781 ……………368
大判昭 8・12・19 民集 12-2882 ………299, 370
大判昭 8・12・22 民集 12-2941 ……………673
大判昭 8・12・28 民集 12-3043 ………579, 580
大判昭 9・1・26 民集 13-74 ………………552
大判昭 9・3・16 民集 13-461 ………………644
大判昭 9・4・26 新聞 658412 ………………583
大決昭 9・5・25 民集 13-851 ………………529
大決昭 9・9・25 民集 13-1725 ……………137
大判昭 9・12・28 法学 4-634 ………………630
大判昭 10・3・13 刑集 14-223 ……………828
大判昭 10・8・8 民集 14-1695 ……………567
大判昭 10・9・3 民集 14-1412 ……………589
大判昭 11・4・24 民集 15-652 ……………217
大判昭 11・6・23 民集 15-1265 ……………529
大判昭 11・7・11 民集 15-1367〔倒産百選〈初版〉71 事件〕……………………………453
大判昭 11・7・31 民集 15-1547 ………642, 658
大判昭 11・7・31 民集 15-1563 ……………530
大判昭 11・8・10 民集 15-1680 ……………599
大判昭 11・10・16 民集 15-1825 ………673, 701
大判昭 12・7・9 民集 16-1145 ……………452
大判昭 12・10・23 民集 16-1544〔倒産百選 3 事件〕……………………………………91
大判昭 13・3・29 民集 17-523 ……………203
大判昭 14・4・20 民集 18-495〔倒産百選 19 事件〕…………………………………192
大判昭 14・5・19 新聞 930975 ……………636
大判昭 14・6・3 民集 18-606 …………568, 627
大判昭 14・6・20 民集 18-685 ……………529
大判昭 15・3・9 民集 19-373 ………………629
大判昭 15・5・15 新聞 979187 ……………589
大判昭 15・9・28 民集 19-1897〔倒産百選〈初版〉7 事件〕……………………………579, 580
大判昭 16・12・27 民集 20-1510〔倒産百選〈初

版〉58 事件〕 ……………………………692
大判昭 17・7・31 新聞 4791-5 ……………646☆☆
大判昭 18・2・12 民集 22-69 ………………678

〔最高裁判所〕

最判昭 23・10・12 民集 2-11-365 …………646
最判昭 31・2・7 民集 10-2-7 ………………469
最判昭 31・9・18 民集 10-9-1160 …………361
最判昭 35・4・26 民集 14-6-1046 …………580
最判昭 35・12・27 民集 14-14-3253 ………134
最大判昭 36・7・19 民集 15-7-1875 ………651
最判昭 36・10・13 民集 15-9-2409〔倒産百選
　〈第 5 版〉99 事件〕 ……………………375
最大決昭 36・12・13 民集 15-11-2803〔倒産百
　選 84 事件〕 ……………………784, 785
最大判昭 37・2・28 刑集 16-2-212 …………358
最判昭 37・3・23 民集 16-3-607〔倒産百選 A4
　事件〕 ……………………………………157
最判昭 37・11・20 民集 16-11-2293〔倒産百選
　〈第 5 版〉35 事件〕 ……………………602
最判昭 37・12・6 民集 16-12-2313〔倒産百選
　〈初版〉40 事件〕 ……………568, 581, 627
最判昭 37・12・13 判タ 140-124〔倒産百選〈初
　版〉26 事件〕 ……………………………370
最判昭 39・6・12 民集 18-5-764 ……………560
最判昭 39・6・19 民集 18-5-795 ……………411
最判昭 39・6・26 民集 18-5-887 ……………564
最判昭 39・7・29 裁判所ウェブサイト ……569
最判昭 39・12・23 民集 18-10-2217 ………1002
最判昭 40・3・9 民集 19-2-352〔倒産百選〈初
　版〉37 事件〕 …………………568, 607, 618
最判昭 40・4・22 民集 19-3-689 ……………644
最判昭 40・4・22 判時 410-23 ………………554
最判昭 40・9・22 民集 19-6-1600
　………………………………570, 571, 1058
最判昭 40・11・2 民集 19-8-1927〔倒産百選 66
　事件〕 ……………………………………551
最判昭 41・4・8 民集 20-4-529〔倒産百選〈初
　版〉51 事件〕 …………………536, 554, 568
最判昭 41・4・14 民集 20-4-584 ……………702
最判昭 41・4・14 民集 20-4-611〔倒産百選 34
　事件〕 ……………………………564, 644
最判昭 41・4・28 民集 20-4-900〔倒産百選 57
　事件〕 ……………………………………503

最判昭 41・5・27 民集 20-5-1004 ……………564
最判昭 41・11・17 金法 467-30 ……………652
最判昭 42・3・9 民集 21-2-274〔倒産百選〈初
　版〉20 事件〕 ……………………………195
最判昭 42・5・2 民集 21-4-859〔倒産百選〈第 3
　版〉26 事件〕 ……………………………579
最判昭 42・6・22 判時 495-51 ………………652
最判昭 42・7・18 民集 21-6-1559 …………288
最判昭 42・8・25 判時 503-33〔倒産百選 A11
　事件〕 ……………………………………382
最大判昭 42・11・1 民集 21-9-2249 ………267
最判昭 42・11・9 民集 21-9-2323 …………567
最判昭 43・2・2 民集 22-2-85〔倒産百選〈初版〉
　94 事件〕 ……………………………567, 567
最判昭 43・3・15 民集 22-3-625〔倒産百選〈第 4
　版〉87 事件〕 ………………272, 433, 779
最判昭 43・5・31 民集 22-5-1137 …………361
最判昭 43・6・13 民集 22-6-1149 …299, 337, 446
最判昭 43・7・11 民集 22-7-1462〔倒産百選 50
　事件〕 ……………………………………470
最判昭 43・10・8 民集 22-10-2093〔倒産百選
　〈初版〉97 事件〕 ………………………352
最判昭 43・10・17 判時 540-34 ……………771
最判昭 43・11・15 民集 22-12-2629 …568, 612
最判昭 43・12・12 民集 22-13-2943 ………337
最大判昭 43・12・25 民集 22-13-3511 ……371
最判昭 44・1・16 民集 23-1-1〔倒産百選〈第 5
　版〉A5 事件〕 …………………………602
最判昭 44・2・27 民集 23-2-511 ………327, 329
最判昭 44・3・27 民集 23-3-601 ……………469
最判昭 44・7・17 民集 23-8-1610 …409, 523, 969
最決昭 44・10・31 刑集 23-10-1465
　……………………………823, 825, 829, 1235
最判昭 44・12・19 民集 23-12-2518 ………567
最判昭 45・1・29 民集 24-1-74〔倒産百選〈第 4
　版〉47 事件〕 …………………………457, 462
最判昭 45・5・19 判時 598-60 ………………338
最大決昭 45・6・24 民集 24-6-610〔倒産百選 1
　①事件〕 …………………………………181
最大判昭 45・7・1 刑集 24-7-399 ………795, 828
最判昭 45・7・16 民集 24-7-879〔倒産百選〈第 3
　版〉122 事件〕 …………………349, 463
最判昭 45・8・20 民集 24-9-1339〔倒産百選 38
　事件〕 ……………………………………618

最判昭 45・9・10 民集 24-10-1389〔倒産百選 A
 1 事件〕…………………………… 134, 679
最判昭 45・10・30 民集 24-11-1667〔倒産百選
 〈第 5 版〉120 事件〕………………………350
最大決昭 45・12・16 民集 24-13-2099〔倒産百
 選 2 事件〕………………………………45, 785
最判昭 46・2・23 民集 25-1-151〔倒産百選〈第 3
 版〉19 事件〕………………………………216
最判昭 46・2・23 判時 622-102〔倒産百選〈第 4
 版〉18 事件〕………………………………362
最判昭 46・3・25 判時 628-44 …………………512
最判昭 46・7・16 民集 25-5-779 …………563, 585
最判昭 46・7・23 判時 641-62 …………………771
最判昭 46・10・21 民集 25-7-969〔倒産百選〈第
 3 版〉47 事件〕……………………………303
最判昭 47・6・15 民集 26-5-1036〔倒産百選〈初
 版〉35 事件〕………………………………581
最判昭 47・7・13 民集 26-6-1151〔倒産百選〈第
 3 版〉69 事件〕………………504, 530, 532
最判昭 47・9・7 民集 26-7-1301 ………………446
最大判昭 47・11・22 刑集 26-9-554 ……………832
最判昭 48・2・2 民集 27-1-80 …………………1083
最判昭 48・2・16 金法 678-21〔倒産百選 15 事
 件〕…………………………………367, 379
最判昭 48・4・6 民集 27-3-483 …………………608
最判昭 48・10・30 民集 27-9-1289 ……………338
最判昭 48・11・22 民集 27-10-1435〔倒産百選
 42 事件〕…………………………………658
最判昭 48・12・21 判時 733-52 …………………568
最判昭 49・6・27 民集 28-5-641〔倒産百選〈第 3
 版〉42 事件〕…………………………646, 649
最判昭 49・11・21 民集 28-8-1654 ……………714
最判昭 50・4・25 民集 29-4-456 ………………437
最判昭 50・12・1 民集 29-11-1847 ……………652
最判昭 51・3・4 民集 30-2-25 …………………408
最判昭 51・7・1 家月 29-2-91 …………………101
最判昭 52・2・17 民集 31-1-67 …………………745
最判昭 52・12・6 民集 31-7-961〔倒産百選 69
 事件〕………………………………………529
最判昭 53・5・2 判時 892-58〔倒産百選〈第 4
 版〉61 事件〕………………………………553
最判昭 53・5・25 金法 867-46 …………………564
最判昭 53・6・23 金商 555-46〔倒産百選 79 事
 件〕……………………………………417, 419

最判昭 53・11・20 民集 32-8-1551 ……………770
最判昭 53・12・15 判時 916-25 …………511, 596
最判昭 54・1・25 民集 33-1-1〔倒産百選 74 事
 件〕…………………………………………377
最判昭 54・2・15 民集 33-1-51 …………………508
最判昭 54・7・10 民集 33-5-562 ………………657
最判昭 55・2・8 判時 961-69 ……………………115
最判昭 55・7・11 民集 34-4-628 ………………268
最判昭 56・2・17 金法 967-36 …………………423
最判昭 56・12・22 判時 1032-59〔倒産百選〈第 4
 版〉66 事件〕………………………………398
最判昭 57・1・29 民集 36-1-105〔倒産百選 72
 事件〕………………………………………671
最判昭 57・3・30 民集 36-3-484〔倒産百選 76
 事件〕……………………………159, 397, 500
最判昭 57・3・30 判時 1038-286〔倒産百選 40
 事件〕…………………………………568, 627
最判昭 58・3・22 判時 1134-75〔倒産百選 16 事
 件〕…………………………………………368
最判昭 58・10・6 民集 37-8-1041〔倒産百選 23
 事件〕………………………………………268
最判昭 58・11・25 民集 37-9-1430〔倒産百選 29
 事件〕………………………………………560
最判昭 58・12・19 民集 37-10-1532 ……………471
最判昭 59・2・2 民集 38-3-431〔倒産百選 56 事
 件〕…………………………………………494
最判昭 59・3・29 訟月 30-8-1495〔倒産百選〈第
 4 版〉97 事件〕……………………………349
最判昭 59・5・17 判時 1119-72〔倒産百選 82 事
 件〕…………………………………………451
最判昭 59・5・29 民集 38-7-885 ………………331
最判昭 60・2・14 判時 1149-159〔倒産百選 28①
 事件〕…………………………………122, 582
最判昭 60・2・26 金法 1094-38 …………………539
最判昭 60・5・23 民集 39-4-940 ………………315
最判昭 60・7・19 民集 39-5-1326〔執行百選 107
 事件〕………………………………………495
最判昭 60・11・15 民集 39-7-1487〔新倒産百選
 30 事件〕…………………………………272
最判昭 61・4・3 判時 1198-110〔倒産百選 43 事
 件〕…………………………………………652
最判昭 61・4・8 民集 40-3-541 ………………1248
最判昭 61・4・11 民集 40-3-558〔倒産百選 73
 事件〕………………………………………700

最判昭 61・7・18 判時 1207-119 ……………722
最判昭 61・11・20 判時 1219-63 …………434, 540
最判昭 62・3・24 判時 1258-61 ……………410
最判昭 62・4・21 民集 41-3-329〔倒産百選〈第 4 版〉95 事件・租税百選 116 事件〕
……………………………… 347, 354, 355
最判昭 62・4・23 金法 1169-29 ……………315
最判昭 62・6・2 民集 41-4-769〔倒産百選〈第 3 版〉48 事件〕………………………315, 321
最判昭 62・7・2 金法 1178-37 …………315, 321
最判昭 62・7・3 民集 41-5-1068〔倒産百選 36 事件〕…………………………………599
最判昭 62・7・10 金法 1174-29 ……………599
最判昭 62・11・10 民集 41-8-1559〔執行・保全百選 21 事件〕………………508, 511, 596
最判昭 62・11・26 民集 41-8-1585〔倒産百選 80 事件〕……………………422, 423, 971
最判昭 63・3・15 民集 42-3-170 ……………670
最判昭 63・10・18 民集 42-8-575〔倒産百選 65 事件〕……………………………530, 539
最判平元・6・5 民集 43-6-355……………745
最判平 2・3・20 民集 44-2-416〔倒産百選〈第 3 版〉95 事件〕………………………803
最判平 2・7・19 民集 44-5-837〔倒産百選 30①事件〕………………………………569, 588
最判平 2・7・19 民集 44-5-853〔倒産百選 30②事件〕………………………………588
最判平 2・9・27 家月 43-3-64〔倒産百選 51 事件〕………………………………12, 471
最判平 2・10・2 判時 1366-48 …………264, 569
最判平 2・11・26 民集 44-8-1085〔倒産百選〈第 4 版〉37 事件〕…………………440, 554
最決平 3・2・21 金法 1285-21 ………………181
最判平 3・12・17 民集 45-9-1435 ……………670
最判平 4・10・20 判時 1439-120〔倒産百選〈第 4 版〉96 事件〕…………………………355
最判平 5・1・25 民集 47-1-344〔倒産百選 31 事件〕……………………………………589
最判平 5・6・25 民集 47-6-4557〔倒産百選 21 事件〕……………………………192, 767
最判平 5・11・11 民集 47-9-5255 ……………286
最判平 6・2・10 裁判集民 171-445 ……………121
最判平 6・5・31 民集 48-4-1065 ……………139
最判平 7・1・20 民集 49-1-1 …………319, 545
最判平 7・3・23 民集 49-3-984 …………671, 770
最判平 7・4・14 民集 49-4-1063〔倒産百選 75 事件〕……………………………393, 415
最判平 8・1・26 民集 50-1-155 ……………626
最判平 8・3・22 金法 1480-55 ……………599
最判平 8・7・12 民集 50-7-1918 ……………607
最判平 8・10・17 民集 50-9-2454〔倒産百選 A8 事件〕……………………607, 608, 625
最判平 9・1・20 民集 51-1-1 ………………761
最判平 9・2・25 民集 51-2-398 ……………410
最判平 9・2・25 判時 1607-51〔倒産百選 91 事件〕……………………………………806
最判平 9・9・9 判時 1624-96 ………448, 700, 770
最判平 9・9・9 金法 1503-80 ………………671
最判平 9・11・28 民集 51-10-4172〔倒産百選〈第 4 版〉98①事件〕……………300, 349, 463
最判平 9・12・18 民集 51-10-4210〔倒産百選 35 事件〕……………………564, 594, 595
最判平 9・12・18 判時 1628-21〔倒産百選〈第 4 版〉98②事件〕…………………300, 463
最判平 10・1・30 民集 52-1-1 ………………494
最判平 10・2・13 民集 52-1-65 ……………481
最判平 10・3・24 民集 52-2-399 ……………365
最判平 10・4・14 民集 52-3-813〔倒産百選〈第 4 版〉43②事件〕………319, 321, 328, 545, 551
最判平 10・7・14 民集 52-5-1261〔倒産百選 53 事件〕……………………………483
最判平 11・1・29 民集 53-1-151 ……365, 512, 596
最決平 11・4・16 民集 53-4-740〔倒産百選 10 事件〕……………………………………137
最決平 11・5・17 民集 53-5-863 ………495, 504
最判平 11・6・11 民集 53-5-898 ………268, 570
最判平 11・9・9 民集 53-7-1173 ……………264
最判平 11・11・9 民集 53-8-1403〔倒産百選 A20 事件〕……………………………806, 813
最大判平 11・11・24 民集 53-8-1899 …………455
最判平 12・1・28 金商 1093-15〔倒産百選 88 事件〕……………………………………811
最判平 12・2・29 民集 54-2-553〔倒産百選 81①事件〕………………………115, 394, 398
最判平 12・3・9 民集 54-3-1013 ……………471
最判平 12・3・9 判時 1708-123〔倒産百選 81②事件〕……………………………388
最判平 12・3・9 判時 1708-127 ……………394

最判平 12・4・21 民集 54-4-1562 ………365, 511
最決平 12・4・28 判時 1710-100〔倒産百選〈第 3 版〉67 事件〕………………………………487
最決平 12・7・26 民集 54-6-1981〔倒産百選 87 事件〕……………………………………794
最判平 13・3・23 判時 1748-117〔倒産百選 13 事件〕……………………………………200
最判平 13・7・19 金法 1628-47 ………446, 670
最判平 13・11・22 民集 55-6-1033 ……………268
最判平 13・11・22 民集 55-6-1056 ……………365
最決平 13・12・13 民集 55-7-1546 ………287, 460
最判平 14・1・17 民集 56-1-20〔倒産百選 52 事件〕………………………113, 423, 469
最判平 14・1・22 刑集 56-1-1 ………………799
最判平 14・9・24 民集 56-7-1524 ……………318
最判平 15・3・14 民集 57-3-286 ………771, 782
最判平 15・6・12 民集 57-6-640 ………………226
最判平 16・7・16 民集 58-5-1744〔倒産百選 39 事件〕……………………………592, 610
最判平 16・9・14 判時 1872-64 ………592, 610
最判平 16・10・1 判時 1877-70〔倒産百選 59 事件〕……………………………192, 487, 779
最判平 17・1・17 民集 59-1-1〔倒産百選 64 事件〕…………………425, 525, 531, 1001
最判平 17・2・22 民集 59-2-314 ………………494
最判平 17・10・11 民集 59-8-1 …………………268
最判平 17・11・8 民集 59-9-2333〔倒産百選 44 事件〕……………………………………644
最判平 18・1・13 民集 60-1-1 ………………5
最判平 18・1・23 民集 60-1-228〔倒産百選 45 事件〕…………………………………271, 517
最判平 18・7・20 民集 60-6-2499
　………………503, 507, 510, 596, 997
最判平 18・10・20 民集 60-8-3098 ……………503
最判平 18・12・14 民集 60-10-3914 ……………525
最判平 18・12・21 民集 60-10-3964〔倒産百選 17 事件〕………………………214, 337, 479
最判平 18・12・21 判時 1961-62 ……………480
最判平 19・2・15 民集 61-1-243 ………596, 997
最決平 19・9・27 金商 1277-19 ……………871
最決平 20・3・13 民集 62-3-860〔倒産百選 93 事件〕……………………………………1113
最判平 20・6・10 民集 62-6-1488 ……………364
最判平 20・12・16 民集 62-10-2561〔倒産百選 77 事件〕……156, 158, 397, 415, 416, 867, 991
最判平 21・1・22 民集 63-1-247 ………………6
最判平 21・3・10 民集 63-3-361 ……………665
最判平 21・3・10 民集 63-3-385 ……………497
最判平 21・3・27 民集 63-3-449 ……………362
最判平 21・4・17 判時 2044-74〔倒産百選 14 事件〕……………………………433, 447
最判平 21・12・4 判時 2068-37〔倒産百選 100 事件〕……………………………………1121
最判平 22・3・16 民集 64-2-523〔倒産百選 46 事件〕……………314, 316, 317, 319, 672
最判平 22・3・16 判時 2078-18 ………………316
最判平 22・6・4 民集 64-4-1107〔倒産百選〈第 5 版〉58 事件〕……………367, 480, 497, 959
最判平 22・6・4 判時 2088-83 ………………1121
最決平 22・12・2 民集 64-8-1990 ………507, 511
最判平 23・1・14 民集 65-1-1〔倒産百選 18 事件〕……………………………357, 358, 359
最判平 23・3・1 判時 2114-52〔倒産百選 99 事件〕……………………………………1122
最判平 23・3・22 民集 65-2-735 ………………358
最判平 23・11・22 民集 65-8-3165〔倒産百選 48 ①事件〕……………………………………332
最判平 23・11・24 民集 65-8-3213〔倒産百選 48 ②事件〕…………………………………332, 546
最判平 23・12・15 民集 65-9-3511〔倒産百選 54 事件〕……………………………9, 540, 990
最判平 24・5・28 民集 66-7-3123〔倒産百選 70 事件〕……………………………289, 544
最判平 24・10・12 民集 66-10-3311 ……575, 576
最判平 24・10・19 判時 2169-9〔倒産百選 28②〕
　…………………………………………62, 122
最判平 25・4・16 民集 67-4-1049 ……………62
最決平 25・4・26 民集 67-4-1150 ……………287
最判平 25・7・18 判時 2201-48 ………………699
最決平 25・11・13 民集 67-8-1483 ……………699
最判平 25・11・21 民集 67-8-1618〔倒産百選 49〕…………………………388, 673, 1032
最判平 26・4・24 民集 68-4-380〔倒産百選 89〕
　……………………………………………809
最判平 26・6・5 民集 68-5-403〔倒産百選 63〕
　…………………………………………992, 1254
最判平 26・6・5 民集 68-5-462 ………532, 539
最判平 26・10・28 民集 68-8-1325〔倒産百選

20〕 …………………………………… 4, 226, 363
最判平 28・4・28 民集 70-4-1099〔倒産百選 24〕
　………………………………………… 262
最判平 28・7・8 民集 70-6-1611〔倒産百選 71〕
　………………………………………… 514
最大決平 28・12・19 民集 70-8-2121 ………… 102
最決平 29・5・10 民集 71-5-789 ………… 480, 504
最決平 29・9・12 民集 71-7-1073〔倒産百選 47〕
　……………………………… 317, 318, 322, 692, 762
最決平 29・10・5 判タ 1444-104 ……………… 363
最判平 29・11・26 民集 71-9-1745〔倒産百選 37
　事件〕………………………………… 595, 598
最判平 29・12・7 民集 71-10-1925〔倒産百選
　58〕……………………………… 367, 480, 497
最判平 29・12・14 民集 71-10-2184 …………… 483
最決平 29・12・19 民集 71-10-2632〔倒産百選
　94〕……………………………………… 1113
最判平 29・12・19 判時 2370-28〔倒産百選 A6〕
　………………………………… 565, 569, 625
最判平 30・2・23 民集 72-1-1 …………… 807, 814
最決平 30・4・18 民集 72-2-68〔倒産百選 83〕
　………………………………………… 460
最判平 30・12・7 民集 72-6-1044 ……………… 498
最判令 2・7・2 民集 74-4-1030 ………………… 6
最判令 2・7・2 民集 74-4-1030 ……………… 364
最判令 2・9・8 民集 74-6-1643 ……………… 551
最決令 3・6・21 民集 75-7-3111 ……………… 807
最決令 3・12・22 裁判所ウェブサイト ……… 1112

〔控訴院・高等裁判所〕
東京控判昭 12・12・28 新聞 4265-7 ………… 722
広島高岡山支決昭 29・12・24 高民 7-12-1139
　…………………………………… 137, 679
東京高決昭 30・12・26 高民 8-10-758 ……… 459
札幌高判昭 31・6・27 下民 7-6-1645 ………… 158
東京高判昭 31・7・18 下民 7-7-1947 ………… 407
東京高判昭 31・10・12 高民 9-9-585〔倒産百選
　〈初版〉41 事件〕………………………… 624, 626
大阪高判昭 32・6・19 下民 8-6-1136 ………… 382
福岡高判昭 32・11・26 下民 8-11-2191 ……… 626
東京高決昭 33・7・5 金法 182-3〔倒産百選 3 事
　件〕……………………………………… 118
大阪高判昭 36・5・30 判時 370-32 …………… 608
東京高判昭 36・6・15 下民 12-6-1375〔新倒産
　百選 19A 事件〕………………………… 159
大阪高決昭 37・3・27 高民 15-4-249 ………… 272
福岡高決昭 37・10・25 下民 13-10-2153〔倒産
　百選〈初版〉29 事件〕……………… 264, 801
福岡高決昭 37・10・31 金法 324-6 …………… 801
大阪高決昭 38・4・30 高民 16-3-184 ………… 773
東京高判昭 38・5・9 下民 14-5-904 ………… 651
東京高判昭 39・1・23 下民 15-1-39 ………… 214
大阪高判昭 40・12・14 金法 433-9 …………… 608
東京高判昭 41・8・5 金法 450-7 ……………… 651
東京高判昭 41・8・18 下民 17-7-8-695〔倒産百
　選〈初版〉64 事件〕……………………… 383
東京高判昭 44・7・24 高民 22-3-490 ………… 439
名古屋高決昭 45・2・13 高民 23-1-14〔倒産百
　選〈初版〉59 事件〕……………………… 697
東京高決昭 45・2・27 高民 44950 …………… 795
東京高決昭 49・7・3 東高民時報 25-7-117 … 134
大阪高決昭 50・10・8 下民 26-9～12-916〔倒産
　百選〈第 3 版〉94 事件〕………………… 787
大阪高判平 28・11・17 判時 2336-41 ………… 674
大阪高判昭 50・12・18 判時 814-122〔倒産百選
　〈第 3 版〉107 事件〕……………………… 677
名古屋高決昭 51・5・17 判時 837-51〔新倒産百
　選 101 事件〕……………………………… 773
東京高決昭 51・12・1 判時 842-110 ………… 401
大阪高決昭 52・4・14 判時 858-74 …………… 517
大阪高決昭 52・5・30 高刑 30-2-242 ………… 826
東京高決昭 52・7・19 民集 30-2-159 ………… 499
福岡高決昭 52・10・12 下民 28-9～12-1072〔倒
　産百選 4 事件〕……………………… 118, 123
名古屋高判昭 53・5・29 金商 562-29〔倒産百選
　〈第 5 版〉56①事件〕…………………… 506
大阪高判昭 53・5・30 金法 875-29〔倒産百選 41
　事件〕…………………………………… 647
仙台高判昭 53・8・8 下民 29-5～8-516〔倒産百
　選〈第 5 版〉33 事件〕…………………… 566
大阪高判昭 53・12・21 判時 926-69 ………… 722
福岡高判昭 55・5・8 判タ 426-131 …………… 395
大阪高決昭 55・11・19 判時 1010-119〔新倒産
　百選 86A 事件〕………………………… 799
東京高決昭 55・12・25 判タ 436-128〔新倒産百
　選 17②事件〕…………………………… 154
東京高決昭 56・1・30 下民 32-1～4-10〔新倒産
　百選 117 事件〕………………………… 279

東京高決昭 56・5・6 判時 1009-70 ……………459
大阪高決昭 56・6・23 下民 32-5〜8-436 ……516
大阪高決昭 56・6・25 判時 1031-165〔新倒産百
　選 71 事件〕………………………………701
東京高決昭 56・9・7 判時 1021-110〔倒産百選 5
　事件〕………………………………………128
名古屋高決昭 56・11・30 下民 32-9〜12-1055
　〔新倒産百選 58②事件〕……………460, 461
大阪高決昭 56・12・25 判時 1048-150 ………701
札幌高決昭 57・7・12 下民 33-5〜8-927〔倒産
　百選〈第 3 版〉40 事件〕…………………637
東京高判昭 57・7・15 判タ 479-97 ……………511
大阪高判昭 57・7・27 判時 487-166 …………122
大阪高判昭 57・9・8 判タ 510-118 ……………421
東京高決昭 57・11・30 下民 33-9〜12-1433〔倒
　産百選 6 事件〕……………………………138
名古屋高判昭 58・3・31 判時 1077-79 ………540
大阪高決昭 58・5・2 判タ 500-165 ……………643
名古屋高判昭 58・7・13 判タ 1095-124 ………250
大阪高決昭 58・9・29 判タ 510-117〔新倒産百
　選 87①事件〕………………………………798
大阪高決昭 58・10・3 判タ 513-179 …………798
大阪高決昭 58・11・2 下民 33-9〜12-1605〔倒
　産百選〈第 3 版〉41 事件〕………………635
大阪高決昭 58・11・4 判タ 516-124〔新倒産百
　選 87②事件〕………………………………798
大阪高判昭 59・2・17 高民 37-1-1 ……………421
東京高決昭 59・3・27 判時 1117-142〔新倒産百
　選 20 事件〕…………………………………157
大阪高決昭 59・6・15 判時 1132-126〔新倒産百
　選 14 事件〕…………………………………149
福岡高決昭 59・6・25 判タ 535-213〔倒産百選
　A3 事件〕……………………………………157
大阪高決昭 59・9・20 判タ 541-156 …………798
大阪高判昭 59・9・27 判タ 542-214〔倒産百選
　〈第 3 版〉80 事件〕………………………499
大阪高判昭 59・12・25 労民 35-6-657〔倒産百
　選〈第 3 版〉114②事件〕…………………441
福岡高決昭 60・2・1 判タ 554-205 ……………798
札幌高決昭 60・6・10 判タ 565-118 …………798
大阪高決昭 60・6・20 判タ 565-112 …………800
東京高決昭 60・11・28 判タ 595-91〔新倒産百
　選 86①事件〕………………………………797
大阪高判昭 61・2・20 判時 1202-55〔新倒産百
　選 35 事件〕…………………………………589
札幌高決昭 61・3・26 判タ 601-74〔倒産百選
　〈第 3 版〉59 事件〕………………………497
名古屋高判昭 61・3・28 判時 1207-65 ………373
名古屋高金沢支判昭 61・8・20 判時 1217-72
　〔倒産百選〈第 3 版〉15 事件〕……………195
福岡高判昭 62・2・25 判タ 641-210 …………569
東京高判昭 62・3・30 判タ 650-249 …………608
東京高判昭 62・6・17 判時 1258-73 …………797
名古屋高金沢支判昭 62・6・24 判時 1242-59
　〔新倒産百選 34 事件〕……………………569
東京高決昭 62・10・27 判時 1256-100〔新倒
　産百選 109 事件〕…………………………304
大阪高判昭 63・3・8 判時 1273-127 …………192
広島高松江支判昭 63・3・25 判時 1287-89〔新
　倒産百選 90 事件〕…………………………803
東京高決昭 63・5・26 金法 1228-41〔新倒産百
　選 14A 事件〕………………………………147
大阪高判昭 63・7・29 高民 41-2-86〔倒産百選
　A9 事件〕…………………………………94, 98
大阪高判平元・4・27 判時 1326-123 …………589
仙台高決平元・6・20 判タ 722-274………198, 787
東京高判平元・10・19 金法 1246-32 …………536
大阪高決平元・10・26 判タ 711-253 …………456
大阪高決平 2・6・11 判時 1370-70〔倒産百選 85
　①事件〕……………………………………798
東京高決平 2・12・21 東高民 41-9〜12-106 …800
大阪高判平 3・3・28 高刑 44-1-31〔倒産百選
　〈第 4 版〉A11 事件〕………………………799
仙台高決平 4・5・7 判タ 806-218 ……………797
東京高判平 4・6・29 判時 1429-59 ……………599
仙台高決平 4・7・8 判タ 806-218 ……………797
名古屋高決平 5・1・28 判時 1497-131 ………799
仙台高決平 5・2・9 判時 1476-126①事件〔倒産
　百選 83②事件〕……………………………802
東京高判平 5・5・27 判時 1476-121〔倒産百選
　30 事件〕……………………………………563
福岡高判平 5・7・5 判時 1478-140 ……………798
大阪高決平 6・7・18 高民 47-2-133〔倒産百選
　〈第 3 版〉98 事件〕………………………808
大阪高決平 6・12・26 判タ 1535-90〔倒産百選
　12 事件〕……………………………………202
東京高判平 6・12・26 判タ 883-281 …………409
東京高決平 7・2・3 判時 1537-127〔倒産百選 A

18 事件〕……………………………800
名古屋高決平 7・9・6 判タ 905-242 …………118
福岡高決平 8・1・26 判時 924-281〔倒産百選 A
　17 事件〕……………………………797
東京高決平 8・2・7 判時 1563-114〔倒産百選 86
　①事件〕……………………………797
東京高決平 8・3・28 判時 1595-66 ……………607
高松高決平 8・5・15 判時 1586-79〔倒産百選
　〈第 3 版〉A52 事件〕……………95, 98, 786
高松高決平 8・9・9 判時 1587-80 ………………790
福岡高決平 9・2・25 判時 1604-76 ……………797
福岡高決平 9・4・22 判タ 956-291 ……………120
東京高判平 9・5・29 判タ 981-164 ……………472
東京高判平 9・6・10 高民 50-2-231 ……………62
福岡高決平 9・8・22 判時 1619-83〔倒産百選 86
　②事件〕……………………………797
東京高判平 10・2・25 金商 1043-42 …………811
東京高判平 10・7・21 金商 1053-19 ……533, 537
大阪高判平 10・7・31 金法 1528-36 …………610
大阪高判平 10・8・27 判時 1675-94 …………536
東京高決平 10・8・31 判時 1663-111 …………793
東京高判平 10・11・27 判時 1666-141②事件
　〔倒産百選 55 事件〕……………………420
東京高決平 10・12・11 判時 1666-141①事件
　………………………………………483
札幌高判平 10・12・17 判時 1682-130〔倒産百
　選〈第 4 版〉92 事件〕……………………304
東京高決平 12・3・29 判時 1705-62 …………287
名古屋高判平 12・4・27 判時 1748-134 ………404
東京高判平 12・5・17 金商 1094-42 …………848
東京高判平 12・9・27 D1-Law 判例 ID
　28162409 ……………………………588
大阪高判平 12・11・1 金法 1610-91 …………804
東京高判平 12・12・26 判時 1750-112 ………599
東京高判平 13・1・30 訟月 48-6-1439 ………551
東京高決平 13・3・8 判タ 1089-295〔倒産百選 8
　事件〕……………………………848
東京高判平 13・5・31 金商 1144-16 …………816
東京高判平 13・8・15 金商 1132-39 …………797
東京高判平 13・9・3 金商 1131-24〔倒産百選
　〈第 4 版〉81 事件〕………………………1079
大阪高判平 13・11・6 判時 1775-153 …………539
東京高決平 13・12・5 金商 1138-45
　………………………243, 914, 1100, 1104

東京高決平 14・3・15 金法 1679-34 …………994
東京高判平 14・3・26 判時 1780-98 ……………62
東京高判平 14・5・30 判時 1797-157 …………203
東京高判平 14・9・6 判時 1826-72 ……1079, 1104
広島高決平 14・9・11 金商 1162-23〔倒産百選
　〈第 4 版〉10 事件〕………………………149
広島高岡山支決平 14・9・20 判時 1905-90 …139
東京高決平 14・9・30 D1-Law 判例 ID
　28152692 ……………………………555
大阪高決平 15・2・14 判タ 1138-302 …………816
福岡高決平 15・6・12 判タ 1139-292〔倒産百選
　96 事件〕……………………………1230
東京高決平 15・7・25 金商 1173-9〔倒産百選 95
　事件〕………………………453, 1086, 1114
札幌高判平 15・8・12 判タ 1146-300 …849, 1193
東京高判平 15・12・4 金法 1710-52〔倒産百選
　A14 事件〕……………………298, 446, 891
東京高決平 16・2・9 判タ 1160-296 …………800
東京高決平 16・6・17 金判 1195-10〔倒産百選
　25 事件〕……………………………1060, 1062
東京高決平 16・6・17 金法 1719-51〔倒産百選
　〈第 5 版〉25 事件〕………………………1088
東京高判平 16・6・17 金商 1195-17 …1112, 1120
東京高判平 16・6・17 金法 1719-58 …………1087
大阪高判平 16・6・29 金法 1727-90 …………570
東京高決平 16・7・23 金商 1198-11〔倒産百選
　92 事件〕……………………………1079
名古屋高決平 16・8・10 判時 1884-49 ………1067
名古屋高決平 16・8・16 判時 1871-79 …849, 1193
札幌高判平 16・9・28 金法 1757-42
　………………………737, 1069, 1075
大阪高判平 16・11・30 金法 1743-44〔倒産百選
　A14 事件〕……………………………1047
名古屋高決平 16・11・30 判タ 1253-307 ……487
大阪高決平 16・12・10 金商 1220-35 …………872
仙台高判平 16・12・28 判時 1925-106 …701, 1045
東京高決平 17・1・13 判タ 1200-291〔倒産百選
　7 事件〕……………………………848, 849
東京高判平 17・5・25 金法 1803-90 …………578
札幌高判平 17・6・29 判タ 1226-333 …………816
東京高判平 17・6・30 金法 1752-54 ……331, 452
大阪高判平 17・9・14 金商 1235-44 …………553
大阪高判平 17・9・29 判時 1925-157 …………1178
東京高判平 17・10・5 判タ 1226-342

　　　　……………………551, 552, 1007
高松高決平 17・10・25 金商 1249-37 …………849
名古屋高判平 17・12・14 D1-Law 判例 ID
　28110378……………………………599, 1012
福岡高決平 18・2・13 判時 1940-128 …………869
福岡高決平 18・3・28 判タ 1222-310 ………1065
大阪高決平 18・4・26 判時 1930-100 ………1242
福岡高決平 18・5・18 判タ 1223-298 …………270
東京高判平 18・8・30 金商 1277-21
　　　　　　　　　　　　……… 871, 872, 873
福岡高決平 18・11・8 判タ 1234-351 …844, 1193
東京高判平 19・3・14 判タ 1246-337 …………991
東京高決平 19・4・11 判時 1969-59 …………1107
東京高決平 19・7・9 判タ 1263-347 …………849
東京高判平 19・9・21 判タ 1268-326 …………849
大阪高判平 20・2・28 判時 2030-20 …………287
大阪高判平 20・4・25 金法 1840-36 …………359
東京高判平 20・4・30 金商 1304-38 …………807
名古屋高金沢支判平 20・6・16 金法 1873-71
　　　　　　　　　　　　　　　　　……… 224
東京高決平 21・1・8 金法 1868-59 ……………459
福岡高決平 21・4・10 判時 2075-43 …………531
東京高決平 21・4・23 金法 1875-76 …………513
大阪高判平 21・5・27 金法 1878-46 ……289, 544
大阪高判平 21・5・29 判例集未登載 …………959
大阪高決平 21・6・3 金商 1321-30〔倒産百選 60
　事件〕………………………………………872
東京高判平 21・6・25 判タ 1391-358
　　　　　　　　　　　　……… 347, 403, 952
東京高決平 21・7・7 判時 2054-3〔倒産百選 61
　事件〕……………………………………1067
名古屋高金沢支判平 21・7・22 判時 2058-65
　　　　　　　　　　　　　　　…… 469, 530
福岡高那覇支決平 21・9・7 判タ 1321-278 …872
大阪高決平 21・10・16 金法 1897-75 …………332
大阪高決平 21・12・22 金法 1916-108 ………574
大阪高判平 22・2・18 判時 2109-89 …………600
大阪高判平 22・4・9 金法 1934-98 ……………525
大阪高判平 22・4・23 判時 2180-54 ……936, 984
大阪高判平 22・5・21 判タ 2096-73 ……332, 546
東京高決平 22・6・30 判タ 1372-228 ………1081
東京高判平 22・7・26 金法 1906-75 …………420
高松高判平 22・9・28 金法 1941-158 …………123
東京高決平 22・10・22 判タ 1343-244〔倒産百

選 97 事件〕…………………………………1174
東京高判平 22・12・22 判タ 1348-243〔倒産百
　選 A16 事件〕………………………………452
福岡高決平 23・3・16 判タ 1373-245 …………130
東京高判平 23・7・4 判タ 1372-233 …………1081
大阪高判平 23・10・18 金法 1934-74
　　　　　　　　　　　　……… 388, 673, 1032
広島高岡山支判平 23・10・27 金商 1393-54 …513
福岡高決平 23・10・27 金法 1936-74 …………574
東京高判平 23・10・27 金法 1942-105 ………594
大阪高決平 23・12・27 金法 1942-97
　　　　　　　　　　　　………… 60, 121, 136
名古屋高判平 24・1・17 判タ 1373-224 ………261
高松高判平 24・1・20 判タ 1375-236 …992, 1254
名古屋高判平 24・1・31 金商 1388-42〔倒産百
　選 66 事件〕………………………534, 539, 555
札幌高判平 24・2・17 金法 1965-130 ……215, 760
東京高決平 24・3・9 判時 2151-9〔倒産百選 11
　事件〕………………………………………850
東京高判平 24・3・14 金法 1943-119
　　　　　　　　　　　　　………… 9, 990, 1004
東京高判平 24・5・24 金法 1948-107 …………741
広島高判平 24・5・30 判タ 1385-303 ………1032
東京高判平 24・5・31 判タ 1372-149 …………363
東京高決平 24・6・20 判タ 1388-366〔倒産百選
　33〕…………………………………………574
東京高決平 24・6・28 金法 1990-130 ………1121
東京高決平 24・9・7 金商 1410-57〔倒産百選 9〕
　　　　　　　　　　　　　　　　　……… 850
東京高決平 24・9・12 判時 2172-44 …………261
東京高決平 24・11・2 判時 2174-55 …………282
東京高決平 24・12・13 判タ 1392-353 ………404
仙台高判平 24・12・27 判時 2195-130 ………456
仙台高判平 25・2・13 金商 1428-48 …………408
東京高決平 25・3・19 金法 1973-115 …………787
東京高決平 25・4・17 判タ 1391-354 ………1079
東京高判平 25・5・17 金法 1989-142 …………807
大阪高決平 25・6・19 金商 1427-22 …1144, 1161
東京高判平 25・7・18 判時 2202-3 …………8, 599
札幌高判平 25・8・22 金法 1981-82
　　　　　　　　　　　　……… 389, 423, 548
東京高判平 25・12・5 金商 1433-16〔倒産百選 32〕
　　　　　　　　　　　　　　　　　……… 571
東京高判平 26・1・23 金法 1992-65 …………571

東京高決平 26・2・25 金法 1975-110 ………… 808
東京高決平 26・3・5 判時 2224-28〔倒産百選 A5〕
　………………………………………………… 802
大阪高判平 26・3・20 事業再生と債権管理
　145-97 ……………………………………… 268
東京高判平 26・4・24 判タ 1414-155 ………… 266
高松高判平 26・5・23 判時 2275-49 …… 119, 593
東京高判平 26・6・5 労経速 2223-3 ………… 974
東京高判平 26・7・11 判タ 1407-109 ………… 802
東京高判平 26・2・25 金法 1995-110 ………… 808
東京高判平 27・3・5 判タ 1421-119 …………… 193
福岡高決平 27・3・20 金法 2040-89 … 1151, 1156
大阪高判平 27・5・21 判時 2279-96 ………… 664
大阪高判平 27・6・3 判時 2273-67 …………… 566
東京高判平 27・6・18 労判 1131-72 ………… 444
東京高判平 27・7・30 金商 1475-10 ………… 1096
東京高判平 27・11・9 金商 1482-22〔倒産百選 A
　7〕…………………………………………… 597
大阪高判平 28・3・24 労判 1167-94 ………… 974
福岡高那覇支判平 28・7・7 判時 2331-49
　……………………………………… 257, 337
東京高判平 28・10・5 金商 1506-10 ………… 1131
大阪高判平 28・11・17 判時 2336-41 ………… 670
札幌高判平 28・11・22 金法 2056-82 …… 367, 480
東京高判平 28・2・14 金商 1564-28 ………… 135
大阪高判平 29・1・6 金法 2071-99 …………… 317
東京高判平 29・1・18 金法 2084-65 ………… 650
東京高判平 29・1・19 D1-Law 28252849 …… 264
大阪高判平 29・3・3 判時 2350-92 …………… 362
東京高判平 29・3・9 金法 2091-71 …………… 498
広島高判平 29・3・15 金商 1516-31 …… 119, 593
東京高判平 29・5・30 金法 2078-86 ………… 1114
東京高判平 29・6・22 判時 2383-22 ………… 1131
東京高判平 30・7・18 金法 1566-33 ………… 555
仙台高判平 30・8・29 LEX/DB 25562494 …… 563
福岡高判平 29・9・21 金法 2117-62 ………… 552
東京高判平 30・1・18 LEX/DB 25549515 …… 563
東京高判平 30・2・26 金法 2102-76 ………… 676
大阪高判平 30・10・19 判時 2410-3 ………… 364
仙台高決平 30・12・11 金法 2139-88 …… 130, 136
東京高判平 30・12・20 東京高等裁判所（刑事）
　判決時報 69-1～12-130 …………… 827, 832
大阪高判平 30・12・20 金商 1560-8
　……………………………… 572, 590, 594, 595

東京高判平 31・1・16 金法 2122-66 ………… 391
東京高判平 31・4・17 判時 2454-21 ………… 263
大阪高判令元・8・29 金法 2129-66 ………… 318
東京高判令元・9・19 金法 2148-73 …… 571, 588
東京高決令 2・2・14 金法 2141-68 … 467, 736, 998
東京高決令 2・2・14 判タ 1484-119 ………… 1065
福岡高那覇支令 2・2・27 金商 1593-14 ……… 140

〔地方裁判所・簡易裁判所〕
名古屋地判昭 29・4・13 下民 5-4-491 ……… 214
東京地判昭 32・12・9 下民 8-12-2290 ……… 655
東京地判昭 33・8・21 新聞 113-8 …………… 609
東京地判昭 37・6・18 下民 13-6-1211 ……… 541
大阪地判昭 43・3・19 判時 517-88 …………… 60
大阪地判昭 43・8・31 判タ 227-222 ………… 384
大阪地判昭 45・3・13 下民 21-3-4-397〔倒産百
　選〈初版〉62 事件〕…………………………… 518
名古屋地判昭 46・10・28 判時 673-68 ……… 651
東京地判昭 47・6・28 金法 660-27 ………… 514
大阪地判昭 49・2・18 金商 423-12 ………… 522
東京地決昭 49・9・19 判時 771-66〔倒産百選
　〈初版〉70 事件〕……………………………… 453
諏訪簡判昭 50・9・22 判時 822-93 ………… 497
東京地判昭 50・10・29 判時 818-71 ………… 453
東京地判昭 51・10・27 判時 857-93 ………… 567
東京地判昭 51・12・21 下民 27-9～12-801〔新
　倒産百選 119 事件〕………………………… 704
東京地判昭 52・7・15 判時 873-98〔新倒産百選
　70 事件〕……………………………………… 329
大阪地判昭 52・9・21 判時 878-88 ………… 569
東京地決昭 53・3・3 下民 29-1～4-115〔新倒産
　百選 42 事件〕………………………………… 568
大阪地判昭 53・3・17 金商 555-23 ………… 407
大阪地判昭 54・10・30 判時 957-103 ……… 497
名古屋地判昭 55・6・9 判時 997-144 ……… 540
名古屋地判昭 55・12・12 判タ 440-139〔新倒産
　百選 91 事件〕………………………………… 808
大阪地判昭 56・2・12 判タ 452-140 …… 307, 522
東京地判昭 56・9・14 判時 1015-20〔倒産百選
　〈第 3 版〉46 事件〕…………………………… 287
東京地判昭 56・11・16 下民 32-9～12-1026〔倒
　産百選〈第 5 版〉56②事件〕………………… 506
東京地判昭 56・12・18 判時 1065-152 ……… 627
東京地判昭 57・1・21 判時 1053-169 ……… 581

浦和地判昭 57・7・26 判時 1064-122 ……634, 644
大阪地判昭 57・8・9 判タ 483-104 ……………564
岐阜地大垣支判昭 57・10・13 判時 1065-185
　…………………………………………………566
大阪地判昭 57・10・25 判時 1069-115 ………149
大阪地判昭 58・4・12 労民 34-2-237〔倒産百選
　〈第 3 版〕114①事件〕……………337, 439, 441
大阪地判昭 58・8・9 下民 34-5〜8-597 ……421
高知地判昭 59・2・7 下民 35-1〜4-33 …388, 392
熊本地判昭 59・4・27 判タ 528-268 …………651
東京地判昭 60・10・22 判時 1207-78 …………511
大阪地判昭 61・5・16 判時 1210-97 …………493
大阪地判昭 62・4・30 判時 1246-36〔倒産百選
　〈第 4 版〕93 事件〕……………………4, 5, 363
鳥取地判昭 62・6・26 判時 1258-121 …………803
横浜地判昭 63・2・29 判時 1280-151〔倒産百選
　90 事件〕……………………………………808
東京地判昭 63・3・29 判時 1306-121 …………215
静岡地富士支決昭 63・4・22 判時 1288-135
　…………………………………………197, 787
東京地判昭 63・6・28 判時 1310-143〔新倒産百
　選 81 事件〕…………………………………415
徳島地決平元・3・22 労働判例 546-56 ………443
神戸地判平元・9・7 判時 1336-116……………813
名古屋地一宮支決平元・9・12 金法 1236-34…790
大阪地判平元・9・14 判時 1348-100 ………3, 553
東京地判平 2・12・20 判時 1389-79 …………396
大阪地判平 3・1・29 判時 1414-91 ……………397
東京地判平 3・2・13 判時 1407-83 ……………496
東京地判平 3・9・26 判時 1422-128 …………279
東京地決平 3・10・29 判時 1402-32〔倒産百選
　〈第 5 版〕5 事件〕………………………3, 126
東京地判平 3・12・16 金商 903-39〔倒産百選
　〈第 5 版〕47 事件〕…………………………312
東京地決平 4・4・28 判時 1420-57 ……………126
大分地判平 4・8・4 判タ 794-263 ……………811
大阪地判平 4・11・6 判タ 823-248 ……………755
静岡地判平 4・12・4 判時 1483-130 …………121
東京地決平 5・7・6 判時 822-158 ……………790
大阪地判平 5・10・6 判時 1512-44 ………………3
東京地判平 7・5・29 判時 1555-89 ……………607
高知地決平 7・5・31 判タ 884-247 ……………790
大阪地判平 7・6・30 判時 894-267 ……………808
東京地判平 7・9・28 判時 1568-68 ……………607

東京地判平 7・11・30 判タ 914-249 …………456
東京地決平 8・3・28 判時 1558-3 …………3, 126
大阪地判平 8・5・31 金法 1480-55 ……………599
東京地判平 8・9・30 金商 1023-38 ……………811
東京地判平 8・10・29 判時 1597-153 …………829
福岡地小倉支決平 9・1・17 判タ 956-293 ……129
東京地判平 9・10・13 判タ 967-271 …………811
大阪地判平 9・12・18 判時 1651-137 …………624
広島地福山支判平 10・3・6 判時 1660-112 …312
大阪地判平 10・3・18 判時 1653-135 …………610
大阪地決平 10・3・31 判時 1643-185①事件②
　事件 ……………………………………………132
東京地判平 10・4・14 判時 1662-115 …………158
東京地判平 10・7・31 判時 1655-143 ……592, 610
東京地決平 12・1・27 金商 1120-58①事件〔倒
　産百選 22 事件〕……………………………456
大阪地決平 12・4・7 金法 1578-86 ……………856
札幌地決平 12・5・15 金商 1094-39 …………844
大阪地判平 12・10・20 判タ 1055-280 ………1011
東京地判平 12・12・8 金法 1600-94 …………1028
東京地判平 13・3・29 判時 1750-40 …………672
京都地決平 13・5・28 判タ 1067-274 …………872
東京地判平 13・6・11 判タ 1087-212 ……………62
大阪地判平 13・6・20 金法 1641-40 ……883, 1177
大阪地判平 13・7・19 判時 1762-148〔倒産百選
　62 事件〕………………………415, 735, 873, 1065
大阪地判平 13・10・11 金法 1640-39 …………1013
東京地判平 14・3・13 判時 1792-78 …………298
東京地判平 14・3・14 金法 1655-45 …………1002
岡山地津山支判平 14・5・10 判時 1905-92 …126
大阪地判平 15・3・20 判タ 1141-284 …………1011
東京地判平 15・6・24 金法 1698-102 …………813
東京地判平 15・12・5 金法 1711-43 …………1056
東京地判平 15・12・22 判タ 1141-279
　…………………………………………415, 873, 1065
東京地判平 16・1・27 金法 1717-81 …………298
東京地判平 16・2・27 金法 1722-92〔倒産百選
　〈第 4 版〕A8 事件〕………………………873
東京地判平 16・2・27 判時 1855-121 …………1073
東京地判平 16・3・24 判タ 1160-292 …………1123
東京地判平 16・5・13 判時 1861-126 …………1090
東京地判平 16・6・8 金法 1725-50 ……………1002
東京地判平 16・6・10 判タ 1185-315
　…………………………………………415, 970, 1065

東京地判平 16・9・28 判時 1886-111 …667, 1029
東京地判平 16・10・12 判時 1886-132 ………667
東京地判平 16・10・14 金法 1749-101 ………1090
横浜地相模原支決平 17・1・14 判タ 1187-344
　………………………………………………… 797
大阪地判平 17・1・26 判時 1913-106 …………423
東京地判平 17・4・15 判時 1912-70
　………………………………… 287, 331, 935, 946
札幌地判平 17・4・15 金商 1217-6 ……1010, 1252
東京地判平 17・6・10 判タ 1212-127 …………989
東京地判平 17・6・14 判時 1921-136 …………667
東京地判平 17・8・29 判タ 1206-79 …………965
大阪地判平 17・11・29 判時 1945-72 …………984
東京地判平 17・12・27 判タ 1224-310 ………951
東京地判平 18・1・30 金法 1783-49 …………989
大阪地決平 18・2・16 判タ 1223-302 ………1242
東京地判平 18・3・28 判タ 1230-342 ……499, 996
東京地判平 18・5・23 判時 1937-102 …………363
東京地判平 18・6・26 判時 1948-111 …………395
大阪地判平 18・10・25 判タ 1225-172 ………358
東京地判平 19・1・24 判タ 1247-259 …………884
東京地判平 19・3・15 判タ 1269-314 …………631
東京地判平 19・3・26 判時 1967-105〔倒産百選
　A15 事件〕……………………………………452
東京地判平 19・3・29 金商 1279-48〔倒産百選
　26 事件〕…………………………………117, 513
福井地判平 19・9・12 金法 1827-46 …………224
神戸地伊丹支決平 19・11・28 判時 2001-88
　………………………………………… 207, 334
名古屋地判平 19・11・30 判タ 1281-324 ……652
東京地判平 20・1・29 判時 2000-50 …………480
大阪地判平 20・3・14 判時 47543 ……………358
福岡地小倉支判平 20・3・28 判時 2012-95 …671
大阪地判平 20・4・18 判時 2007-104 …………363
東京地決平 20・5・15 判時 2007-96 ………1242
東京地決平 20・6・10 判時 2007-100 ………1242
東京地判平 20・6・30 判時 2014-96
　……………………………………… 569, 578, 643
東京地判平 20・7・22 判時 2025-67 …………811
東京地判平 20・7・29 金法 1855-30 …………483
東京地判平 20・8・18 判時 2024-37 …………404
大阪地判平 20・8・27 判時 2021-85 …………1121
東京地判平 20・10・21 金法 1859-53①事件
　…………………………………………………1125

東京地判平 20・10・30 金法 1859-53②事件
　…………………………………………………1125
大阪地判平 20・10・31 判時 2039-51〔倒産百選
　19 事件〕………………………………367, 378, 959
大阪地判平 20・10・31 判時 2060-114 …289, 544
福岡地判平 20・11・20 判時 2075-46 …………531
東京地判平 21・1・16 金法 1892-55 ……403, 404
東京地判平 21・1・20 金法 1861-26 …………990
大阪地判平 21・1・29 判時 2037-74〔倒産百選
　78①事件〕………………………………………404
東京地判平 21・2・13 判時 2036-43〔倒産百選 11〕
　…………………………………………………206
大阪地判平 21・4・16 金法 1880-41 …………123
岡山地判平 21・7・31 金商 1393-62 …………513
大阪地判平 21・9・4 判時 2056-103 …………331
東京地判平 21・9・29 判タ 1319-159 …………415
東京地判平 21・10・30 判時 2075-48
　……………………………………388, 673, 1032
東京地判平 21・11・10 判タ 1320-275〔倒産百
　選 68 事件〕…………………………………122, 534
福岡地判平 21・11・27 金法 1911-84 …………574
福岡地判平 22・1・14 金法 1910-88 …………574
大阪地判平 22・3・15 判時 2090-69 …………534
東京地判平 22・5・27 判時 2083-148 …………574
東京地判平 22・7・8 金商 1350-36 ……………119
東京地判平 22・7・22 金法 1921-117 …………574
東京地判平 22・8・25 判タ 1387-364 …………529
東京地判平 22・9・8 金商 1368-58 ……………497
福岡地判平 22・9・30 判タ 1341-200 …………574
東京地判平 22・10・14 判タ 1340-83 …………207
名古屋地判平 22・10・29 金法 1915-114 ……539
東京地判平 22・11・12 判時 2109-70 …………592
東京地判平 22・11・29 判タ 1350-212 ………574
東京地決平 22・11・30 金商 1368-54 …………571
東京地判平 23・1・14 Westlaw Japan 文献番
　号 2011 WLJPCA 01148016 ………………574
大阪地判平 23・1・28 金法 1923-108 …………531
大阪地判平 23・3・25 金法 1934-89 …………331
岡山地判平 23・4・27 金商 1393-58 …………513
名古屋地判平 23・7・22 判時 2136-70 ………574
東京地判平 23・8・8 金法 1930-117 ………9, 1004
東京地決平 23・8・15 判タ 1382-351 ……121, 620
東京地決平 23・8・15 判タ 1382-357 ……121, 620
東京地判平 23・9・12 金法 1942-136 …………657

東京地判平 23・9・29 金法 1934-110 ……………759
大阪地判平 23・10・7 判時 2148-85 …………525
東京地判平 23・11・17 金法 1960-151 ………197
東京地決平 23・11・24 金法 1940-148 …121, 620
東京地判平 24・1・26 判タ 1370-245 ……574, 710
東京地判平 24・2・27 金法 1957-150〔倒産百選
　A13 事件〕……………………………298, 992
東京地判平 24・3・1 判タ 1394-366 ……………418
東京地判平 24・3・23 判タ 1386-372 …………547
東京地判平 24・3・29 労判 1055-58 ……………974
札幌地判平 24・3・29 判時 2152-58 ……………261
東京地判平 24・5・16 判時 2169-98 ……193, 767
東京地判平 24・5・16 金法 1960-148②事件…197
東京地決平 24・7・31 判時 2174-61 ……………282
東京地決平 24・8・8 判時 2164-112 ……………795
東京地判平 24・11・28 金法 1971-97 …316, 1079
東京地判平 24・11・28 金法 1976-125 …………253
大阪地判平 25・1・18 判時 2204-52 …………1161
名古屋地判平 25・1・25 判時 2182-106 ………539
金沢地判平 25・1・29 金商 1420-52 ……578, 632
釧路地決平 25・2・13 LEX/DB 28211647 ……570
東京地判平 25・2・14 判タ 1392-343 …………593
東京地判平 25・4・15 判タ 1393-360 …………371
福岡地決平 25・4・26 金法 1978-138①事件・②
　事件……………………………………………150
東京地判平 25・11・6 金商 1429-32 ……………850
徳島地判平 25・11・21 金法 2005-150 …………534
東京地判平 26・4・17 判時 2230-48 ……………206
東京地判平 26・4・30 判タ 1417-371 …………828
東京地判平 26・6・18 金法 2052-75 ……………206
東京地判平 26・7・28 判タ 1415-277 …………1126
東京地判平 26・8・22 判時 2242-96 ……………207
東京地判平 26・8・28 判時 2283-117 …………444
東京地判平 26・9・11 判時 2246-50 ……………395
神戸地尼崎支判平 26・10・24 金商 1458-46 …207
東京地判平 26・11・19 判タ 1421-288 …………468
京都地判平 27・1・15 判時 2269-64 ……………368
青森地判平 27・1・23 判時 2291-92 ……………206
東京地中間判平 27・1・28 判時 2258-100 ……347
大阪地判平 27・1・28 判時 2282-121 ……………974
名古屋地判平 27・2・17 金法 2028-89 …………497
東京地判平 27・3・4 判時 2268-61 ………………497
福島地郡山支判平 27・3・6 判時 2265-93 ……811
東京地判平 27・3・17 金法 2032-93 ……………570

京都地決平 27・3・26 判時 2270-118 …………576
千葉地判平 27・4・9 判時 2270-72 ………………811
東京地判平 27・4・28 判時 2275-97 ……362, 512
東京地判平 27・6・12 金法 2039-84 ……………423
名古屋地岡崎支判平 27・7・15 金法 2058-81
　……………………………………………119, 590
東京地判平 27・7・30 金法 2035-86 ……………423
東京地判平 27・8・5 LEX/DB 25541521 ……468
神戸地判平 27・8・18 金法 2042-91 ……………563
大阪地判平 27・8・27 裁判所ウェブサイト …811
東京地判平 27・10・15 判タ 1424-249 …………206
東京地判平 27・11・12 判時 2298-72 …………297
東京地判平 27・11・26 金商 1482-57 …………332
大阪地決平 27・12・14 判時 2298-124 ………662
名古屋地判平 28・1・21 判時 2308-119 ………363
東京地判平 28・2・23 金法 2048-75 ……312, 370
大阪地判平 28・2・25 交通事故民事裁判例集
　49-1-281 ……………………………………811
東京地判平 28・3・11 判タ 1429-234 …………811
東京地判平 28・5・26 判時 2328-111 …………576
札幌地判平 28・5・30 金法 2053-86 …………480
東京地判平 28・6・2 金法 2054-60 ……………551
東京地判平 28・6・6 判時 2327-55 ……………599
大阪地堺支判平 28・6・16 金法 2071-106 ……317
神戸地尼崎支判平 28・7・20 金法 2056-85 …315
東京地判平 28・7・20 金法 2062-81 ……………579
名古屋地判平 28・7・27 交通事故民事裁判例集
　49-4-952 ……………………………………691
東京地判平 28・7・29 金法 2068-72 ……………206
東京地判平 28・9・12 金法 2064-88 ……………264
東京地判平 28・9・15 金法 2068-66 ……………257
大阪地判平 28・9・21 金商 1503-30
　………………………………………121, 569, 593
札幌地判平 28・10・19 裁判所ウェブサイト…120
東京地判平 28・11・25 判時 2350-124 …………515
東京地決平 28・12・9 金商 1515-36 ……………390
東京地判平 28・12・21 金法 2080-89 ……597, 649
大阪地判平 29・1・13 金法 2061-80 ……………481
大阪地堺支決平 29・2・10 未公刊 ……………317
東京地判平 29・3・15 裁判所ウェブサイト…1235
千葉地八日市場支決平 29・4・20 判タ 1439-
　176……………………………………………802
山形地判平 29・7・11 判例集未登載 …………287
東京地判平 29・11・17 金法 2094-87 …………762

大阪地決平 29・11・29 判時 2396-23 ……………173
大阪地判平 30・1・17 金法 2119-69 ……………317
岡山地判平 30・1・18 金法 2088-82 ……………315
東京地判平 30・1・31 金商 1539-8 ………………292
東京地判平 30・3・16 裁判所ウェブサイト
　………………………………………… 827, 832
大阪地判平 30・5・21 金商 1560-27 ……………572
東京地判平 30・5・30 公刊物未登載 ……………566
東京地判平 30・7・20 LEX/DB 25561009
　………………………………………… 827, 832
金沢地判平 30・9・13 判時 2399-64 ……205, 670
大阪地判平 30・11・15 金商 1557-52 ……………537

大阪地判平 31・1・17 金法 2119-69 ……………317
東京地判平 31・3・12 金法 2148-81 ……571, 588
和歌山地判令元・5・15 金法 2131-72
　……………………………………… 362, 590, 592
東京地判令元・5・31 金商 1571-28………………136
東京地判令元・5・31 LEX/DB 25580091 ………811
東京地判令元・7・16 LEX/DB 25581704 ………768
大阪地判令元・12・20 判時 2462-41 ……………588
東京地判令 2・1・20 金法 2147-68 ………………594
東京地判令 2・9・30 金法 2162-90 ………………370
東京地判令 3・1・20 判タ 1483-161 ……………401

事項索引

あ

青色欠損金（財団債権）……………………353
頭数要件（再生計画案）……………………1107
アフターサービス請求権（再生債権）
　………………………………………935, 1040
アメリカ（破産法改革）……………………69
暗号資産 ………………………261, 338, 425, 718
暗星的法人
　――（破産管財人の法律上の地位）………223
　――（破産財団）……………………………258

い

異議等のある破産債権に関する訴訟の受継
　………………………………………………698
イギリス（破産法改革）……………………69
遺言執行者（相続財産破産）………………96
遺産分割協議（否認権）……………………570
異時破産手続廃止 …………………………777
慰謝料請求権（破産財団）…………………267
移　送
　――（再生手続）……………………………902
　――（破産手続）……………………………232
委託者の取戻権 ……………………………471
委託者の破産 ………………………………115
委託保証人（相殺禁止）……………………543
委託保証人の事後求償権
委託保証人の事後求償権
　――（相殺禁止）……………………………543
委託保証人の事後求償権
　――（破産債権）……………………………320
委託を受けない保証人の事後求償権
　――（相殺禁止）……………………………544
　――（破産債権）………………………289, 320
1号仮登記（破産管財人との関係）………380
一時停止の要請行為（私的整理）…………54
1人破産 ………………………………………87
1年以上前に生じた原因にもとづく債務負担
　（相殺禁止の例外）…………………………550
1年以上前に生じた原因にもとづく破産債権

の取得（相殺禁止の例外）…………………552
一部具備説（破産債権）……………………287
一部免責許可の申立て ……………………789
一括清算条項（スワップ・デリバティブ契
　約）……………………………………………429
一般異議申述期間（小規模個人再生）……1199
一般調査期間
　――（再生手続）……………………………1041
　――（破産手続）……………………………683
一般調査期日（破産手続）…………………687
一般的基準にもとづく権利変更（小規模個人
　再生）…………………………………………1214
一般の共益債権 ……………………………951
一般の財団債権 ……………………………333
一般の先取特権 ……………………………303
一般の取戻権
　――（再生手続）……………………………986
　――（破産手続）……………………………465
一般破産主義…………………………………67
一般優先債権（再生手続）…………………945
一般優先債権者（再生手続の利害関係人）…922
一方のみ未履行の双務契約関係（破産手続）
　………………………………………………386
一本化条項
　――（再生計画）……………………………1079
　――（破産債権）……………………………316
委任契約 ……………………………………431
茨城カントリークラブ破産宣告 ……………3
違約金（契約解除）…………………………390
違約金条項（賃借人の破産）………………404
違約金請求権 ………………………………405
EU（破産法）…………………………………2
遺留分減殺請求権（破産財団）……………268
医療法人（債務超過）………………………127
インターネット（破産手続開始決定）……185
引致（破産者）…………………………153, 193
隠匿等処分意思（否認）……………………585
隠匿等の処分（否認）………………………585
インドネシア（破産法改革）……………1, 70

う

請負契約
　——（再生手続）……………………970
　——（破産手続）……………………417
請負人
　——の再生 ……………………………971
　——の破産 ……………………………420
打切主義（最後配当）……………………759
売主の取戻権 ……………………………473
売渡担保（別除権）………………………505

え

ABL（資産譲渡担保）……………………510
営業等の譲渡（再生手続）………………1056
営業秘密（文書の閲覧・謄写）…………254
営業または事業の譲渡 …………………719
援助の処分（国際破産）…………………280

お

オーストラリア（破産法改革）…………69
オートローン約款（別除権）……………480
オーバーローン（同時廃止・否認）……198, 578
オウム真理教破産宣告 ……………………3
御定書百箇条 ……………………………64
お台場アプローチ（スポンサー選定）……1095
オブリゲーション・ネッティング（スワッ
　プ・デリバティブ契約）………………429
オペレーティング・リース ……………414
親子会社等についての関連土地管轄
　——（再生手続）……………………901
　——（破産手続）……………………229
親法人（土地管轄）………………………230
オリジネーター（取戻権）………………466

か

買受けの申出（破産手続における担保権消滅
　許可）……………………………………740
概括主義（破産手続開始原因）…………117
会計監査人設置会社（土地管轄）………230
解雇（使用者の破産）……………………439
外国管財人
　——（国際再生）……………………932
　——（国際破産）……………………276

　——（再生手続開始申立権者）………853
外国裁判所の確定判決（破産債権）……703
外国従手続（国際破産）…………………280
外国主手続（国際破産）…………………280
外国人
　——（再生能力）……………………842
　——（破産能力）……………………89
外国租税債権（破産債権等）……………77
外国通貨金銭債権（破産債権）…………294
外国倒産処理手続
　——（国際再生）……………………932
　——（国際破産）……………………276
　——（再生手続開始原因）…………846
　——と国内倒産処理手続との競合 …280
　——にかかる承認援助手続の競合 …281
外国倒産処理手続の承認援助に関する規則
　……………………………………………278
外国倒産処理手続の承認援助に関する法律
　……………………………71, 234, 278, 815
外国における訴訟や仲裁手続（破産債権）
　……………………………………………699
外国破産の国内財産に対する効力 ……278
解雇予告手当 ……………………………340, 974
解散の訴え（訴訟手続の中断・受継）…447
開始後債権 ………………………………306, 946
　——（住宅資金特別条項を定めた再生計
　画）……………………………………1159
開始後債権者（再生手続の利害関係人）……922
会社更生（再生型手続）…………………43
会社更生規則 ……………………………72
会社更生能力 ……………………………89
会社更生法 ………………………………72
会社整理 …………………………………68, 76
会社分割（否認）…………………………572
会社法平成26年改正 ……………………79
解除権（双方未履行双務契約）…………389
解除条件付債権
　——（最後配当）……………………761
　——（相殺）…………………………522
　——（破産債権）……………………296
　——を受働債権とする相殺 …………1000
解除条件付再生債権を自働債権とする相殺
　……………………………………………1000
解除条件付債務（相殺）…………………526

事項索引　*1287*

解除の効果（破産管財人の実体法上の地位）
　………………………………………372
解除の不可分性（双方未履行双務契約）……390
解約返戻金請求権
　──（破産財団）………………………264
　──（保険契約者の破産）………………425
価額決定の請求手続（再生手続における担保
　権消滅許可）……………………………1069
価額償還請求権
　──（再生手続）………………………1024
　──（破産手続）…………………………650
価額評定（再生債務者財産）……………1050
確定金銭債権（破産債権）………………292
確定判決と同一の効力（破産債権査定手続）
　……………………………………………709
確定判決と同一の効力（破産債権者表）……690
加工（破産管財人との関係）………………376
過誤納金（租税等の請求権）………………300
華士族平民身代限規則………………………65
家資分散法……………………………………66
可処分所得（給与所得者等再生）………1230
仮想通貨（暗号資産）………………191, 468, 718
　──（金銭化）…………………………292
　──（配当）……………………………750
　──の処分　……………………………725
合併無効の訴え（訴訟手続の中断・受継）…447
カナダ（破産法改革）………………………69
過払金　………………………………………6
過払金返還請求権
　──（再生計画）………………………1078
　──（再生債権の自認）………………1040
　──（破産財団）………………………261
株式の取得等（再生計画）………………1127
株　主
　──（再生手続の利害関係人）…………923
　──（利害関係人）………………………247
株主総会決議無効確認等の訴え（破産管財人
　の被告適格）……………………………192
株主総会の特別決議に代わる許可（再生手続
　における事業譲渡）……………………1061
株主代表訴訟　………………………………672
　──（再生手続）…………………………979
　──（破産手続）…………………………456
仮差押え・仮処分（係属中の手続関係）……458

仮執行（破産債権）…………………………287
仮登記担保
　──（破産管財人）………………………382
　──（別除権）……………………………500
簡易再生……………………………………1180
簡易再生の決定……………………………1180
　──に対する不服申立て………………1183
簡易配当………………………………………763
環境汚染（破産管財人の職務）………………4
関係人委員会（会社更生）…………………917
監査委員…………………………………67, 209
管財業務妨害行為（免責不許可事由）……800
管財人（再生手続）…………………………887
管財人型（手続の基本構造）………………29
監守（破産者）………………………154, 194
韓国（破産法改革）………………………1, 70
監督委員
　──（再生計画の遂行の監督）………1134
　──（再生手続）…………………………904
監督委員等
　──に対する職務妨害の罪（再生犯罪）
　……………………………………………1238
　──の特別背任罪（再生犯罪）………1237
監督官庁（破産手続開始申立権）……141, 853
監督命令（再生手続）………………………905
観念的清算（再生債務者財産）…………1052
還付金（租税等の請求権）…………………300
還付金請求権（破産財団）…………………266
元本猶予期間併用型（住宅資金特別条項）
　……………………………………………1151
管理型（手続の基本構造）…………………29
管理機構人格説（破産管財人の法律上の地
　位）……………………………………224, 258
管理機構としての破産管財人説　…………344
管理命令
　──（国際破産）………………………280
　──（再生手続）………………………888
　──発令後の再生債務者に対する弁済
　……………………………………………962

き

機関介在型（私的整理）……………………49
危機否認………………………………………586
企業担保権……………………………………303

——の実行手続に対する中止命令 ……… 163
企業の民事再生の事例 …………………… 5
企業破産 …………………………………… 2
　　——の事例 …………………………… 2
基金返還請求権（破産債権）……………311
議決権（再生手続）……………………912
議決権額要件（再生計画案決議）………1107
議決権の不統一行使（再生計画案）…1100, 1108
期限付債権
　　——（相殺）………………………521
　　——（破産債権）…………………291
期限切れ欠損金（財団債権）……………353
期限付債務（相殺）……………………525
期限の利益回復型（住宅資金特別条項）…1148
期限前弁済
　　——（破産手続）…………………595
基準債権（小規模個人再生）……………1211
基準日による議決権者の確定（再生計画案）
　………………………………………………1099
疑似DES（再生計画）……………………1129
帰属清算型（別除権）……………………502
寄託請求（相殺）………………………523
逆推知説（国際破産管轄）………………234
客観的処罰条件
　　——（再生犯罪）…………………1236
　　——（破産犯罪）…………………829
ギャンブル（消費者破産事件）……………13
旧会社更生法 ……………………………68
旧企業再生支援機構 ……………………50
求償義務者
　　——の再生 ………………………949
　　——の破産 ………………………320
求償権（破産財団）………………………262
旧商法破産編 …………………………67, 197, 236
救助料債権（破産債権）…………………286
旧破産法 …………………………………66
給与所得者等再生 ………………………70, 1223
　　——の不認可事由 ………………1229
給料等の請求権（雇傭契約）……………439, 441
旧和議法 …………………………………67
教育役務提供（双方未履行双務契約）……402
共益債権 …………………………………950
　　——の財団債権化 ………………1246
共益債権者（再生手続の利害関係人）……923

競合管轄 …………………………………230
共助対象外国租税の請求権……………78
　　——（再生債権の確定）…………1049
　　——（中止命令）…………………164
強制執行等禁止命令（国際破産）………280
強制執行等に対する中止命令・取消命令
　　——（再生手続）…………………859
　　——（破産手続）…………………161
行政庁に継続している手続に対する中止命令
　………………………………………………164
行政手続（係属中の手続関係）…………456
強制和議 …………………………………67, 75
協定破産 …………………………………76
共同担保（担保権消滅許可）……………737
共同抵当（担保権消滅許可）……………1075
共有関係（破産管財人による換価）……435
虚偽の債権者名簿提出行為（免責不許可事由）
　………………………………………………799
虚偽表示による無効（破産管財人の実体法上の地位）
　………………………………………………370
居住制限（破産者等）……………………193
銀行取引停止（支払停止）………………121
銀行取引約定書 ………………………484
　　——（破産管財人による換価）……727
金銭化
　　——（小規模個人再生）…………1214
　　——（破産債権）…………………292
金融機関等の更生手続の特例等に関する法律
　………………………………………………43, 68, 92
金融機関等の資産・負債の秩序ある処理の枠組
　………………………………………………92
金融整理管財人 ………………………226

く

口単位説（破産債権）……………………316
組合員の破産 ……………………………328, 429
組合契約 …………………………………429
組入金（破産手続における担保権消滅許可）
　………………………………………………735
クロス・ファイリング …………………933
　　——（国際破産）…………………277
訓示的記載事項（破産手続開始申立書面）…143

け

経営者保証に関するガイドライン……………63
計画弁済総額（小規模個人再生）…………1212
警察上の援助（破産管財人）………………717
計算の報告書（破産手続終結）……………768
計算報告集会 ………………………………239
計算報告のための債権者集会 ……………219
形式的危機時期（否認）……………582, 586
形式的相互主義（外国人の破産能力）………89
形成権説（否認権の法的資質）……………633
継続事業価値
　――（再生型手続）……………………30
　――（債務超過）………………………128
係属中
　――の強制執行等 ……………………457
　――の訴訟手続 ………………………445
　――の手続関係 ………………………444
継続的給付を目的とする双務契約
　――（再生手続）………………………966
　――（破産手続）………………………399
携帯電話（双方未履行双務契約）…………401
競売手続等の中止命令（国際破産）………280
警備契約（双方未履行双務契約）…………402
結合企業の破産 ……………………………328
健康保険組合（破産能力）…………………91
現在化
　――（小規模個人再生）……………1214
　――（破産債権）………………………291
原状回復請求権
　――（双方未履行双務契約）…………390
　――（賃借人の破産）…………………404
建設協力金返還請求権 ……………408, 968
原則的土地管轄
　――（再生手続）………………………901
　――（破産手続）………………………229
現存額主義（破産債権）……………………313
建築請負人の商事留置権 …………………483
限定承認 ………………………………………93
　――（相続人の破産）…………………100
現有財産（破産財団の管理）………………712
現有再生債務者財産 ………………………929
現有財団（破産財団）………………256, 448
権利の放棄（破産管財人）…………………722

権利変更
　――に関する一般的基準（再生計画）…1077
　――に関する平等原則（再生計画）……1078
　――の態様（小規模個人再生）………1205
権利変更先行説（敷金返還請求権）………1083
権利保護条項
　――（更生計画）………………45, 1117
牽連破産
　――（再生・更生終了後）………1243, 1244

こ

故意否認 ………………………………568, 578
更改（偏頗行為否認）………………………588
後見型（手続の基本構造）……………………29
交互計算 ……………………………………427
合資会社 ……………………………………327
合資会社
　――（債務超過）………………………128
更生管財人……………………………44, 224
公正中立義務（破産管財人）………………215
合同会社（破産債権）………………………324
口頭方式（債権調査）………………………681
公　平 ……………………………………1, 22
　――（民事再生）………………………837
衡　平 ……………………………………1, 22
　――（民事再生）………………………838
公平誠実義務（再生債務者）………………883
公平分配利益（破産者）……………………206
公法人
　――（再生能力）………………………843
　――（破産能力）…………………………90
合名会社 ……………………………………327
　――（債務超過）………………………128
子会社（土地管轄）…………………………230
子会社等（破産管財人による調査）………715
子株式会社（土地管轄）……………………230
国際再生管轄 ………………………………903
国際破産 ……………………………………272
　――における準拠法 …………………273
国際破産管轄 ………………………………234
国際民事再生 ………………………………931
　――における準拠法 …………………931
国税滞納処分 ………………………299, 462
国税滞納処分

──（包括的禁止命令）……………………166
国内再生の対外的効力 ………………………931
国内破産の対外的効力 ………………………274
個人（再生能力）……………………………842
個人再生 ……………………………………1191
個人再生委員
　──（給与所得者等再生）……………1227
　──（小規模個人再生）………………1196
個人版私的整理ガイドライン ………………63
国家（破産能力）……………………………90
国庫仮支弁（予納金）………………………148
固定化（集合物譲渡担保）………510, 597, 997
固定資産税 ……………………………334, 351
固定主義（破産財団）……………………67, 259
固定説（別除権協定）………………………992
COVID-19（新型コロナウイルス感染症）
　………………………………33, 126, 848
個別方式（再生計画案）……………………1103
コベナンツ（破産債権）……………………285
コミットメント・ライン契約（特定融資枠契
　約）……………………………………431
顧問弁護士（破産管財人）…………………210
固有財産等責任負担債務（信託財産破産）…109
雇用関係にもとづいて生じた使用人の請求権
　（非免責債権）………………………812
雇傭契約の解約 ………………………………439
婚姻費用分担請求権（破産債権）……………288
困窮要件（再生手続開始原因）……………844
コンピュータの処分 …………………………725
コンピュータプログラムの利用許諾契約（双
　方未履行双務契約）…………………413
混和（破産管財人との関係）………………376

さ

災害弔慰金（破産財団）……………………267
債権（取戻権）………………………………468
債権者
　──（再生手続開始申立権者）………852
　──（破産手続開始申立権者）………134
債権者委員会
　──（再生手続）………………………916
　──（破産手続）………………………244
債権者一覧表 …………………………………145
　──（給与所得者等再生）……………1225

──（小規模個人再生）………………1194
債権者一般の利益（再生手続開始の条件）…847
債権者集会
　──（簡易再生）………………………1184
　──（再生手続）………………………910
　──（破産手続）………………………236
　──の議決権 …………………………242
　──の決議 ……………………………242
　──の権限 ……………………………239
　──の招集および議事 ………………240
　──の法的性質 ………………………238
債権者代位訴訟
　──（再生手続）…………………979, 980
　──（訴訟手続の中断・受継）………453
　──（破産手続）………………………298
債権者平等原則………………………23, 305
債権説（否認権行使の効果）………………634
債権調査期間
　──（再生手続）………………………1041
　──（破産手続）………………………682
債権調査期日（破産手続）…………………686
債権調査期日方式（債権調査）……………681
債権等の回収（破産管財人による換価）……728
債権届出期間
　──（再生手続）………………………1034
　──（小規模個人再生）………………1199
　──（破産手続）………………………675
債権届出の再利用（牽連破産）……………1249
債権の摑取力（破産財団）…………………258
債権譲受人に対する債務と債権譲渡人に対す
　る債権との相殺 ……………………519
催告人および検索の抗弁権（保証人の破産）
　…………………………………………322
最後配当 …………………………………7, 758
財産開示手続（係属中の手続関係）………458
財産散逸防止義務（破産者）………………207
財産状況報告集会 …………………240, 716
　──（再生手続）………………………1055
　──の期日（同時処分）………………183
財産上の請求権（破産債権）………………284
財産評定 ………………………………………718
財産分与請求権 ……………………268, 699
　──（消費者破産事件）………………12
　──（取戻権）…………………………471

財
　——（破産財団）……………………267
財産分離（相続財産破産）……………93
財産保全処分 ………………………154
財産目録（破産財団）………………719
再生外人法（国際再生）……………931
再生型（手続の基本構造）……………30
再生管財人 …………………………224
再生計画……………………………1076
　——（給与所得者等再生）………1227
　——（小規模個人再生）…………1204
　——によらない営業等の譲渡……1058
　——による営業等の譲渡…………1057
　——の審理手続……………………1116
再生計画案
　——に関する債権者集会の期日の続行…1109
　——についての意見聴取（給与所得者等再生）……………………………1228
　——の可決要件……………………1107
　——の事前提出……………………1095
再生計画案
　——の修正…………………………1097
　——の提出 ……………1093 再生計画案
　——の付議…………………………1102
　——の変更…………………………1109
再生計画案の決議 ……………1098, 1107
再生計画案の決議
　——（小規模個人再生）……1207, 1209
再生計画遂行
　——の監督の主体…………………1134
　——の主体…………………………1133
再生計画取消決定の効果……………1172
再生計画の効力………………………1120
　——（簡易再生）…………………1184
　——（給与所得者等再生）………1232
　——（小規模個人再生）…………1214
　——の主観的範囲…………………1130
再生計画の条項………………………1076
　——（小規模個人再生）…………1205
再生計画の取消し……………………1168
　——（給与所得者等再生）………1233
　——（小規模個人再生）…………1218
再生計画の認可………………………1111
再生計画の認可または不認可の決定に対する

不服申立て……………………………1118
再生計画の不認可決定………………1132
再生計画の不認可事由………………1111
　——（給与所得者等再生）………1229
　——（小規模個人再生）…………1208
再生計画の変更………………………1136
　——（給与所得者等再生）………1233
　——（小規模個人再生）…………1220
再生債権………………………………934
　——の確定…………………………1043
　——の順位…………………………943
　——の調査…………………………1037
　——の評価（小規模個人再生）…1202
　——の免責（再生計画の効力）…1121
　——を自働債権とする相殺 ………999
　——を自働債権とする場合以外の相殺…998
再生債権者
　——（再生手続の利害関係人）……921
再生債権者
　——に対する情報開示……………1055
再生債権者表…………………………1036
　——（再生計画）…………………1125
再生債権に関する訴訟 ………………977
　——（再生手続）……………………982
再生債権の査定の裁判………………1045
　——に対する異議の訴え…………1046
再生債権の査定の申立てについての裁判に対する異議の訴え（牽連破産）………1253
再生債権の届出………………………1031
　——（給与所得者等再生）………1227
　——（小規模個人再生）…………1198
再生裁判所 ………………………841, 899
再生債務者
　——の義務違反（再生手続の廃止）……1176
　——の職務 …………………………884
　——の法律上の地位 ………………886
再生債務者財産………………………929
　——の管理…………………………1050
　——の国際的範囲…………………931
再生債務者財産に関する訴訟 ………977
　——（管理命令がある場合）……981
再生債務者代理人 ……………………881
再生債務者等
　——（再生計画の遂行）…………1133

——に対する面会強請等の罪（再生犯罪）
　　　　……………………………………1239
　　——による自認（再生債権）……………1039
　　——の実体法上の地位 ……………………958
　　——の第三者性 ……………………………959
再生手続
　　——の機関 ………………………………881
　　——の準拠法 ……………………………931
　　——の廃止…………………………………1173
　　——の理念 ………………………………837
再生手続開始決定 …………………………………874
再生手続開始原因 …………………………………843
再生手続開始後に再生債務者が行った法律行
　為の効力 ………………………………………960
再生手続開始後の再生債務者の行為によらな
　い権利取得 ……………………………………961
再生手続開始後の手形の引受け・支払 ……962
再生手続開始後の登記・登録 ………………962
再生手続開始の条件 ……………………………847
再生手続開始前に再生債務者が行った法律行
　為の再生債務者等に対する効力 …………959
再生手続開始申立権者 ……………………………851
再生手続開始申立ての取下げ …………………857
再生手続終結決定の効果……………………………1167
再生手続の終結 ……………………………………1165
　　——（小規模個人再生）……………………1215
再生手続の終了 ……………………………………1165
　　——（給与所得者等再生）……………………1232
　　——（小規模個人再生）……………………1215
　　——（再生計画認可後）……………………1175
　　——（再生計画認可前）……………………1173
再生手続廃止決定……………………………………1177
再生能力 ……………………………………………841
再生犯罪 ……………………………………………1234
財団債権 ……………………………………………330
　　——（使用者の破産）………………………440
　　——　破産手続開始申立権）………………136
　　——と自由財産所属の債権との相殺 ……518
　　——と破産財団所属の債権との相殺 ……518
　　——に関する訴訟 …………………………449
財団債権
　　——に関する平等原則 ………………………350
　　——にもとづく強制執行 ……………………348
　　——の共益債権化 …………………………1246

　　——の債務者 ………………………………343
財団債権
　　——の弁済 …………………………………346
　　——をめぐる訴訟の訴訟物 ………………347
財団債権者（利害関係人）………………………252
財団債権性の承継 ……………………………330
財団不足による破産手続廃止 ……………776
最低弁済基準額
　　——（給与所得者等再生）………………1230
　　——（小規模個人再生）……………………1211
裁判所
　　——（再生手続）………………………841,900
　　——（破産手続）…………………86,143,227
裁判所および債権者集会財産状況等の報告
　（破産管財人）……………………………………716
裁判所書記官
　　——（簡易配当）……………………………763
　　——（再生手続）………………………893,904
　　——（再生手続開始決定）…………………877
　　——（破産手続）……………………………236
裁判所予納金 ……………………………………147
裁判手続の帰趨（牽連破産）…………………1251
債務者…
　　——（再生手続開始申立権者）……………851
　　——（破産手続開始申立権者）……………137
債務消滅説……………………………………………1121
　　——（免責の効果）……………………………807
債務整理開始通知（支払停止）………………120
債務超過 ……………………………………………125
　　——（再生手続開始原因）…………………844
債務の期限の猶予期間に関する制限（小規模
　個人再生）……………………………………1206
債務の消滅に関する行為 ………………………587
債務保証（無償行為否認）………………………598
債務免除等要請行為
　　——（支払停止）……………………………120
　　——（相殺禁止）……………………………536
　　——（否認）…………………………………592
裁量免責 …………………………………………802
詐害意思（否認）…………………………………580
詐害行為取消権 …………………………………559
詐害行為取消訴訟
　　——（再生手続）…………………………979,982
　　——（訴訟手続の中断・受継）……………451

―――（破産債権の行使）・・・・・・・・・・・・・・・298
詐害行為否認（再生手続）・・・・・・・・・・・・・1009
　　　――の第 1 類型・・・・・・・・・・・・・・・・・580
　　　――の第 2 類型・・・・・・・・・・・・・・・・・582
詐害信託・・・・・・・・・・・・・・・・・・・・・・・・・・・・・106
詐害的債務消滅行為・・・・・・・・・・・・・・・・・・・581
詐欺・強迫による取消し（破産管財人の実体
　法上の地位）・・・・・・・・・・・・・・・・・・・・・・・371
詐欺再生罪（再生犯罪）・・・・・・・・・・・・・・・1235
詐欺破産罪（破産犯罪）・・・・・・・・・・・・・・・・825
錯誤無効（破産管財人の実体法上の地位）・・・372
差押禁止財産（自由財産）・・・・・・・・・・・・・・266
詐術による信用取引（免責不許可事由）・・・・・・798
産業活力再生特別措置法・・・・・・・・・・・・・・1081
産業競争力強化法 ・・・・・・・・・19, 53, 867, 942
産業廃棄物（放棄）・・・・・・・・・・・・・・・・・・・723
三者間相殺・・・・・・・・・・・・・・・・・・・・・・・・・514
363 条セール（事業譲渡）・・・・・・・・・・・・・・894

し

時価（更生会社財産）・・・・・・・・・・・・・・・・1051
資格制限（破産者）・・・・・・・・・・・・・・・・・・・194
敷金等放棄条項（賃借人の破産）・・・・・・・・・・404
敷金返還請求権・・・・・・・・・・・・・・・・・・・・・1038
　　　――（再生計画）・・・・・・・・・・・・・・・1083
　　　――（相殺）・・・・・・・・・・・・・・・・・・・523
　　　――（賃借人の再生）・・・・・・・・・・967, 968
　　　――（賃借人の破産）・・・・・・・・・・・・・403
　　　――（賃貸人の再生）・・・・・・・・・・・・・968
　　　――（賃貸人の破産）・・・・・・・・・・・・・408
　　　――（破産財団）・・・・・・・・・・・・・・・・264
事業（経営）管財人（会社更生）・・・・・・・・・・44
事業継続危殆事実（再生手続開始原因）・・・・・・845
事業再生 ADR・・・・・・・・・・・・・・・・・・50, 1082
事業再生実務家協会・・・・・・・・・・・・・・・・・・・49
事業再生のための私的整理・・・・・・・・・・・・・・49
事業譲渡
　　　――（再生手続）・・・・・・・・・・・・・・・・894
　　　――（否認）・・・・・・・・・・・・・・・・・・・570
事後廃止・・・・・・・・・・・・・・・・・・・・・・・・・・777
自己破産・・・・・・・・・・・・・・・・・・・・・・・・・・137
自主再建・・・・・・・・・・・・・・・・・・・・・・・・・1056
市場の相場がある商品の取引に係る契約およ
　び交互計算

―――（再生手続）・・・・・・・・・・・・・・・・・・・972
―――（破産手続）・・・・・・・・・・・・・・・・・・・425
自称有限責任社員（再生債権）・・・・・・・・・・・950
自然債務（破産債権）・・・・・・・・・・・・・・・・・286
自然債務説
　　　――（再生計画による免責）・・・・・・・1121
　　　――（免責の効果）・・・・・・・・・・・・・・807
事前相談
　　　――（再生手続開始申立て）・・・・・・・・856
　　　――（破産手続開始申立て）・・・・・・・・・47
下請業者の請負代金債権（破産債権）・・・・・・305
質権（別除権）・・・・・・・・・・・・・・・・・・・・・・482
執行行為の否認
　　　――（再生手続）・・・・・・・・・・・・・・・1014
　　　――（破産手続）・・・・・・・・・・・・・・・・623
執行判決（破産債権の届出）・・・・・・・・・・・・703
実質的侵害罪
　　　――（再生犯罪）・・・・・・・・・・・・・・・1234
　　　――（破産犯罪）・・・・・・・・・・・・・・・・822
実質的相互主義（外国人の破産能力）・・・・・・・89
実体的併合（破産債権）・・・・・・・・・・・・・・・329
私的整理・・・・・・・・・・・・・・・・・・・・・・48, 1180
　　　――（相殺禁止）・・・・・・・・・・・・・・・536
　　　――の機関・・・・・・・・・・・・・・・・・・・・49
私的整理ガイドライン・・・・・・・・・・・・49, 1180
自働債権たる破産債権取得の時期による相殺
　の禁止・・・・・・・・・・・・・・・・・・・・・・・・・・541
自動車税（財団債権）・・・・・・・・・・・・・・・・・334
自動停止
　　　――（再生手続）・・・・・・・・・・・・・・・・862
　　　――（破産手続）・・・・・・・・・・・・・・・・152
自認漏れ（再生債権の免責）・・・・・・・・・・・1121
支払停止・・・・・・・・・・・・・・・・・・・・・・62, 120
　　　――（再生手続開始原因）・・・・・・・・・844
支払停止後の悪意による破産債権取得・・・・・548
支払停止後の債務負担（相殺禁止）・・・・・・・535
支払停止を要件とする否認の制限
　　　――（再生手続）・・・・・・・・・・・・・・・1014
　　　――（破産手続）・・・・・・・・・・・・・・・・627
支払不能・・・・・・・・・・・・・・・・・・・・・・14, 117
　　　――（再生手続開始原因）・・・・・・・・・844
　　　――と同視される状態・・・・・・・・・・・・119
支払不能期における債務負担原因契約（相殺
　禁止）・・・・・・・・・・・・・・・・・・・・・・・・・・533

支払不能後の悪意による破産債権取得（相殺
　禁止）……………………………………549
支払不能後の債務負担（相殺禁止）…………532
私法上の職務説（再生債務者）………………886
死亡保険金請求権（破産財団）………………262
資本金の額の減少等に関する条項（再生計
　画）……………………………………1087
社会主義国家（破産法）………………………1
社会保険料（財団債権）………………………335
社債管理者等の費用（破産債権）……………290
社債管理者等の費用および報酬（財団債権）
　………………………………………………341
社債権者（私的整理）……………………………53
社債権者等の議決権の行使に関する制限（再
　生計画案）……………………………1101
社内預金払戻債権（優先的破産債権）………304
受遺者…………………………………………96
　──（相続財産破産）…………………………98
　──（相続人の破産）………………………104
就業規則
　──（再生手続）……………………………973
　──（破産手続）……………………………444
終局判決のある破産債権……………………703
集合債権譲渡担保……………………………511
集合債権譲渡担保（対抗要件否認）…………609
集合動産・集合債権譲渡担保の否認
　──（再生手続）…………………………1012
　──（破産手続）……………………………595
集合動産譲渡担保……………………………507
集合物譲渡担保…
　──（再生手続）……………………………996
集合物譲渡担保
　──（破産手続）……………………………508
自由財産………………………………………265
　──（小規模個人再生）…………………1211
　──に対する破産債権者の権利行使……299
　──の破産財団への組入れ………………270
住宅資金貸付契約内容の移入（再生計画）
　………………………………………………1159
住宅資金貸付債権
　──（再生計画）…………………………1141
　──に関する特則……………………………70
　──に対する弁済許可（再生債権）……1144
住宅資金特別条項……………………………1113

　──（再生計画）…………………………1142
　──の対象となる権利……………………1145
　──の内容…………………………………1148
住宅資金特別条項を定めた再生計画
　──の効力…………………………………1157
　──の取消し………………………………1163
　──の不認可事由…………………………1156
住宅資金特別条項を定めた再生計画案……1152
　──の決議…………………………………1155
重要財産開示義務（破産者）…………………191
受益債権
　──（受託者の破産）………………………114
　──（信託財産破産）…………………107, 108
受託者（信託財産破産）………………………108
受託者説（破産管財人の法律上の地位）……224
受託者の破産…………………………………112
　──における破産債権者…………………114
　──における破産財団……………………113
受働債権たる債務負担の時期による相殺の禁
　止………………………………………529
取得時効（破産管財人との関係）……………376
準自己破産……………………………………139
純粋私的整理……………………………………50
準別除権………………………………………489
準名義説（動産売買先取特権）………………495
ジョイント・ベンチャー（組合）………328, 430
少額管財手続…………………………………199
少額再生債権……………………………940, 941
小規模個人再生…………………………1113, 1192
　──の開始決定……………………………1195
　──の不認可事由（給与所得者等再生）
　………………………………………………1229
商業帳簿の不作成（破産犯罪）………………833
商権（破産財団）………………………………261
条件付債権（破産債権）………………………295
使用者
　──としての破産管財人…………………443
　──の再生…………………………………973
　──の破産…………………………………437
上場廃止基準（債務超過）……………………125
商事留置権
　──（再生手続）……………………………989
　──（注文者の破産）………………………420
　──（破産管財人）…………………………376

事 項 索 引 　1295

──（破産手続）……………………483
──の消滅請求 ……………………746
常置代理人
　──（再生手続の管財人）…………890
　──（破産手続の管財人）…………211
譲渡担保 ………………………………530
　──（別除権）………………………502
　──（担保権消滅許可）……………735
　──（破産管財人による換価）……727
　──の実行（中止命令）……………872
譲渡担保権者の破産 …………………502
譲渡担保設定者の破産 ………………503
商取引債権者……………………………24
　──（再生手続）……………………937
承認管財人（国際破産）………………280
承認決定（国際破産）…………………279
使用貸借契約 …………………………402
譲渡禁止特約 …………………………362
譲渡制限の意思表示 …………………362
商取引債権等 ……………867, 937, 942
使用人の給料等
　──（財団債権）……………………340
　──（破産債権）……………………290
商人破産主義……………………………66
小破産…………………………………68, 183
消費者の経済生活再生のための私的整理……61
消費者破産………………………………9
　──の事例……………………………9
　──（免責）…………………………783
消費税（財団債権）………………334, 351
消費税法（破産財団）…………………223
消費貸借の予約 ………………………431
情報開示（再生手続）…………………925
情報収集を阻害する罪
　──（再生犯罪）…………………1237
　──（破産犯罪）……………………832
情報提供義務（破産管財人）…………212
消滅時効（免責）………………………813
剰余主義（財団換価）…………………725
将来債権譲渡 …………………………365
将来の請求権
　──（破産債権）……………………295
　──（破産財団）……………………262
職務説（破産管財人の法律上の地位）………222

書証説（動産売買先取特権）…………495
所得税（財団債権）……………………351
処分価額
　──（再生債務者財産）…………1053
　──（担保権消滅許可）…………1070
処分清算型（譲渡担保）………………502
書面による計算報告（破産管財人）…219
書面方式（債権調査）…………………681
所有権（取戻権）………………………466
所有権留保 ………………………481, 727
　──（別除権）………………………496
　──の実行（中止命令）……………872
　──（破産管財人の実体法上の地位）……367
所有権留保売買（双方未履行双務契約）……498
親権者の財産管理権（親権者の破産）……435
私立学校法人（破産手続開始申立義務）……127
シンガポール（破産法）………………1
新再建型手続……………………………70
真正譲渡性（取戻権）…………………466
人税・物税（租税等の請求権）………357
親族関係に係る一連の請求権（非免責債権）
　………………………………………812
身代限……………………………………64
信　託
　──（取戻権）………………………469
　──の再生…………………………105
信託金会員制ゴルフクラブ……………388
信託契約 ………………………………432
信託債権
　──（受託者の破産）………………114
　──（信託財産破産）………………107
信託財産（破産手続開始申立権）……141
信託財産管理者………………………108
信託財産責任負担債務（信託財産破産）……107
信託財産破産…………………………106
　──（開始申立権者）………………141
　──（土地管轄）…………………229, 234
　──における否認……………………661
信託財産返還債務（相殺禁止）………539
信託財産法人管理人…………………108
信託法……………………………77, 105
人的請求権（破産債権）………………285
人的分割（否認）………………………573
人的保全処分 …………………………153

新得財産（破産財団）…………………259
新破産法……………………………………72
信販会社（別除権）………………481, 497
　　　──（留保所有権）………………367

す

スーパープライオリティ（共益債権）………954
遂行可能性
　　　──（再生計画）…………………1112
　　　──（再生手続の廃止）……………1175
　　　──（住宅資金特別条項を定めた再生計
　　　　画）……………………………1156
数人の全部義務者
　　　──（再生手続）…………………948
　　　──（破産手続）…………………313
スクラップ取引（市場の相場がある商品の取
　　引に係る契約）……………………425
ストライキ権 ……………………………443
スポーツクラブ会員契約（双方未履行双務契
　　約）……………………………………402
スポット清算人 …………………………779
スポンサー（破産手続廃止）……………443
スポンサー選定…………882, 1060, 1095, 1095
スワップ・デリバティブ契約 ……………428

せ

生活再建支援金（破産財団）……………267
請求権説（否認権の法的性質）…………633
制限説（対抗要件の否認）………………616
清算価値算定の基準時……………………1115
清算型（手続の基本構造）…………………30
清算価値保障原則…………………………45
　　　──（再生計画）…………………1115
　　　──（再生債務者財産）…………1052
　　　──（再生手続開始の条件）………848
　　　──（小規模個人再生）……1218, 1219
清算価値保障原則違反（小規模個人再生）
　　　………………………………………1211
清算金支払義務（相殺禁止）……………530
清算所得（財団債権）……………………352
清算人（破産手続開始申立義務）………139
正常返済型（住宅資金特別条項）………1150
清掃業務委託契約 …………………………402
制度化された私的整理……………………49

整理委員（和議）…………………………839
整理解雇の4要件（4要素）………………974
整理屋 ……………………………………18
責任財産（破産財団）……………………258
責任制限手続に対する中止命令 …………164
責任追及等の訴え（訴訟手続の中断・受継）
　　　………………………………………456
絶対的必要的記載事項
　　　──（再生計画）…………………1076
　　　──（再生計画の変更）…………1137
絶対無効説（否認権行使の効果）………634
説明義務（破産者）………………………190
設立無効の訴え（訴訟手続の中断・受継）…447
善意の登記権利者の保護（破産管財人との関
　　係）……………………………………379
善管注意義務
　　　──（配当）………………………752
　　　──（破産管財人）………………213
先行手続の費用等（財団債権）…………343
専相殺供用目的
　　　──（再生手続）…………………1004
　　　──（破産手続）…………………534
選択方式（再生計画案）…………………1103
全部具備説（破産債権）…………………287
占有回復権限説（売主の取戻権）………475
占有権（取戻権）…………………………467
占有権限回復説（売主の取戻権）………475
占有債務者（debtor in possession）（国際
　　破産）………………………………279
戦略的異議（破産債権調査）……………689

そ

総会決議取消し・無効確認の訴え（訴訟手続
　　の中断・受継）……………………447
相互主義
　　　──（外国人の再生能力）………842
　　　──（外国人の破産能力）…………89
相　殺 ……………………………………588
　　　──の合理的期待 …………………515
　　　──の否認 ………………………554
相殺期待の詐害的創出 …………………528
相殺禁止の基準時（牽連破産）…………1247
相殺権 ……………………………………512
　　　──の範囲の拡張 …………………521

事項索引　1297

——の範囲の制限 …………………527
——の濫用 …………………………553
相殺権者
　——（再生手続の利害関係人）……922
　——（破産手続の利害関係人）……250
相殺権の実行
　——（再生手続）…………………1007
　——（破産手続）……………………556
贈収賄罪
　——（再生犯罪）…………………1238
　——（破産犯罪）……………………834
創設説（対抗要件の否認）……………616
相続債権者 ………………………………96
　——（相続財産破産）………………98
　——（相続人の破産）………………104
相続財産（破産手続開始申立権）……140
相続財産管理人（相続財産破産）……96
相続財産破産……………………93, 202
　——（開始申立権者）………………140
　——（土地管轄）……………229, 233
　——（免責）…………………………786
　——における否認 …………………659
　——の申立権者 ………………………96
相続人（相続財産破産）…………………96
相続人債権者（相続人の破産）………104
相続人の破産 …………………………100
　——における破産債権者 …………104
相続放棄（相続人の破産）……………100
相対交渉型（私的整理）…………………49
相対的必要的記載事項
　——（再生計画）…………………1084
　——（再生計画の変更）…………1137
相対無効説（否認権行使の効果）……634
相当の対価をえてした財産の処分行為の否認
　…………………………………………583
双方未履行双務契約
　——（再生手続）……………………964
　——（財団債権）……………………339
　——（破産手続）……………………388
遡求権（破産債権）……………………288
即時抗告
　——（再生手続開始申立てについての裁
　　判）…………………………………878
　——（破産手続開始申立てについての裁

　　判）…………………………………200
即時取得
　——（破産管財人）…………………376
　——（破産管財人の実体法上の地位）……375
即日面接（同時廃止）……………197, 199
属地主義
　——（国際再生）……………………931
　——（国際破産）……………274, 278
　——（相続財産破産）………………96
訴訟手続に対する中止命令 …………163
租税債権
　——（一般優先債権）………………946
　——（再生手続）……………………957
租税条約等実施特例法 …………………77
租税等の請求権 ………………………809
　——（財団債権）……………334, 351
　——（滞納処分）……………………300
　——（破産債権）……………………290
　——（非免責債権）…………………799
　——（劣後的破産債権）……………308
　——にもとづく滞納処分 …………348
租税等の請求権等
　——（破産債権の確定）……………710
　——（破産債権の届出）……………679
損害賠償債権（破産債権）……………293

た

第1破産 ……………………………260, 489
第1回債権者集会 ……………………239
第2次倒産法改正 ………………………81
第2破産 ……………………………260, 489
大規模事件についての土地管轄の特則
　——（再生手続）……………………902
　——（破産手続）……………………231
対抗要件具備行為
　——（否認）…………………………607
　——の詐害行為否認 ………………619
　——の偏頗行為否認 ………………619
対抗要件の否認
　——（再生手続）…………………1013
　——（破産手続）……………………603
　——の効果 …………………………622
対抗力を備えた賃借権（賃貸人の破産）……406
第三者債権による相殺 ………………514

第三者弁済（相殺禁止）⋯⋯⋯⋯⋯⋯543
第三セクター（破産能力）⋯⋯⋯⋯⋯⋯90
貸借対照表（破産財団）⋯⋯⋯⋯⋯⋯719
代償的取戻権
　——（再生手続）⋯⋯⋯⋯⋯⋯⋯⋯988
　——（特別の取戻権）⋯⋯⋯⋯⋯⋯479
　——（破産手続）⋯⋯⋯⋯⋯⋯⋯⋯476
退職金⋯⋯⋯⋯⋯⋯⋯⋯⋯⋯⋯⋯15,340
退職金債権
　——（使用者の破産）⋯⋯⋯⋯⋯⋯439
　——（破産財団）⋯⋯⋯⋯⋯⋯⋯⋯263
　——（労働者の破産）⋯⋯⋯⋯⋯⋯437
代替許可（再生手続における事業譲渡）
　⋯⋯⋯⋯⋯⋯⋯⋯⋯⋯⋯⋯⋯894,1061
対内的効力（外国倒産処理手続）⋯⋯934
代物弁済（否認）⋯⋯⋯⋯⋯⋯564,588
代理委員
　——（再生手続）⋯⋯⋯⋯⋯⋯⋯⋯918
代理委員
　——（破産手続）⋯⋯⋯⋯⋯⋯⋯⋯672
代理受領⋯⋯⋯⋯⋯⋯⋯⋯⋯⋯⋯⋯434
　——（相殺禁止）⋯⋯⋯⋯⋯⋯⋯⋯540
台湾（破産法改革）⋯⋯⋯⋯⋯⋯⋯⋯70
諾成的消費貸借契約⋯⋯⋯⋯⋯⋯⋯⋯431
多重債務者⋯⋯⋯⋯⋯⋯⋯⋯⋯⋯⋯⋯11
宅建業法上の還付充当金納付請求権（再生債
　権）⋯⋯⋯⋯⋯⋯⋯⋯⋯⋯⋯⋯⋯⋯949
他の手続の中止命令等
　——（国際破産）⋯⋯⋯⋯⋯⋯⋯⋯280
　——（再生手続）⋯⋯⋯⋯⋯⋯⋯⋯859
　——（破産手続）⋯⋯⋯⋯⋯⋯⋯⋯160
単一手続型（手続の基本構造）⋯⋯28,1240
単純承認（相続人の破産）⋯⋯⋯⋯⋯100
団体交渉応諾義務（破産管財人）⋯⋯443
担保価値維持義務⋯⋯⋯⋯⋯⋯214,998
担保供与に関する行為⋯⋯⋯⋯⋯⋯587
担保権実行の申立て（破産手続における担保
　権消滅許可）⋯⋯⋯⋯⋯⋯⋯⋯⋯⋯739
担保権証明文書⋯⋯⋯⋯⋯⋯⋯⋯⋯495
担保権消滅許可
　——（更生手続）⋯⋯⋯⋯⋯⋯⋯⋯731
　——（再生手続）⋯⋯⋯⋯⋯⋯⋯⋯1063
　——（破産手続）⋯⋯⋯⋯⋯⋯⋯⋯729
担保権消滅許可の申立て
　——（再生手続）⋯⋯⋯⋯⋯⋯⋯⋯1064
　——（破産手続）⋯⋯⋯⋯⋯⋯⋯⋯734
担保権の実行（破産手続開始決定）⋯⋯462
担保権の実行手続等の中止命令
　——（再生手続）⋯⋯⋯⋯⋯⋯⋯⋯869
　——（特別清算）⋯⋯⋯⋯⋯⋯⋯⋯39
担保提供命令（再生計画の遂行）⋯⋯1135
担保物権（取戻権）⋯⋯⋯⋯⋯⋯⋯⋯467
担保法改正⋯⋯⋯⋯⋯⋯⋯⋯⋯⋯⋯⋯84
担保や保証の排除（小規模個人再生）⋯⋯1206

ち

地域経済活性化支援機構⋯⋯⋯⋯⋯⋯49
地上権設定契約⋯⋯⋯⋯⋯⋯⋯⋯⋯402
地方公共団体（破産能力）⋯⋯⋯⋯⋯90
地方財政再建促進特別措置法（破産能力）⋯⋯90
地方税（財団債権）⋯⋯⋯⋯⋯⋯⋯335
中間配当⋯⋯⋯⋯⋯⋯⋯⋯⋯⋯⋯7,751
中国（破産法）⋯⋯⋯⋯⋯⋯⋯⋯⋯⋯1
仲裁手続（破産債権の確定）⋯⋯⋯707
忠実義務（破産管財人）⋯⋯⋯⋯⋯215
中小企業再生支援協議会⋯⋯⋯⋯⋯⋯49
中小企業者の再生債権⋯⋯⋯⋯⋯⋯938
注文者
　——の再生⋯⋯⋯⋯⋯⋯⋯⋯⋯⋯970
　——の破産⋯⋯⋯⋯⋯⋯⋯⋯⋯⋯417
超過部分（手続開始時現額主義）⋯⋯318
調査委員（再生手続）⋯⋯⋯⋯⋯⋯908
調査協力義務違反行為（免責不許可事由）⋯799
調査命令（再生手続）⋯⋯⋯⋯⋯⋯908
超大規模破産事件
　——（土地管轄）⋯⋯⋯⋯⋯⋯⋯⋯232
　——（破産手続開始決定）⋯⋯⋯⋯184
帳簿隠滅等の行為（免責不許可事由）⋯⋯799
帳簿の閉鎖（破産財団）⋯⋯⋯⋯⋯713
賃借人
　——の再生⋯⋯⋯⋯⋯⋯⋯⋯⋯⋯967
　——の破産⋯⋯⋯⋯⋯⋯⋯⋯⋯⋯402
賃貸借契約
　——（再生手続）⋯⋯⋯⋯⋯⋯⋯⋯966
　——（破産手続）⋯⋯⋯⋯⋯⋯⋯⋯402
賃貸人
　——の再生⋯⋯⋯⋯⋯⋯⋯⋯⋯⋯967
　——の破産⋯⋯⋯⋯⋯⋯⋯⋯⋯⋯406

賃料債権を受働債権とする相殺
　　——（賃貸人の再生）……………………968
　　——（賃貸人の破産）……………………408
賃料に対する物上代位 ………………………523
賃料の前払い・賃料債権の譲渡
　　——（賃貸人の再生）……………………967
　　——（賃貸人の破産）……………………407

つ

追加配当 ………………………………………766
追加予納または追納（予納金）………………148
通勤手当（財団債権）…………………………340
通常実施権（ライセンサーの破産）…………412
通信の秘密制限（破産者）……………………194

て

DIP 型（手続の基本構造）……………………29
DIP 型会社更生 …………………………………44
DIP ファイナンス ……………350, 942, 1081, 1247
TLAC（Total Loss-absorbing Capacity）
　債 ……………………………………………598
（無償行為否認）………………………………598
定期金債権（破産債権）………………………295
停止条件付債権
　　——（最後配当）………………………760
　　——（相殺）………………………523, 1000
　　——（破産債権）………………………295
停止条件付債務
　　——（相殺）……………………………525
　　——（相殺禁止）………………………531
抵当権（別除権）………………………………482
抵当権消滅請求（担保権消滅許可との関係）
　………………………………………………730
抵当権の実行手続の中止命令（住宅資金特別
　条項）………………………………………1142
抵当直流（別除権）……………………………484
手　形
　　——の買戻し（否認）…………………601
　　——の隠れた取立委任裏書（取戻権）……469
　　——の譲渡担保（別除権）……………505
　　——の不渡り……………………………120
手形支払に関する否認の制限
　　——（再生手続）………………………1012
　　——（破産手続）…………………………600

手形取立金返還義務（相殺禁止）………530, 539
手形の商事留置権者
　　——（再生手続）………………………990
　　——（破産手続）………………………483
適確な措置（再生計画）……………………1085
適正な価格による売却の否認 ………………583
出来高（請負契約）……………………………421
手続開始時現存額主義（破産債権）…………313
手続的侵害罪
　　——（再生犯罪）………………………1234
　　——（破産犯罪）………………………822
手続的併合（破産債権）………………………329
手続保障…………………………………………26
　　——（民事再生）………………………838
デット・エクィティ・スワップ（DES）
　……………………………………311, 1128, 1130
電気，ガス，水道供給契約 …………………401
天災地変（債務超過）…………………………126
電記録債権（商事留置権）……………………483
転貸借契約 ……………………………………409
転得者に対する否認
　　——（再生手続）………………………1014
　　——（破産手続）………………………628
電報の配達嘱託（破産手続開始決定）………189
転用型債権者代位訴訟（訴訟手続の中断・受
　継）……………………………………………446

と

ドイツ（破産法改革）…………………………69
問　屋
　　——の委託者（取戻権）………………470
　　——の取戻権……………………………475
同意型（住宅資金特別条項）………………1152
同意再生………………………………………1186
同意再生の決定………………………………1186
　　——確定の効力………………………1189
　　——に対する不服申立て……………1188
同意配当 ………………………………………765
同意破産手続廃止 ……………………………773
登記の嘱託
　　——（再生手続）………………………877
　　——（破産手続）………………………187
登記留保（私的整理）…………………………57
同行相殺（相殺権の濫用）……………………553

動産及び債権の譲渡の対抗要件に関する民法
　の特例等に関する法律 ……………………368
動産売買先取特権（別除権）………………491
倒産不申立て特約 …………………………135
倒産法制に関する改正検討事項……………70
倒産法的公序…………………………………20
倒産法の再構成………………………20, 394, 467
同時交換的取引
　──（再生手続）………………………1011
　──（破産手続）…………………………590
投資者保護基金（破産能力）………………92
同時処分
　──（再生手続開始決定）………………875
　──（小規模個人再生）………………1196
　──（破産手続開始決定）………………183
投資信託解約金返還債務
　──（相殺禁止）…………………………539
投資信託の受益権 …………………………483
同時破産手続廃止……………………196, 776
当然充当先行説（敷金返還請求権）……1083
当然対抗制度（通常実施権）………………413
当然復権 ……………………………………818
登録免許税（財団債権）……………………334
特定調停………………………………10, 11, 47
特定認証紛争解決事業者……………………19
特定の債権者に対する担保供与等の罪
　──（再生犯罪）………………………1236
　──（破産犯罪）…………………………829
特定破産法人（破産財団）………………69, 261
特定非営利活動法人（NPO）法人 ………127
特別異議申述期間（小規模個人再生）……1199
特別清算………………………………………68, 76
　──（清算型手続）………………………36
特別清算人……………………………………37
特別清算能力…………………………………89
特別調査期間
　──（再生手続）………………………1042
　──（破産手続）…………………………685
特別調査期日（破産手続）…………………688
特別の共益債権 ……………………………953
特別の財団債権 ……………………………339
特別の先取特権（別除権）…………………482
特別の取戻権
　──（再生手続）…………………………987

　──（破産手続）…………………………472
匿名組合契約 ………………………………430
都市計画税（財団債権）……………………334
土地改良区（破産能力）……………………91
土地管轄
　──（再生手続）…………………………901
　──（破産手続）…………………………228
土地区画整理組合……………………………91
土地重課税（租税等の請求権）……………355
特許権（取戻権）……………………………467
届出再生債権者等の権利の変更（再生計画の
　効力）……………………………………1124
届出再生債権に対する異議（小規模個人再
　生）………………………………………1200
豊田商事事件（事業者破産事件）……………3
トラスト・レシート取引（譲渡担保）……504
取締役
　──（委任契約）…………………………433
　──（資格制限）…………………………195
取立委任手形（相殺禁止）……………………8
取立訴訟（訴訟手続の中断・受継）………455
取戻権
　──（再生手続）…………………………986
　──（破産手続）…………………………465
　──の行使 ………………………………472
　──の消極的機能 ………………………466
取戻権
　──の積極的機能 ………………………466
取戻権者
　──（再生手続の利害関係人）…………922
　──（破産手続の利害関係人）…………250

な

内外人完全平等主義
　──（外国人の再生能力）………………842
　──（外国人の破産能力）………………90
内部者
　──（転得者に対する否認）……………631
　──（否認の相手方）……………………656
　──（偏頗行為否認）……………………593
7年以内の免責取得（免責不許可事由）……801

に

2号仮登記（破産管財人との関係）………380

事項索引　1301

二重の悪意（転得者に対する否認）………631
日本司法支援センター（法テラス・財団債
　権）……………………………………346
任意的記載事項
　──（再生計画）……………………1087
　──（再生計画の変更）……………1137

ね

根担保仮登記 ………………………………501
根抵当権
　──（最後配当）……………………760
　──（再生手続）……………………995
　──（破産手続）……………………490
根抵当権の極度額超過額の仮払いに関する定
　め（再生計画）……………………1092
年金一時金（使用者の破産）………………439

の

納税保証（否認）……………………………8
ノウハウ（破産財団）……………………261

は

ハードシップ免責………………………801, 1226
　──（給与所得者等再生）…………1233
　──（小規模個人再生）……………1221
配偶者の財産管理権（配偶者の破産）……435
配　当 ………………………………………749
配当額
　──の寄託……………………………753
　──の供託……………………………763
配当財団 ……………………………………257
配当調整（牽連破産）…………………1254
配当表 ………………………………………761
　──の作成……………………………754
　──に対する異議……………………756
　──の更正……………………………755
配当率 ………………………………………757
売買契約 ……………………………………399
破　産
　──（清算型手続）…………………33
　──と会社更生（優先関係）………131
　──と特別清算（優先関係）………133
　──と民事再生（優先関係）………130
破産解除条項 ……………………………390, 398

　──（双方未履行双務契約）………397
　──（スワップ・デリバティブ契約）……428
　──（双方未履行双務契約）………397
破産外人法（国際破産）……………………273
破産管轄 ……………………………………143
破産管財人 ………………………………3, 210
　──による雇用（使用者の破産）…441
　──による調査等 ……………………715
　──の応急処分義務 …………………220
　──の解任 ……………………………218
　──の管理行為についての制限（裁判所の
　　許可）………………………………719
　──の計算書提出義務 ………………219
　──の源泉徴収義務 …………………357
　──の実体法上の地位 ………………360
　──の辞任 ……………………………218
　──の職務 ……………………………211
　──の任務終了 ………………………218
　──の費用および報酬 ………………217
　──の法律上の地位 …………………221
破産管財人代理（破産管財人）…………211
破産管財人等
　──に対する職務妨害の罪 …………834
　──の特別背任罪 ……………………831
破産規則 ……………………………………72
破産原因罪（破産犯罪）…………………823
破産原因前兆事実（再生手続開始原因）……844
破産債権
　──と自由財産所属の債権との相殺 ……517
　──に関する訴訟 ……………………450
　──にもとづく強制執行等 …………457
　──の意義 ……………………………283
　──の確定 ……………………………694
　──の金額 ……………………………290
　──の順位 ……………………………302
　──の地位 ……………………………297
　──の調査 ……………………………681
破産債権査定決定 …………………………695
　──に対する異議の訴え ……………696
破産債権者
　──（利害関係人）…………………248
　──の利益代表者としての破産管財人 …363
破産債権者代理説（破産管財人の法律上の地
　位）……………………………………223

破産債権者団体説（財団債権の債務者）……344
破産債権者表 ………………………………680, 691
　　――の更生 …………………………………691
破産債権調査期間（同時処分）………………183
破産債権調査期日（同時処分）………………184
破産債権届出期間（同時処分）………………183
破産債権の確定
　　――（有名義破産債権）…………………702
　　――と破産手続の終了 …………………705
破産債権の届出 ……………………………………670
　　――の取下げ ……………………………679
破産債権の届出事項の変更 …………………677
破産財団 ……………………………………………256
　　――に属する権利の登記 ………………188
　　――に属する財産に関する訴訟 ………448
　　――の換価 ………………………………724
　　――の管理 ………………………………712
破産財団所属債権を自働債権，破産債権を受
　　働債権とする相殺 ………………………515
破産財団説 …………………………………………344
破産財団代表説（破産管財人の法律上の地
　　位）…………………………………………224
破産裁判所……………………………………86, 143
破産式確定（破産債権）………………………690
破産事件の移送（再生裁判所に対する）…1245
破産者説（財団債権の債務者）………………343
破産者
　　――（利害関係人）………………………249
　　――が悪意で加えた不法行為にもとづく損
　　　害賠償請求権（非免責債権）…………810
　　――が故意または重大な過失により加えた
　　　人の生命または身体を害する不法行為にも
　　　とづく損害賠償請求権（非免責債権）…811
　　――が知りながら債権者名簿に記載しなか
　　　った請求権（非免責債権）……………813
　　――と同視される破産管財人 …………361
　　――に関する登記 ………………………188
　　――に対する弁済（破産管財人に対する関
　　　係）………………………………………382
　　――に対する面会強請等の罪 …………835
　　――の経済的再生を保護法益とする罪 …822
　　――の行為（否認権）……………………567
破産者代理説（破産管財人の法律上の地位）
　　………………………………………………223

破産者代理人（破産手続開始申立て）………205
破産者代理人の守秘義務 ……………………207
破産者との間の契約による破産債権の取得
　　（相殺禁止の例外）………………………552
破産者の組織法上の行為（否認）……………570
破産主任官（旧商法破産編）……………………66
破産障害事由 ………………………………………130
　　――（手続相互間の優先劣後関係）…1241
破産宣告（破産手続開始決定）…………86, 181
破産団体代表説（破産管財人の法律上の地
　　位）…………………………………………224
破産手続
　　――の解止 ………………………………772
　　――の機関 ………………………………207
　　――の失効（手続相互間の優先劣後関係）
　　………………………………………………1241
破産手続開始決定 ………………………………181
破産手続開始原因 ……………………117, 151
破産手続開始後
　　――の賃料債務（相殺）………………526
　　――の手形の引受け・支払（破産財団人）
　　………………………………………………383
　　――の登記・登録（破産管財人）………378
　　――の破産者の行った法律行為の破産管財
　　　人に対する効力 ………………………374
　　――の破産者の行為 ……………………609
　　――の破産者の行為によらない権利取得
　　………………………………………………375
　　――の不履行による損害賠償および違約金
　　　の請求権 ………………………………308
　　――の利息の請求権 ……………………307
破産手続開始申立て ……………………………142
　　――（偏頗行為否認）……………………591
　　――の取下げ ……………………………150
破産手続開始後の債務負担 …………………530
破産手続開始後の他人の破産債権の取得（相
　　殺禁止）……………………………………541
破産手続開始後の破産債権の原始的取得（相
　　殺禁止）……………………………………546
破産手続開始後の弁済にもとづく求償権を自
　　働債権とする相殺（相殺禁止）…………542
破産手続開始の条件 ……………………………129
破産手続開始申立義務 …………………………127
　　――（民事再生）…………………………853

事項索引　1303

破産手続開始申立権者 …………………134
破産手続開始申立て後の悪意による破産債権
　取得（相殺禁止）……………………550
破産手続開始申立制限契約 …………135, 138
破産手続開始申立代理人 ………………205
破産手続参加の費用の請求権（劣後的破産債
　権）………………………………………309
破産手続終結 ……………………………768
　──と消滅時効 ………………………770
破産手続終結決定 ………………………769
破産手続終了原因 ………………………772
破産手続に対する中止命令……………………
　──（会社更生）……………………132
　──（手続相互間の優先劣後関係）……1241
　──（特別清算）……………………133
　──（民事再生）……………………130
破産手続の機能…………………………… 16
破産手続申立て後の債務負担（相殺禁止）…537
破産能力……………………………………88
破産犯罪 …………………………………822
破産法上の義務違反行為（免責不許可事由）
　……………………………………………800
破産法人の法人格（破産手続開始決定）…192
破産法等の見直しに関する中間試案………72
破産法の施行に伴う関係法律の整備等に関す
　る法律……………………………………75
罰金等の請求権
　──（再生債権の確定）………………1049
　──（非免責債権）……………………813
　──（劣後的破産債権）………………309
バンクミーティング（私的整理）……………54
阪神・淡路大震災（債務超過）………………126

ひ

引継予納金 ………………………………147
非義務偏頗行為
　──（再生手続）………………………1011
　──（破産手続）………………………594
　──（破産犯罪）………………………830
非金銭債権（破産債権）…………………294
非金銭債権等（相殺）……………………524
非減免債権の拡大（小規模個人再生）……1207
ビットコイン（仮想通貨）
　……………………191, 261, 338, 425, 468, 1115

　──（金銭化）…………………………292
　──（配当）……………………………750
必要的記載事項（破産申立開始申立書面）…142
ビデオテープ（文書の謄写）……………253
人の生命又は身体の侵害による損害賠償請求
　……………………………………………812
否　認
　──と訴訟参加（再生手続）…………1018
　──一般的要件 ………………………562
　──の基準時（牽連破産）……………1247
　──の個別的要件 ……………………577
否認規定の適用排除（小規模個人再生）…1204
否認権 ……………………………………632
　──（再生手続）………………………1008
　──（破産手続）………………………558
　──と詐害行為取消権 ………………559
　──の消滅時効（牽連破産）…………1249
　──のための保全処分 ………………171
　──の法的性質 ………………………633
否認権の行使主体
　──（再生手続）………………………1015
　──（破産手続）………………………634
否認権の行使方法
　──（再生手続）………………………1017
　──（破産手続）………………………635
否認権の裁判外行使
　──（再生手続）………………………1022
　──（破産手続）………………………642
否認権の消滅
　──（再生手続）………………………1022
　──（破産手続）………………………643
否認の相手方
　──に対する反対給付の返還 ………654
　──の債権の復活 ……………………657
否認の訴え
　──（再生手続）………………………1017
　──（破産手続）………………………635
否認の効果
　──（再生手続）………………………1022
　──（破産手続）………………………644
否認の抗弁
　──（再生手続）………………………1018
　──（破産手続）………………………638
否認の請求

1304

―― （再生手続） …………………1020
―― （破産手続） ……………………639
否認の請求を認容する決定に対する異議の訴え
　　―― （牽連破産） …………………1251
　　―― （再生手続） …………………1020
　　―― （破産手続） ……………………640
否認の登記
　　―― （再生手続） …………………1023
　　―― （破産手続） ……………………646
非破産債権
　　――と自由財産所属の債権との相殺 ……517
　　――と破産財団所属の債権との相殺 ……517
非免責債権 ………………………799, 809
100パーセント減資（再生計画） …………1090
評価済債権（小規模個人再生） …………1210
標準スケジュール（個人再生） …………1192
平　　等 …………………………………22
平等原則
　　―― （再生計画） …………………1112
　　――の徹底（小規模個人再生） ………1205

ふ

ファイナンス・リース
　　―― （担保権消滅許可） ………735, 1065
　　―― （破産管財人による換価） ………727
　　――の実行（中止命令） ………………874
ファイナンス・リース契約 ………………873
　　―― （再生手続） ……………………970
　　―― （破産手続） ……………………413
不安の抗弁権（双方未履行双務契約）…395, 396
不確定金銭債権（破産債権） ……………293
普及主義
　　―― （国際再生） ……………………931
　　―― （国際破産） ……………………274
複数手続型（手続の基本構造） ……28, 1240
付合（破産管財人に対する関係） …………376
扶助料（旧団体債権） ……………………333
付随処分
　　―― （再生手続開始決定） ……………876
　　―― （小規模個人再生） ……………1196
　　―― （破産手続開始決定） ……………185
不足額（残額）責任主義
　　―― （再生手続） ……………………991
　　―― （破産手続） …………………486, 761

負担付遺贈（財団債権） …………………339
復活説（別除権協定） ……………………992
復　　権 …………………………………818
物権説（否認権行使の効果） ……………634
物権変動等の対抗要件（破産管財人の実体法
　　上の地位） ……………………………367
物上代位権（別除権） ……………………494
物上保証人（破産債権） …………………318
不　　当
　　――な債務負担行為（免責不許可事由）…796
　　――な破産財団価値減少行為（免責不許可
　　事由） …………………………………795
　　――な目的 ……………………………566
　　――な偏頗行為（免責不許可事由）………796
　　――な目的（再生手続開始の条件）………849
不当性（否認） ……………………………566
不法原因給付（破産管財人）の実体法上の地
　　位 ……………………………………363
不法行為にもとづく損害賠償債権（破産債
　　権） ……………………………………305
扶養請求権（破産財団） …………………261
プライヴァシー（文書の閲覧・謄写） ……254
プライミングリーエン（共益債権） ………954
フランス（破産法改革） ……………………69
フランチャイズ契約 ……………………411
振込指定（相殺禁止） ……………………540
不良債権整理 ……………………………22
フルペイアウト方式（リース契約） ………415
プレ・パッケージ型再生 …………………1095
プレDIPファイナンス …………953, 1081
プロトコル（国際破産） …………………272
分　　散 …………………………………64
文書等の閲覧・謄写の制限 ………………925
　　―― （再生手続） ……………………925
　　―― （破産手続） ……………………252
分別の利益
　　―― （破産債権） ……………………323
　　―― （保証人の破産） ………………323

へ

ペアローン（住宅資金特別条項） ………1146
並行倒産（国際再生） ……………………932
並行破産（国際破産） ……………………276
平成29年民法改正 …………………………80

事項索引 　1305

別除権
　　──（再生手続）·················988
　　──（破産手続）·················479
　　──の目的である財産の受戻し ·········723
　　──の目的物の換価 ···············724
別除権協定 ···············482, 870, 970, 991
別除権者
　　──（再生手続の利害関係人）·········922
　　──（破産手続の利害関係人）·········250
別除権放棄 ···························487
弁護士等（資格制限）···················195
弁護士の預り金（取戻権）···············469
弁護士の守秘義務（破産犯罪）···········832
弁済禁止保全処分
　　──（再生手続）·················869
　　──（破産手続）·················157
弁済禁止保全処分に違反した弁済の効力 ···159
弁済充当（破産債権）···············316, 587
偏頗行為（詐欺破産罪）·················827
偏頗行為否認
　　──（再生手続）················1010
　　──（破産手続）·················586

ほ

包括的禁止命令
　　──（再生手続）·················862
　　──（破産手続）·················165
　　──と消滅時効 ··················170
　　──の対象除外 ··················167
包括的禁止命令の解除
　　──（再生手続）·················864
　　──（破産手続）·················169
報告書（破産手続終結）·················768
法　人
　　──（再生能力）·················842
　　──（破産能力）··················90
　　──の自由財産 ··················271
法人格の消滅（破産手続終結）········771, 781
法人格否認の法理 ·····················329
法人住民税（租税等の請求権）···········357
法人税（財団債権）·····················352
法人でない社団または財団
　　──（再生能力）·················843
　　──（破産能力）·················115

法人の役員の責任の追及等
　　──（再生手続）················1026
　　──（破産手続）·················662
法人の理事（破産手続開始申立権）·······139
法人破産管財人 ·······················210
膨張主義
　　──（再生債務者財産）············930
　　──（破産財団）················66, 259
法定再生債務者財産 ···················929
法定財団 ·····················256, 448, 712
法定の原因（相殺禁止）·················539
法定の原因にもとづく債務負担前に生じた原
　因にもとづく債務負担（相殺禁止の例外）
　 ··································542
法定の原因にもとづく破産債権の取得（相殺
　禁止の例外）························550
法定利率（否認権行使の効果）···········646
法テラス（日本司法支援センター・財団債
　権）································148
法律管財人（会社更生）·················44
保険金受取人の変更行為（否認）·········577
保険金請求権（破産財団）···············261
保険契約
　　──（再生手続）·················971
　　──（破産手続）·················424
保険契約者
　　──の再生 ·····················972
　　──の破産 ·····················424
保険契約者保護機構（破産能力）·········92
保険者
　　──の再生 ·····················972
　　──の破産 ·····················424
募集株式を引き受ける者の募集
　　──に関する定め（再生計画）···1090, 1128
　　──（再生手続）·················901
保証会社（住宅資金特別条項）··········1145
保証債務履行前の法律関係への巻戻し（住宅
　資金特別条項を定めた再生計画）······1160
保証人
　　──（免責の効果）···············813
　　──の再生 ·····················948
　　──の破産 ·····················322
保全管理人
　　──（再生手続）·················896

――（破産手続）……………………226
――の権限および地位 ………………178
――の善管注意義務 …………………179
――の任務終了 ………………………180
――の費用および報酬 ………………180
保全管理人代理 …………………………179
保全管理人の実体法上の地位
――（再生手続）……………………963
――（破産手続）……………………385
保全管理命令
――（国際破産）……………………280
――（再生手続）……………………897
――（破産手続）……………………175
保全処分
――（再生手続）……………………866
――（役員の財産）…………………662
ホッチ・ポット・ルール
――（国際再生）……………………932
――（国際破産）……………………275
本源的統治団体（破産能力）……………90
本旨弁済
――（詐欺破産罪）…………………827
――の故意否認 ………………………579
本籍地市区町村長への通知 …………189,196
――（免責）…………………………794

ま

マイナス金利（破産債権額）……………292
前に生じた原因（相殺禁止）……………539
前に生じた原因にもとづく破産債権の取得
（相殺禁止の例外）…………………550
前払金返還請求権（請負人の破産）……423
孫会社（土地管轄）………………………230
マスターリース契約 ……………………410
回り手形（別除権）………………………491

み

身元保証金返還債権（優先的破産債権）……304
民事再生 …………………………………837
――（再生型手続）……………………41
民事再生規則 ………………………………70
民事再生手続開始申立権の濫用 ………850
民事再生能力 ………………………………89
民事再生標準スケジュール ……………837

民事再生法 …………………………………70
民事再生法施行規則 ………………………79
民事執行法及び国際的な子の奪取の民事上の
側面に関する条約の実施に関する法律の一部
を改正する法律………………………80
民事留置権
――（再生手続）……………………989
――（破産手続）……………………483
民法上の組合（破産能力）………………116
民法等の一部を改正する法律……………81
民法の一部を改正する法律………………80
民法の一部を改正する法律の施行に伴う関係
法律の整備等に関する法律…………80

む

無異議債権（小規模個人再生）………1211
無委託保証人 ……………………………544
無委託保証人の事後求償権
――（相殺禁止）……………………544
――（破産債権）…………………289,320
無限責任社員
――の再生 ……………………………949
――の破産 ……………………………327
無限連鎖講商法（破産管財人の法的地位）…363
無償行為否認
――（再生手続）……………………1012
――（破産手続）……………………597
――の例外（否認権行使の効果）………649
――またはこれと同視すべき有償行為（転
得者に対する否認）…………………632

め

名簿落ち（破産免責）……………………790
メインバンク（私的整理）…………………58
免　除（偏頗行為否認）…………………588
免　責 ……………………………………781
――の効果 ……………………………806
――の国際的効力 ……………………814
――の審理 ……………………………791
――の取消し …………………………815
――の理念 ……………………………783
免責許可の申立て ………………………786
免責審理期間中の強制執行の禁止および中止
…………………………………803

事項索引　1307

免責積み立て……………………790
免責不許可事由……………13, 16, 794

も

申立てによる復権…………………819

や

役員責任査定決定に対する異議の訴え……666
役員責任査定の裁判に対する異議の訴え（訴訟手続の中断・受継）………………448
　——（牽連破産）……………1252
役員の財産に対する保全処分
　——（再生手続）……………1026
　——（破産手続）………………174
役員の責任の査定手続
　——（再生手続）……………1027
　——（破産手続）………………664
約定劣後再生債権……………………944
　——（再生計画）……………1082
　——（再生計画の認可）……1116
約定劣後破産債権……………25, 311
　——（議決権）…………………242

ゆ

有害性（否認）……………………563
優先的破産債権………………………303
　——（使用者の破産）…………440
　——相互の順位…………………305
融通手形の抗弁（破産管財人の実体法上の地位）……………………………362
郵便物等
　——の管理（破産管財人）……714
　——の配達嘱託（破産手続開始決定）………………………189, 194
有名義再生債権（再生債権の確定）……1047

よ

養育費
　——（消費者破産事件）…………16
　——請求権（破産債権）………288
用益物権（取戻権）………………467
傭船契約………………………………416
預金拘束（相殺の担保的機能）…513
預金保険機構（破産能力・破産管財人）

　………………………………92, 210
夜逃げ…………………………………122
予納金……………………………………15
　——（再生手続）………………855
　——（破産手続）………………146
予納法人税（租税等の請求権）…353
予備的再生債権届出…………………1032
予備的破産債権届出…………………672

ら

ライセンス契約……………………411

り

利害関係人
　——（再生手続）………………921
　——（破産手続）………………246
履行拒絶権（双方未履行双務契約）…390
離婚訴訟（訴訟手続の中断・受継）…447
リスケジュール型（住宅資金特別条項）…1150
流質（別除権）……………………484
リレーローン（住宅資金特別条項）……1147

れ

令和元年民事執行法改正………………80
令和3年民法改正………………………81
列挙主義（破産手続開始原因）…117
劣後化
　——（破産債権）………………25, 311
　——（再生計画）……………1081
劣後債（約定劣後破産債権）……311
劣後の取扱いを受ける再生債権……944
劣後的破産債権……………………306
　——（議決権）…………………242
レバリッジド・バイアウト（LBO・無償行為否認）……………………………600

ろ

ロイヤリティ（ライセンス契約）……411
労働協約
　——（再生手続）………………973
　——（破産手続）………………444
労働組合（再生手続の利害関係人）…924
労働組合等の意見聴取
　——（再生計画案）……………1098

労働債権
　　──（一般優先債権）……………946
　　──（優先的破産債権）……………303
労働者
　　──の再生 ……………………973
　　──の破産 ……………………436
労働者健康福祉機構による代位弁済（優先的破産債権）………………332
労働者健康福祉機構による立替払い（給料債権等）……………………………440
浪費または射幸行為（免責不許可事由）……797
録音テープ（文書の謄写）……………253
ロシア（破産法）………………………1

わ

和議管財人 ………………………839
和議債務者 ………………………839
和議条件 …………………………839
和議能力 …………………………839

──（再生手続開始申立て）………856

著者紹介

伊藤　眞（いとう　まこと）

略　歴

1945年2月14日，長野県上田市に生まれる。
駒場東邦高校を経て，1967年東京大学法学部卒業。
東京大学法学部助手，名古屋大学法学部助教授，一橋大学法学部教授，東京大学大学院法学政治学研究科教授，早稲田大学大学院法務研究科客員教授，日本大学大学院法務研究科客員教授，創価大学大学院法務研究科客員教授を経て，
現在，東京大学名誉教授，日本学士院会員，弁護士（長島・大野・常松法律事務所）。

主要著書

民事訴訟の当事者（1978年，弘文堂）
債務者更生手続の研究（1984年，西神田編集室）
破産——破滅か更生か（1989年，有斐閣）
法律学への誘い〈第2版〉（2006年，有斐閣）
破産法〈第4版補訂版〉（2006年，有斐閣）
千曲川の岸辺（2014年，有斐閣）
続・千曲川の岸辺（2016年，有斐閣）
会社更生法・特別清算法（2020年，有斐閣）
民事訴訟法〔第7版〕（2020年，有斐閣）
消費者裁判手続特例法〔第2版〕（2020年，商事法務）
倒産法入門——再生への扉（2021年，岩波書店）
民事司法の地平に向かって——伊藤眞　古稀後著作集（2021年，商事法務）
続々・千曲川の岸辺（2022年，有斐閣）

破産法・民事再生法〈第5版〉
BANKRUPTCY and CIVIL REHABILITATION ACT（5th Ed.）

2007年11月15日	初　版第1刷発行
2009年6月15日	第2版第1刷発行
2014年9月30日	第3版第1刷発行
2018年12月25日	第4版第1刷発行
2022年3月30日	第5版第1刷発行

著　者　　伊　藤　　　眞
発行者　　江　草　貞　治

〔101-0051〕東京都千代田区神田神保町2-17
発行所　株式会社　有　斐　閣
http://www.yuhikaku.co.jp/

印刷・大日本法令印刷株式会社／製本・大口製本印刷株式会社
© 2022, Makoto Ito. Printed in Japan
落丁・乱丁本はお取替えいたします。

★定価はカバーに表示してあります
ISBN 978-4-641-13877-3

JCOPY　本書の無断複写（コピー）は，著作権法上での例外を除き，禁じられています。複写される場合は，そのつど事前に（一社）出版者著作権管理機構（電話03-5244-5088，FAX03-5244-5089，e-mail：info@jcopy.or.jp）の許諾を得てください。